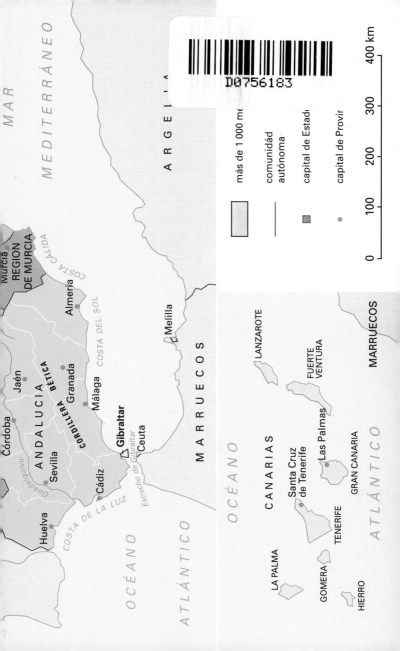

MAR MEDITERRÁNEO

A R G E L I A

D0756183

400 km

más de 1 000 me

comunidad
autónoma

capital de Estad

capital de Provir

| 0 | 100 | 200 | 300 |

Murcia
**REGIÓN
DE MURCIA**

COSTA CÁLIDA

Almería

COSTA DEL SOL

Melilla

M A R R U E C O S

Jaén

Granada

ANDALUCÍA
BÉTICA

Málaga

CORDILLERA

Córdoba

Guadalquivir

Sevilla

Estrecho de Gibraltar

Gibraltar

Ceuta

Cádiz

Huelva

COSTA DE LA LUZ

OCÉANO

ATLÁNTICO

O C É A N O

LANZAROTE

FUERTE
VENTURA

C A N A R I A S

Santa Cruz
de Tenerife

Las Palmas

GRAN CANARIA

TENERIFE

LA PALMA

GOMERA

HIERRO

ATLÁNTICO

MARRUECOS

M A R R U E C O S

midi

DICTIONNAIRE

FRANÇAIS - ESPAGNOL
ESPAGNOL - FRANÇAIS

Annexes établies par A. González Hermoso
M. Sánchez Alfaro
et J.R. Cuenot

VOX
BIBLOGRAF

HACHETTE

Le présent dictionnaire s'adresse aux élèves des collèges et à tous ceux – touristes, hommes d'affaires, etc. – qui recherchent un dictionnaire en format de poche, clair et pratique à consulter, en voyage comme dans la vie professionnelle.

Pour chaque entrée du dictionnaire, les différents sens sont présentés selon un ordre hiérarchique. L'acception la plus usuelle vient en premier lieu, suivie des autres, dans l'ordre décroissant de la fréquence d'emploi. Lorsqu'un doute est possible, une explication donnée entre parenthèses après la traduction aide l'utilisateur à choisir l'acception à retenir. Le genre des substantifs, qui n'est pas forcément identique dans les deux langues, est systématiquement indiqué lorsqu'il diffère en français et en espagnol. Une des difficultés majeures de l'espagnol réside dans l'emploi correct des prépositions. Aussi l'emploi de la préposition est-il signalé lorsqu'il diverge en français et en espagnol.

Enfin ce dictionnaire propose un certain nombre d'annexes, dans lesquelles l'utilisateur trouvera aussi bien un rappel des grandes lignes de la grammaire espagnole (formation du pluriel des noms, liste des verbes irréguliers, etc.) que des expressions utiles pour communiquer (exprimer l'heure, savoir compter, comprendre les abréviations les plus courantes, etc.), pour écrire une lettre ou téléphoner en espagnol.

Maquette de couverture : RPM Consultants.
Composition des pages II à LIX : texte & graphisme.
Cartographie : Hachette Classiques.

©1992, Biblograf, S. A., Espagne.
©1993, Hachette Livre, Paris, pour la version destinée
au marché francophone.
ISBN 2.01.020 656.8

TABLE DES MATIÈRES

MODE D'EMPLOI DU DICTIONNAIRE

~•~

Transcription phonétique selon API	**abbaye** [ɑbɛi] *f.* Abadía.	**adivinación** [aðißinaθiòn] *f.* Divination.
		adivinar [aðißinàr] *tr.* Deviner.

Entrée en majuscules

Catégorie grammaticale

Pronunciation alternative — **aiguiser** [eg (ɥ) ize] *tr.* ≀ Aguzar (rendre pointu). ≀ Amolar, afilar.

Dérivation irrégulière — **celui, celle** [səlɥi, sɛl] **ceux, celles** [sø, sɛl] *pron. dém.* ≀ El, la, los, las (suivi de *de, que, qui*). ≀ Aquel, aquella, aquellos, aquellas (suivi de *dont, avec, pour*, etc.).

Commentaires grammaticaux

arder [arðer] *intr.* ≀ Brûler: *la casa arde*, la maison brûle. ≀ fig. – *en deseos*, brûler d'envie; fam. *La cosa está que arde*, ça barde, ça chauffe, le torchon brûle.

Expressions figées

Changement de genre — **cep** [sɛp] *m.* Cepa *f.* (de vigne).

atracar [atrakàr] *tr. -intr.* ≀ MAR. Accoster. ■ ≀ *tr.* Attaquer (saltear para robar). ≀ Dévaliser (robar). ≀ Bourrer, rassasier. ■ ≀ *pr.* Se bourrer, se gaver.

Changement de catégorie grammaticale

Acceptions différentes

Niveau de langue

Conjugaison irrégulière

cueillir [kœjir] *tr.* ≀ Coger (fruits, fleurs, plantes). ≀ fam. Coger, atrapar, pillar (un voleur). ▲ CONJ. IRRÉG. INDIC. Prés.: *je cueille, tu cueilles, il cueille, nous cueillons, vous cueillez, ils cueillent.* Imperf.: *je cueillais*, etc. Prét. indéf.: *je cueillis*, etc. Fut. imperf.: *je cueillerai*, etc. POT.: *je cueillerais*, etc. SUBJ. Prés.: *que je cueille*, etc. Imperf.: *que je cueillisse*, etc. IMPER.: *cueille, cueillons, cueillez;* PART. A.: *cueillant.* PART. P.: *cueilli, cueillie.*

avecinarse [aßeθinàrse] *pr.* Approcher, être imminent, ente (una fecha, etc.): *se avecina una subida del precio de la gasolina*, une augmentation du prix de l'essence est imminente.

Exemples d'usage

durazno [duràθno] *m.* ≀ AMÉR. Variété de pêche *f.* (fruto). ≀ Pêcher (árbol).

Américanismes

Renvoi au modèle de conjugaison — **recueillir** [ʀ(ə)kœjir] *tr.* ≀ Recoger. ■ ≀ *pr.* Recogerse, concentrarse. ▲ CONJUG. como *cueillir.*

el [el] *art. def.* Le, l' (delante de vocal o h muda): – *gato*, le chat. ▲ El art. *el* debe traducirse a menudo por el adj. posesivo: *se quitó – sombrero*, il ôta son chapeau.

Commentaires de certaines difficultés de traduction

Contexte de la traduction

Locution

Changement de nombre

fonds [f5] *m.* ≀ DR. Heredad *f.*, fundo. ≀ COMM. Comercio, establecimiento. Loc. – *de commerce*, negocio, comercio. ≀ Fondos *pl.*, capital. ■ ≀ *pl.* Fondos: – *publics*, fondos públicos.

trompada [trompàða] *f.*, **trompazo** [trompàθo] *m.* ≀ Coup *m.* de poing (puñetazo).

Entrées doubles

---

1) Quand un mot a plusieurs sens, ceux-ci sont numérotés, les sens propres précédant les sens figurés.

2) Les indications entre parenthèses apportent des éclaircissements de sens nécessaires au choix de la traduction la plus juste.

3) Le genre et le nombre des substantifs ne sont mentionnés dans la traduction que lorsqu'ils diffèrent d'une langue à l'autre.

4) Quand un verbe, ou un adjectif, est accompagné d'une préposition différente en français et en espagnol, celle-ci est citée soit dans un exemple, soit, par économie de place, entre parenthèses, suivie de sa traduction.

5) Les principales formes irrégulières des verbes usuels sont données à leur place alphabétique avec un renvoi à l'infinitif.

PARTIE FRANÇAIS-ESPAGNOL

abs.	absoluto.	DER.	derecho.	METEOR.	meteorología.
abus.	abusivamente.	desp.	despectivo.	MÉTR.	métrica.
adj.	adjetivo.	dim.	diminutivo.	MIL.	militar.
adj. f.	adjetivo femenino.	ECLES.	eclesiástico.	MIN.	minería.
		ELECT.	electricidad.	MINER.	mineralogía.
adj.-f.	adjetivo usado también como substantivo femenino.	emp.	empléase.	MIT.	mitologí
		EQUIT.	equitación.	MONT.	montería.
		ESC.	escultura.	MÚS.	música.
		ESGR.	esgrima.	n. pr.	nombre propio.
adj. m.	adjetivo masculino.	esp.	especialmente.		
		exclamat.	exclamativo.	num.	numeral.
adj.-m.	adjetivo usado también como substantivo masculino.	f.	nombre femenino.	NUMISM.	numismática.
		fam.	familiar.	onomat.	onomatopeya.
		FARM.	farmacia.	ÓPT.	óptica.
		fig.	figurado.	p. p.	participio pasivo.
adj.-s.	adjetivo usado también como substantivo.	FIL.	filosofía.		
		FIS.	física.	pers.	personal.
		FISIOL.	fisiología.	PINT.	pintura.
adv.	adverbio.	fort.	fortificación.	pl.	plural.
AGR.	agricultura.	fot.	fotografía.	poét.	poético.
ALBAÑ.	albañilería.	gal.	galicismo.	pop.	popular.
amer.	americanismo.	GEOG.	geografía.	pos.	posesivo.
ANAT.	anatomía.	GEOL.	geología.	pr.	pronominal.
angl.	anglicismo.	GEOM.	geometría.	prep.	preposición.
ant.	antiguo, ua; antiguamente.	GRAM.	gramática.	pron.	pronombre.
		HIST.	historia.	prov.	proverbio.
ARQ.	arquitectura.	impers.	impersonal.	QUÍM.	química.
art.	artículo.	IMPR.	imprenta.	RAD.	radio.
ARTILL.	artillería.	indef.	indefinido.	rec.	recíproco.
ASTR.	astronomía.	interr.	interrogativo.	rel.	relativo.
aum.	aumentativo.	interj.	interjección.	REL.	religión.
aut.	automóvil; automovilismo.	intr.	intransitivo.	RET.	retórica.
		invar.	invariable.	s.	nombre masculino y femenino.
auxil.	auxiliar.	irón.	irónico.		
AVIAC.	aviación.	LIT.	literatura.		
B. ART.	bellas artes.	LITURG.	liturgia.	sing.	singular.
BIOL.	biología.	loc.	locución.	TAUROM.	tauromaquia.
BLAS.	blasón.	loc. adj.	locución adjetiva.	TEAT.	teatro.
BOT.	botánica.			TÉCN.	técnica.
CARP.	carpintería.	loc. adv.	locución adverbial.	TEJ.	tejido.
CETR.	cetrería.			TEOL.	teología.
CIN.	cinematografía.	loc.conj.	locución conjuntiva.	tr.	transitivo.
CIR.	cirugía.			tr.-intr.	verbo transitivo que se usa también como intransitivo.
COC.	cocina.	loc. prep.	locución prepositiva.		
COM.	comercio.				
conj.	conjunción.	LÓG.	lógica.		
CONSTR.	construcción.	m.	nombre masculino.	v.	véase.
contr.	contracción.	MAR.	marina.	var.	variable.
def.	defectivo.	MAT.	matemáticas.	VET.	veterinaria.
dem.	demostrativo.	MEC.	mecánica.	ZOOL.	zoología.
DEP.	deporte.	MED.	medicina.		
		METAL.	metalurgia.		

Abréviations employées dans la conjugaison des verbes

COND.	conditionnel.	Imparf.	imparfait.	PART. PRÉS.	participe présent.
CONJUG.	conjugaison.	INDIC.	indicatif.		
CONJUG. IRRÉG.	conjugaison irrégulière.	INFIN.	infinitif.	pas.	passé simple.
		IMPÉR. irrég.	impératif. irrégulier.	prés.	présent.
FUT.	futur.	PART. PAS.	participe	rég.	régulier.
GÉR.	gérondif.		passé.	SUBJ.	subjonctif.

PARTIE ESPAGNOL-FRANÇAIS

abs.	absolument.	CUIS.	cuisine.		masculin.
abus.	abusivement.	déf.	défectif.	MAR.	marine.
adj.	adjectif.	dém.	démonstratif.	MATH.	mathématiques.
adj. f.	adjectif féminin.	dial.	dialectal.	MÉC.	mécanique.
		dim.	diminutif.	MÉD.	médecine.
adj.-f.	adjectif employé aussi comme substantif féminin.	DR.	droit.	MENUIS.	menuiserie.
		ECCLÉS.	ecclésiastique.	MÉTAL.	métallurgie.
		ÉCON.	économie.	MÉTR.	métrique.
		ÉLECTR.	électricité.	MIL.	militaire.
		emp.	employé.	MIN.	mines.
adj. m.	adjectif masculin.	ÉQUIT.	équitation.	MINÉR.	minéralogie.
		ESCR.	escrime.	MUS.	musique.
adj.-m.	adjectif employé aussi comme substantif masculin.	f.	substantif féminin.	MYTH.	mythologie.
		fam.	familier.	n. pr.	nom propre.
		FAUCON.	fauconnerie.	NUMIS.	numismatique.
		fig.	figuré.	onom.	onomatopée.
adj.-s.	adjectif employé aussi comme substantif.	FORT.	fortifications.	OPT.	optique.
		gallic.	gallicisme.	p. p.	participe passé.
		GÉOG.	géographie.	PEINT.	peinture.
		GÉOL.	géologie.	pers.	personnel.
adv.	adverbe.	GÉOM.	géométrie.	PHARM.	pharmacie.
AÉR.	aéronautique.	GRAM.	grammaire.	PHILOS.	philosophie.
AGR.	agriculture.	impers.	impersonnel.	PHOT.	photo.
ANAT.	anatomie.	impr.	imprimerie.	PHYS.	physique.
ancienn.	anciennement.	indéf.	indéfini.	PHYSIOL.	physiologie.
angl.	anglicisme.	inter.	interrogatif, ve.	pl.	pluriel.
ARCHIT.	architecture.	interj.	interjection.	poét.	poétique.
art.	article.	intr.	intransitif.	pop.	populaire.
ARTILL.	artillerie.	invar.	invariable.	poss.	possessif.
ASTRON.	astronomie.	iron.	ironique.	pr.	verbe pronominal.
augm.	augmentatif.	LITT.	littérature.		
AUTO.	automobile.	LITURG.	liturgie.	prép.	préposition.
auxil.	verbe auxiliaire.	loc.	locution.	pron.	pronom.
BIOL.	biologie.	loc. adj.	locution adjective.	prov.	proverbe.
BX. ARTS.	beaux arts.			récipr.	réciproque.
BLAS.	blason.	loc. adv.	locution adverbiale.	rel.	relatif.
BOT.	botanique.			RELIG.	religion.
CHASS.	chasse.	loc.conj.	locution conjonctive.	RHÉT.	rhétorique.
CHIM.	chimie.			s.	substantif.
CHIR.	chirurgie.	loc. interj.	locution interjective.	SCULPT.	sculpture.
conj.	conjonction.			sing.	singulier.
COMM.	commerce.	loc. prép.	locution prépositive.	spécial.	spécialement.
CONSTR.	construction.			SPORTS	sports.
contr.	forme contractée.	LOG.	logique.	TAUROM.	tauromachie.
		m.	substantif	TECHN.	mot technique.
				THÉÂT.	théâtre.

VI

TISS.	tissage.		employé aussi	VÉTÉR.	vétérinaire.
tr.	verbe transitif.		commme	vieil.	vieilli.
tr. ind.	verbe transitif		intransitif.	ZOOL.	zoologie.
	indirect.	V.	voir.		
tr.-intr.	verbe transitif	VÉN.	vénerie.		

Abréviations employées dans la conjugaison des verbes

CONJ.	conjugación.	INDIC.	indicativo.	POT.	potencial.
CONJUG.	conjugación	INFIN.	infinitivo.	Pres.	presente.
IRREG.	irregular.	irreg.	irregular.	Pret.	pretérito
FUT.	futuro.	PART. A.	participio		indefinido.
GER.	gerundio.		activo.	indef.	
IMPER.	imperativo.	PART. P.	participio	reg.	regular.
imperf.	imperfecto.		pasivo.	SUBJ.	subjuntivo.

AUTRES SIGNES

■ indique un changement de catégorie grammaticale à l'intérieur du mot considéré.

▲ précède la conjugaison d'un verbe irrégulier ou certaines observations.

– remplace le mot ou l'infinitif du verbe traité dans les exemples ou les locutions.

ALPHABET PHONÉTIQUE

VOYELLES
[i]	comme en français dans *pipe*, *habit*.
[e]	comme en français dans *porter*, *dé*.
[a]	comme en français dans *là*, *part*.
[o]	comme en français dans *peau*, *pot*.
[u]	comme en français dans *poule*, *loup*.

SEMI-CONSONNES
[j]	comme en français dans *bien*, *avion*.
[w]	comme en français dans *oui*, *toi*.

CONSONNES
[p]	comme en français dans *père*, *pomme*.
[b]	comme en français dans *ballon*, *bouger*.
[t]	comme en français dans *tenir*, *tante*.
[d]	comme en français dans *dire*, *donner*.
[k]	comme en français dans *café*, *complet*.
[g]	comme en français dans *gare*, *gâcher*.
[β]	sans équivalence en français. Consonne fricative. On la prononce avec la seule intervention des lèvres sans jamais arriver à les fermer complètement, comme dans *débito* en portugais.
[ð]	sans équivalence en français. Sorte de *d*, mais fricative. On la prononce en appuyant légèrement la pointe de la langue entre les incisives supérieures et inférieures ou contre le dos des supérieures. Semblable à la prononciation anglaise de *father*.
[γ]	sans équivalence en français. À la différence de la prononciation du *g*, le dos de la langue n'arrive pas à toucher le voile du palais. Comme dans *Lage* en allemand.
[f]	comme en français dans *feu*, *photo*.
[θ]	sans équivalence en français. Quand on la prononce, la pointe de la langue s'introduit entre les incisives supérieures et inférieures. Semblable à la prononciation anglaise de *thin*, mais en appuyant fortement la langue contre les dents.
[s]	comme en français dans *savoir*, *servir*.
[z]	comme en français dans *maison*, *rose*.
[j]	la langue touche le palais. Semblable à la prononciation anglaise de *yes*, mais légèrement plus fermée et tendue.
[x]	sans équivalence en français. Pour la prononcer, la partie postérieure du dos de la langue doit s'approcher du voile du palais. Semblable à la prononciation canadienne de *chercher* et à celle de l'allemand dans *machen*.
[tʃ]	sans équivalence en français. Pour la prononcer, le dos de la langue touche la région prépalatale en faisant une occlusion et une frication. Semblable à la prononciation italienne de *cielo*.
[dʒ]	sans équivalence en français. même articulation que [tʃ], mais prononcée avec vibration des cordes vocales. semblable à la prononciation italienne de *gelo*.

VIII

[m]	comme en français dans **m**aison, **m**ordre.
[ɱ]	prononciation du *n*, mais avec une articulation labio-dentale. Semblable à la prononciation italienne de i**n**fame.
[n]	comme en français dans **n**ous, a**n**imal.
[ŋ]	c'est la prononciation du *n*, mais avec une articulation vélaire. Semblable à la prononciation anglaise de dopi**n**g.
[ɲ]	comme en français dans monta**gn**e, vi**gn**e.
[λ]	sans équivalence en français. La pointe de la langue touche les alvéoles supérieures et les bords de la langue les gencives supérieures en même temps que la partie centrale de la langue touche le palais. Son semblable à la prononciation italienne de fi**gli**o.
[l]	comme en français dans **l**à, so**l**.
[r]	c'est un *r* roulé. La pointe de la langue produit une légère occlusion contre les alvéoles. Semblable au *r* du français méridional.
[r̄]	c'est un *r* roulé. Même articulation que le [r] mais avec plusieurs occlusions.
'	placé sur une voyelle marque l'accent tonique.
-	placé sur [i] et [u] indique qu'il s'agit de voyelles asyllabiques.
[ʃ]	mots empruntés à l'anglais et à l'allemand. Comme en français dans **ch**at, va**ch**e.
[ʒ]	mots empruntés au français comme dans *beige*.

RÈGLES D'ACCENTUATION

Les mots espagnols sont accentués sur la dernière syllabe s'ils sont terminés par une consonne sauf *n* ou *s* :

la par**e**d reduc**i**r el loc**a**l az**u**l

Les mots sont accentués sur l'avant-dernière syllabe s'ils sont terminés par une voyelle ou un *n* ou un *s* :

la co**ci**na el vol**u**men los profes**o**res

Les mots dont l'accentuation ne satisfait pas à l'une ou l'autre des règles énoncées ci-dessus portent un accent écrit :

el caf**é** el **á**rbol la lecci**ó**n

Les accents dits grammaticaux servent à différencier des mots identiques ayant des fonctions grammaticales diverses :

mi libro (mi est adjectif possessif)
Es para mí. (mí est pronom personnel)

Les adjectifs, pronoms ou adverbes interrogatifs portent également un accent de différenciation :

¿ Cuándo llegará el tren ? Quand est-ce qu'arrivera le train ?

LES DÉTERMINANTS

■ L'ARTICLE

	article défini		article indéfini	
	singulier	pluriel	singulier	pluriel
masculin	**el**	**los**	**un**	**unos**
féminin	**la**	**las**	**una**	**unas**

Seules formes contractées :   **de + el = del**   **la corbata del director**
                                  a + el = al   **Voy al puerto.**

L'article est placé avant le substantif et s'accorde en genre et en nombre.

• L'article défini

– Généralités

Il précède **señor, señora, señorita**, sauf quand on s'adresse directement à la personne :
    La señora García no está.   *Madame García n'est pas là.*
    ¡ Buenos días, señor Fuentes !   *Bonjour, M. Fuentes !*

Pour l'expression de l'heure, l'article **la** ou **las** précède le numéral et se substitue au mot **hora** :
    Es la una.   *Il est une heure.*
    Son las ocho.   *Il est huit heures.*

Pour exprimer un jour de la semaine, l'article indéfini singulier indique un jour précis :
    Iremos al cine el sábado.   *Nous irons au cinéma samedi.*

Au pluriel, il marque une certaine périodicité :
    Iremos al cine los sábados.   *Nous irons au cinéma le samedi.*

L'article défini permet d'exprimer un pourcentage :
    Te daré el veinte por ciento.   *Je te donnerai vingt pour cent.*

L'article masculin singulier permet de transformer un infinitif en nom (substantivation) :
    el andar   *la façon de marcher, la démarche*

On emploie **el** au lieu de **la** devant des mots féminins singuliers commençant par *a* ou *ha* accentués (voir règles d'accentuation) :
    el agua fría   *l'eau froide*
    el arma tremenda   *l'arme terrible*

– Omission de l'article défini

Devant les noms de pays ou de provinces non suivis d'un déterminant :

Francia, Alemania *La France, l'Allemagne*

mais

la Francia del sur *La France du sud*

Il y a cependant de nombreuses exceptions :
la India, el Japón, el Ecuador, el Perú, etc.

Devant le mot **casa** quand celui-ci signifie *chez* :

Voy a casa de Antonio. *Je vais chez Antoine.*
Estoy en casa. *Je suis chez moi.*

• L'article indéfini

En général, au pluriel, l'article indéfini est omis :

Tenemos amigos. *Nous avons des amis.*
Juan recibe regalos. *Jean reçoit des cadeaux.*

Quand **unos** et **unas** sont maintenus, ils introduisent une notion de quantité plus ou moins définissable :

Tenemos unos amigos ricos. *Nous avons quelques amis riches.*
Juan recibe unos regalos. *Jean reçoit quelques cadeaux.*

L'article indéfini est également omis devant les mots **cierto, otro, medio, igual, doble, semejante…** :

Tengo otro problema. *J'ai un autre problème.*

• L'article neutre *lo*

Lo permet de former avec des adjectifs ou des participes passés des noms de genre indifférencié :

lo inesperado *ce qui est inattendu*
lo romántico *l'aspect romantique*

Lo + *adjectif* + **que** confère à l'adjectif un aspect plus intensif :

Lo guapa que es esta chica. *Comme cette fille est jolie.*

Lo est souvent employé comme pronom et fait alors référence à une phrase, une idée ou un mot sous-entendus ou déjà exprimés. Il se traduit généralement par *ce que* :

No creo lo que dices. *Je ne crois pas ce que tu dis.*

• L'article partitif français *du, de la, des*

Il ne se traduit pas :

Quiero pan y nueces. *Je veux du pain et des noix.*

• Les adjectifs numéraux

Voir p. XLVIII.

• Les adjectifs démonstratifs

masculin singulier	este	ese	aquel
féminin singulier	esta	esa	aquella
masculin pluriel	estos	esos	aquellos
féminin pluriel	estas	esas	aquellas

– Généralités

Ils s'accordent en genre et en nombre avec le nom qu'ils déterminent.
Ils sont généralement placés devant le nom. Cependant quand ils sont placés après le nom, ils le mettent davantage en relief et le nom conserve son article :

> *No me gusta el sombrero ese*   Je n'aime pas ce chapeau
> *que llevas.*   que tu portes.

– Emploi des démonstratifs

Ils établissent une relation d'éloignement dans l'espace par rapport à celui qui parle.
Este désigne quelque chose qui est proche de celui qui parle :

> *Este libro no me interesa.*   Ce livre ne m'intéresse pas.

Ese désigne quelque chose qui est plus éloigné de celui qui parle et correspond souvent à ce qui concerne ou appartient à celui à qui l'on s'adresse :

> *Ese sombrero que llevas*   Ce chapeau que tu portes
> *no me gusta.*   ne me plaît pas.

Aquel marque un éloignement plus marqué :

> *¿ Ves aquella señora que está allí ?*   Vois-tu cette dame qui est là-bas ?

Ils établissent de même une relation d'éloignement par rapport au temps.
Este, temps proche et actuel :

> *Esta semana iremos al cine.*   Cette semaine, nous irons au cinéma.

Ese, marque un temps plus éloigné :

> *En esos días de octubre,*   En ces jours d'octobre,
> *ya preparaba las fiestas.*   il préparait déjà les fêtes.

Aquel, désigne une époque lointaine :

> *En aquel tiempo se vivía mejor.*   En ce temps-là, on vivait mieux.

• Les adjectifs possessifs

Ils sont de deux sortes ; ceux employés devant le nom et ceux situés derrière le nom.
Ils correspondent aux différentes personnes.

a) Sont placés devant le nom et se substituent à l'article ou déterminant précédant le nom :

masculin singulier	mi	tu	su	nuestro	vuestro	su
féminin singulier	mi	tu	su	nuestra	vuestra	su
masculin pluriel	mis	tus	sus	nuestros	vuestros	sus
féminin pluriel	mis	tus	sus	nuestras	vuestras	sus

b) sont placés derrière le nom qui garde son déterminant :

masculin singulier	mío	tuyo	suyo	nuestro	vuestro	suyo
féminin singulier	mía	tuya	suya	nuestra	vuestra	suya
masculin pluriel	míos	tuyos	suyos	nuestros	vuestros	suyos
féminin pluriel	mías	tuyas	suyas	nuestras	vuestras	suyas

En général, la possession est marquée par l'adjectif possessif placé devant le nom :

> *Trabajo con mi libro y*   *Je travaille avec mon livre*
> *tu diccionario.*   *et ton dictionnaire.*

Placés derrière le nom, ils donnent plus d'emphase au rapport de possession :

> *Trabajo con un libro mío y*   *Je travaille avec un livre à moi et*
> *un diccionario tuyo.*   *et un dictionnaire à toi.*

Ils permettent d'exprimer la possession d'un élément appartenant à un ensemble :

> *Juan es amigo mío.*   *Jean est un de mes amis.*

par opposition à :

> *Juan es mi amigo.*   *Jean est mon ami.*

Employés avec le verbe **ser**, ils marquent (très fortement) l'appartenance :

> *Este libro es mío.*   *Ce livre est à moi.*

REMARQUES

L'usage des possessifs est moins fréquent en espagnol qu'en français ; il convient d'éviter de les employer quand la relation de possession est évidente ou déjà établie par un pronom :

> *Metió la mano en el bolsillo.*   *Il mit sa main dans sa poche.*
> *Me pongo las gafas.*   *Je mets mes lunettes.*

La troisième personne étant également forme de politesse, la phrase *He visto a su amigo* est ambiguë éloignée de son contexte et peut se traduire soit par :
J'ai vu son ami, soit par : *J'ai vu votre ami,* ou encore par : *J'ai vu leur ami.*
Il convient, chaque fois qu'il y a risque de confusion dans le langage parlé, de préciser par un pronom identificateur :

> *He visto a su amigo (de él o de ella).*   *J'ai vu son ami.*
> *He visto a su amigo (de usted o de ustedes).*   *J'ai vu votre ami.*
> *He visto a su amigo (de ellos o de ellas).*   *J'ai vu leur ami.*

• Les adjectifs qualificatifs

— Généralités

Ils occupent par rapport au nom la même position qu'en français :

Quisiera una toalla limpia.	*Je voudrais une serviette propre.*
Juan es mi mejor amigo.	*Jean est mon meilleur ami.*

Formation du féminin

Tous les adjectifs terminés en *o* changent le *o* en *a* au féminin :

un señor rico	*un monsieur riche*
una señora rica	*une dame riche*

Ceux terminés en *án, ín, ón* ajoutent un *a* (sauf les comparatifs **mayor, menor, mejor** et **peor** qui sont invariables au féminin)

un chico holgazán	*un garçon paresseux*
una chica holgazana	*une fille paresseuse*

Les autres adjectifs ne changent pas de forme au féminin :

un libro interesante	*un livre intéressant*
una persona interesante	*une personne intéressante*

Formation du pluriel

Les adjectifs terminés par une voyelle prennent un *s* au pluriel :

un chico ambicioso	*un garçon ambitieux*
unos chicos ambiciosos	*des garçons ambitieux*

Les adjectifs terminés par une consonne ou une voyelle accentuée prennent *es* au pluriel :

un estudiante trabajador	*un étudiant travailleur*
estudiantes trabajadores	*des étudiants travailleurs*
una casa marroquí	*une maison marocaine*
casas marroquíes	*des maisons marocaines*

Ceux terminés en *z* changent le *z* en *c* et prennent également *es* :

un hombre tenaz	*un homme tenace*
hombres tenaces	*des hommes tenaces*

— Perte de la voyelle ou de la syllabe finale

Les adjectifs **bueno** (*bon*), **malo** (*mauvais*), **ninguno** (*aucun*), **alguno** (*quelque*), **tanto** (*tant*) perdent le *o* final devant un nom masculin singulier :

un buen pretexto	*un bon prétexte*
No tiene ningún amigo.	*Il n'a aucun ami.*

L'adjectif **grande** se transforme en **gran** devant un nom singulier :

Vive en una gran casa.	*Il habite une grande maison.*

– Les comparatifs

de supériorité : **más ... que**
    Pedro es más alto que María.   *Pierre est plus grand que Marie.*
d'infériorité : **menos ... que**
    Juan es menos inteligente que Pedro. Jean est moins intelligent que Pedro.
d'égalité : **tan (tanto) ... como**
    Pablo es tan trabajador como María. Paul est aussi travailleur que Marie.

Formes comparatives spéciales :

más bueno	=	**mejor**
más malo	=	**peor**
más pequeño	=	**menor**
más grande	=	**mayor**

Le superlatif absolu se forme au moyen du suffixe *-ísimo*:
    grande, grandísimo   *grand, très grand*
ou au moyen de l'adverbe **muy**:
    Es un chico muy simpático.   *C'est un garçon très sympathique.*

Le superlatif relatif se forme au moyen des adverbes **más** ou **menos** précédés de l'article **el, la, los, las**:
    Es la más bonita de la escuela.   *C'est la plus jolie de l'école.*
Cependant on ne répète pas l'article qui détermine le mot sur lequel porte la comparaison :
    Es la chica más bonita   *C'est la plus jolie fille*
    que conozco.   *que je connaisse.*

• Les articles indéfinis

Généralement, ils s'accordent en genre et en nombre avec le nom qu'ils déterminent :

unos (-as) *quelques*
    Tengo unos amigos en Madrid.   *J'ai quelques amis à Madrid.*

mucho (-a, -os, -as) *beaucoup*
    Recibió muchas cartas.   *Il a reçu beaucoup de lettres.*

bastante (-s) *assez*
    No tengo bastante dinero.   *Je n'ai pas assez d'argent.*

demasiado (-a, -os, -as) *trop*
    No hagas demasiadas promesas.   *Ne fais pas trop de promesses.*

tanto (-a, -os, -as) *tant*
    Dices tantas mentiras.   *Tu dis tant de mensonges.*

todo (-a, -os, -as) *tout*
    Quisiera ver a todos mis amigos.   *Je voudrais voir tous mes amis.*

mismo (-a, -os,-as) *même*
    Compró los mismos zapatos.   *Il a acheté les mêmes chaussures.*

Contrairement au français, certains indéfinis ne sont jamais précédés de l'article :

igual (-es) *identique, même*
>**La recibiré con igual atención.**   *Je la recevrai avec la même attention.*

tal (-es) *tel, semblable*
>**En tal caso, no sé qué decir.**   *Dans un tel cas, je ne sais que dire.*

otro (-a, -os, -as) *autre*
>**Quisiera leer otro libro.**   *Je voudrais lire un autre livre.*

cierto (-a, -os, -as) *certain*
>**Experimentaba cierto placer.**   *Il ressentait un certain plaisir.*

alguno (-a, -os, -as) *quelque*
>**Quizás algún cliente lo reclame.**   Peut-être quelque client le réclamera-t-il.

ninguno (-a, -os, -as) *aucun*
>**No veo ningún inconveniente.**   *Je ne vois aucun inconvénient.*

cualquiera *n'importe quel* devient **cualquier** devant un nom singulier :
>**Cualquier coche me conviene.**   *N'importe quelle voiture me convient.*

cualquiera placé derrière le nom a le sens de *quelconque* :
>**Es una mujer cualquiera.**   *C'est une femme quelconque.*

• L'adjectif interrogatif

¿ Cuánto (-a, -os, -as) ? *combien ?* et **¿ qué ?** *quel ?* sont utilisés également pour l'interrogation ou l'exclamation :
>**¿ Cuántas horas nos quedan ?**   *Combien d'heures nous reste-t-il ?*
>**¿ Qué libro prefieres ?**   *Quel livre préfères-tu ?*

LES SUBSTANTIFS

■ LES NOMS COMMUNS

• Le genre des noms

– Sont généralement masculins :
les noms terminés par *o* :
>**el libro, el hijo, el cuaderno**   *le livre, le fils, le cahier*

les noms terminés par *or* :
>**el amor, el color, el calor**   *l'amour, la couleur, la chaleur*

Exceptions notables :
>**la flor, la labor**   *la fleur, le travail*

– Sont généralement féminins les noms terminés par un *a* :
>**la mesa, la chica, la iglesia**   *la table, la fille, l'église*

Exception notable :
>**el día**   *le jour*

– Les noms désignant des personnes sont féminins ou masculins selon le sexe :
el pirata, el pianista, la modelo   *le pirate, le pianiste, le mannequin*

• Formation du féminin des noms

– En règle générale, les noms terminés par *o* changent le *o* en *a* :
el perro, la perra   *le chien, la chienne*

– Les noms terminés par une consonne ajoutent généralement un *a* :
el profesor, la profesora   *le professeur*

– Les suffixes *-esa, -isa, -iz, -ina* marquent le féminin de certains noms :
el conde, la condesa   *le comte, la comtesse*
el poeta, la poetisa   *le poète*
el actor, la actriz   *l'acteur, l'actrice*
el rey, la reina   *le roi, la reine*
el héroe, la heroína   *le héros, l'héroïne*

• Formation du pluriel des noms

– Les noms terminés par une voyelle (sauf *í* accentué et *y*) font leur pluriel en ajoutant un *s* :
la casa, las casas   *la maison, les maisons*
el café, los cafés   *le café, les cafés*

– Les noms terminés par une consonne (sauf *s*) ainsi que les noms terminés par un *í* accentué ou un *y* font leur pluriel en ajoutant *es* :
la ciudad, las ciudades   *la ville, les villes*
la ley, las leyes   *la loi, les lois*

– Les noms terminés par *z* font leur pluriel en *ces* :
el pez, los peces   *le poisson, les poissons*

■ LES NOMS PROPRES

Les noms géographiques de montagnes, de fleuves, de rivières, de lacs, et de mers sont généralement de genre masculin :
el Guadalquivir, el Mediterráneo,   *le Guadalquivir,*
los Alpes   *la Méditerranée, les Alpes*

Les noms de famille (sauf ceux terminés par *s* ou *z*) peuvent se mettre au pluriel, cependant il est plus actuel de ne mettre que l'article au pluriel :
Los García   *Les García*

LES PRONOMS

• Les pronoms personnels

— Les pronoms sujets

yo	*je*	nosotros (as)	*nous*
tú	*tu*	vosotros (as)	*vous*
él, ella	*il, elle*	ellos, ellas	*ils, elles*
usted	forme de politesse singulier (*vous*)	ustedes	forme de politesse pluriel (*vous*)

Généralement omis, les pronoms sujets sont utilisés lorsque le contexte est équivoque :

Él habla con el profesor.	*Il parle avec le profeseur.*
Ella habla con el profesor.	*Elle parle avec le profeseur.*
Usted habla con el profesor.	*Vous parlez avec le professeur.*
mais *Hablo con el profesor.*	*Je parle avec le professeur.*

Emploi de usted
La forme de politesse est rendue par l'emploi d'un pronom de la troisième personne **usted** (**ustedes** au pluriel) suivi du verbe à la troisième personne du singulier (ou du pluriel) et des adjectifs ou pronoms possessifs de la troisième personne :

Usted no critica a sus amigos.   *Vous ne critiquez pas vos amis.*

— Les pronoms réfléchis

me	te	se	nos	os	se
Me veo.	*Te ves.*	*Se ve.*	*Nos vemos.*	*Os veis.*	*Se ven.*
Je me vois.	*Tu te vois.*	*Il se voit.*	*Nous nous voyons.*	*Vous vous voyez.*	*Ils se voient.*

— Les pronoms personnels complément d'objet direct

me	te	lo (masc.) la (fém.)	nos	os	los (masc.) las (fém.)
Me ve.	*Te ve.*	*Lo ve.*	*Nos ve.*	*Os ve.*	*Los ve.*
Il me voit.	*Il te voit.*	*Il le voit.*	*Il nous voit.*	*Il vous voit.*	*Il les voit.*
		La ve.			*Las ve.*
		Il la voit.			*Il les voit .*

REMARQUE
Au masculin, le pronom **le** (**les** au pluriel) peut se substituer au pronom **lo** (**los**) quand il représente une personne.

— Les pronoms personnels compléments d'objet indirect

me	te	le	nos	os	les
me da	*te da*	*le da*	*nos da*	*os da*	*les da*
il me donne	il te donne	il lui donne	il nous donne	il vous donne	il leur donne

— Les pronoms personnels employés après une préposition

mí	*Es para mí.*	**nosotros (as)**	*Es para nosotros.*
moi	*C'est pour moi.*	nous	*C'est pour nous.*
ti	*Es para ti.*	**vosotros (as)**	*Es para vosotros.*
toi	*C'est pour toi.*	vous (pluriel de *tu*)	*C'est pour vous.*
él, ella	*Es para él, ella.*	**ellos, ellas**	*Es para ellos, ellas.*
lui, elle	*C'est pour lui, elle.*	eux, elles	*C'est pour eux, elles.*

REMARQUE

Avec la préposition **con,** le pronom personnel se soude à la préposition et devient :
conmigo (avec moi) **contigo** (avec toi) **consigo** (avec lui-même).

Les pronoms **lo, los, la, las,** compléments d'objet direct, s'emploient pour remplacer un nom de personne, de chose ou d'animal :
> *Estas palabras, no las pronuncio.*   Ces mots, je ne les prononce pas.

Lo, pronom neutre, a le sens de *ceci, cela,* ou de ce qui a été dit précédemment :
> *No lo creo.*   Je ne le crois pas *(ceci).*

— Ordre des pronoms dans la phrase

Le pronom complément indirect précède toujours le pronom complément direct :
> ¿ *Me lo das ?*   Me le donnes-tu ?
> *No te lo aconsejo.*   Je ne te le conseille pas.

— Place des pronoms

Les pronoms précèdent le verbe dans la phrase :
> *Me lo dices.*   Tu me le dis.

Cependant, quand le verbe est employé à l'infinitif, au gérondif ou à l'impératif (forme positive), il convient d'employer les pronoms sous forme enclitique, c'est-à-dire, après le verbe et soudés à la forme verbale :
> *No quiere decírtelo.*   Il ne veut pas te le dire.
> *Hazme reír.*   Fais-moi rire.

REMARQUE

Quand les pronoms **le** ou **les** sont employés à côté des pronoms **lo, la, los, las,** ils se transforment en **se** :
> *Se lo he dicho.*   Je le lui ai dit.
> *No pienso decírselo.*   Je ne pense pas le lui dire ou le leur dire.

XIX

• Les pronoms démonstratifs

masculin singulier	**éste** *(celui-ci)*	**ése** *(celui-là)*	**aquél** *(celui-là, là-bas)*
féminin singulier	**ésta**	**ésa**	**aquélla**
masculin pluriel	**éstos**	**ésos**	**aquéllos**
féminin pluriel	**éstas**	**ésas**	**aquéllas**
neutre	**esto**	**eso**	**aquello**

REMARQUE

Les pronoms démonstratifs établissent, comme l'adjectif démonstratif, une relation
d'éloignement par rapport à celui qui parle.
Les pronoms démonstratifs neutres permettent de traduire *ceci, cela* ou font référence
à ce qui a été dit précédemment :

   Eso no me gusta.   *Cela ne me plaît pas.*
   Aquello me interesa.   *Cela m'intéresse.*

• Les pronoms possessifs

masculin	**el mío**	**el tuyo**	**el suyo**	**el nuestro**	**el vuestro**	**el suyo**
singulier	*le mien*	*le tien*	*le sien*	*le nôtre*	*le vôtre*	*le leur*
fém. sing.	**la mía**	**la tuya**	**la suya**	**la nuestra**	**la vuestra**	**la suya**
masc. pl.	**los míos**	**los tuyos**	**los suyos**	**los nuestros**	**los vuestros**	**los suyos**
fém. pl.	**las mías**	**las tuyas**	**las suyas**	**las nuestras**	**las vuestras**	**las suyas**

REMARQUE

Les pronoms possessifs s'accordent en genre et en nombre avec l'objet possédé qu'ils
remplacent :

   Mi coche es más rápido   *Ma voiture est plus rapide*
   que el tuyo.   *que la tienne.*

• Les pronoms indéfinis

Varient en genre et en nombre :

uno (-a, -os, -as) *un, quelques-uns* *Quisiera unos.* J'en voudrais quelques-uns.
alguno (-a, -os, -as) *quelqu'un* *Han venido algunos.* Quelques-uns sont venus.
ninguno (-a, -os, -as) *aucun* *No quiero ninguna.* Je n'en veux aucune.
otro (-a, -os, -as) *autre* *Quisiera otros.* J'en voudrais d'autres.
todo (-a, -os, -as) *tout* *Las tomo todas.* Je les prends toutes.
cierto (-a, -os, -as) *certain* *No hablo con ciertos.* Je ne parle pas à certains.

Sont invariables :

cualquiera *n'importe lequel* *Cualquiera de tus libros.* N'importe lequel
                 de tes livres.

nada *rien* *No dice nada.* Il ne dit rien.
algo *quelque chose* *Dime algo.* Dis-moi quelque chose.
nadie *personne* *No conozco a nadie.* Je ne connais personne.
alguien *quelqu'un* *Alguien me lo ha dicho.* Quelqu'un me l'a dit.

• **Traduction du pronom indéfini** *on*

On n'existe pas en espagnol. La tournure impersonnelle française est le plus souvent rendue par :
se + 3ᵉ personne du singulier

   Se habla español.   *On parle espagnol.*

uno + 3ᵉ personne du singulier dans le cas d'un verbe pronominal :

   Uno se lava cada día.   *On se lave tous les jours.*

REMARQUES
Chaque fois que la tournure impersonnelle est abusive en français, l'espagnol traduit par **nosotros**.
La troisième personne du pluriel peut également rendre la forme impersonnelle ; elle s'emploie lorsque ni le locuteur ni son entourage ne sont impliqués.

   Me lo dijeron en la oficina.   *On me l'a dit au bureau.*

• **Traduction de** *en* **et** *y*

Ces deux pronoms n'ont pas de correspondant en espagnol :

   – ¿ **Quieres sopa ?**   *– Veux-tu de la soupe ?*
   – **Sí, (quiero sopa).**   *– Oui, j'en veux.*

   – ¿ **Cuántos quieres ?**   *– Combien en veux-tu ?*
   – **Quiero tres.**   *– J'en veux trois.*
   – ¿ **Vas al cine ?**   *– Vas-tu au cinéma ?*
   – **Sí, voy al cine.**   *– Oui, j'y vais.*

   – ¿ **Vienes del mercado ?**   *– Viens-tu du marché ?*
   – **De allí vengo.**   *– J'en viens.*

   Hay para todos.   *Il y en a pour tous.*

La forme verbale **hay** (présent de l'indicatif) signifie *il y a*.
Aux autres temps et modes, elle adopte la forme de la troisième personne du singulier de l'auxiliaire **haber** :

   Había mucha gente.   *Il y avait beaucoup de monde.*
   No pienso que haya sitio. *Je ne pense pas qu'il y ait de la place.*

La troisième personne du singulier du verbe **hacer** s'utilise quand la forme française *il y a* sert à situer dans le temps :

   – ¿ **Cuándo llegó ?**   *– Quand est-il arrivé ?*
   – **Hace cinco minutos.**   *– Il y a cinq minutes.*

• **Les pronoms interrogatifs**

Ils sont toujours accentués :

¿ **qué ?** *que*   ¿ **Qué quieres ?**   *Que veux-tu ?*
¿ **cuánto (-a, -os, -as) ?** *combien* ¿ **Cuánto quieres ?** *Combien veux-tu ?*
¿ **cuál (cuáles) ?** *quel*   ¿ **Cuáles son las más ricas ?** *Quelles sont les plus riches ?*
¿ **quién (quiénes) ?** *qui*   ¿ **Quién es ella ?**   *Qui est-elle ?*

LES ADVERBES

Ils modifient le sens d'un verbe, d'un adjectif où d'un autre adverbe et sont invariables.

• Les adverbes de manière

Ceux qui correspondent aux adverbes français terminés en -*ment* se forment en ajoutant -*mente* à l'adjectif au féminin singulier :
correcto (a) = correctamente   *correctement*
difícil = difícilmente   *difficilement*

Principaux adverbes de manière :

como	comme	*Lo hace como dices.*	*Il le fait comme tu dis.*
despacio	lentement	*Come despacio.*	*Il mange lentement.*
bien	bien	*Trabaja bien.*	*Il travaille bien.*
así	ainsi	*Así me conviene.*	*Cela me convient ainsi.*
mal	mal	*Está mal hecho.*	*C'est mal fait.*

• Les principaux adverbes de lieu

donde	où	*Está donde pienso.*	*Il est où je pense.*
aquí	ici	*Aquí vivo yo.*	*J'habite ici.*
allí	là	*Allí están.*	*Ils sont là.*
dentro	dedans	*¿ Qué hay dentro ?*	*Qu'y a-t-il dedans ?*
fuera	dehors	*¡ Fuera todos !*	*Tous dehors !*
arriba	en haut	*Llegamos arriba.*	*Nous arrivons en haut.*
abajo	en bas	*Abajo está el río.*	*La rivière est en bas.*
lejos	loin	*Todavía está lejos.*	*C'est encore loin.*
cerca	près	*Vivimos cerca de ti.*	*Nous habitons près de toi.*
encima	au-dessus	*Encima de todos.*	*Au-dessus de tous.*
debajo	dessous	*Debajo hay un cajón.*	*Dessous il y a un tiroir.*
delante	devant	*Ponlo delante.*	*Mets-le devant.*
detrás	derrière	*Su mujer viene detrás.*	*Sa femme est derrière.*
enfrente	en face	*La mujer de enfrente.*	*La femme d'en face.*
alrededor	autour	*Alrededor de la plaza.*	*Autour de la place.*

• Les principaux adverbes de temps

cuando	quand	*Trabaja cuando quiere.*	*Il travaille quand il veut.*
ahora	maintenant	*¿ Qué haces ahora ?*	*Que fais-tu maintenant ?*
hoy	aujourd'hui	*Hoy es lunes.*	*Aujourd'hui c'est lundi.*
ayer	hier	*Ayer fui al cine.*	*Hier je suis allé au cinéma.*
mañana	demain	*Te lo diré mañana.*	*Je te le dirai demain.*
después	après	*Después nos vamos.*	*Nous partons après.*
antes	avant	*Lo he dicho antes.*	*Je l'ai dit avant.*
siempre	toujours	*Te equivocas siempre.*	*Tu te trompes toujours.*
nunca	jamais	*Nunca me crees.*	*Tu ne me crois jamais.*

• Les adverbes interrogatifs

Ils sont accentués :

¿ **cómo** ?	comment	¿ **Cómo haces** ?	Comment fais-tu ?
¿ **cuándo** ?	quand	¿ **Cuándo vienes** ?	Quand viens-tu ?
¿ **cuánto** ?	combien	¿ **Cuánto debo** ?	Combien dois-je ?
¿ **dónde** ?	où	¿ **Dónde está Madrid** ?	Où se trouve Madrid ?

• Les adverbes d'affirmation, de négation, de restriction et de doute

Affirmation : **sí** *oui*, **claro** *bien sûr*
Négation : **no** *non*, **nada** *rien*
Restriction : **ni siquiera** *même pas*
Doute : **acaso, tal vez, quizás** *peut-être*

REMARQUE

Les adverbes de doute régissent le subjonctif :

Quizás venga a verme.   *Peut-être viendra-t-il me voir.*

mais **a lo mejor** *peut-être*, régit l'indicatif:

A lo mejor está enfermo.   *Il est peut-être malade.*

LE SYSTÈME VERBAL

Il y a en espagnol trois groupes de conjugaison qui se caractérisent par la terminaison de l'infinitif :
Premier groupe : verbes terminés en -ar
hablar, *parler*
Deuxième groupe : verbes terminés en -er
beber, *boire*
Troisième groupe : verbes terminés en -ir
vivir, *vivre*

■ TRADUCTION DU VERBE *ÊTRE* PAR LES VERBES **SER** OU **ESTAR**

Ser identifie une personne ou une chose et s'emploie toujours devant un substantif :

Soy ingeniero.   Je suis ingénieur.
Eso es azúcar.   C'est du sucre.

Il convient d'employer **ser** avec les adjectifs qui définissent, identifient de façon essentielle :

Es francesa, alta y rubia.   Elle est française, grande et blonde.
Es inteligente y prudente.   Il est intelligent et prudent.

Estar s'emploie pour situer une personne ou une chose dans l'espace ou dans le temps :

Los niños están en la playa.   Les enfants sont à la plage.
Estamos en verano.   Nous sommes en été.

Il s'emploie toujours avec le gérondif :

        Los niños están cantando.   *Les enfants sont en train de chanter.*

Il convient d'employer **estar** avec les adjectifs qualificatifs qui marquent un état lié à une circonstance :

        Estoy enfermo.   *Je suis malade.*
        Estamos contentos.   *Nous sommes contents.*

REMARQUE

Le même adjectif utilisé avec **ser** ou avec **estar** peut passer d'un sens essentiel à un sens circonstanciel :

ser joven	*être jeune (d'âge)*	*estar joven*	*faire jeune (d'esprit, d'allure)*
ser guapo	*être joli*	*estar guapo*	*être bien mis (habillé)*
ser loco	*être fou (démence)*	*estar loco*	*être fou, extravagant*

Quelques adjectifs changent complètement de sens suivant qu'ils sont employés avec **ser** ou **estar** :

ser listo	*être vif d'esprit*	*estar listo*	*être prêt*
ser moreno	*être brun*	*estar moreno*	*être bronzé*
ser rico	*être riche*	*estar rico*	*être délicieux*

■ LA CONJUGAISON RÉGULIÈRE

• Les formes simples

Les verbes se forment :
– avec le radical du verbe : présents (indicatif, subjonctif, impératif),
imparfaits de l'indicatif et du subjonctif, passé simple,
gérondif, participe.
– avec l'infinitif : le futur de l'indicatif et le conditionnel.

LES FORMES SIMPLES

	indicatif présent	impératif	subjonctif présent	imparfait de l'indicatif	passé simple	imparfait du subjonctif	futur	conditionnel	gérondif	participe passé
	radical +	radical +	radical +	radical +	radical +	radical +	infinitif +	infinitif +	radical +	radical +
-AR	-o		-e	-aba	-é	-ara ou -ase			-ando	-ado
	-as	-a	-es	-abas	-aste	-aras ou -ases				
	-a	-e	-e	-aba	-ó	-ara ou -ase				
	-amos	-emos	-emos	-ábamos	-amos	-áramos ou -ásemos				
	-áis	-ad	-éis	-abais	-asteis	-arais ou -aseis				
	-an	-en	-en	-aban	-aron	-aran ou -asen				
-ER	-o		-a	-ía	-í		-é	-ía	-iendo	-ido
	-es	-e	-as	-ías	-iste		-ás	-ías		
	-e	-a	-a	-ía	-ió		-á	-ía		
	-emos	-amos	-amos	-íamos	-imos		-emos	-íamos		
	-éis	-ed	-áis	-íais	-isteis		-éis	-íais		
	-en	-an	-an	-ían	-ieron		-án	-ían		
-IR	-o		-a							
	-es	-e	-as							
	-e	-a	-a							
	-imos	-amos	-amos							
	-ís	-id	-áis							
	-en	-an	-an							

• Emploi du subjonctif

– Généralités

Le subjonctif est, avant tout, le mode de l'irréalité et exprime principalement l'hypothèse, la subjectivité, les jugements de valeur, les faits non constatés.

Dans les propositions principales ou indépendantes, le subjonctif marque principalement :
– l'ordre :

Venga aquí.	Venez ici.

– la défense :

No te vayas.	Ne t'en vas pas.

– la probabilité :

Quizás esté enfermo .	Peut-être est-il malade.

– le souhait, la menace (précédé de **que**) :

¡ Que descanses !	Repose-toi.

– la concession :

Diga lo que diga.	Quoi qu'il en dise.

Le subjonctif est employé dans les propositions subordonnées quand le verbe de la proposition principale marque :

– l'incertitude, le doute :

Dudo que venga a trabajar.	Je doute qu'il vienne travailler.

– la volonté, l'ordre :

Quiero que estudies.	Je veux que tu étudies.

– un jugement de valeur :

Lamento que seas tan torpe.	Je regrette que tu sois si maladroit.

– l'opinion sous forme négative :

No creo que lo sepa.	Je ne crois pas qu'il le sache.

– l'obligation :

Es necesario que estudie.	Il faut qu'il étudie.

Quand le verbe de la subordonnée exprime une action qui n'est pas encore réalisée, il se met au subjonctif présent et non au futur comme en français :

Cuando vengas te lo explicaré.	Quand tu viendras, je te l'expliquerai.
Tan pronto como lo sepa te lo diré.	Dès que je le saurai, je te le dirai.

Quand le verbe de la subordonnée exprime une condition irréalisable, il se met au subjonctif imparfait (contexte au présent) ou au subjonctif plus-que-parfait (contexte au passé) :

Si quisieras, iríamos al cine.	Si tu voulais, nous irions au cinéma.
Si hubieras jugado, habrías ganado.	Si tu avais joué, tu aurais gagné.

– La concordance des temps

Si le verbe de la subordonnée est au subjonctif, le temps de cette subordonnée dépend du temps du verbe de la principale.

La concordance s'établit de la manière suivante :

principale	subordonnée	exemples
présent futur impératif	présent du subjonctif	*Quiere, querrá que lo hagas.* *Il veut, il voudra que tu le fasses.* *Haz lo que te diga.* *Fais ce qu'il te demande.*
passé simple imparfait plus-que-parfait conditionnel	imparfait du subjonctif	*Quiso, quería, había querido,* *querría, habría querido* *que lo hicieras.* *Il voulut, il voulait, il avait voulu, il* *voudrait, il aurait voulu que tu le fasses.*

REMARQUE
Lorsque le verbe de la principale est au passé composé, celui de la subordonnée est au présent ou à l'imparfait du subjonctif.

> *Ha querido que lo hagas* ou *que lo hicieras.*   *Il a voulu que tu le fasses.*

• Impératif négatif

L'impératif négatif se forme avec le subjonctif précédé de **no**.

Impératif : **comer**, *manger*

forme affirmative		forme négative
come	**tú**	**no comas** (*ne mange pas*)
coma	**él, ella, usted**	**no coma**
comamos	**nosotros, as**	**no comamos**
comed	**vosotros, as**	**no comáis**
coman	**ellos, ellas, ustedes**	**no coman**

• Formation des temps composés

Tous les temps composés se forment avec l'auxiliaire **haber** et le participe passé du verbe que l'on conjugue.

• Conjugaison des verbes réguliers

– Premier groupe : **hablar**

MODE INDICATIF			MODE SUBJONCTIF	
présent	**passé composé**		**présent**	
hablo	he	hablado	hable	
hablas	has	hablado	hables	
habla	ha	hablado	hable	
hablamos	hemos	hablado	hablemos	
habláis	habéis	hablado	habléis	
hablan	han	hablado	hablen	
imparfait	**plus-que-parfait**		**passé**	
hablaba	había	hablado	haya	hablado
hablabas	habías	hablado	hayas	hablado
hablaba	había	hablado	haya	hablado
hablábamos	habíamos	hablado	hayamos	hablado
hablabais	habíais	hablado	hayáis	hablado
hablaban	habían	hablado	hayan	hablado
passé simple	**passé antérieur**		**imparfait**	
hablé	hube	hablado	hablara ou	hablase
hablaste	hubiste	hablado	hablaras	hablases
habló	hubo	hablado	hablara	hablase
hablamos	hubimos	hablado	habláramos	hablásemos
hablasteis	hubisteis	hablado	hablarais	hablaseis
hablaron	hubieron	hablado	hablaran	hablasen
futur simple	**futur antérieur**		**plus-que-parfait**	
hablaré	habré	hablado	hubiera ou hubiese	hablado
hablarás	habrás	hablado	hubieras hubieses	hablado
hablará	habrá	hablado	hubiera hubiese	hablado
hablaremos	habremos	hablado	hubiéramos hubiésemos	hablado
hablaréis	habréis	hablado	hubierais hubieseis	hablado
hablarán	habrán	hablado	hubieran hubiesen	hablado

MODE CONDITIONNEL		MODE IMPÉRATIF		MODE INFINITIF
présent	**passé**	**présent**		**présent**
hablaría	habría hablado	habla	tú	hablar
hablarías	habrías hablado	hable	él/ella/usted	
hablaría	habría hablado	hablemos	nosotros/as	**gérondif**
hablaríamos	habríamos hablado	hablad	vosotros/as	hablando
hablaríais	habríais hablado	hablen	ellos/ellas/	
hablarían	habrían hablado		ustedes	**participe passé**
				hablado

– Deuxième groupe : **beber**

MODE INDICATIF

présent	**passé simple**
bebo	bebí
bebes	bebiste
bebe	bebió
bebemos	bebimos
bebéis	bebisteis
beben	bebieron

imparfait	**futur simple**
bebía	beberé
bebías	beberás
bebía	beberá
bebíamos	beberemos
bebíais	beberéis
bebían	beberán

passé composé	**plus-que-parfait**
he bebido	había bebido

passé antérieur	**futur antérieur**
hube bebido	habré bebido

MODE CONDITIONNEL

présent	**passé**
bebería	habría bebido

MODE SUBJONCTIF

présent	**passé**
	haya bebido
beba	**imparfait**
bebas	bebiera ou bebiese
beba	**plus-que-parfait**
bebamos	hubiera ou hubiese bebido
bebáis	
beban	

MODE IMPÉRATIF

présent	
bebe	tú
beba	él/ella/usted
bebamos	nosotros/as
bebed	vosotros/as
beban	elllos/ellas/ustedes

MODE INFINITIF

présent
beber
gérondif
bebiendo
participe passé
bebido

MODE INDICATIF

présent	**passé simple**
vivo	viví
vives	viviste
vive	vivió
vivimos	vivimos
vivís	vivisteis
viven	vivieron

imparfait	**futur simple**
vivía	viviré
vivías	vivirás
vivía	vivirá
vivíamos	viviremos
vivíais	viviréis
vivían	vivirán

passé composé	**plus-que-parfait**
he vivido	había vivido

passé antérieur	**futur antérieur**
hube vivido	habré vivido

MODE CONDITIONNEL

présent	**passé**
viviría	habría vivido

MODE SUBJONCTIF

présent	**passé**
viva	haya vivido
vivas	**imparfait**
viva	viviera ou viviese
vivamos	**plus-que-parfait**
viváis	hubiera ou hubiese vivido
vivan	

MODE IMPÉRATIF

présent

vive	tú
viva	él/ella/usted
vivamos	nosotros/as
vivid	vosotros/as
vivan	ellos/ellas/ustedes

MODE INFINITIF

présent
vivir

gérondif
viviendo

participe passé
vivido

• Diphtongaisons

– Diphtongaison E → IE

pensar, *penser*

indicatif présent	impératif	subjonctif présent
pienso		piense
piensas	piensa	pienses
piensa	piense	piense
pensamos	pensemos	pensemos
pensáis	pensad	penséis
piensan	piensen	piensen

Suivent cette irrégularité : **acertar, apretar, arrendar, atravesar, calentar, cegar, cerrar, comenzar, concertar, confesar, desconcertar, despertar, desterrar, empezar, encerrar, encomendar, enmendar, enterrar, fregar, gobernar, helar, manifestar, merendar, negar, nevar, plegar, quebrar, recalentar, recomendar, recomenzar, regar, renegar, reventar, segar, sembrar, sentar, sosegar, temblar, tentar, tropezar,** etc.

perder, *perdre*

indicatif présent	impératif	subjonctif présent
pierdo		pierda
pierdes	pierde	pierdas
pierde	pierda	pierda
perdemos	perdamos	perdamos
perdéis	perded	perdáis
pierden	pierdan	pierdan

Suivent cette irrégularité : **ascender, atender, condescender, defender, desatender, desentenderse, encender, entender, extender, malquerer, querer, sobre(e)ntender, tender,** etc.

discernir, *discerner*

indicatif présent	impératif	subjonctif présent
discierno		discierna
disciernes	discierne	disciernas
discierne	discierna	discierna
discernimos	discernamos	discernamos
discernís	discernid	discernáis
disciernen	disciernan	disciernan

Suivent cette irrégularité : **cernir, concernir,** etc.

– Diphtongaison I → IE

adquirir, *acquérir*

indicatif présent	impératif	subjonctif présent
adquiero		adquiera
adquieres	adquiere	adquieras
adquiere	adquiera	adquiera
adquirimos	adquiramos	adquiramos
adquirís	adquirid	adquiráis
adquieren	adquieran	adquieran

Suit cette irrégularité : **inquirir**.

– Diphtongaison U → UE

jugar, *jouer*

indicatif présent	impératif	subjonctif présent
juego		juegue
juegas	juega	juegues
juega	juegue	juegue
jugamos	juguemos	juguemos
jugáis	jugad	juguéis
juegan	jueguen	jueguen

– Diphtongaison O → UE

contar, *raconter, compter*

indicatif présent	impératif	subjonctif présent
cuento		cuente
cuentas	cuenta	cuentes
cuenta	cuente	cuente
contamos	contemos	contemos
contáis	contad	contéis
cuentan	cuenten	cuenten

Suivent cette irrégularité : **acordar, acostar, almorzar, apostar, aprobar, avergonzar, colar, colgar, comprobar, concordar, consolar, costar, degollar, demostrar, desacordar, desaprobar, descolgar, descontar, despoblar, encontrar, esforzarse, forzar, mostrar, poblar, probar, recontar, recordar, reforzar, renovar, repoblar, reprobar, resonar, revolcar, rodar, rogar, sobrevolar, soldar, soltar, sonar, soñar, tostar, volar, volcar**, etc.

mover, *mouvoir, bouger*

indicatif présent	impératif	subjonctif présent
muevo		mueva
mueves	mueve	muevas
mueve	mueva	mueva
movemos	movamos	movamos
movéis	moved	mováis
mueven	muevan	muevan

Suivent cette irrégularité : **absolver, cocer, conmover, desenvolver, disolver, doler, escocer, llover, moler, morder, oler (huelo, hueles, huele, olemos, oléis, huelen), poder, promover, recocer, remorder, remover, resolver, retorcer, soler, torcer, volver**, etc.

– Diphtongaison E → EI et modification E → I

sentir, *sentir*

indicatif présent	impératif	subjonctif présent
siento		sienta
sientes	siente	sientas
siente	sienta	sienta
sentimos	sintamos	sintamos
sentís	sentid	sintáis
sienten	sientan	sientan

passé simple	imparfait du subjonctif		gérondif
sentí	sintiera ou	sintiese	sintiendo
sentiste	sintieras	sintieses	
sintió	sintiera	sintiese	
sentimos	sintiéramos	sintiésemos	
sentisteis	sintierais	sintieseis	
sintieron	sintieran	sintiesen	

Suivent cette irrégularité : **adherir, advertir, arrepentirse, conferir, consentir, convertir, deferir, desmentir, diferir, digerir, disentir, divertir, herir, hervir, inferir, ingerir, injerir, invertir, malherir, mentir, pervertir, preferir, proferir, referir, resentir, sugerir, tra(n)sferir**, etc.

– Diphtongaison O → OU et modification O → U

morir, *mourir*

indicatif présent	impératif	subjonctif présent
muero		muera
mueres	muere	mueras
muere	muera	muera
morimos	muramos	muramos
morís	morid	muráis
mueren	mueran	mueran

passé simple	imparfait du subjonctif		gérondif
morí	muriera ou	muriese	muriendo
moriste	murieras	murieses	
murió	muriera	muriese	participe
morimos	muriéramos	muriésemos	
moristeis	murierais	murieseis	muerto
murieron	murieran	muriesen	

Suit cette irrégularité : **dormir** (mais le participe passé est régulier : **dormido**).

– Modification E → I

pedir, *demander*

indicatif présent	impératif	subjonctif présent
pido		pida
pides	pide	pidas
pide	pida	pida
pedimos	pidamos	pidamos
pedís	pedid	pidáis
piden	pidan	pidan

passé simple	imparfait du subjonctif		gérondif
pedí	pidiera ou	pidiese	pidiendo
pediste	pidieras	pidieses	
pidió	pidiera	pidiese	
pedimos	pidiéramos	pidiésemos	
pedisteis	pidierais	pidieseis	
pidieron	pidieran	pidiesen	

Suivent cette irrégularité : **competir, concebir, conseguir, corregir, derretir, despedir, desteñir, desvestir, elegir, embestir, expedir, freír, gemir, impedir, investir, medir, perseguir, proseguir, reelegir, regir, rendir, reñir, repetir, revestir, seguir, servir, sonreír, travestir, vestir,** etc.

– Verbes terminés en -ACER, - ECER, -OCER, -UCIR : modifient C → ZC devant O et A

obedecer, *obéir*

indicatif présent	impératif	subjonctif présent
obedezco		obedezca
obedeces	obedece	obedezcas
obedece	obedezca	obedezca
obedecemos	obedezcamos	obedezcamos
obedecéis	obedeced	obedezcáis
obedecen	obedezcan	obedezcan

Suivent cette irrégularité de nombreux verbes : **abastecer, aborrecer, agradecer, aparecer, carecer, compadecer, complacer, conocer, convalecer, crecer, desagradecer, desaparecer, desconocer, enternecer, entristecer, envejecer, establecer, estremecer, favorecer, florecer, fortalecer, lucir, merecer, nacer, ofrecer, padecer, parecer, permanecer, pertenecer, reaparecer, renacer, rejuvenecer, relucir, restablecer**, etc.
Exceptions : **hacer** et ses composés : **cocer (cuezo), escocer (escuezo), recocer (recuezo), mecer (mezo).**

– Verbes terminés en -DUCIR : C → ZC devant A et O. Passé simple en -DUJE

seducir, *séduire*

indicatif présent	impératif	subjonctif présent
seduzco		seduzca
seduces	seduce	seduzcas
seduce	seduzca	seduzca
seducimos	seduzcamos	seduzcamos
seducís	seducid	seduzcáis
seducen	seduzcan	seduzcan

passé simple	imparfait du subjonctif	
seduje	sedujera ou	sedujese
sedujiste	sedujeras	sedujeses
sedujo	sedujera	sedujese
sedujimos	sedujéramos	sedujésemos
sedujisteis	sedujerais	sedujeseis
sedujeron	sedujeran	sedujesen

Suivent cette irrégularité : **conducir, deducir, inducir, introducir, producir, reconducir, reducir, reproducir, traducir**, etc.

— Verbes terminés en -UIR : ajoutent Y devant A, E, O

concluir, *conclure*

indicatif présent	impératif	subjonctif présent
concluyo		concluya
concluyes	concluye	concluyas
concluye	concluya	concluya
concluimos	concluyamos	concluyamos
concluís	concluid	concluyáis
concluyen	concluyan	concluyan
	gérondif	
	concluyendo	

Suivent cette irrégularité : **afluir, atribuir, autodestruir, confluir, constituir, construir, contribuir, destituir, destruir, diluir, disminuir, distribuir, excluir, huir, incluir, influir, instituir, instruir, obstruir, prostituir, reconstituir, reconstruir, restituir, retribuir, su(b)stituir**, etc.

• Verbes qui ont deux participes

Certains verbes ont deux participes : l'un de formation régulière qui sert à former les temps composés et l'autre de formation irrégulière utilisé souvent comme adjectif :

	part. régulier	part. irrégulier
absorber, *absorber*	**absorbido**	**absorto**
abstraer, *abstraire*	**abstraído**	**abstracto**
atender, *s'occuper de*	**atendido**	**atento**
bendecir, *bénir*	**bendecido**	**bendito**
corregir, *corriger*	**corregido**	**correcto**
despertar, *réveiller*	**despertado**	**despierto**
elegir, *choisir*	**elegido**	**electo**
extender, *étendre*	**extendido**	**extenso**
fijar, *fixer*	**fijado**	**fijo**
freír, *frire*	**freído**	**frito**
imprimir, *imprimer*	**imprimido**	**impreso**
maldecir, *maudire*	**maldecido**	**maldito**
nacer, *naître*	**nacido**	**nato**
oprimir, *opprimer*	**oprimido**	**opreso**
proveer, *pourvoir*	**proveído**	**provisto**
recluir, *enfermer*	**recluido**	**recluso**
salvar, *sauver*	**salvado**	**salvo**
soltar, *lâcher*	**soltado**	**suelto**
sujetar, *fixer*	**sujetado**	**sujeto**

TABLEAU DES VERBES IRRÉGULIERS LES PLUS DIFFICILES

	indicatif présent	impératif	subjonctif présent	imparfait de l'indicatif	passé simple	imparfait du subjonctif		futur	conditionnel	gérondif
A N D A R					anduve anduviste anduvo anduvimos anduvisteis anduvieron	anduviera ou anduvieras anduviera anduviéramos anduvierais anduvieran	anduviese anduvieses anduviese anduviésemos anduvieseis anduviesen			
C A B E R	quepo cabes cabe cabemos cabéis caben	cabe quepa quepamos cabed quepan	quepa quepas quepa quepamos quepáis quepan		cupe cupiste cupo cupimos cupisteis cupieron	cupiera ou cupieras cupiera cupiéramos cupierais cupieran	cupiese cupieses cupiese cupiésemos cupieseis cupiesen	cabré cabrás cabrá cabremos cabréis cabrán	cabría cabrías cabría cabríamos cabríais cabrían	
C A E R	caigo caes cae caemos caéis caen	cae caiga caigamos caed caigan	caiga caigas caiga caigamos caigáis caigan		caí caíste cayó caímos caísteis cayeron	cayera ou cayeras cayera cayéramos cayerais cayeran	cayese cayeses cayese cayésemos cayeseis cayesen			cayendo
D A R	doy das da damos dais dan	da dé demos dad den	dé des dé demos deis den		di diste dio dimos disteis dieron	diera ou dieras diera diéramos dierais dieran	diese dieses diese diésemos dieseis diesen			

TABLEAU DES VERBES IRRÉGULIERS LES PLUS DIFFICILES (suite)

	indicatif présent	impératif	subjonctif présent	imparfait de l'indicatif	passé simple	imparfait du subjonctif		futur	conditionnel	gérondif
D	digo		diga		dije	dijera ou	dijese	diré	diría	diciendo
E	dices	di	digas		dijiste	dijeras	dijeses	dirás	dirías	
C	dice	diga	diga		dijo	dijera	dijese	dirá	diría	**participe**
I	decimos	digamos	digamos		dijimos	dijéramos	dijésemos	diremos	diríamos	**passé**
R	decís	decid	digáis		dijisteis	dijerais	dijeseis	diréis	diríais	dicho
	dicen	digan	digan		dijeron	dijeran	dijesen	dirán	dirían	
E	estoy		esté		estuve	estuviera ou	estuviese			
S	estás	está	estés		estuviste	estuvieras	estuvieses			
T	está	esté	esté		estuvo	estuviera	estuviese			
A	estamos	estemos	estemos		estuvimos	estuviéramos	estuviésemos			
R	estáis	estad	estéis		estuvisteis	estuvierais	estuvieseis			
	están	estén	estén		estuvieron	estuvieran	estuviesen			
H	he		haya		hube	hubiera ou	hubiese	habré	habría	
A	has		hayas		hubiste	hubieras	hubieses	habrás	habrías	
B	ha - hay		haya		hubo	hubiera	hubiese	habrá	habría	
E	hemos		hayamos		hubimos	hubiéramos	hubiésemos	habremos	habríamos	
R	habéis		hayáis		hubisteis	hubierais	hubieseis	habréis	habríais	
	han		hayan		hubieron	hubieran	hubiesen	habrán	habrían	
H	hago		haga		hice	hiciera ou	hiciese	haré	haría	
A	haces	haz	hagas		hiciste	hicieras	hicieses	harás	harías	**participe**
C	hace	haga	haga		hizo	hiciera	hiciese	hará	haría	**passé**
E	hacemos	hagamos	hagamos		hicimos	hiciéramos	hiciésemos	haremos	haríamos	hecho
R	hacéis	haced	hagáis		hicisteis	hicierais	hicieseis	haréis	haríais	
	hacen	hagan	hagan		hicieron	hicieran	hiciesen	harán	harían	

	indicatif présent	impératif	subjonctif présent	imparfait de l'indicatif	passé simple	imparfait du subjonctif		futur	conditionnel	gérondif
I R	voy vas va vamos vais van	ve vaya vamos id vayan	vaya vayas vaya vayamos vayáis vayan	iba ibas iba íbamos ibais iban	fui fuiste fue fuimos fuisteis fueron	fuera ou fueras fuera fuéramos fuerais fueran	fuese fueses fuese fuésemos fueseis fuesen			yendo
O Í R	oigo oyes oye oímos oís oyen	oye oiga oigamos oíd oigan	oiga oigas oiga oigamos oigáis oigan		oí oíste oyó oímos oísteis oyeron	oyera ou oyeras oyera oyéramos oyerais oyeran	oyese oyeses oyese oyésemos oyeseis oyesen			oyendo
P O D E R	puedo puedes puede podemos podéis pueden	puede pueda podamos poded puedan	pueda puedas pueda podamos podáis puedan		pude pudiste pudo pudimos pudisteis pudieron	pudiera ou pudieras pudiera pudiéramos pudierais pudieran	pudiese pudieses pudiese pudiésemos pudieseis pudiesen	podré podrás podrá podremos podréis podrán	podría podrías podría podríamos podríais podrían	pudiendo
P O N E R	pongo pones pone ponemos ponéis ponen	pon ponga pongamos poned pongan	ponga pongas ponga pongamos pongáis pongan		puse pusiste puso pusimos pusisteis pusieron	pusiera ou pusieras pusiera pusiéramos pusierais pusieran	pusiese pusieses pusiese pusiésemos pusieseis pusiesen	pondré pondrás pondrá pondremos pondréis pondrán	pondría pondrías pondría pondríamos pondríais pondrían	**participe passé** puesto

TABLEAU DES VERBES IRRÉGULIERS LES PLUS DIFFICILES (suite)

	indicatif présent	impératif	subjonctif présent	imparfait de l'indicatif	passé simple	imparfait du subjonctif	futur	conditionnel	gérondif
Q	quiero		quiera		quise	quisiera ou quisiese	querré	querría	
U	quieres	quiere	quieras		quisiste	quisieras quisieses	querrás	querrías	
E	quiere	quiera	quiera		quiso	quisiera quisiese	querrá	querría	
R	queremos	queramos	queramos		quisimos	quisiéramos quisiésemos	querremos	querríamos	
E	queréis	quered	queráis		quisisteis	quisierais quisieseis	querréis	querríais	
R	quieren	quieran	quieran		quisieron	quisieran quisiesen	querrán	querrían	
S	sé		sepa		supe	supiera ou supiese	sabré	sabría	
A	sabes	sabe	sepas		supiste	supieras supieses	sabrás	sabrías	
B	sabe	sepa	sepa		supo	supiera supiese	sabrá	sabría	
E	sabemos	sepamos	sepamos		supimos	supiéramos supiésemos	sabremos	sabríamos	
R	sabéis	sabed	sepáis		supisteis	supierais supieseis	sabréis	sabríais	
	saben	sepan	sepan		supieron	supieran supiesen	sabrán	sabrían	
S	salgo		salga				saldré	saldría	
A	sales	sal	salgas				saldrás	saldrías	
L	sale	salga	salga				saldrá	saldría	
I	salimos	salgamos	salgamos				saldremos	saldríamos	
R	salís	salid	salgáis				saldréis	saldríais	
	salen	salgan	salgan				saldrán	saldrían	
S	soy		sea	era	fui	fuera ou fuese			
E	eres	sé	seas	eras	fuiste	fueras fueses			
R	es	sea	sea	era	fue	fuera fuese			
	somos	seamos	seamos	éramos	fuimos	fuéramos fuésemos			
	sois	sed	seáis	erais	fuisteis	fuerais fueseis			
	son	sean	sean	eran	fueron	fueran fuesen			

TABLEAU DES VERBES IRRÉGULIERS LES PLUS DIFFICILES (suite)

	indicatif présent	impératif	subjonctif présent	imparfait de l'indicatif	passé simple	imparfait du subjonctif	futur	conditionnel	gérondif
T E N E R	tengo		tenga		tuve	tuviera ou tuviese	tendré	tendría	
	tienes	ten	tengas		tuviste	tuvieras / tuvieses	tendrás	tendrías	
	tiene	tenga	tenga		tuvo	tuviera / tuviese	tendrá	tendría	
	tenemos	tengamos	tengamos		tuvimos	tuviéramos / tuviésemos	tendremos	tendríamos	
	tenéis	tened	tengáis		tuvisteis	tuvierais / tuvieseis	tendréis	tendríais	
	tienen	tengan	tengan		tuvieron	tuvieran / tuviesen	tendrán	tendrían	
T R A E R	traigo		traiga		traje	trajera ou trajese			trayendo
	traes	trae	traigas		trajiste	trajeras / trajeses			
	trae	traiga	traiga		trajo	trajera / trajese			
	traemos	traigamos	traigamos		trajimos	trajéramos / trajésemos			
	traéis	traed	traigáis		trajisteis	trajerais / trajeseis			
	traen	traigan	traigan		trajeron	trajeran / trajesen			
V A L E R	valgo		valga				valdré	valdría	
	vales	val	valgas				valdrás	valdrías	
	vale	valga	valga				valdrá	valdría	
	valemos	valgamos	valgamos				valdremos	valdríamos	
	valéis	valed	valgáis				valdréis	valdríais	
	valen	valgan	valgan				valdrán	valdrían	
V E N I R	vengo		venga		vine	viniera ou viniese	vendré	vendría	viniendo
	vienes	ven	vengas		viniste	vinieras / vinieses	vendrás	vendrías	
	viene	venga	venga		vino	viniera / viniese	vendrá	vendría	
	venimos	vengamos	vengamos		vinimos	viniéramos / viniésemos	vendremos	vendríamos	
	venís	venid	vengáis		vinisteis	vinierais / vinieseis	vendréis	vendríais	
	vienen	vengan	vengan		vinieron	vinieran / viniesen	vendrán	vendrían	

• Tableau des principales modifications orthographiques

verbes terminés en	modifications	situations	exemples
-car	**c → qu**	devant *e*	***atacar*** *attaquer*
-cer	**c → z**	devant *a* et *o*	***vencer*** *vaincre*
-eer	**i → y**	troisièmes personnes du passé simple et de l'imparfait du subjonctif et gérondif	***leer*** *lire*
-gar	**g → gu**	devant *e*	***pagar*** *payer*
-ger **-gir**	**g → j**	devant *a* et *o*	***coger*** *prendre*
-guir	perdent le **u**	devant *a* et *o*	***distinguir*** *distinguer*
-zar	**z → c**	devant *e*	***cruzar*** *traverser*

■ CONJUGAISON PASSIVE

Formation de la forme passive : verbe **ser** + participe passé.
exemple : indicatif présent **ser querido**, *être aimé*

yo	**soy querido, a** *(je suis aimé, e)*
tú	**eres querido, a**
él, ella, usted	**es querido, a**
nosotros, as	**somos queridos, as**
vosotros, as	**sois queridos, as**
ellos, ellas, ustedes	**son queridos, as**

Les autres temps se conjuguent de la même manière.

■ CONJUGAISON PRONOMINALE

Formation : pronom réfléchi + verbe conjugué.
exemple : **lavarse**, *se laver*

indicatif présent	impératif
me lavo	
te lavas	lávate
se lava	lávese
nos lavamos	lavémonos
os laváis	lavaos
se lavan	lávense

■ VERBES IMPERSONNELS

Ce sont des verbes qui s'utilisent uniquement à la troisième personne du singulier. Les plus nombreux sont les verbes qui ont un rapport avec les phénomènes atmosphériques :

amanecer, *faire jour*
anochecer, *faire nuit*
granizar, *grêler*
helar, *geler*
llover, *pleuvoir*
lloviznar, *bruiner*
nevar, *neiger*
oscurecer, *obscurcir*
relampaguear, *faire des éclairs*
tronar, *tonner*
etc.

NOMS DE PAYS ET DE LEURS HABITANTS

Afganistán m	Afganistan	**afgano**
Africa f	Afrique	**africano**
Africa del Sur f	Afrique du Sud	**sudafricano**
Albania f	Albanie	**albanés**
Alemania f	Allemagne	**alemán**
América f	Amérique	**americano**
Antillas fpl	Antilles	**antillano**
Arabia Saudita f	Arabie Saoudite	**saudita**
Argentina f	Argentine	**argentino**
Asia f	Asie	**asiático**
Australia f	Australie	**australiano**
Austria f	Autriche	**austríaco**
Bélgica f	Belgique	**belga**
Birmania f	Birmanie	**birmano**
Bolivia f	Bolivie	**boliviano**
Brasil m	Brésil	**brasileño**
Bulgaria f	Bulgarie	**búlgaro**
Camboya f	Cambodge	**camboyano**
Camerún m	Cameroun	**camerunés**
Canadá m	Canada	**canadiense**
CEI Comunidad de Estados Independientes		
Colombia f	Colombie	**colombiano**
Congo m	Congo	**congoleño**
Corea f (del Norte, del Sur)	Corée (du Nord, du Sud)	**coreano**
Costa de Marfil f	Côte d'Ivoire	**marfileño**
Costa Rica f	Costa Rica	**costarricense**
Chile m	Chili	**chileno**
China f	Chine	**chino**
Dinamarca f	Danemark	**danés**
Dominicana (Rep.) f	République Dominicaine	**dominicano**
Ecuador m	Equateur (pays)	**ecuatoriano**
Egipto m	Egypte	**egipcio**
El Salvador m	le Salvador	**salvadoreño**
Escocia f	Écosse	**escocés**
España f	Espagne	**español**
Estados mpl **Unidos de América**	Etats-Unis d'Amérique	**estadounidense** **norteamericano**
Etiopía f	Ethiopie	**etíope**
Europa f	Europe	**europeo**
Filipinas fpl	Philippines	**filipino**
Finlandia f	Finlande	**finlandés**
Francia f	France	**francés**
Gabón m	Gabon	**gabonés**
Ghana f	Ghana	**ghanés**
Gibraltar m	Gibraltar	**gibraltareño**
Grecia f	Grèce	**griego**
Guatemala f	Guatemala	**guatemalteco**
Haití m	Haïti	**haitiano**
Holanda f	Hollande	**holandés**
Honduras m	Honduras	**hondureño**
Hungría f	Hongrie	**húngaro**

India f	Inde	**indio**
Indonesia f	Indonésie	**indonesio**
Inglaterra f	Angleterre	**inglés**
Irán m	Iran	**iraní**
Irak, Iraq m	Iraq	**iraqués, iraquí**
Irlanda f	Irlande	**irlandés**
Islandia f	Islande	**islandés**
Israel m	Israël	**israelí**
Italia f	Italie	**italiano**
Jamaica f	Jamaïque	**jamaicano**
Japón m	Japon	**japonés**
Jordania f	Jordanie	**jordano**
Kenia f	Kenya	**keniano**
Kuwait, Koweit m	Koweit	**kuwaití**
Líbano m	Liban	**libanés**
Liberia f	Liberia	**liberiano**
Libia f	Libye	**libio**
Luxemburgo m	Luxembourg	**luxemburgués**
Madagascar	Madagascar	**malgache**
Malasia f	Malaisie	**malayo**
Marruecos m	Maroc	**marroquí**
Méjico, México m	Mexique	**mejicano, mexicano**
Nicaragua f	Nicaragua	**nicaragüense**
Niger m	Niger	**nigerino**
Nigeria f	Nigeria	**nigeriano**
Noruega f	Norvège	**noruego**
Nueva Zelanda f	Nouvelle-Zélande	**neocelandés**
Oceanía f	Océanie	
Países mpl **Bajos**	Pays Bas	**holandés**
Panamá m	Panama	**panameño**
Paquistán, Pakistán m	Pakistan	**paquistaní**
Paraguay m	Paraguay	**paraguayo**
Persia f	Perse	**persa**
Perú m	Pérou	**peruano**
Polonia f	Pologne	**polaco**
Portugal m	Portugal	**portugués**
Puerto Rico m	Porto Rico	**portorriqueño**
Reino m **Unido de**	Royaume-Uni de	**británico**
Gran Bretaña	Grande-Bretagne	
República Checa	Rép. Tchèque	**checo**
República Eslovaca	Rép. Slovaque	**eslovaco**
Rumania f	Roumanie	**rumano**
Rusia f	Russie	**ruso**
Senegal m	Sénégal	**senegalés**
Siria f	Syrie	**sirio**
Sudán m	Soudan	**sudanés**
Suecia f	Suède	**sueco**
Suiza f	Suisse	**suizo**
Tailandia f	Thaïlande	**tailandés**
Togo m	Togo	**togolés**
Túnez m	Tunisie	**tunecino**
Turquía f	Turquie	**turco**
Uganda f	Ouganda	**ugandés**
Uruguay m	Uruguay	**uruguayo**
Venezuela f	Venezuela	**venezolano**
Vietnam m	Vietnam	**vietnamita**
Yugoslavia f (ex-)	Yougoslavie	**yugoslavo**
Zaire m	Zaïre	**zairense o zaireño**

PRÉNOMS

■ PRÉNOMS MASCULINS

Agustín
Alberto
Alejandro
Alfredo
Andrés
Antonio
Arturo
Benito
Bernardo
Carlos
Cristóbal
Daniel
David
Diego
Eduardo
Enrique
Ernesto
Esteban
Eugenio
Federico
Felipe
Fernando
Francisco

Gerardo
Gregorio
Guillermo
Hugo
Ignacio
Jaime
Javier
Jerónimo
Jesús
Jorge
José
Juan, Juanito
Julián
Julio
Lorenzo
Luis
Manuel
Manolo (diminutif de Manuel)
Marcos
Mateo
Matías
Mauricio

Miguel
Nicolás
Pablo
Paco, Paquito (diminutifs de Francisco)
Patricio
Pedro
Pepe (diminutif de José)
Rafael
Raimundo
Ramón
Raúl
Ricardo
Roberto
Rodrigo
Santiago
Sebastián
Sergio
Tomás
Víctor
Vicente

■ PRÉNOMS FÉMININS

Adela
Alicia
Amalia
Amparo
Ana, Anita
Ángeles
Antonia
Beatriz
Blanca
Brígida
Carlota
Carmen
Catalina
Cati (diminutif de Catalina)
Cecilia
Clara
Concepción
Concha } diminutifs de
Conchita } Concepción
Cristina
Cruz *
Dolores
Elena
Elisa

Eloísa
Elvira
Emilia
Encarnación
Encarna (diminutif de Encarnación)
Eva
Francisca
Gloria
Inés
Irene
Isabel, Isabelita
Josefa, Josefina
Juana, Juanita
Julia
Laura
Leonor
Lola, Loli (diminutifs de Dolores)
Lucía
Luisa
Magdalena
Margarita
María (Mari, Maruja)
Marta

Mercedes (Merche)
Milagros
Olga
Paca (diminutif de Francisca)
Paloma
Patricia
Pepa, Pepita (diminutifs de Josefa)
Pilar (Pili)
Raquel
Rosa
Sara
Sofía
Sol *
Soledad
Teresa
Verónica
Victoria
Virginia

* Sol et Cruz ne s'utilisent que précédés de Mari = Marisol, Maricruz

ABRÉVIATIONS USUELLES

a/c	a cuenta	indep.	independiente
adj.	adjetivo, adjunto	int.	interior
Admón.	Administración	I.P.C.	Índice de precios al consumo
a/f	a favor		
Apdo., Aptdo.	Apartado (de Correos)	I/V, i/v	Ida y vuelta
Apto.	Apartamento	I.V.A.	Impuesto sobre el valor añadido
Atte., Attmte.	Atentamente		
Av., Avda.	Avenida	izda., izq., izqda.	izquierda
AVE	Alta Velocidad Española (tren)	Juzg°	Juzgado
		Ltda., ltdo.	Limitada, Limitado
Ayto.	Ayuntamiento	Mª	María
B., Bco.	Banco	N	Norte
B.U.P.	Bachillerato Unificado Polivalente	n./nbre.	nombre
		n°, núm.	número
c/	Calle	ntro., ntra.	nuestro, nuestra
C.ª, Cía.	Compañía	O	Oeste
cap., cap.°	capítulo	of. inf.	Oficina de información
c/c	cuenta corriente		
cdad.	ciudad	pág., págs.	página, páginas
ch.	cheque	P.D.	posdata
cial.	comercial	p. ej.	por ejemplo
c°	cambio	Pl., Plza	Plaza
C.P.	Código Postal	P°	Paseo
cs. cts.	céntimos	p.o, p/o	por orden
cta.	cuenta	prov.	provincia
cte.	corriente	próx., pmo.	próximo
ctro.	centro	prta., pta.	puerta
D., D.ª	Don, Doña	Pto.	Puerto
dcha.	derecha	pts., pta., ptas.	peseta, pesetas
dpto.	departamento	Rbla.	Rambla
Dr., Dra	Doctor, Doctora	reg.	región, regional
dto.	descuento	RENFE	Red Nacional de Ferrocarriles Españoles
Dtor., Dtora.	Director, Directora		
E	Este	Rte.	Remite, remitente
Ed.	Editorial, Edificio	S	Sur
EEUU	Estados Unidos	S., Sto., Sta.	San, Santo, Santa
efvo.	efectivo	S.L., S. Ltda	Sociedad Limitada
entlo.	entresuelo	s/n	sin número
Esc.	Escalera	spre.	siempre
Excmo.	Excelentísimo	Sr. (es), Sra. (s)	Señor(es), Señora(s)
fáb., fábr.	fábrica	Srta., Srtas	Señorita, Señoritas
f.c., ff.cc.	ferrocaril, ferrocarriles	tb.	también
fcha.	fecha	Tel (s)., Telf. (s)	Teléfono, Teléfonos
Fdo.	firmado	Ud., Uds.	Usted, Ustedes
fra.	factura	últ.	último
gral.	general	v.	véase
Ilmo	Ilustrísimo	V° B°	Visto Bueno
impte.	importante	Vd., Vds.	Usted, Ustedes
impto.	impuesto	vda.	viuda
ind.	industrial	vtro., vtra.	vuestro, vuestra

NOMBRES, FRACTIONS, CALCULS, POURCENTAGES

■ LES NOMBRES

• Les cardinaux

		10	diez	20	veinte	100	cien
1	uno	11	once	21	veintiuno	101	ciento uno
2	dos	12	doce	22	veintidós	200	doscientos, as
3	tres	13	trece	30	treinta	300	trescientos, as
4	cuatro	14	catorce	40	cuarenta	400	cuatrocientos, as
5	cinco	15	quince	50	cincuenta	500	quinientos, as
6	seis	16	dieciséis	60	sesenta	600	seiscientos, as
7	siete	17	diecisiete	70	setenta	700	setecientos, as
8	ocho	18	dieciocho	80	ochenta	800	ochocientos, as
9	nueve	19	diecinueve	90	noventa	900	novecientos, as

1000	= mil	*un million* =	**un millón**
2000	= dos mil	*dix millions* =	**diez millones**
10000	= diez mil	*un milliard* =	**mil millones**
100000	= cien mil		

Emploi : l'ordre est le même qu'en français, cependant on remarquera que la conjonction y ne s'emploie qu'entre les dizaines et les unités :

> *1993 = mil novecientos noventa y tres*
> *903 = novecientos tres*

REMARQUES

Les nombres sont invariables sauf **unos (a)** et les centaines de 200 à 900 qui s'accordent en genre :

> *Sólo tengo una peseta.*   Je n'ai qu'une péséta.
> *Me faltan trescientas pesetas.*   Il me manque trois cents pésétas.

Uno devient **un** devant un nom ou un adjectif masculin singulier :

> *Tengo un franco.*   J'ai un franc.

Ciento devient **cien** devant **mil** ou devant un nom :

> *cien mil pesetas*   cent mille pésétas
> *cien soldados*   cent soldats

• Les ordinaux

1°	primero	11°	undécimo
2°	segundo	12°	duodécimo
3°	tercero	13°	decimotercero
4°	cuarto	14°	decimocuarto
5°	quinto	15°	decimoquinto
6°	sexto	16°	decimosexto
7°	séptimo	17°	decimoséptimo
8°	octavo	18°	decimoctavo
9°	noveno	19°	decimonoveno
10°	décimo	20°	vigésimo	etc.

Emploi des ordinaux

L'usage veut que seuls soient employés les dix premiers ; à partir de *onzième* on utilise les cardinaux placés après le nom en particulier pour les rois et les siècles :

Carlos tercero	*Charles III*
Alfonso trece	*Alphonse XIII*
El siglo veinte	*le vingtième siècle*

Primero et **tercero** se transforment en **primer** et **tercer** devant un nom masculin singulier :

el primer amor	*le premier amour*
el tercer capítulo	*le troisième chapitre*

■ LES FRACTIONS

1/2	**medio, -a**	*un(e) demi(e)*
1$^{1/2}$	**uno y medio**	*un et demi*
2$^{1/2}$	**dos y medio**	*deux et demi*
1/3	**un tercio, la tercera parte**	*un tiers*
2/3	**dos tercios, las dos terceras partes**	*deux tiers*
1/4	**tres cuartos, las tres cuartas partes**	*trois quarts*
1/5	**un quinto, la quinta parte**	*un cinquième*
2$^{4/5}$	**dos y cuatro quintos**	*deux et quatre cinquièmes*
1/100	**un centésimo, la centésima parte**	*un centième*
1/1000	**un milésimo, la milésima parte**	*un millième*
	sencillo	*simple*
	doble	*double*
	triple	*triple*
	cuádruple	*quadruple*
	quíntuple	*quintuple*

■ LES CALCULS

6 + 3 = 9	**Seis y/más tres (son) nueve.**	*Six plus trois égalent neuf.*
10 - 2 = 8	**Diez menos dos (son) ocho.**	*Dix moins deux égalent huit.*
2 x 4 = 8	**Dos por cuatro (son) ocho.**	*Deux fois quatre égalent huit.*
30 ÷ 6 = 5	**Treinta dividido por/entre seis (son) cinco.**	*Trente divisé par six égalent cinq.*

■ LES POURCENTAGES

10%	**diez por ciento**	*dix pour cent*
20%	**el veinte por ciento de...**	*vingt pour cent de...*
50%	**cincuenta por ciento**	*cinquante pour cent*
100%	**cien por cien**	*cent pour cent*

El turismo ha aumentado en un 8%.	*Le tourisme a augmenté de 8%.*

EXPRESSION DU TEMPS

■ L'HEURE

¿ Qué hora es ?	*Quelle heure est-il ?*
¿ Qué hora lleva (Vd) ?	*Quelle heure avez-vous ?*
Es la una.	*Il est 1 heure.*
Son las cinco.	*Il est 5 heures.*
Son cerca de las diez.	*Il est presque 10 heures.*
a las seis en punto	*à 6 heures précises*
Son las tres y media.	*Il est trois heures et demie.*
Son las nueve y cuarto.	*Il est neuf heures et quart.*
Son las once menos diez.	*Il est onze heures moins dix.*
a las dos de la tarde	*à deux heures de l'après-midi*
al mediodía	*à midi*
a medianoche	*à minuit*
Están dando las dos.	*Ça sonne deux heures.*

■ LA DATE

¿ Qué día es hoy?	*Quel jour sommes-nous ?*
¿ Cuál es la fecha de hoy?	*Quelle est la date d'aujourd'hui ?*
mil novecientos ochenta y tres (1983)	*1983*
el primero de enero	*le premier janvier*
el dos de marzo	*le deux mars*
desde el catorce hasta el dieciocho	*du quatorze au dix-huit*
de hoy en ocho días	*aujourd'hui en huit*
mañana por la mañana/por la tarde	*demain matin/après-midi*
pasado mañana	*après-demain*
anteayer/antesdeayer	*avant-hier*
hace dos días	*il y a deux jours*
dentro de dos días	*dans deux jours*

■ LES SAISONS

la primavera	*le printemps*
el verano	*l'été*
el otoño	*l'automne*
el invierno	*l'hiver*
Estamos en primavera (verano...)	*Nous sommes au printemps (en été...)*
Hoy empieza el otoño	*Aujourd'hui commence l'automne*
(la primavera...)	*(le printemps...)*

L

POIDS ET MESURES

■ POIDS

el gramo	gr.	le gramme
el kilogramo	kg.	le kilogramme
el quintal (100 kilogramos)	q	le quintal (100 kilogrammes)
la tonelada métrica (1000 kilogramos)		la tonne (1000 kilogrammes)

■ LONGUEUR

el milímetro	mm	le millimètre
el centímetro	cm	le centimètre
el metro	m	le mètre
el kilómetro	km	le kilomètre

■ SURFACE

el metro etc. cuadrado	m^2	le mètre etc. carré
el área (100 metros cuadrados)		l'are
la hectárea (100 áreas)		l'hectare

■ VOLUME, CAPACITÉ

el centímetro etc. cúbico	cm^3	le centimètre etc. cube
el litro	l	le litre

■ MESURES ESPAGNOLES TRADITIONNELLES

1 vara	=	0,836 mètres
1 braza	=	1,67 mètres
1 milla	=	1,852 kilomètres
1 legua	=	5,5727 kilomètres
1 fanega	=	6480 mètres carrés
1 onza	=	28,7 grammes
1 libra	=	460 grammes
1 arroba	=	11,502 kilogrammes

QUESTIONS/RÉPONSES

■ QUESTIONS

1. Questions directes, introduites par un mot interrogatif :

Interroger quelqu'un sur son identité

– ¿ *Cómo te llamas ?*	Comment t'appelles-tu ?
– ¿ *Quién eres ?*	Qui es-tu ?
– ¿ *Dónde naciste ? ¿ De dónde eres ?*	Où es-tu né ? D'où es-tu ?
– ¿ *Cuándo naciste ?*	Quelle est ta date de naissance ?
– ¿ *Cuál es tu fecha de nacimiento ?*	Quelle est ta date de naissance ?
– ¿ *Cuál es tu dirección (tu profesión...) ?*	Quelle est ton adresse (ta profession...) ?
– ¿ *Cuántos años tienes ? ¿ Qué edad tienes ?*	Quel âge as-tu ?
– ¿ *En qué ciudad trabajas ?*	Dans quelle ville travailles-tu ?

Interroger quelqu'un sur ses passe-temps, ses goûts, ses préférences

– ¿ *Qué haces los domingos ?*	Qu'est-ce que tu fais le dimanche ?
– ¿ *Qué música prefieres ?*	Quelle musique préfères-tu ?
– ¿ *Cuáles son tus aficiones ?*	Quels sont tes passe-temps ?
– ¿ *Adónde vas de vacaciones ? etc.*	Où vas-tu en vacances ?

Interroger quelqu'un sur son état de santé ou son moral

– ¿ *Cómo estás ? ¿ Qué tal ?*	Comment ça va ?
– ¿ *Qué te pasa ?*	Qu'est-ce qui ne va pas ?
	Qu'est-ce qui t'arrive ?
– ¿ *Cómo te encuentras ? etc.*	Comment vas-tu ?

Demander des nouvelles de quelqu'un

– ¿ *Qué es (hay) de Juan ?*	Que devient Juan ?
– ¿ *Cómo (qué tal) está Juan ? etc.*	Comment va Juan ?

Interroger quelqu'un sur un lieu, une direction, une destination

– ¿ *Dónde está la calle Mayor ?*	Où est la Grande-Rue ?
– ¿ *Por dónde se va al centro ?*	Par où va-t-on au centre ?
– ¿ *Hacia dónde va ese autobús ?*	Où (dans quelle direction) va ce bus ?

Interroger quelqu'un sur le climat

– ¿ *Qué tiempo hace ? – ¿ Qué tal el tiempo ? etc.*	Quel temps fait-il ?

Interroger quelqu'un sur la date, le jour et l'heure

– ¿ *Qué día es hoy ?*	Quel jour sommes-nous ?
– ¿ *Cuál es la fecha de hoy ?*	
– ¿ *En qué mes estamos ?*	Quel mois sommes-nous ?
– ¿ *Cuántos días tiene febrero ?*	Combien de jours a février ?
– ¿ *Qué hora es ?*	Quelle heure est-il ?
– ¿ *A qué hora viene Pedro ?*	À quelle heure arrive Pedro ?
– ¿ *De (desde) qué hora a (hasta) qué hora están abiertos los bancos ?*	De quelle heure à quelle heure sont ouvertes les banques ?
– ¿ *Desde cuándo y hasta cuándo estuvo aquí ?, etc.*	Depuis quand et jusqu'à quand a-t-il été là ?

■ RÉPONSES

1. Questions directes, introduites par un mot interrogatif :

Interroger quelqu'un sur son identité

– *Me llamo Pablo (López García).*	*Je m'appelle Pablo (López García).*
– *Soy Juan.*	*Je suis Juan.*
– *Nací en Madrid. Soy de Madrid.*	*Je suis né à Madrid.*
	Je suis de Madrid.
– *Nací en (el año) 1965.*	*Je suis né en 1965.*
– *4 de marzo de 1970.*	*4 mars 1970.*
– *C/Mayor, n° 23, en Sevilla.*	*23, Grande-Rue, à Seville.*
(Soy farmacéutico).	*(Je suis pharmacien).*
– *Tengo 32 años.*	*J'ai 32 ans.*
– *Trabajo en Valencia.*	*Je travaille à Valencia.*

Interroger quelqu'un sur ses passe-temps, ses goûts, ses préférences

– *Salgo con los amigos.*	*Je sors avec les copains.*
– *Prefiero la música moderna.*	*Je préfère la musique moderne.*
– *Me gusta hacer deporte y leer.*	*J'aime faire du sport et lire.*
– *En verano me voy a la playa.*	*En été je pars à la mer.*

Interroger quelqu'un sur son état de santé ou son moral

– *(Muy) bien, ¿ y tú ?*	*(Très) bien, et toi ?*
– *Me duele la cabeza.*	*J'ai mal à la tête.*
– *(Estoy) mejor, gracias.*	*(Je vais) mieux, merci.*

Demander des nouvelles de quelqu'un

– *Ha cambiado de trabajo.*	*Il a changé de travail.*
– *No está muy bien.*	*Il ne va pas très bien.*

Interroger quelqu'un sur un lieu, une direction, une destination

– *Al final de esta avenida, a la derecha.*	*À la fin de cette avenue, à droite.*
– *Siga todo recto hasta la catedral.*	*Continuez tout droit jusqu'à la cathédrale.*
– *Va hacia el aeropuerto.*	*Il va à l'aéroport.*

Interroger quelqu'un sur le climat

– *Hace buen (mal...) tiempo.*	*Il fait beau (mauvais).*

Interroger quelqu'un sur la date, le jour et l'heure

– *Hoy es lunes, 25 de mayo de 1993.*	*Nous sommes le lundi 25 mai 1993.*
– *Estamos en el mes de enero.*	*Nous sommes au mois de janvier.*
– *Este año, febrero tiene 29 días.*	*Cette année, février a 29 jours.*
– *Son las siete y veinte.*	*Il est sept heures vingt.*
– *Viene a las seis y cuarto.*	*Il arrive à six heures et quart.*
– *De (desde) las nueve de la mañana*	*De neuf heures du matin*
a (hasta) las dos de la tarde.	*à deux heures de l'après-midi.*
– *Desde anoche hasta esta mañana.*	*Depuis hier soir jusqu'à ce matin.*

■ QUESTIONS

Interroger quelqu'un sur le temps, un délai

– ¿ *Cuándo estarás de vacaciones* ?	*Quand seras-tu en vacances ?*
– ¿ *Cuánto (tiempo) tardarás en hacerlo* ?	*Combien de temps mettras-tu pour le faire ?*
– ¿ *Desde hace cuánto estás esperando* ?	*Depuis quand attends-tu ?*
– ¿ *Dentro de cuánto (tiempo) te vas* ?	*Dans combien de temps pars-tu ?*
– ¿ *Cada cuánto vienes aquí* ?	*Tu viens ici tous les combien ?*
– ¿ *Al cabo de cuánto (tiempo) se pondrá bien* ? etc.	*Au bout de combien de temps sera-t-il guéri ?*

Interroger quelqu'un sur un prix, une quantité, une mesure

– ¿ *Cuánto (qué) vale este traje* ?	*Combien coûte ce costume ?*
– ¿ *Cuál es el precio de este traje* ?	*Quel est le prix de ce costume ?*
– ¿ *Qué precio tiene* ?	*Quel est son prix ?*
– ¿ *Cuánto es* ? ¿ *Qué le debo* ?	*Combien est-ce ? Combien vous dois-je ?*
– ¿ *A cómo son los tomates* ?	*Combien coûtent les tomates ?*
– ¿ *Cuántos somos* ?	*Combien sommes-nous ?*
– ¿ *Cuánto mide la mesa* ?, etc.	*Combien mesure la table ?*

Questions sur la cause, le motif

– ¿ *Por qué no dices la verdad* ?, etc.	*Pourquoi ne dis-tu pas la vérité ?*

Questions sur le moyen, la manière

– ¿ *Cómo lo has hecho* ?	*Comment l'as-tu fait ?*
– ¿ *De qué forma podríamos ir allí* ? etc.	*De quelle façon pourrions-nous nous rendre là-bas ?*

Questions sur l'origine, la provenance, l'appartenance, la matière

– ¿ *Qué es esto* ?	*Qu'est-ce que c'est (que ça) ?*
– ¿ *De dónde sale esto* ?	*D'où sort ceci ?*
– ¿ *De quién es* ?	*À qui est-ce ?*
– ¿ *De qué es* ?, etc.	*En quoi est-ce ?*

Questions sur la finalité, la destination, l'utilité

– ¿ *Qué vas a hacer con eso* ?	*Que vas-tu faire avec cela ?*
– ¿ *Para quién es eso* ?	*Pour qui est-ce ?*
– ¿ *Para qué es eso* ?, etc.	*C'est pourquoi faire ?*

2. Questions directes, introduites par un verbe :

– ¿ *Hay mucha gente* ?	*Y a-t-il beaucoup de monde ?*
– ¿ *Tiene pan* ?	*Avez-vous du pain ?*
– ¿ *Está lejos el cine* ?, etc.	*Le cinéma est-il loin ?*

3. Questions indirectes :

– *Dígame dónde están sus padres.*	*Dites-moi où sont vos parents.*
– *Me interesa conocer el horario.*	*Cela m'intéresse de connaître les horaires.*
– *Desearía (quisiera) saber cuando sale el último tren.*	*Je souhaiterais (voudrais) savoir quand part le dernier train.*
– *Me pregunto si será él.*	*Je me demande si c'est lui.*
– *Me pregunto cómo será mi futura casa.*	*Je me demande comment sera ma future maison.*

■ RÉPONSES

Interroger quelqu'un sur le temps, un délai

– En el mes de julio.	*Au mois de juillet.*
– Tardaré media hora.	*Je mettrai une demi-heure.*
– Desde hace mucho tiempo.	*Depuis longtemps.*
– Dentro de quince días.	*Dans quinze jours.*
– Al cabo de dos o tres días.	*Au bout de deux ou trois jours.*

Interroger quelqu'un sur un prix, une quantité, une mesure

– Es muy caro (barato).	*Il est très cher (bon marché).*
– Vale 40.000 pesetas.	*Il coûte 40 000 pésétas.*
– (Son) 825 pesetas.	*(Cela fait) 825 pésétas.*
– A doscientas (pesetas) el kilo.	*Deux cents pésétas le kilo.*
– Somos diez.	*Nous sommes dix.*
– 1 metro 50 de ancho por 2 de largo.	*1 mètre 50 de largeur sur 2 de longueur.*

Questions sur la cause, le motif

– Porque no puedo.	*Parce que je ne peux pas.*

Questions sur le moyen, la manière

– Con mucho trabajo.	*Avec beaucoup de travail.*
– ¡En avión !	*Par avion !*

Questions sur l'origine, la provenance, l'appartenance, la matière

– Es mi pendiente.	*C'est ma boucle d'oreille.*
– Es un regalo de Pepe.	*C'est un cadeau de Pepe.*
– Es mío (de Ana...).	*C'est à moi (à Ana...).*
– Es de madera.	*C'est en bois.*

Questions sur la finalité, la destination, l'utilité

– Limpiarlo.	*Le nettoyer.*
– Es para mi primo.	*C'est pour mon cousin.*
– Es para ponerlo en la moto.	*C'est pour mettre sur la moto.*

2. Questions directes, introduites par un verbe :

– No, hay poca.	*Non, il y en a peu.*
– No me queda.	*Je n'en ai plus.*
– Sí, está bastante lejos.	*Oui, il est assez loin.*

3. Questions indirectes :

– Están de viaje.	*Ils sont en voyage.*
– Los jueves de 4 a 5.	*Les jeudis de 4 à 5.*
– ¡ Acaba de irse !	*Il vient de partir !*
– No, no es él.	*Non, ce n'est pas lui.*
– Seguro que será muy bonita.	*Elle sera sûrement très jolie.*

FORMULES DE POLITESSE

■ POUR SALUER
– *Buenos días (buenas tardes, noches),*	Bonjour (bonsoir),
¿ Cómo está Vd.?	Comment allez-vous ?
– *Muy bien, gracias, ¿ Y Vd. ?*, etc.	Très bien, merci. Et vous ?

■ POUR SE PRÉSENTER
– *Encantado(a)* → *Igualmente*	Enchanté(e) → De même/Pareillement
– *Mucho (tanto) gusto* →	Enchanté (e) →
El gusto es mío	De même/Pareillement
– *Me alegro de conocerle* →	Content de vous connaître →
Yo también, etc.	De même/Pareillement

■ POUR DEMANDER (un renseignement, un service, de l'aide...)
– *Por favor, ¿ puede (podría) ayudarme ?*	S'il vous plaît, pouvez-(pourriez-) vous m'aider ?
– *Le ruego que me ayude,* etc.	Je vous prie de m'aider.

■ POUR DEMANDER LA PERMISSION
– *¿ Me permite (le importa) que pase ?*	Vous permettez que je passe ?
– *Si es tan amable,...,*	Auriez-vous l'amabilité de...
– *Si no le molesta, ...,*	Si cela ne vous dérange pas ...
– *¡ Por supuesto ! ¡ No faltaba más !*	Bien entendu ! Je vous en prie !

■ POUR PRÉSENTER DES EXCUSES
– *Perdón / Perdone / Disculpe.*	Pardon.
– *Lo siento (mucho, muchísimo).*	(Je suis) désolé(e).
– *Le ruego que me perdone,* etc.	Je vous prie de m'excuser.

■ POUR FÉLICITER
– *¡ Felicidades !*	Bonne fête !
– *¡ Feliz cumpleaños !*	Bon (joyeux) anniversaire !
– *¡ Enhorabuena !*	Félicitations ! (mariages, naissances, succès)
– *¡ Feliz Navidad !/ ¡ Feliz Año Nuevo !*	Joyeux Noël! / Bonne Année !

■ POUR SOUHAITER
– *¡ Que aproveche ! / ¡ Buen provecho !*	Bon appétit !
– *¡ Salud ! / ¡ A su salud !*	Santé ! / À votre santé !
– *¡ Suerte ! / ¡ Ánimo !*	Bonne chance ! / (Bon) Courage !
– *¡ Buen viaje !* etc.	Bon voyage !

■ POUR DIRE AU REVOIR
– *¡ Adiós ! / ¡ Hasta luego ! / ¡ Hasta pronto !*	Au revoir ! / À bientôt !
– *¡ Hasta ahora !*	À tout de suite ! / À tout à l'heure !
– *¡ Hasta mañana (el lunes...) !*	À demain (lundi...) !
– *¡ Hasta la vista (más ver) !*, etc.	À la prochaine !

■ POUR REMERCIER
– *(Muchas) gracias.*	Merci (beaucoup).
– *Le estoy muy agradecido.*	Je vous remercie beaucoup.
– *Se lo agradezco.*	Je vous remercie.
– *Gracias por todo,* etc.	Merci pour tout.
– *De nada. / No hay de qué.*	De rien. / Il n'y a pas de quoi.

ÉCRIRE UNE LETTRE

■ COMMENCER UNE LETTRE

• **La date** (*la fecha*)

Dans la correspondance générale, elle est placée en haut et à droite. On y indique le nom de la ville suivi d'une virgule, puis le jour, le mois et l'année.
Ex. : **Sevilla, 5 de octubre de 1993**.

• **L'adresse** (*la dirección*)

Lorsqu'il s'agit d'une lettre d'affaires, commerciale ou administrative, l'adresse de l'expéditeur (**el remitente**) figure en haut, au centre ou à gauche. En dessous, à gauche, celle du destinataire (**destinatario**). La date se situe alors à droite, face à la dernière ligne des adresses. L'objet (**el asunto**), juste avant la formule de salutation.

• **Formules de salutation** (*fórmulas de saludo*)

Elles sont placées à gauche et suivies de deux points à la place de la virgule française. Les formules les plus courantes sont les suivantes :

– lettre d'affaires (commerciale, administrative...)

à quelqu'un que l'on ne connaît pas personnellement :

– **Distinguido señor (señora, ...) :**	*Monsieur (Madame, ...),*
– **Señor Director (Presidente, ...) :**	*Monsieur le Directeur (le Président, ...),*
– **Muy Sr. mío (Muy Sres. míos) :**	*Monsieur (Messieurs),*

à quelqu'un que l'on connaît personnellement (patron, supérieur hiérarchique ...) :

– **Estimado Sr. Pérez :**	*Cher Monsieur,*
– **Apreciado profesor :,** etc.	*Cher professeur,*

– lettre à des amis ou de la famille

– **¡ Hola !, ¿ qué tal ?**	*Salut ! Ça va ?*
– **(Mi) querido Paco / Queridísima familia :**	*(Mon) cher Paco / Très chère famille,*
– **Amor mío / Cariño, Querido :,** etc.	*Mon amour / Chéri,*

■ DÉVELOPPER UNE LETTRE

– Lettre d'affaires (commerciale, administrative, ...)

– **Me dirijo a Vd. para...**	*Je m'adresse à vous pour...*
– **Le ruego tenga a bien...**	*Je vous prie de bien vouloir...*
– **En relación con su carta del pasado...**	*Suite à votre lettre du... dernier...*
– **Con la presente le adjuntamos...**	*Nous joignons à la présente...*
– **Acusamos recibo de...**	*Nous accusons réception de...*
– **Le agradecemos de antemano...**	*Nous vous remercions par avance...*
– **Nos complace remitirle...,** etc.	*Nous avons le plaisir de vous adresser...*

– Lettre à des amis ou de la famille

– **Espero que sigas (estés) bien.**	*J'espère que tu vas bien.*
– **Me he alegrado mucho de recibir tu carta.**	*J'ai été très content(e) de recevoir ta lettre.*
– **Perdona el retraso, pero...,** etc.	*Excuse-moi du retard, mais...*

■ Finir une lettre

— Lettre d'affaires (commerciale, administrative...)

– En espera de sus noticias...	Dans l'attente de votre réponse...
– (Le saluda) (muy) atentamente,	Recevez l'expression de mes
– Reciba un atento (cordial, ...) saludo, etc.	sentiments distingués.

— Lettre à des amis ou de la famille

– Afectuosamente/	Affectueusement /
Un afectuoso saludo de...	Un salut cordial de...
– (Muchos) besos (y abrazos) /	Grosses bises / Je t'(vous)
Un (fuerte) abrazo.	embrasse très fort.
– Te echo de menos /	Tu me manques /
Con todo mi cariño, etc.	Avec tout mon amour.

TÉLÉPHONER

■ Appeler

Pour faire un appel téléphonique (**una llamada telefónica**), il faut faire le numéro de téléphone (**marcar el número de teléfono**). Si l'on appelle dans une région autre que celle dans laquelle on se trouve, on fait l'indicatif (**el prefijo**). Si l'on ignore le numéro de téléphone de celui que l'on souhaite appeler, on consulte l'annuaire (**la guía**). Si l'on est le premier à parler, on dit «allô» (**Oiga**) pour s'assurer que son correspondant est bien au bout du fil.

■ Vérifier que l'on a fait le bon numéro

Dans ce cas là, on utilise des expressions telles que :

– ¿ Es casa de Ana (don Antonio) ?	Je suis bien chez Ana (Monsieur Antonio) ?
– ¿ Con quién hablo ?, etc.	Qui est-ce ? / Qui est à l'appareil ?

— Si l'on a fait le bon numéro

– Soy Pablo, ¿ está Ana (don...) ?	Je suis Pablo, est-ce qu'Ana (M. ...) est là ?
– ¿Eres tú, Ana ? / ¿ Es Vd., don... ?	C'est toi, Ana ? / C'est vous, Monsieur... ?
– Quisiera (desearía) hablar con..., etc.	Je voudrais (souhaiterais) parler à...

— Si l'on n'a pas fait le bon numéro

– Lo siento, me he equivocado, etc.	Excusez-moi, je me suis trompé(e) de numéro.

— Si la personne à laquelle on veut parler est absente

– ¿ Cuándo estará?	Quand sera-t-il (elle) là ?
– Volveré a llamar más tarde.	Je rappellerai plus tard.
– ¿ Puede decirle que me llame cuando vuelva ?, etc.	Quand il (elle) reviendra, pouvez-vous lui dire de m'appeler ?

■ RÉPONDRE À UN APPEL

Pour répondre à un appel, vous dites *allô* (**Diga / Dígame**).

– Quand la personne qui répond n'est pas la destinataire de l'appel

Si la personne que l'on appelle est là :

– *Sí, sí está. Se lo (la) paso.*	*Oui, il (elle) est là. Je vous le (la) passe.*
– *Sí, un momentito, por favor.*	*Oui. Un instant, s'il vous plaît.*
– *Ahora mismo se pone.*	*Il (elle) arrive tout de suite.*
– *¿ De parte de quién ?*	*De la part de qui ?*
– *¿Quién le (la) llama ?*	*Qui l'appelle ?*

Si un standard répond :

– *No cuelgue. Ahora mismo*	*Ne quittez pas.*
le pongo con...	*Je vous passe tout de suite...*

Si la personne que l'on appelle n'est pas là :

– *No, no está. Ha salido.*	*Non, il (elle) n'est pas là. Il (elle) est sorti(e).*
– *¿ Quiere dejarle algún recado ?*	*Voulez-vous lui laisser un message ?*

Quand la personne qui répond est la destinataire de l'appel :

– *Sí, soy yo. Dígame /*	*Oui, c'est moi. Allô/*
Sí, aquí Ana, etc.	*Oui. Ici Ana.*

■ PROBLÈMES DE COMMUNICATION

– Lorsque l'appel n'aboutit pas

– *No llama / No da señal de llamada.*	*Il n'y a pas de tonalité.*
– *Líneas saturadas,* etc.	*Encombrement.*

– Lorsque l'abonné ne répond pas

– *No contesta / Está comunicando.*	*Ça ne répond pas / C'est occupé.*

– Lorsque la communication est mauvaise

– *Se oye fatal /*	*On entend très mal /*
Hay cruce de líneas	*Il y a des interférences.*
– *Se ha cortado (la comunicación).*	*On a été coupé.*

■ AUTRES TERMES IMPORTANTS À CONNAITRE

– **Llamar por teléfono / telefonear / dar (pegar) un telefonazo** : ces trois termes
signifient *téléphoner*, le plus courant étant le premier, le plus familier le troisième.

– **abonado**	*abonné*
– **señal**	*tonalité*
– **cabina telefónica**	*cabine téléphonique*
– **información**	*renseignements*
– **llamada urbana**	*appel local*
– **interurbana, internacional**	*interurbain, international*
– **llamada a cobro revertido,** etc.	*appel en PCV*

FRANÇAIS-ESPAGNOL

A

a [ɑ] *m.* A *f.* Loc. *De — à Z, depuis — jusqu'à Z,* de cabo a rabo; *prouver par — plus B,* demostrar por A más B.

a [a] *prep.* À se contrae con los artículos *le* y *les* en *au (à le):* al, y en *aux (à les):* a los, a las.
/ 1 A. a) complément indirect: *j'écris — mon père,* escribo a mi padre; b) direction, lieu: *aller — Paris,* ir a París; c) temps: *recevoir de 3 — 4 heures,* recibir de las tres a las cuatro; d) destination: *donner de l'argent aux pauvres,* dar dinero a los pobres; e) moyen, instrument: *taper — la machine,* escribir a máquina; f) manière: *— la nage,* a nado; *acheter — crédit,* comprar a crédito; g) complément d'un verbe: *manquer — sa parole,* faltar a su palabra. 2 Con. a) moyen: *pêcher — la ligne,* pescar con caña; b) combinaison, mélange: *café au lait,* café con leche; *lapin aux pommes de terre,* conejo con patatas. 3 De. a) appartenance: *ce livre est — Jean,* este libro es de Juan; b) destination: *tasse — thé,* taza de té; c) prix: *un timbre — soixante centimes,* un sello de sesenta céntimos. 4 En (situation): *être — Barcelone,* estar en Barcelona. 5 Hasta (aboutissement): *il court — perdre haleine,* corre hasta perder el aliento. 6 Para (destination): *bon — manger,* bueno para comer. 7 Por. a) époque approximative: *— la Saint Jean,* por San Juan; b) distribution: *vendre — la douzaine,* vender por docenas: *cent km — l'heure,* cien km por hora; c) destination: *tout est — faire,* todo está por hacer. 8 Parfois *à* ne se traduit pas: *un ami — moi,* un amigo mío; *continuer — lire,* seguir leyendo.

abaissement [abɛsmɑ̃] *l m.* Bajada *f.,* baja *f.,* descenso: *— de la température,* descenso de la temperatura. 2 Vieil. Envilecimiento, humillación *f.*

abaisser [abese] *tr.* 1 Bajar. 2 Rebajar (rabaisser, humilier). 3 Bajar, reducir (les prix). 4 MATH. Trazar (une perpendiculaire). 5 MATH. Bajar (un chiffre dans une division). ■ 6 *pr.* Descender, inclinarse (terrain). 7 Rebajarse, humillarse (perdre sa dignité).

abandon [abɑ̃dɔ̃] *m.* 1 Abandono. 2 *loc. adj.* A l'—, abandonado, da, descuidado, da.

abandonner [abɑ̃dɔne] *tr.* 1 Abandonar. 2 Renunciar a. ■ 3 *pr.* Abandonarse. 4 Entregarse (se livrer). 5 Desahogarse (s'épancher).

abasourdir [abazurdir] *tr.* 1 Ensordecer. 2 fig. Aturdir, asombrar, dejar estupefacto, ta.

abâtardir [abɑtardir] *tr.* Degenerar.

abat-jour [abaʒur] *m. invar.* Pantalla *f.*

abattage [abataʒ] *m.* 1 Corta *f.,* tala *f.* (d'arbres). 2 Matanza *f.* (d'animaux).

abattant [abatɑ̃] *m.* 1 Tablero movible. 2 Trampa *f.* (de comptoir).

abattement [abatmɑ̃] *m.* 1 Abatimiento. 2 Deducción *f.* (sur une somme).

abattis [abati] *m. pl.* 1 Menudillos (de volaille). 2 fam. Brazos y piernas.

abattoir [abatwar] *m.* Matadero.

abattre [abatr(ə)] *tr.* 1 Derribar: *— une statue,* derribar una estatua. 2 Matar (tuer). 3 Derribar, abatir (un avión). 4 *— son jeu,* tenderse (au jeu de cartes); fig. poner las cartas boca arriba. 5 Debilitar (fatiguer). 6 Desmoralizar, deprimir. ■ 7 *pr.* Desplomarse (tomber). 8 Abatirse. ▲ CONJUG. como *battre.*

abbaye [abei] *f.* Abadía.

abbé [abe] *m.* 1 Abad. 2 Padre: *l'—Louis,* el Padre Luis. 3 Cura.

abbesse [abes] *f.* Abadesa.

abcès [apsɛ] *m.* Absceso.

abdiquer [abdike] *tr.-intr.* 1 Abdicar. ■ 2 *tr.* Renunciar a.

abdomen [abdɔmɛn] *m.* Abdomen.

abeille [abɛj] *f.* Abeja.
aberration [abɛʀɑsjɔ̃] *f.* Aberración.
abêtir [abɛtiʀ] *tr.* Atontar, embrutecer.
abhorrer [abɔʀe] *tr.* Detestar, aborrecer.
abîme [abim] *m.* Abismo.
abîmer [abime] *tr. 1* Deteriorar, estropear. *2* pop. Lisiar, descalabrar (quelqu'un).
abject, ecte [abʒɛkt] *adj.* Abyecto, ta.
abjurer [abʒyʀe] *tr.* Abjurar.
ablatif [ablatif] *m.* GRAM. Ablativo.
ablution [ablysjɔ̃] *f.* Ablución.
abnégation [abnegasjɔ̃] *f.* Abnegación.
aboiement [abwamɑ̃] *m.* Ladrido.
abois [abwa] *m. pl. 1* Ladrido *f. sing. 2 Aux —*, acorralado (animal).
abominer [abɔmine] *tr.* Abominar, detestar.
abondance [abɔ̃dɑ̃s] *f. 1* Abundancia: *corne d'—*, cuerno de la abundancia. *2* Opulencia, buena situación económica.
abonder [abɔ̃de] *intr.* Abundar.
abonner [abɔne] *tr. 1* Abonar (aux spectacles). *2* Suscribir (à un journal).
abord [abɔʀ] *m. 1* Acceso: *plage d'un — facile*, playa de acceso fácil. *2 Au premier —, de prime —*, a primera vista, desde el primer momento. *3 loc. adv. D'—, tout d'—*, primero, en primer lugar. ■ *4 m. pl.* Alrededores, inmediaciones *f*.
aborder [abɔʀde] *tr. 1* MAR. Abordar. *2* Abordar, tratar, tocar (un sujet). *3* fig. Abordar (une personne). ■ *4 intr.* Abordar, atacar.
aborigène [abɔʀiʒɛn] *adj.-m.* Aborigen.
aboucher [abuʃe] *tr. 1* Poner en contacto a (deux personnes). ■ *2 pr.* Abocarse, entrevistarse.
aboulique [abulik] *adj.-s.* Abúlico, ca.
aboutir [abutiʀ] *intr. 1* Ir a parar, acabar en, llevar. *2* fig. Conducir a. *3* Dar resultado, tener éxito.
aboyer [abwaje] *intr. 1* Ladrar. *2* fig. — *après, contre quelqu'un*, increpar a alguien. ▲ CONJUG. como *employer*.
abrasif, -ive [abʀazif, -iv] *adj. 1* Abrasivo, va. ■ *2 m.* Abrasivo.
abréger [abʀeʒe] *tr. 1* Abreviar, acortar. *2* Resumir, compendiar (un texte). ▲ CONJUG. IRREG. Convierte en abierta la *e* cerrada del radical en las formas siguientes: INDIC. Pres.: *j'abrège, tu abrèges, il abrège, ils abrègent.* SUBJ. Pres.: *que j'abrège, que tu abrèges, qu'il abrège, qu'ils abrègent.* Toma una *e* muda después de *g* delante de *a* y de *o*: *j'abrégeais*, etc.
abreuver [abʀœve] *tr. 1* Abrevar. *2* fig.

Llenar, abrumar (d'injures). ■ *3 pr.* Beber.
abreuvoir [abʀœvwaʀ] *m.* Abrevadero (bestiaux), bebedero (oiseaux).
abréviation [abʀevjasjɔ̃] *f. 1* Abreviación. *2* Abreviatura (mot abrégé).
abri [abʀi] *m. 1* Abrigo (lieu abrité). *2* Refugio. *3* Cobertizo (contre la pluie, le vent). *4 loc. adv. À l'—*, al abrigo, a cubierto. *5 loc. prép. À l'— de*, al amparo de, a cubierto de.
abricot [abʀiko] *m.* Albaricoque.
abricotier [abʀikɔtje] *m.* Albaricoquero.
abriter [abʀite] *tr. 1* Abrigar (tenir à l'abri). *2* Albergar (héberger). ■ *3 pr.* Resguardarse, protegerse.
abroger [abʀɔʒe] *tr.* Abrogar. ▲ CONJUG. como *engager*.
abrupt, -te [abʀypt, -pt(ə)] *adj.* Abrupto, ta.
abrutir [abʀytiʀ] *tr.* Embrutecer, atontar.
abscense [apsɑ̃s] *f. 1* Ausencia: *en l'— de*, en ausencia de. *2* Carencia, falta (manque). *3* Fallo *m.* de memoria (de mémoire).
absenter (s') [apsɑ̃te] *pr.* Ausentarse.
absinthe [apsɛ̃t] *f.* Ajenjo *m*.
absolu, -ue [apsɔly] *adj. 1* Absoluto, ta, total. ■ *2 m.* Lo absoluto.
absolution [apsɔlysjɔ̃] *f.* Absolución.
absolutisme [apsɔlytism(ə)] *m.* Absolutismo.
absorbant, -ante [apsɔʀbɑ̃, -ɑ̃t] *adj.-m.* Absorbente.
absorber [apsɔʀbe] *tr.* Absorber. *2* Tomar (boire, manger). ■ *3 pr.* Ensimismarse, absorberse.
absoudre [apsudʀ(ə)] *tr.* Absolver. ▲ CONJUG. IRREG. INDIC. Pres.: *j'absous, tu absous, il absout, nous absolvons, vous absolvez, ils absolvent.* Imperf.: *j'absolvais*, etc. Pret. indef.: (no se usa). Fut. imperf.: *j'absoudrai*, etc. POT.: *j'absoudrais*, etc. SUBJ. Pres.: *que j'absolve*, etc. Imperf.: (no se usa). IMPER.: *absous, absolvons, absolvez.* PART. A.: *absolvant.* PART. P.: *absous, absoute.*
abstention [apstɑ̃sjɔ̃] *f.* Abstención.
abstinence [apstinɑ̃s] *f.* Abstinencia.
abstrait, -aite [apstʀɛ, -ɛt] *adj. 1* Abstracto, ta: *peinture abstraite*, pintura abstracta. ■ *2 m. L'—*, lo abstracto.
absurde [apsyʀd(ə)] *adj. 1* Absurdo, da. ■ *2 m. L'—*, lo absurdo.
abuser [abyze] *tr. 1* Abusar. *2* Engañar (tromper). ■ *3 pr.* Equivocarse.
abyssinien, enne [abisinjɛ̃, -ɛn], **abyssin, -ine** [abisɛ̃, -in] *adj.-s.* Abisinio, nia.

acabit [akabi] *m. 1* Indole *f.*, naturaleza *f.* 2 péj. Calaña *f.*, ralea *f.* (personnes).

académicien, -ienne [akademisjɛ̃, -jɛn] *s.* Académico, ca.

académique [akademik] *adj.* Académico, ca.

acajou [akaʒu] *m.* Caoba *f.*

acanthe [akɑ̃t] *f.* ARCHIT., BOT. Acanto *m.*

acariâtre [akaʀjɑtʀ(ə)] *adj.* Adusto, ta, brusco, ca, malhumorado, da, desabrido, da.

accabler [akable] *tr. 1* Abrumar, agobiar. 2 fig. Colmar, llenar.

accaparer [akapaʀe] *tr.* Acaparar.

accéder [aksede] *intr. 1 — à*, entrar en, tener acceso a: *— au grenier*, entrar en el desván. 2 Advenir (au trône). *3* Acceder. ▲ CONJUG. como *accélérer*.

accélérateur, -trice [akseleʀatœʀ, -tris] *adj. 1* Acelerador, ra. ■ *2 m.* Acelerador.

accélérer [akseleʀe] *tr. 1* Acelerar. 2 fig. Activar. ■ *3 intr.* Acelerar (un moteur). ▲ CONJUG. IRREG. Convierte en abierta la *e* cerrada (segunda del radical) en las formas siguientes: INDIC. Pres.: *j'accélère, tu accélères, il accélère, ils accélè-`rent.* SUBJ. Pres.: *que j'accélère, que tu accélères, qu'il accélère, qu'ils accélè-`rent.* IMPER.: *accélère.*

accent [aksɑ̃] *m. 1* Acento: *— espagnol*, acento español; *— grave*, acento grave. *2 Mettre l' — sur*, hacer hincapié en, subrayar.

accentuer [aksɑ̃tɥe] *tr.* Acentuar.

accepter [aksɛpte] *tr.* Aceptar.

acception [aksɛpsjɔ̃] *f.* Acepción.

accès [aksɛ] *m. 1* Acceso: *d'un — facile*, de fácil acceso. 2 Acceso, entrada *f. 3* Acceso, ataque (de fièvre, de toux). 4 Arrebato (de colère, etc.).

accessible [aksesibl(ə)] *adj. 1* Accesible. 2 Asequible (prix).

accessit [aksesit] *m.* Accésit.

accessoire [akseswaʀ] *adj. 1* Accesorio, ria, secundario, ria. ■ *2 m.* Accesorio.

accident [aksidɑ̃] *m. 1* Accidente. *2 Par —*, por casualidad, casualmente.

accidenté, -ée [aksidɑ̃te] *adj. 1* Accidentado, da, abrupto, ta, desigual (terrain). 2 Estropeado, da (véhicule). ■ *3 adj.-s.* Accidentado, da (personne victime d'un accident).

acclamation [aklamasjɔ̃] *f.* Aclamación.

acclamer [aklame] *tr.* Aclamar.

acclimater [aklimate] *tr. 1* Aclimatar. *2* Introducir (une idée, un usage). ■ *3 pr.* Aclimatarse.

accoler [akɔle] *tr.* Enlazar, unir, juntar.

accommoder [akɔmɔde] *tr. 1* Acomodar, adaptar. 2 CUIS. Condimentar, preparar. ■ *3 pr.* Acomodarse, adaptarse.

accompagner [akɔ̃paɲe] *tr. 1* Acompañar. 2 MUS. Acompañar: *— un chanteur au piano*, acompañar a un cantante con el piano. ■ *3 pr.* S'*— de*, acompañarse de.

accomplir [akɔ̃pliʀ] *tr. 1* Realizar: *— une mauvaise action*, realizar una mala acción. 2 Cumplir: *— un ordre*, cumplir una orden; *— son devoir*, cumplir con su deber. ■ *3 pr.* Cumplirse, realizarse.

accord [akɔʀ] *m. 1* Acuerdo: *un — général*, un acuerdo general; *se mettre d'—*, ponerse de acuerdo; *d'—*, de acuerdo. 2 Acuerdo, convenio: *— commercial*, acuerdo comercial. 3 Aprobación *f.*, conformidad *f.: demander l'— de son supérieur*, pedir la aprobación de su superior. 4 GRAM., MUS. Concordancia *f.* 5 MUS. Acorde.

accordéon [akɔʀdeɔ̃] *m.* Acordeón.

accorder [akɔʀde] *tr. 1* Conceder, otorgar: *— une grâce*, conceder una gracia. 2 Reconocer, conceder (reconnaître). 3 Poner de acuerdo (mettre d'accord). 4 GRAM. Concordar, hacer concordar. 5 MUS. Afinar. ■ *6 pr.* Ponerse de acuerdo.

accordeur [akɔʀdœʀ] *m.* MUS. Afinador.

accorte [akɔʀt(ə)] *adj.-f.* Gentil, amable.

accoster [akɔste] *tr. 1* Abordar: *— quelqu'un*, abordar a alguien. 2 MAR. Acercar, atracar.

accoter [akɔte] *tr.* Recostar, apoyar.

accouchement [akuʃmɑ̃] *m.* Parto.

accoucher [akuʃe] *tr.-intr. 1* Parir, dar a luz: *— d'une fille*, dar a luz una niña. 2 pop. Desembuchar, cantar, soltar: *accouche!*, ¡desembucha! ■ *3 tr.* Asistir al parto de (aider à accoucher).

accouder (s') [akude] *pr.* Acodarse.

accoudoir [akudwaʀ] *m. 1* Recodadero, reclinatorio. 2 Antepecho (d'une fenêtre), barandal (d'un balcon). 3 Brazo (d'un fauteuil).

accoupler [akuple] *tr. 1* Aparear, emparejar (mettre deux à deux). 2 Acoplar, aparear (les animaux).

accourir [akuʀiʀ] *intr.* Acudir. ▲ CONJUG. como *courir*.

accoutrer [akutʀe] *tr.* Ataviar, vestir ridículamente.

● **accoutumer** [akutyme] *tr. 1* Acostumbrar. ■ *2 pr.* Acostumbrarse.

accréditer [akʀedite] *tr. 1* Acreditar: *— un ambassadeur*, acreditar a un embajador. 2 Abonar: *— un bruit*, abonar un rumor.

accrochage [akʀɔʃaʒ] *m. 1* Colgamiento

(action de suspendre à un crochet). *2* Enganche (de wagons). *3* Choque, colisión *f.* (entre deux voitures). *4* fam. Agarrada *f.*, disputa *f.*

accrocher [akrɔʃe] *tr. 1* Enganchar. *2* Chocar, colisionar (deux voitures). *3* Colgar (suspendre): — *son manteau à un clou*, colgar el abrigo de un clavo. *4* Llamar la atención: *un titre qui accroche*, un título que llama la atención. ■ *5 pr.* Agarrarse.

accroire (faire) [akrwar] *tr.* Hacer creer. ▲ Sólo se conjuga en infinitivo.

accroître [akrwatr(ə)] *tr.* Acrecentar, aumentar. ▲ CONJUG. como *croître*, pero la forma masculina del part. p. no lleva acento circunflejo.

accroupir (s') [akrupir] *pr.* Acurrucarse, agacharse, ponerse en cuclillas.

accueil [akœj] *m. 1* Acogida *f.*, recibimiento. *2 Centre d'—*, centro de acogida, de recepción (pour les étudiants, les voyageurs).

accueillir [akœjir] *tr. 1* Acoger (quelqu'un, une nouvelle, etc.). *2* Recibir. ▲ CONJUG. comme *cueillir*.

acculer [akyle] *tr.* Acorralar.

accumuler [akymyle] *tr.* Acumular.

accusatif [akyzatif] *m.* Acusativo.

accusé, ée [akyze] *s. 1* Acusado, da, reo, ea. ■ *2 m.* — *de réception*, acuse de recibo.

accuser [akyze] *tr. 1* Acusar. *2* Hacer resaltar (faire ressortir). *3* — *réception de*, acusar recibo de. ■ *4 pr.* Acusarse.

acéphale [asefal] *adj.* Acéfalo, la.

acerbe [asɛrb(ə)] *adj.* Acerbo, ba.

acéré, -ée [asere] *adj.* Acerado, da, afilado, da.

acétate [asetat] *m.* Acetato.

acétone [asetɔn] *f.* Acetona.

acétylène [asetilɛn] *m.* Acetileno.

acharné, -ée [aʃarne] *adj.* Encarnizado, da.

acharner (s') [aʃarne] *pr.* Encarnizarse (*sur*, en).

achat [aʃa] *m.* Compra *f.*

acheminer [aʃmine] *tr. 1* Encaminar. *2* Despachar (la correspondance).

acheter [aʃte] *tr. 1* Comprar: — *une maison*, comprar una casa. *2* fig. Comprar, sobornar. ▲ CONJUG. IRREG. Convierte en abierta la *e* muda del radical en las formas siguientes: INDIC. Pres.: *j'achète, tu achètes, il achète, ils achètent*. Fut. imperf.: *j'achèterai*, etc. POT.: *j'achèterais*, etc. SUBJ. Pres.: *que j'achète, que tu achètes, qu'il achète, qu'ils achètent*. IMPER.: *achète*.

achever [aʃve] *tr. 1* Acabar, terminar: —

de, acabar de. *2* Matar, rematar (un blessé). *3* Aniquilar, acabar. ▲ CONJUG. como *acheter*.

achoppement [aʃɔpmã] *m. 1* Tropiezo, obstáculo. *2* Pierre d'—, obstáculo *m.* imprevisto, escollo *m.*, ocasión de faltar.

acide [asid] *adj. 1* Ácido, da: *le vinaigre est* —, el vinagre es ácido. ■ *2 m.* Ácido.

acidifier [asidifje] *tr.* Acidificar. ▲ CONJUG. como *prier*.

acidité [asidite] *f. 1* Acidez. *2* fig. Acritud.

acidulé, -ée [asidyle] *adj.* Acídulo, la.

acier [asje] *m. 1* Acero: — *inoxydable*, acero inoxidable. *2* fig. Acero: *des muscles d'—*, músculos de acero.

acné [akne] *f.* Acné.

acolyte [akɔlit] *m. 1* Acólito. *2* fig. Compinche.

acompte [akɔ̃t] *m.* Cantidad *f.* a cuenta.

aconit [akɔnit] *m.* Acónito.

acoquiner (s') [akɔkine] *pr.* Conchabarse.

à-coup [aku] *m.* Movimiento brusco, parada *f.* brusca.

acquérir [akerir] *tr. 1* Adquirir: — *une voiture*, adquirir un coche. Prov. *Bien mal acquis ne profite jamais*, bienes mal adquiridos, a nadie han enriquecido. *2* Lograr, obtener: — *la victoire*, obtener la victoria. *3* Ganar: — *l'affection de quelqu'un*, ganar el afecto de alguien. ▲ CONJUG. IRREG. INDIC. Pres.: *j'acquiers, tu acquiers, il acquiert, nous acquérons, vous acquérez, ils acquièrent*. Imperf.: *j'acquérais*, etc. Pret. indef.: *j'acquis*, etc. Fut. imperf.: *j'acquerrai*, etc. POT.: *j'acquerrais*, etc. IMPER.: *acquiers, acquérons, acquérez*. SUBJ. Pres.: *que j'acquière, que tu acquières, qu'il acquière, que nous acquérions, que vous acquériez, qu'ils acquièrent*. Imperf.: *que j'acquisse*, etc. PART. A.: *acquérant*. PART. P.: *acquis, acquise*.

acquiescer (à) [akjese] *tr. ind.* Consentir en, asentir a. ▲ CONJUG. como *lancer*.

acquis, -ise [aki, -iz] *adj. 1* Adquirido, da. *2 — à*, Adicto, ta. ■ *3 m.* Experiencia *f.*, saber.

acquisition [akizisjɔ̃] *f.* Adquisición.

acquit [aki] *m.* Recibo (reçu). Loc. *Pour* —, recibí; *par* — *de conscience*, en descargo de conciencia.

acquitter [akite] *tr. 1* Pagar (ce qu'on doit). *2* Absolver: — *un accusé*, absolver a un reo. ■ *3 pr.* S'— *de*, pagar (une dette), cumplir (une obligation juridique ou morale).

âcre [akr(ə)] *adj.* Acre (saveur, odeur).

âcreté [akrəte] *f.* Acritud.

acrimonie [akʀimɔni] *f.* Acrimonia.
acrobate [akʀɔbat] *s.* Acróbata.
acropole [akʀɔpɔl] *f.* ARCHÉOL. Acrópolis.
acte [akt(ə)] *m.* *1* Acta *f.*, escritura *f.* *2*
Partida *f.*: — *de naissance, de mariage, de décès,* partida de nacimiento, de matrimonio, de defunción. *3* Acto: — *de terrorisme,* acto de terrorismo. *4* Acción *f.*, hecho, acto. *5 Faire — de,* dar pruebas de. *6* THÉÂT. Acto. ■ *7 pl.* Actos, hechos: *actes des Apôtres,* hechos de los Apóstoles. *8* Actas *f.* (d'un concile, etc.).
acteur, -trice [aktœʀ, -tʀis] *s.* *1* Actor, ra (d'une affaire). *2* Actor, actriz (d'un film, de théâtre).
actif, -ive [aktif, -iv] *adj.* *1* Activo, va. ■ *2 m.* COMM. Activo (avoir). Loc. *Avoir à son —,* tener en su haber, en su favor.
actinium [aktinjɔm] *m.* Actinio (métal).
action [aksjã] *f.* *1* Acción: — *,* una mala acción. *2* Acción: *un homme d'—,* un hombre de acción. *3* Acción (intrigue): *l'— d'un film,* la acción de una película. *4* COMM. Acción (titre de propriété).
actionnaire [aksjɔnɛʀ] *s.* Accionista.
actionner [aksjɔne] *tr.* Mover, accionar (une machine).
activer [aktive] *tr.* *1* Activar, acelerar: — *un travail,* activar un trabajo. *2* Avivar: — *le feu,* avivar el fuego. ■ *3 pr.* Apresurarse.
activité [aktivite] *f.* Actividad.
actualité [aktɥalite] *f.* *1* Actualidad. ■ *2 pl.* Noticiario *m. sing.* (film).
acuité [akɥite] *f.* Agudeza, acuidad.
adage [adaʒ] *m.* Adagio.
adaptación [adaptasjɔ̃] *f.* Adaptación.
adapter [adapte] *tr.* Adaptar.
addition [adisjɔ̃] *f.* *1* MATH. Adición, suma. *2* Adición, adimento *m.* (texte ajouté). *3* Cuenta (au restaurant).
additionnel, -elle [adisjɔnɛl] *adj.* Adicional.
adepte [adɛpt(ə)] *s.* Adepto, ta.
adéquat, -ate [adekwa, -at] *adj.* Adecuado, da, apropiado, da.
adhérence [adeʀɑ̃s] *f.* *1* Adherencia. *2* Agarre *m.* (d'un pneu).
adhérent, -ente [adeʀɑ̃, -ɑ̃t] *adj.* *1* Adherente. ■ *2 s.* Adherente, afiliado, da (membre).
adhésif, -ive [adezif, -iv] *adj.-m.* Adhesivo, va.
adhésion [adezjɔ̃] *f.* Adhesión.
adieu [adjø] *interj.* *1* ¡Adiós! ■ *2 m.* Adiós, despedida *f.*
adipeux, -euse [adipø, -øz] *adj.* Adiposo, sa.

adjacent, -ente [adʒasɑ̃, -ɑ̃t] *adj.* Adyacente.
adjectif, -ive [adʒɛktif, -iv] *adj.* *1* GRAM. Adjetivo, va: *locution adjective,* locución adjetiva. ■ *2 m.* GRAM. Adjetivo: — *possessif,* adjetivo posesivo.
adjoindre [adʒwɛ̃dʀ(ə)] *tr.* *1* Agregar, añadir. *2* Asociar como auxiliar. ■ *3 pr.* Tomar, buscarse: *il s'est adjoint un spécialiste,* se ha buscado un especialista. ▲ CONJUG. como *craindre.*
adjoint, -ointe [adʒwɛ̃, -wɛ̃t] *adj.-s.* Adjunto, ta, agregado, da, auxiliar.
adjudication [adʒydikasjɔ̃] *f.* *1* Adjudicación. *2* Subasta (vente aux enchères).
adjurer [adʒyʀe] *tr.* *1* Conjurar. *2* Suplicar, rogar encarecidamente (supplier).
adjuvant [adʒyvã] *m.* Adyuvante.
admettre [admɛtʀ(ə)] *tr.* *1* Admitir. *2* Aceptar (considérer comme acceptable). ▲ CONJUG. comme *mettre.*
administrateur, -trice [administʀatœʀ, -tʀis] *s.* Administrador, ra.
administrer [administʀe] *tr.* *1* Administrar: — *justice,* administrar justicia. *2* fam. Propinar, dar (des coups).
admirable [admiʀabl(ə)] *adj.* Admirable.
admiration [admiʀasjɔ̃] *f.* Admiración.
admirer [admiʀe] *tr.* Admirar.
admission [admisjɔ̃] *f.* Admisión.
admonestation [admɔnɛstasjɔ̃] *f.* Amonestación.
adolescence [adɔlesɑ̃s] *f.* Adolescencia.
adonner (s') [adɔne] *pr.* *1* Entregarse, darse. *2* Dedicarse, consagrarse.
adopter [adɔpte] *tr.* *1* Adoptar. *2* Aprobar (approuver par un vote).
adoption [adɔpsjɔ̃] *f.* *1* Adopción. *2 D'—,* adoptivo, va.
adorable [adɔʀabl(ə)] *adj.* Adorable, encantador, ora.
adoration [adɔʀasjɔ̃] *f.* *1* Adoración. *2* fam. *Être en — devant quelqu'un,* estar en perpetua adoración ante alguien.
adorer [adɔʀe] *tr.* *1* Adorar (religión). *2* Adorar (aimer avec passion). *3* fam. Adorar, encantar.
adosser [adose] *tr.* *1* Adosar. ■ *2 pr.* Respaldarse.
adoucir [adusiʀ] *tr.* *1* Suavizar, dulcificar (le visage, la voix, les manières). *2* Calmar, ablandar (rendre moins rude, moins violent). ■ *3 pr.* Suavizarse.
adresse [adʀɛs] *f.* *1* Dirección, señas *pl.* (lettres). *2 À l'— de,* para. *3* Memorial *m.*, ruego *m.* (au souverain). *4* Destreza, habilidad. *5* Diplomacia.
adresser [adʀese] *tr.* *1* Dirigir: — *la parole,* dirigir la palabra. *2* Enviar: — *un*

livre, enviar un libro. ■ *3 pr.* Dirigirse.
adroit, -oite [adʀwa, -wat] *adj.* Diestro, tra, hábil.
aduler [adyle] *tr.* Adular.
adultère [adyltɛʀ] *adj.-s. 1* Adúltero, ra. ■ *2 m.* Adulterio.
advenir [advəniʀ] *intr.* Advenir, acaecer. ▲ CONJUG. como *venir.* Úsase sólo en las terceras pers. y en infinitivo.
adventice [advãtis] *adj.* Adventicio, -cia.
adverbe [advɛʀb(ə)] *m.* GRAM. Adverbio.
adversaire [advɛʀsɛʀ] *s.* Adversario, ria.
adversité [advɛʀsite] *f.* Adversidad.
aérer [aeʀe] *tr. 1* Airear, ventilar. ■ *2 pr.* Airearse, tomar el aire. ▲ CONJUG. como *accélérer.*
aérien, -ienne [aeʀjɛ̃, -jɛn] *adj.* Aéreo, rea.
aérodrome [aeʀɔdʀom] *m.* Aeródromo.
aéronaute [aeʀɔnot] *m.* Aeronauta.
aéroplane [aeʀɔplan] *m.* Aeroplano.
aéroport [aeʀɔpɔʀ] *m.* Aeropuerto.
aérostat [aeʀɔsta] *m.* Aeróstato.
affabilité [afabilite] *f.* Afabilidad.
affable [afabl(ə)] *adj.* Afable.
affadir [afadiʀ] *tr. 1* Desazonar, hacer insípido, da (un mets).
affaiblir [afebliʀ] *tr.* Debilitar.
affaire [afɛʀ] *f. 1* Ocupación, quehacer *m.* (chose à faire): *aller à ses affaires,* ir a sus ocupaciones. Loc. *C'est mon —,* es cuenta mía; *cela fait mon —,* esto me conviene. 2 fam. *Faire son — à quelqu'un,* ajustarle las cuentas a alguien (le tuer). *3* Asunto *m.,* cuestión. Loc. *Une — d'honneur,* un lance de honor, un duelo; *se tirer d'—,* salir de un mal paso. 4 DR. Proceso *m.* 5 Caso *m.: l'— Dreyfus,* el caso Dreyfus. 6 Negocio *m.* Loc. *Achète-le, c'est une —,* cómpralo, es una ganga; *faire — avec quelqu'un,* tratar, negociar con alguien. 7 *Avoir — à,* habérselas con. ■ *8 pl.* Asuntos *m.: les affaires d'État,* los asuntos de Estado. 9 Negocios *m.: un homme d'affaires,* un hombre de negocios. 10 Cosas, trastos *m.*
affaisser (s') [afese] *pr. 1* Hundirse (terrain). *2* Desplomarse.
affaler (s') [afale] *pr.* Desplomarse, dejarse caer.
affamer [afame] *tr.* Hambrear, matar de hambre, hacer padecer hambre.
affectation [afektɑsjɔ̃] *f. 1* Aplicación, destinación, asignación. *2* Destino *m.* (à un poste, à une fonction). *3* Afectación, amaneramiento *m.* (manque de naturel).
affecter [afekte] *tr. 1* Afectar, fingir, apa-

rentar. *2* Destinar, asignar. *3* Afectar, afligir. ■ *4 pr.* Sufrir.
affectif, -ive [afektif, -iv] *adj.* Afectivo, va.
affection [afɛksjɔ̃] *f. 1* Afección. *2* Afecto *m.,* cariño *m.* 3 MÉD. Afección.
affectueux, -euse [afɛktɥø, -øz] *adj.* Afectuoso, sa, cariñoso, sa.
affermer [afɛʀme] *tr.* Arrendar.
affermir [afɛʀmiʀ] *tr. 1* Afirmar, fortalecer. ■ *2 pr.* Afirmarse, consolidarse.
affiche [afiʃ] *f.* Cartel *m.,* anuncio *m.*
afficher [afiʃe] *tr. 1* Fijar carteles. 2 fig. Ostentar, exhibir. ■ *3 pr.* Hacerse notar, exhibirse.
affidé, -ée [afide] *s.* Agente, espía.
affilée (d') [dafile] *loc. adv.* De un tirón.
affiler [afile] *tr.* Afilar.
affilier (s') [afilje] *pr.* Afiliarse. ▲ CONJUG. como *prier.*
affiner [afine] *tr. 1* Afinar, refinar. ■ *2 pr.* Refinarse.
affinité [afinite] *f.* Afinidad.
affirmatif, -ive [afiʀmatif, -iv] *adj.* Afirmativo, va.
affirmer [afiʀme] *tr. 1* Afirmar. ■ *2 pr.* Confirmar, asentar.
affixe [afiks(ə)] *m.* GRAM. Afijo.
affleurer [aflœʀe] *intr.* Aflorar.
affliction [afliksjɔ̃] *f.* Aflicción.
affliger [afliʒe] *tr. 1* Afligir. ■ *2 pr.* Afligirse. ▲ CONJUG. como *engager.*
affluence [aflyãs] *f.* Afluencia.
afflux [afly] *m. 1* Aflujo. 2 Afluencia *f.* (de personnes).
affoler [afole] *tr. 1* Enloquecer. ■ *2 pr.* Enloquecerse, volverse loco, ca.
affranchir [afʀãʃiʀ] *tr. 1* Manumitir (les esclaves). 2 Franquear (une lettre). ■ *3 pr.* Libertarse, emanciparse.
affres [afʀ(ə)] *f. pl.* Ansias, congojas.
affréter [afʀete] *tr.* Fletar. ▲ CONJUG. como *accélérer.*
affreux, -euse [afʀø, -øz] *adj. 1* Horroroso, sa. *2* fam. Horrible, horroroso, sa.
affriolant, -ante [afʀijɔlã, -ãt] *adj.* Tentador, ra, atractivo, va.
affronter [afʀɔ̃te] *tr. 1* Afrontar, hacer frente a, arrostrar. ■ *2 pr.* Enfrentarse, afrontarse.
affubler [afyble] *tr.* Vestir ridículamente.
affût [afy] *m. 1* ARTILL. Cureña *f.* 2 Acecho: *être à l'—,* estar al acecho.
afghan, -ane [afgã, -an] *adj.-s.* Afgano, na.
afin de [afɛd(ə)] *loc. prép.* A fin de.
afin que [afɛk(ə)] *loc. conj.* A fin de que, con el fin de que.
africain, -aine [afʀikɛ̃, -ɛn] *adj.-s.* Africano, na.

agaçant, -ante [agasã, -ãt] *adj.* Molesto, ta, irritante.

ágacer [agase] *tr.* Molestar, irritar. ▲ CONJUG. como *lancer.*

agapes [agap] *f. pl.* Ágape *m. sing.*, festín *m. sing.*

agate [agat] *f.* Ágata.

âge [aʒ] *m. 1* Edad *f.: il est mort à l'— de 58 ans,* murió a la edad de 58 años. Loc. *Le jeune —,* la infancia; *le bel —,* la juventud. *2* Edad *f.: le Moyen —,* la Edad Media.

agence [aʒãs] *f.* Agencia.

agencer [aʒãse] *tr.* Arreglar, disponer. ▲ CONJUG. como *lancer.*

agenda [aʒẽda] *m.* Agenda *f.*

agenouiller (s') [aʒnuje] *pr.* Arrodillarse.

agent [aʒã] *m. 1* Agente: — *atmosphérique,* agente atmosférico; — *d'assurances,* agente de seguros. *2* — *de police,* policía, guardia. *3* GRAM. *Complément d'—,* complemento agente.

agglomération [aglɔmeʀasjɔ̃] *f. 1* Aglomeración. *2* Pueblo *m.*, poblado *m.* (ville, village).

agglutiner [aglytine] *tr.* Aglutinar.

aggraver [agʀave] *tr. 1* Agravar. ■ *2 pr.* Agravarse.

agilité [aʒilite] *f.* Agilidad.

agir [aʒiʀ] *intr. 1* Obrar, actuar. ■ *2 pr. impers.* Tratarse: *il s'agit de son père,* se trata de su padre.

agissant, -ante [aʒisã, -ãt] *adj.* Activo, va, eficaz.

agitateur, -trice [aʒitatœʀ, -tʀis] *s.* Agitador, ra.

agiter [aʒite] *tr. 1* Agitar. *2* Excitar: — *les esprits,* excitar los espíritus. *3* Discutir, debatir. ■ *4 pr.* Agitarse. *5* Moverse, menearse.

agneau [aɲo] *m.* Cordero.

agonie [agɔni] *f.* Agonía.

agonisant, -ante [agɔnizã, -ãt] *adj.-s.* Agonizante, agónico, ca.

agrafer [agʀafe] *tr. 1* Abrochar. *2* Unir con grapas (des papiers). *3* pop. Echar el guante a (un voleur).

agraire [agʀɛʀ] *adj.* Agrario, ia.

agrandir [agʀɑ̃diʀ] *tr. 1* Agrandar, ampliar: — *un local,* ampliar un local. *2* Ensanchar (élargir). *3* Engrandecer. *4* PHOT. Ampliar. ■ *5 pr.* Agrandarse. *6* Crecer, extenderse (une ville).

agréable [agʀeabl(ə)] *adj.* Agradable.

agréer [agʀee] *tr.* Aceptar, recibir con agrado.

agrégat [agʀega] *m.* Agregado, conglomerado.

agrégé, -ée [agʀeʒe] *s.* Catedrático, ca.

agréger [agʀeʒe] *tr. 1* Admitir (dans un corps). *2* Agregar. ■ *3 pr.* Agregarse. ▲ CONJUG. como *accélérer.*

agrément [agʀemã] *m. 1* Beneplácito, consentimiento. *2* Encanto, atractivo. *3* Placer, recreos.

agrémenter [agʀemãte] *tr.* Adornar (orner).

agresseur [agʀesœʀ] *m.* Agresor.

agressif, -ive [agʀesif, -iv] *adj.* Agresivo, va.

agression [agʀesjɔ̃] *f.* Agresión.

agreste [agʀest(ə)] *adj.* Agreste.

agricole [agʀikɔl] *adj.* Agrícola.

agriculture [agʀikyltyʀ] *f.* Agricultura.

agripper [agʀipe] *tr.* Agarrar, asir con avidez.

agronomie [agʀɔnɔmi] *f.* Agronomía.

aguerrir [ageʀiʀ] *tr. 1* Aguerrir (exercer à la guerre). *2* Avezar (habituer). ■ *3 pr.* Aguerrirse. *4* Avezarse (s'habituer).

aguets (aux) [ozagɛ] *loc. adv.* Al acecho.

aguichant, ante [agiʃã, -ãt] *adj.* Provocativo, va, incitante.

ah! [a] *interj.* ¡Ah!

ahuri, -ie [ayʀi] *adj.-s.* Aturdido, da, atontado, da, atónito, ta.

aide [ɛd] *f. 1* Ayuda: *demander de l'—,* pedir ayuda. Loc. *A l'—!,* ¡socorro!; *venir en — à,* ayudar a. *2 loc. prép. A l'— de,* con ayuda de, por medio de.

aide [ɛd] *s.* Ayudante, ayuda: — *de laboratoire,* ayudante de laboratorio.

aider [ede] *tr. 1* Ayudar, auxiliar, socorrer. ■ *2 pr.* Ayudarse. *3* Servirse, valerse de: *s'— d'un dictionnaire,* valerse de un diccionario.

aïe! [aj] *interj.* ¡Ay!

aïeul, -le [ajœl] *s. 1* Abuelo, la. ■ *2 pl. Aïeuls,* abuelos (grands-parents). *3 Aïeux,* antepasados (ancêtres).

aigle [ɛgl(ə)] *m. 1* Águila *f. 2* fig. Águila (inteligente). ■ *3 f.* Águila (femelle de l'aigle). *4* Águila (étendard).

aiglon [ɛglɔ̃] *m.* Aguilucho.

aigre [ɛgʀ(ə)] *adj.* Agrio.

aigrefin [ɛgʀəfɛ̃] *m.* Estafador.

aigreur [ɛgʀœʀ] *f. 1* Agrura, acritud. ■ *2 pl.* MÉD. Acedia *sing.* (d'estomac).

aigrir [egʀiʀ] *tr.* Agriar.

aigu, -uë [egy] *adj. 1* Agudo, da. *2* Vivo, va, agudo, da: *douleur aiguë,* dolor agudo.

aigue-marine [ɛgmaʀin] *f.* Aguamarina.

aiguille [egɥij] *f. 1* Aguja: — *à tricoter,* aguja de hacer media; — *aimantée,* aguja magnética. *2* Aguja (chemin de fer). *3* Picacho *m.* (montagne).

aiguilleur [egɥijœʀ] *m.* Guardaagujas.

aiguillon [egɥijɔ̃] *m. 1* Aguijón (d'insecte). *2* Aguijada *f.*

aiguiser [eg(ɥ)ize] *tr. 1* Aguzar (rendre pointu). *2* Amolar, afilar.

ail [aj] *m.* Ajo.

aile [ɛl] *f. 1* Ala (d'un oiseau). *2* Ala (d'avion). *3* Aspa (d'un moulin). *4* Aleta (du nez). *5* SPORTS. Ala (d'une équipe).

aileron [ɛlʀɔ̃] *m. 1* ZOOL. Alón. *2* Alerón (d'avion).

ailleurs [ajœʀ] *adv.* En otra parte. *loc. adv. D'—*, por otra parte.

aimable [ɛmabl(ə)] *adj.* Amable.

aimanter [ɛmɑ̃te] *tr.* Imantar.

aimer [eme] *tr. 1* Amar (style soutenu), querer (éprouver de l'amour, de l'affection). *2* Gustar (trouver agréable, être friand de): *j'aime la musique, lire,* me gusta la música, leer. *3 — mieux*, preferir. ■ *4 pr.* Quererse: *ils s'aiment beaucoup,* se quieren mucho. *5* Hacer el amor.

aine [ɛn] *f.* Ingle.

aîné, -ée [ene] *adj.-s. 1* Primogénito, ta. *2* Mayor (plus âgé): *il est mon — de trois ans,* es tres años mayor que yo.

ainsi [ɛ̃si] *adv.* Así: *— que,* así como; *— de suite,* así sucesivamente; *— soit-il,* así sea; *pour — dire,* por decirlo así.

air [ɛʀ] *m. 1* Aire: *courant d'—*, corriente de aire; *au grand —, en plein —*, al aire libre; *— conditionné,* aire acondicionado. *2* Aire (aspect): *un — de famille,* un aire de familia. *3* Semblante, cara *f.* (visage). *4 Avoir l'—*, parecer; (avec *de* et l'inf.) *il a l'— de s'ennuyer,* tiene aspecto de aburrirse. *5 N'avoir l'— de rien,* ser una mosca muerta (personne). *6* MUS. Aire: *— de danse,* aire bailable.

aire [ɛʀ] *f. 1* GÉOM. Área. *2* Nido *m.* (d'un rapace). *3* Zona, área.

aisance [ɛzɑ̃s] *f. 1* Soltura (facilité, naturel). *2* Bienestar *m.,* desahogo *m.,* holgura. ■ *3 pl. Cabinets, lieux d'aisances,* escusado *sing.,* retrete *sing.*

aise [ɛz] *adj. 1* Contento, ta: *je suis bien — de...,* estoy muy contento de... ■ *2 f.* Contento *m.,* gusto *m.* Loc. *Être à l'—*, estar cómodo, a, a gusto.

aisé, -ée [eze] *adj. 1* Fácil, cómodo, da. *2* Acomodado, da.

aisselle [ɛsɛl] *f.* Sobaco *m.,* axila.

ajouré, -ée [aʒuʀe] *adj.* Calado, da.

ajourner [aʒuʀne] *tr.* Aplazar.

ajouter [aʒute] *tr. 1* Añadir, agregar, aumentar. *2 — foi à,* creer, dar crédito a. ■ *3 tr. ind. — à,* aumentar.

ajustement [aʒystəmɑ̃] *m.* Ajuste, adaptación *f.*

ajuster [aʒyste] *tr. 1* Ajustar (adapter). *2* Apuntar (viser). *3* MÉC. Ajustar: *— une pièce,* ajustar una pieza.

alambic [alɑ̃bik] *m.* Alambique.

alarmant, -ante [alaʀmɑ̃, -ɑ̃t] *adj.* Alarmante.

alarme [alaʀm(ə)] *f. 1* Alarma. *2* fig. Alarma, zozobra, inquietud.

albâtre [albatʀ(ə)] *m.* Alabastro.

albatros [albatʀos] *m.* Albatros.

albinos [albinos] *adj.-s.* Albino, na.

album [albɔm] *m.* Álbum.

albuminoïde [albyminɔid] *m.* Albuminoide.

alcalin, -ine [alkalɛ̃, -in] *adj.* Alcalino, na.

alcaloïde [alkalɔid] *m.* Alcaloide.

alcool [alkɔl] *m. 1* Alcohol. *2* Licor: *prendre un —,* tomar un licor.

alcoolique [alkɔ(ɔ)lik] *adj.-s.* Alcohólico, ca.

alcôve [alkov] *f. 1* Fondo *m.* de una habitación en que está una cama y cerrado por una cortina o una puerta de dos hojas. *2* fig. Alcoba.

aléatoire [aleatwaʀ] *adj.* Aleatorio, ria, problemático, ca.

alentour [alɑ̃tuʀ] *adv.* En torno, alrededor.

alentours [alɑ̃tuʀ] *m. pl.* Alrededores.

alerte [alɛʀt(ə)] *adj. 1* Vivo, va, despierto, ta. ■ *2 f.* Alerta, alarma: *donner l'—,* dar la alarma. *3 interj.* ¡Alerta!

alezan, -ane [alzɑ̃, -an] *adj.-s.* Alazán, ana.

alfa [alfa] *m.* Esparto.

algarade [algaʀad] *f. 1* Andanada, salida brusca. *2* Agarrada (dispute).

algèbre [alʒɛbʀ(ə)] *f.* Álgebra.

algérien, -ienne [alʒeʀjɛ̃, jɛn] *adj.-s.* Argelino, -na.

algue [alg(ə)] *f.* Alga.

alibi [alibi] *m.* Coartada *f.*

aliéné, -ée [aljene] *s.* Alienado, da, loco, ca.

aliéner [aljene] *tr. 1* Alienar, enajenar. *2* Enajenar (l'esprit). ■ *3 pr.* Enajenarse. ▲ CONJUG. como *accélérer.*

aligner [aliɲe] *tr. 1* Alinear, poner en fila. ■ *2 pr.* Alinearse.

alimentation [alimɑ̃tasjɔ̃] *f.* Alimentación.

alimenter [alimɑ̃te] *tr. 1* Alimentar (nourrir). ■ *2 pr.* Alimentarse, nutrirse.

aliter [alite] *tr. 1* Acostar, hacer guardar cama. ■ *2 pr.* Encamarse, guardar cama.

alizé [alize] *m.* Alisio (vent).

allaiter [alete] *tr.* Amamantar, criar.

allant [alɑ̃] *m.* Empuje, actividad *f.,* animación *f.,* brío.

alléchant, -ante [a(l)eʃɑ̃, -ɑ̃t] *adj. 1* Apetitoso, sa. *2* fig. Atractivo, va, seductor, ra.

allée [ale] *f. 1* Alameda (chemin bordé d'arbres). *2* Calle (passage dans un jardin). *3 — et venue,* ida y venida.

alléger [a(l)leʒe] *tr.* Aliviar, aligerar (rendre moins lourd, moins pénible). ▲ CONJUG. como *abréger.*

allégorie [a(l)egɔʀi] *f.* Alegoría.

allègre [a(l)legʀ(ə)] *adj. 1* Alegre. *2* Ágil, vivo, va, dispuesto, ta.

alléguer [a(l)lege] *tr.* Alegar. ▲ CONJUG. como *accélérer.*

allemand, -ande [almɑ̃, -ɑ̃d] *adj.-s.* Alemán, ana.

aller [ale] *intr. 1* Ir: *— à pied, en voiture,* ir a pie, en coche; *nous irons en Italie,* iremos a Italia; *je vais sortir,* voy a salir (toujours *a* devant l'inf.). Loc. *— sur ses cinquante ans,* ir para los cincuenta años; *cela va de soi,* esto cae de su peso. *2* Estar: *le malade va mieux,* el enfermo está mejor. *3* Sentar: *ce costume lui va bien,* este traje le sienta bien. *4* Convenir, interesar: *ça me va,* esto me conviene. ∎ *5 impers. Y —,* ir, tratarse de: *il y va de notre vie,* se trata de nuestra vida. Loc. fig. *Ne pas y — par quatre chemins,* no andarse por las ramas. *6 Y — fort,* exagerar. ∎ *7 pr. S'en —,* irse, marcharse. *8 Interj. Allons!, allez!,* ¡vamos!, ¡vaya! Loc. *Ça va!, ça va comme ça!,* ¡basta! ▲ CONJUG. IRREG. INDIC. Pres.: *je vais, tu vas, il va, nous allons, vous allez, ils vont.* Imperf.: *j'allais,* etc. Pret. indef.: *j'allai,* etc. Fut. imperf.: *j'irai, tu iras, il ira, nous irons, vous irez, ils iront.* POT.: *j'irais, tu irais, il irait, nous irions, vous iriez, ils iraient.* IMPER.: *va, allons, allez.* SUBJ. Pres.: *que j'aille, que tu ailles, qu'il aille, que nous allions, que vous alliez, qu'ils aillent.* Imperf.: *que j'allasse, qu'il allât,* etc. PART. A.: *allant.* PART. P.: *allé, ée.* OBSERV. En imperativo se dice *vas-y* y no *va-y.* Se conjuga con el auxiliar *être.*

aller [ale [m. 1* Ida *f. 2 Au pis —,* en el peor de los casos.

alliage [aljaʒ] *m.* Aleación *f.,* liga *f.* (de métaux).

alliance [aljɑ̃s] *f. 1* Alianza (coalition, pacte). *2* Parentesco *m.* (parenté). *3* Anillo *m.* de boda (anneau).

allié, -ée [alje] *adj.-s.* Aliado, da.

allocation [a(l)ɔkasɔ̃] *f.* Gratificación, asignación, subsidio *m.*

allocution [a(l)lɔkysjɔ̃] *f.* Alocución.

allongé, -ée [alɔ̃ʒe] *adj.* Alargado, da.

allonger [alɔ̃ʒe] *tr. 1* Alargar (rendre plus long). *2* Aclarar (une sauce). *3* fam. Largar: *— une gifle,* largar una bofetada. *4* pop. *— du fric,* aflojar la mosca. *5* Alargar, extender (le bras, le pas). ∎ *6 intr.* Alargarse: *les jours allongent,* los días se alargan. ∎ *7 pr.* Alargarse. *8* Echarse (sur le lit). ▲ CONJUG. como *engager.*

allouer [alwe] *tr.* Conceder, asignar (une somme d'argent, une indémnité).

allumer [alyme] *tr.* Encender.

allumette [alymɛt] *f.* Fósforo *m.,* cerilla.

allure [alyʀ] *f. 1* Velocidad (vitesse de déplacement). Loc. *À toute —,* a toda marcha, muy deprisa. *2* Andar *m.* (démarche). *3* Facha, garbo *m.*

allusion [a(l)lyzjɔ̃] *f.* Alusión.

alluvion [a(l)lyvjɔ̃] *f.* Aluvión *m.*

almanach [almana] *m.* Almanaque.

aloi [alwa] *m. 1* Ley *f.* (métaux précieux). *2* Valor (d'une personne ou d'une chose).

alors [alɔʀ] *adv. 1* Entonces. *2* En tal caso (dans ce cas). *3* loc. conj. *— que,* mientras que, cuando.

alourdir [aluʀdiʀ] *tr. 1* Hacer pesado. *2* fig. Sobrecargar, recargar.

alpaga [alpaga] *m.* Alpaca *f.* (tissu).

alpestre [alpɛstʀ(ə)] *adj.* Alpestre, alpino, na.

alphabétique [alfabetik] *adj.* Alfabético, ca.

alpiniste [alpinist(ə)] *s.* Alpinista.

alsacien, -ienne [alzasjɛ̃, -ɛn] *adj.-s.* Alsaciano, na.

altération [alteʀasjɔ̃] *f.* Alteración.

alternatif, -ive [altɛʀnatif, -iv] *adj.* Alternativo, va.

alterner [altɛʀne] *intr.* Alternar.

altier, -ière [altje, -jɛʀ] *adj.* Altanero, ra, altivo, va.

altitude [altityd] *f.* Altitud.

altruiste [altʀɥist(ə)] *adj.-s.* Altruista.

aluminium [alyminjɔm] *m.* Aluminio.

amabilité [amabilite] *f.* Amabilidad.

amaigrir [amegʀiʀ] *tr.* Enflaquecer, adelgazar.

amalgamer [amalgame] *tr.* Amalgamar.

amande [amɑ̃d] *f.* Almendra.

amandier [amɑ̃dje] *m.* Almendro.

amant [amɑ̃] *m.* Amante, querido.

amarrer [amaʀe] *tr.* MAR. Amarrar.

amas [ama] *m.* Montón, pila *f.*

amasser [amɑse] *tr. 1* Amontonar. *2* Atesorar (argent). ∎ *3 pr.* Amontonarse.

amateur [amatœʀ] *m. 1* Aficionado: *— de musique,* aficionado a la música. *2* fam. Persona *f.* dispuesta a comprar. ∎ *3 adj.*

Aficionado, da: *photographe —,* fotógrafo aficionado.

ambages [ãbaʒ] *f. pl.* Ambages *m.*

ambassadeur, -drice [ãbasadœʀ, -dʀis] *s.* Embajador, ra.

ambiance [ãbjãs] *f.* Ambiente *m.*

ambiant, -ante [ãbjã, -ãt] *adj.* Ambiente.

ambigu, -uë [ãbigy] *adj.* Ambiguo, gua (ambivalent, équivoque).

ambitieux, -euse [ãbisjø, -øz] *adj.* Ambicioso, -sa.

ambitionner [ãbisjɔner] *tr.* Ambicionar.

ambre [ãbʀ(ə)] *m.* Ámbar.

ambroisie [ãbʀwazi] *f.* Ambrosía.

ambulance [ãbylãs] *f.* Ambulancia.

ambulant, -ante [ãbylã, -ãt] *adj.* Ambulante.

âme [am] *f. 1* Alma (esprit). *2* Alma (habitant): *une ville de 10.000 âmes,* una ciudad de 10.000 almas.

améliorer [ameljɔre] *tr. 1* Mejorar (perfectionner). ■ *2 pr.* Mejorarse.

amen [amɛn] *adv.* Amén.

aménager [amenaʒe] *tr. 1* Arreglar, disponer (agencer). *2* Instalar. ▲ CONJUG. como *engager.*

amende [amãd] *f. 1* Multa. *2* Loc. *Faire — honorable,* excusarse, pedir perdón.

amender [amãde] *tr. 1* Enmendar, mejorar. *2* AGR. Abonar. ■ *3 pr.* Enmendarse.

amène [amɛn] *adj.* Ameno, na.

amener [amne] *tr. 1* Traer. *2* Ocasionar, acarrear (occasionner). *3* Inducir (déterminer). *4* MAR. *— une voile,* amainar una vela. ▲ CONJUG. como *acheter.*

aménité [amenite] *f.* Amabilidad, afabilidad.

amenuiser [amənɥize] *tr. 1* Adelgazar (amincir). ■ *2 pr.* Disminuir (devenir plus petit).

amer, -ère [amɛʀ] *adj.* Amargo, ga.

américain, -aine [amerikɛ̃, -ɛn] *adj.-s.* Americano, na.

amerrir [ameʀiʀ] *intr.* Amarar.

amertume [amɛʀtym] *f.* Amargura, amargor *m.*

améthyste [ametist(ə)] *f.* Amatista.

ameublement [amœbləmã] *m.* Moblaje, mobiliario.

ameuter [amøte] *tr. 1* Amotinar, sublevar. ■ *2 pr.* Amotinarse.

ami, -ie [ami] *adj.-s. 1* Amigo, ga. ■ *2 s.* Amante *m.,* querida.

amiante [amjãt] *m.* Amianto.

amical, -ale [amikal] *adj.* Amistoso, sa.

amidonner [amidɔne] *tr.* Almidonar.

amincir [amɛ̃siʀ] *tr. 1* Adelgazar. ■ *2 pr.* Adelgazarse.

amiral [amiʀal] *m.* Almirante.

amitié [amitje] *f. 1* Amistad. *2* Favor *m. 3* Atención, amabilidad. ■ *4 pl.* Recuerdos *m.: mes amitiés à,* recuerdos a.

ammoniaque [amɔnjak] *f.* Amoniaco *m.*

amnésie [amnezi] *f.* Amnesia.

amnistie [amnisti] *f.* Amnistía.

amoindrir [amwɛ̃dʀiʀ] *tr.* Aminorar.

amollissant, -ante [amɔlisã, -ãt] *adj.* Debilitante, enervante.

amonceler [amɔ̃sle] *tr. 1* Amontonar. ■ *2 pr.* Amontonarse, acumularse. ▲ CONJUG. como *appeler.*

amoral, -ale [amɔʀal] *adj.* Amoral.

amorcer [amɔʀse] *tr. 1* Cebar (appâter). *2* Cebar, cargar (une arme). *3* Iniciar, comenzar (un travail, une affaire). ▲ CONJUG. como *lancer.*

amorphe [amɔʀf(ə)] *adj.* Amorfo, fa.

amortir [amɔʀtiʀ] *tr. 1* Amortiguar. *2* Amortizar.

amortissable [amɔʀtisabl(ə)] *adj.* Amortizable.

amortisseur [amɔʀtisœʀ] *m.* Amortiguador.

amour [amuʀ] *m. 1* Amor: *chagrin d'—,* pena de amor; *l'— du prochain,* el amor al prójimo. *2* Cariño, afecto (affection). *3* Pasión *f.,* amor: *l'— des voyages,* la pasión por los viajes. *4* *Faire l'—,* hacer el amor (avoir des relations sexuelles). *5* fam. *Un — de,* un encanto de. *6* MYTH., PEINT. Amorcillo. ■ *7 pl.* Aventura *f. sing.* amorosa.

amoureux, -euse [amuʀø, -øz] *adj. 1* Amoroso, sa. ■ *2 adj.-s.* Enamorado, da, amante.

amour-propre [amuʀpʀɔpʀ(ə)] *m.* Amor propio.

ampère [ãpɛʀ] *m.* Amperio.

amphibie [ãfibi] *adj.* Anfibio, bia.

amphithéâtre [ãfiteatʀ(ə)] *m. 1* Anfiteatro. *2* Aula *f.* (université).

amphitryon [ãfitʀijɔ̃] *m.* Anfitrión.

ample [ãpl(ə)] *adj. 1* Amplio, plia. *2* Holgado, da (vêtement).

amplification [ãplifikasjɔ̃] *f. 1* Amplificación. *2* fig. Exageración.

amplitude [ãplityd] *f.* PHYS. Amplitud.

ampoule [ãpul] *f. 1* Ampolla. *2* Bombilla (électrique). *3* MÉD. Ampolla.

amputer [ãpyte] *tr.* Amputar (couper).

amulette [amylɛt] *f.* Amuleto *m.*

amusant, -ante [amyzã, -ãt] *adj.* Divertido, da.

amuser [amyze] *tr. 1* Divertir, entretener. ■ *2 pr.* Entretenerse: *s'— à,* entretenerse en. *3* Divertirse: *enfants qui s'amusent,* niños que se divierten.

amygdale [ami(g)dal] *f.* Amígdala.

an [ã] *m.* Año: *il a dix ans*, tiene diez años; *il y a deux ans*, hace dos años. Loc. *Le jour de l'—*, el día de Año Nuevo.

anachronisme [anakRɔnism(ə)] *m.* Anacronismo.

anagramme [anagRam] *f.* Anagrama *m.*

anal, -ale [anal] *adj.* Anal.

analogique [analɔʒik] *adj.* Analógico, ca.

analogue [analɔg] *adj.* Análogo, ga.

analphabète [analfabɛt] *adj.-s.* Analfabeto, ta.

analyser [analize] *tr.* 1 Analizar. ■ 2 *pr.* Analizarse.

analyste [analist(ə)] *s.* Analista.

ananas [anana(s)] *m.* Ananás, piña *f.*

anarchie [anaRʃi] *f.* Anarquía.

anarchiste [anaRʃist(ə)] *s.* Anarquista.

anatomie [anatɔmi] *f.* Anatomía.

ancestral [ãsɛstRal] *adj.* Ancestral.

ancêtre [ãsɛtR(ə)] *m.* 1 Antepasado, ascendiente. 2 Precursor.

anchois [ãʃwa] *m.* Anchoa *f.*

ancien, -ienne [ãsjɛ̃, -jɛn] *adj.* 1 Antiguo, gua: *un meuble —*, un mueble antiguo. 2 Viejo, ja. 3 Ex, antiguo, gua: *— président*, ex presidente; *— élève*, antiguo alumno. ■ 4 *s.* Antiguo, gua (de l'Antiquité, d'une école).

ancienneté [ãsjɛnte] *f.* Antigüedad.

ancrage [ãkRaʒ] *m.* MAR. Ancladero.

ancrer [ãkRe] *tr.* 1 Anclar. ■ 2 *pr.* Meterse, aferrarse (enraciner).

andalou, ouse [ãdalu, -uz] *adj.-s.* Andaluz, za.

andouille [ãduj] *f.* 1 Especie de embutido francés. 2 fam. Bobo *m.*, imbécil *m.*

âne [an] *m.* 1 Asno, burro, borrico. Loc. *Têtu comme un —*, terco como una mula. 2 *loc. adv. En dos d'—*, formando lomo. 3 fig. Burro, bestia (bête, ignorant).

anéantir [aneãtiR] *tr.* 1 Aniquilar (exterminer). 2 fig. Anonadar (une nouvelle).

anecdote [anɛkdɔt] *f.* Anécdota.

anémique [anemik] *adj.* Anémico, ca.

anémone [anemɔn] *f.* Anémona.

ânerie [anRi] *f.* Burrada, animalada, borricada.

ânesse [anɛs] *f.* Asna, burra.

anesthésier [anɛstezje] *tr.* Anestesiar. ▲ CONJUG. como *prier*.

anfractuosité [ãfRaktyozite] *f.* 1 Anfractuosidad. 2 Cavidad, agujero *m.* (creux).

ange [ãʒ] *m.* 1 Ángel: *— gardien*, ángel de la guarda; *— déchu*, ángel caído. 2 Ángel (personne parfaite). 3 *Être aux anges*, estar en la gloria.

angélique [ãʒelik] *adj.* 1 Angélico, ca. 2 Angelical: *sourire —*, sonrisa angelical.

angelus [ãʒelys] *m.* Ángelus (prière).

angine [ãʒin] *f.* Angina.

anglais, -aise [ãglɛ, -ez] *adj.-s.* 1 Inglés, esa. 2 *Filer à l'anglaise*, despedirse a la francesa. ■ 3 *m.* Inglés (langue). ■ 4 *f. pl.* Tirabuzones *m.* (coiffure).

angle [ãgl(ə)] *m.* Ángulo.

anglican, -ane [ãglikã, -an] *adj.-s.* Anglicano, na.

anglicisme [ãglisism(ə)] *m.* Anglicismo.

angoisser [ãgwase] *tr.* Angustiar, acongojar.

angora [ãgɔRa] *adj.* Angora: *chat —*, gato de angora.

anguille [ãgij] *f.* Anguila.

angulaire [ãgylɛR] *adj.* Angular.

anguleux, -euse [ãgylø, -øz] *adj.* Anguloso, sa.

anhydride [anidRid] *m.* Anhídrido.

animal, -ale [animal] *adj.* 1 Animal: *règne —*, reino animal. 2 Animal (bestial). ■ 3 *m.* Animal (bête): *animaux sauvages*, animales salvajes.

animé, -ée [anime] *adj.* 1 Animado, -da. 2 *Dessins animés*, dibujos animados.

animer [anime] *tr.* 1 Animar. 2 fig. Animar (aviver). ■ 3 *pr.* Animarse.

animosité [animozite] *f.* Animosidad.

anis [ani(s)] *m.* Anís (plante et boisson).

anisette [anizɛt] *f.* Anisete *m.*

ankyloser [ãkiloze] *tr.* Anquilosar.

annales [anal] *f. pl.* Anales *m.*

anneau [ano] *m.* 1 Anilla *f.* (de rideaux). 2 Anillo, sortija *f.* (bague). 3 Anillo (d'un ver, de Saturne). ■ 4 *pl.* Anillas *f.* (gymnastique).

année [ane] *f.* 1 Año *m.: l'— 1972*, el año 1972. 2 *— scolaire*, año *m.* escolar, curso *m.* 3 *Souhaiter la bonne —*, felicitar por Año Nuevo.

annexe [anɛks(ə)] *adj.* 1 Anexo, xa, secundario, ria (accessoire, secondaire). ■ 2 *f.* Anejo *m.*

anniversaire [anivɛRsɛR] *m.* 1 Aniversario (d'un événement). 2 Cumpleaños.

annoncer [anɔ̃se] *tr.* 1 Anunciar. 2 Pronosticar, predecir. ■ 3 *pr.* Anunciarse. ▲ CONJUG. como *lancer*.

annonciation [anɔ̃sjasjɔ̃] *f.* Anunciación.

annoter [anɔte] *tr.* Anotar.

annuel, -elle [anɥɛl] *adj.* Anual, anuo, nua.

annuité [anɥite] *f.* Anualidad.

annulaire [anylɛR] *m.* Anular (doigt).

annuler [anyle] *tr.* 1 Anular. ■ 2 *pr.* Anularse (se neutraliser).

anoblir [anɔbliR] *tr.* Ennoblecer.

anode [anɔd] *f.* Ánodo *m.*
anodin, -ine [anɔʃɛ̃, -in] *adj.* Anodino, na.
anomal, -ale [anɔmal] *adj.* Anómalo, la.
ânon [ɑnɔ̃] *m.* Borriquillo (petit âne).
ânonner [ɑnɔne] *intr.* Leer, hablar con torpeza (bredouiller).
anonyme [anɔnim] *adj.* Anónimo, ma: *société —,* sociedad anónima.
anormal, -ale [anɔrmal] *adj.-s.* Anormal.
anse [ɑ̃s] *f. 1* Asa (partie recourbée): *l'—d'un panier,* el asa de una cesta. *2 Faire danser l'—, du panier,* sisar. *3* Ensenada, cala (baile).
antagonique [ɑ̃tagɔnik] *adj.* Antagónico, ca.
antagoniste [ɑ̃tagɔnist(ə)] *adj.-s.* Antagonista.
antarctique [ɑ̃tarktik] *adj. 1* Antártico, ca. ■ *2 n. pr. m.* Antártico.
antécédent [ɑ̃tesedɑ̃] *m.* Antecedente.
antenne [ɑ̃tɛn] *f. 1* Antena. *2* ZOOL. Antena.
antérieur, -eure [ɑ̃terjœr] *adj.* Anterior.
antériorité [ɑ̃terjɔrite] *f.* Anterioridad.
anthologie [ɑ̃tɔlɔʒi] *f.* Antología.
anthracite [ɑ̃trasit] *m.* Antracita *f.*
anthropoïde [ɑ̃trɔpɔid] *adj. 1* Antropoide, antropoideo, dea. ■ *2 m.* Antropoide, antropoideo.
anthropologiste [ɑ̃trɔpɔlɔʒist(ə)], **anthropologue** [ɑ̃trɔpɔlɔg] *s.* Antropólogo, ga.
anthropométrie [ɑ̃trɔpɔmetri] *f.* Antropometría.
anthropophage [ɑ̃trɔpɔfaʒ] *adj. 1* Antropófago, ga. ■ *2 m.* Antropófago.
antichambre [ɑ̃tiʃɑ̃br(ə)] *f.* Antecámara.
antichar [ɑ̃tiʃar] *adj.* Antitanque.
anticipation [ɑ̃tisipasjɔ̃] *f. 1* Anticipación (prévision). *2 Par —,* por adelantado (d'avance). *3 Roman d'—,* novela de ciencia ficción.
anticiper [ɑ̃tisipe] *tr. 1* Anticipar. ■ *2 intr. — sur,* contar con lo que aún no se tiene ni existe, hacer por anticipado, anticiparse: *— sur les événements,* anticiparse a los acontecimientos.
antidote [ɑ̃tidɔt] *m.* Antídoto.
antienne [ɑ̃tjɛn] *f. 1* Antífona. *2* fam. Cantinela, estribillo *m.*
antilope [ɑ̃tilɔp] *f.* Antílope *m.*
antimoine [ɑ̃timwan] *m.* Antimonio.
antimonie [ɑ̃tinɔmi] *f.* Antinomia.
antipathie [ɑ̃tipati] *f.* Antipatía.
antipathique [ɑ̃tipatik] *adj.* Antipático, ca.
antiphrase [ɑ̃tifraz] *f.* Antífrasis.
antipode [ɑ̃tipɔd] *m.* Antípoda: *aux antipodes de,* en los antípodas de.
antiquaille [ɑ̃tikɑj] *f.* Antigualla.

antiquaire [ɑ̃tikɛr] *s.* Anticuario *m.*
antique [ɑ̃tik] *adj. 1* Antiguo, gua (ancien). *2* Anticuado, da (démodé). ■ *3 m.* Lo antiguo (art, œuvres d'art antiques).
antiquité [ɑ̃tikite] *f. 1* Antigüedad. ■ *2 pl.* Antigüedades (objets).
antiseptique [ɑ̃tisɛptik] *adj.-m.* Antiséptico, ca.
antithèse [ɑ̃titɛz] *f.* Antítesis.
antre [ɑ̃tr(ə)] *m.* Antro.
anus [anys] *m.* Ano.
anxieux, -euse [ɑ̃ksø, -øz] *adj.* Ansioso, sa, inquieto, ta.
aorte [aɔrt(ə)] *f.* ANAT. Aorta.
août [u] *m.* Agosto.
apaiser [apeze] *tr.* Apaciguar, sosegar.
apanage [apanaʒ] *m.* Patrimonio.
apathique [apatik] *adj.* Apático, ca.
apercevoir [apɛrsəvwar] *tr. 1* Percibir, distinguir (discerner, distinguer). ■ *2 pr.* Darse cuenta de, advertir, reparar (remarquer): *s'— que,* darse cuenta de que.
aperçu [apɛrsy] *m. 1* Ojeada *f.* (coup d'œil). *2* Idea *f.,* idea *f.* general.
apéritif, -ive [aperitif, -iv] *adj. 1* Aperitivo, va. ■ *2 m.* Aperitivo.
à peu près, à-peu-près [apøprɛ] *m.* Aproximación *f.*
apeuré, -ée [apœre] *adj.* Asustado, da, acobardado, da, amedrentado, da.
aphone [afɔn] *adj.* Afónico, ca.
aphorisme [afɔrism(ə)] *m.* Aforismo.
apiculture [apikyltyr] *f.* Apicultura.
apitoyer [apitwaje] *tr. 1* Apiadar, dar lástima (attendrir). ■ *2 pr. S'— sur,* apiadarse de, compadecerse de. ▲ CONJUG. como *employer.*
aplanir [aplanir] *tr. 1* Aplanar, allanar (rendre plat). *2* fig. Allanar.
aplatir [aplatir] *tr. 1* Aplastar, achatar. ■ *2 pr.* fam. Extenderse, echarse (s'étaler).
aplomb [aplɔ̃] *m. 1* Verticalidad *f.,* aplomo, equilibrio. *2* Desfachatez *f.,* descaro (toupet). *3 loc. adv. D'—,* a plomo, verticalmente.
apocope [apɔkɔp] *f.* Apócope.
apocryphe [apɔkrif] *adj.* Apócrifo, fa.
apogée [apɔʒe] *m.* Apogeo.
apologie [apɔlɔʒi] *f.* Apología.
apophtegme [apɔfɛgm(ə)] *m.* Apotegma.
apoplectique [apɔplektik] *adj.* MÉD. Apoplético, ca.
apostolique [apɔstɔlik] *adj.* Apostólico, ca.
apostrophe [apɔstrɔf] *f. 1* Apóstrofe *m.* (en réthorique, interpellation). *2* GRAM. Apóstrofo *m.*
apothéose [apɔteoz] *f.* Apoteosis.
apothicaire [apɔtikɛr] *m.* Boticario.

apparaître [aparɛtr(ə)] *intr. 1* Aparecer (se montrer, paraître). *2* Aparecer, manifestarse (se dévoiler). ▲ CONJUG. como *connaître.*

apparat [apara] *m.* Aparato, pompa *f.* (pompe, éclat).

appareil [aparɛj] *m.* Aparato.

appareillage [aparɛjaʒ] *m. 1* Equipo (ensemble d'appareils et accessoires). *2* MAR. Salida *f.* de un barco.

apparence [aparɑ̃s] *f.* Apariencia, aspecto *m.*

apparent, -ente [aparɑ̃, -ɑ̃t] *adj.* Aparente.

apparenter (s') [aparɑ̃te] *pr. 1* Agruparse, unirse (élection). *2 S'— à,* parecerse a (ressembler).

apparition [aparisjɔ̃] *f. 1* Aparición. *2* Aparición, fantasma *m.* (fantôme).

appartement [apartəmɑ̃] *m.* Piso, apartamento.

appartenance [apartənɑ̃s] *f.* Pertenencia, dependencia.

appartenir [apartənir] *intr. 1* Pertenecer. ▪ *2 pr.* Ser dueño de sí mismo. ▪ *3 impers.* Incumbir, corresponder, tocar. ▲ CONJUG. como *venir.*

appas [apɑ] *m. pl.* Atractivos, encantos.

appâter [apɑte] *tr. 1* Cebar (attirer avec un appât). *2* fig. Seducir, atraer (attirer).

appauvrir [apovrir] *tr.* Empobrecer.

appeau [apo] *m.* Reclamo (pour les animaux).

appel [apɛl] *m. 1* Llamada *f.:* *— téléphonique,* llamada telefónica. *2* Llamamiento (exhortation). *3 Faire un — de fonds,* solicitar fondos. *4 Faire — à,* recurrir a, acudir a. *5* MILIT. Llamamiento. *6* DR. Apelación *f.*

appeler [aple] *tr. 1* Llamar (interpeller). *2* Llamar, avisar. *3* Pedir (demander). *4* Llamar (nommer). *5* Requerir, exigir (réclamer). *6 En — à,* recurrir a. ▪ *7 pr.* Llamarse. ▲ CONJUG. IRREG. Toma dos *l* delante de sílaba muda. INDIC. Pres.: *j'appelle, tu appelles, il appelle, ils appellent.* Fut. imperf.: *j'appellerai, tu appelleras, il appellera, nous appellerons, vous appellerez, ils appelleront.* POT.: *j'appellerais, tu appellerais, il appellerait, nous appellerions, vous appelleriez, ils appelleraient.* SUBJ. Pres.: *que j'appelle, que tu appelles, qu'il appelle, qu'ils appellent.* IMPER.: *appelle.*

appellation [ape(ɛl)lasjɔ̃] *f.* Denominación.

appendice [apɛ̃dis] *m.* Apéndice.

appendicite [apɛ̃disit] *f.* MED. Apendicitis.

appentis [apɑ̃ti] *m.* Cobertizo, tejadillo.

appesantir (s') [apzɑ̃tir] *pr. 1* Hacerse más pesado, da. *2 S'— sur,* insistir en.

appétissant, -ante [apetisɑ̃, -ɑ̃t] *adj. 1* Apetitoso, sa. *2* fam. Seductor, ra.

appétit [apeti] *m. 1* Apetito. Loc. *Bon —!,* buen provecho!

applaudir [aplodir] *intr. 1* Aplaudir. ▪ *2 pr.* Felicitarse, congratularse.

applicable [aplikabl(ə)] *adj.* Aplicable.

appliquer [aplike] *tr. 1* Aplicar. *2* Dar, asestar (un coup). ▪ *3 pr.* Aplicarse. *4* Adaptarse (s'adapter).

appoint [apwɛ̃] *m.* Saldo, pico (d'une somme). *2* Ayuda *f.,* complemento.

appointements [apwɛ̃tmɑ̃] *m. pl.* Sueldo *sing.,* haber *sing.* (salaire).

apport [apɔr] *m.* Aportación *f.*

apporter [apɔrte] *tr. 1* Traer. *2* Aportar (des idées, des preuves). *3* Ocasionar, producir (entraîner, produire). *4 — du soin à,* poner cuidado en, dedicar atención en.

apposer [apose] *tr. 1* Fijar, colocar, poner. *2 — sa signature,* firmar.

apposition [apozisjɔ̃] *f.* GRAM. Aposición.

appréciable [apresjabl(ə)] *adj.* Apreciable (sensible, important).

appréciation [apresjasjɔ̃] *f.* Apreciación.

apprécier [apresje] *tr.* Apreciar. ▲ CONJUG. como *prier.*

appréhender [apreɑ̃de] *tr. 1* Aprehender, prender. *2* Temer (craindre).

appréhension [apreɑ̃sjɔ̃] *f. 1* PHILOS. Aprehensión. *2* Aprensión, temor *m.* (crainte).

apprendre [aprɑ̃dr(ə)] *tr. 1* Aprender. *2* Enterarse de, saber (être informé de quelque chose). *3* Enseñar (enseigner, expliquer). *4* Informar, hacer saber, enterar (faire savoir). ▲ CONJUG. como *prendre.*

apprenti, -ie [aprɑ̃ti] *s.* Aprendiz, za.

apprentissage [aprɑ̃tisaʒ] *m.* Aprendizaje.

apprêt [aprɛ] *m. 1* Apresto, aderezo (étoffes). *2* Afectación *f.*

apprêté, -ée [aprete] *adj.* Afectado, -da.

apprêter [aprete] *tr. 1* Preparar, condimentar (la nourriture). *2* Aderezar, aprestar (étoffes).

apprivoiser [aprivwaze] *tr. 1* Domesticar, amansar.

approbation [aprɔbasjɔ̃] *f. 1* Aprobación. *2* Visto *m.* bueno, conforme *m.*

approchable [aprɔʃabl(ə)] *adj.* Accesible, tratable.

approchant, -ante [aprɔʃɑ̃, -ɑ̃t] *adj.* Semejante, casi igual, aproximado, da.

approche [aprɔʃ] *f. 1* Proximidad, cercanía. *2* Aproximación (action).

approcher [apʀɔʃe] *tr. 1* Acercar, aproximar. *2* Ponerse en contacto con (côtoyer, fréquenter). ■ *3 intr.* Aproximarse. ■ *4 pr. S'— de*, acercarse a.

approfondir [apʀɔfɔdiʀ] *tr.* Ahondar, profundizar.

approprier [apʀɔpʀije] *tr. 1* Apropiar, acomodar. ■ *2 pr.* Apropiarse (faire sien). ▲ CONJUG. como *prier*.

approuver [apʀuve] *tr.* Aprobar.

approvisionner [apʀɔvizjɔne] *tr.* Proveer, abastecer.

approximatif, -ive [apʀɔksimatif, -iv] *adj.* Aproximativo, va, aproximado, da.

approximation [apʀɔksimɑsjɔ̃] *f.* Aproximación.

appui [apɥi] *m. 1* Apoyo, sostén: *point d'—*, punto de apoyo. *2* Antepecho (de fenêtre).

appuyer [apɥije] *tr. 1* Apoyar. ■ *2 intr.* Apoyarse (reposer). *3* Apretar: — *sur la détente*, apretar el gatillo. *4* Pisar (sur une pédale). *5* fig. Recalcar, acentuar. *6* Insistir, hacer hincapié en (insister). *7* Ceñirse. ■ *8 pr. S'— sur*, apoyarse en. *9* fig. Contar con (compter sur quelqu'un). ▲ CONJUG. como *employer*.

âpre [ɑpʀ(ə)] *adj. 1* Áspero, ra. *2* Ávido, da: — *au gain*, ávido de ganancias.

après [apʀɛ] *prép. 1* Después de. *2* Tras, detrás de (derrière). *3 loc. conj.* — *que*, después que, luego que. *4 loc. adv.* — *coup*, después; — *tout*, después de todo, en el fondo. *5 loc. prép.* D'—, según. ■ *6 adv.* Después, más tarde, luego.

après-demain [apʀɛdmɛ̃] *adv.* Pasado mañana.

après-guerre [apʀɛgɛʀ] *m.* Postguerra *f.*

après-midi [apʀe(ɛ)midi] *m.-f. invar.* Tarde *f.: il est venu dans l'—, cet —*, vino por la tarde.

âpreté [apʀəte] *f. 1* Aspereza. *2* fig. Rigor *m.*, severidad. *3* — *au gain*, codicia.

à-propos [apʀɔpo] *m.* Ocurrencia *f.*

apte [apt(ə)] *adj.* Apto, ta.

aptitude [aptityd] *f. 1* Aptitud. *2* Capacidad.

aquarelle [akwaʀɛl] *f.* Acuarela.

aquarium [akwaʀjɔm] *m.* Acuario.

aquatique [akwatik] *adj.* Acuático, ca.

aqueduc [akdyk] *m.* Acueducto.

aqueux, -euse [akø, -øz] *adj.* Acuoso, sa, ácueo, ea.

arabe [aʀab] *adj.-s.* Árabe.

arabesque [aʀabɛsk(ə)] *f.* Arabesco *m.*

arable [aʀabl(ə)] *adj.* Arable.

arachide [aʀaʃid] *f.* Cacahuete *m.*

arachnides [aʀaknid] *m. pl.* ZOOL. Arácnidos.

araignée [aʀeɲe] *f.* Araña.

arbalète [aʀbalɛt] *f.* Ballesta.

arbitrage [aʀbitʀaʒ] *m.* Arbitraje.

arbitraire [aʀbitʀɛʀ] *adj. 1* Arbitrario, ria. ■ *2 m.* Arbitrariedad *f.*, despotismo.

arbitral, -ale [aʀbitʀal] *adj.* Arbitral.

arbitre [aʀbitʀ(ə)] *m. 1* Árbitro (juge). *2* Arbitrio, albedrío: *libre —*, libre albedrío.

arboriculture [aʀbɔʀikyltyʀ] *f.* Arboricultura.

arbre [aʀbʀ(ə)] *m.* Árbol.

arbuste [aʀbyst(ə)] *m.* Arbusto.

arc [aʀk] *m. 1* Arco (arme). Loc. *Avoir plusieurs cordes à son —*, ser persona de muchos recursos.

arcade [aʀkad] *f. 1* ARCHIT. Soportal *m.*, arcada. *2* — *sourcilière*, ceja.

arcanes [aʀkan] *m. pl.* Arcanos, misterios, secretos.

arc-boutant [aʀkbutɑ̃] *m.* ARCHIT. Arbotante.

arceau [aʀso] *m.* Arco pequeño, aro.

arc-en-ciel [aʀkɑ̃sjɛl] *m.* Arco iris.

archaïque [aʀkaik] *adj.* Arcaico, ca.

archaïsme [aʀkaism(ə)] *m.* Arcaísmo.

archange [aʀkɑ̃ʒ] *m.* Arcángel.

arche [aʀʃ(ə)] *f.* Arca *m.* (d'un pont).

archéologie [aʀkeɔlɔʒi] *f.* Arqueología.

archéologue [aʀkeɔlɔg] *s.* Arqueólogo, ga.

archer [aʀʃe] *m.* Arquero.

archevêque [aʀʃvɛk] *m.* Arzobispo.

archiduc [aʀʃidyk] *m.* Archiduque.

archiépiscopal, -ale [aʀʃiepiskɔpal] *adj.* Arzobispal.

archipel [aʀʃipɛl] *m.* Archipiélago.

architecte [aʀʃitɛkt(ə)] *s.* Arquitecto, ta.

architecture [aʀʃitɛktyʀ] *f.* Arquitectura.

archives [aʀʃiv] *f. pl.* Archivo *m. sing.*

archiviste [aʀʃivist(ə)] *s.* Archivero, ra, archivista.

arçon [aʀsɔ̃] *m. 1* Arzón, fuste (selle). *2* *Vider les arçons*, caerse del caballo. *3* fig. *Être ferme sur ses arçons*, estar seguro, ra de sus opiniones.

arctique [aʀktik] *adj.* Ártico, ca.

ardent, -ente [aʀdɑ̃, -ɑ̃t] *adj. 1* Ardiente. *2* Abrasador, ra (brûlant). *3* fig. Ardiente, apasionado, da (fougueux, passionné).

ardeur [aʀdœʀ] *f. 1* Ardor *m.* *2* fig. Ardor *m.*, entusiasmo *m.* (énergie).

ardoise [aʀdwaz] *f. 1* Pizarra (pierre). *2* fam. Deuda.

ardu, -ue [aʀdy] *adj.* Arduo, dua.

are [aʀ] *m.* Área *f.* (mesure).

arène [aʀɛn] *f. 1* Arena, lugar *m.* del combate. *2* Redondel *m.*, ruedo *m.* (piste où ont lieu des courses de taureaux). ■ *3 pl.*

Anfiteatro *m. sing.* romano. *4* Plaza *sing.* de toros (pour les courses de taureaux).

arête [aʀɛt] *f. 1* Espina, raspa (de poisson). *2* Arista (d'un cube). *3* Caballete *m.* (d'un toit). *4* Cresta (d'une chaîne de montagnes).

argent [aʀʒɑ̃t] *m. 1* Plata *f.* (metal). *2* Dinero (monnaie, richesse). *3 Vif —,* mercurio.

argenterie [aʀʒɑ̃tʀi] *f.* Vajilla, objetos *m. pl.* de plata.

argentin, -ine [aʀʒɑ̃tɛ̃, -in] *adj. 1* Argentino, na (son). ■ *2 adj.-s.* Argentino, na (de l'Argentine).

argile [aʀʒil] *f.* Arcilla.

argot [aʀgo] *m.* Argot, jerga *f.*

arguer [aʀgɥe] *tr. 1* Inferir, deducir, sacar una consecuencia (déduire). *2 — de,* alegar, pretextar.

argument [aʀgymɑ̃] *m.* Argumento.

argumentar [aʀgymɑ̃te] *intr.* Argumentar.

argutie [aʀgysi] *f.* Argucia.

aride [aʀid] *adj.* Árido, da.

aristocrate [aʀistɔkʀat] *s.* Aristócrata.

aristocratie [aʀistɔkʀasi] *f.* Aristocracia.

arithmétique [aʀitmetik] *adj. 1* Aritmético, ca. ■ *2 f.* Aritmética.

arlequin [aʀləkɛ̃] *m.* Arlequín.

armateur [aʀmatœʀ] *m.* MAR. Armador.

armature [aʀmatyʀ] *f. 1* Armazón *m.* (carcasse). *2* MUS. Armadura.

arme [aʀm(ə)] *f. 1* Arma: — *blanche,* arma blanca. *2* ESCR. *Maître d'armes,* maestro de esgrima. *3* fig. Arma, argumento *m.* (argument, moyen d'action). ■ *4 pl.* Armas (métier militaire).

armée [aʀme] *f. 1* Ejército *m.: — de l'air,* Ejército del aire. *2 — de mer,* Armada.

armement [aʀməmɑ̃] *m. 1* Armamento. *2* MAR. Equipo, tripulación *f.* de un barco.

armer [aʀme] *tr.* Armar (pourvoir d'armes).

armistice [aʀmistis] *m.* Armisticio.

armoire [aʀmwaʀ] *f.* Armario *m.*

armoiries [aʀmwaʀi] *f. pl.* BLAS. Armas, escudo *m. sing.* de armas.

armure [aʀmyʀ] *f. 1* MIL. Armadura. *2* TISS. Ligamento *m.,* textura.

armurerie [aʀmyʀʀi] *f. 1* Armería *f.* Fábrica de armas.

armurier [aʀmyʀje] *m.* Armero.

aromatique [aʀɔmatik] *adj.* Aromático, ca.

aromatiser [aʀɔmatize] *tr.* Aromatizar.

arôme [aʀom] *m.* Aroma.

arpège [aʀpɛʒ] *m.* MUS. Arpegio.

arpentage [aʀpɑ̃taʒ] *m.* Agrimensura *f.*

arpenter [aʀpɑ̃te] *tr.* Recorrer a trancos.

arquebusier [aʀkəbyzje] *m.* Arcabucero.

arquer [aʀke] *tr.* Arquear.

arracher [aʀaʃe] *tr. 1* Arrancar: — *un arbre, une dent,* arrancar un árbol, una muela. *2* AGR. Cosechar. *3* Arrancar (prendre). *4* fig. Arrancar, sacar (extorquer). *5 — quelqu'un à un état,* sacar a alguien de un estado. ■ *6 pr.* Arrancarse.

arrangeant, -ante [aʀɑ̃ʒɑ̃, -ɑ̃t] *adj.* Tratable, que se aviene fácilmente.

arranger [aʀɑ̃ʒe] *tr. 1* Arreglar. *2* Cela m'arrange, esto me conviene, me viene bien. *3* fam. — *quelqu'un,* maltratar a alguien. *4 pr.* Arreglarse (s'habiller, se parer). *5* Arreglarse, avenirse (se mettre d'accord). *6* fam. *Arreglárselas,* apañárselas (se débrouiller). ▲ CONJUG. como *engager.*

arrérages [aʀeʀaʒ] *m. pl.* Atrasos.

arrestation [aʀestɑsjɔ̃] *f.* Detención.

arrêt [aʀɛ] *m. 1* Parada *f.* (d'un mouvement). Loc. *Temps d'—,* pausa *f. 2* Interrupción *f.,* suspensión *f.* (d'une activité). *3 Sans —,* sin cesar, sin reposo. *4* Parada *f.* (endroit où s'arrête un véhicule). *5 Tomber en —,* quedarse pasmado, da. *6 Mandat d'—,* orden de detención; *maison d'—,* cárcel. *7* DR. Fallo del tribunal. ■ *8 pl.* MIL. Arresto *sing.*

arrêté [aʀete] *m. 1* Decreto, decisión *f. 2* Liquidación *f.* Loc. — *de compte,* estado de cuentas.

arrêté, -ée [aʀete] *adj.* Firme, decidido, da.

arrêter [aʀete] *tr. 1* Detener, parar (un mouvement). *2* Detener (faire prisonnier). *3* Fijar: — *le jour d'un rendez-vous,* fijar un día para una cita.

arrhes [aʀ] *f. pl.* Arras (dans un contrat).

arrière (en) [aʀjɛʀ] *loc. adv. 1* Para atrás, hacia atrás. *2 Rester en —,* quedar atrás, a la zaga. *3 loc. prép. En — de,* detrás de.

arrière [aʀjɛʀ] *m. 1* Detrás (derrière). *2* SPORTS. Defensa. ■ *3 pl.* MIL. Retaguardia *f. sing. 4* SPORTS. Defensa *f. sing.* ■ *5 adj. invar.* Trasero, ra: *les roues —,* las ruedas traseras.

arrière, -ée [aʀjeʀe] *adj. 1* Retrasado, da, atrasado, da. *2* Atrasado, da, retrógrado, da (démodé). ■ *3 s.* Atrasado, da, retrasado, da mental.

arrière-boutique [aʀjɛʀbutik] *f. 1* Trastienda. *2* Rebotica (de pharmacie).

arrière-garde [aʀjɛʀgaʀd(ə)] *f.* Retaguardia.

arrière-goût [aʀjɛʀgu] *m.* Resabio, sabor de boca, gustillo.

arrière-grand-mère [aʀjɛʀgʀɑ̃mɛʀ] *f.* Bisabuela.

arrière-grand-père [aʀjɛʀgʀɑ̃pɛʀ] *m.* Bisabuelo.

arrière-pensée [aʀjɛʀpɑ̃se] *f.* Segunda intención.

arrière-petite-fille [aʀjɛʀpətitfij] *f.* Biznieta.

arrière-petit-fils [aʀjɛʀpətifis] *m.* Biznieto.

arrière-plan [aʀjɛʀplɑ̃] *m.* Segundo plano, segundo término.

arrière-saison [aʀjɛʀsezɔ̃] *f.* Fin *m.* del otoño.

arrimer [aʀime] *tr.* Amarrar.

arrivage [aʀivaʒ] *m.* Arribada *f.,* arribo, llegada *f.* (de marchandises).

arrivée [aʀive] *f.* Llegada.

arriver [aʀive] *intr. 1* Llegar. *2 — à* (avec l'inf.), conseguir, lograr. *3 — à ses fins,* salirse con la suya. *4* Suceder, pasar, ocurrir (avoir lieu, se produire): *cela arrive parfois,* eso sucede a veces. ■ *5 impers. Il est arrivé un paquet pour vous,* ha llegado un paquete para usted. *6 Il est arrivé un accident,* ha habido un accidente. ▲ Se conjuga con el auxiliar *être.*

arriviste [aʀivist(ə)] *s.* Arribista.

arrogance [aʀɔgɑ̃s] *f.* Arrogancia.

arrogant, -ante [aʀɔgɑ̃, -ɑ̃t] *adj.* Arrogante, altanero, ra.

arroger (s') [aʀɔʒe] *pr.* Arrogarse (s'attribuer). ▲ CONJUG. como *engager.*

arrondir [aʀɔ̃diʀ] *tr.* Redondear.

arrondissement [aʀɔ̃dismɑ̃] *m.* Distrito municipal.

arrosage [aʀozaʒ] *m.* Riego.

arroser [aʀoze] *tr.* Regar.

arrosoir [aʀozwaʀ] *m.* Regadera *f.*

arsenic [aʀsənik] *m.* Arsénico.

art [aʀ] *m. 1* Arte, habilidad *f.,* maña *f.* (habileté, adresse). *2* Arte (technique). *3 Les beaux-arts,* las bellas artes.

artériel, -elle [aʀteʀjɛl] *adj.* Arterial.

artichaut [aʀtiʃo] *m.* Alcachofa *f.*

article [aʀtikl(ə)] *m. 1* Artículo. *2 Faire l'—,* ponderar una mercancía, hacer el artículo.

articulation [aʀtikylasjɔ̃] *f.* Articulación.

articuler [aʀtikyle] *tr. 1* Articular, pronunciar. ■ *2 pr.* Articularse.

artifice [aʀtifis] *m. 1* Artificio. *2 Feux d'—,* fuegos artificiales. *3* Artimaña *f.,* astucia *f.* (ruse).

artificiel, -elle [aʀtifisjɛl] *adj.* Artificial.

artillerie [aʀtijʀi] *f.* Artillería.

artilleur [aʀtijœʀ] *m.* Artillero.

artisan, -ane [aʀtizɑ̃, -an] *s. 1* Artesano, na. *2 fig.* Artífice, autor, ra, causa *f.*

artiste [aʀtist(ə)] *s.* Artista.

artistique [aʀtistik] *adj.* Artístico, ca.

aryen, -ienne [aʀjɛ̃, -jɛn] *adj.* Ario, ia.

as [as] *m. 1* As (cartes, dés). *2 fig.* As, hacha, el número uno (champion).

ascendance [asɑ̃dɑ̃s] *f.* Ascendencia.

ascendant, -ante [asɑ̃dɑ̃, -ɑ̃t] *adj. 1* Ascendente, ascendiente. ■ *2 m.* Ascendiente, influencia. ■ *3 m. pl.* Ascendientes, antepasados.

ascenseur [asɑ̃sœʀ] *m.* Ascensor.

ascension [asɑ̃sjɔ̃] *f.* Ascensión.

ascète [asɛt] *s.* Asceta.

ascétique [asetik] *adj.* Ascético, ca.

asepsie [asɛpsi] *f.* Asepsia.

asiatique [azjatik] *adj.-s.* Asiático, ca.

asile [azil] *m.* Asilo.

aspect [aspɛ] *m.* Aspecto.

asperge [aspɛʀʒ(ə)] *f.* Espárrago *m.*

asperger [aspɛʀʒe] *tr.* Asperjar, rociar. ▲ CONJUG. como *engager.*

aspérité [aspeʀite] *f.* Aspereza.

asphalte [asfalt(ə)] *m.* Asfalto.

asphyxiant, ante [asfiksjɑ̃, -ɑ̃t] *adj.* Asfixiante.

asphyxie [asfiksi] *f.* Asfixia.

asphyxier [asfiksje] *tr. 1* Asfixiar. ■ *2 pr.* Asfixiarse. ▲ CONJUG. como *prier.*

aspic [aspik] *m.* Áspid (vipère).

aspirant, -ante [aspiʀɑ̃, -ɑ̃t] *adj.* Aspirante.

aspirateur [aspiʀatœʀ] *m.* Aspirador.

aspiration [aspiʀasjɔ̃] *f.* Aspiración.

aspirer [aspiʀe] *tr.* Aspirar.

aspirine [aspiʀin] *f.* Aspirina.

assagir [asaʒiʀ] *tr. 1* Ajuiciar, hacer juicioso, sa. ■ *2 pr.* Sentar la cabeza, formalizarse.

assaillir [asajiʀ] *tr.* Asaltar, acometer. ▲ CONJUG. IRREG. INDIC. pres.: *j'assaille, il assaille, nous assaillons, ils assaillent.* Imperf.: *j'assaillais.* Pret. indef.: *j'assaillis.* Fut. Imperf.: *j'assaillirai.* SUBJ. Pres.: *que j'assaille,* Imperf.: *que j'assaillisse.* PART. P.: *assailli, ie.*

assainir [aseniʀ] *tr.* Sanear.

assaisonner [asɛzɔne] *tr.* Sazonar, condimentar (cuisine).

assassin, -ine [asasɛ̃, -in] *adj.-m.* Asesino, na.

assassinat [asasina] *m.* Asesinato.

assassiner [asasine] *tr.* Asesinar.

assaut [aso] *m. 1* Asalto, ataque. *2 Faire — de,* rivalizar en.

assécher [aseʃe] *tr. 1* Desecar, dejar en seco. *2* Desaguar (un réservoir). ▲ CONJUG. como *accélérer.*

assemblée [asɑ̃ble] *f.* Asamblea.

assembler [asɑ̃ble] *tr. 1* Reunir, juntar

(choses, personnes). *2* Congregar (personnes). *3* MENUIS. Ensamblar.

assentiment [asãtimã] *m.* Asentimiento, asenso.

asseoir [aswaʀ] *tr.* *1* Sentar, asentar. ■ *2 pr.* Sentarse: *s'— sur une chaise,* sentarse en una silla. *3* fig. Asentarse. ▲ CONJUG. IRREG. INDIC. Pres.: *j'assieds, tu assieds, il assied, nous asseyons, vous asseyez, ils asseyent,* o *j'assois, tu assois,* etc. Imperf.: *j'asseyais, tu asseyais, il asseyait, nous asseyions, vous asseyiez, ils asseyaient,* o *j'assoyais, tu assoyais,* etc. Pret. indef.: *j'assis,* etc. Fut. imperf.: *j'assiérai, tu assiéras, il assiéra, nous assiérons, vous assiérez, ils assiéront,* o *j'asseyerai, tu asseyeras,* etc., o *j'assoirai,* etc. POT.: *j'assiérais, tu assiérais, il assiérait, nous assiérions, vous assiériez, ils assiéraient,* o *j'asseyerais,* etc., o *j'assoirais,* etc. IMPER.: *assieds, asseyons, asseyez,* o *assois,* etc. SUBJ. Pres.: *que j'asseye, que tu asseyes, qu'il asseye, que nous asseyions, que vous asseyiez, qu'ils asseyent,* o *que j'assoie,* etc. Imperf.: *que j'assisse,* etc. PART. A.: *asseyant* o *assoyant.* PART. P.: *assis, ise.*

assermenté, -ée [asɛʀmãte] *adj.* Juramentado, da, jurado, da.

assertion [asɛʀsjɔ̃] *f.* Aserción, aserto *m.*

assesseur [asesœʀ] *m.* Magistrado adjunto.

assez [ase] *adv.* *1* Bastante. *2 En avoir — d'une chose,* estar harto de algo. *3 interj.* ¡Basta!; *en voilà —!,* ¡basta ya!

assiduité [asidɥite] *f.* Asiduidad.

assiégé, -ée [asjeʒe] *adj.-s.* Sitiado, da.

assiéger [asjeʒe] *tr.* *1* Sitiar, asediar. *2* fig. Asediar, importunar. ▲ CONJUG. como *abréger.*

assiette [asjɛt] *f.* *1* Plato *m.* *2* Base: *— d'un impôt,* base imponible.

assiettée [asjete] *f.* Plato *m.* (contenu).

assigner [asiɲe] *tr.* *1* Asignar. *2* Fijar, señalar (fixer). *3* DR. Citar, emplazar.

assimilation [asimilasjɔ̃] *f.* Asimilación.

assimiler [asimile] *tr.* *1* Asimilar. ■ *2 pr.* Asimilarse.

assistance [asistãs] *f.* *1* Asistencia, auxilio *m.,* socorro *m.* (secours). *2* Asistencia, concurrencia (public, auditoire).

assistant, -ante [asistã, -ãt] *s.* *1* Asistente, ta (auditeur). *2* Ayudante, auxiliar adjunto (professeur).

asister [asiste] *tr. ind.* *1 — à,* asistir a, presenciar. ■ *2 tr.* Asistir, socorrer.

association [asɔsjasjɔ̃] *f.* Asociación.

associé, -ée [asɔsje] *s.* Asociado, da, socio, cia. ▚

associer [asɔsje] *tr.* Asociar. ▲ CONJUG. como *prier.*

assoiffé, ée [aswafe] *adj.-s.* *1* Sediento, ta. *2* fig. Ávido, da, sediento, ta (avide).

assombrir [asɔ̃bʀiʀ] *tr.* *1* Oscurecer, ensombrecer.

assommant, -ante [asɔmã, -ãt] *adj.* fam. Pesado, da, fastidioso, sa.

assommer [asɔme] *tr.* *1* Matar (d'un coup violent sur la tête). *2* Aporrear. *3* fam. Reventar, fastidiar (ennuyer).

assommoir [asɔmwaʀ] *m.* fam. Tabernucho, taberna *f.*

assomption [asɔ̃psjɔ̃] *f.* Asunción.

assortiment [asɔʀtimã] *m.* *1* Juego, combinación. *2* Surtido.

assortir [asɔʀtiʀ] *tr.* *1* Combinar, armonizar. *2* COMM. Surtir. ■ *3 pr.* Combinar, combinarse (s'harmoniser).

assoupir [asupiʀ] *tr.* *1* Adormecer, amodorrar. ■ *2 pr.* Adormecerse, adormilarse.

assouplir [asupliʀ] *tr.* *1* Dar flexibilidad, elasticidad, soltura a. *2* fig. Domar, suavizar (rendre plus malléable).

assourdir [asuʀdiʀ] *tr.* *1* Asordar, ensordecer. *2* Amortiguar (rendre moins sonore).

assouvir [asuviʀ] *tr.* Saciar.

assujettir [asyʒetiʀ] *tr.* Sujetar, someter.

assumer [asyme] *tr.* Asumir.

assurance [asyʀãs] *f.* *1* Seguridad, confianza, certidumbre. *2* Seguridad, garantía, promesa (promesse). *3* COMM. Seguro *m.: — contre les accidents, sur la vie,* seguro contra accidentes de vida.

assuré, -ée [asyʀe] *adj.* *1* Seguro, ra, asegurado, da (sûr). *2* Firme, decidido, da (sûr de soi). ■ *3 s.* Asegurado, da.

assurément [asyʀemã] *adv.* Ciertamente.

assurer [asyʀe] *tr.* *1* Asegurar (garantir). *2* Asegurar (rendre sûr). *3* Asegurar, fijar (assujettir, fixer). *4* COMM. Garantizar, asegurar.

assureur [asyʀœʀ] *m.* COMM. Asegurador.

assyrien, -enne [asiʀjɛ̃, -ɛn] *adj.-s.* Asirio, ria.

astérisque [asteʀisk(ə)] *m.* Asterisco.

astéroïde [asteʀɔid] *m.* Asteroide.

asthme [asm(ə)] *m.* MÉD. Asma *f.*

asticoter [astikɔte] *tr.* fam. Molestar, fastidiar, chinchar.

astiquer [astike] *tr.* Frotar, dar brillo a.

astre [astʀ(ə)] *m.* Astro.

astreindre [astʀɛ̃dʀ(ə)] *tr.* *1* Obligar, constreñir. ■ *2 pr.* Obligarse a, imponerse. ▲ CONJUG. como *craindre.*

astringent, -ente [astʀɛ̃ʒã, -ãt] *adj.-m.* Astringente.

astrologie [astʀɔlɔʒi] *f*. Astrología.
astrologue [astʀɔlɔg] *m*. Astrólogo.
astronome [astʀɔnɔm] *m*. Astrónomo.
astronomie [astʀɔnɔmi] *f*. Astronomía.
astuce [astys] *f*. Astucia.
astucieux, -euse [astysjø, -øz] *adj*. Astuto, ta.
asymétrique [asimetʀik] *adj*. Asimétrico, ca.
atavisme [atavism(ə)] *m*. Atavismo.
atelier [atəlje] *m*. *1* Taller, obrador. *2* Estudio (d'artiste).
atermoyer [atɛʀmwaje] *intr*. Andar con dilaciones, aplazar. ▲ CONJUG. como *employer*.
athée [ate] *adj.-s*. Ateo, ea.
athlète [atlɛt] *s*. Atleta.
athlétisme [atletism(ə)] *m*. Atletismo.
atlantique [atlɑ̃tik] *adj*. Atlántico, -ca.
atlas [atlɑs] *m*. Atlas.
atmosphère [atmɔsfɛʀ] *f*. Atmósfera.
atmosphérique [atmɔsfeʀik] *adj*. Atmosférico, ca.
atoll [atɔl] *m*. Atolón.
atome [atom] *m*. Átomo.
atomique [atɔmik] *adj*. Atómico, ca.
atone [atɔn] *adj*. *1* Átono, na. *2* Sin vigor, amorfo, fa (amorphe).
atours [atuʀ] *m. pl*. Adornos, atavíos.
atout [atu] *m*. *1* Triunfo, baza *f*. *2 Jouer —*, arrastrar (au jeu de cartes).
âtre [ɑtʀ(ə)] *m*. Hogar (cheminée).
atroce [atʀɔs] *adj*. *1* Atroz. *2* fam. Atroz, espantoso, sa.
atrophier (s') [atʀɔfje] *pr*. Atrofiarse. ▲ CONJUG. como *prier*.
attabler (s') [atable] *pr*. Sentarse a la mesa.
attachant, -ante [ataʃɑ̃, -ɑ̃t] *adj*. Interesante, cautivador, ra.
attache [ataʃ] *f*. *1* Atadura, ligadura. *2 À l'—*, encadenado, da, atado, da. *3* Grapa, clip *m*. (pour papiers). *4* ANAT. Punto *m*. de inserción (d'un muscle).
attaché, -ée [ataʃe] *adj*. *1* Atado, da, sujetado, da (fixé, lié). *2 — à*, adicto, ta (dévoué). ■ *4 s*. Agregado: *— d'ambassade*, agregado diplomático.
attachement [ataʃmɑ̃] *m*. Afecto, cariño, apego.
attacher [ataʃe] *tr*. *1* Atar, sujetar (fixer, lier). *2* Sujetar, prender (avec des épingles), abrochar (une ceinture). *3* Destinar, afectar (à un service). *4* Ligar, vincular (par des liens affectifs). *5* Atribuir, dar (accorder). *6* Apegarse, encariñarse, tomar cariño a. *7* Dedicarse, consagrarse (se consacrer), esforzarse (s'efforcer).

attaquant, -ante [atakɑ̃, -ɑ̃t] *s*. Atacante, agresor, ra.
attaque [atak] *f*. *1* Ataque *m*., acometida. *2* MÉD. Ataque *m*., acceso *m*.
attaquer [atake] *tr*. *1* Atacar, acometer. *2* Atacar, acusar (accuser, critiquer). *3* Atacar, abordar (aborder sans hésitation). *4* Atacar (entamer, commencer). *5* CHIM., SPORTS. Atacar. ■ *6* Atacar (combattre, critiquer). *7* Acometer: *s'—à une tâche*, acometer una labor.
attarder (s') [ataʀde] *pr*. *1* Retrasarse, retardarse. *2 S'— sur une question*, dar muchas vueltas a una cuestión.
atteindre [atɛ̃dʀ(ə)] *tr*. *1* Alcanzar (rejoindre, parvenir à toucher, à prendre). *2* Llegar a (arriver à). *3* fig. Alcanzar, lograr, conseguir. *4* Alcanzar, herir. ▲ CONJUG. como *craindre*.
atteint, -einte [atɛ̃, -ɛ̃t] *adj*. Atacado, da, aquejado, da.
atteinte [atɛ̃t] *f*. *1* Perjuicio *m*., daño *m*. *2* Ataque *m*. (d'une maladie). *3 Hors d'—*, fuera de alcance; *porter — à*, perjudicar a (nuire), atentar: *porter — à la dignité de*, atentar a, contra la dignidad de.
attelage [atlaʒ] *m*. *1* Tiro, atelaje. *2* Yunta *f*. (de bœufs).
atteler [atle] *tr*. *1* Enganchar, atalajar. *2* Uncir (bœufs). ■ *3* *pr*. Consagrarse, aplicarse (à un travail). ▲ CONJUG. como *appeler*.
attendre [atɑ̃dʀ(ə)] *tr*. *1* Esperar, aguardar. *2 S'— à ce que* (et subj.), contar con. *3 Au moment où l'on s'y attend le moins*, cuando menos se lo espera uno. *4* loc. adv. *En attendant*, entretanto, mientras tanto. *5* loc. conj. *En attendant que*, hasta que, mientras que. ▲ CONJUG. como *rendre*.
attendrir [atɑ̃dʀiʀ] *tr*. *1* Ablandar (rendre plus tendre). *2* Enternecer (émouvoir).
attendrissant, -ante [atɑ̃dʀisɑ̃, -ɑ̃t] *adj*. Enternecedor, ora, conmovedor, ora.
attendu, -ue [atɑ̃dy] *adj*. *1* Esperado, da (qu'on attend). ■ *2* prép. En vista de, teniendo en cuenta. *3* loc. conj. *— que*, visto que, considerando que. ■ *4 m*. DR. Considerando.
attentat [atɑ̃ta] *m*. Atentado.
attente [atɑ̃t] *f*. *1* Espera: *salle d'—*, sala de espera.
attenter [atɑ̃te] *intr*. Atentar.
attentif, -ive [atɑ̃tif, -iv] *adj*. Atento, ta.
attention [atɑ̃sjɔ̃] *f*. *1* Atención. *2* Cuidado *m*.: *faire — à*, tener cuidado con.
atténuer [atenɥe] *tr*. Atenuar.
atterrissage [ateʀisaʒ] *m*. Aterrizaje.

attestation [atɛstɑsjɔ̃] *f. 1* Atestación. *2* Certificado *m.*, atestado *m.* (certificat).

attester [atɛste] *tr.* Atestar, certificar.

attiédir [atjediʀ] *tr.* Entibiar.

attifer [atife] *tr. 1* Emperifollar, acicalar.

attique [a(t)tik] *adj.* Ático, ca.

attirail [atiʀaj] *m. 1* Pertrechos *pl.* 2 fam. Trastos *pl.*, chismes *pl.*

attirant, -ante [atiʀã, -ãt] *adj. 1* Atractivo, va (séduisant). *2* Atrayente (qui attire).

attirer [atiʀe] *tr. 1* Atraer (faire venir à soi). *2* Llamar, captar: — *l'attention,* llamar la atención. *3* Atraer: — *les regards, la sympathie,* atraer las miradas, la simpatía. *4* Atraer, acarrear, ocasionar (causer): — *des ennuis,* acarrear disgustos. ■ *5 pr.* Ganarse: *s'— une réprimande,* ganarse una reprimenda. *6* Granjearse, atraerse (la sympathie, etc.).

attiser [atize] *tr.* Atizar.

attitré, -ée [atitʀe] *adj. 1* Titular, titulado, da. *2* Habitual: *fournisseur —,* proveedor habitual.

attitude [atityd] *f.* Actitud.

attraction [atʀaksjɔ̃] *f.* Atracción.

attrait [atʀɛ] *m. 1* Atractivo, aliciente. *2* Inclinación *f.*, propensión *f.* (goût). ■ *3 pl.* Encantos.

attrape [atʀap] *f. 1* Broma. *2* Engañifa, engaño *m.*

attraper [atʀape] *tr. 1* Coger (prendre). *2* Atrapar, sorprender (surprendre). *3* Engañar, embaucar (tromper par une ruse). Être *bien attrapé,* ir arreglado, quedarse a la una de Valencia. *4* Regañar (gronder). *5* Pillar, pescar; coger: — *un rhume,* pillar un resfriado; — *l'autobus,* coger el autobús. ■ *6 pr.* Contagiarse.

attrayant, -ante [atʀɛjã, -ãt] *adj.* Atractivo, va, atrayente.

attribuer [atʀibɥe] *tr. 1* Atribuir. *2* Achacar.

attribut [atʀiby] *m.* Atributo.

attribution [atʀibysjɔ̃] *f.* Atribución.

attrister [atʀiste] *tr.* Entristecer.

attrouper [atʀupe] *tr. 1* Agrupar. ■ *2 pr.* Agruparse, aglomerarse.

aubade [obad] *f.* Alborada.

aubaine [obɛn] *f.* Ganga, suerte inesperada.

aube [ob] *f. 1* Alba. *2* fig. Comienzo *m.* *3* LITURG. Alba. *4* TECHN. Álabe *m.*, paleta.

aubépine [obepin] *f.* Espino *m.* albar.

auberge [obɛʀʒ(ə)] *f.* Posada, mesón *m.*

aubergine [obɛʀʒin] *f.* Berenjena.

aubergiste [obɛʀʒist(ə)] *s.* Posadero, ra.

aucun, -une [okœ̃, yn] *adj.-pron. indef. 1* Ninguno, na. ■ *2 adj.* Ningún (devant un *s. m. sing.*): — *enfant,* ningún niño. *3* Ninguno, na, ningún, alguno, na (négatif): *n'avoir — intérêt,* no tener ningún interés, interés alguno; *sans — doute,* sin duda alguna. ■ *4 pron.* Nadie (personne). *5 D'aucuns,* algunos.

aucunement [okynmã] *adv.* De ningún modo.

audace [odas] *f. 1* Audacia. *2* Atrevimiento *m.*, osadía, audacia (insolence).

audacieux, -euse [odasjø, -øz] *adj.* Audaz.

audience [odjãs] *f. 1* Audiencia (entretien). *2* Interés *m.* *3* DR. Audiencia, vista.

auditeur, -trice [oditœʀ, tʀis] *s. 1* Oyente. *2* Radioyente, radioescucha.

audition [odisjɔ̃] *f.* Audición.

auditoire [oditwaʀ] *m.* Auditorio.

augmentation [ɔ(o)gmãtasjɔ̃] *f. 1* Aumento *m.*, incremento *m.* *2* Subida, aumento *m.* (des prix, du salaire).

augmenter [ɔ(o)gmãte] *tr.* Aumentar.

augure [ɔ(o)gyʀ] *m.* Augurio, agüero.

augurer [ɔ(o)gyʀe] *tr.* Augurar.

aujourd'hui [oʒuʀdɥi] *adv. 1* Hoy. *2* Hoy día (à l'époque actuelle).

aumône [ɔ(o)mon] *f.* Limosna.

aumônier [ɔ(o)monje] *m.* Capellán.

auparavant [opaʀavã] *adv.* Antes, primero.

auprès de [opʀɛd(ə)] *loc. prép. 1* Cerca de (à côté de). *2* Al lado de, comparado con (en comparaison de). *3* Para: *il passe pour un impoli auprès d'elle,* para ella es un maleducado. *4* Cerca de (en parlant d'un ambassadeur).

auréole [ɔ(o)ʀeɔl] *f.* Aureola.

auriculaire [ɔ(o)ʀikylɛʀ] *adj. 1* Auricular. ■ *2 m.* Auricular, meñique (doigt).

aurifère [ɔ(o)ʀifɛʀ] *adj.* Aurífero, ra.

aurore [ɔ(o)ʀɔʀ] *f.* Aurora.

auspice [ɔ(o)spis] *m.* Auspicio.

aussi [osi] *adv. 1* También. *2* — *... que,* tan... como. *3* Tan (si). *4* También, además (encore, en outre). ■ *5 conj.* Por esto, por eso, por lo que: *il était fatigué,* — *s'est-il couché,* estaba cansado, por eso se fue a acostar. *6 loc. adv.* — *bien,* además. *7 loc. conj.* — *bien que,* tanto como, tan bien como.

aussitôt [osito] *adv. 1* En seguida, al punto. *2* — *après,* inmediatamente después. *3* Loc. — *dit,* — *fait,* dicho y hecho. *4 loc. conj.* — *que,* tan pronto como, al mismo tiempo que.

austérité [ɔ(o)steʀite] *f.* Austeridad.

autant [otã] *adv. 1* Tanto. *2* Lo mismo,

otro tanto (avec *en*): *3* Es preferible,
más vale (avec l'inf.). *4* — ... —, tanto
como... tanto. *5* — *de*, tanto, ta, tantos,
tas: — *de chaises que de personnes,* tan-
tas sillas como personas. *6* — *que,* tanto
como. *7* *loc. adv. D'*—, otro tanto; *d'*—
plus!, ¡precisamente por eso! *9* *loc.
conj. D'*—*que,* visto que; *d'*— *moins
que,* menos aún cuando.

autarcie [otaʀsi] *f.* Autarquía.

autel [ɔ(o)tɛl] *m.* Altar.

auteur [otœʀ] *m.* Autor.

authenticité [ɔ(o)tãtisite] *f.* Autenticidad.

authentique [ɔ(o)tãtik] *adj.* Auténtico, ca.

auto [ɔ(o)to] *f.* Auto *m.,* coche *m.*

autobus [ɔ(o)tobys] *m.* Autobús.

autochtone [ɔ(o)tɔktɔn] *adj.-s.* Autóctono, na.

autocrate [ɔ(o)tɔkʀat] *m.* Autócrata.

autodafé [ɔ(o)todafe] *m.* Auto de fe.

autodrome [ɔ(o)todʀom] *m.* Autódromo.

autographe [ɔ(o)tɔgʀaf] *adj.-m.* Autógrafo, fa.

automate [ɔ(o)tɔmat] *m.* Autómata.

automatique [ɔ(o)tɔmatik] *adj.* Automático, ca.

automnal, -ale [ɔ(o)tɔ(m)nal] *adj.* Otoñal.

automne [ɔ(o)tɔn] *m.* Otoño.

automobile [ɔ(o)tɔmɔbil] *adj.* *1* Automóvil. ■ *2 f.* Automóvil *m.*

automobiliste [ɔ(o)tɔmɔbilist(ə)] *s.* Auto-
movilista.

autonome [ɔ(o)tɔnɔm] *adj.* Autónomo,
ma.

autonomie [ɔ(o)tɔnɔmi] *f.* Autonomía.

autopsie [ɔ(o)tɔpsi] *f.* Autopsia.

autorail [ɔ(o)tɔʀaj] *m.* Autovía *f.*

autorisation [ɔ(o)tɔʀizasjɔ̃] *f.* Autorización.

autoriser [ɔ(o)tɔʀize] *tr.* Autorizar.

autoritaire [ɔ(o)tɔʀitɛʀ] *adj.* Autoritario,
ria.

autorité [ɔ(o)tɔʀite] *f.* *1* Autoridad. *2
Faire* —, imponerse.

autoroute [ɔ(o)tɔʀut] *f.* Autopista.

autour [otuʀ] *adv.* *1* Alrededor. *2 Tout* —,
por todos lados.

autre [otʀ(ə)] *adj.* *1* Otro, tra: *il a une —
maison,* tiene otra casa (pas d'art. indéf.
en espagnol). *2* — *chose,* otra cosa. *3*
Otro, tra: *il est devenu* —, se ha conver-
tido en otro. ■ *4 pron.* Otro, tra: *l'un
mange, l'— parle,* uno come, el otro habla. *5 Les autres,* los demás; los otros. *6
L'un... l'*—, uno... el otro. *7 Rien d'*—,
nada más. *8 loc. adv. D'*— *part,* por otra
parte, por otro lado.

autrefois [otʀəfwa] *adv.* En otro tiempo.

autrement [otʀəmã] *adv.* *1* De otro modo

(d'une manière différente). *2* Si no, de
lo contrario (sinon). *3 Pas* —, no mucho
(guère). *4* Muchos más (beaucoup).

autrichien, -enne [otʀiʃjɛ̃, -ɛn] *adj.-s.* Austríaco, ca.

autruche [otʀyʃ] *f.* Avestruz.

autrui [otʀɥi] *pron.* *1* El prójimo. *2 D'*—,
ajeno, na.

auvent [ovã] *m.* Colgadizo, tejadillo.

auxiliaire [ɔ(o)ksiljɛʀ] *adj.-s.* Auxiliar.

avachi, -ie [avaʃi] *adj.* Deformado, da.

aval [aval] *m.* *1* Río abajo. *2* COMM. Aval
(garantie). *3 loc. prép. En* — *de,* más
abajo de, río abajo de.

avalanche [avalãʃ] *f.* Alud *m.,* avalancha.

avaler [avale] *tr.* *1* Tragar, engullir. *2* fam.
Tragarse, creer.

avaliser [avalize] *tr.* COMM. Avalar.

avance [avãs] *f.* *1* Adelanto *m.* *2* Adelanto
m. ventaja (d'un coureur). *3* Anticipo
m. (acompte). *4 loc. adv. À l'*—, de antemano. *5 D'*—, por adelantado, con
anticipación. *6 En* —, con anticipación
(arriver); *être en* —, estar adelantado,
da. *7 Par* —, de antemano. ■ *8 pl. Faire
des avances,* dar los primeros pasos.

avancement [avãsmã] *m.* *1* Adelanto,
avance. *2* Ascenso (promotion).

avancer [avãse] *tr.* *1* Avanzar. *2* Acercar
(approcher). *3* Adelantar. *4* Exponer,
afirmar (affirmer). ■ *5 intr.* Avanzar: —
rapidement, avanzar rápidamente. *6*
Adelantar: *ta montre avance,* tu reloj
adelanta. *7* Adelantar, progresar. *8 pr.*
Adelantarse, adelantar. *9* Acercarse,
aproximarse (approcher). ▲ CONJUG.
como *lancer.*

avant [avã] *prep.* *1* Antes de. *2* Antes que.
3 — *de* (avec l'inf.), antes de. *4* — *que*
(avec le subj.), antes de que, antes que:
— *qu'il n'arrive,* antes de que llegue. *5*
— *tout,* ante todo, antes que nada. ■ *6
adv.* Antes (plus tôt, auparavant). *7*
Antes, delante (en tête). *8* Dentro,
adentro, profundamente (profondé-
ment): *plus* —, más adentro. *9 En* —!
¡Adelante!

avant [avã] *m.* *1* Delantera *f.,* parte *f.* delantera (partie antérirure). *2* SPORTS.
Delantero (football). ■ *3 adj. invar.* Delantero, ra: *roues* —, ruedas delanteras.

avantage [avãtaʒ] *m.* *1* Ventaja *f.* *2 A
l'*—*de,* en provecho de. *3 Être à son* —,
estar con ventaja. *4 Tirer* — *de,* sacar
provecho, partido de.

avantager [avãtaʒe] *tr.* *1* Aventajar. *2*
Agraciar, favorecer (embellir). ▲
CONJUG. como *engager.*

avantageux, -euse [avãtaʒø, -øz] *adj.* *1*

Ventajoso, sa. 2 fam. Presuntuoso, sa, presumido, da (fat).

avant-bras [avãbʀa] *m. invar.* Antebrazo.

avant-dernier, -ère [avãdɛʀnje, -ɛʀ] *adj.-s.* Penúltimo, ma.

avant-garde [avãgaʀd(ə)] *f.* Vanguardia.

avant-goût [avãgu] *m.* Gusto anticipado.

avant-hier [avãtjɛʀ] *adv.* Anteayer.

avant-propos [avãpʀɔpo] *m. invar.* Prefacio, introducción *f.*

avant-scène [avãsɛn] *f. 1* Proscenio *m.* 2 Palco *m.* de proscenio (loge).

avant-train [avãtʀɛ̃] *m. 1* Juego delantero (d'une voiture à cheval). 2 Cuarto delantero (d'un cheval).

avare [avaʀ] *adj.-s.-1* Avaro, ra. 2 Parco, ca: — *de,* parco en.

avarice [avaʀis] *f.* Avaricia.

avaricieux, -euse [avaʀisjø, -øz] *adj.* Avariento, ta, avaricioso, sa.

avarie [avaʀi] *f.* Avería.

avatar [avataʀ] *m. 1* Avatar, transformación *f.* 2 Malandanza *f.,* contratiempo.

ave [ave] *m.* Avemaría (prière).

avec [avɛk] *prép. 1* Con. 2 A pesar de, sin embargo (malgré).

avenant, -ante [avnã, -ãt] *adj.* Agradable, afable.

avènement [avɛnmã] *m.* Advenimiento.

avenir [avniʀ] *m. 1* Porvenir, futuro. 2 loc. adv. *À l'—,* en el porvenir.

aventure [avãtyʀ] *f. 1* Aventura. 2 *loc. adv.* *À l'—,* a la ventura, a la buena de Dios. 3 *D'—, par —,* por ventura, por casualidad, casualmente.

aventurer [avãtyʀe] *tr.* Aventurar.

aventureux, -euse [avãtyʀø, -øz] *adj. 1* Aventurado, da, arriesgado, da. 2 Aventurero, ra, azaroso, sa.

aventurier, -ière [avãtyʀje, -jɛʀ] *s.* Aventurero, ra.

avenue [avny] *f.* Avenida.

averse [avɛʀs(ə)] *f.* Aguacero *m.,* chaparrón *m.*

aversion [avɛʀsjõ] *f.* Aversión.

avertir [avɛʀtismã] *m.* Aviso, advertencia *f.*

avertisseur, -euse [avɛʀtisœʀ, -øz] *adj. 1* Avisador, -ra. ■ 2 *m.* Bocina *f.*

aveu [avø] *m. 1* Confesión *f.* (confession). 2 Declaración *f.* 3 *De l'— de,* según opinión de, según testimonio de.

aveuglant, -ante [avœglã, -ãt] *adj.* Cegador, ra.

aveugle [avœgl(ə)] *adj.-s. 1* Ciego, ga. 2 *loc. adv.* *En —,* a ciegas, a tontas y a locas.

aveuglément [avœglemã] *adv.* Ciegamente.

aveugler [avœgle] *tr. 1* Cegar 2 fig. Deslumbrar (éblouir). 3 Ofuscar.

aveuglette (à l') [alavœglɛt] *loc. adv.* A ciegas, a tientas.

aviateur, -trice [avjatœʀ, tʀis] *s.* Aviador, ra.

aviculture [avikyltyʀ] *f.* Avicultura.

avide [avid] *adj.* Ávido, da, ansioso, sa.

avidité [avidite] *f. 1* Avidez, ansia. 2 fig. Codicia.

avilir [aviliʀ] *tr.* Envilecer, degradar.

avion [avjõ] *m.* Avión.

aviron [aviʀõ] *m.* MAR. Remo.

avis [avi] *m. 1* Parecer, opinión *f.* 2 Aviso, advertencia *f.*

avisé, -ée [avize] *adj.* Avisado, da, prudente.

aviser [avize] *tr. 1* Avisar (informer). 2 Divisar, ver (apercevoir). ■ *3 intr.* — *à,* reflexionar en, pensar en. ■ *4 pr.* Ocurrirse: *il s'avisa de,* se le ocurrió. 5 Atreverse.

aviver [avive] *tr.* Avivar.

avocat, -ate [avɔka, -at] *s.* Abogado, da.

avocat [avɔka] *m.* Aguacate (fruit).

avoine [avwan] *f.* Avena.

avoir [avwaʀ] *tr. 1* Tener (posséder): *j'ai une maison,* tengo una casa; *nous avons le temps,* tenemos tiempo; *il a de beaux yeux,* tiene unos ojos preciosos. Loc. *En —pour,* haber pagado, haber costado: *il en a eu pour dix francs,* le ha costado diez francos; tardar: *j'en ai pour une heure,* tardaré una hora; *en — pour son argent,* comprar por buen precio. 2 Obtener, tener, conseguir (obtenir). 3 fam. Vencer (vaincre), engañar (tromper). 4 Tener: — *soif,* tener sed. 5 Pasar, suceder, ocurrir: *qu'as-tu?,* ¿qué te pasa? 6 fam. *En — contre quelqu'un,* estar resentido contra alguien. ■ *7 auxil.* Haber: *j'ai bu,* he bebido. ■ *8 impers. Il y a,* hay (quantité): *il y a beaucoup de travail,* hay mucho trabajo; *il n'y a pas de quoi,* no hay de qué. 9 Hacer (temps): *il y a une semaine,* hace una semana.

avoir [avwaʀ] *m. 1* Haber. 2 Hacienda *f.,* caudal (fortune).

avoisinant, -ante [avwazinã, -ãt] *adj.* Vecino, na, cercano, na.

avoisiner [avwazine] *tr.* Estar próximo, ma a, lindar con.

avortement [avɔʀtəmã] *m.* Aborto.

avorter [avɔʀte] *intr.* Abortar.

avorton [avɔʀtõ] *m. 1* Abortón (animal). 2 Aborto, feto, engendro (homme mal fait).

avoué [avwe] *m.* Procurador judicial.

avouer [avwe] *tr.* Confesar, reconocer.

avril [avʀil] *m.* Abril.
axe [aks(ə)] *m.* Eje.
axiome [aksjom] *m.* Axioma.
azalée [azale] *f.* Azalea.
azimut [azimyt] *m.* Acimut, azimut.

azote [azɔt] *m.* Ázoe, nitrógeno.
aztèque [aztɛk] *adj.-s.* Azteca.
azur [azyʀ] *m. 1* Azul. *2* fig. *L'—*, el cielo.
azuré, -ée [azyʀe] *adj.* Azul, azulado, da.
azyme [azim] *adj.* Ácimo, ma.

B

b [be] *m.* B *f.*

baba [baba] *m.* Bizcocho borracho.

babillage [babijaʒ] *m.* Cháchara *f.*, charla *f.*

babiller [babije] *intr.* Charlar, parlotear.

babines [babin] *f. pl.* Belfos *m.*

babiole [babjɔl] *f.* Baratija, fruslería.

bâbord [babɔr] *m.* Babor.

babouche [babuʃ] *f.* Babucha.

bac [bak] *m. 1* Pontón. *2* Balde, tina *f. 2* Cubeta *f. 3* fam. Bachillerato (baccalauréat).

baccalauréat [bakalɔrea] *m.* Bachillerato.

baccara [bakara] *m.* Bacará (jeu).

bacchanale [bakanal] *f.* Bacanal.

bâche [baʃ] *f. 1* Baca (de diligence, etc.). *2* Toldo *m.*

bachelier, -ière [baʃəlje, -jɛr] *s.* Bachiller.

bachot [baʃo] *m.* fam. Bachillerato.

bacille [basil] *m.* Bacilo.

bâcler [bɑkle] *tr.* Frangollar, chapucear.

bactérie [baktɛri] *f.* Bacteria.

bactériologie [baktɛriɔlɔʒi] *f.* Bacteriología.

badaud, -aude [bado, -od] *adj.-s.* Mirón, ona, papanatas *invar.*

baderne [badɛrn(ə)] *f.* fam. *Vieille —,* viejo estúpido *m.*, vejestorio *m.*

badigeonner [badiʒɔne] *tr.* Plastecer.

badinage [badinaʒ] *m. 1* Jugueteo, discreteo, broma *f. 2* Gracejo.

badiner [badine] *intr.* Juguetear, bromear.

bafouer [bafwe] *tr.* Ridiculizar, escarnecer.

bafouiller [bafuje] *intr. 1* Farfullar. *2* Fallar (moteur).

bâfrer [bafrɛ] *tr. 1* pop. Engullir, zamparse. ■ *2 intr.* Atracarse, atiborrarse.

bagage [bagaʒ] *m. 1* Equipaje (voyage). Loc. *Plier —,* liar los bártulos, largarse. *2* fig. Bagaje: — *scientifique,* bagaje

científico. ▲ Ús. generalmente en pl. en la 1.ª acepción.

bagarre [bagar] *f. 1* Riña, pelea. *2* Alboroto *m.*

bagatelle [bagatɛl] *f.* Bagatela, fruslería.

bagnard [baɲar] *m.* Presidiario.

bagnole [baɲɔl] *f.* pop. Coche *m.*, pote *m.*

bagou, bagout [bagu] *m.* Facundia *f.*, labia *f.: avoir du —,* tener labia.

bague [bag] *f.* Sortija, anillo *m.*

baguenauder [bagnode] *intr. 1* fam. Pasar el rato. ■ *2 pr.* Pasearse.

baguette [bagɛt] *f. 1* Bastoncillo *m.*, junquillo *m. 2* Baqueta (de fusil). *3* Varita. *4* Batuta. *5* Barra (pain). *6* ARCHIT. Junquillo *m.*, baqueta. *7* ELÉCTR. Cajetín *m. 8* MENUIS. Listón *m.*, filete *m.* ■ *9 pl.* Palillos *m.* (de tambour).

bahut [bay] *m. 1* Arcón, cofre. *2* Hucha *f.* (de paysan). *3* Armario rústico bajo. *4* pop. Colegio.

baie [bɛ] *f. 1* Bahía. *2* ARCHIT. Hueco *m.*, abertura. *3* BOT. Baya.

baigner [beɲe] *tr. 1* Bañar. ■ *2 intr.* Estar cubierto, ta, sumergido, da: — *dans son sang,* estar cubierto de sangre. ■ *3 pr.* Bañarse.

baigneur, -euse [bɛɲœr, -øz] *s. 1* Bañista. ■ *2 m.* Muñeca *f.* de celuloide (poupée).

baignoire [bɛɲwar] *f. 1* Bañera, baño. *2* Palco *m.* de platea.

bail [bai] *m.* Arrendamiento, alquiler (contrat).

bâillement [bajmɑ̃] *m.* Bostezo.

bailler [baje] *tr. 1* Hacer creer. Loc. *Vous me la baillez belle,* usted me la quiere pegar. *2* vieil. Dar, entregar.

bâiller [baje] *intr. 1* Bostezar. *2* Estar entreabierto, ta (volet, porte, etc.).

bailleur, -euse [bajœr, -rɛs] *s. 1* Arrendador, -ra. *2* — *de fonds,* socio capitalista.

bâillonner [bajɔne] *tr.* Amordazar.

bain [bɛ̃] *m.* Baño.

baionnette [bajɔnɛt] f. Bayoneta.

baiser [beze] tr. Besar.

baiser [beze] m. Beso.

baisoter [bezɔte] tr. Besucar, besuquear.

baisse [bɛs] f. 1 Baja (prix, cote). 2 Descenso m. (température).

baisser [bese] tr. 1 Bajar. 2 Bajar, inclinar: — les yeux, bajar los ojos; — la tête, inclinar la cabeza. 3 Bajar, rebajar (hauteur, prix, intensité). ■ 4 intr. Bajar (niveau, intensité). 5 Menguar, disminuir. 6 Decaer, desfallecer (les personnes). 7 Bajar, disminuir (les prix). ■ 8 pr. Bajarse, agacharse.

bajoue [baʒu] f. 1 Carrillada. 2 Carrillo m. colgante, moflete m. (de personne).

bal [bal] m. Baile (fête, lieu).

balader [balade] tr. fam. Pasear, llevar de paseo, sacar a paseo.

baladeuse [baladøz] f. 1 Remolque de tranvía. 2 Lámpara eléctrica móvil. 3 Carrito m. de vendedor ambulante.

balafre [bala(ɑ)fʀ(ə)] tr. Señalar, herir, hacer un chirlo.

balai [bale] m. 1 Escoba f. Loc. Donner un coup de —, dar un barrido; fig. coup de —, despido del personal. 2 Barredora f.: — mécanique, barredora mecánica. 3 ÉLÉCTR. Escobilla f.

balance [balɑ̃s] f. 1 Balanza. 2 Retel m., red para pescar cangrejos (à écrevisses). 3 COMM. Balance m. (bilan). 4 COMM. Balanza: — des paiements, balanza de pagos. ■ 5 n. pr. ASTROL. Libra.

balancement [balɑ̃smɑ̃] m. 1 Balanceo. 2 fig. Vacilación f.

balancer [balɑ̃se] tr. 1 Balancear, mecer. 2 fig. fam. Tirar, echar: — quelque chose par la fenêtre, tirar algo por la ventana; — sa secrétaire, echar a la secretaria. 3 Balancear, contrapesar, equilibrar (équilibrer). 4 Medir, pesar, examinar: — le pour et le contre, medir el pro y el contra. ■ 6 pr. Balancearse, columpiarse. 7 pop. Je m'en balance, me importa un bledo. ▲ CONJUG. como lancer.

balancier [balɑ̃sje] m. 1 Péndulo: le — de la pendule, el péndulo del reloj. 2 Balancín (d'un danseur de corde). 3 MÉC. Balancín.

balançoire [balɑ̃swaʀ] f. Columpio m.

balayer [baleje] tr. Barrer.

balayeur, -euse [balejœʀ, -øz] s. 1 Barrendero, ra. ■ 2 f. Barredora (machine).

balbutier [balbysje] intr. 1 Balbucear,

balbucir. ■ 2 tr. Mascullar. ▲ CONJUG. como prier.

balcon [balkɔ̃] m. 1 Balcón. 2 Barandilla f., baranda f. (balustrade). 3 THÉÂT. Anfiteatro.

baleine [balɛn] f. 1 Ballena. 2 Varilla.

baleineau [baleno] m. Ballenato.

baleinier, -ière [balenje, -jɛʀ] adj.-m. 1 Ballenero, -ra. ■ 2 f. Lancha ballenera (embarcation).

balise [baliz] f. Baliza, boya.

baliser [balize] tr. Abalizar.

balistique [balistik] adj. 1 Balístico, ca. ■ 2 f. Balística.

baliverne [balivɛʀn(ə)] f. Pamplina, tontería, sandez.

ballade [balad] f. Balada.

ballant, -ante [balɑ̃, -ɑ̃t] adj. 1 Colgante. ■ 2 m. Balanceo, oscilación f.

balle [bal] f. 1 Pelota (jeu). 2 Bala: — de revolver, bala de revólver. 3 pop. Franco m. (ancien franc). 4 COMM. Bala (de marchandises).

ballerine [balʀin] f. Bailarina.

ballet [balɛ] m. Ballet.

ballon [balɔ̃] m. 1 Balón, pelota f. (de football, etc.). 2 Globo (jouet en baudruche, caoutchouc). 3 Globo (aérostat). 4 Matraz (récipient). 5 — d'oxygène, balón de oxígeno.

ballonner [balɔne] tr. 1 Hinchar. ■ 2 pr. Hincharse.

ballot [balo] m. 1 Fardo, bulto. 2 fam. Bobo (idiot).

ballottage [balɔtaʒ] m. Necesidad f. de efectuar una segunda elección al no haber obtenido mayoría suficiente ningún candidato.

ballotter [balɔte] tr. 1 Sacudir, bambolear, zarandear.

balnéaire [balneɛʀ] adj. Balneario, ria.

balourd, -ourde [baluʀ, -uʀd] adj.-s. Palurdo, da, torpe, tosco, ca.

balsamique [balzamik] adj. Balsámico, ca.

balustrade [balystʀad] f. 1 Barandilla, balaustrada. 2 Pretil m. (d'un pont).

bambocheur, -euse [bɑ̃bɔʃœʀ, -øz] s. Juerguista, jaranero, ra.

bambou [bɑ̃bu] m. Bambú.

ban [bɑ̃] m. 1 Bando (édit). 2 Redoble de tambor (de tambour). 3 Ovación f., aplauso. 4 ancien. Los vasallos convocados por el rey. Loc. fig. Le — et l'arrière-ban, todo el mundo. ■ 5 pl. Amonestaciones f. (de mariage).

banal, -ale [banal] adj. Banal, común, vulgar.

banalité [banalite] f. Banalidad, vulgaridad, trivialidad.

banane [banan] *f.* Plátano *m.*

bananier [bananje] *m.* Plátano, banano (arbre).

banc [bã] *m.* Banco.

bancal, -ale [bɑ̃kal] *adj.* *1* Patituerto, ta. *2* Cojo, ja (meubles).

bandage [bɑ̃daʒ] *m.* *1* Venda *f.*, vendaje. *2* — **herniaire**, braguero para hernia. *3* Calce, llanta *f.* (de roue).

bande [bɑ̃d] *f.* *1* Cinta: — *magnétique*, cinta magnetofónica. *2* tira (de papier, tissu). *3* Faja (pour entourer, de journal). *4* Venda. *5* Película, cinta (film). *6* — *dessinée*, tira dibujada. *7* Lista, raya (rayure). *8* Carril *m.* (partie d'une route). *9* Banda (billard). *10* Banda, grupo *m.* (de personnes). *11* péj. Partida (de malfaiteurs). *12* Bandada, manada (d'animaux): *une — de loups*. *13* MAR. Escora.

bandeau [bɑ̃do] *m.* *1* Cinta *f.* *2* Venda *f.* (pour les yeux). ■ *3 pl.* Mechones de cabello que cubren las sienes en un peinado femenino.

bander [bɑ̃de] *tr.* *1* Vendar, fajar (entourer d'une bande). *2* Poner tirante (tendre). *3* Armar (arc).

banderole [bɑ̃dʀɔl] *f.* Banderola.

bandit [bɑ̃di] *m.* *1* Bandido. *2* Timador, pirata, bandido (filou).

bandoulière [bɑ̃duljɛʀ] *f.* Bandolera. *loc. adv.* *En —*, en bandolera.

banlieue [bɑ̃ljø] *f.* Alrededores *m. pl.*, afueras *pl.* cercanías *pl.*

banne [ban] *f.* *1* Volquete *m.* de transporte (tombereau). *2* Banasta (manne d'osier). *3* Toldo *m.* (toile).

bannière [baniʀ] *tr.* *1* Desterrar, exiliar (exiler). *2* Expulsar, apartar, alejar.

banque [bɑ̃k] *f.* *1* Banco *m.* *2* Banca (commerce de l'argent). *3* Banca (jeu). *4* MÉD. Banco: — *des yeux, du sang*, banco de ojos, de sangre.

banqueroute [bɑ̃kʀut] *f.* Bancarrota, quiebra. *Loc.* *Faire —*, quebrar.

banquet [bɑ̃kɛ] *m.* Banquete (repas).

banquette [bɑ̃kɛt] *f.* *1* Asiento *m.*, banco *m.* *2* FORT. Banqueta.

banquier, -ière [bɑ̃kje, -jɛʀ] *s.* Banquero, ra.

banquise [bɑ̃kiz] *f.* Banco *m.* de hielo.

baobab [baɔbab] *m.* Baobab.

baptême [batɛm] *m.* *1* Bautismo. *2* Bautizo (cérémonie).

baptiser [batize] *tr.* Bautizar.

baptismal, -ale [batismal] *adj.* Bautismal.

baptistère [batistɛʀ] *m.* Baptistero, bautisterio.

baquet [bakɛ] *m.* Tina *f.*, cubeta *f.*

bar [baʀ] *m.* *1* Bar (établissement). *2* Lubina *f.*, róbalo (poisson). *3* PHYS. Bar.

baragouiner [baʀagwine] *tr.* *1* Chapurrear (une langue). ■ *2* *intr.* Farfullar.

baraque [baʀak] *f.* *1* Barraca, caseta. *2* Chabola, casucha (taudis). *3* péj. Casucha.

baratte [baʀat] *f.* Mantequera.

barbare [baʀbaʀ] *adj.-s.* Bárbaro, ra.

barbarie [baʀbaʀi] *f.* Barbarie, crueldad, fiereza (sauvagerie).

barbarisme [baʀbaʀism(ə)] *m.* Barbarismo.

barbe [baʀb(ə)] *f.* *1* Barba, barbas *pl.* *2* — *à papa*, algodón *m.* *3* Barba (plume, papier). *4* Raspa (d'un épi). *5* MÉTAL. Rebaba.

barbeau [baʀbo] *m.* *1* Barbo. *2* pop. Chulo.

barbelé, -ée [baʀbəle] *adj.* *1* Arpado, da, provisto de dientes, de púas. *2* *Fil de fer —*, alambre espinoso, de espino.

barbet [baʀbɛ] *m.* Perro de aguas.

barbiche [baʀbiʃ] *f.* Perilla (barbe).

barbier [baʀbje] *m.* Barbero.

barbillon [baʀbijɔ̃] *m.* *1* Barbo pequeño (poisson). *2* Barbilla *f.* (des poissons). *3* Gancho, lengüeta *f.* (d'un hameçon).

barbon [baʀbɔ̃] *m.* Vejete, vejestorio, vejancón.

barboter [baʀbɔte] *intr.* *1* Chapotear. *2* Burbujear, borbollar (un gaz). ■ *3* *tr.* fam. Birlar, pispar (voler).

barbouillage [baʀbujaʒ] *m.* *1* Embadurnamiento (couleurs). *2* Pintarrajo, mamarracho (peinture). *3* Garabatos *pl.* (écriture).

barbouiller [baʀbuje] *tr.* *1* Embadurnar, ensuciar (salir). *2* Pintarrajear (peindre grossièrement). *3* Emborronar: — *du papier*, emborronar papel.

barbu, -ue [baʀby] *adj.-m.* Barbudo, da.

barcarolle [baʀkaʀɔl] *f.* MÚS. Barcarola.

barde [baʀd(ə)] *f.* Albardilla (tranche de lard).

barder [baʀde] *tr.* *1* Revestir con coraza, acorazar. *2* — *de décorations*, revestir de condecoraciones. *3* CUIS. Emborrazar, enalbardar. ■ *4* *impers.* pop. *Ça barde*, la cosa está que arde.

barème [baʀɛm] *m.* Baremo.

barguigner [baʀgiɲe] *intr.* Titubear, vacilar.

baril [baʀi(l)] *m.* Barril.

barillet [baʀijɛ, baʀilɛ] *m.* Barrilete.

barioler [baʀjɔle] *tr.* Abigarrar.

baromètre [baʀɔmɛtʀ(ə)] *m.* Barómetro.

baron, -onne [baʀɔ̃, -ɔn] *s.* Barón, onesa.

baroque [baʀɔk] *adj. 1* Barroco, ca. *2* fig. Estrambótico, ca, extravagante.

barque [baʀk(ə)] *f. 1* Barca.

barrage [ba(ɑ)ʀaʒ] *m. 1* Barrera *f.* (barrière, obstacle). *2* Dique, presa *f.*

barre [ba(ɑ)ʀ] *f. 1* Barra. Loc. fam. *Avoir le coup de* —, estar agotado, da, reventado, da. *2* Barra, lingote *m. 3* Barra (gymnastique). *4* BLAS. Barra. *5* DR. Baranda que separa el tribunal en una sala de audiencia. *6* GÉOG. Barra. *7* MAR. Caña (du governail). ■ *8 pl.* Asientos *m.* (du cheval). *9* Marro *m. sing.: jeu de barres,* juego del marro.

barreau [ba(ɑ)ʀo] *m. 1* Barrote. *2* DR. Tribuna *f.* para los abogados (aux assises). *3* Foro, abogacía *f.* (profesión des avocats). *4* Colegio de abogados: *inscrit au* —, inscrito en el colegio de abogados.

barrer [ba(ɑ)ʀe] *tr. 1* Cerrar el paso, obstruir, atrancar. *2* Tachar, borrar: — *un mot mal écrit,* tachar una palabra mal escrita. *3* Cruzar, barrar: — *un chèque,* barrar un cheque. *4* MAR. Gobernar (une embarcation). ■ *5 pr.* pop. Largarse, pirárselas.

barrette [baʀɛt] *f. 1* Bonete *m.,* birreta (coiffure d'ecclésiastique). *2* Broche *m.* alargado (bijou). *3* Pasador *m.* (pour les cheveux).

barricade [baʀikad] *f.* Barricada.

barrière [ba(ɑ)ʀjɛʀ] *f. 1* Barrera: *la* — *d'un passage à niveau,* la barrera de un paso a nivel. *2* Puerta, entrada (d'une ville).

barrique [baʀik] *f.* Barrica.

barrir [baʀiʀ] *intr.* Barritar, bramar.

baryton [baʀitɔ̃] *m.* Barítono.

baryum [baʀjɔm] *m.* Bario.

bas, base [bɑ, bɑs] *adj. 1* Bajo, ja. *2* Corto, ta. *3* Gacho, cha, inclinado, da (penché). *4 Faire main basse sur,* pillar, saquear. *5* Nublado, da, encapotado, da. *6* Bajo, ja, de poco nivel. *7* Bajo, ja. *8* Bajo, ja (son). *9* Bajo, ja (évaluation). *10* Inferior. *11* Vil, infame. ■ *12 adv.* Bajo. *13 En* —, abajo; *plus* —, más abajo. *14 Mettre* —, parir. *15 Parler tout* —, hablar en voz baja. *16 interj. À* —!, ¡abajo!

bas [bɑ] *m. 1* Bajo, parte *f.* baja: *le* — *du visage,* la parte baja de la cara. *2* Bajos *pl.* (d'un vêtement). *3* Pie (d'une page).

basalte [bazalt(ə)] *m.* Basalto.

basane [bazan] *f.* Badana.

basaner [bazane] *tr.* Atezar, broncear, curtir.

bas-bleu [bablø] *m.* Marisabidilla *f.*

bascule [baskyl] *f. 1* Báscula. *2* Columpio *m.* (balançoire).

basculer [baskyle] *intr. 1* Oscilar, bascular. *2* Voltear (culbuter).

base [baz] *f. 1* Base. *2* ARCHIT. Basa.

bas-fond [bafɔ̃] *m. 1* Hondonada *f.* 2 Sitio de aguas poco profundas, bajo (mer, fleuve). ■ *3 pl.* Bajos fondos (de la société).

basilic [bazilik] *m. 1* Basilisco (lézard). *2* Albahaca *f.* (plante).

basilique [bazilik] *f.* Basílica.

basique [bazik] *adj.* CHIM. Básico, ca.

basque [bask(ə)] *adj.-s. 1* Vasco, ca, vascongado, da. ■ *2 m.* Vascuence (langue). ■ *3 f.* Faldón *m.* (de redingote).

bas-relief [baʀəljef] *m.* Bajorrelieve.

basse [bɑs] *f. 1* MAR. Bajo *m.,* bajío *m. 2* MUS. Bajo *m.:* — *continue,* bajo continuo; *voix de* —, voz de bajo. *3* Contrabajo *m.*

basse-cour [baskuʀ] *f.* Corral *m.*

basse-fosse [basfos] *f.* Mazmorra, calabozo *m.*

bassesse [bases] *f. 1* Bajeza, vileza, indignidad. *2* fig. Humildad, servilismo *m.*

bassin [basɛ̃] *m. 1* Palangana *f.,* jofaina *f.* (cuvette). *2* Orinal de cama, chata *f.* (urinal). *3* Bacineta *f.* (pour mendier). *4* Pilón (d'une fontaine). *5* Pileta *f.* (d'une piscine). *6* Estanque, alberca *f.* (étang). *7* Dársena *f.* (port). *8* — *de radoub,* dique. *9* ANAT. Pelvis *f.,* bacinete. *10* GÉOG. Cuenca *f.:* le — *de l'Ebre,* la cuenca del Ebro.

bassine [basin] *f.* Lebrillo *m.*

bassiner [basine] *tr. 1* Calentar (le lit). *2* Humedecer, rociar (plante). *3* pop. Fastidiar, dar la lata (ennuyer).

bastonnade [bastɔnad] *f.* Paliza, tunda, apaleamiento *m.*

bât [bɑ] *m.* Albarda *f.,* enjalma *f.*

bataclan [bataklɑ̃] *m.* pop. Bártulos *pl.,* cachivaches *pl.*

bataille [bataj] *f. 1* Batalla. *2* Pelea, riña (bagarre).

batailler [bataje] *intr.* Batallar, luchar.

bataillon [batajɔ̃] *m.* Batallón.

bâtard, -arde [bataʀ, -aʀd(ə)] *adj.-s. 1* Bastardo, da. *2* fig. Ambiguo, gua. *3 Pain* —, barra de pan. ■ *4 f.* Bastardilla (écriture).

bateau [bato] *m. 1* Barco. *2* fig. fam. *Monter un* — *à quelqu'un,* engañar a alguien con cuentos.

bateleur, -euse [batlœʀ, -øz] *s.* Saltimbanqui, titiritero, ra.

batelier, -ière [batəlje, -jɛʀ] *s.* Barquero, ra, batelero, ra.

bâter [bɑte] *tr. 1* Albardar. *2* fig. *Âne bâté*, estúpido, ignorante.

bâti [bɑti] *m. 1* Armazón, armadura *f. 2* Bastidor (d'une machine). *3* Hilván (couture).

batifoler [batifole] *intr.* vieil. Juguetear, retozar.

bâtiment [bɑtimɑ̃] *m. 1* Construcción *f. 2* Edificio. *3* MAR. Buque, bastimento.

bâtir [bɑtiʀ] *tr. 1* Edificar, construir. Loc. fig. — *des châteaux, en Espagne*, construir castillos en el aire. *3* fig. Construir: — *une théorie*, construir una teoría. *4* Hilvanar, montar (couture).

bâtisseur, -euse [bɑtisœʀ, -øz] *s.* Constructor, ra, edificador, ra.

bâton [bɑtɔ̃] *m. 1* Palo, garrote. *2 Coup de* —, palo. *3* Vara *f.*, bastón : — *de maréchal*, vara de mariscal. *4* Báculo. *5* Porra *f.* (d'agent de police). *6* Barrita *f.*, barra *f.*: — *de cire à cacheter*, barrita de lacre. *7* Palote (écriture). *8 loc. adv. A bâtons rompus*, sin continuidad, sin orden.

bâtonner [bɑtɔne] *tr.* Apalear.

batracien [batʀasjɛ̃] *m.* ZOOL. Batracio.

battage [batɑʒ] *m. 1* Trilla *f.* (blé). *2* fig. fam. Propaganda *f.* a bombo y platillos. *3* MÉTAL. Batido.

battant [batɑ̃] *m. 1* Hoja *f.* de puerta, de ventana. *2* Badajo (de cloche).

battant, -ante [batɑ̃, -ɑ̃t] *adj. 1* Batiente, que bate, que late. *2* fig. *Mener tambour* —, tratar sin miramientos, llevar a la baqueta.

batte [bat] *f. 1* Maza (à broyer), pisón *m.* (à tasser la terre). *2* Tabla de lavar (blanchissage). *3* Paleta para mazar la mantequilla (à beurre). *4* SPORTS. Pala.

battement [batmɑ̃] *m. 1* Golpeo. Loc. — *d'ailes*, aleteo, golpeo de alas; — *de mains*, palmada *f.*, palmoteo; — *de paupières*, parpadeo. *2* Latido, palpitación *f.* (du cœur).

batterie [batʀi] *f. 1* ARTILL. Batería: — *de canons*, batería de cañones. *2* Batería: — *de cuisine*, batería de cocina. *3* ELÉCTR. Batería. *4* MÚS. Batería: *tenir la* —, llevar la batería.

batteur [batœʀ] *m. 1* Batidor: — *à œufs*, batidor de huevos. *2* MÚS. Batería: *le* — *d'une formation*, el batería de un conjunto. *3* SPORTS Bateador.

battoir [batwaʀ] *m. 1* Moza *f.*, pala de lavandera *f.* (de lavandière).

battre [batʀ(ə)] *tr. 1* Pegar, golpear, batir. *2* Sacudir: — *un tapis*, sacudir una alfombra. *3* Revolver, batir (les œufs). *4* Mazar (le lait). *5* Barajar (les cartes). *6* Batir, derrotar, vencer (vaincre). *7* Re-

correr, batir: — *la forêt*, recorrer el bosque. *8* Golpear: — *la semelle*, golpear el suelo con los pies para calentarlos. *9* Tocar: — *le tambour*, tocar el tambor. *10* Azotar, golpear: *le vent bat les branches*, el viento azota las ramas. *11* AGR. Trillar (le blé). *12* Varear (les arbres). *13* MAR. — *pavillon*, navegar bajo un pabellón. *14* MÉTAL. Batir: — *le fer*, batir el hierro. *15* MUS. — *la mesure*, llevar el compás. *16* SPORTS — *un record*, batir un récord. ■ *17 intr.* Chocar, golpear: *une porte qui bat*, una puerta que golpea. Loc. — *des ailes*, aletear (les oiseaux); — *des mains*, palmotear, tocar palmas, aplaudir. *18* Sonar, redoblar (le tambour). *19* Latir (le cœur); tener pulsaciones (le pouls). *20* MIL. — *en retraite*, batirse en retirada. ■ *21 pr.* Batirse, pelear, pegarse. ▲ CONJUG. IRREG. INDIC. Pres.: *je bats, tu bats, il bat, nous battons, vous battez, ils battent.* Imperf.: *je battais,* etc. Pret. indef.: *je battis,* etc. Fut. imperf.: *je battrai,* etc. POT.: *je battrais,* etc. IMPER.: *bats, battons, battez.* SUBJ. Pres.: *que je batte,* etc. Imperf.: *que je battisse,* etc. PART. A.: *battant.* PART. P.: *battu, ue.*

battu, -ue [baty] *adj. 1* v. **battre**. *2* Pisado, da, trillado, da (sol, chemin). *3* fig. Trillado: *sentiers battus*, caminos trillados. *4 Yeux battus*, ojos cansados, con ojeras. ■ *5 m.* Vencido. ■ *6 f.* Batida (chasse).

baudet [bode] *m.* Borrico, burro.

baudroie [bodʀwa] *f.* Rape *m.*, pejesapo *m.*

bauge [boʒ] *f. 1* Porquera (du sanglier). *2* fig. Pocilga.

baume [bom] *m.* Bálsamo.

bavard, -arde [bavaʀ, -aʀd(ə)] *adj.-s.* Charlatán, ana, hablador, ra, parlanchín, ina.

bavardage [bavaʀdaʒ] *m. 1* Charla *f. 2* Habladuría *f.*, comadreo (cancan).

bave [bav] *f.* Baba.

baver [bave] *intr. 1* Babear, babosear. *2* fig. — *sur quelqu'un*, injuriar a alguien.

bavette [bavɛt] *f. 1* Babero *m. 2* Cadera (viande).

baveux, -euse [bavø, -øz] *adj.* Baboso, sa.

bavure [bavyʀ] *f.* Rebaba.

bayadère [bajadɛʀ] *f.* Bayadera.

bazar [bazaʀ] *m. 1* Bazar. *2* Desorden, desarreglo. *3* fam. Bártulos *pl.*

béant, -ante [beɑ̃, -ɑ̃t] *adj.* Abierto, ta: *bouche béante*, con la boca abierta; fig. boquiabierto.

béat, -ate [bea, -at] *adj. 1* Plácido, da: *une*

vie béate, una vida plácida. ■ *2 s.* Beato, ta.

béatification [beatifikɑsjɔ̃] *f.* Beatificación.

béatitude [beatityd] *f. 1* Beatitud. *2* Felicidad, placidez. ■ *3 pl.* Bienaventuranzas.

beau (antes de vocal o *h* muda, **bel**) **belle** [bo, bɛl] *adj. 1* Hermoso, sa, bello, lla, guapo, pa. *2* Bueno, na (qualité ou état). *3* Bonito, ta, lindo, da. *4 Le — monde,* la buena sociedad. *5* iron. Bueno, na, lindo, da: *la belle affaire!,* ¡bonito negocio! *6* Bueno, na, generoso, sa: *une belle action,* una buena acción, una acción generosa. *7* Bueno, na, ventajoso, sa: *une belle occasion,* una buena ocasión, una ocasión ventajosa. *8* Conveniente, decoroso, sa, bien: *cela n'est pas —,* eso no está bien. *9* Superior: *un — talent,* un talento superior. *10* Agradable: *on a passé une belle journée,* hemos pasado un día agradable. *11* Bueno (temps). *12* Grande, considerable: *un — chahut,* un gran alboroto. *13* Loc. *Avoir —,* por más que: *il a — faire,* por más que haga. *14 loc. adv. Bel et bien,* completamente, del todo; *de plus belle,* a más y mejor; *tout —,* despacito. ■ *15 m.* Lo bello, lo hermoso. ■ *16 f.* Amada (amie). *17* Partido *m.* de desempate (au jeu). *18* Loc. *En faire, en dire de belles,* hacer, decir tonterías; *j'en apprends de belles,* me entero de unas cosas...

beaucoup [boku] *adv. 1* Mucho: *il a — travaillé,* ha trabajado mucho. *2 adj.* Mucho, cha, chos, chas — *de bruit,* mucho ruido. ■ *3 pron.* Muchos, chas: *Combien en avez-vous? —,* ¿cuántos tiene usted? muchos.

beau-fils [bofis] *m.* Yerno, hijo político. *2* Hijastro (fils de l'autre conjoint).

beau-frère [bofʀɛʀ] *m. 1* Cuñado, hermano político. *2* Hermanastro (demi-frère).

beau-père [bopɛʀ] *m. 1* Suegro, padre político. *2* Padrastro.

beauté [bote] *f.* Belleza, hermosura.

beaux-arts [bozaʀ] *m. pl.* Bellas artes *f.*

bébé [bebe] *m. 1* Nene, na, bebé. *2* Muñeco (poupon).

bec [bɛk] *m. 1* Pico (d'oiseau). *2* fam. Labia *f.,* facundia *f.,* pico, boca *f.: ferme ton —,* calla, cierra el pico. Loc. *Une prise de —* una disputa; *clouer le —, à quelqu'un,* hacer callar a uno; *un — fin,* un gastrónomo refinado. *3 — de*

gaz, luz de gas, farol. Loc. fig. *Tomber sur un —,* llevarse un chasco. *4* Punta *f.* (d'une plume). *5* Pitorro (d'une cruche). *6* MUS. Boquilla *f.*

bécasse [bekas] *f. 1* Chocha, becada. *2* fam. Tonta (femme).

bécassine [bekasin] *f. 1* Becasina, agachadiza. *2* fam. Tontita (jeune fille).

bec-de-cane [bɛkdəkan] *m.* Picaporte.

bec-de-lièvre [bɛkdəljɛvʀ(ə)] *m.* Labio leporino.

bécot [beko] *m.* fam. Besito.

becqueter, béqueter [bɛkte] *tr. 1* Picotear. ■ *2 intr.* pop. Comer, picar. ▲ CONJUG. como *acheter.*

bedaine [bədɛn] *f.* fam. Panza, barriga, vientre *m.*

bedon [bədɔ̃] *m.* fam. Panza *f.*

bédouin, -ine [bedwɛ̃, -in] *adj.-s.* Beduino, -na.

bée [be] *adj. Bouche —,* con la boca abierta.

beffroi [befʀwa] *m.* Torre *f.* de Ayuntamiento, atalaya *f.*

bégaiement, bégayement [begemã] *m. 1* Tartamudeo. *2* Balbuceo (des enfants).

bégayer [begeje] *intr. 1* Tartamudear. ■ *2 tr.-intr.* Balbucear, balbucir (balbutier).

bègue [bɛg] *adj.-s.* Tartamudo, da.

bégueule [begœl] *f. 1* Gazmoña, mojigata. ■ *2 adj.* Mojigato, ta.

béguin [begɛ̃] *m. 1* Gorro de bebé. *2* Toca (de religieuse). *3* fam. Capricho amoroso.

béguine [begin] *f.* Beguina.

beignet [bɛɲe] *m.* Buñuelo.

bêlement [bɛlmã] *m.* Balido.

bêler [bele] *intr.* Balar.

belette [bəlɛt] *f.* Comadreja.

belge [bɛlʒ(ə)] *adj.-s.* Belga.

bélier [belje] *m. 1* Morueco. *2* Ariete (machine de guerre). *3* TECHN. Ariete. ■ *4 n. pr. m.* ASTROL. Aries.

bellâtre [bɛlɑtʀ(ə)] *m.* Hombre guapo y presumido.

belle-de-jour [bɛldəʒuʀ] *f.* Dondiego *m.* de día.

belle-de-nuit [bɛldənɥi] *f.* Dondiego *m.* de noche.

belle-fille [bɛlfij] *f. 1* Nuera, hija política. *2* Hijastra.

belle-mère [bɛlmɛʀ] *f. 1* Suegra, madre política. *2* Madrastra.

belle-sœur [bɛlsœʀ] *f. 1* Cuñada, hermana política. *2* Hermanastra.

belligérant, -ante [be(ɛl)iʒerã, -ãt] *adj.-s.* Beligerante.

belliqueux, -euse [be(ɛ)likø, -øz] *adj. 1* Belicoso, sa, guerrero, ra. *2* Agresivo, va.

belote [bəlɔt] *f.* Juego *m.* de naipes.
bémol [bemɔl] *m.* MUS. Bemol.
bénédictin, -ine [benediktɛ̃, -in] *adj.-s.* Benedictino, na.
bénédiction [benediksjɔ̃] *f.* Bendición.
bénéfice [benefis] *m.* Beneficio.
bénéficiaire [benefisjɛʀ] *adj.-s.* 1 Beneficiario, ria. ■ 2 *s.* Beneficiado, da.
bénéficier [benefisje] *intr.* Beneficiarse, aprovecharse. ▲ CONJUG. como *prier.*
benêt [bənɛ] *adj.-m.* 1 Bobo, ba. 2 *fam.* Bendito, ta, inocente.
bénévole [benevɔl] *adj.* 1 Voluntario, ria, desinteresado, da, gratuito, ta.
béni, -ie [beni] 1 *p. p.* de **benir.** ■ 2 *adj.* Bendecido, da.
bénignité [beniɲite] *f.* Benignidad.
bénin, -igne [benɛ̃, -iɲ] *adj.* Benigno, na.
bénir [beniʀ] *tr.* 1 Bendecir. ▲ CONJUG. Este verbo tiene dos participios: *béni, ie,* bendecido, da; *bénit, ite,* bendito, ta. Con el auxiliar *avoir,* úsase siempre *béni,* excepto en la forma pasiva.
bénit, -ite [beni, -it] *adj.* Bendito, ta.
bénitier [benitje] *m.* 1 Pila *f.* de agua bendita *f.* 2 Acetre (portatif).
benne [bɛn] *f.* 1 Vagoneta. 2 Cajón *m.* de volquete (camión). 3 Cuchara de grúa (de grue). 4 MIN. Jaula.
benzine [bɛ̃zin] *f.* Bencina.
béquille [bekij] *f.* 1 Muleta (de boiteux). 2 Soporte (de moto).
berbère [bɛʀbɛʀ] *adj.-s.* Bereber.
bercail [bɛʀkaj] *m.* 1 Redil.
berceau [bɛʀso] *m.* 1 Cuna *f.* 2 Glorieta *f.* (jardin).
bercer [bɛʀse] *tr.* 1 Acunar, mecer. 2 Arrullar (par un chant, une musique). ■ 3 *pr.* Mecerse, balancearse. ▲ CONJUG. como *lancer.*
berceuse [bɛʀsøz] *f.* Canción de cuna.
béret [beʀe] *m.* Boina *f.*
bergamote [bɛʀgamɔt] *f.* Bergamota.
berge [bɛʀʒ(ə)] *f.* Ribera, ribazo *m.*
berger, -ère [bɛʀʒe, -ɛʀ] *s.* 1 Pastor, ra. Loc. *Étoile du* —, lucero del alba; *heure du* —, hora propicia para los enamorados. ■ 2 *f.* Poltrona (fauteuil).
bergerie [bɛʀʒəʀi] *f.* Redil *m.,* aprisco *m.*
berline [bɛʀlin] *f.* Berlina.
berlinois, -oise [bɛʀlinwa, -waz] *adj.-s.* Berlinés, -esa.
berme [bɛʀm(ə)] *f.* 1 Berma.
berne [bɛʀn(ə)] *f.* 1 Burla, engaño *m.* 2 MAR. *Pavillon en* —, pabellón amorronado. 3 *En* —, a media asta (drapeau).
berner [bɛʀne] *tr.* Burlarse de, poner en ridículo a.
besace [bəzas] *f.* Alforja.

besicles [be(ə)zikl(ə)] *f. pl.* Antiparras.
besogne [bəzɔɲ] *f.* Tarea, trabajo *m.*
besoin [bəzwɛ̃] *m.* 1 Necesidad *f.,* menester: — *pressant* una necesidad urgente; *éprouver le* — *de,* sentir la necesidad de. 2 Necesidad *f.,* indigencia *f.* Loc. *Être dans le* —, estar necesitado. 3 *Avoir* — *de,* necesitar; necesitar de. 4 *loc. adv. Au* —, en caso de necesidad. ■ 5 *pl.* Necesidades (du corps): *faire ses petits besoins,* hacer sus necesidades.
bestiaux [bɛstjo] *m. pl.* Ganado *sing.,* reses *f.*
bestiole [bɛstjɔl] *f.* Bicho *m.,* bichito *m.,* bestezuela.
bêta, bêtasse [bɛta, bɛtas] *adj.-s.* Bobo, ba, tontorrón, ona.
bétail [betaj] *m.* Ganado.
bête [bɛt] *f.* 1 Animal *m.,* bestia: — *de somme,* bestia de carga; — *de trait,* animal de tiro; — *féroce,* animal feroz; *la* — *humaine,* la bestia humana. 2 Bicho *m.: une méchante* —, un mal bicho. Loc. *Regarder quelqu'un comme une* — *curieuse,* mirar a alguien como un bicho raro. 3 *fig. Bonne* —, infeliz, persona sin malicia; *être la* — *noire de,* ser la persona odiada por, la pesadilla de. 4 *Faire la* —, hacer el tonto, hacerse el tonto. ■ 5 *adj.* Tonto, ta, estúpido, da. 7 *Que c'est* —!, ¡qué lástima!
bêtise [betiz] *f.* Tontería, necedad.
béton [betɔ̃] *m.* Hormigón.
betterave [bɛtʀav] *f.* Remolacha.
beuglement [bøgləmɑ̃] *m.* 1 Mugido (bovins). 2 *fam.* Berrido.
beurre [bœʀ] *m.* 1 Mantequilla *f.* Loc. *fig. fam. Œil au* — *noir,* ojo a la funerala; *faire son* —, hacer su agosto.
beurrée [bœʀe] *f.* Tostada de pan con mantequilla.
beurrier, -ière [bœʀje, -jɛʀ] *adj.-s.* 1 Mantequero, ra (personne). ■ 2 *m.* Mantequera *f.* (récipient).
bévue [bevy] *f.* Plancha, coladura, pifia.
biais [bje] *m.* 1 Sesgo, biés (gallic): *tailler un tissus dans le* —, cortar una tela al biés. 2 *fig.* Lado, aspecto: *abordons le sujet par ce* —, abordemos el asunto por ese aspecto. 3 *fig.* Rodeo, giro indirecto (détour). 4 ARCHIT. Esviaje.
bibelot [biblo] *m.* Bibelot, chuchería *f.,* figurilla *f.*
biberon [bibʀɔ̃] *m.* Biberón.
bibliographie [biblijɔgʀafi] *f.* Bibliografía.
bibliophile [biblijɔfil] *s.* Bibliófilo, la.
bibliothécaire [biblijɔtekɛʀ] *s.* Bibliotecario, ria.
bibliothèque [biblijɔtɛk] *f.* Biblioteca.

biblique [biblik] *adj.* Bíblico, ca.

biche [biʃ] *f.* Cierva.

bichon, -onne [biʃɔ̃, -ɔn] *s.* Perrito, ta de lanas.

bicoque [bikɔk] *f.* fam. Casita, casucha (maison).

bicyclette [bisiklɛt] *f.* Bicicleta.

bidet [bidɛ] *m. 1* Bidé. *2* Jaca *f.* (petit cheval).

bidon [bidɔ̃] *m.* Bidón.

bief [bjɛf] *m. 1* Tramo (de canal). *2* Saetín, caz (de moulin).

bielle [bjɛl] *f.* Biela.

bien [bjɛ̃] *adv. 1* Bien: *se porter —,* estar bien de salud. Loc. *Vouloir —,* servirse, dignarse, querer, aceptar. *2* Muy (très): **— content,** muy contento. *3* Mucho (beaucoup): **— mieux,** mucho mejor; **— plus,** mucho más. *4* Ya: *nous verrons —,* ya veremos. *5 loc. conj.* **—que,** aunque; *si — que,* de suerte que. *6 loc. interj. Eh —!,* ¡bueno! ■ *7 adj.* A gusto (à l'aise). *8 -du, -de l', -de la, -des,* mucho, cha, chos, chas: **—des fois,** muchas veces. ■ *9 m.* Bien: *biens meubles et immeubles,* bienes muebles e inmuebles.

bien-aimé, -ée [bjɛ̃neme] *adj.-s.* Amado, da.

bien-être [bjɛ̃nɛtʀ(ə)] *m.* Bienestar.

bienfaisance [bjɛ̃fəzɑ̃s] *f.* Beneficencia.

bienfaisant, -ante [bjɛ̃fəzɑ̃, ɑ̃t] *adj. 1* Benéfico, ca (personnes). *2* Beneficioso, sa (choses).

bienfaiteur, -trice [bjɛ̃fɛtœʀ, -tʀis] *s.* Bienhechor, ra, benefactor, ra.

bienheureux, -euse [bjɛ̃nœʀø, -øz] *adj.-s. 1* Bienaventurado, da. ■ *2 adj.* Dichoso, sa, feliz.

biennal, ale [bjenal] *adj. 1* Bienal, bisanual. ■ *2 f.* Bienal.

bienséance [bjɛ̃seɑ̃s] *f. 1* Decencia, decoro *m. 2* Urbanidad, convivencia.

bientôt [bjɛ̃to] *adv. 1* Pronto, dentro de poco: *à —,* hasta pronto. *2* Pronto, de prisa, rápidamente: *cela est — dit,* eso está dicho pronto.

bienveillance [bjɛ̃vejɑ̃s] *f.* Benevolencia.

bienveillant, -ante [bjɛ̃vejɑ̃, -ɑ̃t] *adj.* Benévolo, la, indulgente.

bienvenu, -ue [bjɛ̃vny] *adj.-s. 1* Bien venido, da. ■ *2 f.* Bienvenida.

bière [bjɛʀ] *f. 1* Cerveza. *2* Ataúd *m.* (cercueil).

biffer [bife] *tr.* Borrar, tachar.

bifurcation [bifyʀkasjɔ̃] *f.* Bifurcación.

bigame [bigam] *adj.-s.* Bígamo, ma.

bigarré, -ée [bigaʀe] *adj.* Abigarrado, da.

bigarreau [bigaʀo] *m.* Cereza *f.* gordal.

bigarrer [bigaʀe] *tr.* Abigarrar.

bigle [bigl(ə)] *adj.-s.* Bizco, ca.

bigot, -ote [bigo, -ɔt] *adj.-s.* Santurrón, ona.

bigoterie [bigɔtʀi] *f.* Santurronería, beatería.

bijou [biʒu] *m.* Alhaja *f.*, joya *f.*

bijouterie [biʒutʀi] *f. 1* Joyería. *2 — de fantaisie,* bisutería.

bilan [bilɑ̃] *m.* Balance. Loc. *Déposer son —,* declararse en quiebra.

bilboquet [bilbɔkɛ] *m.* Boliche.

bile [bil] *f. 1* Bilis. *2* fig. *Se faire de la —,* apurarse, inquietarse.

bileux, -euse [bilø, -øz] *adj.* fam. Preocupado, da.

billard [bijaʀ] *m.* Billar.

bille [bij] *f. 1* Bola (de billard). *2* Canica (des jeux d'enfants). *3* pop. Cara, rostro *m.* (visage). *4* MÉC. Bola.

billet [bijɛ] *m. 1* Billete. *2* Esquela *f.*, cartija *f. 3* COMM. *— au porteur,* efecto al portador; *— à ordre,* pagaré.

billevesée [bij(e)vəze] *f.* Simpleza, pamplina.

billion [biljɔ̃] *m.* Billón.

billot [bijo] *m. 1* Tajo (de cuisine, d'échafaud). *2* Banquillo (de cordonnier). *3* Cepo (de l'enclume).

binaire [binɛʀ] *adj.* Binario, ria.

biner [bine] *tr.* AGR. Binar.

binette [binɛt] *f. 1* pop. Cara ridícula. *2* AGR. Binadera, azadilla.

biniou [binju] *m.* Gaita *f.* bretona.

binocle [binɔkl(ə)] *m.* vieil. Binóculo, impertinentes *pl.*

binôme [binom] *m.* Binomio.

biographie [bjɔgʀafi] *f.* Biografía.

biologie [bjɔlɔʒi] *f.* Biología.

bipède [biped] *adj.-s.* Bípedo, da.

biplan [biplɑ̃] *m.* Biplano.

bique [bik] *f.* fam. Cabra.

biquet, -ette [bike, -ɛt] *s.* fam. Cabrito, ta.

bis, bise [bi, biz] *adj.* Bazo, za, moreno, na: *pain —,* pan moreno.

bisaïeul, -eule [bizajœl] *s.* Bisabuelo, la.

bisannuel, -elle [bizanɥel] *adj.* Bisanual, bienal.

bisbille [bisbij] *f.* fam. Pelotera, pique *m.*

biscaïen, -enne [biskajɛ̃, -ɛn] *adj.-s.* Vizcaíno, na.

biscornu, -ue [biskɔʀny] *adj. 1* Irregular. *2* fam. Estrambótico, ca, extravagante.

biscotte [biskɔt] *f.* Tostada.

biscuit [biskɥi] *m. 1* Galleta *f.*, pasta *f. 2* Bizcocho: *— à la cuiller,* bizcocho ligero. *3* Bizcocho, biscuit, porcelana *f.* mate: *— de Saxe,* biscuit de Sajonia.

bise [biz] *f. 1* Cierzo *m.*, viento *m.* frío.

biseau [bizo] *m.* Bisel.

biseauter [bizote] *tr. 1* Biselar. 2 Marcar (les cartes à jouer).

bison [bizɔ̃] *m.* Bisonte.

bisquer [biske] *intr.* pop. Fastidiarse, rabiar.

bissac [bisak] *m.* Alforjas *f. pl.*

bisser [bise] *tr.* THÉAT. Hacer repetir, repetir.

bissextile [bisɛkstil] *adj.-f.* Bisiesto.

bistouri [bisturi] *m.* Bisturí.

bistre [bistʀ(ə)] *m.* Bistre.

bistro, bistrot [bistʀo] *m. 1* fam. Tasca *f.*, taberna *f. 2* Tabernero (cabaretier).

bitume [bitym] *m.* Asfalto.

bitumer [bityme] *tr.* Asfaltar.

bivouac [bivwak] *m.* MILIT. Vivaque.

bivouaquer [bivwake] *intr.* Vivaquear.

bizarre [bizaʀ] *adj.* Raro, ra, extraño, ña.

bizarrerie [bizaʀʀi] *f.* Rareza, singularidad.

blafard, -arde [blafaʀ, -aʀd(ə)] *adj.* Descolorido, da, pálido, da.

blague [blag] *f. 1* Petaca (à tabac). 2 Broma, chanza. 3 Bola, mentira, embuste *m. 4 interj. Sans —!,* ¡en serio!

blaguer [blage] *intr. 1* fam. Bromear. ■ *tr.* Burlarse de, pinchar.

blaireau [blɛʀo] *m. 1* Tejón. 2 Brocha *f.* de afeitar (pour la barbe).

blâmable [blɑmabl(ə)] *adj.* Reprobable, censurable.

blanc, blanche [blɑ̃, -ɑ̃ʃ] *adj.-s. 1* Blanco, ca: *arme, race blanche,* arma, raza blanca. 2 Cano, na, blanco, ca (cheveux). ■ *3 m.* Blanco (couleur, matière colorante). *4 — d'Espagne,* blanco de España, yeso mate. *5 — de poulet,* pechuga *f.; — d'œuf,* clara *f.* de huevo. 7 Blanco: *remplissez votre formulaire et n'y laissez aucun —,* llene usted el formulario y no deje ningún blanco. 8 Lencería *f.* (linge).

blanc-bec [blɑ̃bɛk] *m.* Joven inexperto.

blanchâtre [blɑ̃ʃɑtʀ(ə)] *adj.* Blanquecino, na.

blancheur [blɑ̃ʃœʀ] *f.* Blancura.

blanchir [blɑ̃ʃiʀ] *tr. 1* Blanquear. 2 Lavar. 3 CUIS. Sancochar. 5 MÉTAL. Blanquecer. ■ *6 intr.* Encanecer (les cheveux). 7 fig. Envejecer. ■ *8 pr.* Exculparse.

blanchissage [blɑ̃ʃisaʒ] *m.* Lavado de ropa.

blanchisserie [blɑ̃ʃisʀi] *f.* Lavadero *m.*, lavandería.

blanc-seing [blɑ̃sɛ̃] *m.* Firma *f.* en blanco.

blanquette [blɑ̃kɛt] *f. 1* Guisado *m.* de carne blanca, con salsa de yema. 2 Vino *m.* blanco.

blasé, -ée [blaze] *adj.* Hastiado, da de todo.

blaser [blaze] *tr.* Hastiar.

blasphème [blasfɛm] *m.* Blasfemia *f.*

blasphémer [blasfeme] *tr.-intr.* Blasfemar. ▲ CONJUG. como *accélérer.*

blatte [blat] *f.* Cucaracha.

blé [ble] *m. 1* Trigo. 2 — *noir,* alforjón.

blême [blɛm] *adj.* Muy pálido, da.

blêmir [blemiʀ] *intr.* Palidecer.

blessant, -ante [blesɑ̃, -ɑ̃t] *adj.* Ofensivo, va, mortificante.

blesser [blese] *tr. 1* Herir. 2 Hacer daño. 3 fig. Ofender, agraviar. 4 fig. Infringir, quebrantar (enfreindre).

blessure [blesyʀ] *f. 1* Herida. 2 fig. Ofensa, agravio *m.*

blet, blette [blɛ, blɛt] *adj.* Pasado, da: *une poire blette,* una pera pasada.

bleu, eue [blø] *adj. 1* Azul: *zone bleue,* zona azul. 2 *Bifteck —,* bistec a la plancha casi crudo. ■ *3 m.* Azul: *— ciel, marine,* azul celeste, marino. 4 Añil, azulete. 5 Cardenal, hematoma. 6 Quinto (soldat). 7 Novato (nouvel élève). 8 Mono: *un — de mécanicien,* un mono de mecánico. 9 Telegrama. 10 Ciertas variedades de queso parecidas al roquefort.

bleuâtre [bløatʀ(ə)] *adj.* Azulado, da.

bleuet [bløɛ] *m.* Anciano.

bleuir [bløiʀ] *tr.* Azular.

blinder [blɛ̃de] *tr.* Blindar.

bloc [blɔk] *m. 1* Bloque. 2 Taco, bloc (de feuillets). 3 Agrupación *f.* de partidos, coalición *f.* política. 4 — *moteur,* conjunto del motor. 5 Loc. fam. *Mettre au —,* meter en chirona.

blockhaus [blɔɔkos] *m.* Blocao.

blocus [blɔkys] *m.* Bloqueo.

blond, -onde [blɔ̃, -ɔ̃d] *adj.-s. 1* Rubio, bia. 2 *Bière blonde,* cerveza dorada. ■ *3 f.* Blonda (dentelle).

blondir [blɔ̃diʀ] *intr. 1* Enrubiarse, volverse rubio, bia. 2 Dorarse (les moissons).

bloquer [blɔke] *tr. 1* Bloquear. 2 Frenar a fondo. 3 Inmovilizar, trabar. 4 SPORTS Parar, bloquear (football).

blottir (se) [blɔtiʀ] *pr.* Acurrucarse, agazaparse.

blouse [bluz] *f. 1* Bata. 2 Blusa, blusón *m.*

blouser [bluze] *tr. 1* Engañar.

bluff [blœf] *m.* angl. Bluff, infundio.

bluter [blyte] *tr.* Cerner.

blutoir [blytwaʀ] *m.* Cedazo, tamiz.

bobard [bobaʀ] *m.* Bulo.

bobèche [bɔbɛʃ] *f.* Arandela.
bobine [bɔbin] *f. 1* Bobina, carrete *m.*, canilla (pour machine à coudre ou à tisser). *2* PHOT. Carrete *m.*
bobiner [bɔbine] *tr. 1* Bobinar, encanillar.
bobinette [bɔbinet] *f.* Aldabilla.
bobo [bobo] *m.* fam. Pupa *f.*
bocage [bɔkaʒ] *m.* Boscaje, soto.
bocal [bɔkal] *m.* Tarro.
boche [bɔʃ] *adj.-s.* péj. Alemán, ana.
bœuf [bœf] *m. 1* Buey. *2* Vaca *f.* (boucherie).
bohémien, -enne [bɔemjɛ̃, -ɛn] *adj.-s. 1* Bohemio, ia, cíngaro, ra, gitano, na. *2* Bohemio, ia, natural de Bohemia.
boire [bwaʀ] *tr.-intr. 1* Beber. *2* Embeber, absorber (papier, etc.). ▲ CONJUG. INDIC. Pres.: *je bois, tu bois, il boit, nous buvons, vous buvez, ils boivent.* Imperf.: *je buvais,* etc. Pret. indéf.: *je bus,* etc. Fut. imperf.: *je boirai,* etc. POT.: *je boirais,* etc. IMPER.: *bois, buvons, buvez.* SUBJ. Pres.: *que je boive,* etc., *que nous buvions, que vous buviez, qu'ils boivent.* Imperf.: *que je busse,* etc. PART. A.: *buvant.* PART. P.: *bu, bue.*
bois [bwa] *m. 1* Bosque. *2* Madera *f. 3* Leña *f. 4* Asta *f.*, cuerna *f.*, cornamenta *f.* (du cerf, etc.).
boisée, -ée [bwaze] *adj.* Poblado, da de árboles.
boiser [bwaze] *tr.* Poblar de árboles.
boiserie [bwazri] *f. 1* Revestimiento *m.* de madera. ■ *2 pl.* Carpintería *sing.* de una casa.
boisson [bwasɔ̃] *f.* Bebida.
boîte [bwat] *f. 1* Caja (récipient). *2* Lata (conserves). *3* Bote *m.* (généralement cylindrique). *4 — de nuit,* sala de baile, de fiestas. *5* ANAT. *— crânienne,* cavidad craneana. *6* AUTO. *— de vitesses,* caja de cambio de marchas.
boiter [bwate] *intr.* Cojear.
boiteux, -euse [bwatø, -øz] *adj.-s.* Cojo, ja.
boitier [bwatje] *m.* Caja *f.: — de montre, de lampe de poche,* caja de reloj, de linterna de bolsillo.
bol [bɔl] *m. 1* Bol, tazón. Loc. fig. fam. *En avoir ras le —,* estar hasta la coronilla. *3* PHYSIOL. Bolo.
bolcheviste [bɔlʃeviste(ə)] *adj.-s.* Bolchevique.
bolet [bɔlɛ] *m.* Seta *f.*, boleta *f.*
bolide [bɔlid] *m.* Bólido.
bombance [bɔ̃bɑ̃s] *f.* Comilona, franca-chela.
bombardement [bɔ̃baʀd(ə)mɑ̃] *m.* Bombardeo.
bombarder [bɔ̃baʀde] *tr. 1* Bombardear. *2*

fam. Nombrar bruscamente, ascender inesperadamente.
bombe [bɔ̃b] *m.* Bomba.
bomber [bɔ̃be] *tr.* Combar, abombar.
bon, -onne [bɔ̃, bɔn] *adj. 1* Bueno, buen (devant un *m.*) buena. Loc. *— pour le service,* apto para el servicio; *à quoi —?,* ¿para qué?; *— à rien,* inútil, que no sirve para nada; *elle est bien bonne!,* ¡buena es ésa! ■ *2 m.* Bono. *3* Vale.
bon [bɔ̃] *adv. 1* Bien: *trouver —,* encontrar bien, aprobar; *sentir —,* oler bien. *2 loc. adv. Pour de —,* de veras, en serio. *3 interj.* ¡Bueno!, ¡bien!
bonace [bɔnas] *m.* Bonanza *f.*
bonasse [bɔnas] *adj.* Bonachón, ona.
bonbon [bɔ̃bɔ̃] *m.* Caramelo.
bonbonnière [bɔ̃bɔnjɛʀ] *f. 1* Bombonera. *2* fig. Casita elegante.
bond [bɔ̃] *f. 1* Bote, salto.
bonde [bɔ̃d] *f. 1* Compuerta (d'un étang). *2* Tapón *m.* (bouchon). *3* Desagüe *m.* (ouverture pour l'écoulement). *4* Agujero *m.* (trou).
bonder [bɔ̃de] *tr.* Atestar, abarrotar.
bondir [bɔ̃diʀ] *intr.* Botar, saltar, brincar.
bonheur [bɔnœʀ] *m. 1* Felicidad *f.*, dicha *f. 2* Suerte *f.*, fortuna *f. 3 loc. adv. Par —,* por suerte, por fortuna.
bonhomie [bɔnɔmi] *f.* Bondad, hombría de bien.
bonhomme [bɔnɔm] *m. 1* Hombre, tío: *quel drôle de —!,* ¡qué tío más raro! *2 Petit —,* pequeñuelo. *3* Monigote, muñeco.
boni [bɔni] *m. 1* Exceso de lo previsto sobre lo gastado, superávit. *2* Prima *f.*, beneficio.
bonifier [bɔnifje] *tr. 1* Mejorar, beneficiar. ■ *2 tr.* Mejorarse, beneficiarse. ▲ CONJUG. como *prier.*
boniment [bɔnimɑ̃] *m.* Charla *f.* enga-ñosa *f.*, soflama *f.*, perorata *f.*
bonjour [bɔ̃ʒuʀ] *m.* Buenos días *pl.*
bonne [bɔn] *f.* Criada, empleada de hogar.
bonne-maman [bɔnmamɑ̃] *f.* Abuelita.
bonnet [bɔnɛ] *m. 1* Gorro: *— de bain, de nuit,* gorro de baño, de dormir. *2* Gorra *f.: — de police,* gorra de cuartel. *3* Birreta *f.*, birrete (universitaires, magistrats, etc.). Loc. *Prendre le —,* doctorarse. *4* fam. *Gros —,* personaje. *5* Bonete (ecclésiastiques).
bonneterie [bɔnɛtʀi] *f.* Géneros *m. pl.* de punto.
bon-papa [bɔ̃papa] *m.* Abuelito.

bonsoir [bɔ̃swaʀ] *m. 1* Buenas noches *f. pl. 2* Buenas tardes *f. pl.*

bonté [bɔ̃te] *f. 1* Bondad. *2* Atención, merced, favor *m.*

bord [bɔʀ] *m. 1* Borde: *plein jusqu'au —,* lleno hasta el borde. *2* Orilla *f. 3* Confín. *4* Orla *f.,* ribete (vêtements). *5* Ala *f.* (chapeaux). *6* fig. *Être du — de,* ser el partido de, tener la misma opinión que. *7* MAR. Bordo. *8* MAR. Borda *f.*

bordée [bɔʀde] *f. 1* ARTILL. Descarga, andanada. *2* fig. *Une — d'injures,* una sarta de insultos. *3* MAR. Bordada. Loc. fig. *Courir une —,* ir de juerga, ir de taberna en taberna.

bordelais, -aise [bɔʀdəlɛ, -ɛz] *adj.-s.* Bordelés, esa.

border [bɔʀde] *tr. 1* Bordear, circundar. *2* Ribetear, orlar (un vêtement). *3 — le lit,* remeter la ropa de la cama. *4* MAR. Costear.

bordure [bɔʀdyʀ] *f. 1* Orla, orilla. *2* Ribete *m.* (d'un vêtement). *3* Cenefa (d'un rideau, etc.). *4* Marco *m.,* orla (d'un tableau). *5* Lindero *m.* (d'un bois). *6* Bordillo *m.,* encintado *m.* (d'un trottoir).

borgne [bɔʀɲ(ə)] *adj.-s. 1* Tuerto, ta. *2* fig. Sórdido, da, de mala fama.

borique [bɔʀik] *adj.* Bórico.

borne [bɔʀn(ə)] *f. 1* Hito, mojón *m. 2* ELÉCTR. Borne *m.*

borné, -ée [bɔʀne] *adj. 1* Limitado, da. *2* De pocos alcances (esprit).

borner [bɔʀne] *tr. 1* Limitar. *2* Amojonar.

bosse [bɔs] *f. 1* Giba, joroba. *2* Chichón *m.* (enflure). *3* Abolladura. *4* Relieve *m.,* adorno en relieve *m.* (relief). *5* Protuberancia (du crâne). *6* fig. Don *m.,* disposición natural.

bosseler [bɔsle] *tr. 1* Abollar. *2* Repujar (orfèvrerie). ▲ CONJUG. como *appeler.*

bossu, -ue [bɔsy] *adj.-s.* Jorobado, da.

botanique [bɔtanik] *adj. 1* Botánico, ca. ■ *2 f.* Botánica.

botte [bɔt] *f. 1* Bota (chaussure). *2* Haz *m.,* gavilla, manojo *m. 3* ESCR. Estocada, botonazo *m.*

botter [bɔte] *tr. 1* Calzar con botas (chausser). *2* Dar un puntapié, una patada. *3* SPORTS. Tirar (le ballon). ■ *4 intr.* fam. Convenir: *ça me botte,* me conviene, me va. *5* SPORTS Chutar. ■ *6 pr.* Calzarse.

bottier [bɔtje] *m.* Zapatero de lujo, zapatero de artesanía.

bottine [bɔtin] *f.* Bota, botina.

bouc [buk] *m.* Macho cabrío. *2* fig. — *émissaire,* cabeza de turco.

boucan [bukɑ̃] *m.* pop. Alboroto, jaleo.

boucaner [bukane] *intr.* Ahumar, acecinar.

bouche [buʃ] *f. 1* Boca. Loc. — *cousue!,* ¡punto en boca!; *faire la fine —,* hacer remilgos; *une fine —,* un gastrónomo. *2* Boca, desembocadura (d'un fleuve).

bouchée [buʃe] *f. 1* Bocado *m.* Loc. fig. *Pour une — de pain,* por una bicoca. *2* Pastelillo *m. 3* Bombón *m.*

boucher [buʃe] *tr. 1* Tapar, obstruir (une ouverture). *2* Tapar, taponar (une bouteille).

boucher, -ère [buʃe, -ɛʀ] *s.* Carnicero, ra.

boucherie [buʃʀi] *f. 1* Carnicería. *2* fig. Matanza, carnicería (carnage).

bouchon [buʃɔ̃] *m. 1* Tapón. *2* Corcho (en liège). *3 — de paille,* estropajo. *4* Chito, tángano (jeu). *5* Flotador, corcho (de ligne de pêche). *6* Embotellamiento, tapón.

boucle [bukl(ə)] *f. 1* Hebilla. *2 — d'oreille,* pendiente *m.,* zarcillo *m. 3* Lazada, lazo *m. 4* Rizo *m.,* bucle *m.* (de cheveux). *5* Curva (d'un fleuve).

boucler [bukle] *tr. 1* Abrochar, cerrar. Loc. fam. *boucle-la!* cierra la boca, cállate. *2* Encerrar (emprisonner). *3* Completar (un circuit). *4* Acordonar (entourer par des forces de police). *5* AÉR. — *la boucle,* rizar el rizo. ■ *6 intr.* Rizarse (les cheveux).

bouclier [buklje] *m.* Escudo, broquel.

bouddhisme [budism(ə)] *m.* Budismo.

bouder [bude] *intr.-tr. 1* Estar enfurruñado, da, poner mala cara. *2* Rechazar, apartarse de (quelque chose).

bouderie [budʀi] *f.* Enojo *m.,* mohína, enfado *m.*

boudin [budɛ̃] *m. 1* Morcilla *f. 2* Ressort à —, muelle en espiral.

boudoir [budwaʀ] *m.* Camarín, gabinete de señora.

boue [bu] *f.* Barro *m.,* lodo *m.*

bouée [bwe] *f.* MAR. Boya.

boueur [bwœʀ], **boueux** [bwø] *m.* Basurero.

bouffant, -ante [bufɑ̃, -ɑ̃t] *adj. 1* Hueco, ca, ahuecado, da: *cheveux bouffants,* cabello hueco.

bouffe [buf] *adj.* Bufo, fa: *ópera —,* ópera bufa. ■ *2 f.* pop. Comida, manduca.

bouffée [bufe] *f. 1* Bocanada. *2* Chupada. *3* Arranque *m.:* acceso *m.,* ataque *m. 4* MÉD. — *de chaleur,* bochorno *m.*

bouffer [bufe] *intr. 1* Ahuecarse, estar ahuecado, da. ■ *2 tr.-intr.* pop. Comer, tragar (manger).

bouffi, -ie [bufi] *adj. 1* Hinchado, da: *2* fig. péj. Engreído, da, hinchado, da.

bouffissure [bufisyʀ] *f.* Hinchazón.

bouffon, -onne [bufɔ̃, -ɔn] *adj. 1* Bufón, ona. ■ *2 m.* Bufón. *3* THÉÂT. Gracioso.

bouffonnerie [bufɔnʀi] *f.* Bufonada.

bouge [buʒ] *m.* Tabuco, tugurio.

bougeoir [buʒwaʀ] *m.* Palmatoria *f.*

bouger [buʒe] *intr. 1* Menearse, moverse. *2* fig. Rebelarse, agitarse. *3* fam. Variar, cambiar (changer). ■ *4 tr.* fam. Mover. *5* Menear (remuer). ▲ CONJUG. como *engager.*

bougie [buʒi] *f. 1* Bujía, vela. *2* ÉLECTR., MÉC. Bujía. *3* CHIR. Candelilla, sonda.

bougonner [bugɔne] *intr.* fam. Gruñir, refunfuñar.

bougre, -esse [bugʀ(ə), -es] *s. 1* pop. Sujeto, individuo, persona *f.,* tío. *2* péj. So: — *d'imbécile!,* ¡so imbécil! *3 interj.* ¡Caramba!

bougrement [bugʀəmã] *adv.* Extremadamente.

bouillabaise [bujabes] *f.* Sopa de pescado.

bouillant, -ante [bujã, -ãt] *adj. 1* Hirviente, que hierve. *2* fig. Fogoso, sa, ardiente.

bouilleur [bujœʀ] *m. 1* Destilador. *2* Caldera *f.* (de machine).

bouillie [buji] *f. 1* Papilla (pour les bébés). *2* Gachas *pl.,* papilla.

bouillir [bujiʀ] *intr. 1* Hervir. *2* fig. Arder: — *d'impatience,* arder de impaciencia. ▲ CONJUG. IRREG. INDIC. Pres.: *je bous, tu bous, il bout, nous bouillons, vous bouillez, ils bouillent.* Imperf.: *je bouillais,* etc. Pret. indef.: *je bouillis,* etc. Fut. imperf.: *je bouillirai,* etc. POT.: *je bouillirais,* etc. SUBJ. Pres.: *que je bouille,* etc. Imperf.: *que je bouillisse,* etc. IMPER.: *bous, bouillons, bouillez.* PART. A.: *bouillant.* PART. P.: *bouilli, ie.*

bouilloire [bujwaʀ] *f.* Hervidor *m.*

bouillon [bujɔ̃] *m. 1* Caldo. *2* Borbotón, burbuja *f.*

bouillonner [bujɔne] *intr. 1* Borbotear. *2* fig. Hervir, agitarse.

bouillotte [bujɔt] *f.* Calentador *m.*

boulanger, -ère [bulãʒe, -eʀ] *s.* Panadero, ra.

boulangerie [bulãʒʀi] *f.* Panadería, tahona.

boule [bul] *f. 1* Bola. *2* Bocha (pour jouer). *3* pop. Cabeza: *perdre la —,* perder la cabeza.

bouleau [bulo] *m.* Abedul.

boulet [bulɛ] *m. 1* Bala *f.* (de canon). *2* Bola *f.* (de bagnard).

boulette [bulet] *f. 1* Bolita. *2* fam. Plancha, coladura (bévue). *3* CUIS. Albóndiga.

bouleversement [bulveʀs(ə)mã] *m.* Trastorno.

bouleverser [bulveʀse] *tr.* Trastornar.

boulon [bulɔ̃] *m.* Perno.

boulot, -otte [bulo, -ɔt] *adj.-s. 1* Gordinflón, ona, regordete, ta, cachigordo, da. ■ *2 m.* fam. Trabajo: *au —!,* ¡a trabajar!

boulotter [bulɔte] *tr. intr.* pop. Comer, manducar.

bouquet [buke] *m. 1* Ramo, ramillete. *2* Manojo. *3* — *d'arbres,* bosquecillo. *4* Aroma, buqué, (vin, liqueurs).

bouquetière [buktjeʀ] *f.* Ramilletera.

bouquin [bukẽ] *m.* fam. Libro.

bouquiniste [bukinist(ə)] *s.* Librero, ra de viejo.

bourbe [buʀb(ə)] *f.* Fango *m.,* cieno *m.*

bourbeux, -euse [buʀbø, -øz] *adj.* Cenagoso, sa.

bourde [buʀd(ə)] *f.* Error *m.* vulgar.

bourdon [buʀdɔ̃] *m. 1* Abejorro. *2 Faux —,* zángano, abejón. *3* Campana *f.* mayor (cloche). *4* MUS. Bordón.

bourdonnement [buʀdɔnmã] *m. 1* Zumbido. *2* Rumor, murmullo (de voix).

bourdonner [buʀdɔne] *intr.* Zumbar.

bourg [buʀ] *m.* Burgo, villa *f.*

bourgeois, -oise [buʀʒwa, -waz] *adj.-s. 1* Burgués, esa. Loc. adv. *En —,* de paisano. ■ *2 m.* Amo, patrón.

bourgeoise [buʀʒwazi] *f.* Burguesía.

bourgeonner [buʀʒɔne] *intr. 1* BOT. Brotar. *2* MÉD. Llenarse de granos.

bourgmestre [buʀgmestʀ(ə)] *m.* Burgomaestre.

bourguignon, -onne [buʀgiɲɔ̃, -ɔn] *adj.-s.* Borgoñón, ona.

bourrade [buʀad] *f.* Golpe *m.,* empujón *m.*

bourrasque [buʀask(ə)] *f.* Borrasca.

bourre [buʀ] *f. 1* Borra. *2* Taco (d'une arme). *m. 3* BOT. Pelusa.

bourré, -ée [buʀe] *adj. 1* Atiborrado, da. ■ *2 f.* Danza de Auvernia.

bourreau [buʀo] *m.* Verdugo.

bourrelet [buʀle] *m. 1* Burlete. *2* — *de graisse,* rosco, rollo, michelín.

bourrelier [buʀəlje] *m.* Guarnicionero.

bourrer [buʀe] *tr. 1* Emborrar. *2* Henchir, atestar (remplir). *3* Cargar (une pipe). ■ *4 pr.* fam. Atracarse.

bourrique [buʀik] *f. 1* Borrica. *2* fig. Borrico *m.* (ignorant).

bourru, -ue [buʀy] *adj.* Brusco, ca, adusto, ta, áspero, ra.

bourse [buʀs(ə)] *f. 1* Bolsa. *2* Beca (d'études). *3* COMM. ÉCON. Bolsa.

boursier, -ière [buʀsje, -jeʀ] *adj.-s. 1* Becario, ria (étudiant). ■ *2 adj.* COMM., É-CON. Bursátil. ■ *3 m.* Bolsista.

boursouflé, -ée [buʀsufle] *adj. 1* Hinchado, da. *2* fig. Ampuloso, sa.

boursouflure [buʀsuflyʀ] *f. 1* Hinchazón. *2* fig. Ampulosidad.

bousculade [buskylad] *f. 1* Empujón *m.*, atropello *m.* 2 Remolino *m.* (d'une foule).

bousculer [buskyle] *tr. 1* Empujar, atropellar. *2* Apresurar, meter prisa.

bousiller [buzije] *tr. 1* fam. Chapucear, frangollar. *2* Echar a perder, estropear (détériorer). *3* pop. Matar (tuer).

boussole [busɔl] *f.* Brújula.

bout [bu] *m. 1* Cabo, punta *f.*, extremo, fin: Loc. *Être à —*, estar rendido; *à — de souffle*, sin aliento; *manger du — des dents*, comer sin apetito; *rire du — des lèvres*, reír sin ganas; *pousser à —*, exasperar; *savoir sur le — du doigt*, saber al dedillo; *tenir le haut —*, predominar. *2 loc. adv. À — portant*, a quemarropa; *au — du compte*, después de todo; *d'un — à l'autre*, de cabo a rabo. *3* Trozo, pedacito, cabo. *4* Contera *f.*, regatón (de carne, de parapluie).

boutade [butad] *f.* Ocurrencia mordaz, salida de tono, ex abrupto *m.*

bouteille [butej] *f.* Botella.

bouter [bute] *tr.* vieil. Expulsar, echar: *—hors*, echar fuera.

bouton [butɔ̃] *m. 1* Botón: *— nacré*, botón nacarado. *2 Bouton-pression*, automático. *3 — de manchette*, gemelo de puños. *4* Tirador (d'une porte). *5* BOT. Yema. *6* MÉD. Grano.

boutonner [butɔne] *tr. 1* Abotonar, abrochar (vêtements). ■ *2 intr.* BOT. Abotonar. ■ *3 pr.* Abotonarse, abrocharse.

boutonnière [butɔnjeʀ] *f.* Ojal *m.*

bouvier, -ière [buvje, -jeʀ] *s.* Boyero, ra, vaquero, ra.

bouvreuil [buvʀœj] *m.* Pardillo.

bovin, -ine [bɔvɛ̃, -in] *adj. 1* Bovino, na. ■ *2 m. pl.* Bovinos.

boxe [bɔks(ə)] *f.* Boxeo *m.*

boxer [bɔkse] *intr.* Boxear.

boyau [bwajo] *f. 1* Tripa *f.*: *corde de —*, cuerda de tripa. *2* fig. Pasaje largo y angosto. *3* Tubular (bicyclette).

boycottage [bɔjkɔtaʒ] *m.* Boicoteo.

bracelet [bʀaslɛ] *m. 1* Pulsera *f.*, brazalete. *2 — montre*, reloj de pulsera.

braconnier, -ière [bʀakɔnje, -jeʀ] *s.* Cazador, ra furtivo, va (chasse), pescador, ra furtivo, va (pêche).

brahmane [bʀaman] *m.* Bracmán, brahmán.

brai [bʀɛ] *m.* Brea *f.*

braillard, -arde [bʀajaʀ, -aʀd(ə)] *adj.-s.* Vocinglero, ra, gritón, ona.

brailler [bʀaje] *intr.* Gritar, vociferar.

braire [bʀeʀ] *intr.* Rebuznar. ▲ CONJUG. IRREG. INDIC. Pres.: *il brait, ils braient.* Imperf.: *il brayait, ils brayaient.* Fut. imperf.: *il braira, ils brairont.* POT.: *il brairait, ils brairaient.* PART. A.: *brayant.*

braise [bʀɛz] *f.* Brasa, ascua.

braiser [bʀeze] *tr.* Asar a fuego lento.

bramer [bʀame] *intr.* Bramar.

brancard [bʀɑ̃kaʀ] *m. 1* Camilla *f.*, parihuelas *f. pl.*, andas *f. pl.* (civière). *2* Vara *f.* (de charrette).

brancardier [bʀɑ̃kaʀdje] *m.* Camillero.

branchage [bʀɑ̃ʃaʒ] *m.* Ramaje.

branche [bʀɑ̃ʃ] *f. 1* Rama. *2* Brazo *m.* (d'un chandelier). *3* Patilla *f.* (d'un compas). *4* Rama, ramo *m.*: *la statistique est une — des mathématiques*, la estadística es una rama de las matemáticas.

branchement [bʀɑ̃ʃmɑ̃] *m. 1* Empalme, acometida *f.* 2 Ramificación *f.*

branchie [bʀɑ̃ʃi] *f.* Branquia.

brandade [bʀɑ̃dad] *f.* Bacalao *m.* a la provenzal.

brandir [bʀɑ̃diʀ] *tr.* Blandir, enarbolar.

brandon [bʀɑ̃dɔ̃] *m. 1* Hachón, tea *f.* 2 Pavesa *f.* (d'un incendie).

branle [bʀɑ̃l] *m. 1* Oscilación *f.*, vaivén. *2 Mettre en —*, poner en movimiento.

branle-bas [bʀɑ̃lba] *m. invar. 1* Zafarrancho. *2* fig. Tumulto, agitación *f.*

branler [bʀɑ̃le] *tr. 1* Menear, hacer bambolear. ■ *2 intr.* Tambalearse.

braque ■ [bʀak] *m. 1* Braco, perro perdiguero. ■ *2 adj.* fam. Atolondrado, da.

braquer [bʀake] *tr. 1* Apuntar (une arme), enfocar (une longue-vue, etc.). *2* Dirigir (le regard).

bras [bʀa] *m. 1* Brazo. *2 loc. adv. À — ouverts*, con los brazos abiertos; *à — tendus*, a pulso; *à tour de —*, con todas sus fuerzas; *— dessus, — dessous*, del brazo, cogidos del brazo; *en — de chemise*, en mangas de camisa. *3* Brazo (d'un fauteuil, d'un levier, etc.). *4* MAR. Braza.

brasier [bʀazje] *m. 1* Montón de brasas, hoguera *f.* 2 fig. Fuego, ardor.

brassée [bʀase] *f.* Brazado *m.*, brazada.

brasser [bʀase] *tr. 1* Mezclar removiendo. *2 — la bière*, fabricar la cerveza. *3* fig.

Apalear (de l'argent), manejar (des affaires). *4* MAR. Bracear.

brasserie [bʀasʀi] *f.* Cervecería.

bravache [bʀavaʃ] *adj.-s.* Bravucón, ona, baladrón, ona.

bravade [bʀavad] *f.* Bravata.

brave [bʀav] *adj. 1* Valiente, bravo, va. *2* Bueno, na: *un — garçon,* un buen chico.

braver [bʀave] *intr.* Desafiar, retar.

bravo [bʀavo] *interj.* ¡Bravo!

bravoure [bʀavuʀ] *f.* Bravura, valentía.

brebis [bʀəbi] *f.* Oveja.

brèche [bʀɛʃ] *f. 1* Brecha. *2* Mella (à un couteau). *3* Desportilladura (à une assiette).

brèche-dent [bʀɛʃdã] *adj.-s.* Mellado, da.

bredouille [bʀəduj] *adj.* Fracasado en la caza o la pesca, o en un intento.

bredouiller [bʀəduje] *intr.* Farfullar.

bref, brève [bʀɛf, ɛv] *adj. 1* Breve. *2* Brusco, ca, imperativo, va ■ *3 m.* Breve (du pape). ■ *4 f.* Breve (note, syllabe).

breloque [bʀəlɔk] *f.* Dije *m.* Loc. fig. *Battre la —,* estar chiflado, da.

brésilien, -enne [bʀeziljɛ̃, -ɛn] *adj.-s.* Brasileño, ña.

bretelle [bʀətɛl] *f. 1* Correa (courroie). *2* Agujas *pl.* (chemin de fer). *3* Carretera de enlace. ■ *4 pl.* Tirantes *m.*

breton, -onne [bʀətɔ̃, -ɔn] *adj.-s.* Bretón, ona.

bretteur [bʀɛtœʀ] *m.* Espadachín.

breuvage [bʀœvaʒ] *f.* Brebaje.

brevet [bʀəvɛ] *m. 1* Patente *f. 2* Diploma (d'études). *3* Título (professionnel).

breveter [bʀəvte] *tr.* Patentar. ▲ CONJUG. como *acheter.*

bréviaire [bʀevjɛʀ] *m.* Breviario.

bribe [bʀib] *f. 1* Migaja, cantidad pequeña. ■ *2 pl.* Restos *m.,* sobras, migajas.

bric-à-brac [bʀikabʀak] *m. invar. 1* Baratillo. *2 Marchand de —,* baratillero.

bricoler [bʀikɔle] *intr. 1* Hacer chapuzas. ■ *2 tr.* Arreglar, reparar provisionalmente.

bride [bʀid] *f. 1* Brida. Loc. *À — abattue, à toute —,* a rienda suelta. *2* fig. *Laisser la — sur le cou à quelqu'un,* dar rienda suelta a alguien; *tenir en —,* sujetar; *tourner —,* volver grupa. *3* Cinta (d'un chapeau). *4* TECHN. Abrazadera.

brider [bʀide] *tr. 1* Embridar (un cheval). *2* Atar (une volaille). *3* fig. Reprimir.

brièveté [bʀijɛvte] *f. 1* Brevedad. *2* Concisión (style).

brigade [bʀigad] *f. 1* Brigada. *2* Destacamento *m.,* escuadra.

brigand [bʀigã] *m.* Bandido.

brigandage [bʀigãdaʒ] *m.* Bandidaje.

brigantin [bʀigãtɛ̃] *m.* Bergantín.

brigue [bʀig] *f.* Intriga, maniobra.

briguer [bʀige] *tr.* Solicitar, pretender, ambicionar.

brillant, -ante [bʀijã, -ãt] *adj. 1* Brillante. ■ *2 m.* Brillo, lustre. *3* Brillante (diamant).

briller [bʀije] *intr.* Brillar.

brimade [bʀimad] *f.* Novatada.

brimbaler [bʀɛ̃bale] *intr.* Bambolearse.

brin [bʀɛ̃] *m. 1* Tallito. *2* Brizna *f. 3* Hebra *f.* (d'une corde). *4* Pizca *f.,* poquito.

brioche [bʀijɔʃ] *f. 1* Bollo *m. 2* fam. Panza (ventre).

brique [bʀik] *f.* Ladrillo *m.*

briquet [bʀikɛ] *m.* Mechero, encendedor.

briquette [bʀikɛt] *f.* Aglomerado *m.* de carbón.

bris [bʀi] *m.* Fractura *f.,* rotura *f.*

brisant [bʀizã] *m.* Rompiente, escollo.

brise [bʀiz] *f.* Brisa, airecillo *m.*

brise-glace [bʀizglas] *m. invar.* Rompehielos.

brise-lames [bʀizlam] *m. invar.* Rompeolas.

briser [bʀize] *tr. 1* Romper, quebrar. *2* Quebrantar. *3* Destrozar. *4* fig. Moler, rendir, extenuar (de fatigue). ■ *5 intr.* Romper: — *avec quelqu'un,* romper con alguien. *6 Brisons là,* acabemos, no hablemos más. *7* Romper (les vagues).

brisure [bʀizyʀ] *f.* Rotura, fractura.

brocanteur, -euse [bʀɔkãtœʀ, -øz] *s.* Chamarilero, ra.

brochage [bʀɔʃaʒ] *m.* Encuadernación *f.* en rústica.

broche [bʀɔʃ] *f. 1* Asador *m.,* espetón *m.* (pour faire rôtir). *2* Alfiler *m.,* broche *m.* (bijou). *3* TISS. Huso *m.*

brochet [bʀɔʃɛ] *m.* Lucio.

brochette [bʀɔʃɛt] *f.* Broqueta.

brochure [bʀɔʃyʀ] *f. 1* Encuadernación en rústica. *2* Folleto *m.* (petit livre). *3* Recamado *m.* (sur tissus).

brodequin [bʀɔdkɛ̃] *m.* Borceguí.

broder [bʀɔde] *tr. 1* Bordar. ■ *2 intr.* Exagerar, inventar.

broderie [bʀɔdʀi] *f.* Bordado *m.*

broncher [bʀɔ̃ʃe] *intr. 1* Tropezar. *2* Moverse (bouger). *3* Fallar (rater). *4* Chistar: *sans —,* sin chistar.

bronchial, -ale [bʀɔ̃ʃjal] *adj.* Bronquial.

bronze [bʀɔ̃z] *m.* Bronce.

bronzer [bʀɔ̃ze] *tr. 1* Broncear. *2* Curtir, broncear, atezar (le teint). ■ *3 intr.-pr.* Broncearse.

bronzeur [bʀɔ̃zœʀ], **bronzier** [bʀɔ̃zje] *m.* MÉTAL. Broncista.

brosse [bʀɔs] *f. 1* Cepillo *m. 2* Brocha (pinceau).

brosser [bʀɔse] *tr. 1* Cepillar. *2* Pintar con brocha (peindre). *3* fig. Describir, pintar.

brou [bʀu] *m. 1* Ruezno, cáscara *f.* verde. *2 — de noix*, nogalina *f.*

brouette [bʀuɛt] *f.* Carretilla.

brouhaha [bʀuaa] *m.* Batahola *f.*, ruido confuso y tumultuoso.

brouillamini [bʀujamini] *m.* Confusión *f.*, baturrillo, batiburrillo.

brouillard [bʀujaʀ] *m. 1* Niebla *f. 2* COMM. Libro borrador.

brouille [bʀuj] *f.* Desunión, desavenencia.

brouiller [bʀuje] *tr. 1* Revolver, mezclar (mêler). *2* Perturbar (une émission de radio). *3* Enturbiar (rendre trouble). *4* Confundir. *5* Malquistar, enemistar (désunir). ■ *6 pr.* Nublarse (le ciel). *8* Enturbiarse (un liquide). *9* Turbarse (devenir trouble). *10* Enemistarse, desavenirse, reñir.

brouillon, -onne [bʀujɔ̃, -ɔn] *adj. 1* Embrollón, ona, chismoso, sa. ■ *2 m.* Borrador.

broussaille [bʀusaj] *f. 1* Maleza, broza. *2 En —*, enmarañado, da.

brousse [bʀus] *f.* Matorral *m.* extenso.

brouter [bʀute] *1 tr.* Ramonear, pacer. ■ *2 intr.* Vibrar (mécanisme).

broutille [bʀutij] *f.* Fruslería.

broyer [bʀwaje] *tr. 1* Moler, triturar. Loc. fig. *— du noir*, entregarse a la melancolía. *2* Agramar (chanvre, lin). ▲ CONJUG. como *employer*.

bru [bʀy] *f.* Nuera.

bruiner [bʀɥine] *impers.* Lloviznar, cerner.

bruire [bʀɥiʀ] *intr.* Susurrar, murmurar. ▲ CONJUG. INDIC. Pres.: *il bruit.* Imperf.: *il bruissait, ils bruissaient.*

bruissant, -ante [bʀɥisã, -ãt] *adj.* Susurrante.

bruit [bʀɥi] *m. 1* Ruido. *2* Rumor, voz *f.*

brûlage [bʀylaʒ] *m.* Quema *f.*

brûlant, -ante [bʀylã, -ãt] *adj.* Ardiente, abrasador, ra.

brûle-pourpoint (à) [abʀylpuʀpwɛ̃] *loc. adv.* A quema ropa, a quemarropa.

brûler [bʀyle] *tr. 1* Quemar. Loc. fig. *— ses vaisseaux*, quemar las naves. *2* Tostar (café). *3* Pasar de largo, quemar: *—les étapes*, quemar etapas. Loc. fig. *—le pavé*, ir à escape; *— la politesse à quelqu'un*, dejar plantado a alguien. ■ *4 intr.* Arder, quemarse: *le bois brûle*, la leña arde. *5* Quemar, estar muy caliente. *6* Arder en deseos, desear vivamente. *7 Tu brûles!*, ¡que te quemas! (jeux).

brûlerie [bʀylʀi] *f. 1* Destilería (eau-de-vie). *2* Tostadero *m.* (café).

brûleur [bʀylœʀ] *m.* Mechero, quemador (à gaz, mazout).

brûloir [bʀylwaʀ] *m.* Tostador de café.

brûlure [bʀylyʀ] *f.* Quemadura.

brume [bʀym] *f.* Bruma.

brumeux, -euse [bʀymø, -øz] *adj.* Brumoso, sa.

brun, -une [bʀœ̃, -yn] *adj.-m. 1* Pardo, da (couleur). *2* ■ *adj.-s.* Moreno, na (teint, cheveux, personne).

brune [bʀyn] *f. 1* Atardecer *m. 2 À la —*, al atardecer.

brunir [bʀyniʀ] *tr. 1* Tostar, atezar, broncear (le teint). *2* MÉTAL. Bruñir.

brusque [bʀysk(ə)] *adj.* Brusco, ca.

brusquer [bʀyske] *tr. 1* Tratar con dureza. *2* Precipitar, apresurar.

brusquerie [bʀysk(ə)ʀi] *f.* Brusquedad.

brut, -ute [bʀyt] *adj. 1* En bruto. *2* Bruto, ta. *3* Tosco, ca.

brutal, -ale [bʀytal] *adj.* Brutal.

brutalité [bʀytalite] *f.* Brutalidad.

brute [bʀyt] *f. 1* Bruto *m. 2* Bruto, bestia *f.* (animal).

bruyant, ante [bʀɥijã, -ãt] *adj.* Ruidoso, sa.

bruyère [bʀy(ɥi)jɛʀ] *f. 1* Brezo *m.* (plante). *2* Brezal *m.* (lieu).

buanderie [bɥ(y)ãdʀi] *f.* Lavadero *m.*

buccal, -ale [bykal] *adj.* Bucal.

bûche [byʃ] *f. 1* Leño *m. 2 — de Noël*, pastel *m.* de Navidad en forma de tronco. *3* fig. Zoquete, estúpido, da. *4* pop. Caída (chute).

bûcher [byʃe] *m. 1* Leñera *f. 2* Hoguera *f.*, pira *f.*

bûcher [byʃe] *tr. 1* Desbastar (dégrossir). *2* fam. Machacar, estudiar (étudier). ■ *3 intr.* fam. Trabajar con ardor, afanosamente, empollar.

bûcheron [byʃʀɔ̃] *m.* Leñador.

bucolique [bykɔlik] *adj.* Bucólico, ca.

budget [bydʒɛ] *m.* Presupuesto

buée [bɥe] *f.* Vaho *m.*, vapor *m.*

buffet [byfɛ] *m. 1* Aparador (meuble). *2* Armario (de cuisine). *3* Ambigú (table garnie de rafraîchissements, etc.). *4* Fonda *f. 5* pop. Estómago, tripa *f.* (estomac). *6* MUS. Caja *f.*

buffle, bufflone [byfl(ə), byflɔn] *s.* Búfalo, la.

buffleterie [byfla(e)tʀi] *f.* Correaje *m.*

bugle [bygl(ə)] *m.* MUS. Bugle, cornetín de llaves.

buisson [bɥisɔ̃] *m.* Matorral, zarzal.

buissonnier, -ière [bɥisɔnje, -jɛʀ] *adj. 1* Montaraz. 2 Loc. *Faire l'école buissonnière*, hacer novillos.

bulbe [bylb(ə)] *m.* ANAT., BOT. Bulbo.

bulgare [bylgaʀ] *adj.-s.* Búlgaro, ra.

bulle [byl] *f. 1* Burbuja (d'air). 2 Pompa: — *de savon*, pompa de jabón. 3 RELIG. Bula. ■ *4 adj. Papier* —, papel de estraza.

bulletin [byltɛ̃] *m. 1* Boletín. 2 Parte: — *météorologique, de santé*, parte meteorológico, facultativo. 3 Talón: — *de bagages*, talón de equipajes. 4 Papeleta *f.*: — *de vote*, papeleta de voto.

bure [byʀ] *f. 1* Paño *m.* buriel. 2 Sayal *m.* (de religieux).

bureau [byʀo] *m. 1* Escritorio, mesa *f.* de despacho (table). 2 Despacho, oficina *f.*: — *ministériel*, despacho ministerial. 3 Agencia *f. 4 — de poste*, oficina *f.* de correos; — *de tabac*, estanco. 5 Mesa *f.* (d'une assemblée).

bureaucratie [byʀokʀasi] *f.* Burocracia.

burette [byʀɛt] *f. 1* Alcuza, vinagrera. 2 LITURG. Vinajera.

burin [byʀɛ̃] *m.* Buril.

buriner [byʀine] *tr.* Burilar, grabar.

burlesque [byʀlɛsk(ə)] *adj.* Burlesco, ca.

burnous [byʀnu(s)] *m.* Albornoz.

busc [bysk] *m.* Ballena *f.* de corsé.

buse [byz] *f. 1* Saetín *m.* (de moulin). 2

MIN. Tubo *m.* de ventilación. 3 Cernícalo *m.* (oiseau). 4 fig. Estúpido, da.

busqué, -ée [byske] *adj.* Arqueado, da, corvo, va: *nez* —, nariz corva.

buste [byst(ə)] *m.* Busto.

but [byt] *m. 1* Blanco, hito: *frapper au —*, dar en el blanco. 2 Objeto, fin, mira *f. 3* SPORTS Meta *f.*, portería *f.* (football). 4 Tanto conseguido: *gagner par quatre buts à zéro*, ganar por cuatro a cero. 5 loc. adv. *De — en blanc*, de golpe y porrazo.

buté, -ée [byte] *adj.* Obstinado, da, emperrado, da.

buter [byte] *intr. 1* Tropezar. ■ *2 tr.* Apuntalar (étayer). *3* pop. Matar. ■ *4 pr.* Topar, chocar con: *se — à des difficultés*, topar con dificultades. 5 Obstinarse, emperrarse (s'entêter).

butin [bytɛ̃] *m.* Botín.

butiner [bytine] *tr.-intr.* Libar.

butoir [bytwaʀ] *m.* Tope.

butte [byt] *f.* Loma, cerro *m.*

buvable [byvabl(ə)] *adj.* Bebible.

buvard [byvaʀ] *adj. 1 Papier —*, papel secante. 2 Carpeta *f.* (sous-main).

buvette [byvɛt] *f.* Cantina, quiosco *m.* de bebidas, aguaducho *m.*

buveur, -euse [byvœʀ, -øz] *s.* Bebedor, ra.

byzantin, -ine [bizɑ̃tɛ̃, -in] *adj.-s.* Bizantino, na.

C

c [se] *m*. C *f*.

ça [sa] *pron. dém. (contr.* fam. de *cela).* Esto, eso, aquello: *c'est —,* esto es. Loc. *Comme ci, comme —,* así así; *— y est,* ya está; *rien que —,* nada más; *il ne manquait plus que —,* sólo faltaba eso.

çà [sa] *adv. 1* Aquí, acá. *2 Çà et là,* aquí y allá.

cabale [kabal] *f. 1* Cábala. *2* Camarilla.

cabaler [kabale] *intr.* Intrigar, conspirar.

cabalistique [kabalistik] *adj.* Cabalístico, ca.

cabane [kaban] *f.* Cabaña, choza.

cabanon [kabanɔ̃] *m. 1* Chozuela *f. 2* Loquera *f.* (pour aliénés).

cabaretier, -ière [kabaʀtje, -jɛʀ] *s.* Tabernero, ra.

cabas [kabɑ] *m.* Capacho, capazo.

cabestan [kabɛstɑ̃] *m.* Cabrestante.

cabine [kabin] *f. 1* Camarote *m.* (d'un navire). *2* Cabina (de téléphone, d'ascenseur, d'interprète). *3* Caseta de baño.

cabinet [kabinɛ] *m. 1* Camarín, pequeño aposento. *2 — de toilette,* cuarto de aseo, lavabo; *— d'aisances, les cabinets,* el retrete. *3* Gabinete, despacho (bureau). *4* Consultorio (d'un médecin). *5* Secretaría *f.: le — d'un ministre,* la secretaría de un ministro. *6* Bargueño (meuble).

câble [kɑbl(ə)] *m.* Cable.

câbler [kɑble] *tr.* Cablegrafiar.

câblogramme [kɑblɔgʀam] *m.* Cablegrama.

cabochard, -arde [kabɔʃaʀ, -aʀd(ə)] *adj.-s.* fam. Testarudo, da, cabezón, ona.

cabotin, -ine [kabɔtɛ̃, -in] *s. 1* Comicastro. *2* fig. Comediante, farolón.

cabrer (se) [kabʀe] *pr. 1* Encabritarse. *2* fig. Irritarse, indignarse.

cabri [kabʀi] *m.* Cabrito.

cabriole [kabʀijɔl] *f.* Voltereta, cabriola.

cabriolet [kabʀijɔlɛ] *m.* Cabriolé (voiture).

cacaber [kakabe] *intr.* Cuchichiar.

cacaoyer [kakaɔje], cacaotier [kakaɔtje] *m.* Cacao (arbre).

cacatoès [kakatɔɛs] *m.* Cacatúa *f.*

cachalot [kaʃalo] *m.* Cachalote.

cache [kaʃ] *f. 1* Escondrijo *m.* ■ *2 m.* PHOT. Ocultador.

cache-cache [kaʃkaʃ] *m. invar.* Escondite (jeu).

cache-nez [kaʃne] *m. invar.* Bufanda *f.*

cacher [kaʃe] *tr. 1* Esconder, ocultar, cubrir. *2* Disimular (un sentiment).

cachet [kaʃɛ] *m. 1* Sello, timbre. *2* Matasellos (marque de la poste). *3* fig. Sello, originalidad *f. 4* PHARM. Sello, comprimido. *5* Retribución *f.* de un artista.

cacheter [kaʃte] *tr. 1* Sellar. *2* Lacrar (à la cire). ▲ CONJUG. como *jeter.*

cachette [kaʃet] *f. 1* Escondrijo *m.*, escondite *m. loc. adv. En —,* a escondidas.

cachot [kaʃo] *m.* Calabozo.

cachotterie [kaʃɔtʀi] *f.* Tapujo *m.*, secreto *m.*

cacophonie [kakɔfɔni] *f.* Cacofonía.

cactus [kaktys] *m.* Cacto.

cadastre [kadastʀ(ə)] *m.* Catastro.

cadavre [kadɑvʀ(ə)] *m.* Cadáver.

cadeau [kado] *m.* Regalo, obsequio.

cadenas [kadnɑ] *m.* Candado.

cadenasser [kadnase] *tr.* Cerrar con candado.

cadence [kadɑ̃s] *f. 1* Cadencia. *2* Compás *m.*, ritmo *m.: en —,* a compás.

cadencer [kadɑ̃se] *tr.* Dar ritmo, cadencia a. ▲ CONJUG. como *lancer.*

cadet, -ette [kadɛ, -ɛt] *adj. 1* Menor: *fils —,* hijo menor. ■ *2 s.* Benjamín, hijo, hija menor, hermano, hermana menor. *3 Il est mon — d'un an,* es un año menor que yo.

cadran [kadʀɑ̃] *m. 1* Esfera *f.* (d'une montre). *2 — solaire,* cuadrante, reloj de sol.

cadre [kadʀ(ə)] *m. 1* Marco (d'un tableau, d'une porte). *2* Cuadro (d'une bicyclette). *3* Chasis, bastidor (châssis). *4* fig. Marco, ambiente. *5* Cuadro: *les cadres d'une armée*, los cuadros de un ejército. *6 Les cadres d'une entreprise*, los dirigentes de una empresa, los ejecutivos.

cadrer [kadʀe] *intr. 1* Cuadrar, ajustarse, encajar. ■ *2 tr.* Encuadrar.

caduc, -uque [kadyk] *adj.* Caduco, ca.

caducité [kadysite] *f.* Caducidad.

cafard, -arde [kafaʀ, -aʀd(ə)] *adj.-s. 1* Gazmoño, ña (bigot). *2* Hipócrita. ■ *3 m.* Soplón. *4* Morriña *f. 5* Cucaracha *f.* (insecte).

cafarder [kafaʀde] *intr.* Chivarse, soplonear.

café-concert [kafekɔ̃seʀ] *m.* Café cantante.

cafetier [kaftje] *m.* Cafetero.

cafetière [kaftjɛʀ] *f.* Cafetera (appareil).

cage [kaʒ] *f. 1* Jaula.*2* Caja (d'un escalier, d'un ascenseur). *3* ANAT. — *thoracique*, caja torácica.

cagneux, -euse [kaɲø, -øz] *adj.* Patizambo, ba.

cagnotte [kaɲɔt] *f.* Banca, monte *m.* (aux cartes).

cagot, -ote [kago, -ɔt] *adj.-s.* Santurrón, ona, mojigato, ta.

cagoule [kagul] *f. 1* Cogulla. *2* Capirote *m.* (de pénitent). *3* Verdugo *m.* (d'enfant).

cahier [kaje] *m.* Cuaderno.

cahin-caha [kaɛ̃kaa] *m. adv.* Así así, tal cual.

cahot [kao] *m.* Tumbo, traqueteo (d'un véhicule).

cahoter [kaɔte] *tr. 1* Traquetear, agitar. ■ *2 intr.* Traquetear, dar tumbos.

cahute [kayt] *f.* Choza, chabola.

caille [kɑj] *f.* Codorniz.

caillé [kaje] *f.* Cuajada *f.*, requesón.

cailler [kaje] *tr. 1* Cuajar, coagular. ■ *2 intr.* pop. Helarse (avoir froid).

caillot [kajo] *m.* Coágulo, cuajarón.

caillou [kaju] *m. 1* Guijarro, guija *f.*, china *f.*, piedra *f. 2* fam. Chola *f.* (tête).

caisse [kɛs] *f. 1* Caja (emballage, son contenu). *2* COMM. Caja. Loc. *Faire sa —*, hacer arqueo. *3* Caja (institution): — *d'épargne*, caja de ahorros. *4* Caja (d'une voiture, d'une montre, du tympan). *5* Caja, tambor *m. 6 Grosse —*, bombo *m.*, tambora.

caissier, -ière [kesje, -jɛʀ] *s.* Cajero, ra.

cajolerie [kaʒɔlʀi] *f.* Mimo *m.*, zalamería.

cal [kal] *m.* Callosidad *f.*, callo.

calamine [kalamin] *f. 1* MINÉR. Calamina. *2* Carbonilla (résidu).

calamité [kalamite] *f.* Calamidad.

calamiteux, -euse [kalamitø, -øz] *adj.* Calamitoso, sa.

calandre [kalɑ̃dʀ(ə)] *f. 1* TECHN. Calandria (pour lisser et glacer). *2* AUTO. Rejilla del radiador. *3* Calandria (oiseau).

calcaire [kalkeʀ] *adj. 1* Calcáreo, rea. ■ *2 m.* Caliza *f.*

calciner [kalsine] *tr.* Calcinar.

calcium [kalsjɔm] *m.* Calcio.

calcul [kalkyl] *m.* Cálculo.

calculateur, -trice [kalkylatœʀ, -tʀis] *adj.-s.* Calculador, ra.

calculer [kalkyle] *tr.* Calcular.

cale [kal] *f. 1* Calce *m.*, cuña. *2* MAR. Bodega, cala (d'un navire). *3* MAR. — *sèche*, dique seco.

calé, -ée [kale] *adj.* fig. fam. Empollado, da, instruido, da.

calebasse [kalbɑs] *f. 1* Calabaza (fruit). *2* Calbacino *m.* (récipient).

calèche [kalɛʃ] *f.* Calesa, carretela.

caleçon [kalsɔ̃] *m.* Calzoncillos *pl.*

calembour [kalɑ̃buʀ] *m.* Juego de palabras, retruécano.

calendes [kalɑ̃d] *f. pl.* Calendas.

calendrier [kalɑ̃dʀije] *m.* Calendario.

calepin [kalpɛ̃] *m.* Carné, agenda *f.*

caler [kale] *tr. 1* Calzar, acuñar (une roue, un meuble), apear (un véhicule). *2* É-LECTR. Calar. *3* MAR. Calar (une voile). ■ *4 intr.* Pararse, calarse: *le moteur a calé*, el motor se ha calado.

calfater [kalfate] *tr.* MAR. Calafatear.

calfeutrer [kalføtʀe] *tr. 1* Tapar las rendijas de. ■ *2 pr.* Encerrarse.

calice [kalis] *m.* Cáliz.

califat [kalifa] *m.* Califato.

califourchon (à) [akalifuʀʃɔ̃] *loc. adv.* A horcajadas.

câlin, -ine [kalɛ̃, -in] *adj.-s.* Mimoso, sa.

câlinerie [kalinʀi] *f.* Mimo *m.*

calleux, -euse [kalø, -øz] *adj.* Calloso, sa.

calligraphie [ka(l)igʀafi] *f.* Caligrafía.

callosité [kalozite] *f.* Callosidad.

calmant, -ante [kalmɑ̃, -ɑ̃t] *adj.-m.* Calmante, sedante.

calmar [kalmaʀ] *m.* Calamar.

calme [kalm(ə)] *adj. 1* Tranquilo, la. ■ *2 m.* Calma *f.*, sosiego.

calomnie [kalɔmni] *f.* Calumnia.

calomnier [kalɔmnje] *tr.* Calumniar. ▲ CONJUG. como *prier.*

calorie [kalɔʀi] *f.* Caloría.

calorifique [kalɔʀifik] *adj.* Calorífico, ca.

calotter [kalɔte] *tr.* fam. Pegar un tortazo a.

calquer [kalke] *tr.* Calcar.

calumet [kalymɛ] *m.* Pipa *f.* de los indios norteamericanos.

calvaire [kalvɛʀ] *m.* Calvario.
calvinisme [kalvinism(ə)] *m.* Calvinismo.
calvitie [kalvisi] *f.* Calvicie.
camaïeu [kamajø] *m.* Camafeo.
camail [kamaj] *m. 1* Muceta *f.* (d'ecclésiastique). *2* Almofar (armure).
camarade [kamaʀad] *s.* Camarada, compañero, ra.
camard, -arde [kamaʀ, -aʀd(ə)] *adj.-s. 1* Chato, ta. ■ *2 f. La Camarde*, la muerte.
cambouis [kãbwi] *m.* Grasa *f.* sucia.
cambrer [kãbʀe] *tr. 1* Arquear, encorvar. ■ *2 pr.* Echar el busto hacia atrás.
cambrioler [kãbʀijɔle] *tr.* Robar, desvalijar.
cambrioleur, -euse [kãbʀijɔlœʀ, -øz] *s.* Ladrón, ona, desvalijador, ra.
cambuse [kãbyz] *f. 1* MAR. Pañol *m.*, despensa. *2* fam. Buhardilla.
camée [kame] *m.* Camafeo.
caméléon [kameleɔ̃] *m.* Camaleón.
camelot [kamlo] *m.* Vendedor callejero.
camelote [kamlɔt] *f. 1* Baratijas *pl.*, géneros *m. pl.* de pacotilla. *2* Chapucería.
caméra [kameʀa] *f.* Cámara.
camerlingue [kamɛʀlɛ̃g] *m.* Camarlengo.
camion [kamjɔ̃] *m.* Camión.
camionneur [kamjɔnœʀ] *m.* Camionero.
camisole [kamizɔl] *f.* — *de force*, camisa de fuerza.
camomille [kamɔmij] *f.* Manzanilla.
camouflage [kamuflaʒ] *m. 1* Enmascaramiento. *2* MIL. Camuflaje.
camp [kã] *m. 1* Campamento, campo. Loc. *Lever le* —, levantar el campo; fam. *ficher le* —, largarse.
campagnard, -arde [kãpaɲaʀ, -aʀd(ə)] *adj.-s.* Campesino, na.
campagne [kãpaɲ] *f. 1* Campo *m.*, campiña. *2* Campaña (militaire, électorale, etc.).
campé, -ée [kãpe] *adj.* fig. Plantado, da: *gaillard bien* — mozo bien plantado.
campement [kãpmã] *m.* Campamento.
camper [kãpe] *intr. 1* Acampar, hacer «camping». ■ *2 tr.* Plantar, poner, colocar. *3* Componer, construir. ■ *4 pr. Se* — *devant quelqu'un*, plantarse ante uno.
camphre [kãfʀ(ə)] *m.* Alcanfor.
camus, -use [kamy, -yz] *adj.* Chato, ta, romo, ma.
canadien, -ienne [kanadjɛ̃, -jɛn] *adj.-s.* Canadiense.
canaille [kanɑj] *f. 1* Canalla *m.* ■ *2 adj.* Canallesco, ca.
canal [kanal] *m. 1* GÉOGR., AGR., ANAT. Canal. *2* ARCHIT. Canal, estría *f. 3* fig. Conducto.
canaliser [kanalize] *tr.* Canalizar.

canard [kanaʀ] *m. 1* Pato, ánade. *2* fam. Bulo, pajarota *f.* (fausse nouvelle). *3* péj. Periódico (journal). *4* Terrón de azúcar mojado en café o aguardiente.
canarder [kanaʀde] *tr. 1* Disparar. ■ *2 intr.* MUS. Pifiar.
canari [kanaʀi] *m.* Canario.
cancan [kãkã] *m. 1* Chisme, enredo. *2* Cancán (danse).
cancanier, -ière [kãkanje, -jɛʀ] *adj.-s.* Chismoso, sa.
cancéreux, -euse [kãseʀø, -øz] *adj.-s.* Canceroso, sa.
cancre [kãkʀ(ə)] *m.* fig. fam. Mal estudiante.
cancrelat [kãkʀəla] *m.* Cucaracha *f.*
candélabre [kãdelabʀ(ə)] *m.* Candelabro.
candeur [kãdœʀ] *f.* Candor *m.*
candi [kãdi] *adj.-s. 1* Cande, candi: *sucre* —, azúcar candi. *2* Escarchado, da: *des fruits candis*, fruta escarchada.
candidat, -ate [kãdida, -at] *s.* Candidato, ta.
candidature [kãdidatyʀ] *f.* Candidatura.
candide [kãdid] *adj.* Cándido, da.
cane [kan] *f.* Pata.
caneton [kantɔ̃] *m.* Anadón.
canette [kanɛt] *f. 1* Anadina. *2* Canilla (bobine). *3* Pequeña botella de cerveza.
canevas [kanva] *m. 1* Cañamazo (toile). *2* Bosquejo, plan (d'un ouvrage).
canicule [kanikyl] *f.* Canícula.
canif [kanif] *m.* Cortaplumas, navaja *f.*
canin, -ine [kanɛ̃, -in] *adj. 1* Canino, na. ■ *2 f.* Canino *m.*, colmillo *m.* (dent).
caniveau [kanivo] *m.* Arroyo, canalillo (d'une rue).
cannaie [kanɛ] *f. 1* Cañamelar *m.* (canne à sucre). *2* Cañaveral *m.* (roseaux).
canne [kan] *f. 1* Bastón *m.* (pour s'appuyer). *2* BOT. Caña: — *à sucre*, caña de azúcar. *3* — *à pêche*, caña de pescar.
cannelure [kanlyʀ] *f.* Acanaladura, estría.
cannibalisme [kanibalism(ə)] *m.* Canibalismo.
canoë [kanɔe] *m.* Canoa *f.*
canon [kanɔ̃] *m. 1* ARTILL. Cañón. *2* Cañón (d'une arme à feu). *3* Caña *f.* (du cheval). *4* DR., LITURG., MUS., BX. ARTS. Canon. *5* pop. Chato (verre de vin).
canonique [kanɔnik] *adj.* Canónico, ca.
canoniser [kanɔnize] *tr.* Canonizar.
canonner [kanɔne] *tr.* Cañonear.
canonnier [kanɔnje] *m.* Artillero.
canonnière [kanɔnjɛʀ] *f. 1* Cañonera, tronera (meurtrière). *2* MAR. Cañonero *m.*, lancha cañonera. *3* Tirabala, taco *m.* (jouet).
canot [kano] *m.* Bote, lancha *f.*, canoa *f.*

canotage [kanɔtaʒ] *m*. Remo (sport).

canoter [kanɔte] *intr*. Remar, pasearse en bote.

cantate [kɑ̃tat] *f*. Cantata.

cantilène [kɑ̃tilɛn] *f*. Cantilena.

cantine [kɑ̃tin] *f*. *1* Cantina, refectorio *m*. *2* Cofre *m*. de viaje, baúl *m*. (malle).

cantinier, -ière [kɑ̃tinje, jɛʀ] *s*. Cantinero, ra.

cantique [kɑ̃tik] *m*. Cántico.

canton [kɑ̃tɔ̃] *m*. Cantón.

cantonnement [kɑ̃tɔnmɑ̃] *m*. Acantonamiento.

cantonner [kɑ̃tɔne] *tr*. *1* Acantonar. ■ *2* *intr*. Acantonarse (troupes). ■ *3 pr*. fig. Aislarse, encerrarse. *4* Limitarse.

cantonnier [kɑ̃tɔnje] *m*. Peón caminero.

caoutchouc [kautʃu] *m*. Caucho.

cap [kap] *m*. *1* GÉOG. Cabo. Loc. fig. *Dépasser le — de la cinquantaine*, pasar de los cincuenta. *2* Rumbo (direction): *mettre le — sur*, hacer rumbo a. *3* Loc. *De pieds en —*, de pies a cabeza.

capable [kapabl(ə)] *adj*. Capaz.

capacité [kapasite] *f*. Capacidad.

caparaçon [kaparasɔ̃] *m*. Caparazón (d'un cheval).

cape [kap] *f*. *1* Capa. *2* MAR. Capa: *être à la —*, estar a la capa.

capeline [kaplin] *f*. Capellina.

capillaire [kapi(l)ɛʀ] *adj*. fig. *1* Capillar. ■ *2 m*. Culantrillo (fougère).

capitaine [kapiten] *m*. Capitán.

capital, -ale [kapital] *adj*. *1* Capital. ■ *2 m*. Capital (argent). ■ *3 f*. Capital (ville). *4* IMPR. Versal, mayúscula: *en capitales*, en mayúsculas.

capitaliser [kapitalize] *tr*. Capitalizar.

capitaliste [kapitalist(ə)] *adj.-s*. Capitalista.

capitonner [kapitɔne] *tr*. Acolchar.

capitulation [kapitylɑsjɔ̃] *f*. Capitulación.

capituler [kapityle] *intr*. Capitular.

caporal [kapɔral] *m*. *1* MIL. Cabo. *2* Tabaco común.

capote [kapɔt] *f*. *1* Capote *m*. (manteau). *2* Capota (de voiture).

capoter [kapɔte] *intr*. Volcar, dar vuelta sobre sí mismo (une voiture, un avion).

câpre [kɑpr(ə)] *f*. Alcaparra, tápara.

capricieux, -euse [kaprisjø, -øz] *adj.-s*. Caprichoso, sa.

caprin, -ine [kaprɛ̃, -in] *adj*. Cabruno, na, cabrío, ía.

capsule [kapsyl] *f*. Cápsula.

capter [kapte] *tr*. Captar.

captieux, -euse [kapsjø, -øz] *adj*. Capcioso, sa.

captif, -ive [kaptif, -iv] *adj.-s*. Cautivo, va.

captivant, -ante [kaptivɑ̃, -ɑ̃t] *adj*. Cautivador, ra.

captivité [kaptivite] *f*. Cautividad.

capturer [kaptyʀe] *tr*. Capturar.

capuce [kapys] *m*. Capilla *f*. (de moine).

capuchón [kapyʃɔ̃] *m*. *1* Capilla *f*., capucho. *2* Capa *f*. con capucho. *3* Sombrerete (de cheminée). *4* Capuchón (d'un stylographe).

capucin, -ine [kapysɛ̃, -in] *s*. Capuchino, na.

capucine [kapysin] *f*. Capuchina (plante, fleur).

caque [kak] *f*. Casco *m*., barril *m*.

caquet [kake] *m*. *1* Cacareo (de la poule). *2* Charla *f*., habladuría *f*.

caquetage [kaktaʒ] *m*. *1* Cacareo. *2* Parloteo (bavardage).

car [kaʀ] *conj*. Porque, pues (causal).

carabe [karab] *m*. Carabo.

carabine [karabin] *f*. Carabina.

caracoler [karakɔle] *intr*. Caracolear.

caractère [karakteʀ] *m*. *1* Carácter. *2* Carácter, genio. *3* IMPR. *Caractères d'imprimerie*, letras *f*. de molde. *4* Originalidad *f*.

caractériser [karakterize] *tr*. Caracterizar.

caractéristique [karakteristik] *adj*. *1* Característico, ca. ■ *2 f*. Característica.

carafe [karaf] *f*. Garrafa.

caraïbe [karaib] *adj.-s*. Caribe.

carambolage [karɑ̃bolaʒ] *m*. *1* Carambola *f*. (billard). *2* Serie *f*. de colisiones (de véhicles).

caramel [karamɛl] *m*. Caramelo.

carapace [karapas] *f*. Caparazón *m*., carapacho *m*.

carat [kara] *m*. Quilate.

caravane [karavan] *f*. Caravana.

caravelle [karavɛl] *f*. Carabela.

carbonate [karbɔnat] *m*. CHIM. Carbonato.

carbone [karbɔn] *m*. *1* CHIM. Carbono. *2* *Papier —*, papel carbón.

carbonifère [karbɔnifɛr] *adj*. GÉOL. Carbonífero, ra.

carbonique [karbɔnik] *adj*. CHIM. Carbónico, ca: *gaz —*, gas carbónico.

carboniser [karbɔnize] *tr*. Carbonizar.

carburant [karbyrɑ̃] *m*. Carburante.

carburateur [karbyratœr] *m*. Carburador.

carcan [karkɑ̃] *m*. *1* Argolla *f*. de la picota. *2* fig. Sujeción *f*.

carcasse [karkas] *f*. *1* Osamenta, esqueleto *m*. *2* fam. Cuerpo *m*. humano. *3* Caparazón *m*. (d'un oiseau). *4* TECHN. Armazón *m*.

cardage [kaʀdaʒ] *m.* Carda *f.*, cardadura *f.*

carde [kaʀd(ə)] *f.* Penca del cardo.

carder [kaʀde] *tr.* Cardar.

cardiaque [kaʀdjak] *adj.-s.* Cardíaco, ca.

cardinal, -ale [kaʀdinal] *adj. 1* Cardinal. ■ *2 m.* Cardenal (prélat).

cardinalice [kaʀdinalis] *adj.* Cardenalicio, cia.

cardon [kaʀdɔ̃] *m.* Cardo comestible.

carême [kaʀɛm] *m.* Cuaresma *f.*

carence [kaʀɑ̃s] *f. 1* DR. Carencia de recursos. *2* MÉD. Carencia.

caréner [kaʀene] *tr.* Carenar. ▲ CONJUG. como *accélérer.*

caresse [kaʀɛs] *f.* Caricia.

caresser [kaʀese] *tr.* Acariciar.

cargaison [kaʀgɛzɔ̃] *f. 1* Cargamento *m.*, cargazón *m. 2* MAR. Carga.

carguer [kaʀge] *tr.* MAR. Cargar.

cariatide [kaʀjatid] *f.* Cariátide.

caricature [kaʀikatyʀ] *f.* Caricatura.

carier [kaʀje] *tr. 1* Cariar. ■ *2 pr.* Cariarse. ▲ CONJUG. como *prier.*

carillon [kaʀijɔ̃] *m. 1* Carillón. *2* Campanilleo (sonnerie).

carlingue [kaʀlɛ̃g] *f.* AÉR. Carlinga.

carmagnole [kaʀmaɲɔl] *f.* Carmañola.

carme [kaʀm(ə)] *m.* Carmelita (religieux).

carmélite [kaʀmelit] *f.* Carmelita.

carmin [kaʀmɛ̃] *m.* Carmín.

carnage [kaʀnaʒ] *m.* Carnicería *f.*, matanza.

carnassier, -ière [kaʀnasje, -jɛʀ] *adj.-m. 1* ZOOL. Carnicero, ra. ■ *2 f.* Morral *m.* (de chasseur).

carne [kaʀn(ə)] *f.* pop. Carne mala.

carné, -ée [kaʀne] *adj. 1* Encarnado, da, de color carne (couleur). *2* A base de carne (nourriture).

carnivore [kaʀnivɔʀ] *adj.-m.* Carnívoro, ra.

carotide [kaʀɔtid] *adj.-f.* ANAT. Carótida.

carotte [kaʀɔt] *f.* Zanahoria.

carotteur, -euse [kaʀɔtœʀ, -øz] *s.* fam. Timador, ra, sablista.

caroube [kaʀub] *f.* Algarroba.

caroubier [kaʀubje] *m.* Algarrobo.

carpe [kaʀp(ə)] *f. 1* Carpa (poisson). ■ *2 m.* ANAT. Carpo.

carquois [kaʀkwa] *m.* Carcaj, aljaba *f.*

carre [ka(ɑ)ʀ] *f.* Canto *m.* (de ski).

carré, -ée [ka(ɑ)ʀe] *adj. 1* Cuadrado, da. *2* fig. Franco, ca, categórico, ca: *réponse carrée,* respuesta categórica. *3* GÉOM., MATH. Cuadrado, da: *racine carrée,* raíz cuadrada; *un mètre —,* un metro cuadrado. ■ *4 m.* GÉOM. Cuadrado (quadri-

latère). *5* Rellano, descansillo (d'un escalier). *6* MIL. Cuadro: *un — d'infanterie,* una formación en cuadro de infantería. *7* AGR. Bancal.

carreau [ka(ɑ)ʀo] *m. 1* Baldosa *f.*, ladrillo. *2 — de faïence,* azulejo. *3* Cristal de una ventana (d'une fenêtre). *4* Cuadro: *jupe à carreaux,* falda de cuadros. *5* Diamante, carreau (jeu de cartes).

carrefour [kaʀfuʀ] *m.* Encrucijada *f.*

carrelage [ka(ɑ)ʀlaʒ] *m.* Embaldosado.

carrelet [ka(ɑ)ʀlɛ] *m. 1* Platija *f.*, acedia *f.* (poisson). *2* Red *f.* cuadrada (filet).

carreleur [ka(ɑ)ʀlœʀ] *m.* Enladrillador.

carrément [ka(ɑ)ʀmɑ̃] *adv.* Rotundamente, francamente.

carrer [ka(ɑ)ʀe] *tr. 1* Cuadrar. ■ *2 pr.* Arrellanarse.

carrier [ka(ɑ)ʀje] *m.* Cantero, pedrero.

carrière [ka(ɑ)ʀjɛʀ] *f. 1* Cantera (de pierre). *2* Carrera (profession). Loc. fig. *Donner — à,* dar rienda suelta a.

carriole [ka(ɑ)ʀjɔl] *f. 1* Carruco *m. 2* péj. Carricoche *m.*

carrossable [ka(ɑ)ʀɔsabl(ə)] *adj.* Transitable, carretero.

carrosserie [ka(ɑ)ʀɔsʀi] *f.* Carrocería.

carrousel [kaʀuzɛl] *m.* Torneo de ejercicios a caballo.

carrure [ka(ɑ)ʀyʀ] *f.* Anchura de espaldas.

cartable [kaʀtabl(ə)] *m.* Cartapacio, cartera *f.*

carte [kaʀt(ə)] *f. 1* Tarjeta. *2* Cédula, carné *m. 3* Minuta, lista, menú *m. 4* Mapa *m. 5* Carta (marine). *6* Naipe *m.*, carta (à jouer).

cartel [kaʀtɛl] *m. 1* Cartel (défi). *2* Cartel (association). *3* Reloj de pared (pendule).

carter [kaʀtɛʀ] *m. 1* Cubrecadena (de bicyclette). *2* MÉC. Carter.

cartilage [kaʀtilaʒ] *m.* ANAT. Cartílago.

cartographie [kaʀtɔgʀafi] *f.* Cartografía.

cartomancie [kaʀtɔmɑ̃si] *f.* Cartomancia.

carton [kaʀtɔ̃] *m. 1* Cartón. *2* Cartera *f.*, carpeta *f.* (d'écolier). *3 — à dessin,* cartapacio de dibujo. *4* Caja *f.* de cartón (boîte). *5 — à chapeau,* sombrerera *f.* *6* fam. *Faire un —,* tirar al blanco.

cartonnerie [kaʀtɔnʀi] *f.* Cartonería.

cartonnier [kaʀtɔnje] *m. 1* Cartonero. *2* Clasificador (meuble).

cartouche [kaʀtuʃ] *f. 1* Cartucho *m.* (d'une arme). *2* Cartón *m.* (de cigarettes). *3* Recambio *m.*, carga (stylo, briquets). ■ *4 m.* ARCHIT. Tarjeta *f.*

cartouchière [kaʀtuʃjɛʀ] *f. 1* MIL. Cartuchera. *2* Canana (chasse).

cas [ka] *m.* Caso: — *de conscience*, caso de conciencia. *loc. adv. Le — échéant*, llegado el caso.

casanier, -ière [kazanje. -jɛʀ] *adj.-s.* Casero. ra.

casaque [kazak] *f.* Casaca.

casaquin [kazakɛ́] *m.* Casaquilla *f.*

cascadeur, -euse [kaskadœʀ. -øz] *s. 1* Acróbata. 2 Doble (au cinéma).

case [kaz] *f. 1* Choza, cabaña. 2 Casilla.

casemate [kazmat] *f.* Casamata.

caser [kaze] *tr. 1* Colocar. ■ *2 pr.* Acomodarse.

caserne [kazɛʀn(ə)] *f.* Cuartel *m.*

caserner [kazɛʀne] *tr.* Acuartelar.

casier [kazje] *m.* Casillero.

casque [kask(ə)] *m.* Casco.

casquette [kaskɛt] *f.* Gorra.

cassant, -ante [kasɑ̃. -ɑ̃t] *adj. 1* Quebradizo. za. 2 fig. Terminante. imperativo. va. tajante. duro. ra.

cassation [kasasjɔ̃] *f. 1* Casación. 2 MIL. Degradación.

casse [kas] *f. 1* Rotura (action et effet). 2 Objctos *m. pl.* rotos. lo roto *m.: payer la* —, pagar lo roto. 3 Desguace *m.* (de voitures). 4 IMPR. Caja: *haut de* —, caja alta: *bas de* —, caja baja.

cassé, -ée [kase] *adj. 1* Roto. ta. 2 Cascado. da (fêlé).

casse-cou [kasku] *m. invar. 1* Resbaladero. tropezadero (lieu). 2 Atolondrado. temerario (personne).

casse-croûte [kaskrut] *m. invar.* Refrigerio. bocadillo.

cassement [kasmɑ̃] *m.* — *de tête*, quebradero de cabeza.

casse-noisettes [kasnwazɛt] *m. invar.* Cascanueces.

casser [kase] *tr. 1* Romper (briser. endommager). 2 Cascar. partir. quebrantar (en fendant): 3 DR. Casar. 4 MIL. Degradar. 5 Loc. fam. *À tout* —, a lo más (au maximum): *ça ne casse rien*, no es ninguna cosa del otro jueves.

casserole [kasʀɔl] *f.* Cazo *m.*, cacerola.

casse-tête [kastet] *m. invar. 1* Porra *f.* emplomada. 2 fig. Rompecabezas. quebradero de cabeza. 3 *Casse-tête chinois*, rompecabezas (jeu).

cassette [kasɛt] *f. 1* Cofrecito *m.*, arqueta. 2 Cassette *m.* (magnétophone).

casseur, -euse [kasœʀ. -øz] *s. 1* Rompedor. ora. 2 — *d'assiettes*, camorrista.

cassis [kasis] *m. 1* Casis. 2 Licor de casis.

cassolette [kasɔlɛt] *f. 1* Pebetero *m.* 2 Perfumador *m.*

cassoulet [kasulɛ] *m.* Guiso de alubias con carne. especie de fabada *f.*

cassure [kasyʀ] *f. 1* Rotura. 2 Fractura.

castagnettes [kastaɲɛt] *f. pl.* Castañuelas.

caste [kast(ə)] *f.* Casta.

castillan, -ane [kastijɑ̃. -an] *adj.-s.* Castellano. na.

castration [kastrasjɔ̃] *f.* Castración. capadura.

castrer [kastʀe] *tr.* Castrar. capar.

casuel, -elle [kazɥɛl] *adj. 1* Casual. eventual. ■ *2 m.* Emolumentos *pl.* variables.

cataclysme [kataklism(ə)] *m.* Cataclismo. desastre.

catacombes [katakɔ̃b] *f. pl.* Catacumbas.

catalan, -ane [katalɑ̃. -an] *adj.-s.* Catalán. ana.

catalepsie [katalɛpsi] *f.* MÉD. Catalepsia.

catalogue [katalɔg] *m.* Catálogo.

cataplasme [kataplasm(ə)] *m.* Cataplasma *f.*

cataracte [katarakt(ə)] *f.* Catarata.

catarrhe [kataʀ] *m.* Catarro.

catastrophe [katastʀɔf] *f.* Catástrofe. *loc. adv. En* —, a la desesperada.

catéchisme [katefism(ə)] *m.* Catecismo.

catéchiste [katefist(ə)] *s.* Catequista.

catégorie [kategɔʀi] *f.* Categoría.

catégorique [kategɔʀik] *adj.* Categórico. ca.

cathédrale [katedʀal] *f.* Catedral.

catholicisme [katɔlisism(ə)] *m.* Catolicismo.

catholique [katɔlik] *adj.-s.* Católico. ca.

cauchemar [koʃmaʀ] *m.* Pesadilla *f.*

causal, -ale [kozal] *adj.* Causal.

cause [koz] *f. 1* Causa. motivo *m.*, razón. Loc. *À* — *de*, a causa de. con motivo de: *et pour* —, y con razón. 2 DR. Causa. 3 Causa: *épouser une* —, abrazar una causa.

causer [koze] *tr. 1* Causar. ■ *2 intr.* Conversar. hablar.

causerie [kozʀi] *f.* Charla.

causeur, -euse [kozœʀ. -øz] *adj.-s. 1* Conversador. ra. ■ *2 f.* Confidente *m.* (meuble).

caustique [kostik] *adj. 1* Cáustico. ca. 2 fig. Cáustico. ca. mordaz.

cautérisation [ko(o)teʀizasjɔ̃] *f.* Cauterización.

cautériser [ko(o)teʀize] *tr.* Cauterizar.

caution [kosjɔ̃] *f. 1* Caución. fianza. 2 Garantía. aval *m.* 3 Loc. *Être sujet à* —, ser sospechoso. no inspirar confianza.

cautionner [kosjɔne] *tr.* Garantizar. salir fiador de.

cavalcade [kavalkad] *f.* Cabalgata.

cavalerie [kavalʀi] *f.* MIL. Caballería.

cavalier, -ière [kavalje. -jɛʀ] *adj. 1* Desenvuelto. ta (désinvolte). altanero. ra (hautain). impertinente. insolente. ■ *2 f.* Amazona (femme qui monte à cheval). *3* Pareja (danse).

cave [kav] *adj. 1* Cóncavo. va. hundido. da: *joues caves*, mejillas hundidas. *2* ANAT. *Veine —*, vena cava. ■ *3 f.* Bodega (à vin). *4* Cueva. sótano *m.* (sous-sol).

caveau [kavo] *m. 1* Pequeña bodega *f. 2* Tumba *f.*, panteón (sépulture).

caverne [kavɛRn(ə)] *f.* Caverna.

caverneux, -euse [kavɛRnø. -øz] *adj.* Cavernoso. sa.

cavité [kavite] *f.* Cavidad.

ce, c' [s(ə)] *pron. dém. 1* Lo (devant un relatif): *— que je veux*, lo que quiero; *— dont je vous parle*, lo de lo que le estoy hablando; fam. *— qu'il est drôle!*, ¡lo gracioso que es! *2* (avec le verbe être): *c'est moi*, soy yo: *ce sont mes livres*, son mis libros. *3* Loc. *Qui est-ce qui...?*, ¿quién es el que...?: *qu'est-ce qui...?* ¿quién es el que...? *c'est à moi de*, a mi me toca: *c'est pourquoi*, por esto: *c'en est fait*, se acabó: *pour — qui est de:* por lo que se refiere a: *— disant*, diciendo esto: *sur —*, en esto.

ce [s(ə)] (delante de vocal **cet** [sɛt]). **cette** [sɛt], **ces** [se] *adj. dém.* Este, ese. aquel: esta, esa, aquella: estos, esos, aquellos: estas, esas, aquellas. *(Este*, etc. désigne ce qui est près, *ese*, etc. ce qui est plus loin, *aquel*, etc. ce qui est très éloigné dans l'espace ou dans le temps). *2* Con la partícula *ci* o la partícula *là* agregada al substantivo determinado, equivale en el primer caso, a este, esta, estos y, en el segundo, a ese, esa, esos. esas o aquel, aquella, aquellos, aquellas: *— crayon-ci*, este lápiz: *cet arbre-là*, ese, aquel árbol.

céans [seɑ̃] *adv.* Aquí, en esta casa.

ceci [səsi] *pron. dém.* Esto.

cécité [sesite] *f.* Ceguedad, ceguera.

céder [sede] *tr. 1* Ceder. *2* Traspasar. ▲ CONJUG. como *accélérer*.

cédille [sedij] *f.* Cedilla.

cédrat [sedRa] *m. 1* Cidro. *2* Cidra *f.*

cèdre [sɛdR(ə)] *m.* Cedro.

cédule [sedyl] *f.* Cédula, pagaré *m.*

ceindre [sɛ̃dR(ə)] *tr.* Ceñir. ▲ CONJUG. como *craindre*.

ceinture [sɛ̃tyR] *f. 1* Cinturón *m.* *2* Faja. *3* Cintura (du corps). *3* de murailles). *4* Circunvalación, cinturón *m.*

ceinturer [sɛ̃tyRe] *tr. 1* Ceñir. *2* Rodear.

ceinturon [sɛ̃tyRɔ̃] *m.* MIL. Cinturón.

cela [s(ə)la] *pron. dém.* Eso. esto. aquello *(aquello* désigne ce qui est le plus éloigné): *prends —*, toma eso.

célébration [selebRɑsjɔ̃] *f.* Celebración.

célèbre [selɛbR(ə)] *adj.* Célebre.

célébrité [selebRite] *f.* Celebridad.

celer [s(ə)le] *tr.* Celar, encubrir, ocultar. callar. ▲ CONJUG. como *acheter*.

céleri [selRi] *m.* Apio.

célérité [seleRite] *f.* Celeridad.

célibataire [selibatɛR] *adj.-s.* Soltero. ra. célibe.

cellier [selje] *m.* Bodega *f.*

cellulaire [selylɛR] *adj.* Celular.

cellule [selyl] *f. 1* Celda. *2* Célula. *3* Celdilla (des abeilles).

cellulose [selyloz] *f.* Celulosa.

celte [sɛlt(ə)] *s.* Celta.

celui, celle [səlɥi, sɛl], **ceux, celles** [sø, sɛl] *pron. dém. 1* El, la, los, las (suivi de *de, que, qui*). *2* Aquel, aquella, aquellos, aquellas (suivi de *dont, avec, pour*, etc.).

celui-ci, celle-ci [səlɥisi, sɛlsi], **ceux-ci, celles-ci** [søsi, sɛlsi] *pron. dém.* Este, ésta. éstos, éstas.

celui-là, celle-là [səlɥila, sɛla], **ceux-là, celles-là** [søla, sɛ(l)la] *pron. dém.* Aquél. aquélla, aquéllos, aquéllas.

cément [semɑ̃] *m. 1* Cemento, argamasa. *2* ANAT. Cemento.

cendre [sɑ̃dR(ə)] *f.* Ceniza.

cendrier [sɑ̃dRije] *m.* Cenicero.

cens [sɑ̃s] *m.* Censo.

censé, -ée [sɑ̃se] *adj.* Considerado. da como, supuesto, ta.

censeur [sɑ̃sœR] *m.* Censor.

censure [sɑ̃syR] *f.* Censura.

censurer [sɑ̃syRe] *tr.* Censurar.

cent [sɑ̃] *adj. 1* Ciento, cien. ■ *2 m.* Ciento. *3* Centenar (centaine).

centaine [sɑ̃tɛn] *f. 1* Centena. *2* Centenar *m.*

centenaire [sɑ̃tnɛR] *adj.-s. 1* Centenario. ria. ■ *2 m.* Centenario (anniversaire).

centésimal, -ale [sɑ̃tezimal] *adj.* Centesimal.

centième [sɑ̃tjɛm] *adj.-s.* Centésimo. ma.

centigrade [sɑ̃tigrad] *adj.-m.* Centígrado.

centigramme [sɑ̃tigram] *m.* Centigramo.

centilitre [sɑ̃tilitR(ə)] *m.* Centilitro.

centime [sɑ̃tim] *m.* Céntimo.

centimètre [sɑ̃timɛtR(ə)] *m.* Centímetro.

central, -ale [sɑ̃tral] *adj. 1* Central. *2* Céntrico, ca (dans une ville). ■ *3 m.* Central *f.*: *un — téléphonique*, una central telefónica. ■ *4 f.* Central (usine).

centraliser [sɑ̃tralize] *tr.* Centralizar.

centre [sɑ̃tR(ə)] *m.* Centro.

centrifuge [sɑ̃tRifyʒ] *adj.* Centrífugo. ga.

centuple [sɑ̃typl(ə)] *adj.-m.* Céntuplo. pla.

cep [sɛp] *m.* Cepa *f.* (de vigne).

cèpe [sɛp] *m.* Seta *f.* de otoño, boleto comestible.

cependant [s(ə)pādā] *conj. 1* Sin embargo (toutefois). ■ *2 adv.* Entretanto, mientras tanto.

céramique [seramik] *f.* Cerámica.

céramiste [seramist(ə)] *adj.-s.* Ceramista.

cerbère [serber] *m.* Cancerbero.

cerceau [serso] *m. 1* Cerco, aro (de tonneau). *2* Aro (jouet).

cercle [serkl(ə)] *m. 1* Círculo. *2* Cerco, aro (de tonneau). *3* Círculo (d'amis, etc.).

cercueil [serkœj] *m.* Ataúd, féretro.

céréale [sereal] *f.* Cereal *m.*

cérémonie [seremɔni] *f. 1* Ceremonia, acto *m.* ■ *2 pl.* Cumplidos *m.*

cérémonieux, -euse [seremɔnjø, -øz] *adj.* Ceremonioso, sa.

cerf [ser] *m.* Ciervo, venado.

cerf-volant [servɔlā] *m. 1* Ciervo volante. *2* Cometa *f.* (jouet).

cerise [s(ə)riz] *f.* Cereza.

cerisier [s(ə)rizje] *m.* Cerezo.

cerne [sern(ə)] *m. 1* Cerco (d'une tache). *2* Ojeras *f. pl.* (des yeux).

cerné, -ée [serne] *adj. 1* Rodeado, da, cercado, da. *2 Yeux cernés,* ojos con ojeras.

cerner [serne] *tr. 1* Cercar, rodear. *2 pr.* Hacer ojeras (yeux).

certain, -aine [sertē, -en] *adj. 1* Cierto, ta, seguro, ra. *2 Un —, une certaine,* cierto, ta (l'article, devant *certain*, ne se traduit pas). ■ *3 pron.* (en *pl.*). Algunos, nas.

certes [sert(ə)] *adv.* Ciertamente.

certificat [sertifika] *m.* Certificado.

certification [sertifikasjɔ̃] *f.* Certificación.

certifier [sertifje] *tr.* Garantizar, responder. ▲ CONJUG. como *prier.*

certitude [sertityd] *f.* Certeza, certidumbre.

cerveau [servo] *m. 1* Cerebro. *2 Un — brû-ʾlé,* un exaltado, una cabeza loca.

cervelet [servəle] *m.* Cerebelo.

cervelle [servel] *f.* Sesos *m. pl.*

césarisme [sezarism(ə)] *m.* Cesarismo.

cessant, -ante [sesā, -āt] *adj.* Loc. *Toute affaire cessante,* dejando a un lado todo lo demás.

cessation [sesasjɔ̃] *f.* Cesación, suspensión.

cesse [ses] *f.* Tregua, interrupción. Loc. *Sans —,* sin tregua, sin cesar.

cesser [sese] *intr. 1* Cesar. ■ *2 tr.* Interrumpir, suspender.

cession [sesjɔ̃] *f. 1* Cesión. *2* Traspaso *m.*

c'est-à-dire [se(e)tadir] *loc. conj.* Es decir.

césure [sezyr] *f.* Cesura.

chacun, -une [ʃakœ̃, -yn] *pron. indéf. 1* Cada uno, cada una. *2* Cada cual, todos.

chafouin, -ine [ʃafwē, -in] *adj.-s.* Taimado, da, socarrón, ona.

chagrin, -ine [ʃagrē, -in] *adj. 1* Triste, malhumorado, da. ■ *2 m.* Pena *f.,* pesar, disgusto. *3 Peau de —,* piel de zapa.

chahut [ʃay] *m.* fam. Alboroto, escándalo, jaleo: *faire du —,* armar jaleo.

chai [ʃe] *m.* Bodega *f.*

chaîne [ʃen] *f. 1* Cadena: — *d'arpenteur,* cadena de agrimensor. *2 — de montagnes,* cordillera. *3* Urdimbre (tissu). *4* Cadena, canal *m.* (télévision).

chaînon [ʃenɔ̃] *m. 1* Eslabón (d'une chaîne). *2* Ramal (montagne).

chair [ʃer] *f.* Carne.

chaise [ʃez] *f. 1* Silla. *2 — longue,* meridiana, tumbona.

chaland, -ande [ʃalā, -ād] *s. 1* Comprador, ra, parroquiano, na. ■ *2 m.* Chalana *f.*

châle [ʃal] *m.* Mantón, chal.

chaleur [ʃalœr] *f. 1* Calor *m.* *2* fig. Calor *m.,* ardor *m.*

chaleureux, -euse [ʃalœrø, -øz] *adj.* Caluroso, sa, ardiente, efusivo, va.

chaloupe [ʃalup] *f.* Chalupa, lancha.

chalumeau [ʃalymo] *m. 1* Caña *f.* (paille). *2* TECHN. Soplete. *3* MUS. Caramillo.

chalut [ʃaly] *m.* Traína *f.,* red *f.* barredera.

chamade [ʃamad] *f.* Loc. *Son cœur battait la —,* el corazón se le salía del pecho.

chamailler (se) [ʃamaje] *pr.* Reñir, disputar.

chamarrer [ʃamare] *tr. 1* Galonear. *2* Recargar de adornos.

chambarder [ʃābarde] *tr.* fam. Alborotar, trastornar.

chambellan [ʃābe(el)lā] *m.* Chambelán.

chambre [ʃābr(ə)] *f. 1* Cuarto *m.,* aposento *m.,* habitación. *2* Cámara: — *des députés,* cámara, congreso *m.* de diputados. *3* Sala (d'un tribunal). *4* Cámara: — *à dir,* cámara de aire; — *à gaz,* cámara de gas.

chambrer [ʃābre] *tr.* fig. — *quelqu'un,* aislar a alguien para convencerle mejor.

chameau [ʃamo] *m.* Camello.

chamois [ʃamwa] *m.* Gamuza *f.*

champ [ʃā] *m. 1* Campo. *2 Battre aux champs,* batir llamada; *prendre du —,* tomar carrera. *3 loc. adv. À travers champs,* a campo traviesa.

champêtre [ʃāpetr(ə)] *adj.* Campesino, na, campestre, rural.

champignon [ʃāpiɲɔ̃] *m. 1* Hongo, seta *f.* *2* fam. Acelerador.

championnat [ʃāpjɔna] *m.* Campeonato.

chance [ʃās] *f. 1* Suerte, fortuna. *2* Posibilidad, oportunidad.

chancelant, -ante [ʃãslã, -ãt] *adj.* Vacilante, tambaleante.

chancelier [ʃãsəlje] *m.* Canciller.

chancellerie [ʃãsɛlʀi] *f.* Cancillería.

chanceux, -euse [ʃãsø, -øz] *adj.* Afortunado, da.

chancre [ʃãkʀ(ə)] *m.* 1 BOT. Cancro. 2 MÉD. Chancro.

chandail [ʃãdaj] *m.* Jersey.

chandeleur [ʃãdlœʀ] *f.* Candelaria.

chandelier [ʃãdəlje] *m.* Candelero, candelabro.

chandelle [ʃãdɛl] *f.* Vela, candela.

chanfrein [ʃãfʀɛ̃] *m.* 1 Testera *f.*, testuz *f.* (d'un cheval). 2 TECHN. Chaflán.

change [ʃãʒ] *m.* Cambio: *bureau, lettre de* —, casa, letra de cambio. Loc. fig. *Donner le* —, engañar.

changeant, -ante [ʃãʒã, -ãt] *adj.* 1 Cambiante. 2 Tornadizo, za, mudable.

changement [ʃãʒmã] *m.* 1 Cambio. 2 TECHN. — *de vitesse*, cambio de velocidades.

changer [ʃãʒe] *tr.* 1 Cambiar. 2 Convertir. 3 Mudar. ■ 4 *intr.* Cambiar: — *de place*, cambiar de sitio. ■ 5 *pr.* Cambiarse, mudarse de ropa. ▲ CONJUG. como *engager*.

chanoine [ʃanwan] *m.* Canónigo.

chanson [ʃãsɔ̃] *f.* 1 Canción, copla. 2 Cantar *m.* ■ 3 *pl.* Tonterías, cuentos *m.*

chansonnier, -ante [ʃãsɔnje] *s.* 1 Cancionista. ■ 2 *m.* Cancionero (recueil).

chant [ʃã] *m.* 1 MUS., LITT. Canto: *plain*—, canto llano. 2 Cante: — *flamenco*, cante flamenco.

chanter [ʃãte] *tr.-intr.* 1 Cantar. 2 fam. Contar. 3 fig. *Faire* — *quelqu'un*, hacerle a uno objeto de un chantaje, hacer cantar a uno.

chanterelle [ʃãtʀɛl] *f.* 1 Reclamo *m.* (oiseau). 2 MUS. Prima, cantarela.

chanteur, -euse [ʃãtœʀ, -øz] *s.* 1 Cantor, ra, cantante. ■ 2 *adj.* Cantor, ra.

chantier [ʃãtje] *m.* 1 Obra *f.* de construcción. 2 Taller al aire libre. 3 MAR. Astillero. 4 Depósito de madera o carbón. 5 fam. Revoltijo.

chantre [ʃãtʀ(ə)] *m.* 1 Chantre. 2 fig. Cantor.

chanvre [ʃãvʀ(ə)] *m.* Cáñamo.

chaos [kao] *m.* Caos.

chaotique [kaɔtik] *adj.* Caótico, ca.

chape [ʃap] *f.* 1 Capa, capa pluvial. 2 ECLÉS. Manto *m.* de cardenal.

chapeau [ʃapo] *m.* 1 Sombrero: — *haut de forme*, sombrero de copa; — *melon*, sombrero hongo. 2 Sombrero, sombrerete (de champignon). 3 MUS. — *chinois*, chinesco. 4 *interj.* ¡Muy bien!, ¡bravo!

chapelain [ʃaplɛ̃] *m.* Capellán.

chapelet [ʃaplɛ] *m.* 1 Rosario. 2 Ristra *f.* (d'oignons, etc.). 3 fig. Sarta *f.*, ristra *f.*, serie *f.*

chapelier, -ière [ʃapəlje, -jɛʀ] *s.* 1 Sombrerero. ■ 2 *f.* Sombrerera (boîte).

chapelle [ʃapɛl] *f.* Capilla.

chapelure [ʃaplyʀ] *f.* Pan *m.* rallado.

chaperon [ʃapʀɔ̃] *m.* 1 Capirote, caperuza *f.* Loc. *Le Petit* — *rouge*, Caperucita roja. 2 ARCHIT. Albardilla *f.* (d'un mur). 3 fam. Carabina *f.* (personne qui accompagne).

chapiteau [ʃapito] *m.* 1 ARCHIT. Capitel. 2 Toldo, carpa *f.* (de cirque).

chapitre [ʃapitʀ(ə)] *m.* 1 Capítulo. 2 ECLÉS. Capítulo, cabildo. 3 Materia *f.*, tema.

chapon [ʃapɔ̃] *m.* Capón.

chaque [ʃak] *adj. indéf.* Cada.

char [ʃaʀ] *m.* 1 Carro: — *de combat*, carro blindado. 2 Carroza *f.* (de carnaval). 3 — *fúnebre*, coche fúnebre.

charabia ʃaʀabja] *m.* Algarabía *f.*, jerigonza *f.*

charade [ʃaʀad] *f.* Charada.

charançon [ʃaʀãsɔ̃] *m.* Gorgojo.

charbon [ʃaʀbɔ̃] *m.* 1 Carbón. 2 MÉD. Carbuco. 3 AGR. Carbón, tizón.

charbonnerie [ʃaʀbɔnʀi] *f.* Carbonería.

charbonnier, -ière [ʃaʀbɔnje, -jɛʀ] *adj.-s.* Carbonero, ra.

charcuterie [ʃaʀkytʀi] *f.* 1 Salchichería, tocinería (industrie, boutique). 2 Carne, embutidos *m. pl.*, etc. de cerdo (produits).

charcutier, -ière [ʃaʀkytje, -jɛʀ] *s.* Salchichero, ra.

chardon [ʃaʀdɔ̃] *m.* 1 Cardo. 2 — *à foulon*, cardencha *f.*

chardonneret [ʃaʀdɔnʀɛ] *m.* Jilguero.

charge [ʃaʀʒ(ə)] *f.* 1 Carga. 2 Cargo *m.* (emploi, responsabilité). 3 Caricatura, burla (caricature). 4 DR. Cargo *m.*: *témoin à* —, testigo de cargo.

chargé, -ée [ʃaʀʒe] *adj.* 1 Cargado, da. 2 *Lettre chargée*, certificado *m.* de valores declarados. ■ 3 *m.* Encargado: — *d'affaires*, encargado de negocios.

chargement [ʃaʀʒəmã] *m.* 1 Cargamento. 2 Carga *f.* (d'une arme, etc.).

charger [ʃaʀʒe] *tr.* 1 Cargar. 2 Exagerar, recargar. 3 Caricaturizar, ridiculizar, poner en ridículo. 4 DR. Declarar contra, acusar. 5 Encargar. ■ 6 *pr.* Cargarse. 7 Encargarse (s'occuper de). ▲ CONJUG. como *engager*.

chargeur [ʃaʀʒœʀ] *m.* Cargador.

chariot [ʃaʀjo] *m.* 1 Carro, carreta *f.* 2

MÉC. Carro (de machine à écrire. etc.). *3* Castillejo. pollera *f.* (pour enfant).

charitable [ʃaritabl(ə)] *adj.* Caritativo, va.

charité [ʃarite] *f.* Caridad.

charivari [ʃarivari] *m. 1* Cencerrada *f. 2* Alboroto. ruido (grand bruit).

charmant, -ante [ʃarmã, -ãt] *adj.* Encantador, ra.

charme [ʃarm(ə)] *m. 1* Encanto, hechizo. *2* Carpe, ojaranzo (arbre). ■ *3 pl.* Encantos (d'une femme).

charmer [ʃarme] *tr.* Encantar.

charnel, -elle [ʃarnɛl] *adj.* Carnal.

charnier [ʃarnje] *m.* Osario.

charnière [ʃarnjɛr] *f. 1* Charnela, bisagra. *2* fig. Eje *m.,* unión, nexo *m.*

charnu, -ue [ʃarny] *adj.* Carnudo, da. carnoso, sa.

charogne [ʃarɔɲ] *f.* Carroña.

charpente [ʃarpãt] *f. 1* Armazón. *2* fig. Armazón.

charpenterie [ʃarpãtri] *f.* Carpintería.

charpentier [ʃarpãtje] *m.* Carpintero.

charrette [ʃarɛt] *f.* Carro *m.,* carreta.

charrier [ʃarje] *tr. 1* Carretear, acarrear. ▲ CONJUG. como *prier.*

charroi [ʃarwa(ə)] *m.* Acarreo, carretaje.

charrue [ʃary] *f.* Arado *m.*

charte [ʃart(ə)] *f.* Carta: *Grande Charte,* Carta Magna.

chartreuse [ʃartrøz] *f.* Cartuja.

chartreux [ʃartrø] *m.* Cartujo.

chas [ʃa] *m.* Ojo.

chasse [ʃas] *f. 1* Caza, cacería. Loc. — *à courre,* caza a caballo, montería: — *réservée,* vedado *m. 2* Coto *m.* de caza, cazadero *m.* (lieu). *3* MIL. *Avion de —,* avión de caza.

chàsse [ʃas] *f.* Arqueta para reliquias, relicario *m.*

chassé-croisé [ʃasekrwaze] *m. 1* Paso de danza. *2* fig. Cambios *pl.* de sitio, de empleo, etc., idas y venidas *f. pl.*

chasse-mouches [ʃasmuʃ] *m. invar. 1* Espantamoscas. *2* Mosqueador (éventail).

chasse-neige [ʃasnɛʒ] *m. invar.* Barrenieves.

chasser [ʃase] *tr. 1* Cazar. *2* Arrojar, echar, expulsar. *3* Desechar, alejar, ahuyentar. *4* Disipar (odeur, brouillard). ■ *5 intr.* Cazar. *6* MAR. No agarrar (l'ancre).

chasseur, -euse [ʃasœr, -øz] *adj.-s. 1* Cazador, ra. ■ *2 m.* Botones (domestique). *3* MIL. Caza, avión de caza.

chassieux, -euse [ʃasjø, -øz] *adj.* Legañoso, sa.

châssis [ʃasi] *m. 1* Bastidor (de tableau, de

fenêtre). *2* AUTO., PHOT. Chasis. *3* TECHN. Armazón *f.*

chaste [ʃast(ə)] *adj.* Casto, ta.

chasuble [ʃazybl(ə)] *f.* Casulla.

chat, chatte [ʃa, ʃat] *s.* Gato, ta. Loc. *À bon — bon rat,* donde las dan, las toman.

châtaigne [ʃatɛɲ] *f.* Castaña.

châtaignier [ʃatɛɲe] *m.* Castaño.

châtain, -aine [ʃatɛ̃. -ɛn] *adj.-m.* Castaño, ña (couleur).

château [ʃato] *m. 1* FORT. Castillo. *2* Palacio. *3* Mansión señorial en el campo. *4 — d'eau,* arca *f.* de agua.

chateaubriand [ʃatobrijã] *m.* Solomillo de buey a la parrilla.

châtelain, -aine [ʃatlɛ̃. -ɛn] *s. 1* Castellano, na (d'un château-fort). *2* Dueño, ña de una mansión señorial en el campo. ■ *3 f.* Cadena con dijes.

châtier [ʃatje] *tr. 1* Castigar. *2* fig. Pulir, limar: — *son style,* pulir el estilo. ▲ CONJUG. como *prier.*

châtiment [ʃatimã] *m.* Castigo.

chatouiller [ʃatuje] *tr. 1* Hacer cosquillas. *2* fig. Halagar, lisonjear.

chatoyant, -ante [ʃatwajã, -ãt] *adj.* Cambiante, tornasolado, da.

châtrer [ʃatre] *tr.* Castrar, capar.

chattemite [ʃatmit] *f.* Gazmoña, mosquita muerta.

chatterie [ʃatri] *f. 1* Gatería, zalamería (câlinerie). *2* Golosina (friandise).

chaud, chaude [ʃo, ʃod] *adj. 1* Caliente. *2* Cálido, da, caluroso, sa. *3* Vivo, va, animado, a, acalorado, da (discussion. etc.). *4* Fresco, ca, reciente. *5* Caliente, cálido, da (coloris). ■ *6 m.* Calor. ■ *7 adv.* Caliente: *boire —,* beber caliente.

chaudière [ʃodjɛr] *f.* Caldera.

chaudron [ʃodrõ] *m.* Caldero.

chauffage [ʃofaʒ] *m.* Calefacción *f.*

chauffe [ʃof] *f.* Calentamiento *m.,* caldeo *m.,* calefacción.

chauffer [ʃofe] *tr. 1* Calentar, caldear. *2* fig. Activar, animar. ■ *3 intr.* Calentarse: *le café chauffe,* se calienta el café: *faire — de l'eau,* calentar agua. ■ *4 pr.* Calentarse: *se — au soleil,* calentarse al sol.

chaufferette [ʃofrɛt] *f.* Estufilla, calientapiés *m.*

chauffeur [ʃofœr] *m. 1* Fogonero. *2* Chófer.

chaumière [ʃ[ʃomjɛr] *f.* Choza, casita.

chaussée [ʃose] *f. 1* Calzada. *2* Carretera (route). *3* Terraplén *m.* que sirve de camino (talus). *4* Dique *m.* (digue).

chausse-pied [ʃospje] *m.* Calzador.

chausser [ʃose] *tr.* Calzar.

chausse-trape [ʃostʀap] *f. 1* Trampa para alimañas. *2* fig. Trampa, ardid *m. 3* MIL. Abrojo *m.*

chaussette [ʃosɛt] *f.* Calcetín *m.*

chausson [ʃosɔ̃] *m. 1* Zapatilla *f. 2* Empanadilla *f.* (pâtisserie).

chaussure [ʃosyʀ] *f. 1* Calzado *m. 2* Zapato *m.*

chauve [ʃov] *adj.-s.* Calvo, va.

chauvinisme [ʃovinism(ə)] *m.* Patriotería *f.*

chaux [ʃo] *f.* Cal.

chavirer [ʃaviʀe] *intr. 1* Zozobrar (un bateau), volcar (un véhicule). ∎ *2 tr.* Volcar.

chef [ʃɛf] *m. 1* Jefe. *2 — d'orchestre*, director de orquesta. *3* Caudillo (militaire). *4 — d'accusation*, cargo de acusación. *5* BLAS. Jefe.

chef-d'œuvre [ʃɛdœvʀ(ə)] *m.* Obra *f.* maestra.

chef-lieu [ʃɛfljø] *m. 1* Capital *f.* (d'un département, d'une province). *2* Cabeza *f.: — de canton*, cabeza de partido.

cheik [ʃɛk] *m.* Jeque.

chemin [ʃ(ə)mɛ̃] *m. 1* Camino. *2 — de fer*, ferrocarril. *3 — de croix*, Vía crucis. *4 loc. adv. Chemin faisant*, por el camino, de paso.

chemineau [ʃ(ə)mino] *m.* Vagabundo.

cheminée [ʃ(ə)mine] *f.* Chimenea.

cheminer [ʃ(ə)mine] *intr.* Caminar.

cheminot [ʃ(ə)mino] *m.* Ferroviario.

chemise [ʃ(ə)miz] *f. 1* Camisa. *2* Carpeta.

chemiserie [ʃ(ə)mizʀi] *f.* Camisería.

chemisier [ʃ(ə)mizje] *s. 1* Camisero, ra. ∎ *2 m.* Blusa *f.*

chenal [ʃənal] *m. 1* Canal. *2* Caz (d'un moulin).

chenapan [ʃ(ə)napã] *m. 1* Pillo, bribón.

chêne [ʃɛn] *m. 1* Roble: — *rouvre*, roble. *2 — vert*, encina *f.*, carrasca *f.*

chéneau [ʃeno] *m.* ARCHIT. Canalón.

chenil [ʃ(ə)ni(l)] *m.* Perrera *f.*

chenille [ʃ(ə)nij] *f. 1* Oruga (larve, de véhicule). *2* Felpilla (passementerie).

chenu, -ue [ʃəny] *adj. 1* Cano, na. *2* fig. Blanco, ca.

cheptel [ʃɛptɛl] *m. 1* Aparcería *f.* en ganado. *2* Ganado dado en aparcería (bétail).

chèque [ʃɛk] *m.* COMM. Cheque.

cher, chère [ʃɛʀ] *adj. 1* Caro, ra, costoso, sa (coûteux). *2* Caro, ra, querido, da: — *ami*, querido amigo. ∎ *3 adv.* Caro: *coûter* —, costar caro.

chercher [ʃɛʀʃe] *tr. 1* Buscar. *2 Envoyer* —, enviar por, mandar por. *3 — à*, procurar, intentar.

chercheur, -euse [ʃɛʀʃœʀ, -øz] *adj.-s. 1* Buscador, ra. *2* Investigador, ra.

chère [ʃɛʀ] *f.* Comida.

chèrement [ʃɛʀmã] *adv. 1* Costosamente, caro. *2* Cariñosamente, tiernamente.

cheri, -ie [ʃeʀi] *adj. 1* Querido, da. *2* fam. Pichoncito, ta.

chérir [ʃeʀiʀ] *tr. 1* Amar tiernamente. *2* Venerar.

cherté [ʃɛʀte] *f.* Carestía *f.*

chétif, -ive [ʃetif, -iv] *adj. 1* Enclenque, débil, enfermizo, za, raquítico, ca. *2* fig. Pobre, mezquino, na.

cheval [ʃ(ə)val] *m. 1* Caballo. Loc. fig. — *de retour*, delincuente habitual: *chevaux de bois*, tiovivo. *2 Fer à —*, herradura *f. 3 loc. adv. À —*, a caballo, a horcajadas.

chevalerie [ʃ(ə)valʀi] *f.* Caballería.

chevalet [ʃ(ə)valɛ] *m. 1* Caballete, asnilla *f.* (de scieur). *2* Caballete (de peintre). *3* MUS. Puente.

chevalier [ʃ(ə)valje] *m. 1* Caballero: — *errant*, caballero andante.

chevalière [ʃ(ə)valjɛʀ] *f.* Anillo *m.* (con escudo grabado).

chevauchée [ʃ(ə)voʃe] *f. 1* Paseo *m.* a caballo. *2* Cabalgada.

chevaucher [ʃ(ə)voʃe] *intr. 1* Cabalgar. *2* TECHN. Encabalgar, encaballar.

chevelure [ʃəvlyʀ] *f.* Cabellera.

chevet [ʃ(ə)vɛ] *m. 1* Cabecera *f.* (du lit). *2* ARCHIT. Ábside.

cheveu [ʃ(ə)vø] *m.* Cabello, pelo.

cheville [ʃ(ə)vij] *f. 1* Clavija. *2* ANAT. Tobillo *m. 3* Ripio *m.* (en versification).

cheviller [ʃ(ə)vije] *tr.* Enclavijar, empernar.

chèvre [ʃɛvʀ(ə)] *f. 1* Cabra. *2* MÉC. Cabria.

chevreau [ʃavʀo] *m. 1* Cabrito. *2* Cabritilla *f.* (peau).

chèvrefeuille [ʃɛvʀəfœj] *m.* Madreselva *f.*

chevrier, -ière [ʃəvʀije, -ijɛʀ] *s.* Cabrero, ra.

chevrotement [ʃəvʀɔtmã] *m.* Temblor de voz.

chez [ʃe] *prép. 1* En casa de (sans mouvement): — *mon frère*, en casa de mi hermano; — *moi*, en mi casa; a casa de (avec mouvement): *j'irai* — *toi*, iré a tu casa. *2* A, al: *aller* — *le médecin*, ir al médico. *3* Entre: — *les Romains*, entre los romanos. *4* En: *c'est* —*lui une manie*, es una manía en él.

chic [ʃik] *m. 1* Habilidad *f. 2* Elegancia *f.*, buen gusto. ∎ *3 adj.* Elegante, de buen gusto. *4* Simpático, ca, estupendo, da. *5* Generoso, sa. *6 interj.* fam. ¡Estupendo!, ¡qué bien!

chicaner [ʃikane] *intr. 1* Usar de argucias.

2 Buscar disputas, pleitos. ■ *3 tr.* Buscar camorra a.

chicaneur, -euse [ʃikanœʀ, -øz] *s. 1* Quisquilloso, sa, lioso, sa. *2* Pleitista (dans un procès).

chiche [ʃiʃ] *adj. 1* Parco, ca, mezquino, na. *2* Tacaño, ña (avare). *3 Pois* —, garbanzo.

chicorée [ʃikɔʀe] *f.* Achicoria.

chicotin [ʃikɔtɛ̃] *m.* Acíbar.

chien, -ienne [ʃjɛ̃, -ʃjɛn] *s. 1* Perro, perra. *2* Loc. *Entre — et loup,* al anochecer; *avoir un mal de —,* tener muchas dificultades. ■ *3 m.* Gatillo (de fusil). Loc. fig. *Couché en — de fusil,* acurrucado en la cama. *4* fig. Atractivo, gancho: *avoir du —,* tener gancho. ■ *5 n. pr. m.* ASTRON. *Grand Chien,* Can mayor; *Petit Chien,* Can menor.

chier [ʃje] *intr.* pop. Cagar.

chiffon [ʃifɔ̃] *m. 1* Trapo, andrajo. *2 — de papier,* papel mojado.

chiffonnier, -ière [ʃifɔnje, -jɛʀ] *s.* Trapero, ra.

chiffre [ʃifʀ(ə)] *m. 1* Cifra *f. 2* Importe total, suma *f.* (montant).

chiffrer [ʃifʀe] *intr. 1* Calcular. ■ *2 tr.* Numerar. *3* Cifrar: *message chiffré,* mensaje en cifra, cifrado.

chignon [ʃiɲɔ̃] *m.* Moño.

chimérique [ʃimeʀik] *adj.* Quimérico, ca.

chimie [ʃimi] *f.* Química.

chimique [ʃimik] *adj.* Químico, ca.

chimiste [ʃimist(ə)] *s.* Químico, ca.

chiner [ʃine] *tr.* fam. Burlarse de, tomar el pelo a.

chinois, -oise [ʃinwa, -waz] *adj.-s.* Chino, na.

chiourme [ʃjuʀm(ə)] *f.* Chusma.

chiper [ʃipe] *tr.* fam. Quitar, hurtar, birlar.

chipolata [ʃipolata] *f.* Salchicha pequeña y delgada.

chiquenaude [ʃiknod] *f.* Capirotazo *m.*

chiquer [ʃike] *tr. 1* Mascar ■ *2 intr.* Mascar tabaco.

chiromancie [ʃiʀɔmãsi] *f.* Quiromancia.

chirurgie [ʃiʀyʀʒi] *f.* Cirugía.

chistera [(t)ʃistera] *f.* Cesta de peloteros.

chlore [klɔʀ] *m.* Cloro.

chloroforme [klɔʀɔfɔʀm(ə)] *m.* Cloroformo.

chlorophylle [klɔʀɔfil] *f.* Clorofila.

chlorure [klɔʀyʀ] *m.* Cloruro.

choc [ʃɔk] *m. 1* Choque. *2* MIL. Encuentro. *3* fig. Conflicto, contienda *f. 4* Golpe (émotion). *5* MÉD. *— opératoire,* choque.

chocolat [ʃɔkɔla] *m.* Chocolate.

chocolatier [ʃɔkɔlatje, -jɛʀ] *adj.-s. 1* Chocolatero, ra. ■ *2 f.* Chocolatera (récipient).

chœur [kœʀ] *m. 1* Coro. *2* ARCHIT. Coro.

choir [ʃwaʀ] *intr. 1* Caer. *2* Caer. fam. *Laisser —,* abandonar. ▲ CONJUG. como *échoir.*

choisir [ʃwaziʀ] *tr.* Escoger, elegir.

choix [ʃwa] *m. 1* Elección *f. 2* Opción *f.,* alternativa. *3* Surtido. *4* Selección *f. 5* *loc. adv. Au —,* a elegir.

chômage [ʃomaʒ] *m.* Paro forzoso, desempleo.

chômeur, -euse [ʃomœʀ, -øz] *s.* Parado, da.

chope [ʃɔp] *f.* Pichel *m.* (d'étain), jarra (de verre).

choquant, -ante [ʃɔkã, -ãt] *adj.* Chocante.

choquer [ʃɔke] *tr. 1* Chocar con. *2* fig. Ofender, chocar, disgustar.

choral, -ale [kɔʀal] *adj.* MÚS. Coral.

chorégraphie [kɔʀeɡʀafi] *f.* Coreografía.

choriste [kɔʀist(ə)] *s.* Corista.

chose [ʃoz] *f. 1* Cosa. Loc. *Quelque —,* algo; *pas grand —,* poca cosa, poco. *2* fam. *Être tout —,* estar indispuesto, sentirse raro.

chou [ʃu] *m. 1* Col *f.,* berza *f. 2 — de Bruxelles,* col de Bruselas; *— pommé,* repollo. *3* Loc. fam. *Aller planter ses choux,* retirarse al campo; *mon —, mon petit —,* queridito mío. *4 — à la crème,* pastelillo.

chouette [ʃwɛt] *f. 1* Lechuza. ■ *2 adj.* pop. Mágico, ca, superior, de primera. *3 interj.* fam. ¡Estupendo!

chou-fleur [ʃuflœʀ] *m.* Coliflor *f.*

choyer [ʃwaje] *tr.* Mimar, cuidar con ternura. ▲ CONJUG. como *employer.*

chrétien, -ienne [kʀetjɛ̃, -jɛn] *adj.-s.* Cristiano, na.

christianisme [kʀistjanism(ə)] *m.* Cristianismo.

chromatique [kʀɔmatik] *adj.* Cromático, ca.

chrome [kʀom] *m.* CHIM. Cromo.

chronique [kʀɔnik] *adj. 1* Crónico, ca. ■ *2 f.* Crónica.

chroniqueur [kʀɔnikœʀ] *m.* Cronista.

chronologie [kʀɔnɔlɔʒi] *f.* Cronología.

chronomètre [kʀɔnɔmetʀ(ə)] *m.* Cronómetro.

chrysanthème [kʀizãtɛm] *m.* Crisantemo.

chuchotement [ʃyʃɔtmã] *m.* Cuchicheo, murmullo.

chuchoter [ʃyʃɔte] *intr.* Cuchichear, murmurar.

chute [ʃyt] *f. 1* Caída. *2 — d'eau,* salto *m.* de agua.

chuter [ʃyte] *intr. 1* fam. Caer. *2* THÉÂT. Fracasar.

ci [si] *adv. 1* Aquí: *ci-gît,* aquí yace. *loc. adv.* et *adj. Ci-après,* a continuación; *ci-contre,* al lado, en la página de enfrente; *ci-dessous,* más abajo, a continuación; *ci-dessus,* más arriba, susodicho; *ci-in-clus,* incluso; *ci-joint,* adjunto; *de-ci de-là, par-ci par-là,* de aquí y allá; aquí y allí; *ci-devant,* anteriormente, antes. *2 Un ci-devant,* un ex noble, una persona adicta al antiguo régimen, en el lenguaje de la Revolución francesa.

cible [sibl(ǝ)] *f. 1* Blanco *m.* 2 fig. Fin *m.,* objeto *m.*

ciboire [sibwar] *m.* Copón.

ciboulette [sibulɛt] *f.* Cebollino *m.,* cebollana.

cicatrice [sikatris] *f.* Cicatriz.

cicatriser [sikatrize] *tr. 1* Cicatrizar. ■ *2 pr.* Cicatrizarse.

cicerone [siserɔn] *m.* Cicerone.

cidre [sidr(ǝ)] *m.* Sidra *f.*

ciel [sjɛl] *m.* Cielo.

cierge [sjɛrʒ] *m.* Cirio.

cigale [sigal] *f.* Cigarra.

cigare [sigar] *m.* Cigarro puro.

cigarette [sigarɛt] *f.* Cigarrillo *m.*

cigogne [sigɔɲ] *f.* Cigüeña.

ciguë [sigy] *f.* Cicuta.

cil [sil] *m.* Pestaña *f.*

ciliaire [siljɛr] *adj.* Ciliar.

cime [sim] *f.* Cima, cumbre, cúspide.

ciment [simã] *m.* Cemento.

cimenter [simãte] *tr. 1* Unir con cemento. 2 fig. Consolidar, afirmar.

cimeterre [simtɛr] *m.* Cimitarra *f.*

cimetière [simtjɛr] *m.* Cementerio.

cimier [simje] *m.* Cimera *f.*

cinéma [sinema] *m.* Cine.

cinématographe [sinematɔgraf] *m.* Cinematógrafo.

cinéraire [sinerɛr] *adj. 1* Cinerario, ria. ■ *2 f.* Cineraria (plante).

cinglant, -ante [sɛ̃glã, -ãt] *adj.* fig. Hiriente, duro, ra, agresivo, va, acerbo, ba.

cingler [sɛ̃gle] *intr. 1* MAR. Singlar. ■ *2 tr.* Fustigar, azotar. 3 Cimbrar.

cinq [sɛ̃k] *adj.-m. 1* Cinco. *2 — cents,* quinientos, tas.

cinquantaine [sɛ̃kãtɛn] *f.* Cincuentena.

cinquante [sɛ̃kãt] *adj.-m.* Cincuenta.

cinquantième [sɛ̃kãtjɛm] *adj.-s.* Quincuagésimo, ma.

cinquième [sɛ̃kjɛm] *adj.-s.* Quinto, ta.

cintre [sɛ̃tr(ǝ)] *m. 1* ARCHIT. Cimbra *f.,* cintra *f.* Loc. *Plein —,* medio punto. 2 Cimbra *f.* (échafaudage). 3 THÉÂT. Telar.

cirage [siraʒ] *m. 1* Acción *f.* de lustrar

(souliers), de dar cera (parquets, etc.). 2 Betún, lustre (produit).

circoncire [sirkɔ̃sir] *tr.* Circuncidar. ▲ CONJUG. como *suffire,* excepto el PART. P.: *circoncis, ise.*

circoncision [sirkɔ̃sizjɔ̃] *f.* Circuncisión.

circonférence [sirkɔ̃ferãs] *f.* Circunferencia.

circonflexe [sirkɔ̃flɛks(ǝ)] *adj. Accent —,* acento circunflejo.

circonlocution [sirkɔ̃lɔkysjɔ̃] *f.* Circunloquio *m.,* circunlocución.

circonscription [sirkɔ̃skripsjɔ̃] *f.* Circunscripción.

circonspection [sirkɔ̃spɛksjɔ̃] *f.* Circunspección.

circonstance [sirkɔ̃stãs] *f.* Circunstancia.

circonstanciel, -elle [sirkɔ̃stãsjɛl] *adj.* Circunstancial.

circonvolution [sirkɔ̃vɔlysjɔ̃] *f.* Circunvolución.

circuit [sirkɥi] *m.* Circuito.

circulaire [sirkylɛr] *adj. 1* Circular. ■ *2 f.* Carta circular.

circulation [sirkylasjɔ̃] *f. 1* Circulación. 2 Circulación, tráfico *m.* (des véhicules).

circulatoire [sirkylatwar] *adj.* Circulatorio, ria.

circuler [sirkyle] *intr.* Circular.

cire [sir] *f.* Cera: *— molle,* cera blanda. 2 *— à cacheter,* lacre *m.*

cirer [sire] *tr. 1* Encerar (le parquet). 2 Lustrar, dar brillo a (les souliers).

cirque [sirk(ǝ)] *m.* Circo.

cisalpin, -ine [sizalpɛ̃, -in] *adj.* Cisalpino, na.

ciseau [sizo] *m. 1* Cincel. 2 MENUIS. Formón. ■ *3 pl.* Tijeras *f.*

ciseler [sizle] *tr.* Cincelar. ▲ CONJUG. como *appeler.*

citadelle [sitadɛl] *f.* Ciudadela.

citadin, -ine [sitadɛ̃, -in] *s.* Ciudadano, na.

citation [sitasjɔ̃] *f. 1* Cita (d'un auteur). 2 DR. Citación.

cité [site] *f. 1* Ciudad (ville). 2 Parte antigua de una ciudad.

citer [site] *tr. 1* Citar. 2 Nombrar, mencionar. 3 DR. Citar.

citerne [sitɛrn(ǝ)] *f.* Cisterna.

cithare [sitar] *f.* Cítara.

citoyen, -yenne [sitwajɛ̃, -jɛn] *s.* Ciudadano, na.

citrique [sitrik] *adj.* Cítrico, ca.

citron [sitrɔ̃] *m.* Limón, citrón.

citronnier [sitrɔnje] *m.* Limonero.

citrouille [sitruj] *f.* Calabaza, calabacera.

civet [sivɛ] *m.* Guisado de liebre (lièvre), de conejo (lapin).

civette [sivɛt] *f. 1* Civeta, gato *m.* de algalia. *2* Cebollino *m.* (plante).

civil, -ile [sivil] *adj. 1* Civil. ■ *2 m.* Paisano: *en —,* de paisano.

civilisation [sivilizasjɔ̃] *f.* Civilización.

civiliser [sivilize] *tr.* Civilizar.

civique [sivik] *adj.* Cívico, ca.

civisme [sivism(ə)] *m.* Civismo.

clabauder [klabode] *intr. 1* Ladrar a destiempo. *2* fig. Regañar sin motivo.

clair, -aire [klɛʀ] *adj. 1* Claro, ra. *2* Hueco (œuf). ■ *3 m.* Claro: — *de lune,* claro de luna.

claire [klɛʀ] *f.* Criadero *m.* de ostras.

clairet [klɛʀɛ] *adj.* Clarete.

claire-voie [klɛʀvwa] *f.* Enrejado *m.*, rejilla (treillage).

clairière [klɛʀjɛʀ] *f.* Claro *m.* (dans un bois).

clairon [klɛʀɔ̃] *m. 1* Clarín. *2* MIL. Corneta *f.*

clairsemé, -ée [klɛʀsəme] *adj.* Claro, ra, ralo, la: *cheveux clairsemés,* cabello ralo.

clairvoyance [klɛʀvwajãs] *f.* Clarividencia, perspicacia.

clamer [kla(ɑ)me] *tr.* Clamar.

clameur [kla(ɑ)mœʀ] *f.* Clamor *m.*, clamoreo *m.*

clandestin, -ine [klɑ̃dɛstɛ̃, -in] *adj.* Clandestino, na.

clapet [klapɛ] *m.* MÉC. Válvula *f.*

clapier [klapje] *m.* Conejera *f.*, conejar.

clapoter [klapɔte] *intr.* Chapotear, agitarse ligeramente el mar.

clapper [klape] *intr.* Hacer chascar la lengua.

claque [klak] *f. 1* Palmada, manotada, torta (gifle). *2* THÉAT. *La —,* la claque, los alabarderos.

claquer [klake] *intr. 1* Castañetear (doigts). *2* — *des dents,* castañetear. *3* Chasquear (langue). *4* Chasquear, restallar (fouet). *5* Golpear (volet, etc.). ■ *6 tr.* Abofetear (gifler). *7* fam. Fatigar, reventar (fatiguer). *8* pop. Despilfarrar (son argent). *9* — *la porte,* dar un portazo.

claqueter [klakte] *intr. 1* Cacarear (la poule). *2* Crotorar (la cigogne). ▲ CONJUG. como *jeter.*

claquette [klakɛt] *f. 1* Claquetas *pl. 2* Matraca, carraca (crécelle).

clarifier [klaʀifje] *tr. 1* Clarificar. *2* fig. Aclarar. ▲ CONJUG. como *prier.*

clarinette [klaʀinɛt] *f.* Clarinete *m.*

clarté [klaʀte] *f.* Claridad.

classe [klɑs] *f. 1* Clase: *la — ouvrière,* la clase obrera. *2* Clase, curso *m.* (sco-

laire). *3* MIL. Quinta, reemplazo *m.*

classer [klɑse] *tr.* Clasificar.

classeur [klɑsœʀ] *m. 1* Carpeta *f.* (chemise). *2* Papelera *f.*, clasificador.

classifier [kla(ɑ)sifje] *tr.* Clasificar. ▲ CONJUG. como *prier.*

classique [klasik] *adj.-m.* Clásico, ca.

claudication [klodikɑsjɔ̃] *f.* Claudicación.

clause [kloz] *f.* Cláusula.

clavecin [klavsɛ̃] *m.* Clavicordio.

clavette [klavɛt] *f.* TECHN. Chaveta.

clavicule [klavikyl] *f.* Clavícula.

clavier [klavje] *m.* Teclado.

clef, clé [kle] *f. 1* Llave. *2* ARCHIT., MUS. Clave. *3* fig. Clave (explication).

clématite [klematit] *f.* Clemátide.

clément, -ente [klemã, -ãt] *adj.* Clemente.

cleptomanie [klɛptɔmani] *f.* Cleptomanía.

clerc [klɛʀ] *m. 1* Clérigo. *2* Sabio, intelectual. *3* Pasante, escribiente.

clergé [klɛʀʒe] *m.* Clero.

client, -ente [klijã, -ãt] *s.* Cliente.

cligner [kliɲe] *tr. 1* Entornar bruscamente. ■ *2 intr.* — *de l'œil,* guiñar el ojo.

clignoter [kliɲɔte] *intr. 1* Parpadear, pestañear. *2* Vacilar (une lumière).

climat [klima] *m.* Clima.

clin d'œil [klɛ̃dœj] *m.* Guiño, pestañeo.

clinique [klinik] *adj. 1* Clínico, ca. ■ *2 f.* Clínica.

clinquant, -ante [klɛ̃kã, -ãt] *adj. 1* Brillante. ■ *2 m.* Oropel. *3* fig. Oropel, relumbrón.

clique [klik] *f. 1* Pandilla. *2* MIL. Banda de tambores y trompetas.

cliqueter [klikte] *intr.* Sonar entrechocándose. ▲ CONJUG. como *jeter.*

cliquetis [klikti] *m. 1* Ruido de armas o cosas que se entrechocan. *2* Tintineo.

clisser [klise] *tr.* Enfundar con paja o mimbre.

cloaque [klɔak] *m. 1* Cloaca *f. 2* Charca *f.*

clochard [klɔʃaʀ] *m.* Vagabundo.

cloche [klɔʃ] *f. 1* Campana. Loc. — *à fromage,* quesera. *2* Sombrero *m.* de alas caídas (chapeau).

cloche-pied (à) [aklɔʃpje] *loc. adv.* A la pata coja.

clocher [klɔʃe] *m.* Campanario.

clocher [klɔʃe] *intr.* Cojear.

clochette [klɔʃɛt] *f.* Campanilla.

cloisonner [klwazɔne] *tr.* Tabicar, dividir con tabiques.

cloître [klwatʀ(ə)] *m.* Claustro.

clopin-clopant [klɔpɛ̃klɔpã] *loc. adv.* Cojeando, renqueando.

clopiner [klɔpine] *intr.* Cojear, renquear.

cloporte [klɔpɔʀt(ə)] *m.* Cochinilla *f.*

clore [klɔʀ] *tr. 1* Cerrar, tapar. *2* Cercar,

rodear. *3* fig. Cerrar. terminar. clausurar. ▲ CONJUG. IRREG. INDIC. Pres.: *je clos, tu clos, il clôt, ils closent.* Fut. imperf.: *je clorai,* etc. POT.: *je clorais,* etc. IMPER.: *clos.* SUBJ. Pres.: *que je close, que nous closions.* PART. A.: *closant.* PART. P.: *clos, close.* Verbo defectivo.

clos, close [ko. kloz] *adj. 1* Cerrado. da: *bouche close,* boca cerrada. *2* Cercado, da (entouré). ■ *3 m.* Cercado. finca *f.*

clôturer [klotyʀe] *tr. 1* Cercar. amurallar. *2* Cerrar (bourse). *3* Clausurar. terminar (séance, etc.).

clou [klu] *m. 1* Clavo. *2* MÉD. Divieso. *3 — de girofle,* clavo.

clouer [klue] *tr.* Clavar.

clouter [klute] *tr.* Clavetear.

clovisse [klɔvis] *f.* Almeja.

coaguler [kɔagyle] *tr.* Coagular.

coalition [kɔalisjɔ̃] *f.* Coalición.

coasser [kɔase] *intr.* Croar.

cobalt [kɔbalt] *m.* Cobalto.

cobaye [kɔbaj] *m.* Cobayo. conejillo de Indias.

cocagne [kɔkaɲ] *f. 1 Pays de —,* Jauja. *2 Mât de —,* cucaña *f.*

cocaïne [kɔkain] *f.* Cocaína.

cocarde [kɔkaʀd(ə)] *f.* Escarapela.

cocasse [kɔkas] *adj.* Chusco. ca. cómico. ca.

coccinelle [kɔksinɛl] *f.* Mariquita, vaca de san Antón.

coche [kɔʃ] *m. 1* Diligencia *f.* ■ *2 f.* Cerda. marrana (truie). *3* Muesca (marque).

cochenille [kɔʃnij] *f.* Cochinilla.

cocher [kɔʃe] *m.* Cochero.

cochère [kɔʃɛʀ] *adj. Porte —,* puerta cochera.

cochon [kɔʃɔ̃] *m. 1* Cerdo, cochino. puerco. *2 — d'Inde,* conejillo de Indias. *3 — de mer,* marsopla *f.*

cochon, -onne [kɔʃɔ̃, -ɔn] *adj.-s.* Puerco. ca, cochino. na. marrano. na.

cochonnerie [kɔʃɔnʀi] *f.* fam. Porquería, cochinada.

cochonnet [kɔʃɔne] *m. 1* Lechoncillo. *2* Boliche (de jeu de boules).

coco [kɔ(o)ko] *m. 1* Coco (fruit). *2* Bebida *f.* preparada con regaliz. *3* péj. Individuo: *un fameux —,* un pájaro de cuenta. *4 Mon —,* queridito. ■ *5 f.* pop. Cocaína.

cocon [kɔkɔ̃] *m.* Capullo.

cocotier [kɔkɔtje] *m.* Cocotero.

cocotte [kɔkɔt] *f. 1* Cazuela. cacerola, olla (marmite). *2* Pajarita (en papier). *3* Gallina (dans le langage enfantin). *4 Ma —,* queridita. *5* Mujer galante.

coction [kɔksjɔ̃] *f.* Cocción.

cocu [kɔky] *adj.* fam. Cornudo.

code [kɔd] *m.* Código.

codifier [kɔdifje] *tr.* Codificar. ▲ CONJUG. como *prier.*

coefficient [kɔefisjã] *m.* Coeficiente.

coercitif, -ive [kɔɛʀsitif, -iv] *adj.* Coercitivo. -va.

cœur [kœʀ] *m. 1* Corazón. Loc. *Aller au —,* conmover: *avoir le — gros,* estar apesadumbrado. da: *si le — vous en dit,* si le gusta, si le apetece: *soulever le —,* revolver el estómago. *2* Pecho: *serrer quelqu'un contre son —,* estrechar a alguien contra el pecho. *3* Ánimo. valor (courage). *4* Cogollo (de laitue). *5 loc. adv. À — ouvert,* francamente; *à contre —,* de mala gana. por fuerza: *par —,* de memoria.

coexister [kɔɛgziste] *intr.* Coexistir.

coffre [kɔfʀ(ə)] *m. 1* Cofre. baúl, arca *f.* *2* Caja *f.* de caudales (coffre-fort).

coffrer [kɔfʀe] *tr. 1* Encofrar. *2* fam. Encarcelar (emprisonner).

cognassier [kɔɲasje] *m.* Membrillo.

cognée [kɔɲe] *f.* Hacha. segur *m.*

cogner [kɔɲe] *tr. 1* Golpear. pegar. ■ *2 intr. — à la porte,* llamar a la puerta. *3* MÉC. Picar (un moteur). ■ *4 pr.* Darse un golpe, chocar. *5* pop. Pelearse.

cohérence [kɔeʀãs] *f.* Coherencia.

cohésion [kɔezjɔ̃] *f.* Cohesión.

cohue [kɔy] *f. 1* Muchedumbre. gentío *m.* (foule). *2* Barullo *m.,* barahúnda.

coi, coite [kwa, kwat] *adj.* Quieto. ta, callado. da.

coiffe [kwaf] *f. 1* Cofia, toca. *2* Forro *m.*

coiffer [kwafe] *tr. 1* Tocar, peinar (peigner). *2* Cubrir la cabeza de. *3* Sentar, ir. ■ *4 pr.* Peinarse. *5* Ponerse: *se — d'un béret,* ponerse una boina.

coiffeur, -euse [kwafœʀ. -øz] *s. 1* Peluquero. ra. ■ *2 f.* Peinadora (femme). *3* Tocador *m.* (meuble).

coiffure [kwafyʀ] *f. 1* Peinado *m.,* tocado *m.* *2* Lo que cubre la cabeza. sombrero *m.*

coin [kwẽ] *m. 1* Esquina *f.* Loc. *Au — du feu,* al amor de la lumbre. *2* Rincón (rentrant). *3* Pico (d'un meuble). *4 — de la bouche,* comisura *f.* de los labios: *— de l'œil,* rabillo del ojo. *5* Rincón, lugar. *6* Cuña *f.* (pour fendre le bois). *7* Cuño, troquel (poinçon). *8* Cantonera *f.* (reliure).

coincer [kwẽse] *tr. 1* Acuñar (avec un coin). *2* MÉC. Atascar. *3* fam. Sujetar, coger. ▲ CONJUG. como *lancer.*

coïncidence [kɔẽsidãs] *f.* Coincidencia.

coing [kwẽ] *m.* Membrillo (fruit).

col [kɔl] *m. 1* Cuello. *2* GÉOG. Puerto, paso.

colère [kɔlɛʀ] *f.* Cólera, ira. Loc. *Être en —,* estar furioso, sa.

colifichet [kɔlifiʃe] *m. 1* Chuchería *f.* 2 Perifollo (de parure).

colimaçon [kɔlimasɔ̃] *m.* Caracol.

colin [kɔlɛ̃] *m.* Merluza *f.*

colin-maillard [kɔlɛmajaʀ] *m.* Gallina *f.* ciega.

colique [kɔlik] *f.* MÉD. Cólico *m.*

colis [kɔli] *m.* Paquete, bulto.

collaborateur, -trice [kɔ(l)labɔʀatœʀ, -tʀis] *s.* Colaborador, ra.

collaboration [kɔ(l)labɔʀasjɔ̃] *f.* Colaboración.

collage [kɔlaʒ] *m. 1* Pega *f.*, pegadura *f.* 2 Encolamiento (papier).

collant, -ante [kɔlɑ̃, -ɑ̃t] *adj. 1* Pegajoso, sa. *2* Ceñido, da (ajusté). *3* fam. Pesado, da (ennuyeux).

collation [kɔ(l)lasjɔ̃] *f.* Colación.

colle [kɔl] *f. 1* Cola, pegamento *m.* 2 — *de pâte,* engrudo *m.; — forte,* cola de carpintero. *3* fig. fam. Pega (question difficile).

collecte [kɔ(l)lɛkt(ə)] *f.* Colecta.

collectif, -ive [kɔl(l)ɛktif, -iv] *adj.* Colectivo, va.

collection [kɔ(l)lɛksjɔ̃] *f.* Colección.

collectionneur, -euse [kɔ(l)lɛksjɔnœʀ, -øz] *s.* Coleccionista, coleccionador, ra.

collectivité [kɔ(l)lɛktivite] *f.* Colectividad.

collège [kɔlɛʒ] *m.* Colegio.

collégial, -ale [kɔleʒjal] *adj. 1* Colegial. ■ *2 f.* Colegiata.

collégien, -ienne [kɔleʒjɛ̃, -jɛn] *s.* Colegial (élève).

collègue [kɔ(l)ɛg] *s.* Colega.

coller [kɔle] *tr. 1* Encolar, pegar. *2* Suspender (dans un examen). *3* Largar: *il lui a collé une gifle,* le largó una bofetada. ■ *4 intr.* Pegarse, adherir, adherirse. *5* Ceñirse, ajustarse (un vêtement).

collet [kɔlɛ] *m. 1* Cuello (d'un habit). Loc. *Prendre au —,* coger por el cuello, detener; — *monté,* pedante. *2* Esclavina *f.* (pèlerine). *3* Lazo (pour chasser).

colleter [kɔlte] *tr. 1* Coger por el cuello. ■ *2 récipr.* Agarrarse, pelearse. ▲ CONJUG. como *jeter.*

colleur, -euse [kɔlœʀ, -øz] *s. 1* Empapelador, ra. *2 — d'affiches,* fijador de carteles.

collier [kɔlje] *m. 1* Collar. *2* Collera *f.*

colline [kɔlin] *f.* Colina.

collision [kɔ(l)lizjɔ̃] *f.* Colisión, choque *m.*

colloque [kɔ(l)lɔk] *m.* Coloquio.

collusion [kɔ(l)lyzjɔ̃] *f.* Colusión.

colombe [kɔlɔ̃b] *f.* poét. Paloma.

colombier [kɔlɔ̃bje] *m.* Palomar.

colon [kɔlɔ̃] *m.* Colono.

côlon [kolɔ̃] *m.* ANAT. Colon.

colonel [kɔlɔnɛl] *m.* MIL. Coronel.

colonie [kɔlɔni] *f.* Colonia.

coloniser [kɔlɔnize] *tr.* Colonizar.

colonne [kɔlɔn] *f.* Columna.

colorant, -ante [kɔlɔʀɑ̃, -ɑ̃t] *adj.-m.* Colorante.

coloration [kɔlɔʀasjɔ̃] *f.* Coloración.

colorer [kɔlɔʀe] *tr. 1* Colorar, colorear. ■ *2 pr.* Colorarse.

colorier [kɔlɔʀje] *tr.* Iluminar. ▲ CONJUG. como *prier.*

coloris [kɔlɔʀi] *m.* Colorido, brillo.

colporteur, -euse [kɔlpɔʀtœʀ, -øz] *s. 1* Buhonero, ra. *2* fig. Propagador, ra (de nouvelles).

coltiner [kɔltine] *tr.* Acarrear a cuestas.

combat [kɔ̃ba] *m.* Combate.

combatif, -ive [kɔ̃batif, -iv] *adj.* Agresivo, va, luchador, ra.

combattant, -ante [kɔ̃batɑ̃, -ɑ̃t] *adj.-m.* Combatiente.

combe [kɔ̃b] *f.* GÉOG. Depresión, valle *m.*

combien [kɔ̃bjɛ̃] *adv. 1* Cuánto. *2* Cuán, lo que. *3 — de,* en cuánto, cuánta, cuántos, cuántas. ■ *4 m. Le — sommes nous?,* ¿a cuántos estamos?

combinaison [kɔ̃binɛzɔ̃] *f. 1* Combinación. *2* Mono *m.* (de travail).

combiner [kɔ̃bine] *tr.* Combinar.

comble [kɔ̃bl(ə)] *m. 1* Colmo: *c'est un —,* es el colmo. *2* ARCHIT. Cubierta *f.*, armazón *f.* del tejado. *3* Sobrado, desván. ■ *4 adj.* Colmado, da, atestado, da (plein).

combler [kɔ̃ble] *tr. 1* Colmar. *2* Rellenar (un puits). *3* fig. Colmar.

comédie [kɔmedi] *f.* Comedia.

comédien, -ienne [kɔmedjɛ̃, -jɛn] *s.* Cómico, ca, comediante, ta.

comète [kɔmɛt] *f.* ASTRON. Cometa *m.*

comices [kɔmis] *f. pl.* Comicios.

comique [kɔmik] *adj. 1* Cómico, ca. ■ *2 m.* Lo cómico. *3* Actor cómico (acteur).

comma [kɔ(m)ma] *m.* MUS. Coma *f.*

commandant, -ante [kɔmɑ̃dɑ̃, -ɑ̃t] *s.* Comandante.

commande [kɔmɑ̃d] *f. 1* Pedido *m.*, encargo *m.* 2 MÉC. Órgano *m.* de dirección, transmisión.

commandement [kɔmɑ̃dmɑ̃] *m. 1* Mando (ordre). *2* Mando, dominio, poder (pouvoir). *3* ECCLÉS. Mandamiento.

commander [kɔmɑ̃de] *tr. 1* Mandar, ordenar. *2* Pedir, encargar. *3* fig. Imponer (le respect, etc.). *4* MÉC. Accionar, hacer funcionar. ■ *5 tr. ind.* Dominar: — *à* *ses passions,* dominar sus pasiones. ■ *6 intr.* Mandar. ■ *7 pr.* Dominarse.

commanderie [kɔmãdʀi] *f.* Encomienda.

commandite [kɔmãdit] *f.* Comandita.

comme [kɔm] *adv. 1* Como. *loc. adv. — il faut,* correcto, como se debe. *2* Cuán, qué (admiratif): ■ *3 conj.* Como (cause): — *il me l'avait demandé, je l'ai attendu,* como me lo había pedido, lo he esperado. *4* Cuando: *j'allais sortir — il arriva,* iba a salir cuando llegó.

commémorer [kɔm(m)emɔʀe] *tr.* Conmemorar.

commencement [kɔmãsmã] *m.* Comienzo, principio.

commencer [kɔmãse] *tr.-intr.* Empezar, comenzar.

commensurable [kɔm(m)ãsyʀabl(ə)] *adj.* Conmensurable.

comment [kɔmã] *adv. 1* Cómo. *2 interj.* ¡Cómo! *3 fam. Et —!,* ¡ya lo creo!

commentaire [kɔm(m)ãtɛʀ] *m.* Comentario.

commenter [kɔm(m)ãte] *tr.* Comentar.

commerçant, -ante [kɔmɛʀsã, -ãt] *adj.-s.* Comerciante.

commerce [kɔmɛʀs(ə)] *m. 1* Comercio. *2* Trato (fréquentation).

commère [kɔmɛʀ] *f. 1* Comadre. *2* Chismosa, parlanchina (bavarde).

commettre [kɔmɛtʀ(ə)] *tr. 1* Cometer. *2* Comisionar, designar (désigner). *3* Comprometer. ▲ CONJUG. como *mettre.*

comminatoire [kɔm(m)inatwaʀ] *adj.* Conminatorio, ria.

commis [kɔmi] *m. 1* Dependiente (de magasin). *2 — voyageur,* viajante. *3* Empleado (de bureau).

commisération [kɔm(m)izeʀasjɔ̃] *f.* Conmiseración.

commissaire [kɔmisɛʀ] *m.* Comisario.

commission [kɔmisjɔ̃] *f. 1* Encargo *m.,* mandado *m.* (commande). *2* Recado *m.* (message). *3* Comisión.

commissionnaire [kɔmisjɔnɛʀ] *m. 1* COMM. Comisionista. *2* Recadero.

commissionner [kɔmisjɔne] *tr.* Comisionar.

commissure [kɔm(m)isyʀ] *f.* Comisura.

commode [kɔmɔd] *adj. 1* Cómodo, da. *2 f.* Cómoda (meuble).

commodité [kɔmɔdite] *f.* Comodidad.

commotion [kɔm(m)osjɔ̃] *f.* Conmoción.

commuer [kɔm(m)ɥe] *tr.* Conmutar.

commun, -une [kɔmœ̃, -yn] *adj. 1* Común: *des intérêts communs,* intereses comunes. ■ *2 m.* Común: *le — des mortels,* el común de los mortales. *3 Le —,* el vulgo.

communal, -ale [kɔmynal] *adj. 1* Municipal, comunal, concejil.

communauté [kɔmynote] *f. 1* Comunidad. *2* fig. Identidad (de goûts, etc.).

commune [kɔmyn] *f. 1* Municipio *m.,* ayuntamiento *m.*

communicatif, -ive [kɔmynikatif, -ive] *adj.* Comunicativo, va.

communication [kɔmynikɑsjɔ̃] *f.* Comunicación.

communion [kɔmynjɔ̃] *f.* Comunión.

communiqué [kɔmynike] *m.* Parte oficial, comunicado.

communiquer [kɔmynike] *tr. 1* Comunicar. ■ *2 intr.* Comunicar, comunicarse.

communisme [kɔmynism(ə)] *m.* Comunismo.

commutateur [kɔmytatœʀ] *m.* Conmutador.

compact, -acte [kɔ̃pakt, akt(ə)] *adj.* Compacto, ta.

compagne [kɔ̃paɲ] *f.* Compañera.

compagnie [kɔ̃paɲi] *f. 1* Compañía. *2* Bandada (d'oiseaux).

compagnon [kɔ̃paɲɔ̃] *m.* Compañero.

comparaison [kɔ̃paʀɛzɔ̃] *f.* Comparación.

comparaître [kɔ̃paʀɛtʀ(ə)] *intr.* Comparecer. ▲ CONJUG. como *connaître.*

comparatif, -ive [kɔ̃paʀatif, -iv] *adj.-m.* Comparativo, va.

comparer [kɔ̃paʀe] *tr.* Comparar.

comparse [kɔ̃paʀs(ə)] *s.* Comparsa, figurante.

compartiment [kɔ̃paʀtimã] *m. 1* Compartimiento (d'un tiroir, etc.). *2* Departamento, compartimiento (d'un wagon). *3* Casilla *f.* (jeu d'échecs, etc.).

compassé, -ée [kɔ̃pa(a)se] *adj.* Tieso, sa, afectado, da.

compassion [kɔ̃pa(a)sjɔ̃] *f.* Compasión.

compatible [kɔ̃patibl(ə)] *adj.* Compatible.

compatir [kɔ̃patiʀ] *tr. ind.* Compadecerse: — *à,* compadecerse de.

compatriote [kɔ̃patʀjɔt] *s.* Compatriota.

compensation [kɔ̃pãsasjɔ̃] *f.* Compensación.

compenser [kɔ̃pãse] *tr. 1* Compensar. ■ *2 pr.* Compensarse.

compère [kɔ̃pɛʀ] *m. 1* Compadre, compinche, amigote. *2* Cómplice.

compétence [kɔ̃petãs] *f. 1* Pericia, competencia. *2* DR. Competencia.

compétent, -ente [kɔ̃petã, -ãt] *adj.* Competente.

compétition [kɔ̃petisjɔ̃] *f.* Competición.

compiler [kɔ̃pile] *tr.* Compilar.

complainte [kɔ̃plɛ̃t] *f.* Endecha (chanson triste).

complaisance [kɔ̃plezãs] *f. 1* Complacencia. *2* Amabilidad.

complaisant, -ante [kɔplɛzɑ̃, -ɑ̃t] *adj.* Complaciente.

complément [kɔplemɑ̃] *m.* Complemento.

complet, -ète [kɔplɛ, -ɛt] *adj.* 1 Completo, ta. ■ 2 *m.* Terno (costume).

compléter [kɔpílete] *tr.* 1 Completar. 2 Complementar. ▲ CONJUG. como *accélérer*.

complexe [kɔplɛks(ə)] *adj.* 1 Complejo, ja. ■ 2 *m.* Complejo (industriel).

complexion [kɔplɛksjɔ̃] *f.* 1 Complexión. 2 Temperamento *m.*, carácter *m.*

complexité [kɔplɛksite] *f.* Complejidad.

complication [kɔplikasjɔ̃] *f.* Complicación.

complice [kɔplis] *adj.-s.* Cómplice.

compliment [kɔplimɑ̃] *m.* 1 Cumplimiento, cumplido. ■ 2 *pl.* Enhorabuena *f. sing.*, felicitaciones *f.* 3 Elogios. 4 Recuerdos, saludos.

complimenter [kɔplimɑ̃te] *tr.* 1 Cumplimentar. 2 Felicitar.

compliquer [kɔplike] *tr.* Complicar, embrollar.

comploter [kɔplɔte] *tr.* 1 Tramar, maquinar. ■ 2 *intr.* Conspirar.

comportement [kɔpɔʀtəmɑ̃] *m.* Comportamiento.

comporter [kɔpɔʀte] *tr.* 1 Incluir, comportar (include). 2 Constar de (comprendre). 3 Sufrir, admitir (admettre). ■ 4 *pr.* Portarse, comportarse.

composé, -ée [kɔpoze] *adj.-m.* 1 Compuesto, ta. ■ 2 *f. pl.* BOT. Compuestas.

composer [kɔpoze] *tr.* 1 Componer. ■ 2 *intr.* Transigir (transiger).

compositeur, -trice [kɔpozitœʀ, -tʀis] *s.* 1 Compositor, ra. 2 IMPR. Tipógrafo. 3 DR. *Amiable —,* amigable componedor.

composition [kɔpozisjɔ̃] *f.* Composición.

compote [kɔpɔt] *f.* Compota.

compotier [kɔpɔtje] *m.* 1 Compotera *f.*

compréhensible [kɔpʀeɑ̃sibl(ə)] *adj.* Comprensible.

compréhension [kɔpʀeɑ̃sjɔ̃] *f.* Comprensión.

comprendre [kɔpʀɑ̃dʀ(ə)] *tr.* 1 Comprender. 2 Incluir (include). 3 Comprender, entender. ▲ CONJUG. como *prendre*.

compresse [kɔpʀɛs] *f.* MÉD. Compresa.

compression [kɔpʀesjɔ̃] *f.* Compresión.

comprimer [kɔpʀime] *tr.* Comprimir.

compris, -ise [kɔpʀi, -iz] 1 *p. p. de comprendre.* ■ 2 *adj.* Comprendido, da. 3 *loc. prép. invar.* **Y compris,** incluso, sa, comprendido, da, incluido, da.

compromettant, -ante [kɔpʀɔmetɑ̃, -ɑ̃t] *adj.* Comprometedor, ra.

compromettre [kɔpʀɔmetʀ(ə)] *tr.* Comprometer. ▲ CONJUG. como *mettre*.

compromis [kɔpʀɔmi] *m.* 1 DR. Compromiso. 2 Convenio, avenencia *f.*

comptabilité [kɔtabilite] *f.* Contabilidad.

comptable [kɔtabl(ə)] *adj.* 1 COMM. Que puede anotarse en cuenta. 2 — *de,* responsable de. ■ 3 *m.* COMM. Tenedor de libros, contable, contador.

comptant [kɔtɑ̃] *adj.* 1 Contante, efectivo, va. 2 *loc. adv.* **Vendre au —,** vender al contado.

compte [kɔt] *m.* 1 Cuenta *f.*: — *courant,* cuenta corriente; *comptes d'apothicaire,* cuentas del Gran Capitán. Loc. *Laisser pour —,* dejar de cuenta; *rendre ses comptes,* rendir cuentas. *loc. adv.* **À bon** —, barato; *à ce* —, según eso. 2 Interés, ventaja *f.*, cuenta *f.*: *Pour le — de,* por cuenta de. 3 **Tenir — de,** tener en cuenta; *rendre* —, dar cuenta. 4 — *rendu,* acta (d'une séance, etc.), informe (rapport), reseña *f.* (critique). 5 *Se rendre* —, darse cuenta.

compte-gouttes [kɔtgut] *m. invar.* Cuentagotas.

compter [kɔte] *tr.* 1 Contar. 2 Pagar, dar (payer). ■ 3 *intr.* Contar: *savoir —,* saber contar. 4 — *avec,* tener en cuenta. 5 — *sur,* contar con. 6 Tener valor. 7 Pensar, proponer. 8 *loc. prép.* **À — de,** a partir de.

compteur, -euse [kɔtœʀ, -øz] *s.* 1 Contador, ra. ■ 2 *m.* Contador.

comptoir [kɔtwaʀ] *m.* 1 Mostrador (d'un magasin). 2 Barra *f.* (d'un débit de boisson). 3 Factoría *f.*, agencia *f.* comercial.

comte [kɔt] *m.* Conde.

comté [kɔte] *m.* Condado.

comtesse [kɔtɛs] *f.* Condesa.

concave [kɔkav] *adj.* Cóncavo, va.

concéder [kɔsede] *tr.* Conceder. ▲ CONJUG. como *accélérer*.

concentrer [kɔsɑ̃tʀe] *tr.* 1 Concentrar. ■ 2 *pr.* Concentrarse, reflexionar.

concentrique [kɔsɑ̃tʀik] *adj.* Concéntrico, ca.

concept [kɔsɛpt] *m.* PHILOS. Concepto.

conception [kɔsɛpsjɔ̃] *f.* Concepción.

concerner [kɔsɛʀne] *tr.* Concernir.

concert [kɔsɛʀ] *m.* Concierto.

concerter [kɔsɛʀte] *tr.* 1 Concertar, ajustar, adecuar. ■ 2 *pr.* Concertarse.

concession [kɔsesjɔ̃] *f.* Concesión.

concessionnaire [kɔsesjɔnɛʀ] *adj.-s.* Concesionario, ria.

concevable [kɔsvabl(ə)] *adj.* Concebible.

concierge [kɔsjɛʀʒ(ə)] *s.* 1 Portero, ra. 2 Conserje (d'un édifice public).

concile [kɔsil] *m.* Concilio.

conciliabule [kɔsiljabyl] *m.* Conciliábulo.

conciliation [kɔ̃siljɑsjɔ̃] *f.* Conciliación.

concis, -ise [kɔ̃si, -iz] *adj.* Conciso, sa.

conclave [kɔ̃klav] *m.* Cónclave.

concluant, ante [kɔ̃klyɑ̃, -ɑ̃t] *adj.* Concluyente.

conclure [kɔ̃klyʀ] *tr.* 1 Concluir, terminar, resolver. 2 Concertar (un accord, une affaire). 3 Cerrar (un marché). 4 Concluir, deducir, inferir. ■ 5 *intr.* Concluir, terminar, acabar. 6 — à, pronunciarse por. ▲ CONJUG. IRREG. INDIC. Pres.: *je conclus, tu conclus, il conclut, nous concluons, vous concluez, ils concluent.* Imperf.: *je concluais,* etc.: *nous concluions,* etc. Pret. Indef.: *je conclus,* etc. Fut. imperf.: *je conclurai,* etc. POT.: *je conclurais,* etc. IMPER.: *conclus, concluons, concluez.* SUBJ. Pres.: *que je conclue,* etc. Imperf.: *que je conclusse,* etc. PART. A.: *concluant.* PART. P.: *conclu, ue.*

concombre [kɔ̃kɔ̃bʀ(ə)] *m.* Pepino, cohombro.

concomitant, -ante [kɔ̃kɔmitɑ̃, -ɑ̃t] *adj.* Concomitante.

concordant, -ante [kɔ̃kɔʀdɑ̃, -ɑ̃t] *adj.* Concordante.

concordat [kɔ̃kɔʀda] *m.* 1 ECCLÉS. Concordato. 2 COMM. Convenio.

concorde [kɔ̃kɔʀd(ə)] *f.* Concordia.

concourir [kɔ̃kuʀiʀ] *tr. ind.* 1 — à, concurrir a. ■ 2 *intr.* Competir. 3 Hacer oposiciones (passer un concours). ▲ CONJUG. como *courir.*

concours [kɔ̃kuʀ] *m.* 1 Concurso (épreuve). 2 Oposición *f.,* oposiciones *f. pl.* (pour un emploi, etc.). 3 Concurso, ayuda *f.* 4 Concurrencia *f.* (de personnes).

concret, -ète [kɔ̃kʀɛ, -ɛt] *adj.* Concreto, ta.

concrétion [kɔ̃kʀesjɔ̃] *f.* Concreción.

concubine [kɔ̃kybin] *f.* Concubina.

concupiscence [kɔ̃kypisɑ̃s] *f.* Concupiscencia.

concurremment [kɔ̃kyʀamɑ̃] *adv.* 1 Conjuntamente (conjointement). 2 En competencia.

concurrence [kɔ̃kyʀɑ̃s] *f.* 1 Competencia. 2 *loc. prép. Jusqu'à — de,* hasta la suma, la cantidad de.

concurrent, -ente [kɔ̃kyʀɑ̃, -ɑ̃t] *adj.-s.* Competidor, ra.

concussion [kɔ̃kysjɔ̃] *f.* Concusión.

condamnation [kɔ̃da(a)nɑsjɔ̃] *f.* 1 Condena (peine). 2 Condenación, reprobación (blâme).

condamner [kɔ̃da(a)ne] *tr.* 1 Condenar (un coupable, une porte). 2 Desahuciar (un malade).

condensateur [kɔ̃dɑ̃sɑtœʀ] *m.* PHYS., ÉLECTR. Condensador.

condenser [kɔ̃dɑ̃se] *tr.* Condensar.

condescendance [kɔ̃desɑ̃dɑ̃s] *f.* Condescendencia.

condescendre [kɔ̃desɑ̃dʀ(ə)] *intr.* Condescender. ▲ CONJUG. como *rendre.*

condiment [kɔ̃dimɑ̃] *m.* Condimento.

condisciple [kɔ̃disipl(ə)] *m.* Condiscípulo.

condition [ɔ̃kisjɔ̃] *f.* 1 Condición. 2 *loc. prép. À — de,* con la condición de. 3 *loc. conj. À — que,* con tal que.

conditionnel, -elle [kɔ̃disjɔnɛl] *adj.* 1 Condicional. ■ 2 *m.* GRAM. Potencial, condicional.

conditionner [kɔ̃disjɔne] *tr.* 1 Condicionar. 2 Acondicionar (l'air, des produits).

condoléances [kɔ̃dɔleɑ̃s] *f. pl.* Pésame *m. sing.*

conducteur, -trice [kɔ̃dyktœʀ, -tʀis] *adj.-s.* 1 Conductor, ra. ■ 2 *m.* Capataz, sobrestante (de travaux).

conduire [kɔ̃dɥiʀ] *tr.* 1 Conducir, acompañar, llevar, guiar (accompagner). 2 Conducir: — *une voiture,* conducir un coche. 3 Llevar: *rue qui conduit à la place,* calle que lleva a la plaza. 4 Dirigir, conducir (commander). ■ 5 *pr.* Conducirse. ▲ CONJUG. IRREG. INDIC. Pres.: *je conduis, tu conduis, il conduit, nous conduisons, vous conduisez, ils conduisent.* Imperf.: *je conduisais,* etc. Pret. indef.: *je conduisis,* etc. Fut. imperf.: *je conduirai,* etc. POT.: *je conduirais,* etc. IMPER.: *conduis, conduisons, conduisez.* SUBJ. Pres.: *que je conduise,* etc. Imperf.: *que je conduisisse, etc.* PART. A.: *conduisant.* PART. P.: *conduit, duite.*

conduit [kɔ̃dɥi] *m.* Conducto.

conduite [kɔ̃dɥit] *f.* 1 Conducta, comportamiento *m.* 2 Conducción (d'une voiture, etc.). 3 Dirección, mando *m.* (direction).

cône [kon] *m.* GÉOM., BOT. Cono.

confection [kɔ̃feksjɔ̃] *f.* 1 Confección. 2 Ropa hecha (vêtement).

confectionner [kɔ̃feksjɔne] *tr.* Confeccionar, fabricar.

confédération [kɔ̃federɑsjɔ̃] *f.* Confederación.

conférence [kɔ̃feʀɑ̃s] *f.* Conferencia.

conférencier, ière [kɔ̃feʀɑ̃sje, -jɛʀ] *s.* Conferenciante.

conférer [kɔ̃feʀe] *tr.* 1 Conferir, otorgar. 2 Cotejar (comparer). ■ 3 *intr.* Conferenciar. ▲ CONJUG. como *accélérer.*

confesser [kɔ̃fese] *tr.* 1 Confesar. ■ 2 *pr.* Confesarse.

confesseur [kɔ̃fesœʀ] *m.* Confesor.

confessionnel, -elle [kɔ̃fɛsjɔnɛl] *adj.* Confesional.

confiance [kɔ̃fjɑ̃s] *f.* Confianza: *de* —, de confianza.

confidence [kɔ̃fidɑ̃s] *f.* Confidencia.

confident, -ente [kɔ̃fidɑ̃, -ɑ̃t] *s.* Confidente.

confidentiel, -elle [kɔ̃fidɑ̃sjɛl] *adj.* Confidencial.

confier [kɔ̃fje] *tr. 1* Confiar. ■ *2 pr.* Confiarse. ▲ CONJUG. como *prier*.

confinement [kɔ̃finmɑ̃] *m.* Confinamiento, reclusión *f.*

confins [kɔ̃fɛ̃] *m. pl.* Confines: *aux* — *de*, en los confines de.

confirmation [kɔ̃firmɑsjɔ̃] *f.* Confirmación.

confirmer [kɔ̃firme] *tr.* Confirmar.

confiserie [kɔ̃fizri] *f. 1* Confitería. *2* Dulce *f.* (friandise).

confisquer [kɔ̃fiske] *tr.* Confiscar.

confit, -ite [kɔ̃fi, -it] *adj. 1* Confitado, da (dans du sucre). *2* Encurtido, da (dans du vinaigre). *3* Conservado, da en manteca (dans de la graisse). ■ *4 m.* Carne *f.* conservada en manteca.

confiture [kɔ̃fityr] *f.* Confitura, mermelada.

conflagration [kɔ̃flagrɑsjɔ̃] *f.* Conflagración.

conflit [kɔ̃fli] *m.* Conflicto.

confluent [kɔ̃flyɑ̃] *m.* Confluencia *f.*

confondre [kɔ̃fɔ̃dr(ə)] *tr. 1* Confundir. ■ *2 pr.* Confundirse. ▲ CONJUG. como *rendre*.

conformation [kɔ̃fɔrmɑsjɔ̃] *f.* Conformación.

conforme [kɔ̃fɔrm(ə)] *adj.* Conforme.

conformer [kɔ̃fɔrme] *tr. 1* Conformar, ajustar (adapter). ■ *2 pr.* Conformarse, acomodarse.

conformité [kɔ̃fɔrmite] *f.* Conformidad.

confrère [kɔ̃frɛr] *m. 1* Cofrade (d'une confrérie). *2* Colega (collègue).

confronter [kɔ̃frɔ̃te] *tr. 1* Confrontar, cotejar. *2* DR. Confrontar, carear.

confus, -use [kɔ̃fy, -yz] *adj.* Confuso, sa.

congé [kɔ̃ʒe] *m. 1* Permiso de ausentarse, licencia *f.* 2 Asueto (très court). *3* Vacaciones *f. pl.* 4 MIL. Licencia *f.* 5 Despido (renvoi). *6 Je prends* — *de vous*, me despido de Ud.

congédier [kɔ̃ʒedje] *tr. 1* Despedir, despachar. *2* MIL. Licenciar. ▲ CONJUG. como *prier*.

congélation [kɔ̃ʒelɑsjɔ̃] *f.* Congelación.

congeler [kɔ̃ʒle] *tr.* Congelar. ▲ CONJUG. como *acheter*.

congénital, -ale [kɔ̃ʒenital] *adj.* Congénito, ta.

congestionner [kɔ̃ʒɛstjɔne] *tr.* Congestionar.

conglomérat [kɔ̃glɔmerɑ] *m.* Conglomerado.

congratulation [kɔ̃gratylɑsjɔ̃] *f.* Congratulación.

congrégation [kɔ̃gregɑsjɔ̃] *f.* Congregación.

congrès [kɔ̃grɛ] *m.* Congreso.

congressiste [kɔ̃gry] *s.* Congresista.

congru, -ue [kɔ̃gry] *adj.* Congruente, congruo, ua.

conique [kɔnik] *adj.* Cónico, ca.

conjecturer [kɔ̃ʒɛktyre] *tr.* Conjeturar.

conjoint, -ointe [kɔ̃ʒwɛ̃, -wɛ̃t] *adj. 1* Conjunto, -ta, unido, da. ■ *2 s.* Cónyuge.

conjonctif, -ive [kɔ̃ʒɔ̃ktif, -iv] *adv.* Conjuntivo, va.

conjonction [kɔ̃ʒɔ̃ksjɔ̃] *f.* Conjunción.

conjoncture [kɔ̃ʒɔ̃ktyr] *f.* Coyuntura, ocasión, oportunidad.

conjugaison [kɔ̃ʒygɛsɔ̃] *f.* Conjugación.

conjugal, -ale [kɔ̃ʒygal] *adj.* Conyugal.

conjuguer [kɔ̃ʒyge] *tr.* Conjugar.

conjuration [kɔ̃ʒyrɑsjɔ̃] *f.* Conjuración, conjura.

conjurer [kɔ̃ʒyre] *tr. 1* Conjurar. *2* Suplicar (implorer).

connaissance [kɔnesɑ̃s] *f. 1* Conocimiento *m. 2* Conocido *m.*, persona conocida.

connaisseur, -euse [kɔnesœr, -øz] *adj.-s.* Conocedor, ra, entendido, da.

connaître [kɔnɛtr(ə)] *tr. 1* Conocer: *se faire* —, darse a conocer. ■ *2 intr.* DR. Conocer, entender. ■ *3 pr.* Conocerse. *4 S'y* —, *se* — *en*, conocer, entender. ▲ CONJUG. IRREG. INDIC. Pres.: *je connais, tu connais, il connaît, nous connaissons, vous connaissez, ils connaissent.* Imperf.: *je connaissais*, etc. Pret. Indef.: *je connus, nous connûmes*, etc. Fut. imperf.: *je connaîtrai*, etc. POT.: *je connaîtrais*, etc. SUBJ. Pres.: *que je connaisse*, etc. Imperf.: *que je connusse, qu'il connût; que nous connussions*, etc. IMPER.: *connais, connaissons, connaissez.* PART. A.: *connaissant.* PART. P.: *connu, connue.*

connecter [kɔn(n)ɛkte] *tr.* Conectar.

connexe [kɔn(n)ɛks(ə)] *adj.* Conexo, xa.

connexion [kɔn(n)ɛksjɔ̃] *f.* Conexión.

connivence [kɔn(n)ivɑ̃s] *f.* Connivencia.

connu, -ue [kɔny] *1 p. p. de connaître.* ■ *2 adj.* Conocido, da. *3* Sabido, da.

conquérant, -ante [kɔ̃kerɑ̃, -ɑ̃t] *adj.-s.* Conquistador, ra.

conquête [kɔ̃kɛt] *f.* Conquista.

conquis, -ise [kɔ̃ki, -iz] *adj.* Conquistado, da.

consacrer [kɔ̃sakʀe] *tr.* Consagrar.
consanguin, -ine [kɔ̃sãgɛ̃, -in] *adj.* Consanguíneo, nea.
conscience [kɔ̃sjãs] *f.* Conciencia.
consciencieux, -euse [kɔ̃sjãsjø, -øz] *adj.* Concienzudo, da.
conscient, -ente [kɔ̃sjã, -ãt] *adj.* Consciente.
conscription [kɔ̃skʀipsjɔ̃] *f.* MIL. Reclutamiento *m.*
consécration [kɔ̃sekʀasjɔ̃] *f.* Consagración.
consécutif, -ive [kɔ̃sekytif, -iv] *adj.* Consecutivo, va.
conseil [kɔ̃sɛl] *m.* — *municipal,* concejo, ayuntamiento.
conseiller [kɔ̃seje] *tr.* Aconsejar.
conseiller, -ière [kɔ̃seje, -jɛʀ] *s.* 1 Consejero, ra. 2 — *municipal,* concejal.
 consentir [kɔ̃sãtiʀ] *intr.* 1 Consentir. 2 Otorgar, conceder (accorder). ▲ CONJUG. como *mentir.*
conséquence [kɔ̃sekãs] *f.* Consecuencia. *loc. adv. En* —, en consecuencia.
conséquent, -ente [kɔ̃sekã, -ãt] *adj.* Consecuente *loc. adv. Par* —, por consiguiente.
conservateur, -trice [kɔ̃sɛʀvatœʀ, -tʀis] *adj.-s.* Conservador, ra.
conservation [kɔ̃sɛʀvasjɔ̃] *f.* Conservación.
conservatoire [kɔ̃sɛʀvatwaʀ] *m.* Conservatorio.
conserve [kɔ̃sɛʀv(ə)] *f.* Conserva.
conserver [kɔ̃sɛʀve] *tr.* Conservar.
considération [kɔ̃sideʀasjɔ̃] *f.* Consideración.
considérer [kɔ̃sideʀe] *tr.* Considerar. ▲ CONJUG. como *accélérer.*
consignation [kɔ̃siɲasjɔ̃] *f.* Consignación.
consigner [kɔ̃siɲe] *tr.* 1 Consignar (noter). 2 Dejar en un depósito de equipajes. 3 Castigar (un élève). 4 Facturar (un emballage). 5 MIL. Arrestar, no dejar salir (un militaire); acuartelar (des troupes).
consistance [kɔ̃sistãs] *f.* Consistencia.
consistant, -ante [kɔ̃sistã, -ãt] *adj.* Consistente.
consolateur, -trice [kɔ̃sɔlatœʀ, -tʀis] *adj.-s.* Consolador, ra.
consolation [kɔ̃sɔlasjɔ̃] *f.* 1 Consuelo *m.* 2 Consolación.
console [kɔ̃sɔl] *f.* 1 Cónsola. 2 ARCHIT. Ménsula, repisa.
consoler [kɔ̃sɔle] *tr.* Consolar.
consolider [kɔ̃sɔlide] *tr.* Consolidar.
consommation [kɔ̃sɔmasjɔ̃] *f.* 1 Consumo *m.* (d'aliments, de combustible, etc.). 2

Consumición (dans un café, etc.). 3 Consumación.
consommé, -ée [kɔ̃sɔme] *adj.* 1 Consumido, da. 2 Consumado, da, perfecto, ta (accompli). ■ 3 *m.* Caldo, consomé.
consommer [kɔ̃sɔme] *tr.* 1 Consumir. 2 Consumar, acabar, llevar a cabo.
consonance [kɔ̃sɔnãs] *f.* Consonancia.
consonne [kɔ̃sɔn] *f.* GRAM. Consonante.
consort [kɔ̃sɔʀ] *adj.* 1 *Prince* —, príncipe consorte. ■ 2 *m. pl.* Consorcios, compinches.
conspiration [kɔ̃spiʀasjɔ̃] *f.* Conspiración.
conspuer [kɔ̃spɥe] *tr.* Abuchear, escarnecer públicamente.
constante [kɔ̃stãs] *f.* Constancia.
constant, -ante [kɔ̃stã, -ãt] *adj.-f.* Constante.
constatation [kɔ̃statasjɔ̃] *f.* 1 Comprobación. 2 Acción de hacer constar.
constater [kɔ̃state] *tr.* 1 Comprobar (vérifier). 2 Reconocer, advertir (observer). 3 Hacer constar (par écrit).
consternation [kɔ̃stɛʀnasjɔ̃] *f.* Consternación.
consterner [kɔ̃stɛʀne] *tr.* Consternar.
constiper [kɔ̃stipe] *tr.* Estreñir.
constituant, -ante [kɔ̃stitɥã, -ãt] *adj.* Constituyente.
constituer [kɔ̃stitɥe] *tr.* 1 Constituir. 2 DR. Designar (un avoué). ■ 3 *pr.* Constituirse.
constitution [kɔ̃stitysjɔ̃] *f.* Constitución.
constitutionnel, -elle [kɔ̃stitysjɔnɛl] *adj.* Constitucional.
constriction [kɔ̃stʀiksjɔ̃] *f.* Constricción.
constructeur, -trice [kɔ̃stʀyktœʀ, -tʀis] *adj.-s.* Constructor, -ra.
construction [kɔ̃stʀyksjɔ̃] *f.* Construcción.
 construire [kɔ̃stʀɥiʀ] *tr.* Construir. ▲ CONJUG. como *conduire.*
consubstantiel, -elle [kɔ̃sypstãsjɛl] *adj.* Consubstancial.
consulaire [kɔ̃sylɛʀ] *adj.* Consular.
consulat [kɔ̃syla] *m.* Consulado.
consultant, -ante [kɔ̃syltã, -ãt] *adj.-s.* 1 Consultante. 2 Consultor, ra.
consultatif, -ive [kɔ̃syltatif, -iv] *adj.* Consultativo, va.
consulter [kɔ̃sylte] *tr.* 1 Consultar: — *un avocat,* consultar a un abogado. ■ 2 *intr.* Consultar.
consumer [kɔ̃syme] *tr.* Consumir.
contact [kɔ̃takt] *m.* Contacto.
contagieux, -euse [kɔ̃taʒjø, -øz] *adj.* Contagioso, sa.
contaminer [kɔ̃tamine] *tr.* Contaminar.
conte [kɔ̃t] *m.* Cuento.

contemplatif, -ive [kɔ̃tãplatif, -iv] *adj.-s.*
Contemplativo, va.

contempler [kɔ̃tãple] *tr.* Contemplar.

contemporain, -aine [kɔ̃tãpoRɛ̃, -ɛn] *adj.-s.*
Contemporáneo, ea.

contenance [kɔ̃tnãs] *f. 1* Cabida, capacidad, contenido *m.* (capacité). *2* Actitud, continente *m.* (attitude).

contenant [kɔ̃tnã] *m.* Continente.

contenir [kɔ̃tniR] *tr. 1* Contener. ■ *2 pr.*
Contenerse. ▲ CONJUG. como *tenir*.

content, -ente [kɔ̃tã, -ãt] *adj.* Contento, ta:
— *de*, contento con.

contentement [kɔ̃tãtmã] *m.* Contento, satisfacción *f.*

contenter [kɔ̃tãte] *tr. 1* Contentar. ■ *2 pr.*
Contentarse.

contenu [kɔ̃tny] *m.* Contenido.

conter [kɔ̃te] *tr.* Contar.

contestation [kɔ̃tɛstasjɔ̃] *f. 1* Disputa, controversia, contestación. *2* DR. Discusión, impugnación, contestación.

contester [kɔ̃tɛste] *tr. 1* Negar, impugnar, discutir. ■ *2 intr.* Disputar.

conteur, -euse [kɔ̃tœR, -øz] *s. 1* Contador, ra, narrador, ra. *2* Cuentista.

contexte [kɔ̃tɛkst(ə)] *m.* Contexto.

contiguïté [kɔ̃tiguite] *f.* Contigüidad.

continence [kɔ̃tinãs] *f.* Continencia.

continent, -ente [kɔ̃tinã, -ãt] *f.* Continencia.

continent, -ente [kɔ̃tinã, -ãt] *adj. 1* Continente. ■ *2 m.* GÉOG. Continente.

contingence [kɔ̃tɛ̃ʒãs] *f.* Contingencia.

continuation [kɔ̃tinɥasjɔ̃] *f.* Continuación.

continuel, -elle [kɔ̃tinɥel] *adj.* Continuo, ua.

continuer [kɔ̃tinɥe] *tr.-intr. 1* Continuar, seguir. *2* Proseguir.

continuité [kɔ̃tinɥite] *f.* Continuidad.

contondant, -ante [kɔ̃tɔ̃dã, -ãt] *adj.* Contundente.

contour [kɔ̃tuR] *m.* Contorno, perímetro.

contourner [kɔ̃turne] *tr. 1* Contornear. *2*
Torcer, deformar (déformer).

contracté, -ée [kɔ̃trakte] *adj. 1* Contraído, da. *2* GRAM. Contracto, ta.

contracter [kɔ̃trakte] *tr. 1* Contraer. ■ *2 pr.* Contraerse.

contraction [kɔ̃traksjɔ̃] *f.* Contracción.

contradiction [kɔ̃tradiksjɔ̃] *f.* Contradicción.

contradictoire [kɔ̃tradiktwaR] *adj.* Contradictorio, ria.

contraindre [kɔ̃trɛ̃dR(ə)] *tr. 1* Constrenir, forzar, violentar. *2* DR. Apremiar. ▲
CONJUG. como *craindre*.

contraint, -ante [kɔ̃trɛ̃, -ɛ̃t] *adj. 1* Molesto, ta, violento, ta, forzado, da. ■ *2 f.* Cons-

treñimiento *m.*, coacción. *3* DR. Apremio *m. 4* Embarazo *m.*, violencia.

contraire [kɔ̃trɛR] *adj. 1* Contrario, ria. *2*
Perjudicial (nuisible). ■ *3 m.* Lo contrario *loc. adv. Au —*, al contrario.

contralto [kɔ̃tralto] *m.* MUS. Contralto.

contrarier [kɔ̃trarje] *tr. 1* Contrariar. *2*
Contraponer (couleurs). ▲ CONJUG.
como *prier*.

contrariété [kɔ̃trarjete] *f.* Contrariedad.

contraster [kɔ̃traste] *intr. 1* Contrastar. ■
2 tr. Hacer contrastar.

contrat [kɔ̃tra] *m.* Contrato.

contre [kɔ̃tR(ə)] *prép. 1* Contra. *2* Junto a.
3 Por. ■ *4 adv.* En contra. *loc. adv. Par*
—, en cambio. ■ *5 m.* Contra: *le pour et le —*, el pro y el contra.

contre-amiral [kɔ̃tramiral] *m.* Contralmirante.

contre-attaque [kɔ̃tratak] *f.* Contraataque *m.*

contre-balancer [kɔ̃trəbalãse] *tr.* Contrabalancear, contrapesar. ▲ CONJUG.
como *lancer*.

contrebandier, -ière [kɔ̃trəbãdje, -jɛR]
adj.-s. Contrabandista.

contrebasse [kɔ̃trəbas] *f.* MUS. Contrabajo *m.*, bombardón *m.*

contrecarrer [kɔ̃trəka(ɑ)Re] *tr.* Contrarrestar.

contrecœur [kɔ̃trəkœr] *m. 1* Trashoguero, testero (de cheminée). *2 loc. adv. À —*,
de mala gana.

contrecoup [kɔ̃trəku] *m. 1* Rechazo, rebote. *2* fig. Repercusión *f. 3* Contragolpe.

contredire [kɔ̃trədir] *tr.* Contradecir. ▲
CONJUG. como *dire*, excepto en la segunda persona del pl. del pres. de Indic.: *contredisez*.

contredit (sans) [sãkɔ̃trədi] *loc. adv.* Sin disputa.

contrée [kɔ̃tre] *f.* Comarca, región.

contrefacteur [kɔ̃trəfaktœr] *m.* Falsificador, contrahacedor.

contrefaire [kɔ̃trəfɛr] *tr. 1* Contrahacer, remedar (imiter). *2* Fingir (feindre). *3*
Falsificar (une monnaie, une signature). ▲ CONJUG. como *faire*.

contrefait, -aite [kɔ̃trəfɛ, -ɛt] *adj.* Contrahecho, cha.

contrefort [kɔ̃trəfɔr] *m. 1* ARCHIT. Contrafuerte. *2* GÉOGR. Estribación *f.*

contre-jour [kɔ̃trəʒur] *m.* Contraluz.

contremaître, -esse [kɔ̃trəmɛtr(ə), -ɛs] *s.*
Capataz, encargado, da.

contremarque [kɔ̃trəmark(ə)] *f. 1* Contramarca. *2* THÉÂTR. Contraseña de salida.

contrepartie [kɔ̃trəparti] *f. 1* Opinión contraria. *2* COMM. Registro *m.* doble, contrapartida.

contre-pied [kɔ̃trəpje] *m.* Lo contrario.

contrepoids [kɔ̃trəpwa(ɑ)] *m.* Contrapeso. Loc. *Faire —,* compensar.

contre-poil (à) [akɔ̃trəpwal] *loc. adv. 1* A contrapelo. *2* fig. Al revés.

contrepoint [kɔ̃trəpwɛ̃] *m.* MUS. Contrapunto.

contre-porte [kɔ̃trəpɔrt(ə)] *f.* Contrapuerta.

contresens [kɔ̃trəsɑ̃s] *m. 1* Contrasentido. *2 loc. adv. À —,* al revés.

contretemps [kɔ̃trətɑ̃] *m. 1* Contratiempo. *2 loc. adv. À —,* a destiempo.

contrevenant, -ante [kɔ̃trəvnɑ̃, -ɑ̃t] *s.* Contraventor, ra.

contrevent [kɔ̃trəvɑ̃] *m.* Contraventana *f.*, postigo.

contribuer [kɔ̃tribɥe] *intr.* Contribuir.

contribution [kɔ̃tribysjɔ̃] *f.* Contribución.

contrit, -ite [kɔ̃tri, -it] *adj.* Contrito, ta.

contrition [kɔ̃trisjɔ̃] *f.* Contrición.

contrôler [kɔ̃trole] *tr. 1* Controlar, comprobar, verificar (vérifier). *2* Inspeccionar, controlar. *3* Revisar (les billets). *4* Controlar, vigilar (surveiller). *5* Dominar, controlar: *— ses nerfs,* dominar sus nervios. *6* Sellar, marcar (métaux précieux).

contrôleur, -euse [kɔ̃trolœr, -øz] *s. 1* Inspector, ra, verificador, ra, interventor, ra. *2* Revisor, ra, inspector, ra (chemin de fer, autobus).

contrordre [kɔ̃trɔrdr(ə)] *m.* Contraorden *f.*

controverse [kɔ̃trɔvɛrs(ə)] *f.* Controversia.

contumace [kɔ̃tymas] *f. 1* DR. Rebeldía, contumacia. ■ *2 adj.-s.* DR. Rebelde, contumaz.

contus, -use [kɔ̃ty, -yz] *adj.* Contuso, sa.

contusion [kɔ̃tyzjɔ̃] *f.* Contusión.

convaincre [kɔ̃vɛ̃kr(ə)] *tr.* Convencer. ▲ CONJUG. como *vaincre.*

convaincu, -ue [kɔ̃vɛ̃ky] *adj.* Convencido, da.

convalescence [kɔ̃valesɑ̃s] *f.* Convalecencia.

convenable [kɔ̃vnabl(ə)] *adj. 1* Conveniente. *2* Decente, correcto, ta.

convenant, -ante [kɔ̃vnɑ̃, -ɑ̃t] *adj. 1* Conveniente, adecuado, da. *2* Decente, decoroso, sa.

convenir [kɔ̃vnir] *intr. 1* Convenir. *2* Acordar. *3* Confesar, reconocer. ■ *4 impers. Il convient de,* es conveniente que, conviene. ▲ CONJUG. como *venir.*

convention [kɔ̃vɑ̃sjɔ̃] *f. 1* Convención, convenio. *m.* ■ *2 pl.* Formalidades.

conventionnel, -elle [kɔ̃vɑ̃sjɔnɛl] *adj.-m.* Convencional.

convergent, -ente [kɔ̃vɛrʒɑ̃, -ɑ̃t] *adj.* Convergente.

conversation [kɔ̃vɛrsasjɔ̃] *f.* Conversación.

conversion [kɔ̃vɛrsjɔ̃] *f.* Conversión.

convexe [kɔ̃vɛks(ə)] *adj.* Convexo, xa.

conviction [kɔ̃viksjɔ̃] *f.* Convicción.

convié, -ée [kɔ̃vje] *adj.-s.* Convidado, da.

convier [kɔ̃vje] *tr.* Convidar. ▲ CONJUG. como *prier.*

convocation [kɔ̃vɔkasjɔ̃] *f. 1* Convocación. *2* Convocatoria (avis, lettre). *3* MIL. Llamamiento *m.*

convoi [kɔ̃wa] *m. 1* Cortejo, séquito. *2* Tren (train). *3* MIL., MAR. Convoy. *4* *—fúnebre,* entierro, séquito fúnebre.

convoitise [kɔ̃vwatiz] *f.* Codicia.

convoquer [kɔ̃vɔke] *tr.* Convocar.

convoyer [kɔ̃vwaje] *tr.* Convoyar. ▲ CONJUG. como *employer.*

convulsionner [kɔ̃vylsjɔne] *tr.* Convulsionar.

coopératif, -ive [kɔɔperatif, -iv] *adj. 1* Cooperativo, va. ■ *2 f.* Cooperativa.

coopérer [kɔɔpere] *intr.* Cooperar. ▲ CONJUG. como *accélérer.*

coordination [kɔɔrdinasjɔ̃] *f.* Coordinación.

coordonné, -ée [kɔɔrdɔne] *adj. 1* Coordinado, da. ■ *2 f.* GÉOM. Coordenada.

coordonner [kɔɔrdɔne] *tr.* Coordinar.

copain [kɔpɛ̃] *m.* fam. Camarada, compinche.

copeau [kɔpo] *m.* Viruta *f.*

copie [kɔpi] *f. 1* Copia. *2* IMPR. Original *m. 3* Hoja, cuartilla (d'écolier).

copier [kɔpje] *tr.* Copiar. ▲ CONJUG. como *prier.*

copieux, -euse [kɔpjø, -øz] *adj.* Copioso, sa.

copiste [kɔpist(ə)] *s.* Copista.

copulatif, -ive [kɔpylatif, -iv] *adj.* GRAM. Copulativo, va.

copule [kɔpyl] *f.* LOG. Cópula.

coq [kɔk] *m. 1* Gallo. *2 — de bruyère,* urogallo: *— d'Inde,* pavo. *3* Cocinero (cuisinier dans un navire).

coq-à-l'âne [kɔkalɑn] *m. invar.* Despropósito.

coque [kɔk] *f. 1* Cascarón *m.* (de l'œuf). *2* Cáscara (de noix, noisette, etc.). *3* Nudo *m.*, lacito *m.* (de ruban). *4* Coca (de cheveux). *5* MAR. Casco *m.* *6* Berberecho *m.* (coquillage comestible).

coquelicot [kɔkliko] *m.* Amapola *f.*

coqueluche [kɔklyʃ] *f.* Tos ferina.

coquet, -ette [kɔkɛ, -ɛt] *adj.-s. 1* Coquetón, na, lindo, da. ■ *2 adj.-f.* Coqueta.

coquetier [kɔktje] *m.* Huevera *f.*

coquetterie [kɔketri] *f.* Coquetería.

coquillage [kɔkijaʒ] *m. 1* Marisco. *2* Concha *f.* (coquille).

coquille [kɔkij] *f. 1* Concha (de mollusque). *2 — Saint-Jacques,* venera, concha de peregrino. *3* Cáscara, cascarón *m.*

coquin, -ine [kɔkɛ̃, -in] *s. 1* Bellaco, ca, pillo, lla. *2* fam. Picaruelo, la.

cor [kɔr] *m. 1* MUS. Trompa *f.: — de chasse,* trompa de caza. *2 — anglais,* corno inglés. *3* MÉD. Callo.

corail [kɔraj] *m.* Coral.

corbeau [kɔrbo] *m.* Cuervo.

corbeille [kɔrbej] *f.* Cesto *m.,* canastillo *m.,* canastilla.

corbillard [kɔrbijar] *m.* Coche fúnebre.

cordage [kɔrdaʒ] *m.* MAR. Cabo, cuerda *f.*

corde [kɔrd(ə] *f. 1* Cuerda, soga (de chanvre). *2* Dogal *m.* (de potence). *3* Comba (pour sauter). *4* Trama, hilaza (d'un tissu). *5* GÉOM., MUS. Cuerda. *6* Medida para madera (mesure).

cordeau [kɔrdo] *m. 1* Cordel. *2* Tendel.

cordelier [kɔrdəlje] *m.* Franciscano.

cordelière [kɔrdəljɛr] *f. 1* Franciscana (religieuse). *2* Cordón *m.* (ceinture).

corder [kɔrde] *tr. 1* TECH. Torcer en forma de cuerda. *2* Encordar, atar con cuerda (lier). *3* Poner cuerdas a (une raquette).

cordialité [kɔrdjalite] *f.* Cordialidad.

cordon [kɔrdɔ̃] *m. 1* Cordón (petite corde). *2* Cinta *f.,* banda *f.* (décoration). Loc. fig. *— bleu,* buena cocinera.

cordonnerie [kɔrdɔnri] *f.* Zapatería.

cordonnier, -ière [kɔrdɔnje, -jɛr] *s.* Zapatero, ra.

coriace [kɔrjas] *adj. 1* Coriáceo, ea, correoso, sa. *2* fig. Terco, ca, tacaño, ña.

coricide [kɔrisid] *m.* Callicida.

corne [kɔrn(ə] *f. 1* Cuerno *m.* *2* Pico *m.* (d'un chapeau, d'une page de livre, etc.). *3* Asta, cuerno *m.* (matière). *4 — à chaussures,* calzador *m.* *5* MUS. Cuerno *m.*

corné, -ée [kɔrne] *adj. 1* Córneo, ea. ■ *2 f.* ANAT. Córnea.

cornéen, -enne [kɔrneɛ̃, -ɛn] *adj.* De la córnea.

corneille [kɔrnɛj] *f.* Corneja.

corner [kɔrne] *intr. 1* Tocar la bocina (une auto). *2* Zumbar (les oreilles). ■ *3 tr.* Doblar el pico (d'une carte de visite, etc.). *4* Cacarear (une nouvelle).

cornet [kɔrnɛ] *m. 1* MUS. Corneta *f.* *2 — à pistons,* cornetín. *3 — acoustique,* trompetilla *f.* *4* Cucurucho (de papier, de glace). *5* ANAT. Cornete.

cornette [kɔrnɛt] *f. 1* Papalina, cofia (coiffe). *2* Toca (de religieuse). *3* MAR. Corneta.

corniche [kɔrniʃ] *f.* Cornisa.

cornichon [kɔrniʃɔ̃] *m. 1* Pepinillo. *2* fig. Tonto.

cornier, -ière [kɔrnje, -jɛr] *adj. 1* Esquinado, da, angular. ■ *2 f.* Cantonera.

cornouille [kɔrnuj] *f.* Fruto *m.* del cornejo.

cornu, -ue [kɔrny] *adj. 1* Cornudo, da. ■ *2 f.* Retorta.

corollaire [kɔrɔ(l)lɛr] *m.* Corolario.

corolle [kɔrɔl] *f.* BOT. Corola.

corporation [kɔrpɔrasjɔ̃] *f.* Corporación.

corporel, -elle [kɔrpɔrɛl] *adj.* Corporal, corpóreo, ea.

corps [kɔr] *m. 1* Cuerpo. *2* loc. adv. *À son — défendant,* a pesar suyo.

corpulent, -ente [kɔrpylɑ̃, -ɑ̃t] *adj.* Corpulento, ta.

corpuscule [kɔrpyskyl] *m.* Corpúsculo.

correct, -ecte [kɔrɛkt, -ɛkt(ə] *adj.* Correcto, ta.

correction [kɔrɛksjɔ̃] *f.* Corrección.

corrélatif, -ive [kɔrelatif, -iv] *adj.* Correlativo, va.

correspondance [kɔrɛspɔ̃dɑ̃s] *f. 1* Correspondencia. *2* Empalme *m.,* enlace *m.*

correspondant, -ante [kɔrɛspɔ̃dɑ̃, -ɑ̃t] *adj. 1* Correspondiente. ■ *2 s.* Corresponsal (d'un journal). *3* Comunicante (par lettres). *4* Correspondiente (d'une académie, etc.).

corridor [kɔridɔr] *m.* Corredor, pasillo.

corriger [kɔriʒe] *tr.* Corregir. ▲ CONJUG. como *rompre.*

corrosif, -ive [kɔr(r)ozif, -iv] *adj. 1* Corrosivo, va. ■ *2 m.* Corrosivo.

corrosion [kɔr(r)ozjɔ̃] *f.* Corrosión.

corroyer [kɔrwaje] *tr. 1* Zurra, curtir (le cuir). *2* Soldar a fuego y martillo (le métal). *3* Desbastar (le bois). ▲ CONJUG. como *employer.*

corrupteur, -trice [kɔryptœr, -tris] *adj.-s.* Corruptor, ra.

corruption [kɔrypsjɔ̃] *f.* Corrupción.

corsage [kɔrsaʒ] *m.* Blusa *f.,* corpiño *m.*

corsé, -ée [kɔrse] *adj.* Fuerte, recio, cia.

corser [kɔrse] *tr. 1* Dar fuerza, cuerpo, realce, viveza. ■ *2 pr.* Complicarse.

cortège [kɔrtɛʒ] *m.* Cortejo, séquito, comitiva *f.*

corvée [kɔrve] *f. 1* Prestación personal. *2* MIL. Faena, servicio *m.* de cuartel. *3* Trabajo *m.* fatigoso.

cosaque [kɔzak] *m.* Cosaco.

cosmétique [kɔsmetik] *adj. 1* Cosmético, ca. ■ *2 m.* Cosmético.

cosmique [kɔsmik] *adj.* Cósmico, ca.

cosmographie [kɔsmɔgrafi] *f.* Cosmografía.

cosmopolite [kɔsmɔpɔlit] *adj.-s.* Cosmopolita.

cosse [kɔs] *f. 1* BOT. Vaina (de légumes). *2* pop. Pereza, galbana.

cossu, -ue [kɔsy] *adj.* Rico, ca, acaudalado, da, acomodado, da (personne).

costume [kɔstym] *m.* Traje, vestido.

cote [kɔt] *f. 1* Cuota (quote-part). *2* Cota (niveau). *3* Signatura (dans une bibliothèque). *4* Cotización (en Bourse). *5 — mal taillée,* corte de cuentas.

côte [kot] *f. 1* ANAT., BOT. Costilla. *2* Chuleta (boucherie). *3* Cuesta, pendiente (pente). *4* GÉOG. Costa (rivage).

côté [kote] *m. 1* Costado. *2* Lado. Loc. *Laisser de —,* dejar a un lado, abandonar; *mettre de —,* apartar, guardar. *3 loc. adv. À —,* al lado, cerca; *de mon —,* por mi parte.

coteau [kɔto] *m. 1* Loma *f.,* otero. *2* Ribazo, ladera *f.* (versant).

côtelette [ko(o)tlet] *f.* Chuleta.

coter [kɔte] *tr. 1* COMM. Cotizar. *2* fig. Apreciar, estimar, cotizar. *3* Numerar (numéroter). *4* Acotar (topographie).

coterie [kɔtri] *f.* Corrillo *m.,* camarilla.

côtier, -ière [kotje, -jɛʀ] *adj.* Costero, ra, costanero, ra.

cotisation [kɔtizasjɔ̃] *f.* Cuota, escote *m.*

coton [kɔtɔ̃] *m.* Algodón.

cotonnier, -ière [kɔtɔnje, -jɛʀ] *adj. 1* Algodonero, ra. ■ *2 m.* Algodonero (arbrisseau).

coton-poudre [kɔtɔ̃pudʀ(ə)] *m.* Algodón pólvora.

côtoyer [kotwaje] *tr. 1* Bordear, costear. *2* fig. Bordear, frisar. ▲ CONJUG. como *employer.*

cotre [kɔtʀ(ə)] *m.* Cúter, balandro.

cotte [kɔt] *f. 1* Saya, zagalejo *m. 2 — de mailles,* cota de mallas.

cou [ku] *m.* Cuello. Loc. fig. *Se casser le —,* romperse la crisma.

couard, -arde [kwaʀ, -aʀd(ə)] *adj.* Cobarde.

couchant, -ante [kuʃã, -ãt] *adj. 1* Que se acuesta. *2 Chien —,* perro de muestra. *3 Soleil —,* sol poniente. ■ *4 m. Le —,* el poniente, el ocaso.

couche [kuʃ] *f. 1* Cama, lecho *m. 2* Metedor *m.* pañal *m.* (pour les bébés). *3* Capa (de peinture, etc.). *4* Capa, lecho *m.,* estrato *m.* (géologique). *5* Capa (at-

mosphérique, sociale). ■ *6 pl.* Parto *m. sing.*

coucher [kuʃe] *tr. 1* Acostar (dans un lit). *2* Tender, tumbar (sur le sol). *3* Inclinar (pencher). *4* Asentar, inscribir. ■ *5 intr.* Dormir, pernoctar. ■ *6 pr.* Acostarse, echarse.

coucher [kuʃe] *m. 1* Acción *f.* de acostarse. *2* Cama *f.* (lit). *3* Ocaso, puesta *f.: le — du soleil,* la puesta de sol.

couchette [kuʃɛt] *f.* Litera.

couci-couça [kusikusa] *loc. adv.* fam. Así, así; tal cual.

coude [kud] *m. 1* Codo. *2* Recodo.

coudée [kude] *f.* Codo *m.* (mesure).

cou-de-pied [kudpje] *m.* Garganta *f.* del pie.

coudoyer [kudwaje] *tr.* Codearse con. ▲ CONJUG. como *employer.*

coudre [kudʀ(ə)] *tr.* Coser. ▲ CONJUG. IRREG. INDIC. Pres.: *je couds, tu couds, il coud, nous cousons, vous cousez, ils cousent.* Imperf.: *je cousais,* etc. Pret. indef.: *je cousis,* etc. Fut. imperf.: *je coudrai,* etc. POT.: *je coudrais,* etc. IMPER.: *couds, cousons, cousez,* SUBJ. Pres.: *que je cousisse,* etc. PART. A.: *cousant.* PART. P.: *cousu, ue.*

coudrier [kudʀije] *m.* Avellano.

cougouar [kugwaʀ] *m.* Puma.

coulage [kulaʒ] *m. 1* Derrame (d'un liquide). *2* Colada *f.* (lessive). *3* TECHN. Vaciado (métaux). *4* fig. Despilfarro.

coulant, -ante [kulã, -ãt] *adj. 1* Que fluye, fluyente. *2 Nœud —,* nudo corredizo. *3* fig. *Style —,* estilo fluido, natural. ■ *4 m.* Anillo, pasador.

coule [kul] *f.* Cogulla.

coulée [kule] *f. 1* TECHN. Vaciado *m.* (métaux). *2* Corriente: *— de lave,* corriente de lava.

couler [kule] *intr. 1* Fluir, correr (liquides). *2* Salirse (un récipient). *3* Volar, huir, transcurrir. *4* MAR. Hundirse, irse a pique. ■ *5 tr.* TECHN. Vaciar. *6* Colar (lessive).

couleur [kulœʀ] *f. 1* Color *m. 2* Palo *m.* (cartes).

couleuvre [kulœvʀ(ə)] *f.* Culebra.

coulis [kuli] *m.* Jugo de una sustancia cocida y pasada por un colador.

coulisse [kulis] *f. 1* Corredera, ranura. *2* THÉAT. Bastidor *m. 3* Jareta (en couture). *4* Bolsín *m.* (de la Bourse).

coulissier [kulisje] *m.* Corredor de Bolsa.

couloir [kulwaʀ] *m.* Corredor, pasillo.

coup [ku] *m. 1* Golpe. Loc. *— de balai,* escobazo; *— d'épée,* estocada *f.; — de fouet,* lat igazo; *— de griffe,* arañazo, zarpazo: — *d'œil*, ojeada *f.*, vistazo: — *de pied*, puntapié, patada *f.*: — *de poing*, puñetazo: — *de vent*, ráfaga *f.*: — *de folie*, arranque de locura: — *de foudre*, flechazo, enamoramiento súbito: — *de tête*, calaverada *f.*, acción *f.* desesperada: — *de chance*, chiripa *f.*, suerte *f.*: — *d'État*, golpe de Estado: *donner un* — *de main*, echar una mano: *faire d'une pierre deux coups*, matar dos pájaros de un tiro: *manquer son* —, errar el golpe. 2 Herida *f.* (blessure). 3 Disparo, tiro. 4 Trago, sorbo. 5 Jugada *f.* (jeu). 6 Vez *f.* (fois). 7 MÉC. — *de piston*, embolada *f.* 8 *loc. adv. À* — *sûr*, sobre seguro: *sur le* —, en el acto: *tout d'un* —, *tout à*, de repente.

coupable [kupabl(ə)] *adj.-s.* Culpable.

coupage [kupaʒ] *m.* Mezcla *f.* de vinos

coupant, -ante [kupɑ̃, -ɑ̃t] *adj. 1* Cortante. *2* fig. Tajante, autoritario, ria. ■ *3 m.* Filo, corte.

coupe [kup] *f. 1* Copa (verre à boire, trophée). *2* Taza: pila, pilón *m.* (vasque). *3* LITURG. Cáliz *m.* 4 Corte *m.* (action, manière de couper). *5* Corte *m.*, sección (dessin). *6* Tala (d'arbres). *7* Siega (de céréales). *8* Corte *m.*, alza (aux cartes).

coupé [kupe] *m.* Cupé (voiture).

coupe-circuit [kupsirkɥi] *m. invar.* Fusible.

coupe-file [kupfil] *m. invar.* Pase, permiso de circulación.

coupe-gorge [kupgɔrʒ(ə)] *m. invar. 1* Lugar poco seguro. *2* fig. Ladronera *f.*

coupe-papier [kuppapje] *m. invar.* Plegadera *f.*

couper [kupe] *tr. 1* Cortar. *2* Talar (arbres). *3* Segar (céréales). *4* Faltar (cartes). *5* Aguar (un liquide). ■ *6 intr.* Cortar. *7* Cortar, alzar (cartes). *8* Atajar (par le plus court chemin). ■ *9 pr.* Cortarse.

couperet [kupre] *m.* Cuchilla *f.*

couple [kupl(ə)] *f. 1* Traílla (de chiens). ■ *2 m.* Pareja *f.* (de personnes, d'animaux). *3* MAR. Cuaderna *f.* 4 PHYS., MÉC. Par.

couplet [kuplε] *m. 1* Copla *f.*, tonadilla *f.* 2 Estrofa *f.* (d'une chanson).

coupole [kupɔl] *f.* Cúpula.

coupon [kupɔ̃] *m. 1* Retal (de tissu). *2* COMM. Cupón.

coupure [kupyr] *f. 1* Corte *m.*, cortadura. *2* Billete *m.* de banco fraccionario. *3* Corte *f.* (dans un texte, un film; d'électricité, etc.).

cour [kur] *f. 1* Patio *m.* (d'une maison). *2* Corral *m.* (d'une ferme). *3* Corte (d'un souverain). *4* Corte, galanteo *m.* 5 Tri-

bunal *m.* 6 THÉÂT. *Côté* —, lado del escenario de la derecha del espectador.

courage [kuraʒ] *m.* Valor ánimo.

courageux, -euse [kuraʒø, -øz] *adj.* Valeroso, sa, animoso, sa.

courailler [kuraje] *intr.* fam. Corretear.

couramment [kuramɑ̃] *adv. 1* De corrido (parler). *2* Corrientemente.

courant, -ante [kurɑ̃, -ɑ̃t] *adj. 1* Corriente. *2* Corriente (mois, année). *3* Corredor: *chien* —, perro corredor. ■ *4 m.* Transcurso. *5* Corriente *f.* (eau, etc.). *6 Être au* —, estar al corriente. ■ *7 f.* Letra inglesa, cursiva. *8* pop. Diarrea *f.*

courbature [kurbatyr] *f.* Agujetas *pl.*

courber [kurbe] *tr. 1* Encorvar. *2* Doblar, bajar, inclinar (les genoux, la tête, etc.). ■ *3* fig. Doblegarse, humillarse.

courbure [kurbyr] *f.* Curvatura.

coureur, -euse [kurœr, -øz] *adj.-s. 1* Corredor, ra. *2* — *de cafés*, frecuentador de cafés: — *de dots*, cazador de dotes. ■ *3 f.* Buscona.

courge [kurʒ(ə)] *f.* Calabaza.

courir [kurir] *intr. 1* Correr. *2* Vagabundear. ■ *3 tr.* Correr: — *le cerf*, correr el ciervo. *4* Perseguir. *5* Recorrer. *6* Frecuentar (fréquenter). ▲ CONJUG. IRREG. INDIC. Pres.: *je cours, tu cours, il court, nous courons, vous courez, ils courent.* Imperf.: *je courais*, etc. Pret. indéf.: *je courus*, etc. Fut. imperf.: *je courrai*, etc. POT.: *je courrais*, etc. SUBJ. Pres.: *que je coure*, etc. Imperf. *que je courusse*, etc. IMPER.: *cours, courons, courez.* PART. A.: *courant.* PART. P.: *couru, ue.*

couronne [kurɔn] *f.* Corona.

couronner [kurɔne] *tr.* Coronar.

courrier [kurje] *m.* Correo.

courroie [kurwa(a)] *f.* Correa.

courroux [kuru] *m.* Cólera *f.*, furor.

cours [kur] *m. 1* Curso. Loc. — *d'eau*, río: fig. *donner libre* — *à*, dar curso a, dar rienda suelta a. *2* Transcurso. *L'année en* —, en el año en curso. *3* Precio, cotización *f.* (prix). *4* Curso: — *de physique*, curso de física. *5* Clase *f.*: *cours particuliers*, clases particulares. *6* Academia *f.* (établissement). *7* Paseo, alameda *f.* (promenade).

course [kurs(ə)] *f. 1* Carrera (action de courir, compétition). *2* — *de taureaux*, corrida. *3* Trayecto *m.*, recorrido *m.* (trajet); curso *m.* (des astres).

court, courte [kur, kurt(ə)] *adj. 1* Corto,

ta. *2* Cortado, da, turbado, da. ■ *3 adv.*
Corto. *4* Secamente, bruscamente, súbitamente. *loc. adv.* **Tout —**, simple-
mente, a secas.
courtage |kuʀtaʒ| *m.* Corretaje.
courtaud, -aude |kuʀto, -od| *adj.-s.* Re-
choncho, cha.
court-circuit |kuʀsiʀkɥi| *m.* Corto cir-
cuito.
courtepointe |kuʀtəpwɛt| *f.* Colcha.
courtier, -ière |kuʀtje, -jɛʀ| *s.* Corredor,
ra, comisionista.
courtisan |kuʀtizɑ̃| *m.* Cortesano.
courtiser |kuʀtize| *tr.* Cortejar.
courtois, -oise |kuʀtwa, -waz| *adj.* Cortés,
esa.
cousin, -ine |kuzɛ̃, -in| *s. 1* Primo, ma. ■ *2
m.* Mosquito (moustique).
coussin |kusɛ̃| *m. 1* Cojín. *2* MÉC. Almoha-
dilla *f.*
coussinet |kusinɛ| *m. 1* Cojincillo. *2* MÉC.
Cojinete.
cousu, -ue |kuzy| *adj. 1* Cosido, da. *2* fig.
— **d'or**, muy rico.
coût |ku| *m.* Coste, costo.
couteau |kuto| *m. 1* Cuchillo (de table,
etc.), navaja *f.* (pliant). *2* Navaja *f.* (coquillage).
coutelas |kutlɑ| *m.* Machete, cuchilla *f.*
coutellerie |kutɛlʀi| *f.* Cuchillería.
coûter |kute| *intr.* Costar.
coûteux, -euse |kutø, -øz| *adj.* Costoso, sa.
coutume |kutym| *f. 1* Costumbre, uso *m. 2
Avoir — de*, tener la costumbre de.
coutumier, -ière |kutymje, -jɛʀ| *adj. 1* Que
tiene costumbre de. *2* DR. Consuetudinario, ria.
couture |kutyʀ| *f. 1* Costura. *2* Costurón
m., cicatriz.
couturier |kutyʀje| *m.* Modista, sastre de
señoras.
couturière |kutyʀjɛʀ| *f.* Modista, costu-
rera.
couvée |kuve| *f. 1* Pollazón, nidada, po-
llada. *2* fig. Prole.
couvent |kuvɑ̃| *m.* Convento.
couver |kuve| *tr. 1* Empollar, incubar. *2*
fig. Tramar, urdir, abrigar. *3* fam. —
quelqu'un, mimar a alguien. ■ *4 intr.* fig.
Estar latente.
couvercle |kuvɛʀkl(ə)| *m.* Tapa *f.*, tapa-
dera *f.*
couvert, -erte |kuvɛʀ, -ɛʀt(ə)| *adj. 1* Cu-
bierto, ta. *2* Vestido, da, abrigado, da. *3*
Tapado, da, encubierto, ta: *mots couverts*, palabras encubiertas. *4* Cubierto,
ta, nublado, da (ciel). ■ *5 m.* Cubierto
(ustensiles de table). *6* Comida *f.* (nourriture). *7* Albergue, hospitalidad. *loc.*

adv. **À —**, bajo techado, al abrigo, a
cubierto.
couverture |kuvɛʀtyʀ| *f. 1* Cubierta (pour
couvrir). *2* Cobertor *m.*, manta (de lit).
3 Forro *m.*, tapas *pl.* (d'un livre). *4*
COMM. Cobertura, garantía.
couveuse |kuvøz| *f. 1* Clueca (poule). *2* In-
cubadora (appareil).
couvre-feu |kuvʀəfø| *m.* Queda *f.*
couvre-lit |kuvʀəli| *m.* Cubrecama.
couvrir |kuvʀiʀ| *tr. 1* Cubrir. *2* Tapar
(avec un couvercle). *3* Arropar, abrigar
(avec un vêtement). *4* Forrar (un livre).
5 Cubrir, recorrer (parcourir). ■ *6 pr.*
Cubrirse. *7* Nublarse, encapotarse. ▲
CONJUG. como *offrir*.
crabe |kʀɑ(a)b| *m.* Cangrejo de mar.
cracher |kʀaʃe| *tr.-intr.* Escupir.
crachoir |kʀaʃwaʀ| *m.* Escupidera *f.*
craie |kʀɛ| *f. 1* Creta, yeso *m. 2* Tiza.
craindre |kʀɛ̃dʀ(ə)| *tr. 1* Temer. *2* Sufrir
con, ser perjudicado, da por. ▲ CONJUG.
IRREG. INDIC. Pres.: *je crains, tu crains, il
craint, nous craignons, vous craignez, ils
craignent.* Imperf.: *je craignais*, etc.
Pret. indef.: *je craignis*, etc. Fut. imperf.: *je craindrai*, etc. POT.: *je crain-
drais*, etc. SUBJ. Pres.: *que je craigne*,
etc. Imperf.: *que je craignisse*, etc. IM-
PER.: *crains, craignons, craignez.* PART.
A.: *craignant.* PART. P.: *craint, crainte.*
crainte |kʀɛ̃t| *f.* Temor *m.*
craintif, -ive |kʀɛ̃tif, -iv| *adj.* Temeroso,
sa, medroso, sa.
cramoisi, -ie |kʀamwazi| *adj.* Carmesí.
crampe |kʀɑ̃p| *f.* MÉD. Calambre *m.*
cramponner |kʀɑ̃pɔne| *tr. 1* Lañar, engra-
par. *2* fig. fam. Fastidiar. ■ *3 pr.* Agarrarse (à une personne ou à une chose).
cran |kʀɑ̃| *m. 1* Muesca *f. 2* MÉC. — *d'a-
rrêt*, seguro (arme), muelle (couteau). *3*
Punto (d'une ceinture). *4* fig. Grado. *5*
fam. *Avoir du —*, tener arrojo.
crâne |kʀɑn| *m. 1* ANAT. Cráneo. ■ *2 adj.*
Arrogante, valentón, ona.
crapaud |kʀapo| *m. 1* Sapo. *2* Sillón muy
bajo (fauteuil). *3* VÉTÉR. Galápago.
crapule |kʀapyl| *f. 1* Crápula. *2* Gente cra-
pulosa. *3* Pillo *m.*, bribón *m.*
craque |kʀak| *f.* pop. Bola, embuste *m.*
craqueler |kʀakle| *tr.* Agrietar, resque-
brajar. ▲ CONJUG. como *appeler.*
craquer |kʀake| *intr. 1* Chasquear, crujir.
2 fig. Tambalearse, desmoronarse.
craqueter |kʀakte| *intr.* Chisporrotear,
castañetear. ▲ CONJUG. como *appeler.*
crasse |kʀɑs| *f. 1* Mugre. *2* fam. Charra-
nada, mala jugada (vilain tour). ■ *3 adj.*
Craso, sa.

crasseux, -euse [krasø, -øz] *adj.* Mugriento, ta.

cratère [kratɛr] *m. 1* Cráter (de volcan). *2* Crátera *f.* (coupe).

cravache [kravaʃ] *f.* Fusta.

cravate [kravat] *f.* Corbata.

crayon [krɛjɔ̃] *m. 1* Lápiz. *2* Dibujo al lápiz (dessin).

crayonner [krejone] *tr. 1* Dibujar al lápiz. *2* Bosquejar.

créancier, -ière [kreɑ̃sje, -jɛr] *s.* Acreedor, ra.

créateur, -trice [kreatœr, -tris] *adj.-s.* Creador, ra.

créature [kreatyr] *f.* Criatura.

crèche [krɛʃ] *f. 1* Pesebre *m.* (mangeoire). *2* Casa cuna (pour enfants). *3* Nacimiento *m.*, belén *m.* (de Noël).

crédit [kredi] *m. 1* Crédito. *2* Haber (d'un compte).

créditer [kredite] *tr.* Acreditar, abonar.

créditeur, -trice [kreditœr, -tris] *adj.-s.* COMM. Acreedor, ra.

crédulité [kredylite] *f.* Credulidad.

créer [kree] *tr.* Crear.

crémaillère [kremajɛr] *f. 1* Llares *pl.* Loc. *Prendre la —,* estrenar la casa. *2* MÉC. Cremallera.

crématoire [krematwar] *adj.-m.* Crematorio, ria.

crème [krɛm] *f. 1* Nata. *2* Crema, natillas *pl. 3* Licor *m. 4* fig. *La —,* la flor y nata. *5* Crema: *— à raser,* crema de afeitar. ■ *6 adj.* Crema.

crémerie [kremri] *f.* Lechería, mantequería.

crémeux, -euse [kremø, -øz] *adj.* Mantecoso, sa, con mucha nata.

créneler [kre(e)nle] *tr. 1* Almenar. *2* Dentar (denteler). *3* Acordonar (monnaies). ▲ CONJUG. como *appeler*.

créole [kreɔl] *adj.-s.* Criollo, lla.

crêpe [krɛp] *m. 1* Crespón, crep. *2* Gasa *f.* (de deuil). *3* Crepé (caoutchouc). ■ *4 f.* Hojuela (galette).

crêper [krepe] *tr. 1* Encrespar. *2* Cardar (les cheveux).

crépi [krepi] *m.* Enlucido.

crépissage [krepisaʒ] *m.* Enlucido, revoque.

crépitation [krepitasjɔ̃] *f.*, **crépitement** [krepitmɑ̃] *m. 1* Chisporroteo *m.*, crepitación *f. 2* MÉD. Crepitación *f.*

crépon [krepɔ̃] *m.* Crespón.

crépu, -ue [krepy] *adj.* Crespo, pa.

crépuscule [krepyskyl] *m.* Crepúsculo.

cresson [kresɔ̃] *m.* Berro.

crétacé, -ée [kretase] *adj.-m.* GÉOL. Cretáceo, cea.

crête [krɛt] *f.* Cresta.

crête-de-coq [krɛtdəkɔk] *f.* Moco *m.* de pavo.

crétin, -ine [kretɛ̃, -in] *adj.-s.* Cretino, na.

cretonne [krətɔn] *f.* Cretona.

creuser [krøze] *tr. 1* Cavar, excavar. *2* Abrir (un sillon). ■ *3 pr.* fig. *Se — la cervelle,* devanarse los sesos.

creuset [krøze] *m.* Crisol.

creux, -euse [krø, -øz] *adj. 1* Hueco, ca, vacío, ía. *2* Hondo, da. *3* Hundido, da. *4* Hueco, ca. ■ *5 m.* Hueco.

crevaison [krəvezɔ̃] *f.* Pinchazo *m.*

crevasse [krəvas] *f.* Grieta.

crevé, -ée [krəve] *adj.* pop. Reventado, da (fatigué).

crève-cœur [krɛvkœr] *m. invar.* Disgusto, pesar, despecho.

crever [krəve] *tr. 1* Reventar: *— les yeux,* reventar los ojos. ■ *2 intr.* Reventar, reventarse: *— d'orgueil,* reventar de orgullo. *3* fam. Morirse: *— de faim, de soif,* morirse de hambre, de sed. *4* Pinchar (un pneu). ■ *5 pr.* fam. Reventarse, matarse. ▲ CONJUG. como *acheter*.

crevette [krəvɛt] *f.* Camarón *m.*, quisquilla (grise), gamba (rose et grosse).

cri [kri] *m. 1* Grito. *2* Chillido (aigu, perçant). *3* Clamor (de protestation). *4* Voz *f.* (des animaux). *5* Pregón (d'un marchand). *6* Chirrido (grincement).

criaillerie [kri(j)ajri] *f.* Gritos *m. pl.,* quejas *pl.* importunas.

criant, -ante [krijɑ̃, -ɑ̃t] *adj.* fig. Irritante, indignante, escandaloso, sa (choquant).

criard, -arde [krijar, -ard(ə)] *adj.-s. 1* Gritón, ona, regañón, ona. ■ *2 adj.* Chillón, ona.

crible [kribl(ə)] *m.* Criba *f.*

cribler [krible] *tr. 1* Cribar, ahechar. *2* fig. Acribillar: *— de balles,* acribillar a balazos.

cricri [krikri] *m.* Grillo.

criée [krije] *f.* Almoneda.

crier [krije] *intr. 1* Gritar, vocear, chillar. *2* Clamar. *3* Chirriar, rechinar (grincer). ■ *4 tr.* Gritar. *5* Proclamar, clamar. *6* Pregonar (rendre public). ▲ CONJUG. como *prier*.

crime [krim] *m.* Crimen.

criminel, -elle [kriminɛl] *adj.-s.* Criminal.

crin [krɛ̃] *m.* Crin *f.,* cerda *f.*

crinière [krinjɛr] *f. 1* Crines *pl.* (du cheval). *2* Melena.

crique [krik] *f.* Cala.

criquet [krikɛ] *m.* Langosta *f.,* saltamontes.

crise [kriz] *f.* Crisis.

crisper [krispe] *tr. 1* Crispar. *2* Irritar.

crisser [krise] *intr. 1* Crujir (soie, sable). *2* Rechinar (dents).

cristallerie [kristalri] *f.* Cristalería.

cristalliser [kristalize] *tr.-intr.* Cristalizar.

critérium [kriterjɔm] *m.* Criterio.

critique [kritik] *adj. 1* Crítico, ca. ■ *2 m.* Crítico. ■ *3 f.* Crítica.

critiquer [kritike] *tr.* Criticar.

croassement [krɔasmã] *m.* Graznido.

croc [kro] *m. 1* Garfio (crochet). *2* MAR. Bichero. *3* Colmillo puntiagudo (dent).

croche [krɔʃ] *f.* MÚS. Corchea.

crochet [krɔʃe] *m. 1* Gancho, garfio. *2* Ganzúa *f.* (pour serrures). *3* Ganchillo (aiguille), crochet, labor de punto (travail au crochet). *4* Rodeo (détour). *5* IMPR. Corchete. *6* SPORTS Gancho (boxe).

crochu, -ue [krɔʃy] *adj.* Ganchudo, da.

crocodile [krɔkɔdil] *m.* Cocodrilo.

croire [krwa(ɑ)r] *tr.-intr. 1* Creer. *2* Parecerle a uno. ■ *3 pr.* Creerse. ▲ CONJUG. IRREG. INDIC. Pres.: *je crois, tu crois, il croit, nous croyons, vous croyez, ils croient.* Imperf.: *je croyais,* etc. Pret. indef.: *je crus,* etc. Fut. imperf.: *je croirai,* etc. POT.: *je croirais,* etc. SUBJ. Pres.: *que je croie, que tu croies, qu'il croie, que nous croyions, que vous croyiez, qu'ils croient.* Imperf.: *que je crusse,* etc. IMPER.: *crois, croyons, croyez.* PART. A.: *croyant.* PART. P.: *cru, crue.*

croisade [krwazad] *f.* Cruzada.

croisée [krwaze] *f. 1* Ventana. *2* Encrucijada (des chemins).

croisement [krwazmã] *m. 1* Cruce. *2* Cruzamiento (de races).

croiser [krwaze] *tr. 1* Cruzar. *2* Cruzarse. ■ *3 intr.* MAR. Cruzar. ■ *4 pr.* Cruzarse: *se — les bras,* cruzarse de brazos.

croiseur [krwazœr] *m.* MAR. Crucero.

croisière [krwazjer] *f.* Crucero *m.*

croissance [krwasãs] *f.* Crecimiento *m.*

croissant, -ante [krwasã, -ãt] *adj. 1* Creciente. ■ *2 m.* Media luna *f.* (lune). *3* Panecillo de hojaldre.

croître [krwatr(ə)] *intr.* Crecer. ▲ CONJUG. IRREG. INDIC. Pres.: *je crois, tu crois, il croît, nous croissons, vous croissez, ils croissent.* Imperf. *je croissais,* etc. Pret. indef.: *je crûs,* etc. Fut. imperf.: *je croîtrai,* etc. POT.: *je croîtrais,* etc. SUBJ. Pres.: *que je croisse,* etc. Imperf.: *que je crûsse,* etc. IMPER.: *crois, croissons, croissez.* PART. A.: *croissant.* PART. P.: *crû, crue.*

croix [krwa] *f.* Cruz: *le signe de la —,* la señal de la Cruz.

croquant, -ante [krɔkã, -ãt] *adj. 1* Cru-

jiente (qui croque sous la dent). ■ *2 s.* péj. Paleto, ta (paysan).

croque-mitaine [krɔkmiten] *m.* Coco, bu.

croque-mort [krɔkmɔr] *m.* fam. Empleado de funeraria.

croquer [krɔke] *intr. 1* Crujir. ■ *2 tr.* Chascar, ronzar, comer (manger). *3* PEINT. Bosquejar.

croquette [krɔket] *f.* Croqueta.

crosse [krɔs] *f. 1* ECCI ÉS. Báculo *m.* pastoral, cayado *m.* 2 Cayado *m.* (bâton). *3* MIL. Culata.

crotale [krɔtal] *m.* Crótalo.

crotte [krɔt] *f. 1* Cagajón *m.*, cagarruta. *2* Barro *m.*, cazcarria (boue). *3* Bombón *m.* de chocolate.

crottin [krɔtɛ̃] *m.* Estiércol de caballo.

crouler [krule] *intr.* Hundirse, desplomarse.

croupe [krup] *f.* Grupa, ancas *pl.*

croupetons (à) [akruptɔ̃] *loc. adv.* En cuclillas.

croupion [krupjɔ̃] *m.* Rabadilla *f.*

croupir [krupir] *intr. 1* Estancarse, corromperse (les eaux). *2* fig. Estar sumido, da en.

croupissant, -ante [krupisã, -ãt] *adj.* Estancado, da, corrompido, da.

croustillant, -ante [krustijã, -ãt] *adj. 1* Que cruje al ser mascado. *2* fig. Picante, libre, picaresco, ca (amusant).

croûte [krut] *f. 1* Corteza (du pain, du fromage). *2* Empanada. *3* — *terrestre,* corteza terrestre. *4* MÉD. Costra, postilla.

croûton [krutɔ̃] *m. 1* Cuscurro (de pain). *2* Pedacito de pan frito.

croyable [krwajabl(ə)] *adj.* Creíble.

croyance [krwajãs] *f.* Creencia, fe.

cru [kry] *m.* AGR. Viñedo (vignoble), terruño, tierra *f.,* país (terroir): *vin du —,* vino del país.

cru, crue [kry] *adj.* Crudo, da.

cruauté [kryote] *f.* Crueldad.

cruche [kryʃ] *f. 1* Botijo *m.* (à bec). *2* Cántaro *m.* *3* fam. Mentecato, ta, cernícalo, la.

crucifier [krysifje] *tr.* Crucificar. ▲ CONJUG. como *prier.*

crudité [krydite] *f. 1* Crudeza. ■ *2 pl.* Alimentos *m.* crudos.

crue [kry] *f.* Crecida (d'un cours d'eau).

cruel, -elle [kryɛl] *adj.* Cruel.

crustacé [krystase] *m.* Crustáceo.

crypte [kript(ə)] *f.* Cripta.

cube [kyb] *m. 1* GÉOM., MATH. Cubo. ■ *2 adj.* Cúbico, ca.

cubique [kybik] *adj.* GÉOM. Cúbico, ca: *racine —,* raíz cúbica.

cubisme [kybism(ǝ)] *m.* BX. ARTS. Cubismo.

cueillir [kœjiʀ] *tr. 1* Coger (fruits, fleurs, plantes). *2* fam. Coger, atrapar, pillar (un voleur). ▲ CONJUG. IRREG. INDIC. Pres.: *je cueille, tu cueilles, il cueille, nous cueillons, vous cueillez, ils cueillent.* Imperf.: *je cueillais,* etc. Pret. indéf.: *je cueillis,* etc. Fut. imperf.: *je cueillerai,* etc. POT.: *je cueillerais,* etc. SUBJ. Pres.: *que je cueille,* etc. Imperf.: *que je cueillisse,* etc. IMPER.: *cueille, cueillons, cueillez.* PART. A.: *cueillant.* PART. P.: *cueilli, cueillie.*

cuiller, cuillère [kɥijeʀ] *f.* Cuchara.

cuillerée [kɥij(e)ʀe] *f.* Cucharada.

cuir [kɥiʀ] *m. 1* Cuero. *2* Piel *f.* (peau tannée). *3* fig. fam. Error de pronunciación.

cuirassé, -ée [kɥiʀase] *adj. 1* Acorazado, da. ■ *2 m.* Acorazado (navire).

cuirassier [kɥiʀasje] *m.* MIL. Coracero.

cuire [kɥiʀ] *tr. 1* Cocer (dans un liquide). *2* Asar (au four). *3* Freír (frire). *4* Cocer (porcelaine, briques, etc.). ■ *5* *intr.* Cocerse. *6* Escocer (douleur). ▲ CONJUG. como *conduire.*

cuisant, -ante [kɥizɑ̃, -ɑ̃t] *adj. 1* Agudo, da, punzante (douleur, etc.). *2* Acerbo, ba, hiriente (blessant).

cuisine [kɥizin] *f.* Cocina.

cuisiner [kɥizine] *intr.-tr.* Cocinar, guisar.

cuisinier, -ière [kɥizinje, -jeʀ] *s. 1* Cocinero, ra. ■ *2 f.* Cocina (appareil).

cuisse [kɥis] *f. 1* Muslo *m. 2* Pierna (boucherie), muslo *m.* (volaille).

cuisson [kɥisɔ̃] *f. 1* Cocción, cochura. *2* Escozor *m.* (douleur).

cuistre [kɥistʀ(ǝ)] *m.* fam. Pedante.

cuit, cuite [kɥi, kɥit] *adj. 1* Cocido, da. ■ *2 f.* TECHN. Cocción. *3* fam. Borraĉera, curda (ivresse).

cuivre [kɥivʀ(ǝ)] *m.* Cobre.

cul [kyl] *m.* pop. Culo.

culasse [kylas] *f.* Culata.

culbute [kylbyt] *f. 1* Voltereta (cabriole). *2* Caída (chute).

culbuter [kylbyte] *tr. 1* Tumbar, derribar. *2* MIL. Derrotar. ■ *3 intr.* Rodar por el suelo, caer. *4* Volcar.

culinaire [kylineʀ] *adj.* Culinario, ria.

culminant, -ante [kylminɑ̃, -ɑ̃t] *adj.* Culminante.

culot [kylo] *m. 1* Casquillo (d'ampoule, de cartouche). *2* Residuo de metal en un criso, de tabaco en una pipa. *3* pop. Frescura *f.*, aplomo, tupé, caradura *f.*

culotte [kylɔt] *f. 1* Calzón *m.*, pantalón *m. 2* Bragas *pl.* (de femme).

culotter [kylɔte] *tr. 1* Poner los calzones. *2* Ennegrecer una pipa fumando, curar: *pipe culottée,* pipa curada.

culpabilité [kylpabilite] *f.* Culpabilidad.

culte [kylt(ǝ)] *m.* Culto.

cultivateur, trice [kyltivatœʀ, -tʀis] *adj.-s.* Labrador, ra, cultivador, ra.

cultivé, -ée [kyltive] *adj. 1* Cultivado, da. *2* Culto, ta (une personne).

culture [kyltyʀ] *f. 1* AGR. Cultivo *m. 2* Cultura, instrucción (de l'esprit).

culturel, -elle [kyltyʀel] *adj.* Cultural.

cumin [kymɛ̃] *m.* Comino.

cumul [kymyl] *m. 1* Acumulación *f.*, cúmulo. *2 — d'emplois,* pluriempleo.

cumuler [kymyle] *tr.* Acumular.

cupide [kypid] *adj.* Codicioso, sa, ávido, da.

cupule [kypyl] *f.* BOT. Cúpula.

curage [kyʀaʒ] *m.* Limpia *f.*, monda *f.*

curatif, -ive [kyʀatif, -iv] *adj.* Curativo, va.

cure [kyʀ] *f. 1* MÉD. Cura, curación. *2* Curato *m.* (fonction de curé). *3* Casa del cura (presbytère).

curé [kyʀe] *m.* Cura párroco.

cure-dent [kyʀdɑ̃] *m.* Mondadientes.

curée [kyʀe] *f.* Encarne *m.*

cure-ongle [kyʀɔ̃gl(ǝ)] *m.* Limpiauñas.

curer [kyʀe] *tr.* Limpiar.

curie [kyʀi] *f.* Curia.

curieux, -euse [kyʀjø, -øz] *adj.-s. 1* Curioso, sa. ■ *2 adj.* Extraño, ña, raro, ra.

curiosité [kyʀjozite] *f.* Curiosidad.

cursif, -ive [kyʀsif, -iv] *adj.* Cursivo, va.

custode [kystɔd] *f. 1* ECCLÉS. Viril *m. 2* Paño *m.* del copón (voile).

cutané, -ée [kytane] *adj.* Cutáneo, ea.

cuve [kyv] *f. 1* Tina, tinaja. *2* Cuba.

cuver [kyve] *intr. 1* Cocer (moût). *2* Fermentar (vin).

cuvette [kyvet] *f. 1* Jofaina, palangana (de toilette). *2* Cubeta (de baromètre). *3* GÉOGR. Hondonada.

cuvier [kyvje] *m.* Cubo para la colada.

cyclamen [siklamen] *m.* Ciclamino.

cycle [sikl(ǝ)] *m.* Ciclo.

cyclisme [siklism(ǝ)] *m.* Ciclismo.

cyclone [siklon] *m.* Ciclón.

cygne [siɲ] *m.* Cisne.

cylindre [silɛ̃dʀ(ǝ)] *m.* Cilindro.

cymbale [sɛ̃bal] *f.* Címbalo *m.*

cynique [sinik] *adj.-s.* Cínico, ca.

cynisme [sinism(ǝ)] *m.* Cinismo.

cyprès [sipʀe] *m.* Ciprés.

D

d [de] *m. 1* D *f. 2* pop. *Système D*, despachaderas *f. pl.*

dactylé, -ée [daktile] *adj.* Dactilado, da.

dactylographie [daktilografj] *f.* Dactilografía, mecanografía.

dada [dada] *m. 1* Caballo (lenguaje infantil). *2* fam. Manía *f.*, tema.

dadais [dadε] *m.* Bobo, necio.

dague [dag] *f. 1* Daga (arme). *2* Mogote *m.* (de cerf).

daigner [deɲe] *tr.* Dignarse, servirse, tener a bien.

daim [dε̃] *m. 1* Gamo. *2* Ante.

daine [den] *f.* Gama.

dais [dε] *m. 1* Dosel, palio. *2* ARCHIT. Doselete.

dalle [dal] *f.* Losa.

daller [dale] *tr.* Enlosar.

daltonisme [daltɔnism(ə)] *m.* Daltonismo.

dam [dã] *m.* Daño, perjuicio.

damas ʃ[dama] *m. 1* Damasco (toile). *2* Sable damasquino (arme).

damasquiner [damaskine] *tr.* Damasquinar.

damasser [damase] *tr.* Adamascar, damasquinar.

dame [dam] *f. 1* Señora, dama. Loc. *Faire la —*, dárselas de señora. *2* Reina, dama (jeu d'échecs, de dames, de cartes). Loc. *Jeu de dames*, juego de damas, damas. *3* *Notre-Dame*, Nuestra Señora. *4 interj.* fam. —!, ¡toma!, ¡vaya!

dame-jeanne [damʒan] *f.* Damajuana.

damer [dame] *tr. 1* — *le pion à quelqu'un*, ganarle a uno por la mano. *2* TECHN. Apisonar.

damier [damje] *m.* Tablero (du jeu de dames).

damnable [danabl(ə)] *adj.* Condenable.

damné, -ée [dane] *adj.-s.* Condenado, da, réprobo, ba.

damner [dane] *tr.* Condenar.

dandiner (se) [dãdine] *pr.* Contonearse, balancearse.

danger [dãʒe] *m.* Peligro, riesgo.

dangereux, -euse [dãʒrø, -øz] *adj.* Peligroso, sa.

danois, -oise [danwa, -waz] *adj.-s.* Danés, esa, dinamarqués, esa.

dans [dã] *prép. 1* En (lieu sans mouvement): *se promener — un parc*, pasearse por un parque. *3* A (avec mouvement): *il y a une boucherie — la rue voisine*, hay una carnicería en la próxima calle. *2* Por (avec mouvement): *il va d'une pièce — une autre*, va de una habitación a otra. *4* Dentro de (délai): *— une semaine*, dentro de una semana. *5* En (moment, époque): *je pourrai réaliser ce projet — l'année*, podré realizar este proyecto en el año. Loc. *— de temps*, en otra época. *6* Por: *arriver — l'après-midi*, llegar por la tarde. *7* Entre: *la maison s'écroula — les flammes*, la casa se derrumbó entre llamas. *8* De acuerdo con: *il agit — les règles*, actúa de acuerdo con las reglas. *9* En (situation): *il vit — l'oisiveté*, vive en el ocio. *10* En: *avoir confiance — la nation*, tener confianza en la nación. *11* Alrededor, unos, unas (évaluation approximative): *ce livre coûte — les vingt francs*, este libro cuesta alrededor de los veinte francos.

dansant, -ante [dãsã, -ãt] *adj. 1* Bailador, ra (qui danse). *2* Bailable (musique). *3* *Thé, souper —*, té, cena con baile.

danse [dãs] *f. 1* Danza, baile *m. 2* MÉD. *Danse de Saint-Guy*, baile de San Vito.

danser [dãse] *intr.-tr.* Bailar, danzar.

danseur, -euse [dãsœr, -øz] *s. 1* Bailador, ra. *2* Bailarín, na (professionnel). *3 — de corde*, volatinero. *4* Pareja *f.* (cavalier, cavalière).

dantesque [dãtεsk(ə)] *adj.* Dantesco, ca.

dard [dar] *m.* Aguijón (d'insectes), résped (du serpent).

darder [darde] *tr. 1* Lanzar, arrojar (lancer). *2* fig. Irradiar (soleil). *3* Clavar, lanzar (un regard).

darse [daʀs(ə)] *f.* MAR. Dársena (bassin).

date [dat] *f.* Fecha. Loc. *De longue —,* de muy antiguo: *faire —,* hacer época.

dater [date] *tr.* *1* Fechar. ■ *2 intr.* Datar: *palais qui date de la Renaissance,* palacio que data del Renacimiento. *3* Hacer época (faire date).

datif, -ive [datif, -iv] *adj.* *1* DR. Dativo, va. ■ *2 m.* GRAM. Dativo.

datte [dat] *f.* Dátil *m.*

dattier [datje] *m.* Datilera *f.*

daube [dob] *f.* *1* CUIS. Adobo *m.* (préparation). *2* Adobado *m.*, estofado *m.*

dauphin [dofɛ̃] *m.* Delfín.

daurade [doʀad] *f.* Dorada.

davantage [davãtaʒ] *adv.* *1* Más. *2* Más tiempo.

de [d(ə)] *prép.* *1* De (lieu d'où l'on vient, origine) *il vient — la campagne,* viene del campo. *2* De (temps): *il est arrivé —nuit,* llegó de noche en; *il n'a rien de fait — la semaine,* no ha hecho nada en toda la semana. *3* Por (rapport distributif, approximation, évaluation): *gagner tant — l'heure,* ganar tanto por hora. *4* De (appartenance): *le livre — Paul,* el libro de Pablo. *5* De (attribution ou provenance): *je n'ai rien reçu — lui,* no recibí nada de él. *6* De: *il jouit du repos,* goza del descanso; a: *l'amour — la patrie,* el amor a la patria; con: *il rêve — ses vacances,* sueña con las vacaciones. *7* (moyen) Con: *frapper — la main,* pegar con la mano; de: *il vit — fruits,* vive de frutas. *8* (cause, agent) De: *pleurer — joie,* llorar de alegría; por: *être aimé — ses parents,* ser querido por sus padres. *9* (manière) Con: *manger — bon appetit,* comer con buen apetito; de: *il est photographié — profil,* está retratado de perfil. *10* De (caractérisation, matière, contenu, qualité): *une barre — fer,* una barra de hierro. *11* De (nom en apposition): *la ville — Paris,* la ciudad de París. *12* De (destination): *à quelle heure passe le train — Paris?,* ¿a qué hora pasa el tren de París? *13* De (nom attribut): *traiter quelqu'un — lâche,* tratar a uno de cobarde. *14* Devant un infinitif sujet ou complément direct, ne se traduit pas: *il est facile — le dire,* es fácil decirlo. *15 De ... à,* desde... hasta; *de ... en,* de... en.

dé [de] *m.* *1* Dedal (à coudre). *2* Dado.

déambuler [deãbyle] *intr.* Deambular.

débâcle [debakl(ə)] *f.* *1* Deshielo *m.* (dé-

gel). *2* fig. Desastre *m.*, derrota (défaite).

déballer [debale] *tr.* *1* Desembalar, desempacar. *2* fig. fam. Soltar (avouer).

débandade [debãdad] *f.* Desbandada.

débander [debãde] *tr.* *1* Desvendar (les yeux). ■ *2* Aflojar.

débarcadère [debaʀkadɛʀ] *m.* *1* Desembarcadero. *2* Muelle, descargadero (chemin de fer).

débarquer [debaʀke] *tr.* *1* Desembarcar (un bateau). ■ *2 intr.* Desembarcar. *3* fam. Plantarse, llegar de improviso.

débarras [debaʀa] *m.* *1* Alivio, liberación *f.* *2* Trasera *f.* (cabinet).

débarrasser [debaʀase] *tr.* *1* Vaciar (une pièce). ■ *2 pr.* Deshacerse, desembarazarse.

débat [deba] *m.* Debate.

débâtir [debatiʀ] *tr.* Deshilvanar, desapuntar, descoser.

débattre [debatʀ(ə)] *tr.* *1* Debatir, discutir. ■ *pr. 2* Forcejear, bregar, resistir. ▲ CONJUG. como *battre.*

débauché, -ée [deboʃe] *adj.* *1* Libertino, na, vicioso, sa. ■ *2 s.* Perdido, da, juerguista. ■ *3 f.* Mujer de la vida.

débaucher [deboʃe] *tr.* *1* Despedir (renvoyer). *2* Hacer abandonar el trabajo (détourner d'un travail). *3* Corromper, pervertir. ■ *4 pr.* Entregarse al libertinaje.

débile [debil] *adj.* *1* Débil, endeble, delicado, da. ■ *2 s.* *Un — mental,* un atrasado mental.

débiliter [debilite] *tr.* Debilitar.

débiner [debine] *tr.* pop. *1* Denigrar, criticar. ■ *2 pr.* pop. Largarse, pirárselas.

débit [debi] *m.* *1* Despacho, venta *f.* (vente). *2* Tienda *f.* (établissement). *3* Elocución *f.*, palabra *f.*, habla *f.* (d'un orateur). *4* Corte (du bois). *5* Caudal (d'un fleuve, d'une source, etc.). *6* COMM. Debe, débito (compte), salida *f.* de caja.

débiter [debite] *tr.* *1* Vender, despachar. *2* fig. Soltar, decir: *— des mensonges,* soltar mentiras. *3* Recitar, declamar. *4* Destazar, cortar en trozos (le bois). *5* Suministrar (une quantité de fluide). *6* COMM. Adeudar, cargar en cuenta.

débiteur, -trice [debitœʀ, -tʀis] *adj.-s.* Deudor, ra.

déblai [deblɛ] *m.* *1* Desmonte, escombra *f.* ■ *2 pl.* Tierra *f.* sing., escombros *m.*

déblatérer [deblateʀe] *intr.* fam. Despotricar. ▲ CONJUG. como *accélérer.*

déblayer [debleje] *tr.* Escombrar, despejar.

déblocage [deblɔkaʒ] *m.* COMM. Desbloqueo, liberación *f.*

déboire [debwaʀ] *m.* Desengaño.

déboiser [debwaze] *tr.* Desmontar, talar.

déboîter [debwate] *tr. 1* Dislocar, desencajar. ■ *2 intr.* Salirse de la fila (une voiture). ■ *3 pr.* Desencajarse, dislocarse.

débonnaire [debɔnɛʀ] *adj. 1* Bonachón, ona, buenazo, za. *2* fam. *Père —,* padrazo.

débordant, -ante [debɔrdã, -ãt] *adj.* Desbordante, rebosante.

déborder [debɔrde] *intr. 1* Desbordar, desbordarse. *2* Rebosar (un récipient). *3* fig. Rebosar: *— de joie,* rebosar de alegría. ■ *4 tr.* Exceder, sobrepasar (un bord ou limite). *5* Destapar (le lit). ■ *6 pr.* Desarroparse (en dormant).

débotter [debɔte] *tr.* Descalzar.

débouchage [debuʃaʒ] *m. 1* Destapadura *f.*, descorche (des bouteilles). *2* Desobstrucción *f.*

déboucher [debuʃe] *tr. 1* Destapar, destaponar, descorchar (une bouteille), desobstruir (un conduit). ■ *2 intr.* Salir, surgir. *3* Desembocar (*sur,* en).

débouler [debule] *intr. 1* Caer, rodar cuesta abajo (dans un escalier). ■ *2 tr.* Rodar abajo.

débourber [debuʀbe] *tr. 1* Desenlodar, quitar el fango. *2* Desatascar (une voiture).

débourrer [debuʀe] *tr. 1* Vaciar, limpiar (une pipe). *2* Desatascar (un fusil). *3* Desborrar, quitar la borra de (ôter la bourre).

déboursement [debuʀsmã] *m.* Desembolso.

débourser [debuʀse] *tr.* Desembolsar.

debout [dəbu] *adv. 1* En pie, de pie. *2* Levantado, da. *3* MAR. *Vent —,* viento contrario. *4 interj.* ¡Arriba!

déboutonner [debutɔne] *tr. 1* Desabotonar, desabrochar. ■ *2 pr.* Desabrocharse.

débrailler (se) [debʀaje] *pr.* Despechugarse.

débrayer [debʀeje] *tr.* TECHN. Desembragar.

débrider [debʀide] *tr. 1* Desembridar. *2* MÉD. Desbridar (une hernie).

débris [debʀi] *m. 1* Pedazos *pl.* (d'une chose brisée). *2* Sobras *f. pl.*, despojos *pl.* (de la table). *3* Restos *pl.*, ruinas *f.*

débrouillard, -arde [debʀujaʀ, -aʀd(ə)] *adj.-s.* Listo, ta, despabilado, da.

débrouiller [debʀuje] *tr. 1* Desenredar, desembrollar, desenmarañar. *2* fig. Esclarecer, aclarar (une affaire, etc.). ■ *3 pr.* fig. fam. Arreglárselas, defenderse. *4* Despabilarse.

débroussailler [debʀusɑje] *tr.* Desbrozar.

début [deby] *1 m.* Principio, comienzo: *au —,* al principio. *2* Salida *f.* (jeux). ■ *3 pl.* THÉÂTR. Presentación *f. sing.* (d'un artiste), debut *sing.* (gallic, très employé).

débutant, -ante [debytã, -ãt] *adj.-s. 1* Principiante. *2* THÉÂT. Debutante (gallic).

deçà [dəsa] *adv. 1* De este lado, del lado de acá. *loc. adv.: — et delà,* de uno y de otro lado. *2 loc. prép. En — de,* de este lado de (de ce côté-ci).

décacheter [dekaʃte] *tr.* Desellar, abrir. ▲ CONJUG. como *jeter*.

décade [dekad] *f.* Década.

décadent, -ente [dekadã, -ãt] *adj.* Decadente.

décalage [dekalaʒ] *m. 1* Descalce (des cales). *2* Diferencia *f.: le — d'horaire,* la diferencia horaria. *3* fig. Desfase.

décalcomanie [dekalkɔmani] *f.* Calcomanía.

décaler [dekale] *tr. 1* Descalzar (ôter une cale). *2* Correr de sitio (déplacer). *3* Adelantar (avancer), retrasar (retarder).

décalquer [dekalke] *tr.* Calcar.

décamper [dekãpe] *intr. 1* MIL. Decampar (lever le camp). *2* fam. Largarse.

décanat [dekana] *m.* Decanato.

décanter [dekãte] *tr.* Decantar.

décapiter [dekapite] *tr. 1* Decapitar. *2* Desmochar (la tête d'un arbre).

décarreler [dekaʀle] *tr.* Desembaldosar, desenladrillar, desenlosar. ▲ CONJUG. como *appeler*.

décasyllabe [dekasi(l)ab] *adj.-m.* Decasílabo, ba.

décavé, -ée [dekave] *adj.-s. 1* Desbancado, da (au jeu). *2* fam. Arruinado, da.

décéder [desede] *intr.* Fallecer. ▲ CONJUG. como *accélérer*.

déceler [de(ɛ)sle] *tr. 1* Descubrir. *2* Revelar. ▲ CONJUG. como *acheter*.

décembre [desãbʀ(ə)] *m.* Diciembre.

décemment [desamã] *adv.* Decentemente.

décence [desãs] *f.* Decencia, decoro *m.*

décent, -ente [desã, -ãt] *adj.* Decente, decoroso, sa.

décentraliser [desãtʀalize] *tr.* Descentralizar.

décentrer [desãtʀe] *tr.* Descentrar.

déception [desɛpsjɔ̃] f. 1 Decepción. 2 Desengaño m. (désenchantement).

décerner [desɛrne] tr. Otorgar, conceder: — un prix, otorgar un premio.

décès [desɛ] m. Fallecimiento.

décevoir [deswar] tr. 1 Decepcionar. 2 Burlar, defraudar (la confiance, l'attente, les espérances de quelqu'un). 3 Engañar (tromper). ▲ CONJUG. como voir.

déchaîner [deʃene] tr. 1 Desencadenar. ■ 2 pr. Desencadenarse, desenfrenarse.

déchanter [deʃɑ̃te] intr. fam. Bajar el tono, reducir sus pretensiones.

décharge [deʃarʒ(ə)] f. 1 Descargue m., descarga. 2 Descarga (d'une arme, électrique). 3 Desagüadero m. (canal d'écoulement). 4 Liberación (d'une dette, d'une obligation). 5 — publique, vertedero m., escombrera. 6 DR. Descargo m.: témoin à —, testigo de descargo.

déchargement [deʃarʒəmɑ̃] m. Descarga f. (de marchandises).

décharger [deʃarʒe] tr. 1 Descargar. ■ 2 pr. Descargarse. ▲ CONJUG. como engager.

décharné, -ée [deʃarne] adj. Descarnado, da, demacrado, da.

déchausser [deʃose] tr. 1 Descalzar (quelqu'un, un arbre). ■ 2 pr. Descalzarse. 3 Descarnarse (une dent).

dèche [dɛʃ] f. pop. Miseria, indigencia.

déchéance [deʃeɑ̃s] f. 1 Decadencia (morale), caída, decaimiento m. (physique). 2 Deposición, destronamiento m. (d'un roi). 3 Pérdida, caducidad (d'un droit).

déchet [deʃɛ] m. 1 Desperdicio. 2 fig. Desecho (personne).

déchiffrer [deʃifre] tr. 1 Descifrar. 2 MUS. Repentizar.

déchiqueter [deʃikte] tr. 1 Desmenuzar. 2 Desgarrar. ▲ CONJUG. como jeter.

déchirant, -ante [deʃirɑ̃, -ɑ̃t] adj. Desgarrador, ra.

déchirer [deʃire] tr. 1 Desgarrar, rasgar, romper (étoffe, papier, etc.), destrozar (mettre en morceaux) 2 Desollar, despedazar (quelqu'un).

déchoir [deʃwar] intr. Decaer, caer, descaecer, venir a menos. ▲ CONJUG. IRREG. INDIC. Pres.: je déchois, tu déchois, il déchoit, nous déchoyons, vous déchoyez, ils déchoient. Pret. indef.: je déchus, etc. Fut. imperf.: je décherrai, etc. POT.: je décherrais, etc. SUBJ. Pres.: que je déchoie, etc. SUBJ. Imperf.: que je déchusse, etc. PART. P.: déchu, ue. No se usa en los demás tiempos.

déchu, -ue [deʃy] adj. 1 Decaído, da, caído, da. 2 Desposeído, da.

décidé, -ée [deside] adj. 1 Decidido, da, resuelto, ta (résolu).

décimal, -ale [desimal] adj. Decimal.

décimer [desime] tr. Diezmar.

décisif, -ive [desizif, -iv] adj. Decisivo, va.

décision [desizjɔ̃] f. Decisión.

déclamation [deklamasjɔ̃] f. Declamación.

déclamer [dekla(ɑ)me] tr.-intr. Declamar.

déclaration [deklarasjɔ̃] f. Declaración, manifestación.

déclarer [deklare] tr. 1 Declarar. ■ 2 pr. Declararse.

déclassé, -ée [deklase] adj.-s. Sacado, da de su esfera, de su clase social.

déclasser [deklase] tr. 1 Desarreglar, desordenar, desclasificar. 2 fig. Sacar de su clase social. 3 Rebajar (rabaisser).

déclencher [deklɑ̃ʃe] tr. 1 MÉC. Soltar (un ressort). 2 fig. Poner en marcha, desencadenar (provoquer).

déclic [deklik] m. Disparador (d'une arme, d'un mécanisme).

déclin [deklɛ̃] m. Caída f., ocaso, decadencia.

déclinaison [deklinɛzɔ̃] f. ASTR., GRAM. Declinación.

décliner [dekline] intr. 1 Debilitarse, decaer. 2 ASTR. Declinar. ■ 3 tr. GRAM. Declinar. 4 Rechazar, rehusar.

déclouer [deklue] tr. Desclavar.

décocher [dekɔʃe] tr. 1 Disparar (une flèche). 2 Soltar (un coup de poing). 3 fig. Espetar (une remarque). 4 Lanzar (un regard).

décoiffer [dekwafe] tr. Despeinar.

décoller [dekɔle] tr. 1 Despegar, desencolar. ■ 2 intr. Despegar (un avión).

décolleté, -ée [dekɔlte] adj. 1 Escotado, da. ■ 2 m. Escote (d'une robe).

décolorer [dekɔlɔre] tr. 1 Descolorir (diminuer l'intensité de la couleur), descolorar (ôter la couleur). 2 Decolorar (les cheveux).

décombres [dekɔ̃br(ə)] m. pl. 1 Escombros. 2 fig. Ruinas f.

décommander [dekɔmɑ̃de] tr. 1 Desencargar. 2 Anular, cancelar (une commande, une invitation).

décomposé, -ée [dekɔ̃poze] adj. Descompuesto, ta.

décomposer [dekɔ̃poze] tr. 1 Descomponer. ■ 2 pr. Descomponerse.

decomposition [dekɔ̃pozisjɔ̃] f. Descomposición.

décompter [dekɔ̃te] tr. 1 Descontar. 2 Detallar (un compte).

déconcerter [dekɔ̃sɛʀte] 1 tr. Desconcertar. ■ 2 pr. Turbarse.

déconfiture [dekɔ̃fityʀ] f. 1 Derrota, fracaso m. 2 fig. fam. Derrota, hundimiento m. (d'une equipe, d'un parti).

déconseiller [dekɔ̃seje] tr. Desaconsejar.

déconsidérer [dekɔ̃sidere] tr. Desacreditar, desprestigiar. ▲ CONJUG. como accélérer.

décontenancer [dekɔ̃tnɑ̃se] tr. Turbar, desconcertar. ▲ CONJUG. como lancer.

déconvenue [dekɔ̃vny] f. Chasco m., fracaso m., contrariedad.

décor [dekɔʀ] m. 1 Decoración f., adorno. 2 Ambiente, marco (cadre). 3 THÉÂT. Decorado.

décorateur, -trice [dekɔʀatœʀ, -tʀis] s. Decorador, ra.

décoration [dekɔʀasjɔ̃] f. 1 Decoración, adorno m. 2 Condecoración (insigne).

décorer [dekɔʀe] tr. 1 Decorar, adornar (orner). 2 Condecorar.

décorner [dekɔʀne] tr. 1 Descornar. 2 Deshacer el doblez de (carte de visite, etc.).

décortiquer [dekɔʀtike] tr. Descortezar (les arbres), descascarillar (une noix, une amande).

découcher [dekuʃe] intr. Dormir fuera de casa.

découdre [dekudʀ(ə)] tr. Descoser. ▲ CONJUG. como coudre.

découler [dekule] intr. 1 Chorrear, manar, fluir (couler peu à peu). 2 fig. Resultar, derivarse, desprenderse.

découpage [dekupaʒ] m. 1 Recorte, recortado (action de découper). 2 Trinchado (viande).

découper [dekupe] tr. 1 Trinchar (viande). 2 Recortar (des images, dans un journal, etc.).

découplé, -ée [dekuple] adj. Bien —, airoso, bien plantado.

décourageant, -ante [dekuʀaʒɑ̃, -ɑ̃t] adj. Desalentador, ra.

décourager [dekuʀaʒe] tr. 1 Desalentar. ■ 2 pr. Desanimarse. ▲ CONJUG. como engager.

découronner [dekuʀɔne] tr. Destronar.

décousu, -ue [dekuzy] adj. 1 Descosido, da. 2 Deshilvanado,da (sans liaison).

découvert, -erte [dekuvɛʀ, -ɛʀt(ə)] adj. 1 Descubierto, ta. ■ 2 m. COMM. Descubierto. 3 loc. adv. À —, al descubierto.

découverte [dekuvɛʀt(ə)] f. 1 Descubrimiento m.: 2 Hallazgo m.

découvrir [dekuvʀiʀ] tr. 1 Descubrir. 2 Averiguar (après des recherches). 3 Destapar (ôter un couvercle). 4 Revelar, descubrir (faire connaître). ■ 5 pr. Descubrirse (pour saluer). 6 Despejarse (le ciel). ▲ CONJUG. como offrir.

décrasser [dekʀase] tr. 1 Limpiar, lavar a fondo, quitar la mugre de. 2 fig. Desbastar, desasnar, afinar (une personne).

décrépir [dekʀepiʀ] tr. 1 Quitar el enlucido de (un mur).

décrépitude [dekʀepityd] f. Decrepitud.

décréter [dekʀete] tr. 1 Decretar, ordenar. 2 Decidir, declarar. ▲ CONJUG. como accélérer.

décrier [dekʀije] tr. 1 Desacreditar, calumniar, criticar. 2 Depreciar. ▲ CONJUG. como prier.

décrire [dekʀiʀ] tr. Describir. ▲ CONJUG. como prier.

décrocher [dekʀɔʃe] tr. 1 Descolgar. 2 Desenganchar.

décroiser [dekʀwaze] tr. Descruzar.

décroître [dekʀwa(a)tʀ(ə)] intr. 1 Decrecer, disminuir. 2 Menguar (la lune). ▲ CONJUG. como croître, excepto el part. p. que no toma acento.

décrotteur [dekʀɔtœʀ] m. Limpiabotas invar., betunero.

décrue [dekʀy] f. Descenso m. (des eaux).

déçu, -ue [desy] adj. 1 Decepcionado, da. 2 Frustrado, da, defraudado, da.

décupler [dekyple] tr. 1 Decuplicar (augmenter dix fois). 2 fig. Centuplicar.

dédaigner [dedeɲe] tr. Desdeñar.

dédaigneux, -euse [dedeɲø, -øz] adj. Desdeñoso, sa.

dedans [d(ə)dɑ̃] adv. 1 Dentro. loc. adv. En —, adentro, dentro; là —, allí dentro. 2 fam. Mettre —, embaucar, engañar. ■ 3 m. Interior (d'une chose). loc. adv. Au dedans, dentro, en el interior.

dédier [dedje] tr. 1 LITURG. Dedicar, consagrar. 2 Dedicar (une œuvre). ▲ CONJUG. como prier.

dédire [dediʀ] tr. 1 Desautorizar, desmentir. ■ 2 pr. Despedirse, retractarse. ▲ CONJUG. como dire, excepto las segundas personas del pres. de indic. y del imperativo que hacen dédisez.

dédit [dedi] m. 1 Revocación f. de la palabra dada, retractación f. 2 Suma f. que pierde el que no cumple un pacto.

dédommager [dedɔmaʒe] tr. 1 Indemnizar. 2 Resarcir (une perte). ■ 3 pr. Resarcirse. ▲ CONJUG. como engager.

dédorer [dedɔʀe] tr. 1 Desdorar. ■ 2 pr. Desdorarse.

dédoubler [deduble] tr. 1 Desdoblar. 2 Desaforrar (un vêtement).

déduction [dedyksjɔ̃] f. Deducción.

déduire [dedɥiʀ] tr. 1 Deducir. 2 Deducir,

rebajar, descontar (d'une somme). ▲ CONJUG. como *conduire*.

déesse [dɛɛs] *f. 1* Diosa.

défaillance [defajɑ̃s] *f. 1* Desfallecimiento *m.*, desmayo *m. 2* Falta, extinción (d'une chose). *3* Incumplimiento *m. 4* Debilidad, flaqueza (faiblesse).

défaillir [defajiʀ] *intr. 1* Desfallecer, desmayarse. *2* Faltar (manquer). *3* Fallar (forces, etc.). *4* fig. Desanimarse (se décourager). ▲ CONJUG. como *assaillir*. Es def. y sólo se usa en los tiempos compuestos y en los siguientes: INDIC. Pres.: *nous défaillons, vous défaillez, ils défaillent.* Imperf.: *je défaillais,* etc. Pret. indef.: *je défaillis,* etc. PART. A.: defaillant. PART. P.: *défailli.*

défaire [defɛʀ] *tr. 1* Deshacer. ■ *2 pr.* Deshacerse. *3* Deshacerse de (se débarraser de). ▲ CONJUG. como *faire*.

défaite [defɛt] *f. 1* MIL. Derrota. *2* Derrota, fracaso *m.* (échec).

défalquer [defalke] *tr.* Deducir, rebajar, descontar.

défaufiler [defofile] *tr.* Deshilvanar.

défaut [defo] *m. 1* Falta *f.* (manque). *2* Defecto, tacha *f.*, falta *f.* (imperfection physique morale). *3 loc. prep. À — de,* a falta de.

défaveur [defavœʀ] *f. 1* Desfavor *m. 2 Être en —,* estar en.desgracia.

défavorable [defavɔʀabl(ə)] *adj.* Desfavorable.

défectif, -ive [defɛktif, -iv] *adj.* GRAM. Defectivo, va.

défection [defɛksjɔ̃] *f.* Defección.

défendre [defɑ̃dʀ(ə)] *tr. 1* Defender. *2* Prohibir. *3* Proteger, preservar (du froid). ■ *4 pr.* Defenderse. *5* Negar (d'avoir fait quelque chose). *6* Contenerse, reprimirse. ▲ CONJUG. como *rendre*.

défense [defɑ̃s] *f. 1* Defensa. *2* Prohibición (interdiction). ■ *3 pl.* Defensas (fortifications).

défenseur [defɑ̃sœʀ] *m.* Defensor, ra.

défensif, -ive [defɑ̃sif, -iv] *adj. 1* Defensivo, va. ■ *2 f.* Defensiva.

déféquer [defeke] *intr.* Defecar. ▲ CONJUG. como *accélérer*.

déférence [defeʀɑ̃s] *f.* Deferencia, consideración.

déférent, -ente [defeʀɑ̃, -ɑ̃t] *adj.* Deferente.

défeuiller [defœje] *tr.* Deshojar.

défi [defi] *m.* Reto, desafío.

défiance [defjɑ̃s] *f.* Desconfianza.

défiant, -ante [defjɑ̃, -ɑ̃t] *adj.* Desconfiado, da, receloso, sa.

déficeler [defisle] *tr.* Desatar. ▲ CONJUG. como *appeler*.

déficient, -ente [defisjɑ̃, -ɑ̃t] *adj.* Deficiente.

défier [defje] *tr. 1* Desafiar, retar. ■ *2 pr.* Desconfiar. ▲ CONJUG. como *prier*.

défigurer [defigyʀe] *tr.* Desfigurar.

défilé [defile] *m. 1* Desfiladero. *2* Desfile.

défiler [defile] *tr. 1* Desensartar (des perles). ■ *2 intr.* Desfilar (des troupes, etc.). *3* Sucederse.

défini, -ie [defini] *adj. 1* Definido, da. *2 Article —,* artículo determinado, definido. *3 Passé —,* pretérito indefinido.

définir [definiʀ] *tr.* Definir, precisar.

définitif, -ive [definitif, -iv] *adj.* Definitivo, va.

déflagration [deflagʀasjɔ̃] *m.* Deflagración.

déflation [deflɑsjɔ̃] *f.* Deflación.

déflorer [deflɔʀe] *tr.* Desflorar.

défoncer [defɔ̃se] *tr. 1* Desfondar (ôter le fond de). *2* Hundir (un toit, etc.). *3* Romper, llenar de baches. *4* MIL. Aplastar, arrollar (l'ennemi). ▲ CONJUG. como *lancer*.

déformer [defɔʀme] *tr.* Deformar, desformar.

défraîchir [defʀeʃiʀ] *tr.* Ajar, deslucir.

défrayer [defʀeje] *tr.* Pagar el gasto, costear.

défricher [defʀiʃe] *tr.* Roturar.

défriper [defʀipe] *tr.* Desarrugar, alisar.

défriser [defʀize] *tr.* Desrizar, estirar.

défroncer [defʀɔ̃se] *tr.* Desfruncir. ▲ CONJUG. como *lancer*.

défroqué, -ée [defʀɔke] *adj. 1* Que ha colgado los hábitos. ■ *2 m.* Religioso, monje que ha colgado los hábitos.

défunt, -unte [defœ̃, œ̃t] *adj.-s.* Difunto, ta.

dégagé, -ée [degaʒe] *adj. 1* Libre. *2* fig. Despejado, da, desenvuelto, ta (air, allure). *3* Despejado, da (ciel, front). *4* Suelto, ta (style).

dégager [degaʒe] *tr. 1* Desempeñar (un gage). *2* Soltar, sacar (main, doigt). *3* Dejar libre, despejar (un passage, une voie). *4* Desprender (odeur, gaz). *5* Retirar (sa parole). *6* Poner de relieve, de manifiesto. ■ *7 pr.* Librarse (de ce qui gêne, d'un engagement). *8* Desprenderse (émaner). *9* fig. Ponerse en evidencia, desprenderse (se manifester). *10* Despejarse, desencapotarse (le ciel). ▲ CONJUG. como *engager*.

dégarnir [degaʀniʀ] *tr. 1* Desguarnecer. *2* Desamueblar. *3* AGR. Podar (un arbre). ■ *4 pr.* Despoblarse (les cheveux).

dégât [dega] *m*. Estrago, daño. desperfecto.

dégauchir [degoʃiʀ] *tr*. *1* Desbastar. alisar (bois, pierre). *2* Desalabear.

dégelée [de(ɛ)ʒle] *f*. pop. Paliza. tunda.

dégeler [de(ɛ)ʒle] *tr*. *1* Deshelar. *2* fig. Desbloquear. descongelar (des crédits). *3* Alegrar. animar (quelqu'un). ■ *4 intr*. Deshelarse. ▲ conjug. como *accélérer*.

dégénérer [deʒenere] *intr*. Degenerar. ▲ conjug. como *accélérer*.

déglacer [deglase] *tr*. *1* Deshelar. *2* Deslustrar (du papier). ▲ conjug. como *lancer*.

déglutition [deglytisjɔ̃] *f*. Deglución.

dégonfler [degɔ̃fle] *tr*. *1* Deshinchar. ■ *2 pr*. Desinflarse.

dégorger [degɔʀʒe] *tr*. *1* Vomitar. devolver. *2* Desatascar (un tuyau). *3* Lavar (la laine). ■ *4 intr*. Desbordarse, desaguar. ▲ conjug. como *engager*.

dégourdir [degurdiʀ] *tr*. *1* Desentumecerse, descentorpearse. *2* fig. Despabilar. avispar. *3* Templar. entibiar (l'eau). ■ *4 pr*. Desentumecerse. *5* fig. Despabilarse.

dégoût [degu] *m*. *1* Desgana *f*. *2* Asco. repugnancia *f*.

dégoûter [degute] *tr*. *1* Desganar (ôter l'appétit). *2* Repugnar. dar asco, asquear. ■ *3 pr*. Hastiarse. *4* Desaficionarse.

dégradant, -ante [degradã. -ãt] *adj*. Degradante.

dégrader [degrade] *tr*. *1* Degradar. *2* Deteriorar. ■ *3 pr*. Degradarse. envilecerse. *4* Empeorarse (la situation).

dégrafer [degrafe] *tr*. Desabrochar.

dégraisser [degrese] *tr*. *1* Desengrasar. *2* Desgrasar (la laine). *3* Limpiar. quitar manchas (a un vêtement).

degré [degre] *m*. *1* Grado. *2* Peldaño.

dégrever [degrəve] *tr*. Desgravar. ▲ conjug. como *acheter*.

dégringoler [degrɛ̃gɔle] *intr*. *1* fam. Caer rodando. *2* fig. Venirse abajo.

dégrossir [degrosiʀ] *tr*. Desbastar.

déguenillé, -ée [degnije] *adj.-s*. Andrajoso, sa. harapiento, ta.

déguerpir [degɛʀpiʀ] *int*. Irse precipitadamente. largarse. salir pitando. huir.

déguiser [degize] *tr*. *1* Disfrazar. *2* fig. Desfigurar. cambiar (sa voix). *3* Encubrir.

dégustation [degystasjɔ̃] *f*. Degustación.

déguster [degyste] *tr*. *1* Catar. gustar. probar. *2* Saborear. paladear (savourer).

déhanchement [deɑ̃ʃmɑ̃] *m*. *1* Dislocación *f*. de caderas. *2* fig. Contoneo.

déharnacher [deaʀnaʃe] *tr*. Desenjaezar.

dehors [dəɔʀ] *adv*. *1* Fuera. afuera: loc. adv. *De, du —*, de fuera, desde fuera. loc. prép. *En — de ceci*, fuera de esto, esto aparte. ■ *2 m*. Exterior. loc. adv. *Au —*, afuera, en el exterior. ■ *3 m. pl*. Apariencias *f*.

déifier [deifje] *tr*. *1* Deificar. *2* fig. Divinizar. endiosar. ▲ conjug. como *prier*.

déité [deite] *f*. Deidad. divinidad.

déjà [deʒa] *adv*. Ya.

déjection [deʒɛksjɔ̃] *f*. Deyección.

déjeuner [deʒœne] *m.1* Almuerzo, comida *f*. (de midi). *2* Desayuno (du matin). *3 Petit —*, desayuno.

déjeuner [deʒœne] *intr*. *1* Desayunar (prendre le petit déjeuner). *2* Almorzar. comer (à midi).

déjouer [deʒwe] *tr*. Desbaratar. frustrar. hacer fracasar (une intrigue).

déjuger (se) [deʒyʒe] *pr*. Rectificar un juicio. una decisión. volver atrás. ▲ conjug. como *engager*.

delà [dəla] *prép*. *1* Allende. más allá de (generalmente precedido de las prep. *au, en, par*). loc. et prép. *Au —*, allende. más allá; *en —, par — de*, más allá. al otro lado de. más lejos que. *2 L'au-delà*, el más allá. la otra vida.

délabrement [dela(a)brəmã] *m*. Deterioro. ruina *f*.

délacer [dela(a)se] *tr*. Desatar (les chaussures. etc.). ▲ conjug. como *lancer*.

délai [dele] *m*. *1* Plazo. término. *2* Demora *f*., dilación *f*.

délaissement [delesmã] *m*. Abandono.

délaisser [delese] *tr*. Abandonar.

délasser [delase] *tr*. *1* Descansar. solazar. ■ *2 pr*. Descansar. solazarse.

délateur, -trice [delatœr. -tris] *adj.-s*. Delator. ra.

délayer [deleje] *tr*. Desleír. diluir.

délectable [delektabl(ə)] *adj*. Deleitoso. sa. deleitable.

délecter (se) [delekte] *pr*. Deleitarse.

délégué, -ée [delege] *adj.-s*. Delegado, da. comisionado. da.

déléguer [delege] *tr*. Delegar. ▲ conjug. como *accélérer*.

délester [deleste] *tr*. Delastrar.

délétère [deleter] *adj*. Deletéreo. rea.

délibération [deliberasjɔ̃] *f*. Deliberación.

délibéré, -ée [delibere] *adj*. *1* Deliberado. *2* Resuelto. ta. decidido, da (air).

délibérer [delibere] *intr*. Deliberar. ▲ conjug. como *accélérer*.

délicat, -ate [delika, -at] *adj*. Delicado. da. frágil. sensible.

délicattesse [delikatɛs] *f.* Delicadeza.

délicieux, -euse [delisjø, -øz] *adj.* Delicioso, sa.

délictueux, -euse [deliktɥø, -øz] *adj.* Delictuoso, sa, delictivo, va.

délié, -ée [delje] *adj. 1* Fino, na, delgado, da, esbelto, ta. *2* fig. Sutil, penetrante. *3* Suelto, ta (style).

délier [delje] *tr. 1* Desatar. *2* fig. Desligar (d'un serment). ▲ CONJUG. como *prier*.

délimitation [delimitɑsjɔ̃] *f.* Delimitación.

délimiter [delimite] *tr.* Delimitar.

délinquant, -ante [delɛ̃kɑ̃, -ɑ̃t] *adj.-s.* Delincuente.

déliquescent, -ente [delikesɑ̃, -ɑ̃t] *adj. 1* Delicuescente. *2* fig. Decadente.

délirant, -ante [delirɑ̃, -ɑ̃t] *adj.* Delirante.

délire [delir] *m.* Delirio.

délirer [delire] *intr.* Delirar, desvariar.

délit [deli] *m.* Delito.

délivrance [delivrɑ̃s] *f. 1* Liberación (d'un prisonnier, d'un pays). *2* fig. Alivio *m. 3* Expedición (d'un document). *4* Entrega, concesión (d'un permis). *5* Alumbramiento *m.* (accouchement).

délivrer [delivre] *tr. 1* Liberar, libertar (un prisonnier, un pays). *5 pr.* Librarse, liberarse.

déloger [deloʒe] *tr.* Desalojar.

déloyal, -ale [delwajal] *adj.* Desleal.

déluge [delyʒ] *m.* Diluvio.

déluré, -ée [delyre] *adj.* Vivo, va, despierto, despabilado, da.

délustrer [delystre] *tr.* Deslustrar.

démagogue [demagɔg] *m.* Demagogo.

démailler (se) [demɑje] *pr.* Tener una carrerilla (bas).

démailloter [demajɔte] *tr.* Quitar los pañales a.

demain [d(ə)mɛ̃] *adv.-m.* Mañana: — *matin*, mañana por la mañana. Loc. — *il fera jour*, mañana será otro día.

demande [d(ə)mɑ̃d] *f. 1* Petición, ruego *m. 2* Pregunta (question). *3* COMM. Pedido *m.*, encargo *m.* (commande); demanda. *4* DR. Demanda.

demander [d(ə)mɑ̃de] *tr. 1* Preguntar (questionner). *2* Pedir. *3* Desear, querer (désirer). *4* Requerir, necesitar. *5* Llamar, preguntar por. *6* DR. Demandar. ■ *7 pr.* Preguntarse.

démangeaison [demɑ̃ʒɛzɔ̃] *f. 1* Comezón, picazón. *2* fig. Gana, prurito *m.*

démanteler [demɑ̃tle] *tr.* Desmantelar. ▲ CONJUG. como *acheter*.

démantibuler [demɑ̃tibyle] *tr.* fam. Romper, dislocar, descomponer.

démarcation [demarkɑsjɔ̃] *f. 1* Demarcación. *2* fig. Límite *m.*, separación.

démarche [demarʃ(ə)] *f. 1* Paso *m.*, andares *m. pl.*, modo *m.* de andar (allure). *2* fig. Diligencia, gestión, trámite *m.*

démarrer [demare] *tr. 1* MAR. Desamarrar. ■ *2 intr.* Arrancar (un véhicule).

démasquer [demaske] *tr. 1* Desenmascarar. *2* MIL. Descubrir (une batterie).

démêlé [demele] *m.* Altercado, debate.

démêler [demele] *tr. 1* Desenredar, desenmarañar (les cheveux). *2* Carmenar (la laine). *3* fig. Aclarar, desembrollar. *4* Discernir (distinguer). ■ *5 pr.* Peinarse.

démembrer [demɑ̃bre] *tr.* Desmembrar.

déménager [demenaʒe] *tr. 1* Trasladar (les meubles). ■ *2 intr.* Mudarse (de domicile). ▲ CONJUG. como *engager*.

démence [demɑ̃s] *f.* Demencia.

démener [dɛmne] *pr. 1* Agitarse, forcejear. *2* fig. Menearse, ajetrearse. ▲ CONJUG. como *acheter*.

dément, -ente [demɑ̃, -ɑ̃t] *adj.-s.* Demente.

démenti [demɑ̃ti] *m.* Mentís.

démentir [demɑ̃tir] *tr.* Desmentir, contradecir. ▲ CONJUG. como *mentir*.

démériter [demerite] *intr.* Desmerecer.

démesuré, -ée [deməzyre] *adj.* Desmesurado, da, desmedido, da.

démettre [demetr(ə)] *tr. 1* Dislocar (un os). *2* Destituir (de ses fonctions). *3* DR. Desestimar. ■ *4 pr.* Dislocarse (un os). *5* Dimitir. ▲ CONJUG. como *mettre*.

démeubler [demøble] *tr.* Desamueblar.

demeure [dəmœr] *f. 1* Morada, residencia (domicile), mansión, vivienda, alojamiento *m.* (logement). *loc. adv.* À —, para siempre, de una manera estable. *2* DR. Demora. Loc. *Mise en* —, intimación, requerimiento *m.*

demeurer [dəmœre] *intr. 1* Residir, morar, vivir (habiter). *2* Quedar, permanecer (dans un endroit, dans un état). *3* Quedar (continuer à être).

demi, -ie [d(ə)mi] *adj. 1* Medio, dia. ▲ Es invariable delante del substantivo; varía después de él. *loc. adv.* À —, a medias, medio. ■ *2 m.* Medio (une moitié). *3* Caña *f.* (verre de bière). ■ *4 f.* Media unidad. *5* Media (heure).

demi-cercle [d(ə)miserkl(ə)] *m.* Semicírculo.

demi-jour [d(ə)miʒur] *m. invar.* Luz crepuscular *f.*, media luz *f.*

démilitariser [demilitarize] *tr.* Desmilitarizar.

demi-mesure [d(ə)mimzyr] *f. 1* Media medida. *2* fig. Término *m.* medio.

demi-mondaine [d(ə)mimɔ̃dɛn] *f.* Mujer galante.

demi-mot (à) [admimo] *m. loc. adv.* A medias palabras.

démis, -ise [demi, -iz] *adj. 1* Dislocado, da (os). *2* Destituido, da (d'un emploi).

demi-saison [d(ə)misɛzɔ̃] *f.* Entretiempo *m.*

démissionnaire [demisjɔnɛʀ] *adj.-s.* Dimisionario, ria.

demi-teinte [d(ə)mitɛ̃t] *f.* Media tinta, medio tono *m.*

demi-ton [d(ə)mitɔ̃] *m.* MUS. Semitono.

demi-tour [d(ə)mituʀ] *m.* Media *f.* vuelta: **faire —**, dar media vuelta.

démobiliser [demɔbilize] *tr.* Desmovilizar.

démocratie [demɔkʀasi] *f.* Democracia.

démodé, -ée [demɔde] *adj.* Pasado, da, de moda, anticuado, da.

démographique [demɔgʀafik] *adj.* Demográfico, ca.

demoiselle [d(ə)mwazɛl] *f. 1* Señorita. *2* Soltera (célibataire).

démolir [demɔliʀ] *tr. 1* Derribar, echar abajo (abattre). *2* Hacer pedazos, destrozar (mettre en pièces). *3* pop. Moler a palos (battre). *4* fig. Echar por tierra, arruinar (une réputation, une théorie). *5* Destrozar (la santé).

démon [demɔ̃] *m.* Demonio.

démoniaque [demɔnjak] *adj.-s.* Demoníaco, ca, endemoniado, da.

démonstratif, -ive [demɔtʀatif, -iv] *adj.* Demostrativo, va.

démonstration [demɔ̃stʀasjɔ̃] *f.* Demostración.

démonter [demɔ̃te] *tr. 1* Desmontar (une machine, une couture, etc.). *2* Desengastar (un bijou). *3* fig. Desconcertar, turbar, desorientar (déconcerter). *4* **Mer démontée**, mar muy agitado. ■ *5 pr.* fig. Turbarse, desconcertarse.

démontrer [demɔ̃tʀe] *tr.* Demostrar, probar.

démoraliser [demɔʀalize] *tr.* Desmoralizar (décourager).

démordre [demɔʀdʀ(ə)] *intr.* fig. Desistir, cejar. ▲ CONJUG. como **rendre**.

démunir [demyniʀ] *tr. 1* Desproveer. ■ *2 pr.* Desprenderse. *3* Despojarse.

denaturé, -ée [denatyʀe] *adj.* Desnaturalizado, da.

dénaturer [denatyʀe] *tr.* Desnaturalizar.

dénégation [denegasjɔ̃] *f.* Denegación, negación.

déni [deni] *m.* Negativa *f.*

déniaiser [denjeze] *tr.* Avispar, despabilar.

dénicher [deniʃe] *tr. 1* Sacar del nido. *2* fig. fam. Hacer salir, desalojar (quel-

qu'un d'un endroit). *3* Hallar, encontrar, dar con (trouver).

dénier [denje] *tr.* Negar, denegar. ▲ CONJUG. como **prier**.

dénigrer [denigʀe] *tr.* Denigrar.

déniveler [denivle] *tr.* Desnivelar. ▲ CONJUG. como **appeler**.

dénombrer [denɔ̃bʀe] *tr. 1* Enumerar, contar. *2* Hacer el censo, el padrón de (recenser).

dénominateur [denɔminatœʀ] *m.* MATH. Denominador.

dénomination [denɔminasjɔ̃] *f.* Denominación.

dénoncer [denɔ̃se] *tr. 1* Denunciar. *2* Revelar, indicar, denotar. ▲ CONJUG. como **lancer**.

dénoter [denɔte] *tr.* Denotar.

dénouement [denumã] *m.* Desenlace.

dénouer [denwe] *tr.* Desanudar, desatar.

denrée [dɑ̃ʀe] *f.* COMM. Género *m.*, artículo *m.*, producto *m.*

densité [dɑ̃site] *f.* Densidad.

dent [dɑ̃] *f. 1* ANAT. Diente *m.* *2* Muela (molaire). *3* Colmillo *m.* (d'animal). *4* Diente *m.* (d'une roue, d'une scie, d'une montagne, d'une feuille, etc.).

dental, -ale [dɑ̃tal] *adj.-f.* Dental.

denté, -ée [dɑ̃te] *adj.* Dentado, da.

dentelé, -ée [dɑ̃tle] *adj.* Dentado, da, dentellado, da.

dentelle [dɑ̃tɛl] *f.* Encaje *m.*, blonda, puntilla.

dentelure [dɑ̃tlyʀ] *f.* Festón *m.*, borde *m.* dentado.

dentier [dɑ̃tje] *m.* Dentadura *f.* postiza.

dentifrice [dɑ̃tifʀis] *m. 1* Dentífrico. ■ *2 adj.* Dentífrico, ca.

dentiste [dɑ̃tist(ə)] *s.* Dentista.

denture [dɑ̃tyʀ] *f. 1* Dentadura (d'une personne). *2* Dientes *m. pl.* (d'une roue).

dénuder [denyde] *tr. 1* Desnudar. ■ *2 pr.* Desnudarse.

dénué, -ée [denɥe] *tr. 1* Desprovisto, ta, falto, ta.

dénuement, dénûment [denymã] *m.* Miseria *f.*, indigencia *f.*

dénutrition [denytʀisjɔ̃] *f.* Desnutrición.

dépanner [depane] *tr.* Reparar, arreglar (réparer).

dépaqueter [depakte] *tr.* Desempaquetar. ▲ CONJUG. como **jeter**.

dépareiller [depaʀeje] *tr.* Descalabar, desparejar.

départ [depaʀ] *m.* Salida *f.*, partida *f.*, marcha *f.*

départager [depaʀtaʒe] *tr.* Desempatar (vote). ▲ CONJUG. como **engager**.

département [depaʀtəmã] *m. 1* Departamento. *2* Jurisdicción *f.*

départemental, -ale [depaʀtəmãtal] *adj.* Departamental, de provincia.

départir [depaʀtiʀ] *tr. 1* Conceder, deparar. ■ *2 pr.* Desistir, abandonar. ▲ CONJUG. como *mentir.*

dépasser [depase] *tr. 1* Adelantar, dejar atrás. *2* Rebasar, exceder, ir más allá de (une limite, une quantité). *3* Ser más alto que (en hauteur). *4* Aventajar, sobrepujar (surpasser quelqu'un). *5* Superar.

dépaver [depave] *tr.* Desempedrar.

dépayser [depeize] *tr.* Desorientar, desconcertar, despistar. ·

dépecer [depəse] *tr.* Despedazar, trinchar. ▲ Reúne las irregularidades de *acheter* y *lancer.*

dépêche [depeʃe] *f. 1* Despacho *m.,* parte *m.* (diplomatique). *2* Telegrama *m.*

dépêcher [depeʃe] *tr. 1* Enviar, despachar (envoyer). ■ *2 pr.* Apresurarse.

dépeigner [depeɲe] *tr.* Despeinar.

dépeindre [depɛ̃dʀ(ə)] *tr.* Pintar, describir. ▲ CONJUG. como *craindre.*

dépendance [depãdãs] *f. 1* Dependencia. ■ *2 pl.* Accesorias, dependencias.

dépendant, -ante [depãdã, -ãt] *adj.* Dependiente.

dépendre [depãdʀ()] *intr. 1* Depender. ■ *2 impers. Il dépend de vous que,* de usted depende que. ■ *3 tr.* Descolgar (ce qui est pendu). ▲ CONJUG. como *rendre.*

dépens [depã] *m. pl. 1* DR. Costas *f.* 2 Expensas *f.*

dépense [depãs] *f. 1* Gasto *m. 2* Despensa (pour les provisions).

dépenser [depãse] *tr. 1* Gastar. ■ *2 pr.* Desvivirse, deshacerse.

dépensier, -ière [depãsje, -jɛʀ] *adj.-s.* Gastador, ra, derrochador, ra.

dépérir [depeʀiʀ] *intr. 1* Debilitarse, desmedrar, marchitarse. *2* Arruinarse, deteriorarse (péricliter).

dépersonnaliser [depɛʀsɔnalize] *tr.* Despersonalizar.

dépêtrer [depetʀe] *tr. 1* Destrabar (les pieds). *2 fig.* Librar, desembarazar. ■ *3 pr.* Librarse. *4 fig.* Salir del atolladero.

dépeupler [depœple] *tr.* Despoblar.

dépilatoire [depilatwaʀ] *adj.-m.* Depilatorio, ria.

dépiquer [depike] *tr. 1* Descoser (une couture). *2* AGR. Desplantar, trillar.

dépister [depiste] *tr. 1* Rastrear (le gibier). *2* Descubrir la pista de.

dépit [depi] *m.* Despecho. *loc. prép. En — de,* a despecho de, a pesar de, pese a.

dépiter [depite] *tr.* Despechar.

déplacement [deplasmã] *m. 1* Desplazamiento, cambio de sitio. *2* Traslado (d'un fonctionnaire). *3* Viaje corto.

déplacer [deplase] *tr. 1* Desplazar, trasladar (une chose, un fonctionnaire). *2 fig.* Desviar (un problème, la conversation). *3* MAR. Desplazar. ■ *4 pr.* Desplazarse, trasladarse. ▲ CONJUG. como *lancer.*

déplaire [deplɛʀ] *intr. 1* Desagradar, disgustar. ■ *2 pr.* No estar a gusto. ▲ CONJUG. como *plaire.*

déplaisant, -ante [deplezã, -ãt] *adj.* Desagradable, molesto, ta.

déplanter [deplãte] *tr.* Desplantar.

déplier [deplije] *tr.* Desplegar, desdoblar. ▲ CONJUG. como *prier.*

déplisser [deplise] *tr.* Desfruncir.

déplorer [deplɔʀe] *tr.* Deplorar.

déployer [deplwaje] *tr.* Desplegar. ▲ CONJUG. como *employer.*

déplumer [deplyme] *tr.* Desplumar.

dépoitraillé, -ée [depwatʀaje] *adj.* fam. Despechugado, da, descamisado, da.

dépopulation [depɔpylasjɔ̃] *f.* Despoblación.

déporter [depɔʀte] *tr.* Deportar.

déposer [depoze] *tr. 1* Depositar (mettre en dépôt). *2* Dejar (mettre, laisser dans un endroit). *3* Presentar: *— une plainte,* presentar una denuncia. *4* Deponer (les armes). *5* Depositar (des sédiments). ■ *6 intr.* Formar poso (un liquide). *7* DR. Deponer, declarar. ■ *8 pr.* Depositarse (poussière, etc.).

dépositaire [depoziteʀ] *s.* Depositario, ria.

déposition [depozisjɔ̃] *f. 1* DR. Deposición, declaración. *2* Deposición (destitution).

déposséder [deposede] *tr.* Desposeer. ▲ CONJUG. como *accélérer.*

dépôt [depo] *m. 1* Consignación *f.,* depósito (d'une somme, etc.). *2* Almacén (magasin). *3* Depósito (d'autobus). *4* Prisión *f.* preventiva. *5* Poso, sedimento.

dépouille [depuj] *f. 1* Despojos *m. pl.,* restos *m. pl.* mortales (cadavre). *2* Despojos *m. pl.,* botín *m.* (de l'ennemi).

dépouiller [depuje] *tr. 1* Despojar. *2* Desollar (animaux). *3* Examinar (un compte), vaciar (un livre). *4 — le scrutin,* hacer el escrutinio, escrutar los votos.

dépourvu, -ue [depuʀvy] *adj. 1* Desprovisto, ta, privado, da, carente. *2 Au —,* improvisto, desprevenido, da.

dépravation [depʀavɑsjɔ̃] *f.* Depravación.

dépravé, -ée [depʀave] *adj.-s.* Depravado, da.

déprécier [depʀesje] *tr.* Depreciar, desvalorizar. ▲ CONJUG. como *prier*.

déprédation [depʀedasjɔ̃] *f.* Depredación.

dépression [depʀesjɔ̃] *f.* Depresión.

déprimer [depʀime] *tr.* Deprimir.

depuis [dəpɥi] *prép.* *1* Desde. *2* Desde hace (temps). ■ *3 adv.* Después.

dépurer [depyʀe] *tr.* Depurar, purificar.

députation [depytasjɔ̃] *f.* Diputación.

député [depyte] *m.* Diputado.

déraciner [deʀasine] *tr.* *1* Desarraigar. *2* fig. Extirpar, eliminar (une erreur).

déraillement [deʀɑjmɑ̃] *m.* Descarrilamiento.

déraisonnable [deʀezɔnabl(ə)] *adj.* Poco razonable.

dérangement [deʀɑ̃ʒmɑ̃] *m.* *1* Desarreglo, desorden (dérèglement). *2* Molestia *f.*, trastorno (gêne).

déranger [deʀɑ̃ʒe] *tr.* *1* Desarreglar, desordenar, descomponer. *2* Alterar (la santé, l'estomac). *3* Molestar, estorbar (gêner). ■ *4 pr.* Molestarse. ▲ CONJUG. como *engager*.

déraper [deʀape] *intr.* AUTO. Patinar, derrapar.

dérégler [deʀegle] *tr.* *1* Desarreglar, descomponer (mécanisme). *2* Desarreglar, desordenar (vie, etc.). *3* Alterar (le pouls). ■ *4 pr.* Desarreglarse, descomponerse. ▲ CONJUG. como *accélérer*.

dérider [deʀide] *tr.* *1* Desarrugar. *2* fig. Alegrar, hacer menos severo, ra. ■ *3 pr.* Alegrarse, sonreír.

dérisoire [deʀizwaʀ] *adj.* Irrisorio, ia.

dérivation [deʀivasjɔ̃] *f.* Derivación.

dérive [deʀiv] *f.* Deriva.

dériver [deʀive] *intr.* *1* Derivar, desviarse del rumbo (bateau, avión). *2* fig. — *de*, derivarse de, provenir de. ■ *3 tr.* Desviar (un cours d'eau).

dermatologie [deʀmatɔlɔʒi] *f.* Dermatología.

dernier, -ière [deʀnje, -jɛʀ] *adj.* *1* Último, ma. *2* Pasado, da (année, semaine, etc.). *3* Extremo, ma (extrême).

dérobé, -ée [deʀɔbe] *adj.* *1* Secreto, ta, excusado, da, falso, sa: *porte dérobée*, puerta falsa. ■ *2 loc. adv. À la dérobée*, a escondidas.

dérober [deʀɔbe] *tr.* *1* Hurtar, robar. ■ *2 pr.* Ocultarse, sustraerse a. *3* Flaquear (les genoux). *4* Hundirse (la terre). *5* Dar una espantada, hacer un extraño (un cheval). *6* Esquivar, eludir.

dérogation [deʀɔgasjɔ̃] *f.* Derogación.

dérouiller [deʀuje] *tr.* Desherrumbrar.

dérouler [deʀule] *tr.* *1* Desarrollar (une bobine, etc.). *2* Mostrar, desplegar (étaler).

déroute [deʀut] *f.* *1* Derrota, desbandada, fuga desordenada. *2* fig. Ruina, desorden *m.*

derrière [dɛʀjɛʀ] *prép.* *1* Tras, detrás de. ■ *2 adv.* Detrás. ■ *3 m.* Trasera *f.*, parte *f.* posterior (l'arrière). *4 De* —, trasero, ra. *5* fam. Trasero, asentaderas *f. pl.* (d'une personne).

des [de] (contracción de *de* y *les*). *1* De los, de las. ■ *2 art. partitif* (no se traduce): *manger des pommes*, comer manzanas. ■ *3 art. indéf. pl.* Unos, as, algunos, as.

dès [de] *prép.* *1* Desde. *2 loc. adv.* — *lors*, desde entonces. *3 loc. conj.* — *que*, tan pronto como, en cuanto.

désabuser [dezabyze] *tr.* Desengañar.

désaccord [dezakɔʀ] *m.* Desacuerdo.

désaccorder [dezakɔʀde] *tr.* *1* MUS. Desacordar, desafinar. *2* fig. Desunir, desavenir.

désaccoutumer [dezakutyme] *tr.* Desacostumbrar.

désaffection [dezafɛksjɔ̃] *f.* Desafecto *m.*, desafección.

désagréable [dezagʀeabl(ə)] *adj.* Desagradable.

désagréger [dezagʀeʒe] *tr.* Disgregar. ▲ CONJUG. como *abréger*.

désagrément [dezagʀemɑ̃] *m.* Disgusto.

désaltérer [dezalteʀe] *tr.* *1* Apagar la sed a. ■ *2 pr.* Beber. ▲ CONJUG. como *accélérer*.

désamortir [dezamɔʀtiʀ] *tr.* Desamortizar.

désappointement [dezapwɛtmɑ̃] *m.* Decepción *f.*, contrariedad *f.*

désapprobation [dezapʀɔbasjɔ̃] *f.* Desaprobación.

désapprouver [dezapʀuve] *tr.* Desaprobar.

désarmement [dezaʀməmɑ̃] *m.* Desarme.

désarmer [dezaʀme] *tr.* Desarmar.

désarroi [dezaʀwa(ɑ)] *m.* Desasosiego, desconcierto.

désarticuler [dezaʀtikyle] *tr.* Desarticular.

désassortir [dezasɔʀtiʀ] *tr.* *1* Desemparejar, desparejar, deshermanar. *2* COMM. Desproveer, dejar sin surtido.

désastreux, -euse [dezastʀø, -øz] *adj.* Desastroso, sa.

désavantage [dezavɑ̃taʒ] *m.* Desventaja *f.*

désavantager [dezavɑ̃taʒe] *tr.* Perjudicar, desfavorecer. ▲ CONJUG. como *engager*.

désavouer [dezavwe] *tr.* *1* Negar, desconocer. *2* Desautorizar, condenar, desaprobar (condamner). *3* Retractar.

desceller [desele] *tr. 1* Desellar. *2* Desempotrar (ce qui est fixé dans la pierre).

descendance [desɑ̃dɑ̃s] *f.* Descendencia.

descendre [desɑ̃dʀ(ə)] *intr. 1* Bajar, descender. *2* Parar: — *à l'hôtel,* parar en el hotel. *3* Personarse (un juge, la police, sur les lieux). *4* Descender (d'une lignée). ■ *5 tr.* Bajar, descender: — *l'escalier,* bajar la escalera. ▲ CONJUG. como *rendre.*

descente [desɑ̃t] *f. 1* Descenso *m.,* bajada (action). *2* — *de croix,* descendimiento *m. 3* MIL. Desembarco *m. 4* Irrupción (de la police). *5* — *de justice,* visita del juzgado. *6* Bajada, pendiente (pente).

descriptif, -ive [deskʀiptif, -iv] *adj.* Descriptivo, va.

description [deskʀipsjɔ̃] *f.* Descripción.

désembourber [dezɑ̃buʀbe] *tr.* Desatollar, desatascar.

désemparer [dezɑ̃paʀe] *intr.* fig. *Sans —,* sin parar, sin interrupción.

désenchanter [dezɑ̃ʃɑ̃te] *tr. 1* Desencantar. ■ *2* fig. Desilusionar, desengañar.

désenfiler [dezɑ̃file] *tr.* Desenhebrar.

désenfler [dezɑ̃fle] *intr.* Deshinchar, desinflar.

désenvelopper [dezɑ̃vlɔpe] *tr.* Desenvolver, desempaquetar.

déséquilibrer [dezekilibʀe] *tr.* Desequilibrar.

désert, -erte [dezɛʀ, -ɛʀt(ə)] *adj. 1* Desierto, ta. ■ *2 m.* Desierto.

déserter [dezɛʀte] *tr. 1* Dejar, abandonar. ■ *2* fig. Abandonar, traicionar (une cause). ■ *3 intr.* MIL. Desertar.

déserteur [dezɛʀtœʀ] *m.* MIL. Desertor.

désespérer [dezɛspeʀe] *tr.-intr. 1* Desesperar. ■ *2 pr.* Desesperarse. ▲ CONJUG. como *accélérer.*

désespoir [dezɛspwaʀ] *m.* Desesperanza *f.,* desesperación *f.*

déshabituer [dezabitɥe] *tr.* Desacostumbrar, deshabituar.

déshériter [dezeʀite] *tr.* Desheredar.

déshonnête [dezɔnɛt] *adj.* Deshonesto, ta.

déshonneur [dezɔnœʀ] *m.* Deshonor, deshonra *f.*

désignation [dezinɑsjɔ̃] *f.* Designación, nombramiento *m.*

désigner [dezine] *tr.* Designar.

désillusionner [dezi(l)zyzjɔne] *tr.* Desilusionar.

désinence [dezinɑ̃s] *f.* Desinencia.

désinfectant, -ante [dezɛ̃fɛktɑ̃, -ɑ̃t] *adj.-m.* Desinfectante.

désinfection [dezɛ̃fɛksjɔ̃] *f.* Desinfección.

désintégrer [dezɛ̃tegʀe] *tr. 1* Desintegrar. ■ *2 pr.* Desintegrarse. ▲ CONJUG. como *accélérer.*

désintéresser [dezɛ̃teʀese] *tr. 1* Indemnizar, resarcir. ■ *2 pr.* Desinteresarse, no ocuparse de.

désinvolture [dezɛ̃vɔltyʀ] *f.* Desenvoltura.

désir [deziʀ] *m. 1* Deseo. *2* Anhelo.

désirable [deziʀabl(ə)] *adj.* Deseable.

désirer [deziʀe] *tr.* Desear.

désister (se) [deziste] *pr.* Desistir.

désobéir [dezɔbeiʀ] *intr.* Desobedecer.

désobéissant, -ante [dezɔbeisɑ̃, -ɑ̃t] *adj.* Desobediente.

désobligeant, -ante [dezɔbliʒɑ̃, -ɑ̃t] *adj.* Descortés, desatento, ta.

désobliger [dezɔbliʒe] *tr.* Disgustar, ofender. ▲ CONJUG. como *engager.*

désœuvré, -ée [dezœvʀe] *adj.-s.* Desocupado, da, ocioso, sa.

désolant, -ante [dezɔlɑ̃, -ɑ̃t] *adj. 1* Desolador, ra, triste. *2* Enojoso, sa (fâcheux).

désoler [dezɔle] *tr. 1* Afligir, desconsolar. ■ *2 pr.* Afligirse, desconsolarse.

désordonné, -ée [dezɔʀdɔne] *adj.* Desordenado, da.

désordre [dezɔʀdʀ(ə)] *m.* Desorden.

désorganiser [dezɔʀganize] *tr.* Desorganizar.

désorienter [dezɔʀjɑ̃te] *tr.* Desorientar.

désormais [dezɔʀmɛ] *adv.* En adelante, en lo sucesivo.

désosser [dezɔse] *tr.* Desosar, deshuesar.

despote [dɛspɔt] *m.* Déspota.

despotisme [dɛspɔtism(ə)] *m.* Despotismo.

dessaisir [deseziʀ] *tr. 1* DR. Inhibir. ■ *2 pr.* Desprenderse, desposeerse.

dessaler [desale] *tr. 1* Desalar, quitar la sal. *2* fig. fam. Avispar (une personne).

dessécher [deseʃe] *tr. 1* Desecar, secar. ■ *2 pr.* Secarse, resecarse. ▲ CONJUG. como *accélérer.*

dessein [desɛ̃] *m.* Designio, propósito. *loc. adv. À —,* a propósito.

desseller [desele] *tr.* Desensillar.

desserrer [deseʀe] *tr.* Desapretar, aflojar.

dessert [desɛʀ] *m.* Postre, postres *pl.*

desserte [desɛʀt(ə)] *f. 1* Trinchero *m.* (meuble). *2* Servicio *m.* de comunicación (transports, marchandises, etc.).

dessertir [desɛʀtiʀ] *tr.* Desengastar.

desservant [desɛʀvɑ̃] *m. 1* Cura párroco. *2* Capellán.

desservir [desɛʀviʀ] *tr. 1* Quitar: — *la table,* quitar la mesa. *2* Hacer el servicio de comunicación (train, autocar, etc.). *3* Servir (un prêtre). *4* fig. Perjudicar. ▲ CONJUG. como *mentir.*

dessinateur, -trice [desinatœr, -tʀis] *s.*
Dibujante.

dessiner [desine] *tr. 1* Dibujar, diseñar. *2*
Destacar, resaltar (faire ressortir). ■ *3*
pr. Dibujarse.

dessoûler [desule] *tr. 1* Desemborrachar.
■ *2 intr.* Desemborracharse.

dessous [d(ə)su] *adv. 1* Debajo, abajo. *2*
loc. adv. **Par-dessous**, por debajo; *en*
dessous, debajo, por debajo. *3* **Ci-des-**
sous, a continuación. *4* **Là-dessous**, allá
debajo. ■ *5 m.* El fondo, la parte *f.* inferior. *6* Revés (d'un tissu). *7* fig. Secreto, intríngulis (ce qui est secret). *8*
THÉÂT. Foso. ■ *9 pl.* Ropa *f. sing.* interior (lingerie).

dessus [d(ə)sy] *adv. 1* Encima, arriba. *2*
loc. adv. **En —**, sobre, encima. *loc.*
prép. **Au — de**, por encima de; *par —*
tout, por encima de todo. ■ *3 m.* La
parte de arriba. *4* Loc. **Avoir le —**, llevar la ventaja. *5* MUS. Alto, tiple. *6*
THÉÂT. Telar.

destin [destɛ̃] *m.* Destino, hado, sino.

destinataire [destinatɛʀ] *s.* Destinatario,
ria.

destination [destinasjɔ̃] *f.* Destino *m.*,
destinación.

destinée [destine] *f.* Destino *m.*, hado *m.*,
suerte.

destiner [destine] *tr. 1* Destinar. ■ *2 pr.*
Destinarse, pensar dedicarse.

destituer [destitɥe] *tr.* Destituir.

destructeur, -trice [destʀyktœr, -tʀis]
adj.-s. Destructor, -ra.

destruction [destʀyksjɔ̃] *f.* Destrucción.

désuétude [desɥetyd] *f.* Desuso *m.*

détacher [detaʃe] *tr. 1* Limpiar (ôter les
taches). *2* Soltar, desatar (un chien, un
lion, etc.). *3* Despegar (décoller) *4* Separar, alejar (éloigner). *5* MIL., PEINT.
Destacar. ■ *6 pr.* fig. Desprenderse,
desinteresarse (se désintéresser). *7* De-
sapegarse, perder el apego a (perdre
l'affection). *8* Destacarse (ressortir).

détail [detaj] *m. 1* Detalle, pormenor.
loc. adv. **En —**, detalladamente. *2*
COMM. Detall, menudeo, venta *f.* al por
menor.

détailler [detaje] *tr. 1* COMM. Vender al
por menor, detallar. ■ *2* fig. Pormeno-
rizar, detallar (raconter en détail).

détaler [detale] *intr.* fig. fam. Tomar el
portante, huir.

détecteur, -trice [detektœr, -tʀis] *adj.-m.*
Detector, ra.

déteindre [detɛ̃dʀ(ə)] *tr. 1* Desteñir. ■ *2*
intr. Desteñirse (perdre sa couleur). *3*
fig. Influir, contagiar: — *sur quelqu'un*,

contagiar a uno, influir en uno. ▲
CONJUG. como *craindre*.

dételer [dɛt(e)tle] *tr. 1* Desenganchar (des
chevaux), desuncir (des bœufs). ■ *2 intr.*
Parar, descansar. ▲ CONJUG. como *appe-*
ler.

détendre [detɑ̃dʀ(ə)] *tr. 1* Aflojar (ce qui
est tendu). *2* Descomprimir, reducir la
presión de (un gaz, etc.). *3* fig. Distraer,
cambiar los ánimos (distraire). *4* Descansar, calmar, sosegar (calmer). ■ *5 pr.*
Aflojarse. *6* Relajarse. *7* Divertirse,
distraerse (se distraire). ▲ CONJUG.
como *rendre*.

détente [detɑ̃t] *f. 1* Disparador *m.*, gatillo
m. (d'une arme). *2* Resorte *m.* (sports).
3 Expansión (d'un gaz). *4* fig. Descanso
m., tregua, alivio *m.* (délassement). *5*
Distensión (en politique).

détention [detɑ̃sjɔ̃] *f. 1* Detención, prisión
(emprisonnement). *2* — *d'armes*, tenencia de armas. *3* DR. Detentación.

détenu, -ue [detny] *adj.-s.* Detenido, da,
preso, sa.

détériorer [deteʀjɔʀe] *tr. 1* Deteriorar,
estropear. ■ *2 pr.* Deteriorarse, estropearse. *3* Empeorar (une situation).

détermination [detɛʀminasjɔ̃] *f.* Determinación.

déterrer [detɛʀe] *tr.* Desenterrar.

détester [detɛste] *tr.* Detestar, odiar, aborrecer.

détonant, -ante [detɔnɑ̃, -ɑ̃t] *adj.* Deto-
nante.

détonation [detɔnasjɔ̃] *f.* Detonación.

détonner [detɔne] *intr.* Detonar.

détonner [detɔne] *intr.* MUS. Desentonar.

détour [detuʀ] *m. 1* Rodeo. *2* Recodo, re-
coveco, vuelta *f.* (d'un chemin, etc.).

détourner [detuʀne] *tr. 1* Desviar (un
cours d'eau, la conversation). *2* Alejar,
apartar de sí (des soupçons). *3* Apartar.
4 Volver: — *la tête*, volver la cabeza. *5*
Desfalcar (des fonds). *6* Secuestrar (un
avión). *7* Corromper, pervertir (un mineur). *8* fig. Disuadir, quitar de la cabeza. ■ *9 pr.* Apartar la vista. *10* **Se —**
de, abandonar (une idée, un projet,
etc.).

détracteur, -trice [detʀaktœr, -tʀis]
adj.-s. Detractor, ra.

détraqué, -ée [detʀake] *adj.-s. 1* Desequilibrado, da, chiflado, da (personne). ■ *2*
adj. Trastornado, da (estomac, nerfs).

détresse [detʀɛs] *f. 1* Angustia, desamparo
m. (angoisse). *2* Apuro *m.*, miseria. *3*
Peligro *m.*

détriment [detʀimɑ̃] *m.* Detrimento: *au*
— de, en detrimento de.

détroit [detʀwa] *m.* GÉOG. Estrecho.
détromper [detʀɔpe] *tr.* Desengañar.
détrousseur, -euse [detʀusœʀ, -øz] *adj.-m.* Salteador. ra.
détruire [detʀɥiʀ] *tr.* Destruir. ▲ CONJUG. como *conduire*.
dette [det] *f.* Deuda.
deuil [dœj] *m. 1* Duelo. 2 Luto.
deux [dø] *adj.-m. 1* Dos: *tous les —, tous —,* los dos. ambos. *loc. adv. À —,* entre dos; *— à —,* de dos en dos. 2 Segundo.
deuxième [døzjem] *adj.-s. 1* Segundo, da. ■ *2 m.* El segundo piso (étage).
dévaler [devale] *tr. 1* Bajar (une pente). ■ *2 intr.* Bajar rápidamente, ir cuesta abajo.
dévaliser [devalize] *tr.* Desvalijar.
dévaloriser [devalɔʀize] *tr.* Desvalorizar.
dévaluer [devalɥe] *tr.* Devaluar.
devancer [dəvãse] *tr. 1* Preceder. 2 Adelantarse. 3 Aventajar (surpasser). ▲ CONJUG. como *lancer.*
devant [d(ə)vã] *prép. 1* Delante de; ante (en présence de). ■ *2 adv.* Delante. ■ *3 m.* Delantera *f.* (partie antérieure).
devanture [d(ə)vãtyʀ] *f.* Escaparate *m.*
dévastation [devastasjɔ̃] *f.* Devastación.
développer [devlɔpe] *tr. 1* Desarrollar. 2 Desenvolver (ce qui est enveloppé). 3 PHOT. Revelar.
devenir [dəvniʀ] *intr. 1* Llegar a ser, hacerse, volverse, ponerse. 2 Ser de. 3 Parar. ▲ CONJUG. como *venir.*
dévergondé, -ée [devergɔ̃de] *adj.-s.* Desvergonzado, da.
déverser [devɛʀse] *tr. 1* Verter, derramar (répandre). ■ *2 pr.* Verterse, derramarse.
déversoir [devɛʀswaʀ] *m.* Vertedero, desagüadero.
dévêtir [devetiʀ] *tr. 1* Desvestir, desnudar. ■ *2 prf.* Desnudarse.
déviation [devjasjɔ̃] *f.* Desviación.
dévier [devje] *intr. 1* Desviarse. ■ *2 tr.* Desviar. ▲ CONJUG. como *prier.*
deviner [d(ə)vine] *tr.* Adivinar.
devinette [d(ə)vinet] *f.* Adivinanza.
devis [d(ə)vi] *m.* Presupuesto (des travaux).
dévisager [devizaʒe] *tr.* Mirar de hito en hito. ▲ CONJUG. como *engager.*
devise [d(ə)viz] *f. 1* Divisa, lema *m.* 2 Divisa (monnaie).
deviser [dəvize] *intr.* Platicar.
dévisser [devise] *tr.* Desatornillar, destornillar.
dévoiler [devwale] *tr. 1* Quitar el velo de, descubrir. 2 fig. Descubrir, revelar (un secret). 3 Enderezar (une roue).

devoir [d(ə)vwaʀ] *tr. 1* Deber (de l'argent, le respect). 2 Deber, tener que, haber de (obligation). 3 Deber de (supposition). *4 Dussé-je,* aunque debiera: *on doit,* hay que. ■ *5 pr.* Deberse a (la patrie). ▲ CONJUG. IRREG. INDIC. Pres.: *je dois, tu dois, il doit, nous devons, vous devez, ils doivent.* Imperf.: *je devais,* etc. Pret. indef.: *je dus,* etc. Fut. imperf.: *je devrai,* etc. POT.: *je devrais,* etc. IMPER.: *dois,* De-*vons, devez,* SUBJ. Pres.: *que je doive, que nous devions,* etc. Imperf.: *que je dusse,* etc. PART. A.: *devant.* PART. P.: *dû, due.*
devoir [d(ə)vwaʀ] *m. 1* Deber. 2 Tarea *f.* (d'un écolier). *3 — conjugal,* obligación *f.* matrimonial. ■ *4 pl.* Respetos, atenciones *f. pl.*
dévorer [devɔʀe] *tr. 1* Devorar. 2 Consumir, devorar (feu, etc.). 3 Devorar, leer con avidez (un livre). *4 — des yeux,* devorar, comerse con los ojos.
dévotion [devosjɔ̃] *f.* Devoción.
dévouement [devumã] *m. 1* Abnegación *f.,* sacrificio. 2 Afecto, adhesión *f.* 3 Consagración *f.,* dedicación *f.*
dévouer (se) [devwe] *pr. 1* Dedicarse, consagrarse. 2 Sacrificarse.
dévoyer [devwaje] *tr. 1* Descarriar, extraviar. 2 TECHN. Desviar. ▲ CONJUG. como *employer.*
dextérité [deksteʀite] *f.* Destreza.
diabète [djabet] *m.* MÉD. Diabetes *f.*
diable [djɑbl(ə)] *m. 1* Diablo, demonio. 2 Carretilla *f.* (petit chariot).
diablerie [djɑ(a)bləʀi] *f. 1* Diablura. 2 Maleficio *m.,* brujería.
diabolique [djɑ(a)bɔlik] *adj.* Diabólico, ca.
diaconat [djakɔna] *m.* Diaconato.
diacre [djakʀ(ə)] *m.* Diácono.
diadème [djadem] *m.* Diadema *f.*
diagnostiquer [djagnɔstike] *tr.* Diagnosticar.
diagonal, -ale [djagɔnal] *adj.-f.* Diagonal.
diagramme [djagʀam] *m.* Diagrama.
dialecte [djalekt(ə)] *m.* Dialecto.
dialectique [djalektik] *adj. 1* Dialéctico, ca. ■ *2 f.* Dialéctica.
dialogue [djalɔg] *m.* Diálogo.
dialoguer [djalɔge] *intr.-tr.* Dialogar.
diamant [djamã] *m.* Diamante.
diamantin, -ine [djamãtɛ̃, -in] *adj.* Diamantino, na.
diamétral, -ale [djametʀal] *adj.* Diametral.
diamètre [djametʀ(ə)] *m.* Diámetro.
diaphane [djafan] *adj.* Diáfano, na.

diaphragme [djafʀagm(ə)] *m. 1* ANAT. Diafragma. *2* PHOT. Diafragma.

diarrhée [djaʀe] *f.* MÉD. Diarrea.

diatribe [djatʀib] *f.* Diatriba.

dicotylédone [dikɔtiledɔn], **dicotyledoné, -ée** [dikɔtiledɔne] *adj.-f.* BOT. Dicotiledóneo, nea.

dictateur [diktatœʀ] *m.* Dictador.

dictature [diktatyʀ] *f.* Dictadura.

dictée [dikte] *f. 1* Dictado *m. 2 Écrire sous la —,* escribir al dictado.

dicter [dikte] *tr.* Dictar.

diction [diksjɔ̃] *f.* Dicción.

dictionnaire [diksjɔneʀ] *m.* Diccionario.

dicton [diktɔ̃] *m.* Refrán, dicho.

didactique [didaktik] *adj.* Didáctico, ca.

dièdre [djedʀ(ə)] *adj.-m.* GÉOM. Diedro.

diérèse [djeʀez] *f.* GRAM. Diéresis.

diète [djet] *f. 1* MÉD. Dieta: *à la —,* a dieta. *2* Dieta (assemblée).

diffamateur, -trice [difa(ɑ)matœʀ, -tʀis] *adj.-s.* Difamador, ra.

diffamation [difa(ɑ)masjɔ̃] *f.* Difamación.

différence [difeʀɑ̃s] *f. 1* Diferencia. *2 À la — de,* a diferencia de.

différencier [difeʀɑ̃sje] *tr.* Diferenciar. ▲ CONJUG. como *prier.*

différend [difeʀɑ̃] *m.* Diferencia *f.* (litige, désaccord).

différent, -ente [difeʀɑ̃, -ɑ̃t] *adj.* Diferente.

différer [difeʀe] *intr.-tr.* Diferir. ▲ CONJUG. como *accélérer.*

difficile [difisil] *adj.* Difícil.

difficulté [difikylte] *f.* Dificultad.

difformité [difɔʀmite] *f.* Deformidad.

diffus, -use [dify, -yz] *adj.* Difuso, sa.

diffuser [difyze] *tr. 1* Difundir. *2* Radiar, difundir (par radio).

diffusion [difyzjɔ̃] *f.* Difusión.

digérer [diʒeʀe] *tr.* Digerir. ▲ CONJUG. como *accélérer.*

digestif, -ive [diʒestif, -iv] *adj. 1* Digestivo, va. ■ *2 m.* Licor.

digestion [diʒestjɔ̃] *f.* Digestión.

digital, -ale [diʒital] *adj. 1* Digital, dactilar. ■ *2 f.* Digital, dedalera (plante).

digne [diɲ] *adj.* Digno, na.

dignitaire [diɲiteʀ] *m.* Dignatario.

dignité [diɲite] *f.* Dignidad.

digression [digʀesjɔ̃] *f.* Digresión.

digue [dig] *f.* Dique *m.*

dilapider [dilapide] *tr.* Dilapidar.

dilatation [dilatasjɔ̃] *f.* Dilatación.

dilater [dilate] *tr. 1* Dilatar. ■ *2 pr.* Dilatarse.

dilemme [dilem] *m.* Dilema.

diligence [diliʒɑ̃s] *f. 1* Diligencia (zèle, promptitude). *2* Diligencia (voiture).

diligent, -ente [diliʒɑ̃, -ɑ̃t] *adj.* Diligente.

diluer [dilye] *tr.* Diluir.

diluvien, -ienne [dilyvjɛ̃, -jɛn] *adj.* Diluviano, na.

dimanche [dimɑ̃ʃ] *m.* Domingo.

dimension [dimɑ̃sjɔ̃] *f.* Dimensión.

diminuer [diminɥe] *tr. 1* Disminuir. ■ *2 intr.* Disminuir, menguar.

diminutif, -ive [diminytif, -iv] *adj.-m.* Diminutivo, va.

diminution [diminysjɔ̃] *f. 1* Disminución. *2* Rebaja (sur un prix).

dinde [dɛ̃d] *f.* Pava.

dindon [dɛ̃dɔ̃] *m. 1* Pavo. *2* fig. Hazmerreír, víctima *f.*

dîner [dine] *intr.* Cenar.

diocèse [djɔsez] *m.* Diócesis *f.*

dionysiaque [djɔnizjak] *adj.* Dionisíaco, ca.

dioptrie [djɔptʀi] *f.* PHYS. Dioptría.

diphtérie [difteʀi] *f.* MÉD. Difteria.

diphtongue [diftɔ̃g] *f.* Diptongo *m.*

diplomatie [diplɔmasi] *f.* Diplomacia.

diplomatique [diplɔmatik] *adj. 1* Diplomático, ca. ■ *2 f.* Diplomática.

diplôme [diplom] *m.* Diploma, título.

diplômé, -ée [diplome] *adj.-s.* Titulado, da.

diptère [dipteʀ] *adj.-m.* ARCHIT., ZOOL. Díptero, ra.

dire [diʀ] *tr. 1* Decir. Loc. *Cela va sans —,* ni que decir tiene; *c'est tout —,* con lo dicho basta. *2* Gustar, apetecer (plaire). ■ *3 pr.* Decirse, hacerse pasar por. ▲ CONJUG. IRREG. INDIC. Pres.: *je dis, tu dis, il dit, nous disons, vous dites, ils disent.* Imperf.: *je disais,* etc. Pret. indef.: *je dis,* etc. Fut. imperf.: *je dirai,* etc. POT.: *je dirais,* etc. SUBJ. Pres.: *que je disse,* etc. Imperf.: *que je disse,* etc. IMPER.: *dis, disons, dites.* PART. A.: *disant.* PART. P.: *dit, dite.*

dire [diʀ] *m.* Decir, parecer.

direct, -ecte [diʀekt, -ekt(ə)] *adj.-m.* Directo, ta.

directeur, -trice [diʀektœʀ, -tʀis] *adj.-s. 1* Director, ra. ■ *2 f.* GÉOM. Directriz.

direction [diʀeksjɔ̃] *f. 1* Dirección. *2* Dirección, rumbo *m.* (orientation).

directoire [diʀektwaʀ] *m.* Directorio.

dirigeable [diʀiʒabl(ə)] *adj.-m.* Dirigible.

dirigeant, -ante [diʀiʒɑ̃, -ɑ̃t] *adj.-s.* Dirigente.

diriger [diʀiʒe] *tr.* Dirigir. ▲ CONJUG. como *engager.*

dirimer [diʀime] *tr.* DR. Dirimir.

discernement [diseʀnəmɑ̃] *m.* Discernimiento.

disciple [disipl(ə)] *m.* Discípulo.

discipline [disiplin] *f.* Disciplina.

discontinu, -ue [diskõtiny] *adj.* Discontinuo, nua.

disconvenir [diskõvniʀ] *intr.* Disentir, negar. ▲ CONJUG. como *venir*.

discordant, -ante [diskɔʀdã, -ãt] *adj.* Discordante.

discorde [diskɔʀd(ə)] *f.* Discordia.

discourir [diskuʀiʀ] *intr.* Discurrir, hablar, charlar. ▲ CONJUG. como *courir*.

discours [diskuʀ] *m.* Discurso.

discourtois, -oise [diskuʀtwa, -waz] *adj.* Descortés.

discrédit [diskʀedi] *m.* Descrédito.

discret, -ète [diskʀɛ, -ɛt] *adj.* Discreto, ta.

discrétion [diskʀesjõ] *f.* Discreción (retenue).

discriminer [diskʀimine] *tr.* Discriminar, distinguir.

disculper [diskylpe] *tr.* Disculpar.

discussion [diskysjõ] *f.* Discusión.

discuter [diskyte] *tr.-intr.* Discutir.

disette [dizet] *f. 1* Carestía, penuria. *2* Hambre (famine).

diseur, -euse [dizœʀ, -øz] *s.* Narrador, ra, recitador, ra.

disgrâce [disgʀɑs] *f.* Desgracia.

disgracier [disgʀasje] *tr.* Privar del favor. ▲ CONJUG. como *prier*.

disjoindre [disʒwɛ̃dʀ(ə)] *tr.* Desjuntar, desunir. ▲ CONJUG. como *craindre*.

disjonctif, -ive [disʒõktif, -iv] *adj.* Disyuntivo, va.

dislocation [dislɔkasjõ] *f. 1* Dislocación. *2* fig. Desmembramiento *m.* (d'un empire, etc.).

disloquer [dislɔke] *tr. 1* Dislocar. *2* fig. Desmembrar. ■ *3 pr.* Dislocarse.

disparaître [dispaʀɛtʀ(ə)] *intr.* Desaparecer. ▲ CONJUG. como *connaître*.

disparité [dispaʀite] *f.* Disparidad.

disparition [dispaʀisjõ] *f.* Desaparición.

dispendieux, -euse [dispãdjø, -øz] *adj.* Dispendioso, sa.

dispensaire [dispãsɛʀ] *m.* Dispensario.

dispenser [dispãse] *tr.* Dispensar.

disperser [dispɛʀse] *tr. 1* Dispersar. *2* Dispersar, disolver (une foule). ■ *3 pr.* Dispersarse.

disponibilité [dispɔnibilite] *f. 1* Disponibilidad. *2 En —,* disponible, excedente (un fonctionnaire), de reemplazo, disponible (un militaire).

dispos, -ose [dispo, -oz] *adj.* Dispuesto, ta, despierto, ta, ágil.

disposer [dispoze] *tr.-intr. 1* Disponer. ■ *2 pr.* Disponerse.

dispositif [dispozitif] *m.* Dispositivo.

disposition [dispozisjõ] *f.* Disposición.

dispute [dispyt] *f.* Disputa.

disputer [dispyte] *tr. 1* Disputar (quelque chose à quelqu'un). ■ *2 intr.* Disputar, discutir. *3 — de,* rivalizar en. ■ *4 pr.* Reñir.

disqualifier [diskalifje] *tr.* Descalificar. ▲ CONJUG. como *prier*.

disque [disk(ə)] *m.* Disco.

dissemblable [disãblabl(ə)] *adj.* Desemejante, diferente.

disséminer [disemine] *tr. 1* Diseminar. ■ *2 pr.* Diseminarse.

dissentiment [disãtimã] *m.* Disentimiento.

disséquer [diseke] *tr.* Disecar.

disserter [disɛʀte] *intr.* Disertar.

dissident, -ente [disidã, -ãt] *adj.-s.* Disidente.

dissimilation [disimilasjõ] *f.* Disimilación.

dissimuler [disimyle] *tr.* Disimular.

dissipation [disipasjõ] *f.* Disipación.

dissocier [disɔsje] *tr.* Disociar. ▲ CONJUG. como *prier*.

dissolu, -ue [disɔly] *adj. 1* Disoluto, ta. *2* fig. Licencioso, sa.

dissolution [disɔlysjõ] *f. 1* Disolución. *2* fig. Corrupción, relajación.

dissolvant, -ante [disɔlvã, -ãt] *adj.-m.* Disolvente.

dissoudre [disudʀ(ə)] *tr.* Disolver. ▲ CONJUG. como *absoudre*.

dissuasion [disɥazjõ] *f.* Disuasión.

distance [distãs] *f.* Distancia.

distancer [distãse] *tr.* Adelantar, dejar atrás. ▲ CONJUG. como *lancer*.

distant, -ante [distã, -ãt] *adj.* Distante.

distendre [distãdʀ(ə)] *tr. 1* Distender. ■ *2 pr.* Aflojarse, relajarse. ▲ CONJUG. como *rendre*.

distillerie [distilʀi] *f.* Destilería.

distinct, -incte [distɛ̃(kt), -ɛ̃kt(ə)] *adj.* Distinto, ta.

distinction [distɛ̃ksjõ] *f.* Distinción.

distinguer [distɛ̃ge] *tr. 1* Distinguir. ■ *2 pr.* Distinguirse.

distraction [distʀaksjõ] *f.* Distracción.

distraire [distʀɛʀ] *tr. 1* Distraer. *2 pr.* Distraerse. ▲ CONJUG. como *traire*.

distrait, -aite [distʀɛ, -ɛt] *adj.* Distraído, da.

distribuer [distʀibɥe] *tr.* Distribuir, repartir.

distributeur, -trice [distʀibytœʀ, -tʀis] *adj.-s.* Distribuidor, ra.

distribution [distʀibysjõ] *f.* Distribución, reparto *m.*

dit, dite [di, dit] *adj. 1* Dicho, cha: *autrement —,* dicho de otro modo. *2* Llamado, da, apellidado, da, apodado, da. *3* Fijado, da, señalado, da.

dito [dito] *adv.* Idem.

diurne [djyʀn(ə)] *adj.* Diurno, na.

divagation [divagɑsjɔ̃] *f.* Divagación.

divaguer [divage] *intr.* *1* Divagar, desatinar (déraisonner). *2* Vagar, errar (errer).

divergence [diveʀʒɑ̃s] *f.* *1* Divergencia. *2* fig. Discrepancia (d'idées).

divers, -erse [diveʀ, -eʀs(ə)] *adj.* Diverso, sa.

diversité [diveʀsite] *f.* Diversidad.

divertir [diveʀtiʀ] *tr.* *1* Divertir, distraer. ■ *2 pr.* Divertirse, distraerse.

divertissement [diveʀtismɑ̃] *m.* *1* Diversión *f.*, recreo. *2* DR. Distracción *f.* (de fonds).

dividende [dividɑ̃d] *m.* Dividendo.

divin, -ine [divɛ̃, -in] *adj.* Divino, na.

divinateur, -trice [divinatœr, -tʀis] *adj.-s.* Adivinador, ra.

diviniser [divinize] *tr.* Divinizar.

divinité [divinite] *f.* Divinidad.

diviser [divize] *tr.* Dividir.

divisionnaire [divizjɔneʀ] *adj.* Divisionario, -ria.

divorce [divɔʀs(ə)] *m.* Divorcio.

divulguer [divylge] *tr.* Divulgar.

dix [dis] *adj.-m.* *1* Diez. ■ *2 adj.* Décimo.

dix-huit [dizɥit] *adj.-m.* Dieciocho.

dix-huitième [dizɥitjɛm] *adj.-s.* Decimoctavo, va. ■ *2 adj.-m.* Dieciochavo, va.

dixième [dizjɛm] *adj.-m.* Décimo, ma.

dix-neuf [diznœf] *adj.-m.* Diecinueve.

dix-neuvième [disnœvjəm] *adj.-s.* *1* Decimonono, na. ■ *2 adj.-m.* Diecinueveavo, va.

dix-sept [diset, disset] *adj.-m.* Diecisiete.

dix-septième [dis(s)etjɛm] *adj.-s.* *1* Decimoséptimo, ma. ■ *2 adj.-m.* Diecisieteavo, va.

dizaine [dizɛ] *f.* *1* Decena. *2* Decena (chapelet).

docilité [dɔsilite] *f.* Docilidad.

docte [dɔkt(ə)] *adj.* Docto, ta.

docteur [dɔktœʀ] *m.* Doctor.

doctrinaire [dɔktʀineʀ] *adj.-m.* Doctrinario, ria.

document [dɔkymɑ̃] *m.* Documento.

documenter [dɔkymɑ̃te] *tr.* Documentar.

dodeliner [dɔdline] *tr.* Mecer, balancear.

dodo [dɔdo] *m.* fam. Cama *f.* (lenguaje infantil): *aller au —,* irse a la cama. Loc. *faire —,* dormir.

dodu, -ue [dɔdy] *adj.* Gordo, da, rollizo, za, regordete, ta.

doge [dɔʒ] *m.* Dux.

dogmatique [dɔgmatik] *adj.-s.* *1* Dogmático, ca. ■ *2 f.* Dogmática.

dogme [dɔgm(ə)] *m.* Dogma.

doigt [dwa] *m.* Dedo. Loc. fig. *Montrer du —,* señalar con el dedo; *mettre le — dessus,* dar en el clavo; *se mettre le — dans l'œil,* equivocarse; fig. *se mordre les doigts,* arrepentirse.

doit [dwa] *m.* COMM. Debe.

dol [dɔl] *m.* DR. Dolo.

doléances [dɔleɑ̃s] *f. pl.* Quejas, reclamaciones.

dolent, -ente [dɔlɑ̃, -ɑ̃t] *adj.* Doliente, quejumbroso, sa.

dollar [dɔlaʀ] *m.* Dólar.

domaine [dɔmen] *m.* *1* Hacienda *f.*, propiedad *f.* (agricole). *2* Dominio, campo (d'un art, d'une science, etc.). *3* Competencia *f.*

dôme [dom] *m.* *1* Cúpula *f.*, domo *2* fig. Bóveda *f.*

domestication [dɔmestikɑsjɔ̃] *f.* Domesticación.

domestique [dɔmestik] *adj.* *1* Doméstico, ca. ■ *2 s.* Criado, da, doméstico, ca.

domestiquer [dɔmestike] *tr.* Domesticar.

domicilier [dɔmisilje] *tr.* *1* Domiciliar. *2 Domicilié à Dijon,* residente en Dijon ▲ CONJUG. como *prier.*

dominant, -ante [dɔminɑ̃, -ɑ̃t] *adj.* *1* Dominante. ■ *2 f.* MUS. Dominante.

domination [dɔminɑsjɔ̃] *f.* *1* Dominación. *2* fig. Dominio *m.*

dominer [dɔmine] *intr.-tr.* *1* Dominar. ■ *2 pr.* Dominarse.

dommage [dɔmaʒ] *m.* *1* Daño, perjuicio, desperfecto. *2* fig. Lástima *f.*: *quel —!,* ¡qué lástima! *c'est —,* es lástima.

dompter [dɔ̃te] *tr.* *1* Domar. *2* fig. Domeñar (ses instincts).

dompteur, -euse [dɔ̃tœʀ, -øz] *s.* Domador, ra.

don [dɔ̃] *m.* *1* Don. *2* Dádiva *f.*, donativo. *3* DR. Donación *f.*

donation [dɔnɑsjɔ̃] *f.* Donación.

donc [dɔ̃k, -dɔ̃] *conj.* *1* Luego, pues. *2* Expresa sorpresa, incredulidad: *allons —,* ¡bah! *3* Refuerza una pregunta, orden o ruego: *qu'as-tu donc?,* ¿qué te pasa?

donjon [dɔ̃ʒɔ̃] *m.* *1* Torreón, torre *f.* del homenaje. *2* MAR. Torreta *f.* (d'un cuirassé).

donnée [dɔne] *f.* Dato *m.*, antecedente *m.*

donner [dɔne] *tr.* *1* Dar. *2* Echar, dar. ■ *3 intr.* Dar, darse (se cogner). *4* Dar (avoir vue sur). *5* MIL. Cargar, entrar en acción. *6* Otros sentidos: *— du cor,* tocar la trompa; *— dans un piège, dans l'erreur,* caer en un lazo, en el error. *7 loc. prép. Étant donné,* dado, dada, etc. *8 loc. conj. Étant donné que,* dado que. ■ *9 pr.* Darse.

don-quichottisme [dɔ̃kiʃɔtism(ə)] *m.* Quijotismo.

dont [dɔ̃, dɔ̃t] *pron. relat.* 1 Cuyo, cuya, cuyos, cuyas. 2 Del cual, de la cual, de los cuales, de las cuales, del que, etc., de que (choses); de quien, de quienes (personnes). 3 De donde. 4 *Ce —,* de lo que.

dorade [dɔRad] *f.* Dorada.

doré, -ée [dɔRe] *adj.* Dorado, da.

dorénavant [dɔRenavɑ̃] *adv.* Desde ahora, en adelante, en lo sucesivo.

dorer [dɔRe] *tr.* Dorar.

dorique [dɔRik] *adj.* Dórico, ca.

dorloter [dɔRlɔte] *tr.* Mimar.

dormant, -ante [dɔRmɑ̃, -ɑ̃t] *adj.* 1 Durmiente. 2 Estancado, da (eau). 3 Fijo, ja.

dormeur, -euse [dɔRmœR, -øz] *adj.-s.* 1 Durmiente (qui dort). 2 Dormilón, ona (qui aime dormir). ■ 3 *f.* Dormilona *f.* (boucle d'oreille, chaise longue).

dormir [dɔRmir] *intr.* Dormir. ▲ CONJUG. IRREG. INDIC. Pres.: *je dors, tu dors, il dort, nous dormons, vous dormez, ils dorment.* Imperf.: *je dormais,* etc. Pret. indef.: *je dormis,* etc. Fut. imperf.: *je dormirai,* etc. POT.: *je dormirais,* etc. SUBJ. Pres.: *que je dorme, que nous dormions,* etc. Imperf.: *que je dormisse,* etc. IMPER.: *dors, dormons, dormez.* PART. A.: *dormant.* PART. P.: *dormi, ie.*

dortoir [dɔRtwaR] *m.* Dormitorio común.

dos [do] *m.* 1 Espalda *f.,* espaldas *f. pl.* (de l'homme). Loc. *Avoir bon —,* tener aguante, tener buenas espaldas. loc. adv. *Sur le —,* boca arriba. 2 Lomo (d'un animal, d'un livre, etc.). Loc. *À — de,* a lomo (de la main, d'une page, etc.). 4 Canto, lomo (d'un couteau). 5 Respaldo (d'une chaise).

dose [doz] *f.* Dosis.

doser [doze] *tr.* Dosificar.

dossier [dɔsje] *m.* 1 Respaldo (d'un siège). 2 Expediente (documents), legajo (ensemble de papiers). 3 DR. Autos *pl.*

dot [dɔt] *f.* Dote *m.* et *f.*

dotation [dɔtasjɔ̃] *f.* Dotación.

doter [dɔte] *tr.* Dotar.

douane [dwan] *f.* Aduana.

doublage [dublaʒ] *m.* 1 Forro (d'un navire). 2 Doblaje (d'un film).

double [dubl(ə)] *adj.* 1 Doble. 2 *m.* Doble, duplo. 3 Duplicado, copia *f.* (duplicata). loc. adv. *En —,* por duplicado. ■ 4 *adv.* Doble: *voir —,* ver doble.

doublé [duble] *m.* Plaqué.

doubler [duble] *tr.* 1 Duplicar, doblar (porter au double). 2 — *le pas,* acelerar el paso. 3 Doblar (plier). 4 Forrar (un vêtement). 5 Doblar, franquear (un cap). 6 Pasar, adelantar. 7 Sustituir, reemplazar (un acteur). 8 Doblar (un film). ■ 9 *intr.* Doblar, duplicarse (devenir double).

douceâtre [dusɑtR(ə)] *adj.* Dulzón, ona.

doucement [dusmɑ̃] *adv.* 1 Dulcemente, suavemente. 2 Lentamente. 3 Bajo, bajito: *parlez —,* hablad bajito.

douceur [dusœR] *f.* 1 Dulzura, dulzor *m.* 2 Suavidad. loc. adv. *En —,* despacio, con calma. ■ 3 *pl.* Golosinas (friandises).

douche [duʃ] *f.* 1 Ducha. 2 fam. Chasco *m.* (déception).

douer [dwe] *tr.* Dotar.

douleur [dulœR] *f.* Dolor *m.*

douloureux, -euse [duluRø, -øz] *adj.* Doloroso, sa.

doute [dut] *m.* Duda.

douter [dute] *intr.* 1 Dudar. Loc. *Ne — de rien,* no temer nada. 2 No fiarse de (se méfier de). ■ 3 *pr.* Sospechar, figurarse.

douteux, -euse [dutø, -øz] *adj.* 1 Dudoso, sa. 2 Equívoco, ca. 3 Ambiguo, gua, inciertó, ta.

doux, douce [du, dus] *adj.* 1 Dulce. 2 Suave (peau, vent, caresse, etc.). 3 fig. Afable, dócil, manso, sa, dulce. 4 Tierno, na, amoroso, sa. 5 Templado, da, benigno, na (climat, temps). 6 loc. adv. *En douce,* a la chita callando.

douzaine [duzɛn] *f.* Docena.

douze [duz] *adj.-m.* Doce.

douzième [duzjɛm] *adj.-s.* Duodécimo, ma. ■ 2 *adj.-m.* Dozavo, va.

doyen, -enne [dwajɛ̃, -ɛn] *s.* 1 Decano, na. ■ 2 *m.* ECCLÉS. Deán (d'un chapitre).

dragage [dRagaʒ] *m.* Dragado.

dragée [dRaʒe] *f.* 1 Peladilla (bonbon). 2 Gragea (pilule). 3 Mostacilla (de chasse).

draguer [dRage] *tr.* 1 Dragar. 2 fam. Ligar.

drainage [dRenaʒ] *m.* 1 Avenamiento. 2 CHIR. Drenaje.

drainer [dRene] *tr.* 1 Avenar (un terrain). 2 fig. Chupar, atraer. 3 CHIR. Drenar.

dramatique [dRamatik] *adj.* Dramático, ca.

dramaturge [dRamatyRʒ(ə)] *m.* Dramaturgo.

drame [dRam] *m.* Drama.

drap [dRa] *m.* 1 Paño (tissu). 2 Sábana *f.*

drapeau [dRapo] *m.* Bandera *f.*

draper [dRape] *tr.* 1 Colgar (de draperies). 2 Revestir, cubrir con un paño (un objet). 3 PEINT., SCULPT. Disponer el ropaje de.

draperie [dRapRi] *f.* 1 Pañería (boutique). 2 Colgadura (tenture). 3 PEINT., SCULPT. Ropaje *m.,* plegueria.

dressage [dʀɛsaʒ] *m.* *1* Amaestramiento, doma *f.* (d'un animal, d'un cheval). *2* Enderezamiento (fil métallique).

dresser [dʀɛse] *tr.* *1* Enderezar, levantar, poner derecho, cha. *2* Erigir, levantar (statue). *3* Disponer, poner: — *la table*, poner la mesa. *4* Armar (lit, tente, etc.). *5* Establecer, formar (une liste, un rapport); trazar, formular, redactar (plans, projets, documents). *6* Aplanar (des surfaces). *7* Adiestrar, amaestrar (animaux). *8* Corregir (un enfant). ■ *9 pr.* fig. Levantarse, sublevarse (contre quelqu'un ou quelque chose). *10* Erizarse.

dressoir [dʀɛswaʀ] *m.* Aparador, trinchero.

drille [dʀij] *m.* *Joyeux* —, gracioso.

drogue [dʀɔg] *f.* Droga.

droguer [dʀɔge] *tr.* *1* Drogar. ■ *2 pr.* Drogarse.

droit, droite [dʀwa, dʀwat] *adj.* *1* Derecho, cha, recto, ta. *2* Derecho, cha (vertical). *3* ASTRON., GÉOM. Recto, ta. *4* Derecho, cha, diestro, tra. ■ *5 m.* Derecho; — *canon, commercial*, derecho canónico, mercantil. ■ *6 f.* Derecha, diestra. *loc. adv.* *À droite*, a la derecha, a mano derecha. ■ *7 adv.* *Droit, tout droit*, derecho, todo seguido.

droitier, -ière [dʀwatje, -jɛʀ] *adj.-s.* *1* Diestro, tra. ■ *2 m.* Derechista (en politique).

droiture [dʀwatyʀ] *f.* Rectitud, equidad.

drôle [dʀol] *adj.* *1* Chusco, ca, gracioso, sa. *2* Raro, ra, extraño, ña (bizarre). Loc. *Un — de*, raro, ra. ■ *3 m.* Bribón.

drôlerie [dʀolʀi] *f.* Chuscada, bufonada.

drôlesse [dʀoles] *f.* Bribona, mujerzuela.

dru, -ue [dʀy] *adj.* *1* Espeso, sa, tupido, da (épais). *2* Fuerte, recio, cia: *pluie drue*, lluvia fuerte. ■ *3 adv.* Copiosamente.

du [dy] *art. contr.* *1* Del. *2 art. part.* partitivo.

dû, due [dy] *adj.* *1* Debido, da. ■ *2 m.* Lo que se debe a uno. *3* fig. Merecido: *il a eu son* —, ha llevado su merecido.

dualisme [dɥalism(ə)] *m.* Dualismo.

dubitatif, -ive [dybitatif, -iv] *adj.* Dubitativo, va.

duc [dyk] *m.* *1* Duque. *2* Búho (oiseau).

ducat [dyka] *m.* Ducado.

duché [dyʃe] *m.* Ducado.

duchesse [dyʃes] *f.* *1* Duquesa. *2* Pera de agua (poire).

duel [dɥɛl] *m.* *1* Duelo, desafío. *2* GRAM. Dual.

dulcifier [dylsifje] *tr.* Dulcificar. ▲ CONJUG. como *prier*.

dûment [dymɑ̃] *adv.* Debidamente.

dune [dyn] *f.* Duna.

duper [dype] *tr.* Engañar, embaucar.

duperie [dypʀi] *f.* Engaño *m.*

duplicité [dyplisite] *f.* Duplicidad, doblez.

duquel [dykɛl] *pron. relat.* Del cual.

dur, dure [dyʀ] *adj.* *1* Duro, ra. Loc. *Être* — *d'oreille*, ser duro de oído. *2* fig. Difícil. ■ *3 adv.* Duro, esforzadamente, de firme. ■ *4 f.* *Coucher sur la* —, dormir en el suelo.

durant [dyʀɑ̃] *prép.* Durante.

durcir [dyʀsiʀ] *tr.* *1* Endurecer. ■ *2 pr.* Endurecerse.

durcissement [dyʀsismɑ̃] *m.* Endurecimiento.

durée [dyʀe] *f.* Duración.

durer [dyʀe] *intr.* *1* Durar. *2* *Le temps me dure*, el tiempo se me hace largo; *il lui dure de*, está impaciente por.

dureté [dyʀte] *f.* Dureza.

durillon [dyʀijɔ̃] *m.* Callo.

duvet, [dyvɛ] *m.* *1* Plumón, flojel (des oiseaux). *2* Bozo, vello (poils). *3* Pelusilla *f.* (des fruits). *4* Saco de dormir.

dynamique [dinamik] *adj.* *1* Dinámico, ca. ■ *2 f.* Dinámica.

dynamite [dinamit] *f.* Dinamita.

dynastie [dinasti] *f.* Dinastía.

dysenterie [disɑ̃tʀi] *f.* MÉD. Disentería.

dyspepsie [dispɛpsi] *f.* MÉD. Dispepsia.

E

e [ə] *m.* E. *f.*

eau [o] *f. 1* Agua. Loc. — *de javel,* lejía. *2* Aguas *pl.: l'—d'une perle,* las aguas de una perla. Loc. fig. *De la plus belle —, de lo mejorcito.*

eau-de-vie [odvi] *f.* Aguardiente *m.*

eau-forte [oføʀt(ə)] *f.* Aguafuerte.

ébahir [ebaiʀ] *tr. 1* Plasmar, asombrar. ■ *2 pr.* Pasmarse, asombrarse.

ébahissement [ebaismã] *m.* Pasmo, asombro.

ébattre (s') [ebatʀ(ə)] *pr.* Retozar, juguetear. ▲ CONJUG. como *battre.*

ébaubi, -ie [ebobi] *adj.* Pasmado, da, embobado, da.

ébaucher [eboʃe] *tr. 1* Bosquejar, esbozar. *2* TECHN. Desbastar.

ébénier [ebenje] *m.* Ébano (arbre).

ébénisterie [ebenist(ə)ʀi] *f.* Ebanistería.

éblouir [ebluiʀ] *tr.* Deslumbrar, cegar.

éblouissant, -ante [ebluisã, -ãt] *adj.* Deslumbrador, ra, cegador, ra.

éblouissement [ebluismã] *m. 1* Deslumbramiento. *2* Pasmo, asombro (émerveillement).

ébouillanter [ebujãte] *tr. 1* Escaldar. ■ *2 pr.* Escaldarse.

ébouler (s') [ebule] *pr.* Desplomarse, derrumbarse, desprenderse.

ébouriffer [eburife] *tr. 1* Desgreñar. *2* fig. fam. Pasmar, sorprender.

ébrancher [ebʀãʃe] *tr.* Desramar.

ébranlement [ebʀãlmã] *m. 1* Tambaleo, sacudida *f.,* estremecimiento. *2* fig. Trastorno, sacudida *f.,* emoción *f.*

ébranler [ebʀãle] *tr. 1* Sacudir, estremecer. *2* Quebrantar, socavar, debilitar (le moral, les convictions de quelqu'un, etc.). ■ *3 pr.* Ponerse en movimiento.

ébrécher [ebʀeʃe] *tr. 1* Mellar, desportillar. *2* fig. Menoscabar, mermar (diminuer). ▲ CONJUG. como *accélérer.*

ébriété [eʀijete] *f.* Embriaguez.

ébrouer (s') [ebʀue] *pr. 1* Resoplar (le cheval). *2* Sacudirse (s'agiter).

ébullition [ebylisjõ] *f.* Ebullición.

écaille [ekaj] *f. 1* ZOOL., BOT. Escama. *2* Concha, carey *m.*

écailler [ekaje] *tr. 1* Escamar (un poisson). *2* Abrir, desbullar (des huîtres). ■ *3 pr.* Descharse, descascarillarse.

écailleux, -euse [ekajø, -øz] *adj.* Escamoso, sa.

écaler [ekale] *tr.* Descascarar (des noix, des amandes).

écart [ekaʀ] *m. 1* Distancia *f.,* intervalo, separación *f. 2* Diferencia *f. 3* Desviación *f. 4* Esguince, quiebro (du corps). *5* — *de langage,* incorrección *f.; — de conduite,* descarrío, extravío. *6* Descarte (jeu). *7 loc. adv. À l'—,* aparte, a un lado. *8 loc. prép. À l'— de,* apartado, da, de.

écarté, -ée [ekaʀte] *adj. 1* Apartado, da. ■ *2 m.* Ecarté (jeu).

écarteler [ekaʀtəle] *tr.* Descuartizar. ▲ CONJUG. como *acheter.*

écarter [ekaʀte] *tr. 1* Separar, apartar, desviar, alejar. *2* Abrir, separar (les jambes). ■ *3 pr.* Apartarse, desviarse.

ecclésiastique [eklezjastik] *adj. 1* Eclesiástico, ca. ■ *2 m.* Eclesiástico.

écervelé, -ée [esɛʀvəle] *adj.-s.* Ligero, ra de cascos, atolondrado, da.

échafaud [eʃafo] *m. 1* Cadalso, patíbulo. *2* Pena *f.* de muerte.

échafaudage [eʃafodaʒ] *m. 1* Andamiaje. *2* Pila *f.,* montón (amoncellement).

échalote [eʃalɔt] *f.* Escalonia, chalote *m.*

échancrure [eʃãkʀyʀ] *f. 1* Escote *m.,* escotadura, sisa (d'un corsage, d'une robe). *2* Seno *m.* (d'une côte).

échange [eʃãʒ] *m. 1* Cambio, canje, trueque (de biens, de personnes). *2* Intercambio, cambio. *3 loc. adv. En —,* en cambio. *4 loc. prép. En — de,* a cambio de.

échanger [eʃãʒe] *tr. 1* Cambiar, trocar: — *des timbres, des impressions,* cambiar sellos, impresiones; — *contre,* cambiar por. *2* Canjear (prisonniers, documents, etc.). *3* Intercambiar, cambiar. ▲ CONJUG. como **engager**.

échantillon [eʃãtijɔ̃] *m.* Muestra *f.*

échappatoire [eʃapatwaR] *f.* Escapatoria, efugio *m.*

échappée [eʃape] *f. 1* SPORTS. Escapada. *2* Espacio *m.* libre, vista.

échapper [eʃape] *intr. 1* Escapar, escaparse. *2* Olvidarse: *votre nom m'échappe,* se me ha olvidado su apellido. ■ *3 tr.* Evitar. Loc. *L'— belle,* escapar, salvarse de milagro, librarse de una buena. ■ *4 pr.* Escaparse, evadirse. *5* Escaparse, salirse (un liquide, un gaz).

écharde [eʃaRd(ə)] *f.* Rancajo *m.,* astilla.

écharpe [eʃaRp(ə)] *f. 1* Faja, banda. *2* Cabestrillo *m.* (bandage). *3* Echarpe *m.,* chal *m.* (foulard).

écharper [eʃaRpe] *tr.* Acuchillar, destrozar.

échasse [eʃɑ(ɑ)ʃ] *f. 1* Zanco *m.* 2 Zancudo *m.* (oiseau).

échauder [eʃode] *tr.* Escaldar.

échauffant, -ante [eʃofã, -ãt] *adj.* Astringente.

échauffer [eʃofe] *tr. 1* Calentar, caldear. *2* fig. Acalorar, irritar. ■ *3 pr.* Acalorarse, enardecerse (en parlant).

échauffourée [eʃofure] *f.* Escaramuza, refriega.

échéant, -ante [eʃeã, -ãt] *adj. 1* Que vence. *2 loc. adv. Le cas —,* si se presenta el caso.

échec [dʃɛk] *m. 1* Fracaso, revés. *2* Jaque.

échelle [eʃɛl] *f. 1* Escala, escalera de mano. Loc. *Faire la courte —,* aupar; fig. *monter à l'—,* picarse, tomarse en serio una broma. *2* Escala (graduation). *3 À l'—,* a escala.

échelon [eʃlɔ̃] *m. 1* Escalón, peldaño.

échelonner [eʃlɔne] *tr.* Escalonar.

écheveau [eʃvo] *m.* Madeja *f.*

écheveler [eʃəvle] *tr.* Desgreñar. ▲ CONJUG. como **appeler**.

échine [eʃin] *f.* Espinazo *m.*

échiner (s') [eʃine] *pr.* Deslomarse.

échiquier (s') [eʃikje] *m.* Tablero, damero.

écho [eko] *m.* Eco.

échoir [eʃwaR] *intr. 1* Tocar, caer, corresponder. *2* Vencer (un délai). ▲ CONJUG. IRREG. Úsase sólo en las formas siguientes: INDIC. Pres.: *il échoit, ils échoient.* Pret. indef.: *il échut, ils échurent.* Fut. Imperf.: *il échoira, ils échoiront.* POT.: *il*

échoirait, ils échoiraient. SUBJ. Pres.: *qu'il échoie.* Imperf.: *qu'il échût.* PART. A.: *échéant.* PART. P.: *échu, échue,* y en las terceras pers. de los tiempos compuestos. Auxiliar: ÊTRE.

échoppe [eʃɔp] *f.* Tenderete *m.,* puesto *m.* (petite boutique).

échouer [eʃwe] *intr. 1* MAR. Encallar, varar. *2* fig. Fracasar.

éclabousser [eklabuse] *tr. 1* Salpicar. *2* fig. Manchar, mancillar.

éclair [eklɛr] *m. 1* Relámpago. *2* fig. Destello, chispa *f.* (de génie, etc.). *3* Pastelillo de crema (gâteau). ■ *4 adj.* Relámpago: *guerre —,* guerra relámpago.

éclairage [eklɛraʒ] *m. 1* Alumbrado. *2* fig. Enfoque, punto de vista.

éclaircir [eklɛrsir] *tr. 1* Aclarar. ■ *2 pr.* Despejarse, aclararse (le temps).

éclairer [eklɛre] *tr. 1* Alumbrar, iluminar; *2* fig. Ilustrar, instruir. *3* Aclarar (expliquer). ■ *4 intr.* Alumbrar. *5* Centellear, brillar. ■ *6 pr.* Alumbrarse.

éclat [ekla] *m. 1* Casco, pedazo. *2* Estampido, estallido (bruit violent). Loc. — *de rire,* carcajada *f.; — de voix,* grito; *rire aux éclats,* reír a carcajadas. *3* Destello, resplandor, brillo (vive lumière). *4* Esplendor, magnificencia *f. 5* fig. Escándalo.

éclatant, -ante [eklatã, -ãt] *adj. 1* Brillante, esplendoroso, sa. *2* Estrepitoso, sa (son, etc.). *3* Clamoroso, sa (succès).

éclater [eklate] *intr. 1* Estallar, reventar (obus, pneu, etc.). *2* Prorrumpir, estallar.

éclectique [eklɛktik] *adj.* Ecléctico, ca.

éclipser [eklipse] *tr. 1* Eclipsar. ■ *2 pr.* fam. Eclipsarse, escabullirse.

écliptique [ekliptik] *m.* ASTRON. Eclíptica *f.*

éclosion [eklozjɔ̃] *f. 1* Nacimiento *m.,* salida del huevo. *2* Abertura (d'une fleur). *3* fig. Aparición, manifestación.

écluse [eklyz] *f.* Esclusa.

écœurant, -ante [ekœrã, -ãt] *adj.* Repugnante, asqueroso, sa.

école [ekɔl] *f. 1* Escuela. Loc. *Faire l'—buissonnière,* hacer novillos. *2* Academia (privée).

écolier, -ière [ekɔlje, -jɛr] *s.* Escolar, alumno, na.

éconduire [ekɔ̃dɥir] *tr. 1* Despedir, echar. *2* Rechazar (un solliciteur). ▲ CONJUG. como **conduire**.

économat [ekɔnɔmat] *m.* Economato.

économie [ekɔnɔmi] *f. 1* Economía. ■ *2 pl.* Ahorros *m.*

économique [ekɔnɔmik] *adj.* Económico, ca.

économiste [ekɔnɔmist(ə)] *m.* Economista.

écorce [ekɔʀs(ə)] *f.* 1 Corteza (d'un arbre). 2 Corteza, piel, cáscara (fruits). 3 — *terrestre*, corteza terrestre.

écorcer [ekɔʀse] *tr.* Descortezar, descorchar (des arbres). ▲ CONJUG. como *lancer.*

écorcher [ekɔʀʃe] *tr.* Desollar, despellejar.

écorner [dkɔʀne] *tr.* 1 Descornar. 2 Descantillar, descantonar (un objet).

écot [eko] *m.* Escote, cuota *f.*, parte *f.*: *payer son —*, pagar su parte.

écouler [ekule] *tr.* 1 Despachar, vender (des marchandises). ■ 2 *pr.* Derramarse, correr, fluir (liquides). 3 Irse, retirarse (personnes). 4 Transcurrir (le temps).

écourter [ekuʀte] *tr.* Acortar.

écoute [ekut] *f.* 1 MAR. Escota. 2 Escucha.

écouter [ekute] *tr.* 1 Escuchar. ■ 2 *pr.* Escucharse.

écouteur, -euse [ekutœʀ, -øz] *s.* 1 Escuchador, ra. ■ 2 *m.* Auricular (téléphone).

écoutille [ekutij] *f.* MAR. Escotilla.

écrabouiller [ekʀabuje] *tr.* pop. Aplastar.

écrasant, -ante [ekʀɑzɑ̃, -ɑ̃t] *adj.* 1 Aplastante. 2 fig. Abrumador, ra.

écraser [ekʀɑze] *tr.* 1 Aplastar (quelque chose, une armée, etc.). 2 Atropellar (un véhicule). 3 pop. *En —*, dormir como un tronco. ■ 5 *pr.* Estrellarse. 6 Estrujarse, apiñarse (s'entasser).

écrémer [ekʀeme] *tr.* Desnatar. ▲ CONJUG. como *accélérer.*

écrevisse [ekʀəvis] *f.* Cangrejo *m.* de río.

écrier (s') [ekʀije] *pr.* Exclamar. ▲ CONJUG. como *prier.*

écrire [ekʀiʀ] *tr.* Escribir. ▲ CONJUG. IRREG. INDIC. Pres.: *j'écris, tu écris, il écrit, nous écrivons, vous écrivez, ils écrivent.* Imperf.: *j'écrivais,* etc. Pret. Indef.: *j'écrivis,* etc. Fut. Imperf.: *j'écrirai,* etc. POT.: *j'écrirais,* etc. SUBJ. Pres.: *que j'écrive,* etc. Imperf.: *que j'écrivisse,* etc. IMPER.: *écris, écrivons, écrivez.* PART. A.: *écrivant.* PART. P.: *écrit, écrite.*

écrit [ekʀi] *m.* Escrito.

écriteau [ekʀito] *m.* Letrero.

écritoire [ekʀitwaʀ] *f.* Escribanía.

écriture [ekʀityʀ] *f.* 1 Escritura, grafía. 2 Letra (façon d'écrire). ■ 3 *pl.* COMM. Loc. *Tenir les écritures,* llevar los libros, la contabilidad.

écrivain [ekʀivɛ̃] *m.* 1 Escritor, ra. 2 — *public,* memorialista.

écrouelles [ekʀuɛl] *f. pl.* Escrófulas, lamparones *m.*

écrouer [ekʀue] *tr.* 1 Inscribir en el registro de la cárcel. 2 Encarcelar.

écrouler (s') [ekʀule] *pr.* Hundirse, derrumbarse, desplomarse.

écru, -ue [ekʀy] *adj.* Crudo, da (fil, soie).

écu [eky] *m.* Escudo, broquel.

écueil [ekœj] *m.* Escollo.

écuelle [ekɥɛl] *f.* Escudilla.

écume [ekym] *f.* 1 Espuma. 2 Escoria (des métaux). 3 — *de mer,* espuma de mar, magnesita.

écumeux, -euse [ekymø, -øz] *adj.* Espumoso, sa.

écumoire [ekymwaʀ] *f.* Espumadera.

écurie [ekyʀi] *f.* 1 Cuadra, caballeriza. 2 Escudería (chevaux, voitures).

écusson [ekysɔ̃] *m.* 1 Escudo pequeño. 2 MIL. Rombo, emblema. 3 AGR. Escudete.

écuyer [ekɥije] *m.* 1 Escudero (servant). 2 Jinete (cavalier). 3 Caballista (de cirque).

écuyère [ekɥijɛʀ] *f.* Amazona.

édenté, -ée [edɑ̃te] *adj.-s.* 1 Desdentado, da. ■ 2 *m. pl.* ZOOL. Desdentados.

édifice [edifis] *m.* Edificio.

édifier [edifje] *tr.* 1 Edificar. 2 fig. Edificar, dar buen ejemplo. ▲ CONJUG. como *prier.*

édile [edil] *m.* Edil.

édit [edi] *m.* Edicto.

éditeur, -trice [editœʀ, -tʀis] *s.* Editor, ra.

édition [edisjɔ̃] *f.* Edición.

éducateur, -trice [edykatœʀ, -tʀis] *s.* Educador, ra.

éducatif, -ive [edykatif, -iv] *adj.* Educativo, va.

éducation [edykɑsjɔ̃] *f.* Educación.

effacer [efase] *tr.* 1 Borrar (faire disparaître, faire oublier). 2 fig. Eclipsar, obscurecer. ■ 3 *pr.* Borrarse. 4 Ladearse, echarse a un lado (pour laisser passer). 5 Mantenerse apartado, da, eclipsarse. ▲ CONJUG. como *lancer.*

effarer [efaʀe] *tr.* Azorar, asustar.

effaroucher [efaʀuʃe] *tr.* 1 Espantar, ahuyentar (mettre en fuite). 2 Asustar. ■ 3 *pr.* Asustarse.

effectiv, -ive [efɛktif, -iv] *adj.* 1 Efectivo, va. ■ 2 *m. pl.* MIL. Efectivos.

effectuer [efɛktɥe] *tr.* 1 Efectuar. ■ 2 *pr.* Efectuarse.

efféminé, -ée [efemine] *adj.-s.* Afeminado, da.

effervescent, -ente [efɛʀvesɑ̃, -ɑ̃t] *adj.* Efervescente.

effet [efɛ] *m.* Efecto.

effeuiller [efœje] *tr.* Deshojar.

efficace [efikas] *adj.* Eficaz.

efficient, -ente [efisjã, -ãt] *adj.* Eficiente.

effilé, -ée [efile] *adj.* *1* Afilado, da, fino, na (doigt, etc.). ■ *2 m.* Fleco (d'une étoffe).

effiler [efile] *tr.* *1* Deshilar, deshilachar. ■ *2 pr.* Deshilarse, deshilacharse.

effilocher [efilɔʃe] *tr.* Deshilachar.

efflanqué, -ée [eflãke] *adj.* Trasijado, da, flaco, ca, enjuto, ta.

effleurer [eflœre] *tr.* Rozar, tocar ligeramente.

efflorescence [eflɔresãs] *f.* CHIM. Eflorescencia.

effluve [eflyv] *m.* Efluvio.

effondrer [efɔ̃dre] *tr.* *1* Hundir, derrumbar. ■ *2 pr.* Hundirse, derrumbarse.

efforcer (s') [efɔrse] *pr.* Esforzarse. ▲ CONJUG. como *lancer.*

effort [efɔr] *m.* Esfuerzo.

effraction [efraksjɔ̃] *f.* DR. Fractura.

effrayant, -ante [efrejã, -ãt] *adj.* Espantoso, sa.

effrayer [efreje] *tr.* *1* Espantar, asustar. ■ *2 pr.* Espantarse, asustarse. ▲ CONJUG. como *employer.*

effréné, -ée [efrene] *adj.* Desenfrenado, da, desmesurado, da.

effriter [efrite] *tr.* *1* Volver friable, pulverizar. ■ *2 pr.* Desmenuzarse, pulverizarse.

effroi [efrwa(a)] *m.* Terror, espanto.

effronté, -ée [efrɔ̃te] *adj.-s.* Descarado, da, desvergonzado, da.

effroyable [efrwajabl(ə)] *adj.* Espantoso, sa, horrible.

égal, -ale [egal] *adj.* *1* Igual, idéntico, ca, equivalente. *2* Igual, constante, uniforme. ■ *3 adj.-s.* Igual. Loc.: *Traiter d'—a—,* tratar de igual a igual. *4 Ça m'est (bien) —,* me da igual, me da lo mismo.

égaler [egale] *tr.* *1* Igualar. *2* Equiparar.

égaliser [egalize] *tr.* *1* Igualar, unificar. *2* Igualar, allanar (aplanir). ■ *3 intr.* Empatar.

égalité [egalite] *f.* *1* Igualdad. *2* SPORTS *Être à —,* estar empatados, as.

égard [egar] *m.* Consideración *f.,* respeto. Loc. *Avoir — à,* tener en consideración; *eu — à,* teniendo en cuenta, teniendo en consideración; *à l'— de,* con respecto a, respecto de; *à tous égards,* por todos conceptos.

égarer [egare] *tr.* *1* Extraviar, perder (quelque chose). *2* Extraviar, descarriar (une personne). *3* fig. Desorientar, perturbar. ■ *4 pr.* Perderse, extraviarse, desorientarse.

égayer [egeje] *tr.* *1* Alegrar, regocijar. *2* Alegrar, hermosear.

égide [eʒid] *f.* Egida, égida.

églantier [eglãtje] *m.* Agavanzo, escaramujo.

églantine [eglãtin] *f.* Gavanza.

église [egliz] *f.* Iglesia.

églogue [eglɔg] *f.* Égloga.

égoïste [egɔist(ə)] *adj.-s.* Egoísta.

égorger [egɔrʒe] *tr.* Degollar. ▲ CONJUG. como *engager.*

égosiller (s') [egozije] *pr.* Desgañitarse.

égout [egu] *m.* *1* Alcantarilla *f.,* cloaca *f.,* albañal; *2 Bouche d'—,* sumidero *m.*

égoutter [egute] *tr.* *1* Escurrir. *2* Secar (sécher). ■ *3 pr.* Escurrirse, gotear.

égratigner [egratiɲe] *tr.* *1* Arañar, rasguñar. *2* fig. Zaherir.

égrener [egrəne] *tr.* *1* Desgranar. *2 — un chapelet,* pasar las cuentas de un rosario. ▲ CONJUG. como *acheter.*

égyptien, -ienne [eʒipsjɛ̃, -jɛn] *adj.-s.* Egipcio, cia.

éhonté, -ée [eɔ̃te] *adj.* Desvergonzado, da.

éjaculer [eʒakyle] *tr.* Eyacular.

élaboration [elabɔrasjɔ̃] *f.* Elaboración.

élaborer [elabɔre] *tr.* Elaborar.

élan [elã] *m.* Impulso, aranque.

élancé, -ée [elãse] *adj.* Esbelto, ta.

élancement [elãsmã] *m.* Punzada *f.* (douleur).

élancer [elãse] *intr.* *1* Punzar (la douleur). ■ *2 pr.* Lanzarse, arrojarse. ▲ CONJUG. como *lancer.*

élargir [elarʒir] *tr.* *1* Ensanchar, hacer más ancho, cha. *2* fig. Ampliar, extender, generalizar. ■ *3 pr.* Ensancharse.

élasticité [elastisite] *f.* Elasticidad.

élastique [elastik] *adj.* *1* Elástico, ca. ■ *2 m.* elástico (tissu). *3* Goma *f.* (ruban, bracelet en caoutchouc).

élection [elɛksjɔ̃] *f.* Elección.

électorat [elɛktɔra] *m.* Electorado.

électricité [elɛktrisite] *f.* Electricidad.

électrifier [elɛktrifje] *tr.* Electrificar. ▲ CONJUG. como *prier.*

électrique [elɛktrik] *adj.* Eléctrico, ca.

électriser [elɛktrize] *tr.* Electrizar.

électrocuter [elɛktrɔkyte] *tr.* Electrocutar.

électrode [elɛktrɔd] *f.* Electrodo *m.*

électrogène [elɛktrɔʒɛn] *adj.* Electrógeno, na.

électromoteur, -trice [elɛktrɔmɔtœr, -tris] *adj.* *1* Electromotor, triz. ■ *2 m.* Electromotor.

élégance [elegãs] *f.* Elegancia.

élégant, -ante [elegã, -ãt] *adj.-s.* Elegante.

élégie [eleʒi] *f.* Elegía.

élement [elemã] *m. 1* Elemento. *2* Elemento (milieu).

élémentaire [elemɑ̃tɛʀ] *adj.* Elemental.

éléphant [elefɑ̃] *m.* Elefante.

élevage [ɛlvaʒ] *m. 1* Cría *f.: l'— du bétail,* la cría de ganado. *2* Ganadería *f.: un — de taureaux,* una ganadería de toros.

élévateur, -trice [elevatœʀ, -tʀis] *adj. 1* Elevador, ra: *muscles élévateurs,* músculos elevadores. ■ *2 adj.-m.* Elevador (appareil).

élévation [elevasjɔ̃] *f. 1* Elevación. *2* ASTRON. Altura. *3* ARCHIT. Alzado *m. 4* ECCLÉS. *A l'—,* al alzar.

élève [elɛv] *s. 1* Discípulo, la, alumno, na. *2* Alumno, na (écolier, collégien).

élevé, -ée [elve] *adj. 1* Elevado, da. *2* Criado, da, educado, da.

élever [ɛlve] *tr. 1* Elevar. *2* Levantar, erigir (un monument, etc.). *3* Alzar (la voix, le ton). *4* Oponer, suscitar (des objections, etc.). *5* Criar, educar (un enfant). *6* Criar (des animaux). ■ *7 pr.* Elevarse. *8* Subir (la température). *9* Ascender: *la facture s'élève à mille francs,* la factura asciende a mil francos. *10 S'— contre,* alzarse contra. ▲ CONJUG. como *acheter.*

éleveur, -euse [ɛlvœʀ, -øz] *s.* Criador, ra, ganadero, ra.

élider [elide] *tr.* Elidir.

éligible [eliʒibl(ə)] *adj.* Elegible.

éliminer [elimine] *tr.* Eliminar.

élire [eliʀ] *tr. 1* Elegir. *2 — domicile,* fijar domicilio. ▲ CONJUG. como *lire.*

élision [elizjɔ̃] *f.* Elisión.

élixir [eliksiʀ] *m.* Elixir.

elle [ɛl] *pron.* Ella.

ellébore [e(ɛl)lebɔʀ] *m. 1* Eléboro. *2 — blanc,* veratro, vedegambre.

ellipse [elips(ə)] *f. 1* GÉOM. Elipse. *2* GRAM. Elipsis.

elliptique [eliptik] *adj.* Elíptico, ca.

élocution [elɔkysjɔ̃] *f.* Elocución.

élogieux, -euse [elɔʒjø, -øz] *adj.* Laudatorio, ria, elogioso, sa.

éloigné, -ée [elwaɲe] *adj. 1* Alejado, da, lejano, na, distante. *2* Remoto, ta, lejano, na (dans le temps).

éloigner [elwaɲe] *tr. 1* Alejar, apartar. *2* Diferir, retardar. ■ *3 pr.* Alejarse, apartarse.

éloquence [elɔkɑ̃s] *f.* Elocuencia.

éloquent, -ente [elɔkɑ̃, -ɑ̃t] *adj.* Elocuente.

élu, -ue [ely] *adj.-s. 1* Elegido, da. *2* Electo, ta (mais qui n'a pas encore exercé sa charge).

élucider [elyside] *tr.* Elucidar.

éluder [elyde] *tr.* Eludir.

émacié, -ée [emasje] *adj.* Demacrado, da, emaciado, da.

émail [emaj] *m.* Esmalte.

émanation [emanɑsjɔ̃] *f.* Emanación.

émancipation [emɑ̃sipɑsjɔ̃] *f.* Emancipación.

émanciper [emɑ̃sipe] *tr. 1* Emancipar. ■ *2 pr.* Emanciparse.

émaner [emane] *intr.* Emanar.

émarger [emaʀʒe] *tr. 1* Reducir, recortar el margen de (couper). *2* Marginar, firmar en el margen de (signer). ■ *3 intr.* Cobrar (percevoir le traitement d'un emploi). ▲ CONJUG. como *engager.*

emballage [ɑ̃balaʒ] *m. 1* Embalaje. *2* Envase (surtout pour liquides).

emballer [ɑ̃bale] *tr. 1* Embalar, empacar. *2 — un moteur,* embalar un motor. *3* fam. Encantar, seducir, entusiasmar. ■ *4 pr.* fam. Entusiasmarse, arrebatarse. *5* Embalarse (un moteur).

emballeur, -euse [ɑ̃balœʀ, -øz] *s.* Embalador, ra, empacador, ra.

embarcadère [ɑ̃baʀkadɛʀ] *m.* Embarcadero.

embardée [ɑ̃baʀde] *f. 1* Guiñada (d'un navire). *2* Bandazo *m.* (d'une voiture).

embargo [ɑ̃baʀgo] *m.* DR., MAR. Embargo.

embarquer [ɑ̃baʀke] *tr. 1* Embarcar. *2* fig. Embarcar, liar (dans une affaire). *3* fam. Detener (arrêter). ■ *4 pr.* Embarcarse.

embarras [ɑ̃baʀa] *m. 1* Obstáculo, dificultad *f.,* embarazo. *2* Apuro, penuria *f.,* estrechez: *être dans l'—,* estar en un apuro; *tirer d'—,* sacar de apuro. *3* Incertidumbre *f.,* duda *f.* Loc. *Avoir l'—du choix,* tener de sobra dónde escoger. *4* Confusión *f.,* embarazo (gêne). *5* Atasco (embouteillage).

embarrassant, -ante [ɑ̃baʀasɑ̃, -ɑ̃t] *adj.* Embarazoso, sa, enojoso, sa, molesto, ta.

embarrasser [ɑ̃baʀase] *tr. 1* Embarazar, estorbar, molestar (gêner). *2* Obstruir (obstruer), atestar (encombrer). *3* Turbar, confundir, poner en un apuro (troubler). ■ *4 pr.* Embarazarse. *5* Apurarse: *ne s'— de rien,* no apurarse por nada.

embaucher [ɑ̃boʃe] *tr.* Contratar, ajustar (des ouvriers).

embauchoir [ɑ̃boʃwaʀ] *m.* Horma *f.*

embaumer [ɑ̃bome] *tr.* Embalsamar.

embellir [ɑ̃beliʀ] *tr. 1* Embellecer. ■ *2 intr.* Volverse más herrmoso, sa.

embêtant, -ante [ɑ̃betɑ̃, -ɑ̃t] *adj.* fam. Fastidioso, sa, cargante.

embêter [ābete] *tr. 1* fam. Fastidiar. ■ *2 pr.* Aburrirse (s'ennuyer).

emblée (d') [dāble] *loc. adv.* De golpe, de rondón.

emblème [āblɛm] *m.* Emblema.

embobeliner [ābɔbline], **embobiner** [ābobine] *tr.* fam. Embaucar.

emboîter [ābwate] *tr. 1* Encajar, ajustar. *2 — le pas à quelqu'un*, ir pisando los talones de alguien; fig. seguir las pisadas de alguien.

embonpoint [ābɔ̃pwē] *m.* Gordura *f.*

embouché, -ée (mal) [malābuʃe] *adj.* Mal hablado, a.

embouchoir [ābuʃwar] *m. 1* MUS. Embocadura *f.*, boquilla *f.* 2 Abrazadera *f.* (de fusil).

embouchure [ābuʃyr] *f. 1* Desembocadura (d'un fleuve). *2* MUS. Embocadura, boquilla.

embourber [āburbe] *tr. 1* Meter en un cenagal, un atolladero. ■ *2 pr.* Atollarse, atascarse, encenagarse.

embouteillage [ābutejaʒ] *m. 1* Embotellado (action). *2* Embotellamiento, atasco (de véhicules).

emboutir [ābutir] *tr. 1* Repujar, estampar (des métaux). *2* Abollar, hundir (une voiture).

embranchement [ābrāʃmā] *m. 1* Ramificación *f.* (des voies, des canalisations). *2* Cruce, encrucijada *f.* (croisement). *3* Rama *f.*, división *f.* (du monde animal ou végétal).

embrasement [ābrazmā] *m. 1* Incendio. *2* Iluminación *f.*

embraser [ābraze] *tr. 1* Abrasar, incendiar. *2* Iluminar. *3* fig. Inflamar, abrasar (d'une passion).

embrassade [ābrasad] *f.* Beso *m.*, abrazo *m.*

embrasser [ābrase] *tr. 1* Besar (donner un baiser). *2* Abrazar (serrer dans ses bras). *3* Abarcar. ■ *4 pr.* Besarse: *s'— sur la bouche*, besarse en la boca. *5* Abrazarse.

embrasure [ābrazyr] *f. 1* Hueco *m.*, alféizar *m.* (portes, fenêtres). *2* FORT. Tronera, cañonera.

embrayer [ābreje] *tr.-intr.* MÉC. Embragar.

embrocher [ābrɔʃe] *tr.* Espetar, ensartar.

embrouiller [ābruje] *tr. 1* Embrollar, enmarañar (des fils, etc.). *2* fig. Confundir, trastornar. ■ *3 pr.* Embrollarse.

embrumer [ābryme] *tr. 1* Aneblar. *2* fig. Ensombrecer, entristecer.

embruns [ābrœ̃] *m. pl.* Roción *sing.* de las olas.

embryonnaire [ābrijɔnɛr] *adj.* Embrionario, ria.

embûche [ābyʃ] *f. 1* Trampa, lazo *m.*, asechanza. *2* Emboscada.

embuscade [ābyskad] *f.* Emboscada.

éméché, -ée [emeʃe] *adj.* fam. Achispado, da.

émeraude [emrod] *f.* Esmeralda.

émerger [emɛrʒe] *intr.* Emerger. ▲ CONJUG. como *engager*.

émeri [emri] *m.* Esmeril.

émérite [emerit] *adj. 1* Emérito, ta. *2* fig. Consumado, da.

émerveiller [emɛrveje] *tr. 1* Maravillar. ■ *2 pr.* Maravillarse.

émettre [emetr(ə)] *tr.* Emitir. ▲ CONJUG. como *mettre*.

émeute [emøt] *f.* Revuelta, motín *m.*

émigrant, -ante [emigrā, -āt] *s.* Emigrante.

émigré, -ée [emigre] *adj.-s.* Emigrado, da.

émigrer [emigre] *intr.* Emigrar.

émincer [emēse] *tr.* Rebanar. ▲ CONJUG. como *lancer*.

éminence [eminās] *f.* Eminencia.

éminent, -ente [eminā, -āt] *adj.* Eminente.

émissaire [emisɛr] *m. 1* Emisario. ■ *2 adj. Bouc —*, cabeza de turco, testaferro.

émission [emisjɔ̃] *f.* Emisión.

emmagasiner [āmagazine] *tr.* Almacenar.

emmailloter [āmjote] *tr.* Fajar, envolver en pañales.

emmancher [āmāʃe] *tr. 1* Enmangar, enastar. *2* fam. Poner en marcha.

emmêler [āmele] *tr.* Enmarañar.

emménager [āmenaʒe] *intr.* Instalarse en un nuevo piso, mudarse. ▲ CONJUG. como *engager*.

emmener [āmne] *tr.* Llevar, conducir, llevarse. ▲ CONJUG. como *acheter*.

emmitoufler [āmitufle] *tr. 1* Abrigar, arropar. ■ *2 pr.* Abrigarse de pies a cabeza.

emmurer [āmyre] *tr.* Emparedar.

émoi [emwa] *m. 1* Emoción *f.* 2 *En —*, con sobresalto, sobresaltado, da.

émoluments [emɔlymā] *m. pl.* Emolumentos.

émonder [emɔ̃de] *tr.* Escamondar, mondar.

émotif, -ive [emɔtif, -iv] *adj.-s.* Emotivo, va.

émotion [emosjɔ̃] *f.* Emoción.

émoulu, -ue [emuly] *adj.* Amolado, da.

émousser [emuse] *tr.* Embotar, desafilar, despuntar.

émoustiller [emustije] *tr.* fam. Animar, alegrar.

émouvant, -ante [emuvã, -ãt] *adj.* Emocionante, conmovedor, ra.

émouvoir [emuvwaʀ] *tr. 1* Emocionar, conmover. ■ *2 pr.* Emocionarse. ▲ CONJUG. como *mouvoir*.

empailler [ɑ̃paje] *tr. 1* Disecar. 2 fam. *Avoir l'air empaillé*, ser torpe de aspecto.

empaler [ɑ̃pale] *tr.* Empalar.

empan [ɑ̃pɑ̃] *m.* Palmo.

empanacher [ɑ̃panaʃe] *tr.* Empenachar.

empaquetar [ɑ̃pakte] *tr.* Empaquetar. ▲ CONJUG. como *jeter*.

emparer (s') [ɑ̃paʀe] *pr.* Apoderarse, adueñarse.

empâter [ɑ̃pɑte] *tr. 1* Empastar. ■ *2 pr.* Engrosarse, engordar, hincharse.

empêcher [ɑ̃peʃe] *tr. 1* Impedir. ■ *2 m. pers. N'empêche que, il n'empêche que,* esto no impide que. ■ *3 pr.* Contenerse, evitar: *nous ne pouvions nous — de crier,* no podíamos contenernos de gritar.

empeigne [ɑ̃pɛɲ] *f.* Empeine *m.*

empeser [ɑ̃pəze] *tr.* Almidonar. ▲ CONJUG. como *acheter*.

empester [ɑ̃peste] *tr.-intr.* Apestar.

empêtrer [ɑ̃petʀe] *tr. 1* Trabar, enredar. 2 fig. Enredar, atar: *je suis empêtré dans un tas de problèmes,* estoy atado por una serie de problemas. ■ *3 pr.* Atarse, liarse, enredarse.

emphatique [ɑ̃fatik] *adj.* Enfático, ca.

empierrer [ɑ̃pjɛʀe] *tr.* Empedrar.

empiéter [ɑ̃pjete] *intr. 1* Usurpar. *2 — sur,* entrar injustificadamente en, ocupar injustificadamente (un terrain, etc.). *3* Invadir. ▲ CONJUG. como *accélérer*.

empiffrer (s') [ɑ̃pifʀe] *pr.* fam. Atracarse.

empiler [ɑ̃pile] *tr. 1* Apilar. 2 fam. Estafar (duper). ■ *3 pr.* Amontonarse.

empire [ɑ̃piʀ] *m.* Imperio.

empirer [ɑ̃piʀe] *tr.-intr.* Empeorar.

empirisme [ɑ̃piʀism(ə)] *m.* Empirismo.

emplacement [ɑ̃plasmɑ̃] *m.* Sitio, emplazamiento.

emplâtre [ɑ̃platʀ(ə)] *m.* Emplasto.

emplir [ɑ̃pliʀ] *tr.* Llenar.

emploi [ɑ̃plwa] *m. 1* Empleo, uso, utilización *f. 2* Empleo, plaza *f.,* destino (situation). *3* THÉAT. Papel.

employer [ɑ̃plwaje] *tr.* Emplear, usar, utilizar. ▲ CONJUG. IRREG. INDIC. Pres.: *j'emploie, tu emploies, il emploie, nous employons, vous employez, ils emploient.* Imperf.: *j'employais,* etc., *nous employions,* etc. Pret. indef.: *J'employai,* etc. Fut. imperf.: *j'emploierai,* etc. POT.: *j'emploierais,* etc. SUBJ. Pres.: *que j'emploie,* etc., *que nous employions,* etc. Im-

perf.: *que j'employasse,* etc. IMP.: *employe, employons, employez.* PART. A.: *employant.* PART. P.: *employé, ée.*

employeur, -euse [ɑ̃plwajœʀ, -øz] *s.* Patrono, na, empresario, ria.

emplumer [ɑ̃plyme] *tr.* Emplumar, cubrir de plumas.

empocher [ɑ̃pɔʃe] *tr.* Embolsar.

empoigner [ɑ̃pwaɲe] *tr. 1* Empuñar, agarrar. *2* Conmover (émouvoir).

empois [ɑ̃pwa] *m. 1* Engrudo. *2* Almidón desleído (pour le linge).

empoisonner [ɑ̃pwazɔne] *tr. 1* Envenenar. *2* Apestar (odeur). *3* Amargar: *un remords qui empoisonne la vie,* un remordimiento que amarga la vida. *4* fam. Fastidiar (ennuyer).

emportement [ɑ̃pɔʀtəmɑ̃] *m. 1* Arrebato, vehemencia. *f. 2* Cólera *f.,* ira *f.* (colere).

emporte-pièce [ɑ̃pɔʀtəpjɛs] *m. invar. 1* Sacabocado. *2 A l'—,* mordaz, incisivo, va, punzante.

emporter [ɑ̃pɔʀte] *tr. 1* Llevarse: — *son argent,* llevarse el dinero. *2* Conseguir, obtener, llevarse. *3* Llevar, arrancar: *un boulet lui emporta le bras,* una bala le llevó el brazo. *4* Arrastrar (la passion, etc.). *5 L'— sur,* triunfar, superar, aventajar. *6* MIL. Tomar. ■ *7 pr.* Arrebatarse, encolerizarse. *8* Desbocarse (un cheval).

empoté, -ée [ɑ̃pɔte] *adj.-s.* fam. Torpe, atontado, da.

empoter [ɑ̃pɔte] *tr.* Poner en tiestos.

empourprer [ɑ̃puʀpʀe] *tr. 1* Teñir de púrpura, enrojecer. ■ *2 pr.* Enrojecer, ruborizarse.

empreinte [ɑ̃pʀɛ̃t] *f.* Huella: *empreintes digitales,* huellas digitales, dactilares. *2* fig. Impronta, sello *m.* distintivo.

empresé, -ée [ɑ̃pʀese] *adj.-s. 1* Afanoso, sa. *2* Solícito, ta, oficioso, sa, atento, ta.

empressement [ɑ̃pʀesmɑ̃] *m.* Diligencia *f.,* solicitud *f.,* ardor.

empresser (s') [ɑ̃pʀese] *pr. 1* Desvivirse, mostrarse solícito, ta, obsequioso, sa. *2* Apresurarse (se hâter).

emprise [ɑ̃pʀiz] *f.* Influencia, dominio *m.*

emprisonnement [ɑ̃pʀizɔnmɑ̃] *m.* Encarcelamiento.

emprunt [ɑ̃pʀœ̃] *m. 1* Préstamo (privé), empréstito (public). *2* Copia *f. 3 D'—,* falso, sa, fingido, da.

emprunter [ɑ̃pʀœ̃te] *tr. 1* Pedir, tomar prestado. *2* fig. Sacar, tomar: *beaucoup de mots français sont empruntés à l'anglais,* muchas palabras francesas están tomadas, sacadas del inglés. *3* Tomar:

nous allons — la route nationale, vamos a tomar la carretera nacional.

empuantir [āpчɑ̄tiʀ] *tr.* Apestar.

ému, -ue [emy] *adj.* Emocionado, da, conmovido, da.

émulation [emylɑsjɔ̄] *f.* Emulación.

émulsionner [emylsjɔne] *tr.* Emulsionar.

en [ā] *prép.* 1 En (lieu, temps, manière, moyen, spécialité, état, situation). 2 A (lieu, en indiquant déplacement). 3 De (matière, tenue). 4 Como (avant un terme ayant fonction d'attribut). 5 Con (avant un nom à sens abstrait). 6 Al (précédant un participe présent). 7 Sans traduction dans le sens de gérondif: — *travaillant*, trabajando.

en [ā] *pron.* 1 De él, de ella, de ellos, de ellas, de ello (souvent sans traduction): *que pensez-vous de cet accident?, ne m'—parlez pas*, ¿qué piensa usted de ese accidente?, no me hable de ello. 2 Comme partitif, ne se traduit pas ou se traduit par *lo, la, los, las* ou bien par une expression de nombre ou de quantité: *as-tu des crayons?, j'— ai*, ¿tienes lápices?, tengo *ou* tengo algunos. 3 Sobre ello, por ello: *consultez — vos amis*, consulte usted a sus amigos sobre ello. 4 Loc. *C'—est assez*, ya es bastante: *c'—est fait*, se acabó; *s'—aller*, marcharse: *s'—prendre à quelqu'un*, tomarla con alguien. ■ 5 *adv.* De allí, de ahí (souvent sans traduction): *j'—viens*, de allí vengo.

encadrement [ākɑdʀəmā] *m.* 1 Acción *f.* de encuadrar. 2 Marco (d'un tableau). 3 Cerco (d'une fenêtre, etc.). 4 Encuadramiento (des troupes).

encadrer [ākɑdʀe] *tr.* 1 Encuadrar. 2 Enmarcar. 3 Escoltar, custodiar. 4 Proveer de mandos (troupes, un personnel).

encaisse [ākɛs] *f.* COMM. Existencia, fondos *m. pl.* valores *m. pl.* en caja, encaje *m.*: — *métallique*, encaje metálico, fondos en metálico.

encaisser [ākese] *tr.* 1 Encajonar. 2 COMM. Cobrar, ingresar en caja. 3 fam. Recibir, encajar (un coup, etc.), tragar, aguantar (remontrance, etc.).

encaisseur [ākesœʀ] *m.* Cobrador.

encan [ākā] *m.* 1 Encante, almoneda *f.* 2 À *l'—*, en pública subasta, al mejor postor (au plus offrant).

en-cas, encas [ākɑ] *m. invar.* Tentempié, piscolabis.

encastrer [ākastʀe] *tr.* Encajar, empotrar.

enceindre [āsɛ̄dʀ(ə)] *tr.* Encajar, ceñir, rodear. ▲ CONJUG. como *craindre*.

enceinte [āsɛ̄t] *f.* 1 Cerco *m.*, recinto *m.* ■ 2 *adj. f.* Embarazada, encinta (femme).

encenser [āsɑ̄se] *tr.* Incensar.

encercler [āsɛʀkle] *tr.* Cercar, circundar.

enchaînement [āʃɛnmā] *m.* Encadenamiento.

enchaîner [āʃene] *tr.* Encadenar.

enchanté, -ée [āʃāte] *adj.* 1 Encantado, da, mágico, ca, hechizado, da. 2 fig. — *de faire votre connaissance*, encantado de conocerle.

enchantement [āʃātmā] *m.* 1 Encantamiento, encanto, ensalmo. Loc. *Comme par —*, como por encanto. 2 fig. Contento, placer.

enchâsser [āʃase] *tr.* 1 Engastar (sertir). 2 Incrustar (incruster), insertar (insérer).

enchère [āʃɛʀ] *f.* 1 Puja. 2 Subasta. Loc. *Mettre aux enchères*, sacar a subasta.

enchérir [āʃeʀiʀ] *intr.* 1 Pujar (aux enchères). 2 Encarecer (devenir plus cher). 3 — *sur*, sobrepujar (aux enche`res); fig. ir más allá.

enchevêtrer [āʃ(ə)vetʀe] *tr.* 1 Enredar, embrollar. ■ 2 *pr.* Embrollarse, enredarse.

enchifrené, -ée [āʃifʀəne] *adj.* Acatarrado, da, arromadizado, da.

enclave [āklav] *f.* Enclave *m.*

enclaver [āklave] *tr.* 1 Encerrar, contener (terrain). 2 Encajar, empotrar, enclavar (pièces).

enclin, -ine [āklɛ̄, -in] *adj.* Inclinado, da, propenso, sa.

enclos [āklo] *m.* Cercado.

enclume [āklym] *f.* Yunque *m.*

encoche [ākɔʃ] *f.* Muesca.

encoignure [ākɔɲyʀ] *f.* 1 Rincón *m.*, esconce *m.* 2 Rinconera (meuble).

encoller [ākɔle] *tr.* Encolar, engomar (un tissu).

encolure [ākɔlyʀ] *f.* 1 Cuello *m.* (du cheval). 2 Medida del cuello (mesure). 3 Abertura, escote (vêtement).

encombrant, -ante [ākɔ̄bʀā, -āt] *adj.* Embarazoso, sa, que estorba.

encombrer [ākɔ̄bʀe] *tr.* 1 Estorbar, obstruir, embarazar. ■ 2 *pr.* Embarazarse.

encontre (à l') [alākɔ̄tʀ(ə)] *loc. adv.* En contra: *il va toujours à l'—*, él siempre va en contra.

encore [ākɔʀ] *adv.* 1 Aún, todavía: *pas —*, todavía no. 2 Más: — *un peu de potage?*, ¿un poco más de sopa? 3 *loc. conj.* *—que*, aunque, aun cuando. 4 *Si —*, si al menos. 5 *interj.* ¡Otra vez!

encorner [ākɔʀne] *tr.* Cornear, empitonar.

encourager [ākuʀaʒe] *tr.* 1 Alentar, animar. 2 Fomentar, estimular (arts, commerce, production, etc.). ▲ CONJUG. como *engager*.

encourir [ãkuʀiʀ] *tr.* Incurrir en. ▲
CONJUG. como *courir*.

encrasser [ãkʀase] *tr. 1* Enmugrecer, ensuciar de grasa (de graisse), de hollín (de suie), de pringue (de saleté). ■ *2 pr.* Enmugrecerse, ensuciarse.

encre [ãkʀ(ə)] *f.* Tinta.

encrier [ãkʀje] *m.* Tintero.

encroûter [ãkʀute] *tr. 1* Encostrar. ■ *2 pr.* Cubrirse de una costra. *3* fig. Volverse rutinario, ria.

encyclopédie [ãsiklɔpedi] *f.* Enciclopedia.

endetter [ãdete] *tr. 1* Cargar de deudas. ■ *2 pr.* Entramparse, contraer deudas, cargarse de deudas.

endeuiller [ãdœje] *tr.* Enlutar.

endiablé, -ée [ãdjable] *adj.* Endemoniado, da, endiablado, da.

endiguer [ãdige] *tr.* Poner un dique a, contener con diques, encauzar.

endimancher [ãdimãʃe] *tr. 1* Endomingar. ■ *2 pr.* Endomingarse, emperejilarse.

endive [ãdiv] *f.* Endibia.

endoctriner [ãdɔktʀine] *tr.* Aleccionar.

endolorir [ãdɔlɔʀiʀ] *tr.* Lastimar, causar dolor.

endommager [ãdɔmaʒe] *tr.* Estropear, deteriorar, dañar (abîmer). ▲ CONJUG. como *engager*.

endormir [ãdɔʀmiʀ] *tr. 1* Dormir, adormecer. *2* Aburrir, dar sueño (ennuyer). *3* fig. Adormecer, acallar (une douleur, etc.). *4* Distraer, entretener (la vigilance). *5* Apagar (étouffer). ■ *6 pr.* Dormirse, adormecerse. ▲ CONJUG. como *dormir*.

endosser [ãdɔse] *tr.* COMM. Endosar.

endroit [ãdʀwa] *m. 1* Sitio, lugar: *un —perdu*, un lugar perdido. *2* Punto, lado (côté). *3* Haz *f.*, derecho (d'un tissu). *4* Cara *f.* (d'une monnaie). *5 loc. adv. Par endroits*, en algunas partes, acá y allá. *6 loc. prép. À l'— de*, para con.

enduire [ãdɥiʀ] *tr.* Untar, embadurnar. ▲ CONJUG. como *conduire*.

endurance [ãdyʀãs] *f.* Resistencia.

endurant, -ante [ãdyʀã, -ãt] *adj.* Sufrido, da, paciente, resistente.

endurcir [ãdyʀsiʀ] *tr. 1* Endurecer. *2* fig. Empedernir. ■ *3 pr.* Endurecerse, empedernirse.

endurer [ãdyʀe] *tr.* Soportar, sufrir, aguantar.

énergie [ãneʀʒi] *f.* Energía.

énergique [eneʀʒik] *adj.* Enérgico, ca.

énervant, -ante [eneʀvã, -ãt] *adj.* Irritante, que pone nervioso, sa.

énerver [eneʀve] *tr. 1* Poner nervioso, sa, irritar. *2* anciern. Enervar. ■ *3 pr.* Ponerse nervioso, sa.

enfance [ãfãs] *f.* Infancia. Loc. *Tomber en —*, chochear.

enfant [ãfã] *s. 1* Niño, ña: *— gâté*, niño mimado; *— terrible*, niño indiscreto. *2* Hijo, ja: *les enfants d'Adam*, los hijos de Adán. ■ *3 pl. Petits-enfants*, nietos. ■ *4 adj. Bon —*, bonachón, ona.

enfanter [ãfãte] *tr. 1* Alumbrar, dar a luz, parir. *2* fig. Crear, dar a luz, producir.

enfantin, -ine [ãfãtɛ̃, -in] *adj. 1* Infantil, pueril. *2* Aniñado, da.

enfariné, -ée [ãfaʀine] *adj.* Enharinado, da, empolvado, da.

enfer [ãfeʀ] *m.* Infierno.

enfermer [ãfeʀme] *tr.* Encerrar.

enferrer [ãfeʀe] *tr. 1* Atravesar. ■ *2 pr.* Arrojarse sobre la espada. *3* fig. Embrollarse (s'embrouiller).

enfiévrer [ãfjevʀe] *tr. 1* Dar fiebre. *2* fig. Apasionar, excitar. ▲ CONJUG. como *accélérer*.

enfiler [ãfile] *tr. 1* Enhebrar, ensartar (une aiguille, des perles, des grains). *2* Ensartar (une épée). *3* Tomar (une rue, un chemin, etc.). *4* Ponerse: *— son pantalon*, ponerse el pantalón.

enfin [ãfɛ̃] *adv. 1* En fin. *2* Al fin, por último. *3* Bueno: *ce sera ennuyeux, —, pas tellement intéressant*, será aburrido, bueno, no muy interesante.

enflammer [ãflame] *tr. 1* Inflamar. ■ *2 pr.* Exaltarse.

enfler [ãfle] *tr. 1* Hinchar, inflar (un ballon). *2* Ahuecar (la voix).

enfoncement [ãfõsmã] *m. 1* Hundimiento. *2* Fractura *f.*, rompimiento, derribo (d'une porte, etc.). *3* Hueco (creux), concavidad *f.* (concavité). *4* Hondonada *f.* (terrain bas).

enfoncer [ãfõse] *tr. 1* Hundir. *2* Clavar (faire pénétrer). *3* Encasquetar (chapeau, idée). *4* Derribar, romper (porte, mur, etc.). *5* MIL. Derrotar. ■ *6 intr.* Hundirse. ■ *7 pr.* Hundirse. *8* Internarse, penetrar. *9* Engolfarse. ▲ CONJUG. como *lancer*.

enfouir [ãfwiʀ] *tr. 1* Enterrar. *2* Esconder, ocultar (cacher). ■ *3 pr.* Meterse (se mettre), enterrarse (se tapir), hundirse (s'énfoncer).

enfourcher [ãfuʀʃe] *tr. 1* Montar: *il enfourcha sa bicyclette*, montó en su bicicleta. *2* fam. *— son dada*, volver a su tema. *3* Ensartar con una horca.

enfourner [ãfuʀne] *tr. 1* Enhornar, meter en el horno. *2* fam. Meter. ■ *3 pr.* Me-

terse: *s'— dans un cinéma*, meterse en un cine.
enfreindre [ãfʀɛ̃dʀ(ə)] *tr.* Infringir. ▲ CONJUG. como *craindre*.
enfuir (s') [ɑfɥiʀ] *pr.* Huir. ▲ CONJUG. como *fuir*.
enfumer [ãfyme] *tr.* Ahumar.
engageant, -ante [ãgaʒã, -ãt] *adj.* *1* Atractivo, va (attrayant). *2* Halagüeño, ña (séduisant). *3* Prometedor, ra.
engager [ãgaʒe] *tr.* *1* Empeñar (un objet, la parole). *2* Meter (quelqu'un dans une affaire). *3* Exhortar, impulsar (à faire quelque chose). *4* Contratar (des ouvriers, etc.). *5* Alistar (des soldats). *6* Encajar, meter, introducir (une chose dans une autre). *7* Entablar (un combat, un débat, etc.). *8* Comprometer (créer une obligation). ■ *9 pr.* Comprometerse (par une promesse, etc.). *10* Entrar, penetrar, internarse. *11* Meterse, participar (dans un combat, une discussion, une affaire). *12* Tomar partido (en matière politique, sociale ou littéraire). *13* Alistarse (dans l'armée). ▲ CONJUG. IRREG. Toma una *e* después de *g* delante de *a* y *o*: *nous engageons, j'engageais*, etc.
engelure [ãʒlyʀ] *s.* Sabañón *m.*
engendrer [ãʒãdʀe] *tr.* Engendrar.
engin [ãʒɛ̃] *m.* *1* Artefacto, instrumento, máquina *f.* ■ *2 pl.* Avíos, utensilios (chasse et pêche). *3* MIL. Material *sing.* de guerra. *4* Proyectiles, cohetes (missiles).
englober [ãglɔbe] *tr.* Englobar.
engloutir [ãglutiʀ] *tr.* *1* Engullir (avaler). *2* Tragar, tragarse (absorber, faire disparaître).
engoncer [ãgɔ̃se] *tr.* Envarar. ▲ CONJUG. como *lancer*.
engorgement [ãgɔʀʒəmã] *m.* *1* Atasco, obstrucción *f.* *2* MÉD. Infarto.
engouement [ãgumã] *m.* fig. Apasionamiento, admiración *f.* exagerada.
engouer (s') [ãgwe] *pr.* fig. Encapricharse, apasionarse.
engouffrer [ãgufʀe] *tr.* *1* Tragar, tragarse. ■ *2 pr.* Abismarse (s'enfoncer). *3* Precipitarse (eaux, vent, personnes).
engourdissement [ãguʀdismã] *m.* *1* Entumecimiento (des membres, du corps). *2* fig. Entorpecimiento, embotamiento (des facultés).
engrais [ãgʀɛ] *m.* *1* Abono, fertilizante. *2* Pasto (pâture), cebo (pâtée).
engraisser [ãgʀese] *tr.* *1* Engordar, cebar. *2* AGR. Abonar, fertilizar. ■ *3 intr.* Engordar.

engrener [ãgʀəne] *tr.* *1* Engranar, engargantar. ■ *2 pr.* Engranarse. ▲ CONJUG. como *acheter*.
engueuler [ãgœle] *tr.* pop. Echar una bronca.
enhardir [ãaʀdiʀ] *tr.* *1* Animar, envalentonar. ■ *2 pr.* Atreverse, enardecerse, envalentonarse.
énigmatique [enigmatik] *adj.* Enigmático, ca.
énigme [enigm(ə)] *f.* Enigma *m.*
enivrant, -ante [ãnivʀã, -ãt] *adj.* Embriagador, ra.
enivrer [ãnivʀe] *tr.* *1* Embriagar. ■ *2 pr.* Embriagarse.
enjambée [ãʒãbe] *f.* Zancada, tranco *m.*, trancada.
enjamber [ãʒãbe] *tr.1* Saltar, atravesar, salvar. *2* Atravesar, pasar por encima. ■ *3 intr.* CONSTR. Encaballar (une poutre).
enjeu [ãʒø] *m.* *1* Puesta *f.*, cantidad *f.* que pone el jugador. *2* Lo que se juega, lo que está en juego (dans une entreprise, etc.).
enjoindre [ãʒwɛ̃dʀ(ə)] *tr.* Ordenar, mandar. ▲ CONJUG. como *craindre*.
enjôler [ãʒole] *tr.* Engatusar, embaucar.
enjoliver [ãʒɔlive] *tr.* Adornar, embellecer.
enjouement [ãʒumã] *m.* Jovialidad *f.*, buen humor.
enlacer [ãlase] *tr.* *1* Enlazar. *2* Abrazar (étreindre). ■ *3 pr.* Enlazarse, abrazarse. ▲ CONJUG. como *lancer*.
enlaidir [ãlediʀ] *tr.* *1* Afear, hacer feo, fea. ■ *2 intr.* Afearse, volverse feo, fea.
enlèvement [ãlɛvmã] *m.* *1* Acción *f.* de quitar, retirada *f.* *2* Recogida *f.* (ramassage). *3* Limpia *f.* (débarras). *4* Levantamiento (levée). *5* Rapto (rapt), secuestro (kidnappage). *6* MIL. Toma *f.*
enlever [ãlve] *tr.* *1* Quitar (ôter). *2* Quitarse (un vêtement). *3* Arrebatar (ravir), llevarse (emporter). *4* Levantar (soulever). *5* Raptar, secuestrar (kidnapper). *6* MIL. Tomar. ▲ CONJUG. como *acheter*.
enliser [ãlize] *tr.* *1* Hundir en la arena. ■ *2 pr.* Atascarse.
enluminer [ãlymine] *tr.* *1* Iluminar, dar color. *2* fig. Enrojecer, colorear (le teint).
enluminure [ãlyminyʀ] *f.* *1* Iluminación (art.). *2* Estampa iluminada, miniatura.
ennemi, -ie [ɛnmi] *adj.-s.* Enemigo, ga.
ennoblir [ãnɔbliʀ] *tr.* Ennoblecer.
ennui [ãnɥi] *m.* *1* Aburrimiento, fastidio,

tedio. *2* Disgusto: *avoir des ennuis*, tener disgustos. *3* Preocupación *f.* (souci).

ennuyant, -ante [ãnɥijã, -ãt] *adj.* Fastidioso, sa.

ennuyer [ɑ̃nɥije] *tr. 1* Fastidiar (importuner). *2* Disgustar, preocupar, contrariar (contrarier). ■ *3 pr.* Aburrirse. ▲ CONJUG. como *employer*.

ennuyeux, -euse [ɑ̃nɥijø, -øz] *adj. 1* Fastidioso, sa, molesto, ta, pesado, da (agaçant). *2* Aburrido, da, pesado, da.

énoncer [enɔ̃se] *tr.* Enunciar. ▲ CONJUG. como *lancer*.

enorgueillir [ɑ̃nɔrgœjir] *tr. 1* Enorgullecer. ■ *2 pr.* Engreírse, enorgullecerse.

énorme [enɔrm(ə)] *adj.* Enorme.

énormité [enɔrmite] *f.* Enormidad.

enquérir (s') [ɑ̃kerir] *pr.* Informarse, inquirir, averiguar, preguntar. ▲ CONJUG. como *acquérir*.

enquête [ɑ̃ket] *f. 1* Encuesta (sondage). *2* Información, investigación (de police). *3* DR. Sumario *m.*

enraciner [ɑ̃rasine] *tr. 1* Arraigar. ■ *2 pr.* Arraigarse, echar raíces.

enragé, -ée [ɑ̃raʒe] *adj. 1* Rabioso, sa. ■ *2 adj.-s.* Fanático, ca, entusiasta.

enrayer [ɑ̃reje] *tr. 1* fig. Detener, contener. ■ *2 pr.* Pararse, calarse, bloquearse. *3* Encasquillarse (arme à feu).

enrégimenter [ɑ̃reʒimɑ̃te] *tr.* Enrolar, alistar, incorporar.

enregistrer [ɑ̃rʒistre] *tr. 1* Registrar, inscribir (documents, etc.). *2* Facturar (bagages). *3* Grabar (disques, etc.). *4* Retener (la mémoire).

enrhumer [ɑ̃ryme] *tr. 1* Resfriar, constipar: *être enrhumé*, estar resfriado. ■ *2 pr.* Resfriarse, constiparse.

enrichir [ɑ̃riʃir] *tr.* Enriquecer.

enrober [ɑ̃rɔbe] *tr. 1* Envolver, recubrir. *2* CUIS. Rebozar.

enrôler [ɑ̃rɔle] *tr. 1* Alistar, reclutar. ■ *2 pr.* Alistarse.

enrouer [ɑ̃rwe] *tr.* Enronquecer.

enrouler [ɑ̃rule] *tr. 1* Enrollar, arollar. ■ *2 pr.* Enroscarse. *3* Envolverse (s'envelopper).

ensacher [ɑ̃saʃe] *tr.* Ensacar, meter en sacos, envasar en bolsas.

ensanglanter [ɑ̃sɑ̃glɑ̃te] *tr.* Ensangrentar.

enseigne [ɑ̃seɲ] *f. 1* Rótulo *m.*, letrero *m.* *2* MIL. Enseña, estandarte *m.* ■ *3 m.* MAR. Alférez.

enseignement [ɑ̃seɲmɑ̃] *m.* Enseñanza *f.*

enseigner [ɑ̃seɲe] *tr.* Enseñar.

ensemble [ɑ̃sɑ̃bl(ə)] *adv. 1* Conjunta-

mente, juntos, as. *2* A la vez (en même temps). Loc. *Tout —*, a un tiempo. ■ *3 m.* Conjunto.

ensemencer [ɑ̃smɑ̃se] *tr.* Sembrar. ▲ CONJUG. como *lancer*.

enserrer [ɑ̃sere] *tr. 1* Encerrar, contener. *2* Apretar fuertemente (serrer de près).

ensevelir [ɑ̃səvlir] *tr. 1* Amortajar (dans un linceul). *2* Enterrar, sepultar. ■ *3 pr.* Enterrarse.

ensoleiller [ɑ̃sɔleje] *tr. 1* Solear. *2* fig. Iluminar, alegrar.

ensorceler [ɑ̃sɔrsəle] *tr. 1* Hechizar. *2* fig. Fascinar, seducir. ▲ CONJUG. como *appeler*.

ensorcellement [ɑ̃sɔrsɛlmɑ̃] *m.* Hechizo.

ensuite [ɑ̃sɥit] *adv. 1* Después, luego, a continuación. *2* Además, en segundo lugar (d'ailleurs).

ensuivre (s') [ɑ̃sɥivr(ə)] *pr.* Resultar. ▲ CONJUG. como *suivre*.

entacher [ɑ̃taʃe] *tr.* Mancillar.

entailler [ɑ̃taje] *tr.* Cortar, entallar.

entamer [ɑ̃tame] *tr. 1* Empezar. *2* Cortar (couper). *3* Atacar, penetrar. *4* fig. Entablar, iniciar, principiar. *5* Empañar (l'honneur).

entasser [ɑ̃tase] *tr.* Amontonar.

entendement [ɑ̃tɑ̃dmɑ̃] *m.* Entendimiento, juicio.

entendre [ɑ̃tɑ̃dr(ə)] *tr. 1* Oír. *2* Escuchar, atender. Loc. *A l'—*, si se le diera crédito. *3* Entender, comprender. ■ *4* Desear, querer. ■ *5 intr.* Oír. ■ *6 pr.* Entenderse. *7 S'y —*, entender de. ▲ CONJUG. como *rendre*.

entendu, -ue [ɑ̃tɑ̃dy] *adj. 1* Oído, da. *2* Entendido, da (compris). *3 loc. adv. Bien —*, ciertamente, por supuesto.

entente [ɑ̃tɑ̃t] *f. 1* Acuerdo *m.*, inteligencia. *2* Alianza, convenio *m.* (entre États). *3* Interpretación, sentido *m.*

enterrement [ɑ̃tɛrmɑ̃] *m.* Entierro.

enterrer [ɑ̃tere] *tr.* Enterrar.

en-tête [ɑ̃tɛt] *m. 1* Membrete. *2* Encabezamiento (d'un écrit).

entêté, -ée [ɑ̃tɛte] *adj.-s.* Testarudo, da, terco, ca, obstinado, da.

entêter [ɑ̃tɛte] *tr. 1* Marear, atacar a la cabeza. ■ *2 pr.* Obstinarse, empeñarse, obcecarse (*à*, en).

enthousiasme [ɑ̃tuzjasm(ə)] *m.* Entusiasmo.

enticher (s') [ɑ̃tiʃe] *pr.* Chiflarse, apasionarse (*de*, por).

entier, -ière [ɑ̃tje, -jɛr] *adj.-m.* Entero, ra.

entité [ɑ̃tite] *f.* Entidad.

entoiler [ɑ̃twale] *tr.* Montar sobre tela.

entonner [ɑ̃tɔne] *tr.* MUS. Entonar.

entonnoir [ãtonwaʀ] *m.* Embudo.

entorse [ãtɔʀs(ə)] *f. 1* Esguince *m. 2* fig. Infracción: *faire une — à,* infringir.

entortiller [ãtɔʀtije] *tr. 1* Arrollar, enroscar, envolver torciendo. *2* Enredar, embrollar (le style). *3* fam. Embaucar (tromper).

entourage [ãtuʀaȝ] *m. 1* Contorno, cerco, lo que rodea. *2* Allegados *m. pl.,* familiares *m. pl.*

entourer [ãtuʀe] *tr. 1* Rodear, cercar. ■ *2 pr.* S' — *de,* rodearse de.

entournure [ãtuʀnyʀ] *f.* Sisa, sesgadura de manga.

entracte [ãtʀakt(ə)] *m.* Entreacto.

entraider (s') [ãtʀede] *pr.* Ayudarse mutuamente.

entrailles [ãtʀaj] *f. pl.* Entrañas.

entrain [ãtʀɛ̃] *m. 1* Viveza *f.,* brío. *2* Animación *f.*

entraînant, -ante [ãtʀɛnã, -ãt] *adj. 1* fig. Arrebatador, ra, que arrastra. *2* Animador, ra (personne).

entraîner [ãtʀene] *tr. 1* Arrastrar, llevarse consigo (emmener). *2* Acarrear (des conséquences). *3* Arrebatar (l'esprit). *4* Adiestrar (habituer). *5* MÉC. Poner en movimiento. *6* SPORTS Entrenar.

entraîneur [ãtʀenœʀ] *m. 1* Entrenador. *2* ÉQUIT. Picador.

entraver [ãtʀave] *tr. 1* Trabar, atar, sujetar. *2* fig. Poner trabas a, dificultar. *3* pop. Entender (comprendre).

entre [ãtʀ(ə)] *prép.* Entre.

entrebâiller [ãtʀəbaje] *tr.* Entornar, entreabrir.

entrechat [ãtʀəʃa] *m.* Salto, brinco.

entrecôte [ãtʀəkɔt] *f.* Solomillo *m.* de vaca.

entrecouper [ãtʀəkupe] *tr.* Entrecortar.

entre-deux [ãtʀədø] *m. invar. 1* Hueco, espacio. *2* Entredós (de dentelle, meuble).

entrée [ãtʀe] *f. 1* Entrada. *2* Recibidor *m.,* vestíbulo *m.* (d'un appartement). *3* Ingreso *m. 4* Primer plato (d'un menu). *5* THÉAT. Salida a escena.

entrefaites (sur ces) [syʀsezãtʀəfet] *loc. adv.* En esto.

entrefilet [ãtʀ(ə)file] *m.* Suelto.

entregent [ãtʀəȝã] *m.* Don de gentes.

entrelacer [ãtʀəlase] *tr.* Entrelazar. ▲ CONJUG. como *lancer.*

entrelarder [ãtʀəlaʀde] *tr. 1* Mechar. *2* fig. Entreverar (de citations, etc.).

entremets [ãtʀəmɛ] *m.* Postre de cocina.

entremettre (s') [ãtʀ(ə)mɛtʀ(ə)] *pr. 1* Entremeterse, meterse, mezclarse. *2*

Terciar, mediar (faire l'intermédiaire). ▲ CONJUG. como *mettre.*

entremise [ãtʀəmiz] *f.* Mediación.

entreposer [ãtʀəpoze] *tr.* Almacenar, depositar.

entrepôt [ãtʀapo] *m.* Depósito, almacén.

entreprendre [ãtʀəpʀãdʀ(ə)] *tr. 1* Emprender. *2* Encargarse. ▲ CONJUG. como *prendre.*

entrepreneur, -euse [ãtʀəpʀənœʀ, -øz] *s. 1* Encargado, da. *2* Empresario, ria. ■ *3 m.* CONSTR. Contratista.

entreprise [ãtʀəpʀiz] *f.* Empresa.

entrer [ãtʀe] *intr. 1* Entrar. *2* THÉAT. Salir a escena. *3 interj. Entrez!,* ¡adelante! ■ *4 tr.* Entrar, introducir.

entresol [ãtʀəsɔl] *m.* Entresuelo.

entre-temps [ãtʀətã] *m. 1* Intervalo, intermedio. ■ *2 adv.* Entretanto, mientras tanto.

entretenir [ãtʀətniʀ] *tr. 1* Mantener, sostener. *2* Mantener, cuidar, conservar. *3* Hablar a alguien: *nous allons l'— de cette affaire,* le vamos a hablar de este asunto. ■ *4 pr.* Conversar, tener una conversación. ▲ CONJUG. como *venir.*

entretien [ãtʀətjɛ̃] *m. 1* Mantenimiento, manutención *f. 2* Conservación *f.,* entretenimiento. *3* Limpieza *f. 4* Conservación *f. 5* Audiencia *f.*

entrevoir [ãtʀəvwaʀ] *tr.* Entrever. ▲ CONJUG. como *voir.*

entrevue [ãtʀəvy] *f.* Entrevista.

entreouvrir [ãtʀuvʀiʀ] *tr.* Entreabrir. ▲ CONJUG. como *offrir.*

énumérer [enymeʀe] *tr.* Enumerar. ▲ CONJUG. como *accélérer.*

envahir [ãvaiʀ] *tr.* Invadir.

envahisseur [ãvaisœʀ] *m.* Invasor.

enveloppe [ãvlɔp] *f. 1* Envoltura, cubierta. *2* Sobre *m.* (d'une lettre).

envelopper [ãvlɔpe] *tr. 1* Envolver. *2* Rodear (entourer). ■ *3 pr.* Envolverse, cubrirse, embozarse.

envenimer [ãvnime] *tr. 1* Envenenar. *2* Enconar (une blessure).

envergure [ãveʀgyʀ] *f.* Envergadura.

envers [ãveʀ] *m. 1* Revés, envés, vuelta *f.,* reverso. *2 loc. adv.* À *l'—,* al revés. ■ *3 prép.* Para con, hacia, respecto a (à l'égard de).

envi (à l') [alãvi] *loc. adv.* A porfía, a cual mejor.

enviable [ãvjabl(ə)] *adj.* Envidiable.

envie [ãvi] *f. 1* Envidia. *2* Gana, ganas *pl.,* deseo *m. 3* Antojo *m.* (de femme enceinte, tache sur la peau). *4* Respigón *m.,* padrastro *m.* (au doigt).

envier [ãvje] *tr. 1* Envidiar. *2* Ambicionar (convoiter). ▲ CONJUG. como *prier*.

environ [ɑ̃virɔ̃] *adv.* Aproximadamente, alrededor de, unas, unas.

environner [ɑ̃virɔne] *tr.* Circundar, rodear.

envisager [ɑ̃vizaʒe] *tr.* *1* Considerar, examinar. *2* Tomar en consideración, tener presente (prendre en considération). *3* Enfocar. *4* Pensar. ▲ CONJUG. como *engager*.

envoi [ɑ̃vwa] *m.* *1* Envío, remesa *f.* *2* RHÉT. Estrofa *f.* final de una balada. *3* SPORTS *Coup d'—*, saque.

envoler (s') [ɑ̃vɔle] *pr.* *1* Alzar el vuelo, volarse. *2* Desplegar (un avión). *3* fam. Desaparecer. *4* Volar, huir, correr (le temps, etc.)

envoûter [ɑ̃vute] *tr.* Maleficiar, hechizar, embrujar.

envoyer [ɑ̃vwaje] *tr.* *1* Enviar, mandar. *2* Arrojar, tirar, lanzar. *3* Dar, arrimar, arrear (un coup). ■ *4 pr.* fam. Echarse al coleto (avaler), cargarse (un travail, etc.). ▲ CONJUG. como *employer* excepto en el futuro: *j'enverrai*, etc. y en el condicional: *j'enverrais*, etc.

épagneul, -eule [epaɲœl] *s.* Podenco, ca.

épais, -aisse [epɛ, -ɛs] *adj.* *1* Grueso, sa. *2* Tupido. *3* Espeso, sa, ancho, cha. *4* Espeso, sa (liquide). *5* Espeso, sa, denso, sa. *6* fig. Rudo, da, basto, ta. *7 Langue épaisse*, lengua pastosa. ■ *8 adv.* Apretadamente.

épaisseur [epesœr] *f.* *1* Espesor *m.* (d'un mur, etc.). *2* Espesura (d'un feuillage, etc.).

épanchement [epɑ̃ʃmɑ̃] *m.* *1* Derramamiento. *2* MÉD. Derrame. *3* fig. Expansión *f.*, efusión *f.*

épancher [epɑ̃ʃe] *tr.* *1* Derramar. *2* fig. Desahogar, expansionar. ■ *3 pr.* MÉD. Derramarse. *4* fig. Desahogarse, explayarse.

épandre [epɑ̃dʀ(ə)] *tr.* Esparcir, desparramar. ▲ CONJUG. como *rendre*.

épanouir [epanwiʀ] *tr.* *1* Abrir (les fleurs). *2* Dilatar (l'esprit, etc.). *3* Alegrar (la mine): *visage épanoui*, cara alegre.

épargner [epaʀɲe] *tr.* *1* Ahorrar, economizar. *2* Escatimar. *3* Ahorrarse (temps, peine). *4* Perdonar, exceptuar.

éparpiller [epaʀpije] *tr.* Esparcir, dispersar.

épars, -arse [epaʀ, -aʀs(ə)] *adj.* Esparcido, da, disperso, sa.

épatant, -ante [epatɑ̃, -ɑ̃t] *adj.* fam. Estupendo, da.

épaté, -ée [epate] *adj.* *1* Aplastado, da. *2* fam. Estupefacto, ta, patidifuso, sa.

épater [epate] *tr.* fam. Pasmar, dejar patidifuso, sa.

épaule [epol] *f.* *1* Hombro *m.* *2* Codillo *m.* (d'un quadrupède).

épaulement [epolmɑ̃] *m.* Espaldón, parapeto.

épauler [epole] *tr.* *1* Apoyar en el hombro (un fusil). *2* fig. Apoyar, ayudar, favorecer (quelqu'un). *3* CONSTR. Apuntalar, sostener.

épaulette [epolɛt] *f.* *1* Tirante *m.* (lingerie féminine). *2* Hombrera (rembourrage). *3* MIL. Charretera.

épave [epav] *f.* *1* Pecio *m.* *2* Restos *m. pl.* (d'un naufrage, après une ruine, etc.). *3* fig. Persona abatida, miserable.

épée [epe] *f.* Espada.

épeler [eple] *tr.* Deletrear. ▲ CONJUG. como *appeler*.

éperdu, -ue [epɛʀdy] *adj.* *1* Loco, ca, desatinado, da: *— de joie*, loco de alegría. *2* Violento, ta, loco, ca (violent).

éperon [eprɔ̃] *m.* *1* Espuela *f.* *2* Espolón (du coq, du chien). *3* FORT. Esperonte. *4* MAR. Espolón, esperón, tajamar.

éperonner [eprɔne] *tr.* *1* Espolear. *2* fig. Estimular.

épervier [epɛʀvje] *m.* *1* Esparavel (filet). *2* Gavilán (oiseau).

épeuré, -ée [epœʀe] *adj.* Asustado, da.

éphémère [efemɛʀ] *adj.* *1* Efímero, ra. ■ *2 m.* Efímera *f.*, cachipolla *f.* (insecte).

éphéméride [efemeʀid] *f.* Efemérides *pl.*

épi [epi] *m.* *1* Espiga *f.* (du blé, etc.), mazorca *f.*, panoja *f.* (du maïs). *2* Remolino (de cheveux). *3* Espigón (d'une jetée).

épice [epis] *f.* Especia.

épicerie [episʀi] *f.* Tienda de comestibles, de ultramarinos, abacería.

épicier, -ière [episje, -jɛʀ] *s.* Tendero, ra de comestibles, de ultramarinos, abacero, ra.

épicurien, -ienne [epikyʀjɛ̃, -jɛn] *adj.-s.* Epicúreo, rea.

épidémie [epidemi] *f.* Epidemia.

épier [epje] *tr.* Espiar, acechar. ▲ CONJUG. como *prier*.

épieu [epjø] *m.* Venablo, chuzo.

épigramme [epigʀam] *f.* Epigrama *m.*

épigraphe [epigʀaf] *f.* Epígrafe *m.*

épilation [epilasjɔ̃] *f.* Depilación.

épilepsie [epilɛpsi] *f.* Epilepsia.

épilogue [epilɔg] *m.* *1* Epílogo. *2* fig. Desenlace, conclusión *f.*

épinard [epinaʀ] *m.* Espinaca *f.*

épine [epin] *f.* *1* Espina. *2* ANAT. *— dorsale*, espina dorsal, espinazo *m.* *3 — du nez*, caballete *m.* de la nariz.

épineux, -euse [epinø. -øz] *adj. 1* Espinoso. sa. *2* fig. Peliagudo. da.

épine-vinette [epinvinɛt] *f.* Agracejo *m.*

épingle [cpɛ́gl(ə)] *f. 1* Alfiler *m. 2 — de sûreté, de nourrice,* imperdible *m.; — à cheveux,* horquilla.

épinière [cpinjɛʀ] *adj. Moelle —,* médula espinal.

épiphanie [epifani] *f.* Epifanía, día *m.* de Reyes.

épiscopal, -ale [episkɔpal] *adj.* Episcopal.

épisode [cpizɔd] *m.* Episodio.

épisodique [epizɔdik] *adj.* Episódico. ca.

épistolaire [epistɔlɛʀ] *adj.* Epistolar.

épitaphe [epitaf] *f.* Epitafio *m.*

épithète [epitɛt] *f.* Epíteto *m.*

épitre [epitʀ(ə)] *f.* Epístola.

éploré, -ée [cplɔʀe] *adj.* Hecho, cha un mar de lágrimas. desconsolado. da.

éplucher [eplyʃe] *tr. 1* Mondar, limpiar (légumes). *2* fig. Espulgar. examinar minuciosamente.

épluchure [eplyʃyʀ] *f.* Mondadura, despojo *m.*

epointer [epwɛ̃te] *tr.* Despuntar.

éponge [epɔ̃ʒ] *f.* Esponja.

éponger [epɔ̃ʒe] *tr. 1* Secar con esponja. *2* Enjugar, enjugarse. *3* fig. Enjugar, absorber. ■ *4 pr.* Enjugarse (visage, front). ▲ CONJUG. como **engager.**

épopée [epɔpe] *f.* Epopeya.

époque [epɔk] *f.* Época.

épouiller [epuje] *tr.* Despiojar.

épouse [epuz] *f.* Esposa.

épouser [cpuze] *tr. 1* Casarse con. *2* fig. Abrazar, adoptar (idées, doctrines, etc.). *3* Adaptarse a, ajustarse a, amoldarse a (une forme).

épousseter [epuste] *tr.* Desempolvar, limpiar el polvo, sacudir el polvo de. ▲ CONJUG. como **acheter.**

épouvantable [epuvãtabl(ə)] *adj.* Espantoso. sa.

épouvantail [epuvãtaj] *m. 1* Espantapájaros, espantajo. *2* fam. Esperpento (personne laide). *3* Fantasma.

époux [epu] *m.* Esposo.

éprendre (s') [epʀãdʀ(ə)] *pr.* Prendarse, enamorarse. ▲ CONJUG. como **prendre.**

épreuve [epʀœv] *f. 1* Prueba, ensayo *m.* (essai, expérience). *2* Aflicción, pena, desgracia. *3* Examen *m. 4* IMPR., MATH., PHOT., SPORTS. Prueba.

épris, -ise [epʀi, -iz] *adj.* Enamorado, da, prendado. da.

éprouver [epʀuve] *tr. 1* Probar, ensayar, poner a prueba. *2* Sufrir (subir). *3* Experimentar, sentir (ressentir). *4* Castigar (frapper).

éprouvette [epʀuvɛt] *f.* Tubo *m.* de ensayo, probeta.

épuisant, -ante [epɥizã. -ãt] *adj.* Agotador, ra.

épuiser [epɥize] *tr. 1* Agotar. ■ *2 pr.* Agotarse. *3* fig. Extenuarse.

épurer [epyʀe] *tr. 1* Depurar, purificar. *2* Mejorar, refinar (goût, langage, etc.).

équanimité [ekwanimite] *f.* Ecuanimidad.

équateur [ekwatœʀ] *m.* Ecuador.

équation [ekwasjɔ̃] *f.* Ecuación.

équatorial, -ale [ekwatɔʀjal] *adj. 1* Ecuatorial. ■ *2 m.* ASTRON. Ecuatorial.

équerre [ekɛʀ] *f.* Escuadra, cartabón *m.*

équestre [ekɛstʀ(ə)] *adj.* Ecuestre.

équidistant, -ante [ekidistã. -ãt] *adj.* Equidistante.

équilatéral, -ale [ekilateʀal] *adj.* Equilátero, ra.

équilibre [ekilibʀ(ə)] *m.* Equilibrio.

équilibriste [ekilibʀist(ə)] *s.* Equilibrista.

équinoxe [ekinɔks(ə)] *m.* Equinoccio.

équipage [ekipaʒ] *m. 1* Tripulación *f.* (d'un bateau, d'un avion). *2* MIL. Impedimenta *f.*, bagaje: *train des équipages,* tren de campaña.

équipe [ekip] *f. 1* Equipo *m. 2* Cuadrilla, brigada (d'ouvriers).

équipée [ekipe] *f.* Escapada (escapade), calaverada (fredaine)♪

équipement [ekipmã] *m. 1* Equipo, suministro (action d'équiper). *2* Equipo (matériel, vêtements).

équiper [ekipe] *tr. 1* Equipar. *2* MAR. Armar.

équitation [ekitasjɔ̃] *f.* Equitación.

équité [ekite] *f.* Equidad.

équivalence [ekivalãs] *f.* Equivalencia.

équivalent, -ente [ekivalã, -ãt] *adj.* Equivalente.

équivoque [ekivɔk] *adj. 1* Equívoco, ca. ■ *2 f.* Equívoco *m.*

érable [eʀabl(ə)] *m.* Arce.

éradication [eʀadikasjɔ̃] *f.* Erradicación.

érafler [eʀɑfle] *tr.* Rasguñar, rozar, arañar.

érailler [eʀɑje] *tr. 1* Rasgar, abrir (un tissu). ■ *2 pr.* Enronquecerse (la voix).

ère [eʀ] *f.* Era: — *chrétienne,* era cristiana.

érection [eʀɛksjɔ̃] *f.* Erección.

éreintant, -ante [eʀɛ̃tã. -ãt] *adj.* Extenuante.

éreinter [eʀɛ̃te] *tr. 1* Derrengar, deslomar. *2* fig. Reventar de cansancio (fatiguer). *3* Desacreditar, echar por tierra, despellejar (critiquer). ■ *4 pr.* Derrengarse, deslomarse.

ergot [eʀgo] *m. 1* Espolón. *2* Cornezuelo (des céréales).

ergoter [ɛʀɡɔte] *intr.* Tergiversar, discutir naderías.

ériger [eʀiʒe] *tr.* 1 Erigir. ■ 2 *pr.* Erigirse. ▲ CONJUG. como *engager*.

ermitage [ɛʀmitaʒ] *m.* 1 Ermita *f.* 2 fig. Casita *f.* de campo apartada y solitaria.

ermite [ɛʀmit] *m.* Ermitaño, eremita.

érosion [eʀozjɔ̃] *f.* Erosión.

érotique [eʀɔtik] *adj.* Erótico, ca.

errant, -ante [eʀɑ̃, -ɑ̃t] *adj.* Errante.

erratique [eʀatik] *adj.* Errático, ca.

errements [ɛʀmɑ̃] *m. pl.* Procedimientos habituales, hábitos.

errer [ɛʀe] *intr.* Andar errante, vagabundear.

erreur [ɛʀœʀ] *f.* 1 Error *m.* 2 Yerro *m.* (dans la conduite).

erroné, -ée [ɛʀɔne] *adj.* Erróneo, ea.

éructer [eʀykte] *intr.* Eructar, erutar.

érudition [eʀydisjɔ̃] *f.* Erudición.

éruption [eʀypsjɔ̃] *f.* Erupción.

esbroufeur, -euse [ɛsbʀufœʀ, -øz] *s.* Escuderón, fachendoso, sa.

escabeau [ɛskabo] *m.* Escabel.

escadre [ɛskadʀ(ə)] *f.* MAR. Escuadra.

escadrille [ɛskadʀij] *f.* Escuadrilla.

escadron [ɛskadʀɔ̃] *m.* Escuadrón.

escalade [ɛskalad] *f.* Escalada, escalo *m.*

escalader [ɛskalade] *tr.* Escalar.

escale [ɛskal] *f.* Escala.

escalier [ɛskalje] *m.* Escalera *f.*

escalope [ɛskalɔp] *f.* Lonja, tajada fina.

escamoter [ɛskamɔte] *tr.* Escamotear.

escapade [ɛskapad] *f.* 1 Escapatoria, escapada (fuite, évasion). 2 Calaverada (équipée).

escarbille [ɛskaʀbij] *f.* Carbonilla.

escarcelle [ɛskaʀsɛl] *f.* Escarcela.

escargot [ɛskaʀɡo] *m.* Caracol.

escarmouche [ɛskaʀmuʃ] *f.* Escaramuza.

escarpé, -ée [ɛskaʀpe] *adj.* Escarpado, da.

escarpin [ɛskaʀpɛ̃] *m.* Escarpín.

escarpolette [ɛskaʀpɔlɛt] *f.* Columpio *m.*

escient [esjɑ̃] *loc. adv.* À bon —, a sabiendas, con entero conocimiento.

esclaffer (s') [ɛsklafe] *pr.* Soltar la carcajada.

esclandre [ɛsklɑ̃dʀ(ə)] *m.* Escándalo.

esclavage [ɛsklavaʒ] *m.* Esclavitud *f.*

esclave [ɛskla(ɑ)v] *adj.-s.* Esclavo, va.

escompte [ɛskɔ̃t] *m.* COMM. Descuento.

escorter [ɛskɔʀte] *tr.* Escoltar.

escouade [ɛskwad] *f.* 1 Cuadrilla. 2 MIL. Escuadra.

escrime [ɛskʀim] *f.* Esgrima.

escrimer (s') [ɛskʀime] *pr.* 1 Esforzarse, desalmarse, afanarse (à, en). 2 Pelearse, bregar, batirse.

escrimeur, -euse [ɛskʀimœʀ, -øz] *s.* Esgrimidor, ra.

escroc [ɛskʀo] *m.* Estafador, timador.

escroquerie [ɛskʀɔkʀi] *f.* Estafa, timo *m.*

espace [ɛspas] *m.* Espacio.

espacer [ɛspase] *tr.* Espaciar. ▲ CONJUG. como *lancer*.

espadon [ɛspadɔ̃] *m.* Pez espada.

espadrille [ɛspadʀij] *f.* Alpargata.

espagnol, -ole [ɛspaɲɔl] *adj.-s.* Español, la.

espagnolette [ɛspaɲɔlɛt] *f.* Falleba.

espèce [ɛspɛs] *f.* 1 Especie, clase. 2 *loc. adj.* fam. — *de*, pedazo de, so. ■ 3 *pl.* Metálico *m. sing.*, dinero *m. sing.*

espérance [ɛspeʀɑ̃s] *f.* Esperanza.

espéranto [ɛspeʀɑ̃to] *m.* Esperanto.

espérer [ɛspeʀe] *tr.* Esperar: *j'espère vous revoir bientôt*, espero volver a veros pronto. ▲ CONJUG. como *accélérer*.

espièglerie [ɛspjɛɡləʀi] *f.* Travesura.

espionnage [ɛspjɔnaʒ] *m.* Espionaje.

esplanade [ɛsplanad] *f.* Explanada.

espoir [ɛspwaʀ] *m.* Esperanza *f.*

esprit [ɛspʀi] *m.* 1 Espíritu. 2 Mente *f.*, pensamiento. 3 Juicio, razón *f.* 4 Ánimo, intención *f.* 5 Agudeza *f.*, ingenio (vivacité). 6 Carácter. 7 *Bel* —, hombre culto, o que pretende serlo. 8 Aparecido, fantasma: *croire aux esprits,* creer en fantasmas.

esquif [ɛskif] *m.* Esquife.

esquille [ɛskij] *f.* Esquirla.

esquimau [ɛskimo] *adj.-s.* 1 Esquimal. ■ 2 *m.* Polo (glace).

esquisser [ɛskise] *tr.* 1 Esbozar, bosquejar. 2 Esbozar (un geste, etc.).

essai [ɛse] *m.* 1 Ensayo, prueba *f.* 2 Ensayo (ouvrage littéraire; au rugby).

essaim [ɛsɛ̃] *m.* Enjambre.

essayage [ɛsejaʒ] *m.* Prueba *f.*: *un bon tailleur fait plussieurs essayages,* un buen sastre hace varias pruebas.

essayer [ɛseje] *tr.* 1 Probar, ensayar: — *une robe,* probar un vestido; — *un nouveau procédé,* ensayar un nuevo procedimiento. ■ 2 *intr.* Intentar, tratar de (tâcher).

essayiste [ɛsejist(ə)] *m.* Ensayista, autor de ensayos.

essence [ɛsɑ̃s] *f.* 1 Gasolina. 2 Esencia: — *de lavande,* esencia de espliego. 3 Extracto (extrait). 4 PHILOS. Esencia. 5 BOT. Especie (d'un arbre).

essentiel, -elle [ɛsɑ̃sjɛl] *adj.* Esencial.

esseulé, -ée [ɛsœle] *adj.* Solo, la, solitario, ria.

essieu [ɛsjø] *m.* Eje.

essor [ɛsɔʀ] *m.* 1 Impulso. 2 fig. Elevación *f.,* vuelo (de l'esprit, etc.). 3 Desarrollo (développement).

essorer [esɔʀe] *tr.* Escurrir.

essouffler [esufle] *tr. 1* Ahogar, sofocar, quitar la respiración. ■ *2 pr.* Ahogarse. *3* fig. Perder facultades, perder la inspiración.

essuie-main, essuie-mains [esɥimɛ̃] *m. invar.* Toalla *f.*

essuyer [esɥije] *tr. 1* Enjugar, secar. *2* Limpiar. *3* fig. Sufrir, soportar, aguantar. ▲ CONJUG. como *employer.*

est [ɛst] *m.* Este.

estacade [ɛstakad] *f.* Estacada.

estafette [ɛstafɛt] *f.* Estafeta.

estafilade [ɛstafilad] *f.* Cuchillada, chirlo *m.*

estaminet [ɛstamine] *m.* Cafetín.

estampe [ɛstɑ̃p] *f.* Estampa.

estamper [ɛstɑ̃pe] *tr. 1* Estampar. *2* fam. Estafar.

estampiller [ɛstɑ̃pije] *tr.* Sellar, estampillar.

esthète [ɛstɛt] *s.* Esteta.

esthétique [ɛstetik] *adj. 1* Estético, ca. ■ *2 f.* Estética.

estimation [ɛstimɑsjɔ̃] *f.* Estimación, evaluación.

estime [ɛstim] *f.* Estima.

estival, -ale [ɛstival] *adj.* Estival.

estoc [ɛstɔk] *m.* Estoque.

estocade [ɛstɔkad] *f.* Estocada.

estomac [ɛstɔma] *m. 1* Estómago. *2* fam. *Avoir de l'—,* tener agallas.

estomaquer [ɛstɔmake] *tr.* fam. Sorprender desagradablemente, dejar estupefacto, ta.

estomper [ɛstɔ̃pe] *tr.* Esfuminar.

estrade [ɛstʀad] *f. 1* Estrado *m.,* tarima. *2* SPORTS Cuadrilátero *m.* (boxe).

estragon [ɛstʀagɔ̃] *m.* Estragón.

estropié, -ée [ɛstʀɔpje] *adj.-s.* Lisiado, da.

estuaire [ɛstɥɛʀ] *m.* Estuario.

esturgeon [ɛstyʀʒɔ̃] *m.* Esturión.

et [e] *conj. 1* Y. *2* E (devant les mots commençant par *i* ou *hi*).

étable [etabl(ə)] *f.* Establo *m.*

établi [etabli] *m.* Banco: *— de menuisier,* banco de carpintero.

établir [etabliʀ] *tr. 1* Establecer (installer, instaurer). *2* Instituir: *— un tribunal,* instituir un tribunal. *3* Colocar (dans un emploi), casar (marier). *4* Probar, demostrar (démontrer). ■ *5 pr.* Establecerse.

établissement [etablismɑ̃] *m.* Establecimiento.

étage [etaʒ] *m. 1* Piso. *2* Plano, capa *f.* (d'un terrain). *3* Cuerpo (d'une fusée).

étager [etaʒe] *tr.* Escalonar. ▲ CONJUG. como *engager.*

étagère [etaʒɛʀ] *f.* Estante *m.,* anaquel *m.* (tablette), estante *m.* (meuble).

étai [ete] *m. 1* Puntal. *2* fig. Apoyo, sostén. *3* MAR. Estay.

étain [etɛ̃] *m.* Estaño.

étalage [etalaʒ] *m. 1* Escaparate (vitrine). *2* Exposición *f.*

étaler [etale] *tr. 1* Exponer (exposer). *2* Desplegar, extender (déplier). *3* Escalonar (échelonner). *4* fig. Ostentar, hacer alarde de (luxe, etc.). ■ *5 pr.* fam. Caerse.

étalon [etalɔ̃] *m. 1* Marco, patrón de pesas y medidas. *2* Talón, patrón monetario (monnaie): *— or,* patrón oro. *3* Semental (cheval). *4* Garañón (âne).

étamer [etame] *tr. 1* Estañar. *2* Azogar (les miroirs).

étamine [etamin] *f. 1* Estameña (tissu). *2* BOT. Estambre *m.*

étanche [etɑ̃ʃ] *adj. 1* Hermético, ca, impermeable. *2* MAR. Estanco, ca.

étancher [etɑ̃ʃe] *tr. 1* Restañar, contener (le sang). *2 — la soif,* apagar la sed. *3* Enjugar (les larmes). *4* Estancar (les eaux).

étançon [etɑ̃sɔ̃] *m.* Puntal.

étang [etɑ̃] *m. 1* Estanque (artificiel). *2* Laguna *f.* (naturel). *3 — salé,* albufera *f.*

étape [etap] *f.* Etapa.

état [eta] *m. 1* Estado: *— d'âme,* estado de ánimo; *— de santé,* estado de salud. *2* Oficio, profesión *f.* *3 — civil,* registro civil. *4* Estado, escrito, relación *f.* (écrit). *5* Estado: *coup d'—,* golpe de Estado. *6 loc. adv. En —,* en buen orden, en buen estado. *7 loc. prép. Hors d'— de,* imposibilitado, da para.

état-major [etamaʒɔʀ] *m. 1* Estado mayor. *2* Plana *f.* mayor (comité de direction).

étau [eto] *m.* Tornillo de banco.

étayer [eteje] *tr. 1* Apuntalar. *2* fig. Apoyar, sostener.

et cætera, et cetera [ɛtsetera] *adv.-m. invar.* Etcétera *f.*

été [ete] *m. 1* Verano, estío. ■ *2 p. p.* de *être.*

éteignoir [etɛɲwaʀ] *m.* Apagador, apagavelas.

éteindre [etɛ̃dʀ(ə)] *tr. 1* Apagar, extinguir. *2* fig. Apagar: *couleur éteinte,* color apagado. *3 pr.* Apagarse. *4* Morir, apagarse (mourir). ▲ CONJUG. como *craindre.*

étendard [etɑ̃daʀ] *m.* Estandarte.

étendre [etɑ̃dʀ(ə)] *tr. 1* Extender. *2* Esparcir: *— les cartes sur la table,* esparcir los naipes en la mesa. *3* Tender: *— du*

linge, tender ropa. *4* Extender. alargar.
estirar: — *les jambes,* alargar las piernas. *5* Tender. acostar. tumbar. *6* Ampliar. ■ *7 pr.* Tenderse. tumbarse. ▲
CONJUG. como *rendre.*

étendue [etãdy] *f. 1* Extensión. superficie.
2 Alcance *m.* (de la vue. de la voix).

éternel, -elle [etɛʀnɛl] *adj. 1* Eterno. na. *2*
Perpetuo. tua.

éternité [etɛʀnite] *f.* Eternidad.

éternuement [etɛʀnymã] *m.* Estornudo.

éthéré, -ée [eteʀe] *adj.* Etéreo. rea.

éthique [etik] *adj. 1* Ético. ca. ■ *2 f.* Ética.

ethnique [etnik] *adj.* Étnico. ca.

ethnographie [etnɔgʀafi] *f.* Etnografía.

étiage [etjaʒ] *m.* Estiaje.

étincelant, -ante [etɛ̃slã. -ãt] *adj.* Centelleante. relumbrante.

étincelle [etɛ̃sɛl] *f. 1* Chispa. centella. *2* fig.
Destello *m.,* chispa.

étioler [etjɔle] *tr. 1* Delimitar. empobrecer: *la maladie l'a étiolé,* la enfermedad
lo ha debilitado. *2* AGR. Ahilar. ■ *3 pr.*
AGR. Ahilarse.

étique [etik] *adj.* Descarnado. da. seco.
ca. esquelético. ca.

étiqueter [etikte] *tr.* Etiquetar. rotular. ▲
CONJUG. como *acheter.*

étiquette [etiket] *f.* Etiqueta.

étirer [etiʀe] *tr. 1* Estirar. alargar. *2* MÉ-
TAL. Estirar. ■ *3 pr.* Estirarse. desprez-
zarse.

étoffe [etɔf] *f. 1* Tela. tejido *m. 2* fig. Dotes
f. pl., valer *m.,* calidad. *3* fig. *Avoir l'—
d'un chef,* tener madera de jefe.

étoffer [etɔfe] *tr. 1* Nutrir. llenar. enriquecer (un *récit,* etc.). ■ *2 pr.* Tomar
cuerpo.

étoile [etwal] *f. 1* Estrella: —*filante,* estrella fugaz. Loc. fam. *Coucher à la belle
—,* dormir al raso. *2 — de mer,* estrella
de mar.

étole [etɔl] *f.* Estola.

étonnant, -ante [etɔnã. -ãt] *adj.* Asombroso. sa.

étonner [etɔne] *tr. 1* Asombrar. sorprender. extrañar. ■ *2 pr.* Asombrarse: *ne
s'— de rien,* no asombrarse por nada.

étouffée (à l') [aletufe] *loc. adv.* CUIS. Al
vapor. en vasija tapada. sofocado. da.

étouffer [etufe] *tr. 1* Ahogar. sofocar. *2*
Amortiguar (un *son*). *3* Echar tierra a
(une *affaire,* un *scandale*). *4* Ahogar (un
soupir, etc.). ■ *5 intr.* Ahogarse. respirar con dificultad. *6 — de rire,* reventar
de risa.

étoupe [etup] *f.* Estofa.

étourdi, -ie [eturdi] *adj.-s.* Atolondrado.
da.

étourdir [eturdiʀ] *tr.* Atolondrar. aturdir.

étourdissant, -ante [eturdisã. -ãt] *adj. 1*
Atolondrador. ra. que aturde. *2* fig.
Sorprendente. extraordinario. ria.

étourneau [eturno] *m.* Estornino.

étrange [etʀãʒ] *adj.* Extraño. ña. raro.
ra.

étranger, -ère [etʀãʒe, -ɛʀ] *adj.-s. 1* Extranjero. ra. *2* Forastero. ra (d'une autre *ville*). *3* Extraño. ña (qui n'est pas
de la même famille. etc.). ■ *4 adj.*
Ajeno. na (à quelque *chose*). ■ *5 m.*
Extranjero: *voyager à l'—,* viajar al extranjero.

étrangeté [etʀãʒte] *f.* Extrañeza. rareza.

étrangler [etʀãgle] *tr. 1* Estrangular. *2*
fig. Ahogar: — *la liberté,* ahogar la libertad. ■ *3 intr.-pr.* Ahogarse (de cole-
`re, etc.). ■ *4 pr.* Atragantarse.

être [etʀ(ə)] *intr. 1* Ser: *tu es bon,* tú eres
bueno; *cela est en bois,* esto es de madera. Loc. *Cela étant,* siendo así;
comme si de rien n'était, como quien
no quiere la cosa. *2 C'est, ce sera, ce
sont,* etc., es. será, son: *ce sont mes
amis,* son mis amigos. *3* Estar: — *malade,* estar enfermo. — *à Madrid,* estar
en Madrid. Loc. — *à même de,* estar
en condiciones de: *si j'étais toi,* yo de
ti. si yo estuviera en tu lugar. *4 — à* (et
infinitif), estar por: *tout est à refaire,*
todo está por rehacer. *5* Existir. *6* Y
—, acertar. caer (*comprendre*): *vous
n'y êtes pas,* no acierta usted. Loc. *N'y
— pour rien,* no tener nada que ver en
esto. *7 En —,* andar. estar: *où en es-tu
de ton roman?,* ¿por dónde andas de tu
novela? ■ *8 impers.* Ser: *il est une
heure,* es la una. Loc. *Il est à,* es de: *il
est à desirer,* es de desear. *9* Haber: *il
n'est pire sourd que celui qui ne veut
pas entendre,* no hay peor sordo que el
que no quiere oír. *10* Ocurrir. suceder:
il en est de, ocurre. sucede. ■ *11 auxil.*
Ser (voix passive). haber (dans les
temps composés): *nous sommes allés,*
hemos ido. ▲ En general. on traduit
être par *ser:* a) dans la voix passive: b)
lorsque l'attribut du sujet est un substantif ou qu'il désigne une qualité permanente. un nombre. la matière ou la
possession. On le traduit par *estar*
quand il s'agit d'un lieu. d'un état ou
d'une qualité transitoire.

être [etʀ(ə)] *m. 1* Ser. ente: *l'Être suprême,* el Ser supremo. *2* Ser: *êtres vivants,* seres vivos. *3* Alma *f.*

étreindre [etʀɛ̃dʀ(ə)] *tr. 1* Abrazar. estrechar (serrer). *2* Oprimir (oppresser). ▲ CONJUG. como *craindre*.

étrenne [etʀɛn] *f.* Aguinaldo *m.* *2 Avoir l'— de*, estrenar.

étrenner [etʀene] *tr.* *1* Estrenar. ■ *2 iɲtr.* Ser el primero en recibir.

étrier [etʀje] *m.* *1* Estribo (de la selle). *2* ANAT. Estribo.

étriller [etʀije] *tr.* *1* Almohazar. *2* fig. Zurrar (battre). *3* Desollar, desplumar (faire payer trop cher).

étriper [etʀipe] *tr.* Destripar.

étriqué, -ée [etʀike] *adj.* *1* Estrecho, cha, exiguo, gua. *2* fig. Estrecho, cha, mezquino, na.

étroit, -oite [etʀwa, -wat] *adj.* *1* Estrecho, cha. *2 loc. adv. À l'—*, con estrechez (vivre, etc.).

étude [etyd] *f.* *1* Estudio *m.* *2* Bufete *m.* (de notaire, d'avocat, etc.). ■ *3 pl.* Carrera *sing.: faire ses études d'ingénieur*, estudiar la carrera de ingeniero.

étudiant, -ante [etydjã, -ãt] *adj.-s.* Estudiante.

étudier [etydje] *tr.* Estudiar. ▲ CONJUG. como *prier*.

étui [etɥi] *m.* *1* Estuche. *2* Funda *f.* (à violon, etc.).

étuve [etyv] *f.* Estufa.

étuvée (à l') [aletyve] *loc. adv.* CUIS. Al vapor, en vasija tapada, estofado, da.

étuver [etyve] *tr.* *1* Desinfectar en estufa, esterilizar. *2* CUIS. Estofar.

étymologie [etimɔlɔʒi] *f.* Etimología.

eucalyptus [økaliptys] *m.* Eucalipto.

eucharistique [økaʀistik] *adj.* Eucarístico, ca.

eunuque [ønyk] *m.* Eunuco.

euphémisme [øfemism(ə)] *m.* Eufemismo.

euphonie [øfɔni] *f.* Eufonía.

euphorie [øfɔʀi] *f.* Euforia.

européen, -enne [øʀɔpeɛ̃, -ɛn] *adj.-s.* Europeo, pea.

eux [ø] *pron. pers.* Ellos.

évacuation [evakɥasjɔ̃] *f.* Evacuación.

évacuer [evakɥe] *tr.* Evacuar.

évader (s') [evade] *pr.* Evadirse.

évaluer [evalɥe] *tr.* Evaluar, valorar (à, en).

évanescent, -ente [evanesã, -ãt] *adj.* Evanescente.

évangélique [evãʒelik] *adj.* Evangélico, ca.

évangéliser [evãʒelize] *tr.* Evangelizar.

évangile [evãʒil] *m.* Evangelio.

évanouir (s') [evanwiʀ] *pr.* *1* Desvanecerse. *2* Desmayarse (une personne).

évanouissement [evanwismã] *m.* Desvanecimiento, desmayo.

évaporation [evapɔʀasjɔ̃] *f.* Evaporación.

évaporer [evapɔʀe] *tr.* *1* Evaporar. ■ *2 pr.* fig. fam. Eclipsarse.

évasif, -ive [evazif, -iv] *adj.* Evasivo, va.

évasion [eva(ɑ)zjɔ̃] *f.* Evasión.

évêché [eveʃe] *m.* Obispado.

éveil [evɛj] *m.* *1* Despertar. *2* fig. Alerta *f.* (alerte): *donner l'—*, dar el alerta.

éveillé, -ée [eveje] *adj.* *1* Despierto, ta. *2* fig. Listo, ta, vivo, va, despierto, ta (vif).

éveiller [eveje] *tr.* Despertar.

événement [evɛnmã] *m.* Acontecimiento.

éventail [evãtaj] *m.* Abanico.

éventer [evãte] *tr.* *1* Aventar, airear, orear. *2* Abanicar (avec un éventail). *3* fig. Descubrir, divulgar. Loc. fig. — *la mèche*, descubrir el pastel. ■ *4 pr.* Abanicarse. '*5* Echarse a perder (vin, etc.).

éventrer [evãtʀe] *tr.* Destripar, despanzurrar.

éventuel, -elle [evãtɥɛl] *adj.* Eventual.

évêque [evɛk] *m.* Obispo.

évertuer (s') [evɛʀtɥe] *pr.* Esforzarse, afanarse (à, en).

évidement [evidmã] *m.* *1* Vaciado. *2* Hueco (creux), escotadura *f.* (échancrure).

évidemment [evidamã] *adv.* Evidentemente, desde luego.

évider [evide] *tr.* Vaciar.

évier [evje] *m.* Fregadero.

évincer [evɛ̃se] *tr.* *1* Desposeer. *2* Apartar, eliminar. ▲ CONJUG. como *lancer*.

éviter [evite] *tr.* *1* Evitar. *2* Esquivar.

évocation [evɔkasjɔ̃] *f.* Evocación.

évoluer [evɔlɥe] *intr.* Evolucionar.

évolution [evɔlysjɔ̃] *f.* Evolución.

évoquer [evɔke] *tr.* Evocar. *2* DR. Avocar.

exacerber [ɛgzasɛʀbe] *tr.* Exacerbar.

exact, -acte [ɛgza(kt), akt(ə)] *adj.* Exacto, ta.

exactitude [ɛgzaktityd] *f.* Exactitud.

exagération [ɛgzaʒeʀasjɔ̃] *f.* Exageración.

exagérer [ɛgzaʒeʀe] *tr.* *1* Exagerar. ■ *2 intr.* fam. Tomarse demasiadas confianzas. ▲ CONJUG. como *accélérer*.

exalté, -ée [ɛgzalte] *adj.-s.* Exaltado, da.

exalter [ɛgzalte] *tr.* *1* Exaltar, ensalzar. ■ *2 pr.* Entusiasmarse, exaltarse.

examen [ɛgzamɛ̃] *m.* *1* Examen. *2* Reconocimiento: — *médical*, reconocimiento médico.

examiner [ɛgzamine] *tr.* *1* Examinar. *2* Reconocer (un médecin).

exaspération [ɛgzaspeʀasjɔ̃] *f.* Exasperación.

exaspérer [ɛgzaspeʀe] *tr.* Exasperar. ▲ CONJUG. como *accélérer*.

excavation [εkskavɑsjɔ̃] *f.* Excavación.

excédant, -ante [εksedɑ̃, -ɑ̃t] *adj.* *1* Excedente, sobrante, excesivo, va. *2* fig. Molesto, ta, cargante (irritant).

excédent [εksedɑ̃] *m.* Superávit (d'un budget), exceso, sobrante (de poids, etc.).

excéder [εksede] *tr.* *1* Exceder, sobrepasar. *2* En más allá, pasar, excederse: — *son pouvoir,* excederse en el poder. *3* Exasperar, crispar (exaspérer). ▲ CONJUG. como *accélérer*.

excellence [εksεlɑ̃s] *f.* Excelencia: *par —,* por excelencia; *Votre —,* Vuestra Excelencia.

excellent, -ente [εksεlɑ̃, -ɑ̃t] *adj.* Excelente.

exceller [εksele] *intr.* Sobresalir, descollar, distinguirse.

excentricité [εksɑ̃trisite] *f.* Excentricidad.

excepter [εksεpte] *tr.* Exceptuar.

exception [εksεpsjɔ̃] *f.* Excepción. *loc. prép.* À l' — *de,* con, a excepción de.

excès [εksε] *m.* *1* Exceso. *2 loc. adv.* À l' —, con exceso.

excitant, -ante [εksitɑ̃, -ɑ̃t] *adj.* *1* Excitante. ■ *2 m.* Excitante, estimulante.

exciter [εksite] *tr.* *1* Excitar, provocar, estimular. ■ *2 pr.* Excitarse.

exclamation [εksklamɑsjɔ̃] *f.* *1* Exclamación. *2 Point d'—,* signo de admiración.

exclamer (s') [εksklame] *pr.* Exclamar, prorrumpir en exclamaciones.

exclure [εksklyr] *tr.* Excluir. ▲ CONJUG. como *conclure*.

exclusif, -ive [εksklyzif, -iv] *adj.* *1* Exclusivo, va. ■ *2 f.* Exclusiva.

excommunier [εkskɔmynje] *tr.* Excomulgar. ■ *como prier.*

excrément [εkskremɑ̃] *m.* Excremento.

excrétion [εkskresjɔ̃] *f.* Excreción.

excroissance [εkskrwasɑ̃s] *f.* Excrecencia.

excursion [εkskyrsjɔ̃] *f.* Excursión.

excuse [εkskyz] *f.* Excusa, disculpa. Loc. *Faire des excuses,* disculparse.

excuser [εkskyze] *tr.* *1* Disculpar, excusar, perdonar, dispensar: *excusez-moi,* perdóneme usted, dispénseme. ■ *2 pr.* Disculparse, excusarse.

exécrable [εgzekrabl(ə)] *adj.* Execrable.

exécrer [εgzekre, -εks-] *tr.* Execrar. ▲ CONJUG. como *accélérer*.

exécuter [εgzekyte] *tr.* *1* Ejecutar. ■ *2 pr.* Decidirse, resolverse.

exécutif, -ive [εgzekytif, -iv] *adj.-m.* Ejecutivo, va.

exécution [εgzekysjɔ̃] *f.* Ejecución.

exégèse [εgzeʒεz] *f.* Exégesis.

exemplaire [εgzɑ̃plεr] *adj.-m.* Ejemplar.

exemple [εgzɑ̃pl(ə)] *m.* *1* Ejemplo. *2 loc. adv. Par —,* por ejemplo. *3 loc. interj. Par —!,* ¡vaya!, ¡anda!

exempt, empte [εgzɑ̃, -ɑ̃t] *adj.* Exento, ta.

exemption [εgzɑ̃psjɔ̃] *f.* Exención.

exercer [εgzεrse] *tr.* *1* Adiestrar, instruir. *2* Cultivar: — *sa mémoire,* cultivar la memoria. *3* Practicar, ejercer. *4* Poner a prueba. *5* Poner en acción: — *son influence,* poner en acción la influencia. ■ *6 pr.* Ejercitarse, entrenarse. *7* Manifestarse (contre quelqu'un). ▲ CONJUG. como *lancer*.

exercice [εgzεrsis] *m.* Ejercicio.

exhaler [εgzale] *tr.* *1* Exhalar (odeur, soupir, etc.). *2* fig. Desahogar (douleur, colère, etc.). ■ *3 pr.* Desprenderse (odeur).

exhibition [εgzibisjɔ̃] *f.* Exhibición.

exhortation [εgzɔrtɑsjɔ̃] *f.* Exhortación.

exhorter [εgzɔrte] *tr.* Exhortar.

exhumer [εgzyme] *tr.* Exhumar.

exigence [εgziʒɑ̃s] *f.* Exigencia.

exiger [εgziʒe] *tr.* Exigir. ▲ CONJUG. como *engager*.

exigu, -üe [εgzigy] *adj.* Exiguo, gua.

exil [εgzil] *m.* Exilio, destierro.

exiler [εgzile] *tr.* *1* Desterrar, exilar. ■ *2 pr.* Expatriarse.

existant, -ante [εgzistɑ̃, -ɑ̃t] *adj.* Existente.

existence [εgzistɑ̃s] *f.* Existencia.

exister [εgziste] *intr.* Existir.

exode [εgzɔd] *m.* Éxodo.

exonérer [εgzɔnere] *tr.* Exonerar. ▲ CONJUG. como *accélérer*.

exorbitant, -ante [εgzɔrbitɑ̃, -ɑ̃t] *adj.* Exorbitante.

exorcisme [εgzɔrsism(ə)] *m.* Exorcismo.

exorde [εgzɔrd(ə)] *m.* Exordio.

exotique [εgzɔtik] *adj.* Exótico, ca.

expansif, -ive [εkspɑ̃sif, -iv] *adj.* Expansivo, va.

expansion [εkspɑ̃sjɔ̃] *f.* Expansión.

expatrier [εkspatrje] *tr.* Expatriar. ▲ CONJUG. como *prier*.

expectation [εkspεktɑsjɔ̃] *f.* Expectación.

expectorer [εkspεktɔre] *tr.-intr.* Expectorar.

expédient, -ente [εkspedjɑ̃, -ɑ̃t] *adj.* *1* Conveniente, oportuno, na. ■ *2 m.* Recurso, remedio, solución *f.*

expédier [εkspedje] *tr.* *1* Expedir, remitir (envoyer). *2* fig. fam. Despachar (faire rapidement, tuer). *3* Despachar, quitarse de encima (se débarrasser de quelqu'un). ▲ CONJUG. como *prier*.

expéditif, -ive [εkspeditif, -iv] *adj.* Expeditivo, va.

expédition [εkspedisjɔ̃] *f.* Expedición.

expérience [ɛkspeʀjɑ̃s] *f. 1* Experiencia. *2* Experimento *m.* (de physique, etc.).

expérimental, -ale [ɛkspeʀimɑ̃tal] *adj.* Experimental.

expérimenter [ɛkspeʀimɑ̃te] *tr.* Experimentar.

expert, -erte [ɛkspeʀ, -ɛʀt(ə)] *adj. 1* Experto, ta. ■ *2 m.* Perito.

expertiser [ɛkspɛʀtize] *tr.* Hacer la peritación de, examinar pericialmente.

expier [ɛkspje] *tr.* Expiar. ▲ CONJUG. como *prier.*

expiration [ɛkspiʀasjɔ̃] *f. 1* Expiración. *2* Vencimiento *m.* (d'un délai, etc.).

expirer [ɛkspiʀe] *tr. 1* Espirar (de l'air). ■ *2 intr.* Expirar (mourir). *3* Vencer (un délai, un contrat, etc.).

explétif, -ive [ɛkspletif, -iv] *adj.* Expletivo, va.

explication [ɛksplikasjɔ̃] *f.* Explicación.

explicite [ɛksplisit] *adj.* Explícito, ta.

expliquer [ɛksplike] *tr.* Explicar.

exploit [ɛksplwa] *m. 1* Hazaña *f.*, proeza *f. 2* DR. Notificación *f.*

exploiter [ɛksplwate] *tr. 1* Explotar. *2* Sacar provecho de (tirer profit).

explorateur, -trice [ɛksplɔʀatœʀ, -tʀis] *s.* Explorador, ra.

explorer [ɛksplɔʀe] *tr.* Explorar.

explosif, -ive [ɛksplozif, -iv] *adj. 1* Explosivo, va. ■ *2 m.* Explosivo.

explosion [ɛksplozjɔ̃] *f.* Explosión.

exportation [ɛkspɔʀtasjɔ̃] *f.* Exportación.

exporter [ɛkspɔʀte] *tr.* Exportar.

exposant, -ante [ɛkspozɑ̃, -ɑ̃t] *s. 1* Expositor, ra. ■ *2 m.* MATH. Exponente.

exposé [ɛkspoze] *m. 1* Informe (rapport). *2* Relato circunstanciado (récit). *3* Memoria *f.* (dissertation). *4* Exposición *f.* (description).

exposer [ɛkspoze] *tr. 1* Exponer (un tableau, una raison, sa vie). *2* Orientar (dans une direction). *3* PHOT. Exponer. ■ *4 pr.* Exponerse.

exposition [ɛkspozisjɔ̃] *f. 1* Exposición. *2* Orientación.

exprès, -esse [ɛkspʀɛs] *adj. 1* Expreso, sa, terminante (ordre, etc.). *2* Urgente: *lettre* —, carta urgente. ■ *3 m.* Propio, men-sajero. ■ *4* [ɛkspʀɛ] *adv.* Adrede, aposta, expresamente: *fait* —, hecho adrede.

express [ɛkspʀɛs] *adj.-s.* Tren expreso, exprés.

expressif, -ive [ɛkspʀesif, -iv] *adj.* Expresivo, va.

expression [ɛkspʀesjɔ̃] *f.* Expresión.

exprimer [ɛkspʀime] *tr. 1* Expresar. *2* Exprimir, extraer (le jus). ■ *3 pr.* Expresarse.

exproprier [ɛkspʀɔpʀije] *tr.* Expropiar. ▲ CONJUG. como *prier.*

expulsion [ɛkspylsjɔ̃] *f.* Expulsión.

expurger [ɛkspyʀʒe] *tr.* Expurgar. ▲ CONJUG. como *engager.*

exquis, -ise [ɛkski, -iz] *adj.* Exquisito, ta.

exsangue [ɛksɑ̃g, -ɛgzɑ̃g] *adj.* Exangüe.

exsuder [ɛksyde] *intr.-tr.* Exudar.

extase [ɛkstaz] *f.* Éxtasis *m.*

extasier (s') [ɛkstazje] *pr.* Extasiarse. ▲ CONJUG. como *prier.*

extatique [ɛkstatik] *adj.* Extático, ca.

extensif, -ive [ɛkstɑ̃sif, -iv] *adj.* Extensivo, va.

extension [ɛkstɑ̃sjɔ̃] *f.* Extensión.

exténuer [ɛkstenɥe] *tr.* Extenuar.

extérieur, -eure [ɛksteʀjœʀ] *adj.-m.* Exterior.

extérioriser [ɛksteʀjɔʀize] *tr.* Exteriorizar.

exterminer [ɛkstɛʀmine] *tr.* Exterminar.

externe [ɛkstɛʀn(ə)] *adj.-s.* Externo, na.

extincteur [ɛkstɛ̃ktœʀ] *m.* Extintor.

extinction [ɛkstɛ̃ksjɔ̃] *f. 1* Extinción. *2 — de voix,* afonía.

extirper [ɛkstiʀpe] *tr.* Extirpar.

extorsion [ɛkstɔʀsjɔ̃] *f.* Extorsión.

extra [ɛkstʀa] *adj. 1* fam. Extra, superior. ■ *2 m.* Suplemento, extraordinario (dans un restaurant, etc.). *3* Persona *f.* contratada para servicio accidental.

extraction [ɛkstʀaksjɔ̃] *f.* Extracción.

extradition [ɛkstʀadisjɔ̃] *f.* Extradición.

extraire [ɛkstʀɛʀ] *tr.* Extraer. ▲ CONJUG. como *traire.*

extrait [ɛkstʀɛ] *m.1* Extracto, esencia *f.* (d'une substance). *2* Resumen, compendio, extracto (d'un livre, etc.). *3* Partida *f.,* fe *f.: — de naissance,* partida de nacimiento; *— de baptême,* fe de bautismo.

extraordinaire [ɛkstʀaɔʀdineʀ] *adj.* Extraordinario, ria.

extravagance [ɛkstʀavagɑ̃s] *f.* Extravagancia.

extravagant, -ante [ɛkstʀavagɑ̃, -ɑ̃t] *adj.-s.* Extravagante.

extrême [ɛkstʀɛm] *adj. 1* Extremo, ma, extremado, da. ■ *2 m.* Extremo.

extrême-onction [ɛkstʀɛmɔ̃ksjɔ̃] *f.* Extremaunción.

extrémité [ɛkstʀemite] *f. 1* Extremidad, extremo *m. 2 Être à la dernière —,* estar en la agonía, en las últimas. ■ *3 pl.* Extremidades (pieds, mains). *4* Actos *m.* de violencia.

extrinsèque [ɛkstʀɛ̃sɛk] *adj.* Extrínseco, ca.

exubérance [ɛgzybeʀɑ̃s] *f.* Exuberancia.

exubérant, -ante [ɛgzybeʀɑ̃, -ɑ̃t] *adj.* Exuberante.

exulter [ɛgzylte] *intr.* Exultar, regocijarse.

F

f [ɛf] *m.* F f.

fa [fɑ(a)] *m.* MUS. Fa.

fable [fɑbl(ə)] *f.* Fábula.

fabricant [fabʀikɑ̃] *m.* Fabricante.

fabrique [fabʀik] *f.* Fábrica.

fabriquer [fabʀike] *tr.* Fabricar.

fabuleux, -euse [fabylø, -øz] *adj.* Fabuloso, sa.

façade [fasad] *f.* Fachada.

face [fas] *f. 1* Cara, rostro *m.*, faz. Loc. *À la — de*, a los ojos de, en presencia de; *de —*, de frente; *en — de*, enfrente de, frente a: *— à —*, cara a cara: *faire — à*, estar enfrente de; fig. hacer frente a. *2* Anverso *m.* (d'une monnaie). *3* Cara, lado *m.* (côté). *4* GÉOM. Cara. *5* fig. Faceta, aspecto *m.*, cariz *m.*

face-à-main [fasamɛ̃] *m.* Impertinentes *pl.*

facétieux, -euse [fasesjø, -øz] *adj.* Bromista, chancero, ra.

facette [faset] *f.* Faceta.

fâcher [faʃe] *tr. 1* Disgustar, enojar, enfadar (mécontenter). ■ *2 pr.* Enfadarse.

fâcheux, -euse [faʃø, -øz] *adj. 1* Enojoso, sa, enfadoso, sa. *2* Inoportuno, na. ■ *3 m.* Importuno.

facial, -ale [fasjal] *adj.* Facial.

facile [fasil] *adj.* Fácil: *— à, de*, fácil de.

facilité [fasilite] *f.* Facilidad.

façon [fasɔ̃] *f. 1* Manera, modo *m.* *2* Hechura (exécution, forme). *3* AGR. Labor. *4* Estilo *m.* ■ *5 pl.* Maneras, modales *m.* (manières). *6* Remilgos *m.* *7 loc. adv. De toute —*, de todos modos.

faconde [fakɔ̃d] *f.* Facundia.

façonner [fasɔne] *tr. 1* Dar forma a. *2* TECHN. Tornear, trabajar. *3* AGR. Labrar.

fac-similé [faksimile] *m.* Facsímil.

facteur [faktœʀ] *m. 1* Cartero. *2* MUS. Fabricante de instrumentos. *3* fig. Factor: *le — temps*, el factor tiempo. *4* MATH. Factor.

factieux, -euse [faksjø, -øz] *adj.-s.* Faccioso, sa.

facture [faktyʀ] *f.* Factura.

facturer [faktyʀe] *tr.* Facturar.

facultatif, -ive [fakyltatif, -iv] *adj.* Facultativo, va.

faculté [fakylte] *f.* Facultad.

fadaise [fadɛz] *f.* Tontería, simpleza, sandez.

fade [fad] *adj.* Soso, sa, insípido, da.

fagot [fago] *m.* Haz de leña.

faible [fɛbl(ə)] *adj. 1* Débil. *2* Escaso, sa (peu important). *3* Flojo, ja: *vin —*, vino flojo; *étudiant —*, estudiante flojo. ■ *4 m.* Débil. Loc. *— d'esprit*, débil mental. *5* Flaco, punto flaco (point faible). *6* Debilidad *f.*, flaco (penchant).

faiblesse [fɛbles] *f. 1* Debilidad. *2* Desmayo *m.* (évanouissement). *3* Flaqueza (défaut).

faiblir [fɛbliʀ] *intr. 1* Decaer, debilitarse. *2* Flaquear (le courage, etc.). *3* Amainar (le vent).

faïence [fajɑ̃s] *f. 1* Loza. *2* **Carreau de —**, azulejo.

faillir [fajiʀ] *intr. 1* Estar a punto de, faltar poco para: *il a failli manquer le train*, ha estado a punto de perder el tren. *2* Fallar (la mémoire). *3* Faltar: *— a sa promesse*, faltar a su promesa. ▲ CONJUG. IRREG. Ús. sólo en infinitivo y en los tiempos siguientes: INDIC. Pret. indéf.: *je faillis*, etc. Fut. imperf.: *je faudrai* o *je faillirai*, etc. Pret. perf.: *j'ai failli*, etc., y los demás tiempos compuestos. POT.: *je faudrais* o *je faillirais*, etc. PART. A.: *faillant*. PART. P.: *failli, ie*. Existe una forma de 3.ª pers. de pres. de indic.: *faut*, que sólo se usa en ciertas frases hechas.

faillite [fajit] *f. 1* COMM. Quiebra. *2* fig. Quiebra.

faim [fɛ] *f.* Hambre.

fainéant, -ante [fɛneɑ̃, -ɑ̃t] *adj.-s.* Holgazán, ana.

faire [fɛʀ] *tr. 1* Hacer. Loc. *— la paix*, hacer las paces: *— fortune*, hacer fortuna;

— *savoir*, hacer saber, participar: — *ses dents*, echar los dientes: — *du tennis*, jugar al tenis: — *du piano*, tocar el piano; *se laisser* —, no oponer resistencia: *il ne fait que crier*, no hace más que gritar: *bonne à tout* —, criada para todo. 2 Hacerse, echarlas de: — *le généreux*, echarlas de generoso. 3 Proveerse de (s'approvisionner): — *de l'essence*, proveerse de gasolina. 4 Estudiar: — *sa médecine*, estudiar para médico. 5 Cometer (une erreur, etc.). 6 Decir, responder: «*et alors?*» *fis-je*, «¿y qué?», dije yo. 7 Dar: — *un pas, une promenade, pitié*, dar un paso, un paseo, lástima. 8 tener, contraer (une maladie). 9 THÉÁT. Interpretar el papel de. ■ *10 intr.* Hacer: — *pour le mieux*, hacer lo posible. *11* Obrar: *en — à sa tête*, obrar a su capricho. *12 — bien*, quedar bien: — *bien avec*, ir bien, armonizar con. ■ *13 impers.* Hacer: *il fait froid*, hace frío. ■ *14 pr.* Hacerse: *se — avocat*, hacerse abogado. *15* Suceder: *il pourrait se* —, podría suceder. *16 Se — à*, hacerse a, acostumbrarse a. *17 S'en* —, preocuparse, inquietarse por. ▲ CONJUG. IRREG. INDIC. Pres.: *je fais, tu fais, il fait, nous faisons, vous faites, ils font*. Imperf.: *je faisais*, etc. Pret. indef.: *je fis*, etc. Fut. imperf.: *je ferai*, etc. POT.: *je ferais*, etc. IMPER.: *fais, faisons, faites*. SUBJ. Pres.: *que je fasse*, etc. Imperf.: *que je fisse*, etc. PART. A.: *faisant*. PART. P.: *fait, faite*.

faire-part [fɛʀpaʀ] *m. 1* Participación f. de boda (de mariage). 2 Esquela f. de defunción (de décès).

faisan [fəzã] *m.* Faisán.

faisander [fəzãde] *tr.* Manir (viandes).

faisceau [fɛso] *m. 1* Haz, manojo. 2 MIL. Pabellón.

faiseur, -euse [fəzœʀ, -øz] *s. 1* Hacedor, ra. 2 Artífice. ■ *3 m.* Embaucador.

fait [fɛ] *m. 1* Hecho. Loc. *Le — accompli*, el hecho consumado. *2 loc. adv. Au* —, a propósito: *par le* —, *de* —, *en* —, realmente, en realidad: *tout à* —, por completo. *loc. prép. En — de*, en materia de. *loc. conj. Du — que*, por el hecho de que.

fait, faite [fɛ, fɛt] *adj. 1* Hecho, cha: *bien* —, bien hecho; — *pour*, hecho para. 2 Loc. *Tout* —, confeccionado, da (vêtements).

faix [fɛ] *m.* Carga f., peso.

falaise [falɛz] *f.* Acantilado *m.*

fallacieux, -euse [fa(l)lasjø, -øz] *adj.* Falaz.

falloir [falwaʀ] *impers. 1* Ser necesario, preciso, menester, haber que (suivi d'un

verbe). hacer falta, necesitar (suivi d'un nom): *il faut le faire*, es necesario hacerlo: *il le faut*, es necesario; *il lui faut du repos*, necesita descanso. 2 Tener que (obligation personnelle): *il faut que tu viennes*, tienes que venir. 3 *Une personne comme il faut*, una persona como es debido. ▲ CONJUG. IRREG. Ús. sólo en: INDIC. Pres.: *il faut*. Imperf.: *il fallait*. Pret. indef.: *il fallut*. Pret. perf.: *il a fallu* y los demás tiempos compuestos. Fut. imperf.: *il faudra*. POT.: *il faudrait*. SUBJ. Pres.: *qu'il faille*. Imperf.: *qu'il fallût*. PART. P.: *fallu*.

falot, -ote [falo, ɔt] *adj.* Insulso, sa, insignificante.

falsification [falsifikasjɔ̃] *f.* Falsificación.

famé, -ée [fame] *adj. Mal* —, de mala fama.

famélique [famelik] *adj.* Famélico, ca.

fameux, -euse [famø, -øz] *adj.* Famoso, sa.

familier, -ière [familje, -jɛʀ] *adj.-m. 1* Familiar. ■ *2 m.* Íntimo, ma. *3* Asiduo, ua (habitué).

famille [famij] *f.* Familia.

famine [famin] *f.* Hambre.

fanal [fanal] *m. 1* MAR. Fanal. 2 Farola *f.* (d'un port).

fanatique [fanatik] *adj.-s.* Fanático, ca.

fane [fan] *f. 1* Hoja (de plantes potagères). 2 Hoja seca (sèche).

faner [fane] *tr. 1* Marchitar (flétrir) pr. Marchitarse.

fanfare [fãfaʀ] *f. 1* MUS. Marcha militar. 2 Charanga (musiciens).

fanfaron, -onne [fãfaʀɔ̃, -ɔn] *adj.-s.* Fanfarrón, ona, jactancioso, sa.

fange [fãʒ] *f.* Fango *m.*

fanon [fanɔ̃] *m. 1* Papada *f.* (de bœuf). 2 Cerneja *f.* (des chevaux). 3 Barba *f.* (de baleine).

fantaisie [fãtezi] *f. 1* Fantasía. 2 Capricho *m.*, antojo *m.* (caprice).

fantasque [fãtask(ə)] *adj.* Antojadizo, za, caprichoso, sa.

fantastique [fɑtastik] *adj.* Fantástico, ca.

fantoche [fãtɔʃ] *m.* Fantoche, títere.

fantôme [fãtom] *m.* Fantasma.

faon [fã] *m. 1* Cervato (petit cerf). 2 Gamezno (petit daim). 3 Corcino (petit chevreuil).

farandole [faʀãdɔl] *f.* Farándula.

faraud, -aude [faʀo, -od] *adj.-s.* Presumido, da.

farce [faʀs(ə)] *f. 1* CUIS. Relleno *m.* 2 THÉÁT. Farsa. 3 Bufonada, broma (plaisanterie).

farceur, -euse [faʀsœʀ, -øz] *s.* Bromista.

farcir [faʀsiʀ] *tr. 1* CUIS. Rellenar. *2* PÉJ. Atiborrar.

fard [faʀ] *m.* Pintura *f.*, afeite.

fardeau [faʀdo] *m.* Carga *f.*, peso.

farder [faʀde] *tr. 1* Maquillar. *2* fig. Disfrazar, encubrir. ■ *3 pr.* Maquillarse.

farfadet [faʀfadε] *m.* Duendecillo.

farfouiller [faʀfuje] *intr.* fam. Revolver.

faribole [faʀibɔl] *f.* Paparrucha.

farine [faʀin] *f.* Harina.

farouche [faʀuʃ] *adj. 1* Salvaje (animal). *2* Arisco, ca, huraño, ña (personne). *3* Feroz (acharné).

fascinant, -ante [fasinã, -ãt] *adj.* Fascinante.

fasciner [fasine] *tr.* Fascinar.

fascisme [fas(ʃ)ism(ə)] *m.* Fascismo.

faste [fast(ə)] *m. 1* Fausto, magnificencia. *f.* ■ *2 adj.* Fasto, ta: *jour —*, día fasto.

fastidieux, -euse [fastidjø, -øz] *adj.* Fastidioso, sa, aburrido, da.

fastueux, -euse [fastɥø, -øz] *adj.* Fastuoso, sa.

fat, fate [fa(t)] *adj.-s.* Fatuo, ua.

fatal, -ale [fatal] *adj.* Fatal.

fatalité [fatalite] *f.* Fatalidad.

fatidique [fatidik] *adj.* Fatídico, ca.

fatigant, -ante [fatigã, -ãt] *adj.* Fatigoso, sa, cansado, da.

fatiguer [fatige] *tr. 1* Fatigar, cansar: *je suis fatigué*, estoy cansado. ■ *2 pr.* Fatigarse, cansarse (*de*, de).

fatras [fatʀa] *m.* Fárrago.

fatuité [fatɥite] *f.* Fatuidad.

faubourg [fobuʀ] *m.* Arrabal, suburbio.

faucher [foʃe] *tr. 1* AGR. Guadañar. *2* fig. Segar. *3* fam. Birlar (volver).

faucille [fosij] *f.* Hoz.

faucon [fokɔ̃] *m.* Halcón.

faufiler [fofile] *tr. 1* Hilvanar. ■ *2 pr.* Colarse, deslizarse.

fausser [fose] *tr. 1* Falsear (altérer, dénaturer). *2* Doblar, torcer (forcer, tordre).

fausset [fosε] *m.* Falsete.

fausseté [foste] *f.* Falsedad.

faute [fot] *f. 1* Falta. *loc. prép. — de*, a falta de; *— de mieux*, a falta de otra cosa; por no (seguido de un infinitivo). *loc. adv. Sans —*, sin falta. *2* Culpa: *c'est de ma —*, *c'est ma —*, es culpa mía.

fautif, -ive [fotif, -iv] *adj. 1* Culpable. *2* Erróneo, ea, equivocado, da (erroné).

fauve [fov] *adj. 1* Feroz, salvaje (animaux). *2* Leonado, da (couleur). ■ *3 m.* Fiera *f.*

fauvette [fovεt] *f.* Curruca.

faux [fo] *f.* Guadaña.

faux, fausse [fo, fos] *adj. 1* Falso, sa. Loc. *— jeton*, hipócrita; *— titre*, anteportada

f. 2 Porter.à —, estar en falso (construction), no estar bien fundado (un argument). *3* Postizo, za; *— col*, cuello postizo; *— cheveux*, cabellos postizos. ■ *4 m.* Lo falso. *5* Falsificación *f.* ■ *6 adv.* MUS. *Chanter, jouer —*, desafinar.

faux-fuyant [fofɥijã] *m.* Escapatoria *f.*, evasiva *f.*

faveur [favœʀ] *f.* Favor *m. loc. prép. À la — de*, a favor de; *en — de*, en favor de.

favoriser [favɔʀize] *tr.* Favorecer.

favoritisme [favɔʀitism(ə)] *m.* Favoritismo.

fébrile [febʀil] *adj.* Febril.

fécal, -ale [fekal] *adj.* Fecal.

fèces [fεs] *f. pl.* Heces.

fécond, -onde [fekɔ̃, -ɔ̃d] *adj.* Fecundo, da.

fécondité [fekɔ̃dite] *f.* Fecundidad.

fécule [fekyl] *f.* Fécula.

fédéral, -ale [fedeʀal] *adj.* Federal.

fédération [fedeʀasjɔ̃] *f.* Federación.

fée [fe] *f.* Hada.

féerique [fe(e)ʀik] *adj. 1* Mágico, ca. *2* Maravilloso, sa.

feindre [fɛ̃dʀ(ə)] *tr. 1* Fingir, simular. *2 — de*, hacer como que: *il feint de ne pas entendre*, hace como que no oye. ▲ CONJUG. como *craindre*.

feint, feinte [fɛ̃, fɛ̃t] *adj. 1* Fingido, da. ■ *2 f.* Fingimiento *m. 3* SPORTS. Finta. *4* fam. Trampa.

fêler [fele] *tr. 1* Cascar, rajar. ■ *2 pr.* Rajarse.

félicitation [felisitasjɔ̃] *f.* Felicitación.

félicité [felisite] *f.* Felicidad.

féliciter [felisite] *tr. 1* Felicitar. ■ *2 pr.* Felicitarse.

félin, -ine [felɛ̃, -in] *adj.-s.* Felino, na.

félon, -onne [felɔ̃, -ɔn] *adj.-s.* Felón, ona, traidor, ra.

félonie [felɔni] *f.* Felonía.

fêlure [felyʀ] *f.* Cascadura, raja.

femelle [fəmεl] *adj.-f.* Hembra.

féminin, -ine [feminɛ̃, -in] *adj.-m.* Femenino, na.

féminisme [feminism(ə)] *m.* Feminismo.

femme [fam] *f. 1* Mujer. *2 — de chambre*, doncella. *3 — de ménage*, asistenta. *4* Esposa, mujer.

fenaison [fənεzɔ̃] *f.* AGR. Siega del heno.

fendiller [fãdije] *tr.* Resquebrajar.

fendre [fãdʀ(ə)] *tr. 1* Rajar, hender. *2* Partir. Loc. fig. *— le cœur*, partir el corazón. *3* Abrirse paso en (la foule). *4* Hender, surcar (l'air, l'eau). ■ *5 pr.* Henderse, rajarse. *6* fam. *Se — de*, desprenderse de, soltar. ▲ CONJUG. como *rendre*.

fenêtre [f(ə)nεtʀ(ə)] *f.* Ventana.

fenil [fəni(l)] *m.* Henil.

fenouil [fnuj] *m.* Hinojo.

fente [fãt] *f.* Hendedura, rendidura, raja, grieta.

féodalisme [feɔdalism(ə)] *m.* Feudalismo.

fer [fɛʀ] *m. 1* Hierro. *2 — à repasser,* plancha *f. 3 — à friser,* tenacillas *f. pl.* para el pelo. *4* fig. Arma *f.* blanca, acero. ■ *5 pl.* Grilletes, cadenas *f. 6* MÉD. Fórceps *sing.*

ferblantier [fɛʀblãtje] *m.* Hojalatero.

férié, -ée [feʀje] *adj.* Feriado, da.

férir [feʀiʀ] *tr. Sans coup —,* sin llegar a las manos; sin dificultad, sin problemas.

ferme [fɛʀm(ə)] *adj. 1* Firme. Loc. *De pied —,* a pie firme. *2* Seguro, ra (assuré). *3* Enérgico, ca. ■ *4 adv.* Con fuerza. *5* Mucho: *travailler —,* trabajar mucho. *6* COMM. En firme.

ferme [fɛʀm(ə)] *f. 1* Granja, alquería. *2* Arrendamiento *m.,* arriendo *m.* (louage).

fermentation [fɛʀmãtasjɔ̃] *f.* Fermentación.

fermer [fɛʀme] *tr. 1* Cerrar: *ferme la fenêtre!,* ¡cierra la ventana! *2* Correr: *— les rideaux,* correr las cortinas. ■ *3 intr.* Cerrarse, cerrar: *magasin qui ferme le lundi,* almacén que está cerrado el lunes. ■ *4 pr.* Cerrarse.

fermeté [fɛʀməte] *f.* Firmeza.

fermeture [fɛʀmətyʀ] *f. 1* Cierre *m. 2 — à glissière,* cremallera. *3* Veda (chasse, pêche).

fermier, -ière [fɛʀmje, -jɛʀ] *s. 1* Granjero, ra, colono. *2* Arrendatario, ria (locataire).

fermoir [fɛʀmwaʀ] *m.* Cierre.

féroce [feʀɔs] *adj.* Feroz.

ferraille [feʀaj] *f.* Chatarra.

ferré, -ée [feʀe] *adj. 1* Herrado, da (cheval). *2 Voie ferrée,* vía férrea. *3* fam. *Être — en mathématiques,* estar muy empollado en matemáticas.

ferrer [feʀe] *tr.* Herrar (un animal).

ferronnerie [feʀɔnʀi] *f.* Ferretería (objets en fer).

ferroviaire [feʀɔvjɛʀ] *adj.* Ferroviario, ria.

ferrugineux, -euse [feʀyʒinø, -øz] *adj.* Ferruginoso, sa.

ferrure [feʀyʀ] *f.* Herraje *m.* (d'une porte).

fertiliser [fɛʀtilize] *tr.* Fertilizar.

féru, -ue [feʀy] *adj.* Apasionado, da.

ferveur [fɛʀvœʀ] *f.* Fervor *m.*

fesse [fɛs] *f.* Nalga.

fesser [fese] *tr.* Azotar, zurrar.

festin [fɛstɛ̃] *m.* Festín.

festival [fɛstival] *m.* Festival.

feston [fɛstɔ̃] *m.* Festón.

festoyer [fɛstwaje] *intr.* Festejarse, banquetear. ▲ CONJUG. como *employer.*

fête [fɛt] *f. 1* Fiesta. Loc. *Faire — à,* festejar a; *troubler la —,* aguar la fiesta. *2 — des mères, des morts,* día de la madre, de los difuntos. *3* Santo *m.,* onomástica.

fêter [fɛte] *tr. 1* Festejar, agasajar (quelqu'un). *2* Celebrar (quelque chose).

fétiche [fetiʃ] *m.* Fetiche.

fétide [fetid] *adj.* Fétido, da.

feu [fø] *m. 1* Fuego. Loc. *— de joie,* fogata *f.,* hoguera *f.; — d'artifice,* fuegos artificiales; fig. *— de paille,* fuego de paja; *faire — de tout bois,* emplear todos los medios. *loc. adv. À petit —,* a fuego lento. *2* Lumbre *f.: demander du —,* pedir lumbre. *3* Luz *f.* (signal): *— vert,* luz verde. *4 Feux de signalisation,* semáforo. *5* AUTO. *— arrière, rouge,* piloto; *— de position,* piloto de situación; *— clignotant,* intermitente. *6* THÉÂT. *Feux de la rampe,* candilejas *f. 7* fig. Ardor, exaltación *f.*

feu, -eue [fø] *adj.* Difunto, ta.

feuillage [fœjaʒ] *m.* Follaje.

feuille [fœj] *f.* Hoja (de papier, d'arbre, de métal). Loc. *— de route,* hoja de ruta; fam. *— de chou,* periodiquillo *m.*

feuillet [fœjɛ] *m. 1* Hoja *f.* (page). *2* ZOOL. Libro (de l'estomac des ruminants).

feuilleter [fœjte] *tr. 1* Hojear. *2* Hojaldrar (pâtisserie). ▲ CONJUG. como *jeter.*

feuilleton [fœjtɔ̃] *m.* Folletín.

feuillu, -ue [fœjy] *adj.* Frondoso, sa.

feutre [føtʀ(ə)] *m.* Fieltro.

fève [fɛv] *f.* Haba.

février [fevʀije] *m.* Febrero.

fi [fi] *interj. 1* ¡Quita!, ¡quita allá! *2 Faire — de,* despreciar, desdeñar.

fiacre [fjakʀ(ə)] *m.* Simón.

fiançailles [fjãsaj] *f. pl. 1* Petición *sing.* de mano, esponsales *m.* (promesse). *2* Noviazgo *m. sing.* (temps).

fiancé, -ée [fjãse] *s.* Novio, via.

fiancer [fjãse] *tr. 1* Prometer en matrimonio. ■ *2 pr.* Prometerse. ▲ CONJUG. como *lancer.*

fibreux, -euse [fibʀø, -øz] *adj.* Fibroso, sa.

ficeler [fisle] *tr.* Encordelar, atar. ▲ CONJUG. como *appeler.*

ficelle [fisɛl] *f. 1* Bramante *m.,* cuerda fina. *2* fig. Triquiñuela (d'un métier).

fiche [fiʃ] *f. 1* Ficha. *2* Piquete *m.* (d'arpenteur). *3* Fija (maçonnerie).

ficher [fiʃe] *tr. 1* Hincar, clavar. *2* fam. Reemplaza a los verbos hacer, dar, poner, etc. en ciertas expresiones familiares. En este caso, el infinitivo puede tomar la forma *fiche* y el p. p. la forma *fichu:* **ne rien *fiche*,** no hacer nada; **je n'ai rien *fichu*,** no hice nada; — **une gifle,** largar una bofetada; — **à la porte,** echar a la calle; — **le camp,** largarse; ***fiche moi la paix!*,** ¡déjame en paz! ■ *3 pr.* fam. **Se — de,** burlarse, reírse de (se moquer). Loc. **Je m'en *fiche*,** me importa un comino; **se — *par terre*,** caerse.

fichtre [fiʃtʀ(ə)] *interj.* fam. ¡Caramba!

fichu, -ue [fiʃy] *I p. p.* de *ficher*. ■ *2 adj.* fam. Maldito, ta, endemoniado, da: *il a un — caractère*, tiene un carácter endemoniado. *3* fam. Perdido, da (perdu). *4* fam. **Mal —,** maluchо, cha (un peu malade); mal hecho, cha (mal fait). *5 — de*, capaz de. ■ *6 m.* Toquilla *f.*, pañoleta *f.*

fiction [fiksjõ] *f.* Ficción.

fidèle [fidɛl] *adj.-s.* Fiel.

fielleux, -euse [fjɛlø, -øz] *adj.* Amargo, ga, de hiel.

fiente [fjɑ̃t] *f.* Excremento *m.*

fier (se) [fje] *pr.* Fiarse: *se — à*, fiarse de, contar con. ▲ CONJUG. como *prier*.

fier, fière [fjɛʀ] *adj. 1* Altivo, va, arrogante. *2* Orgulloso, sa. *3 — de*, orgulloso de. *4* fam. Tremendo, da, enorme.

fierté [fjɛʀte] *f.* Orgullo *m.*, altivez, arrogancia.

fièvre [fjɛvʀ(ə)] *f.* Fiebre.

fifre [fifʀ(ə)] *m.* Pífano.

figer [fiʒe] *tr. 1* Coagular, cuajar. *2* fig. Paralizar. ■ *3 pr.* Cuajarse, coagularse. ▲ CONJUG. como *engager*.

figue [fig] *f.* Higo *m.: — de Barbarie*, higo chumbo.

figuier [figje] *m.* Higuera *f.*

figure [figyʀ] *f. 1* Figura. *2* Cara, rostro *m.* (visage).

figuré, -ée [figyʀe] *adj.* Figurado, da.

figurer [figyʀe] *tr.-intr. 1* Figurar. ■ *2 pr.* Figurarse, imaginarse.

fil [fil] *m. 1* Hilo, hebra *f.* Loc. **Donner un coup de —,** telefonear; **donner du — à retordre,** dar que hacer. *2* Alambre (de métal): — *de fer*, alambre. *3 — à plomb*, plomada *f. 4* Filo (tranchant). *5* fig. Curso, hilo (d'un discours, etc.). *6* Curso, corriente (d'une rivière).

filament [filamɑ̃] *m.* Filamento.

filant, -ante [filɑ̃, -ɑ̃t] *adj. 1* ***Étoile filante,*** estrella fugaz. *2* Fluente.

filasse [filas] *f.* Estopa, hilaza.

filature [filatyʀ] *f. 1* Fábrica de hilados, hilandería. *2* Hilado *m.* (action de filer). *3* Acción de seguir la pista de alguien.

file [fil] *f.* Fila: *à la —*, en fila.

filer [file] *tr. 1* Hilar. *2* Tejer (une araignée). *3* MAR. Largar, soltar. *4* Seguir los pasos, la pista de (suivre). *5* pop. Pasar (donner). *6 — doux*, mostrarse más blando que una breva. ■ *7 intr.* Fluir (lentement). *8* Formar hilos, hebras (une matière visqueuse). *9* Correrse un punto (bas). *10* Ir, marchar deprisa (aller vite). *11* fam. Largarse (déguerpir). *12* fam. Irse de las manos (argent).

filet [filɛ] *m. 1* Red *f.* (pêche ou chasse). *2* Red *f.*, redecilla *f.* (à cheveux). *3* Red *f.*, rejilla *f.* (dans le train). *4* Hilillo (de voix). *5* Chorrillo (d'un liquide). *6* ARCHIT. Filete, moldura *f. 7* IMPR. Filete. *8* Filete, solomillo (de bœuf, veau), lomo (de porc). *9* Filete (de poisson).

fileur, -euse [filœʀ, -øz] *adj.-s.* Hilador, ra.

filial, -ale [filjal] *adj.-f.* Filial.

filiation [filjasjõ] *f.* Filiación.

fille [fij] *f. 1* Hija: — *adoptive*, hija adoptiva. *2* Muchacha, chica. *3* ***Petite —***, niña; *jeune —*, joven, muchacha; *vieille —*, solterona. Loc. ***Rester —***, quedarse soltera. *4 — d'auberge*, moza de mesón, criada.

fillette [fijɛt] *f.* Niña, chiquilla.

filleul, -eule [fijœl] *s.* Ahijado, da.

film [film] *m.* Film, filme, película *f.*

filon [filõ] *m.* Filón.

filouter [filute] *tr.* Hurtar con habilidad.

fils [fis] *m.* Hijo.

filtre [filtʀ(ə)] *m.* Filtro.

filtrer [filtʀe] *tr. 1* Filtrar. ■ *2 intr.* Filtrarse.

fin [fɛ̃] *f. 1* Fin *m.*, final *m.*, término *m.* loc. *adv.* **À la —,** al fin loc. *2* Fin *m.* (but): *à cette —*, con este fin.

fin, fine [fɛ̃, -in] *adj.* Fino, na. Loc. ***Avoir le nez fin***, tener olfato.

final, -ale [final] *adj.-f.* Final.

finance [finɑ̃s] *f. 1* Mundo *m.* financiero. *2* Hacienda: ***ministère des Finances***, ministerio de Hacienda.

financier, -ière [finɑ̃sje, -jɛʀ] *adj. 1* Financiero, ra. ■ *2 m.* Financiero, hacendista.

finasser [finase] *intr.* Usar subterfugios.

finaud, -aude [fino, -od] *adj.* Taimado, da, astuto, ta.

fine [fin] *f.* Aguardiente *m.* de calidad.

finesse [finɛs] *f. 1* Finura, delgadez. *2* fig. Sutileza, agudeza (d'esprit). *3* Sutileza: ***les finesses d'une langue***, las sutilezas de un idioma.

finir [finiʀ] *tr. 1* Terminar, acabar. ■ *2 intr.* Acabar. *3* Morir. *4 En —*, acabar de una vez.

finissage [finisaʒ] *m.* Última mano *f.*, acabado.

finlandais, -aise [fɛ̃lɑ̃dɛ, -ɛz] *adj.-s.* Finlandés, esa.

fiole [fjɔl] *f.* Frasquito *m.*

fiord [fjɔʀ(d)] *m.* Fiordo.

firmament [fiʀmamɑ̃] *m.* Firmamento.

firme [fiʀm(ə)] *f.* Firma (entreprise).

fiscal, -ale [fiskal] *adj.* Fiscal.

fissure [fisyʀ] *f.* Fisura.

fixation [fiksɑsjɔ̃] *f.* Fijación.

fixe [fiks(ə)] *adj. 1* Fijo, ja. *2 interj.* MIL. ¡Firmes!

fixer [fikse] *tr. 1* Fijar. *2 — quelqu'un*, mirar fijamente a alguien. *3* Fijar, establecer: *— un prix*, establecer un precio. ■ *4 pr.* Establecerse, fijarse (s'installer).

flacon [flakɔ̃] *m.* Frasco.

fla-fla [flafla] *m. invar. fam.* Ostentación *f.*, bambolla *f.*

flageller [flaʒe(εl)le] *tr.* Flagelar.

flageolet [flaʒɔle] *m. 1* MUS. Chirimía *f.*, flautín. *2* Frijol (haricot).

flagorneur, -euse [flagɔʀnœʀ, -øz] *s.* Adulón, ona.

flagrant, -ante [flagʀɑ̃, -ɑ̃t] *adj.* Flagrante.

flairer [fleʀe] *tr. 1* Olfatear, husmear. *2* fig. Oler, presentir (pressentir).

flamant [flamɑ̃] *m.* Flamenco.

flambant, -ante [flɑ̃bɑ̃, -ɑ̃t] *adj. 1* Flamante. *2 — neuf*, flamante.

flambard, flambart [flɑ̃baʀ] *m. fam.* Fanfarrón, ona.

flambeau [flɑ̃bo] *m. 1* Antorcha *f.* *2* Candelero, candelabro.

flambée [flɑ̃be] *f. 1* Fogata. *2* fig. Llamarada.

flamber [flɑ̃be] *tr. 1* Chamuscar. *2* MÉD. Flamear (pour stériliser). ■ *3 intr.* Arder, llamear.

flamboyant, -ante [flɑ̃bwajɑ̃, -ɑ̃t] *adj. 1* Llameante. *2* Resplandeciente. *3* ARCHIT. Flamígero, ra, florido, da.

flamme [fla(ɑ)m] *f. 1* Llama. *2* fig. Ardor *m.*, pasión. *3* Banderín *m.*, gallardete *m.* (drapeau).

flan [flɑ̃] *m.* Flan (gâteau).

flanc [flɑ̃] *m. 1* Costado (du corps). *2* Flanco, costado (d'une chose). *3* Ladera *f.*, falda *f.* (d'une montagne). *4* MIL. Flanco.

flanelle [flanεl] *f.* Franela.

flâner [flɑne] *intr.* Callejear, barzonear.

flanquer [flɑ̃ke] *tr. 1* Flanquear. *2* fam. Asestar, dar, soltar. *3* fam. Poner, echar: *— à la porte*, echar a la calle.

flaque [flak] *f.* Charco *m.*

flasque [flask(ə)] *adj. 1* Fofo, fa, flojo, ja, lacio, cia. ■ *2 m.* AUTO. Tapacubos.

flatter [flate] *tr. 1* Halagar, adular (louer). *2* Acariciar (caresser). *3* Agra-

dar, deleitar, causar satisfacción a. *4* Favorecer, embellecer (avantager). ■ *5 pr.* Jactarse, preciarse.

flatteur, -euse [flatœʀ, -øz] *adj. 1* Adulador, ra, lisonjero, ra, halagüeño, ña. ■ *2 s.* Adulador, ra.

flatulence [flatylɑ̃s] *f.* MÉD. Flatulencia.

fléau [fleo] *m. 1* AGR. Mayal. *2* Astil (d'une balance). *3* fig. Azote, calamidad *f.*, plaga *f.*

flèche [flεʃ] *f. 1* Flecha, saeta. *2* Flecha (signe représentant une flèche). *3* Aguja (d'un clocher).

fléchir [fleʃiʀ] *tr. 1* Doblar, doblegar: *— le genou*, doblar la rodilla. *2* fig. Ablandar (faire céder). ■ *3 intr.* Doblarse, doblegarse. *4* Ceder, flaquear. *5* Bajar, descender, disminuir (diminuer).

flegmatique [flεgmatik] *adj.* Flemático, ca.

flemme [flεm] *f.* Pereza, galbana.

flétrir [fletʀiʀ] *tr. 1* Marchitar, ajar (une plante). *2* Ajar (le teint). *3* fig. Mancillar, manchar (la réputation). ■ *4 pr.* Marchitarse.

fleur [flœʀ] *f. 1* Flor. *2* fig. *La fine —*, la elite, la flor y nata. *3* Loc. fam. *Comme une —*, muy fácilmente; *faire une — à quelqu'un*, hacer un favor a alguien. *4 loc. prép. À — de*, a flor de.

fleurer [flœʀe] *intr.* Oler, despedir olor a.

fleuret [flœʀε] *m.* Florete.

fleurir [flœʀiʀ] *intr. 1* Florecer. ■ *2 tr.* Adornar con flores.

fleuriste [flœʀist(ə)] *s. 1* Florista. *2* Floricultor, ra.

fleuve [flœv] *m.* Río.

flexible [flεksibl(ə)] *adj.* Flexible.

flexion [flεksjɔ̃] *f.* Flexión.

flibustier [flibystje] *m. 1* Filibustero (pirate). *2* fig. Ladrón, estafador.

flic [flik] *m. pop.* Policía; *les flics*, la poli.

flirt [flœʀt] *m.* Coqueteo, galanteo, flirt.

flocon [flɔkɔ̃] *m. 1* Copo: *— de neige, de coton, d'avoine*, copo de nieve, de algodón, de avena.

floraison [flɔʀεzɔ̃] *f.* BOT. Floración, florescencia.

floriculture [flɔʀikyltyʀ] *f.* Floricultura.

florissant, -ante [flɔʀisɑ̃, -ɑ̃t] *adj.* Floreciente, próspero, ra.

flot [flo] *m. 1* Ola *f.*, oleada *f.*: *les flots*, las olas del mar, el mar. *2* Marea *f.* ascendente. *3* fig. Cantidad *f.* grande, chorro, torrente. *4 loc. adv. À flots, à grands flots*, a mares, a torrentes. *5 loc. adj. À —*, a flote; *remmettre à —*, sacar a flote.

flotte [flɔt] *f. 1* Flota. *2* MAR. Flota, armada. *3* fam. Agua (eau), lluvia (pluie).

flotter [flɔte] *intr. 1* Flotar. *2* Ondear (on-

doyer). *3* fig. Fluctuar, vacilar. ■ *4 tr.*
—*du bois,* transportar madera flotante.
■ *5 impers.* fam. Llover.

flotteur [flɔtœʀ] *m.* Flotador (en liège, d'hydravion, etc.).

flottille [flɔtij] *f.* Flotilla.

flou, -e [flu] *adj. 1* Borroso, sa, vago, ga (peinture). *2* Desenfocado, da, movido, da (photographie). *3* Vaporoso, sa (couture). *4* Confuso, sa, impreciso, sa, vago, ga (idée).

flouer [flue] *tr.* fam. Estafar, engañar.

fluctuation [flyktɥɑsjɔ̃] *f.* Fluctuación.

fluet, -ette [flɥɛ, -ɛt] *adj.* Delgado, da, fino, na, endeble.

fluide [flɥid] *adj. 1* Fluido, da. ■ *2 m.* Fluido.

flûte [flyt] *f. 1* Flauta. Loc. *Petite —,* flautín *m. 2* Barra larga de pan (de pain). *3* Copa (verre). ■ *4 pl.* Piernas. Loc. fam. *Jouer des flûtes,* correr. *5 interj.* ¡Caramba!, ¡caracoles!, ¡mecachis!

flûteau [flyto] *m.* Flauta *f.* de caña.

fluvial, -ale [flyvjal] *adj.* Fluvial.

flux [fly] *m.* Flujo.

focal, -ale [fɔkal] *adj.* Focal.

fœtus [fetys] *m.* Feto.

foi [fwa] *f. 1* Fe. Loc. *Ajouter — à,* dar crédito a. *2* RELIG. Fe. Loc. *N'avoir ni — ni loi,* no tener ni religión ni moral. *3 Ma —,* a fe mía.

foie [fwa] *m.* Hígado.

foin [fwɛ̃] *m.* Heno. Loc. *Rhume des foins,* coriza *f.,* rinitis *f.*

foire [fwaʀ] *f. 1* Feria. *2* fam. Tumulto *m.,* confusión.

fois [fwa] *f. 1* Vez. *2 Il était une —,* ...érase una vez..., había una vez... *3 loc. adv. À la —,* a la vez, al mismo tiempo. *4 loc. conj. Une — que,* en cuanto, desde el momento en que.

foison (à) [fwazɔ̃] *loc. adv.* En abundancia, a porrillo.

folâtre [fɔlɑtʀ(ə)] *adj.* Juguetón, ona, retozón, ona.

folichón, -onne [fɔliʃɔ̃, -ɔn] *adj. 1* fam. Retozón, ona, alegre. *2 Pas —,* nada divertido.

folie [fɔli] *f. 1* Locura. Loc. *— des grandeurs,* manía de grandezas. *2 loc. adv. À la —,* con locura.

folklore [fɔlklɔʀ] *m.* Folklore.

follet, -ette [fɔlɛ, -ɛt] *adj. 1 Feu —,* fuego fatuo. *2 Poil —,* bozo, vello.

fomenter [fɔmɑ̃te] *tr.* Fomentar.

foncé, -ée [fɔ̃se] *adj.* Oscuro, ra.

foncer [fɔ̃se] *adj.* Oscuro, ra.

foncer [fɔ̃se] *tr. 1* Oscurecer (une couleur). ■ *2 intr.* Oscurecer, sombrear (devenir

foncé). *3 — sur,* arremeter contra, abalanzarse sobre. *4* Correr, marchar (aller très vite). ▲ CONJUG. como *lancer.*

foncier, -ière [fɔ̃sje, -jɛʀ] *adj. 1* Relativo, va a los bienes raíces. Loc. *Propriétaire —,* hacendado; *crédit —,* crédito hipotecario. *2* fig. Innato, ta, básico, ca, fundamental.

fonction [fɔ̃ksjɔ̃] *f. 1* Función, empleo *m.,* cargo *m. 2* MATH., CHIM. Función. *3 Être — de,* depender de. *4 loc. prép. En — de,* con arreglo a.

fonctionnel, -elle [fɔ̃ksjɔnɛl] *adj.* Funcional.

fonctionner [fɔ̃ksjɔne] *intr.* Funcionar.

fond [fɔ̃] *m. 1* Fondo. *2* Fondo, culo (d'une bouteille). *3* Profundidad *f.* (hauteur d'eau). *4* Fondillos *pl.* (d'un pantalon). *5 loc. adj. De —,* fundamental, esencial. *6 loc. adv. Au —, dans le —,* en el fondo.

fondamental, ale [fɔ̃damɑ̃tal] *adj.* Fundamental.

fondant, -ante [fɔ̃dɑ̃, -ɑ̃t] *adj. 1* Que se funde, que se deshace. *2* Que se derrite en la boca.

fondation [fɔ̃dɑsjɔ̃] *f. 1* Fundación. ■ *2 pl.* ARCHIT. Cimientos *m.*

fondé de pouvoir [fɔ̃dedpuvwaʀ] *m.* Apoderado.

fondement [fɔ̃dmɑ̃] *m. 1* Fundamento. *2* fam. Ano. ■ *3 pl.* Cimientos (bases).

fonder [fɔ̃de] *tr. 1* Fundar. *2 Être fondé à dire,* estar autorizado para decir. ■ *3 pr. — sur,* fundarse, basarse en.

fondre [fɔ̃dʀ(ə)] *tr. 1* Fundir (un métal, etc.). *2* Derretir (la neige, etc.). *3* Fundir, vaciar (dans un moule). *4* Fundir, mezclar (amalgamer). ■ *5 intr.* Derretirse, deshacerse. Loc. *— en pleurs, en larmes,* prorrumpir en llanto, en lágrimas. ■ *6 pr.* Fundirse, mezclarse (fusionner). ▲ CONJUG. como *rendre.*

fonds [fɔ̃] *m. 1* DR. Heredad *f.,* fundo. *2* COMM. Comercio, establecimiento. Loc. *— de commerce,* negocio, comercio. *3* Fondos *pl.,* capital. ■ *4 pl.* Fondos: *— publics,* fondos públicos.

fontaine [fɔ̃tɛn] *f. 1* Fuente.

fontanelle [fɔ̃tanɛl] *f.* Fontanela.

fonte [fɔ̃t] *f. 1* Fundición (fusion). *2* Derretimiento *m.* (d'un métal, etc.). *3* Deshielo *m.* (des glaces). *4* Vaciado *m.* fundición (d'une cloche, d'une statue). *5* Fundición, hierro *m.* colado (alliage fer et carbone). *6* Pistolera (de l'arçon d'une selle).

fonts [fɔ̃] *m. pl. — baptismaux,* fuente *f.*

sing. bautismal, pila *f. sing.* bautismal.

for [fɔʀ] *m.* Fuero: *dans mon — intérieur,* en mi fuero interno.

forage [fɔʀaʒ] *m.* Perforación *f.,* horadamiento.

forain, -aine [fɔʀɛ̃, -ɛn] *adj. 1* De la feria. *2 Fête foraine,* feria, verbena; *marchand —,* feriante. ■ *3 m.* Feriante.

forçat [fɔʀsa] *m.* Forzado, presidiario.

force [fɔʀs(ə)] *f. 1* Fuerza. Loc. — *majeure,* fuerza mayor. *2* Fuerza, valor *m.,* energía: *— morale,* fuerza moral. *3* Fuerza, resistencia, solidez. *4* ELÉCTR. Fuerza. *5 loc. prép. À — de,* a fuerza de. *6 loc. adv. De —,* a la fuerza; *de vive —,* a viva fuerza; *de gré ou de —,* por las buenas o por las malas. ■ *7 adv.* Mucho, cha: *— moqueries,* muchas burlas.

forcé, -ée [fɔʀse] *adj. 1* Forzado, da: *un rire —,* una risa forzada. *2* Forzoso, sa (inévitable, obligatoire).

forcené, -ée [fɔʀsəne] *adj.-s. 1* Furioso, sa. *2* Loco, ca (fou).

forcer [fɔʀse] *tr. 1* Forzar (faire céder). *2* Forzar, obligar: *forcé à, de,* obligado a. *3* Fatigar (un animal). *4* Forzar (la voix). *5* Aumentar, exagerar. *6* Falsear (une serrure). ■ *7 intr.* Hacer un gran esfuerzo. ■ *8 pr.* Esforzarse. ▲ CONJUG. como *lancer.*

forer [fɔʀe] *tr.* Horadar, taladrar.

forestier, -ière [fɔʀestje, -jɛʀ] *adj. 1* Forestal. ■ *2 m.* Guardabosque.

foret [fɔʀe] *m.* Barrena *f.,* taladro.

forêt [fɔʀe] *f. 1* Bosque *m. 2* Selva.

forfait [fɔʀfe] *m. 1* Crimen, fechoría *f. 2* Destajo, tanto alzado: *travailler à —,* trabajar a destajo.

forfanterie [fɔʀfɑ̃tʀi] *f.* Fanfarronada, baladronada.

forge [fɔʀʒ(ə)] *f. 1* Herrería, forja. *2* Fragua (fourneau).

forger [fɔʀʒe] *tr. 1* Forjar, fraguar: *fer forgé,* hierro forjado. *2* fig. Forjar, inventar. ▲ CONJUG. como *engager.*

forgeron [fɔʀʒəʀɔ̃] *m.* Herrero.

forgeur [fɔʀʒœʀ] *m.* Forjador.

formalisme [fɔʀmalism(ə)] *m.* Formalismo.

formalité [fɔʀmalite] *f.* Formalidad, requisito *m.,* trámite *m.*

format [fɔʀma] *m.* Formato, tamaño.

formation [fɔʀmasjɔ̃] *f. 1* Formación. *2* SPORTS. Alineación.

forme [fɔʀm(ə)] *f. 1* Forma. *2* Horma (pour les chaussures, chapeaux). *3* Encella (pour le fromage). *4 loc. adv. En bonne —, en bonne et due —,* en debida forma; *pour la —,* por fórmula.

formel, -elle [fɔʀmɛl] *adj.* Formal.

former [fɔʀme] *tr. 1* Formar. *2* Instruir, formar, cultivar. *3* Formar, constituir, componer (composer). *4 — des vœux pour,* hacer, formular votos por. ■ *5 pr.* Formarse. *6* MIL. Formarse. *7* Formarse, instruirse, cultivarse.

formidable [fɔʀmidabl(ə)] *adj.* Formidable.

formulaire [fɔʀmylɛʀ] *m.* Formulario.

formuler [fɔʀmyle] *tr.* Formular.

forniquer [fɔʀnike] *intr.* Fornicar.

fort [fɔʀ] *adv. 1* Muy, mucho: *—joli,* muy bonito; *— à faire,* mucho que hacer. *2* Fuerte, fuertemente; *parler —,* hablar fuerte. *3* fam. *Y aller —,* exagerar.

fort, forte [fɔʀ, fɔʀt(ə)] *adj. 1* Fuerte, robusto. *2* Grueso, sa, corpulento, ta. *3* Versado, entendido, da. Loc. *Être — en,* saber mucho de, estar empollado en. *4* Fuerte: *— en mathématiques,* fuerte en matemáticas. *5* Fuerte, fortificado, da: *une place forte,* una plaza fuerte. *6* Fuerte: *lumière forte,* luz fuerte. *7* Excesivo, va, exagerado, da. *8* Poderoso, sa influyente.

fort [fɔʀ] *m. 1* Fuerte. *2* MIL. Fuerte (forteresse).

forteresse [fɔʀtəʀɛs] *f.* MIL. Fortaleza.

fortifier [fɔʀtifje] *tr. 1* Fortificar. *2* Fortalecer. ▲ CONJUG. como *prier.*

fortuit, -ite [fɔʀtɥi, -ɥit] *adj.* Fortuito, ta.

fortune [fɔʀtyn] *f. 1* Fortuna, caudal *m.,* capital *m. 2* Fortuna, suerte: *tenter —,* probar fortuna.

fosse [fos] *f. 1* Hoyo *m.,* fosa. Loc. — *d'aisances,* letrina. *2* Fosa, hoyo *m.* (sépulture): *— commune,* fosa común.

fossé [fose] *m. 1* FORT. Foso, zanja *f. 2* Cuneta *f.* (au bord d'une route).

fossile [fo(ɔ)sil] *adj.-m.* Fósil.

fossoyeur [fo(ɔ)swajœʀ] *m.* Sepulturero.

fou (ou fol), **folle** [fu, fɔl] *adj. 1* Loco, ca. *2 Être — de,* estar loco por. *3* TECHN. Loco, ca (machine, poulie, etc.). *4* Enorme, extraordinario, ria. Loc. *Dépenser un argent —,* gastar una locura; *un monde —,* un montón de gente. ■ *5 s.* Loco, ca. Loc. *La folle du logis,* la imaginación; *faire le —,* hacer locuras. ■ *6 m.* Bufón. *7* Alfil (jeu d'échecs). *8* Planga *f.* (oiseau). ▲ *Fol* se emplea cuando precede a un sustantivo singular que comienza por vocal o *h* muda: *fol espoir.*

fouailler [fwaje] *tr.* Azotar, fustigar.

foudre [fudʀ(ə)] *f. 1* Rayo *m. 2 Coup de —,* flechazo *m.* (amour soudain). ■ *3 m.* Tonel grande, cuba *f.* (tonneau).

foudroyant, -ante [fudʀwajɑ̃, -ɑ̃t] *adj.* Fulminante.

fouet [fwɛ] *m.* *1* Látigo. Loc. *Donner le —*, azotar. *2 Coup de —*, latigazo. *3* CUIS: Batidor.

fouetter [fwete] *tr.* *1* Azotar. *2* CUIS. Batir (la crème, les œufs). *3* fig. Excitar, fustigar.

fougère [fuʒɛʀ] *f.* Helecho *m.*

fougueux, -euse [fugø, -øz] *adj.* Fogoso, sa.

fouiller [fuje] *tr.* *1* Excavar, hacer excavaciones en (un terrain). *2* Registrar, cachear (une personne). *3* Detallar. ■ *4* *intr.* Registrar, rebuscar (chercher). *5* Escudriñar, indagar.

fouillis [fuji] *m.* Desbarajuste, confusión *f.*, revoltijo.

fouinard, -arde [fwinaʀ, -aʀd(ə)] *adj.-s.* fam. Fisgón, ona.

fouir [fwiʀ] *tr.* Escarbar, cavar.

foulard [fulaʀ] *m.* *1* Pañuelo para el cuello. *2* Fular (étoffe).

foule [ful] *f.* *1* Muchedumbre, gentío *m.*, multitud. *2* Vulgo *m.*, masa, plebe (la masse). *3 Une — de*, una gran cantidad de, una infinidad de, la mar de. *4 En —*, en masa, en tropel.

fouler [fule] *tr.* *1* Pisar, hollar. Loc. *— aux pieds*, hollar, pisotear. *2* TECHN. Enfurtir (le drap). *3* Pisar (le raisin). ■ *4 pr. Se — la cheville*, torcerse el tobillo, hacerse un esguince.

foulure [fulyʀ] *f.* Torcedura, esguince *m.*

four [fuʀ] *m.* *1.* Horno: *— de boulanger*, horno de panadero. *2* Fracaso, fiasco (échec). *3 Petits fours*, pastas *f.*

fourberie [fuʀbəʀi] *f.* Bribonada, picardía.

fourbi [fuʀbi] *m.* *1* fam. Trastos *pl.* *2* Chisme (objet).

fourbir [fuʀbiʀ] *tr.* Acicalar, bruñir.

fourbu, -ue [fuʀby] *adj.* Rendido, da, extenuado, da (personnes).

fourche [fuʀʃ(ə)] *f.* *1* Horca. *2* Horquilla (bicyclette).

fourcher [fuʀʃe] *intr.* *La langue lui a fourché*, se le ha trabado la lengua.

fourchette [fuʀʃɛt] *f.* *1* Tenedor *m.* *2* MÉCH. Horquilla. *3* Espoleta (d'oiseau).

fourchu, -ue [fuʀʃy] *adj.* Hendido, da.

fourgon [fuʀgɔ̃] *m.* Furgón.

fourmi [fuʀmi] *f.* *1* Hormiga. *2 Avoir des fourmis*, tener hormigueo.

fourmiller [fuʀmije] *intr.* *1* Hormiguear. *2* Abundar. *3 — de*, abundar en, estar lleno, na de.

fourneau [fuʀno] *m.* *1* Horno: *haut —*,

alto horno. *2* Hornillo, fogón (de cuisine). *3* Cazoleta *f.* (de la pipe).

fourni, ie [fuʀni] *adj.* *1* Provisto, ta. *2* Espeso, sa, tupido, da.

fournil [fuʀni] *m.* Amasadero, horno.

fournir [fuʀniʀ] *tr.* *1* Abastecer, proveer, suministrar (approvisionner). *2* Proporcionar (procurer), facilitar, dar. *3 — un effort*, hacer un esfuerzo. ■ *4 intr.* Abastecer. ■ *5 pr.* Proveerse.

fourniture [fuʀnityʀ] *f.* *1* Provisión, suministro *m.* *2* Accesorio *m.*

fourrage [fuʀaʒ] *m.* Forraje.

fourrager [fuʀaʒe] *intr.* Hurgar. ▲ CONJUG. como *engager*.

fourragère [fuʀaʒɛʀ] *f.* *1* Campo *m.* de forraje. *2* Carro *m.* de forraje (charrette). *3* MIL. Forrajera.

fourré, -ée [fuʀe] *adj.* *1* Relleno, na (gâteau, bonbon). ■ *2 m.* Maleza *f.*, espesura *f.*

fourreau [fuʀo] *m.* *1* Vaina *f.* (d'une épée). *2* Funda *f.* (d'un parapluie).

fourrer [fuʀe] *tr.* *1* Forrar (de fourrure). *2* fam. Meter, introducir (introduire), meter (mettre). ■ *3 pr.* Meterse.

fourreur [fuʀœʀ] *m.* Peletero.

fourrière [fuʀjɛʀ] *f.* *1* Depósito *m.* (pour les animaux, véhicules). *2* Perrera.

fourrure [fuʀyʀ] *f.* *1* Piel: *manteau de —*, abrigo de pieles. *2* Forro *m.* de piel (doublure). *3* Pelaje *m.* (pelage).

foyer [fwaje] *m.* *1* Hogar. *2* GÉOM., OPT. Foco. *3* Hogar (maison, centre). *4* THÉÂT. Sala *f.* de descanso.

fracas [fʀaka] *m.* Estrépito.

fracasser [fʀakase] *tr.* Romper con estrépito.

fractionner [fʀaksjɔne] *tr.* Fraccionar.

fracturer [fʀaktyʀe] *tr.* Fracturar.

fragile [fʀaʒil] *adj.* Frágil.

fragment [fʀagmɑ̃] *m.* Fragmento.

fragmenter [fʀagmɑ̃te] *tr.* Fragmentar.

frai [fʀɛ] *m.* Freza *f.*, desove.

fraîcheur [fʀeʃœʀ] *f.* *1* Frescura, frescor *m.* *2* Frescura, lozanía (de ce qui respire la santé).

fraîchir [fʀeʃiʀ] *intr.* Refrescar.

frais, fraîche [fʀɛ, fʀeʃ] *adj.* *1* Fresco, ca. *2* Frío, a (accueil). *3* Reciente, fresco, ca (récent). *4* Fresco, ca (poisson, œufs). *5* Tierno, na, reciente (pain). *6* Fresco, ca, lozano, na (teint, etc.). *7* fam. *Nous voilà —!*, ¡estamos frescos! ■ *8 m.* Fresco: *prendre le —*, tomar el fresco. ■ *9 adv.* Recién: *fleur fraîche cueillie*, flor recién cogida. *10 Il fait —*, hace fresco.

frais [fʀɛ] *m. pl.* *1* Gastos. *2* Loc. *À grands —*, costosamente, con grandes gastos;

au — de quelqu'un, a expensas de, a costa de alguien. ***en être pour ses —***, haber perdido el tiempo; ***faux —***, gastos imprevistos.

fraise [fʀɛz] *f. 1* Fresa. *2* Fresón *m.* (de grosse taille). *3* Gorguera (collerette). *4* TECHN. Fresa, avellanador *m. 5* Fresa (de dentista). ■ *6 adj.* Fresa (couleur).

fraiseuse [fʀɛzøz] *f.* Fresadora.

fraisier [fʀɛzje] *m.* Fresa *f.*, fresera *f.*

framboise [fʀãbwaz] *f.* Frambuesa.

franc, franche [fʀã, fʀãʃ] *adj. 1* Franco, ca. *2* Franco, ca: ***— de port***, franco de porte. *3* Franco, ca, sincero, ra, leal. *4* Verdadero, ra, completo, ta. ■ *5 adv.* Francamente.

franc [fʀã] *m.* Franco (monnaie).

franc, franque [fʀã, fʀãk] *adj.-s.* Franco, ca.

français, -aise [fʀãsɛ, -ɛz] *adj.-s.* Francés, esa: ***les Français***, los franceses.

franchir [fʀãʃiʀ] *tr. 1* Atravesar, pasar, cruzar. *2* Salvar (un obstacle). *3* fig. Salvar, vencer, superar (une difficulté).

franchise [fʀãʃiz] *f. 1* Franqueza. *2* Franquicia: ***— postale***, franquicia postal.

franciscain, -aine [fʀãsiskɛ̃, -ɛn] *s.* Franciscano, na.

franc-maçonnerie [fʀãmasɔnʀi] *f.* Franc-masonería, masonería.

franc-tireur [fʀãtiʀœʀ] *m.* Guerrillero, francotirador.

frange [fʀãʒ] *f. 1* Franja, fleco *m. 2* Flequillo *m.* (coiffure).

franquete [fʀãkɛt] *f. À la bonne —*, a la pata la llana, sencillamente.

frappant, -ante [fʀapã, -ãt] *adj. 1* Sorprendente. *2* Evidente.

frappe [fʀap] *f. 1* Acuñación (d'une monnaie). *2* Tecleo *m.* (dactylographie). *3* ***Force de —***, poder *m.* disuasivo.

frapper [fʀape] *tr. 1* Golpear. *2* Golpear, pegar (battre). *3* Acuñar (monnaie). *4* Enfriar, helar (le champagne). *5* Alcanzar, llegar (atteindre). *6* Impresionar, sorprender. *7* Llamar la atención. ■ *8 intr.* Llamar (à une porte). ■ *9 pr.* fig. Inquietarse, preocuparse.

frasque [fʀask(ə)] *f.* Travesura, calaverada.

fraternel, -elle [fʀatɛʀnɛl] *adj.* Fraternal.

fraternité [fʀatɛʀnite] *f.* Fraternidad.

fratricide [fʀatʀisid] *adj.-s. 1* Fratricida. ■ *2 m.* Fratricidio.

frauder [fʀode] *tr. 1* Defraudar. ■ *2 intr.* Cometer fraudes.

frauduleux, -euse [fʀodylø, -øz] *adj.* Fraudulento, ta.

frayer [fʀeje] *tr. 1* Abrir (un chemin). ■ *2 intr.* Mantener buenas relaciones, tratar. ■ *3 pr. Se — un chemin*, abrirse paso, camino.

frayeur [fʀejœʀ] *f.* Pavor *m.*, espanto *m.*, terror *m.*

fredonner [fʀədɔne] *tr.* Canturrear, tararear.

frégate [fʀegat] *f. 1* Fragata. *2* Rabilhorcado *m.*, fragata (oiseau).

frein [fʀɛ̃] *m. 1* Freno. *2* ANAT. Frenillo.

freiner [fʀene] *intr.-tr.* Frenar.

frelater [fʀəlate] *tr.* Adulterar, alterar.

frêle [fʀɛl] *adj.* Frágil, endeble.

frelon [fʀəlɔ̃] *m.* Avispón.

frémir [fʀemiʀ] *intr.* Estremecerse, temblar.

frémissant, -ante [fʀemisã, -ãt] *adj.* Trémulo, la, tembloroso, sa.

frêne [fʀɛn] *m.* Fresno.

frénésie [fʀenezi] *f.* Frenesí *m.*

frénétique [fʀenetik] *adj.* Frenético, ca.

fréquent, -ente [fʀekã, -ãt] *adj.* Frecuente.

fréquenter [fʀekãte] *tr. 1* Frecuentar. *2* Tratar, relacionarse con (quelqu'un).

frère [fʀɛʀ] *m. 1* Hermano. *2* Hermano, religioso, fraile.

fresque [fʀɛsk(ə)] *f.* PEINT. Fresco *m.*

fressure [fʀesyʀ] *f.* Asadura.

fréter [fʀete] *tr. 1* Fletar. *2* Alquilar (un véhicule). ▲ CONJUG. como *abréger*.

frétillant, -ante [fʀetijã, -ãt] *adj.* Bullicioso, sa, vivaracho, cha.

fretin [fʀətɛ̃] *m.* Morralla *f.*

freux [fʀø] *m.* Grajo.

friable [fʀijabl(ə)] *adj.* Friable.

friand, -ande [fʀijã, -ãd] *adj. Être — de*, ser muy aficionado, da a.

friandise [fʀijãdiz] *f.* Golosina.

fricassée [fʀikase] *f.* Fricasé *m.*, pepitoria (volaille).

friche [fʀiʃ] *f. 1* Erial *m. 2* loc. adv. ***En —***, sin cultivo, yermo, ma.

fricot [fʀiko] *m.* fam. Guisado, guiso.

fricoter [fʀikɔte] *tr. 1* fam. Tramar. ■ *2 intr.* fam. Trapichear, andar en trapicheos, en tejemanejes.

frictionner [fʀiksjɔne] *tr.* Friccionar.

frigide [fʀiʒid] *adj.* Frígido, da.

frigorifique [fʀigɔʀifik] *adj.* Frigorífico, ca.

frileux, -euse [fʀilø, -øz] *adj.* Friolero, ra.

frimas [fʀima] *m.* Escarcha *f.*

frime [fʀim] *f.* fam. Apariencia, pamema.

frimousse [fʀimus] *f.* fam. Carita, cara.

fringant, -ante [fʀɛ̃gã, -ãt] *adj. 1* Vivaracho, cha. *2* Fogoso, sa, vivo, va (cheval).

friper [fʀipe] *tr. 1* Arrugar, ajar (un vête-ment). *2* Arrugar (rider).

friperie [fʀipʀi] *f. 1* Prendería, trapería, ropavejería. *2* Trapos *m. pl.* viejos (vieux habits).

fripier, -ière [fʀipje, -jɛʀ] *s.* Prendero, ra, ropavejero, ra.

fripon, -onne [fʀipɔ̃, -ɔn] *adj.-s.* Bribón, ona, pillo, lla.

fripouille [fʀipuj] *f.* pop. Canalla *m.*, granuja *m.*

frire [fʀiʀ] *tr. 1* Freír. ■ *2 intr.* Freírse. ▲ CONJUG. IRRÉG. Ús. sólo en las formas siguientes: INDIC. Pres.: *je fris, tu fris, il frit.* Fut. imperf.: *je frirai*, etc. POT.: *je frirais*, etc. IMPER.: *fris.* PART. P.: *frit, frite.* Los tiempos restantes se expresan mediante una oración de verbo *faire* o una perífrasis: *il faisait — le poisson*, él freía el pescado; *le poisson était en train de frire*, el pescado se freía.

frise [fʀiz] *f. 1* ARCHIT. Friso *m. 2* Frisa (tissu). ■ *3 m.* Cheval de —, caballo de frisa.

friser [fʀize] *tr. 1* Rizar (boucler). *2* Rozar, rasar (effleurer). *3* Frisar en, rayar en, acercarse a: *il frise la quarantaine*, se acerca a los cuarenta años. ■ *4 intr.* Rizarse.

frisson [fʀisɔ̃] *m.* Escalofrío, estremecimiento.

frissonnement [fʀisɔnmã] *m.* Estremecimiento, temblor.

frit, -ite [fʀi, fʀit] *adj.* Frito, ta.

frivolité [fʀivɔlite] *f.* Frivolidad.

froc [fʀɔk] *m. 1* pop. Pantalón. *2 Jeter le — aux orties*, colgar los hábitos.

froid, froide [fʀwa, fʀwad] *adj. 1* Frío, a. *2 loc. adv.* À —, en frío. ■ *3 m.* Frío: *il fait très —*, hace mucho frío. *4* Frialdad *f.*, indiferencia.

froideur [fʀwadœʀ] *f.* Frialdad.

froisser [fʀwase] *tr. 1* Arrugar, chafar. *2* Magullar, lastimar (meurtrir). *3* fig. Herir, ofender. ■ *4 pr.* Arrugarse, chafarse. *5* fig. Ofenderse.

frôler [fʀole] *tr.* Rozar ligeramente.

fromage [fʀɔmaʒ] *m.* Queso.

fromagerie [fʀɔmaʒʀi] *f.* Quesería.

froment [fʀɔmã] *m.* Trigo candeal.

froncer [fʀɔ̃se] *tr.* Fruncir. ▲ CONJUG. como *lancer.*

frondaisons [fʀɔ̃dɛʒɔ̃] *f. pl.* Frondosidad *sing.*, fronda *sing.*

fronde [fʀɔ̃d] *f.* Honda (arme).

fronder [fʀɔ̃de] *tr.* Criticar, censurar.

front [fʀɔ̃] *m. 1* Frente *f.* (partie du visage). *2 Avoir le — de*, tener el descaro de. *3* Frente, fachada *f.* Loc. *Faire —*,

hacer frente, arrostrar. *4 loc. adv. De —*, de frente, a la vez, al mismo tiempo.

frontière [fʀɔ̃tjɛʀ] *f. 1* Frontera. ■ *2 adj.* Fronterizo, za.

frontispice [fʀɔ̃tispis] *m.* Frontispicio.

fronton [fʀɔ̃tɔ̃] *m.* Frontón.

frottement [fʀɔtmã] *m. 1* Frotamiento, frote. *2* Roce. *3* MÉC. Rozamiento. *4* fig. Fricción *f.*

frotter [fʀɔte] *tr. 1* Frotar, restregar. *2* Encerar, lustrar (le parquet). *3 — ses yeux*, restregarse los ojos. ■ *4 intr.* Rozar. ■ *5 pr.* Frotarse.

frousse [fʀus] *f.* pop. Canguelo *m.*, miedítis.

fructifier [fʀyktifje] *intr.* Fructificar. ▲ CONJUG. como *prier.*

frugal, -ale [fʀygal] *adj.* Frugal.

fruit [fʀɥi] *m. 1* Fruto: *les fruits de la terre*, los frutos de la tierra. Loc. *Fruits de mer*, mariscos. *2* Fruta *f.: la prune est un —*, la ciruela es una fruta. *3 Le — défendu*, el fruto prohibido. *4* fig. Fruto: *le — d'une union*, el fruto de una unión; *travailler avec —*, trabajar con fruto. ■ *5 pl.* Frutos, rentas *f.*

fruiterie [fʀɥitʀi] *f.* Frutería.

fruitier, -ière [fʀɥitje, -jɛʀ] *adj. 1* Frutal: *arbres fruitiers*, árboles frutales. ■ *2 s.* Frutero, ra (marchand). ■ *3 m.* Frutero.

frusques [fʀysk(ə)] *f. pl.* pop. Ropa *sing.* vieja, pingos *m.*

fruste [fʀyst(ə)] *adj. 1* Gastado, da, usado, da (médaille, sculpture). *2* Zafio, ia (grossier).

frustration [fʀystʀasjɔ̃] *f.* Frustración, defraudación.

fuchsia [fyʃja] *m.* Fúcsia *f.*

fugace [fygas] *adj.* Fugaz.

fugitif, -ive [fyʒitif, -iv] *adj.-s.* Fugitivo, va.

fugue [fyg] *f. 1* Fuga, escapada. *2* MUS. Fuga.

fuir [fɥiʀ] *intr. 1* Huir. *2* Salirse (un récipient). ■ *3 tr.* Huir, evitar, esquivar, rehuir: *il fuit les importuns*, rehúye a los importunos. ▲ CONJUG. IRREG. IN-DIC. Pres.: *je fuis, tu fuis, il fuit, nous fuyons, vous fuyez, ils fuient.* Imperf.: *je fuyais*, etc. Pret. indef.: *je fuis, tu fuis, il fuit, nous fuîmes, vous fuîtes, ils fuirent* Fut. imperf.: *je fuirai*, etc. POT.: *je fuirais*, etc. SUBJ. Pres.: *que je fuie*, etc., *que nous fuyions*, etc. Imperf.: *que je fuisse*, etc., *que nous fuissions*, etc. IM-PER.: *fuis, fuyons, fuyez.* PART. A.: *fuyant.* PART. A.: *fui, fuie.*

fuite [fɥit] *f. 1* Huida, fuga. *2* Escape *m.*
(d'un gaz, d'un liquide). *3* Agujero *m.*
(trou), hendedura (fissure).

fulgurant, -ante [fylgyʀɑ̃, -ɑ̃t] *adj.* Fulgurante.

fulgurer [fylgyʀe] *intr.* Fulgurar.

fulminant, -ante [fylminɑ̃, -ɑ̃t] *adj.* Fulminante.

fulminer [fylmine] *intr. 1* CHIM. Estallar. *2*
Prorrumpir en amenazas. ■ *3 tr.* Fulminar.

fumant, -ante [fymɑ̃, -ɑ̃t] *dj. 1* Humeante.
2 fam. Sensacional.

fume-cigare [fymsigaʀ], **fume-cigarette**
[fymsigaʀɛt] *m. invar.* Boquilla *f.*

fumée [fyme] *f. 1* Humo *m.* ■ *2 pl.* Vapores *m.* (du vin).

fumer [fyme] *intr. 1* Humear, echar humo.
2 Fumar: *défense de* —, prohibido fumar. ■ *3 tr.* Fumar: — *une cigarette*, fumar un cigarrillo. *4* Ahumar (les aliments). *5* AGR. Abonar, estercolar.

fumerolle [fymʀɔl] *f.* Fumarola.

fumet [fyme] *m. 1* Olorcillo (des viandes).
2 Aroma (du vin). *3* Olor (du gibier).

fumeux, -euse [fymø, -øz] *adj. 1* Humoso,
sa. *2* fig. Nebuloso, sa, confuso, sa.

fumier [fymje] *m. 1* Estiércol. *2* pop. Canalla, sinvergüenza.

funèbre [fynɛbʀ(ə)] *adj.* Fúnebre.

funérailles [fyneʀɑj] *f. pl.* Funeral *m.*
sing., funerales *m.*

funéraire [fyneʀɛʀ] *adj.* Funerario, ria,
mortuorio, ria.

funeste [fynɛst(ə)] *adj.* Funesto, ta.

funiculaire [fynikylɛʀ] *m.* Funicular.

fur [fyʀ] *m. Au — et à mesure*, sucesivamente, inmediatamente después; *au —
et à mesure que*, a medida que, conforme.

furet [fyʀɛ] *m. 1* Hurón. *2* Anillo, sortija *f.*
(jeu).

fureter [fyʀte] *intr. 1* Huronear. *2* fig. Hu-

ronear, fisgonear, husmear. ▲ CONJUG.
como *jeter.*

fureur [fyʀœʀ] *f. 1* Furor *m. 2* Afición des-
medida, pasión.

furibond, -onde [fyʀibõ, -õd] *adj.* Furi-
bundo, da.

furieux, -euse [fyʀjø, -øz] *adj.* Furioso, sa.

furoncle [fyʀõkl(ə)] *m.* Furúnculo.

furtif, -ive [fyʀtif, -iv] *adj.* Furtivo, va.

fusain [fyzɛ̃] *m. 1* Bonetero (abrisseau). *2*
Carboncillo (pour dessiner). *3* Dibujo al
carbón (dessin).

fuseau [fyzo] *m. 1* Huso. *2* Bolillo (pour
dentelle).

fusée [fyze] *f. 1* Cohete *m.:* — *spatiale*,
cohete espacial. *2* MIL. Espoleta (d'obus).

fuselage [fyzlaʒ] *m.* Fuselaje.

fuselé, -ée [fyzle] *adj.* Ahusado, da.

fuser [fyze] *intr. 1* Derretirse (une bougie). *2*
Brotar, surgir (jaillir).

fusible [fyzibl(ə)] *adj.-m.* Fusible.

fusil [fyzi] *m. 1* Fusil. *2* Escopeta *f.* (pour la
chasse). *3* Chaira *f.*, afilón (pour aiguiser).

fusillade [fyzijad] *f. 1* Tiroteo *m. 2* Fusila-
miento *m.* (pour exécuter).

fusiller [fyzije] *tr.* Fusilar.

fusionner [fyzjone] *tr.* Fusionar.

fustiger [fystiʒe] *tr.* Fustigar. ▲ CONJUG.
como *engager.*

fût [fy] *m. 1* Tronco (d'arbre). *2* ARCHIT.
Fuste, caña *f. 3* Caja *f.* (d'une arme à
feu). *4* Tonel (tonneau).

futaie [fytɛ] *f.* Oquedal *m.*, monte *m.*
alto.

futaille [fytɑj] *f.* Tonel *m.*, barrica.

futé, -ée [fyte] *adj.* fam. Listo, ta, astuto, ta.

futur, -ure [fytyʀ] *adj. 1* Futuro, ra. ■ *2 m.*
Futuro. *3* GRAM. Futuro.

fuyant, -ante [fɥijɑ̃, -ɑ̃t] *adj. 1* Que huye,
huidizo, za. *2 Front* —, frente deprimida.

fuyard, -arde [fɥijaʀ, -aʀd(ə)] *s.* Fugitivo,
va, soldado que huye ante el enemigo.

G

g [ʒe] *m.* G *f.*

gabardine [fabaʀdin] *f.* Gabardina.

gabelle [gabɛl] *f.* Gabela.

gabelou [gablu] *m.* péj. Aduanero.

gâcher [gɑʃe] *tr. 1* CONSTR. Argamasar. *2* fig. Malgastar, echar a perder, estropear. *3* fig. Malograr.

gâchette [gɑ(a)ʃɛt] *f. 1* Gacheta (de la serrure). *2* Gatillo *m.* (arme à feu).

gâcheur, -euse [gɑʃœʀ, -øz] *s. 1* Chapucero, ra, chafallón, ona. ■ *2 m.* CONSTR. Amasador.

gaffe [gaf] *f. 1* fam. Plancha, coladura, metedura de pata. ■ *2* MAR. Bichero *m.*

gaffer [gafe] *intr.* fam. Meter la pata, tirarse una plancha.

gaga [gaga] *adj.* fam. Chocho, cha.

gage [gaʒ] *m. 1* Prenda *f.* Loc. *Laisser en* —, dejar en prenda: *mettre en* —, empeñar; *prêter sur gages*, prestar con fianza. *2* Prueba *f.* (preuve). ■ *3 pl.* Salario *sing.*, sueldo *sing.*: *être aux gages de*, estar a sueldo de.

gager [gaʒe] *tr.* Apostar: *je gage que*, apuesto que. ▲ CONJUG. como *engager*.

gagnant, -ante [gaɲɑ̃, -ɑ̃t] *adj.-s. 1* Ganador, ra, ganancioso, sa (au jeu). *2* Agraciado, da, premiado, da (à la loterie).

gagne-pain [gaɲpɛ̃] *m. invar.* Sostén, medio de subsistencia.

gagner [gaɲe] *tr. 1* Ganar: — *au jeu*, ganar en el juego. *2* Ganarse: — *son pain*, ganarse el pan. *3* Alcanzar: — *la côte en nageant*, alcanzar la costa nadando. *4* Dirigirse: *bateau qui gagne le port*, barco que se dirige hacia el puerto. *5* Merecerse, granjearse (la sympathie, etc.). ■ *intr. 6* Extenderse, propagarse (se propager).

gai, gaie [gɛ] *adj.* Alegre.

gaieté [gete] *f.* Alegría. loc. adv. *De — de cœur*, de propósito, a sabiendas.

gaillardise [gajaʀdiz] *f. 1* Gallardía, de-

senfado *m.* 2 Desvergüenza, chocarrería (propos).

gain [gɛ̃] *m. 1* Ganancia *f.* 2 *Avoir — de cause*, tener el pleito ganado (procès), salirse con la suya (dans une discussion).

gaine [gɛn] *f. 1* Vaina, funda. 2 Faja (sous-vêtement). *3* BOT. Vaina.

gala [gala] *m. 1* Gala *f.: habit de* —, traje de gala. *2 Soirée de* —, fiesta de etiqueta.

galant, -ante [galɑ̃, ɑ̃t] *adj. 1* Galante. *2* Correcto, ta, caballeroso, sa. ■ *3 m.* Galán. *4 Un vert* —, un viejo verde.

galanterie [galɑ̃tʀi] *f. 1* Galantería. *2* Galanteo *m. 3* Finura, cortesía (courtoisie). *4* Requiebro *m.* (propos galant).

galaxie [galaksi] *f.* ASTRON. Galaxia.

galbe [galb(ə)] *m.* Silueta *f.*, contorno.

gale [gal] *f.* Sarna, roña.

galéjade [galeʒad] *f.* Broma.

galère [galɛʀ] *f.* MAR. Galera.

galerie [galʀi] *f. 1* Galería. *2* fam. Galería, público *m.: parler pour la* —, hablar para la galería. *3* Baca, portaequipajes *m.* (d'une auto).

galet [galɛ] *m. 1* Guijarro, guija *f. 2* MÉC. Rodillo.

galetas [galtɑ] *m. 1* Buhardilla *f.* (mansarde). *2* Tugurio, cuchitril (taudis).

galette [galɛt] *f. 1* Torta. *2 — des Rois*, roscón *m.* de Reyes. *3* MAR. Galleta. *4* fam. Guita, parné *m.* (argent).

galeux, -euse [galø, -øz] *adj.-s.* Sarnoso, sa.

galimatias [galimatja] *m.* Galimatías.

galion [galjɔ̃] *m.* Galeón.

galle [gal] *f.* BOT. Agalla.

gallicisme [gal(l)isism(ə)] *m.* Galicismo.

galoche [galɔʃ] *f.* Galocha, zueco *m.*

galon [galɔ̃] *m.* Galón.

galonner [galɔne] *tr.* Galonear, ribetear.

galop [galo] *m. 1* Galope: *au* —, a galope. *2* Galop (danse).

galopant, -ante [galɔpɑ̃. -ɑ̃t] adj. Galopante.
galoper [galɔpe] intr. Galopar.
galopin [galɔpɛ̃] m. Galopín, pilluelo.
galvaniser [galvanize] tr. Galvanizar.
galvauder [galvode] tr. 1 Mancillar, deshonrar (déshonorer). 2 Estropear, echar a perder (gâcher).
gambade [gɑ̃bad] f. Brinco m., cabriola.
gambader [gɑ̃bade] intr. Brincar.
gamelle [gamɛl] f. Fiambrera, tartera.
gamin, -ine [gamɛ. in] s. 1 Golfillo, lla. 2 Chiquillo, lla (enfant). ■ 3 adj. Travieso, sa.
gamme [gam] f. Gama, escala.
gammée [game] adj. f. Croix —, cruz gamada.
ganache [ganaʃ] f. 1 Barbada (du cheval). 2 fam. Zoquete m., estúpido m.
gandin [gɑ̃dɛ̃] m. Pisaverde, gomoso.
ganglion [gɑ̃glijɔ̃] m. Ganglio.
gangrène [gɑ̃gʀɛn] f. Gangrena.
ganse [gɑ̃s] f. Cordón m., trencilla, presilla.
gant [gɑ̃] m. 1 Guante. 2 — de toilette, manopla f.
gantelet [gɑ̃tlɛ] m. Guantelete, manopla f.
ganter [gɑ̃te] tr. 1 Enguantar. ■ 2 pr. Ponerse los guantes.
garage [gaʀaʒ] m. 1 Garaje. 2 Voie de —, apartadero m., vía muerta (chemin de fer).
garance [gaʀɑ̃s] f. 1 Granza, rubia (plante). ■ 2 adj. Grancé.
garant, -ante [gaʀɑ̃. -ɑ̃t] adj.-s. 1 Fiador, ra: se porter —, salir fiador. ■ 2 m. Garantía f.
garantir [gaʀɑ̃tiʀ] tr. 1 Garantizar. 2 Preservar, resguardar. ■ 3 pr. Protegerse.
garce [gaʀs(ə)] f. 1 pop. Mujerzuela, ramera. 2 fam. Perra, maldita: — de fièvre!, ¡maldita fiebre!
garçon [gaʀsɔ̃] m. 1 Muchacho, chico, niño. Loc. Beau —, buen mozo; — d'honneur, joven que acompaña al novio en una boda; petit —, niño. 2 Hijo varón (fils). 3 Soltero (célibataire). Loc. fam. Vieux —, solterón. 4 Mozo: — d'hôtel, mozo de hotel. Loc. — de café, camarero; — épicier, dependiente de una tienda de comestibles; — de courses, recadero, mandadero; — de recette, cobrador.
garçonnière [gaʀsɔnjɛʀ] f. Piso m. de soltero.
garde [gaʀd(ə)] f. 1 Guardia, vigilancia, custodia, cuidado m., protección. Loc. Prendre —, tener cuidado; être de —, estar de guardia; être sur ses gardes, re-

celar, desconfiar; n'avoir — de, guardarse bien de, abstenerse. 2 ESCR., MIL. Guardia: — montante, guardia entrante; — descendante, guardia saliente. 3 MIL. Être au — à vous, estar cuadrado; se mettre au — à vous, cuadrarse. 4 Guarda (d'un livre, d'une serrure). 5 Guarda, guarnición (d'une épée). ■ 6 m. Guarda, guardia. Loc. — champêtre, guarda rural.
gardénia [gaʀdenja] m. Gardenia f.
garder [gaʀde] tr. 1 Guardar: — un secret, guardar un secreto; — le lit, le silence, guardar cama, silencio. 2 Cuidar (un malade, un enfant). ■ 3 pr. Se — de, guardarse de, abstenerse de. 4 Conservarse.
garderie [gaʀdəʀi] f. Guardería.
garde-robe [gaʀdəʀɔb] f. 1 Guardarropa m. (armoire). 2 Vestuario m. (vêtements).
gardien, -ienne [gaʀdjɛ̃. -jɛn] s. 1 Guardián, ana. 2 Guarda (d'un jardin public, etc.). 3 Portero, ra (concierge). 4 — de la paix, guardia municipal de París. 5 SPORTS — de but, guardameta, portero.
gare [ga(ɑ)ʀ] f. 1 Estación (chemin de fer). 2 Atracadero m. (fluviale). 3 interj. ¡Atención!, ¡Cuidado!
garer [gaʀe] tr. 1 Llevar a una vía muerta (un train). 2 Aparcar (dans la rue). 3 Dejar en un garaje. 4 Poner a cubierto (mettre à l'abri). ■ 5 pr. Apartarse, guarecerse, ponerse a cubierto (se protéger). 6 Je me suis garé près de l'hôtel, he aparcado cerca del hotel.
gargarisme [gaʀgaʀism(ə)] m. 1 Gargarismo (médicament). 2 Gárgaras f. pl. (action).
gargote [gaʀgɔt] f. Figón m., tasca.
gargouille [gaʀguj] f. 1 Gárgola (sculptée). 2 Canalón m.
gargouiller [gaʀguje] intr. Hacer gorgoteos.
garnement [gaʀnəmɑ̃] m. Pillo, granuja.
garni [gaʀni] m. Habitación f. amueblada.
garnir [gaʀniʀ] tr. 1 Guarnecer. 2 Adornar (orner). 3 Proveer (munir). 4 Alhajar, amueblar (meubler). 5 CUIS. Guarnecer: plat garni de légumes, plato con guarnición de verduras. 6 Rellenar (un fauteuil). 7 Llenar, ocupar (un espace).
garnison [gaʀnizɔ̃] f. MIL. Guarnición.
garniture [gaʀnityʀ] f. 1 Adorno m., aderezo m. guarnición. 2 Juego m.: — de boutons, juego de botones. 3 CUIS. Guarnición (légumes). 4 IMPR. Imposición.

garrot [gaʀo] *m. 1* Garrote (supplice). *2* MÉD. Torniquete. *3* Cruz *f.* (partie du corps des quadrupèdes).

garroter [gaʀɔte] *tr.* Agarrotar.

gars [ga] *m.* Mozo, muchacho.

gaspiller [gaspije] *tr.* Despilfarrar, desperdiciar.

gastrique [gastʀik] *adj.* Gástrico, ca.

gastronomie [gastʀɔnɔmi] *f.* Gastronomía.

gâteau [gato] *m. 1* Pastel. *2 Petit —,* pastelillo; *— sec,* galleta *f. 3* Panal (ruche).

gâter [gɑte] *tr. 1* Dañar, estropear, echar a perder. *2* Picar (fruit, dent). *3* fig. Estropear. *4* Mimar, consentir (un enfant).

gâterie [gɑtʀi] *f. 1* Mimo *m. 2* Golosina (friandise).

gâte-sauce [gɑtsos] *m.* Pinche.

gâteux, -euse [gatø, -øz] *adj.-s.* Chocho, cha, lelo, la, bobo, ba.

gauche [goʃ] *adj. 1* Izquierdo, da. *2* Torcido, da (de travers). *3* Torpe, desmañado, da (maladroit). *4 loc. adv. À —,* a la izquierda. ■ *5 f.* Izquierda.

gaucher, -ère [goʃe, -ɛʀ] *adj.-s.* Zurdo, da.

gaucherie [goʃʀi] *f.* Torpeza, desmaña.

gaudriole [godʀijɔl] *f.* Chiste *m.,* picante.

gaufre [gofʀ(ə)] *f.* Barquillo *m.* (pâtisserie).

gaufrer [gofʀe] *tr.* Estampar, gofrar.

gaufrette [gofʀɛt] *f.* Especie de barquillo plano (pâtisserie).

gauloiserie [golwazʀi] *f.* Dicho *m.,* picaresco, dicho *m.* verde.

gausser (se) [gose] *pr.* Burlarse, reírse.

gave [gav] *m.* Torrente.

gaver [gave] *tr. 1* Embuchar la comida a, cebar (les animaux). ■ *2 pr.* Atiborrarse.

gavotte [gavɔt] *f.* Gavota.

gaz [gɑz] *m.* Gas: *bec de —,* farol de gas.

gaze [gɑz] *f.* Gasa.

gazéifier [gazeifje] *tr.* Gasificar. ▲ CONJUG. como *prier.*

gazelle [gazɛl] *f.* Gacela.

gazer [gɑze] *tr. 1* Someter a la acción de los gases asfixiantes. ■ *2 intr.* fam. Ir de prisa. *3* fam. Ir bien: *ça gaze!,* ¡va bien!

gazette [gazɛt] *f.* Gaceta (journal).

gazon [gɑzɔ̃] *m.* Césped.

gazouillement [gazujmɑ̃] *m. 1* Gorjeo (d'oiseau). *2* Murmureo, susurro.

geai [ʒɛ] *m.* Arrendajo.

géant, -ante [ʒeɑ̃, -ɑ̃t] *adj.-m. 1* Gigante. ■ *2 f.* Giganta.

geindre [ʒɛ̃dʀ(ə)] *intr.* Gimotear, quejarse. ▲ CONJUG. como *craindre.*

gel [ʒɛl] *m. 1* Helada *f. 2* Época *f.* de los hielos. *3* CHIM. Gel.

gélatine [ʒelatin] *f.* Gelatina.

gelé, -ée [ʒ(ə)le] *adj. 1* Helado, da, congelado, da. ■ *2 f.* Helada. *3 Gelée blanche,* escarcha. *4* Jalea (de fruits). *5* CUIS. Gelatina (de viande).

geler [ʒ(ə)le] *tr. 1* Helar, congelar. ■ *2 impers.* Helar: *il gèle,* hiela. *3 — blanc,* escarchar. ■ *4 intr.-pr.* Helarse. ▲ CONJUG. como *acheter.*

gélinotte [ʒelinɔt] *f. 1* Ganga. *2 — des bois,* ortega.

gémir [ʒemiʀ] *intr.* Gemir.

gémissement [ʒemismɑ̃] *m.* Gemido.

gemmage [ʒem(m)aʒ] *m.* Resinación *f.*

gemme [ʒem] *f. 1* MINÉR. Gema. *2* Resina de pino. ■ *3 adj. Sel —,* sal gema.

gênant, -ante [ʒenɑ̃, -ɑ̃t] *adj.* Molesto, ta, embarazoso, sa.

gencive [ʒɑ̃siv] *f.* Encía.

gendarme [ʒɑ̃daʀm(ə)] *m.* Gendarme (en France), guardia civil (en Espagne).

gendarmerie [ʒɑ̃daʀməʀi] *f.* Gendarmería (en France), guardia civil (en Espagne).

gendre [ʒɑ̃dʀ(ə)] *m.* Yerno.

gêne [ʒɛn] *f. 1* Molestia, incomodidad. *2* Encogimiento *m.,* embarazo *m. 3* Estrechez, apuro *m.*

gène [ʒɛn] *m.* Gen, gene.

généalogie [ʒenealɔʒi] *f.* Genealogía.

gêner [ʒene] *1* Molestar: *si cela ne vous gêne pas,* si no le es molestia. *2* Dificultar, estorbar. *3* Embarazar, turbar (troubler). *4* Poner en un apuro (pécuniairement). ■ *5 pr.* Molestarse, violentarse. *6 Ne vous gênez pas,* no tenga usted reparo. *7* iron. *Ne pas se —,* tener frescura. '

général, -ale [ʒeneʀal] *adj.-m. 1* General: *officiers généraux,* oficiales generales. ■ *2 f.* Generala.

généraliser [ʒeneʀalize] *tr.* Generalizar.

généralité [ʒeneʀalite] *f.* Generalidad.

générateur, -trice [ʒeneʀatœʀ, -tʀis] *adj. 1* Generador, ra. ■ *2 m.* Generador. ■ *3 f.* GÉOM. Generatriz.

génération [ʒeneʀasjɔ̃] *f.* Generación.

généreux, -euse [ʒeneʀø, -øz] *adj.* Generoso, sa.

générique [ʒeneʀik] *adj. 1* Genérico, ca. ■ *2 m.* Ficha *f.* técnica (cinéma).

générosité [ʒeneʀozite] *f.* Generosidad.

genèse [ʒənɛz] *f. 1* Génesis. ■ *2 n. pr. f.* Génesis *m.*

genêt [ʒ(ə)nɛ] *m. 1* Retama *f. 2 — d'Espagne,* gayomba *f.*

genette [ʒ(ə)nɛt] *f.* Gineta.

genévrier [ʒənevʀije] *m.* Enebro.

génial, -ale [ʒenjal] *adj.* Genial.

génie [ʒeni] *m. 1* Carácter, índole *f.,* idiosincrasia *f.* 2 Disposición *f.*, aptitud *f.*, don. 3 Genio. 4 MIL. — *militaire,* cuerpo de ingenieros. 5 MYTH. Genio.

genièvre [ʒənjɛvʀ(ə)] *m. 1* Enebro. 2 Enebrina *f.* (baie). 3 Ginebra *f.* (alcool).

génisse [ʒenis] *f.* Becerra.

génitif [ʒenitif] *m.* Genitivo.

genou [ʒ(ə)nu] *m. 1* ANAT. Rodilla *f.* 2 MÉC. Articulación *f.* 3 MAR. Genol.

genouillère [ʒ(ə)nujɛʀ] *f.* Rodillera.

genre [ʒɑ̃ʀ] *m. 1* Género: — *humain,* género humano. 2 Especie *f.,* clase *f.,* tipo (sorte). 3 *Tableau de* —, cuadro de costumbres.

gens [ʒɑ̃] *s. pl.* Gente *f. sing.,* personas *f.* Loc. *Les jeunes* —, la gente joven, los jóvenes; — *de lettres,* gente de letras; — *de robe,* togados; *droit des* —, derecho de gentes. ▲ *Gens* se considera en gral. como masculino. No obstante, si un adjetivo le precede inmediatamente, tanto este adjetivo como los que pueden precederle se ponen en femenino; a no ser que el primero tenga su forma masculina terminada en *e* muda, en cuyo caso se sigue la regla general: *de bonnes gens, des vieilles gens; tous les jeunes gens.*

gent [ʒɑ̃] *f.* Gente.

gentiane [ʒɑ̃sjan] *f.* Genciana.

gentil, -ille [ʒɑ̃ti, -ij] *adj. 1* Gentil, gracioso, sa (gracieux). 2 Mono, na (mignon). 3 Amable, bueno, na, delicado, da. 4 Importante: *il m'a donné une gentille somme,* me dio una importante suma. ■ 5 *m.* Gentil (paien).

gentilhomme [ʒɑ̃tijɔm] *m. 1* Hidalgo. 2 Gentilhombre.

gentillesse [ʒɑ̃tijɛs] *f. 1* Amabilidad, gentileza. 2 Atención, amabilidad.

gentiment [ʒɑ̃timɑ̃] *adv.* Gentilmente, lindamente.

génuflexion [ʒenyflɛksjɔ̃] *f.* Genuflexión.

géographie [ʒeɔgʀafi] *f.* Geografía.

geôle [ʒol] *f.* Cárcel, prisión.

géologie [ʒeɔlɔʒi] *f.* Geología.

géométrie [ʒeɔmetʀi] *f.* Geometría.

gérance [ʒeʀɑ̃s] *f.* Gerencia.

géranium [ʒeʀanjɔm] *m.* Geranio.

gérant, -ante [ʒeʀɑ̃, -ɑ̃t] *s.* Gerente.

gerbe [ʒɛʀb(ə)] *f. 1* Gavilla, haz *m.* 2 Ramo *m.* (de fleurs).

gerbier [ʒɛʀbje] *m.* Tresnal.

gercer [ʒɛʀse] *tr. 1* Agrietar. ■ *2 pr.* Agrietarse. ▲ CONJUG. como *lancer.*

gérer [ʒeʀe] *tr.* Administrar, regir. ▲ CONJUG. como *accélérer.*

germanisme [ʒɛʀmanism(ə)] *m.* Germanismo.

germe [ʒɛʀm(ə)] *m. 1* Germen. 2 Galladura *f.* (de l'œuf). 3 BOT. Germen, grillo.

germination [ʒɛʀminasjɔ̃] *f.* Germinación.

gérondif [ʒeʀɔ̃dif] *m.* Gerundio.

gésier [ʒezje] *m.* Molleja *f.*

gésir [ʒeziʀ] *intr.* Yacer: *ci-gît,* aquí yace. ▲ CONJUG. IRREG. Ús. sólo en: INDIC. Pres.: *je gis, tu gis, il gît, nous gisons, vous gisez, ils gisent.* Imperf.: *je gisais,* etc. PART. A.: *gisant.*

gestation [ʒɛstasjɔ̃] *f.* Gestación.

gesticuler [ʒɛstikyle] *intr.* Gesticular, hacer ademanes.

gestion [ʒɛstjɔ̃] *f.* Gestión.

gestionnaire [ʒɛstjɔnɛʀ] *adj.-m.* Gestor, ra, gerente.

geyser [ʒezɛʀ] *m.* Geiser.

gibbon [ʒibɔ̃] *m.* Gibón.

gibbosité [ʒibozite] *f.* Giba.

gibecière [ʒibsjɛʀ] *f. 1* Morral *m.,* zurrón *m.* 2 Cartapacio *m.,* cartera (d'écolier).

gibet [ʒibɛ] *m. 1* Horca *f.* 2 Patíbulo (échafaud).

gibier [ʒibje] *m.* Caza *f.: gros* —, caza mayor; *menu* —, caza menor.

giboulée [ʒibule] *f.* Aguacero *m.,* chubasco *m.*

gicler [ʒikle] *intr.* Salpicar, rociar.

gifle [ʒifl(ə)] *f.* Bofetada.

gifler [ʒifle] *tr.* Abofetear.

gigantesque [ʒigɑ̃tɛsk(ə)] *adj.* Gigantesco, ca.

gigogne [ʒigɔɲ] *adj. Lits* —, camas nido; *table* —, mesas nido.

gigot [ʒigo] *m.* Pierna *f.* de cordero.

gigue [ʒig] *f. 1* fam. Pierna zanca. 2 Giga (danse).

gilet [ʒilɛ] *m. 1* Chaleco. 2 Camiseta *f.* (sous-vêtement).

gingembre [ʒɛ̃ʒɑ̃bʀ(ə)] *m.* Jengibre.

girafe [ʒiʀaf] *f.* Jirafa.

giratoire [ʒiʀatwaʀ] *adj.* Giratorio, ria.

girofle [ʒiʀɔfl(ə)] *m.* Clavo de olor.

giroflée [ʒiʀɔfle] *f.* Alhelí *m.*

giroflier [ʒiʀɔflje] *m.* Clavero.

giron [ʒiʀɔ̃] *m. 1* Regazo. 2 fig. Seno, regazo.

girouette [ʒiʀwɛt] *f.* Veleta, giralda.

gisant, -ante [ʒizɑ̃, -ɑ̃t] *adj.* Yacente.

gisement [ʒizmɑ̃] *m.* Yacimiento.

gîte [ʒit] *m. 1* Morada *f.,* albergue, alojamiento. 2 Madriguera *f.* (du gibier). 3 MIN. Yacimiento. 4 CUIS. — *à la noix,* codillo de vaca.

givre [ʒivʀ(ə)] *m.* Escarcha *f.*

glabre [glɑbʀ(ə)] *adj.* Glabro, bra, lampiño, ña.

glace [glas] *f. 1* Hielo *m.* 2 Helado *m.*

(crème glacée). *3* Luna: *armoire à —*, armario de luna. *4* Espejo *m.* (miroir). *5* Cristal *m.* (de fenêtre).

glacer [glase] *tr. 1* Helar, congelar. *2* fig. Dejar helado, da: *cette phrase me glace,* esta frase me deja helado. *3* TECHN. Glasear. *4* Alcorzar (une pâtisserie). ▲ CONJUG. como *lancer*.

glacier [glasje] *m. 1* Helero, ventisquero. *2* Heladero (qui vend des glaces).

glacière [glasjɛʀ] *f.* Nevera.

glaçon [glasɔ̃] *m. 1* Témpano, carámbano. *2* Cubito de hielo (pour les boissons).

gladiateur [gldjatœʀ] *m.* Gladiador.

glaïeul [glajœl] *m.* Estoque.

glaire [glɛʀ] *f. 1* Clara de huevo. *2* MÉD. Flema.

glaise [glɛz] *f.* Arcilla, greda.

glaive [glɛv] *m.* Espada *f.*

gland [glɑ̃] *m. 1* Borla *f.* (pompon). *2* BOT. Bellota *f. 3* ANAT. Bálano.

glande [glɑ̃d] *f.* Glándula.

glaner [glane] *tr. 1* Espigar. *2* fig. Rebuscar.

glapir [glapiʀ] *intr. 1* Gañir (chiens), chillar (renards). *2* fig. Chillar, gritar (personnes).

glas [glɑ] *m.* Toque de ánimas, de agonía, de muerto. Loc. *Sonner le —*, doblar las campanas, tocar a muerto.

glauque [glok] *adj.* Glauco, ca.

glèbe [flɛb] *f. 1* Gleba. *2* Tierra de labor.

glissant, -ante [glisɑ̃, -ɑ̃t] *adj.* Resbaladizo, za.

glisser [glise] *intr. 1* Resbalar, deslizarse. *2* Escurrirse (des mains). *3* fig. Pasar de largo (ne pas approfondir). ■ *4 tr.* Introducir, hacer deslizarse. *5* fig. Insinuar. ■ *6 pr.* Colarse, introducirse, deslizarse en. *7* Insinuarse.

glissière [glisjɛʀ] *f. 1* TECHN. Corredera. *2* *Fermeture à —*, cremallera.

glissoire [gliswaʀ] *f.* Patinadero *m.* (patinoire).

globe [glɔb] *m. 1* Globo: *— terrestre*, globo terráqueo; *— de l'œil*, globo del ojo. *2* Globo, bomba *f.* (de lampe). *3* Fanal *mettre sous —*, meter bajo fanal.

globule [glɔbyl] *f.* Glóbulo.

gloire [glwaʀ] *f. 1* Gloria. *2* *Se faire — de*, vanagloriarse de.

gloriette [glɔʀjɛt] *f.* Glorieta, cenador *m.*

glorieux, -euse [glɔʀjø, -øz] *adj. 1* Glorioso, sa. *2* Ufano, na, orgulloso, sa (vaniteux).

glorifier [glɔʀifje] *tr. 1* Glorificar. ■ *2 pr.* Gloriarse, ufanarse. ▲ CONJUG. como *prier*.

gloser [gloze] *intr. 1* Glosar. *2* Criticar.

glossaire [glɔsɛʀ] *m.* Glosario.

glotte [glɔt] *f.* Glotis.

glousser [gluse] *intr.* Cloquear.

glutonnerie [glutɔnʀi] *f.* Glotonería.

glu [gly] *f.* Liga.

gluant, -ante [glyɑ̃, -ɑ̃t] *adj.* Viscoso, sa, pegajoso, sa.

glucose [glykoz] *m.* Glucosa *f.*

gluten [glytɛn] *m.* Gluten.

glycérine [gliseʀin] *f.* Glicerina.

glycine [glisin] *f.* Glicina.

gnome [gnom] *m.* Gnomo.

go (tout de) [tudgo] *loc. adv.* fam. De sopetón, de buenas a primeras.

gobelet [gɔblɛ] *m.* Cubilete.

gober [gɔbe] *tr. 1* Engullir, sorber: *— un œuf*, sorber un huevo. *2* fig. Tragarse (croire): *il gobe tout ce que je lui dis*, se traga todo lo que le digo. *3* fig. Tragar: *ne pas — quelqu'un*, no tragar a alguien.

goberger (se) [gɔbɛʀʒe] *pr.* Regodearse, repantigarse. ▲ CONJUG. como *engager*.

goder [gɔde] *intr.* Abolsarse, arrugarse, hacer pliegues.

godet [gɔdɛ] *m. 1* Cubilete, cortadillo (à boire). *2* Cangilón (de noria, drague). *3* Salserilla *f.* (de peintre). *4* Pliegue (pli).

godiche [gɔdiʃ] *adj.-s.* fam. Necio, cia, torpe, desmañado, da.

goéland [gɔelɑ̃] *m.* Gaviota *f.* grande.

goélette [gɔelɛt] *f.* MAR. Goleta.

gogo [gɔgo] *m. 1* fam. Primo, inocente. *2* *loc. adv. À —*, a pedir de boca, con abundancia.

goguenard, -arde [gɔgnaʀ, -aʀd(ə)] *adj.* Guasón, ona, burlón, ona.

goguette [gɔgɛt] *f.* fam. *En —*, achispado, da (un peu ivre), de buen humor.

goinfre [gwɛ̃fʀ(ə)] *m.* Glotón, tragón.

goitre gwatʀ(ə)] *m.* Bocio, papera *f.*

golfe [gɔlf(ə)] *m.* GÉOG. Golfo.

gomme [gɔm] *f. 1* BOT. Goma. *2* Goma (pour effacer).

gommeux, -euse [gɔmø, -øz] *adj.-m.* Gomoso, sa.

gond [gɔ̃d] *m.* Gozne.

gondoler [gɔ̃dɔle] *intr. 1* Alabearse, abarquillarse. ■ *2 pr.* fam. Desternillarse de risa.

gondolier, -ière [gɔ̃dɔlje, -jɛʀ] *s.* Gondolero, ra.

gonfler [gɔ̃fle] *tr. 1* Inflar, hinchar. *2* fam. *Être gonflé*, ser atrevido, tener cara.

goret [gɔʀɛ] *m.* Gorrino, lechón.

gorge [gɔʀʒ(ə)] *f. 1* Garganta. *2* Cuello *m.* (cou). *3* Pecho *m.*, escote (poitrine). *4* Loc. fig. *Faire des gorges chaudes*, burlarse de; *rendre —*, restituir lo robado. *5* TECHN. Garganta. *6* GÉOG. Garganta, desfiladero *m.* 7 FORT. Gola. 8 ARCHIT. Mediacaña.

gorgée [gɔʀʒe] *f.* Trago *m.*, sorbo *m.*

gorger [gɔʀʒe] *tr.* 1 Cebar. ■ 2 *pr.* Hartarse, atracarse. ▲ CONJUG. como *enga-ger*.

gorgone [gɔʀgɔn] *f.* Gorgona.

gorille [gɔʀij] *m.* 1 Gorila. 2 fam. Guardaespaldas.

gosier [gozje] *m.* Garganta *f.*, tragadero, garguero, gaznate.

gosse [gɔs] *s.* pop. Chiquillo, lla, chaval, la.

gothique [gɔtik] *adj.-m.* Gótico, ca.

gouache [gwaʃ] *f.* PEINT. Aguada.

gouaillerie [gwajʀi] *f.* fam. Burla, guasa.

goudron [gudʀɔ̃] *m.* Alquitrán, brea *f.*

gouffre [gufʀ(ə)] *m.* 1 Abismo, sima *f.* 2 Vorágine *f.*, remolino (tourbillon en mer). 3 fig. Abismo. 4 fig. Pozo sin fondo.

gouge [guʒ] *f.* Gubia.

goujon [guʒɔ̃] *m.* 1 Gobio. 2 TECHN. Clavija *f.*, pasador.

goulet [gulɛ] *m.* 1 Boca *f.* estrecha, bocana *f.* (d'un port). 2 Paseo estrecho (passage).

goulu, -ue [guly] *aadj.-s.* Tragón, ona, glotón, ona.

goupille [gupij] *f.* Clavijita, pasador *m.*

gourd, gourde [guʀ, guʀd(ə)] *adj.* 1 Entumecido, da (mains, doigts). ■ 2 *f.* BOT. Calabaza (courge). 3 Cantimplora (bouteille). ■ 4 *adj.-f.* Necio, cia.

gourdin [guʀdɛ̃] *m.* Garrote corto.

gourmand, -ande [guʀmɑ, -ɑ̃d] *adj.-s.* 1 Goloso, sa. ■ 2 *m.* AGR. Chupón.

gourmander [guʀmɑ̃de] *tr.* Reprender, reñir, tratar con dureza.

gourmandise [guʀmɑ̃diz] *f.* 1 Gula (défaut). 2 Golosina (friandise).

gourmet [guʀmɛ] *m.* Gastrónomo.

gousse [gus] *f.* 1 BOT. Vaina. 2 — *d'ail*, diente *m.* de ajo.

goût [gu] *m.* 1 Gusto. 2 Gusto, sabor. 3 Afición *f.* 4 *Reprendre — à la vie*, recuperar las ganas de vivir. 5 *Dans le —*, al estilo de.

goûter [gute] *tr.* 1 Probar, catar (un mets, une boisson). 2 Saborear (savourer). 3 Apreciar, gustar de. ■ 4 *intr.* Merendar.

goûter [gute] *m.* Merienda *f.*

goutte [gut] *f.* 1 Gota. 2 fam. Copita de aguardiente: *boire la —*, tomar una copita. 3 MÉD. Gota. ■ 4 *adv.* Nada, ni gota: *n'entendre —*, no oír nada.

goutter [gute] *intr.* Dejar caer gotas.

gouttière [gutjɛʀ] *f.* 1 Canal *m.* (de toit). 2

MÉD. Entablillado *m.* 3 Gotera (écoulement au plafond).

gouvernail [guvɛʀnaj] *m.* Timón.

gouvernant, -ante [guvɛʀnɑ̃, -ɑ̃t] *adj.* 1 Gobernante. ■ 2 *f.* Gobernadora. 3 Ama de llaves (d'un homme seul). 4 Aya (d'un enfant). ■ 5 *m. pl.* Gobernantes.

gouverne [guvɛʀn(ə)] *f.* Gobierno *m.: je vous le dis pour votre —*, se lo digo para su gobierno.

gouvernement [guvɛʀnəmɑ̃] *m.* Gobierno.

gouverner [guvɛʀne] *tr.* 1 Gobernar. 2 GRAM. Regir. ■ 3 *intr.* MAR. Gobernar.

gouverneur [guvɛʀnœʀ] *m.* Gobernador.

goyave [gɔjav] *f.* Guayaba.

grabat [gʀaba] *m.* Camastro.

grabuge [gʀabyʒ] *m.* pop. Gresca *f.*, riña *f.*, follón.

grâce [gʀɑs] *f.* 1 Gracia, encanto *m.* 2 Favor *m.* 3 Gana: *de bonne —*, de buena gana. 4 Indulto *m.* (pardon d'un condamné, etc.). 5 *interj.* ¡Piedad!; *de —!*, ¡por favor!, ¡se lo ruego! 6 *loc. prép.* — *à*, gracias a.

gracier [gʀasje] *tr.* Indultar. ▲ CONJUG. como *prier*.

gracieux, -euse [gʀasjø, -øz] *adj.* 1 Gracioso, sa. 2 Afable, amable. 3 Gracioso, sa, gratuito, ta.

gracile [gʀasil] *adj.* Grácil.

gradation [gʀadasjɔ̃] *f.* Gradación.

grade [gʀad] *m.* Grado.

gradin [gʀadɛ̃] *m.* 1 Grada *f.* ■ 2 *pl.* Graderías *f.*

graduation [gʀadyasjɔ̃] *f.* Graduación.

graduel, -elle [gʀadyɛl] *adj.-m.* Gradual.

graduer [gʀadye] *tr.* Graduar.

graillon [gʀajɔ̃] *m.* 1 Sobras *f. pl.* de grasa quemada. 2 Olor a grasa quemada.

grain [gʀɛ̃] *m.* 1 Grano: — *de blé*, grano de trigo. 2 fig. Pizca *f.*, un poco: *pas un — de dignité*, ni pizca de dignidad. 3 Cuenta *f.* (de chapelet). 4 — *de beauté*, lunar. 5 Aguacero, turbión (averse).

graine [gʀɛn] *f.* BOT. Semilla, simiente. Loc. *Monter en —*, espigarse.

graineterie [gʀɛnt(ə)ʀi, gʀɛnɛtʀi] *f.* Comercio *m.* de granos.

graissage [gʀɛsaʒ] *m.* Engrase, engrasado.

graisse [gʀɛs] *f.* Grasa.

graisser [gʀese] *tr.* 1 Engrasar. 2 Manchar de grasa (salir).

graisseux, -euse [gʀɛsø, -øz] *adj.* Grasiento, ta.

grammaire [gʀa(m)mɛʀ] *f.* Gramática.

grammatical, -ale [gʀam(m)atikal] *adj.* Gramatical.

gramme [gʀam] *m.* Gramo.

grand, -ande [grɑ̃, -ɑ̃d] *adj. 1* Grande: *grande chambre*, habitación grande; gran (devant un substantif sing.): — *peintre*, gran pintor. *2* Alto, ta (taille). *3* Mayor (dignité). *4 Plus* —, mayor, más alto; *moins* —, menor. *5* Loc. *Au* — *air*, al aire libre; *au* — *jour*, a la luz del día; *de* — *cœur*, con mucho gusto; — *âge*, edad avanzada; — *livre*, libro mayor. *6* Mayor, adulto, ta. ■ *7 m.* Grande, magnate. ■ *8 adv. Voir* —, ver en grande; —*ouvert*, abierto de par en par.

grand-croix [grɑ̃krwa] *f.* Gran Cruz.

grandesse [grɑ̃dɛs] *f.* Grandeza.

grandeur [grɑ̃dœr] *f. 1* Magnitud (importance). *2* Tamaño *m.*, grandor *m.* (taille): — *nature*, tamaño natural. *3* fig. Grandeza (morale). *4 Sa* —, Su Ilustrísima (évêques, archevêques). *5* ASTRON. Magnitud. ■ *6 pl.* Dignidades, honores.

grandiose [grɑ̃djoz] *adj. 1* Grandioso, sa. ■ *2 m.* Grandiosidad *f.*

grandir [grɑ̃dir] *intr. 1* Crecer. ■ *2 tr.* Ampliar, exagerar. *3* fig. Engrandecer.

grand-maman [grɑ̃mamɑ̃] *f.* fam. Abuelita.

grand-mère [grɑ̃mɛr] *f.* Abuela.

grand-messe [grɑ̃mɛs] *f.* Misa mayor.

grand-papa [grɑ̃papa] *m.* fam. Abuelito.

grand-père [grɑ̃pɛr] *m.* Abuelo.

grands-parents [grɑ̃parɑ̃] *m. pl.* Abuelos.

grange [grɑ̃ʒ] *f.* Granero *m.*, hórreo *m.*, troje *m.*

granit, granite [granit] *m.* Granito.

granitique [granitik] *adj.* Granítico, ca.

granulaire [granylɛr] *adj.* Granular.

granulé, -ée [granyle] *adj.* Granulado, da. ■ *m.* Gránulo.

graphique [grafik] *adj. 1* Gráfico, ca. ■ *2 m.* Gráfico, gráfica *f.*

graphite [grafit] *m.* Grafito.

graphologie [grafɔlɔʒi] *f.* Grafología.

grappe [grap] *f.* Racimo *m.*

grappiller [grapije] *intr. 1* Racimar, rebuscar. ■ *2 tr.* Rebuscar.

gras, grasse [grɑ, grɑs] *adj. 1* Graso, sa, pingüe. *2* Grasiento, ta, pringoso, sa (graisseux). *3* Gordo, da (gros). *4* Grueso, sa (trait d'écriture). *5* IMPR. *Caractère* —, negrita *f.*, negrilla *f.* 6 BOT. *Plante grasse*, planta carnosa. *7* Feraz (fertile). *8* Loc. *Bouillon* —, caldo de carne; *jour* —, día de carne; *terre grasse*, tierra arcillosa; *vaches grasses*, vacas gordas.

gras-double [grɑdubl(ə)] *m.* CUIS. Callos *pl.*

grasseyer [graseje] *intr.* Pronunciar guturalmente la *r.* ▲ CONJUG. Conserva la *y* en todas sus formas.

grassouillet, -ette [grasujɛ, -ɛt] *adj.* Regordete, ta.

graticuler [gratikyle] *tr.* Cuadricular.

gratifier [gratifje] *tr.* Gratificar, recompensar. ▲ CONJUG. como *prier.*

gratin [gratɛ̃] *m. 1* Resto de un manjar que se pega a la sartén. *2* CUIS. Gratén.

gratiner [gratine] *tr.* CUIS. Tostar por encima.

gratis [gratis] *adv.* Gratis, de balde.

gratitude [gratityd] *f.* Gratitud.

gratte [grat] *f.* fam. Sisa: *faire de la* —, sisar.

gratte-ciel [gratsjɛl] *m. invar.* Rascacielos.

gratter [grate] *tr. 1* Rascar. *2* Raspar (racler, effacer). *3* Escarbar (le sol). *4* fam. Picar (démanger). *5* fam. Adelantar (dépasser).

grattoir [gratwar] *m. 1* Raspador (de bureau). *2* Rascador (outil).

gratuit, -ite [gratɥi, -ɥit] *adj.* Gratuito, ta.

gravats [grava] *m. pl.* Cascotes, escombros.

grave [grav] *adj.-m.* Grave.

graveleux, -euse [gravlø, -øz] *adj.* fig. Picante, escabroso, sa.

gravelle [gravɛl] *f.* Mal *m.* de piedra.

graver [grave] *tr.* Grabar (*sur*, en).

graveur [gravœr] *m.* Grabador.

gravier [gravje] *m.* Grava *f.*, guijo.

gravir [gravir] *tr. 1* Trepar, escalar (montagne). *2* Subir (côte).

gravitation [gravitasjɔ̃] *f.* Gravitación.

gravité [gravite] *f.* Gravedad.

graviter [gravite] *intr.* Gravitar.

gravure [gravyr] *f.* Grabado *m.*

gré [gre] *m.1* Grado, voluntad *f.*, gusto, capricho: *agir à son* —, obrar a su capricho. *2 Savoir* — *de*, estar agradecido, da por. *3 loc. prép. Au* — *de*, a merced de, al capricho de. *4 loc. adv. Contre mon* —, mal de mi grado.

grec, grecque [grɛk] *adj.-s.* Griego, ga.

gredin, -ine [grədɛ̃, -in] *s.* Miserable, canalla, bribón, ona.

gréer [gree] *tr.* MAR. Aparejar.

greffe [grɛf] *m. 1* DR. Escribanía *f.*, archivo de un tribunal. ■ *2 f.* Injerto *m.*

greffer [grefe] *tr.* Injertar.

greffon [grefɔ̃] *m.* Injerto.

grégaire [greger] *adj.* Gregario, ria.

grêle [grɛl] *adj. 1* Delgado, da, endeble. *2 Voix* —, voz tenue y aguda, ahilada. ■ *3 f.* Granizo *m.*, pedrisco *m.* *4* fig. Granizada, chaparrón *m.* (de choses).

grêler [gʀele] *impers.* Granizar.
grêlon [gʀelɔ̃] *m.* Piedra *f.* de granizo, granizo.
grelot [gʀəlo] *m.* Cascabel.
grelotter [gʀələte] *intr.* Tiritar.
grenache [gʀənaʃ] *m.* Garnacha *f.*
grenade [gʀənad] *f. 1* Granada (fruit). *2* MIL. Granada.
grenadier [gʀənadje] *m. 1* Granado (arbuste). *2* MIL. Granadero.
grenat [gʀəna] *m.* Granate.
grener [gʀəne] *intr. 1* Granar. ■ *2 tr.* TECHN. Granear. ▲ CONJUG. como *lever.*
grenier [gʀənje] *m. 1* Granero (à grains). *2* Desván (sous les combles).
grenouille [gʀənuj] *f.* Rana.
grès [gʀɛ] *m. 1* Asperón, arenisca *f.* 2 Gres (poterie).
grésiller [gʀezije] *impers. 1* Granizar. ■ *2 intr.* Chisporrotear.
grève [gʀɛv] *f. 1* Playa, arenal *m.* 2 Huelga.
grever [gʀəve] *tr.* Gravar. ▲ CONJUG. como *acheter.*
gréviste [gʀevist(ə)] *adj.-s.* Huelguista.
gribouillage [gʀibujaʒ] *m. 1* fam. Garabateo, garabato, garrapato (écriture). *2* Mamarracho (peinture).
gribouiller [gʀibuje] *intr. 1* fam. Garrapatear, escarabajear. ■ *2 tr.* Pintorrear (peindre), garabatear, garrapatear (écrire).
grief [gʀijef] *m.* Queja *f.: exposer ses griefs,* exponer sus quejas.
griffe [gʀif] *f. 1* Garfa, garra, zarpa, uña (d'un animal). *2 Coup de* —, zarpazo. *3* Firma, rúbrica (signature), estampilla (cachet).
griffer [gʀife] *tr.* Arañar.
griffonner [gʀifɔne] *tr.* Garrapatear, borronear.
grignoter [gʀiɲɔte] *tr.* Roer.
grigou [gʀigu] *m.* fam. Tacaño.
gril [gʀi(l)] *m. 1* Parrilla *f.* 2 fig. *Être sur le* —, estar en ascuas.
grillade [gʀijad] *f.* Carne asada a la parrilla.
grillage [gʀijaʒ] *m.* Alambrera *f.*, reja *f.*
grille [gʀij] *f. 1* Verja, rejado *m.* (clôture). *2* Cancela (porte). *3* Reja (fenêtre). *4* Rejilla (d'un fourneau, etc.).
griller [gʀije] *tr. 1* Asar, emparrillar (viande, poisson), tostar (café, etc.). *2* Quemar: — *une résistance électrique,* quemar una resistencia eléctrica. *3* Abrasar: *le soleil grillait les récoltes,* el sol abrasaba la cosecha. ■ *4 intr.* Asarse, tostarse, achicharrarse. *5* fig. Arder: *je grille d'envie de te voir,* ardo en deseos de verte.

grillon [gʀijɔ̃] *m.* Grillo.
grimace [gʀimas] *f. 1* Mueca, gesto *m.*, visaje *m.: faire des grimaces,* hacer visajes. *2* Pliegue *m.*, arruga (faux pli).
grimer [gʀime] *tr. 1* Maquillar. ■ *2 pr.* Maquillarse.
grimoire [gʀimwaʀ] *m.* Libro enrevesado, escrito ilegible.
grimper [gʀɛ̃pe] *intr.-tr. 1* Trepar, subir: — *à un arbre,* trepar a un árbol. *2* Subirse: — *sur une chaise,* subirse a una silla. ■ *3 tr.* Subir (un escalier, etc.). *4* Escalar (montagne).
grincement [gʀɛ̃smɑ̃] *m.* Rechinamiento, chirrido.
grincer [gʀɛ̃se] *intr. 1* Rechinar, chirriar. *2 — des dents,* rechinar los dientes. ▲ CONJUG. como *lancer.*
grincheux, -euse [gʀɛ̃ʃø, -øz] *adj.-s.* Gruñón, ona, refunfuñador, ra, quejoso, sa.
gringalet [gʀɛ̃galɛ] *m.* Alfeñique, hombrecillo.
grippe [gʀip] *f. 1* Gripe. *2* fig. Tirria: *prendre en* —, tomar tirria a.
gripper [gʀipe] *intr. 1* Adherirse, agarrotar (se coincer). *2* Arrugarse, encogerse (un tissu). ■ *3 pr.* Agarrotarse (un moteur).
grippe-sou [gʀipsu] *m.* Avaro, roñoso.
gris, -ise [gʀi, -iz] *adj.1* Gris, pardo, da: *des tons* —, tonos grises. Loc. *Papier* —, papel de embalaje; *cheval* — *pommelé,* caballo tordo con manchas; *faire grise mine,* poner mala cara. *2* Cubierto, ta (temps). *3* fig. Chispo, pa, achispado, da (ivre). ■ *4 m.* Color gris, gris: *peint en* —, pintado de gris.
grisaille [gʀizaj] *f.* Grisalla.
grisâtre [gʀizɑtʀ(ə)] *adj.* Grisáceo, cea.
griser [gʀize] *tr. 1* Achispar. *2* fig. Exaltar, embriagar. ■ *3 pr.* Achisparse.
griserie [gʀizʀi] *f.* Embriaguez.
grison, -onne [gʀizɔ̃, -ɔn] *adj. 1* Gris, grisáceo, cea. *2* Canoso, sa (cheveux). ■ *3 m.* Asno. ■ *4 adj.-s.* Grisón, ona (suisse).
grisonner [gʀizɔne] *intr.* Encanecer.
grisou [gʀizu] *m.* Grisú.
grive [gʀiv] *f.* Tordo *m.*
grivois, -oise [gʀivwa, -waz] *adj.-s.* Picaresco, ca, licencioso, sa, verde.
grog [gʀɔg] *m.* Ponche.
grogner [gʀɔɲe] *intr.* Gruñir.
grognon, -onne [gʀɔɲɔ̃, -ɔn] *adj.-s.* Gruñón, ona, regañón, ona.
groin [gʀwɛ̃] *m.* Hocico.
grommeler [gʀɔmle] *intr. 1* Refunfuñar, rezongar. ■ *2 tr.* Mascullar. ▲ CONJUG. como *appeler.*

gronder [gʀɔ̃de] *intr. 1* Gruñir. *2* fig. Retumbar, tronar. ■ *3 tr.* Regañar, reñir, reprender (réprimander).

gros, grosse [gʀo, gʀos] *adj. 1* Grueso, sa, gordo, da. Loc. — *lot,* premio gordo; *femme grosse,* mujer encinta: fig. *avoir le cœur —,* tener el corazón encogido. *2* Grande, gran. *3* Abultado, da (volumineux). *4* Importante. *5* Fuerte: *grosse voix, fièvre,* voz, calentura fuerte. *6 Grosse mer,* mar agitado: — *temps,* temporal. *7* Grosero, ra, tosco, ca (grossier). *8* — *mot,* palabrota *f.* ■ *9 m.* Grueso: *le* — *de l'armée,* el grueso del ejército. *10* COMM. Comercio al por mayor. ■ *11 adv.* Mucho: *gagner —,* ganar mucho. *12* Fuerte: *jouer —,* jugar fuerte. *13 loc. adv. En —,* al por mayor (commerce), en líneas generales, a grandes rasgos (sans entrer dans les détails).

groseille [gʀozɛj] *f.* Grosella.

grosse [gʀos] *f. 1* v. **gros.** *2* COMM. Gruesa (douze douzaines). *3* Copia, traslado *m.* ejecutorio (copie).

grossesse [gʀosɛs] *f.* Preñez, embarazo *m.*

grosseur [gʀosœʀ] *f. 1* Grosor *m.,* gordura, corpulencia. *2* Tumor *m.* (tumeur), bulto *m.* (bosse).

grossier, -ière [gʀosje, -jɛʀ] *adj. 1* Grosero, ra. *2* Tosco, ca (rudimentaire, rustique).

grossir [gʀosiʀ] *tr. 1* Engrosar, abultar, engordar. *2* Aumentar, amplificar (avec une loupe, etc.). *3* fig. Abultar, exagerar. ■ *4 intr.* Engordar, engrosar. *5* fig. Crecer, aumentar.

grossissant, -ante [gʀosisɑ̃, -ɑ̃t] *adj. 1* Creciente. *2 Verres grossissants,* lentes de aumento.

grotesque [gʀɔtɛsk(ə)] *adj.* Grotesco, ca.

grotte [gʀɔt] *f.* Gruta, caverna.

grouiller [gʀuje] *intr.* Hormiguear, bullir.

groupe [gʀup] *m.* Grupo.

groupement [gʀupmɑ̃] *m.* Agrupación *f.*

groupier [gʀupje] *tr.* Agrupar.

gruau [gʀyo] *m. 1* Farro. *2* Harina *f.* de cebada o avena secada al horno. *3* Flor de harina: *pain de —,* pan de flor.

grue [gʀy] *f. 1* Grulla (oiseau). *2* pop. Buscona (femme vénale). *3* MÉC. Grúa.

gruger [gʀyʒe] *tr.* fig. Timar, embaucar. ▲ CONJUG. como *engager.*

grumeau [gʀymo] *m.* Grumo.

grumeler (se) [gʀymele] *pr.* Agrumarse. ▲ CONJUG. como *appeler.*

guano [gwano] *m.* Guano.

gué [ge] *m.* Vado.

guelte [gɛlt(ə)] *f.* Comisión sobre la venta.

guenille [gənij] *f. 1* Harapo *m.,* andrajo *m.* *2 En guenilles,* harapiento, ta.

guenon [gənɔ̃] *f.* Mona.

guépard [gepaʀ] *m.* Onza *f.*

guêpe [gɛp] *f.* Avispa.

guère [gɛʀ] *adv.* Poco, no mucho, apenas: *il n'y a — longtemps,* no hace mucho.

guéret [geʀɛ] *m.* Barbecho.

guéridon [geʀidɔ̃] *m.* Velador.

guérilla [geʀija] *f.* Guerrilla.

guérir [geʀiʀ] *tr. 1* Curar. ■ *2 intr.* Sanar, curarse.

guérison [geʀizɔ̃] *f.* Curación, cura.

guérisseur, -euse [geʀisœʀ, -øz] *s.* Curandero, ra.

guérite [geʀit] *f.* Garita.

guerre [gɛʀ] *f. 1* Guerra. *2 De — lasse,* cansado, da de resistir, de luchar.

guerroyer [gɛʀwaje] *intr.* Guerrear. ▲ CONJUG. como *employer.*

guet [gɛ] *m.* Acecho, vigilancia *f.: faire le* —, estar al acecho.

guet-apens [gɛtapɑ̃] *m. 1* Emboscada *f. 2* Asechanza *f.*

guetter [gete] *tr. 1* Acechar. *2* Aguardar, esperar (attendre).

gueulard, -arde [gœlaʀ, -aʀd(ə)] *adj.-s. 1* pop. Vocinglero, ra. *2* pop. Goloso, sa (gourmand). ■ *3 m.* Boca *f.* (du foyer d'une chaudière).

gueule [gœl] *f. 1* Hocico *m.,* boca (animaux). *2* MIL. Boca (du canon). *3* fam. Cara, jeta (visage), pinta (aspect). *4* pop. Boca (bouche). Loc. — *de bois,* resaca; *une fine —,* un gastrónomo; pop. *ta —!,* ¡cállate!

gueuler [gœle] *intr.* fam. Gritar, vociferar.

gueux, -euse [gø, -øz] *adj.-s. 1* Pordiosero, ra (mendiant). *2* Pícaro, ra, bribón, ona.

gui [gi] *m. 1* Muérdago, visco. *2* MAR. Botavara *f.*

guichet [giʃɛ] *m.* Ventanilla *f.,* taquilla *f.*

guide [gid] *m. 1* MIL., MÉC. Guía. *2* Lazarillo (d'aveugle). *3* Guía *f.* (livre). ■ *4 f. pl.* Riendas.

guider [gide] *tr. 1* Guiar, dirigir. ■ *2 pr.* Guiarse.

guidon [gidɔ̃] *m. 1* Manillar (bicyclette). *2* MIL. Punto de mira. *3* MAR. Gallardete.

guigne [giɲ] *f. 1* Guinda (cerise). *2* fam. Mala suerte. Loc. *Porter la —,* ser gafe.

guigner [giɲe] *intr.-tr. 1* Mirar de soslayo, con disimulo, de reojo. ■ *2 tr.* fig. fam. Codiciar.

guignol [giɲɔl] *m. 1* Polichinela. *2* Teatro de polichinelas, guiñol (théâtre).

guillemet [gijmɛ] *m.* Comilla *f.*

guillemot [gijmo] *m.* Pájaro bobo.

guillocher [gijɔʃe] *tr.* Grabar con rayas que se entrecruzan.
guillotine [gijɔtin] *f.* Guillotina.
guimauve [gimov] *f. 1* Malvavisco *m. 2* Melcocha (pâte).
guimpe [gɛ̃p] *f. 1* Toca (de religieuse). *2* Camisolín *m.* (plastron de femme).
guindé, -ée [gɛ̃de] *adj. 1* Afectado, da, tieso, sa, estirado, da. *2* Ampuloso, sa.
guinguette [gɛ̃gɛt] *f.* Ventorrillo *m.*, merendero *m.*

guipure [gipyʀ] *f.* Guipur *m.*
guirlande [giʀlɑ̃d] *f.* Guirnalda.
guise [giz] *f.* Guisa, manera, antojo *m.: à sa —,* a su antojo.
guitare [gitaʀ] *f.* Guitarra.
gutta-percha [gytapɛʀka] *f.* Gutapercha.
gymnase [ʒimnɑz] *m.* Gimnasio.
gymnastique [ʒimnastik] *adj. 1* Gimnástico, ca. ■ *2 f.* Gimnasia.
gypse [ʒips(ə)] *m.* Yeso.
gyrostat [ʒiʀɔsta] *m.* Girostato.

H

h [aʃ] *m.-f.* H *f.*

***ha!** ['ɑ; hɑ] *interj.* 1 ¡Ah! 2 *Ha, ha!,* ¡ja, ja!

habile [abil] *adj.* Hábil.

habileté [abilte] *f.* Habilidad.

habiller [abije] *intr.* 1 Vestir. 2 Disfrazar. 3 Sentar, ir: *cette robe t'habille bien,* este vestido te sienta bien. 4 Cubrir (couvrir). 5 CUIS. Preparar. ■ 6 *pr.* Vestirse.

habit [abi] *m.* 1 Vestido, traje: *— de ville,* traje de calle. 2 Frac. 3 Hábito (de religieux). ■ 4 *pl.* Ropa *f. sing.: ôter ses habits,* quitarse la ropa.

habitable [abitabl(ə)] *adj.* Habitable.

habitacle [abitakl(ə)] *m.* 1 Cabina *f.* (d'un avion). 2 MAR. Bitácora *f.*

habitant, -ante [abitɑ̃, -ɑ̃t] *s.* Habitante.

habitation [abitɑsjɔ̃] *f.* Vivienda.

habiter [abite] *tr.-intr.* Vivir, habitar.

habitude [abityd] *f.* Hábito *m.,* costumbre.

habitué, -ée [abitɥe] *adj.* 1 Habituado, da, acostumbrado, da. ■ 2 *s.* Concurrente, asiduo, dua.

habituer [abitɥe] *tr.* 1 Habituar. ■ 2 *pr.* Habituarse, acostumbrarse.

***hache** ['aʃe] *f.* Hacha, segur.

***hacher** ['aʃe] *tr.* 1 Picar (en petits morceaux). 2 fig. *Se faire —,* dejarse matar. 3 Destrozar (récoltes). 4 Plumear (un dessin).

***hachette** ['aʃɛt] *f.* Destral *m.,* hacha pequeña, hacheta.

***hachis** ['aʃi] *m.* CUIS. Picadillo de carne, de pescado.

***hachisch, hachich** ['aʃiʃ] *m.* Hachís.

***hachoir** ['aʃwaʀ] *m.* 1 CUIS. Picador, tajo (planche). 2 CUIS. Tajadera *f.* (couteau).

***hachure** ['aʃyʀ] *f.* Plumeado *m.,* raya.

NOTA: El asterisco indica que la *h* es aspirada.

***hagard, -arde** ['agaʀ, -aʀd(ə)] *adj.* 1 Despavorido, da, azorado, da. 2 Extraviado, da (yeux).

***haie** ['ε] *f. 1* Seto *m.: — vive,* seto vivo. 2 Fila, cordón *m.* (de personnes, soldats).

***haillon** ['ajɔ̃] *m.* Harapo, andrajo.

***haine** ['ɛn] *f.* Odio *m.*

***haineux, -euse** ['ɛnø, -øz] *adj.* Rencoroso, sa.

***haïr** ['aiʀ] *tr.* Odiar, aborrecer. ▲ CONJUG. IRREG.: se escriben sin di*resis: *je hais, tu hais, il hait* y el imperativo sing. *hais* (que se pronuncian ε).

***haïssable** ['aisabl(ə)] *adj.* Odioso, sa, detestable, aborrecible.

***hâlé, -ée** ['ɑle] *adj.* Bronceado, da, tostado, da, curtido, da (peau).

haleine [alɛn] *f. 1* Aliento *m.: mauvaise —,* mal aliento. Loc. *Hors d'—,* jadeando. 2 *loc. adv. Tout d'une —, d'une seule —,* sin tomar aliento, de un tirón.

***haler** ['a(ɑ)le] *tr. 1* MAR. Halar. 2 Sirgar (une péniche).

***hâler** ['ɑle] *tr. 1* Broncear, curtir (la peau). 2 Secar (les plantes).

***haletant, -ante** ['atɑ̃, -ɑ̃t] *adj.* 1 Jadeante. 2 fig. Anhelante.

***haleter** ['alte] *intr.* Jadear. ▲ CONJUG. como *appeler.*

***halle** ['al] *f.* Mercado *m.*

***hallebarde** ['albaʀd(ə)] *f.* Alabarda.

hallucination [al(l)ysinɑsjɔ̃] *f.* Alucinación.

***halo** ['alo] *m.* Halo.

***halte** ['alt(ə)] *f. 1* Alto *m.,* parada. 2 Apeadero *m.* (chemin de fer). 3 *interj.* ¡Alto! 4 *Halte-là!,* ¡alto ahí!

***hamac** ['amak] *m. 1* Hamaca *f.* 2 MAR. Coy.

***hameau** ['amo] *m.* Caserío, aldea *f.*

hameçon [amsɔ̃] *m.* Anzuelo.

***hampe** ['ɑ̃p] *f. 1* Asta (de drapeau). 2 Mango *m.* (de pinceau). 3 BOT. Bohordo *m.*

*hanche ['ɑ̃ʃ] *f.* Cadera.

*hangar ['ɑ̃gaʀ] *m. 1* Hangar (avions). *2* Cobertizo (agricole).

*hanneton ['ɑ̃tɔ̃] *m.* Abejorro.

*hanter ['ɑ̃te] *tr. 1* Frecuentar. *2* Tratar, andar con. *3* fig. Obsesionar, perseguir. *4 Maison hantée,* casa encantada.

*hantise ['ɑ̃tiz] *f.* Obsesión.

*happer ['ape] *tr. 1* Atrapar. *2* Atrapar de un bocado (animaux).

*harangue ['aʀɑ̃g] *f.* Arenga.

*haras ['aʀɑ] *m. 1* MIL. Remonta *f. 2* Acaballadero.

*harasser ['aʀase] *tr.* Cansar, agobiar, agotar.

*harceler ['aʀsəle] *tr.* Hostigar, acosar. ▲ CONJUG. como *acheter*.

*harde ['aʀd(ə)] *f. 1* Manada (d'animaux sauvages). ■ *3 pl.* Traílla (de chiens). ■ *3 pl.* péj. Vestidos *m.,* ropas.

*hardi, -ie ['aʀdi] *adj. 1* Atrevido, da, osado, da. *2* Descarado, da (effronté). *3 interj.* ¡Ánimo!

*hardiesse ['aʀdjɛs] *f. 1* Atrevimiento *m.,* osadía. *2* Descaro *m.* (effronterie).

*harem ['aʀɛm] *m.* Har*n, harem.

*hareng ['aʀɑ̃] *m.* Arenque.

*hargneux, -euse ['aʀɲø, -øz] *adj.* Huraño, ña, arisco, ca, rabioso, sa, malhumorado, da.

*haricot ['aʀiko] *m. 1* Judía *f.,* alubia *f.: — vert,* judía tierna. *2* CUIS. *— de mouton,* guiso de carnero con patatas y nabos.

harmonica [aʀmɔnika] *m.* Armónica *f.,* harmónica *f.*

harmonieux, -euse [aʀmɔnjø, -øz] *adj.* Armonioso, sa.

harmonique [aʀmɔnik] *adj.* Armónico, ca.

*harnacher ['aʀnaʃe] *tr. 1* Enjaezar. *2* fig. Ataviar ridículamente.

*harnais ['aʀnɛ] *m.* Arneses *pl.,* arreos *pl.*

*haro ['aʀo] *m.* Loc. fig. *Crier — sur quelqu'un,* alzarse con indignación contra uno.

*harpe ['aʀp(ə)] *f. 1* MUS. Arpa, harpa. *2* CONSTR. Adaraja.

*harpie ['aʀpi] *f.* Arpía, harpía.

*harpiste ['aʀpist(ə)] *s.* Arpista.

*harpon ['aʀpɔ̃] *m.* Arpón.

*hasard ['azaʀ] *m. 1* Azar, acaso, casualidad *f.,* suerte *f. 2* Riesgo.

*hasardeux, -euse ['azaʀdø, -øz] *adj.* Arriesgado, da, temerario, ria, aventurado, da.

hast [ast] *m. Arme d'—,* arma de asta.

*hâte ['ɑt] *f.* Prisa: *avoir — de,* tener prisa por. *2 loc. adv. À la —, en —,* de prisa, precipitadamente.

*hâter ['ɑte] *tr. 1* Acelerar, apresurar: *—le*

pas, apretar el paso. *2* Adelantar, estimular (activer). ■ *3 pr.* Apresurarse, darse prisa: *hâtez-vous,* dése prisa.

*hâtif, -ive ['ɑtif, -iv] *adj. 1* Apresurado, da, hecho, cha de prisa. *2* Precoz.

*hausse ['os] *f. 1* Alza (des prix). *2* IMPR. Alza. *3* TECHN. Pieza para alzar. *4* Subida (des eaux).

*hausser ['ose] *tr. 1* Alzar, levantar. *2* Subir, elevar (les prix). *3* Aumentar. ■ *4 intr.* Crecer, aumentar. *5* Encarecer (prix). ■ *6 pr.* Alzarse.

*haut, haute ['o, 'ot] *adj. 1* Alto, ta. Loc. *Marcher le front —,* ir con la frente alta; *le Très-Haut,* el Altísimo; *— en couleur,* subido de color; *la haute antiquité,* la remota antigüedad. ■ *2 m.* Alto, altura *f. 3* Lo alto, la parte alta: *du — de,* desde lo alto de. Loc. fig. *Tomber de son —,* quedarse estupefacto, ta. *4* Cima *f.* (d'un arbre).

*haut ['o] *adv. 1* Alto: *voler —,* volar alto. *2* Fuerte: *parler —,* hablar fuerte. *3 loc. adv. De — en bas,* de arriba abajo. *4 interj. — les mains!,* ¡manos arriba!

*hautain, -aine ['otɛ̃, -ɛn] *adj.* Altivo, va.

*hautbois ['obwa] *m.* Oboe.

*hauteur ['otœʀ] *f. 1* Altura. *2* fig. Altura, alteza (noblesse). *3* Altanería, altivez (arrogance). *4* Grado *m.* de agudeza (d'un son). *5* Altura, colina, eminencia (lieu élevé).

*haut-fond ['ofɔ̃] *m.* MAR. Bajo, bajo fondo.

*haut-le-cœur ['olkœʀ] *m. invar.* Náusea *f.*

*haut-parleur ['opaʀlœʀ] *m.* Altavoz.

*haut-relief ['oʀəljɛf] *m.* Alto relieve.

*havane ['avan] *m. 1* Habano (cigare). ■ *2 adj.* Habano, na (couleur).

*hâve ['av] *adj.* Pálido, da, macilento, ta.

hebdomadaire [ɛbdɔmadɛʀ] *adj. 1* Semanal, hebdomadario, ria. ■ *2 m.* Semanario (journal, revue).

héberger [ebɛʀʒe] *tr.* Albergar. ▲ CONJUG. como *engager*.

hébéter [ebete] *tr.* Embrutecer, atontar. ▲ CONJUG. como *accélérer*.

hécatombe [ekatɔ̃b] *f.* Hecatombe.

hectare [ɛktaʀ] *m.* Hectárea *f.*

hectogramme [ɛktɔgram] *m.* Hectogramo.

hectolitre [ɛktɔlitʀ(ə)] *m.* Hectolitro.

hectomètre [ɛktɔmɛtʀ(ə)] *m.* Hectómetro.

hégémonie [eʒemɔni] *f.* Hegemonía.

*hein! [ɛ̃, hɛ̃] *interj.* ¡Eh!, ¿eh?

*hélas! ['elas] *interj.* ¡Ay!

*héler ['ele] *tr.* Llamar. ▲ CONJUG. como *accélérer*.

hélice [elis] *f.* GÉOM.. MÉC. Hélice.
hélicoptère [elikɔptɛʀ] *m.* Helicóptero.
héliotrope [eljɔtʀɔp] *m.* Heliotropo.
hellénique [e(ɛl)lenik] *adj.* Helénico. ca.
****hem!** [ˈɛm. hɛm] *interj.* ¡Eh!. ¡ejem,
ejem!
hématome [ematom] *m.* Hematoma.
hémicycle [emisikl(ə)] *m.* Hemiciclo.
hémiplégie [emipleʒi] *f.* Hemiplejia.
hémiptère [emiptɛʀ] *m.* Hemíptero.
hémisphère [emisfɛʀ] *m.* Hemisferio.
hémorragie [emɔʀaʒi] *f.* Hemorragia.
hémorroïdes [emɔʀɔid] *f. pl.* Hemorroides.
hendécasyllabe [ɛ̃dekasi(l)lab] *adj.-m.* Endecasílabo, ba.
****henné** [ˈene] *m.* Henné.
****hennir** [ˈeniʀ] *intr.* Relinchar.
hépatique [epatik] *adj. 1* Hepático. ca. ■ *2 f. pl.* BOT. Hepáticas.
heptaèdre [ɛptaedʀ(ə)] *adj.-m.* Heptaedro.
héraldique [eʀaldik] *adj.* Heráldico. ca.
herbage [ɛʀbaʒ] *m. 1* Herbaje (herbe). *2* Pasto, herbazal, pasturaje (prairie).
herbe [ɛʀb(ə)] *f. 1* Hierba, yerba. *2* Césped *m.* (gazon). *3 loc. adv. En —,* no maduro, ra (todavía).
herbeux, -euse [ɛʀbø, -øz] *adj.* Herboso, sa.
herbier [ɛʀbje] *m.* Herbario (collection).
herbivore [ɛʀbivɔʀ] *adj.-m.* Herbívoro, ra.
herboristerie [ɛʀbɔʀist(ə)ʀi] *f.* Tienda de herbolario.
herculéen, -éenne [ɛʀkyleɛ̃. -ɛɛn] *adj.* Hercúleo, ea.
****hère** [ˈɛʀ] *m. 1* Cervato. *2 fam. Un pauvre —,* un pobre diablo.
hérédité [eʀedite] *f.* Herencia.
hérésie [eʀezi] *f.* Herejía.
hérétique [eʀetik] *adj. 1* Heértico. ca. ■ *2 s.* Hereje.
****hérisser** [ˈeʀise] *tr. 1* Erizar. ■ *2 pr.* Erizarse. *3 fam.* Enfadarse, irritarse.
****hérisson** [ˈeʀisɔ̃] *m. 1* Erizo. *2 fig.* Erizo.
héritage [eʀitaʒ] *m. 1* Herencia *f.* *2 vieil.* Heredad *f.* (domaine).
hériter [eʀite] *ind.* Heredar.
héritier, -ière [eʀitje, -jɛʀ] *s.* Heredero, ra.
hermétique [ɛʀmetik] *adj.* Hermético, ca.
hermine [ɛʀmin] *f.* Armiño *m.*
herminette [ɛʀminɛt] *f.* Azuela.
****hernie** [ˈɛʀni] *f.* Hernia.
héroïque [eʀɔik] *adj.* Heroico, ca.
héroïsme [eʀɔism(ə)] *m.* Heroísmo.
****héron** [ˈeʀɔ̃] *m.* Garza *f.*
****herse** [ˈɛʀs(ə)] *f. 1* AGR. Grada, rastra. *2*

FORT. Rastrillo *m.* *3* THÉÂT. Luces *pl.* en el telar.
hésitant, -ante [ezitɑ̃. -ɑ̃t] *adj.* Vacilante, indeciso, sa.
hésiter [ezite] *intr.* Vacilar. titubear: *— à, sur,* vacilar en.
hétérodoxe [eteʀɔdɔks(ə)] *adj.-s.* Heterodoxo. xa.
hétérogène [eteʀɔʒen] *adj.* Heterogéneo, ea.
****hêtre** [ˈɛtʀ(ə)] *m.* Haya *f.*
****heu!** [ˈø] *interj.* ¡Oh!. ¡eh!
heur [œʀ] *m.* Suerte *f.*, fortuna *f.* dicha *f.*
heure [œʀ] *f. 1* Hora. Loc. *À six heures,* a las seis; *quelle — est-il?,* ¿qué hora es?, *l'— du berger,* la hora de los enamorados; *loc. adv. À la bonne —,* sea, en hora buena. gracias a Dios; *de bonne —,* temprano; *tout à l'—,* pronto, dentro de poco (bientôt). hace poco (il n'y a pas longtemps). ■ *2 pl.* LITURG. Horas: *livre d'heures,* libro de horas.
heureux, -euse [œʀø, -øz] *adj. 1* Dichoso, sa. afortunado, da. feliz. Loc. *Avoir la main heureuse,* tener acierto en las empresas. *2* Acertado, da: *une idée heureuse,* una idea acertada.
****heurté, -ée** [ˈœʀte] *tr. 1* Chocar, topar con, tropezar con. *2 fig.* Contrariar, herir, chocar (sentiments). ■ *3 intr.* Chocar, tropezar, dar. ■ *4 pr.* Chocarse, toparse: *se — à un poteau,* chocar contra un poste. *5* Enfrentarse (s'affronter).
****heurtoir** [ˈœʀtwaʀ] *m. 1* Llamador, aldabón. *2* Tope (butoir).
hexaèdre [ɛgzaedʀ(ə)] *m.* Hexaedro.
hexagone [ɛgzagon] *m.* Hexágono.
****hiatus** [ˈjatys. jatys] *m.* Hiato.
hiberner [ibɛʀne] *intr.* Pasar el invierno en letargo.
****hibou** [ˈibu] *m.* Búho.
****hic** [ˈik] *m. fam.* Quid. busilis: *voilà le —,* ahí está el quid.
****hideux, -euse** [ˈidø, -øz] *adj. 1* Horroroso, sa. *2* Horrible, repulsivo, va (répugnant).
****hie** [ˈi] *f.* Pisón *m.*
hier [jeʀ] *adv. 1* Ayer: *— matin,* ayer por la mañana. *2 — soir,* anoche.
****hiérarchie** [ˈjeʀaʀʃi] *f.* Jerarquía.
hiératique [jeʀatik] *adj.* Hierático, ca.
hiéroglyphe [jeʀɔglif] *m.* Jeroglífico.
hilarant, -ante [ilaʀɑ̃. -ɑ̃t] *adj.* Hilarante.
hilarité [ilaʀite] *f.* Hilaridad.
hindou, -oue [ɛ̃du] *adj.-s.* Hindú.
hippique [ipik] *adj.* Hípico, ca.
hippodrome [ipɔdʀɔm] *m.* Hipódromo.
hippopotame [ipɔpɔtam] *m.* Hipopótamo.
hirondelle [iʀɔ̃del] *f.* Golondrina.

hirsute [iʀsyt] *adj.* Hirsuto, ta.
hispanique [ispanik] *adj.* Hispánico, ca.
***hisser** [ˈise] *tr. 1* Izar. ■ *2 pr.* Subirse, alzarse, auparse.
histoire [istwaʀ] *f. 1* Historia. *2* fig. Cuento *m.*, mentira (mensonge). *3* Cuento *m.*: *c'est toute une —*, es un cuento largo. *4* Enredo *m.*, lío *m.*, cuestión (ennuis, querelle). Loc. *Faire des histoires*, poner dificultades. *5* fam. *— de*, con objeto de; *— de rire*, en plan de broma.
histologie [istɔlɔʒi] *f.* Histología.
historien, -ienne [istɔʀjɛ̃, -jɛn] *s.* Historiador, ra.
historier [istɔʀje] *tr.* Historiar. ▲ CONJUG. como *prier*.
historiette [istɔʀjɛt] *f.* Historieta.
historique [istɔʀik] *adj. 1* Histórico, ca. ■ *2 m.* Historial, exposición *f.*
histrion [istʀijɔ̃] *m.* Histrión.
hiver [ivɛʀ] *m.* Invierno.
hiverner [ivɛʀne] *intr.* Invernar.
***hobereau** [ˈɔbʀo] *m.* Hidalgo campesino.
***hochequeue** [ˈɔʃkø] *m.* Aguzanieves *f.*
***hocher** [ˈɔʃe] *tr.* Sacudir, menear: *— la tête*, menear la cabeza.
***hochet** [ˈɔʃɛ] *m.* Sonajero.
***holà** [ˈɔla, hɔla] *interj.* ¡Hola!, ¡eh!
***hollandais, -aise** [ˈɔl(l)ɑ̃dɛ, -ɛz] *adj.-s.* Holandés, esa.
holocauste [ɔlɔkost(ə)] *m.* Holocausto.
***homard** [ˈɔmaʀ] *m.* Bogavante.
homélie [ɔmeli] *f.* Homilía.
homéopathie [ɔmeɔpati] *f.* Homeopatía.
homicide [ɔmisid] *adj.-s. 1* Homicida. ■ *2 m.* Homicidio.
hommage [ɔmaʒ] *m. 1* Homenaje. *2* Ofrenda *f.*, obsequio (don). Loc. *Faire — d'un livre*, regalar, dedicar un libro. ■ *3 pl.* Respetos: *présenter ses hommages*, ofrecer sus respetos.
hommasse [ɔmas] *adj.* péj. Hombruno, na.
homme [ɔm] *m. 1* Hombre. Loc. *Jeune —*, joven; *brave —*, buen hombre; *un — brave*, un hombre valiente; *— de lettres*, literato; *— de paille*, testaferro; *—d'état*, estadista; *galant —*, caballero; *être — à*, ser capaz de. *2 Homme des bois*, orangután.
homogène [ɔmɔʒɛn] *adj.* Homogéneo, ea.
homologuer [ɔmɔlɔge] *tr.* Homologar.
homonyme [ɔmɔnim] *adj.-s.* Homónimo, ma.
***hongrois, -oise** [ˈɔ̃gʀwa, -waz] *adj.-s.* Húngaro, ra.
honnête [ɔnɛt] *adj. 1* Honrado, da, probo, ba. *2* Honesto, ta, decente: *une femme —*, una mujer decente. *3* Razonable: *un prix —*, un precio razonable.

honnêteté [ɔnette] *f. 1* Honradez (probité). *2* Honestidad, decencia.
honneur [ɔnœʀ] *m. 1* Honor, honra *f.* Loc. *Affaire d'—*, lance de honor; *point d'—*, pundonor, punto de honra; *faire — à*, hacer honor a. ■ *2 pl.* Honores, dignidades *f. 3* Honores: *rendre les honneurs*, rendir los honores. *4 Honneurs funèbres*, honras fúnebres. *5* Triunfos (jeux de cartes).
***honnir** [ˈɔni] *tr.* Deshonrar, deshonorar, avergonzar.
honorable [ɔnɔʀabl(ə)] *adj.* Honorable.
honoraire [ɔnɔʀɛʀ] *adj. 1* Honorario, ria. ■ *2 pl.* Honorarios.
honorer [ɔnɔʀe] *tr. 1* Honrar, honorar. *2 Votre honorée du 15 juillet*, su atenta del 15 de julio (lettre). *3* Pagar, satisfacer una deuda. ■ *4 pr.* Honrarse, enorgullecerse.
honorifique [ɔnɔʀifik] *adj.* Honorífico, ca.
***honte** [ˈɔ̃t] *f.* Vergüenza. Loc. *Avoir —*, avergonzarse, darse vergüenza; *faire —*, avergonzar, abochornar.
***honteux, -euse** [ˈɔ̃tø, -øz] *adj. 1* Avergonzado, da (confus). *2* Vergonzoso, sa (déshonorant, timide). Loc. *C'est —!*, ¡es una vergüenza!
hôpital [ɔ(o)pital] *m.* Hospital.
***hoqueter** [ˈɔkte] *intr.* Hipar, tener hipo. ▲ CONJUG. como *jeter*.
horaire [ɔʀɛʀ] *adj.-m.* Horario, ia.
***horde** [ˈɔʀd(ə)] *f.* Horda.
***horion** [ˈɔʀjɔ̃] *m.* Golpe, porrazo.
horizon [ɔʀizɔ̃] *m.* Horizonte.
horloge [ɔʀlɔʒ] *f.* Reloj *m.*
horlogerie [ɔʀlɔʒʀi] *f.* Relojería.
***hormis** [ˈɔʀmi] *prép.* Excepto, salvo.
horoscope [ɔʀɔskɔp] *m.* Horóscopo.
horreur [ɔʀœʀ] *f.* Horror *m.* Loc. *Avoir en —*, tener horror a.
horrible [ɔʀibl(ə)] *adj.* Horrible.
horrifier [ɔʀifje] *tr.* Horrorizar, horripilar. ▲ CONJUG. como *prier*.
horripilant, -ante [ɔʀipilɑ̃, -ɑ̃t] *adj.* Horripilante.
***hors** [ˈɔʀ] *prép. 1* Excepto, menos: *tous — moi*, todos menos yo. *2* Fuera, fuera de: *— d'affaire*, fuera de cuidado; *— de doute*, fuera de duda; *— de combat*, fuera de combate; *— de soi*, fuera de sí. *3 — de prix*, muy caro, ra; *— ligne*, excepcional. *4 interj. Hors d'ici!*, ¡fuera de aquí!
***hors-d'œuvre** [ˈɔʀdœvʀ(ə)] *m. invar.* CUIS. Entremeses *pl.*
hortensia [ɔʀtɑ̃sja] *m.* Hortensia *f.*
horticulteur [ɔʀtikyltœʀ] *m.* Horticultor.
horticulture [ɔʀtikyltyʀ] *f.* Horticultura.

hospice [ɔspis] *m.* Hospicio.
hospitalier, -ière [ɔspitalje, -jɛʀ] *adj.* Hospitalario, ria.
hospitalité [ɔspitalite] *f.* Hospitalidad.
hostie [ɔsti] *f.* LITURG. Hostia.
hostilité [ɔstilite] *f.* Hostilidad.
hôte, hôtesse [ot, otɛs] *s. 1* Huésped, huéspeda. *2 Hôtesse de l'air,* azafata.
hôtel [o(ɔ)tɛl] *m.* Hotel. Loc. *— de ville,* ayuntamiento; *— particulier,* palacete; *maître d'—,* jefe de comedor.
hôtelier, ière [o(ɔ)təlje, -jɛʀ] *adj.-s.* Hotelero, ra.
***hotte** [ɔt] *f. 1* Cuévano *m.* 2 Campana (d'une cheminée).
***hou!** [u, hu] *interj. 1* ¡Hale! *2* ¡Gua!
***houblon** [ublɔ̃] *m.* Lúpulo.
***houe** [u] *f.* Azada, azadón *m.*
***houille** [uj] *f.* Hulla.
***houle** [ul] *f.* MAR. Marejada.
***houlette** [ulɛt] *f.* Cayado *m.* de pastor.
***houleux, -euse** [ulø, -øz] *adj.* Agitado, da, movido, da.
***houppe** [up] *f. 1* Borla. *2* Penacho *m.,* moño *m.* (d'un oiseau). *3* Hopo *m.* (de cheveux).
***hourra!** [uʀa] *interj.* ¡Hurra!
***hourvari** [uʀvaʀi] *m.* Jaleo, bulla *f.,* algazara *f.*
***houspiller** [uspije] *tr. 1* Sacudir, zamarrear (malmener). *2* Reprender (morigéner).
***housse** [us] *f. 1* Funda. *2* Gualdrapa (de cheval).
***houx** [u] *m.* Acebo.
***hublot** [yblo] *m. 1* MAR. Portilla *f.* 2 Ventanilla *f.* (d'avion).
***huche** [yʃ] *f. 1* Amasadera (pétrin). *2* Arcón *m.* (pour garder le pain).
***hue!** [y, hy] *interj. 1* ¡Arre! *2 loc. adv. À — et à dia,* a un lado y a otro.
***huer** [ye] *tr. 1* Abuchear: *— un orateur,* abuchear a un orador. ■ *2 intr.* Silbar (hibou).
huile [ɥil] *f. 1* Aceite *m.* Loc. fig. *Jeter, verser de l'— sur le feu,* echar leña al fuego. *2* Óleo *m.* 3 fam. Pez *m.* gordo, personaje *m.* importante: *les huiles,* los peces gordos. ■ *4 pl. Les saintes huiles,* los santos óleos.
huiler [ɥile] *tr.* Aceitar.
huilier [ɥilje] *m.* Angarillas *f. pl.,* vinagreras *f. pl.* (ustensile).
huis [ɥi] *m. 1* anciann. Puerta *f.* 2 *À — clos,* a puerta cerrada.
huissier [ɥisje] *m. 1* Ujier (palais, tribunaux). *2* Ordenanza (ministères). *3* Funcionario público auxiliar de la justicia.

***huit** [ˈɥi(t)] *adj.-s.* Ocho.
***huitaine** [ˈɥitɛn] *f.* Unos ocho, unas ocho: *une — d'hommes,* unos ocho hombres.
***hutième** [ˈɥtjɛm] *adj.-s.* Octavo, va.
huître [ɥitʀ(ə)] *f.* Ostra.
***hulotte** [ˈɥlɔt] *f.* Autillo *m.*
humain, -aine [ymɛ̃, -ɛn] *adj.* Humano, na.
humanisme [ymanism(ə)] *m.* Humanismo.
humanitaire [ymanitɛʀ] *adj.* Humanitario, ria.
humanité [ymanite] *f.* Humanidad.
humble [œ̃bl(ə)] *adj.* Humilde.
humecter [ymɛkte] *tr.* Humedecer, humectar.
***humer** [ˈyme] *tr. 1* Aspirar (l'air, etc.). *2* Oler (sentir). *3* Sorber (un œuf).
humeur [ymœʀ] *f. 1* Humor *m.: de bonne, de mauvaise —,* de buen, de mal humor. Loc. *N'être pas d'— à,* no estar para. *2* Acrimonia. *3* ANAT. Humor *m.*
humide [ymid] *adj.* Húmedo, da.
humidité [ymidite] *f.* Humedad.
humilier [ymilje] *tr. 1* Humillar. ■ *2 pr.* Humillarse. ▲ CONJUG. como *prier.*
humilité [ymilite] *f.* Humildad.
humoral, -ale [ymɔʀal] *adj.* Humoral.
humoristique [ymɔʀistik] *adj.* Humorístico, ca.
humus [ymys] *m.* Humus, mantillo *m.*
***huppé, -ée** [ˈype] *adj. 1* Moñudo, da (oiseau). *2* fig. Encopetado, da.
***hurler** [ˈyʀle] *intr. 1* Aullar (animal). *2* Dar alaridos, gritar (personne). *3* Bramar, rugir (vent, etc.). ■ *4 tr.* Gritar: *il hurlait des injures,* gritaba insultos.
hurluberlu [yʀlybɛʀly] *m.* Atolondrado.
hybride [ibʀid] *adj.-m.* Híbrido, da.
hydrater [idʀate] *tr.* Hidratar.
hydraulique [idʀolik] *adj. 1* Hidráulico, ca. ■ *2 f.* Hidráulica.
hydravion [idʀavjɔ̃] *m.* Hidroavión.
hydre [idʀ(ə)] *f.* Hidra.
hydrogène [idʀɔʒɛn] *m.* Hidrógeno.
hydrographie [idʀɔgʀafi] *f.* Hidrografía.
hydrolyse [idʀɔliz] *f.* Hidrólisis.
hydromel [idʀɔmɛl] *m.* Hidromel, aguamiel *f.*
hydrophile [idʀɔfil] *adj.* Hidrófilo, la.
hydrophobe [idʀɔfɔb] *adj.-s.* Hidrófobo, ba.
hydrostatique [idʀɔstatik] *adj. 1* Hidrostático, ca. ■ *2 f.* Hidrostática.
***hyène** [jɛn, ˈjɛn] *f.* Hiena.
hygiène [iʒjɛn] *f.* Higiene.
hygiénique [iʒjenik] *adj.* Higiénico, ca.
hymen [imɛn] *m. 1* Himeneo. *2* ANAT. Himen.

hyménoptères [imenɔptɛʀ] *m. pl.* Himenópteros.

hymne [imn(ə)] *m. 1* Himno. ■ *2 f.* LITURG. Himno *m.*

hyperbate [ipɛʀbat] *f.* RHÉT. Hipérbaton *m.*

hyperbole [ipɛʀbɔl] *f. 1* RHÉT. Hipérbole. *2* GÉOM. Hipérbola.

hypertrophie [ipɛʀtʀɔfi] *f.* Hipertrofia.

hypnotique [ipnɔtik] *adj.-m.* Hipnótico, ca.

hypnotiser [ipnɔtize] *tr.* Hipnotizar.

hypnotisme [ipnɔtism(ə)] *m.* Hipnotismo.

hypocondrie [ipɔkɔ̃dʀi] *f.* Hipocondría.

hypocrise [ipɔkʀizi] *f.* Hipocresía.

hypocrite [ipɔkʀit] *adj.-s.* Hipócrita.

hypodermique [ipɔdɛʀmik] *adj.* Hipodérmico, ca.

hypoténuse [ipɔtenyz] *f.* Hipotenusa.

hypothèque [ipɔtek] *f.* Hipoteca.

hypothèse [ipɔtez] *f.* Hipótesis.

hysope [izɔp] *f.* Hisopo *m.*

hystérique [isteʀik] *adj.-s.* Histérico, ca.

hystérisme [isteʀism(ə)] *m.* Histerismo.

I

i [i] *m.* I *f.* Loc. *Droit comme un i,* derecho como un huso.

iambe [jãb] *m.* LITT. Yambo.

ibis [ibis] *m.* Ibis *f.*

iceberg [ajsbɛʀg, isbɛʀg] *m.* Iceberg.

ichtyologie [iktɔlɔʒi] *f.* Ictiología.

ici [isi] *adv. 1* Aquí, acá. Loc. *Par —,* por aquí; *— bas,* en este bajo mundo; *— et là,* aquí y allá. *2* Aquí (temps): *d'— demain,* de aquí a mañana.

icône [ikon] *f.* Icono *m.*

iconoclaste [ikɔnɔklast(ə)] *adj.-s.* Iconoclasta.

idéal, -ale [ideal] *adj.-m.* Ideal.

idéalisme [idealism(ə)] *m.* Idealismo.

idée [ide] *f. 1* Idea. *2* Opinión. *3 loc. adv.* À *son —,* a su antojo (à sa guise).

identifier [idãtifje] *tr. 1* Identificar. ■ *2 pr.* Identificarse. ▲ CONJUG. como *prier.*

identique [idãtik] *adj.* Idéntico, ca.

identité [idãtite] *f.* Identidad.

idéologique [ideɔlɔʒik] *adj.* Ideológico, ca.

ides [id] *f. pl.* Idus *m.*

idiome [idjom] *m.* Idioma.

idiosyncrasie [idjɔsẽkʀazi] *f.* Idiosincrasia.

idiot, -ote [idjo, -ɔt] *adj.-s. 1* Idiota. *2* Tonto, ta: *faire l'—,* hacer el tonto.

idiotisme [idjɔtism(ə)] *m.* GRAM. Idiotismo.

idoine [idwan] *adj.* Idóneo, ea.

idolâtrer [idɔlɑtʀe] *tr.* Idolatrar.

idole [idɔl] *f.* Ídolo *m.*

idylle [idil] *f.* Idilio *m.*

igname [iɲ(gn)am] *f.* Ñame *m.*

igné, -ée [iɲe] *adj.* Ígneo, nea.

ignition [iɡnisjɔ̃] *f.* Ignición.

ignoble [iɲɔbl(ə)] *adj.* Innoble.

ignominie [iɲɔmini] *f.* Ignominia.

ignorance [iɲɔʀɑ̃s] *f.* Ignorancia.

ignorant, -ante [iɲɔʀɑ̃, -ɑ̃t] *adj.-s.* Ignorante.

ignorer [iɲɔʀe] *tr.* Ignorar.

iguane [igwan] *m.* Iguana *f.*

il, ils [il] *pron. pers. m. 1* El, ellos (généralment omis, servent à insister): *— est malade,* está enfermo. ■ *2 pron. impers.: il pleut,* llueve (ne se traduit pas).

île [il] *f.* Isla.

illégal, -ale [i(l)legal] *adj.* Ilegal.

illégitime [i(l)leʒitim] *adj.* Ilegítimo, ma.

illettré, -e [i(l)letʀe] *adj.-s.* Letrado, da, analfabeto, ta.

illicite [i(l)lisit] *adj.* Ilícito, ta.

illico [i(l)liko] *adv. fam.* En el acto, al punto, inmediatamente.

illimité, -ée [i(l)limite] *adj.* Ilimitado, da.

illisible [i(l)lizibl(ə)] *adj.* Ilegible.

illogique [i(l)lɔʒik] *adj.* Ilógico, ca.

illumination [i(l)lyminasjɔ̃] *f.* Iluminación.

illuminer [i(l)lymine] *tr.* Iluminar.

illusion [i(l)lyzjɔ̃] *f.* Ilusión.

illusionner [i(l)lyzjɔne] *tr. 1* Ilusionar, engañar. ■ *2 pr.* Hacerse, forjarse ilusiones, ilusionarse.

illusionniste [i(l)lyzjɔnist(ə)] *m.* Ilusionista, prestidigitador.

illusoire [i(l)lyzwaʀ] *adj.* Ilusorio, ria.

illustration [i(l)lystʀasjɔ̃] *f.* Ilustración.

illustre [i(l)lystʀ(ə)] *adj.* Ilustre.

illustrer [i(l)lystʀe] *1 tr.* Ilustrar. ■ *2 pr.* Ilustrarse.

ilustrissime [i(l)lystʀisim] *adj.* Ilustrísimo, ma.

îlot [ilo] *m. 1* Islote *m. 2* Manzana *f.* (de maisons).

image [imaʒ] *f. 1* Imagen. *2* Estampa, estampita (petite estampe).

imager [imaʒe] *tr.* Enriquecer de imágenes. ▲ CONJUG. como *engager.*

imagerie [imaʒʀi] *f.* Estampería.

imaginaire [imaʒinɛʀ] *adj.* Imaginario, ria.

imagination [imaʒinɑsjɔ̃] *f.* Imaginación.

imaginer [imaʒine] *tr. 1* Imaginar. ■ *2 pr.* Imaginarse, figurarse.

imbattable [ɛ̃batabl(ə)] *adj.* Invencible.
imbécile [ɛ̃besil] *adj.-s.* Imbécil.
imberbe [ɛ̃bɛʀb(ə)] *adj.* Imberbe.
imbiber [ɛ̃bibe] *tr. 1* Embeber, empapar. ■ *2 pr.* Embeberse, empaparse.
imbrication [ɛ̃bʀikasjɔ̃] *f.* Imbricación.
imbroglio [ɛ̃bʀɔljo] *m.* Embrollo, enredo, lío.
imbu, -ue [ɛ̃by] *adj.* Imbuido, da.
imitation [imitasjɔ̃] *f. 1* Imitación. *2 loc. prép. À l'— de*, a imitación de.
imiter [imite] *tr.* Imitar.
immaculé, -ée [i(m)makyle] *adj.* Inmaculado, da.
immanent, -ente [im(m)anã, -ãt] *adj.* Inmanente.
immangeable [ɛ̃mãʒabl(ə)] *adj.* Incomible.
immanquable [ɛ̃mãkabl(ə)] *adj.* Infalible, indefectible.
immatériel, -elle [im(m)ateʀjel] *adj.* Inmaterial.
immatriculer [im(m)atʀikyle] *tr.* Matricular.
immédiat, -ate [im(m)edja, -at] *adj.* Inmediato, ta.
immense [im(m)ãs] *adj.* Inmenso, sa.
immensité [im(m)ãsite] *f.* Inmensidad.
immérité, -ée [im(m)eʀite] *adj.* Inmerecido, da.
immersion [im(m)ɛʀsjɔ̃] *f.* Inmersión.
immeuble [im(m)œbl(ə)] *adj.-m. 1* DR. Inmueble. ■ *2 m.* Casa *f.* (maison).
immigrant, -ante [im(m)igʀã, -ãt] *adj.-s.* Inmigrante.
immigrer [im(m)igʀe] *intr.* Inmigrar.
imminent, -ente [im(m)inã, -ãt] *adj.* Inminente.
inmixtion [im(m)iksjɔ̃] *f.* Intromisión.
immobile [im(m)ɔbil] *adj.* Inmóvil.
immobilier, -ière [im(m)ɔbilje, -jɛʀ] *adj.* Inmobiliario, ria.
immobiliser [im(m)ɔbilize] *tr.* Inmovilizar.
immoderé, -ée [im(m)ɔdeʀe] *adj.* Inmoderado, da.
immodeste [im(m)ɔdɛst(ə)] *adj.* Inmodesto, ta.
immoler [im(m)ɔle] *tr. 1* Inmolar. ■ *2 pr.* Inmolarse.
immondice [im(m)ɔ̃dis] *f.* Inmundicia.
immoralité [im(m)ɔʀalite] *f.* Inmoralidad.
immortalité [im(m)ɔʀtalite] *f.* Inmortalidad.
immortel, -elle [im(m)ɔʀtɛl] *adj. 1* Inmortal. ■ *2 m.* fam. Miembro de la Academia francesa. ■ *3 f.* Siempre viva (plante).
immuable [im(m)ɥabl(ə)] *adj.* Inmutable.

immuniser [im(m)ynize] *tr.* Inmunizar.
immunité [im(m)ynite] *f.* Inmunidad.
impact [ɛ̃pakt] *m.* Impacto.
impair, -aire [ɛ̃pɛʀ] *adj. 1* Impar. ■ *2 m.* fig. Plancha *f.*, desacierto: *commettre un —*, hacer una plancha, meter la pata.
impalpable [ɛ̃palpabl(ə)] *adj.* Impalpable.
impardonnable [ɛ̃paʀdɔnabl(ə)] *adj.* Imperdonable.
imparfait, -aite [ɛ̃paʀfɛ, -ɛt] *adj. 1* Imperfecto, ta. ■ *2 m.* GRAM. Pretérito imperfecto.
impartial, -ale [ɛ̃paʀsjal] *adj.* Imparcial.
impasse [ɛ̃pas] *f. 1* Callejón *m.* sin salida. *2* fig. Atolladero *m.*, punto *m.* muerto.
impassible [ɛ̃pasibl(ə)] *adj.* Impasible.
impatience [ɛ̃pasjãs] *f.* Impaciencia.
impatient, -ente [ɛ̃pasjã, -ãt] *adj. 1* Impaciente. ■ *2 f.* Balsamina, hierba de Santa Catalina (plante).
impayable [ɛ̃pɛjabl(ə)] *adj. 1* Impagable. *2* Inapreciable. *3* fig. Muy divertido, da, gracioso, sa, la monda.
impayé, -ée [ɛ̃peje] *adj.* No pagado, da.
impeccable [ɛ̃pekabl(ə)] *adj.* Impecable.
impénétrable [ɛ̃penetʀabl(ə)] *adj.* Impenetrable.
impératif, -ive [ɛ̃peʀatif, -iv] *adj.-m.* Imperativo, va.
impératrice [ɛ̃peʀatʀis] *f.* Emperatriz.
imperceptible [ɛ̃pɛʀsɛptibl(ə)] *adj.* Imperceptible.
imperfection [ɛ̃pɛʀfksjɔ̃] *f.* Imperfección.
impérial, -ale [ɛ̃peʀjal] *adj. 1* Imperial. ■ *2 f.* Imperial (d'un véhicule). *3* Perilla (barbe).
impérialisme [ɛ̃peʀjalism(ə)] *m.* Imperialismo.
impérieux, -euse [ɛ̃peʀjø, -øz] *adj.* Imperioso, sa.
impérissable [ɛ̃peʀisabl(ə)] *adj.* Imperecedero, ra.
impéritie [ɛ̃peʀisi] *f.* Impericia.
imperméable [ɛ̃pɛʀmeabl(ə)] *adj.-m.* Impermeable.
impersonnel, -elle [ɛ̃pɛʀsɔnɛl] *adj.* Impersonal.
impertinent, -ente [ɛ̃pɛʀtinã, -ãt] *adj.-s.* Impertinente.
imperturbable [ɛ̃pɛʀtyʀbabl(ə)] *adj.* Imperturbable.
impétueux, -euse [ɛ̃petɥø, -øz] *adj.* Impetuoso, sa.
impiété [ɛ̃pjete] *f.* Impiedad.
impitoyable [ɛ̃pitwajabl(ə)] *adj.* Despiadado, da.
implacable [ɛ̃plakabl(ə)] *adj.* Implacable.
implanter [ɛ̃plãte] *tr. 1* Implantar. ■ *2 pr.* Implantarse.

implicite [ɛ̃plisit] *adj.* Implícito, ta.
impliquer [ɛ̃plike] *tr.* Implicar.
implorer [ɛ̃plɔʀe] *tr.* Implorar.
impolitesse [ɛ̃pɔlitɛs] *f.* Descortesía, falta de educación.
impondérable [ɛ̃pɔ̃deʀabl(ə)] *adj. 1* Imponderable. ■ *2 m. pl.* Imponderables.
impopulaire [ɛ̃pɔpylɛʀ] *adj.* Impopular.
importance [ɛ̃pɔʀtɑ̃s] *f.* Importancia.
important, -ante [ɛ̃pɔʀtɑ̃, -ɑ̃t] *adj.* Importante.
importateur, -trice [ɛ̃pɔʀtatœʀ, -tʀis] *adj.-s.* Importador, ra.
importer [ɛ̃pɔʀte] *tr. 1* Importar: — *des matières premières,* importar materias primas. ■ *2 intr.* Importar, tener importancia: *la seule chose qui importe,* la única cosa que importa. Loc. *N'importe qui,* cualquiera; *n'importe quoi,* cualquier cosa.
importun, -une [ɛ̃pɔʀtœ̃, yn] *adj.-s.* Importuno, na.
importuner [ɛ̃pɔʀtyne] *tr.* Importunar.
imposable [ɛ̃pozabl(ə)] *adj.* Imponible.
imposant, -ante [ɛ̃pozɑ̃, -ɑ̃t] *adj.* Imponente.
imposé, -ée [ɛ̃poze] *adj. 1* Impuesto, ta. ■ *2 s.* Contribuyente.
imposer [ɛ̃poze] *tr. 1* Gravar con un impuesto (taxer). *2* Imponer: — *un travail à quelqu'un,* imponer un trabajo a alguien. *3 En* —, impresionar. ■ *4 pr.* Imponerse.
imposition [ɛ̃pozisjɔ̃] *f.* Imposición.
impossibilité [ɛ̃posibilite] *f.* Imposibilidad.
imposteur [ɛ̃postœʀ] *m.* Impostor, ra.
impôt [ɛ̃po] *m. 1* Impuesto. *2* Contribución *f.*
impotent, -ente [ɛ̃potɑ̃, -ɑ̃t] *adj.-s.* Tullido, da, baldado, da.
impraticable [ɛ̃pʀatikabl(ə)] *adj.* Impracticable.
imprécation [ɛ̃pʀekɑsjɔ̃] *f.* Imprecación.
imprécis, -ise [ɛ̃pʀesi, -iz] *adj.* Impreciso, sa.
imprégner [ɛ̃pʀeɲe] *tr. 1* Impregnar. *2* fig. Imbuir. ▲ conjug. como *accélérer.*
imprenable [ɛ̃pʀənabl(ə)] *adj.* Inexpugnable, inconquistable.
imprésario [ɛ̃pʀes(z)aʀjo] *m.* Empresario.
impression [ɛ̃pʀesjɔ̃] *f. 1* Impresión. *2* PEINT. Imprimación.
impressionner [ɛ̃pʀesjɔne] *tr. 1* Impresionar. ■ *2 pr.* Impresionarse.
imprévoyant, -ante [ɛ̃pʀevwajɑ̃, -ɑ̃t] *adj.-s.* Imprevisor, ra.
imprévu, -ue [ɛ̃pʀevy] *adj.* Imprevisto, ta.

imprimé [ɛ̃pʀime] *m. 1* Impreso (journal, etc.). *2* Estampado (tissu).
imprimer [ɛ̃pʀime] *tr. 1* Imprimir. *2 Se faire* —, hacerse editar. *3* Estampar (tissu). *4* PEINT. Imprimar. *5* fig. Infundir: — *la crainte,* infundir el temor.
imprimerie [ɛ̃pʀimʀi] *f.* Imprenta.
improbable [ɛ̃pʀɔbabl(ə)] *adj.* Improbable.
improductif, -ive [ɛ̃pʀɔdyktif, -iv] *adj.* Improductivo, va.
impromptu, -ue [ɛ̃pʀɔ̃pty] *adj. 1* Improvisado, da. ■ *2 adv.* Improvisadamente, sin preparación. ■ *3 m.* LITT., MUS. Improvisación *f.*
impropre [ɛ̃pʀɔpʀ(ə)] *adj.* Impropio, ia.
impropriété [ɛ̃pʀɔpʀijete] *f.* Impropiedad.
improviser [ɛ̃pʀɔvize] *tr.-intr.* Improvisar.
improviste (à l') [alɛ̃pʀɔvist(ə)] *loc. adv.* De improviso, al improviso.
imprudence [ɛ̃pʀydɑ̃s] *f.* Imprudencia.
imprudent, -ente [ɛ̃pʀydɑ̃, -ɑ̃t] *adj.-s.* Imprudente.
impudent, -ente [ɛ̃pydɑ̃, -ɑ̃t] *adj.-s.* Impudente.
impudique [ɛ̃pydik] *adj.-s.* Impúdico, ca.
impuissant, -ante [ɛ̃pɥisɑ̃, -ɑ̃t] *adj. 1* Impotente (*à,* para). ■ *2 adj.-s.* Impotente.
impulsif, -ive [ɛ̃pylsif, -iv] *adj.-s.* Impulsivo, va.
impunité [ɛ̃pynite] *f.* Impunidad.
impur, -ure [ɛ̃pyʀ] *adj.* Impuro, ra.
impureté [ɛ̃pyʀte] *f.* Impureza.
imputation [ɛ̃pytɑsjɔ̃] *f.* Imputación.
inacceptable [inaksɛptabl(ə)] *adj.* Inaceptable.
inaccessible [inaksesibl(ə)] *adj. 1* Inaccesible. *2* Inasequible.
inaccoutumé, -ée [inakutyme] *adj.* Desacostumbrado, da, insólito, ta, inacostumbrado, da.
inachevé, -ée [inaʃve] *adj.* No acabado, da, incompleto, ta, sin acabar, inconcluso, sa.
inactif, -ive [inaktif, -iv] *adj.* Inactivo, va.
inaction [inaksjɔ̃] *f.* Inacción.
inadmissible [inadmisibl(ə)] *adj.* Inadmisible.
inadvertance [inadvɛʀtɑ̃s] *f.* Inadvertencia: *par* —, por inadvertencia.
inaliénable [inaljenabl(ə)] *adj.* Inalienable.
inaltérable [inaltɛʀabl(ə)] *adj.* Inalterable.
inamical, -ale [inamikal] *adj.* Hostil, poco amistoso, sa.
inamovible [inamɔvibl(ə)] *adj.* Inamovible.

inanimé, -ée [inanime] *adj.* Inanmimado, da.

inanition [inanisjɔ̃] *f.* Inanición.

inaperçu, -ue [inapɛʀsy] *adj.* Inadvertido, da, desapercibido, da: *passer —,* pasar inadvertido.

inappliqué, -ée [inaplike] *adj. 1* Desaplicado, da (élève). *2* Inaplicado, da (pas mis en pratique).

inappréciable [inapʀesjabl(ə)] *adj.* Inapreciable.

inapte [inapt(ə)] *adj.* No apto, ta, incapaz, inepto, ta (à, para).

inarticulé, -ée [inaʀtikyle] *adj.* Inarticulado, da.

inassouvi, -ie [inasuvi] *adj.* No saciado, da, insatisfecho, cha.

inattendu, -ue [inatɑ̃dy] *adj.* Inesperado, da.

inattentif, -ive [inatɑ̃tif, -iv] *adj.* Desatento, ta, distraído, da.

inauguration [inɔ(o)gyʀasjɔ̃] *f.* Inauguración.

inaugurer [inɔ(o)gyʀe] *tr.* Inaugurar.

inavouable [inavwabl(ə)] *adj.* Inconfesable.

incandescence [ɛ̃kɑ̃desɑ̃s] *f.* Incandescencia.

incantation [ɛ̃kɑ̃tasjɔ̃] *f.* Encantación, encantamiento *m.*, encantamiento *m.*

incapable [ɛ̃kapabl(ə)] *adj.-s.* Incapaz.

incapacité [ɛ̃kapasite] *f.* Incapacidad.

incarcérer [ɛ̃kaʀseʀe] *tr.* Encarcelar. ▲ CONJUG. como *accélérer.*

incarner [ɛ̃kaʀne] *tr. 1* Encarnar: *il est le diable incarné,* es el demonio encarnado. ■ *2 pr.* Encarnarse.

incassable [ɛ̃kasabl(ə)] *adj.* Irrompible.

incendier [ɛ̃sɑ̃dje] *tr.* Incendiar. ▲ CONJUG. como *prier.*

incertain, -aine [ɛ̃sɛʀtɛ̃, ɛn] *adj. 1* Incierto, da, dudoso, sa, inseguro, ra. *2* Indeciso, sa. *3* Variable (temps).

incertitude [ɛ̃sɛʀtityd] *f. 1* Incertidumbre. *2* Inseguridad. *3* Indecisión.

incessant, -ante [ɛ̃sesɑ̃, -ɑ̃t] *adj.* Incesante.

incestueux, -euse [ɛ̃sɛstɥø, -øz] *adj.-s.* Incestuoso, sa.

incidence [ɛ̃sidɑ̃s] *f. 1* GÉOM. Incidencia. *2* fig. Repercusión.

incident, -ente [ɛ̃sidɑ̃, -ɑ̃t] *adj. 1* Incidente (rayon). *2* Incidental (remarque, proposition). ■ *3 m.* Incidente.

incinérer [ɛ̃sineʀe] *tr.* Incinerar. ▲ CONJUG. como *accélérer.*

incise [ɛ̃siz] *f.* Inciso *m.*

incisif, -ive [ɛ̃sizif, -iv] *adj. 1* Incisivo, va. ■ *2 f.* Incisivo *m.*

incision [ɛ̃sizjɔ̃] *f.* Incisión.

inciter [ɛ̃site] *tr.* Incitar.

incivil, -ile [ɛ̃sivil] *adj.* Incivil.

inclémence [ɛ̃klemɑ̃s] *f.* Inclemencia.

inclinaison [ɛ̃klinɛzɔ̃] *f. 1* Inclinación. *2* ASTROL., PHYS., GÉOM. Inclinación.

inclination [ɛ̃klinasjɔ̃] *f.* Inclinación.

incliner [ɛ̃kline] *tr. 1* Inclinar. ■ *2 intr. — à,* inclinarse a, por. ■ *3 pr.* Inclinarse.

inclure [ɛ̃klyʀ] *tr.* Incluir. ▲ CONJUG. como *conclure,* excepto en el part. pas. que es *inclus.*

inclus, -use [ɛ̃kly, -yz] *adj.* Incluso, sa. Loc. *Ci-inclus, use,* adjunto, ta.

incoercible [ɛ̃kɔɛʀsibl(ə)] *adj.* Incoercible.

incohérence [ɛ̃kɔeʀɑ̃s] *f.* Incoherencia.

incohérent, -ente [ɛ̃kɔeʀɑ̃, -ɑ̃t] *adj.* Incoherente.

incolore [ɛ̃kɔlɔʀ] *adj.* Incoloro, ra.

incombustible [ɛ̃kɔ̃bystibl(ə)] *adj.* Incombustible.

incomestible [ɛ̃kɔmɛstibl(ə)] *adj.* No comestible.

incommensurable [ɛ̃kɔmɑ̃syʀabl(ə)] *adj.* Incommensurable.

incommoder [ɛ̃kɔmɔde] *tr. 1* Incomodar, molestar. *2* Indisponer: *être incommodé,* estar indispuesto.

incommodité [ɛ̃kɔmɔdite] *f.* Incomodidad, molestia.

incomparable [ɛ̃kɔ̃paʀabl(ə)] *adj.* Incomparable.

incompatible [ɛ̃kɔ̃patibl(ə)] *adj.* Incompatible.

incompétence [ɛ̃kɔ̃petɑ̃s] *f.* Incompetencia.

incomplet, -ète [ɛ̃kɔ̃plɛ, -ɛt] *adj.* Incompleto, ta.

incompréhensible [ɛ̃kɔ̃pʀeɑ̃sibl(ə)] *adj.* Incomprensible.

incompréhensif, -iv [ɛ̃kɔ̃pʀeɑ̃sif, -iv] *adj.* Que no es comprensivo, va.

incompris, -ise [ɛ̃kɔ̃pʀi, -iz] *adj.-s.* Incomprendido, da.

inconcevable [ɛ̃kɔ̃svabl(ə)] *adj.* Inconcebible.

incongru, -ue [ɛ̃kɔ̃gʀy] *adj.* Incongruente.

inconnu, -ue [ɛ̃kɔny] *adj.-s. 1* Desconocido, da. ■ *2 f.* MAT. Incógnita.

inconscient, -ente [ɛ̃kɔ̃sjɑ̃, -ɑ̃t] *adj.-s.* Inconsciente.

inconséquent, -ente [ɛ̃kɔ̃sekɑ̃, -ɑ̃t] *adj.* Inconsecuente.

inconsistant, -ante [ɛ̃kɔ̃sistɑ̃, -ɑ̃t] *adj.* Inconsistente.

inconsolable [ɛ̃kɔ̃sɔlabl(ə)] *adj.* Inconsolable.

inconstance [ɛ̃kɔ̃stɑ̃s] *f.* Inconstancia.

incontestable [ɛ̃kɔ̃tɛstabl(ə)] *adj.* Incontestable.

incontinence [ɛ̃kɔ̃tinãs] *f.* Incontinencia.
inconvenant, -ante [ɛ̃kɔ̃vnã, -ãt] *adj.* Inconveniente.
inconvénient [ɛ̃kɔ̃venjã] *m.* Inconveniente.
incorporel, -elle [ɛ̃kɔʀpɔʀɛl] *adj.* Incorpóreo, -ea.
incorporer [ɛ̃kɔʀpɔʀe] *tr. 1* Incorporar. ■ *2 pr.* Incorporarse.
incorrect, -ecte [ɛ̃kɔʀɛkt, -ɛkt(ə)] *adj.* Incorrecto, ta.
incorrigible [ɛ̃kɔʀiʒibl(ə)] *adj.* Incorregible.
incorruptible [ɛ̃kɔʀyptibl(ə)] *adj.* Incorruptible.
incrédulité [ɛ̃kʀedylite] *f.* Incredulidad.
incriminer [ɛ̃kʀimine] *tr.* Incriminar.
incroyable [ɛ̃kʀwajabl(ə)] *adj.* Increíble.
incroyant, -ante [ɛ̃kʀwajã, -ãt] *adj.-s.* Incrédulo, la, descreído, da.
incrustation [ɛ̃kʀystasjɔ̃] *f.* Incrustación.
incruster [ɛ̃kʀyste] *tr. 1* Incrustar. ■ *2 pr.* Incrustarse.
inculper [ɛ̃kylpe] *tr.* Inculpar.
inculquer [ɛ̃kylke] *tr.* Inculcar.
inculte [ɛ̃kylt(ə)] *adj.* Inculto, ta.
incunable [ɛ̃kynabl(ə)] *adj.-m.* Incunable.
incurable [ɛ̃kyʀabl(ə)] *adj.-s.* Incurable.
incurie [ɛ̃kyʀi] *f.* Incuria.
incursion [ɛ̃kyʀsjɔ̃] *f.* Incursión, raid *m.*, correría.
indécent, -ente [ɛ̃desã, -ãt] *adj.* Indecente.
indéchiffrable [ɛ̃deʃifʀabl(ə)] *adj.* Indescifrable.
indéchirable [ɛ̃deʃiʀabl(ə)] *adj.* Que no se puede rasgar.
indécision [ɛ̃desizjɔ̃] *f.* Indecisión.
indéclinable [ɛ̃deklinabl(ə)] *adj.* Indeclinable.
indéfectible [ɛ̃defɛktibl(ə)] *adj.* Indefectible.
indéfini, -ie [ɛ̃defini] *adj. 1* Indefinido, da, indeciso, sa. *2* GRAM. *Passé —,* pretérito perfecto; *adjectif —,* adjetivo indefinido.
indéfinissable [ɛ̃definisabl(ə)] *adj.* Indefinible.
indéfrisable [ɛ̃defʀizabl(ə)] *f.* Permanente.
indélébile [ɛ̃delebil] *adj.* Indeleble.
indélicatesse [ɛ̃delikates] *f.* Falta de corrección, de delicadeza.
indemne [ɛ̃demn(ə)] *adj.* Indemne.
indemniser [ɛ̃demnize] *tr.* Indemnizar.
indemnité [ɛ̃demnite] *f. 1* Indemnidad, indemnización. *2* Dieta, subsidio *m.*, dietas *pl.*
indéniable [ɛ̃denjabl(ə)] *adj.* Innegable.

indépendance [ɛ̃depãdãs] *f.* Independencia.
indépendant, -ante [ɛ̃depãdã, -ãt] *adj.* Independiente.
indescriptible [ɛ̃dɛskʀiptibl(ə)] *adj.* Indescriptible.
indésirable [ɛ̃deziʀabl(ə)] *adj.-s.* Indeseable.
indestructible [ɛ̃dɛstʀyktibl(ə)] *adj.* Indestructible.
indéterminé, -ée [ɛ̃detɛʀmine] *adj.* Indeterminado, da.
index [ɛ̃dɛks] *m. 1* Índice (doigt). *2* Índice (liste, catalogue). *f. 3* RELIG. Índice. *4* Aguja *f.* Indicadora (aiguille).
indicateur, -trice [ɛ̃dikatœʀ, -tʀis] *adj. 1* Indicador, ra. ■ *2 m.* Guía *f.* (de chemin de fer). *3* Confidente, soplón (de la police).
indicatif, -ive [ɛ̃dikatif, -iv] *adj.-m.* Indicativo, va.
indication [ɛ̃dikasjɔ̃] *f. 1* Indicación. *2* Indicio *m.*
indice [ɛ̃dis] *m. 1* Indicio. *2* MATH., PHYS. Índice.
indicible [ɛ̃disibl(ə)] *adj.* Indecible.
indifférence [ɛ̃difeʀãs] *f.* Indiferencia.
indifférent, -ente [ɛ̃difeʀã, -ãt] *adj.-s.* Indiferente.
indigence [ɛ̃diʒãs] *f.* Indigencia.
indigène [ɛ̃diʒɛn] *adj.-s.* Indígena.
indigent, -ente [ɛ̃diʒã, -ãt] *adj.-s.* Indigente.
indigestion [ɛ̃diʒɛstjɔ̃] *f.* Indigestión.
indignation [ɛ̃diɲasjɔ̃] *f.* Indignación.
indigne [ɛ̃diɲ] *adj.* Indigno, na.
indigner [ɛ̃diɲe] *tr. 1* Indignar. ■ *2 pr.* Indignarse.
indigo [ɛ̃digo] *m.* Índigo, añil.
indiquer [ɛ̃dike] *tr.* Indicar.
indirect, -ecte [ɛ̃diʀɛkt, -ɛkt(ə)] *adj.* Indirecto, ta.
indiscipliné, -ée [ɛ̃disipline] *adj.* Indisciplinado, da.
indiscret, -ète [ɛ̃diskʀɛ, -ɛt] *adj.-s.* Indiscreto, ta.
indiscrétion [ɛ̃diskʀesjɔ̃] *f.* Indiscreción.
indiscutable [ɛ̃diskytabl(ə)] *adj.* Indiscutible.
indispensable [ɛ̃dispãsabl(ə)] *adj.* Indispensable.
indisposer [ɛ̃dispoze] *tr. 1* Indisponer: *la chaleur l'a indisposé,* el calor le ha indispuesto. *2* Enojar, enemistarse con, indisponer (mécontenter).
indissoluble [ɛ̃disɔlybl(ə)] *adj.* Indisoluble.
indistinct, -incte [ɛ̃distɛ̃(kt), ɛ̃kt(ə)] *adj.* Indistinto, ta.

individu [ɛ̃dividy] *m.* Individuo.
individuel, -elle [ɛ̃dividɥɛl] *adj.* Individual.
indivis, -ise [ɛ̃divi, -iz] *adj.* Indiviso, sa.
indivisible [ɛ̃divizibl(ə)] *adj.* Indivisible.
indocile [ɛ̃dɔsil] *adj.* Indócil.
indolence [ɛ̃dɔlɑ̃s] *f.* Indolencia.
indolore [ɛ̃dɔɔʀ] *adj.* Indoloro, ra.
indomptable [ɛ̃dɔ̃tabl(ə)] *adj.* Indomable.
indu, -ue [ɛ̃dy] *adj.* Indebido, da.
indubitable [ɛ̃dybitabl(ə)] *adj.* Indudable.
inducteur, -trice [ɛ̃dyktœʀ, -tʀis] *adj.-m.* Inductor, ra.
induction [ɛ̃dyksjɔ̃] *f.* Inducción.
induire [ɛ̃dɥiʀ] *tr. 1* Inducir. Loc. — *en erreur,* inducir en error. *2* Inducir, deducir, inferir (déduire). ▲ CONJUG. como *conduire.*
indulgence [ɛ̃dylʒɑ̃s] *f.* Indulgencia.
indulgent, -ente [ɛ̃ylʒɑ̃, -ɑ̃t] *adj.* Indulgente.
indult [ɛ̃dylt] *m.* Indulto (du pape).
industrialiser [ɛ̃dystʀijalize] *tr.* Industrializar.
industriel, -elle [ɛ̃dystʀijɛl] *adj.-m.* Industrial.
inébranlable [inebʀɑ̃labl(ə)] *adj.* Inconmovible, inquebrantable.
inédit, -ite [inedi, -it] *adj.* Inédito, ta.
ineffable [inefabl(ə)] *adj.* Inefable.
ineffaçable [inefasabl(ə)] *adj.* Imborrable, indeleble.
inefficace [inefikas] *adj.* Ineficaz.
inégalité [inegalite] *f.* Desigualdad.
inéluctable [inelyktabl(ə)] *adj.* Ineluctable.
inénarrable [inenaʀabl(ə)] *adj.* Inenarrable.
inepte [inɛpt(ə)] *adj.* Inepto, ta, necio, cia.
inépuisable [inepɥizabl(ə)] *adj.* Inagotable, inexhausto, ta.
inerte [inɛʀt(ə)] *adj.* Inerte.
inertie [inɛʀsi] *f.* Inercia.
inespéré, -ée [inɛspeʀe] *adj.* Inesperado, da.
inestimable [inɛstimabl(ə)] *adj.* Inestimable.
inévitable [inevitabl(ə)] *adj.* Inevitable.
inexactitude [inɛgzaktityd] *f.* Inexactitud.
inexcusable [inɛkskyzabl(ə)] *adj.* Inexcusable.
inexécution [inɛgzekysjɔ̃] *f. 1* No ejecución. *2* Incumplimiento *m.* (d'un ordre).
inexistant, -ante [inɛgzistɑ̃, -ɑ̃t] *adj.* Inexistente.
inexorable [inɛgzɔʀabl(ə)] *adj.* Inexorable.
inexpérimenté, -ée [inɛkspeʀimɑ̃te] *adj. 1* Inexperto, ta (personne). *2* No experimentado, da (chose).

inexpert, -erte [inɛkspɛʀ, -ɛʀt(ə)] *adj.* Inexperto, ta.
inexpiable [inɛkspjabl(ə)] *adj.* Inexpiable.
inexplicable [inɛksplikabl(ə)] *adj.* Inexplicable.
inexploré, -ée [inɛksplɔʀe] *adj.* Inexplorado, da.
inexpressif, -ive [inɛkspʀesif, -iv] *adj.* Inexpresivo, va.
inexprimable [inɛkspʀimabl(ə)] *adj.* Indecible, indescriptible.
inexpugnable [inɛkspygnabl(ə)] *adj.* Inexpugnable.
inextricable [inɛkstʀikabl(ə)] *adj.* Inextricabe.
infaillible [ɛ̃fajibl(ə)] *adj.* Infalible.
infamant, -ante [ɛ̃famɑ̃, -ɑ̃t] *adj.* Infamante.
infâme [ɛ̃fɑm] *adj.-s.* Infame.
infamie [ɛ̃fami] *f.* Infamia.
infanterie [ɛ̃fɑ̃tʀi] *f.* Infantería.
infanticide [ɛ̃fɑ̃tisid] *m. 1* Infanticidio. ■ *2 adj.-s.* Infanticida (meurtrier).
infantile [ɛ̃fɑ̃til] *adj.* Infantil.
infatigable [ɛ̃fatigabl(ə)] *adj.* Infatigable.
infatuer [ɛ̃fatɥe] *tr. 1* Infatuar. ■ *2 pr.* Infatuarse, engreírse.
infécond, -onde [ɛ̃fekɔ̃, -ɔ̃d] *adj.* Infecundo, da.
infecter [ɛ̃fɛkte] *tr. 1* Infectar, inficionar. ■ *2 pr.* Infectarse, inficionarse.
infection [ɛ̃fɛksjɔ̃] *tr. 1* Infección. *2* Hedor *m.* grande (puanteur).
inférence [ɛ̃feʀɑ̃s] *f.* Inferencia.
inférer [ɛ̃feʀe] *tr.* Inferir, inducir. ▲ CONJUG. como *accélérer.*
inférieur, -eure [ɛ̃feʀjœʀ] *adj.-s.* Inferior.
infériorité [ɛ̃feʀjɔʀite] *f.* Inferioridad.
infernal, -ale [ɛ̃fɛʀnal] *adj.* Infernal.
infester [ɛ̃fɛste] *tr.* Infestar.
infidélité [ɛ̃fidelite] *f.* Infidelidad.
infiltrer (s') [ɛ̃filtʀe] *pr.* Infiltrarse.
infime [ɛ̃fim] *adj.* Ínfimo, ma.
infini, -ie [ɛ̃fini] *adj.-m. 1* Infinito, ta. *2 loc. adv. À l'—,* indefinidamente (indéfiniment), hasta lo infinito (dans l'espace).
infinité [ɛ̃finite] *f.* Infinidad.
infinitif, -ive [ɛ̃finitif, -iv] *adj.-m.* Infinitivo, va.
infirme [ɛ̃fiʀm(ə)] *adj.-s. 1* Impedido, da, baldado, da, lisiado, da. ■ *2 adj.* Achacoso, sa, imposibilitado, da.
infirmerie [ɛ̃fiʀməʀi] *f.* Enfermería.
infirmier, -ière [ɛ̃fiʀmje, -jɛʀ] *s.* Enfermero, ra.
infirmité [ɛ̃fiʀmite] *f.* Dolencia habitual, achaque *m.,* defecto *m.* físico.
inflammation [ɛ̃flamɑsjɔ̃] *f.* Inflamación.

inflation [ɛflɑsjɔ̃] *f.* Inflación.
infléchir [ɛfleʃiʀ] *tr.* 1 Doblar, encorvar. ■ 2 *pr.* Doblarse, encorvarse.
inflexible [ɛflɛksibl(ə)] *adj.* Inflexible.
infliger [ɛfliʒe] *tr.* Infligir. ▲ CONJUG. como **engager.**
inflorescence [ɛflɔʀesɑ̃s] *f.* Inflorescencia.
influencer [ɛflyɑ̃se] *tr.* Influir (*sur,* en). ▲ CONJUG. como **lancer.**
influent, -ente [ɛflyɑ̃, -ɑ̃t] *adj.* Influyente.
influer [ɛflye] *intr.* Influir (*sur,* en).
information [ɛfɔʀmɑsjɔ̃] *f.* 1 Información. ■ 2 *pl.* Informes *m.*
informe [ɛfɔʀm(ə)] *adj.* Informe.
informer [ɛfɔʀme] *tr.* 1 Informar. ■ 2 *pr.* Informarse.
infortuné, -ée [ɛfɔʀtyne] *adj.-s.* Infortunado, da.
infraction [ɛfʀaksjɔ̃] *f.* Infracción.
infranchissable [ɛfʀɑ̃ʃisabl(ə)] *adj.* Infranqueable.
infructueux, -euse [ɛfʀyktɥø, -øz] *adj.* Infructuoso, sa.
infusion [ɛfyzjɔ̃] *f.* Infusión.
ingambe [ɛgɑ̃b] *adj.* fam. Ágil, vivo, va.
ingénier (s') [ɛʒenje] *pr.* Ingeniarse (*à, para,* a). ▲ CONJUG. como **prier.**
ingénieur [ɛʒenjœʀ] *m.* Ingeniero.
ingénieux, -euse [ɛʒenjø, -øz] *adj.* Ingenioso, sa.
ingénuité [ɛʒenɥite] *f.* Ingenuidad.
ingérence [ɛʒeʀɑ̃s] *f.* Ingerencia.
ingérer [ɛʒeʀe] *tr.* 1 Ingerir. ■ 2 *pr.* Ingerirse. ▲ CONJUG. como **accélérer.**
ingestion [ɛʒestjɔ̃] *f.* Ingestión.
ingrat, -ate [ɛgʀa, -at] *adj.-s.* Ingrato, ta.
ingratitude [ɛgʀatityd] *f.* Ingratitud.
ingrédient [ɛgʀedjɑ̃] *m.* Ingrediente.
inhabile [inabil] *adj.* 1 Inhábil. 2 DR. Incapaz.
inhabité, -ée [inabite] *adj.* Deshabitado, da, inhabitado, da.
inhalation [inalɑsjɔ̃] *f.* Inhalación.
inhaler [inale] *tr.* Inhalar.
inhérent, -ente [ineʀɑ̃, -ɑ̃t] *adj.* Inherente.
inhibition [inibisjɔ̃] *f.* Inhibición.
inhospitalier, -ière [inɔspitalje, -jeʀ] *adj.* Inhospitalario, ia.
inhumain, -aine [inymɛ̃, -ɛn] *adj.* Inhumano, na.
inhumation [inymɑsjɔ̃] *f.* Inhumación.
inhumer [inyme] *tr.* Inhumar.
inimitable [inimitabl(ə)] *adj.* Inimitable.
inimitié [inimitje] *f.* Enemistad.
inintelligible [inɛ̃te(ɛl)liʒibl(ə)] *adj.* Ininteligible.
ininterrompu, -ue [inɛ̃teʀɔ̃py] *adj.* Ininterrumpido, da.
iniquité [inikite] *f.* Iniquidad.

initial, -ale [inisjal] *adj.-f.* Inicial.
initiative [inisjativ] *f.* Iniciativa.
initier [inisje] *tr.* Iniciar. ▲ CONJUG. como **prier.**
injecter [ɛ̃ʒɛkte] *tr.* 1 Inyectar. ■ 2 *pr.* Inyectarse.
injonction [ɛ̃ʒɔ̃ksjɔ̃] *f.* Orden, mandato *m.*
injurier [ɛ̃ʒyʀje] *tr.* Injuriar. ▲ CONJUG. como **prier.**
injurier [ɛ̃ʒyʀje] *tr.* Injuriar. ▲ CONJUG. como **prier.**
injustice [ɛ̃ʒystis] *f.* Injusticia.
injustifié, -ée [ɛ̃ʒystifje] *adj.* Injustificado, da.
inlassable [ɛ̃lasabl(ə)] *adj.* Incansable.
inné, -ée [in(n)e] *adj.* Innato, ta.
innocence [inɔsɑ̃s] *f.* Inocencia.
innocent, -ente [inɔsɑ̃, -ɑ̃t] *adj.-s.* Inocente.
innocuité [in(n)ɔkɥite] *f.* Inocuidad.
innombrable [in(n)ɔ̃bʀabl(ə)] *adj.* Innumerable.
innovation [in(n)ɔvɑsjɔ̃] *f.* Innovación.
inoccupé, -ée [inɔkype] *adj.* Desocupado, da.
inoculation [inɔkylɑsjɔ̃] *f.* Inoculación.
inoculer [inɔkyle] *tr.* Inocular.
inodore [inɔdɔʀ] *adj.* Inodoro, ra.
inoffensif, -ive [inɔfɑ̃sif, -iv] *adj.* Inofensivo, va.
inondation [inɔ̃dɑsjɔ̃] *f.* Inundación.
inopérant, -ante [inɔpeʀɑ̃, -ɑ̃t] *adj.* Inoperante.
inopiné, -ée [inɔpine] *adj.* Inopinado, da.
inopportun, -une [inɔpɔʀtœ̃, -yn] *adj.* Inoportuno, na.
inorganique [inɔʀganik] *adj.* Inorgánico, ca.
inoubliable [inublijabl(ə)] *adj.* Inolvidable.
inouï, -ïe [inwi] *adj.* Inaudito, ta.
inqualifiable [ɛ̃kalifjabl(ə)] *adj.* Incalificable.
inquiet, -ète [ɛ̃kjɛ, -ɛt] *adj.* Inquieto, ta.
inquiéter [ɛ̃kjete] *tr.* 1 Inquietar, desasosegar, intranquilizar. ■ 2 *pr.* Inquietarse. 3 Preocuparse: *ne vous inquiétez pas,* no se preocupe. ▲ CONJUG. como **accélérer.**
inquisiteur, -trice [ɛ̃kizitœʀ, -tʀis] *adj.-s.* 1 Inquiridor, ra, inquisidor, ra. ■ 2 *m.* Inquisidor (juge).
insaisissable [ɛ̃sezisabl(ə)] *adj.* 1 Que no se puede coger. 2 Imperceptible. 3 DR. Inembargable.
insalubre [ɛ̃salybʀ(ə)] *adj.* Insalubre.
insanité [ɛ̃sanite] *f.* 1 Insania, locura. 2 Insensatez, necedad (ineptie).
insatiable [ɛ̃sasjabl(ə)] *adj.* Insaciable.
inscription [ɛ̃skʀipsjɔ̃] *f.* 1 Inscripción.

2 Matrícula (à l'université, maritime). *3* DR. Registro *m.* (d'une hypothèque).
inscrire [ɛ̃skRiR] *tr. 1* Inscribir. ■ *2 pr.* Inscribirse. *3* Matricularse (à l'université). *4* DR. *S'inscrire en faux,* negar, impugnar como falso. ▲ CONJUG. como *écrire.*
insecte [ɛ̃sɛkt(ə)] *m.* Insecto.
insecticide [ɛ̃sɛktisid] *adj.-m.* Insecticida.
insécurité [ɛ̃sekyRite] *f.* Inseguridad.
insensé, -ée [ɛ̃sãse] *adj.-s.* Insensato, ta.
insensible [ɛ̃sãsibl(ə)] *adj.* Insensible.
inséparable [ɛ̃separabl(ə)] *adj.* Inseparable.
insertion [ɛ̃sɛRsjɔ̃] *f.* Inserción.
insidieux, -euse [ɛ̃sidjø, -øz] *adj.* Insidioso, sa.
insigne [ɛ̃siɲ] *adj. 1* Insigne. ■ *2 m.* Insignia *f.*
insignifiant, -ante [ɛ̃siɲifjã, -ãt] *adj.* Insignificante.
insinuer [ɛ̃sinɥe] *tr. 1* Insinuar. ■ *2 pr.* Insinuarse.
insipide [ɛ̃sipid] *adj.* Insípido, da.
insistance [ɛ̃sistãs] *f.* Insistencia.
insister [ɛ̃siste] *intr.* Insistir (*sur,* en).
insociable [ɛ̃sɔsjabl(ə)] *adj.* Insociable.
insolation [ɛ̃sɔlasjɔ̃] *f.* Insolación.
insolent, -ente [ɛ̃sɔlã, -ãt] *adj.-s.* Insolente.
insolite [ɛ̃sɔlit] *adj.* Insólito, ta.
insoluble [ɛ̃sɔlybl(ə)] *adj.* Insoluble.
insolvable [ɛ̃sɔlvabl(ə)] *adj.* Insolvente.
insomnie [ɛ̃sɔmni] *f.* Insomnio *m.*
insouciance [ɛ̃susjãs] *f.* Despreocupación, descuido *m.*
insoumis, -ise [ɛ̃sumi, -iz] *adj. 1* Insumiso, sa. ■ *2 adj. m.* MIL. Prófugo.
inspecteur, -trice [ɛ̃spɛtœR, -tRis] *s.* Inspector, ra.
inspection [ɛ̃spɛksjɔ̃] *f.* Inspección.
inspiration [ɛ̃spiRasjɔ̃] *f.* Inspiración.
inspirer [ɛ̃spiRe] *tr. 1* Inspirar. *2* Inspirar, infundir: — *le respect,* infudir respeto..■ *3 pr.* Inspirarse: *s'— d'un poème,* inspirarse en un poema.
instable [ɛ̃stabl(ə)] *adj.* Inestable.
installation [ɛ̃stalasjɔ̃] *f.* Instalación.
installer [ɛ̃stale] *tr. 1* Instalar. ■ *2 pr.* Instalarse.
instance [ɛ̃stãs] *f. 1* Instancia. *2* Ahínco *m.,* insistencia (insistance). *3* DR. Instancia. Loc. *En —,* pendiente. *4* Autoridad.
instant, -ante [ɛ̃stã, -ãt] *adj. 1* Urgente, insistente. ■ *2 m.* Instante.
instantané, -ée [ɛ̃stãtane] *adj. 1* Instantáneo, ea. ■ *2 m.* Instantánea *f.* (photo).
instaurer [ɛ̃stɔRe] *tr.* Instaurar.
instigateur, -trice [ɛ̃stigatœR, -tRis] *s.* Instigador, ra.

instinct [ɛ̃stɛ̃] *m.* Instinto.
instinctif, -ive [ɛ̃stɛ̃ktif, -iv] *adj.* Instintivo, va.
instituer [ɛ̃stitɥe] *tr.* Instituir.
instituteur, -trice [ɛ̃stitytœR, -tRis] *s. 1* Maestro, tra. ■ *2 f.* Institutriz *f.* (à domicile).
institution [ɛ̃stitysjɔ̃] *f.* Institución.
instructeur [ɛ̃stRyktœR] *adj.-m.* Instructor.
instruire [ɛ̃stRɥiR] *tr. 1* Instruir. ■ *2 pr.* Instruirse. ▲ CONJUG. como *conduire.*
instrument [ɛ̃stRymã] *m.* Instrumento.
instrumentiste [ɛ̃stRymãtist(ə)] *s.* Instrumentista.
insu de (à l') [ɛsy] *loc. prép.* Sin que se sepa, sin saberlo: *à l'— de la famille,* sin que lo sepa la familia.
insubordination [ɛ̃sybɔRdinasjɔ̃] *f.* Insubordinación.
insuffisant, -ante [ɛ̃syfizã, -ãt] *adj.* Insuficiente.
insuffler [ɛ̃syfle] *tr.* Insuflar.
insulaire [ɛ̃sylɛR] *adj.-s.* Insular, isleño, ña.
insulter [ɛ̃sylte] *tr.* Insultar.
insupportable [ɛ̃sypɔRtabl(ə)] *adj.* Insoportable.
insurger (s') [ɛ̃syRʒe] *pr.* Insurreccionarse, sublevarse. ▲ CONJUG. como *engager.*
insurmontable [ɛ̃syRmɔ̃tabl(ə)] *adj.* Insuperable, invencible.
insurrection [ɛ̃syRɛksjɔ̃] *f.* Insurrección.
intact, -acte [ɛ̃takt, -akt(ə)] *adj.* Intacto, ta.
intangible [ɛ̃tãʒibl(ə)] *adj.* Intangible.
intarissable [ɛ̃taRisabl(ə)] *adj.* Inagotable.
intégral, -ale [ɛ̃tegRal] *adj. 1* Integral. *2* Íntegro, gra (entier). ■ *3 f.* MATH. Integral.
intègre [ɛ̃tɛgR(ə)] *adj.* Íntegro, gra.
intégrer [ɛ̃tegRe] *tr. 1* MATH. Integrar. *2* Incluir. ▲ CONJUG. como *accélérer.*
intégrité [ɛ̃tegRite] *f.* Integridad.
intellectuel, -elle [ɛ̃te(ɛ)lɛktɥel] *adj.-s.* Intelectual.
intelligence [ɛ̃teliʒãs] *f.* Inteligencia.
intelligent, -ente [ɛ̃teliʒã, -ãt] *adj.* Inteligente.
intelligible [ɛ̃te(ɛl)liʒibl(ə)] *adj.* Inteligible.
intempérance [ɛ̃tãpeRãs] *f.* Intemperancia.
intempérie [ɛ̃tãpeRi] *f.* Intemperie.
intempestif, -ive [ɛ̃tãpɛstif, -iv] *adj.* Intempestivo, va.
intenable [ɛ̃tnabl(ə)] *adj.* Insostenible.
intendance [ɛ̃tãdãs] *f.* Intendencia.
intense [ɛ̃tãs] *adj.* Intenso, sa.

intensifier [ɛ̃tɑ̃sifje] *tr.* Intensificar. ▲ CONJUG. como *prier.*

intention [ɛ̃tɑ̃sjɔ̃] *f.* Intención.

intercaler [ɛ̃tɛʀkale] *tr.* Intercalar.

intercéder [ɛ̃tɛʀsede] *intr.* Interceder. ▲ CONJUG. como *accélérer.*

intercepter [ɛ̃tɛʀsɛpte] *tr.* Interceptar.

intercession [ɛ̃tɛʀsesjɔ̃] *f.* Intercesión.

interchangeable [ɛ̃tɛʀʃɑ̃ʒabl(ə)] *adj.* Intercambiable.

interdiction [ɛ̃tɛʀdiksjɔ̃] *f. 1* Interdicción, prohibición. *2* DR. Incapacitación. *3* Suspensión (ecclésiastique ou fonctionnaire).

interdire [ɛ̃tɛʀdiʀ] *tr. 1* Prohibir. *2* Impedir (empêcher). *3* Suspender (ecclésiastique ou fonctionnaire). *4* DR. Incapacitar. *5* Desconcertar, turbar (troubler). ▲ CONJUG. como *dire* excepto en la 2.ª persona del plural del presente de indicativo y del imperativo, cuya forma común es *interdisez.*

interdit, -ite [ɛ̃tɛʀdi, -it] *adj. 1* Prohibido, da. *2* DR. Incapacitado, da. *3* fig. Desconcertado, da, cortado, da. ■ *4 m.* REL. Entredicho.

intéressant, -ante [ɛ̃teʀesɑ̃, -ɑ̃t] *adj.* Interesante.

intéresser [ɛ̃teʀese] *tr. 1* Interesar. ■ *2 pr.* S'— à, interesarse por.

intérêt [ɛ̃teʀɛ] *m.* Interés.

interférence [ɛ̃tɛʀfeʀɑ̃s] *f.* PHYS. Interferencia.

intérieur, -eure [ɛ̃teʀjœʀ] *adj.-m* Interior.

intérim [ɛ̃teʀim] *m. 1* Interinidad *f.,* interín. *2* loc. adv. *Par* —, interinamente; *président par* —, presidente interino, accidental.

interjection [ɛ̃tɛʀʒeksjɔ̃] *f.* Interjección.

interligne [ɛ̃tɛʀliɲ] *m. 1* Interlínea *f.,* entrerrenglonadura *f.* 2 MUS. Espacio. ■ *3 f.* IMPR. Regleta.

interlocuteur, -trice [ɛ̃tɛʀlɔkytœʀ, -tʀis] *s.* Interlocutor, ra.

intermède [ɛ̃tɛʀmɛd] *m. 1* Intermedio. *2* THÉÂT. Entreacto, entremés.

intermédiaire [ɛ̃tɛʀmedjɛʀ] *adj. 1* Intermediario, ria, intermedio, dia. ■ *2 s.* Intermediario, ria. *3 Par l'— de,* por medio, por conducto de.

interminable [ɛ̃tɛʀminabl(ə)] *adj.* Interminable.

intermittent, -ente [ɛ̃tɛʀmitɑ̃, -ɑ̃t] *adj.* Intermitente.

internat [ɛ̃tɛʀna] *m.* Internado.

international, -ale [ɛ̃tɛʀnasjɔnal] *adj.* Internacional.

interne [ɛ̃tɛʀn(ə)] *adj.-s.* Interno, na.

interner [ɛ̃tɛʀne] *tr.* Internar, recluir.

interpellation [ɛ̃tɛʀpelasjɔ̃] *f.* Interpelación.

interpolation [ɛ̃tɛʀpɔlasjɔ̃] *f.* Interpolación.

interposer [ɛ̃tɛʀpoze] *tr. 1* Interponer. ■ *2 pr.* Interponerse.

interposition [ɛ̃tɛʀpozisjɔ̃] *f.* Interposición.

interprétation [ɛ̃tɛʀpʀetasjɔ̃] *f.* Interpretación.

interprète [ɛ̃tɛʀpʀɛt] *s.* Intérprete.

interrègne [ɛ̃tɛʀʀɛɲ] *m.* Interregno.

interrogation [ɛ̃te(ɛ)ʀɔgasjɔ̃] *f. 1* Interrogación. *2 Point d'*—, signo de interrogación, punto interrogante.

interrogatoire [ɛ̃te(ɛ)ʀɔgatwaʀ] *m.* Interrogatorio.

interroger [ɛ̃te(ɛ)ʀɔʒe] *tr.* Interrogar, preguntar: — *quelqu'un sur,* interrogar a alguien sobre. ▲ CONJUG. como *engager.*

interrompre [ɛ̃te(ɛ)ʀɔ̃pʀ(ə)] *tr. 1* Interrumpir. ■ *2 pr.* Interrumpirse. ▲ CONJUG. como *rendre.*

interrupteur [ɛ̃te(ɛ)ʀyptœʀ] *m.* Interruptor.

intersection [ɛ̃tɛʀseksjɔ̃] *f.* Intersección.

interstice [ɛ̃tɛʀstis] *m.* Intersticio.

intervalle [ɛ̃tɛʀval] *m. 1* Intervalo. *2* loc. adv. *Par intervalles,* de vez en cuando.

intervenir [ɛ̃tɛʀvəniʀ] *intr.* Intervenir. ▲ CONJUG. como *venir.*

intervention [ɛ̃tɛʀvɑ̃sjɔ̃] *f.* Intervención.

intervertir [ɛ̃tɛʀvɛʀtiʀ] *tr.* Invertir.

interviewer [ɛ̃tɛʀvjuve] *tr.* Entrevistarse con, intervievar a.

intestin, -ine [ɛ̃tɛstɛ̃, -in] *adj. 1* Intestino, na. ■ *2 m.* ANAT. Intestino.

intestinal [ɛ̃tɛstinal] *adj.* Intestinal.

intimation [ɛ̃timasjɔ̃] *f. 1* Intimación. *2* DR. Notificación, citación en justicia.

intimer [ɛ̃time] *tr. 1* Intimar. *2* DR. Notificar, citar en apelación.

intimider [ɛ̃timide] *tr.* Intimidar.

intimité [ɛ̃timite] *f.* Intimidad.

intituler [ɛ̃tityle] *tr. 1* Intitular. ■ *2 pr.* Intitularse, titularse.

intolérable [ɛ̃tɔleʀabl(ə)] *adj.* Intolerable.

intolérance [ɛ̃tɔleʀɑ̃s] *f.* Intolerancia.

intonation [ɛ̃tɔnasjɔ̃] *f.* Entonación.

intoxiquer [ɛ̃tɔksike] *tr. 1* Intoxicar. ■ *2 pr.* Intoxicarse.

intraitable [ɛ̃tʀɛtabl(ə)] *adj.* Intratable.

intransigeance [ɛ̃tʀɑ̃ziʒɑ̃s] *f.* Intransigencia.

intransitif, -ive [ɛ̃tʀɑ̃zitif, -iv] *adj.-m.* Intransitivo, va.

intrépide [ɛ̃tʀepid] *adj.* Intrépido, da.

intrigant, -ante [ɛ̃tʀigɑ̃, -ɑ̃t] *adj.-s.* Intrigante.

intrigue [ɛ̃tʀig] *f. 1* Intriga. *2* Aventura galante (amoureuse).
intrinsèque [ɛ̃tʀɛ̃sɛk] *adj.* Intrínseco, ca.
introduction [ɛ̃tʀɔdyksjɔ̃] *f.* Introducción.
introduire [ɛ̃tʀɔdɥiʀ] *tr. 1* Introducir. ■ *2 pr.* Introducirse. ▲ CONJUG. como *conduire*.
introniser [ɛ̃tʀɔnize] *tr.* Entronizar.
intrus, -use [ɛ̃tʀy, -yz] *adj.-s.* Intruso, sa.
intrusión [ɛ̃tʀyzjɔ̃] *f.* Intrusión.
intuitif, -ive [ɛ̃tɥitif, -iv] *adj.* Intuitivo, va.
intuition [ɛ̃tɥisjɔ̃] *f.* Intuición.
inusité, -ée [inyzite] *adj.* Inusitado, da.
inutile [inytil] *adj.-s.* Inútil.
inutiliser [inytilize] *tr.* Inutilizar.
inutilité [inytilite] *f.* Inutilidad.
invaincu, -ue [ɛ̃vɛ̃ky] *adj.* Invicto, ta.
invalide [ɛ̃valid] *adj.-s.* Inválido, da.
invalider [ɛ̃valide] *tr.* Invalidar.
invariable [ɛ̃vaʀjabl(ə)] *adj.* Invariable.
invasion [ɛ̃vazjɔ̃] *f.* Invasión.
invective [ɛ̃vɛktiv] *f.* Invectiva.
invendu, -ue [ɛ̃vɑ̃dy] *adj. 1* Sin vender. ■ *2 m.* Artículo sin vender.
inventaire [ɛ̃vɑ̃tɛʀ] *m.* Inventario.
inventeur, -trice [ɛ̃vɑ̃tœʀ, -tʀis] *s. 1* Inventor, ra. *2* Descubridor, ra.
invention [ɛ̃vɑ̃sjɔ̃] *f. 1* Invención. *2* Invento *m.* (chose inventée).
inventorier [ɛ̃vɑ̃tɔʀje] *tr.* Hacer el inventario de. ▲ CONJUG. como *prier*.
inverse [ɛ̃vɛʀs(ə)] *adj. 1* Inverso, sa. ■ *2 m. L'—*, lo contrario.
inversion [ɛ̃vɛʀsjɔ̃] *f.* Inversión.
invertébré, -ée [ɛ̃vɛʀtebʀe] *adj.-s.* Invertebrado, da.
invertir [ɛ̃vɛʀtiʀ] *tr.* Invertir.
investigation [ɛ̃vɛstigasjɔ̃] *f.* Investigación.
investir [ɛ̃vɛstiʀ] *tr. 1* Investir. *2* MIL. Cercar, asediar. *3* Invertir, colocar (de l'argent).
invétéré, -ée [ɛ̃vetere] *adj.* Inveterado, da.
invincible [ɛ̃vɛ̃sibl(ə)] *adj.* Invencible.
inviolable [ɛ̃vjɔlabl(ə)] *adj.* Inviolable.
invisible [ɛ̃vizibl(ə)] *adj.* Invisible.
invitación [ɛ̃vitasjɔ̃] *f.* Invitación.
inviter [ɛ̃vite] *tr. 1* Invitar. ■ *2 pr.* Invitarse.
invocation [ɛ̃vɔkasjɔ̃] *f.* Invocación.
involontaire [ɛ̃vɔlɔ̃tɛʀ] *adj.* Involuntario, ria.
invoquer [ɛ̃vɔke] *tr.* Invocar.
invraisemblable [ɛ̃vʀɛsɑ̃blabl(ə)] *adj.* Inverosímil.
invulnérable [ɛ̃vylneʀabl(ə)] *adj.* Invulnerable.
iota [jɔta] *m.* Iota *f.* (lettre grecque). Loc.

fig. *Il n'y manque pas un —*, no falta un ápice.
iranien, -ienne [iʀanjɛ̃, -jɛn] *adj.-s.* Iraní.
irascible [iʀasibl(ə)] *adj.* Irascible.
ire [iʀ] *f.* poét. Ira.
iris [iʀis] *m. 1* ANAT. Iris. *2* Lirio (plante).
iriser [iʀize] *tr. 1* Producir irisación, irisar. ■ *2 pr.* Irisar.
irlandais, -aise [iʀlɑ̃dɛ, -ɛz] *adj.-s.* Irlandés, esa.
ironie [iʀɔni] *f.* Ironía.
ironique [iʀɔnik] *adj.* Irónico, ca.
irradier [iʀ(ʀ)adje] *intr.-tr.* Irradiar. ▲ CONJUG. como *prier*.
irraisonné, -ée [iʀ(ʀ)ezɔne] *adj. 1* No razonado, da. *2* Inmotivado, da, infundado, da.
irrationnel, -elle [iʀ(ʀ)asjɔnɛl] *adj. 1* Irracional. *2* MATH. Irracional.
irréalité [iʀ(ʀ)ealite] *f.* Irrealidad.
irréconciliable [iʀ(ʀ)ekɔ̃siljabl(ə)] *adj.* Irreconciliable.
irrécouvrable [iʀ(ʀ)ekuvʀabl(ə)] *adj.* Incobrable.
irrécusable [iʀ(ʀ)ekyzabl(ə)] *adj.* Irrecusable.
irréductible [iʀ(ʀ)edyktibl(ə)] *adj.* Irreductible, irreducible.
irréfléchi, -ie [iʀ(ʀ)efleʃi] *adj.* Irreflexivo, va.
irréflexion [iʀ(ʀ)eflɛksjɔ̃] *f.* Irreflexión.
irréfutable [iʀ(ʀ)efytabl(ə)] *adj.* Irrefutable.
irrégularité [iʀ(ʀ)egylaʀite] *f.* Irregularidad.
irrégulier, -ière [iʀ(ʀ)egylje, -jɛʀ] *adj.* Irregular.
irreligieux, -euse [iʀ(ʀ)eliʒjø, -øz] *adj.* Irreligioso, sa.
irrémédiable [iʀ(ʀ)emedjabl(ə)] *adj.* Irremediable.
irrémissible [iʀ(ʀ)emisibl(ə)] *adj.* Irremisible.
irréparable [iʀ(ʀ)epaʀabl(ə)] *adj.* Irreparable.
irrépréhensible [iʀ(ʀ)epʀeɑ̃sibl(ə)] *adj.* Irreprensible.
irréprochable [iʀ(ʀ)epʀɔʃabl(ə)] *adj.* Irreprochable.
irrésistible [iʀ(ʀ)ezistibl(ə)] *adj.* Irresistible.
irrésolu, -ue [iʀ(ʀ)ezɔly] *adj.* Irresoluto, ta.
irrespectueux, -euse [iʀ(ʀ)ɛspɛktɥø, -øz] *adj.* Irrespetuoso, sa.
irrespirable [iʀ(ʀ)ɛspiʀabl(ə)] *adj.* Irrespirable.
irresponsable [iʀ(ʀ)ɛspɔ̃sabl(e)] *adj.-s.* Irresponsable.

irrévérence [iʀ(ʀ)everɑ̃s] *f.* Irreverencia.
irrévocable [iʀ(ʀ)evɔkabl(ə)] *adj.* Irrevocable.
irrigation [iʀ(ʀ)igɑsjɔ̃] *f.* Irrigación.
irritant, -ante [iʀitɑ̃, -ɑ̃t] *adj.-m.* Irritante.
irriter [iʀ(ʀ)ite] *tr. 1* Irritar. ■ *2 pr.* Irritarse.
irruption [iʀ(ʀ)ypsjɔ̃] *f.* Irrupción.
isard [izaʀ] *m.* Gamuza *f.*, rebeco.
isba [izba] *f.* Isba.
islamisme [islamism(ə)] *m.* Islamismo.
isocèle, isoscèle [izɔsɛl] *adj.* GÉOM. *Triangle* —, triángulo isósceles.
isolant, -ante [izɔlɑ̃, -ɑ̃t] *adj.-m.* Aislante.
isoler [izɔle] *tr. 1* Aislar. ■ *2 pr.* Aislarse.
israélite [israelit] *adj.-s.* Israelita.
issu, -ue [isy] *adj. 1* Descendiente, salido, da, nacido, da de. ■ *2 f.* Salida (sortie).

Loc. fig. *Se ménager une issue,* buscar una salida, una solución. *3* Resultado *m.*, desenlace *m.*, fin *m. 4 loc. prép.* À l'—*de,* al final de. ■ *5 pl.* Afrecho *m. sing.,* salvado *m. sing.* (son). *6* Despojos *m.* (boucherie).
isthme [ism(ə)] *m.* Istmo.
italien, -enne [italjɛ̃, -ɛn] *adj.-s.* Italiano, na.
italique [italik] *adj.-s. 1* Itálico, ca. ■ *2 adj.-f.* Cursiva, itálica, bastardilla (lettre).
itinéraire [itineʀɛʀ] *adj.-m.* Itinerario, ia.
ivoire [ivwaʀ] *m.* Marfil.
ivraie [ivʀɛ] *f.* Cizaña.
ivre [ivʀ(ə)] *adj.* Ebrio, ia, borracho, cha.
ivresse [ivʀɛs] *f.* Embriaguez, borrachera.
ivrogne [ivʀɔɲ] *adj.-m.* Borracho, cha, borrachín, ina.

J

j [ʒi] *m.* J *f.*

jabot [ʒabo] *m. 1* Buche, papo (des oiseaux). *2* Chorrera *f.* (de chemise).

jaboter [ʒabɔte] *intr. fam.* Charlar, charlatanear.

jacasser [ʒakase] *intr. 1* Chillcar (la pie). *2* Charlar, cotorrear.

jachère [ʒaʃɛʀ] *f.* Barbecho *m.*

jacinthe [ʒasɛ̃t] *f.* Jacinto *m.*

jacquet [ʒakɛ] *m.* Chaquete (jeu).

jactance [ʒaktɑ̃s] *f.* Jactancia.

jade [ʒad] *m.* MINÉR. Jade.

jadis [ʒa(α)dis] *adv. 1* Antiguamente, antaño. ■ *2 adj. Au temps —,* en otro tiempo, en tiempos lejanos.

jaguar [ʒagwaʀ] *m.* Jaguar.

jaillir [ʒajiʀ] *intr. 1* Brotar, surgir, salir (fluide). *2* Surgir (apparaître brusquement).

jais [ʒɛ] *m.* MINÉR. Azabache.

jalon [ʒalɔ̃] *m. 1* Jalón (topographique). *2* Señal *f.*, marca *f.*

jalonner [ʒalɔne] *intr.-tr.* Jalonar.

jalousie [ʒaluzi] *f. 1* Envidia. *2* Celos *m. pl.* (en amour). *3* Celosía, persiana (persienne).

jaloux, -ouse [ʒalu, -uz] *adj.-s. 1* Envidioso, sa (envieux). *2* Celoso, sa (en amour).

jamais [ʒamɛ] *adv. 1* Nunca, jamás: *je ne l'ai — vu,* nunca lo he visto. *2 Si —,* si alguna vez, si por casualidad. *3 loc. adv. À —,* para siempre, eternamente.

jambe [ʒɑ̃b] *f. 1* Pierna. *2* Pata (d'un animal). *3 fig. fam. Tenir la — à quelqu'un,* dar la lata a alguien; *traiter quelqu'un par — dessous la —,* mirar a alguien por encima del hombro. *4 loc. adv. À toutes jambes,* a todo correr. *5* Pernil *m.* (de pantalon).

jambon [ʒɑ̃bɔ̃] *m.* Jamón.

jambonneau [ʒɑ̃bɔno] *m.* Lacón, codillo de jamón.

jansénisme [ʒɑ̃senism(ə)] *m.* Jansenismo.

jante [ʒɑ̃t] *f.* Llanta.

janvier [ʒɑ̃vje] *m.* Enero: *le 1.ᵉʳ janvier,* el día primero de enero.

japonais, -aise [ʒapɔnɛ, -ɛz] *adj.-s.* Japonés, esa.

japper [ʒape] *intr.* Ladrar.

jaquette [ʒakɛt] *f. 1* Chaqué *m.* (d'homme). *2* Chaqueta (de femme). *3* Sobrecubierta (de livre).

jardin [ʒaʀdɛ̃] *m. 1* Jardín (à fleurs). Loc. *— d'agrément,* jardín; *— des plantes,* jardín botánico. *2* Huerto (potager). *3 — d'hiver,* invernadero.

jardinier, -ière [ʒaʀdinje, -jɛʀ] *s. 1* Jardinero, ra (fleuriste). *2* Hortelano, na (maraîcher).

jargon [ʒaʀgɔ̃] *m. 1* Jerga *f.,* jerigonza *f.* *2* Argot.

jarre [ʒaʀ] *f.* Jarra, tinaja.

jarret [ʒaʀɛ] *m. 1* Corva *f.,* jarrete (de l'homme). *2* Corvejón, jarrete (de l'animal).

jarretelle [ʒaʀtel] *f.* Liga.

jarretière [ʒaʀtjɛʀ] *f.* Jarretera, liga.

jars [ʒaʀ] *m.* Ganso macho.

jaser [ʒaze] *intr. 1* Charlar, parlotear. *2* Cotillear (médire).

jasmin [ʒasmɛ̃] *m.* Jazmín.

jaspe [ʒasp(ə)] *m.* Jaspe.

jasper [ʒaspe] *tr.* Jaspear.

jatte [ʒat] *f.* Cuenco *m.*

jauge [ʒoʒ] *f. 1* Cabida (capacité). *2* MAR. Arqueo *m.* *3* Medida (mesure). *4* Varilla graduada (baguette graduée). *5* Indicador *m.* de nivel.

jauger [ʒoʒe] *tr. 1* Aforar. *2* MAR. Arquear. *3 fig.* Calibrar, juzgar. ▲ CONJUG. como *engager.*

jaunâtre [ʒonɑtʀ(ə)] *adj.* Amarillento, ta.

jaune [ʒon] *adj. 1* Amarillo, lla. ■ *2 m.* Amarillo (couleur). *3 — d'œuf,* yema *f.* (de huevo). *4 fig.* Obrero que no quiere participar en una huelga, esquirol (ouvrier). ■ *5 adv. Rire* —, reír de dientes para afuera.

jaunir [ʒoniʀ] *tr. 1* Teñir de amarillo, poner amarillo, lla. ■ *2 intr.* Amarillear, ponerse amarillo, lla.

javel (eau de) [(od)ʒavɛl] *f.* Lejía.

javelle [ʒavɛl] *f. 1* Manojo *m.* de hierba, mies segada y sin atar. *2* Hacecillo *m.* de sarmientos (de sarments).

javelot [ʒavlo] *m. 1* Venablo (arme). *2* SPORTS. Jabalina *f.*

je [ʒ(ə)] *pron. pers.* Yo (souvent omis, sert à insister): — *suis malade*, estoy enfermo.

jersey [ʒɛʀzɛ] *m. 1* Tejido de punto (tissu). *2* Jersey (vêtement).

jésuite [ʒezɥit] *m.* Jesuita.

jet [ʒɛ] *m. 1* Tiro, lanzamiento (action). *2* Chorro (d'un fluide). *3 Armes de* —, armas arrojadizas. *4 Premier* —, bosquejo. *5* — *d'eau*, surtidor.

jetée [ʒ(ə)te] *f.* Escollera, malecón *m.*

jeter [ʒ(ə)te] *tr. 1* Echar: — *l'ancre*, echar el ancla; — *les fondements*, echar los cimientos. *2* Tirar, lanzar: — *une pierre*, tirar una piedra. *3* Echar, poner: — *une lettre à la boîte*, poner una carta en el buzón. *4* Construir, tender (un pont). *5* — *un cri*, dar un grito. *6* Emitir, lanzar (une lumière, un son). *7* — *un regard*, echar una mirada. *8* Tirar (se débarrasser). *9* Meter: — *en prison*, meter en la cárcel. ■ *10 pr.* Tirarse, arrojarse, echarse, abalanzarse. *11* Desembocar (un fleuve). ▲ CONJUG. IRREG. Toma dos *t* delante de sílaba muda. Ejemplos: *je jette, tu jetteras.*

jeton [ʒ(ə)tɔ̃] *m. 1* Ficha *f.* (jeux). *2* Ficha *f.* (du téléphone). *3* — *de présence*, ficha *f.* de asistencia. *4* pop. *Avoir les jetons*, tener canguelo.

jeu [ʒø] *m. 1* Juego (divertissement). *2* Juego: *le* — *d'échecs*, el juego de ajedrez. *3 Un* — *de cartes*, una baraja *f.*, un juego de naipes. *4* Apuesta *f.*: *faites vos jeux*, hagan sus apuestas. *5* Juego, surtido completo: *un* — *de clefs*, un juego de llaves. *6* MUS. Manera *f.* de tocar, ejecución *f. 7* THÉÂT. Interpretación *f.*, actuación *f.*, modo de representar. *8* Juego (de lumière). *9* Loc. — *de mots*, juego de palabras; *c'est un* — *d'enfant*, es un juego de niños, es muy fácil; *ce n'est pas de* —, esto no está permitido. *10* Funcionamiento (fonctionnement). *11* MÉC. Juego, huelgo, holgura *f. 12* loc. adv. *Par* —, por juego, para divertirse; *d'entrée de* —, desde el principio.

jeudi [ʒødi] *m.* Jueves.

jeun (à) [aʒœ̃] *loc. adv.* En ayunas.

jeune [ʒœn] *adj. 1* Joven: *être* —, ser joven. *2* Pequeño, ña: *son* — *frère*, su hermano pequeño. *3* Juvenil (qui convient à la jeunesse). *4* — *fille*, chica, muchacha. *5* — *homme*, chico, muchacho. *6 Jeunes mariés*, recién casados. *7* fam. *C'est un peu* —!, ¡es poco!, ¡es insuficiente! ■ *8 s.* Joven (personne jeune): *les jeunes*, los jóvenes.

jeûner [ʒøne] *intr.* Ayunar.

jeunesse [ʒœnɛs] *f.* Juventud.

joaillerie [ʒɔajʀi] *f.* Joyería.

jobard, -arde [ʒɔbaʀ, -aʀd(ə)] *adj.-s.* Bobo, ba, pánfilo, la.

jocrisse [ʒɔkʀis] *m.* Bragazas, simplón.

joie [ʒwa] *f. 1* Gozo *m.*, alegría: *être fou de* —, estar loco de alegría. *2* Júbilo *m.* (très vive). *3 Se faire une* — *de*, alegrarse de. ■ *4 pl.* Placeres *m.*, deleites *m.*, alegrías.

joindre [ʒwɛ̃dʀ(ə)] *tr. 1* Juntar, unir: *il joignit les mains*, juntó las manos. *2* Unir, poner en comunicación. *3* — *à*, añadir. *4* Dar con, entrar en contacto con: *je n'arrive pas à le* —, no consigo dar con él. *5* Ajustar, encajar. ■ *6 pr.* Unirse, reunirse: *se* — *à un groupe*, unirse a un grupo. *7* Añadirse. ▲ CONJUG. como *craindre*.

joint, jointe [ʒwɛ̃, ʒwɛ̃t] *adj. 1* Junto, ta. *2 Ci-joint*, adjunto.

jointure [ʒwɛ̃tyʀ] *f. 1* Juntura. *2* ANAT. Coyuntura (des os).

joli, -ie [ʒɔli] *adj.* Bonito, ta, lindo, da.

jonc [ʒɔ̃] *m. 1* Junco. *2* Anillo (bague).

jonchée [ʒɔ̃ʃe] *f.* Capa, alfombra de ramos o flores.

joncher [ʒɔ̃ʃe] *tr.* Sembrar, cubrir, tapizar.

jonction [ʒɔ̃ksjɔ̃] *f.* Unión, reunión.

jongler [ʒɔ̃gle] *intr.* Hacer juegos malabares, de manos.

jongleur, -euse [ʒɔ̃glœʀ, -øz] *s. 1* ancienn. Juglar (ménestrel). *2* Malabarista (au cirque, etc.).

jonque [ʒɔ̃k] *f.* Junco *m.*

jonquille [ʒɔ̃kij] *f.* Junquillo *m.*

jouable [ʒwabl(ə)] *adj. 1* Representable. *2* THÉÂT. Ejecutable.

joue [ʒu] *f. 1* Mejilla, carrillo *m.* 2 *Mettre en* —, apuntar con el fusil. *3 En* —!, ¡apunten!, ¡armas!

jouer [ʒwe] *intr. 1* Jugar. *2* Intervenir, entrar en juego (intervenir). *3* THÉÂT. Actuar, trabajar. *4* MUS. Tocar: — *du piano*, tocar el piano. *5* MÉC. Funcionar. *6* Tener huelgo (avoir du jeu). *7* Loc. — *des coudes*, abrirse paso con los codos; — *de malchance*, tener mala suerte. ■ *8* *tr.* Jugar (mettre au jeu). *9* Jugarse (risquer au jeu). *10* Burlar, engañar (duper). *11* mus. Tocar, interpretar. *12* théât. Representar, interpretar. *13* Loc. ■ — *un rôle*, desempeñar un papel. ■ *14 pr.* Jugarse. *15* Burlarse, reírse (se moquer): *se — des difficultés*, reírse de las dificultades.

jouet [ʒwɛ] *m.* Juguete.

joueur, -euse [ʒwœʀ, -øz] *s.* *1* Jugador, ra (jeux). *2* Tocador, ora (d'un instrument). ■ *3 adj.* Juguetón, ona.

joufflu, -ue [ʒufly] *adj.* Mofletudo, da.

joug [ʒu] *m.* Yugo.

jouir [ʒwiʀ] *intr.* Gozar.

jouissance [ʒwisɑ̃s] *f.* Goce *m.*, disfrute *m.*

joujou [ʒuʒu] *m.* *1* fam. Juguete. *2 Faire* —, jugar.

jour [ʒuʀ] *m.* *1* Día: — *férié*, día feriado. Loc. *Se mettre à* —, ponerse al día. *2 loc. adv. Au petit* —, al amanecer; *un beau* —, un buen día, cierto día; *de nos jours*, en nuestros días; *de — en* —, de día en día. *3* Luz *f.* Loc. *Faux* —, mala iluminación *f.; faire* —, ser de día; *le — se lève*, sale el sol; fig. *donner le* —, dar a luz. *4 loc. adv. Au grand* —, en plena luz. *5* Aspecto: *présenter sous un — favorable*, presentar bajo un aspecto favorable. *6* Hueco (ouverture). *7* Calado (broderie). ■ *8 pl.* Días (vie).

journal [ʒuʀnal] *m.* *1* Diario. *2* Periódico.

journalier, -ière [ʒuʀnalje, -jɛʀ] *adj.* *1* Diario, ria. ■ *2 m.* Jornalero (ouvrier).

journaliste [ʒuʀnalist(ə)] *s.* Periodista.

journée [ʒuʀne] *f.* *1* Día *m.: toute la* —, todo el día. *2 — de travail*, jornada de trabajo.

joute [ʒut] *f.* Justa.

jovial, -ale [ʒɔvjal] *adj.* Jovial.

jovialité [ʒɔvjalite] *f.* Jovialidad.

joyau [ʒwajo] *m.* Joya *f.*, alhaja *f.*

joyeux, -euse [ʒwajø, -øz] *adj.* *1* Alegre. *2* Feliz (heureux): — *Noël!*, ¡felices Pascuas!, ¡feliz Navidad!

jubé [ʒybe] *m.* archit. Galería *f.* elevada entre la nave y el presbiterio de una iglesia.

jubilation [ʒybilasjɔ̃] *f.* fam. Júbilo *m.*, alborozo *m.*

jubiler [ʒybile] *intr.* fam. Regocijarse.

jucher [ʒyʃe] *tr.* *1* Encaramar. ■ *2 pr.* Encaramarse.

judaïsme [ʒydaism(ə)] *m.* Judaísmo.

judas [ʒyda] *m.* *1* Judas, traidor (traître). *2* Mirilla *f.* (de porte).

judiciaire [ʒydisjɛʀ] *adj.* Judicial.

juge [ʒyʒ] *m.* Juez.

jugement [ʒyʒmɑ̃] *m.* *1* dr. Juicio. Loc. *Le* — *dernier*, el juicio final. *2* Sentencia *f.*, decisión *f.* (sentence). *3* Juicio, opinión *f.* *4* Juicio, cordura *f.* (raison, bon sens).

jugeote [ʒyʒɔt] *f.* fam. Juicio *m.*, caletre *m.*, sentido *m.* común.

juger [ʒyʒe] *tr.* *1* Juzgar: — *un accusé*, juzgar a un reo. *2* Juzgar, enjuiciar. Loc. *À en* — *d'après*, a juzgar por; *au* —, a bulto. *3* Decidir (prendre position sur). *4* Considerar, encontrar (considérer comme). *5* Imaginarse, figurarse (imaginer): *jugez de ma déception*, imagínese mi desengaño. ■ *6 pr.* Considerarse, verse. ▲ conjug. *como* engager.

jugulaire [ʒygylɛʀ] *adj.* *1 Veines jugulaires*, venas yugulares. ■ *2 f.* Carrillera (du casque), barboquejo *m.* (d'une casquette, etc.).

juif, -ive [ʒɥif, -iv] *adj.-s.* Judío, ía.

juillet [ʒɥije] *m.* Julio.

juin [ʒɥɛ̃] *m.* Junio.

jumeau, -melle [ʒymo, -mɛl] *adj.-s.* Gemelo, la, mellizo, za.

jumelles [ʒymɛl] *f. pl.* Gemelos *m.*

jument [ʒymɑ̃] *f.* Yegua.

jungle [ʒœ̃gl(ə)] *f.* Selva virgen de la India, jungla.

jupe [ʒyp] *f.* Falda.

jupon [ʒypɔ̃] *m.* Enaguas *f. pl.*, refajo *m.*

juré, -ée [ʒyʀe] *m.* Jurado (membre d'un jury).

jurer [ʒyʀe] *tr.* *1* Jurar: — *fidélité*, jurar fidelidad. *2* Jurar, asegurar (assurer). ■ *3 intr.* Jurar (faire un serment). *4* Jurar, blasfemar (dire des jurons). *5* No ir, chocar (aller mal ensemble).

juridiction [ʒyʀidiksjɔ̃] *f.* Jurisdicción.

juridique [ʒyʀidik] *adj.* Jurídico, ca.

jurisprudence [ʒyʀispʀydɑ̃s] *f.* Jurisprudencia.

juriste [ʒyʀist(ə)] *s.* Jurista.

juron [ʒyʀɔ̃] *m.* Juramento, taco.

jury [ʒyʀi] *m.* *1* Jurado (justice). *2* Tribunal (examens).

jus [ʒy] *m.* *1* Jugo. *2* Zumo.

jusque [ʒysk(ə)] *prép.* Hasta: *jusqu'à présent*, hasta ahora.

jusquiame [ʒyskjam] *f.* Beleño *m.*

juste [ʒyst(ə)] *adj.* *1* Justo, ta (équitable, légitime). *2* Certero, ra, acertado, da (exact). *3* Justo, estrecho, cha (étroit, petit). *4* Justo, ta (qui suffit à peine). *5* mus. Afinado, da. ■ *6 m.* Justo. ■ *7 adv.* Justamente, justo. *8* Exactamente, precisamente. Loc. *Frapper* —, dar en el blanco. *9 loc. adv. Au* —, exactamente.

justesse [ʒystɛs] *f.* Exactitud, precisión.

justice [ʒystis] *f.* Justicia.
justicier, -ière [ʒystisje, -jɛʀ] *adj.-s.* Justiciero, ra.
justification [ʒystifikɑsjɔ̃] *f.* Justificación.
justifier [ʒystifje] *tr. 1* Justiciar. ■ *2 pr.* Justificarse. ▲ CONJUG. como *prier*.

jute [ʒyt] *m.* Yute (plante et fibre).
juteux, -euse [ʒytø, -øz] *adj.* Jugoso, sa.
juvénile [ʒyvenil] *adj.* Juvenil.
juxtaposition [ʒykstapozisjɔ̃] *f.* Yuxtaposición.

K

k [ka] *m.* K *f.*
kabyle [kabil] *adj.-s.* Cabila.
kaki [kaki] *adj. invar. 1* Caqui (couleur).
■ *2 m.* Caqui (fruit).
kaléidoscope [kaleidɔskɔp] *m.* Calidoscopio.
kangourou [kãguʀu] *m.* Canguro.
kapok [kapɔk] *m.* Miraguano.
képi [kepi] *m.* Quepis.
kermesse [kɛʀmɛs] *f.* Kermese.
khan [kã] *m.* Kan (prince).
khôl [kol], **kohol** [kɔɔl] *m.* Alcohol.

kilogramme [kilɔgʀam] *m.* Kilogramo, quilogramo.
kilomètre [kilɔmɛtʀ(ə)] *m.* Kilómetro, quilómetro.
kilowatt [kilɔwat] *m.* Kilovatio.
kimono [kimɔno] *m.* Kimono, quimono.
kiosque [kjɔsk(ə)] *m.* Quiosco.
kola [kɔla] *m.* Cola.
krach [kʀak] *m.* Quiebra *f.*, crac.
kyrielle [kiʀjɛl] *f.* Letanía, sarta, retahíla.
kyste [kist(ə)] *m.* MÉD. Quiste.

L

l [ɛl] *m.-f.* L f.

la [la] *art.-pron. pers.* La.

la [la] *m.* MUS. La.

là [la] *adv. 1* Allà (loin, indéterminé), allí (loin), ahí (près): *restez* —, quédese ahí; *c'est* — *qu'il s'est marié,* allí se casó. *2* Esto, ello: *en venir* —, venir a parar a esto; *restons-en* —, quedemos en esto, no hablemos más; *il faut en passer par* —, hay que pasar por ello. *3* Se une al demostrativo por medio de guión para darle el sentido de *aquél*, *lla: celui-là,* aquél; *cet homme-là,* aquel hombre; *celle-la,* aquélla. *4 loc. adv. là-bas,* allá, allá lejos; *là-haut,* allá arriba; *là-dedans,* allí dentro; *là-dessus,* encima de aquello, de esto; sobre esto, dicho esto (sur ce); *de* —, de allí; *par* —, por allí, por este medio. *5 interj.* Hé —!, ¡vamos! *6 Oh* —, —!, ¡oh!

label [labɛl] *m.* Etiqueta *f.,* marca *f.*

labeur [labœʀ] *m.* Trabajo.

labial, -ale [labjal] *adj.* Labial.

laboratoire [labɔʀatwaʀ] *m.* Laboratorio.

laborieux, -euse [labɔʀjø, -øz] *adj.* Laborioso, sa, trabajador, ra.

labour [labuʀ] *m.* Labranza *f.*

labourage [labuʀaʒ] *m.* Laboreo, labranza *f.*

labourer [labuʀe] *tr. 1* Labrar, arar. *2* fig. Surcar.

labyrinthe [labiʀɛ̃t] *m.* Laberinto.

lac [lak] *m.* Lago.

lacer [lase] *tr.* Atar, lazar. ▲ CONJUG. como *lancer.*

lacérer [laseʀe] *tr.* Lacerar, desgarrar, lastimar. ▲ CONJUG. como *accélérer.*

lacet [lasɛ] *m. 1* Cordón (de chaussures). *2* Zigzag: *route en lacets,* carretera en zigzag. *3* CHASS. Lazo, percha *f.*

lâche [lɑʃ] *adj. 1* Flojo, ja, suelto, ta (pas serré). *2* Vil (action). ■ *3 adj.-s.* Cobarde.

lâcher [lɑʃe] *tr. 1* Aflojar: — *la bride,* aflojar las riendas. *2* Soltar: — *prise,* soltar la presa; — *un juron,* soltar un taco. Loc. fig. — *pied,* ceder terreno, retroceder. *3* fam. Plantar (un ami). ■ *4 intr.* Soltarse: *une poutre qui a lâché,* una viga que se ha soltado.

lâcher [lɑʃe] *m.* Suelta *f.*

lâcheté [lɑʃte] *f. 1* Cobardía. *2* Villanía, bajeza (action).

lacis [lasi] *m.* Entrelazamiento, red *f.*

laconique [lakɔnik] *adj.* Lacónico, ca.

lacrymal, -ale [lakʀimal] *adj.* Lagrimal.

lacs [la] *m. 1* Lazada *f.,* lazo. *2* CHASS. Lazo.

lacté, -ée [lakte] *adj. 1* Lácteo, ea. *2* Lacteado, da: *farine lactée,* harina lacteada.

lactique [laktik] *adj.* Láctico, ca.

lacune [lakyn] *f.* Laguna, omisión.

lacustre [lakystʀ(ə)] *adj.* Lacustre.

ladre [ladʀ(ə)] *adj.-s.* Avaro, ra, roñoso, sa, tacaño, ña.

ladrerie [ladʀəʀi] *f.* Avaricia sórdida.

lagune [lagyn] *f.* Albufera, laguna.

lai, laie [lɛ] *adj.-s. 1* Lego, ga. ■ *2 m.* RHÉT. Lay.

laïcisme [laisism(ə)] *m.* Laicismo.

laid, laide [lɛ, lɛd] *adj.* Feo, a.

laideron [lɛdʀɔ̃] *m.* Mujer *f.* fea.

laideur [lɛdœʀ] *f.* Fealdad.

laie [lɛ] *f. 1* Jabalina (femelle du sanglier). *2* Sendero *m.,* senda (sentier).

lainage [lɛnaʒ] *m. 1* Tejido de lana. *2* Prenda *f.* de lana (vêtement).

laine [lɛn] *f.* Lana.

lainier, -ière [lɛnje, -jɛʀ] *adj.-s.* Lanero, ra.

laisse [lɛs] *f.* Traílla, correa: *chien en* —, perro atado. Loc. fig. *Mener quelqu'un en* —, dominar a uno, manejar a alguien.

laisser [lese] *tr. 1* Dejar: — *faire,* dejar hacer; *laissez-moi tranquille,* déjeme en paz. *2* Dar: — *à penser,* dar que pensar. ■ *3 pr.* Dejarse: *se* — *voler,* dejarse robar. *4 Se — faire,* no oponer resistencia, dejarse llevar; *se — aller,* abandonarse.

laissez-passer [lesepɑse] *m. invar.* Pase, permiso de circulación.

lait [lɛ] *m. 1* Leche *f.: — caillé,* leche cuajada. *2 — de chaux,* lechada *f.* de cal.

laiterie [lɛtʀi] *f.* Lechería.

laiteux, -euse [lɛtø, -øz] *adj.* Lechoso, sa.

laitier, -ière [letje, -jɛʀ] *adj.-s. 1* Lechero, ra. ■ *2 m.* MÉTAL. Escoria *f.*

laiton [lɛtɔ̃] *m.* Latón.

laitue [lety] *f.* Lechuga.

lama [lama] *m. 1* RELIG. Lama. *2* Llama *f.* (animal).

lamaneur [lamanœʀ] *m.* Práctico del puerto.

lambeau [lɑ̃bo] *m. 1* Jirón: *en lambeaux,* hecho jirones. *2* Fragmento: *des lambeaux de conversation,* fragmentos de conversación.

lambiner [lɑ̃bine] *intr.* Remolonear, entretenerse.

lambris [lɑ̃bʀi] *m. 1* Revestimiento decorativo (d'un mur). *2* Artesonado (de plafond).

lame [lam] *f. 1* Lámina (métal). *2* Hoja (d'instrument coupant): *— de rasoir,* hoja de afeitar. *3* Loc. fig. *Fine —,* buen espadachín *m. 4* Tabla (de parquet). *5* Ola (vague).

lamé, -ée [lame] *adj. 1* Laminado, da. ■ *2 m.* Lamé: *robe de —,* vestido de lamé.

lamentable [lamɑ̃tabl(ə)] *adj.* Lamentable.

lamenter (se) [lamɑ̃te] *pr.* Lamentarse.

laminage [laminaʒ] *m.* Laminado.

laminer [lamine] tr. MÉTAL. Laminar.

lampadaire [lɑ̃padɛʀ] *m. 1* Farol, farola *f.* (de rue). *2* Lámpara *f.* de pie (d'intérieur).

lampe [lɑ̃p(ə)] *f.* Lámpara.

lampée [lɑ̃pe] *f.* fam. Buen trago *m.*

lamper [lɑ̃pe] *tr.* Beber a grandes tragos, beber ávidamente.

lampion [lɑ̃pjɔ̃] *m. 1* Candelilla *f.,* mariposa *f. 2* Farolillo veneciano (en papier).

lampiste [lɑ̃pist(ə)] *m. 1* Lamparero, lamparista. *2* fam. Pagano.

lamproie [lɑ̃pʀwa(a)] *f.* Lamprea.

lance [lɑ̃s] *f.* Lanza, pica.

lancement [lɑ̃smɑ̃] *m. 1* Lanzamiento. *2* MAR. Botadura *f.*

lancer [lɑ̃se] *tr. 1* Lanzar, arrojar. *2* Emitir, publicar, poner en circulación. *3* Lanzar, dar a conocer, poner de moda. *4* Soltar (un coup, etc.): *— des injures,* soltar injurias. *5* Lanzar, echar (regard). *6* MAR. Botar (un navire). ■ *7 pr.*

Lanzarse. ▲ CONJUG. Toma una cedilla delante de *a* y *o: il lança, nous lançons.*

lance-torpilles [lɑ̃stɔʀpij] *m. invar.* Lanzatorpedos.

lancette [lɑ̃sɛt] *f.* Lanceta.

lancier [lɑ̃sje] *m. 1* MIL. Lancero. ■ *2 pl.* Lanceros (danse).

landau [lɑ̃do] *m.* Landó.

lande [lɑ̃d] *f.* Landa, páramo *m.,* erial *m.*

langage [lɑ̃gaʒ] *m.* Lenguaje.

lange [lɑ̃ʒ] *m.* Pañal, mantilla *f.*

langoureux, -euse [lɑ̃guʀø, -øz] *adj.* Lánguido, da.

langouste [lɑ̃gust(ə)] *f.* Langosta.

langoustine [lɑ̃gustin] *f.* Cigala.

langue [lɑ̃g] *f. 1* Lengua: Loc. fig. *Avaler sa —,* tragarse la lengua, callarse; *avoir la — bien pendue,* hablar por los codos. *2* Lengua, idioma *m.,* lenguaje *m.: — vivante, morte,* lengua viva, muerta. *3* Lengua: *— de feu,* lengua de fuego.

languette [lɑ̃gɛt] *f.* Lengüeta.

langueur [lɑ̃gœʀ] *f.* Languidez.

languir [lɑ̃giʀ] *intr. 1* Languidecer. *2* Consumirse (une personne). *3* Alargarse, durar (une affaire).

lanterne [lɑ̃tɛʀn(ə)] *f.* Linterna, farol *m.*

lanterner [lɑ̃tɛʀne] *intr. 1* Bobear, perder el tiempo en tonterías. ■ *2 tr.* Faire —, entretener, dar largas.

lapalissade [lapalisad] *f.* Perogrullada.

laper [lape] *tr.-intr.* Beber a lengüetadas.

lapereau [lapʀo] *m.* Gazapo, conejito.

lapidaire [lapidɛʀ] *adj.-s.* Lapidario, ria.

lapider [lapide] *tr.* Lapidar.

lapin, -ine [lapɛ̃, -in] *s. 1* Conejo, ja. *2* Loc. fig. fam. *Un chaud —,* un tío cachondo. *3* fam. *Poser un —,* dar un plantón.

lapinière [lapinjɛʀ] *f.* Conejar *m.,* conejera *f.*

laps [laps] *m. — de temps,* lapso de tiempo.

lapsus [lapsys] *m.* Lapsus, lapso.

laquais [lakɛ] *m.* Lacayo.

laquer [lake] *tr.* Barnizar con laca.

larcin [laʀsɛ̃] *m.* Hurto.

lard [laʀ] *m. 1* Tocino, lardo. *2* fam. Grasa *f.* (d'une personne).

larder [laʀde] *tr. 1* CUIS. Mechar. *2* fig. Acribillar: *— de coups de poignard,* acribillar a puñaladas. *3* fig. Recargar, rellenar (un texte de citations, etc.).

lardon [laʀdɔ̃] *m.* CUIS. Mecha *f.*

lare [laʀ] *m.* MYTH. Lar. ■ *2 pl.* fig. Lares.

large [laʀʒ(ə)] *adj. 1* Ancho, cha, amplio, ia: *un — trottoir,* una acera ancha. *2* Holgado, da (vêtements): *un manteau de voyage très —,* un abrigo de viaje muy holgado. *3* Extenso, sa, dilatado, da, vasto, ta. *4* Amplio, ia: *une — diffusion,* una amplia difusión. 5 Considerable, importante, grande. 6 Liberal, generoso, sa (généreux). 7 *Vie —*, vida desahogada, fácil. 8 Tolerante: *— d'esprit*, de manga ancha. ■ *9 m.* Anchura *f.*, ancho: *un mètre de —*, un metro de ancho. 10 Alta mar *f.*: *prendre le —*, hacerse a la mar; fig. fam. largarse. ■ *11 adv.* Con holgura. 12 *loc. adv.* En *long et en —*, en todos sentidos; *de long en —*, de un lado para otro; *au —*, a sus anchas, con comodidad (à l'aise).

largesse [larʒɛs] *f.* Largueza, liberalidad.

largeur [larʒœr] *f.* 1 Anchura. 2 fig. Amplitud (d'esprit, etc.).

larme [larm(ə)] *f.* Lágrima. Loc. *Pleurer à chaudes larmes*, llorar a lágrima viva.

larmoyant, -ante [larmwajɑ̃, -ɑ̃t] *adj. 1* Lacrimoso, sa, lloroso, sa. 2 fig. Sensiblero, ra (personnes).

larmoyer [larmwaje] *intr.* Lagrimear. ▲ CONJUG. como *employer*.

larron [larɔ̃] *m.* vieil. Ladrón, prov. *L'occasion fait le —*, la ocasión hace al ladrón.

larve [larv(ə)] *f. 1* Larva. 2 péj. Baldrazas *m.*

larynx [larɛ̃ks] *m.* Laringe *f.*

las, lasse [lɑ, lɑs] *adj. 1* Cansado, da. 2 fig. *— de*, cansado, harto de.

lascif, -ive [lasif, -iv] *adj.* Lascivo, va.

lascivité [lasivite] *f.* Lascivia.

lassitude [lasityd] *f. 1* Cansancio *m.* 2 Aburrimiento *m.* (ennui).

lasso [laso] *m.* Lazo.

latent, -ente [latɑ̃, -ɑ̃t] *adj.* Latente.

latéral, -ale [lateral] *adj.* Lateral.

latin, -ine [latɛ̃, -in] *adj.-s. 1* Latino, na. ■ *2 m.* Latín: *bas —*, latín vulgar.

latinisme [latinism(ə)] *m.* Latinismo.

latitude [latityd] *f.* Latitud.

latrie [latri] *f.* Latría.

latrines [latrin] *f. pl.* Letrina *sing.*

latter [late] *tr.* Enlistonar.

laudanum [lodanɔm] *m.* Láudano.

laudatif, -ive [lodatif, -iv] *adj.* Laudatorio, ria.

lauréat, -ate [lɔrea, -at] *adj.-s.* Laureado, da, galardonado, da.

laurier [lɔrje] *m. 1* Laurel: *— sauce,* laurel común; *— cerise,* laurel real. 2 *— rose,* adelfa *f.*; *— tulipier,* magnolia *f.*

lavable [lavabl(ə)] *adj.* Lavable.

lavabo [lavabo] *m. 1* Lavabo. 2 LITURG. Lavatorio.

lavage [lavaʒ] *m.* Lavado, lavadura *f.*

lavallière [lavaljer] *f.* Chalina.

lavande [lavɑ̃d] *f.* Espliego *m.*

lavandière [lavɑ̃djer] *f. 1* Lavandera. 2 Aguzanieves (oiseau).

lave [lav] *f.* Lava.

lavement [lavmɑ̃] *m.* MÉD. Lavativa *f.*, ayuda *f.*

laver [lave] *tr. 1* Lavar. 2 Fregar: *— la vaisselle,* fregar los platos. ■ *3 pr.* Lavarse: *se — les mains,* lavarse las manos.

lavette [lavɛt] *f. 1* Estropajo *m.* 2 fam. Bragazas *m.*, calzonazos *m.*

lavis [lavi] *m.* PEINT. Aguada *f.*

lavoir [lavwar] *m.* Lavadero *m.*

laxatif, -ive [laksatif, -iv] *adj.-m.* Laxante.

layette [lɛjɛt] *f.* Canastilla de recién nacido.

lazaret [lazarɛ] *m.* Lazareto.

lazzi [la(d)zi] *m.* Broma *f.*, burla *f.*, chufla *f.*

le, la [l(ə), la] *art. 1* El, la: *l'oiseau,* el pájaro (*l'* delante de vocal o h muda). ■ *2 pron. pers.* Lo, le, la: *je le sais,* ya lo sé; *je l'ai vu,* lo, le he visto; *je l'ai vue,* la he visto. ■ *3 pl.* Los, las.

lèchefrite [lɛʃfrit] *f.* Grasera.

lécher [leʃe] *tr. 1* Lamer. 2 Loc. fig. fam. *— les bottes de,* hacer la pelotilla a. ■ *3 pr.* Chuparse, relamerse. ▲ CONJUG. como *accélérer.*

lècheur, -euse [leʃœr, -øz] *s.* 1 fam. Pelotillero, ra, cobista (flatteur). 2 fam. Besucón, ona (qui embrasse). 3 fam. Lamerón, ona, laminero, ra, goloso, sa (gourmand).

leçon [l(ə)sɔ̃] *f.* 1 Lección. 2 fig. Lección, advertencia: *faire la — à quelqu'un,* aleccionar a alguien.

lecteur, -trice [lɛktœr, -tris] *s.* Lector, ra.

lecture [lɛktyr] *f.* Lectura.

légal, -ale [legal] *adj.* Legal.

légaliser [legalize] *tr.* Legalizar.

légalité [legalite] *f.* Legalidad.

légat [lega] *m.* Legado.

légation [legasjɔ̃] *f. 1* Legacía (charge, territoire). 2 Legación (bureaux, résidence).

légendaire [leʒɑ̃der] *adj.* Legendario, ia.

légende [leʒɑ̃d] *f. 1* Leyenda. 2 Pie *m.* (d'une illustration, photo). 3 Inscripción (monnaie, médaille).

léger, -ère [leʒe, -er] *adj. 1* Ligero, ra. 2 Ligero, ra, leve (peu grave, peu important). 3 *loc. adv.* A *la légère,* a la ligera, brevemente.

légèreté [leʒerte] *f.* Ligereza.

légiférer [leʒifere] *intr.* Legislar. ▲ CONJUG. como *accélérer.*

légion [leʒjɔ̃] *f.* Legión: *— d'Honneur,* Legión de Honor.

légionnaire [leʒjɔner] *m. 1* Legionario. 2 Miembro de la Legión de Honor.

lever

législateur, -trice [leʒislatœʀ, -tʀis] *adj.-s.* Legislador, ra.

législation [leʒislasjɔ̃] *f.* Legislación.

légiste [leʒist(ə)] *m. 1* Legista. ■ *2 adj. Médecin —*, médico forense.

légitime [leʒitim] *adj.* Legítimo, ma.

légitimer [leʒitime] *tr. 1* Legitimar. *2* Justificar (justifier).

legs [lɛ, lɛg] *m.* Legado, manda *f.*

léguer [lege] *tr.* Legar. ▲ CONJUG. como *accélérer.*

légume [legym] *m. 1* Verdura *f.: bouillon de légumes*, caldo de verduras. *2 Légumes secs*, legumbres *f.*

légumineux, -euse [legyminø, -øz] *adj. 1* Leguminoso, sa. ■ *2 f. pl.* BOT. Leguminosas.

lendemain [lɑ̃dmɛ̃] *m.* El día siguiente: *il arriva le —*, llegó al día siguiente. *loc. adv. Du jour du —*, de la noche a la mañana.

lénitif, -ive [lenitif, -iv] *adj.-s.* Lenitivo, va.

lent, lente [lɑ̃, lɑ̃t] *adj.* Lento, ta.

lenteur [lɑ̃tœʀ] *f.* Lentitud.

lentille [lɑ̃tij] *f. 1* Lenteja: *— d'eau*, lenteja de agua. *2* OPT. Lente.

lentisque [lɑ̃tisk(ə)] *m.* Lentisco.

léonin, -ine [leɔnɛ̃, -in] *adj.* Leonino, na.

léopard [leɔpaʀ] *m.* Leopardo.

lépreux, -euse [lepʀø, -øz] *adj.-s.* Leproso, sa.

lequel, laquelle [ləkɛl, lakɛl] *pron. rel. 1* El cual, la cual *pl. lesquels, lesquelles*, los cuales, las cuales. ■ *2 pron. inter.* Cuál: *— prenez-vous?*, ¿cuál toma usted?; *lesquels voulez-vous?*, ¿cuáles quiere usted?. *3* Con las prep. *à* y *de* forma los compuestos: *auquel, auxquels, auxquelles, duquel, desquels, desquelles.*

les [le] *art.-pron. pers. pl.* Los *m.*, las *f.*

léser [leze] *tr.* Perjudicar, dañar, damnificar. ▲ CONJUG. como *accélérer.*

lésinerie [lezinʀi] *f.* Tacañería, cicatería, roñería.

lésion [lezjɔ̃] *f.* Lesión.

lessive [lesiv] *f. 1* Lejía. *2* Detergente *m.* en polvo (poudre). *3* Colada, lavado *m. 4* Ropa (linge): *rincer la —*, aclarar la ropa.

lessiveuse [lesivøz] *f.* Cubo *m.* para la colada.

lest [lɛst] *m.* Lastre.

leste [lɛst(ə)] *adj.1* Ligero, ra, vivo, va, pronto, ta. *2* fig. Libre, atrevido, da, licencioso, sa.

lester [lɛste] *tr. 1* Lastrar. ■ *2 pr.* fam. Alimentarse.

léthargique [letaʀʒik] *adj.* Letárgico, ca.

lettre [letʀ(ə)] *f. 1* Letra: *— moulée*, letra de molde; *lettres majuscules, minuscules*, letras mayúsculas, minúsculas. *2* Carta: *— de condoléances*, carta de pésame; *— chargée*, carta con valores declarados. *3* COMM. Letra, carta: *— de change*, letra de cambio. ■ *4 pl.* Letras: *les belles-lettres*, las bellas letras.

lettré, -ée [letʀe] *adj. 1* Culto, ta. ■ *2 s.* Erudito, ta.

leucémie [løsemi] *f.* Leucemia.

leur [lœʀ] *adj. poss. 1* Su: *ils viendront dans — voiture*, ellos vendrán en su coche *pl. leurs*, sus. ■ *2 pron. poss.* Suyo, ya: *nous prenons nos billets et ils prennent les leurs*, nosotros tomamos nuestros billetes y ellos toman los suyos. ■ *3 pron. pers.* Les: *je — raconte cette histoire*, les cuento esta historia; se (quand il y a un autre pron. à la 3.ª personne): *je la — raconte*, se la cuento; *raconte-la—*, cuéntasela.

leurrer [lœʀe] *tr. 1* Embaucar (abuser). ■ *2 pr.* Hacerse ilusiones.

levain [ləvɛ̃] *m.* Levadura *f.*

levant [ləvɑ̃] *adj. 1 Soleil —*, sol naciente. ■ *2 m.* Levante.

levantin, -ine [ləvɑ̃tɛ̃, -in] *adj.-s.* Levantino, na.

levé, -ée [l(ə)ve] *adj. 1* Levantado, da, alzado, da, erguido, da, alto, ta. Loc. *Au pied —*, en preparación. ■ *2 m.* Levantamiento (d'un plan).

levée [ləve] *f. 1* Levantamiento *m. 2* Recogida (du courrier). *3* Recaudación, percepción (des impôts). *4* Baza (au jeu de cartes). *5* Terraplén *m.*, dique *m.*, malecón *m.* (digue). *6* AGR. Recolección. *7* MIL. Leva (de troupes). *8 — de boucliers*, protesta general.

lever [l(ə)ve] *tr. 1* Levantar: *— le bras*, levantar el brazo. *2* Levantar, alzar: *— les yeux au ciel*, alzar los ojos al cielo. Loc. *— les épaules*, encogerse de hombros. *3* Levantar, quitar (enlever). *4* Levantar: *— la séance, le siège, une excommunication*, levantar la sesión, el sitio, una excomunión. *5* Levantar, trazar: *— un plan*, levantar un plano. *6* Levar, reclutar (des soldats). *7* Recoger (le courrier). *8* Percibir (des impôts). *9* CHASS. Levantar (le gibier). ■ *10 intr.* Nacer (les plantes). *11* Leudarse (la pâte). ■ *12 pr.* Levantarse. *13* Salir, nacer (le jour). *14* Despejarse (le temps). ▲ CONJUG. como *acheter.*

lever [l(ə)ve] *m. 1* Momento de levantarse de la cama: *à son —*, al levantarse de la cama. *2* Orto, salida *f.* (d'un astre). *3* Nacimiento (du jour). *4* THÉÂT. *Le — du rideau*, la subida del telón.

levier [ləvje] *m.* Palanca *f.*

levis [l(ə)vi] *adj. Pont- —*, puente levadizo.

lévite [levit] *m. 1* RELIG. Levita. ■ *2 f.* Levitón *m.*

levraut [ləvʀo] *m.* Lebrato.

lèvre [levʀ(ə)] *f.* Labio *m.*

lévrier [levʀije] *m.* Galgo, lebrel.

levure [l(ə)vyʀ] *f.* Levadura.

lexique [leksik] *m.* Léxico.

lézard [lezaʀ] *m.* Lagarto.

lézarde [lezaʀd(ə)] *f.* Grieta.

lézarder [lezaʀde] *tr. 1* Agrietar. ■ *2 intr.* fam. Gandulear, holgazanear. ■ *3 pr.* Agrietarse, rajarse.

liaison [ljezɔ̃] *f. 1* Enlace *m.*, unión: *agent de —*, agente de enlace. *2* Enlace *m.* (dans la prononciation). *3* Unión, relación: *— d'affaires*, relación de negocios. *4* Conexión (téléphonique). *5* Unión ilícita, aventura: *avoir une —*, tener relaciones ilícitas. *6* MUS. Ligado *m.*

liane [ljan] *f.* Bejuco *m.*

liant, -ante [ljɑ̃, -ɑ̃t] *adj. 1* Flexible, maleable. *2* fig. Afable, sociable: *caractère —*, carácter sociable. ■ *3 m.* Flexibilidad *f.* *4* fig. Afabilidad *f.*

liard [ljaʀ] *m.* Cuarto, ochavo.

liasse [ljas] *f. 1* Legajo *m.* (papiers). *2* Fajo *m.* (billets).

libelle [libel] *m.* Libelo.

libellule [libe(ɛl)lyl] *f.* Libélula.

liber [libeʀ] *m.* BOT. Líber.

libéral, -ale [libeʀal] *adj.-s.* Liberal.

libéralisme [libeʀalism(ə)] *m.* Liberalismo.

libération [libeʀasjɔ̃] *f. 1* Liberación. *2* DR. Libertad: *— conditionnelle*, libertad condicional. *3* MIL. Licenciamiento *m.*

libérer [libeʀe] *tr. 1* Libertar, poner en libertad (un prisonnier). *2* Eximir, liberar, exonerar (d'une charge, d'un service). *3* Descargar (la conscience). *4* MIL. Licenciar (un soldat). *5* PHYS. Liberar (de l'énergie, etc.). ▲ CONJUG. como *accélérer.*

liberté [libeʀte] *f.* Libertad.

libertinage [libeʀtinaʒ] *m.* Libertinaje.

libidineux, -euse [libidinø, -øz] *adj.* Libidinoso, sa.

librairie [libʀeʀi] *f.* Librería.

libre [libʀ(ə)] *adj. 1* Libre: *un homme —*, un hombre libre; *— arbitre*, libre albedrío. Loc. *— penseur*, librepensador. *2* Libre, licencioso, sa, atrevido, da. *3* Suelto, ta: *une longue chevelure —*, una

larga cabellera suelta. *4* Libre, desocupado, da: *êtes-vous — ce soir?*, ¿está usted libre esta noche? *5* Libre, dueño, ña: *il est — d'agir à son gré*, él es dueño de elegir a su gusto.

libre-échange [libʀeʃɑ̃ʒ] *m.* Librecambio.

librettiste [libʀe(ɛt)ist(ə)] *m.* Libretista.

lice [lis] *f.* Liza, palestra.

licence [lisɑ̃s] *f. 1* Licencia. *2* Licenciatura (grade universitaire).

licencié, -ée [lisɑ̃sje] *s.* Licenciado, da.

licencier [lisɑ̃sje] *tr.* Licenciar, despedir. ▲ CONJUG. como *prier.*

licencieux, -euse [lisɑ̃sjø, -øz] *adj.* Licencioso, sa.

lichen [liken] *m.* Liquen.

licite [lisit] *adj.* Lícito, ta.

licol [likɔl], **licou** [liku] *m.* Cabestro, ronzal.

licorne [likɔʀn(ə)] *f.* MYTH. Unicornio *m.*

lie [li] *f.* Hez: *boire le calice jusqu'à la —*, apurar el cáliz hasta las heces; *la — du peuple*, la hez del pueblo.

liège [ljeʒ] *m.* Corcho.

lien [ljɛ̃] *m. 1* Ligadura *f.*, atadura (attache). *2* fig. Lazo, vínculo.

lier [lje] *tr. 1* Atar, ligar: *— des gerbes*, atar gavillas. *2* Unir, enlazar: *— les mots, les idées*, enlazar las palabras, las ideas. *3* Trabar, espesar: *— une sauce*, espesar una salsa. *4* Trabar, entablar (amitié, conversation). ■ *5 pr.* Ligarse, obligarse. ▲ CONJUG. como *prier.*

lierre [ljeʀ] *m.* Hiedra *f.*, yedra *f.*

liesse [ljes] *f.* Alborozo *m.*, regocijo *m.*

lieu [ljø] *m. 1* Lugar: *un — sûr*, un lugar seguro. Loc. *— commun*, lugar común, tópico; *sans feu ni —*, sin causa ni hogar; *il y a — de*, conviene; *tenir — de*, servir de, hacer las veces de; *vider les lieux*, desocupar el local. *2 loc. adv. En haut —*, en las altas esferas. *3 loc. prép. Au — de*, en lugar de. *4 loc. adv. Au — que*, mientras que. ■ *5 pl.* Lugares: *les Lieux saints*, los Santos Lugares; *lieux d'aisances*, retrete *sing.*

lieue [ljø] *f.* Legua.

lièvre [ljevʀ(ə)] *m.* Liebre *f.*

ligament [ligamɑ̃] *m.* ANAT. Ligamento.

ligature [ligatyʀ] *f. 1* Ligadura, atadura. *2* CHIR. Ligadura.

lige [liʒ] *adj. Homme —*, afecto, adicto.

lignage [liɲaʒ] *m.* Linaje.

ligne [liɲ] *f. 1* Línea: *— droite*, línea recta; *— de partage des eaux*, línea divisoria. Loc. *Passage de la —*, paso del Ecuador. *2* Línea, renglón *m.* (d'écriture): *point à la —*, punto y aparte. *3* Raya (de la main). *4* Línea (silhouette): *garder la*

—, guardar la línea. 5 Sedal m. (pour la pêche). 6 Cordel m., tendel m. (de maçon). 7 Línea (aérienne, téléphonique, etc.). 8 Fila: en — pour le départ!, ¡en fila para la salida! 9 Hors — fuera de serie. 10 Entrer en — de compte, entrar en cuenta.

lignée [liɲe] f. Descendencia, prole, familia.

ligoter [ligɔte] tr. Atar de pies y manos.

ligue [lig] f. Liga.

lilas [lila] m. 1 Lila f. ■ 2 adj. invar. Lila (couleur).

lilliputien, -ienne [lilipysjɛ̃, -jɛn] adj.-s. Liliputiense.

limace [limas] f. Babosa, limaza.

limaçon [limasɔ̃] m. ANAT., ZOOL. Caracol.

limage [limaʒ] m. Limadura f., acción f. de limar.

limaille [limɑj] f. Limaduras pl.

limande [limãd] f. Platija.

limbes [lɛ̃b] m. pl. Limbo sing.

lime [lim] f. Lima.

limer [lime] tr. Limar, pulir.

limier [limje] m. Sabueso.

limitation [limitasjɔ̃] f. Limitación.

limite [limit] f. 1 Límite m. ■ 2 adj. Extremo, ma.

limiter [limite] tr. Limitar.

limitrophe [limitʀɔf] adj. Limítrofe.

limoger [limɔʒe] tr. fam. Destituir, separar de un cargo. ▲ CONJUG. como engager.

limon [limɔ̃] m. 1 Limo, légamo, lodo, cieno (alluvion). 2 Limonera f. (de charrette). 3 ARCHIT. Zanca f. 4 Limón (citrón).

limonade [limɔnad] f. Gaseosa.

limonier [limɔnje] adj.-s. Limonero, ra (cheval).

limpidité [lɛ̃pidite] f. Limpidez.

lin [lɛ̃] m. 1 Lino. 2 Huile de —, aceite de linaza.

linceul [lɛ̃sœl] m. 1 Sudario. 2 fig. Capa f., manto (de neige, etc.).

linéaire [lineɛʀ] adj. Lineal: dessin —, dibujo lineal.

linéal, -ale [lineal] adj. Lineal.

linge [lɛ̃ʒ] m. 1 Ropa f., ropa f. blanca. 2 Trapo, paño.

lingerie [lɛ̃ʒʀi] f. Lencería.

lingot [lɛ̃go] m. Lingote.

linguiste [lɛ̃gɥist(ə)] s. Lingüista.

liniment [linimɑ̃] m. Linimento.

linoleum, linoléum [linɔleɔm] m. Linóleo.

linon [linɔ̃] m. Linón.

linotte [linɔt] f. Pardillo m., pardilla. Loc. fig. Tête de —, cabeza de chorlito.

linotype [linɔtip] f. Linotipia (machine).

linteau [lɛ̃to] m. Dintel.

lion, lionne [ljɔ̃, ljɔn] s. 1 León, leona. 2 fig. León, hombre valiente. 3 Leo (zodiaque). lippe [lip] f. Bezo m.

lippu, -ue [lipy] adj. Bezudo, da, hocicudo, da, morrudo, da.

liquéfier [likefje] tr. Licuar, liquidar, licuefacer. ▲ CONJUG. como prier.

liqueur [likœʀ] f. Licor m.

liquidation [likidasjɔ̃] f. Liquidación.

liquide [likid] adj. 1 Líquido, da: une sauce trop —, una salsa demasiado líquida. 2 Contante, en metálico, en efectivo: argent —, dinero contante, en efectivo. ■ 3 adj. f. Consonne —, consonante líquida. ■ 4 m. Líquido.

liquider [likide] tr. COMM. Liquidar.

lire [liʀ] tr. Leer: — à haute voix, leer en voz alta. ▲ CONJUG. IRREG. INDIC. Pres.: je lis, tu lis, il lit, nous lisons, vous lisez, ils lisent. Imperf.: je lisais, etc. Pret. indef.: je lus, etc. Fut. imperf.: je lirai, etc. POT.: je lirais, etc. SUBJ. Pres.: que je lise, etc. Imperf.: que je lusse, etc. IMPER.: lis, lisons, lisez. PART. A.: lisant. PART. P.: lu, lue.

lire [liʀ] f. Lira (monnaie).

lis, lys [lis] m. 1 Lis, azucena f. 2 BLAS. Fleur de —, flor de lis.

lisérer [lizeʀe] tr. Ribetear. ▲ CONJUG. como accélérer.

liseron [lizʀɔ̃] m. Enredadera f.

liseur, -euse [lizœʀ, -øz] s. Aficionado, da a la lectura, lector, ra.

lisible [lizibl(ə)] adj. Legible.

lisière [lizjɛʀ] f. 1 Orilla (d'un tissu). 2 Orillo m. (du drap). 3 Lindero m., linde (d'un bois). ■ 4 pl. Andadores.

lissage [lisaʒ] m. Alisadura f.

lisser [lise] tr. 1 Alisar: — sa moustache, alisarse el bigote. 2 Lustrar, bruñir.

liste [list(ə)] f. 1 Lista: — alphabétique, lista por orden alfabético. 2 — civile, lista civil.

lit [li] m. 1 Cama f., lecho: — à deux places, cama de matrimonio. 2 fig. Matrimonio: enfants du premier —, hijos del primer matrimonio. 3 Lecho, madre f. (d'un fleuve). 4 Estrato, capa f. lecho (couche).

litanie [litani] f. 1 Letanía, retahíla. ■ 2 pl. Letanía sing. (prière).

lithographie [litɔgʀafi] f. Litografía.

litière [litjɛʀ] f. 1 Cama de establo, de cuadra. 2 Litera (véhicule).

litige [litiʒ] m. Litigio.

litre [litʀ(ə)] m. Litro.

littéraire [liteʀɛʀ] adj. 1 Literario, ria. ■ 2 s. Literato, ta.

littéral, -ale [liteʀal] adj. Literal.

littérature [literatyʀ] *f.* Literatura.
littoral, -ale [litɔʀal] *adj.-m.* Litoral.
liturgique [lityʀʒik] *adj.* Litúrgico, ca.
livide [livid] *adj.* Lívido, da.
livraison [livʀɛzɔ̃] *f.* Entrega, remesa.
livre [livʀ(ə)] *m.* 1 Libro: *grand —,* libro mayor. 2 *loc. adv.* À *— ouvert,* a libro abierto, sin preparación. ■ *3 f.* Libra (monnaie, poids).
livrée [livʀe] *f.* Librea.
livrer [livʀe] *tr.* 1 Entregar: *— une marchandise,* entregar una mercancía; *— à la police,* entregar a la policía. 2 Dar, librar, entablar (une bataille). Loc. *— bataille,* batallar. 3 Abandonar (abandonner). 4 Revelar (un secret). ■ *5 pr.* Entregarse, abandonarse. 6 Entregarse, consagrarse, dedicarse (s'adonner).
livret [livʀɛ] *m.* 1 Libro (petit livre). 2 Cartilla *f.: — militaire, de caisse d'épargne,* cartilla militar, de caja de ahorros. 3 Libro: *— de famille,* libro de familia. 4 Libreto (ópera, etc.).
livreur, -euse [livʀœʀ, -øz] *adj.-s.* Repartidor, ra, mozo.
lobe [lɔb] *m.* Lóbulo.
lobule [lɔbyl] *m.* Lobulillo.
local, -ale [lɔkal] *adj.* 1 Local: *la couleur locale,* el color local. ■ *2 m.* Local.
localiser [lɔkalize] *tr.* Localizar.
localité [lɔkalite] *f.* Localidad.
locataire [lɔkatɛʀ] *s.* Inquilino, na, arrendatario, ria.
location [lɔkasjɔ̃] *f.* 1 Alquiler *m.* (maison, automobile, etc.). 2 Arrendamiento (terres). 3 THÉÂT. *Bureau de —,* contaduría *f.: — d'une place,* reserva de una localidad.
locomotion [lɔkɔmɔsjɔ̃] *f.* Locomoción.
locomotive [lɔkɔmɔtiv] *f.* Locomotora.
locution [lɔkysjɔ̃] *f.* Locución.
logarithme [lɔgaʀitm(ə)] *m.* Logaritmo.
loge [lɔʒ] *f.* 1 Portería (de concierge). 2 Celda (pour les fous, les candidats dans un concours). 3 THÉÂT. Palco *m.* (pour les spectateurs). 4 Camarín *m.,* cuarto *m.* (pour les acteurs). 5 Compartimiento *m.* (compartiment). 6 Logia (francs-maçons).
logement [lɔʒmã] *m.* 1 Alojamiento: *donner le — à,* dar alojamiento a. 2 Vivienda *f.,* piso.
loger [lɔʒe] *intr.* 1 Vivir, habitar: *— en garni,* vivir en un piso amueblado. 2 Hospedarse, aposentarse: *il va — au meilleur hôtel,* va a hospedarse en el mejor hotel. ■ *3 tr.* Albergar, alojar, hospedar. 4 Alojar, meter, colocar: *—*

une balle dans le cœur de l'ennemi, meter una bala en el corazón del enemigo. ■ *5 pr.* Alojarse. ▲ CONJUG. como *engager.*
logeur, -euse [lɔʒœʀ, -øz] *s.* Alquilador, ra de habitaciones amuebladas.
logicien, -ienne [lɔʒisjɛ̃, -jɛn] *s.* Lógico, ca.
logique [lɔʒik] *adj.* 1 Lógico, ca. ■ *2 f.* Lógica (science).
logis [lɔʒi] *m.* Morada *f.,* vivienda *f.,* alojamiento, casa *f.*
loi [lwa] *f.* Ley: *faire la —,* dictar, imponer la ley.
loin [lwɛ̃] *adv.* 1 Lejos. Loc. fig. *Aller —,* prosperar, progresar, llegar lejos. 2 *loc. adv.* Au *—,* a lo lejos; *de —,* desde lejos; *de — en —,* de cuando en cuando, a intervalos.
lointain, -aine [lwɛ̃tɛ̃, -ɛn] *adj.* 1 Lejano, na. ■ *2 m.* Lontananza *f.*
loir [lwaʀ] *m.* Lirón.
loisible [lwazibl(ə)] *adj.* Lícito, ta, permitido, da.
loisir [lwaziʀ] *m.* 1 Tiempo libre, disponible, ocio. 2 *loc. adv.* À *—,* sin prisas, holgadamente, a su comodidad.
lombaire [lɔ̃bɛʀ] *adj.* ANAT. Lumbar.
lombric [lɔ̃bʀik] *m.* Lombriz *f.*
long, longue [lɔ̃, lɔ̃g] *adj.* 1 Largo, ga: *un — voyage,* un largo viaje. 2 Lejano, na (temps): *de longue date,* de fecha lejana. 3 Lento, ta, tardo, da: *— à venir,* tardo en llegar. ■ *4 m.* Largo, longitud *f.: d'un kilomètre de —, — d'un kilomètre,* de un kilómetro de largo. Loc. *Tomber de tout son —,* caer de plano, cuan largo se es. 5 *loc. adv.* À *la longue,* a la larga; *de — en large,* de un lado a otro. 6 *loc. prép.* Le *— de, au — de,* a lo largo de.
longe [lɔ̃ʒ] *f.* 1 Ronzal *m.* (courroie). 2 Mitad de un lomo de ternera (boucherie).
longer [lɔ̃ʒe] *tr.* 1 Bordear. 2 MAR. Costear. ▲ CONJUG. como *engager.*
longévité [lɔ̃ʒevite] *f.* Longevidad.
longitude [lɔ̃ʒityd] *f.* Longitud.
longtemps [lɔ̃tã] *adv.* Mucho tiempo: *depuis —,* desde hace mucho tiempo.
longueur [lɔ̃gœʀ] *f.* 1 Longitud, largo *m.: — d'onde,* longitud de onda; *la largeur et la longueur d'un terrain,* el ancho y el largo de un terreno. 2 Duración, lentitud (durée). Loc. *Tirer en —,* hacer durar, dar largas a; *traîner en —,* durar mucho. 3 *loc. prép.* À *— de,* durante; *à — d'année,* a lo largo del año.
longue-vue [lɔ̃gvy] *f.* Anteojo *m.* de larga vista, catalejo *m.*
lopin [lɔpɛ̃] *m.* Parcela *f.*
loquace [lɔkas; lɔkwas] *adj.* Locuaz.

loque [lɔk] *f.* Pingajo *m.*, andrajo *m.*, jirón *m.*

loquet [lɔkɛ] *m.* Pestillo, picaporte.

loqueteau [lɔkto] *m.* Pestillo de golpe.

loqueteux, -euse [lɔktø, -øz] *adj.-s.* Harapiento, ta, andrajoso, sa.

lorgner [lɔʀɲe] *tr. 1* Mirar de soslayo. *2* Desear, codiciar, echar el ojo a (convoiter).

lorgnette [lɔʀɲɛt] *f. 1* Anteojo *m. 2* Gemelos *m. pl.* (jumelle).

lorgnon [lɔʀɲɔ̃] *m.* Lentes *f. pl.*, anteojos *m. pl.* quevedos *m. pl.*

lors [lɔʀ] *adv. 1* vieil. Entonces. *loc. adv. Dès —, depuis —,* desde entonces. *2 loc. prép. — de,* cuando: *— de son dernier voyage,* cuando su último viaje. *3 loc. conj. — même que,* aun cuando.

lorsque [lɔʀsk(ə)] *conj.* Cuando.

losange [lɔzɑ̃ʒ] *m. 1* Rombo. *2* BLAS. Losanje.

lot [lo] *m. 1* Lote. *2* Premio: *le gros —,* el premio gordo.

loterie [lɔtʀi] *f.* Lotería.

loti, -ie [lɔti] *adj. Bien —,* favorecido en un reparto, favorecido por la suerte.

lotion [losjɔ̃] *f.* Loción.

lotir [lɔtiʀ] *tr. 1* Dividir en lotes. *2* Adjudicar por lotes (adjuger).

loto [lɔto] *m.* Juego de la lotería.

lotus [lɔtys] *m.* Loto.

louable [lwabl(ə)] *adj. 1* Loable, laudable. *2* Susceptible de alquilarse (qu'on peut prendre en location).

louage [lwaʒ] *m.* Alquiler.

louange [lwɑ̃ʒ] *f.* Alabanza.

louche [luʃ] *adj. 1* Bizco, ca (qui louche). *2* fig. Turbio, bia, sospechoso, sa: *affaire —,* asunto turbio. ■ *3 f.* Cucharón *m.*, cazo *m.*

louer [lwe] *tr. 1* Alquilar (maison, automobile, etc.): *à —,* se alquila. *2* Reservar (place de train, etc.). *3* Alabar (complimenter, glorifier). *Dieu soit loué!,* ¡alabado sea Dios! ■ *4 pr. Se — de,* mostrarse satisfecho, cha de.

loup [lu] *m. 1* Lobo. Loc. *Froid de —,* frío que pela. prov. *Quand on parle du —, on en voit la queue,* en nombrando al ruin de Roma, por la puerta asoma. *2* Antifaz (masque). *3* Falta *f.*, error. *4 — de mer,* róbalo (poisson), lobo marino (phoque), lobo de mar (vieux marin). *5 loc. adv. Entre chien et —,* a boca de noche, a la caída de la tarde.

loupe [lup] *f. 1* MÉD. Lupia, lobanillo *m. 2* OPT. Lupa.

loup-garou [lugaʀu] *m.* Duende, coco.

lourd, lourde [luʀ, luʀd(ə)] *adj. 1* Pesado,

da: *une valise lourde,* una maleta pesada. *2* Pesado, da, bochornoso, sa (temps). *3* Pleno, na, lleno, na, repleto, ta, cuajado da: *un regard — de rancune,* una mirada llena de rencor. *4* Tardo, da, torpe, lento, ta (de compréhension). *5* Macizo, za, amazacotado, da (à la vue). *6* Garrafal: *une lourde faute,* una falta garrafal. ■ *7 adv.* Mucho: *peser —,* pesar mucho. *8* fam. *Il n'en sait pas —,* no sabe mucho.

lourdaud, -aude [luʀdo, -od] *adj.-s.* Torpe, zopenco, ca.

lourdeur [luʀdœʀ] *f. 1* Pesadez. *2* Torpeza (gaucherie). *3* Lentitud (lenteur).

loustic [lustik] *m.* fam. Bromista, chocarrero.

loutre [lutʀ(ə)] *f.* Nutria.

loyal, -ale [lwajal] *adj.* Leal.

loyauté [lwajote] *f.* Lealtad.

loyer [lwaje] *m. 1* Alquiler. *2* Interés: *le — de l'argent,* el tanto por ciento de interés.

lubie [lybi] *f.* Capricho *m.*, antojo *m.*

lubrifier [lybʀifje] *tr.* Lubricar. ▲ CONJUG. como *prier.*

lubrique [lybʀik] *adj.* Lúbrico, ca.

lucarne [lykaʀn(ə)] *f. 1* Tragaluz *m. 2* Buharda, buhardilla (dans le toit).

lucidité [lysidite] *f.* Lucidez.

lucratif, -ive [lykʀatif, -iv] *adj.* Lucrativo, va.

lucre [lykʀ(ə)] *m.* Lucro.

lueur [lɥœʀ] *f. 1* Luz tenue. *2* Fulgor *m.*, resplandor *m.: la — d'un éclair,* el fulgor de un relámpago. *3* Brillo *m.*, destello (du regard). *4* fig. Vislumbre (d'espoir, etc.).

lugubre [lygybʀ(ə)] *adj.* Lúgubre.

lui [lɥi] *pron. pers. 1* Él: *c'est — qui le dit,* es él quien lo dice. *2* Sí (réfléchi): *il parle toujours de —,* siempre habla de sí mismo. Loc. *À —,* suyo, ya, de él; *à — seul, à — tout seul,* por sí solo. *3* Le: *elle — parle,* ella le habla. *4* Se (avec un autre pron.): *je le — dirai,* yo se lo diré.

luire [lɥiʀ] *intr.* Lucir, brillar, resplandecer. ▲ CONJUG. como *conduire,* excepto en el part. pas. que hace *lui,* sin forma femenina. Carece de pret. indef. y de pret. imperf. de subjuntivo.

luisant, -ante [lɥizɑ̃, -ɑ̃t] *adj. 1* Brillante. *2 Ver —,* gusano de luz. ■ *3 m.* Lustre, brillo (d'une étoffe).

lumbago [lɔ̃bago] *m.* Lumbago.

lumière [lymjɛʀ] *f. 1* Luz. Loc. fig.: *Faire la — sur,* aclarar; *mettre en —,* sacar a la luz, poner de relieve, en evidencia. *2*

Lumbrera, luminar *m.* (personne de grande intelligence). *3* fam. *Ce n'est pas une —,* tiene pocas luces.

lumignon [lyminɲɔ̃] *m. 1* Cabo de vela encendida (bout d'une bougie). *2* Pábilo (mèche). *3* Lamparilla *f.* (lampe).

luminaire [lyminɛʀ] *m. 1* Luminaria *f.* (cierges). *2* Alumbrado (éclairage).

lumineux, -euse [lyminø, -øz] *adj.* Luminoso, sa.

lunaire [lynɛʀ] *adj.* Lunar.

lunatique [lynatik] *adj.-s.* Lunático, ca.

lundi [lœ̃di] *m.* Lunes.

lune [lyn] *f.* Luna: *pleine —,* luna llena. Loc. *Être dans la —,* estar en la luna; *vouloir prendre la — avec ses dents,* intentar lo imposible.

lunette [lynɛt] *f. 1* Anteojo *m.: — d'approche,* anteojo de larga vista. *2* Agujero *m.,* abertura circular: *— des cabinets,* apertura de water closet. *3 — arrière,* ventanilla posterior (d'une voiture). ■ *4 pl.* Gafas, lentes.

lupin [lypɛ̃] *m.* Altramuz.

lurette [lyʀɛt] *f.* Loc. *Il y a belle —,* hace mucho tiempo, mucho tiempo ha.

luron, -onne [lyʀɔ̃, -ɔ̃n] *s. C'est un joyeux —,* es un viva la virgen.

lustre [lystʀ(ə)] *m. 1* Lustre, brillo. *2* Araña *f.* (lampe). *3* Lustro (cinq ans).

lustrer [lystʀe] *tr.* Lustrar, enlustrecer.

lustrine [lystʀin] *f.* Lustrina.

luth [lyt] *m.* Laúd.

luthier [lytje] *m.* Fabricante de instrumentos de cuerda.

lutin [lytɛ̃] *m. 1* Duendecillo. *2* Diablillo (enfant).

lutte [lyt] *f.* Lucha.

lutter [lyte] *intr.* Luchar.

luxation [lyksasjɔ̃] *f.* Luxación.

luxe [lyks(ə)] *m.* Lujo.

luxueux, -euse [lyksɥø, -øz] *adj.* Lujoso, sa.

luxuriant, -ante [lyksyʀjɑ̃, -ɑ̃t] *adj.* Lujuriante.

luzerne [lyzɛʀn(ə)] *f.* Alfalfa.

lycée [lise] *m.* Instituto de enseñanza media.

lycéen, -enne [liseɛ̃, -ɛn] *s.* Alumno, na, de Instituto.

lymphatique [lɛ̃fatik] *adj.* Linfático, ca.

lyncher [lɛ̃ʃe] *tr.* Linchar.

lynx [lɛ̃ks] *m.* Lince.

lyre [liʀ] *f.* MUS. Lira.

lyrique [liʀik] *adj. 1* Lírico, ca. ■ *2 m.* Lírico, poeta. ■ *3 f.* Lírica.

lyrisme [liʀism(ə)] *m.* Lirismo.

M

m [ɛm] *m.* *1* M *f.* *2* M., Sr.: **M. Dupuis,** Sr. Dupuis; **M.M.,** Señores.

ma [ma] *adj.* Mi.

maboul, -oule [mabul] *adj.-s.* pop. Chiflado, da.

macabre [makabʀ(ə)] *adj.* Macabro, bra.

macaque [makak] *m.* Macaco.

macaron [makaʀɔ̃] *m.* Macarrón, mostachón (gâteau).

macaronique [makaʀɔnik] *adj.* Macarrónico, ca.

macération [maseʀasjɔ̃] *f.* *1* Maceración. *2* Mortificación física.

macérer [maseʀe] *tr.* *1* Macerar. ■ *2 pr.* Macerarse. ▲ CONJUG. como *accélérer.*

mâche [maʃ] *f.* Hierba de los canónigos.

mâchefer [maʃfɛʀ] *m.* Cagafierro.

mâcher [maʃe] *tr.* Masticar. Loc. *Ne pas — ses mots,* no morderse la lengua, no tener pelos en la lengua.

machiavélisme [makjavelism(ə)] *m.* Maquiavelismo.

machin [maʃɛ̃] *m.* *1* fam. Fulano (personne). *2* Chisme (objet).

machination [maʃinasjɔ̃] *f.* Maquinación.

machine [maʃin] *f.* *1* Máquina: — *à vapeur, à coudre,* máquina de vapor, de coser. *2* — *à laver,* lavadora. *3* Locomotora (locomotive). *4* THÉÂT. Tramoya.

machiner [maʃine] *tr.* Maquinar.

machinerie [maʃinʀi] *f.* Maquinaria.

machiniste [maʃinist(ə)] *m.* *1* Maquinista. *2* THÉÂT. Tramoyista.

mâchoire [maʃwaʀ] *f.* *1* Mandíbula, quijada. *2* TECHN. Mordaza.

mâchonner [maʃɔne] *tr.* *1* Mascujar. *2* fig. Mascullar (armonner).

maçon [masɔ̃] *m.* *1* Albañil. *2* Masón (franc-maçon).

maçonnerie [masɔnʀi] *f.* Albañilería.

maçonnique [masɔnik] *adj.* Masónico, ca.

macreuse [makʀøz] *f.* *1* Espaldilla (viande). *2* Negreta (oiseau).

macule [makyl] *f.* *1* Mácula (tache). *2* IMPR. Costera.

madame [madam] *f.* *1* Señora, la señora: *bonjour —,* buenos días, señora; — *Récamier,* la señora Récamier; — *n'est pas là,* la señora no está. *2* Señora doña (devant un prénom). *3* — *chère —,* muy señora mía (en tête d'une lettre).

mademoiselle [madmwazɛl] *f.* Señorita.

madrague [madʀag] *f.* Almadraba.

madré, -ée [ma(a)dʀe] *adj.-s.* Astuto, ta, ladino, na, taimado, da.

madrépore [madʀepɔʀ] *m.* Madrépora *f.*

madrier [madʀije] *m.* Madero.

madrigal [madʀigal] *m.* Madrigal.

madrilène [madʀilɛn] *adj.-s.* Madrileño, ña.

maestria [maɛstʀija] *f.* Maestría.

maestro [maɛstʀo] *m.* MUS. Maestro.

magasin [magazɛ̃] *m.* *1* Almacén, depósito (entrepôt). *2* Almacén, tienda *f.* *3* Recámara *f.* (d'une arme à feu).

magazine [magazin] *m.* Revista *f.* ilustrada.

mage [maʒ] *m.* Mago.

magicien, -ienne [maʒisjɛ̃, -jɛn] *s.* Mago, ga.

magie [maʒi] *f.* Magia.

magique [maʒik] *adj.* Mágico, ca.

magistère [maʒistɛʀ] *m.* *1* Magisterio. *2* Maestrazgo (d'un ordre militaire).

magistral, -ale [maʒistʀal] *adj.* Magistral.

magistrature [maʒistʀatyʀ] *f.* *1* Magistratura. *2* — *assie,* los jueces. *3* — *debout,* los fiscales.

magnanimité [maɲanimite] *f.* Magnanimidad.

magnat [magna] *m.* Magnate.

magnétique [maɲetik] *adj.* Magnético, ca.

magnétiser [maɲetize] *tr.* Magnetizar.

magnétisme [maɲetism(ə)] *m.* Magnetismo.

magnéto [maɲeto] *f.* Magneto.

magnétoscope [maɲetoskɔp] *m.* Videocasete *s.*

magnifier [magnifje] *tr.* Magnificar. ▲ CONJUG. como *prier.*

magnifique [maɲifik] *adj.* Magnífico, ca.

magnolia [maɲ(gn)ɔlja] *m.* Magnolia *f.*

magnolier [maɲɔlje] *m.* Magnolio, magnolia *f.*

magot [mago] *m. 1* Hucha *f.*, ahorros *p.*, gato (argent caché). *2* Monigote, figura *f.* grotesca. *3* fig. fam. Hombre feo, mamarracho, macaco (homme laid). *4* Mona *f.* de Gibraltar, magote, mona *f.* de Berbería (singe).

magyar [maʒjar] *adj.-s.* Magiar.

mahométan, -ane [maɔmetɑ̃, -an] *adj.-s.* Mahometano, na.

mai [mɛ] *m.* Mayo: le 2 —, el 2 de Mayo.

maigre [mɛgʀ(ə)] *adj. 1* Delgado, da, flaco, ca. Loc. *Être — comme un clou,* estar hecho un fideo, un espárrago. *2* Magro (sans graisse): *viande —,* carne magra. Loc. *Jours maigres,* días de abstinencia. *3* fig. Escaso, sa, insuficiente, pobre: *— salaire,* escaso sueldo. *4* AGR. Árido, da, seco, ca (terrain). ■ *5 m.* Carne *f.* magra, lo magro.

maigreur [mɛgʀœʀ] *f. 1* Delgadez, flacura. *2* fig. Pobreza, escasez. *3* AGR. Aridez, sequedad.

maigrir [megʀiʀ] *intr. 1* Adelgazar, enflaquecer. ■ *2 tr.* Adelgazar.

mail [maj] *m. 1* Mallo (jeu). *2* Mazo (maillet). *3* Paseo público (promenade).

maille [mɑj] *f. 1* Malla (d'un gilet). *2* Punto *m.* (tricot, crochet). *3* NUMIS. Blanca, cuarto *m.* Loc. *N'avoir ni sou ni —,* no tener ni un real, no una blanca; *avoir — à partir avec quelqu'un,* disputarse con alguien.

maillet [majɛ] *m.* Mazo.

mailloche [majɔʃ] *f. 1* Mazo *m.*, machote *m. 2* MUS. Maza de bombo.

maillot [majo] *m. 1* Pañales *m. pl.*, mantillas *f. pl.* (d'enfant). *2* Traje de malla (de danseuse). *3* —, *— de bain,* traje de baño. *4 — de corps,* camiseta *f. 5* SPORTS. Camiseta *f.*

main [mɛ̃] *f. 1* Mano: *— droite, gauche,* mano derecha, izquierda. Loc. *Homme de —,* pistolero; *sac à —,* bolso; *avoir la — leste,* tener la mano larga; *avoir des mains de beurre,* ser un manazas; *donner un coup de —,* echar una mano; *faire — basse sur,* apoderarse de; *forcer la — à,* obligar a, forzar a; *mettre la dernière —,* dar el último toque; *ne pas y aller de — morte,* no andarse con chiquitas; *passer la — dans le dos,* dar coba, halagar;

prendre la — dans le sac, coger con las manos en la masa; *prendre en —,* encargarse de; *savoir de bonne —,* saber de buena tinta. *2* Mano (au jet de cartes): *avoir la —,* ser mano. *3 — courante,* pasamano *m.* (escalier). *4 Petite —,* aprendiza de costura; *première —,* primera oficiala de costura. *5* loc. adv. *À la —,* a mano; *à deux mains,* con ambas manos; *à pleines mains,* a manos llenas; *de — en —,* de mano en mano; *de longue —,* desde hace mucho; *de — de maître,* con mano maestra; *en sous —,* bajo mano, encubiertamente; *en un tour de —,* en un periquete, en un santiamén. *6* interj. *Haut les mains!,* ¡manos arriba!

mainmise [mɛ̃miz] *f. 1* Embargo *m.*, confiscación. *2* Dominio *m.* (domination).

maint, mainte [mɛ̃, mɛ̃t] *adj.* Más de uno, una.

maintenant [mɛ̃tnɑ̃] *adv.* Ahora.

maintenir [mɛ̃tniʀ] *tr. 1* Mantener, aguantar (soutenir). *2* Mantener, afirmar (assurer). *3* Mantener, conservar (garder). ■ *4 pr.* Mantenerse. ▲ CONJUG. como *venir.*

maire [mɛʀ] *m.* Alcalde.

mairie [meʀi] *f.* Alcaldía, ayuntamiento *m.*

maire [mɛʀ] *m.* Alcalde.

mais [mɛ] *conj. 1* Pero, mas. Loc. *— non,* claro que no; *— oui,* claro que sí; *mon —,* pero bueno; *— bien sûr,* pero seguro. *2* Sino (après une négation): *ce n'est pas de la neige — de la grêle,* no es nieve sino granizo. Loc. *Non seulement... — encore,* no sólo... sino que. ■ *3 m.* Pero, objeción *f.* ■ *4 adv. N'en pouvoir —,* no poder más.

maïs [mais] *m.* Maíz.

maison [mezɔ̃] *f. 1* Casa. Loc. *— de retraite,* asilo *m.* de ancianos; *— de santé,* clínica; *— de rapport,* casa de vecindad. *2* Casa, hogar *m.* (foyer): *être à la —,* estar en casa. *3* Casa, firma (entreprise): *— mère,* casa madre. *4* Casa, familia: *un ami de la —,* un amigo de la familia. *5* Casa: *la — d'Autriche,* la casa de Austria. ■ *6 adj. invar.* fam. Casero, ra: *un gâteau —,* un pastel casero.

maître, maîtresse [mɛtʀ(ə), mɛtʀɛs] *s. 1* Amo, ma, señor, ra, patrón, ona. prov. *Tel — tel valet,* cual el dueño, tal el perro. Dueño, ña, propietario, ria. Loc. *Être — de,* ser dueño de. *2* Maestro, tra (instituteur): *— d'école,* maestro de escuela. *3* Profesor, ra (musique, danse, etc.). ■ *4 m.* Título que se da en Francia a los abogados, procuradores y notarios. *5* Maestre, maestro (titre d'un ordre militaire). *6 — d'hôtel,* jefe de comedor. *7* MAR. *— d'équipage,* contramaestre. ■ *8 adj.* Cabal, capaz. Loc. *Une maîtresse femme,* una mujer enérgica. *9* Principal, mayor. Loc. *Maîtresse poutre,* viga maestra. *10* Grande, consumado, da, redomado, da: *un — fripon,* un pillo redomado. ■ *11 f.* Querida, amante (concubine).

maître-autel [mɛtʀotɛl] *m.* Altar mayor.

maîtrise [metʀiz] *f. 1* Dominio *m.* (contro͂le). *2* Maestría (habileté). *3* Magisterio *m.* (dignité de maître). *4 Agents de —,* encargados *m. pl.,* capataces *m. pl.,* contramaestres *m. pl.* (dans une entreprise). *5* Escolanía (dans une église).

majestueux, -euse [maʒɛstɥø, -øz] *adj.* Majestuoso, sa.

majeur, -eure [maʒœʀ] *adj. 1* Mayor: *la majeure partie,* la mayor parte. *2* Primordial, capital. *3* Mayor de edad: *une fille majeure,* una chica mayor de edad. ■ *4 m.* Dedo medio, del corazón (doigt).

majolique [maʒɔlik] *f.* Mayólica.

major [maʒɔʀ] *adj. 1* MIL. Mayor. ■ *2 m.* Sargento mayor.

majordome [maʒɔʀdɔm] *m.* Mayordomo.

majorité [maʒɔʀite] *f. 1* Mayoría: *— absolue,* mayoría absoluta; *élu à la —,* elegido por mayoría de votos. *2* Mayoría de edad (âge).

majuscule [maʒyskyl] *adj.-f.* Mayúsculo, la.

mal [mal] *m. 1* Daño. Loc. *Se faire —,* hacerse daño. *2* Dolor: *avoir — à la tête,* tener dolor de cabeza. *3* Enfermedad *f.* (maladie). Loc. *— de mer,* mareo; *— du pays,* morriña *f.; — blanc,* panadizo; *haut —,* epilepsia *f.* fam. *avoir — aux cheveux,* tener resaca. *4* Mal: *dire du — de,* hablar mal de. Loc. *Penser à —,* tener mala intención. *5* Dificultad *f.,* trabajo. Loc. *J'ai eu du — à obtenir ceci,* me ha costado trabajo obtener esto. *6* RELIG. Mal. ■ *7 adv.* Mal, malemente. Loc. *Ça tombe —,* la cosa se pone fea; *de — en pis,* de mal en peor; *tant bien que —,* mal que bien; *pas — de,* mucho, cha; *pas — de choses,* muchas cosas; fam. un rato de, un montón de; *pas — de monde,* un montón de gente.

mal [mal] *adj. invar.* Malo. Loc. *Bon an, — an,* un año con otro; *bon gré, — gré,* de grado o por fuerza. *2 Pas —,* bastante bien.

malade [malad] *adj.-s. 1* Enfermo, ma.

Loc. *Tomber —,* ponerse enfermo, ma, enfermar.

maladie [maladi] *f.* Entermedad.

maladresse [maladʀɛs] *f.* Torpeza, desmaña.

maladroit, -oite [maladʀwa, -wat] *adj.-s.* Torpe, desmañado, da, inhábil.

malaise [malɛz] *m.* Malestar.

malaisé, -ée [maleze] *adj.* Dificultoso, sa, penoso, sa.

malandrin [malãdʀɛ̃] *m.* Malandrín, salteador, maleante.

malappris, -ise [malapʀi, -iz] *adj.-s.* Grosero, ra, malcriado, da.

malaria [malaʀja] *f.* Malaria.

malavisé, -ée [malavize] *adj.-s.* Imprudente, indiscreto, ta.

malbâti, -ie [malbɑti] *adj.* Malhecho, cha, desgarbado, da.

malchance [malʃɑ̃s] *f.* Desgracia, mala suerte.

mâle [mal] *m. 1* Macho (animaux). *2* Varón (hommes). ■ *3 adj.* Varonil, viril, masculino, na: *— courage,* valor viril.

malédiction [malediksjɔ̃] *f.* Maldición.

maléfice [malefis] *m.* Maleficio.

malentendu [malãtãdy] *m.* Equívoco, malentendido.

malfaçon [malfasɔ̃] *f.* Defecto *m.* de fabricación.

malfaiteur, -trice [malfɛtœʀ, -tʀis] *s.* Malhechor, ra.

malfamé, -ée [malfame] *adj.* De mala fama.

malgré [malgʀe] *prép.* A pesar de, pese a: *— lui,* a pesar suyo.

malhabile [malabil] *adj.* Inhábil, torpe.

malheur [malœʀ] *m. 1* Desgracia *f.,* desdicha *f. 2 interj. —! ¡*maldición!; *— à, sur!,* ¡ay de!

malheureux, -euse [malœʀø, -øz] *adj.-s. 1* Desgraciado, da, infeliz, desdichado, da. ■ *2 adj.* Aciago, ga, infausto, ta (funeste). *3* Pobre, triste, miserable (insignifiant).

malhonnête [malɔnɛt] *adj. 1* Ímprobo, ba, falto, ta de honradez. *2* Incivil, descortés. *3* Deshonesto, ta (indécent).

malice [malis] *f. 1* Malicia. *2* Travesura, picardía (espièglerie).

malicieux, -euse [malisjø, -øz] *adj.-s.* Malicioso, sa, travieso, sa.

malin, -igne [malɛ̃, iɲ] *adj. 1* Maligno, na. *2* Astuto, ta, ladino, na (rusé). *3* Listo, ta, avispado, da. Loc. *Être — comme un singe,* ser más listo que Cardona. *4* Difícil: *ce n'est pas —,* no es muy difícil.

malingre [malɛ̃gʀ(ə)] *adj.* Enclenque.

malintentionné, -ée [malɛ̃tɑ̃sjɔne] *adj.-s.* Malintencionado, da.

malle [mal] *f. 1* Baúl *m.* mundo. *2* Mala (poste).

malléable [maleabl(ə)] *adj.* Maleable.

malmener [malməne] *tr.* Maltratar, dejar maltrecho, cha. ▲ CONJUG. como *acheter.*

malotru, -ue [malɔtry] *adj.-s.* Grosero, ra, patán.

malpropre [malprɔpr(ə)] *adj.-s. 1* Sucio, cia, desaseado, da. *2* fig. Indecente.

malsain, -aine [malsɛ̃, -ɛn] *adj.* Malsano, na.

malséant, -ante [malseɑ̃, -ɑ̃t] *adj.* Inconveniente, impropio, pia, indecoroso, sa.

malsonnant, -ante [malsɔnɑ̃, -ɑ̃t] *adj.* Malsonante.

malt [malt] *m.* Malta *f.*

maltraiter [maltrete] *tr.* Maltratar.

malveillance [malvejɑ̃s] *f.* Malevolencia.

malveillant, -ante [malvejɑ̃, -ɑ̃t] *adj.-s.* Malévolo, la.

malversation [malvɛrsɑsjɔ̃] *f.* Malversación.

malvoisie [malvwazi] *f.* Malvasía (vin).

maman [mamɑ̃] *f.* Mamá.

mamelle [mamɛl] *f. 1* Mama, teta. *2* Ubre (de la vache). *3* Seno *m.* (sein).

mamelon [mamlɔ̃] *m. 1* Pezón (bout de sein). *2* GÉOG. Mamelón.

mameluk, mamelouk [mamluk] *m.* Mameluco.

mammifère [mam(m)ifɛr] *adj.-m.* Mamífero.

mammouth [mamut] *m.* Mamut.

m'amours, mamours [mamur] *m. pl.* Arrumacos, carantoñas *f.: faires des — à,* hacer carantoñas a.

manche [mɑ̃ʃ] *f. 1* Manga: *robe sans manches,* vestido sin mangas. *2* Mano, partida (au jeu). *3* GÉOG. Canal *m.,* brazo *m.* de mar. *4* TECHN. Manga, manguera: *— à air,* manga de aire. ■ *5 m.* Mango (d'un couteau, etc.). *6* fam. Zopenco (maladroit). *7* MUS. Mango, mástil.

manchette [mɑ̃ʃɛt] *f. 1* Puño *m.* (d'une chemise). *2* Manguito *m.* (fausse manche). *3* Titular *m.* (d'un journal).

manchon [mɑ̃ʃɔ̃] *m.* Manguito.

manchot, -ote [mɑ̃ʃo, -ɔt] *adj.-s. 1* Manco, ca. ■ *2 m.* Pájaro bobo (oiseau).

mandarin [mɑ̃darɛ̃] *m.* Mandarín.

mandarine [mɑ̃darin] *f.* Mandarina.

mandat [mɑ̃da] *m. 1* Mandato, procuración *f.* (pouvoir). *2* Giro: *— postal, télégraphique,* giro postal, telegráfico. *3* DR. Auto, orden *f.: — de comparution,* auto de comparecencia.

mandataire [mɑ̃datɛr] *s.* Mandatario, ria.

mander [mɑ̃de] *tr. 1* Ordenar, mandar. *2* Llamar (appeler). *3* Hacer saber (par lettre).

mandibule [mɑ̃dibyl] *f.* Mandíbula.

mandoline [mɑ̃dɔlin] *f.* Mandolina.

mandrill [mɑ̃dril] *m.* Mandril.

mandrin [mɑ̃drɛ̃] *m. 1* fam. Malandrín. *2* TECHN. Mandril. *3* TECHN. Broca *f.,* taladro (foret).

manège [manɛʒ] *m. 1* Picadero (lieu où l'on monte les chevaux). *2* Ejercicios *pl.* de equitación. *3 — de chevaux de bois,* caballitos *pl.,* tiovivo. *4* fig. Manejo, tejemaneje (intrigue).

mangeable [mɑ̃ʒabl(ə)] *adj.* Comible, comestible.

mangeaille [mɑ̃ʒaj] *f.* fam. Manduca, pitanza.

mangeoire [mɑ̃ʒwar] *f.* Pesebre *m.,* comedero *m.*

manger [mɑ̃ʒe] *tr. 1* Comer. Loc. *— à sa faim,* comer hasta hartarse; *— du bout des dents,* comer con desgana. *2* Carcomer, roer (ronger). *3* Consumir, gastar (dépenser). ▲ CONJUG. como *engager.*

manger [mɑ̃ʒe] *m.* Comida.

mange-tout [mɑ̃ʒtu] *s. invar.* Derrochador, ra. ■ *m. invar.* Tirabeque, guisante mollar (pois).

mangouste [mɑ̃gust(ə)] *f.* Mangosta.

mangue [mɑ̃g] *f.* Mango *m.* (fruit).

manguier [mɑ̃gje] *m.* Mango (arbre).

maniable [manjabl(ə)] *adj. 1* Manejable, manuable. *2* Flexible, dúctil.

maniaque [manjak] *adj. 1* Manejable, manuable. *2* fig. Flexible, dúctil.

maniaque [manjak] *adj.-s.* Maníaco, ca, maniático, ca.

manichéen, -enne [manikeɛ̃, -ɛn] *adj.-s.* Maniqueo, quea.

manie [mani] *f.* Manía.

manier [manje] *tr. 1* Manejar. *2* Palpar, manosear. ■ *3 pr.* pop. *Se —,* apurarse, aligerar, menearse. ▲ CONJUG. como *prier.*

manière [manjɛr] *f. 1* Manera, modo *m.,* forma. *loc. adv. De cette —,* así de esté modo; *loc. prép. À la — de,* como, igual que, al estilo de. *loc. conj. De — que, de — à ce que,* de manera que. *2* Especie de: *son respect est une — d'admiration,* su respeto es una especie de admiración. ■ *3 pl.* Modales *m.,* maneras, modos *m. 4* fam. Melindres *m.,* remilgos *m.,* cumplidos *m.*

maniéré, -ée [manjere] *adj.* Amanerado, da.

manifestation [manifɛstɑsjɔ̃] *f.* Manifestación.

manifester [manifɛste] *tr.* *1* Manifestar, declarar. ■ *2 intr.* Tomar parte en una manifestación. ■ *3 pr.* Manifestarse, mostrarse.

manipulation [manipylɑsjɔ̃] *f.* Manipulación.

manipuler [manipyle] *tr.* Manipular.

manivelle [manivɛl] *f.* TECHN. Manivela, manubrio *m.*

mannequin [mankɛ̃] *m.* *1* Maniquí: *des mannequins d'osier*, maniquíes de mimbre. *2* Modelo, maniquí (jeune femme).

manœuvrer [manœvre] *tr.-intr.* *1* Maniobrar. ■ *2 tr.* Manejar, manipular (manier). *3 fig.* Manejar, dominar.

manoir [manwaʀ] *m.* Casa *f.* solariega.

manomètre [manɔmɛtʀ(ə)] *m.* TECHN. Manómetro.

manque [mɑ̃k] *m.* *1* Falta *f.*, carencia *f.* Loc. — *de*, por falta de; — *de chance*, mala suerte *f.*; fam. — *de pot*, mala pata *f.* *2* — *à gagner*, beneficio no obtenido. *3 loc. adj.* fam. *À la* —, de tres al cuarto.

manqué, -ée [mɑ̃ke] *adj.* Fracasado, da, malogrado, da.

manquer [mɑ̃ke] *intr.* *1* Faltar (faire défaut). *2* Faltar, estar ausente (être absent). *3* Fallar, fracasar (rater). ■*4 impers.* Faltar: *il manque deux pages*, faltan dos páginas. ■ *5 tr. ind.* Faltar: — *à son devoir*, faltar a su deber. *6* Fallar: *le pied lui a manqué*, le ha fallado, se le ha ido el pie. *7 Vous me manquez beaucoup*, lo echo mucho de menos. *8* Carecer: — *d'argent*, carecer de dinero. Loc. *Ne pas* — *de*, no dejar de. *9* Faltar poco, estar a punto de (e inf.): *il a manqué de se tuer*, estuvo a punto de matarse. ■ *10 tr. dir.* Errar, marrar: — *la cible, son coup*, errar el blanco, el golpe. *11* Fallar (ne pas réussir). *12* No ver, no encontrar (ne pas rencontrer). *13* Perder, dejar escapar (une occasion). *14* — *le train*, perder el tren. *15* No acudir, faltar a: — *un rendez-vous*, faltar a una cita.

mansarde [mɑ̃saʀd(ə)] *f.* Buhardilla.

mansuétude [mɑ̃sɥetyd] *f.* Mansedumbre.

mante [mɑ̃t] *f.* *1* Manto *m.*, capa (de femme). *2* — *religieuse*, santateresa.

manteau [mɑ̃to] *m.* *1* Abrigo (pour femmes, pour hommes), gabán (pour hommes). Loc. fig. *Sous le* —, solapadamente, clandestinamente. *2* — *de cheminée*, campaña *f.* de chimenea.

mantille [mɑ̃tij] *f.* Mantilla.

manucure [manykyʀ] *s.* Manicuro, ra.

manuel, -elle [manɥɛl] *adj.-m.* Manual.

manufacture [manyfaktyʀ] *f.* *1* Manufactura. *2* Fábrica, manufactura (usine).

manuscrit, -ite [manyskʀi, -it] *adj.* *1* Manuscrito, ta. ■ *2 m.* Manuscrito.

manutention [manytɑ̃sjɔ̃] *adj.* Manipulado *m.*, manipulación, manutención.

mappemonde [mapmɔ̃d] *f.* Mapamundi *m.*

maquereau [makʀo] *m.* *1* Caballa *f.*, sarda *f.* *2* pop. Chulo.

maquette [makɛt] *f.* Maqueta.

maquignon [makiɲɔ̃] *m.* Chalán.

maquillage [makijaʒ] *m.* Maquillaje.

maquiller [makije] *tr.* *1* Maquillar. *2* fig. Maquillar, falsificar (truquer). ■ *3 pr.* Maquillarse.

maquis [maki] *m.* *1* GÉOG. Maquis. *2* Resistencia *f.* francesa contra los alemanes, guerrilla *f.* Loc. *Prendre le* —, irse al monte. *3* fig. Embrollo, enredo.

marabout [maʀabu] *m.* *1* Morabito (ermite). *2* Marabú (oiseau).

marais [maʀɛ] *m.* *1* Marisma *f.* (en bordure de mer). *2* Zona *f.* pantanosa. *3* — *salant*, salina *f.* *4* Huerta *f.* (jardín). *5 Gaz des* —, metano, gas de los pantanos. ■ *6 n. pr. m. Le Marais*, El Marais (quartier ancien de Paris).

marasme [maʀasm(ə)] *m.* Marasmo.

marâtre [maʀɑtʀ(ə)] *f.* Madrastra.

maraudage [maʀodaʒ], **maraude** [maʀod] *f.* Merodeo *m.*

marauder [maʀode] *intr.* Merodear.

marbre [maʀbʀ(ə)] *m.* Mármol.

marbrer [maʀbʀe] *tr.* *1* Jaspear. *2* Poner amoratado, da (la peau).

marbrure [maʀbʀyʀ] *f.* *1* Jaspeado. *2* Mancha de la piel amoratada (sur la peau).

marc [maʀ] *m.* *1* Orujo, bagazo: — *de raisin*, brisa *f.*, orujo; — *d'olive*, borujo; — *de café*, poso, zurrapa *f.* *2* Aguardiente (eau-de-vie). *3* Loc. *Au* — *le franc*, a prorrata. *4* NUMIS. Marco.

marchand, -ande [maʀʃɑ̃, -ɑ̃d] *s.* *1* Vendedor, ra, comerciante. Loc. — *ambulant*, vendedor ambulante, buhonero; *marchande des quatre-saisons*, verdulera. ■ *2 adj.* Comercial: *valeur marchande*, valor comercial. *3* Mercantil, mercante.

marchander [maʀʃɑ̃de] *tr.* Regatear.

marchandise [maʀʃɑ̃diz] *f.* Mercancía, mercadería.

marche [maʀʃ(ə)] *f.* *1* Marcha, andar *m.* Loc. *Hâter la* —, apretar el paso; — *à suivre*, proceder *m.*, manera de actuar. *2* Paso *m.*, transcurso *m.*: *la* — *du temps*, el transcurso del tiempo. *3* Funcionamiento *m. loc. adv. En* —, en marcha, en funcionamiento. *4* Movimiento *m.* *5*

Escalón *m.*, peldaño *m.* (d'un escalier). 6 MIL., MUS. Marcha. 7 Marca (région d'un État).

marché [marʃe] *m.* *1* Mercado. plaza *f.* Loc. — *noir*, mercado negro, estraperlo: *bon* —, barato. ta. *2* Trato, ajuste, operación *f.*: — *à terme*, operación a plazos. Loc. *Par-dessus le* —, además, por añadidura. *3* — *aux puces*, Rastro (à Madrid). Encantes (à Barcelonc).

marchepied [marʃəpje] *m.* *1* Estribo (d'une voiture). *2* Grada *f.*, peldaño. *3* Escabel, taburete (escabeau).

marcher [marʃe] *intr.* *1* Andar, marchar, caminar, ir. Loc. — *à quatre pattes*, andar a gatas: — *sans but*, callejear, deambular. *2* — *sur*, pisar: Loc. fig. *Ne pas se laisser* — *sur les pieds*, no dejarse pisar. *3* Funcionar, marchar, andar (fonctionner). *4* Aceptar (accepter). *5* fig. Marchar, desarrollarse: *affaire qui marche bien*, asunto que marcha bien. Loc. *Ça marche?*, ¿todo va bien?, ¿cómo va eso?

mardi [mardi] *m.* Martes: — *gras*, martes de Carnaval.

mare [mar] *f.* *1* Charca (d'eau). *2* Charco *m.* (de sang).

marécage [marekaʒ] *m.* Ciénaga *f.*, marjal.

maréchal [mareʃal] *m.* *1* MIL. Mariscal. *2* — *des logis*, sargento de caballería. *3* Herrador, herrero (maréchal-ferrant).

maréchaussée [mareʃose] *f.* Gendarmería.

marée [mare] *f.* *1* Marea. Loc. — *montante*, flujo *m.*: — *descendante*, reflujo *m.*: — *haute*, pleamar: — *basse*, bajamar. *2* Pescado *m.* fresco (poisson). *3* fig. Oleada.

marelle [marel] *f.* Rayuela (jeu).

mareyeur, -euse [marejœr, -øz] *s.* Pescadero, ra, al por mayor.

margarine [margarin] *f.* Margarina.

marge [marʒ(ə)] *f.* *1* Margen *m.*: *la* — *d'une lettre*, el margen de una carta. *2* Margen (rive). *3* Tiempo *m.* *4* loc. prép. *En* — *de*, al margen de.

margelle [marʒel] *f.* Brocal *m.* (d'un puits).

marginal, -ale [marʒinal] *adj.* Marginal.

marginer [marʒine] *tr.* Marginar, apostillar.

margrave [margrav] *m.* Margrave.

mari [mari] *m.* Marido.

mariage [marjaʒ] *m.* *1* Matrimonio (sacrement). Loc. *Demande en* —, petición de mano: *bans de* —, amonestaciones *f.* *2* Casamiento, boda *f.* (noce). *3* Tute (jeu

de cartes). *4* fig. Unión *f.*, maridaje.

marié, -ée [marje] *s.* *1* Casado, da. *2* Novio, via: *la mariée*, la novia.

marier [marje] *tr.* *1* Casar. ■ *2 pr.* Casarse. ▲ CONJUG. como *prier*.

marin, -ine [marɛ̃, -in] *adj.* *1* Marino, na. ■ *2 m.* Marino, marinero. ■ *3 f.* Marina: — *marchande*, marina mercante.

marinade [marinad] *f.* CUIS. Escabeche *m.*: — *de thon*, atún en escabeche. *2* CUIS. Adobo (viande).

marinier [marinje] *m.* Barquero, lanchero.

marinière [marinjɛr] *f.* *1* Marinera (corsage). *2* CUIS. *À la* —, a la marinera.

marionnette [marjɔnet] *f.* Marioneta, títere *m.*

maritime [maritim] *adj.* Marítimo, ma.

marivauder [marivode] *intr.* Discretear, galantear.

marjolaine [marʒɔlɛn] *f.* Mejorana.

marmaille [marmɑj] *f.* Chiquillería.

marmelade [marməlad] *f.* Mermelada.

marmite [marmit] *f.* Olla, marmita.

marmiton [marmitɔ̃] *m.* Marmitón, pinche, galopillo.

marmoréen, -enne [marmɔreɛ̃, -ɛn] *adj.* Marmóreo, ea.

marmot [marmo] *m.* fam. Crío, chaval.

marmotte [marmɔt] *f.* Marmota.

marmotter [marmɔte] *tr.* Barbotar, bisbisar, mascullar, refunfuñar.

marne [marn(ə)] *f.* Marga.

marocain, -aine [marɔkɛ̃, -ɛn] *adj.-s.* Marroquí.

maroquinerie [marɔkinri] *f.* Tafiletería, marroquinería.

marotte [marɔt] *f.* *1* Cetro *m.* de bufón. *2* fig. Manía, monomanía, tema *m.*

maroufle [marufl(ə)] *f.* Cola para pegar (colle).

marquant, -ante [markɑ̃, -ɑ̃t] *adj.* Notable, destacado, da.

marque [mark(ə)] *f.* *1* Marca: — *de fabrique*,´ *déposée*, marca de fábrica, registrada. Loc. *De* —, notable, relevante. *2* Señal (signe). *3* Sello *m.*, timbre *m.* (timbre). *4* Señal, huella (trace). *5* fig. Prueba, demostración, testimonio *m.* (preuve).

marquer [marke] *tr.* *1* Marcar, señalar (distinguer au moyen d'une marque). Loc. — *le coup*, acusar el golpe. *2* Indicar, señalar: *la pendule marque midi*, el reloj señala las doce. *3* Acentuar, subrayar. *4* fig. Indicar, revelar (dénoter). *5* Mostrar (manifester). *6* SPORTS. Marcar: — *un point*, marcar un tanto. ■ *7* *intr.* Señalarse, distinguirse. *8* Dejar huella (laisser une trace). *9* fam. — *mal,* dar una mala impresión, tener mala pinta.

marqueterie [maʀkə(ɛ)tʀi] *f.* Marquetería, taracea.

marquis [maʀki] *m.* Marqués.

marquise [maʀkiz] *f. 1* Marquesa. *2* ARCHIT. Marquesina.

marraine [maʀɛn] *f.* Madrina.

marri, -ie [maʀi] *adj.* Pesaroso, sa, mohíno, na (triste).

marron [maʀɔ̃] *m. 1* Castaña *f.:* — *glacé,* castaña confitada. ■ *2 adj. invar.-m.* Marrón (couleur).

marronnier [maʀɔnje] *m.* Castaño: — *d'Inde,* castaño de Indias.

marsouin [maʀswɛ̃] *m.* Marsopa *f.,* marsopla *f.*

marsupial, -ale [maʀsypjal] *adj.-s.* ZOOL. Marsupial.

marteau [maʀto] *m. 1* Martillo. *2* Aldaba *f.* (heurtoir). *3* ANAT., SPORTS. Martillo.

marteler [maʀtəle] *tr. 1* Martillar, martillear. *2* Articular, recalcar (syllabes, etc.). ▲ CONJUG. como *acheter.*

martial, -ale [maʀsjal] *adj.* Marcial.

martien, -ienne [maʀsjɛ̃, -jɛn] *adj.-s.* Marciano, na.

martinet [maʀtinɛ] *m. 1* TECHN. Martinete. *2* Vencejo (oiseau). *3* Disciplinas *f. pl.* (pour fouetter).

martingale [maʀtɛ̃gal] *f. 1* Gamarra (courroie du cheval). *2* Martingala (au jeu). *3* Martingala, trabilla (d'étoffe).

martre [maʀtʀ(ə)] *f.* Marta: — *zibeline,* marta cebellina.

martyr, -tyre [maʀtiʀ] *s.* Mártir.

martyriser [maʀtiʀize] *tr.* Martirizar.

mascarade [maskaʀad] *f.* Mascarada.

mascaron [maskaʀɔ̃] *m.* ARCHIT. Mascarón.

mascotte [maskɔt] *f.* Mascota.

masculin, -ine [maskylɛ̃, -in] *adj.-m.* Masculino, na.

masque [mask(ə)] *m. 1* Máscara *f.,* careta *f.:* — *à gaz,* máscara antigás. *2* Antifaz (loup). *3* Máscara *f.* (personne masquée). *4* Mascarilla *f.:* — *mortuaire,* mascarilla funeraria. *5* Fisonomía *f.,* rostro. *6* Máscara *f.,* capa *f.* (apparence).

massacre [masakʀ(ə)] *m. 1* Matanza *f.,* carnicería *f.* (tuerie). *2* Chapucería *f.,* mala ejecución *f.* (gâchis).

massacrer [masakʀe] *tr. 1* Hacer una matanza de, matar. *2* Degollar (égorger). *3* fig. Destrozar.

massage [masaʒ] *m.* Masaje.

masse [mas] *f. 1* Masa, montón *m.* (amas).

2 Masa, bulto *m.,* mole (volume). *3* Masa, multitud (foule). Loc. *En* —, en masa. *4* PHYS. Masa. *5* Maza (d'armes, de cérémonie). *6* Almádena, almádana (de casseur de pierres).

massepain [maspɛ̃] *m.* Mazapán.

masser [mase] *tr. 1* Dar masaje. *2* Agrupar, concentrar (réunir). *3* Amontonar (assembler). ■ *4 pr.* Congregarse.

masseur, -euse [masœʀ, -øz] *s.* Masajista.

massif, -ive [masif, -iv] *adj. 1* Macizo, za (plein): *or* —, oro macizo. *2* Masivo, va: *dose massive,* dosis masiva. *3* Macizo, za, sólido, da (lourd). ■ *4 m.* Macizo.

massue [masy] *f.* Porra, cachiporra, maza. Loc. *Coup de* —, mazazo.

mastic [mastik] *m. 1* Almáciga *f.* (résine). *2* Masilla *f.* (pour boucher les trous, etc.). *3* IMPR. Empastelamiento.

mastiquer [mastike] *tr. 1* Masticar. *2* Enmasillar (avec du mastic).

mastoc [mastɔk] *adj. invar.* pop. Pesado, da, tosco, ca.

mastodonte [mastɔdɔ̃t] *m.* Mastodonte.

mastroquet [mastʀɔkɛ] *m. 1* fam. Tabernero. *2* fam. Taberna *f.* (café).

masure [mazyʀ] *f. 1* Casucha, chabola (cabane). *2* Casa en ruinas.

mat [mat] *m.* Mate: *faire échec et* —, dar jaque mate.

mat, -e [mat] *adj. 1* Mate (sans éclat). *2* Sordo, da, apagado, da (son, bruit).

mât [mɑ] *m.* Mástil, palo. Loc. *Grand* —, palo mayor; — *d'artimon,* mesana *f.;* — *de misaine,* trinquete.

matamore [matamɔʀ] *m.* Matamoros, matasiete.

maté [mate] *m.* Mate.

matelas [matla] *m.* Colchón.

matelasser [matlase] *tr.* Acolchar.

matelot [matlo] *m.* Marinero.

matelote [matlɔt] *f.* CUIS. Caldereta.

mater [mate] *tr. 1* Dar mate (au jeu d'échecs). *2* fig. Domar, domeñar.

matérialisme [mateʀjalism(ə)] *m.* Materialismo.

matériau [mateʀjo] *m. 1* Material (de construction). ■ *2 pl.* Materiales.

matériel, -ielle [mateʀjɛl] *adj. 1* Material. Loc. *Le temps* —, el tiempo material, necesario. ■ *2 m.* Material.

maternel, -elle [mateʀnɛl] *adj. 1* Maternal, materno, na. *2 f.* Escuela de párvulos.

maternité [mateʀnite] *f.* Maternidad.

mathématique [matematik] *adj. 1* Matemático, ca. ■ *2 f. pl.* Matemáticas.

matière [matjɛʀ] *f. 1* Materia: — *première,* materia prima. *2* Tema *m.,* asunto *m.* (sujet). *3* Asignatura (d'enseignement).

4 Causa, motivo *m.: il n'y a pas — à rire*, no hay motivo para reírse.

matin [matɛ̃] *m. 1* Mañana *f.* Loc. *De bon, de grand —*, muy de mañana, de madrugada. *2 adv.* Temprano: *se lever —*, levantarse temprano. *3* Por la mañana: *demain —*, mañana por la mañana.

mâtin, -ine [matɛ̃, -in] *adj.-s. 1* fam. Tunante, ta, bribón, ona. ■ *2 m.* Mastín (chien).

mâtiné, -ée [matine] *adj.* Cruzado, da (chien).

matinée [matine] *f. 1* Mañana. *2* Función de tarde (spectacle).

matines [matin] *f. pl.* Maitines.

matraque [matʀak] *f.* Porra, cachiporra.

matrice [matʀis] *f. 1* Matriz, molde *m.* (moule). *2* Matriz, registro *m. 3* ANAT. Matriz, útero *m. 4* MATH., IMPR. Matriz.

matricule [matʀikyl] *f. 1* Matrícula, registro *m. 2* Matrícula, inscripción. ■ *3 m.* Número de registro.

matrimonial, -ale [matʀimɔnjal] *adj.* Matrimonial.

maturation [matyʀɑsjɔ̃] *f.* Maduración.

maturité [matyʀite] *f.* Madurez.

maudire [modiʀ] *tr.* Maldecir. ▲ CONJUG. IRREG. INDIC. Pres.: *je maudis, tu maudis, il maudit, nous maudissons, vous maudissez, ils maudissent.* Imperf.: *je maudissais,* etc. Pret. indef.: *je maudis,* etc. Fut. imperf.: *je maudirai,* etc. POT. *je maudirais,* etc. SUBJ. Pres.: *que je maudisse,* etc. IMPER.: *maudis, maudissons, maudissez.* PART. A.: *maudissant,* PART. P.: *maudit, ite.*

maudit, -ite [modi, -it] *adj.-s.* Maldito, ta, condenado, da.

maure, more [mɔʀ] *adj.-m.* Moro, ra.

mauresque, moresque [mɔʀɛsk(ə)] *adj.-s.* Morisco, ca, moruno, na.

mausolée [mozole] *m.* Mausoleo.

maussade [mosad] *adj. 1* Huraño, ña, hosco, ca (revêche). *2* Desapacible, desabrido, da, desagradable.

mauvais, -aise [mɔ(o)vɛ, -ɛz] *adj. 1* Malo, la, mal (devant *m.*): *mauvaise mémoire,* mala memoria; — *caractère,* mal carácter. Loc. — *esprit,* mal pensado; — *sujet,* individuo de cuidado. ■ *2 adv.* Mal. Loc. *Sentir —,* oler mal.

mauve [mov] *f. 1* Malva (plante). ■ *2 adj.-m.* Malva (couleur).

mauviette [movjɛt] *f. 1* Alondra. *2* fig. Persona enclenque, alfeñique *m.*

maxillaire [maksi(l)ɛʀ] *adj.-m.* ANAT. Maxilar.

maximum [maksimɔm] *m. 1* Máximo, máxima. *2* loc. *adv. Au —,* como máximo. ■ *3 adj.* Máximo, ma.

mayonnaise [majɔnɛz] *f.* Mayonesa.

mazout [mazut] *m.* Fuel-oil, mazut.

me [m(ə)] *pron. pers. 1* Me. *2* — *voici,* heme aquí, aquí estoy yo.

mec [mɛk] *m.* pop. Gachó.

mécanicien, -ienne [mekanisjɛ̃, -jɛn] *s. 1* Mecánico, ca. ■ *2 m.* Maquinista (d'une locomotive).

mécanique [mekanik] *adj. 1* Mecánico, ca. ■ *2 f.* Mecánica.

mécanographie [mekanɔgrafi] *f.* Mecanografía.

mécène [mesɛn] *m.* Mecenas.

méchanceté [meʃɑ̃ste] *f. 1* Maldad. *2* Mala intención.

méchant, -ante [meʃɑ̃, -ɑ̃t] *adj. 1* Malo, la, malvado, da; *être —,* ser malo. *2* Peligroso, sa (dangereux). *3* Revoltoso, sa, travieso, sa (enfant). *4* Malintencionado, da (malveillant). *5* Avieso, sa (intention, etc.). *6 Être de méchante humeur,* estar de mal humor. ■ *7 s.* Malo, la, malvado, da.

mèche [mɛʃ] *f. 1* Mecha. Loc. fam. *Éventer, découvrir la —,* descubrir el pastel; *vendre la —,* irse de la lengua; pop. *il n'y a pas —,* no hay tu tía. *2 — de bougie,* pabilo *m.,* torcida. *3* Mechón *m.* (cheveux). *4* TECHN. Taladro *m.,* broca (de vilebrequin). *5* Tralla (de fouet).

mécompte [mekɔ̃t] *m. 1* Trabacuenta *f.,* error de cálculo. *2* fig. Chasco, desengaño.

méconnaître [mekɔnɛtʀ(ə)] *tr. 1* Desconocer. *2* No apreciar en su justo valor (méestimer). ▲ CONJUG. como *connaître.*

mécontent, -ente [mekɔ̃tɑ̃, -ɑ̃t] *adj.-s.* Descontento, ta, malcontento, ta.

mécontenter [mekɔ̃tɑ̃te] *tr.* Descontentar, disgustar.

mécréant, -ante [mekʀeɑ̃, -ɑ̃t] *adj.-s. 1* Incrédulo, la, descreído, da. *2* Infiel.

médaille [medaj] *f.* Medalla.

médaillon [medajɔ̃] *m.* Medallón.

médecin [medsɛ̃] *m.* Médico.

médecine [medsin] *f.* Medicina.

médian, -ane [medjɑ̃, -an] *adj. 1* Que está en el medio. ■ *2 f.* GÉOM. Mediana.

médiateur, -trice [medjatœʀ, -tʀis] *adj.-s.* Mediador, ra.

médicament [medikamɑ̃] *m.* Medicamento.

médicinal, -ale [medisinal] *adj.* Medicinal.

médiéval, -ale [medjeval] *adj.* Medieval.

médiocre [medjɔkʀ(ə)] *adj.* Mediocre.

médire [mediʀ] *intr.* Maldecir, murmurar,

hablar mal (*de*, de). ▲ CONJUG. como *dire*, excepto en la 2.ª pers. del pl. del pres. de indic. y del imper. que hacen *médisez*.

médisance [medizɑ̃s] *f.* Maledicencia, murmuración.

méditation [meditɑsjɔ̃] *f.* Meditación.

méditer [medite] *tr.-intr.* Meditar.

méditerrané, -ée [mediteʀane] *adj. 1* Mediterráneo, ea. ■ *2 n. pr. f. La Méditerranée*, el Mediterráneo *m.*

méditerranéen, -éenne [mediteʀaneɛ̃, -cɛn] *adj.* Mediterráneo, ea.

médium [medjɔm] *m. 1* Médium. *2* MUS. Registro intermedio de la voz.

médius [medijys] *m.* Dedo medio.

médullaire [medyl(l)ʀ] *adj.* Medular.

méduser [medyze] *tr.* fam. Dejar patidifuso, sa, petrificado, da.

meeting [mitiɲ] *m.* Mitín.

méfait [mefɛ] *m.* Fechoría *f.*, mala acción *f.*

méfier (se) [mefje] *pr.* Desconfiar, no fiarse. Loc. *Méfiez-vous des voleurs!*, ¡cuidado con los ladrones! ▲ CONJUG. como *prier*.

mégarde [megaʀd(ə)] *f.* Inadvertencia, descuido *m.* Loc. *Par —*, por descuido.

mégère [meʒɛʀ] *f.* fam. Arpía, furia.

mégot [mego] *m.* Colilla *f.*

méhari [meaʀi] *m.* Mehari.

meilleur, -eure [mejœʀ] *adj. 1* Mejor: *les meilleures poésies*, las mejores poesías. Loc. *Bien —*, mucho mejor; *de meilleure heure*, más temprano; *devenir —*, mejorar. ■ *2 adv. Il fait —*, hace mejor tiempo. ■ *3 s.* Mejor. Loc. *Pour le — et pour le pire*, en el bien y en el mal.

mélancolie [melɑ̃kɔli] *f.* Melancolía.

mélanger [melɑ̃ʒe] *tr.* Mezclar. ▲ CONJUG. como *engager*.

mêlée [mele] *f. 1* Refriega. *2* Pelea, disputa. *3* SPORTS. Melée (rugby).

mêler [mele] *tr. 1* Mezclar. *2* Barajar (les cartes). *3* Implicar, meter (faire participer quelqu'un à). ■ *4 pr.* Mezclarse: *se — à une discussion*, mezclarse en una discusión. Loc. fig. *Se — de*, meterse en.

méli-mélo [melimelo] *m.* fam. Baturrillo, batiburrillo, mezcolanza *f.*

mélisse [melis] *f.* Melisa.

mélodie [melɔdi] *f.* Melodía.

mélodieux, -euse [melɔdjø, -øz] *adj.* Melodioso, sa.

mélodrame [melɔdʀam] *m.* Melodrama.

melon [m(ə)lɔ̃] *m. 1* Melón. *2 — d'eau*, sandía *f. 3 Chapeau —*, sombrero hongo.

membrane [mɑ̃bʀan] *f.* Membrana.

membre [mɑ̃bʀ(ə)] *m. 1* Miembro. *2* Socio (d'une société, d'un club). *3* Vocal, componente (d'une commission, etc.).

même [mɛm] *adj. 1* Mismo, ma. Loc. *De lui-même, de soi-même*, por sí mismo, por sí solo; *en — temps*, al mismo tiempo; *la — chose*, lo mismo. ■ *2 pron. indéf.* Mismo. Loc. *C'est du pareil au —*, es exactamente igual. ■ *3 adv.* Incluso, hasta, aún: *— les enfants*, hasta los niños. Loc. *À —*, directamente: *boire à — la bouteille*, beber directamente de la botella; *tout de — quand —*, sin embargo. *5 loc. prép. À — de*, en condiciones de. *6 loc. conj. De — que*, como, así como; *— que*, y además.

mémento [memɛ̃to] *m. 1* Agenda *f.* Compendio (résumé). *3* LITURG. Memento.

mémoire [memwaʀ] *f. 1* Memoria. Loc. *De —*, de memoria. *2* Recuerdo *m.* (souvenir). ■ *3 m.* Memoria *f.*, informe (rapport). *4* COMM. Estado de deudas *f. pl.*

mémorable [memɔʀabl(ə)] *adj.* Memorable.

menacer [mənase] *tr.* Amenazar. ▲ CONJUG. como *lancer*.

ménage [menaʒ] *m. 1* Menaje, ajuar (ustensiles). *2* Gobierno y quehaceres de la casa. Loc. *Faire le —*, hacer la limpieza; *femme de —*, asistenta. *3* Casa *f.*, familia *f.* (famille). *4* Matrimonio (couple). Loc. *Faire bon —*, llevarse bien.

ménagement [menaʒmɑ̃] *m.* Miramiento, consideración *f.*

ménager [menaʒe] *tr. 1* Preparar, arreglar, facilitar (arranger): *— une surprise*, preparar una sorpresa. *2* Instalar, disponer. *3* Reservar. *4* Ahorrar, economizar (épargner). *5* Cuidar, velar por: *— sa santé*, cuidar de su salud. *6* No abusar de (ses forces). *7* Mesurar, medir (ses paroles, etc.). *8* Tratar con consideración (quelqu'un). ■ *9 pr.* Cuidarse. ▲ CONJUG. como *engager*.

mendiant, -ante [mɑ̃djɑ̃, -ɑ̃t] *adj.-s. 1* Mendigo, ga, pordiosero, ra. *2* fig. *Les quatre mendiants*, higos secos, pasas, almendras y nueces.

mendicité [mɑ̃disite] *f.* Mendicidad.

mener [məne] *tr. 1* Llevar, conducir: *— sa fille à l'école*, llevar a su hija a la escuela. Loc. fig. *— loin*, llevar lejos. *2* Presidir (le deuil). *3* Llevar, dirigir (gérer). Loc. *— à bien*, llevar a cabo. *4* Transportar. *5* fig. Llevar: *— une vie austère*, llevar una vida austera. Loc. *— grand train*, vivir a todo tren. *6* GÉOM.

Trazar. 7 SPORTS — *par 4 à 3*, ganar por 4 a 3. ▲ CONJUG. como *acheter*.

ménestrel [menɛstʀɛl] *m.* Trovador.

ménétrier [menetʀije] *m.* Violinista rural.

meneur, -euse [mənœʀ, -øz] *s.* Cabecilla, jefe (chef).

méninge [menɛ̃ʒ] *f.* ANAT. Meninge.

ménisque [menisk(ə)] *m.* ANAT., OPT. Menisco.

menotte [mənɔt] *f. 1* fam. Manecita (petite main). ■ *2 pl.* Esposas.

mensonge [mãsɔ̃ʒ] *m.* Mentira *f.*

mensualité [mãsɥalite] *f.* Mensualidad.

mensuel, -elle [mãsɥel] *adj.* Mensual.

mental, -ale [mãtal] *adj.* Mental.

mentalité [mãtalite] *f.* Mentalidad.

menteur, -euse [mãtœʀ, -øz] *adj.-s.* Mentiroso, sa, embustero, ra.

menthe [mãt] *f.* Menta.

mention [mãsjɔ̃] *f. 1* Mención. *2 — honorable*, mención honorífica; — *passable*, aprobado *m.*

mentionner [mãsjɔne] *tr.* Mencionar.

mentir [mãtiʀ] *intr.* Mentir. ▲ CONJUG. IRREG. INDIC. Pres.: *je mens, tu mens, il ment, nous mentons, vous mentez, ils mentent.* Imperf.: *je mentais*, etc. Pret. indef.: *je mentis*, etc. Fut. imperf.: *je mentirai*, etc. POT.: *je mentirais*, etc. SUBJ. Pres.: *que je mente*, etc. Imperf.: *que je mentisse*, etc. IMPER.: *mens, mentons, mentez.* PART. A.: *mentant.* PART. P.: *menti, ie.*

menton [mãtɔ̃] *m.* Barbilla *f.*, mentón.

menu, -ue [məny] *adj. 1* Menudo, da. Loc. *Menue monnaie*, calderilla *f.: le — peuple*, la plebe. ■ *2 m.* Minuta *f.*, menú. *3* Cubierto (menu dont le prix est déterminé). *4 loc. adv. Par le —*, detalladamente. ■ *5 adv. Hacher —*, picar.

menuet [mənɥe] *m.* Minué.

menuisier [mənɥizje] *m.* Carpintero.

méprendre (se) [mepʀãdʀ(ə)] *pr.* Equivocarse, confundirse. *loc. adv. À s'y —*, hasta el punto de confundirse. ▲ CONJUG. como *prendre*.

mépris [mepʀi] *m.* Desprecio, menosprecio.

méprisable [mepʀizabl(ə)] *adj.* Despreciable.

méprise [mepʀiz] *f.* Error *m.*, confusión.

mépriser [mepʀize] *tr.* Despreciar, menospreciar.

mer [mɛʀ] *f.* Mar *m.* et *f.: la — Noire*, el Mar Negro. ▲ Le plus souvent au masculin. Loc. *Basse —*, bajamar *f.; haute, pleine —*, pleamar *f.*

mercantile [mɛʀkãtil] *adj.* Mercantil.

mercenaire [mɛʀsənɛʀ] *adj.-m.* Mercenario, ria.

mercerie [mɛʀsəʀi] *f.* Mercería.

merci [mɛʀsi] *m. 1* Gracias *f. pl.* Loc. *Dire —*, dar las gracias; — *bien, beaucoup*, muchas gracias; *grand —*, mil gracias. ■ *2 f.* Merced, gracia, favor *m. loc. prép. À la — de*, a la merced de. *loc. adv. Dieu —*, a Dios gracias.

mercier, -ière [mɛʀsje, -jɛʀ] *s.* Mercero, ra.

mercredi [mɛʀkʀədi] *m.* Miércoles.

mère [mɛʀ] *f. 1* Madre. Loc. — *patrie*, madre patria. *2* Madre, causa, origen *m. 3* fam. Tía, seña (pour une femme d'un certain âge): *la — Jeanne*, la tía Juana.

méridien, -ienne [meʀidjɛ̃, -jɛn] *adj. 1* Meridiano, na. ■ *2 m.* ASTRON. Meridiano. ■ *3 f.* ASTRON., GÉOM. Meridiana. *4* Siesta. *5* Tumbona (canapé).

méridional, -ale [meʀidjɔnal] *adj.* Meridional.

meringue [məʀɛ̃g] *f.* Merengue *m.*

mérinos [meʀinos] *m.* Merino.

merise [məʀiz] *f.* Cereza silvestre.

mérite [meʀit] *m.* Mérito.

mériter [meʀite] *tr.* Merecer.

merlan [mɛʀlã] *m.* Pescadilla *f.*

merle [mɛʀl(ə)] *m.* Mirlo.

merluche [mɛʀlyʃ] *f.* Merluza.

merveille [mɛʀvej] *f.* Maravilla.

merveilleux, -euse [mɛʀvejø, -øz] *adj.* Maravilloso, sa.

mésalliance [mezaljãs] *f.* Casamiento *m.* desigual.

mésange [mezãʒ] *f.* Paro *m.: — charbonnière*, paro carbonero.

mésaventure [mezavãtyʀ] *f.* Contratiempo *m.*

mésestimer [mezɛstime] *tr.* Desestimar, menospreciar.

mésintelligence [mezɛ̃teliʒãs] *f.* Desacuerdo *m.*, desavenencia.

mesquin, -ine [mɛskɛ̃, -in] *adj.* Mezquino, na.

message [mesaʒ] *m.* Mensaje.

messager, -ère [mesaʒe, -ɛʀ] *s. 1* Mensajero, ra. ■ *2 m.* Ordinario, cosario (commissionnaire).

messe [mɛs] *f.* Misa.

messieurs [mesjø] *m. pl. 1* Pl. de *monsieur.* Señores, caballeros. *2* Muy señores míos, señores (en tête d'une lettre).

mesurable [məzyʀabl(ə)] *adj.* Mensurable.

mesure [m(ə)zyʀ] *f. 1* Medida. Loc. *Sur —*, a la medida; *dans la — de*, en la medida de; *outre —*, excesivamente; *à — que, au fur et à — que*, a medida que. *2* fig. *Donner sa —*, mostrar de lo que uno es capaz; *dépasser la —*, pasarse de la raya. *3* Dosis, ración. *4* Moderación, mesura (retenue). *5 Être en — de*, estar en condiciones de. *6* MUS. Compás *m.: battre la —*, llevar el compás; *— à quatre temps*, compás menor, compasillo *m.*

mesurer [məzyʀe] *tr. 1* Medir. ■ *2 pr. Se — avec quelqu'un*, medirse, luchar, rivalizar con uno.

métal [metal] *m.* Metal: *métaux précieux*, metales preciosos.

métallique [metal(l)ik] *adj.* Metálico, ca.

métalliser [metal(l)ize] *tr.* Metalizar.

métallurgie [metal(l)yʀ3i] *f.* Metalurgia.

métamorphose [metamɔʀfoz] *f.* Metamorfosis.

métaphore [metafɔʀ] *f.* Metáfora.

métaphysique [metafizik] *adj. 1* Metafísico, ca. ■ *2 f.* Metafísica.

métayage [meteja3] *m.* Aparcería *f.*

métayer, -yère [meteje, -jeʀ] *s.* Aparcero, ra, colono, na.

météore [meteɔʀ] *m.* Meteoro.

météorologie [meteɔʀɔlɔ3i] *f.* Meteorología.

métèque [metɛk] *m. 1* Meteco. *2* péj. Extranjero.

méthode [metɔd] *f.* Método *m.*

méticuleux, -euse [metikylø, -øz] *adj.* Meticuloso, sa.

métier [metje] *m. 1* Oficio, profesión *f.: — manuel*, oficio manual. Loc. *Chacun son —*, zapatero a tus zapatos. *2* Bastidor (pour broder). *3 — à tisser*, telar.

métis, -isse [metis] *adj.-s.* Mestizo, za.

mètre [mɛtʀ(ə)] *m.* Metro: *— carré*, metro cuadrado; *— cube*, metro cúbico.

métro [metro] *m.* fam. Metro.

métropolitain, -aine [metʀɔpɔlitɛ̃, -ɛn] *adj.-m.* Metropolitano, na.

mets [me] *m.* Plato, manjar.

metteur [metœʀ] *m. 1 — en œuvre*, engastador de piedras preciosas. *2 — en ondes*, director de emisión. *3 — en scène*, escenógrafo (théâtre), realizador (cinéma). *4* IMPR. *— en pages*, compaginador.

mettre [mɛtʀ(ə)] *tr. 1* Poner, colocar (placer). Loc. *— au point*, poner a punto; *— bas*, parir. *2* Meter (introduire). *3* Echar: *— une lettre à la poste*, echar una carta al correo. *4* Poner, instalar (installer). *5* Poner, ponerse (vêtement). *6* Poner, tardar: *— une heure à*, tardar una hora en. *7* Gastar (dépenser). *8* Poner, suponer: *mettons que cela soit vrai*, pongamos que esto sea verdad. ■ *9 pr.* Ponerse: *se — au travail*, ponerse a trabajar. Loc. *Se — à la fenêtre*, asomarse a la ventana; *se — en colère*, encoleri-

zarse. *10* Vestirse, ponerse: *être bien mis*, ir bien vestido. ■ *11 recipr.* Vapulearse (se donner des coups). ▲ CONJUG. IRRÉG. INDIC. Pres.: *je mets, tu mets, il met, nous mettons, vous mettez, ils mettent.* Imperf.: *je mettais*, etc. Pret. indef.: *je mis*, etc. Fut. imperf.: *je mettrai*, etc. POT.: *je mettrais*, etc. SUBJ. Pres.: *que je mette*, etc. Imperf.: *que je misse*, etc. IMPER.: *mets, mettons, mettez*, PART. A.: *mettant*. PART. P.: *mis, mise*.

meuble [mœbl(ə)] *adj. 1* DR. *Biens meubles*, bienes muebles. *2* AGR. *Terre —*, tierra blanda. ■ *3 m.* Mueble.

meubler [mœble] *tr. 1* Amueblar. *2* fig. Llenar (remplir). ■ *3 pr.* Comprarse muebles.

meugler [møgle] *intr.* Mugir.

meule [møl] *f. 1* Muela, rueda (de moulin). *2* Muela (pour aiguiser). *3* Almiar *m.* (de foin, paille).

meunier, -ière [mønje, -jeʀ] *s.* Molinero, ra.

meurtre [mœʀtʀ(ə)] *m.* Homicidio, asesinato.

meurtrier, -ière [mœʀtʀije, -ijeʀ] *s. 1* Asesino, na, homicida. ■ *2 adj.* Mortal. *3* fig. Sangriento, ta.

meurtrir [mœʀtʀiʀ] *tr. 1* Magullar. *2* Machucar (les fruits).

meute [møt] *f.* Jauría.

mexicain, -aine [mɛksikɛ̃, ɛn] *adj.-s.* Mejicano, na, mexicano, na (au Mexique, s'écrit toujours avec *x*).

mi [mi] *m.* MUS. Mi.

mi [mi] *adj. invar.-adv.* Medio, mitad: *la mi-août*, la mitad de agosto. *loc. adv. À — (*suivi d'un nom*) a media: *à — hauteur*, a media altura.

miasme [mjasm(ə)] *m.* Miasma.

miaulement [mjolmã] *m.* Maullido.

mi-carême [mikaʀɛm] *f.* Jueves *m.* de la tercera semana de cuaresma.

miche [miʃ] *f.* Pan *m.* grande y redondo.

micheline [miʃlin] *f.* Autovía *m.*

micmac [mikmak] *m.* fam. Tejemaneje, chanchullo.

microbe [mikʀɔb] *m.* Microbio.

micron [mikʀɔ̃] *m.* Micrón, micra *f.*

microphone [mikʀɔfɔn] *m.* Micrófono.

microscope [mikʀɔskɔp] *m.* Microscopio.

midi [midi] *m. 1* Mediodía. Loc. *Chercher — à quatorze heures*, buscar tres pies al gato. *2* Las doce: *il est —*, son las doce; *— et demi*, las doce y media. *3 Le — de la France*, el Mediodía, el Sur de Francia.

midinette [midinɛt] *f.* Modistilla.

mie [mi] *f.* Miga (du pain).

miel [mjɛl] *m.* Miel *f.*

mielleux, -euse [mjɛlø, -øz] *adj.* Meloso, sa.

mien, mienne [mjɛ̃, -mjɛn] *adj.-pron. poss.* Mío, mía. ▪ *m. pl.* Los míos, mi familia *f.*

miette [mjɛt] *f.* Migaja.

mieux [mjø] *adv. 1* Mejor: *un peu —,* un poco mejor; *beaucoup, bien —,* mucho mejor. Loc. *Aimer —,* preferir; *aller —,* encontrarse, ir mejor; *je ne demande pas —,* no pido otra cosa. 2 loc. adv. *A qui —,* a cual mejor; *d'autant —,* con mayor razón; *tant —,* tanto mejor. ▪ *3 m.* Lo mejor. Loc. *De — en —,* cada vez mejor; *faire de son —,* hacer todo lo que se pueda. ▪ *4 adj.* Mejor. Loc. *Être —,* estar mejor; *rien de —,* nada mejor.

mièvre [mjɛvʀ(ə)] *adj. 1* Almibarado, da, empalagoso, sa. *2* Endeble, enclenque (chétif).

mignardise [miɲaʀdiz] *f.* Melindres *m. pl.,* remilgos *m. pl.*

mignon, -onne [miɲɔ̃, -ɔn] *adj. 1* Mono, na, lindo, da. *2* Amable (gentil). *3* fig. *Péché —,* punto m. flaco. ▪ *4 s. Mon —,* ma mignonne, rico, rica.

migraine [migʀɛn] *f.* Jaqueca, dolor *m.* de cabeza, migraña.

mijoter [miʒɔte] *tr.-intr.* 1 CUIS. Cocer a fuego lento. ▪ *2 tr.* fam. Tramar, maquinar.

mil [mil] *adj. num. 1* Mil. ▪ *2 m.* Mijo (millet).

milicien [milisjɛ̃] *m.* Miliciano.

milieu [miljø] *m. 1* Medio, centro. Loc. *Au — de,* en medio de; *au beau — de,* en plein — de,* justo en medio de, en pleno centro de. *2* Mitad *f.* (moitié). *3* Término medio. *4* Medio: *adaptation au —,* adaptación al medio. *5 Le —,* el hampa (la pègre).

militaire [militɛʀ] *adj.-m.* Militar.

militant, -ante [militɑ̃, -ɑ̃t] *adj.-s.* Militante.

militarisme [militaʀism(ə)] *m.* Militarismo.

militer [milite] *intr.* Militar.

mille [mil] *adj. num. invar. 1* Mil. ▪ *2 m.* Millar. *3* Milla *f.* (mesure de longueur).

millénaire [mi(l)lenɛʀ] *adj. 1* Milenario, ria. ▪ *2 m.* Milenario, milenio.

mille-pattes [milpat] *m. invar.* Ciempiés.

millet [mijɛ] *m.* Mijo.

milliard [miljaʀ] *m.* Mil millones.

milliardaire [miljaʀdɛʀ] *adj.-s.* Multimillonario, ria.

millième [miljɛm] *adj.-s.* Milésimo, ma.

millier [milje] *m.* Millar.

million [miljɔ̃] *m.* Millón.

millionnaire [miljɔnɛʀ] *adj.-s.* Millonario, ria.

mime [mim] *m.* Mimo (acteur et pièce).

mimosa [mimoza] *m.* Mimosa *f.*

minable [minabl(ə)] *adj.* Lamentable, calamitoso, sa.

minauderie [minodʀi] *f.* Monería, melindre *m.*

mince [mɛ̃s] *adj. 1* Delgado, da, fino, na. *2* fig. Pobre, escaso, sa, insignificnate.

mine [min] *m. 1* Aspecto *m.,* apariencia (aspect extérieur). Loc. *Ne pas payer de —,* tener mal aspecto; *faire — de,* hacer como si, aparentar. *2* Cara, rostro *m.* (aspect du visage). *3* Mina (de crayon). *4* Mina (gisement, engin explosif).

minerai [minʀɛ] *m.* Mineral.

minéral, -ale [mineral] *adj.-m.* Mineral.

minéralogie [mineralɔʒi] *f.* Mineralogía.

minet, -ette [minɛ, -ɛt] *s.* fam. Minino, na (petit chat).

mineur [minœʀ] *adj.-m. 1* Minero (ouvrier). *2* MIL. Zapador.

miniature [minjatyʀ] *f.* Miniatura.

minime [minim] *adj. 1* Mínimo, ma. ▪ *2 adj.-s.* SPORTS Infantil. ▪ *3 m.* Mínimo (religieux).

ministère [ministɛʀ] *m.* Ministerio: — *de l'intérieur, des Finances,* ministerio de la Gobernación y de Hacienda.

ministre [ministʀ(ə)] *m.* Ministro.

minorité [minɔʀite] *f. 1* Minoría. *2* Minoría de edad (âge).

minoterie [minɔtʀi] *f.* Fábrica, comercio *m.* de harinas.

minuit [minɥi] *m.* Medianoche *f.*

minuscule [minyskyl] *adj. 1* Minúsculo, la. ▪ *2 f.* Minúscula (lettre).

minute [minyt] *f. 1* Minuto *m.* (temps, angle). *2 interj.* ¡Espere!, ¡un momento!

minutie [minysi] *f. 1* Minucia (bagatelle). *2* Minuciosidad (soin).

mirabelle [miʀabɛl] *f.* Ciruela mirabel.

miracle [miʀakl(ə)] *m.* Milagro.

mirage [miʀaʒ] *m.* Espejismo.

mire [miʀ] *f.* Mira: *ligne de —,* línea de mira; *point de —,* punto de mira, blanco.

mirer [miʀe] *tr. 1* Mirar al trasluz (un œuf). *2* Reflejar. ▪ *3 pr.* Mirarse, contemplarse.

miroir [miʀwaʀ] *m.* Espejo.

miroiter [miʀwate] *intr.* Espejear, reverberar.

mis, mise [mi, miz] *1 p.p.* de *mettre.* ▪ *2 adj.* Puesto, ta.

misanthrope [mizɑ̃tʀɔp] *adj.-s.* Misántropo *m.*

mise [miz] *f. 1* Puesta, colocación. Loc. *en place,* colocación; enfoque *m.* (en photographie); — *à la retraite,* jubilación; — *en liberté,* liberación. *2* Apuesta, puesta (action de miser). *3* Vestimenta, arreglo *m.* personal (habillement, tenue). *4* — *en scène,* escenificación, escenografía. *5* COMM. — *de fonds,* inversión de fondos.

miser [mize] *tr. 1* Hacer una puesta, apostar. *2* — *sur,* contar con.

misérable [mizerabl(ə)] *adj.-s.* Miserable.

misère [mizɛʀ] *f. 1* Miseria. *2* Desgracia, calamidad (malheur). Loc. fam. *Faire des misères à quelqu'un,* hacer rabiar, fastidiar a alguien.

miséricorde [mizerikɔʀd(ə)] *f.* Misericordia.

missel [misɛl] *m.* Misal.

mission [misjɔ̃] *f.* Misión.

missive [misiv] *f.* Misiva.

mistral [mistʀal] *m.* Mistral (vent).

mitaine [mitɛn] *f.* Mitón *m.*

mite [mit] *f.* Polilla.

mitiger [mitiʒe] *tr.* Mitigar. ▲ CONJUG. como *engager.*

mitonner [mitɔne] *tr.-intr. 1* CUIS. Cocer a fuego lento. ■ *2 tr.* Preparar.

mitoyen, -enne [mitwajɛ̃, -ɛn] *adj.* Medianero, ra: *mur* —, pared medianera.

mitrailler [mitʀaje] *tr.* Ametrallar.

mitrailleuse [mitʀajøz] *f.* Ametralladora.

mixte [mikst(ə)] *adj.* Mixto, ta.

mixture [mikstyʀ] *f.* Mixtura.

mobile [mɔbil] *adj. 1* Móvil, movible. ■ *2 m.* Móvil.

mobilier, -ière [mɔbilje, -jɛʀ] *adj. 1* Mobiliario, ria. ■ *2 m.* Mobiliario.

mobiliser [mɔbilize] *tr.* Movilizar.

moche [mɔʃ] *adj. 1* fam. Feo, fea, feúcho, cha (laid). *2* fam. Desagradable.

modalité [mɔdalite] *f.* Modalidad.

mode [mɔd] *m. 1* GRAM., MUS. Modo. *2* Modo (manière). ■ *2 f.* Moda. Loc. *À la* —, de moda, a la moda.

modèle [mɔdɛl] *adj.-s.* Modelo.

modeler [mɔdle] *tr. 1* Modelar. ■ *2 pr.* Amoldarse, ajustarse. ▲ CONJUG. como *acheter.*

modérateur, -trice [mɔdeʀatœʀ, -tʀis] *adj.-s. 1* Moderador, ra. ■ *2 m.* TECHN. Regulador.

modération [mɔdeʀasjɔ̃] *f.* Moderación.

modérer [mɔdeʀe] *tr. 1* Moderar. ■ *2 pr.* Moderarse. ▲ CONJUG. como *accélérer.*

moderniser [mɔdɛʀnize] *tr. 1* Modernizar. ■ *2 pr.* Modernizarse.

modestie [mɔdɛsti] *f.* Modestia.

modifier [mɔdifje] *tr. 1* Modificar. ■ *2 pr.* Modificarse. ▲ CONJUG. como *prier.*

modique [mɔdik] *adj.* Módico, ca.

modiste [mɔdist(ə)] *f.* Sombrerera.

modulation [mɔdylasjɔ̃] *f. 1* Modulación. *2* — *de fréquence,* frecuencia modulada.

moelle [mwal] *f. 1* ANAT., BOT. Médula: — *épinière,* médula espinal. *2* Tuétano *m.* (substance comestible). *3* fig. Meollo *m.*

mœurs [mœʀ(s)] *f. pl.* Costumbres, hábitos *m.*

moi [mwa] *pron. pers. 1* Yo. Loc. *Moi-même,* yo mismo; — *seul,* yo solo; — *non plus,* yo tampoco. *2* Mí (complément); *pour* —, para mí; *avec* —, conmigo. *3* Me (avec l'impératif): *dis* —, dime; *dites-le*—, dígamelo. ■ *4 m. invar. Le* —, el yo.

moignon [mwaɲɔ̃] *m.* Muñón. *2* Garrón (d'un arbre).

moindre [mwɛ̃dʀ(ə)] *adj. 1* Menor: *le* — *doute,* la menor duda. *2 Le* — *effort,* el mínimo esfuerzo.

moine [mwan] *m.* Monje, fraile.

moineau [mwano] *m.* Gorrión.

moins [mwɛ̃] *1 adv.* Menos: *dix francs de* —, diez francos menos. Loc. *À* —, por menos; *au* —, *pour le* —, al menos (au minimum); *de* — *en* —, cada vez menos; *plus ou* —, más o menos. *2 loc. prép. À* — *de,* a menos de; *en* — *de rien, en* — *de deux,* en un santiamén, en menos que canta un gallo. *3 loc. conj. À* — *que,* a menos que, a no ser que. ■ *4 prép.* Menos: *dix heures* — *cinq,* las diez menos cinco. ■ *5 m. invar.* Lo menos. *6* MATH. Menos, signo menos.

moire [mwaʀ] *f. 1* Muaré *m.* (tissu). *2* Aguas *pl.,* visos *m. pl.* (reflets).

moiré [mwaʀe] *adj.* Tornasolado, da.

mois [mwa] *m.* Mes: *2* —, 2 meses.

moisir [mwaziʀ] *intr. 1* Enmohecerse. *2* fam. Criar moho (languir). ■ *3 tr.* Enmohecer.

moisissure [mwazisyʀ] *f.* Moho *m.*

moisson [mwasɔ̃] *f. 1* Siega. Loc. *Faire la* —, cosechar (récolter). *2* fig. Cosecha.

moissonner [mwasɔne] *tr. 1* Segar (faucher), cosechar (récolter). *2* fig. Cosechar.

moite [mwat] *adj.* Húmedo, da.

moitié [mwatje] *f. 1* Mitad. Loc. *À* —, a la mitad; medio (avec un adj.): — *mort,* medio muerto; *à* — *prix,* a mitad de precio; *à* — *chemin,* a la mitad de camino; *être, se mettre de* — *avec quelqu'un,* ir a medias con alguien; *moitié-moitié,* a medias, regular. *2* fam. Costilla, cara, mitad, media naranja (épouse).

molaire [mɔlɛʀ] *f.* Molar *m.*, muela (dent).

môle [mol] *m. 1* MAR. Rompeolas. *2* MAR. Malecón (digue).

molécule [mɔlekyl] *f.* Molécula.

molester [mɔleste] *tr.* Atropellar, maltratar.

mollasse [mɔlas] *adj. 1* Blanducho, cha, fofo, fa. *2* Flojo, ja, apático, ca (apathique).

mollesse [mɔles] *f. 1* Blandura. *2* Flojera, apatía (indolence).

mollet, -ette [mɔlɛ, -ɛt] *adj. 1* Blando, da. *2 Œuf —,* huevo pasado por agua. ■ *3 m.* Pantorrilla *f.*

molleton [mɔltɔ̃] *m.* Muletón.

mollusque [mɔlysk(ə)] *m.* Molusco.

moment [mɔmɑ̃] *m. 1* Momento, rato. *2 loc. prép. Au — de,* en el momento de. *3 loc. conj. Du — que,* puesto que.

momifier [mɔmifje] *tr.* Momificar. ▲ CONJUG. como *prier.*

mon [mɔ̃], **ma** [ma], *pl.* **mes** [me] *adj. poss.* Mi, mis: *mon père, ma mère, mes enfants,* mi padre, mi madre, mis hijos. Loc. *— Dieu!,* ¡Dios mío!

monacal, -ale [mɔnakal] *adj.* Monacal.

monarchie [mɔnaʀʃi] *f.* Monarquía.

monastère [mɔnastɛʀ] *m.* Monasterio.

monceau [mɔ̃so] *m.* Montón.

mondain, -aine [mɔdɛ̃, -ɛn] *adj.-s.* Mundano, na.

monde [mɔ̃d] *m. 1* Mundo. *2* Mundo, sociedad *f.* Loc. *Le beau —,* la buena sociedad. *3* Gente *f.,* gentío (foule): *il y a beaucoup de —,* hay mucha gente.

mondial, -ale [mɔ̃djal] *adj.* Mundial.

monétaire [mɔnetɛʀ] *adj.* Monetario, ria.

mongol, -ole [mɔ̃gɔl] *adj.-s.* Mongol, mongólico, ca.

moniteur, -trice [mɔnitœʀ, -tʀis] *s.* Monitor, ra.

monnaie [mɔnɛ] *f. 1* Moneda. *2* Dinero *m.* suelto, suelto *m.* (pièces): *avez-vous de la —?,* ¿tiene usted suelto? *3* Cambio *m.,* vuelta: *la — de cent francs,* el cambio de cien francos.

monocle [mɔnɔkl(ə)] *m.* Monóculo.

monogamie [mɔnɔgami] *f.* Monogamia.

monogramme [mɔnɔgram] *m.* Monograma.

monographie [mɔnɔgrafi] *f.* Monografía.

monologue [mɔnɔlɔg] *m.* Monólogo.

monopoliser [mɔnɔpɔlize] *tr.* Monopolizar.

monosyllabe [mɔnɔsil(l)ab] *adj.-m.* Monosílabo, ba.

monothéisme [mɔnɔteism(ə)] *m.* RELIG. Monoteísmo.

monotonie [mɔnɔtɔni] *f.* Monotonía.

monseigneur [mɔ̃sɛɲœʀ] *m.* Monseñor.

monsieur [məsjø] *m. 1* Señor, el señor: *bonjour —,* buenos días señor; *— est*

sorti, el señor ha salido. *2* Señor don (devant un prénom). *3 —, cher —,* muy señor mío (en tête d'une lettre). *4* Monseñor (titre donné aux princes de la famille royale).

monstre [mɔ̃stʀ(ə)] *m.* Monstruo.

mont [mɔ̃] *m.* Monte. Loc. *Promettre monts et merveilles,* prometer el oro y el moro.

montage [mɔ̃taʒ] *m.* Montaje.

montagnard, -arde [mɔ̃taɲaʀ, -aʀd(ə)] *adj.-s.* Montañés, esa.

montant, -ante [mɔ̃tɑ̃, -ɑ̃t] *adj. 1* Ascendente. *2* MIL. *Garde montante,* guardia entrante. ■ *3 m.* Total, importe (somme): *le — des dépenses,* el importe de los gastos. *4* CONSTR., TECHN. Larguero, montante.

mont-de-piété [mɔ̃dpjete] *m.* Monte de piedad.

monte [mɔ̃t] *f.* Monta.

monte-charge [mɔ̃tʃaʀʒ(ə)] *m. invar.* Montacargas.

monter [mɔ̃te] *intr. 1* Subir: *— au grenier, en voiture,* subir al desván, al coche. *2* Montar: *— à cheval, à bicyclette,* montar a caballo, en bicicleta. *3* Ascender, subir (s'élever). Loc. *— en grade,* ascender; *— à la tête,* emborrachar. *4* Crecer (un fleuve, la mer). *5* Subir, aumentar (augmenter). *6* Elevarse, ascender: *la facture monte à mille pesetas,* la factura asciende a mil pesetas. ■ *7 tr.* Subir (gravir): *— une côte,* subir una cuesta. *8* Montar: *— un cheval,* montar un caballo. *9* Montar, instalar (aménager). *10* Engastar (pierre précieuse). *11* Urdir, tramar (combiner). *12* THÉÂT. Montar. ■ *13 pr.* Abastecerse, proveerse: *se — en draps,* proveerse de sábanas. *14* fam. Encolerizarse, irritarse.

monticule [mɔ̃tikyl] *m.* Montículo.

montre [mɔ̃tʀ(ə)] *f. 1* Reloj *m.: montrebracelet,* reloj de pulsera. *2* Muestra (action de montrer). Loc. *Faire — de,* hacer alarde de. *2* Escaparate *m.* (étalage).

montrer [mɔ̃tʀe] *tr. 1* Mostrar, enseñar (faire voir). *2* Indicar, señalar (désigner): *— du doigt,* señalar con el dedo. ■ *3 pr.* Mostrarse: *se — prudent,* mostrarse prudente. *4* Exhibirse.

monture [mɔ̃tyʀ] *f. 1* Montura, cabalgadura (cheval, etc.). *2* TECHN. Montura.

monument [mɔnymɑ̃] *m.* Monumento.

moquer (se) [mɔke] *pr.* Burlarse, reírse.

moquette [mɔkɛt] *f.* Moqueta.

moqueur, -euse [mɔkœʀ, -øz] *adj.-s. 1* Burlón, ona. ■ *2 m.* Sinsonte (oiseau).

moral, -ale [mɔral] *adj. 1* Moral. ■ *2 m.*

Moral *f.*, ánimo: *reveler le —,* levantar el ánimo.

moraliser [mɔralize] *tr.-intr.* Moralizar.

moralité [mɔralite] *f. 1* Moralidad. *2* Moraleja (d'une fable).

morbide [mɔrbid] *adj.* Mórbido, da.

morbidité [mɔrbidite] *f.* Morbosidad.

morceau [mɔrso] *m. 1* Pedazo, trozo. *2* Tajada *f.* (tranche). *3* Trozo, fragmento (littéraire, musical).

morceler [mɔrsəle] *tr. 1* Dividir. *2* Parcelar (terrain). ▲ CONJUG. como *appeler*.

mordant, -ante [mɔrdᾱ, -ᾱt] *adj. 1* Mordiente, que muerde. *2* Mordaz (incisif). ■ *3 m.* TECHN. Mordiente. *4* MUS. Mordente. *5* fig. Mordacidad *f.* (agressivité).

mordre [mɔrdr(ə)] *tr. 1* Morder. *2* Picar (poisson, insecte): *ça mord?,* ¿pican? ■ *3 intr.* Morder: *chien qui mord,* perro que muerde. *4* Morder (eau-forte). *5* fam. Picar (se laisser prendre). ■ *6 pr.* Morderse. ▲ CONJUG. como *rendre*.

morfondre (se) [mɔrfɔdr(ə)] *pr.* Consumirse esperando. ▲ CONJUG. como *fondre*.

moribond, -onde [mɔribɔ̃, -ɔ̃d] *adj.-s.* Moribundo, da.

moricaud, -aude [mɔriko, -od] *adj.-s.* Morenillo, lla.

morion [mɔrjɔ̃] *m.* Morrión.

morne [mɔrn(ə)] *adj. 1* Taciturno, na, sombrío, ía. *2* Apagado, da (couleur). *3* Tétrico, ca (lúgubre). ■ *4 m.* Morro (petite montagne).

mors [mɔr] *m.* Bocado, freno (du cheval).

morse [mɔrs(ə)] *m. 1* Morsa *f.* (animal). *2* Morse (alphabet).

mort [mɔr] *f.* Muerte.

mortaise [mɔrtez] *f.* TECHN. Mortaja, muesca.

mortalité [mɔrtalite] *f.* Mortalidad.

mortel, -elle [mɔrtel] *adj.-s.* Mortal.

mortier [mɔrtje] *m. 1* Mortero, almirez (récipient à broyer). *2* MIL. Mortero. *3* CONSTR. Mortero, argamasa *f.*

mortifier [mɔrtifje] *tr. 1* Mortificar. ■ *2 pr.* Mortificarse. ▲ CONJUG. como *prier*.

mortuaire [mɔrtɥer] *adj.* Mortuorio, ria.

morue [mɔry] *f.* Bacalao *m.*

mosaïque [mɔzaik] *adj. 1* Mosaico, ca. ■ *2 f.* Mosaico *m.*

mosquée [mɔske] *f.* Mezquita.

mot [mo] *1* Palabra *f.*, vocablo. Loc. *Bon —, — d'esprit,* chiste, agudeza *f.: gros —,* palabrota *f.,* taco; *— d'ordre, de passe,* consigna *f.,* santo y seña; *— savant,* cultismo. *2 loc. adv. À demi —, à mots couverts,* con palabras encubiertas,

con medias palabras. *3* Frase *f.,* sentencia *f.,* máxima *f.* (phrase). *4* Líneas *f. pl.,* letras *f. pl.: écrire un — à quelqu'un,* escribir unas líneas a alguien.

moteur, -trice [mɔtœr, -tris] *adj. 1* Motor, triz. ■ *2 m.* Motor.

motif [mɔtif] *m.* Motivo.

motion [mɔsjɔ̃] *f.* Moción.

motocyclette [mɔtɔsiklet] *f.* Motocicleta.

motoriser [mɔtɔrize] *tr.* Motorizar.

motte [mɔt] *f. 1* Terrón *m.* (de terre). *2* Pella (de beurre).

motus! [mɔtys] *interj.* fam. ¡Chitón!, ¡silencio!

mou [mu], **mol, molle** [mɔl] *adj. 1* Blando, da (tendre). *2* Suave (doux). *3* Fofo, fa (flasque). *4* Bochornoso, sa. *5* Fojo, ja (sans vigueur). *6* Muelle (vie). ■ *7 adv.* pop. Suavemente. ■ *8 m.* fam. Blandengue (faible). ▲ Delante de sustantivos que empiecen por vocal o *h* muda se usa *mol* en lugar de *mou*.

moucharder [muʃarde] *tr.* fam. Chivar, dar el chivatazo.

mouche [muʃ] *f. 1* Mosca. Loc. *— à miel,* abeja; fig. *fine —,* persona astuta, lince *m.; pattes de —,* escritura *sing.* ilegible, garabatos *m.; prendre la —,* picarse, amoscarse; *faire la — du coche,* meterse en camisa de once varas. *2* Mosca, perilla (barbe). *3* Lunar *m.* postizo (sur la peau). *4* Zapatilla (à la pointe d'un fleuret). *5* Diana (d'une cible).

moucher [muʃe] *tr. 1* Limpiar las narices de. *2* fig. Dar una lección, corregir (réprimander). ■ *3 pr.* Sonarse, limpiarse las narices.

moucheture [muʃtyr] *f.* Pinta, mota.

mouchoir [muʃwar] *m.* Pañuelo.

moudre [mudr(ə)] *tr.* Moler. ▲ CONJUG. IRRÉG. IND. Pres.: *je mouds, tu mouds, il mout, nos moulons, vous moulez, ils moulent.* Imperf.: *je moulais,* etc. Pret. indef.: *je moulus,* etc. Fut. imperf.: *je moudrai,* etc. POT.: *je moudrais,* etc. SUBJ. Pres.: *que je moule,* etc. Imperf.: *que je moulusse,* etc. IMPER. *mouds, moulons, moulez.* PART. A.: *moulant.* PART. P.: *moulu, ue.*

moue [mu] *f.* Mohín *m.*

mouette [mwet] *f.* Gaviota.

mouflon [muflɔ̃] *m.* Carnero salvaje.

mouillage [muja3] *m. 1* Remojo (action de tremper). *2* MAR. Fondeo (action). *3* MAR. Fondeadero, ancladero (lieu). *4* Acción *f.* de aguar (vin, etc.).

mouiller [muje] *tr. 1* Mojar. *2* Aguar (le vin, etc.). *3* MAR. Fondear. *4* Palatalizar (une consonne). ■ *5 pr.* Mojarse. *6* fam. Comprometerse, complicarse.

moule [mul] *m. 1* Molde. 2 Hormilla *f.* (pour les boutons). ■ *3 f.* Mejillón *m.* (mollusque). *4* fig. fam. Zoquete *m.*

moulin [mulɛ̃] *m. 1* Molino. 2 Molinillo: — *à café,* molinillo de café. *3* — *à prières,* molino de plegarias. *4* AUTO. fam. Motor.

moulinet [mulinɛ] *m. 1* Molinete. 2 Carrete (de pêche). *3* TECHN. Torniquete.

moulu, -ue [muly] *1 p. p.* de *moudre.* ■ *2 adj.* Molido, da.

moulure [mulyʀ] *f.* ARCHIT. Moldura.

mourant, -ante [muʀɑ̄, -ɑ̄t] *adj.-s. 1* Moribundo, da. ■ *2 adj.* Lánguido, da.

mourir [muʀiʀ] *intr. 1* Morir, morirse. ■ *2 pr.* Morirse. ▲ CONJUG. IRREG. INDIC. Pres.: *je meurs, tu meurs, il meurt, nous mourons, vous mourez, ils meurent.* Imperf.: *je mourais,* etc. Pret. indef.: *je mourus,* etc. Fut. imperf.: *je mourrai,* etc. POT.: *je mourrais,* etc. SUBJ. Pres.: *que je meure,* etc. Imperf.: *que je mourusse,* etc. IMPER.: *meurs, mourons, mourez.* PART. A.: *mourant.* PART. P.: *mort, morte.* Conjúgase con *être.*

mousse [mus] *adj. 1* Romo, ma, embotado, da (émoussé). ■ *2 f.* Espuma (écume). *3* Musgo *m.* (plante). *4* CUIS. Crema batida: — *au chocolat,* crema de chocolate. *5* — *à raser,* espuma de afeitar. ■ *6 m.* MAR. Grumete.

mousseline [muslin] *f.* Muselina.

mousson [musɔ̃] *f.* Monzón *m.* ou *f.*

moussu, -ue [musy] *adj.* Musgoso, sa.

moustache [mustaʃ] *f.* Bigote *m.*

moustique [mustik] *m.* Mosquito.

moût [mu] *m.* Mosto.

moutard [mutaʀ] *m.* pop. Chaval, chavea.

moutarde [mutaʀd(ə)] *f.* Mostaza.

mouton [mutɔ̃] *m. 1* Carnero, borrego. Loc. *Revenons à nos moutons,* volvamos a nuestro asunto. *2* Cordero. *3* TECHN. Martinete. ■ *4 pl.* MAR. Cabrillas *f.,* borregos (petites vagues).

moutonner [mutɔne] *intr. 1* MAR. Cabrillear (les vagues). 2 Aborregarse (le ciel).

mouvant, -ante [muvɑ̄, -ɑ̄t] *adj. 1* Motor, ra. 2 Movedizo, za.

mouvement [muvmɑ̄] *m.* Movimiento.

mouvoir [muvwaʀ] *tr. 1* Mover. ■ *2 pr.* Moverse. ▲ CONJUG. IRREG. INDIC. Pres.: *je meus, tu meus, il meut, nous mouvons, vous mouvez, ils meuvent.* Imperf.: *je mouvais,* etc. Pret. indef.: *je mus,* etc. Fut. imperf.: *je mouvrai,* etc. POT.: *je mouvrais,* etc. SUBJ. Pres.: *que je meuve,*

etc. Imperf.: *que je musse,* etc. IMPER.: *meus, mouvons, mouvez.* PART. A.: *mouvant.* PART. P.: *mû, mue.*

moyen, -enne [mwajɛ̄, -ɛn] *adj. 1* Medio, dia: — *terme,* término medio. *2* Mediano, na, mediocre. *3* Común, ordinario, ria. ■ *4 m.* Medio. Loc. *Il n'y a pas* — *de,* no hay forma de, manera de. loc. prép. *Au* — *de,* por medio de, con la ayuda de; *par le* — *de,* mediante.

moyenâgeux, -euse [mwajɛnɑʒø, -øz] *adj.* Medieval.

moyennant [mwajɛnɑ̄] *prép. 1* Mediante. *2* — *quoi,* gracias a lo cual.

moyeu [mwajø] *m.* Cubo (de roue).

mucosité [mykozite] *f.* Mucosidad.

mue [my] *f. 1* Muda (des animaux, de la voix). *2* AGR. Caponera (cage). *3* fig. Transformación.

muer [mɥe] *intr. 1* Mudar, cambiar. ■ *2 pr.* Cambiarse, transformarse.

muet, -ette [mɥɛ, -ɛt] *adj.-s.* Mudo, da.

mufle [myfl(ə)] *m. 1* Morro, hocico (des animaux). *2* fam. Patán (malotru).

mugir [myʒiʀ] *intr.* Mugir.

muguet [mygɛ] *m. 1* Muguete. 2 fam. Joven lechuguino.

mulâtre, -tresse [mylɑtʀ(ə), -tʀɛs] *adj.-s.* Mulato, ta.

mule [myl] *f. 1* Mula. 2 Chinela (pantoufle). *3* Mula (du pape).

mulet [mylɛ] *m. 1* Mulo. 2 Mújol (poisson).

mulot [mylo] *m.* Ratón campesino.

multicolore [myltikɔlɔʀ] *adj.* Multicolor.

multiple [myltipl(ə)] *adj. 1* Múltiple. ■ *2 adj.-m.* MATH. Múltiplo, pla.

multiplication [myltiplikasjɔ̃] *f.* Multiplicación.

multiplier [myltiplje] *tr. 1* Multiplicar. ■ *2 pr.* Multiplicarse. ▲ CONJUG. como *prier.*

multitude [myltityd] *f.* Multitud.

municipal, -ale [mynisipal] *adj.* Municipal.

munir [myniʀ] *tr. 1* Proveer, abastecer (de vivres). 2 Proveer, dotar: *voiture munie de phares antibrouillards,* coche provisto de faros antiniebla. ■ *3 pr.* Proveerse.

munition [mynisjɔ̃] *f.* Munición.

mur [myʀ] *m. 1* Muro, pared *f.* (d'une maison, etc.). Loc. *Gros* —, pared maestra; — *mitoyen,* medianería *f.,* pared medianera. *2* Muro, muralla *f.* (d'une ville, etc.). *3* Tapia *f.* (de clôture). *4* fig. Barrera *f.,* obstáculo.

mûr, -mûre [myʀ] *adj.* Maduro, ra.

muraille [myʀɑj] *f.* Muralla.

mural, -ale [myʀal] *adj.* Mural.
mûre [myʀ] *f. 1* Mora (fruit). *2 — sauvage,* zarzamora.
murer [myʀe] *tr. 1* Muralla, amurallar. *2* Tapiar (une porte, etc.). *3* Emparedar (une personne). ■ *4 pr.* Aislarse.
mûrier [myʀje] *m.* Morera *f.*
mûrir [myʀiʀ] *tr.-intr.* Madurar.
murmure [myʀmyʀ] *m.* Murmullo, susurro.
murmurer [myʀmyʀe] *intr.-tr.* Murmurar, murmullar.
musc [mysk] *m. 1* Almizcle (substance). *2* Almizclero (animal).
muscade [myskad] *adj.-f.* Moscada: *noix —,* nuez moscada.
muscat [myska] *adj.-m.* Moscatel.
muscle [myskl(ə)] *m.* Músculo.
musculaire [myskyleʀ] *adj.* Muscular.
muse [myz] *f.* Musa.
museau [myzo] *m.* Hocico.
musée [myze] *m.* Museo.
muselière [myzəljeʀ] *f.* Bozal *m.*
muser [myze] *intr.* Vagar, barzonear.
musette [myzɛt] *f. 1* Morral *m.* (sac). *2* MUS. Gaita.
musicien, -ienne [myzisjɛ̃, -jɛn] *adj.-s.* Músico, ca.
musique [myzik] *f. 1* Música. Loc. fig.

Connaître la —, conocer el paño. *2* Banda (fanfare).
musulman, -ane [myzylkmɑ̃, -an] *adj.-s.* Musulmán, ana.
mutation [mytasjɔ̃] *f.* Mutación.
mutiler [mytile] *tr.* Mutilar.
mutiner (se) [mytine] *pr.* Amotinarse, rebelarse.
mutinerie [mytinʀi] *f.* Motín *m.,* sublevación.
mutisme [mytism(ə)] *m.* Mutismo.
mutuel, -elle [mytɥel] *adj. 1* Mutuo, ua. ■ *2 f.* Mutualidad.
myopie [mjɔpi] *f.* Miopía.
myosotis [mjɔzɔtis] *m.* Miosota *f.,* raspilla *f.*
myriade [miʀjad] *f.* Miríada.
myrrhe [miʀ] *f.* Mirra.
myrte [miʀt(ə)] *m.* Mirto, arrayán.
mystère [mistɛʀ] *m.* Misterio.
mystérieux, -euse [misteʀjø, -øz] *adj.* Misterioso, sa.
mysticisme [mistisism(ə)] *m.* Misticismo.
mystifier [mistifje] *tr. 1* Mistificar. *2* Embaucar, engañar (leurrer). ▲ CONJUG. como *prier.*
mystique [mistik] *adj.-s. 1* Místico, ca. ■ *2 f.* Mística.
mythe [mit] *m.* Mito.
mythologie [mitɔlɔʒi] *f.* Mitología.

N

n [εn] *m*. N. *f*.

nabot, -ote [nabo, -ɔt] *s*. Enano, na, retaco *m*., tapón *m*.

nacarat [nakaʀa] *adj. invar*. Nacarado, da.

nacre [nakʀ(ə)] *f*. Nácar *m*.

nage [naʒ] *f*. *1* Natación. *loc. adv. À la —*, a nado. *2* loc. fig. *Être tout en —*, estar bañado en sudor. *3* MAR. Boga (action).

nageoire [naʒwaʀ] *f*. Aleta.

nager [naʒe] *intr. 1* Nadar. *2* fig. fam. No comprender, no saber qué hacer. *3* MAR. Remar, bogar. ■ *4 tr*. Nadar. ▲ CONJUG. como *engager*.

nageur, -euse [naʒœʀ, -øz] *s*. Nadador, ra.

naguère [nagεʀ] *adv*. No hace mucho, hace poco.

naïf, -ive [naif, -iv] *adj.-s*. Inocente, ingenuo, ua, cándido, da.

nain, naine [nɛ̃, nεn] *adj.-s*. Enano, na.

naissance [nεsɑ̃s] *f. 1* Nacimiento *m*. *2* Linaje *m*., cuna, origen *m*. (extraction). *3* Origen *m*.: *donner — à*, dar origen a.

naître [nεtʀ(ə)] *intr*. Nacer: *il est né*, ha nacido. ▲ CONJUG. como *connaître*, excepto en el pret. indef. (*ja naquis*, etc) y en el part. p. (*né, née*). Se conjuga con *être*.

naïveté [naivte] *f*. Ingenuidad, inocencia, candidez.

naja [naʒa] *m*. Cobra *f*.

nandou [nɑ̃du] *m*. Nandú.

nansouk [nɑ̃zuk] *m*. Nansú.

nantir [nɑ̃tiʀ] *tr. 1* Proveer (pourvoir). ■ *2 pr*. Proveerse.

nantissement [nɑ̃tismɑ̃] *m*. Fianza *f*., prenda *f*.

naphtaline [naftalin] *f*. Naftalina.

naphte [naft(ə)] *m*. Nafta *f*.

nappe [nap] *f. 1* Mantel *m*. *2 — d'autel*, mantel *m*., sabanilla de altar. *3* Capa: *— d'eau*, capa de agua.

narcotique [naʀkɔtik] *adj.-m*. Narcótico, ca.

nard [naʀ] *m*. Nardo.

narine [naʀin] *f*. Ventana de la nariz.

narquois, -oise [naʀkwa, -waz] *adj*. Socarrón, ona, burlón, ona.

narration [naʀɑsjɔ̃] *f*. Narración.

narrer [naʀe] *tr*. Narrar.

narval [naʀval] *m*. Narval.

nasal, -ale [nazal] *adj. 1* Nasal. ■ *2 f*. Nasal (consonne).

naseau [nazo] *m*. Ollar.

nasillard, -arde [nazijaʀ, -aʀd(ə)] *adj*. Gangoso, sa.

nasse [nas] *f. 1* Nasa. *2* fig. Trampa.

natal, -ale [natal] *adj*. Natal.

natalité [natalite] *f*. Natalidad.

natif, -ive [natif, -iv] *adj.-s*. Nativo, va.

nation [nɑsjɔ̃] *f*. Nación.

nationaliser [nasjɔnalize] *tr*. Nacionalizar.

nationalisme [nasjɔnalism(ə)] *m*. Nacionalismo.

nationalité [nasjɔnalite] *f*. Nacionalidad.

nativité [nativite] *f. 1* Natividad. *2* Navidad (Noël).

natte [nat] *f. 1* Trenza (de cheveux). *2* Estera (tapis). *3* Pleita (tresse de sparte).

naturaliser [natyʀalize] *tr. 1* Naturalizar: *se faire —*, naturalizarse. *2* Aclimatar. *3* Disecar (empailler).

naturalisme [natyʀalism(ə)] *m*. Naturalismo.

naturaliste [natyʀalist(ə)] *adj.-s*. Naturalista.

nature [natyʀ] *f. 1* Naturaleza. *2* Natural *m*., índole, carácter *m*. *3* loc. adv. *D'après —*, del natural. ■ *4 adj. invar*. Natural: *un homme très —*, un hombre muy natural.

naturel, -elle [natyʀεl] *adj. 1* Natural. ■ *2 m*. Natural, índole *f*., carácter *m*. *3* Naturalidad *f*. (simplicité). *4* loc. adv. *Au —*, al natural.

naufrage [nofʀaʒ] *m*. Naufragio.

naufrager [nofʀaʒe] *intr*. Naufragar. ▲ CONJUG. como *engager*.

nauséabond, -onde [nozeabɔ̃, -ɔ̃d] *adj.*
Nauseabundo, da.

nausée [noze] *f.* Náusea.

nautique [notik] *adj.* Náutico, ca.

naval, -ale [naval] *adj.* Naval: *combats navals,* combates navales.

navet [navɛ] *m. 1* Nabo. *2* fam. Mamarracho, churro.

navette [navɛt] *f. 1* Lanzadera (de métier à tisser). Loc. *Faire la —,* ir y venir. *2* Canilla (de machine à coudre). *3* LITURG. Naveta. *4* Tren *m.,* autocar *m.* que va y viene de un punto a otro.

navigation [navigasjɔ̃] *f.* Navegación: *—au long cours,* navegación de altura.

naviguer [navige] *intr.* Navegar.

navire [navir] *m.* Navío, buque, nave *f.*

navrant, -ante [navrɑ̃, -ɑ̃t] *adj. 1* Aflictivo, va, desconsolador, ra, doloroso, sa. *2* Lamentable.

navrer [navre] *tr.* Afligir, desconsolar. Loc. *J'en suis navré,* lo siento en el alma.

ne [n(ə)] *adv. 1* No: *je — sais pas,* yo no sé; *il — rit jamais,* no se ríe nunca. *2 — que,* no... sino: *elle — boit que de l'eau,* no bebe sino agua; no... más que: *il — dit que des bêtises,* no dice más que tonterías.

né, née [ne] *v. 1* v. *naître.* ■ *2 adj.* Nacido, da. *3* Precede al apellido de soltera de la mujer casada: *madame Leblanc, née Laroche,* señora Laroche de Leblanc. *4* Nato, ta, de nacimiento: *criminel —,* criminal nato.

néanmoins [neɑ̃mwɛ̃] *adv.* Sin embargo, no obstante.

néant [neɑ̃] *m.* Nada *f.*

nébuleux, -euse [nebylø, -øz] *adj.* Nebuloso, sa.

nécessaire [nesesɛr] *adj. 1* Necesario, ia. ■ *2 m. Le —,* lo necesario: *faire le —,* hacer lo necesario. *3* Neceser: *— de voyage,* neceser.

nécessité [nesesite] *f.* Necesidad.

nécessiter [nesesite] *tr. 1* Necesitar. *2* Requerir.

nécrologie [nekrɔlɔʒi] *f.* Necrología.

nécromancie [nekrɔmɑ̃si] *f.* Nigromancia.

nectar [nektar] *m.* Néctar.

nef [nɛf] *f. 1* ARCHIT. Nave. *2* vieil. Nave, nao (navire).

néfaste [nefast(ə)] *adj.* Nefasto, ta, funesto, ta.

nèfle [nɛfl(ə)] *f.* Níspero *m.* (fruit).

néflier [neflije] *m.* Níspero.

négatif, -ive [negatif, -iv] *adj. 1* Negativo, va. ■ *2 m.* PHOT. Negativo. ■ *3 f.* Negativa.

négation [negɑsjɔ̃] *f.* Negación.

négligé, -ée [negliʒe] *adj. 1* Descuidado, da. ■ *2 m.* Descuido. *3* Vestido casero, bata *f.: être en —,* estar de trapillo.

négligence [negliʒɑ̃s] *f.* Negligencia, descuido *m.*

négligent, -ente [negliʒɑ̃, -ɑ̃t] *adj.-s.* Negligente, descuidado, da.

négoce [negɔs] *m.* Negocio, comercio.

négociant, -ante [negɔsjɑ̃, -ɑ̃t] *s.* Negociante.

négociation [negɔsjɑsjɔ̃] *f.* Negociación.

négocier [negɔsje] *intr.-tr.* Negociar. ▲ CONJUG. como *prier.*

nègre, négresse [nɛgr(ə), negrɛs] *adj.-s.* Negro, gra.

négrier [negrije] *adj.-m.* Negrero.

neige [nɛʒ] *f. 1* Nieve. *2 — fondue,* aguanieve.

neiger [neʒe] *impers.* Nevar. ▲ CONJUG. como *engager.*

nénuphar [nenyfar] *m.* Nenúfar

néologisme [neɔlɔʒism(ə)] *m.* Neologismo.

néon [neɔ̃] *m.* Neón.

néophyte [neɔfit] *s.* Neófito, ta.

népotisme [nepɔtism(ə)] *m.* Nepotismo.

nerf [nɛr] *m. 1* ANAT. Nervio Loc. *— de bœuf,* vergajo; fig. *avoir les nerfs en pelote,* estar nervioso, sa; *porter, taper sur les nerfs,* poner nervioso, sa *2* fig. Nervio, fuerza *f.,* energía *f. 3* TECHN. Nervio.

nerveux, -euse [nɛrvø, -øz] *adj.-s.* Nervioso, sa: *rendre —,* poner nervioso.

nervosité [nɛrvozite] *f.* Nerviosidad, nervosidad.

nervure [nɛrvyr] *f. 1* BOT. Nervio *m. 2* ARCHIT. Nervadura. *3* Nervura (reliure).

net, nette [nɛt] *adj. 1* Nítido, da, limpio, ia, puro, ra: *voix nette,* voz pura. Loc. *Mettre au —,* poner en limpio; fig. *en avoir le cœur —,* asegurarse de la verdad de una cosa. *2* Neto, ta: *poids —,* peso neto. *3* Claro, ra, categórico, ca: *idées nettes,* ideas claras. ■ *4 adv.* De repente, en seco: *s'arrêter —,* pararse en seco. *5* Categóricamente, rotundamente: *refuser —, tout —,* negarse rotundamente. *6* En limpio: *mille francs —,* mil francos en limpio.

netteté [nɛtte] *f.* Lmpieza, nitidez, claridad.

nettoyer [netwaje] *tr.* Limpiar. ▲ CONJUG. como *employer.*

neuf [nœf] *adj.-m. 1* Nueve: *il est — heures,* son las nueve. *2 Charles IX,* Carlos noveno.

neuf, neuve [nœf, -nœv] *adj. 1* Nuevo, va.

■ *2 m. invar.* Nuevo. Loc. ***Remettre à —,*** arreglar, poner como nuevo.

neurasthénie [nøʀasteni] *f.* MÉD. Neurastenia.

neutralité [nøtʀalite] *f.* Neutralidad.

neutre [nøtʀ(ə)] *adj. 1* Neutro, tra. *2* Neutral (pays).

neuvaine [nœven] *f.* Novena, novenario *m.*

neuvième [nœvjɛm] *adj.-s.* Noveno, na.

neveu [n(ə)vø] *m.* Sobrino.

névralgie [nevʀalʒi] *f.* MÉD. Neuralgia.

névrose [nevʀoz] *f.* Neurosis.

nez [ne] *m. 1* Nariz *f. 2* Olfato: *avoir du —, le — fin,* tener buen olfato. *3* Loc. *Faire un pied de — à,* burlarse de; *parler du —,* gangear; *rire au — de,* reírse en las barbas de. *4* MAR. Proa *f. 5* Morro (d'un avion).

ni [ni] *conj.* Ni.

niable [njabl(ə)] *adj.* Negable.

niais, -aise [njɛ, njɛz] *adj.-s.* Necio, ia, bobo, ba, tonto, ta, simple.

niche [niʃ] *f. 1* Nicho *m. 2* Casilla (à chien). *3* Broma, travesura (farce).

nicher [niʃe] *intr. 1* Anidar. *2* fam. Vivir. ■ *3 pr.* Anidar (les oiseaux). *4* Meterse, esconderse (se cacher).

nickel [nikɛl] *m.* Níquel.

nicotine [nikɔtin] *f.* Nicotina.

nid [ni] *m.* Nido. Loc. *Nids d'abeilles,* frunce (broderie).

nidifier [nidifje] *intr.* Nidificar. ▲ CONJUG. como *prier.*

nièce [njɛs] *f.* Sobrina.

nier [nje] *tr.* Negar: *il nie la vérité,* niega la verdad. ▲ CONJUG. como *prier.*

nigaud, -aude [nigo, -od] *adj.-s.* Bobo, ba.

nihilisme [niilism(ə)] *m.* Nihilismo.

nimbe [nɛ̃b] *m.* Nimbo, aureola *f.*

nipper [nipe] *tr. 1* fam. Vestir, ataviar. ■ *2 pr.* fam. Vestirse, ataviarse.

nippon, -one [nipɔ̃, -ɔn] *adj.* Nipón, ona.

nique [nik] *f.* Loc. *Faire la — à,* burlarse de.

nitouche (sainte) [sɛ̃tnituʃ] *f.* Mosquita muerta.

nitrate [nitʀat] *m.* Nitrato.

niveau [nivo] *m.* Nivel.

niveler [nivle] *tr.* Nivelar. ▲ CONJUG. como *appeler.*

noble [nɔbl(ə)] *adj.-s.* Noble.

noblesse [nɔbles] *f.* Nobleza.

noce [nɔs] *f. 1* Boda. Loc. fig. *Faire la —,* ir de juerga, ir de picos pardos. ■ *2 pl.* Bodas, nupcias.

noceur, -euse [nɔsœʀ, -øz] *adj.-s.* Juerguista.

nocif, -ive [nɔsif, -iv] *adj.* Nocivo, va.

noctambule [nɔktãbyl] *adj.-s.* Noctámbulo, la, trasnochador, ra.

nocturne [nɔktyʀn(ə)] *adj. 1* Nocturno, na. ■ *2 m.* MUS. Nocturno. ■ *3 f.* Partido *m.* nocturno.

nodule [nɔdyl] *m.* Nódulo.

nœud [nø] *m. 1* Nudo: — *coulant,* nudo corredizo; — *gordien,* nudo gordiano. *2* MAR. Nudo (unité de distance). *3* ASTRON. Nodo.

noir, noire [nwaʀ] *adj. 1* Negro, gra. *2* Oscuro, ra: *il fait —,* está oscuro. *3* pop. Borracho, cha, trompa (ivre). *4* fig. Triste, negro, gra: *des idées noires,* ideas tristes; *humeur noire,* humor negro. ■ *5 m.* Negro (couleur). ■ *6 adj.-s.* Negro, gra (de race noire).

noirâtre [nwaʀɑtʀ(ə)] *adj.* Negruzco, ca.

noiraud, -aude [nwaʀo, -od] *adj.-s.* fam. Moreno, na.

noircir [nwaʀsiʀ] *tr. 1* Ennegrecer, ensombrecer. *2* fig. Calumniar, infamar, manchar. ■ *3 intr.-pr.* Ennegrecerse, ensombrecerse.

noise [nwaz] *f.* Loc. *Chercher — à quelqu'un,* buscar camorra a alguien.

noisetier [nwaztje] *m.* Avellano.

noisette [nwazet] *f.* Avellana.

noix [nwa(ɑ)] *f. 1* Nuez: *des —,* nueces. *2 — de coco,* coco, nuez de coco; — *muscade,* nuez moscada; — *de galle,* agalla. *3* Loc. fam. *À la —,* de tres al cuarto.

nom [nɔ̃] *m. 1* Nombre: — *de baptême, petit —,* nombre de pila. Loc. — *de famille,* apellido; *avoir —,* llamarse; *au — de,* en nombre de. *2* Apellido (de famille). *3* GRAM. Sustantivo, nombre: — *commun,* nombre común.

nomade [nɔmad] *adj.-s.* Nómada.

nombre [nɔ̃bʀ(ə)] *m. 1* Número: — *abstrait, entier,* número abstracto, entero. *2 loc. prép. Au — de,* entre, en el número de.

nombreux, -euse [nɔ̃bʀø, -øz] *adj.* Numeroso, sa: *de — cas,* numerosos casos.

nombril [nɔ̃bʀi] *m.* Ombligo.

nominal, -ale [nɔminal] *adj.* Nominal.

nominatif, -ive [nɔminatif, -iv] *adj. 1* Nominal: *état —,* relación nominal. ■ *2 adj.-m.* GRAM. Nominativo.

nomination [nɔminasjɔ̃] *f.* Nombramiento *m.*

nommé, -ée [nɔme] *adj. 1* Nombrado, da, llamado, da, apodado, da. *2 loc. adv. À point —,* a punto, en el momento preciso.

nommer [nɔme] *tr. 1* Llamar, poner de nombre: *ses parents l'ont nommé Jean,* sus padres le pusieron de nombre Juan.

2 Mencionar, nombrar (citer). *3* Nombrar: *on l'a nommé directeur,* le nombraron director. ■ *4 pr.* Nombrarse, llamarse.

non [nɔ̃] *adv. 1* No: *oui ou —,* ¿sí o no?; — *certes,* no es cierto. *2 loc. adv. — plus,* tampoco. *3 loc. conj. — que, — pas que,* no es que; — *plus que,* no más que. ■ *4 m.* No: *un — catégorique,* un no rotundo.

nonagénaire [nɔnaʒenɛʀ] *adj.-s.* Nonagenario, ria.

nonchalance [nɔ̃ʃalɑ̃s] *f.* Indolencia, flojedad, abandono *m.*

nonciature [nɔ̃sjatyʀ] *f.* Nunciatura.

none [nɔn] *f. 1* Nona. ■ *2 pl.* Nonas.

nonne [nɔn] *f.* Monja.

nonobstant [nɔnɔpstɑ̃] *prép. 1* A pesar de. ■ *2 adv.* No obstante.

non-sens [nɔ̃sɑ̃s] *m. invar. 1* Falta de sentido. *2* Absurdo, disparate (absurdité).

nord [nɔʀ] *m. 1* Norte. Loc. fam. *Perdre le —,* perder la chaveta. ■ *2 adj. invar. Pôle —,* polo norte.

nord-est [nɔʀɛst] *adj.-m.* Nordeste.

nord-ouest [nɔʀɛst] *adj.-m.* Noroeste.

noria [nɔʀja] *f.* Noria.

normal, -ale [nɔʀmal] *adj. 1* Normal: *École normale,* Escuela Normal. ■ *2 f. La —,* lo normal, la normalidad.

norme [nɔʀm(ə)] *f.* Norma, pauta.

norvégien, -ienne [nɔʀveʒjɛ̃, -jɛn] *adj.-s.* Noruego, ga.

nos [no] *adj. poss. 1* Nuestros, nuestras.

nostalgie [nɔstalʒi] *f.* Nostalgia.

nota [nɔta] *m. invar. 1* Nota *f. 2 Nota bene, nota,* nota bene *f.*, nota *f.*

notable [nɔtabl(ə)] *adj.-m.* Notable.

notaire [nɔtɛʀ] *m. 1* Notario. *2 Étude de —,* notaría.

notarial, -ale [nɔtaʀjal] *adj.* Notarial.

notarié, -ée [nɔtaʀje] *adj. 1* Notarial (fait devant notaire). *2* Notariado, da.

notation [nɔtasjɔ̃] *f.* Notación.

note [nɔt] *f. 1* Nota: *prendre — de,* tomar nota de. *2* Cuenta, factura (addition). *3* Apunte *m.: prendre des notes,* tomar apuntes.

noter [nɔte] *tr. 1* Notar (remarquer). *2* Anotar, apuntar (inscrire).

notice [nɔtis] *f.* Nota, reseña, folleto *m.*

notifier [nɔtifje] *tr.* Notificar. ▲ CONJUG. como *prier.*

notion [nosjɔ̃] *f.* Noción.

notoriété [nɔtɔʀjete] *f.* Notoriedad.

notre [nɔtʀ(ə)] *adj. poss.* Nuestro, tra.

nôtre [notʀ(ə)] *pron. poss.* Nuestro, tra. ■ *2 m. Les nôtres,* los nuestros.

noué, -ée [nwe] *adj.* Anudado, da.

nouer [nwe] *tr. 1* Anudar, atar. *2* fig. Trabar: — *une amitié,* trabar una amistad. *3* Urdir: — *une intrigue,* urdir una intriga. ■ *4 pr.* Anudarse, atarse.

nougat [nuga] *m.* Almendrado, turrón.

nouille [nuj] *f. 1* Tallarín *m.: nouilles au gratin,* tallarines al graten. *2* fam. Ganso, sa, bobalicón, ona.

nourri, -ie [nuʀi] *adj. 1* Nutrido, da. *2* Alimentado, da, cebado, da.

nourrice [nuʀis] *f.* Nodriza.

nourrir [nuʀiʀ] *tr. 1* Nutrir. *2* Alimentar, mantener. *3* Criar, amamantar (allaiter). *4* fig. Abrigar (espoir, etc.). ■ *5 pr.* Alimentarse, nutrirse.

nourrisson [nuʀisɔ̃] *m.* Niño de pecho.

nourriture [nuʀityʀ] *f.* Alimento *m.*, sustento *m.*, comida *f.*

nous [nu] *pron. pers. pl. 1* Nosotros (sujet): — *sommes,* somos (se traduit rarement, sauf pour insister); — *autres Français,* nosotros los franceses; *c'est — qui,* somos nosotros, nosotras quienes. *2* Nos (complément): *il — parle,* él nos habla. *3 À —,* nuestro, tra: *cette maison est à —,* esta casa es nuestra. *4* Nos (pluriel de majesté).

nouveau [nuvo] (delante de vocal o *h* muda *nouvel), nouvelle* [nuvɛl] *adj. 1* Nuevo, va: — *riche,* nuevo rico. *2 loc. adv. À —,* de nuevo; *de —,* de nuevo, una vez más. ■ *3 s.* Nuevo, va, novato, ta (élève, recrue). ■ *4 m. Du nouveau,* algo nuevo. ■ *5 adv.* Recién: *nouveaux mariés,* recién casados.

nouveau-né, ée [nuvone] *adj.-s.* Recién nacido, da.

nouveauté [nuvote] *f. 1* Novedad. ■ *2 pl.* COMM. Novedades.

nouvelle [nuvɛl] *f. 1* Noticia, nueva: *dernières nouvelles,* últimas noticias. Loc. *Aller aux nouvelles,* ir en busca de noticias. *2* Novela corta (récit): *romans et nouvelles,* novelas y novelas cortas.

nouvelliste [nuvelist(ə)] *m. 1* Periodista (journaliste). *2* Autor de novelas cortas.

novembre [nɔvɑ̃bʀ(ə)] *m.* Noviembre.

novice [nɔvis] *adj.-s. 1* Novicio, cia (religieux). *2* Novato, ta (débutant).

noviciat [nɔvisja] *m.* Noviciado.

noyau [nwajo] *m. 1* BOT. Hueso, cuesco. *2* BIOL., PHYS. Núcleo. *3* fig. Núcleo.

noyer [nwaje] *tr. 1* Ahogar. *2* Anegar (un terrain). *3* fig. — *son chagrin,* ahogar sus penas. *4* Anegar, inundar. *5* Diluir, desvanecer (couleurs, etc.). ■ *6 pr.* Ahogarse. ▲ CONJUG. como *employer.*

noyer [nwaje] *m.* Nogal.

nu, -nue [ny] *adj. 1* Desnudo, da. ▲ Delante del nombre, es invariable y se une a él con un guión; después del nombre, concuerda con él y no lleva guión: *nu-pieds, pieds nus,* descalzo, za. *2* DR. Nudo, da: *nu-propriétaire,* nudo propietario. ■ *3 m.* PEINT., SCULPT. Desnudo.

nuage [nɥaʒ] *m. 1* Nube *f. 2 Gros —,* nubarrón.

nuageux, -euse [nɥaʒø. -øz] *adj. 1* Nublado, da. *2* fig. Nebuloso, sa.

nuance [nɥãs] *f.* Matiz *m.,* gradación.

nubile [nybil] *adj.* Núbil.

nucléaire [nykleer] *adj.* Nuclear.

nudité [nydite] *f.* Desnudez.

nue [ny] *f.* Nube.

nuée [nɥe] *f. 1* Nubarrón *m.,* nublado *m. 2* fig. Nube, multitud.

nuire [nɥiʀ] *intr. 1* Dañar, perjudicar: *— à la réputation,* dañar la reputación. ■ *2 pr.* Dañarse, perjudicarse. ▲ CONJUG. como *conduire,* excepto en el part. p. que no lleva *t* final.

nuisible [nɥizibl(ə)] *adj.* Dañoso, sa, perjudicial.

nuit [nɥi] *f. 1* Noche: *il fait —,* es de noche. *2 loc. adv. La —,* por la noche, de noche; *à la — tombante,* al anochecer.

nul [nyl] *pron. indéf.* Nadie.

nul, nulle [nyl] *adj. 1* Nulo, la. ■ *2 adj. indéf.* Ningún, ninguno, na.

nullité [nyl(l)ite] *f.* Nulidad.

numéraire [nymeʀeʀ] *adj.-m.* Numerario, ia.

numéral, -ale [nymeʀal] *adj.* Numeral: *adjectifs numéraux,* adjetivos numerales.

numération [nymeʀasjɔ̃] *f.* Numeración.

numéro [nymeʀo] *m. 1* Número (chiffre de loterie, spectacle). *2* Matrícula *f.* (de voiture). *3* fam. *Un drôle de —,* un tipo raro.

numéroter [nymeʀote] *tr.* Numerar.

numismatique [nymismatik] *adj. 1* Numismático, ca. ■ *2 f.* Numismática.

nuptial, -ale [nypsijal] *adj.* Nupcial.

nuque [nyk] *f.* Nuca.

nutritif, -ive [nytʀitif, -iv] *adj.* Nutritivo, va.

nutrition [nytʀisjɔ̃] *f.* Nutrición.

nymphe [nɛ̃f] *f.* Ninfa.

O

o [o] *m.* O *f.*
ô! [o] *interj.* ¡Oh!
oasis [ɔazis] *f.* Oasis *m.*
obéir [ɔbeiʀ] *tr.-intr.* Obedecer.
obéissance [ɔbeisɑ̃s] *f.* Obediencia.
obéissant, -ante [ɔbeisɑ̃, -ɑ̃t] *adj.* Obediente.
obélisque [ɔbelisk(ə)] *m.* Obelisco.
obésité [ɔbezite] *f.* Obesidad.
objecter [ɔbʒɛkte] *tr.* Objetar.
objection [ɔbʒɛksjɔ̃] *f.* Objeción.
objectivité [ɔbʒɛktivite] *f.* Objetividad.
objet [ɔbʒɛ] *m.* Objeto.
oblation [ɔblɑsjɔ̃] *f.* Oblación.
obligation [ɔbligasjɔ̃] *f.* Obligación.
obligatoire [ɔbligatwaʀ] *adj.* Obligatorio, ria.
obligé, -ée [ɔbliʒe] *adj. 1* Obligado, da. ■ *2 adj.-s.* Agradecido, da.
obligeant, -ante [ɔbliʒɑ̃, -ɑ̃t] *adj.* Complaciente, amable, servicial, cortés.
obliger [ɔbliʒe] *tr. 1* Obligar. *2* Servir, complacer: *vous m'obligeriez si...*, le estaría muy agradecido si... ■ *3 pr.* Obligarse, comprometerse. ▲ CONJUG. como *engager.*
oblique [ɔblik] *adj.* Oblicuo, cua.
oblitérer [ɔblitere] *tr. 1* Borrar (effacer). *2* Inutilizar, matar (con matasellos): — *un timbre*, matar un sello. *3* MÉD. Obliterar. ▲ CONJUG. como *accélérer.*
oblong, -ongue [ɔblɔ̃, -ɔ̃g] *adj.* Oblongo, ga.
obnubiler [ɔbnybile] *tr.* Obnubilar, obsesionar.
obole [ɔbɔl] *f.* Óbolo *m.*
obscénité [ɔpsenite] *f.* Obscenidad.
obscur, -ure [ɔpskyʀ] *adj.* Oscuro, ra, oscuro, ra.
obscurcir [ɔpskyʀsiʀ] *tr. 1* Oscurecer. ■ *2 pr.* Obscurecerse.
obscurité [ɔpskyʀite] *f.* Obscuridad.
obséder [ɔpsede] *tr.* Obsesionar, atormentar. ▲ CONJUG. como *accélérer.*

obsèques [ɔpsɛk] *f. pl.* Exequias, funerales *m.*
obséquieux, -euse [ɔpsekjø, -øz] *adj.* Obsequioso, sa.
observance [ɔpsɛʀvɑ̃s] *f.* Observancia.
observateur, -trice [ɔpsɛʀvatœʀ, -tʀis] *adj.-s.* Observador, ra.
observation [ɔpsɛʀvasjɔ̃] *f.* Observación.
observer [ɔpsɛʀve] *tr.* Observar.
obsession [ɔpsesjɔ̃] *f.* Obsesión.
obstacle [ɔpstakl(ə)] *m.* Obstáculo: *faire — à*, poner obstáculos a.
obstination [ɔpstinasjɔ̃] *f.* Obstinación.
obstiner (s') [ɔpstine] *pr.* Obstinarse (*à, en*).
obstruction [ɔpstʀyksjɔ̃] *f.* Obstrucción.
obstruer [ɔpstʀye] *tr.* Obstruir.
obtenir [ɔptəniʀ] *tr.* Obtener: *il a obtenu le prix Nobel*, obtuvo el premio Nobel. ▲ CONJUG. como *venir.*
obtention [ɔptɑ̃sjɔ̃] *f.* Obtención.
obturer [ɔptyʀe] *tr.* Obturar.
obtus, -use [ɔpty, -yz] *adj.* Obtuso, sa.
obus [ɔby] *m.* Obús.
obvier [ɔbvje] *intr.* Obviar. ▲ CONJUG. como *prier.*
ocarina [ɔkaʀina] *m.* MUS. Ocarina *f.*
occasion [ɔka(a)zjɔ̃] *f. 1* Ocasión, oportunidad: *profiter d'une —*, aprovechar una oportunidad. *2* Ocasión. Loc. *D'—*, de ocasión; *livres d'—*, libros de ocasión, de segunda mano. *3* Motivo *m.*, causa.
occasionner [ɔkazjɔne] *tr.* Ocasionar.
occident [ɔksidɑ̃] *m.* Occidente.
occidental, -ale [ɔksidɑ̃tal] *adj.-s.* Occidental.
occipital, -ale [ɔksipital] *adj.* Occipital.
occulte [ɔkylt(ə)] *adj.* Oculto, ta.
occultisme [ɔkyltism(ə)] *m.* Ocultismo.
occupation [ɔypasjɔ̃] *f.* Ocupación.
occuper [ɔkype] *tr. 1* Ocupar. ■ *2 pr.* Ocuparse.
occurrence [ɔkyʀɑ̃s] *f.* Ocurrencia.
océan [ɔseɑ̃] *m.* Océano.

ocelot [ɔslo] *m.* Ocelote.

ocre [ɔkʀ(ə)] *adj.-f.* Ocre *m.*

octaèdre [ɔktaɛdʀ(ə)] *m.* Octaedro.

octobre [ɔktɔbʀ(ə)] *m.* Octubre.

octogénaire [ɔktɔʒenɛʀ] *adj.-s.* Octogenario, ria.

octogonal, -ale [ɔktɔgɔnal] *adj.* Octogonal.

octroi [ɔktʀwa] *m. 1* Otorgamiento, concesión *f.* (d'un privilège, etc.). 2 Consumos *pl.* (droits, impôts). 3 Fielato (bureau).

oculaire [ɔkylɛʀ] *adj.-m.* Ocular.

oculiste [ɔkylist(ə)] *adj.-s.* Oculista.

odalisque [ɔdalisk(ə)] *f.* Odalisca.

ode [ɔd] *f.* Oda.

odéon [ɔdeɔ̃] *m.* Odeón.

odeur [ɔdœʀ] *f.* Olor *m.*

odieux, -euse [ɔdjø, -øz] *adj.* Odioso, sa.

odontologie [ɔdɔ̃tɔlɔʒi] *f.* Odontología.

odorant, -ante [ɔdɔʀɑ̃, -ɑ̃t] *adj.* Oloroso, sa, fragante.

odorat [ɔdɔʀa] *m.* Olfato.

odyssée [ɔdise] *f.* Odisea.

œcuménique [ekymenik] *adj.* Ecuménico, ca.

œil [œj] *pl.* **yeux** [jø] *m. 1* Ojo. Loc. *Avoir l'— à, sur*, tener ojo a, vigilar; *avoir l'— à tout*, estar en todo; *être tout yeux*, ser todo ojos; *faire de l'— à quelqu'un*, guiñar el ojo a alguien; *il n'est pour voir que l'— du maître*, el ojo del amo engorda el caballo. *loc. adv. À l'—*, de balde (gratis); *à l'— nu*, a simple vista; *à vue d'—*, a ojo de buen cubero, a ojos vistas. 2 *interj.* fam. *Mon —!*, ni hablar! 3 Ojo (d'une aiguille, du pain, du fromage, du bouillon). 4 BOT. Yema *f.*, botón.

œil-de-bœuf [œjdəbœf] *m.* Ojo de buey.

œil-de-perdrix [œjdəpɛʀdʀi] *m.* Ojo de gallo.

œillade [œjad] *f.* Guiño *m.*, guiñada.

œillère [œjɛʀ] *f.* Anteojera (de cheval).

œillet [œjɛ] *m. 1* Clavel. 2 *— d'Inde*, clavelón. 3 Ojete (de chaussure).

œillette [œjɛt] *f.* Adormidera.

œsophage [ezɔfaʒ] *m.* Esófago.

œuf [œf], *pl.* **œufs** [ø] *m.* Huevo.

œuvre [œvʀ(ə)] *f. 1* Obra, labor, trabajo. Loc. *Mettre en —*, utilizar, poner en acción, en práctica. 2 Obra: *bonnes œuvres*, buenas obras. 3 Obra: *— d'art*, obra de arte. ■ *4 m.* Obra *f.* (d'un artiste). 5 CONSTR. *Le gros —*, los cimientos y las paredes.

offense [ɔfɑ̃s] *f.* Ofensa.

offenser [ɔfɑ̃se] *tr. 1* Ofender. ■ *2 pr.* Ofenderse.

offensif, -ive [ɔfɑ̃sif, -iv] *adj. 1* Ofensivo, va. ■ *2 f.* Ofensiva.

office [ɔfis] *m. 1* Oficio, cargo, función *f.* Loc. *Faire — de*, hacer las veces de. *loc. adv. D'—*, de oficio. 2 Oficio (faveur): *bons offices*, buenos oficios. 3 LITURG. Oficio: *petit —*, oficio parvo. 4 Despacho, agencia *f.* (bureau). ■ *5 m.* ou *f.* Antecocina *f.*

officiel, -elle [ɔfisjɛl] *adj.* Oficial.

officier [ɔfisje] *intr.* LITURG. Celebrar. ▲ CONJUG. como *prier.*

officier [ɔfisje] *m.* Oficial.

officieux, -euse [ɔfisjø, -øz] *adj.* Oficioso, sa.

officine [ɔfisin] *f.* Oficina, laboratorio *m.*

offrande [ɔfʀɑ̃d] *f.* Ofrenda.

offre [ɔfʀ(ə)] *f.* Oferta.

offrir [ɔfʀiʀ] *tr. 1* Ofrecer. 2 Regalar, ofrecer (un cadeau). ▲ CONJUG. IRREG. INDIC. Pres.: *j'offre, tu offres, il offre, nous offrons, vous offrez, ils offrent.* Imperf.: *j'offrais*, etc. Pret. indef.: *j'offris*, etc. Fut. imperf.: *j'offrirai*, etc. POT.: *j'offrirais*, etc. SUBJ. Pres.: *que j'offre*, etc. Imperf.: *que j'offrise*, etc. IMPER.: *offre, offrons, offrez.* PART. A.: *offrant.* PART. P.: *offert, erte.*

offusquer [ɔfyske] *tr. 1* Chocar, ofender. 2 Ofuscar (éblouir). ■ *3 pr.* Ofenderse.

ogival, -ale [ɔʒival] *adj.* ARCHIT. Ojival.

ogre, ogresse [ɔgʀ(ə), ɔgʀɛs] *s.* Ogro.

oh! [o] *interj.* ¡Oh!

ohé! [ɔe] *interj.* ¡Eh!, ¡Hola!

oie [wa] *f. 1* Oca, ganso *m.*, ánsar *m.* 2 fig. Tonto, ta.

oignon [ɔɲɔ̃] *m. 1* Cebolla *f.* 2 Bulbo (de tulipe, etc.). 3 Juanete (aux pieds).

oindre [wɛ̃dʀ(ə)] *tr. 1* Untar. 2 RELIG. Ungir. ▲ CONJUG. IRREG. INDIC. Pres.: *j'oins, tu oins, il oint, nous oignons, vous oignez, ils oignent.* Imperf.: *j'oignais*, etc. Pret. indef.: *j'oignis*, etc. Fut. imperf.: *j'oindrai*, etc. POT.: *j'oindrais*, etc. SUBJ. Pres.: *que j'oigne*, etc. Imperf.: *que j'oignisse*, etc. IMPER.: *oins, oignons, oignez.* PART. A.: *oignant.* PART. P.: *oint, ointe.*

oiseau [wazo] *m. 1* Ave *f.* (grand), pájaro (petit). Loc. *— de passage*, ave de paso; fig. *vilain —*, pajarraco. 2 *loc. adv. À vol d'—*, en línea recta.

oiseux, -euse [wazø, -øz] *adj.* Vano, na, inútil.

oisif, -ive [wazif, ;-iv] *adj.-s.* Ocioso, sa.

oisiveté [wazivte] *f.* Ociosidad.

oison [wazɔ̃] *m.* Ansarón.

oléagineux, -euse [ɔleaʒinø, -øz] *adj.-m.* Oleaginoso, sa.

olfactif, -ive [ɔlfaktif, -iv] *adj.* Olfativo, va.

oligarchie [ɔligaʀʃi] *f.* Oligarquía.

olivaie [ɔlivɛ] *f.* Olivar *m.*

olivâtre [ɔlivɑtʀ(ə)] *adj.* Aceitunado, da.

olive [ɔliv] *f. 1* Aceituna, oliva. ■ *2 adj.* De color verde oliva.

olympiade [ɔlɛ̃pjad] *f.* Olimpiada.

olympique [ɔlɛ̃pik] *adj.* Olímpico, ca.

ombelle [ɔ̃bɛl] *f.* вот. Umbela.

ombilic [ɔ̃bilik] *m.* Ombligo.

ombrage [ɔ̃bʀaʒ] *m. 1* Enramada *f.*, follaje que da sombra. *2* Sombra *f.* (ombre). *3* fig. Sospecha *f.*, recelo. Loc. *Prendre — de quelque chose*, disgustarse de algo.

ombrager [ɔ̃bʀaʒe] *tr.* Sombrear. ▲ CONJUG. como *engager*.

ombrageux, -euse [ɔ̃bʀaʒø, -øz] *adj. 1* Desconfiado, da, receloso, sa. *2* Asombradizo, za, espantadizo, za (cheval).

ombre [ɔ̃bʀ(ə)] *f. 1* Sombra: *faire de l'—*, hacer, dar sombra. Loc. *—portée*, esbatimiento *m.*; *sans l'— d'un doute*, sin sombra de duda; *vivre dans l'—*, vivir apartado, da; fam. *mettre à l'—*, poner a la sombra, meter en chirona. *2 Terre d'—*, tierra de Siena.

ombrelle [ɔ̃bʀɛl] *f.* Sombrilla.

ombreux, -euse [ɔ̃bʀø, -øz] *adj.* Umbroso, sa.

omelette [ɔmlɛt] *f.* Tortilla: *— au jambon, nature*, tortilla de jamón, a la francesa.

omettre [ɔmɛtʀ(ə)] *tr.* Omitir. ▲ CONJUG. como *mettre*.

omission [ɔmisjɔ̃] *f.* Omisión.

omnibus [ɔmnibys] *m.* Ómnibus.

omnipotence [ɔmnipɔtɑ̃s] *f.* Omnipotencia.

omnipotent, -ente [ɔmnipɔtɑ̃, -ɑ̃t] *adj.* Omnipotente.

omniscience [ɔmnisjɑ̃s] *f.* Omnisciencia.

omnivore [ɔmnivɔʀ] *adj.* Omnívoro, ra.

omoplate [ɔmɔplat] *f.* ANAT. Omóplato *m.*

on [ɔ̃] *pron. indéf. 1* Se, 3.ª pers. del pl.: *dit qu'il est mort*, se dice, dicen que ha muerto. *2* Uno, una: *— croirait*, uno, una creería. *3* fam. Sens de *nous:* — *a bien mangé*, hemos comido bien. *4* fam. Sens de *je:* — *vient!*, ¡ya voy! *5 Le qu'en dira-t-—*, el que dirán; *les — -dit*, v. *on-dit.* ▲ *Por eufonía se usa l'on* después de *et, ou, où, que, si*. Esta forma no se usa delante de una voz que empiece con *l.*

once [ɔ̃s] *f. 1* Onza (poids). *2* Onza (panthère).

oncle [ɔ̃kl(ə)] *m.* Tío.

onction [ɔ̃ksjɔ̃] *f.* Unción.

onctueux, -euse [ɔ̃ktɥø, -øz] *adj. 1* Untuoso, sa. *2* fig. Que tiene unción.

onde [ɔ̃d] *f.* Onda.

ondée [ɔ̃de] *f.* Aguacero *m.*

on-dit [ɔ̃di] *m. invar.* Rumores *pl.*, habillas *f. pl.*

ondoyer [ɔ̃dwaje] *intr. 1* Ondear, ondular. ■ *2 tr.* ECCLÉS. Administrar el bautismo privado a. ▲ CONJUG. como *employer*.

ondulation [ɔ̃dylɑsjɔ̃] *f.* Ondulación.

onduler [ɔ̃dyle] *intr. 1* Ondear, ondular. ■ *2 tr.* Ondular (les cheveux).

onduleux, -euse [ɔ̃dylø, -øz] *adj.* Undoso, sa, sinuoso, sa.

onéreux, -euse [ɔneʀø, -øz] *adj.* Oneroso, sa.

ongle [ɔ̃gl(ə)] *m. 1* ANAT. Uña *f.: se ronger les ongles*, morderse las uñas. *2* Uña *f.*, garra *f.* (des animaux). *3 Coup d'—*, zarpazo, arañazo.

onglet [ɔ̃glɛ] *m. 1* Uña *f.* (d'un canif). *2* Cartivana *f.* (reliure). *3* Inglete (angle).

onguent [ɔ̃gɑ̃] *m.* Ungüento.

onomatopée [ɔnɔmatɔpe] *f.* Onomatopeya.

onyx [ɔniks] *m.* Ónice.

onze [ɔ̃z] *adj. numér.-m.* Once.

onzième [ɔ̃zjɛm] *adj.* Onceno, na, undécimo, ma.

opacité [ɔpasite] *f.* Opacidad.

opalin, -ine [ɔpalɛ̃, -in] *adj.-f.* Opalino, na.

opaque [ɔpak] *adj.* Opaco, ca.

opéra [ɔpeʀa] *m.* Ópera *f.*

opérateur, -trice [ɔpeʀatœʀ, -tʀis] *m.* Operador.

opération [ɔpeʀɑsjɔ̃] *f. 1* Operación. *2* MIL. *Opérations militaires*, operaciones militares. *3 Salle d'—*, quirófano *m.*

opercule [ɔpɛʀkyl] *m.* Opérculo.

opérer [ɔpeʀe] *tr. 1* Operar: *se faire — de l'appendicite*, operarse de apendicitis. ■ *2 intr.* Obrar. ■ *3 pr.* Operarse, producirse. ▲ CONJUG. como *accélérer*.

operette [ɔpeʀɛt] *f.* Opereta.

ophtalmie [ɔftalmi] *f.* Oftalmía.

opiner [ɔpine] *intr.* Opinar. Loc. *— du bonnet*, estar de acuerdo.

opiniâtre [ɔpinjɑtʀ(ə)] *adj.* Terco, ca, porfiado, da, pertinaz.

opinion [ɔpinjɔ̃] *f.* Opinión.

opium [ɔpjɔm] *m.* Opio.

opossum [ɔpɔsɔm] *m.* Zarigüeya *f.*, opossum.

opportunisme [ɔpɔʀtynism(ə)] *m.* Oportunismo.

opportunité [ɔpɔʀtynite] *f.* Oportunidad.

opposant, -ante [ɔpozɑ̃, -ɑ̃t] *adj.-s. 1* Opositor, ra. *2* Oposicionista (membre de l'opposition).

opposé, -ée [ɔpoze] *adj. 1* Opuesto, ta. ■ *2 m.* Lo contrario. *3 loc. adv. À l'—*, en el lado opuesto. *4 loc. prép. À l'— de*, en oposición a, al contrario de.

opposer [ɔpoze] *tr. 1* Oponer. ■ *2 pr.* Oponerse.

opposition [ɔpozisjɔ̃] *f.* Oposición.

oppresseur [ɔpresœr] *adj.-m.* Opresor, ra.

oppression [ɔpresjɔ̃] *f.* Opresión.

opprimer [ɔprime] *tr.* Oprimir.

opprobre [ɔprɔbr(ə)] *m.* Oprobio.

opter [ɔpte] *intr.* Optar.

optimisme [ɔptimism(ə)] *m.* Optimismo.

option [ɔpsjɔ̃] *f.* Opción.

optique [ɔptik] *adj. 1* Óptico, ca. ■ *2 f.* Óptica.

opulence [ɔpylãs] *f.* Opulencia.

opulent, -ente [ɔpylã, -ãt] *adj.* Opulento, ta.

opuscule [ɔpyskyl] *m.* Opúsculo.

or [ɔr] *m.* Oro.

or [ɔr] *conj.* Ahora bien, pues, por lo tanto.

oracle [ɔrakl(ə)] *m.* Oráculo.

orage [ɔraʒ] *m.* Tempestad *f.*, tormenta *f.*, borrasca *f.*

orageux, -euse [ɔraʒø, -øz] *adj.* Tempestuoso, sa, borrascoso, sa.

oraison [ɔrezɔ̃] *f.* Oración.

oral, -ale [ɔral] *adj. 1* Oral. ■ *2 m.* Examen oral.

orange [ɔrãʒ] *f. 1* Naranja. ■ *2 adj.-m.* Color naranja, anaranjado, da.

orangé, -ée [ɔrãʒe] *adj.-m.* Anaranjado, da.

orangeade [ɔrãʒad] *f.* Naranjada.

oranger [ɔrãʒe] *m. 1* Naranjo. *2 Fleur d'—,* azahar *m.*

orang-outan, orang-outang [ɔrãutã] *m.* Orangután.

orateur, -trice [ɔratœr, -tris] *m.* Orador, ra.

oratoire [ɔratwar] *adj. 1* Oratorio, ia. *2 Art —,* oratoria *f.* ■ *3 m.* Oratorio.

orbe [ɔrb(ə)] *m. 1* Orbe. *2* ASTRON. Orbe.

orbite [ɔrbit] *f.* ANAT. ASTRON. Órbita.

orchestre [ɔrkestr(ə)] *m.* Orquesta *f.*

orchidée [ɔrkide] *f.* Orquídea.

ordinaire [ɔrdiner] *adj. 1* Ordinario, ia, corriente. *2* Ordinario, ia (médiocre). ■ *3 m.* Lo usual, lo ordinario, lo común.

ordinal, -ale [ɔrdinal] *adj.* Ordinal.

ordination [ɔrdinasjɔ̃] *f.* LITURG. Ordenación.

ordonnance [ɔrdɔnãs] *f. 1* Ordenación, orden *m.,* disposición (arrangement). *2* Ordenanzas *pl.* (réglement). *3* DR. Decreto, mandamiento. *4* MÉD. Receta, prescripción (du médecin). *5* MIL. Ordenanza *m.,* asistente *m.*

ordonnateur, -trice [ɔrdɔnatœr, -tris] *adj.-s.* Ordenador, ra.

ordonner [ɔrdɔne] *tr. 1* Ordenar (mettre en ordre). *2* Ordenar, mandar: *je vous ordonne de vous taire,* le mando que se calle. *3* MÉD. Recetar, prescribir. *4* ECCLÉS. Ordenar: *— prêtre,* ordenar de sacerdote.

ordre [ɔrdr(ə)] *m. 1* Orden: *— chronologique,* orden cronológico. *2* Orden *f.* Loc. *Donner —,* dar orden; — *du jour,* orden del día; *jusqu'à nouvel —,* hasta nuevo aviso. *3* ARCHIT., ZOOL. Orden: *— dorique,* orden dórico. *4* COMM. Orden *f.,* pedido. Loc. *Payer à l'— de,* páguese a la orden de. *5* Colegio (d'avocats, médecins).

ordure [ɔrdyr] *f. 1* Suciedad. *2* Basura. *3* fig. Porquería, indecencia.

orée [ɔre] *f.* Orilla, linde, lindero *m.: à l'— du bois,* en el lindero del bosque.

oreille [ɔrej] *f. 1* Oreja (pavillon), oído *m.* (ouïe, organe). Loc. *Avoir de l'—,* tener oído; *avoir l'— dure,* ser duro de oído; *faire la sourde —,* hacer oídos de mercader. *loc. adv. À l'—,* al oído. *2* Orejera (de fauteuil). *3* Oreja (anse).

oreiller [ɔreje] *m.* Almohada *f.*

oreillons [ɔrejɔ̃] *m. pl.* MÉD. Paperas *f.*

ores [ɔr] *loc. adv. D'ores et déjà,* desde ahora.

orfèvre [ɔrfevr(ə)] *m.* Orfebre.

orfèvrerie [ɔrfevrəri] *f.* Orfebrería.

orfraie [ɔrfre] *f.* Pigargo *m.,* quebrantahuesos *m.*

organe [ɔrgan] *m. 1* Órgano. *2* Voz *f.* (voix).

organique [ɔrganik] *adj.* Orgánico, ca.

organisation [ɔrganizasjɔ̃] *f.* Organización.

organiser [ɔrganize] *tr. 1* Organizar. ■ *2 pr.* Organizarse.

organisme ɔrganism(ə)] *m.* Organismo.

organiste [ɔrganist(ə)] *s.* Organista.

orge [ɔrʒ(ə)] *f.* Cebada. Ús. como masculino en las expresiones *— mondé, — perlé,* cebada mondada, perlada.

orgeat [ɔrʒa] *m.* Horchata *f.*

orgelet [ɔrʒəle] *m.* Orzuelo.

orgie [ɔrʒi] *f.* Orgía.

orgue [ɔrg(ə)] *m.* en sing., *f.* en plural. MÚS. Órgano. Loc. *— de Barbarie,* organillo; *point d'—,* calderón.

orgueil [ɔrgœj] *m.* Orgullo.

orgueilleux, -euse [ɔrgœjø, -øz] *adj.-s.* Orgulloso, sa.

oriental, -ale [ɔrjãtal] *adj.-s.* Oriental.

orientation [ɔrjãtasjɔ̃] *f.* Orientación.

orienter [ɔrjãte] *tr. 1* Orientar. ■ *2 pr.* Orientarse.

orifice [ɔrifis] *m.* Orificio.

origan [ɔʀigɑ̃] *m.* Orégano.

originaire [ɔʀiʒinɛʀ] *adj.* Originario, ria, oriundo, da.

originalité [ɔʀiʒinalite] *f.* Originalidad.

origine [ɔʀiʒin] *f.* Origen *m.*

originel, -elle [ɔʀiʒinɛl] *adj.* Original.

oripeau [ɔʀipo] *m.* Oropel.

orme [ɔʀm(ə)] *m.* Olmo.

ornement [ɔʀnəmɑ̃] *m.* Ornamento.

ornemental, -ale [ɔʀnəmɑ̃tal] *adj.* Ornamental.

ornementer [ɔʀnəmɑ̃te] *tr.* Ornamentar.

orner [ɔʀne] *tr.* Ornar, adornar.

ornière [ɔʀnjɛʀ] *f.* 1 Carril *m.*, rodada, rodera. 2 fig. Vieja costumbre, rutina.

ornithologie [ɔʀnitɔlɔʒi] *f.* Ornitología.

orographie [ɔʀɔgʀafi] *f.* Orografía.

oronge [ɔʀɔ̃ʒ] *f.* Oronja.

orphelin, -ine [ɔʀfəlɛ̃, -in] *adj.-s.* Huérfano, na.

orphéon [ɔʀfeɔ̃] *m.* Orfeón.

orteil [ɔʀtɛj] *m.* Dedo del pie.

orthodoxe [ɔʀtɔdɔks(ə)] *adj.-s.* Ortodoxo, xa.

orthogonal, -ale [ɔʀtɔgɔnal] *adj.* Ortogonal.

orthographe [ɔʀtɔgʀaf] *f.* GRAMM. Ortografía.

orthographique [ɔʀtɔgʀafik] *adj.* Ortográfico, ca.

orthopédique [ɔʀtɔpedik] *adj.* Ortopédico, ca.

ortie [ɔʀti] *f.* Ortiga.

ortolan [ɔʀtɔlɑ̃] *m.* Hortelano.

os [ɔs; pl. ɔ] *m.* Hueso.

oscillation [ɔsilɑsjɔ̃] *f.* Oscilación.

osciller [ɔsile] *intr.* Oscilar.

osé, -ée [oze] *adj.* Osado, da, atrevido, da.

oseille [ozɛj] *f.* Acedera.

oser [oze] *intr.* Osar, atreverse a.

osier [ozje] *m.* Mimbre, mimbrera *f.*

osmose [ɔsmoz] *f.* Ósmosis.

ossature [ɔsatyʀ] *f.* 1 Osamenta, esqueleto *m.* 2 TECHN. Armazón *m.*

ossements [ɔsmɑ̃] *m. pl.* Osamenta *f. sing.*

osseux, -euse [ɔsø, -øz] *adj.* 1 Óseo, ea (tissu, cellule). 2 Huesudo, da.

ossifier [ɔsifje] *tr.* Osificar. ▲ CONJUG. como *prier.*

ostensible [ɔstɑ̃sibl(ə)] *adj.* Ostensible.

ostensoir [ɔstɑ̃swaʀ] *m.* Custodia *f.*

ostentation [ɔstɑ̃tɑsjɔ̃] *f.* Ostentación.

ostracisme [ɔstʀasism(ə)] *m.* Ostracismo.

otage [ɔtaʒ] *m.* Rehén.

otarie [ɔtaʀi] *f.* Otaria, león *m.* marino.

ôter [ote] *tr.* 1 Quitar, sacar (enlever). 2 Quitarse (vêtement): — *son chapeau,* quitarse el sombrero. 3 Quitar, restar, (soustraire): 5 *ôté de 10 égale 5,* 5 restado de 10 quedan 5. 4 Suprimir. ■ 5 *pr.* Quitarse, retirarse.

ou [u] *conj.* O, u (*u* devant un mot qui commence par *o* ou *ho: deux — huit,* dos u ocho).

où [u] *adv.* 1 Donde, en donde: *la ville — je suis né,* la ciudad donde nací; *d' —,* de donde; *par —,* por donde. 2 Adonde (avec mouvement): *il ne sait pas — aller,* no sabe adonde ir. 3 Dónde, adónde (interrogatif): — *vas-tu?,* ¿adónde vas? ! En que (temps): *l'année — il s'est marié,* el año en que se casó. 5 A que, en que: *le danger — tu nous exposes,* el peligro a que nos expones. 6 — *que,* dondequiera que.

ouais [wɛ] *interj.* fam. Sí.

ouate [wat] *f.* Guata, algodón *m.* en rama.

oubli [ubli] *m.* Olvido.

oublie [ubli] *f.* Barquillo *m.*

oublier [ublije] *tr.* 1 Olvidar, olvidarse. ■ 2 *pr.* Olvidarse de uno mismo. ▲ CONJUG. como *prier.*

oubliette [ublijet] *f.* Mazmorra.

ouest [wɛst] *m.* Oeste.

ouf! [uf] *interj.* ¡Uf!

oui [wi] *adj.* 1 Sí: — *ou non?,* ¿sí o no? *loc. adv. Mais —,* claro que sí, sí tal; *oui-da,* sí por cierto. ■ 2 *m.* Sí. Loc. *Dire le grand —,* casarse.

oui-dire [widiʀ] *loc. adv. Par —,* de oídas.

ouïe [wi] *f.* 1 Oído *m.* ■ 2 *pl.* Agallas (de poisson). 3 Eses *m.* (de violon).

ouïr [wiʀ] *tr.* Oír. Ús. esp. en su acepción forense: — *les témoins,* oír a los testigos. ▲ CONJUG. Ús. solo en el Pres. de indic., en el part. p. (*ouï, e*) y en los tiempos compuestos.

ouragan [uʀagɑ̃] *m.* Huracán.

ourdir [uʀdiʀ] *tr.* Urdir.

ourler [uʀle] *tr.* Dobladillar, repulgar.

ours [uʀs] *m.* Oso.

ourse [uʀs(ə)] *f.* Osa.

oursin [uʀsɛ̃] *m.* Erizo de mar.

ourson [uʀsɔ̃] *m.* Osezno.

outil [uti] *m.* Herramienta *f.*, útil.

outillage [utijaʒ] *m.* 1 Herramientas *f. pl.* 2 Maquinaria *f.*

outrage [utʀaʒ] *m.* 1 Ultraje, injuria *f.* 2 Ofensa *f.*

outrager [utʀaʒe] *tr.* Ultrajar. ▲ CONJUG. como *engager.*

outrageux, -euse [utʀaʒø, -øz] *adj.* Ultrajoso, sa, injurioso, sa.

outrance [utʀɑ̃s] *f.* 1 Exageración, exceso *m.* 2 *loc. adv. À —,* a ultranza.

outre [utʀ(ə)] *f.* Odre *m.*, pellejo *m.*

outre [utʀ(ə)] *prép.* 1 Además de. *loc.*

adv. En —, además. *loc. prép.* — *que,* además de que. ■ *2 adv.* Allende, más allá de (au delà de): — *-Rhin,* allende el Rin. *3 Passer* —, ir más allá; *passer* — *à,* pasar por encima de, no hacer caso de. *loc. adv.* — *mesure,* desmesuradamente.

outré, -ée [utʀe] *adj. 1* Extremado, da, exagerado, da. *2* Irritado, da, indignado, da (indigné).

outrecuidant, -ante [utʀəkɥidā, -āt] *adj.* Presuntuoso, sa, petulante.

outremer [utʀəmɛʀ] *m. 1* Lapislázuli. *2* Azul de ultramar (couleur). ■ *3 adj. Bleu* —, azul de ultramar.

outre-mer [utʀəmɛʀ] *adv.* Ultramar, en ultramar.

outrer [utʀe] *tr. 1* Extremar, exagerar. *2* Indignar, escandalizar (scandaliser).

outre-tombe [utʀətɔ̄b] *adv.* Ultratumba.

ouvert, -erte [uvɛʀ, -ɛʀt(ə)] *1* v. *ouvrir.* ■ *2 adj.* Abierto, ta; *ville ouverte,* ciudad abierta; *grand, large* —, abierto de par en par.

ouverture [uvɛʀtyʀ] *f. 1* Abertura. *2* Apertura (d'une exposition, etc.). Loc. — *de la chasse, de la pêche,* levantamiento *m.* de la veda. *3* — *d'esprit,* anchura de miras. *4* MUS. Obertura. ■ *5 pl.* Proposiciones (en vue de pourparlers).

ouvrable [uvʀabl(ə)] *adj.* Laborable, hábil: *jour* —, día laborable.

ouvrage [uvʀaʒ] *m.* Obra *f.,* labor *f.,* trabajo.

ouvrier, -ière [uvʀije, -ijɛʀ] *adj.-s.* Obrero, ra.

ouvrir [uvʀiʀ] *tr. 1* Abrir: *j'ai ouvert la porte,* he abierto la puerta. Loc. — *la marche, le feu,* romper la marcha, el fuego. ■ *2 intr.* Abrir, abrirse. ■ *3 intr.-pr.* Dar a: *la porte ouvre, s'ouvre sur un jardin,* la puerta da a un jardín. ■ *4 pr.* fig. Abrirse: *s'* — *à un ami,* abrirse con un amigo; *s'* — *un passage,* abrirse paso. ▲ CONJUG. como *offrir.*

ovaire [ɔvɛʀ] *m.* Ovario.

ovale [ɔval] *adj. 1* Oval, ovalado, da. ■ *2 m.* Óvalo.

ovation [ɔvɑsjɔ̄] *f.* Ovación.

ove [ɔv] *m.* ARCHIT. Óvolo.

ovin, -ine [ɔvɛ̄, -in] *adj.* Ovino, na.

ovipare [ɔvipaʀ] *adj.-s.* Ovíparo, ra.

ovule [ɔvyl] *m.* Óvulo.

oxydation [ɔksidasjɔ̄] *f.* Oxidación.

oxyde [ɔksid] *m.* Óxido.

oxygène [ɔksiʒɛn] *m.* Oxígeno.

P

p [pe] *m.* P *f.*

pacage [pakaʒ] *m.* Pasto: *droit de* —, derecho de pasto.

pachyderme [paʃ(k)idɛʀm(ə)] *m.* Paquidermo.

pacificateur, -trice [pasifikatœʀ, -tʀis] *adj.-s.* Pacificador, ra.

pacifier [pasifje] *tr.* Pacificar. ▲ CONJUG. como *prier.*

pacifique [pasifik] *adj.* Pacífico, ca.

pacotille [pakɔtij] *f.* Pacotilla.

pacte [pakt(ə)] *m.* Pacto.

pactiser [paktize] *intr.* 1 Pactar. 2 fig. Transigir.

pagaie [pagɛ] *f.* Pagaya, zagual *m.*

pagaie, pagaille, pagaye [pagaj] *f.* Desorden *m.*: *tout est en* —, todo está en desorden; *quelle* —!, ¡qué jaleo!

paganisme [paganism(ə)] *m.* Paganismo.

page [paʒ] *f.* 1 Página, plana. 2 IMPR. *Mettre en pages*, compaginar. ■ 3 *m.* Paje, doncel.

pagel [paʒɛl] *m.* Pagel.

paginer [paʒine] *tr.* Paginar, numerar las páginas de.

pagne [paɲ] *m.* Taparrabo.

pagode [pagɔd] *f.* Pagoda.

païen, -ienne [pajɛ̃, -jɛn] *adj.-s.* Pagano, na.

paillasse [pajas] *f.* 1 Jergón. ■ 2 *m.* Payaso.

paillasson [pɑ(a)jasɔ̃] *m.* 1 Felpudo, ruedo, esterilla *f.* 2 AGR. Pajote.

paille [pɑj] *f.* 1 Paja. Loc. *Tirer à la courte* —, echar pajas. 2 — *de fer*, estropajo *m.* de metal. 3 Pelo *m.*, hoja (dans un métal). 4 Pelo *m.* (dans une pierre précieuse, dans le verre). 5 Loc. fig. *Être sur la* —, estar en la miseria. 6 *Homme de* —, testaferro. ■ 7 *adj. invar.* Pajizo, za (couleur).

pailleter [pajte] *tr.* Adornar con lentejuelas. ▲ CONJUG. como *jeter.*

pain [pɛ̃] *m.* 1 Pan: — *bis*, pan moreno; —

de mie, pan inglés; — *grillé*, pan tostado; — *d'épice*, pan dulce hecho con harina de centeno, miel, etc.; *petit* —, panecillo, bollo. 2 Pastilla *f.*: — *de savon*, pastilla de jabón. 3 — *de sucre*, pilón de azúcar.

pair, paire [pɛʀ] *adj.* 1 Par: *nombre* —, número par. ■ 2 *m.* Igual: *être jugé par ses pairs*, ser juzgado por sus iguales. 3 Par (titre). 4 COMM. Par *f.*: *change au* —, cambio a la par. 5 *loc. adv. Au* —, con la sola retribución de comida y alojamiento.

paisible [pezibl(ə)] *adj.* 1 Apacible. 2 Tranquilo, la, agradable.

paître [pɛtʀ(ə)] *tr.-intr.* Pastar. Loc. fig. fam. *Envoyer* —, mandar a paseo. ▲ CONJUG. como *connaître.* No se usa en el pret. indef. ni en el imperf. de subj. ni en el part. p.

paix [pɛ] *f.* 1 Paz: *faire la* —, hacer las paces. Loc. fam. *Fichez-moi la* —, déjeme en paz. 2 *interj.* ¡Chitón!, ¡silencio!

pal [pal] *m.* 1 Estaca *f.* 2 Palo (pour empaler). 3 BLAS. Palo.

palabre [palabʀ(ə)] *f.* Discusión inútil: *assez de palabres!*, ¡basta de discusiones!

palais [palɛ] *m.* 1 Palacio. 2 — *de justice*, palacio de justicia, audiencia *f.* 3 Curia *f.* (avocats, juges): *gens du* —, gente de curia. 4 ANAT. Paladar.

palan [palɑ̃] *m.* Polipasto, polispasto.

palanquin [palɑ̃kɛ̃] *m.* Palanquín.

palatal, -ale [palatal] *adj.* Palatal.

pale [pal] *f.* 1 Pala (de rame). 2 Paleta (de roue, d'hélice). 3 LITURG. Palia, hijuela.

pâle [pɑl] *adj.* Pálido, da.

palefrenier [palfʀənje] *m.* Palafrenero.

paléographie [paleɔgʀafi] *f.* Paleografía.

paléolithique [paleɔlitik] *m.* Paleolítico.

paléontologie [paleɔtɔlɔʒi] *f.* Paleontología.

paleron [palʀɔ̃] *m.* Espaldilla *f.* (en boucherie).

palestre [palɛstʀ(ə)] *f.* Palestra.

palet [palɛ] *m.* Tejo.

paletot [palto] *m.* Paletó, gabán.

palette [palɛt] *f. 1* Paleta. *2* PEINT. Paleta. *3* SPORTS Pala, raqueta.

palétuvier [paletyvje] *m.* Mangle.

pâleur [palœʀ] *f.* Palidez.

palier [palje] *m. 1* Rellano, descansillo (d'escalier). *2* Trecho llano de un camino. *3* MÉC. Soporte de un árbol de transmisión, palier.

pâlir [paliʀ] *intr. 1* Palidecer. ■ *2 tr.* Poner pálido, da, descolorar.

palissade [palisad] *m.* Empalizada, vallado *m.*

palissandre [palisɑ̃dʀ(ə)] *m.* Palisandro, palosanto.

palliatif [paljatif] *m.* Paliativo.

pallier [palje] *tr. 1* Paliar. *2* MÉD. Mitigar. ▲ CONJUG. como *prier.*

palmarès [palmaʀɛs] *m.* Lista *f.* de alumnos, deportistas, etc. premiados.

palme [palm(ə)] *f. 1* Palma (feuille). Loc. fig. *Remporter la —,* llevarse la palma. *2* SPORTS Aleta (de nageur).

palmier [palmje] *m.* Palmera *f.*

palmipèdes [palmiped] *m. pl.* ZOOL. Palmípedos.

palombe [palɔ̃b] *f.* Paloma torcaz.

pâlot, -otte [palo, -ɔt] *adj.* Paliducho, cha.

palpable [palpabl(ə)] *adj.* Palpable.

palper [palpe] *tr. 1* Palpar. *2* fig. fam. Cobrar, recibir dinero.

palpiter [palpite] *intr.* Palpitar.

paludisme [palydism(ə)] *m.* Paludismo.

pâmer (se) [pɑme] *pr. 1* Desfallecer, desvanecerse, desmayarse (s'évanouir). *2* Quedar encandilado, da, encantado, da.

pâmoison [pɑmwazɔ̃] *f.* Pasmo *m.*

pamphlet [pɑ̃flɛ] *m.* Libelo.

pamplemousse [pɑ̃pləmus] *m.* Pomelo (fruit).

pampre [pɑ̃pʀ(ə)] *m.* Pámpano.

pan [pɑ̃] *m. 1* Lienzo: *— de mur,* lienzo de pared. *2* Faldón: *les pans d'un habit,* los faldones de un frac. *3 — coupé,* ángulo cortado, chaflán. *4 interj.* ¡Pum!

panacée [panase] *f.* Panacea.

panache [panaʃ] *m. 1* Penacho. Loc. fig. *Faire —,* apearse del caballo por las orejas, volcar. *2* fig. Pompa *f.,* brillo, ostentación *f.*

panacher [panaʃe] *tr. 1* Empenachar. *2* Matizar, entremezclar elementos diversos en una lista electoral.

panade [panad] *f.* Sopa de pan y mantequilla.

panaris [panaʀi] *m.* Panadizo.

pancarte [pɑ̃kaʀt(ə)] *f.* Cartelón *m.,* pancarta.

pancréas [pɑ̃kʀeɑs] *m.* ANAT. Páncreas.

pané, -ée [pane] *adj.* Empanado, da, rebozado, da.

panégyrique [paneʒiʀik] *m.* Panegírico.

panier [panje] *m. 1* Cesto, cesta *f.,* canasta *f.,* canastilla *f. 2* fig. *Le dessus du —,* la flor y nata; *le fond du —,* el desecho, lo peor. *3* Tontillo, faldellín (vêtement). *4* SPORTS Cesto (basketball).

panifier [panifje] *tr.* Panificar. ▲ CONJUG. como *prier.*

panique [panik] *f. 1* Pánico *m.* ■ *2 adj.* Cerval: *peur —,* miedo cerval.

panne [pan] *f. 1* Avería. *2* Pana (sorte de velours). *3* Cola: *la — du marteau,* la cola del martillo. *4* Grasa de cerdo (graisse). *5* MAR. *En —,* al pairo.

panneau [pano] *m. 1* Panel. *2* Cuarterón (de porte). *3* Tablero (pour annonces ou inscriptions). *4* Pieza *f.* (d'une jupe). *5* CHASS. Lazo, trampa *f. 6* MAR. Puerta *f.* de escotilla. *7* PEINT. Lienzo.

panneton [pantɔ̃] *m.* Paletón.

panoplie [panɔpli] *f.* Panoplia.

panorama [panɔʀama] *m.* Panorama.

panse [pɑ̃s] *f.* Panza.

pansement [pɑ̃smɑ̃] *m. 1* Cura *f. 2* Apósito.

panser [pɑ̃se] *tr. 1* Curar: *— un blessé,* curar a un herido. *2* Almohazar (un cheval).

pansu, -ue [pɑ̃sy] *adj.* Panzudo, da.

pantalon [pɑ̃talɔ̃] *m.* Pantalón.

pantalonnade [pɑ̃talɔnad] *f. 1* Payasada, bufonada. *2* Farsa, engaño *m.*

pantelant, -ante [pɑ̃tlɑ̃, -ɑ̃t] *adj. 1* Jadeante (haletant). *2* Palpitante.

panthéisme [pɑ̃teism(ə)] *m.* Panteísmo.

panthéon [pɑ̃teɔ̃] *m.* Panteón.

panthère [pɑ̃tɛʀ] *f.* Pantera.

pantin [pɑ̃tɛ̃] *m. 1* Títere, muñeco. *2* fig. Veleta *f.* (girouette).

pantois, -oise [pɑ̃twa, -waz] *adj.* Atónito, ta, estupefacto, ta.

pantomime [pɑ̃tɔmim] *f.* Pantomima.

pantoufle [pɑ̃tufl(ə)] *f.* Zapatilla.

paon [pɑ̃] *m. 1* Pavo real. *2* fig. Hombre vano.

papa [papa] *m. 1* Papá. *2* *Bon —,* abuelo. *3* fig. fam. *De —,* anticuado, da. *4 loc. adv. À la —,* tranquilamente, sin problemas.

papauté [papote] *f.* Papado *m.*

pape [pap] *m.* Papa.

papelard, -arde [paplaʀ, -aʀd(ə)] *adj.-s. 1* Camandulero, ra, hipócrita, mojigato, ta. *2* Gazmoño, ña, santurrón, ona (bigot). ■ *3 m.* fam. Papel, papelucho.

paperassier, -ière [paprasje, -jɛʀ] *adj.-s.* Aficionado, da al papeleo.

papeterie [papɛtʀi; paptʀi] *f.* Papelería.

papetier, -ière [paptje, -jɛʀ] *adj.-s.* Papelero, ra.

papier [papje] *m. 1* Papel: — *à cigarettes,* papel de fumar; — *à lettres,* papel de cartas; — *buvard,* papel secante; — *carbone,* papel carbón; — *de verre,* papel de lija; — *gris,* papel de estraza; — *libre,* papel común, sin sellar; — *peint,* papel pintado; — *timbré,* papel sellado. *2 Papier mâché,* cartón piedra. *3* Escrito: *mettre sur le —,* poner por escrito.

papillon [papijɔ̃] *m.* Mariposa *f.*

papillote [papijɔt] *f. 1* Torcida, papelillo *m.* para rizar el pelo, papillote *m. 2* Papel *m.* engrasado para asar ciertas carnes: *côtelette en —,* chuleta envuelta y asada.

papyrus [papiʀys] *m.* Papiro.

pâque [pɑk] *f.* Pascua judaica.

paquebot [pakbo] *m.* Paquebote, buque.

pâquerette [pakʀɛt] *f.* Margarita silvestre.

paquet [pakɛ] *m.* Paquete.

paqueter [pakte] *tr.* Empaquetar. ▲ CONJUG. como *jeter.*

par [paʀ] *prép. 1* Por (exprimant cause, agent, auteur, moyen, lieu, distribution): *hâlé — le soleil,* tostado por el sol; — *écrit,* por escrito. Loc. *De —,* por orden de; — *devant,* ante; — *suite de,* a consecuencia de. *2* A (distribution dans le temps): — *an,* al año. *3* Con (temps atmosphérique): — *un temps de pluie,* con un tiempo de lluvia. *4* En (pendant): — *un beau jour de printemps,* en un hermoso día de primavera. *5* En: *terminé* — «*ir*», terminado en «ir». *loc. adv.* — *là,* por allí (direction), por esto, por este medio (ainsi); — *trop,* demasiado; — *contre,* en cambio.

parabole [paʀabɔl] *f.* Parábola.

parachever [paʀaʃve] *tr.* Rematar, concluir, perfeccionar. ▲ CONJUG. como *acheter.*

parachute [paʀaʃyt] *m.* Paracaídas.

parade [paʀad] *f. 1* Alarde *m.,* ostentación, boato *m.* Loc. *Faire — de,* hacer alarde de; *habit de —,* traje de gala. *2* ÉQUIT. Parada. *3* ESCR. Parada, quite *m. 4* MIL. Parada, desfile *m.,* revista.

paradis [paʀadi] *m.* Paraíso.

paradisiaque [paʀadizjak] *adj.* Paradisíaco, ca.

paradisier [paʀadizje] *m.* Ave del Paraíso.

paradoxal, -ale [paʀadɔksal] *adj.* Paradójico, ca.

paraffine [paʀafin] *f.* Parafina.

parages [paʀaʒ] *m. pl.* Parajes (endroit).

paragraphe [paʀagʀaf] *m.* Párrafo, parágrafo.

paraître [paʀɛtʀ(ə)] *intr. 1* Aparecer, mostrarse (apparaître). *2* Publicarse (être mis en vente). *3* Aparecer, presentarse (comparaître). *4* Parecer, aparentar (sembler). ■ *6 impers.* Parecer: *il paraît que,* parece que, parece ser que. ▲ CONJUG. como *connaître.*

parallèle [paʀa(l)lɛl] *adj. 1* Paralelo, la. ■ *2 m.* Paralelo. ■ *3 f.* Paralela (ligne).

paralléllisme [paʀa(l)lelism(ə)] *m.* Paralelismo.

paralyser [paʀalize] *tr.* Paralizar.

paralytique [paʀalitik] *adj.-s.* Paralítico, ca.

parangon [paʀɑ̃gɔ̃] *m.* Parangón.

parapet [paʀapɛ] *m.* Parapeto.

paraphe [paʀaf] *m.* Rúbrica *f.*

paraphraser [paʀafʀaze] *tr.* Parafrasear.

parapluie [paʀaplɥi] *m.* Paraguas.

parasite [paʀazit] *adj.-s.* Parásito, ta.

parasol [paʀasɔl] *m.* Quitasol.

paratonnerre [paʀatɔnɛʀ] *m.* Pararrayos.

paravent [paʀavɑ̃] *m.* Biombo.

parbleu! [paʀblø] *interj.* vieil. ¡Pardiez!

parc [paʀk] *m. 1* Parque. *2* Aprisco, apero, majada *f.* (à moutons, etc.). *3* Aparcamiento, estacionamiento (parking). *4* Vivero, criadero: — *à huîtres,* criadero de ostras.

parcelle [paʀsɛl] *f.* Parcela.

parce que [paʀsk(ə)] *loc. conj.* Porque.

parchemin [paʀʃəmɛ̃] *m.* Pergamino.

parcimonieux, -euse [paʀsimɔnjø, -øz] *adj.* Parsimonioso, sa.

parcourir [paʀkuʀiʀ] *tr.* Recorrer. ▲ CONJUG. como *courir.*

parcours [paʀkuʀ] *m.* Recorrido, trayecto.

pardessus [paʀdəsy] *m.* Abrigo, gabán, sobretodo.

pardi! [paʀdi], **pardieu!** [paʀdjø] *interj.* ¡Pues claro!, ¡claro!, ¡naturalmente!

pardon [paʀdɔ̃] *m. 1* Perdón. *2 interj.* —!, *je vous demande —,* ¡dispense usted!, ¡disculpe!, ¡perdón!

pardonner [paʀdɔne] *tr.-intr. 1* Perdonar. *2* Perdonar, dispensar: *pardonnez-moi,* dispénseme.

pare-boue [paʀbu] *m. invar.* Guardabarros.

pare-brise [paʀbʀiz] *m. invar.* Parabrisas.

pare-chocs [paʀʃɔk] *m. invar.* Parachoques.

pareil, -eille [paʀɛj] *adj. 1* Igual, semejante. Loc. *C'est toujours —*, siempre igual; *ce n'est pas —*, no es lo mismo. ■ *2 s.* Igual, semejante. Loc. *Sans —*, *sans pareille*, sin igual; *rendre la pareille*, pagar con la misma moneda.

parement [paʀmɑ̃] *m. 1* Vuelta *f.*, vista *f.* (revers sur le col, les manches). 2 ARCHIT. Paramento.

parent, -ente [paʀɑ̃, -ɑ̃t] *s. 1* Pariente, ta (famille). ■ *2 pl.* Padres (le père et la mère): *nos premiers parents*, nuestros primeros padres.

parenté [paʀɑ̃te] *f. 1* Parentesco *m.* 2 Parentela, parientes *m. pl.* (ensemble des parents).

parenthèse [paʀɑ̃tɛz] *f.* Paréntesis *m.*

parer [paʀe] *tr. 1* Engalanar, adornar (orner). 2 Evitar, esquivar (détourner). *3* CUIS. Preparar (la viande). ■ *4 tr. ind. — à*, precaverse, prevenirse contra. ■ *5 pr.* Engalanarse.

paresse [paʀɛs] *f.* Pereza.

paresseux, -euse [paʀesø, -øz] *adj.-s.* Perezoso, sa.

parfaire [paʀfɛʀ] *tr.* Acabar, completar. ▲ CONJUG. como *faire*.

parfait, -aite [paʀfɛ, -ɛt] *adj.-m.* Perfecto, ta.

parfois [paʀfwa] *adv.* A veces.

parfum [paʀfœ̃] *m.* Perfume.

parfumer [paʀfyme] *tr.* Perfumar.

pari [paʀi] *m.* Apuesta *f.*

paria [paʀja] *m.* Paria.

parier [paʀje] *tr.* Apostar: *je parie que...*, apuesto a que... ▲ CONJUG. como *prier*.

pariétal, -ale [paʀjetal] *adj. 1* ANAT. Parietal. 2 Rupestre.

parité [paʀite] *f.* Paridad.

parjure [paʀʒyʀ] *m. 1* Perjurio. ■ *2 adj.-s.* Perjuro, ra.

parlant, -ante [paʀlɑ̃, -ɑ̃t] *adj. 1* Parlante. 2 *Cinéma —*, cine sonoro. 3 Expresivo, va (vivant).

parlement [paʀləmɑ̃] *m.* Parlamento.

parlementaire [paʀləmɑ̃tɛʀ] *adj.-s.* Parlamentario, ria.

parler [paʀle] *intr. 1* Hablar. Loc. *— à mots couverts*, hablar a medias palabras; *— à bâtons rompus*, hablar sin orden ni concierto; fam. *tu parles!*, ¡qué te crees tú eso!, ¡qué va! ■ *2 tr. dir.* Hablar: *— l'espagnol*, hablar el español. *3* Hablar de, tratar de: *— d'affaires*, hablar de negocios. *4 tr. ind.* Hablar de. Loc. *— de la pluie et du beau temps*, hablar de nimiedades. ■ *5 pr.* Hablarse.

parleur, -euse [paʀlœʀ, -øz] *adj.-s.* Parlanchín, -ina.

parloir [paʀlwaʀ] *m.* Locutorio.

parmi [paʀmi] *prép.* Entre, en medio de.

parodier [paʀɔdje] *tr.* Parodiar. ▲ CONJUG. comme *prier*.

paroi [paʀwa] *f. 1* Pared. 2 Tabique *m.* (cloison).

paroisse [paʀwas] *f.* Parroquia.

paroissien, -ienne [paʀwasjɛ̃, -jɛn] *s. 1* Feligrés, esa. ■ *2 m.* Devocionario (livre).

parole [paʀɔl] *f. 1* Palabra. Loc. *— d'honneur*, palabra de honor; *peser ses paroles*, sopesar las palabras; *tenir sa —*, cumplir su palabra. 2 Frase, dicho *m.* (sentence). 3 Palabra, habla (langage). Loc. *Avoir la — facile*, tener la lengua suelta. *4 interj. —!, ma —!*, ¡palabra! ■ *5 pl.* Letra *sing.* (d'une chanson).

parotide [paʀɔtid] *adj.-f.* Parótida.

paroxysme [paʀɔksism(ə)] *m.* Paroxismo: *au — de*, en el paroxismo de.

parquer [paʀke] *tr. 1* Aparcar (une voiture). 2 Acorralar, encerrar (les animaux).

parquet [paʀkɛ] *m. 1* Entarimado, parqué. 2 DR. Fiscalía *f.*

parrain [pa(ɑ)ʀɛ̃] *m.* Padrino.

parricide [paʀisid] *m. 1* Parricidio. ■ *2 adj.-s.* Parricida.

parsemer [paʀsəme] *tr.* Sembrar, esparcir. ▲ CONJUG. como *acheter*.

part [paʀ] *f. 1* Parte, porción. Loc. *Prendre — à*, tomar parte en; *faire — de quelque chose à quelqu'un*, notificar algo a alguien. 2 Parte (lieu). *loc. adv. D'une —... d'autre —*, por una parte... por otra; *de — en —*, de parte a parte; *nulle —*, en ninguna parte; *quelque —*, en alguna parte. *loc. prép. À —*, aparte, excepto (cepte).

partage [paʀtaʒ] *m. 1* Partición *f.*, reparto. Loc. *Sans —*, exclusivamente; *avoir en —*, tocar en suerte en un reparto. *2 Ligne de — des eaux*, línea *f.* divisoria de las aguas.

partager [paʀtaʒe] *tr. 1* Partir, repartir, dividir (diviser). 2 Compartir: *— l'opinion de quelqu'un*, compartir la opinión de alguien. 3 Dividir (couper). ■ *4 pr.* Partirse, repartirse.

partance [paʀtɑ̃s] *f.* MAR. 1 Partida, leva. *2 loc. adv. En —*, a punto de partir.

partant [paʀtɑ̃] *m. 1* El que parte. 2 Participante (dans une course).

partant [paʀtɑ̃] *conj.* Por lo tanto, por consiguiente.

partenaire [paʀtənɛʀ] *s. 1* Compañero, ra, pareja *f.* (jeu). 2 Pareja *f.* (danse).

parti [paʀti] *m. 1* Partido, decisión *f.* Loc. *Prendre le — de*, decidirse por; *prendre*

son — de, resignarse a; **tirer — de**, sacar partido de. 2 **— pris**, prejuicio; **être de — pris**, no ser objetivo. 3 Partido: **— politique**, partido político. 4 MIL. Destacamento de soldados.

partial, -ale [paʀsjal] *adj.* Parcial.

participant, -ante [paʀtisipɑ̃, -ɑ̃t] *adj.-s.* Partícipe, participante.

participation [paʀtisipasjɔ̃] *f.* Participación.

participe [paʀtisip] *m.* GRAM. **— présent**, participio de presente, activo; **— passé**, participio de pretérito, pasivo.

participer [paʀtisipe] *intr.* Participar: **— à**, participar en; **— de**, participar de.

particularité [paʀtikylaʀite] *f.* Particularidad.

particulier, -ière [paʀtikylje, -jeʀ] *adj.* 1 Particular. ■ 2 *m.* Particular. 3 fam. Individuo.

partie [paʀti] *f.* 1 Parte. Loc. **En —**, en parte; **faire — de**, formar parte de. 2 Partida (jeux, chasse). Loc. **— de campagne**, excursión. 3 Rama, ramo *m.* (domaine). 4 DR. Parte: **la — adverse**, la parte contraria. Loc. *Avoir affaire à forte* **—**, habérselas con un enemigo temible; **prendre quelqu'un à —**, tomarla con uno. 5 COMM. Partida: **— simple, double,** partida simple, doble. 6 MUS. Parte.

partiel, -elle [paʀsjel] *adj.* Parcial.

partir [paʀtiʀ] *intr.* 1 Marcharse, partir (s'en aller). 2 Salir (prendre le départ). Loc. **comme une flèche**, salir disparado, da. 3 Arrancar, ponerse en marcha (démarrer). 4 Empezar (commencer). 5 Dispararse (projectile). 6 Ponerse, empezar (se mettre). 7 Desaparecer (s'effacer, s'enlever). 8 *loc. prép.* **À — de**, a partir de. ▲ CONJUG. como *mentir*.

partisan [paʀtizɑ̃] *adj.-s.* 1 Partidario, ria (adepte). ■ 2 *m.* Guerrillero.

partitif, -ive [paʀtitif, -iv] *adj.-m.* GRAM. Partitivo, va.

partout [paʀtu] *adv.* En todas partes, por todas partes.

parure [paʀyʀ] *f.* 1 Adorno *m.* 2 Aderezo *m.* (bijoux).

parvenir [paʀvəniʀ] *intr.* 1 Llegar (arriver). 2 Alcanzar, conseguir, lograr (réussir à). ▲ CONJUG. como *venir*.

parvenu, -ue [paʀvəny] *s.* Advenedizo, za.

parvis [paʀvi] *m.* Plaza *f.* delante de una iglesia.

pas [pɑ] *m.* 1 Paso: **faire un — en avant**, dar un paso adelante. Loc. **À — de loup**, sigilosamente; **d'un bon —**, a buen paso; fig. **mettre quelqu'un au —**, meter a uno

por vereda. 2 GÉOG. Paso. 3 MUS. Marcha *f.* 4 *Le* **— de la porte**, el umbral. 5 **— de vis**, paso de rosca. 6 COM. **— de porte**, traspaso.

pas [pɑ] *adv.* No. Ne se traduit généralement pas: *je ne crois* **—**, no creo; *je n'aime pas ça*, no me gusta esto. Loc. **— beaucoup**, no mucho; **presque —**, casi nada; **— du tout**, en absoluto; **— mal**, regular; **— vrai**, no es cierto; **— un, — une**, ni uno, ni una; **même —**, ni siquiera.

pascal, -ale [paskal] *adj.* Pascual.

passable [pɑsabl(ə)] *adj.* Pasadero, ra, pasable, mediano, na.

passade [pɑsad] *f.* Capricho *m.* pasajero, antojo *m.*

passage [pɑsaʒ] *m.* 1 Paso: *le* **— de la procession**, el paso de la procesión. Loc. *Prendre au* **—**, coger al paso; *de* **—**, de paso; **— à niveau**, paso a nivel; **— clouté**, paso de peatones; **— interdit**, prohibido el paso. 2 Pasaje (voie, rue). 3 MAR. Travesía *f.* 4 Pasaje (d'un livre, d'un discours).

passager, -ère [pɑ(a)saʒe, -eʀ] *adj.-s.* 1 Pasajero, ra. 2 **— clandestin**, polizón.

passant, -ante [pɑsɑ̃, -ɑ̃t] *adj.* 1 Concurrido, da (fréquenté). ■ 2 *s.* Transeúnte.

passe [pɑs] *f.* 1 Paso *m.*, pasa (des oiseaux). 2 Pase *m.* (de magnétiseur, de basket-ball, etc.). 3 *Mot de* **—**, contraseña *f.*; **maison de —**, casa de citas. 4 GEOG. Paso *m.*

passé, -ée [pɑse] *adj.* 1 Pasado, da, pretérito, ta. 2 Descolorido, da (décoloré). ■ 3 *m.* GRAM. Pasado, pretérito. ■ 4 *prép.* Después de (après).

passe-lacet [pɑslasɛ] *m.* Pasador, pasacintas (aiguille).

passementerie [pɑsmɑ̃tʀi] *f.* Pasamanería.

passe-partout [pɑspaʀtu] *m. invar.* 1 Llave *f.* maestra (clef). ■ 2 *adj. invar.* Que sirve para todo, socorrido, da.

passe-passe [pɑspas] *m. invar.* *Tour de* **—**, juego de manos, pasapasa.

passeport [pɑspɔʀ] *m.* Pasaporte.

passer [pɑse] *intr.* 1 Pasar: *l'autobus est passé*, el autobús ha pasado. Loc. **— outre**, hacer caso omiso de; **— pour**, pasar por; **— sur**, pasar por alto; **en passant**, de paso. 2 Representarse (une pièce). 3 Proyectarse, echarse (un film). 4 Pasar, transcurrir (s'écouler). 5 Aprobarse, adoptarse (être accepté). 6 Ascender a, pasar. 7 Marchitarse (se faner). 8 Pasar, desaparecer (disparaître). 9 Comerse, irse (pâlir une couleur). ■ 10 *tr.* Pasar: **— une rivière**, pasar un río; **— son temps**

à lire, pasar, pasarse el tiempo leyendo. *11* Pasar, extender (étendre). *12* Pasar, colar (filtrer). *13* Proyectar, echar (un film). *14* Representar (une pièce). *15* Ponerse (un vêtement). *16 — un examen,* examinarse, sufrir un examen. ▪ *17 pr.* Pasar, transcurrir (s'écouler). *18* Pasar, acontecer, ocurrir (se produire): *que se passe-t-il?,* ¿qué pasa? *19 Se — de,* prescindir de.

passereau [pɑsʀo] *m.* Pájaro.

passerelle [pɑsʀɛl] *f.* Pasarela.

passe-temps [pɑstɑ̃] *m. invar.* Pasatiempo.

passible [pɑsibl(ə)] *adj. — de,* merecedor, ra de, que incurre en.

passif, -ive [pasif, -iv] *adj.-m.* Pasivo, va.

passionné, -ée [pɑ(a)sjɔne] *adj.-s.* Apasionado, da.

passionnel, -elle [pɑ(a)sjɔnɛl] *adj.* Pasional.

passionner [pɑ(a)sjɔne] *tr. 1* Apasionar. ▪ *2 pr.* Apasionarse.

passivité [pasivite] *f.* Pasividad.

passoire [pɑswaʀ] *f.* Pasador *m.,* colador *m.*

pastel [pastɛl] *m.* Pastel: *portrait au —,* retrato al pastel.

pastèque [pastɛk] *f.* Sandía.

pasteur [pastœʀ] *m.* Pastor.

pastiche [pastiʃ] *m.* Imitación *f.,* remedo *m.*

pastille [pastij] *f.* Pastilla.

pastoral, -ale [pastɔʀal] *adj.-f.* Pastoral.

patache [pataʃ] *f.* Carricoche *m.* (voiture).

patate [patat] *f. 1 — douce,* batata, boniato *m. 2* fam. Patata (pomme de terre). *3* pop. Mentecato, ta, cernícalo, la (personne stupide).

pataud, -aude [pato, -od] *adj.-s.* Torpe.

patchouli [patʃuli] *m.* Pachulí (parfum, plante).

pâte [pat] *f. 1* Masa, pasta. Loc. *— à pain,* masa, fig. *mettre la main à la —,* ponerse a trabajar; *une bonne —,* una buena persona. *2* Pasta: *— dentifrice,* pasta dentífrica. *3 Pâtes, pâtes alimentaires,* pastas alimenticias.

pâté [pate] *m. 1* Pasta *f.* de hígado, foie gras. *2* CUIS. Pastel (de viande ou de poisson). *3 — de maisons,* manzana *f.*

pâtée [pate] *f. 1* Cebo *m.* (pour engraisser la volaille, les porcs). *2* Comida para los animales.

patelin, -ine [patlɛ̃, -in] *adj. 1* Zalamero, ra. ▪ *2 m.* fam. Pueblo (village).

patenôtre [patnotʀ(ə)] *f.* Oración.

patent, -ente [patɑ̃, -ɑ̃t] *adj. 1* Patente, evidente. ▪ *2 f.* Patente.

patenté, -ée [patɑ̃te] *adj.* Patentado, da.

pater [patɛʀ] *m. invar.* Padrenuestro.

patère [patɛʀ] *f.* Percha, colgador *m.*

paternel, -elle [patɛʀnɛl] *adj. 1* Paternal, paterno, na. ▪ *2 m.* pop. Padre.

paternité [patɛʀnite] *f.* Paternidad.

pâteux, -euse [patø, -øz] *adj.* Pastoso, sa.

pathétique [patetik] *adj.* Patético, ca.

pathologie [patɔlɔʒi] *f.* Patología.

patibulaire [patibylɛʀ] *adj.* Patibulario, ria.

patience [pasjɑ̃s] *f. 1* Paciencia. *2* Solitario *m.* (jeu de cartes).

patinage [patinaʒ] *m.* Patinaje.

patine [patin] *f.* Pátina.

patiner [patine] *intr. 1* Patinar. ▪ *2 tr.* TECHN. Dar pátina a.

patineur, -euse [patinœʀ, -øz] *s.* Patinador, ra.

pâtir [patiʀ] *intr.* Padecer, sufrir.

pâtisserie [pɑ(a)tisʀi] *f. 1* Pastelería. *2* Pastel *m.* (gâteau).

patois [patwa] *m.* Habla *f.* regional y popular.

patraque [patʀak] *adj.* fam. Pachucho, cha.

pâtre [pɑtʀ(ə)] *m.* Pastor.

patriarcal, -ale [patʀjaʀkal] *adj.* Patriarcal.

patrie [patʀi] *f.* Patria.

patrimoine [patʀimwan] *m.* Patrimonio.

patriote [patʀijɔt] *adj.-s.* Patriota.

patron, -onne [patʀɔ̃, -ɔn] *s. 1* Patrono, na (saint). *2* Patrón, ona, amo, ama, dueño, ña (maître). *3* Patrono, na (employeur). ▪ *4 m.* Patrón (modèle).

patronage [patʀɔnaʒ] *m. 1* Patrocinio, protección. *2* Patronato (société).

patronal, -ale [patʀɔnal] *adj.* Patronal.

patronat [patʀɔna] *m.* Empresariado.

patrouille [patʀuj] *f.* Patrulla.

patte [pat] *f. 1* Pata (animaux). *2* fam. Remo *m.,* pata, pierna (jambe). Loc. *Avoir une — folle,* tener una pata jalana. *3* fam. Mano. Loc. fig. *Graisser la — à quelqu'un,* untar la mano a alguien; *faire — de velours,* esconder las uñas. *4* Cartera, pata (de poche). *5* Lengüeta (de portefeuille). *6* Patilla (favori).

patte-d'oie [patdwa] *f. 1* Pata de gallo (ride). *2* Encrucijada (carrefour).

pâturage [pɑtyʀaʒ] *m.* Pasto.

paume [pom] *f. 1* Palma (de la main). *2* Pelota (jeu). *3 Jeu de —,* cancha *f.* (terrain).

paupière [popjɛʀ] *f.* Párpado *m.*

pause [poz] *f. 1* Pausa. *2* MUS. Pausa, silencio *m.*

pauvre [povʀ(ə)] *adj. 1* Pobre. Loc. fam. *— d'esprit,* pobre de espíritu, simple. *2*

Escaso, sa: *végétation —*, vegetation escasa. ■ *3 s.* Pobre, mendigo, ga.

pauvreté [povʀəte] *f.* Pobreza.

pavane [pavan] *f.* Pavana (danse).

pavaner (se) [pavane] *pr.* Pavonearse. ■

pavé [pave] *m. 1* Pavimento, adoquinado (pavage). *2* Calle *f.* (rue). Loc. fig. *Bru- 'ler le —*, ir a escape; *tenir le haut du —*, estar en primera línea; *être sur le —*, estar sin trabajo. *3* Adoquín (bloc de pierre). *4 — de bois*, tarugo.

paver [pave] *tr. 1* Adoquinar, pavimentar con adoquines (de pavés). *2* Entarugar (en bois). *3* Empedrar (empierrer).

pavillon [pavijɔ̃] *m. 1* ARCHIT. Pabellón. *2* Hotelito, chalet (villa). *3* Pabellón (tube évasé). *4* ANAT. Pabellón (de l'oreille). *5* MAR. Pabellón (drapeau). Loc. *Amener, baisser le —*, arriar bandera.

pavois [pavwa] *m. 1* Pavés (bouclier). *2* MAR. Empavesada *f.*

pavoiser [pavwaze] *tr.* Engalanar, poner colgaduras en.

pavot [pavo] *m.* Adormidera *f.*

payant, -ante [pɛjɑ̃, -ɑ̃t] *adj. 1* Que paga. *2* De pago (spectacle). *3* Provechoso, sa, rentable (rentable).

paye [pɛj] *f.* Paga.

payement [pɛjmɑ̃] *m.* Pago.

payer [peje] *tr. 1* Pagar. Loc. *— rubis sur l'ongle*, pagar a toca teja; *— quelqu'un de retour*, pagar con la misma moneda. *2* fam. Ofrecer (offrir). ■ *3 pr.* Pagarse. *4* Ofrecerse, obsequiarse (s'offrir).

pays [pei] *m. 1* País: *des — lointains*, países lejanos. Loc. *Le mal du —*, la morriña, la nostalgia. *2* Región *f.*, comarca *f.* Loc. *Voir du —*, correr mundo; *— de cocagne*, jauja *f.*

paysagiste [peizaʒist(ə)] *adj.-m.* Paisajista.

paysan, -anne [peizɑ̃, -ɑ̃n] *s.* Campesino, na.

peau [po] *f. 1* Piel (de personne, de fruit). *2* Cutis *m.* (du visage). *3* fam. Pellejo. Loc. fam. *Jouer, risquer sa —*, jugarse el pellejo. *4 — de chagrin*, piel de zapa. *5* Nata (du lait).

pécari [pekaʀi] *m.* Pécari.

pêche [pɛʃ] *f. 1* Melocotón *m.* (fruit). *2* Pesca: *— à la ligne*, pesca con caña.

péché [peʃe] *m.* Pecado.

pécher [peʃe] *intr.* Pecar. ▲ CONJUG. como *accélérer*.

pêcher [peʃe] *m.* Melocotonero (arbre).

pêcher [peʃe] *tr.* Pescar.

pêcheur, -eresse [pɛʃœʀ, -eʀɛs] *s.* Pecador, ra.

pêcheur, -euse [pɛʃœʀ, -øz] *s.* Pecador, ra.

pêcheur, -euse [peʃœʀ, -øz] *s. 1* Pescador, ra. ■ *2 adj.* Pesquero, ra: *bateau —*, barco pesquero.

pécore [pekɔʀ] *f.* Estúpida, mema.

pectoral, -ale [pɛktɔʀal] *adj.-m.* Pectoral.

pécuniaire [pekynjɛʀ] *adj.* Pecuniario, ria.

pédagogie [pedagɔʒi] *f.* Pedagogía.

pédale [pedal] *f.* Pedal *m.*

pédaler [pedale] *intr.* Pedalear.

pédalier [pedalje] *m. 1* Pedal (de l'orgue). *2* Plato (bicyclette).

pédant, -ante [pedɑ̃, -ɑ̃t] *adj.-s.* Pedante.

pédestre [pedɛstʀ(ə)] *adj.* Pedestre.

pédiatrie [pedjatʀi] *f.* Pediatría.

pédicure [pedikyʀ] *s.* Pedicuro, ra.

pédoncule [pedɔ̃kyl] *m.* ANAT., BOT. Pedúnculo.

pègre [pɛgʀ(ə)] *f.* Hampa.

peigne [pɛɲ] *m. 1* Peine: *se donner un coup de —*, pasarse el peine. *2* TISS. Carda *f.* (pour la laine). *3* Peine, venera *f.* (mollusque).

peigner [peɲe] *tr. 1* Peinar. *2* TISS. Cardar, peinar. ■ *3 pr.* Peinarse.

peignoir [peɲwaʀ] *m. 1* Albornoz (sortie de bain). *2* Bata *f.* (robe de chambre).

peindre [pɛ̃dʀ(ə)] *tr. 1* Pintar. *2* Pintar, describir (décrire). ▲ CONJUG. como *craindre*.

peine [pɛn] *f. 1* Pena, castigo *m.* *2* Pena, pesar *m.*, pesadumbre. Loc. *Faire de la — à quelqu'un*, afligir a alguien. *3* Esfuerzo *m.*, trabajo *m.* Loc. *Homme de —*, mozo de cuerda; *valoir la —*, valer la pena. *4* Dificultad. *loc. adv. Sans —*, fácilmente.

peiner [pene] *intr. 1* Penar, padecer. ■ *2 tr.* Afligir, apenar.

peintre [pɛ̃tʀ(ə)] *m. 1* Pintor. *2 — en bâtiment*, pintor de brocha gorda.

peinture [pɛ̃tyʀ] *f.* Pintura.

peinturlurer [pɛ̃tyʀlyʀe] *tr.* fam. Pintarrajear.

péjoratif, -ive [peʒɔʀatif, -iv] *adj.* Peyorativo, va, despectivo, va.

pelage [pəlaʒ] *m.* Pelaje.

pêle-mêle [pɛlmɛl] *adv.* En desorden, en un revoltijo.

peler [pəle] *tr. 1* Pelar (ôter le poil). *2* Pelar, mondar (éplucher). ■ *3 intr.* Caerse la piel, descamarse. ▲ CONJUG. como *acheter*.

pèlerinage [pɛlʀinaʒ] *m.* Peregrinación.

pèlerine [pɛlʀin] *f.* Esclavina (vêtement).

pélican [pelikɑ̃] *m.* Pelícano.

pelle [pɛl] *f.* Pala. Loc. fam. *À la —*, a patadas, a porrillo.

pelletée [pɛlte] *f.* Palada.

pelleterie [pɛl(ɛ)tʀi] *f.* Peletería.

pellicule [pe(ɛl)likyl] *f. 1* Película (film). *2* Caspa (du cuir chevelu). *3* Hollejo *m.* (du raisin).

pelote [p(ǝ)lɔt] *f. 1* Ovillo *m.* (de fil, de laine). *2* Pelota, bola (boule). Loc. — *basque,* pelota vasca. *3* fig. fam. *Faire sa* —, hacer su agosto. *4* Acerico *m.,* almohadilla (pour piquer les épingles).

peloter [p(ǝ)lɔte] *tr. 1* Ovillar (laine). *2* fam. Sobar, manosear (caresser). *3* fam. Dar coba, hacer la pelotilla a (aduler).

peloton [p(ǝ)lɔtɔ̃] *m.* Pelotón.

pelotonner [p(ǝ)lɔtɔne] *tr. 1* Devanar, ovillar. ■ *2 pr.* Acurrucarse, arrebujarse (se blottir).

pelouse [p(ǝ)luz] *f.* Césped *m.*

peluche [p(ǝ)lyʃ] *f.* Felpa (étoffe).

pelure [p(ǝ)lyʀ] *f. 1* Monda, mondadura. *2 Papier* —, papel cebolla.

pénal, -ale [penal] *adj.* Penal.

pénalité [penalite] *f.* Penalidad, pena.

pénates [penat] *m. pl.* Penates.

penaud, -aude [pǝno, -od] *adj.* Corrido, da, avergonzado, da.

penchant [pɑ̃ʃɑ̃] *m.* fig. Inclinación *f.,* propensión *f.*

pencher [pɑ̃ʃe] *tr. 1* Inclinar. ■ *2 intr.* Inclinarse, ladearse. ■ *3 pr.* Inclinarse. *4 Se* — *sur,* estudiar, examinar.

pendable [pɑ̃dabl(ǝ)] *adj.* Condenable.

pendaison [pɑ̃dɛzɔ̃] *f. 1* Horca. *2* — *de crémaillère,* inauguración de una casa.

pendant [pɑ̃dɑ̃] *prép. 1* Durante. *2* — *temps,* mientras tanto, entretanto. *3* Loc. *conj.* — *que,* mientras, mientras que.

pendard, -arde [pɑ̃daʀ, -aʀd(ǝ)] *s.* fam. Bribón, ona, pillo, lla.

pendeloque [pɑ̃dlɔk] *f. 1* Colgante *m.* (de boucle d'oreilles). *2* Almendra (d'un lustre).

pendentif [pɑ̃dɑ̃tif] *m. 1* ARCHIT. Pechina *f.* *2* Dije, colgante (bijou).

pendiller [pɑ̃dije] *intr.* Balancearse.

pendre [pɑ̃dʀ(ǝ)] *intr. 1* Colgar, pender: *une lampe pend au plafond,* una lámpara cuelga del techo. ■ *2 tr.* Colgar, suspender-(suspendre). *3* Ahorcar, colgar (un condamné). ■ *4 pr.* Colgarse (se suspendre). *5* Ahorcarse (se suicider). ▲ CONJUG. como *rendre.*

pendu, -ue [pɑ̃dy] *s.* Ahorcado, da.

pendule [pɑ̃dyl] *m. 1* Péndulo, péndola *f.* ■ *2 f.* Reloj *m.* de pared, de chimenea.

pêne [pɛn] *m.* Pestillo.

pénétrant, -ante [penetrɑ̃, -ɑ̃t] *adj.* Penetrante.

pénétrer [penetʀe] *intr.-tr. 1* Penetrar. ■ *2*
tr. fig. Calar, entrar (percevoir). ■ *3 pr. Se* — *de,* convencerse de. ▲ CONJUG. como *accélérer.*

pénible [penibl(ǝ)] *adj. 1* Penoso, sa. *2* fam. Pesado, da (ennuyeux).

péniche [peniʃ] *f.* Chalana.

péninsule [penɛ̃syl] *f.* Península.

pénitence [penitɑ̃s] *f.* Penitencia.

pénitencier [penitɑ̃sje] *m. 1* Penitenciario. *2* Penitenciaría *f.,* penal (prison).

pénombre [penɔ̃bʀ(ǝ)] *f.* Penumbra.

pensant, -ante [pɑ̃sɑ̃, -ɑ̃t] *adj.* Pensante, que piensa.

pensée [pɑ̃se] *f. 1* Pensamiento *m.* *2* Trinitaria, pensamiento *m.* (plante).

penser [pɑ̃se] *intr.-tr. 1* Pensar. *2* loc. adv. *Sans* — *à mal,* sin mala intención.

penseur, -euse [pɑ̃sœʀ, -øz] *s.* Pensador, ra.

pension [pɑ̃sɔ̃] *f. 1* Pensión (allocation). *2* Pensión, pensionado *m.,* colegio *m.* de internos (pensionnat). *3* Pensión. Loc. — *de famille,* casa de huéspedes; *prendre* —, hospedarse.

pensionnaire [pɑ̃sjɔnɛʀ] *s. 1* Pensionista (interne). *2* Huésped, da (chez un particulier, dans un hôtel).

pensum [pɛ̃sɔm] *m. 1* Trabajo escolar impuesto como castigo. *2* Trabajo pesado (travail ennuyeux).

pentagone [pɛ̃tagɔn] *adj.-m.* GÉOM. Pentágono.

pente [pɑ̃t] *f.* Pendiente, cuesta.

pentecôte [pɑ̃tkot] *f.* Pentecostes *m.*

pénultième [penyltjɛm] *adj.-f.* Penúltimo, ma.

pénurie [penyʀi] *f.* Penuria, escasez.

pépie [pepi] *f.* Pepita (des oiseaux).

pépier [pepje] *intr.* Piar, pipiar. ▲ CONJUG. como *prier.*

pépin [pepɛ̃] *m. 1* Pipa *f.,* pepita *f.* (des fruits). *2* fam. Paraguas (parapluie).

pépinière [pepinjɛʀ] *f. 1* AGR. Vivero *m.,* semillero *m.* *2* fig. Cantera, vivero *m.*

pépiniériste [pepinjɛʀist(ǝ)] *adj.-s.* Arbolista.

pépite [pepit] *f.* MINÉR. Pepita.

percale [pɛʀkal] *f.* Percal *m.*

perçant, -ante [pɛʀsɑ̃, -ɑ̃t] *adj. 1* Que horada (outil). *2* fig. Agudo, da (voix, douleur, vue). *3* fig. Perspicaz (esprit).

percée [pɛʀse] *f. 1* Abertura, boquete *m.* (ouverture). *2* Paso *m.* (chemin). *3* MIL. Brecha, ruptura de un frente.

perce-neige [pɛʀsǝnɛʒ] *m. invar.* Narciso de las nieves.

perce-oreille [pɛʀsɔʀɛj] *m.* Cortapicos, tijereta *f.* (insecte).

percepteur, -trice [pɛʀsɛptœʀ, -tʀis] *adj. 1*

Perceptor, ra. ■ *2 m.* Recaudador de contribuciones (d'impôts).

perceptible [pɛʀsɛptibl(ə)] *adj.* Perceptible.

perception [pɛʀsɛpsjɔ̃] *f.* Percepción.

percer [pɛʀse] *tr. 1* Agujerear, perforar (trouer). *2* Calar, atravesar (un liquide). *3* Atravesar, traspasar (traverser). *4* Abrir: — *une rue*, abrir una calle. *5* fig. Calar, descifrar. ■ *6 intr.* Abrirse paso (se frayer un passage). *7* Reventarse (un abcès). *8* Manifestarse (se déceler). *9* fig. Destacarse, abrirse camino: *auteur qui commence à —*, autor que empieza a destacarse. ▲ CONJUG. como *lancer*.

percevoir [pɛʀsəvwaʀ] *tr. 1* Percibir (discerner). *2* Cobrar, recaudar (de l'argent). ▲ CONJUG. como *recevoir*.

perche [pɛʀʃ(ə)] *f. 1* Perca (poisson). *2* Pértiga. Loc. fig. *Tendre la — à quelqu'un*, echar un cable a alguien. *3* fig. Varal *m.*, espingarda (personne grande et maigre).

percher [pɛʀʃe] *intr. 1* Posarse. *2* fam. Alojarse, vivir (loger). ■ *3 pr.* Encaramarse.

percheron, -onne [pɛʀʃərɔ̃, -ɔn] *adj.-s.* Percherón, ona.

perclus, -cluse [pɛʀkly, -klyz] *adj.* Baldado, da.

percussion [pɛʀkysjɔ̃] *f.* Percusión.

perdant, -ante [pɛʀdɑ̃, -ãt] *adj.-s.* Perdedor, ra.

perdition [pɛʀdisjɔ̃] *f.* Perdición.

perdre [pɛʀdʀ(ə)] *tr. 1* Perder. Loc. fig. — *la tête, la boule*, perder la chaveta; — *courage*, desanimarse. *2* Salirse (fuir). ■ *3 pr.* Perderse: *nous nous sommes perdus*, nos hemos perdido. *4 Je m'y perds*, no comprendo nada.

perdreau [pɛʀdʀo] *m.* Perdigón.

perdrix [pɛʀdʀi] *f.* Perdiz.

perdu, -ue [pɛʀdy] *adj. 1* Perdido, da. *2 loc. adv. A corps —*, impetuosamente.

père [pɛʀ] *m. 1* Padre. Loc. *Tel —, tel fils*, de tal palo tal astilla. *2* fam. Tío: *le — Jacques*, el tío Jaime. *3* fig. Padre, autor. *4* THÉAT. — *noble*, barba, característico. ■ *5 pl.* Padres, antepasados.

pérégrination [peʀegʀinasjɔ̃] *f.* Peregrinación.

péremptoire [peʀɑ̃ptwaʀ] *adj.* Perentorio, ria.

pérennité [peʀe(ɛn)nite] *f.* Perennidad.

perfection [pɛʀfɛksjɔ̃] *f.* Perfección.

perfectionner [pɛʀfɛksjɔne] *tr.* Perfeccionar.

perfide [pɛʀfid] *adj.* Pérfido, da.

perforation [pɛʀfɔʀasjɔ̃] *f.* Perforación.

perforer [pɛʀfɔʀe] *tr.* Perforar.

pergola [pɛʀgɔla] *f.* Pérgola.

péricliter [peʀiklite] *intr.* Periclitar, decaer.

péril [peʀil] *m.* Peligro, riesgo. Loc. *Au — de sa vie*, con riesgo de su vida.

périmer [peʀime] *pr. 1* Caducar. *2* DR. Prescribir.

périmètre [peʀimɛtʀ(ə)] *m.* Perímetro.

période [peʀjɔd] *f.* Período *m.*

périodicité [peʀjɔdisite] *f.* Periodicidad.

périodique [peʀjɔdik] *adj. 1* Periódico, ca. ■ *2 m.* Publicación *f.* periódica.

péripétie [peʀipesi] *f.* Peripecia.

périphrase [peʀifʀaz] *f.* Perífrasis.

périple [peʀipl(ə)] *m.* Periplo.

périr [peʀiʀ] *intr. 1* Perecer (mourir). *2* Perecer, desaparecer (finir). *3* MAR. Naufragar.

périscope [peʀiskɔp] *m.* Periscopio.

perle [pɛʀl(ə)] *f. 1* Perla. *2* Cuenta: *perles d'un chapelet*, cuentas de un rosario. *3* fig. Perla, alhaja (personne, chose de grande valeur). *4* Gazapo *m.* (erreur).

perlé, -ée [pɛʀle] *adj. Grève perlée*, huelga intermitente.

perler [pɛʀle] *tr. 1* Ejecutar con primor, bordar. ■ *2 intr.* Caer en forma de gotas.

permanence [pɛʀmanɑ̃s] *f. 1* Permanencia. Loc. *En —*, permanentemente. *2* Estudio *m.* (salle d'un lycée).

permanent, -ente [pɛʀmanɑ̃, -ãt] *adj. 1* Permanente. *2* Continuo, nua (spectacle): — *à partir de 10 h.*, continua desde las 10. ■ *3 f.* Permanente (cheveux).

perméable [pɛʀmeabl(ə)] *adj.* Permeable.

permettre [pɛʀmɛtʀ(ə)] *tr. 1* Permitir. ■ *2 pr.* Permitirse: *je me suis permis de*, me he permitido de. ▲ CONJUG. como *mettre*.

permis [pɛʀmi] *m.* Permiso, licencia *f.*: — *de conduire*, permiso de conducir.

permission [pɛʀmisjɔ̃] *f. 1* Permiso *m.*, autorización: *demander la — de*, pedir permiso para. *2* MIL. Permiso *m.*: *en —*, con permiso.

permuter [pɛʀmyte] *tr.-intr.* Permutar.

pernicieux, -euse [pɛʀnisjø, -øz] *adj.* Pernicioso, sa.

pérorer [peʀɔʀe] *intr.* Perorar.

perpendiculaire [pɛʀpɑ̃dikylɛʀ] *adj.-f.* Perpendicular.

perpétrer [pɛʀpetʀe] *tr.* Perpetrar. ▲ CONJUG. como *accélérer*.

perpétuel, -elle [pɛʀpetɥɛl] *adj.* Perpetuo, tua.

perpétuité [pɛʀpetɥite] *f. 1* Perpetuidad. *2 loc. adv. A —*, para siempre.

perplexité [pɛRplɛksite] *f.* Perplejidad.
perquisitionner [pɛRkizisjɔne] *tr.* Registrar, hacer pesquisas en.
perron [pɛRɔ̃] *m.* Escalinata *f.*
perroquet [pɛRɔkɛ] *m.* 1 Loro, papagayo. 2 MAR. Juanete.
perruche [pe(ɛ)Ryʃ] *f.* 1 Cotorra. 2 MAR. Perico *m.*
perruque [pe(ɛ)Ryk] *f.* Peluca.
persan, -ane [pɛRsã, -an] *adj.-s.* Persa.
persécuter [pɛRsekyte] *tr.* Perseguir.
persécution [pɛRsekysjɔ̃] *f.* Persecución.
persévérance [pɛRseveRãs] *f.* Perseverancia.
persévérer [pɛRseveRe] *intr.* Perseverar. ▲ CONJUG. como *accélérer*.
persienne [pɛRsjɛn] *f.* Persiana.
persifler [pɛRsifle] *tr.* Guasearse de.
persil [pɛRsil] *m.* Perejil.
persistance [pɛRsistãs] *f.* Persistencia.
persister [pɛRsiste] *intr.* Persistir.
personnage [pɛRsɔnaʒ] *m.* Personaje.
personnalité [pɛRsɔnalite] *f.* Personalidad.
personne [pɛRsɔn] *f.* 1 Persona. 2 *Grande* —, persona mayor.
personne [pɛRsɔn] *pron. indéf.* Nadie: — *ne le sait*, nadie lo sabe.
personnel, -elle [pɛRsɔnɛl] *adj.* 1 Personal. 2 Egoísta. ■ *3 m.* Personal (ensemble d'employés).
personnifier [pɛRsɔnifje] *tr.* Personificar. ▲ CONJUG. como *prier*.
perspective [pɛRspɛktiv] *f.* Perspectiva.
perspicacité [pɛRspikasite] *f.* Perspicacia.
persuader [pɛRsɥade] *tr.* Persuadir.
persuasion [pɛRsɥazjɔ̃] *f.* Persuasión.
perte [pɛRt(ə)] *f.* 1 Pérdida. Loc. *À — de vue*, hasta perderse de vista; *en pure —*, para nada. 2 fig. Perdición, ruina. 3 *Profits et pertes*, pérdidas y ganancias. ■ *4 pl.* MIL. Bajas.
pertinent, -ente [pɛRtinã, -ãt] *adj.* Pertinente.
perturbation [pɛRtyRbasjɔ̃] *f.* Perturbación.
perturber [pɛRtyRbe] *tr.* Perturbar.
péruvien, -ienne [peRyvjɛ̃, -jɛn] *adj.-s.* Peruano, na.
perversion [pɛRvɛRsjɔ̃] *f.* Perversión.
perversité [pɛRvɛRsite] *f.* Perversidad.
pervertir [pɛRvɛRtiR] *tr.* 1 Pervertir. ■ *2 pr.* Pervertirse.
pesage [pəzaʒ] *m.* Peso, pesaje (gallic.).
pesant, -ante [pəzã, -ãt] *adj.* 1 Pesado, da. ■ *2 m.* Loc. *Valoir son — d'or*, valer su peso en oro.
pesanteur [pəzãtœR] *f.* 1 Pesadez, peso *m.* 2 fig. Torpeza (d'esprit). 3 PHYS. Gravedad.

pesée [pəze] *f.* 1 Pesada. 2 Empuje *m.* (poussée).
peser [pəze] *tr.-intr.* 1 Pesar. Loc. — *le pour et le contre*, pesar el pro y el contra. 2 — *sur, contre*, apoyar, hacer fuerza sobre, contra. ▲ CONJUG. como *acheter*.
pessimisme [pesimism(ə)] *m.* Pesimismo.
peste [pɛst(ə)] *f.* 1 Peste. Loc. *Fuir, craindre quelqu'un comme la —*, huir de, temer a alguien como si fuera la peste. 2 fig. Peste, demonio *m.* 3 *interj.* ¡Cuerno!, ¡caray!
pestiféré, -ée [pɛstifeRe] *adj.-s.* Apestado, da.
pestilence [pɛstilãs] *f.* Pestilencia.
pétale [petal] *m.* BOT. Pétalo.
pétarade [petaRad] *f.* Detonaciones *pl.*
pétard [petaR] *m.* 1 Petardo (explosif). 2 fam. Tremolina *f.* (tapage). 3 fam. Revólver, pistolón. 4 pop. Trasero, asentaderas *f. pl.* (derrière)
pétaudière [petodjɛR] *f.* Olla de grillos, casa de tócame Roque.
péter [pete] *intr.* 1 pop. Peer. Loc. fam. —*du feu, des flammes*, estar desbordante de vitalidad, de energías. 2 fam. Estallar (exploser). 3 fam. Reventar (crever). ▲ CONJUG. como *accélérer*.
pétiller [petije] *intr.* 1 Burbujear (le vin). 2 Crepitar, chisporrotear (crépiter). 3 fig. Brillar, chispear.
pétiole [pesjɔl] *m.* BOT. Pecíolo.
petit, -ite [p(ə)ti, -it] *adj.* 1 Pequeño, ña. Se traduit fréquemment par un diminutif: — *chat*, gatito; *petite table*, mesita, *un — peu*, un poquito. 2 Bajo, ja (de taille). 3 Insignificante, mezquino, na (faible). 4 Humilde. ■ *5 s.* Pequeño, ña, crío, cría. ■ *6 m.* Cría *f.* (d'animal). 7 Cachorro, cría *f.* (de chien, tigre, lion). 8 *loc. adv.* — *à —*, poco a poco.
petit-beurre [p(ə)tibœR] *m.* Galleta *f.*
petite-fille [p(ə)titfij] *f.* Nieta.
petit-fils [p(ə)titfis] *m.* Nieto.
petit-gris [p(ə)tigRi] *m.* Gris, petigris.
pétition [petisjɔ̃] *f.* 1 Petición, solicitud. 2 — *de principe*, petición de principio.
petitionnaire [petisjɔnɛR] *s.* Peticionario, ria, solicitante.
petit-lait [p(ə)tilɛ] *m.* Suero.
petits-enfants [p(ə)tizãfã] *m. pl.* Nietos.
peton [pətɔ̃] *m.* fam. Piececito.
pétrel [petRɛl] *m.* Petrel.
pétrifier [petRifje] *tr.* Petrificar. ▲ CONJUG. como *prier*.
pétrin [petRɛ̃] *m.* 1 Artesa *f.*, amasadera *f.* 2 fam. Atolladero, apuro, aprieto.
pétrir [petRiR] *tr.* 1 Amasar (une pâte). 2

fig. Formar, modelar (façonner). *3 Être pétri de*, estar lleno de.

pétrole [petʀɔl] *m.* Petróleo.

pétroleur, -euse [petʀɔlœʀ, øz] *s.* Petrolero, ra.

pétrolier, -ière [petʀɔlje, -jɛʀ] *adj. 1* Petrolero, ra. ■ *2 m.* Petrolero (bateau).

pétulance [petylɑ̃s] *f.* Impetuosidad.

pétunia [petynja] *m.* Petunia *f.*

peu [pø] *adv. 1* Poco: *un — de*, un poco de. *2 — de*, poco, poca, pocos, pocas: *— de travail*, poco trabajo: *— de livres*, pocos libros. *3 loc. adv. À — près*, poco más o menos: *— à —*, poco a poco; *dans —, sous —*, dentro de poco. *4 loc. conj. Pour — que*, a poco que: *si — que ce soit*, por muy poco que ea.

peuplade [pœplad] *f.* Tribu, pueblo *m.* primitivo.

peuple [pœpl(ə)] *m. 1* Pueblo. Loc. *Le bas —*, el vulgo, la plebe. *2* Muchedumbre *f.* (foule). Loc. fam. *Il y a du —*, hay mucha gente. ■ *3 adj. invar.* Populachero, ra.

peuplier [pœplije] *m.* Álamo.

peur [pœʀ] *f. 1* Miedo *m.* Loc. *— bleue*, miedo cerval: *j'ai — que*, me temo que: *faire — à —*, asustar, dar miedo. *2 loc. prép. De — de*, por miedo a. *3 loc. conj. De — que*, por miedo de que.

peut-être [pøtɛtʀ(ə)] *adv.* Acaso, quizá, quizás, tal vez, puede ser: *— viendra-t-il*, puede ser que venga.

phalange [falɑ̃ʒ] *f.* Falange.

phalanstère [falɑ̃stɛʀ] *m.* Falansterio.

pharaon [faʀaɔ̃] *m.* Faraón.

phare [faʀ] *m.* Faro.

pharisien [faʀizjɛ̃] *m.* Fariseo.

pharmacie [faʀmasi] *f. 1* Farmacia. *2* Botiquín *m.* (armoire).

pharmacien, -ienne [faʀmasjɛ̃, -jɛn] *s.* Farmacéutico, ca.

pharmacopée [faʀmakɔpe] *f.* Farmacopea.

pharyngite [faʀɛ̃ʒit] *f.* MÉD. Faringitis.

phase [faz] *f.* Fase.

phénix [feniks] *m.* Fénix.

phénomène [fenɔmɛn] *m.* Fenómeno.

philanthropie [filɑ̃tʀɔpi] *f.* Filantropía.

philatélie [filateli] *f.* Filatelia.

philistin [filistɛ̃] *m. 1* Filisteo. *2* fig. Gofo, analfabeto (ignorant).

philologie [filɔlɔʒi] *f.* Filología.

philosophe [filɔzɔf] *s.* Filósofo, fa.

philosophie [filɔzɔfi] *f.* Filosofía.

philtre [filtʀ(ə)] *m.* Filtro, bebedizo.

phlegmon [flɛgmɔ̃] *m.* MÉD. Flemón.

phobie [fɔbi] *f.* MÉD. Fobia.

phonétique [fɔnetik] *adj. 1* Fonético, ca. ■ *2 f.* Fonética.

phonographe [fɔnɔgʀaf] *m.* Fonógrafo.

phoque [fɔk] *m.* Foca *f.*

phosphate [fɔsfat] *m.* CHIM. Fosfato.

phosphore [fɔsfɔʀ] *m.* CHIM. Fósforo.

phosphorescence [fɔsfɔʀesɑ̃s] *f.* Fosforescencia.

photocopie [fɔtɔkɔpi] *f.* Fotocopia.

photographe [fɔtɔgʀaf] *s.* Fotógrafo, fa.

photographie [fɔtɔgʀafi] *f.* Fotografía.

photographier [fɔtɔgʀafje] *tr.* Fotografiar. ▲ CONJUG. como *prier*.

phrase [fʀaz] *f.* Frase.

phtisique [ftizik] *adj.-s.* Tísico, ca.

physicien, -ienne [fizisjɛ̃, -jɛn] *s.* Físico, ca.

physiologie [fizjɔlɔʒi] *f.* Fisiología.

physionomie [fizjɔnɔmi] *f.* Fisonomía.

physique [fizik] *adj. 1* Físico, ca. ■ *2 f.* Física. ■ *3 m.* Físico.

piaffer [pjafe] *intr.* Piafar (cheval).

piailler [pjaje] *intr. 1* fam. Pipiar, piar (oiseaux). *2* fam. Chillar (crier).

pianiste [pjanist(ə)] *s.* Pianista.

piano [pjano] *m.* Piano.

piastre [pjastʀ(ə)] *f.* Piastra.

piaulement [pjolmɑ̃] *m. 1* Piada *f.* (oiseaux). *2* Griterío (enfants).

pic [pik] *m. 1* Pico, pájaro carpintero (oiseau). *2* Pico (outil). *3* Pico, picacho (montagne). *4 loc. adv. À —*, vertical.

picaresque [pikaʀɛsk(ə)] *adj.* LITT. Picaresco, ca.

pichet [piʃɛ] *m.* Jarrito.

picorer [pikɔʀe] *intr. 1* Buscar comida con el pico. ■ *2 tr.* Picotear, picar.

picoter [pikɔte] *tr. 1* Picar, causar picazón (démanger). *2* Picotear (becqueter).

pictural, -ale [piktyʀal] *adj.* Pictórico, ca.

pie [pi] *f.* Urraca. Loc. fam. *Jaser comme une —*, hablar como una cotorra.

pièce [pjɛs] *f. 1* Pieza: *pièces de rechange*, piezas de recambio. Loc. *Travailler à la —*, trabajar a destajo. *2* Trozo *m.*, pedazo *m.* (morceau). Loc. *Mettre en pièces*, hacer añicos, destrozar. *3* Pieza (chasse, pêche). *4* Documento *m.: — justificative*, documento justificativo. *5* Pieza, habitación: *un appartement de cinq pièces*, un piso de cinco habitaciones. *6* Pieza, remiendo *m.* (raccommodage). Loc. fig. *Être tout d'une —*, ser cantaclaro, francote. *7 — d'eau*, estanque *m.* *8* CUIS. *— de résistance*, plato *m.* fuerte. *9* Obra: *— de théâtre*, obra, pieza teatral. *10* MUS. Pieza, composición. *11* Pieza, moneda (monnaie).

pied [pje] *m. 1* Pie. Loc. *À —*, andando: *à pieds joints*, a pie juntillas; *à — sec*, a pie enjuto: *coup de —*, puntapié; *de — en cap*, de pies a cabeza; *en —*, de cuerpo entero; *lâcher* —, ceder terreno, cejar; fig. *lever le* —, poner los pies en polvorosa, largarse. 2 Pie, mano *f.* (des animaux). Loc. fig. *Faire le — de grue*, estar de plantón. 3 Pie, pata *f.: les pieds d'un lit*, las patas de una cama. 4 Pie (mesure, en poésie). 5 BOT. Pie, tallo. 6 — *de vigne*, cepo. 7 *loc. adv. À — d'œuvre*, al pie del cañón; *au — levé*, sin preparación, sin demora.

pied-à-terre [pjetatɛʀ] *m. invar.* Apeadero, vivienda *f.* (de paso).

pied-de-biche [pjedbiʃ] *m. 1* Arrancaclavos (outil). 2 Pinzas *f. pl.* de dentista. 3 Pie prensatelas (dans une machine à coudre).

piédestal [pjedestal] *m.* Pedestal.

piège [pjɛʒ] *m.* Trampa *f.*, cepo.

pierraille [pjɛʀɑj] *f.* Cascajo *m.*, guijo *m.*

pierre [pjɛʀ] *f. 1* Piedra. Loc. *Faire d'une — deux coups*, matar dos pájaros de un tiro. 2 — *à aiguiser*, piedra de amolar; — *à fusil*, piedra de chispa; — *d'attente*, *adaraja*; — *d'autel*, ara; — *de touche*, piedra de toque; — *tombale*, lápida sepulcral.

pierreries [pjɛʀʀi] *f. pl.* Piedras preciosas.

piété [pjete] *f.* Piedad.

piétiner [pjetine] *tr. 1* Pisotear. ■ *2 intr.* Patalear. *3* fig. Estancarse (ne faire aucun progrès).

piéton [pjetɔ̃] *m.* Peatón, transeúnte.

piètre [pjɛtʀ(ə)] *adj.* Mezquino, na, pobre, ruin.

pieu [pjø] *m. 1* Estaca *f.* 2 pop. Piltra *f.*, catre (lit).

pieuvre [pjœvʀ(ə)] *f. 1* Pulpo *m.* 2 fig. Persona insaciable.

pieux, -euse [pjø, -øz] *adj.* Piadoso, sa.

pigeon [piʒɔ̃] *m. 1* Palomo, paloma *f.: — ramier*, paloma torcaz; — *voyageur*, paloma mensajera. 2 fig. Primo (dupe).

pigeonneau [piʒɔno] *m.* Pichón.

pigeonnier [piʒɔnje] *m.* Palomar.

pigment [pigmã] *m.* Pigmento.

pignon [piɲɔ̃] *m. 1* ARCHIT. Aguilón. Loc. fig. *Avoir — sur rue*, tener casa propia. 2 TECHN. Piñón. *3* BOT. Piñón. *4 Pin* —, pino piñonero.

pilastre [pilastʀ(ə)] *m.* Pilastra *f.*

pile [pil] *1* ARCHIT. Pila, macho *m.* 2 Pila, rimero *m.* (tas). *3* ÉLECT., PHYS. Pila. 4 Cruz (d'une monnaie): — *ou face*, cara o cruz. 5 fam. Paliza, tunda (volée de coups).

piler [pile] *tr. 1* Majar, machacar. 2 fam. Moler a palos (battre).

pilier [pilje] *m. 1* ARCHIT. Pilar. 2 fig. Sos-

tén, soporte (soutien). 3 péj. Asiduo, a. 4 SPORTS Pilar (rugby).

pillage [pijaʒ] *m. 1* Pillaje, saqueo. 2 *Livrer au* —, saquear.

pillard, -arde [pijaʀ, -aʀd(ə)] *adj.-s. 1* Saqueador, ra. 2 Ladrón, ona (voleur).

pilon [pilɔ̃] *m. 1* Mano *f.* de mortero. 2 Pata *f.* de palo (jambe de bois). *3* Muslo, pata *f.* (de volaille).

pilori [piloʀi] *m.* Picota *f.*

pilotage [pilotaʒ] *m.* Pilotaje.

pilote [pilɔt] *m. 1* Piloto. ■ *2* *adj. invar.* Modelo: *usine* —, fábrica modelo.

piloter [pilɔte] *tr. 1* Pilotar. 2 fig. Guiar (quelqu'un).

pilotis [pilɔti] *m.* CONSTR. Pilote.

pilule [pilyl] *f.* Píldora.

pimbêche [pɛ̃bɛʃ] *f.* fam. Marisabidilla.

piment [pimã] *m.* Pimiento, guindilla *f.*

pimenter [pimãte] *tr. 1* Sazonar con pimiento. 2 fig. Salpimentar.

pin [pɛ̃] *m.* Pino.

pinacle [pinakl(ə)] *m.* Pináculo.

pince [pɛ̃s] *f. 1* Pinzas *pl.* (instrument). 2 — *à sucre*, tenacillas *pl.* 3 Pinza (couture). 4 pop. *La* —, la mano. 5 ZOOL. Pinza, tenaza. 6 TECHN. Alicates *m. pl.*: — *coupante*, alicates de corte. 7 TECHN. Palanca (levier).

pincé, -ée [pɛ̃se] *adj. 1* Estirado, da, altivo, va (prétentieux). 2 Apretado, da: *bouche pincée*, boca apretada.

pinceau [pɛ̃so] *m. 1* Pincel. 2 — *lumineux*, pequeño haz luminoso.

pincée [pɛ̃se] *f.* Pulgada, pizca.

pince-nez [pɛ̃sne] *m. invar.* Lentes *pl.*, quevedos *pl.*

pincer [pɛ̃se] *tr. 1* Pellizcar. 2 Apretar, oprimir (les lèvres). 3 Ajustar, ceñir (couture). 4 fam. Picar (le froid). 5 fam. Pillar (prendre, arrêter). 6 fam. Pescar, sorprender (surprendre). 7 AGR. Podar. ■ *8 pr.* Pellizcarse. ▲ CONJUG. como *lancer*.

pinçon [pɛ̃sɔ̃] *m.* Cardenal.

pingouin [pɛ̃gwɛ̃] *m.* Pingüino.

pingre [pɛ̃gʀ(ə)] *adj.-s.* fam. Agarrado, da.

pinson [pɛ̃sɔ̃] *m.* Pinzón.

pintade [pɛ̃tad] *f.* Pintada, gallina de Guinea.

pinte [pɛ̃t] *f.* Pinta (mesure).

pinter [pɛ̃te] *intr.* pop. Empinar el codo, trincar.

pioche [pjɔʃ] *f.* Zapapico *m.*, pico *m.*

piocher [pjɔʃe] *tr. 1* Cavar. 2 fig. fam. Empollar (étudier).

piolet [pjɔlɛ] *m.* Bastón de alpinista.

pion [pjɔ̃] *m. 1* Peón (aux échecs). 2 Ficha *f.* (jeu de dames).

pionnier [pjɔnje] *m. 1* MIL. Gastador. *2* Colonizador. *3* fig. Pionero.

pipe [pip] *f. 1* Pipa. Loc. fam. *Par tête de —*, por barba; *casser sa —*, hincar el pico (mourir); *se fendre la —*, soltar el trapo. *2* pop. Cigarrillo *m.*

piper [pipe] *tr. 1 — des dés, des cartes*, hacer fullerías con los dados, con las cartas. *2* fam. *Ne pas —*, no decir ni pío.

pipette [pipɛt] *f.* Pipeta.

pipi [pipi] *m.* Pipi: *Faire —*, hacer pipí, hacer pis.

piquant, -ante [pikɑ̃, -ɑ̃t] *adj. 1* Punzante (qui pique). *2* Picante (sauce). *3* Agudo, da, vivo, va: *froid —*, frío agudo. *4* fig. Picante, mordaz (caustique). ■ *5 m.* Pincho, púa *f.*

pique [pik] *f. 1* Pica (arme). *2* Indirecta: *envoyer, lancer des piques à quelqu'un*, tirar indirectas a alguien. ■ *3 m.* Piques *pl.* (cartes).

piqué, -ée [pike] *adj. 1* Cosido, da a máquina (cousu). *2* Picado, da (marqué de petites taches). *3* Picado, da, echado, da a perder (boisson). *4* Apolillado, da, carcomido, da (vermoulu). *5* fam. Chiflado, da (fou). ■ *5 m.* Piqué (tissu). *7* AÉR. Picado.

piquer [pike] *tr. 1* Picar, pinchar. *2* MÉD. Poner, dar, una inyección (faire une piqûre). *3* Picar (insecte). *4* Clavar (fixer avec une pointe). *5* Coser a máquina (coudre). *6* Apolillar (le bois). *7* Llenar de manchas (parsemer de taches). *8* Picar, producir picazón (démanger). *9* fig. Picar: *— l'amour propre*, picar el amor propio. *10 — une tête*, echarse al agua de cabeza; *— une crise*, coger una rabieta. *11* MUS. *— une note*, picar una nota. *12* CUIS. Mechar. *13* pop. Afanar, apañar (voler). *14* Echar el guante a, pillar (arrêter). ■ *15 intr.* Pinchar. *16* AÉR. Descender en picado. ■ *17 pr.* Pincharse. *18* Darse una inyección. *19* Picarse (vin, tissu, papier). *20* fig. Picarse, resentirse (se vexer). *21 Se — de*, jactarse de, presumir.

piquet [pikɛ] *m. 1* Piquete. Loc. *Mettre un élève au —*, castigar a un alumno a permanecer en pie. *2* Piquete (de soldats, de grève). *3* Juego de los cientos (jeu de cartes).

piquette [pikɛt] *f. 1* Aguapié. *2* Vino *m.* peleón, vinucho *m.* (vin). *3* pop. Paliza, derrota (défaite).

piqûre [pikyʀ] *f. 1* Pinchazo *m.* *2* Picada, picadura (d'insecte). *3* Pespunte *m.* (couture). *4* MÉD. Inyección: *faire une — à*, poner, dar una inyección a.

pirate [piʀat] *m.* Pirata.

pire [piʀ] *adj. 1* Peor: *rien de — que*, nada peor que. ■ *2 m. Le —*, lo peor.

pirogue [piʀɔg] *f.* Piragua.

pirouette [piʀwɛt] *f.* Pirueta.

pis [pi] *m.* Ubre *f.*, teta *f.* (mamelle).

pis [pi] *adv.-adj. 1* Peor. loc. adv. *Tant —*, tanto peor; *aller de mal en —*, *de — en —*, ir de mal en peor; *qui — est*, lo que es peor. ■ *2 m.* Peor. loc. adv. *Au — aller*, en el peor de los casos.

pisciculture [pisikyltyʀ] *f.* Piscicultura.

piscine [pisin] *f.* Piscina.

pissenlit [pisɑ̃li] *m.* Diente de león.

pisser [pise] *intr.-tr.* pop. Mear.

pistache [pistaʃ] *f.* Alfóncigo *m.*, pistacho *m.*

piste [pist(ə)] *f.* Pista.

pistolet [pistɔlɛ] *m. 1* Pistola *f.* (arme). ■ *2* TECHN. Pistola *f.*, aerógrafo (pour peindre). *3* Plantilla *f.* (de dessinateur).

piston [pistɔ̃] *m. 1* TECHN. Pistón, émbolo. *2* MUS. Pistón. *3* fam. Enchufe: *avoir du —*, tener un enchufe.

pistonner [pistɔne] *tr. 1* fam. Enchufar. *2* fam. *Se faire —*, tener un enchufe.

pitance [pitɑ̃s] *f.* péj. Pitanza.

pitié [pitje] *f.* Piedad, lástima, compasión: *faire —*, dar lástima.

pitoyable [pitwajabl(ə)] *adj. 1* Lastimoso, sa, lamentable (digne de pitié). *2* Piadoso, sa, compasivo, va (humain).

pitre [pitʀ(ə)] *m.* Payaso.

pittoresque [pitɔʀɛsk(ə)] *adj.* Pintoresco, ca.

pivert [piveʀ] *m.* Picamaderos.

pivoine [pivwan] *f.* Peonía.

pivot [pivo] *m. 1* MÉC. Gorrón, pivote. *2* fig. Eje, base *f.* *3* BOT. Nabo, raíz *f.* vertical.

pivoter [pivɔte] *intr.* Girar sobre su eje.

placage [plakaʒ] *m.* Chapeado, enchapado.

placard [plakaʀ] *m. 1* Armario empotrado. *2* Cartel (affiche).

place [plas] *f. 1* Plaza: *la — Vendôme*, la plaza Vendôme. *2* Plaza, lugar *m.*, sitio *m.* (endroit). Loc. *À la — de*, en lugar de; *sur —*, en el mismo lugar; *— d'honneur*, lugar, sitio de preferencia. *3* Plaza, asiento *m.: voiture à deux places*, coche de dos plazas. *4* Localidad, entrada (dans un théâtre, un cinéma). *5* Plaza, empleo *m.* (emploi). Loc. *Être en —*, tener un empleo importante. *6* Espacio *m.*, sitio *m.: prendre beaucoup de —*, ocupar mucho sitio. *7* MIL. *— forte*, plaza fuerte. *8 interj.* ¡Paso!

placement [plasmɑ̃] *m. 1* Colocación *f.*:

bureau de —, agencia de colocaciones. *2* Inversión *f.* (investissement).

placer [plase] *tr. 1* Colocar, instalar (installer). *2* Acomodar (dans une salle de spectacle). *3* Colocar, poner (mettre). *4* Colocar, proporcionar un empleo a. *5* Colocar, invertir (investir). ■ *6 pr.* Colocarse, instalarse, acomodarse (s'installer). *7* Colocarse (prendre une place, un emploi). ▲ CONJUG. como *lancer*.

placer [plasɛʀ] *m.* MINÉR. Placer (gisement d'or).

placidité [plasidite] *f.* Placidez.

placier, -ière [plasje, -jɛʀ] *s.* Corredor, ra.

plafond [plafɔ̃] *m. 1* Techo. Loc. fam. *Avoir une araignée au* —, faltarle a alguien un tornillo. *2* fig. Tope, límite: *prix* —, precio tope. *3* AÉR. Altura *f.* máxima. *4* AUTO. Velocidad *f.* máxima.

plafonnier [plafɔnje] *m.* Lámpara *f.* de aplique colocada en el techo.

plage [plaʒ] *f.* Playa.

plagier [plaʒje] *tr.* Plagiar. ▲ CONJUG. como *prier*.

plaid [plɛd] *m.* Manta *f.* de viaje.

plaider [plede] *intr. 1* Litigar, pleitear. *2* Abogar: — *pour, en faveur de*, abogar por, en favor de. ■ *3 tr.* Defender.

plaideur, -euse [plɛdœʀ, -øz] *s.* Litigante.

plaidoirie [plɛdwaʀi] *f. 1* DR. Alegato *m.*, defensa. *2* Abogacía (art de plaider).

plaie [plɛ] *f. 1* Llaga, herida. *2* Plaga (fléau). *3* fam. *Quelle* —!, ¡vaya lata!

plaignant, -ante [plɛɲɑ̃, -ɑ̃t] *s.* Querellante, demandante.

plain [plɛ̃] *adj. 1* Llano, plano. *2 De plain-pied*, al mismo nivel.

plaindre [plɛ̃dʀ(ə)] *tr. 1* Compadecer, sentir lástima por. ■ *2 pr.* Quejarse, lamentarse (se lamenter). *3* Protestar (protester). *4* DR. Querellarse. ▲ CONJUG. como *craindre*.

plaine [plɛn] *f.* Llanura, llano *m.*

plainte [plɛ̃t] *f. 1* Queja. *2* Gemido *m.*, lamento *m. 3* DR. Demanda, denuncia.

plaintif, -ive [plɛ̃tif, -iv] *adj.* Lastimero, ra.

plaire [plɛʀ] *tr. ind. 1* Gustar, agradar: — *à quelqu'un*, gustar a alguien; *cela me plaît*, esto me gusta. ■ *2 impers.* Gustar, placer: *comme il vous plaira*, como le plazca. Loc. *Plaise à Dieu*, quiera Dios, ojalá; *s'il vous plaît*, por favor; *plaît-il?*, ¿cómo?, ¿decía usted? ■ *3 pr.* Hallarse bien, estar a gusto. *4 Se* — *à*, complacerse en. ▲ CONJUG. IRREG. INDIC. Pres.: *je plais, tu plais, il plaît, nous plaisons, vous plaisez, ils plaisent.* Imperf.: *je plaisais*, etc. Pret. indef.: *je plus*, etc. Fut. imperf.: *je plairai*, etc. POT.: *je plairais*,

etc. SUBJ. Pres.: *que je plaise*, etc. Imperf.: *que je plusse*, etc. IMPER.: *plais, plaisons, plaisez.* PART. A.: *plaisant.* PART. P.: *plu, plue.*

plaisance (de) [plɛzɑ̃s] *loc. adj.* De recreo; *maison* —, casa de recreo.

plaisant, -ante [plɛzɑ̃, -ɑ̃t] *adj. 1* Agradable (agréable). *2* Divertido, da (drôle). ■ *3 m. Le* —, lo gracioso, lo chistoso. *4 Mauvais* —, bromista pesado.

plaisanter [plɛzɑ̃te] *intr. 1* Bromear, chancearse. Loc. *Je ne plaisante pas*, hablo en serio. ■ *2 tr.* Burlarse de, tomar el pelo a (railler légèrement).

plaisanterie [plɛzɑ̃tʀi] *f.* Broma, chanza.

plaisir [plɛziʀ] *m. 1* Placer, deleite. *2* Placer, gusto, agrado. Loc. *Avec* —, con gusto; *par* —, por gusto; *faire* —, dar gusto, complacer; *faites-moi le* — *de*, hágame el favor de. *3* Placer, goce sexual. *4* Diversión *f. 5 loc. adv. À* —, a capricho, sin motivo, porque sí.

plan, plane [plɑ̃, plan] *adj. 1* Plano, na. ■ *2 m.* Plano (surface plane). *3* Plano (photographie): *gros* —, primer plano. *4* PEINT. Plano, término. Loc. *Au premier* —, en primer término. *5* ARCHIT. Plano. *6* fig. Plan (projet).

planche [plɑ̃ʃ] *f. 1* Tabla, tablón *m.* (de bois). Loc. — *à dessin*, tablero *m.* de dibujo; fig. — *de salut*, tabla de salvación; *faire la* —, hacer la plancha. *2* Lámina (gravure). *3* fam. Esquí *m. 4* AGR. Tabla. ■ *5 pl.* THÉÂT. Tablas.

plancher [plɑ̃ʃe] *m.* Piso, suelo.

planer [plane] *intr. 1* Cernerse (les oiseaux). *2* Planear (un avión). *3* Dominar (du regard, par la pensée). *4* fig. Cernerse, pesar: *une menace plane sur nous*, una amenaza se cierne sobre nosotros.

planétaire [planeteʀ] *adj.* Planetario, ria.

planète [planɛt] *f.* Planeta *m.*

planisphère [planisfɛʀ] *m.* Planisferio.

plant [plɑ̃] *m. 1* AGR. Plantón. *2* AGR. Plantel, plantío (terrain).

plantain [plɑ̃tɛ̃] *m.* Llantén.

plantation [plɑ̃tasjɔ̃] *f.* Plantación.

plante [plɑ̃t] *f.* Planta.

planter [plɑ̃te] *tr. 1* AGR. Plantar. *2* Clavar, hincar (enfoncer). *3* Montar, instalar. *4* fam. — *là quelqu'un*, dejar plantado a alguien. ■ *5 pr.* Plantarse.

plantigrade [plɑ̃tigʀad] *adj.-m.* ZOOL. Plantígrado, da.

planton [plɑ̃tɔ̃] *m.* MIL. Ordenanza.

plantureux, -euse [plɑ̃tyʀø, -øz] *adj. 1* Copioso, sa, abundante (copieux). *2* Fértil, feraz (sol). *3* Corpulento, ta, rollizo, za (une personne).

plaque [plak] *f. 1* Placa: — *d'immatriculation*, placa de matrícula. Loc. — *tournante*, placa giratoria: fig. centro *m.*, eje *m.* 2 Plancha: — *de blindage*, plancha de blindaje. *3* PHOT. Placa.

plaqué [plake] *m.* Plaqué.

plaquer [plake] *tr. 1* Pegar, adherir (coller). 2 SPORTS Hacer un placaje (rugby). *3* TECHN. Chapar, enchapar. *4* pop. Plantar, dejar plantado, da (abandonner).

plaquette [plakɛt] *f. 1* Librito *m.*, folleto (petit livre). 2 Plaquita. *3* Plaqueta (sanguine).

plastique [plastik] *adj. 1* Plástico, ca. ■ *2 f.* Plástica. ■ *3 m.* Materia *f.* plástica, plástico: *sac en* —, bolso de plástico.

plastron [plastrɔ̃] *m. 1* Peto (d'une cuirasse). 2 Pechera *f.* (de chemise).

plat, plate [pla, plat] *adj. 1* Llano, na, plano, na: *pays* —, país llano. Loc. *À* —, horizontalmente: *pneu à* —, neumático desinflado; fig. fam. *être à* —, estar deprimido, da (une personne). 2 Aplastado, da (aplati). *3* Delgado, da (mince). *4* fig. Mediocre. 5 Soso, sa, insulso, sa (fade). 6 *Eau plate*, agua sin gas. 7 *loc. adv. À* — *ventre*, de bruces. ■ 8 *m.* Loc. fam. *Faire du* — *à quelqu'un*, dar coba a alguien. 9 Fuente *f.* (pièce de vaisselle). *10* — *à barbe*, bacía *f. 11* Plato (repas): — *garni*, plato con guarnición. Loc. — *cuisiné*, guiso.

platane [platan] *m.* Plátano (arbre).

plateau [plato] *m. 1* Bandeja *f.* (pour le service). 2 Platillo (d'une balance). *3* Plato (d'un tourne-disques). *4* GÉOG. Meseta *f.* 5 Escena *f.*, escenario, plató (cinéma, théâtre).

plate-bande [platbãd] *f. 1* AGR. Arriate *m.* 2 ARCHIT. Platabanda (moulure).

plate-forme [platfɔrm(ə)] *f. 1* Plataforma.

platine [platin] *m. 1* Platino (métal). ■ *2 f.* TECHN. Platina. *3* Plato *m.* (d'un tourne-disque).

platitude [platityd] *f. 1* Banalidad, trivialidad (banalité). 2 Bajeza (bassesse).

platonique [platɔnik] *adj.* Platónico, ca.

plâtrage [platraʒ] *m. 1* Enyesado. 2 CHIR. Escayolado.

plâtrer [platre] *tr. 1* Enyesar. 2 CHIR. Escayolar (un membre fracturé).

plausible [plozibl(ə)] *adj.* Plausible.

plèbe [plɛb] *f.* Plebe.

pléiade [plejad] *f. 1* Pléyade.

plein, pleine [plɛ̃, plɛn] *adj. 1* Lleno, na. Loc. *À pleines mains*, a manos llenas: — *de soi*, engreído; fam. *être* — *aux as*, tener bien cubierto el riñón. *loc. adv. En*

—, en pleno. 2 Macizo, za (massif). *3* Preñada (femelle d'animal). *4* Completo, ta, entero, ra (entier): *un mois* —, un mes entero. 5 Pleno, na (total): *pleins pouvoirs*, plenos poderes. 6 Redondo, da, relleno, na (dodu). ■ *7 m.* Lo lleno. Loc. *Battre son* —, estar en pleno apogeo. 8 Máximo (le maximum). 9 Trazo grueso (écriture). ■ *10 prép.* *Avoir de l'argent* — *les poches*, tener mucho dinero. Loc. fam. *En avoir* — *le dos*, estar hasta la coronilla; *en avoir* — *les bottes*, estar molido de tanto andar. *loc. prép.* — *de*, mucho, cha, chos, chas; *il y avait* — *de monde*, había mucha gente.

plénier, -ière [plenje, -jɛr] *adj.* Plenario, ia.

plénipotentiaire [plenipɔtãsjɛr] *adj.-m.* Plenipotenciario, ia.

plénitude [plenityd] *f.* Plenitud.

pléonasme [pleɔnasm(ə)] *m.* Pleonasmo.

pléthore [pletɔr] *f.* Plétora.

pleur [plœr] *m. 1* Llanto, lloro. ■ *2 pl.* Lágrimas *f.*

pleurer [plœre] *intr.-tr.* Llorar.

pleurésie [plœrezi] *f.* MÉD. Pleuresía.

pleureur, -euse [plœrœr, -øz] *adj. 1* Llorón, ona. ■ *2 f.* Plañidera.

pleurnicher [plœrniʃe] *intr.* fam. Lloriquear.

pleutre [pløtr(ə)] *adj.-m.* Cobarde.

pleuvoir [pløvwar] *impers.-intr.* Llover. ▲ CONJUG. IRREG. IND. Pres.: *il pleut.* Imperf.: *il pleuvait.* Pret. indef.: *il plut.* Fut. imperf.: *il pleuvra.* POT.: *il pleuvrait.* SUBJ. Pres.: *qu'il pleuve.* Imperf.: *qu'il plût.* PART. A.: *pleuvant.* PART. P.: *plu.*

plèvre [plevr(ə)] *f.* ANAT. Pleura.

plexus [pleksys] *m.* ANAT. Plexo.

pli [pli] *m. 1* Pliegue, doblez. 2 Tabla *f.: jupe à plis*, falda de tablas. *3* Raya *f.: le* — *du pantalon*, la raya del pantalón. *4* Arruga *f.* (d'un tissu chiffonné, du visage). Loc. *Faux* —, arruga *f.* 5 fig. Hábito, costumbre *f.* (habitude). Loc. *Prendre un mauvais* —, coger una mala costumbre. 6 Sobre (enveloppe). 7 Sinuosidad *f.* (de terrain). 8 *Mise en plis*, marcado *m.*

pliage [plijaʒ] *m.* Doblado, plegado.

pliant, -ante [plijã, -ãt] *adj. 1* Plegable (qui peut être plié). ■ *2 m.* Silla *f.* de tijera.

plie [pli] *f.* Platija.

plier [plije] *tr. 1* Plegar, doblar. Loc. fig. — *bagage*, liar el petate. 2 Doblar (courber). *3* fig. Doblegar, someter (soumettre). ■ *4 intr.* Doblarse, plegarse (fléchir). 5 fig. Ceder, debilitarse. ■ *6 pr.*

Doblarse, doblegarse (se soumettre). ▲ CONJUG. como *prier*.

plissement [plismã] *m. 1* GÉOL. Pliegue. *2* Fruncimiento (froncement).

plisser [plise] *tr. 1* Plegar. *2* Fruncir, arrugar (froncer).

plomb [plɔ̃] *m. 1* Plomo (métal). *2* Plomada *f.* (pêche). *3* Perdigón (de chasse). *4* Márchamo (sceau de plomb). *5* ÉLÉCTR. Plomos, fusible.

plombier [plɔ̃bje] *m.* Fontanero.

plongeant, -ante [plɔ̃ʒã, -ãt] *adj. 1* Que se sumerge. *2 Vue plongeante sur,* vista que se extiende por.

plongée [plɔ̃ʒe] *f.* Inmersión, sumersión.

plongeon [plɔ̃ʒɔ̃] *m. 1* Zambullida *f. 2* fam. Saludo, reverencia *f. 3* SPORTS Estirada *f.*, lanzamiento del portero (football).

plonger [plɔ̃ʒe] *tr. 1* Sumergir, hundir (submerger). *2* Clavar, hundir (un poignard). *3* Hundir, introducir (enfoncer). *4* fig. Abismar, sumir (dans la tristesse, etc.). ■ *5 intr.* Zambullirse (dans l'eau). *6* Dominar (regarder de haut en bas). *7* Bucear (travailler sous l'eau). ■ *8 pr.* Sumirse, hundirse. ▲ CONJUG. como *engager*.

ploutocrate [plutɔkrat] *m.* Plutócrata.

ployer [plwaje] *tr. 1* Plegar, doblar (courber). ■ *2 intr.* Doblegarse, ceder bajo el peso. ▲ CONJUG. como *employer*.

pluie [plɥi] *f.* Lluvia.

plumage [plymaʒ] *m.* Plumaje.

plume [plym] *f. 1* Pluma. *2* Pluma, plumilla (pour écrire, dessiner): *dessin à la —,* dibujo a la pluma.

plumeau [plymo] *m.* Plumero.

plumer [plyme] *tr. 1* Desplumar (un oiseau). *2* fig. fam. Desplumar, plumar (voler).

plumier [plymje] *m.* Plumero, plumier (gallic).

plupart (la) [laplypar] *f.* La mayor parte, la mayoría.

plural, -ale [plyral] *adj.* Plural.

pluriel, -elle [plyrjɛl] *adj.-m.* GRAM. Plural: *mettre au —,* poner en plural.

plus [ply, plys, plyz] *adv. 1* Más: *il est — jeune que moi,* es más joven que yo; *rien de —,* nada más, *une plaisanterie des — drôles,* una broma de lo más divertida. Loc. *Au —, tout au —,* a lo más, a lo sumo, cuando más; *de — en —,* cada vez más; *de —, en —,* además (en outre); *encore —,* todavía más; *non —,* tampoco. *2 Ne... —,* ya no, no... más: *il n'existe —,* ya no existe; *je n'ai — soif,* ya no tengo sed. ■ *3 m. Le —,* lo más. *4* MATH. Más (signo). ▲ *Plus* se pronuncia

ply en las comparaciones o cuando refuerza una negación. En los demás casos se pronuncia plys (o plyz delante de una vocal).

plusieurs [plyzjœr] *adj.-pron. 1* Varios, ias. *2* Algunos, nas (quelques).

plus-que-parfait [plyskəparfɛ] *m.* GRAM. Pluscuamperfecto.

plutôt [plyto] *adv. 1* Antes, primero: *— mourir que de se soumettre,* antes morir que someterse. *2* Más bien: *—jolie,* más bien bonita. *3 Ou —,* o mejor dicho; *mais —,* sino más bien. *4* fam. Muy (très).

pluvier [plyvje] *m.* Chorlito.

pluvieux, -euse [plyvjø, -øz] *adj.* Lluvioso, sa.

pneumatique [pnømatik] *adj. 1* Neumático, ca. ■ *2 m.* Neumático (de roue).

pneumonie [pnømɔni] *f.* MÉD. Neumonía, pulmonía.

pochade [pɔʃad] *f.* Boceto *m.*, bosquejo *m.*

pochard, -arde [pɔʃar, -ard(ə)] *s.* fam. Empinador, ra, borrachín, ina.

poche [pɔʃ] *f. 1* Bolsillo *m.: de —,* de bolsillo. Loc. fam. *Connaître sa —,* conocer al dedillo. *2* Bolsa (faux pli). *3* Bolsa: *avoir des poches sous les yeux,* tener bolsas bajo los ojos. *4* GÉOL., MÉD. Bolsa. *5* Costal *m.*, talego *m.* (sac). *6* Bolsa (sac en papier ou en matière plastique).

pocher [pɔʃe] *tr. 1* CUIS. Escalfar (œufs). *2 — un œil à quelqu'un,* poner a alguien un ojo a la funerala.

pochette [pɔʃɛt] *f. 1* Bolsillito *m.* (petite poche). *2* Pañuelo *m.* para el bolsillo superior de la chaqueta (mouchoir). *3* Carterilla, librillo *m.* (petite enveloppe). *4* Bolso *m.* (en cuir).

poêle [pwal] *m. 1* Estufa *f.* (de chauffage). *2* Paño mortuorio (du cercueil). ■ *3 f.* Sartén.

poêlon [pwalɔ̃] *m.* Cazo.

poème [pɔɛm] *m.* Poema.

poésie [pɔezi] *f.* Poesía.

poète [pɔɛt] *adj.-m.* Poeta.

poétesse [pɔɛtɛs] *f.* Poetisa.

poids [pwa(ɑ)] *m. 1* Peso. Loc. fig. *Ne pas faire le —,* no tener talla. *2 Prendre, perdre du —,* engordar, adelgazar. *3* Pesa *f.* (pour peser, d'horloge). *4 — lourd,* camión.

poignant, -ante [pwaɲã, -ãt] *adj.* Desgarrador, ra, punzante.

poignard [pwaɲar] *m. 1* Puñal. *2 Coup de —,* puñalada *f.*

poignarder [pwaɲarde] *tr.* Apuñalar.

poigne [pwaɲ] *f.* Fuerza en las manos, en los puños.

poignée [pwaɲe] *f.* *1* Puñado *m.* *2* — *de main*, apretón de manos. *3* Puño *m.*, empuñadura (d'une arme, d'une canne). *4* Mango *m.* (manche). *5* Tirador *m.* (de porte).

poignet [pwaɲε] *m.* *1* ANAT. Muñeca *f.* *2* Puño (d'une chemise).

poil [pwal] *m.* Pelo. Loc. fam. *À* —, en cueros; *avoir un* — *dans la main*, ser un manta, un vago; *au* —!, ¡macanudo!

poilu, -ue [pwaly] *adj.* Peludo, da, velludo, da.

poinçonner [pwεsɔne] *tr.* *1* Contrastar (l'or, l'argent). *2* Taladrar, perforar. *3* Picar (un billet de métro, de chemin de fer).

poindre [pwεdʀ(ə)] *intr.* *1* Apuntar, despuntar, asomar, rayar. *2* Brotar (les plantes). ▲ CONJUG. como *craindre*.

poing [pwε] *m.* Puño. Loc. *Coup de* —, puñetazo.

point [pwε] *m.* *1* Punto: — *à la ligne*, punto y aparte; *points de suspension*, puntos suspensivos. Loc. — *d'honneur*, pundonor; *bon* —, vale; *faire le* —, hacer el balance; *mettre au* —, dar el último toque a; enfocar (appareil de photo). *2* — *du jour*, amanecer. *3* — *de côté*, punzada *f.* en el costado. *4* MUS. Puntillo, punto. Loc. — *d'orgue*, calderón. *5* Punto, puntada *f.* (couture). *6* loc. prép. *Sur le* — *de*, a punto de.

point [pwε] *adv.* No: *je ne sais* —, no sé. Loc. — *du tout*, en absoluto.

pointe [pwεt] *f.* *1* Punta (extrémité). Loc. *À la* — *de l'épée*, a viva fuerza. loc. adv. *En* —, en punta; *sur la* — *des pieds*, de puntillas. *2* Punta, clavo *m.* (clou). *3* Punzón *m.* (poinçon). *4* *Une* — *de*, una pizca de. Loc. *Pousser une* — *jusqu'à*, llegar hasta.

pointer [pwεte] *tr.* *1* Puntear, apuntar (sur une liste). *2* Dirigir (diriger). *3* Apuntar (avec une arme). *4* Enderezar, erguir (dresser). *5* — *les oreilles*, aguzar las orejas. *6* Fichar (dans une usine, une entreprise). ■ *7* *intr.* Despuntar, rayar (le jour). *8* Apuntar, empezar a salir (commencer à pousser). *9* Alzarse, elevarse (s'élever). ■ *10* *pr.* fam. Presentarse, llegar (arriver).

pointilleux, -euse [pwεtijø, -øz] *adj.* Quisquilloso, sa, puntilloso, sa.

pointu, -ue [pwεty] *adj.* Puntiagudo, da.

pointure [pwεtyʀ] *f.* *1* IMPR. Puntura. *2* Número *m.*, medida (des chaussures, des gants, etc.).

poire [pwaʀ] *f.* *1* Pera: — *fondante*, pera de agua. *2* — *électrique*, pera, perilla. *3* pop. Jeta, rostro *m.* (figure). *4* fam. Primo *m.* (naïf): *quelle* —!, ¡vaya primo!

poireau [pwaʀo] *m.* Puerro.

poirier [pwaʀje] *m.* Peral.

pois [pwa(ɑ)] *m.* *1* Guisante: *petit* —, guisante común; — *de senteur*, guisante de olor. *2* *Pois chiche*, garbanzo.

poison [pwazɔ] *m.* Veneno, ponzoña *f.*

poissard, -arde [pwasaʀ, -aʀd(ə)] *adj.* *1* Ordinario, ria, populachero, ra. ■ *2* *f.* Pescadera, verdulera.

poisseux, -euse [pwasø, -øz] *adj.* *1* Pegajoso, sa (collant). *2* Pringoso, sa (graisseux).

poisson [pwasɔ] *m.* *1* Pez (vivant): *poissons rouges*, peces de colores. Loc. *Poisson d'avril*, inocentada *f.*; *engueuler quelqu'un comme du* — *pourri*, poner a alguien como un trapo. *2* Pescado (comestible, une fois pêché). *3 Les Poissons*, Piscis.

poissonnerie [pwasɔnʀi] *f.* Pescadería.

poitrail [pwatʀaj] *m.* *1* Pecho (du cheval). *2* Antepecho (harnais).

poitrinaire [pwatʀinεʀ] *adj.-s.* Tísico, ca.

poitrine [pwatʀin] *f.* Pecho *m.*

poivre [pwavʀ(ə)] *m.* Pimienta *f.*

poivrier [pwavʀije] *m.* Pimentero.

poivrière [pwavʀijεʀ] *f.* *1* Pimental *m.* (plantation). *2* Pimentero *m.* (boîte à poivre).

poivron [pwavʀɔ] *m.* Pimiento.

poix [pwa(ɑ)] *f.* Pez.

polaire [pɔlεʀ] *adj.* Polar.

polariser [pɔlaʀize] *tr.* *1* Polarizar. ■ *2* *pr.* Polarizarse.

pôle [pol] *m.* Polo.

polémique [pɔlemik] *adj.* *1* Polémico, ca. ■ *2* *f.* Polémica.

polémiste [pɔlemist(ə)] *s.* Polemista.

poli, -ie [pɔli] *adj.* *1* Pulido, da, liso, sa. *2* Educado, da, cortés (courtois). ■ *3* *m.* Pulimento, curtido.

police [pɔlis] *f.* *1* Policía. *2* Póliza: — *d'assurance*, póliza de seguro.

polichinelle [pɔliʃinεl] *m.* Polichinela.

policier, -ière [pɔlisje, -jεʀ] *adj.* *1* Policíaco, ca. ■ *2* *m.* Policía.

polir [pɔliʀ] *tr.* *1* Pulir, bruñir, pulimentar. *2* fig. Pulir (parfaire).

polisson, -onne [pɔlisɔ, -ɔn] *s.* *1* Bribonzuelo, la, buena pieza. ■ *2* *adj.* Verde, licencioso, sa (égrillard). *3* Pícaro, ra, malicioso, sa (fripon).

politesse [pɔlitεs] *f.* *1* Cortesía, urbanidad (courtoisie). *2* Fineza, delicadeza, cumplido *m.*

politique [pɔlitik] *adj.-m. 1* Político, ca. ■ *2 f.* Política.

pollen [pɔl(l)ɛn] *m.* BOT. Polen.

pollution [pɔl(l)ysjɔ̃] *f.* Polución, contaminación.

polonais, -aise [pɔlɔnɛ, -ɛz] *adj.-s. 1* Polaco, ca, polonés, esa. ■ *2 f.* MUS. Polonesa.

poltronnerie [pɔltrɔnri] *f.* Cobardía.

polychrome [pɔlikrom] *adj.* Policromo, ma.

polyèdre [pɔljɛdR(ə)] *adj.-m.* GÉOM. Poliedro.

polygamie [pɔligami] *f.* Poligamia.

polyglotte [pɔliglɔt] *adj.-s.* Políglota, ta, polígloto, ta.

polygone [pɔligɔn] *m.* GÉOM. Polígono.

plolynôme [pɔlinom] *m.* MATH. Polinomio.

polype [pɔlip] *m.* Pólipo.

polyphonie [pɔlifɔni] *f.* MUS. Polifonía.

polytechnique [pɔliteknik] *adj.* Politécnico, ca.

polythéisme [pɔliteism(ə)] *m.* Politeísmo.

pommade [pɔmad] *f.* Pomada.

pomme [pɔm] *f. 1* Manzana (fruit). Loc. fam. *Elle est tombée dans les pommes*, le ha dado un soponcio. *2 — de terre*, patata. *3 — de pin*, piña. *4 — d'Adam*, nuez. *5* Repollo *m.* (de chou ou salade). *6* Pera, perilla (ornement). *7 — d'arrosoir*, alcachofa de regadera.

pommé, -ée [pɔme] *adj.* BOT. Repolludo, da.

pommeau [pɔmo] *m. 1* Pomo, empuñadura *f.* (d'une épée, d'un sabre). *2* Perilla *f.* (de la selle).

pommelé, -ée [pɔmle] *adj. 1* Aborregado, da (ciel). *2* Tordo, da (cheval).

pommette [pɔmɛt] *f.* Pómulo *m.*

pommier [pɔmje] *m.* Manzano.

pompe [pɔ̃p] *f. 1* Pompa, fausto *m.* (apparat). *2* Bomba (machine): *— foulante*, bomba impelente. *3 — à essence*, surtidor *m.* de gasolina.

pomper [pɔ̃pe] *tr. 1* Aspirar mediante una bomba (puiser). *2* pop. Dejar molido, da (fatiguer): *être pompé*, estar molido. *3* pop. Pimplar, trasegar (boire).

pompeux, -euse [pɔ̃pø, -øz] *adj.* Pomposo, sa.

pompier [pɔ̃pje] *m. 1* Bombero. ■ *2 adj.* fam. Académico, ca.

pompon [pɔ̃pɔ̃] *m.* Borla *f.*

ponce [pɔ̃s] *adj.-f. Pierre —*, piedra pómez.

ponceau [pɔ̃so] *adj. invar.* Punzó.

poncif [pɔ̃sif] *m.* Tópico, vulgaridad *f.*

ponction [pɔ̃ksjɔ̃] *f.* MÉD. Punción.

ponctualité [pɔ̃tɥalite] *f.* Puntualidad.

ponctuation [pɔ̃ktɥasjɔ̃] *f.* Puntuación.

pondération [pɔ̃deRasjɔ̃] *f.* Ponderación, equilibrio *m.*

pondérer [pɔ̃deRe] *tr.* Ponderar, equilibrar. ▲ CONJUG. como *accélérer*.

pondre [pɔ̃dR(ə)] *tr. 1* Poner (oiseaux). *2* fam. péj. Parir, producir. ▲ CONJUG. como *rendre*.

pont [pɔ̃] *m. 1* Puente: *— suspendu, tournant*, puente colgante, giratorio. *2 Ponts et chaussées*, puentes y caminos. *3* MAR. Puente, cubierta *f.*

ponte [pɔ̃t] *f. 1* Postura, puesta (action de pondre). ■ *2 m.* Punto (jeu). *3* fam. Mandamás (personnage important).

ponter [pɔ̃te] *intr.* Hacer una puesta (jeux).

pontife [pɔ̃tif] *m.* Pontífice.

pontifical, -ale [pɔ̃tifikal] *adj.-m.* Pontifical.

ponton [pɔ̃tɔ̃] *m.* MAR. Pontón.

pontonnier [pɔ̃tɔnje] *m.* MIL. Pontonero.

pope [pɔp] *m.* Pope.

popote [pɔpɔt] *f. 1* fam. Pitanza, comida. ■ *2 adj.* fam. Casero, ra (casanier).

populacier, -ière [pɔpylasje, -jɛR] *adj.* Populachero, ra.

populaire [pɔpylɛR] *adj.* Popular.

population [pɔpylasjɔ̃] *f.* Población.

porc [pɔR] *m. 1* Puerco, cerdo (cochon). *2* Cerdo (viande).

porcelaine [pɔRsəlɛn] *f.* Porcelana.

porcelet [pɔRsəlɛ] *m.* Cochinillo, lechón.

porc-épic [pɔRkepik] *m.* Puerco espín.

porcher, -ère [pɔRʃe, -ɛR] *s.* Porquero, ra, porquerizo, za.

porcin, -ine [pɔRsɛ̃, -in] *adj.* Porcino, na.

pore [pɔR] *m.* Poro.

poreux, -euse [pɔRø, -øz] *adj.* Poroso, sa.

port [pɔR] *m. 1* Puerto. *2* fig. Puerto, refugio. *3* Porte (action de porter). Loc. *— d'armes prohibé*, tenencia *f.* ilícita de armas. *3* Porte (prix du transport). *4* Porte, aire, aspecto (allure).

portage [pɔRtaʒ] *m.* Porte, transporte.

portail [pɔRtaj] *m.* Pórtico.

portant, -ante [pɔRtɑ̃, -ɑ̃t] *adj. 1* ARCHIT. Sustentador, ra. *2 Être bien, mal —*, encontrarse bien, mal de salud. ■ *3 m.* THÉÂT. Montante de bastidor.

portatif, -ive [pɔRtatif, -iv] *adj.* Portátil.

porte [pɔRt(ə)] *f. 1* Puerta: *— dérobée*, puerta excusada. Loc. fig. *Fermer la — au nez*, dar con la puerta en las narices; *mettre, flanquer quelqu'un à la —*, poner a alguien de patitas en la calle. *2 — d'agrafe*, corcheta.

porté, -ée [pɔRte] *adj. — à*, inclinado, da, propenso, sa a.

porte-avions [pɔrtavjɔ̃] *m. invar.* Portaaviones.

porte-bagages [pɔrtbagaʒ] *m. invar.* Portaequipajes.

porte-bonheur [pɔrtbɔnœr] *m. invar.* Amuleto.

porte-cigarettes [pɔrtsigaret] *m. invar.* Pitillera *f.*

porte-clefs [pɔrtəkle] *m. invar.* Llavero.

porte-drapeau [pɔrtdrapo] *m.* Abanderado.

portée [pɔrte] *f. 1* Camada, cama (d'animaux). *2* Alcance *m.* Loc. A la — de, al alcance de. *3* MUS. Pentagrama *m. 4* CONSTR. Luz, distancia libre entre apoyos.

portefeuille [pɔrtəfœj] *m. 1* Cartera *f.* (de poche). *2* fig. Cartera *f.* (ministère).

portemanteau [pɔrtmɑ̃to] *m.* Percha *f.*, perchero.

porter [pɔrte] *tr. 1* Llevar. *2* Llevar, gastar (sur soi): *elle porte une robe noire, des lunettes*, lleva un vestido negro, gafas; — *la moustache*, gastar bigote. *3* Dirigir (ses regards, ses pas). *4* Dar, producir: *argent qui porte intérêt*, dinero que produce interés. *5* Inscribir (inscrire). Loc. *Se faire* — *malade*, declararse enfermo. *6* Dar, traer: — *chance*, dar, traer suerte. *7* Tener, sentir (éprouver). *8* Dar, asestar (un coup). *9* *Être porté sur quelque chose*, ser aficionado a, gustar de algo. ■ *10 intr.* Alcanzar (armes). *11* Dar en el blanco (toucher le but). *12* — *sur*, descansar en, estribar en (une charge), referirse a, tratar de (avoir trait à). ■ *13* pr. Encontrarse, estar: *comment vous portez-vous?*, ¿cómo se encuentra usted? *14* Llevarse (un vêtement, une parure). Loc. fig. *Il n'est pas bien porté de*, no es de buen tono. *15 Se* — *candidat*, presentarse como candidato.

porte-serviettes [pɔrtservjet] *m. invar.* Toallero.

porteur, -euse [pɔrtœr, -øz] *s. 1* Portador, ra. ■ *2 m.* Mozo de equipajes.

portier, -ière [pɔrtje, -jer] *s.* Portero, ra.

portière [pɔrtjer] *f. 1* Portezuela, puerta (de voiture). *2* Antepuerta, portier *m.* (rideau).

portillon [pɔrtijɔ̃] *m. 1* Portillo. *2* — *automatique*, puerta *f.* automática.

portion [pɔrsjɔ̃] *f. 1* Porción (partie). *2* Ración (au restaurant).

portique [pɔrtik] *m.* Pórtico.

portrait [pɔrtre] *m.* Retrato.

portuaire [pɔrtɥer] *adj.* Portuario, ria.

portugais, -aise [pɔrtyge, -ez] *adj.-s.* Portugués, esa.

pose [poz] *f. 1* Colocación. *2* Postura, posición (attitude). *3* fig. Afectación. *4* PHOT. Exposición: *temps de* —, tiempo de exposición.

posé, -ée [poze] *adj. 1* Sosegado, da, reposado, da. *2 Voix posée*, voz segura.

poser [poze] *tr. 1* Poner, colocar (mettre). *2* Poner, instalar (installer). *3* Poner, escribir: *je pose 5 et je retiens 2*, pongo 5 y llevo 2. *4* Formular, enunciar. Loc. — *une question à quelqu'un*, hacer una pregunta a alguien; — *un problème*, plantear un problema. *5* — *les armes*, deponer las armas. *6* — *sa candidature*, presentar su candidatura. *7* fig. Dar categoría, notoriedad, importancia. ■ *8 intr.* — *sur*, descansar en, apoyarse en. *9* PEINT., SCULPT. Posar, servir de modelo. *10* PHOT. Posar. *11* fig. Presumir, darse postín (se donner des airs). ■ *12 pr.* Ponerse, posarse (oiseau). *13* Posarse (avion).

poseur, -euse [pozœr, -øz] *adj.* Presumido, da, vanidoso, sa.

positif, -ive [pozitif, -iv] *adj. 1* Positivo, va. ■ *2 m.* PHOT. Positiva *f.*

positivisme [pozitivism(ə)] *m.* Positivismo.

possédé, -ée [posede] *adj.-s.* Poseído, da, poseso, sa, endemoniado, da.

posséder [posede] *tr. 1* Poseer. ■ *2 pr.* Dominarse, ser dueño de sí mismo. ▲ CONJUG. como *accélérer*.

possessif, -ive [posesif] *adj.-m.* GRAM. Posesivo.

possession [posesjɔ̃] *f.* Posesión.

possibilité [posibilite] *f.* Posibilidad.

possible [posibl(ə)] *adj. 1* Posible. Loc. *Autant que* —, dentro de lo posible, a ser posible; *pas* —!, ¡no es posible! ■ *2 m.* Lo posible.

postal, -ale [postal] *adj.* Postal.

poste [post(ə)] *f. 1* Correo *m.*, correos *m. pl.*, oficina de correos. ■ *2 m.* Puesto (lieu, emploi). *3* Aparato: — *de radio, de télévision*, aparato de radio, de televisín. *4* — *d'essence*, surtidor de gasolina. *5* — *de police*, puesto de policía, prevención *f. 6* MIL. Puesto. *7* — *de pilotage*, cabina *f.* de mando.

poster [poste] *tr. 1* Apostar, poner (placer). *2* Echar al correo (une lettre). ■ *3 pr.* Apostarse (se placer).

postérieur, -eure [posterjœr] *adj. 1* Posterior. ■ *2 m.* fam. Trasero.

postérité [posterite] *f.* Posteridad.

postiche [postiʃ] *adj. 1* Postizo, za, artificial. ■ *2 m.* Postizo.

postillon [postijɔ̃] *m. 1* Postillón (conducteur). *2* Cura, gota *f.* de saliva que se despide al hablar (salive).

post-scriptum [pɔstkriptɔm] *m. invar.* Postdata *f.*

postulant, -ante [pɔstylā, -āt] *s.* Postulante.

postuler [pɔstyle] *tr.* Postular.

posture [pɔstyʀ] *f.* Postura.

pot [po] *m. 1* Vasija *f.* 2 Bote, tarro, envase: *— à moutarde*, bote para la mostaza. *3* Jarro, jarra *f. 4 — à, de fleurs*, tiesto, maceta *f. 5 — de chambre*, orinal. *6* Olla *f.* (marmite). *7* loc. fig. *Découvrir le — aux roses*, descubrir el pastel; fam. *payer les pots cassés*, pagar los vidrios rotos. *8* fam. *Prendre un —*, tomar una copa. *9* fam. Chamba *f.*, chiripa *f.* (chance): *avoir du —*, tener potra. *10* TECHN. *— d'échappement*, silencioso.

potable [pɔtabl(ə)] *adj.* Potable.

potage [pɔtaʒ] *m.* Sopa *f.*

potager, -ère [pɔtaʒe, -ɛʀ] *adj. 1* Hortelano, na. *2 Jardin —*, Huerto. *3 Plantes potagères*, hortalizas. ■ *4 m.* Huerto, huerta *f.*

potassium [pɔtasjɔm] *m.* Potasio.

pot-au-feu [pɔtofø] *m. invar.* Cocido, puchero.

poteau [pɔto] *m.* Poste. Loc. *Au —*, al paredón.

potence [pɔtãs] *f. 1* Horca (supplice). *2* CONSTR. Pescante *m.*

potentat [pɔtãta] *m.* Potentado.

potentiel, -ielle [pɔtãsjɛl] *adj.-m.* Potencial.

poterie [pɔtʀi] *f. 1* Alfarería (fabrication, art). *2* Vasija de barro (objet).

potestatif, -ive [pɔtestatif, -iv] *adj.* DR. Potestativo, va.

potin [pɔtɛ̃] *m. 1* fam. Jaleo: *faire du —*, armar jaleo. ■ *2 pl.* Chismes, habladurías *f.*

potion [posjɔ̃] *f.* Poción.

potiron [pɔtiʀɔ̃] *m.* Calabaza *f.*

pot-pourri [popuʀi] *m.* MUS. Popurrí.

pou [pu] *m.* Piojo. Loc. *Être laid comme un —*, ser más feo que Picio; *chercher des poux à quelqu'un*, buscarle a alguien las cosquillas.

pouah! [pwa] *interj.* fam. ¡Puf!

poubelle [pubɛl] *f.* Cubo *m.* de la basura.

pouce [pus] *m. 1* Pulgar (de la main), dedo gordo (du pied). *2* Pulgada *f.*, pulgarada *f.* (mesure). *3 interj.* ¡Me retiro!

poudre [pudʀ(ə)] *f. 1* Polvo *m.* Loc. *En —*, en polvo; *réduire en —*, reducir a polvo, pulverizar. *2* Polvos *m. pl.* de tocador (fard). *3* Pólvora (explosif).

poudrier [pudʀije] *m.* Polvera *f.*

poudrière [pudʀijɛʀ] *f.* Polvorín *m.*

poudroyer [pudʀwaje] *intr.* Levantar polvo. ▲ CONJUG. como *employer*.

pouffer [pufe] *intr.* Reventar de risa.

pouilleux, -euse [pujø, -øz] *adj.-s.* Piojoso, sa.

poulailler [pulaje] *m. 1* Gallinero. *2* THÉÂT. fam. Gallinero, paraíso.

poulain [pulɛ̃] *m. 1* Potro (cheval). *2* fig. Pupilo.

poularde [pulaʀd(ə)] *f.* Gallina cebada.

poule [pul] *f. 1* Gallina. *2 — d'eau*, polla de agua. *3* fam. Zorra (prostituée).

poulet [pulɛ] *m. 1* Pollo. *2* fam. Billete amoroso. *3* fam. Poli, gris (policier).

poulpe [pulp(ə)] *m.* Pulpo.

pouls [pu] *m.* PHYSIOL. Pulso.

poumon [pumɔ̃] *m.* Pulmón: *— d'acier*, pulmón de acero.

poupe [pup] *f.* MAR. Popa. Loc. fig. *Avoir le vent en —*, ir viento en popa.

poupée [pupe] *f. 1* Muñeca. *2* pop. Gachí.

poupon, -onne [pupɔ̃, -ɔn] *m.* Rorro.

pouponnière [pupɔnjɛʀ] *f.* Guardería infantil.

pour [puʀ] *prép. 1* Para (but, destination, temps, durée, imminence de l'action, comparaison): *lire — s'instruire*, leer para instruirse; *partir — Madrid*, salir para Madrid; *laissons cela — demain*, dejemos eso para mañana; *j'en ai — un an*, tengo para un año; *il était — partir*, estaba para salir; *cet enfant est grand — son âge*, este niño es alto para la edad que tiene. *2* Para con: *bon — ses inférieurs*, bueno para con sus inferiores. *3* Para, contra: *remède — le rhume*, remedio contra el resfriado. *3* Por (à cause de, en faveur de, équivalence, prix, proportion): *puni — sa paresse*, castigado por su pereza; *lutter — la patrie*, luchar por la patria; *il est tenu — honnête*, se le tiene por honrado; *laisser — mort*, dejar por muerto; *prendre — épouse*, tomar por esposa. *5* En cuanto a, por lo que se refiere a (quant à). *6 loc. adv. Pour lors*, para entonces; *— de bon*, de veras. *7 loc. conj. Pour que*, para que, a fin de que. ■ *8 m.* Pro: *le — et le contre*, el pro y el contra.

pourboire [puʀbwaʀ] *m.* Propina *f.*

pourceau [puʀso] *m.* Cerdo.

pourcentage [puʀsātaʒ] *m.* Porcentaje.

pourchasser [puʀʃase] *tr.* Perseguir.

pourlécher [puʀleʃe] *tr. 1* Relamer. ■ *2 pr.* Relamerse. ▲ CONJUG. como *accélérer*.

pourparler [puʀpaʀle] *m.* Negociación *f.* trato, conferencia *f.*

pourpoint [puʀpwɛ̃] *m.* Jubón.

pourpre [puʀpʀ(ə)] *f.* Púrpura.

pourquoi [puʀkwa] *conj.-adv. 1* Porque. Loc. *C'est* —, es por eso; — *faire?*, ¿para qué? ■ *2 m. invar.* Porqué (cause, motif, raison).

pourrir [puʀiʀ] *tr. 1* Pudrir, podrir. ■ *2 intr.* Pudrirse, podrirse.

pourriture [puʀityʀ] *f.* Podredura, podredumbre.

poursuite [puʀsɥit] *f. 1* Persecución, perseguimiento *m. 2* DR. Demanda.

poursuivre [puʀsɥivʀ(ə)] *tr. 1* Perseguir. *2* DR. Demandar. *3* Proseguir (continuer). *4 Poursuivez!,* ¡Siga! ▲ CONJUG. como *suivre.*

pourtant [puʀtɑ̃] *adv.* No obstante, sin embargo, con todo.

pourtour [puʀtuʀ] *m.* Perímetro, contorno.

pourvoi [puʀwa] *m.* DR. Apelación *f.*, recurso.

pourvoir [puʀvwaʀ] *tr. ind. 1* — *à*, proveer a, subvenir a (subvenir). *2* — *à un emploi*, colocar a alguien en una plaza vacante. ■ *3 tr.* Proveer, abastecer. *4* fig. Dotar (de dons naturels). ■ *5 pr.* Proveerse. *6* DR. Apelar, recurrir. ▲ CONJUG. IRREG. INDIC. Pres.: *je pourvois, tu pourvois, il pourvoit, nous pourvoyons, vous pourvoyez; ils pourvoient.* Imperf.: *je pourvoyais,* etc. Pret. indef.: *je pourvus,* etc. Fut. imperf.: *je pourvoirai,* etc. POT.: *je pourvoirais,* etc. SUBJ. Pres.: *que je pourvoie,* etc. Imperf.: *que je pourvusse,* etc. IMPER.: *pourvois, pourvoyons, pourvoyez.* PART. A.: *pourvoyant.* PART. P.: *pourvu, pourvoie.*

pourvu que [puʀvyk(ə)] *loc. conj. 1* Con tal que, siempre que. *2* Ojalá (souhait): —*nous arrivons à temps!,* ¡ojalá lleguemos a tiempo!

pousse [pus] *f. 1* BOT. Brote *m.*, retoño *m. 2* Salida, crecimiento *m.* (des dents, etc.).

pousser [puse] *tr. 1* Empujar. *2* Hacer avanzar (faire avancer). *3* fig. Favorecer, ayudar, apoyar (un protégé, etc.). *4* fig. Llevar — *jusqu'à certaines limites*, llevar hasta ciertos límites. *5* Dar (cri, soupir). *6* BOT. Echar, producir. ■ *7 intr.* Empujar, impulsar. *8* Crecer (cheveux, dents). *9* fig. Desarrollarse (s'accroître). *10* BOT. Brotar, crecer. ■ *11 pr.* Empujarse (les uns les autres). *12* Apartarse, echarse a un lado (s'écarter).

poussière [pusjɛʀ] *f.* Polvo *m.*

poussif, -ive [pusif, -iv] *adj. 1* Asmático, ca. *2* Jadeante (haletant).

poussin [pusɛ̃] *m.* Polluelo.

poutre [putʀ(ə)] *f.* Viga.

pouvoir [puvwaʀ] *tr. 1* Poder: *je n'aurais pas pu,* no hubiera podido. Loc. *N'en plus,* no poder más. ■ *2 impers. Il peut se faire que,* puede ser que. ■ *3 pr.-impers. Il se peut qu'il pleuve,* puede ser, es posible que llueva. Loc. fam. *Ça se peut,* puede, quizás. ▲ CONJUG. IRREG. INDIC. Pres.: *je peux,* o *je puis, tu peux, il peut, nous pouvons, vous pouvez, ils peuvent.* Imperf.: *je pouvais,* etc. Pret. indef.: *je pus,* etc. Fut. imperf.: *je pourrai,* etc. POT.: *je pourrais,* etc. SUBJ. Pres.: *que je puisse,* etc. Imperf.: *que je pusse,* etc. PART. A.: *pouvant.* PART. P.: *pu.*

pouvoir [puvwaʀ] *m. 1* Poder. ■ *2 pl.* Poderes: *pleins pouvoirs,* plenos poderes.

prairie [pʀeʀi] *f.* Prado *m.*, pradera.

praline [pʀalin] *f.* Almendra garrapiñada.

praticable [pʀatikabl(ə)] *adj. 1* Practicable (réalisable). *2* Transitable (chemin).

pratiquant, -ante [pʀatikɑ̃, -ɑ̃t] *s.* Practicante (d'une religion).

pratique [pʀatik] *f. 1* Práctica. *2* Costumbre, uso *m.* (usage). ■ *3 pl.* Prácticas (religieuses).

pratiquer [pʀatike] *tr. 1* Practicar (observer). *2* Tratar, frecuentar (fréquenter). *3* Practicar, ejecutar (opérer).

pré [pʀe] *m.* Prado.

préalable [pʀealabl(ə)] *adj. 1* Previo, ia. *2 loc. adv. Au* —, previamente. ■ *3 m.* Condición *f.* previa.

préambule [pʀeɑ̃byl] *m.* Preámbulo.

prébende [pʀebɑ̃d] *f.* Prebenda.

précaire [pʀekɛʀ] *adj.* Precario, ria.

précaution [pʀekosjɔ̃] *f.* Precaución.

précédent, -ente [pʀesedɑ̃, -ɑ̃t] *adj.-m.* Precedente.

précéder [pʀesede] *tr.* Preceder. ▲ CONJUG. como *accélérer.*

précepte [pʀesɛpt(ə)] *m.* Precepto.

précepteur, -trice [pʀesɛptœʀ, -tʀis] *s.* Preceptor, ra.

prêcher [pʀeʃe] *tr.* Predicar.

précieux, -euse [pʀesjø, -øz] *adj. 1* Precioso, sa. *2* Afectado, da, amanerado, da (style, etc.).

préciosité [pʀesjozite] *f. 1* Afectación, amaneramiento *m. 2* LITT. Preciosismo *m.*, culteranismo *m.*

précipice [pʀesipis] *m.* Precipicio.

précipitation [pʀesipitasjɔ̃] *f.* Precipitación.

précipiter [pʀesipite] *tr. 1* Precipitar. ■ *2 pr.* Precipitarse.

précis, -ise [pʀesi, -iz] *adj. 1* Preciso, sa. *2* En punto (heure): *à six heures précises,* a las seis en punto. ■ *3 m.* Compendio (livre).

210

préciser [pʀesize] *tr.* Precisar, fijar.
précision [pʀesizjɔ̃] *f.* Precisión.
précoce [pʀekɔs] *adj.* Precoz: *fruits précoces*, frutos precoces.
préconçu, -ue [pʀekɔ̃sy] *adj.* Preconcebido, da.
préconiser [pʀekɔnize] *tr.* Preconizar.
prédécesseur [pʀedesesœʀ] *m.* Predecesor.
prédestiner [pʀedestine] *tr.* Predestinar.
prédicat [pʀedika] *m.* LOG. Predicado.
prédicateur, -trice [pʀedikatœʀ, -tʀis] *s.* Predicador. ra.
prédilection [pʀedileksjɔ̃] *f.* Predilección.
prédire [pʀediʀ] *tr.* Predecir. ▲ CONJUG. como *dire*.
prédisposer [pʀedispoze] *tr.* Predisponer.
prédominance [pʀedɔminɑ̃s] *f.* Predominio *m.*
prédominer [pʀedɔmine] *intr.* Predominar.
préexistant, -ante [pʀeɛgzistɑ̃, -ɑ̃t] *adj.* Preexistente.
préface [pʀefas] *f.* Prefacio *m.*
préfecture [pʀefɛktyʀ] *f. 1* Prefectura. *2 — de police*, jefatura de policía.
préférence [pʀefeʀɑ̃s] *f.* Preferencia.
préférer [pʀefeʀe] *tr.* Preferir: *je préfère rester*, prefiero quedarme. ▲ CONJUG. como *accélérer*.
préfet [pʀefɛ] *m.* Prefecto, gobernador civil.
préfixe [pʀefiks(ə)] *m.* Prefijo.
préhensile [pʀeɑ̃sil] *adj.* Prensil.
préhistoire [pʀeistwaʀ] *f.* Prehistoria.
préjudice [pʀeʒydis] *m.* Prejuicio.
préjudiciable [pʀeʒydisjabl(ə)] *adj.* Perjudicial.
préjuger [pʀeʒyʒe] *tr.* Prejuzgar. ▲ CONJUG. como *engager*.
prélasser (se) [pʀelɑ(a)se] *pr.* Descansar cómodamente, repantigarse.
prélat [pʀela] *m.* Prelado.
prélever [pʀelve] *tr. 1* Deducir, descontar (déduire). *2* Tomar, sacar (enlever). ▲ CONJUG. como *acheter*.
préliminaire [pʀeliminɛʀ] *adj.-m.* Preliminar.
prélude [pʀelyd] *m.* Preludio.
prématuré, -ée [pʀematyʀe] *adj. 1* Prematuro, ra. ■ *2 s.* Prematuro.
préméditation [pʀemeditasjɔ̃] *f.* Premeditación.
prémices [pʀemis] *f. pl.* Primicias.
premier, -ière [pʀəmje, -jɛʀ] *adj. 1* Primero, ra (primer devant un subst. m.). *2* MATH. *Nombre —*, número primo. ■ *3 m.* Primero: *le — de l'an*, el día primero del año. *4* Primer piso (étage). *5* THÉAT.

Jeune —, galán joven. ■ *6 f.* THÉAT. Estreno *m. 7* IMPR. Galerada. *8* Primera (chemin de fer).
premier-né [pʀəmjene], **première-née** [pʀəmjɛʀne] *adj.-s.* Primogénito, ta.
prémisse [pʀemis] *f.* Premisa.
prémunir [pʀemyniʀ] *tr. 1* Prevenir, precaver. ■ *2 pr.* Prevenirse, precaverse.
prenant, -ante [pʀənɑ̃, -ɑ̃t] *adj. 1* Apasionante (qui captive). *2* Prensil (queue). *3* DR. Que recibe.
prendre [pʀɑ̃dʀ(ə)] *tr. 1* Tomar, coger (saisir). *2* Tomar (aliment, médicament, une ville, un bain, un moyen de transport, etc.). *3* Llevar (emporter). *4* Sacar, tomar (photo, notes, billet). *5 — quelque chose à quelqu'un*, quitar, robar algo a alguien. *6* Prender, coger, detener (un voleur). *7* Coger. Loc. — *quelqu'un au mot*, coger la palabra a uno. *8* Sorprender (surprendre). *9 J'irai vous — à la sortie du bureau*, iré a buscarle a la salida de la oficina. *10* Cobrar (faire payer): *combien vous a-t-il pris?*, ¿cuánto le ha cobrado? *11* Requerir, tomar: *cela prend du temps*, esto requiere tiempo. *12* Comer (dames, échecs). *13* fam. Recibir (gifle, etc.). *14* fam. *Qu'est-ce qui te prend?*, ¿qué te pasa? *15* loc. adv. *À tout —*, bien mirado, mirándolo bien. ■ *16* intr. Prender, arraigar (plante). *17* Tomar consistencia, espesarse (épaissir). *18* Cuajarse (un liquide). *19* Helarse (glace, fleuve). *20* Pegarse (coller). *21* Prender (le feu). *22* fig. Cuajar (réussir). *23* Coger, tomar: — *à droite*, coger a la derecha. *24* fam. *Son excuse n'a pas pris*, su excusa no pasó: *ça ne prend pas*, esto no pasa. ■ *25 pr.* Tomarse (médicament). *26* Engancharse (s'accrocher). *27 Se — pour*, tomarse por. *28 S'en — à quelqu'un*, echar la culpa a alguien. *29 S'y —*, proceder. ▲ CONJUG. IRREG. INDIC. Pres.: *je prends, tu prends, il prend, nous prenons, vous prenez, ils prennent.* Imperf.: *je prenais*, etc. Pret. indef.: *je pris*, etc. Fut. imperf.: *je prendrai*, etc. POT.: *je prendrais*, etc. SUBJ. Pres.: *que je prenne*, etc. Imperf.: *que je prisse*, etc. IMPER.: *prends, prenons, prenez.* PART. A.: *prenant.* PART. P.: *pris, prise.*
preneur, -euse [pʀənœʀ, -øz] *adj.-s. 1* Tomador, ra. *2* Arrendador, ra (à bail). *3* Comprador, ra (acheteur).
prénom [pʀenɔ̃] *m.* Nombre de pila.
préoccupation [pʀeɔkypɑsjɔ̃] *f.* Preocupación.

préoccuper [pʀeɔkype] *tr. 1* Preocupar. ■ *2 pr.* Preocuparse.

préparatifs [pʀepaʀatif] *m. pl.* Preparativos.

préparation [pʀepaʀɑsjɔ̃] *f.* Preparación.

préparer [pʀepaʀe] *tr. 1* Preparar. ■ *2 pr.* Prepararse.

prépondérant, -ante [pʀepɔ̃deʀɑ̃, -ɑ̃t] *adj.* Preponderante.

préposer [pʀepoze] *tr.* Encargar: — *quelqu'un à*, encargar a alguien de.

préposition [pʀepozisjɔ̃] *f.* GRAM. Preposición.

prérogative [pʀeʀɔgativ] *f.* Prerrogativa.

près [pʀe] *adv. 1* Cerca: *tout —*, muy cerca. *loc. adv. De —*, de cerca; *à peu de chose —*, poco más o menos, aproximadamente; *à cela —*, excepto eso. *loc. prép. — de*, cerca de. Loc. fam. *Être — de son argent, de ses sous*, ser agarrado, da. *2 Ne pas y regarder de si —, de trop —*, no ser exigente. ■ *3 prép.* Cerca de.

présage [pʀezaʒ] *m.* Presagio.

presbytère [pʀesbiteʀ] *m.* Rectoral *f.*, casa *f.* del cura.

prescrire [pʀeskʀiʀ] *tr. 1* Prescribir. *2* MÉD. Recetar. ▲ CONJUG. como *écrire*.

présence [pʀezɑ̃s] *f. 1* Presencia. *2 loc. adv. En —*, en presencia.

présent, -ente [pʀezɑ̃, -ɑ̃t] *adj. 1* Presente. ■ *2 m.* Presente. *3 loc. adv. À —*, ahora. *4 loc. conj. À — que*, ahora que. *5 D'à —*, actual.

présentation [pʀezɑ̃tɑsjɔ̃] *f.* Presentación.

présenter [pʀezɑ̃te] *tr. 1* Presentar. ■ *2 pr.* Presentarse.

préserver [pʀezeʀve] *tr.* Preservar.

président [pʀezidɑ̃] *m.* Presidente.

présidentiel, -elle [pʀezidɑ̃sjɛl] *adj.* Presidencial.

présider [pʀezide] *tr. 1* Presidir. ■ *2 intr.* Dirigir.

présomption [pʀezɔ̃psjɔ̃] *f.* Presunción.

présomptueux, -euse [pʀezɔ̃ptɥø, -øz] *adj.* Presuntuoso, sa.

presque [pʀesk(ə)] *adv. 1* Casi. *2 — pas*, apenas.

presqu'île [pʀeskil] *f.* GÉOG. Península.

pressant, -ante [pʀesɑ̃, -ɑ̃t] *adj. 1* Urgente, acuciante. *2* Perentorio, ria.

presse [pʀes] *f. 1* Prensa. *2* Tropel *m.*, gentío *m.* (foule). *3* Prisa, urgencia.

pressé, -ée [pʀese] *adj. 1* Presuroso, sa (qui montre de la hâte). Loc. *Je suis —*, tengo prisa. *2* Urgente (urgent). ■ *3 m. Aller au plus —*, acudir a lo más urgente.

pressentir [pʀesɑ̃tiʀ] *tr. 1* Presentir. *2* Tantear, sondear (sonder quelqu'un). ▲ CONJUG. como *mentir*.

presse-papiers [pʀespapje] *m. invar.* Pisapapeles.

presser [pʀese] *tr. 1* Exprimir, estrujar (un fruit). *2* Estrechar (serrer). *3* Apretar, pulsar (un bouton). *4* Acuciar, apurar (harceler). *5* Acelerar (accélérer). Loc. *— le pas*, apretar el paso. ■ *6 intr.* Urgir, correr prisa. ■ *7 pr.* Darse prisa: *presse-toi*, date prisa. *8* Apretujarse (s'entasser).

pression [pʀesjɔ̃] *f.* Presión.

pressoir [pʀeswaʀ] *m. 1* Prensa *f.* (machine). *2* Lagar (endroit).

prestance [pʀestɑ̃s] *f.* Buena presencia.

preste [pʀest(ə)] *adj.* Pronto, ta, ágil.

prestidigitateur [pʀestidiʒitatœʀ] *m.* Prestidigitador.

prestige [pʀestiʒ] *m.* Prestigio.

présumer [pʀezyme] *tr.-intr.* Presumir.

présure [pʀezyʀ] *f.* Cuajo *m.*

prêt [pʀe] *m. 1* Préstamo. *2* MIL. Pre, prest.

prêt, -prête [pʀe, pʀet] *adj.* Presto, ta, listo, ta, dispuesto, ta: *tout est —*, todo está listo; *— à partir*, dispuesto a, para salir.

prétendant, -ante [pʀetɑ̃dɑ̃, -ɑ̃t] *s.* Pretendiente.

prétendre [pʀetɑ̃dʀ(ə)] *tr. 1* Pretender. *2* Afirmar, suponer. ■ *3 intr.* Aspirar a, pretender. ▲ CONJUG. como *rendre*.

prétendu, -ue [pʀetɑ̃dy] *adj.* Presunto, ta, supuesto, ta.

prête-nom [pʀetnɔ̃] *m.* Testaferro.

prétention [pʀetɑ̃sjɔ̃] *f.* Pretensión.

prêter [pʀete] *tr. 1* Prestar. Loc. *— la main*, echar una mano; — *l'oreille*, prestar oídos; — *serment*, prestar juramento. ■ *2 intr.* Prestar, dar de sí (tissu, etc.). ■ *3 tr. ind. — à*, dar motivo a, prestarse: *cela prête à confusion*, esto se presta a confusiones. ■ *4 pr.* Prestarse, consentir.

prêteur, -euse [pʀetœʀ, -øz] *s. 1* Prestador, ra. *2* Prestamista (professionnel).

prétexter [pʀetekste] *tr.* Pretextar.

prêtre [pʀetʀ(ə)] *m.* Sacerdote.

prêtresse [pʀetʀes] *f.* Sacerdotisa.

preuve [pʀœv] *f.* Prueba. Loc. *Preuves à l'appui*, pruebas al canto; *faire — de*, dar pruebas de.

preux [pʀø] *adj.-m.* Valiente, esforzado.

prévaloir [pʀevalwaʀ] *intr. 1* Prevalecer. ■ *2 pr.* Prevalerse. ▲ CONJUG. como *valoir*, excepto en el pres. de subj.: *que je prévale*, etc.

prévariquer [pʀevaʀike] *intr.* Prevaricar.

prévenance [pʀevnɑ̃s] *f.* Atención, obsequio *m.*

prévenir [pʀevniʀ] *tr. 1* Avisar (avertir). *2*

Anticiparse a (un désir, un besoin). *3* Prevenir, precaver. Loc. *Mieux vaut — que guérir*, más vale prevenir que curar. ▲ CONJUG. como *venir*.

prévenu, -ue [pʀevny] *adj.-s.* DR. 1 Acusado, da. ■ *2 adj.* Prevenido, da, (en faveur de, contre). *3* Avisado, da, informado, da.

prévision [pʀevizjɔ̃] *f.* Previsión.

prévoir [pʀevwaʀ] *tr.* Prever. ▲ CONJUG. como *voir*, excepto el fut.: *prévoirai* y el POT.: *prévoirais*.

prévôt [pʀevo] *m. 1* Preboste. *2 — d'armes*, ayudante de un maestro de esgrima.

prévoyant, -ante [pʀevwajɑ̃, -ɑ̃t] *adj.* Previsor, ra.

prier [pʀije] *tr.-intr. 1* Rezar, orar. ■ *2 tr.* Rogar, suplicar (supplier). Loc. *Se faire —*, hacerse rogar; *je vous prie de bien vouloir*, le ruego tenga la amabilidad de. ▲ CONJUG. Toma dos íes seguidas en la 1.ª y en la 2.ª persona del plural del Imperf. de indicativo y del Pres. de subjuntivo.

prière [pʀijɛʀ] *f. 1* RELIG. Oración. *2* Ruego *m.*, súplica.

prieuré [pʀijœʀe] *m.* Priorato.

primaire [pʀimɛʀ] *adj.-m.* Primario, ria.

primat [pʀima] *m.* Primado.

primauté [pʀimote] *f.* Primacía, preeminencia.

prime [pʀim] *f. 1* Prima. Loc. *En —*, además. Loc. fig. *Faire —*, tener gran aceptación. ■ *2 adj.* Primo, ma, primero, ra. Loc. *De — abord*, en el primer momento. *3* MATH. Prima: *A —*, A prima.

primer [pʀime] *intr. 1* Dominar (l'emporter). *2* Tener prelación. ■ *3 tr.* Superar a (l'emporter sur). *4* Premiar (récompenser).

primeur [pʀimœʀ] *f. 1* Primicia. ■ *2 f. pl.* AGR. Frutas, hortalizas tempranas.

primevère [pʀimvɛʀ] *f.* Primavera.

primitif, -ive [pʀimitif, -iv] *adj.-s.* Primitivo, va.

primo [pʀimo] *adv.* Primeramente, en primer lugar.

primordial, -ale [pʀimɔʀdjal] *adj.* Primordial.

prince [pʀɛ̃s] *m.* Príncipe.

princesse [pʀɛ̃sɛs] *f.* Princesa.

principal, -ale [pʀɛ̃sipal] *adj.* Principal.

principal [pʀɛ̃sipal] *m. 1* Lo principal. *2* Director de un colegio. *3* DR. Importe básico de un impuesto.

principe [pʀɛ̃sip] *m.* Principio.

printanier, -ière [pʀɛ̃tanje, -jɛʀ] *adj.* Primaveral.

printemps [pʀɛ̃tɑ̃] *m.* Primavera *f.*

priorité [pʀijɔʀite] *f. 1* Prioridad. *2* Preferencia de paso, prioridad (sur la route).

pris, -ise [pʀi, -iz] *1 p. p.* de *prendre*. ■ *2 adj.* Ocupado, da. *3* Bien proporcionado. *4* Cuajado, da (ducri, coagulé). *5* Atacado, da (d'une maladie).

prise [pʀiz] *f. 1* Agarradero *m.*, asidero *m.* (pour saisir). Loc. *Donner — à*, dar pábulo a. *2* Toma, conquista. *3* Presa (chose prise). *4* Toma (de tabac). *5* MÉD. *— de sang*, toma de sangre. *6* ÉLECTR. *— de courant*, enchufe *m. 7 — d'eau*, toma de agua. *8* TECHN. *— de son*, registro *m.* de sonido. *9* Presa, llave (dans la lutte). *10* Solidificación.

priser [pʀize] *tr. 1* Apreciar, estimar. *2* Tomar (tabac à priser). *3* abs. Tomar rapé.

prismatique [pʀismatik] *adj.* Prismático, ca.

prisme [pʀism(ə)] *m.* Prisma.

prison [pʀizɔ̃] *f.* Prisión, cárcel.

prisonnier, -ière [pʀizɔnje, -jɛʀ] *adj.-s.* Preso, sa, prisionero, ra.

privation [pʀivasjɔ̃] *f.* Privación.

privé, -ée [pʀive] *adj. 1* Privado, da, íntimo, ma. *2* Particular: *propriété privée*, propiedad particular.

privilège [pʀivilɛʒ] *m.* Privilegio.

prix [pʀi] *m. 1* Precio. Loc. *Hors de —*, carísimo, ma; *à tout —*, cueste lo que cueste. *2* Premio (récompense).

probabilité [pʀɔbabilite] *f.* Probabilidad.

probable [pʀɔbabl(ə)] *adj.* Probable.

probité [pʀɔbite] *f.* Probidad.

problématique [pʀɔblematik] *adj.* Problemático, ca.

problème [pʀɔblɛm] *m.* Problema.

procédé [pʀɔsede] *m. 1* Procedimiento (méthode employée). *2* Proceder (comportement).

procéder [pʀɔsede] *tr.-intr.* Proceder. ▲ CONJUG. como *accélérer*.

procès [pʀɔsɛ] *m. 1* Proceso, pleito. *2* ANAT. Proceso: *— ciliaire*, proceso ciliar.

procession [pʀɔsesjɔ̃] *f.* Procesión.

processus [pʀɔsesys] *m.* Proceso.

prochain, -aine [pʀɔʃɛ̃, -ɛn] *adj. 1* Próximo, ma. *2* Próximo, ma, que viene (date): *l'année prochaine*, el año que viene. ■ *3 m.* Prójimo.

proche [pʀɔʃ] *adj. 1* Cercano, na, próximo, ma. *2* Cerca (près): *tout —*, muy cerca. ■ *3 m. pl.* Parientes, allegados.

proclamer [pʀɔklame] *tr.* Proclamar.

procréer [pʀɔkʀee] *tr.* Procrear.

procuration [pʀɔkyʀɑsjɔ̃] *f.* Procuración, poder *m.*

procurer [prɔkyre] *tr. 1* Proporcionar, procurar. *2* Causar (occasionner).
procureur [prɔkyrœr] *m.* Procurador.
prodigalité [prɔdigalite] *f.* Prodigalidad.
prodige [prɔdiʒ] *m.* Prodigio.
prodigieux, -euse [prɔdiʒjø, -øz] *adj.* Prodigioso, sa.
prodiguer [prɔdige] *tr. 1* Prodigar. ■ *2 pr.* Prodigarse.
producteur, -trice [prɔdyktœr, -tris] *adj.-s.* Productor, ra.
production [prɔdyksjɔ̃] *f.* Producción.
produire [prɔdɥir] *tr. 1* Producir. *2* Exhibir, enseñar, presentar (montrer). ■ *3 pr.* Producirse (survenir). *4* Presentarse al público. ▲ CONJUG. como *conduire*.
produit [prɔdɥi] *m.* Producto.
profane [prɔfan] *adj.-s.* Profano, na.
profaner [prɔfane] *tr.* Profanar.
proférer [prɔfere] *tr. 1* Proferir. ▲ CONJUG. como *accélérer*.
professer [prɔfese] *tr. 1* Profesar. ■ *2 intr.* Ser profesor, ra.
professeur [prɔfesœr] *m.* Profesor, ra: *Mme la professeur X*, la profesora X.
profession [prɔfesjɔ̃] *f.* Profesión.
professionnel, -elle [prɔfesjɔnɛl] *adj.* Profesional.
profil [prɔfil] *m.* Perfil.
profiler [prɔfile] *tr. 1* Perfilar. ■ *2 pr.* Perfilarse.
profit [prɔfi] *m. 1* Provecho. *2* Beneficio, ganancia *f.* Loc. *Tirer — de quelque chose,* sacar provecho de algo. *3 loc. prép. Au — de,* en beneficio de.
profiter [prɔfite] *tr. ind. 1 — de,* aprovechar, sacar provecho de. *2 — à quelqu'un,* ser provechoso, útil a alguien. *3 — à quelqu'un* (aliments), hacer provecho a alguien. ■ *4 intr.* fam. Crecer (grandir), engordar (grossir). *5* fam. Dar resultado, ser ventajoso, sa.
profond, -onde [prɔfɔ̃, 5d] *adj.* Profundo, da.
profusion [prɔfyzjɔ̃] *f.* Profusión.
progéniture [prɔʒenityr] *f.* Prole, descendencia.
programme [prɔgram] *m.* Programa.
progrès [prɔgrɛ] *m.* Progreso.
progresser [prɔgrese] *intr.* Progresar.
progressif, -iv [prɔgresif, -iv] *adj.* Progresivo, va.
prohiber [prɔibe] *tr.* Prohibir.
prohibition [prɔibisjɔ̃] *f.* Prohibición.
proie [prwa(ɑ)] *f. 1* Presa. Loc. *Oiseau de —,* ave de rapiña. *2 Être la — de,* ser presa, ser víctima de. *3* fig. Botín *m.*
projectile [prɔʒɛktil] *m.* Proyectil.
projection [prɔʒɛksjɔ̃] *f.* Proyección.

projet [prɔʒɛ] *m.* Proyecto.
projeter [pdrɔʒte] *tr.* Proyectar. ▲ CONJUG. como *jeter*.
prolétariat [prɔletarja] *m.* Proletariado.
prolifique [prɔlifik] *adj.* Prolífico, ca.
prolixe [prɔliks(ə)] *adj.* Prolijo, ja.
prologue [prɔlɔg] *m.* Prólogo.
prolongation [prɔlɔ̃gasjɔ̃] *f. 1* Prolongación. *2* Prórroga (match).
prolonger [prɔlɔ̃ʒe] *tr. 1* Prolongar. *2* Prorrogar. ▲ CONJUG. como *engager*.
promenade [prɔmnad] *f. 1* Paseo *m.: faire une —,* dar un paseo. *2* Paseo *m.* (lieu).
promener [prɔmne] *tr. 1* Pasear. Loc. fam. *Envoyer — quelqu'un,* mandar a alguien a paseo. ■ *2 pr.* Pasearse. ▲ CONJUG. como *acheter*.
promenoir [prɔm(ə)nwar] *m. 1* Paseo cubierto. *2* THÉAT. Pasillo.
promesse [prɔmɛs] *f.* Promesa.
promettre [prɔmɛtr(ə)] *tr.-intr. 1* Prometer. ■ *2 pr.* Prometerse. ▲ CONJUG. como *mettre*.
promis, -ise [prɔmi, -iz] *adj.-s.* Prometido, da.
promontoire [prɔmɔtwar] *m.* Promontorio.
promotion [prɔmosjɔ̃] *f.* Promoción.
promouvoir [prɔmuvwar] *tr. 1* Promover. *2* Elevar (à une dignité, un grade). ▲ CONJUG. como *mouvoir*. PART. P.: *promu*.
prompt, prompte [prɔ̃, prɔ̃t] *adj. 1* Pronto, ta: *— à se fâcher,* pronto a enfadarse. *2* Rápido, da.
promulguer [prɔmylge] *tr.* Promulgar.
prôner [prone] *tr. 1* Predicar (prêcher). *2* Preconizar (préconiser).
pronom [prɔnɔ̃] *m.* GRAM. Pronombre.
prononcer [prɔnɔ̃se] *tr. 1* Pronunciar. ■ *2 pr.* Pronunciarse (*pour,* por). ▲ CONJUG. como *lancer*.
prononciation [prɔnɔ̃sjasjɔ̃] *f.* Pronunciación.
pronostiquer [prɔnɔstike] *tr.* Pronosticar.
propagande [prɔpagɑ̃d] *f.* Propaganda.
propagation [prɔpagɑsjɔ̃] *f.* Propagación.
propager [prɔpaʒe] *tr. 1* Propagar (communiquer). *2* Propalar (divulguer). ■ *3 pr.* Propagarse. ▲ CONJUG. como *engager*.
propension [prɔpɑ̃sjɔ̃] *f.* Propensión.
prophète [prɔfɛt] *m.* Profeta.
prophétiser [prɔfetize] *tr.* Profetizar.
prophylaxie [prɔfilaksi] *f.* MÉD. Profilaxis.
propice [prɔpis] *adj.* Propicio, cia.
proportionnel, -elle [prɔpɔrsjɔnɛl] *adj.* Proporcional.

proportionner [pRɔpɔRsjɔne] *tr.* Proporcionar.

propos [pRɔpo] *m.* *1* Propósito, intención *f.* Loc. *Ferme —*, firme propósito. *2* Loc. *À —*, a propósito; *à tout —*, a cada momento; *mal à —*, inoportunamente. *3* Tema, asunto (sujet). ■ *4 pl.* Palabras *f.*

proposer [pRɔpoze] *tr.* *1* Proponer. ■ *2 pr.* Proponerse (se fixer un but). *3* Ofrecerse, brindarse (offrir ses services).

proposition [pRɔpozisjɔ̃] *f.* Proposición, propuesta *f.*

propre [pRɔpR(ə)] *adj.* *1* Propio, ia: *nom —*, nombre propio. *2* Propio, ia, mismo, ma (même). *3* Propio, ia, adecuado, da (approprié). *4* Limpio, ia (net). *5* Honrado, da.

propreté [pRɔpRəte] *f.* Limpieza.

propriétaire [pRɔpRijeteR] *s.* *1* Propietario, ria. *2* Casero, ra, propietario, ria (d'une maison).

propriété [pRɔpRijete] *f.* *1* Propiedad. *2* Casa de campo (maison).

propulsion [pRɔpylsjɔ̃] *f.* Propulsión.

proroger [pRɔRɔʒe] *tr.* Prorrogar. ▲CONJUG. como *engager.*

prosaïque [pRɔzaik] *adj.* Prosaico, ca.

prosateur [pRɔzatœR] *m.* Prosista.

proscrire [pRɔskRiR] *tr.* Proscribir. ▲CONJUG. como *écrire.*

prose [pRoz] *f.* Prosa.

prosélytisme [pRɔzelitism(ə)] *m.* Proselitismo.

prosodie [pRɔzɔdi] *f.* Prosodia.

prospecter [pRɔspɛkte] *tr.* *1* MINÉR. Hacer una prospección en. *2* Buscar clientes en.

prospérer [pRɔspeRe] *intr.* Prosperar. ▲CONJUG. como *accélérer.*

prosperité [pRɔspeRite] *f.* Prosperidad.

prosterner (se) [pRɔstɛRne] *pr.* *1* Prosternarse. *2* fig. *Se — devant quelqu'un*, rebajarse ante alguien.

prostituer [pRɔstitɥe] *tr.* *1* Prostituir. ■ *2 pr.* Prostituirse.

prostration [pRɔstRasjɔ̃] *f.* Postración.

protagoniste [pRɔtagɔnist(ə)] *m.* Protagonista.

protecteur, -trice [pRɔtɛktœR, -tRis] *adj.-s.* Protector, ra.

protectorat [pRɔtɛktɔRa] *m.* Protectorado.

protéger [pRɔteʒe] *tr.* Proteger. ▲CONJUG. como *engager.*

protestantisme [pRɔtɛstɑ̃tism(ə)] *m.* Protestantismo.

protestataire [pRɔtɛstateR] *adj.-s.* Protestón, ona, contestatario, ia.

protester [pRɔteste] *tr.-intr.* Protestar.

protocole [pRɔtɔkɔl] *m.* Protocolo.

protuberance [pRɔtybeRɑ̃s] *f.* Protuberancia.

prou [pRu] *adv.* Mucho *loc. adv. Ni peu ni —*, ni poco ni mucho.

proue [pRu] *f.* MAR. Proa.

prouesse [pRuɛs] *f.* Proeza.

prouver [pRuve] *tr.* Probar.

provenance [pRɔvnɑ̃s] *f.* Procedencia, origen *m.*

provenir [pRɔvniR] *intr.* Provenir, proceder. ▲CONJUG. como *venir.*

proverbe [pRɔvɛRb(ə)] *m.* Proverbio, refrán.

providence [pRɔvidɑ̃s] *f.* Providencia.

providentiel, -elle [pRɔvidɑ̃sjɛl] *adj.* Providencial.

province [pRɔvɛ̃s] *f.* Provincia, región.

provincial, -ale [pRɔvɛ̃sjal] *adj.* *1* Provincial. ■ *2 s.* Provinciano, na.

provision [pRɔvizjɔ̃] *f.* *1* Provisión, abastecimiento *m.* *2* COMM. Provisión de fondos. Loc. *Chèque sans —*, cheque sin fondos. ■ *3 pl.* Compra *sing.: aller faire ses provisions*, ir a la compra.

provisionnel, -elle [pRɔvizjɔnɛl] *adj.* Provisional.

provisoire [pRɔvizwaR] *adj.* Provisional.

provocation [pRɔvɔkasjɔ̃] *f.* Provocación.

provoquer [pRɔvɔke] *tr.* Provocar.

prudence [pRydɑ̃s] *f.* Prudencia.

prudent, -ente [pRydɑ̃, -ɑ̃t] *adj.* Prudente.

pruderie [pRydRi] *f.* Gazmoñería.

prune [pRyn] *f.* Ciruela.

pruneau [pRyno] *m.* *1* Ciruela *f.* pasa. *2* pop. Bala *f.* (de fusil).

prunelle [pRynɛl] *f.* *1* Endrina (fruit). *2* ANAT. Pupila, niña (de l'œil).

prunier [pRynje] *m.* Ciruelo.

psaume [psom] *m.* Salmo.

pseudonyme [psødɔnim] *m.* Seudónimo.

psychanalyse [psikanaliz] *f.* Psicoanálisis *m.*

psychiatrie [psikjatRi] *f.* Psiquiatría.

psychique [psiʃik] *adj.* Psíquico, ca.

psychologie [psikɔlɔʒi] *f.* Psicología.

psychose [psikoz] *f.* Psicosis.

puanteur [pɥɑ̃tœR] *f.* Hediondez, hedor *m.*

puberté [pybɛRte] *f.* Pubertad.

pubis [pybis] *m.* Pubis.

public, -ique [pyblik] *adj.-m.* Público, ca.

publication [pyblikasjɔ̃] *f.* Publicación.

publicité [pyblisite] *f.* Publicidad.

publier [pyblije] *tr.* Publicar. ▲CONJUG. como *prier.*

puce [pys] *f.* *1* Pulga. ■ *2 adj.* De color pardo.

pucelle [pysɛl] *f.* Doncella.

puceron [pysʀɔ́] *m.* Pulgón.
pudeur [pydœʀ] *f.* Pudor *m.*
pudibond, -onde [pydibɔ́, -ɔ́d] *adj.* Pudibundo, da.
pudique [pydik] *adj.* Púdico, ca.
puer [pɥe] *intr.-tr.* Heder, apestar.
puéril, -ile [pɥeʀil] *adj.* Pueril.
pugilat [pyʒila] *m.* Pugilato.
puis [pɥi] *adv. 1* Después, luego. *2 Et —,* además, y además (en plus). *3 Et — alors?*, ¿y qué?
puisard [pɥizaʀ] *m.* Pozo negro.
puiser [pɥize] *tr.* Sacar, extraer.
puisque [pɥisk(ə)] *conj.* Puesto que, ya que.
puissance [pɥisɑ̃s] *f. 1* Potestad: *— paternelle,* patria potestad. *2* Poder *m.,* poderío *m.* (pouvoir). *3* Fuerza (force). *4* MATH., PHYS. Potencia. *5* Potencia: *les grandes puissances,* las grandes potencias. ■ *6 pl.* RELIG. Potestades.
puissant, -ante [pɥisɑ̃, -ɑ̃t] *adj. 1* Potente (machine, moteur). *2* Poderoso, sa.
puits [pɥi] *m.* Pozo.
pull-over [pulɔvœʀ] *m.* Jersey.
pulluler [pylyle] *intr.* Pulular.
pulmonaire [pylmɔnɛʀ] *adj.* Pulmonar.
pulpe [pylp(ə)] *f.* Pulpa.
pulsation [pylsasjɔ̃] *f.* Pulsación.
pulvériser [pylveʀize] *tr.* Pulverizar.
puma [pyma] *m.* Puma.
punaise [pynɛz] *f. 1* Chince *m.* (insecte). *2* Chincheta (petit clou).
punch [pɔ̃ʃ] *m.* Ponche.
punir [pyniʀ] *tr.* Castigar, penar.
punition [pynisjɔ̃] *f.* Punición, castigo *m.*
pupille [pypil] *s. 1* DR. Pupilo, la. ■ *2 f.* Pupila, niña (de l'œil).

pupitre [pypitʀ(ə)] *m. 1* Pupitre. ■ *2* MUS. Atril.
pur, pure [pyʀ] *adj.* Puro, ra. Loc. *En pure perte,* en balde.
purée [pyʀe] *f. 1* Puré *m. 2* fig. pop. Miseria, estrechez. Loc. *Être dans la —,* no tener donde caerse muerto.
pureté [pyʀte] *f.* Pureza.
purgatif, -ive [pyʀgatif, -iv] *adj. 1* Purgativo, va. ■ *2 m.* Purga *f.,* purgante.
purgatoire [pyʀgatwaʀ] *m.* Purgatorio.
purge [pyʀʒ(ə)] *f.* Purga.
purification [pyʀifikɑsjɔ̃] *f.* Purificación.
purifier [pyʀifje] *tr.* Purificar. ▲CONJUG. como *prier.*
puriste [pyʀist(ə)] *adj.-s.* Purista.
puritanisme [pyʀitanism(ə)] *m.* Puritanismo.
purulent, -ente [pyʀylɑ̃, -ɑ̃t] *adj.* Purulento, ta.
pus [py] *m.* Pus.
pusillanime [pyzi(l)lanim] *adj.* Pusilánime.
pustule [pystyl] *f.* Pústula.
putatif, -ive [pytatif, -iv] *adj.* Putativo, va.
putois [pytwa] *m.* Turón.
putréfaction [pytʀefaksjɔ̃] *f.* Putrefacción.
putréfier [pytʀefje] *tr.* Pudrir. ▲CONJUG. como *prier.*
putride [pytʀid] *adj.* Pútrido, da.
puy [pɥi] *m.* Monte, montaña *f.*
pygmée [pigme] *m.* Pigmeo.
pyjama [piʒama] *m.* Pijama.
pyramide [piʀamid] *f.* Pirámide.
pyrotechnie [piʀɔtekni] *f.* Pirotecnia.
pytaghorique [pitagʀik] *adj.* Pitagórico, ca.
pythie [piti] *f.* Pitonisa.
python [pitɔ̃] *m.* Pitón.
pythonisse [pitɔnis] *f.* Pitonisa.

Q

q [ky] *m. 1* Q *f. 2* Abreviatura de *quintal.*
quadragénaire [kwadraʒenɛʀ] *adj.-s.*
Cuadragenario, cuarentón, ona.
quadragésime [kwadraʒezim] *f.* Cuadra-
gésima.
quadrant [k(w)adʀɑ̃] *m.* Cuadrante.
quadrature [k(w)adʀatyʀ] *f.* Cuadratura.
quadrilatère [k(w)adʀilatɛʀ] *adj.-s.* Cuadrilátero, ra.
quadrillage [kadʀijaʒ] *m.* Cuadrícula *f.*
quadrille [kadʀij] *m.* Cuadrilla *f.*, lanceros *pl.*
quadriller [kadʀije] *tr.* Cuadricular.
quadrumane [k(w)adʀyman] *adj.-s. 1* Cuadrúmano, na. ■ *2 m.* ZOOL. Cuadrúmano.
quadrupède [k(w)adʀypɛd] *adj.-s.* Cuadrúpedo.
quadrupler [k(w)adʀyple] *tr.* Cuadruplicar.
quai [ke] *m. 1* Muelle: — *d'embarquement,*
muelle de embarque. *2* Andén (de gare):
billet de —, billete de andén. *3* Vía *f.*
pública, avenida *f.* a lo largo de un río o
de un canal.
quaker, quakeresse [kwekœʀ, kwekʀes] *s.*
Cuáquero, ra.
qualificatif, -ive [kalifikativ, -iv] *adj. 1* Calificativo, va. ■ *2 m.* Calificativo.
qualifier [kalifje] *tr. 1* Calificar. ■ *2 pr.*
SPORTS Clasificarse. ▲CONJUG. como
prier.
qualitatif, -ive [kalitatif, -iv] *adj.-m.* Cuali-
tativo, va.
qualité [kalite] *f. 1* Calidad. *2* Cualidad. *3*
loc. prép. En —de, en calidad de, a título
de.
quand [kɑ̃] *adv. 1* Cuándo: —*partez-vous?,*
¿cuándo se marcha usted? *2 loc. adv.* —
même, sin embargo, a pesar de todo: *il y*
sera — même, él estará allí, a pesar de
todo. ■ *3 conj.* Cuando (au moment où):
faites-moi signe — vous serez arrivé, aví-
seme usted cuando haya llegado. *4* Aun-

que, aun cuando: — *cela serait, aunque*
así fuese. 5 loc. conj. — *même,* — *bien*
même, aun cuando.
quant à [kɑ̃ta] *loc. prép.* En cuanto a, por
lo que se refiere a, con respecto a.
quantitatif, -ive [kɑ̃titatif, -iv] *adj.* Cuantitativo, va.
quantité [kɑ̃tite] *f. 1* Cantidad. ■ *2 adj.*
invar. Mucho, cha: — *de gens,* mucha
gente.
quantum [kwɑ̃tɔm] *m. 1* Tanto, cuantía
(somme stipulée). *2* PHYS. Cuanto.
quarantaine [kaʀɑ̃ten] *f.* Cuarentena.
Loc. *Mettre en* —, poner en cuarentena.
quarante [kaʀɑ̃t] *adj.-s.* Cuarenta.
quarantième [kaʀɑ̃tjem] *adj. 1* Cuadragé-
simo, ma. ■ *2 adj.-s.* Cuarentavo, va.
quart [kaʀ] *m. 1* Cuarto: — *d'heure,*
cuarto de hora; *midi et* —, las doce y
cuarto. *2* Cuarto de litro. *3* Cuarto de
libra. *4* Cuarta parte *f. 5* MAR. Guardia *f.*
quarte [kart(ə)] *f.* ESCR., MUS. Cuarta.
quartier [kaʀtje] *m. 1* Barrio (d'une ville).
2 Gajo: *un* — *d'orange,* un gajo de naranja. *3* Trozo: *un* — *de bœuf,* un trozo
de buey. *4* ASTRON. Cuarto. *5* BLAS.
Cuartel. *6* MIL. Cuartel.
quasi [kazi] *adv.* Casi.
quasimodo [kazimodo] *f.* LITURG. Domingo de Cuasimodo, domingo después
de Pascua.
quaternaire [kwateʀnɛʀ] *adj.-m.* Cuater-
nario, ia.
quatorze [katɔʀz(ə)] *adj.-m. invar.* Catorce.
quatrain [katʀɛ̃] *m.* LITT. Redondilla *f.*,
cuarteta *f.*, cuarteto.
quatre [katʀ(ə)] *adj.-m. invar. 1* Cuatro:
— *fois — font seize,* cuatro por cuatro
son dieciséis. Loc. fig. *Se mettre en* —,
desvivirse. *2* Cuarto: *Henri quatre,* Enrique cuarto. ■ *3 m. invar.* Cuatro.
quatre-vingts, quatre-vingt [katʀəvɛ̃]
adj.-s. Ochenta.

quatrième [katrijɛm] *adj.* Cuarto, ta.

que [k(ə)] *conj. 1* Que: *j'espère — vous serez heureux*, espero que seréis felices. *2* De que: *soyez sûr —*, esté usted seguro de que. *3* Para que: *approche-toi, — je te voie*, acércate, para que yo te vea. *4* Cuando: *on allait partir — l'orage a éclaté*, íbamos a marcharnos, cuando estalló la tormenta. *5* En remplacement de *comme, quand, si*, etc. dans une coordonnée, ne se traduit pas: *comme ils étaient jeunes et — rien ne les contraignait*, como eran jóvenes y nada les ataba. *6* Porque: *je vous crois, non — vous ayez toujours raison...* le creo, no porque siempre tenga razón. *7* Ne se traduit pas: *c'est idiot — d'agir ainsi*, es tonto obrar así. *8 Aussi, autant...—*, tan, tanto... como. *9 Ne ...—*, no... más que, sólo. ■ *10 adv.* Por qué: *— ne vient-il pas?*, ¿por qué no viene él? *11* Qué: *— vous êtes bon!*, ¡qué bueno es usted! *12 — de*, cuánto, ta: *— de monde!*, ¡cuánta gente! ■ *13 pron. rel.* Que: *fais ce — tu voudras*, haz lo que quieras. *14* A quien, a quienes (pour les personnes). ■ *15 pron. inter.* ¿Qué?: *— se passe-t-il?*, ¿qué pasa? *16 Qu'est-ce que?, qué?: qu'est-ce que tu dis?*, ¿qué dices?

quel, quelle [kɛl] *adj. 1* Qué (devant nom), cuál (devant verbe): *quelle heure est-il?*, ¿qué hora es?; *— homme!*, ¡qué hombre!; *— sera mon sort?*, ¿cuál será mi destino?; *quelle ne fut pas ma surprise!*, ¡cual fue mi sorpresa! *2* Quién: *— est-ce garçon?*, ¿quién es este chico? *3* Cualquiera: *— que, quelle, que*, cualquiera que. ■ *4 pron.* Cuál: *de ces livres, — sera le plus intéressant?*, de estos libros, ¿cuál será el más interesante?

quelconque [kɛlkɔ̃k] *adj. 1* Cualquiera, cualquier: *un homme —*, un hombre cualquiera, cualquier hombre. *2* Corriente, mediocre: *un spectacle très —*, un espectáculo muy corriente.

quelque [kɛlk(ə)] *adj. indéf. 1* Algún, una: *— enfant*, algún niño. ■ *2 pl.* Pocos, cas, unos cuantos, unas cuantas: *les quelques amis que j'avais sont morts*, los pocos amigos que tenía murieron. *3* Loc. fam. *Et quelques*, y pico. *4* Por muchos, chas: *quelques remarques que vous fassiez*, por muchas observaciones que presentéis. ■ *5 adv.* Por muy: *— riche qu'il soit*, por muy rico que sea. *6* Aproximadamente, alrededor de, cerca de, unos, unas: *cela vous coûtera — cent francs*, esto os costará cien francos aproximadamente. *7 loc. adv. — peu*, un poco, algo, algún tanto.

quelquefois [kɛlkəfwa] *adv.* Algunas veces, a veces.

quelqu'un, -une [kɛlkœ̃, -yn] *pron. indéf. 1* Alguien. Loc. *Se croire —*, creerse alguien. *2* Alguno, na.

quémandeur, -euse [kemɑ̃dœr, -øz] *s.* Pedigüeño, -ña.

quenelle [kənɛl] *f.* Albondiguilla.

quenotte [kənɔt] *f.* Dientecillo *m.*

quereller [kɛrele] *tr. 1* Reñir. ■ *2 pr.* Pelearse, reñir, disputar.

quérir [kerir] *tr.* Buscar: *aller — le médecin*, ir a buscar al médico. ▲CONJUG. Se emplea sólo el INFIN.

question [kɛstjɔ̃] *f. 1* Pregunta. *2* Cuestión. *3* Tortura: *soumettre quelqu'un à la —*, someter a alguien a tortura.

questionner [kɛstjɔne] *tr.* Interrogar. ■

quêter [kete] *tr. 1* Buscar, solicitar. ■ *2 intr.* Pedir, hacer cuestación: *— pour les œuvres de bienfaisance*, hacer cuestación para las obras de beneficencia. *3* CHASS. Ventear.

queue [kø] *f. 1* Cola, rabo *m.* *2* Cola, coleta (cheveux). *3* Cola (de comète, de vêtements, etc.). *4* Mango *m.* (manche). *5* Cola, fila: *faire la —*, hacer cola. *6* Taco *m.* (billard). *7* BOT. Rabillo *m.*, pezón *m.* *8 loc. adv. À la — leu, leu*, en fila, uno detrás de otro.

qui [ki] *pron. rel. 1* Que, quien, quienes: *les choses — m'intéressent*, las cosas que me interesan; *ce —*, lo que; *celui à —je parle*, aquel a quien hablo; *ceux à — je parle*, aquéllos a quienes hablo. Loc. *— que ce soit*, quienquiera que sea. ■ *2 pron. inter.* Quién, quiénes: *— est-ce?*, ¿quién es?; *— sont ces personnes?*, ¿quiénes son estas personas? *3* A quién (complément): *— as-tu vu?*, ¿a quién has visto?

quiconque [kikɔ̃k] *pron. indéf.* Cualquiera que, quienquiera que.

quiétude [k(ɥi)jetyd] *f 1* Quietud. *2* RELIG. Sosiego *m.* del alma.

quille [kij] *f. 1* Bolo *m.* (jeu). *2* MAR. Quilla.

quinine [kinin] *f.* Quinina.

quinquagénaire [k(ɥ)ɛ̃k(w)aʒenɛr] *adj.-s.* Quincuagenario, ia, cincuentón, ona (fam.).

quinquagésime [kɥɛ̃kwaʒezim] *f.* LITURG. Quincuagésima.

quinquet [kɛ̃kɛ] *m.* Quinqué.

quinquina [kɛ̃kina] *m. 1* Vino quinado. *2* Quino (arbre). *3* Quina *f.* (écorce).

quint [kɛ̃] *adj.* Quinto: *Charles-Quint*, Carlos quinto; *Sixte-Quint*, Sixto quinto.

quintal [kɛ̃tal] *m*. Quintal.
quintessence [kɛ̃tesɑ̃s] *f*. Quintaesencia.
quintette [k(ɥ)tɛt] *m*. MUS. Quinteto.
quintuple [kɛ̃typl(ə)] *adj.-s*. Quíntuplo, pla.
quinzaine [kɛ̃zɛn] *f*. Quincena.
quinze [kɛ̃z] *adj.-m. invar*. Quince.
quinzième [kɛ̃zjɛm] *adj.-s*. *1* Quinceno, na, decimoquinto, ta. *2* Quinzavo, va (fraction).
quittance [kitɑ̃s] *f*. Recibo *m*.
quitte [kit] *adj. 1* Libre de deuda, en paz: *je vous ai tout payé, nous sommes quittes,* os lo he pagado todo, estamos en paz. *2* Quito, ta, exento, ta, libre. *3 loc. adv*. — *à*, a riesgo de.
quitter [kite] *tr. 1* Dejar, abandonar, ausentarse de: — *la ville,* dejar la ciudad. *2* Separarse: — *ses amis,* separarse de los amigos. Loc. *Ne quittez pas!,* ¡no se re-

tire! (téléphone). *3* Quitarse: *il ne quitte jamais sa casquette,* no se quita nunca la gorra. ■ *4 pr*. Despedirse, separarse: *ils se sont quittés à regret,* se han separado con pena.
qui-vive? [kiviv] *interj. 1* ¿Quién vive? *2* Loc. *Être sur le* —, estar alerta.
quoi [kwa] *pron. rel. 1* Lo que, lo cual. *2* Qué. ■ *3 pron. inter*. Qué: *à* — *pensez-vous?,* ¿en qué piensa usted? ■ *4 pron. indéf*. — *que,* cualquier cosa que; —*qu'il en soit,* como quiera que sea. *5 interj*. ¡Qué!, ¡cómo!
quoique [kwak(ə)] *conj*. Aunque, aun cuando.
quote-part [kɔtpaʀ] *f*. Parte alícuota, cuota.
quotidien, -ienne [kɔtidjɛ̃, -jɛn] *adj. 1* Diario, ia, cotidiano, na. ■ *2 m*. Diario, periódico (journal).
quotient [kɔsjɑ̃] *m*. Cociente.

R

rabâcher [Rabɑʃe] *tr. 1* Machacar. ■ *2 intr.* Repetirse.

rebaisser [Rabese] *tr. 1* Rebajar. ■ *2 pr.* Rebajarse.

rabat [Raba] *m. 1* Alzacuello, collarín (des religieux). *2* Golilla *f.* (des magistrats). *3* Carterilla *f.* (d'une poche).

rabat-joie [Rabaʒwa] *adj.-m. invar.* Aguafiestas.

rabatteur [Rabatœr] *m.* Ojeador (chasse).

rabattre [Rabatr(ə)] *tr. 1* Descontar, rebajar (déduire). *2* Abatir (faire tomber). *3* Bajar (mettre à plat). *4* Doblar, plegar (replier). *5* Ojear (chasse). ■ *6 pr.* Se — sur, vers, volverse bruscamente hacia. ▲ CONJUG. como *battre*.

rabbi [Rabi], **rabbin** [Rabɛ̃] *m.* Rabino.

râble [Rɑbl(ə)] *m.* Lomo.

rabot [Rabo] *m.* TECHN. Cepillo.

raboteux, -euse [Rabɔtø, -øz] *adj.* Desigual.

rabougri, -ie [Rabugri] *adj.* Esmirriado, da, canijo, ja.

racaille [Rakɑj] *f.* Chusma, canalla.

raccommodage [Rakɔmɔdaʒ] *m. 1* Remiendo (pièce). *2* Compostura *f.* (action).

raccomoder [Rakɔmɔde] *tr. 1* Componer, arreglar. *2* Remendar (rapiécer). *3* Reconciliar. ■ *4 pr.* Reconciliarse.

raccorder [Rakɔrde] *tr. 1* Empalmar, enlazar. *2* ÉLECTR. Conectar.

raccourci, -ie [Rakursi] *adj. 1* Acortado, da. *2* Abreviado, da. ■ *3 m.* Atajo (chemin). *4* Escorzo (peinture).

raccroc [Rakro] *m. 1* Chiripa *f.*, chamba *f.* *2* *loc. adv. Par —*, por chiripa.

raccrocher [Rakrɔʃe] *tr. 1* Volver a colgar (tableau, etc.). *2* Volver a enganchar (wagon, etc.). *3* Colgar (le téléphone). *4* Echar el gancho a, pescar (racoler). ■ *5 pr.* Aferrarse.

race [Ras] *f.* Raza.

racheter [Raʃte] *tr. 1* Rescatar, redimir. *2* Volver a comprar. ▲ CONJUG. como *acheter*.

rachitisme [Raʃitism(ə)] *m.* Raquitismo.

racine [Rasin] *f.* Raíz.

raclée [Rɑkle] *f.* pop. Paliza, tunda.

racler [Rɑkle] *tr. 1* Raspar, rascar. *2* fam. Rascar (un instrument à cordes). ■ *3 pr. Se — la gorge*, carraspear.

racolage [Rakɔlaʒ] *m.* MIL. Enganche, reclutamiento.

raconter [Rakɔ̃te] *tr.* Contar, narrar.

racornir [Rakɔrnir] *tr. 1* Endurecer. ■ *2 pr.* Endurecerse, resecarse.

radar [Radar] *m.* Radar.

rade [Rad] *f.* MAR. Rada.

radeau [Rado] *m. 1* Balsa *f.* *2* Almadía *f.* (train de bois).

radial, -ale [Radjal] *adj.* Radial.

radiateur [Radjatœr] *m.* Radiador.

radical, -ale [Radikal] *adj.-m.* Radical.

radier [Radje] *tr.* Tachar, borrar (d'une liste). ▲ CONJUG. como *prier*.

radieux, -euse [Radjø, -øz] *adj.* Radiante.

radioactif, -ive [Radjɔaktif, -iv] *adj.* Radiactivo, va.

radiodiffusion [Radjɔdifyziɔ̃] *f.* Radiodifusión.

radiographie [Radjɔgrafi] *f.* Radiografía.

radiophonique [Radjɔfɔnik] *adj.* Radiofónico, ca.

radiothérapie [Radjɔterapi] *f.* Radioterapia.

radis [Radi] *m.* Rábano.

radium [Radjɔm] *m.* Radio.

radoter [Radɔte] *intr. 1* Chochear, desatinar (divaguer). *2* Repetirse (rabâcher).

radoteur, -euse [Radɔtœr, -øz] *adj.-s.* Chocho, cha.

radoucir [Radusir] *tr. 1* Suavizar, templar (le temps). *2* Aplacar, moderar. ■ *3 pr.* Templarse (le temps). *4* Aplacarse.

rafale [Rafal] *f.* Ráfaga, racha.

raffermir [Rafɛrmir] *tr. 1* Fortalecer (durcir). *2* Consolidar, afianzar (fortifier).

raffinement [Rafinmã] *m.* Refinamiento.
raffiner [Rafine] *tr.* Refinar.
raffinerie [Rafinʀi] *f.* Refinería.
raffoler [Rafɔle] *tr. ind. — de,* estar loco, ca por, pirrarse por.
rafistoler [Rafistɔle] *tr.* fam. Componer, remendar.
rafle [Rafl(ə)] *f.* Batida, redada (de la police).
rafler [Rafle] *tr.* fam. Saquear, llevárselo.
rafraîchir [Rafʀe∫iʀ] *tr. 1* Refrescar. *2* Poner como nuevo, retocar. ■ *3 intr.* Refrescar, enfriarse. ■ *4 pr.* fam. Tomar un refresco (boire un rafraîchissement).
rafraîchissement [Rafʀe∫ismã] *m. 1* Enfriamiento. *2* Refresco (boisson).
ragaillardir [Ragajaʀdiʀ] *tr.* fam. Remozar, vigorizar.
rage [Raʒ] *f. 1* Rabia. Loc. *Faire —,* causar estragos. *2* Pasión, deseo *m.* violento. *3 — de dents,* dolor *m.* de muelas.
rager [Raʒe] *intr.* fam. Rabiar. ▲ CONJUG. como *engager.*
rageur, -euse [Raʒœʀ, -øz] *adj.-s.* Rabioso, sa, iracundo, da.
ragoût [Ragu] *m.* CUIS. Guisado, guiso.
ragoûtant, -ante [Ragutã, -ãt] *adj. 1* Apetitoso, sa. *2* Grato, ta.
rai [Rε] *m.* Rayo.
raid [Rεd] *m. 1* Correría *f.,* incursión. *2* SPORTS. Prueba *f.* de resistencia. *3* Expedición *f.* aérea.
raideur [Rεdœʀ] *f. 1* Rigidez, tiesura, tirantez. *2* fig. Inflexibilidad.
raidillon [Rεdijɔ̃] *m.* Repecho, costanilla *f.*
raidir [Rεdiʀ] *tr. 1* Atiesar, poner rígido, da. ■ *2 pr.* Resistir, mantenerse firme.
raie [Rε] *f. 1* Raya. *2* Raya (poisson).
rail [Raj] *m.* Riel.
railler [Raje] *tr. 1* Burlarse de. ■ *2 intr.* Bromear.
railleur, -euse [Rajœʀ, -øz] *adj.-s.* Burlón, ona.
rainette [Rεnεt] *f.* Rana de San Antonio.
rainure [Rεnyʀ] *f.* Ranura.
raisin [Rεzε̃] *m. 1* Uva *f.: le —,* la uva. *2 — sec,* pasa *f.*
raison [Rεzɔ̃] *f. 1* Razón. Loc. *Perdre la —,* perder el juicio; *avoir —,* tener razón. *2* Razón, motivo *m. 3 loc. adv. À plus forte —,* con mayor razón, con mayor motivo. *4 loc. prép. A — de,* a razón de; *en — de,* a causa de.
raisonnable [Rεzɔnabl(ə)] *adj. 1* Razonable. *2* Racional (doué de raison).
raisonnement [Rεzɔnmã] *m. 1* Raciocinio. *2* Razonamiento.
raisonner [Rεzɔne] *intr.-tr.* Razonar, raciocinar.

rajeunir [Raʒœniʀ] *tr. 1* Rejuvenecer. ■ *2 pr.* Rejuvenecerse.
rajuster [Raʒyste] *tr. 1* Reajustar. *2* Componer, arreglar (arranger).
râle [Rɑl] *m. — d'eau,* rascón, polla *f.* de agua.
râle [Rɑl], **râlement** [Rɑlmã] *m.* Estertor.
ralenti, -ie [Ralãti] *adj. 1* Retardado, da. ■ *2 m.* Ralentí, marcha *f.* lenta: *au —,* en marcha lenta; a ritmo lento (travail).
ralentir [Ralãtiʀ] *tr. 1* Aminorar, disminuir. ■ *2 intr.* Ir más despacio, aminorar la marcha.
râler [Rɑle] *intr. 1* Tener estertor. *2* fam. Gruñir, refunfuñar (rouspéter).
rallier [Ralje] *tr. 1* Reunir (rassembler). *2* Sumar, ganar, captar (pour une cause). *3* Volver a (rejoindre): *— son poste,* volver a su puesto. ■ *4 pr.* Reunirse, agruparse. *5* Adhérirse (à une opinion). ▲ CONJUG. como *prier.*
rallumer [Ralyme] *tr. 1* Encender de nuevo. *2* fig. Reanimar, avivar (ranimer).
ramadan [Ramadã] *m.* Ramadán.
ramage [Ramaʒ] *m. 1* Ramaje. *2* Gorjeo (des oiseaux).
ramasser [Ramɑse] *tr. 1* Recoger. *2* Reunir, amontonar. *3* pop. Ganarse, atrapar: *— une gifle,* ganarse una bofetada. ■ *4 pr.* Encogerse, acurrucarse.
ramassis [Ramɑsi] *m. 1* péj. Revoltillo, revoltijo (de choses). *2* Hato (de personnes).
rame [Ram] *f. 1* Remo *m.* (aviron). *2* Resma (de papier). *3* AGR. Rodrigón *m. 4* Tren *m.* (de chemin de fer, métro).
rameau [Ramo] *m. 1* Ramo (petite branche). ■ *2 pl. Les Rameaux,* el domingo de Ramos.
ramée [Rame] *f.* Ramaje *m.*
ramener [Ramne] *tr. 1* Traer de nuevo, hacer volver. *2* Hacer volver (faire revenir). *3* Traer consigo. *4* Restablecer (la paix, etc.). *5 — à la vie,* reanimar. ■ *6 pr. Se — à,* reducirse a. ▲ CONJUG. como *acheter.*
ramer [Rame] *intr.* Remar.
ramier [Ramje] *m. 1* Paloma *f.* torcaz. ■ *2 adj. Pigeon —,* paloma torcaz.
ramification [Ramifikɑsjɔ̃] *f.* Ramificación.
ramifier [Ramifje] *tr. 1* Ramificar. ■ *2 pr.* Ramificarse. ▲ CONJUG. como *prier.*
ramollir [Ramɔliʀ] *tr. 1* Reblandecer, ablandar. ■ *2 pr.* Reblandecerse, ablandarse.
ramoneur [Ramɔnœʀ] *m.* Deshollinador.
rampant, -ante [Rãpã, -ãt] *adj. 1* Rastrero,

ra (plantes, animaux). *2* fig. Rastrero, ra, servil.

rampe [Rãp] *f.* *1* Rampa, pendiente (plan incliné). *2* Barandilla, baranda (d'escalier).

ramper [Rãpe] *intr.* *1* Reptar. *2* fig. Arrastrarse. *3* Trepar (plantes).

ramure [RamyR] *f.* *1* Ramaje *m.* (branchage). *2* Cornamenta (des cervidés).

rancart [Rãkar] *m.* Loc. fam. *Mettre au —,* arrinconar, arrumbar.

ranch [Rãtʃ] *m.* Rancho.

rancir [Rãsir] *intr.* Enranciarse.

rancœur [Rãkœr] *f.* Rencor *m.*

rançon [Rãsõ] *f.* *1* Rescate *m.* *2* fig. Precio *m.*, pago *m.* (contrepartie).

rancune [Rãkyn] *f.* Rencor *m.*

randonnée [Rãdɔne] *f.* Caminata.

rang [Rã] *m.* *1* Fila *f.* Loc. *En —,* en fila; *être, se mettre sur les rangs,* ponerse entre los candidatos. *2* Categoría *f.,* clase *f.* (social). *3* Puesto, lugar (place).

ranger [Rãʒe] *tr.* *1* Ordenar, arreglar (avec ordre). *2* Colocar (mettre). *3* Alinear. *4* Aparcar (une voiture). ■ *5 pr.* Colocarse. Loc. *Se — du côté de quelqu'un,* tomar el partido de alguien. *6* Ponerse en fila. *7* fam. Sentar la cabeza (adopter un genre de vie régulier). ▲ CONJUG. como *engager.*

ranimer [Ranime] *tr.* Reanimar.

rapace [Rapas] *adj.-m.* Rapaz.

rapatrier [Rapatrije] *tr.* Repatriar. ▲ CONJUG. como *prier.*

râpe [Rαp] *f.* *1* CUIS. Rallador *m.,* rallo *m.* *2* MENUIS. Escofina, lima.

râper [Rαpe] *tr.* *1* CUIS. Rallar. *2* Raspar. *3* Raer, gastar (user).

rapetasser [Raptase] *tr.* fam. Remendar (raccommoder).

rapetisser [Raptise] *tr.* *1* Achicar, empequeñecer. ■ *2 intr.* Achicarse, acortarse.

raphia [Rafja] *m.* Rafia *f.*

rapide [Rapid] *adj.* *1* Rápido, da. *2* Escarpado, da. ■ *3 m.* Rápido (train, fleuve).

rapidité [Rapidite] *f.* Rapidez.

rapiécer [Rapjese] *tr.* Remendar. ▲ CONJUG. como *lancer.*

rapine [Rapin] *f.* Rapiña.

rappel [Rapɛl] *m.* *1* Llamada *f.* *2* TECHN. Retroceso. *3* Pago de atrasos (paiement). *4* Recuerdo, evocación *f.*

rappeler [Raple] *tr.* *1* Llamar de nuevo. *2* Llamar: *— à l'ordre,* llamar al orden. *3 — à la vie,* reanimar (évanouissement). *4* Recordar: *cette maison me rappelle ma jeunesse,* esta casa me recuerda mi juventud. *5* Parecer, recordar (ressem-

bler): *il me rappelle son oncle,* se parece a su tío. ■ *6 pr.* Acordarse de: *je ne me rappelle plus de rien,* no me acuerdo de nada. ▲ CONJUG. como *appeler.*

rapport [Rapɔr] *m.* *1* Renta *f.,* rendimiento (revenu). *2* Informe (compte rendu). *3* Relación *f.* *4* Similitud *f.* *5* Contacto sexual. *6* MATH. Razón *f.* *7 loc. prép. En — avec,* en relación con; *par — à,* con relación a, respecto a.

rapporter [Rapɔrte] *tr.* *1* Traer de nuevo. *2* Traer (d'un voyage). *3* Añadir (ajouter). *4* Producir, rendir. *5* Referir, relatar (une histoire, des faits). *6* fam. Soplar, chivarse (moucharder). *7* Anular, revocar (loi, décret). ■ *8 pr.* Corresponder, referirse. Loc. *S'en — à,* remitirse de.

rapporteur, -euse [Rapɔrtœr, -øz] *s.* *1* Soplón, ona, chivato, ta. ■ *2 m.* DR. Relator, ponente.

rapprocher [Raprɔʃe] *tr.* *1* Acercar más. *2* Acortar, disminuir (les distances). *3* fig. Reconciliar. *4* Comparar. ■ *5 pr.* Acercarse (de, a). *6* Parecerse.

rapt [Rapt] *m.* Rapto.

raquette [Rakɛt] *f.* Raqueta.

rare [Rɑ(ɑ)r] *adj.* *1* Raro, ra. *2* Ralo, la (cheveux, barbe).

raréfier [Rɑ(ɑ)Refje] *tr.* Rarefacer, rarificar. ▲ CONJUG. como *prier.*

rareté [Rɑ(ɑ)Rte] *f.* *1* Rareza. *2* Escasez (pénurie).

ras, rase [Rɑ, -Rɑz] *adj.* *1* Corto, ta. *2* Raso, sa.

rasade [Rɑzad] *f.* Vaso *m.* lleno, copa llena.

raser [Rɑze] *tr.* *1* Afeitar, rapar. *2* TECHN. Tundir. *3* Arrasar (démolir). *4* Rozar (frôler). *5* fam. Dar la lata (ennuyer). ■ *6 pr.* Afeitarse. *7* fam. Aburrirse.

rasoir [Rɑzwar] *m.* *1* Navaja *f.* de afeitar. *2* Maquinilla *f.* de afeitar (mécanique, électrique). ■ *3 adj. invar.* fam. Latoso, sa.

rassasier [Rasazje] *tr.* *1* Saciar, hartar. ■ *2 pr.* Saciarse, hartarse. ▲ CONJUG. como *prier.*

rassembler [Rasãble] *tr.* *1* Reunir, juntar, congregar. ■ *2 pr.* Reunirse.

rasseoir [Raswar] *tr.* *1* Sentar de nuevo. ■ *2 pr.* Sentarse de nuevo. ▲ CONJUG. como *asseoir.*

rasséréner [Raserene] *tr.* Serenar. ▲ CONJUG. como *accélérer.*

rassurer [Rasyre] *tr.* *1* Tranquilizar. ■ *2 pr.* Tranquilizarse.

rat [Ra] *m.* *1* Rata *f.* ■ *2 adj.* Tacaño, ña.

ratatiner [Ratatine] *tr.* *1* fam. Hacer añicos. ■ *3 pr.* Arrugarse, apergaminarse.

ratatouille [ʁatatuj] *f. 1* fam. Guisote *m.*, rancho *m.* 2 — *niçoise,* pisto *m.*

rate [ʁat] *f. 1* ANAT. Bazo *m.* 2 Rata (rat femelle).

raté, -ée [ʁate] *s. 1* Fracasado, da. ■ *2 m.* Fallo (de moteur).

râteau [ʁɑto] *m.* AGR. Rastro, rastrillo.

râtelier [ʁɑtəlje] *m. 1* Pesebre. 2 fam. Dentadura *f.* postiza (dentier).

rater [ʁate] *intr. 1* Fallar, errar (une arme). 2 Fracasar (échouer). ■ *3 tr.* Fallar, errar, marrar. 4 Perder: — *son train,* perder el tren. 5 Malograr (ne pas réussir).

ratifier [ʁatifje] *tr.* Ratificar. ▲ CONJUG. como *prier.*

ration [ʁɑ(a)sjɔ̃] *f.* Ración.

rationalisme [ʁasjɔnalism(ə)] *m.* Racionalismo.

rationnel, -elle [ʁɑ(a)sjɔnɛl] *adj.* Racional.

ratisser [ʁatise] *tr. 1* Rastrillar (avec un râteau). 2 fam. Pelar, limpiar (rafler). *3* Registrar, rastrear (police, armée).

raton [ʁatɔ̃] *m. 1* Ratoncillo. 2 — *laveur,* mapache.

rattacher [ʁataʃe] *tr. 1* Reatar. 2 Incorporar, unir: — *une province à un état,* incorporar una provincia a un estado. *3* Relacionar. ■ *4 pr. Se — à,* depender de, relacionarse con.

rattraper [ʁatʁape] *tr. 1* Volver a atrapar. 2 Recuperar. *3* Alcanzar: *je hâtai le pas pour le —,* apresuré el paso para alcanzarle. ■ *4 pr.* Agarrarse (se raccrocher). 5 Recuperarse, recobrarse.

rature [ʁatyʁ] *f.* Tachadura.

rauque [ʁok] *adj.* Ronco, ca.

ravager [ʁavaʒe] *tr.* Asolar, devastar. ▲ CONJUG. como *engager.*

ravaler [ʁavale] *tr. 1* Volver a tragar. 2 Revocar (une façade). *3* Rebajar (le mérite, etc.). ■ *4 pr.* Rebajarse.

ravaudage [ʁavodaʒ] *m. 1* Remiendo (raccommodage). *2* Zurcido (reprise).

rave [ʁav] *f.* Naba.

ravi, -ie [ʁavi] *adj.* Encantado, da (très content).

ravin [ʁavɛ̃] *m.* Barranco.

ravine [ʁavin] *f. 1* Torrente *m.* (cours d'eau). 2 Torrentera.

ravir [ʁaviʁ] *tr. 1* Encantar, embelesar (charmer). 2 Raptar (enlever de force). *3 loc. adv. À —,* maravillosamente.

raviser (se) [ʁavize] *pr.* Cambiar de parecer.

ravissant, -ante [ʁavisɑ̃, -ɑ̃t] *adj.* Encantador, ra.

ravitailler [ʁavitaje] *tr.* Abastecer.

raviver [ʁavive] *tr.* Reanimar, avivar.

rayé, -ée [ʁeje] *adj.* Rayado, da.

rayer [ʁeje] *tr. 1* Rayar. 2 Tachar, borrar (effacer).

rayon [ʁejɔ̃] *m. 1* Rayo (de lumière, du soleil). 2 Rayo, radio (de roue). *3* GÉOM. Radio. *4* AGR. Surco. 5 Estante, anaquel (étagère). *6* Sección *f.,* departamento (d'un magasin). 7 Panal (de miel).

rayonne [ʁejɔn] *f.* Rayón *m.,* seda artificial.

rayonnement [ʁejɔnmɑ̃] *m. 1* Irradiación *f.* 2 fig. Resplandor.

rayonner [ʁejɔne] *intr. 1* Radiar, irradiar. 2 fig. Resplandecer, estar radiante.

rayure [ʁejyʁ] *f. 1* Lista, raya: *étoffe à rayures,* tela a rayas. 2 Rayado *m.*

réaction [ʁeaksjɔ̃] *f.* Reacción.

réactionnaire [ʁeaksjɔnɛʁ] *adj.-s.* Reaccionario, ia.

réagir [ʁeaʒiʁ] *intr.* Reaccionar.

réaliser [ʁealize] *tr.* Realizar.

réalisme [ʁealism(ə)] *m.* Realismo.

réalité [ʁealite] *f.* Realidad.

réapparaître [ʁeapaʁɛtʁ(ə)] *intr.* Reaparecer. ▲ CONJUG. como *connaître.*

réarmer [ʁeaʁme] *tr.* Rearmar.

rébarbatif, -ive [ʁebaʁbatif, -iv] *adj.* Repelente, ingrato, ta (ingrat).

rebâtir [ʁ(ə)batiʁ] *tr.* Reedificar.

rebattre [ʁ(ə)batʁ(ə)] *tr.* Repetir, machacar: — *les oreilles à quelqu'un de quelque chose,* remachar, macachar algo a alguien. ▲ CONJUG. como *battre.*

rebattu, -ue [ʁ(ə)baty] *adj.* Trillado, da, sobado, da.

rebeller (se) [ʁ(ə)be(ɛl)le] *pr.* Rebelarse.

rébellion [ʁebeljɔ̃] *f.* Rebelión.

rebiffer (se) [ʁ(ə)bife] *pr.* fam. Rebelarse.

reboiser [ʁ(ə)bwaze] *tr.* Repoblar con árboles.

rebondi, -ie [ʁ(ə)bɔ̃di] *adj.* Rollizo, za.

rebondir [ʁ(ə)bɔ̃diʁ] *intr. 1* Rebotar. 2 Volver a cobrar actualidad (une affaire). *3* Reanudarse.

rebord [ʁ(ə)bɔʁ] *m.* Reborde.

rebours (à) [aʁ(ə)buʁ] *loc. adv.* Al revés. Loc. *Compte à —,* cuenta atrás.

rebrousser [ʁ(ə)bʁuse] *tr. 1* Levantar a contrapelo (les cheveux, le poil). 2 — *chemin,* volver sobre sus pasos, hacer marcha atrás.

rebuffade [ʁ(ə)byfad] *f.* Desaire *m.,* feo *m.*

rebut [ʁəby] *m.* Desecho, desperdicio.

rebuter [ʁ(ə)byte] *tr. 1* Repugnar, repeler (dégoûter). 2 Desanimar (décourager).

récalcitrant, -ante [ʁekalsitʁɑ̃, -ɑ̃t] *adj.-s.* Recalcitrante.

récapituler [ʁekapityle] *tr.* Recapitular.

receler [Rəs(ə)le; Rsəle] *1* DR. Receptar, encubrir. *2* Encerrar, contener. ▲ CONJUG. como *acheter*.

recenser [R(ə)sãse] *tr. 1* Empadronar, hacer el censo de. *2* Recontar, enumerar.

récent, -ente [Resã, -ãt] *adj.* Reciente.

réceptacle [Reseptakl(ə)] *m.* Receptáculo.

réception [Resɛpsjɔ̃] *f.* Recepción.

recette [R(ə)sɛt] *f. 1* Ingreso *m.*, entrada (rentrée d'argent). *2* Recaudación (impôts, spectacle, etc.). *3* Oficina de recaudación (bureau). *4* CUIS. Receta. *5* Fórmula, receta (procédé).

receveur, -euse [Rəsvœr, -øz; Rsəvœr, -øz] *s. 1* Recaudador, ra. *2* Cobrador, ra (dans un transport public).

recevoir [Rəswar, Rsəvwar] *tr. 1* Recibir. *2* Aprobar (à un examen). ■ *3 intr.* Recibir, tener visitas.

rechange [R(ə)ʃãʒ] *m.* Recambio.

recharger [R(ə)ʃarʒe] *tr. 1* Recargar. *2* Cargar (appareil, photo, briquet). ▲ CONJUG. como *engager*.

réchaud [Reʃo] *m. 1* Infiernillo (à alcool). *2* Hornillo (à gaz, électrique).

réchauffer [Reʃofe] *tr. 1* Recalentar. *2* fig. Reanimar, reavivar. ■ *3 pr.* Calentarse.

rêche [Rɛʃ] *adj.* Áspero, ra.

recherche [R(ə)ʃɛrʃ(ə)] *f. 1* Búsqueda, busca. Loc. *À la — de*, en busca de. *2* Investigación. *3* Refinamiento *m.* (raffinement). *4* Rebuscamiento *m.*, afectación.

rechercher [R(ə)ʃɛrʃe] *tr. 1* Buscar, rebuscar. *2* Investigar (une cause, etc.). *3* Buscar (la compagnie, l'amitié de, etc.).

rechigner [R(ə)ʃiɲe] *intr.* Refunfuñar, rezongar.

rechute [R(ə)ʃyt] *f.* Recaída.

récidiver [residive] *intr. 1* Reincidir. *2* MÉD. Recaer.

récif [Resif] *m.* Arrecife.

récipient [Resipjã] *m.* Recipiente.

réciprocité [Resiprosite] *f.* Reciprocidad.

réciproque [Resiprɔk] *adj.-f.* Recíproco, ca.

récit [Resi] *m.* Relato, narración *f.*

récital [Resital] *m.* Recital.

réciter [Resite] *tr.* Recitar.

réclamation [Rekla(ɑ)masjɔ̃] *f.* Reclamación.

réclame [Rekla(ɑ)m] *f. 1* Reclamo *m.*, propaganda. *2 Produits en —*, gangas *f.*, oportunidades *f.*

réclamer [Rekla(ɑ)me] *tr. 1* Reclamar. *2* Exigir (exiger). ■ *3 pr. Se — de*, apelar a.

reclusion [Reklyzjɔ̃] *f.* Reclusión.

recoin [Rəkwɛ̃] *m. 1* Rincón (coin caché). *2* fig. Lo más íntimo.

recoller [R(ə)kɔle] *tr.* Pegar de nuevo.

récolter [Rekɔlte] *tr.* Cosechar, recolectar.

recommander [R(ə)kɔmãde] *tr. 1* Recomendar: *je vous recommande d'être prudent,* le recomiendo que sea prudente. *2* Certificar (une lettre). ■ *3 pr. Se — à,* encomendarse a. *4 Se — de,* valerse de.

recommencer [R(ə)kɔmãse] *tr. 1* Recomenzar, reanudar. ■ *2 tr. ind. — à,* volver a: *il recommença à pleurer,* volvió a llorar. ■ *3 intr.* Volver a empezar. ▲ CONJUG. como *lancer*.

récompenser [Rekɔ̃pãse] *tr.* Recompensar.

réconciliation [Rekɔ̃siljasjɔ̃] *f.* Reconciliación.

réconcilier [Rekɔ̃silje] *tr. 1* Reconciliar. ■ *2 pr.* Reconciliarse. ▲ CONJUG. como *prier*.

reconduire [R(ə)kɔ̃dɥir] *tr. 1* Acompañar. *2* Despedir, acompañar a la salida (un visiteur). ▲ CONJUG. como *conduire*.

réconforter [Rekɔ̃fɔrte] *tr.* Reconfortar, confortar.

reconnaissance [R(ə)kɔnɛsãs] *f. 1* Reconocimiento *m.* *2* Agradecimiento *m.* (gratitude). *3* Resguardo *m.*, recibo *m.* (reçu).

reconnaître [R(ə)kɔnɛtR(ə)] *tr. 1* Reconocer: *je ne reconnais pas sa voix,* no reconozco su voz. ■ *2 pr.* Reconocerse. *3* Orientarse. ▲ CONJUG. como *connaître*.

reconquérir [R(ə)kɔ̃kerir] *tr. 1* Reconquistar. ▲ CONJUG. como *acquérir*.

reconstituant, -ante [R(ə)kɔ̃stitɥã, -ãt] *adj.-m.* Reconstituyente.

reconstruire [R(ə)kɔ̃strɥir] *tr.* Reconstruir. ▲ CONJUG. como *conduire*.

record [R(ə)kɔr] *m.* Récord, marca *f.*

recoudre [R(ə)kudR(ə)] *tr.* Recoser. ▲ CONJUG. como *coudre*.

recoupement [R(ə)kupmã] *m.* Comprobación *f.* de un hecho.

recourber [R(ə)kurbe] *tr.* Encorvar, doblar.

recourir [R(ə)kurir] *tr. ind. — à,* recurrir, apelar a. ▲ CONJUG. como *courir*.

recours [R(ə)kur] *m. 1* Recurso. Loc. *Avoir — à,* recurrir a. *2* DR. Recurso.

recouvrer [R(ə)kuvre] *tr. 1* Recobrar. *2* Cobrar, recaudar (une somme).

recouvrir [R(ə)kuvrir] *tr. 1* Recubrir. *2* fig. Ocultar, encubrir. ▲ CONJUG. como *offrir*.

récréatif, -ive [Rekreatif, -iv] *adj.* Recreativo, va.

récréation [Rekreasjɔ̃] *f.* Recreo *m.*

récrier (se) [Rekrije] *pr.* Exclamar. ▲ CONJUG. como *prier*.

récriminer [Rekrimine] *intr.* Recriminar.

recru, -ue [R(ə)kry] *adj.* Molido, da, reventado, da (éreinté).

recruter [R(ə)kRyte] *tr.* Reclutar.

rectangle [Rektãgl(ə)] *adj.-m.* Rectángulo.

recteur, -trice [Rektœr, -tRis] *adj.-m.* Rector, ra.

rectifier [Rektifje] *tr.* Rectificar. ▲ CONJUG. como *prier*.

rectiligne [Rektiliɲ] *adj.* Rectilíneo, nea.

rectitude [Rektityd] *f.* Rectitud.

recto [Rekto] *m.* Anverso.

reçu, -ue [R(ə)sy] *adj.* 1 v. **recevoir**. ■ *2 m.* Recibo (quittance).

recueil [R(ə)kœj] *m.* Compilación *f.*, colección *f.*

recueillir [R(ə)kœjiR] *tr.* 1 Recoger. ■ *2 pr.* Recogerse, concentrarse. ▲ CONJUG. como *cueillir*.

recuire [R(ə)kɥiR] *tr.* Recocer. ▲ CONJUG. como *conduire*.

recul [R(ə)kyl] *m.* 1 Retroceso (d'un canon, etc.). 2 Alejamiento (pour mieux voir). 3 Perspectiva *f.* (dans le temps).

reculé, -ée [R(ə)kyle] *adj.* 1 Apartado, da. 2 Remoto, ta (temps).

reculer [R(ə)kyle] *tr.* 1 Apartar, retirar hacia atrás (repousser). 2 Aplazar (ajourner). ■ *3 intr.* Retroceder. *4* Vacilar (hésiter). 5 Echarse atrás (renoncer).

reculons (à) [arkylõ] *loc. adv.* Andando hacia atrás.

récupérer [Rekypere] *tr.* 1 Recuperar. ■ *2 pr.* Resaciarse. ▲ CONJUG. como *accélérer*.

récurer [RekyRe] *tr.* Fregar.

récuser [Rekyze] *tr.* 1 Recusar. ■ *2 pr.* Declararse incompetente.

rédacteur, -trice [Redaktœr, -tRis] *s.* Redactor, ra.

rédaction [Redaksjõ] *f.* Redacción.

reddition [Red(d)isjõ] *f.* Rendición.

rédemption [Redãpsjõ] *f.* Redención.

redevable [Rədvabl(ə); Rdəvabl(ə)] *adj.* Deudor, ra.

redevance [Rədvãs; Rdəvãs] *f.* Canon *m.*, censo *m.*

redevenir [RədvəniR; RdəvniR] *intr.* Volver a ser. ▲ CONJUG. como *venir*.

rédiger [Rediʒe] *tr.* Redactar. ▲ CONJUG. como *engager*.

redingote [Rədɛ̃gɔt] *f.* Levita.

redire [R(ə)diR] *tr.* Repetir. ▲ CONJUG. como *dire*.

redondance [R(ə)dõdãs] *f.* Redundancia.

redoubler [R(ə)duble] *tr.* 1 Redoblar. 2 — *une classe*, repetir curso. ■ *3 tr. ind.* — *de*, redoblar: — *d'efforts*, redoblar sus

esfuerzos. ■ *4 intr.* Arreciar (pluie, vent). 5 Redoblar.

redoutable [R(ə)dutabl(ə)] *adj.* Temible.

redresser [R(ə)drese] *tr.* 1 Enderezar. 2 fig. Enderezar, restablecer. ■ *3 pr.* Enderezarse.

réduction [Redyksjõ] *f.* Reducción.

réduire [Redɥiʀ] *tr.* 1 Reducir. ■ *2 pr.* Reducirse. ▲ CONJUG. como *conduire*.

réduit, -ite [Redɥi, -it] *adj.* 1 Reducido, da. ■ *2 m.* Cuchitril, cuartucho, tabuco. 3 MIL. Reducto.

réel, -elle [Reɛl] *adj.* Real.

réélection [Reelɛksjõ] *f.* Reelección.

réélire [ReeliR] *tr.* Reelegir. ▲ CONJUG. como *lire*.

réexpédier [Reɛkspedje] *tr.* Reexpedir. ▲ CONJUG. como *prier*.

refaire [R(ə)fɛR] *tr.* 1 Rehacer. 2 fam. Pegársela a (duper). ■ *3 pr.* Rehacerse, reponerse. ▲ CONJUG. como *faire*.

réfectoire [Refɛktwar] *m.* Refectorio.

référence [Referãs] *f.* 1 Referencia. ■ *2 pl.* Referencias, informes *m.*

référendum [Referɛ̃dɔm] *m.* Referéndum.

référer [RefeRe] *tr.* 1 Referir. ■ *2 intr.* Informar. ■ *3 pr.* Referirse. ▲ CONJUG. como *accélérer*.

refermer [R(ə)fɛRme] *tr.* Volver a cerrar.

réfléchir [RefleʃiR] *tr.* 1 Reflejar. ■ *2 intr.* Reflexionar, pensar. ■ *3 pr.* Reflejarse.

réflecteur [Reflɛktœr] *m.* Reflector.

refléter [R(ə)flete] *tr.* Reflejar. ▲ CONJUG. como *accélérer*.

réflexion [Reflɛksjõ] *f.* 1 Reflexión. 2 — *faite, à la* —, considerándolo bien.

refluer [R(ə)flye] *intr.* Refluir.

reflux [Rəfly] *m.* Reflujo.

réforme [Refɔrm(ə)] *f.* 1 Reforma. 2 MIL. Licencia *f.* total.

réformer [R(ə)fɔrme] *tr.* 1 Reformar. 2 MIL. Licenciar, dar de baja por inútil. ■ *3 pr.* Reformarse, corregirse.

refouler [R(ə)fule] *tr.* 1 Rechazar, hacer retroceder. 2 Reprimir, contener (passion, instinct, etc.).

réfractaire [RefRaktɛR] *adj.* Refractario, ia.

réfracter [RefRakte] *tr.* Refractar.

refrain [R(ə)frɛ̃] *m.* Estribillo.

refréner [R(ə)fRene] *tr.* Refrenar. ▲ CONJUG. como *accélérer*.

réfrigérer [RefRiʒeRe] *tr.* Refrigerar. ▲ CONJUG. como *accélérer*.

refroidir [R(ə)fRwadiR] *tr.* 1 Enfriar. ■ *2 intr.* Enfriarse.

refuge [R(ə)fyʒ] *m.* Refugio.

réfugier (se) [Refyʒje] *pr.* Refugiarse. ▲ CONJUG. como *prier*.

refuser [R(ə)fyze] *tr.* 1 Rehusar. 2 Denegar, negar. *3* Suspender (à un examen). ■ *4 pr.* Negarse. *5* Privarse.

réfuter [ʀefyte] *tr.* Refutar.

regagner [ʀ(ə)gaɲe] *tr. 1* Recuperar, recobrar. *2* Volver, regresar a.

régal [ʀegal] *m. 1* Regalo, placer, delicia *f.* *2* Manjar delicioso (mets).

régalade [ʀegalad] *f. Boire à la —,* beber a chorro.

régaler [ʀegale] *tr. 1* Invitar a comer o a beber. ■ *2 pr.* Disfrutar, gozar.

regard [ʀ(ə)gaʀ] *m. 1* Mirada *f. 2* loc. *prép. Au — de,* respecto a; *en — de,* en comparación de, a. *3* loc. adv. *En —,* en frente.

regarder [ʀ(ə)gaʀde] *tr. 1* Mirar. *2* Concernir, atañer (concerner). Loc. *Ça te regarde?,* ¿y a ti qué te importa? ■ *3 tr.* ind. *— à quelque chose,* reparar en: *— à la dépense,* reparar en gastos. ■ *4 pr.* Mirarse.

régate [ʀegat] *f.* MAR. Regata.

régence [ʀeʒɑ̃s] *f.* Regencia.

régénérer [ʀeʒeneʀe] *tr. 1* Regenerar. ▲ CONJUG. como *accélérer.*

régenter [ʀeʒɑ̃te] *tr.* Regentar.

régicide [ʀeʒisid] *f. 1* Regicidio. ■ *2 s.* Regicida.

régie [ʀeʒi] *f. 1* Administración de rentas estancadas. *2* Administración por el Estado, empresa nacional. *3* Administración.

régime [ʀeʒim] *m.* MED. *1* Régimen, dieta *f. 2* Régimen: *régimes politiques,* regímenes políticos. *3* Racimo (de bananes, de dattes).

régiment [ʀeʒimɑ̃] *m.* MIL. Regimiento.

région [ʀeʒjɔ̃] *f.* Región.

régional, -ale [ʀeʒjɔnal] *adj.* Regional.

régir [ʀeʒiʀ] *tr.* Regir.

régisseur [ʀeʒisœʀ] *m. 1* Administrador, regidor. *2* THÉAT. Traspunte.

registre [ʀ(ə)ʒistʀ(ə)] *m.* Registro.

réglage [ʀeglaʒ] *m.* Regulación *f.,* ajuste.

règle [ʀegl(ə)] *f.* Regla.

règlement [ʀegləmɑ̃] *m. 1* Reglamento. *2* Arreglo, solución *f. 3* Pago (paiement).

réglementer [ʀegləmɑ̃te] *tr.* Reglamentar.

régler [ʀegle] *tr. 1* Rayar, pautar (papier). *2* Arreglar, ordenar. *3* Pagar (payer). *4* Liquidar, abonar (un compte). *5* Ajustar, graduar (un dispositif, un mécanisme, etc.). ▲ CONJUG. como *accélérer.*

réglisse [ʀeglis] *f.* Regaliz *m.*

règne [ʀeɲ] *m. 1* Reinado. *2* Reino (animal, végétal, etc.).

régner [ʀeɲe] *intr.* Reinar. ▲ CONJUG. como *accélérer.*

regorger [ʀ(ə)gɔʀʒe] *intr.* Rebosar. ▲ CONJUG. como *engager.*

régression [ʀegʀesjɔ̃] *f.* Regresión.

regret [ʀ(ə)gʀɛ] *m. 1* Pesar, sentimiento. *2* loc. adv. *À —,* con pesar, de mala gana.

regretter [ʀ(ə)gʀete] *tr. 1* Lamentar, sentir, deplorar. *2* Echar de menos (personne ou chose qu'on n'a plus).

régulariser [ʀegylaʀize] *tr.* Regularizar.

régularité [ʀegylaʀite] *f.* Regularidad.

régulier, -ière [ʀegylje, -jɛʀ] *adj.* Regular.

réhabiliter [ʀeabilite] *tr. 1* Rehabilitar. ■ *2 pr.* Rehabilitarse.

rehausser [ʀəose] *tr.* Realzar.

réimpression [ʀeɛ̃pʀesjɔ̃] *f.* Reimpresión.

rein [ʀɛ̃] *m.* Riñón.

reine [ʀɛn] *f.* Reina.

reinette [ʀɛnɛt] *f.* Reineta (pomme).

réintégrer [ʀeɛ̃tegʀe] *tr. 1* Reintegrar. *2* Volver a (revenir). *3* Rehabilitar (un fonctionnaire). ▲ CONJUG. como *accélérer.*

réitérer [ʀeiteʀe] *tr.* Reiterar. ▲ CONJUG. como *accélérer.*

rejaillir [ʀ(ə)ʒajiʀ] *intr. 1* Brotar, salir con ímpetu (un liquide). *2 — sur,* recaer sobre.

rejeter [ʀəʒte; ʀʒəte] *tr. 1* Volver a echar. *2* Arrojar (rendre). *3* Rechazar, desechar (repousser). ▲ CONJUG. como *jeter.*

rejeton [ʀəʒtɔ̃; ʀʒətɔ̃] *m. 1* BOT. Retoño. *2* fam. Retoño, vástago.

rejoindre [ʀ(ə)ʒwɛ̃dʀ(ə)] *tr. 1* Reunir, juntar. *2* Reunirse con, juntarse con. *3* Alcanzar, coger (rattraper). *4* Parecerse. ■ *5 pr.* Reunirse. ▲ CONJUG. como *craindre.*

réjouir [ʀeʒwiʀ] *tr. 1* Regocijar, alegrar. ■ *2 pr.* Regocijarse.

réjouissant, -ante [ʀeʒwisɑ̃, -ɑ̃t] *adj.* Divertido, da, alegre.

relâche [ʀ(ə)laʃ] *m.-f. 1* Descanso *m.* (répit). *2* THÉAT. Día *m.* de descanso.

relâchement [ʀ(ə)laʃmɑ̃] *m.* Relajamiento, relajación *f.*

relâcher [ʀ(ə)laʃe] *tr. 1* Relajar. *2* Soltar, libertar (libérer). ■ *3 intr.* MAR. Hacer escala. ■ *4 pr.* Relajarse, aflojar.

relais [ʀ(ə)lɛ] *m. 1* Parada *f.,* posta *f. 2* Albergue (auberge). *3* Relevo (dans une course). *4* ELÉCTR. Relé.

relancer [ʀ(ə)lɑ̃se] *tr. 1* Volver a lanzar. *2* Reenviar (au poker). *3* Acosar, perseguir (pour obtenir quelque chose). *4* Reactivar, dar nuevo impulso a. ▲ CONJUG. como *lancer.*

relater [ʀ(ə)late] *tr.* Relatar.

relatif, -ive [ʀ(ə)latif, -iv] *adj.* Relativo, va.

relation [ʀ(ə)lɑsjɔ̃] *f. 1* Relación. ■ *2 pl.* Relaciones: *relations amicales,* relaciones amistosas.

relaxer [ʀ(ə)lakse] *tr. 1* Poner en libertad. ■ *2 pr.* Relajarse.

relayer [ʀ(ə)leje] *tr. 1* Relevar, sustituir. ■ *2 pr.* Turnarse, relevarse.

reléguer [ʀ(ə)lege] *tr.* Relegar. ▲ CONJUG. como *accélérer.*

relent [ʀ(ə)lɑ̃] *m. 1* Mal olor, tufo (odeur). *2* Resabio (goût).

relève [ʀ(ə)lɛv] *f.* Relevo *m.*

relevé, -ée [ʀəlve; ʀlave] *adj. 1* v. **relever.** *2* fig. Noble, elevado, da (style, etc.). *3* CUIS. Picante, fuerte. ■ *4 m.* Extracto, estado (d'un compte).

relever [ʀəlve; ʀlave] *tr. 1* Levantar, alzar. *2* Recoger (du sol). *3* Poner a flote. *4* Reedificar. *5* Remangarse, arremangarse (manches, etc.). *6* Realzar (rehausser). *7* CUIS. Dar un gusto picante a (épicer). *8* Señalar, hacer notar (faire remarquer). *9* Apuntar, anotar (noter). *10* MAR. Marcar. *11* Relevar (une sentinelle, quelqu'un de ses fonctions, etc.). ■ *12 intr. — de,* depender (dépendre de). ■ *13 pr.* Levantarse. *14* Restablecerse, recuperarse. ▲ CONJUG. como *acheter.*

relief [ʀəljɛf] *m. 1* Relieve. ■ *2 pl.* Sobras *f.* de comida (d'un repas).

relier [ʀəlje] *tr. 1* Unir, enlazar (joindre, raccorder). *2* Encuadernar (un livre). ▲ CONJUG. como *prier.*

religion [ʀ(ə)liʒjɔ̃] *f.* Religión.

reliquaire [ʀ(ə)likɛʀ] *m.* Relicario.

relique [ʀ(ə)lik] *f.* Reliquia.

relire [ʀ(ə)liʀ] *tr.* Releer. ▲ CONJUG. como *lire.*

reliure [ʀəljyʀ] *f.* Encuadernación.

reluire [ʀəlɥiʀ] *intr.* Relucir. ▲ CONJUG. como *luire.*

remâcher [ʀ(ə)mɑʃe] *tr.* Rumiar.

remanier [ʀ(ə)manje] *tr. 1* Arreglar, modificar. *2* Retocar, rehacer. ▲ CONJUG. como *prier.*

remarier [ʀ(ə)maʀje] *tr. 1* Volver a casar. ■ *2 pr.* Volver a casarse. ▲ CONJUG. como *prier.*

remarquable [ʀ(ə)maʀkabl(ə)] *adj.* Notable.

remarquer [ʀ(ə)maʀke] *tr. 1* Observar, notar. *2* Señalar. ■ *3 pr.* Notarse.

rembarrer [ʀɑ̃ba(ɑ)ʀe] *tr.* fam. Echar una bronca a.

remblai [ʀɑ̃blɛ] *m.* Terraplén.

rembourrer [ʀɑ̃buʀe] *tr.* Rellenar.

remboursement [ʀɑ̃buʀsəmɑ̃] *m.* Reembolso.

rembrunir [ʀɑ̃bʀyniʀ] *tr. 1* Oscurecer. ■ *2 pr.* Entristecerse.

remède [ʀ(ə)mɛd] *m.* Remedio.

remédier [ʀ(ə)medje] *intr.* Remediar. ▲ CONJUG. como *prier.*

remémorer [ʀ(ə)memɔʀe] *tr. 1* Rememorar. ■ *2 pr.* Acordarse de.

remercier [ʀ(ə)mɛʀsje] *tr. 1* Dar las gracias, agradecer. *2* Rehusar cortésmente (refuser). *3* Despedir, destituir (renvoyer). ▲ CONJUG. como *prier.*

remettre [ʀ(ə)mɛtʀ(ə)] *tr. 1* Volver a poner, volver a meter. *2* Volver a poner (un vêtement). *3* Restablecer (rétablir). *4* Dar, entregar (donner). *5* Remitir, aplazar (ajourner). *6* fam. — *quelqu'un,* reconocer a alguien. *7* — *les péchés,* remitir los pecados. ■ *8 pr.* Volver a empezar. *9* Restablecerse, recuperarse (d'une maladie). *10* Tranquilizarse, sosegarse. *11 S'en — à,* remitirse a. ▲ CONJUG. como *mettre.*

réminiscence [ʀeminisɑ̃s] *f.* Reminiscencia.

remise [ʀ(ə)miz] *f. 1* Reposición. *2* Entrega (livraison). *3* Rebaja (rabais). *4* Remesa, envío *m.* (envoi). *5* Cancelación (d'une dette). *6* Cochera (de voitures).

rémission [ʀemisjɔ̃] *f.* Remisión.

remmailler [ʀɑ̃maje] *tr. 1* Remallar. *2* Coger los puntos de (bas, etc.).

remontage [ʀ(ə)mɔ̃taʒ] *m.* Nuevo montaje.

remonter [ʀ(ə)mɔ̃te] *intr. 1* Volver a subir. *2* Subir (s'élever). *3* Navegar contra la corriente. *4* Remontarse (dater): — *au XVᵉ siècle,* remontarse al siglo XV. ■ *5 tr.* Volver a subir. *6* Subirse (relever). *7* Volver a armar, a montar (un mécanisme). *8 — une montre,* dar cuerda a un reloj. *9* Animar, estimular (réconforter). *10* Reponer, renovar (pourvoir à nouveau).

remontrer [ʀ(ə)mɔ̃tʀe] *tr. 1* Mostrar de nuevo. ■ *2 intr. En — à quelqu'un,* dar una lección a alguien.

remords [ʀ(ə)mɔʀ] *m.* Remordimiento.

remorquer [ʀ(ə)mɔʀke] *tr.* Remolcar.

rémouleur [ʀemulœʀ] *m.* Amollador, afilador.

remous [ʀ(ə)mu] *m.* Remolino.

rempart [ʀɑ̃paʀ] *m.* FORT. Muralla *f.*

remplaçant, -ante [ʀɑ̃plasɑ̃, -ɑ̃t] *s.* Sustituto, ta, reemplazante.

remplacer [ʀɑ̃plase] *tr.* Reemplazar, sustituir. ▲ CONJUG. como *lancer.*

remplir [ʀɑ̃pliʀ] *tr. 1* Llenar (emplir). *2* Rellenar: — *un formulaire,* rellenar un formulario. *3* Ocupar (occuper). *4* Desempeñar, ejercer (une fonction).

remporter [ʀɑ̃pɔʀte] *tr.* *1* Llevarse (emporter). *2* Llevarse, obtener, conseguir (un prix).

remuant, -ante [ʀəmɥɑ̃, -ɑ̃t] *adj.* *1* Travieso, sa, bullicioso, sa. *2* Activo, va.

remuer [ʀ(ə)mɥe] *tr.* *1* Mover, trasladar (bouger, déplacer). *2* Remover (retourner). *3* Conmover (émouvoir). ■ *4 intr.* Moverse (bouger). ■ *5 pr.* Moverse (se mouvoir). *6* Moverse, menearse (se démener). *7 fam. Remue-toi!,* ¡aligera!

rémunération [ʀemyneʀasjɔ̃] *f.* Remuneración.

rémunérer [ʀemyneʀe] *tr.* Remunerar. ▲ CONJUG. como *accélérer*.

renâcler [ʀ(ə)nɑkle] *intr.* Refunfuñar, rezongar.

renaissance [ʀ(ə)nɛsɑ̃s] *f.* Renacimiento *m.*

renaître [ʀ(ə)nɛtʀ(ə)] *intr.* Renacer. ▲ CONJUG. como *naître*.

rénal, -ale [ʀenal] *adj.* Renal.

renard [ʀ(ə)naʀ] *m.* Zorro.

rencontre [ʀɑ̃kɔ̃tʀ(ə)] *f.* *1* Encuentro *m.* Loc. *Aller à la — de quelqu'un,* ir al encuentro de alguien. *2* Entrevista (entrevue). *3* Encuentro *m.,* partido *m.* (match).

rencontrer [ʀɑ̃kɔ̃tʀe] *tr.* *1* Encontrar, hallar. ■ *2 pr.* Encontrarse.

rendement [ʀɑ̃dmɑ̃] *m.* Rendimiento.

rendez-vous [ʀɑ̃devu] *m.* *1* Cita *f.* Loc. *Se donner —,* citarse. *2 Sur —,* a horas convenidas.

rendormir [ʀɑ̃dɔʀmiʀ] *tr.* *1* Hacer dormir. ■ *2 pr.* Dormirse de nuevo. ▲ CONJUG. como *dormir*.

rendre [ʀɑ̃dʀ(ə)] *tr.* *1* Devolver, restituir. *2* Vomitar, arrojar (vomir). *3* Rendir, entregar (céder, livrer). *4* Volver (faire devenir). *5* Hacer: *— heureux,* hacer feliz. *6* Prestar, hacer (un service, une faveur). *7* Producir, emitir (un son). *8* Traducir. *9* Reproducir. ■ *10 intr.* Rendir, producir. ■ *11 pr.* Rendirse, someterse (se soumettre). *12* Ir, trasladarse (aller). *13* Ponerse, volverse (devenir). *14* Hacerse: *se — agréable,* hacerse agradable. ▲ CONJUG. IRREG. INDIC. Pres.: *je rends, tu rends, il rend, nous rendons, vous rendez, ils rendent.* Imperf.: *je rendais,* etc. Pret. indef.: *je rendis,* etc. Fut. imperf.: *je rendrai,* etc. POT.: *je rendrais,* etc. SUBJ. Pres.: *que je rende,* etc. Imperf.: *que je rendisse,* etc. IMPER.: *rends, rendons, rendez.* PART. A.: *rendant.* PART. P.: *rendu, ue.*

rendu, -ue [ʀɑ̃dy] *adj.1* v. **rendre**. *2* Llegado, da: *nous voilà rendus,* hemos llegado. *3* Rendido, da, fatigado, da (très fatigué). ■ *4 m.* Objeto devuelto.

rêne [ʀɛn] *f.* Rienda.

renégat, -ate [ʀənega, -at] *adj.-s.* Renegado, da.

renfermer [ʀɑ̃fɛʀme] *tr.* *1* Volver a encerrar. *2* Encerrar. *3* Ocultar (cacher). ■ *4 pr.* Encerrarse.

renfler [ʀɑ̃fle] *tr.* Abultar, hinchar.

renforcer [ʀɑ̃fɔʀse] *tr.* Reforzar (fortifier). ▲ CONJUG. como *lancer*.

renfort [ʀɑ̃fɔʀ] *m.* Refuerzo.

renfrogner (se) [ʀɑ̃fʀɔɲe] *pr.* Ponerse ceñudo, da.

rengager [ʀɑ̃gaʒe] *tr.* *1* MIL. Reenganchar. ■ *2 pr.* MIL. Reengancharse. ▲ CONJUG. como *engager*.

rengorger (se) [ʀɑ̃gɔʀʒe] *pr.* Pavonearse, darse importancia.

renier [ʀənje] *tr.* *1* Negar (nier). *2* Renegar de, abjurar. ▲ CONJUG. como *prier*.

renifler [ʀ(ə)nifle] *intr.-tr.* *1* Aspirar por la nariz. ■ *2 tr.* Oler, husmear (flairer).

renne [ʀɛn] *m.* Reno.

renommé, -ée [ʀ(ə)nɔme] *adj.* *1* Renombrado, da, célebre. ■ *2 f.* Fama. *3* Voz pública.

renoncer [ʀ(ə)nɔ̃se] *intr.* Renunciar. ▲ CONJUG. como *lancer*.

renouer [ʀənwe] *tr.* *1* Volver a anudar, volver a atar (nouer de nouveau). *2* Reanudar (reprendre).

renouveau [ʀ(ə)nuvo] *m.* *1* Primavera *f.* (printemps). *2* Resurgimiento, retorno (renaissance).

renouveler [ʀ(ə)nuvle] *tr.* *1* Renovar. ■ *2 pr.* Renovarse. *3* Repetirse. ▲ CONJUG. como *appeler*.

rénovateur, -trice [ʀenɔvatœʀ, -tʀis] *adj.-s.* Renovador, ra.

rénover [ʀenɔve] *tr.* Renovar.

renseignement [ʀɑ̃sɛɲmɑ̃] *m.* *1* Información *f.*: *à titre de —,* a título de información. *2* Informe: *donner un —,* dar un informe.

renseigner [ʀɑ̃sɛɲe] *tr.* *1* Informar, instruir (informer, instruire). ■ *2 pr.* Informarse.

rente [ʀɑ̃t] *f.* Renta.

rentrée [ʀɑ̃tʀe] *f.* *1* Reapertura, apertura (des tribunaux, etc.). *2* Vuelta, regreso *m.* (retour). *3* THÉAT. Reaparición d'un acteur. *4 — d'argent,* recaudación (recette).

rentrer [ʀɑ̃tʀe] *intr.* *1* Volver a entrar (entrer de nouveau). *2* Volver, regresar (revenir). *3* Reanudar las clases (élèves). *4* Reanudar las sesiones (un tribunal). *5* Encajar, entrar (s'emboîter). *6* Entrar (être compris dans). *7* Recobrar, recuperarse: — *dans ses droits*, recuperar los derechos. ■ *8 tr.* Meter hacia dentro. *9* Guardar, poner al abrigo. *10* Reprimir (refouler).

renversant, -ante [ʀɑ̃vɛʀsɑ̃, -ɑ̃t] *adj.* Asombroso, sa.

renverser [ʀɑ̃vɛʀsə] *tr. 1* Invertir (inverser). *2* Volcar (faire tomber). *3* Derramar (un liquide). *4* Derribar, echar abajo (abattre). *5* Echar para atrás (incliner en arrière). *6* Atropellar, arrollar. *7* Dejar estupefacto, ta (étonner). ■ *8 pr.* Caerse. *9* Derramarse (liquide). *10* Tumbarse.

renvoyer [ʀɑ̃vwaje] *tr. 1* Devolver (rendre). *2* Despedir (congédier). *3* Destituir. *4* Reflejar (la lumière, le son). *5* DR. Remitir (à un tribunal, etc.). *6* Remitir (à un autre chapitre, etc.). *7* Aplazar (ajourner). ▲ CONJUG. como *envoyer*.

réorganiser [ʀeɔʀganize] *tr.* Reorganizar.

réouverture [ʀeuvɛʀtyʀ] *f.* Reapertura.

repaire [ʀ(ə)pɛʀ] *m.* Guarida *f.*

repaître [ʀəpɛtʀ(ə)] *1 tr.* Alimentar. ■ *2 pr.* Saciarse. ▲ CONJUG. como *paître*. Tiene, además, el pret. indef. (*je repus*, etc.), el imperf. de subj. (*que je repusse*, etc.), el part. p. (*repu*) y los tiempos compuestos.

répandre [ʀepɑ̃dʀ(ə)] *tr. 1* Verter, derramar (renverser). *2* Difundir (diffuser). *3* Exhalar (exhaler). *4* Difundir, propagar (propager). *5* Dar, proporcionar (semer). ■ *6 pr.* Esparcirse (s'étaler). *7* Propagarse (se propager). *8 Se — en*, prorrumpir en: *se — en menaces*, prorrumpir en amenazas. *9* Llevar una vida muy mundana. ▲ CONJUG. como *rendre*.

reparaître [ʀ(ə)paʀɛtʀ(ə)] *intr.* Reaparecer. ▲ CONJUG. como *connaître*.

réparation [ʀepaʀasjɔ̃] *f.* Reparación.

réparer [ʀepaʀe] *tr. 1* Reparar, arreglar. *2* fig Reparar, expiar.

repartir [ʀ(ə)paʀtiʀ] *tr. 1* Replicar. ■ *2 intr.* Partir, marchar de nuevo.

répartir [ʀepaʀtiʀ] *tr.* Repartir, distribuir.

répartition [ʀepaʀtisjɔ̃] *f.* Reparto *m.*, repartición.

repas [ʀ(ə)pɑ] *m.* Comida *f.*

repasser [ʀ(ə)pɑse] *intr.-tr. 1* Repasar (passer de nouveau). ■ *2 tr.* Afilar, amolar (aiguiser). *3* Repasar (relire). *4* Planchar (le linge). *5* Dejar, dar (laisser).

repasseuse [ʀ(ə)pɑsøʒ] *f.* Planchadora.

repentir [ʀ(ə)pɑ̃tiʀ] *m.* Arrepentimiento.

repentir (se) [ʀ(ə)pɑ̃tiʀ] *pr.* Arrepentirse. ▲ CONJUG. como *mentir*.

répercussion [ʀepɛʀkysjɔ̃] *f.* Repercusión.

répercuter [ʀepɛʀkyte] *tr. 1* Repercutir. ■ *2 pr.* Reflejarse.

repère [ʀ(ə)pɛʀ] *m.* Señal *f.*, marca *f.*

repérer [ʀ(ə)peʀe] *tr. 1* Descubrir, localizar. ■ *2 pr.* Orientarse (reconnaître où l'on est). ▲ CONJUG. como *accélérer*.

répertoire [ʀepɛʀtwaʀ] *m.* Repertorio.

répéter [ʀepete] *tr. 1* Repetir. *2* THÉÁT., MUS. Ensayar. ■ *3 pr.* Repetirse: *le bruit se répète*, el ruido se repite. ▲ CONJUG. como *accélérer*.

répétition [ʀepetisjɔ̃] *f. 1* Repetición. *2* THÉÁT., MUS. Ensayo *m.* *3* Clase particular.

repiquer [ʀ(ə)pike] *tr. 1* Picar de nuevo. *2* AGR. Trasplantar.

répit [ʀepi] *m.* Descanso, tregua *f.*

replacer [ʀ(ə)plase] *tr. 1* Reponer, colocar de nuevo. ▲ CONJUG. como *lancer*.

replâtrer [ʀ(ə)plɑtʀe] *tr.* Revocar con yeso.

replet, -ète [ʀəplɛ, -ɛt] *adj.* Rechoncho, cha.

repli [ʀ(ə)pli] *m. 1* Doblez *f.*, pliegue. *2* MIL. Repliegue.

replier [ʀ(ə)plije] *tr. 1* Doblar. *2* Replegar. ■ *3 pr.* MIL. Replegarse. ▲ CONJUG. como *prier*.

répliquer [ʀeplike] *tr.* Replicar.

répondant [ʀepɔ̃dɑ̃] *m.* Fiador, garante.

répondre [ʀepɔ̃dʀ(ə)] *tr.-intr. 1* Contestar, responder. ■ *2 intr.* Corresponder, responder de, por salir fiador de. *3* Garantizar (garantir). ▲ CONJUG. como *rendre*.

réponse [ʀepɔ̃s] *f.* Respuesta, contestación.

report [ʀ(ə)pɔʀ] *m. 1* COMM. Suma *f.* anterior, saldo. *2* Aplazamiento (ajournement). *3* Reporte (lithographie).

reportage [ʀ(ə)pɔʀtaʒ] *m.* Reportaje.

reporter [ʀ(ə)pɔʀte] *tr. 1* Volver a llevar. *2* Aplazar (remettre). *3* COMM. Llevar a otra columna. *4* Trasladar (transcrire). *5* Reportar (lithographie). ■ *6 pr.* Referirse, remitirse.

repos [ʀ(ə)po] *m. 1* Reposo, descanso: *maison de —*, casa de reposo. *2* Tranquilidad *f.*, sosiego. Loc. *De tout —*, seguro, ra. *3* Pausa *f.* (dans une mélodie, un texte).

reposer [ʀ(ə)poze] *tr. 1* Volver a poner. *2* Descansar (appuyer). *3* Sosegar, calmar (l'esprit, etc.). ■ *4 intr.* Reposar, des-

cansar. *5* Reposarse (un liquide). *6* fig.
— *sur,* fundarse en, basarse en. ■ *7 pr.*
Descansar, reposar. *8 Se — sur quelqu'un,* fiarse de alguien.

repoussant, -ante [R(ə)pusã, -ãt] *adj.* Repelente, repugnante.

repoussé, -ée [R(ə)puse] *adj.* Repujado,
da.

repousser [R(ə)puse] *tr. 1* Rechazar (écarter). *2* Repeler, repugnar (répugner). *3*
Empujar (pousser en arrière). *4* Rechazar, rehusar (refuser). *5* Aplazar
(différer). ■ *6 intr.* Volver a crecer.

répréhensible [Repreãsibl(ə)] *adj.* Re-
prensible.

reprendre [R(ə)prãdR(ə)] *tr. 1* Volver a
tomar, coger de nuevo. *2* Comprar de
nuevo (racheter). *3* Reanudar (une activité). *4* THÉAT. Reponer (une pièce). *5*
Corregir (corriger). *6* Reparar, rehacer
(refaire). *7* Recobrar: — *des forces,* recobrar las fuerzas. ■ *8 intr.* Reacti-
varse, recuperarse. *9* Reanudarse (recommencer). *10* Proseguir: *oui,
reprit-il,* sí, prosiguió él. ■ *11 pr.* Volver a empezar (recommencer). ▲ CON-
JUG. como *prendre.*

représailles [R(ə)prezaj] *f. pl.* Represa-
lias.

représentant [R(ə)prezãtã] *m.* Representante.

représentation [R(ə)prezãtasjɔ̃] *f.* Representación.

représenter [R(ə)prezãte] *tr.-intr. 1* Representar. *2* Representarse, figurarse: *représentez-vous mon étonnement,* figúrese usted mi asombro. *3*
Volver a presentarse (un candidat).

répression [Represjɔ̃] *f.* Represión.

réprimande [Reprimãd] *f.* Reprimenda.

réprimer [Reprime] *tr.* Reprimir.

reprise [R(ə)priz] *f. 1* Reanudación. *2*
Asalto *m.* (match de boxe, assaut d'escrime, etc.). *3* Reestreno *m.,* reposición (cinéma, théâtre). *4* AUTO. Aumento *m.* de velocidad. *5* Traspaso *m.*
(d'un appartement). *6* Zurcido *m.*
(d'un tissu).

réprobation [Reprɔbasjɔ̃] *f.* Reprobación,
repulsa.

reprocher [R(ə)prɔʃe] *tr. 1* Reprochar. ■
2 pr. Reprocharse.

reproduction [R(ə)prɔdyksjɔ̃] *f.* Reproducción.

reproduire [R(ə)prɔdɥir] *tr. 1* Reproducir. ■ *2 pr.* Reproducirse. ▲ CONJUG.
como *conduire.*

réprouver [Repruve] *tr.* Reprobar.

reptile [Reptil] *m.* Reptil.

république [Repyblik] *f.* República.

repudier [Repydje] *tr.* Repudiar. ▲
CONJUG. como *prier.*

répugnance [Repynãs] *f.* Repugnancia.

répugner [Repyne] *intr.* Repugnar.

répulsion [Rpylsjɔ̃] *f.* Repulsión.

réputation [Repytasjɔ̃] *f.* Reputación.

requérir [RəkeriR] *tr.* Requerir. ▲
CONJUG. como *acquérir.*

requête [Rəkɛt] *f.* DR. Requerimiento *m.,*
demanda.

réquiem [Rekɥijɛm] *m.* Réquiem.

requin [R(ə)kɛ̃] *m.* Tiburón.

réquisition [Rekizisjɔ̃] *f.* DR. Requerimiento *m.* demanda.

réquisitionner [Rekizisjɔne] *tr.* Requisar.

réquisitoire [Rekizitwar] *m.* DR. Informe
del fiscal.

rescapé, -ée [Reskape] *s.* Superviviente.

rescousse [Reskus] *f. 1* Socorro *m.,* auxilio
m. 2 loc. adv. À la —, en auxilio.

réseau [Rezo] *m. 1* Red *f.* (de mailles,
etc.). *2* Red *f.:* — *téléphonique, d'espionnage, etc.,* red telefónica, de espionaje, etc. *3* Redecilla *f.* (des ruminants).

réserve [Rezɛrv(ə)] *f. 1* Reserva (chose réservée). Loc. *En* —, de reserva; *sous
toute* —, sin garantía; *sans* —, sin reserva. *2* Reserva, discreción. Loc. *Se tenir sur la* —, estar sobre aviso. *3* Coto
m., vedado *m.* (de chasse, pêche).

réserver [Rezɛrve] *tr. 1* Reservar. ■ *2 pr.*
Reservarse.

réserviste [Rezɛrvist(ə)] *m.* Reservista.

réservoir [Rezɛrvwar] *m. 1* Depósito
(d'essence, d'eau, etc.). *2* Vivero (pour
les poissons). *3* Alberca *f.* (d'eau). *4*
Cantera *f.* (d'hommes, etc.).

résidence [Rezidãs] *f.* Residencia.

résider [Rezide] *intr.* Residir.

résidu [Rezidy] *m.* Residuo.

résignation [Reziɲasjɔ̃] *f.* Resignación.

résigner [Reziɲe] *tr. 1* Resignar. ■ *2 pr.*
Resignarse.

résilier [Rezilje] *tr.* Rescindir, anular. ▲
CONJUG. como *prier.*

résille [Rezij] *f.* Redecilla (pour les cheveux).

résine [Rezin] *f.* Resina.

résistant, -ante [Rezistã, -ãt] *adj.-s.* Resistente.

résister /Reziste] *intr.* Resistir.

résolu, -ue [Rezɔly] *1 p. p.* de *résoudre.* ■
2 adj. Resuelto, ta, decidido, da.

résolution [Rezɔlysjɔ̃] *f.* Resolución.

résonance [Rezɔnãs] *f.* Resonancia.

résonner [Rezɔne] *intr.* Resonar.

résoudre [RezudR(ə)] *tr. 1* Resolver (découvrir la solution). *2* Decidir (décider).

■ *3 pr. Se — à,* decidirse a. ▲ CONJUG. como *absoudre,* pero el pret. indef. es *je résolus,* etc. y el part. p. *résolu, ue;* referido a una solución química su part. p. es *résous,* sin fem.

respect [RESPε] *m.* Respeto.

respectable [RESpεktabl(ə)] *adj.* Respetable.

respectif, -ive [RESpεktif, -iv] *adj.* Respectivo, va.

respectueux, -euse [RESpεktɥφ, -øz] *adj.* Respetuoso, sa.

respiration [RESpiRɑsjɔ̃] *f.* Respiración.

respirer [RESpiRe] *intr.-tr. 1* Respirar. ■ *2 tr.* Respirar, rebosar: *il respire la santé,* rebosa salud.

resplendissant, -ante [RESplɑ̃disɑ̃, -ɑ̃t] *adj.* Resplandeciente.

responsabilité [RESpɔ̃sabilite] *f.* Responsabilidad.

responsable [RESpɔ̃sabl(ə)] *adj.* Responsable.

ressac [Rəsak] *m.* Resaca *f.* (des vagues).

ressaisir [R(ə)seziR] *tr. 1* Coger de nuevo. *2* Recobrar. ■ *3 pr.* fig. Serenarse, rehacerse.

ressembler [R(ə)sɑ̃ble] *tr. ind. 1 — à,* semejarse, parecerse a. ■ *2 pr.* Parecerse. Loc. *Qui se ressemble s'assemble,* Dios los cría y ellos se juntan.

ressemeler [R(ə)səmle] *tr.* Echar medias suelas a. ▲ CONJUG. como *appeler.*

ressentiment [R(ə)sɑ̃timɑ̃] *m.* Resentimiento.

ressentir [R(ə)sɑ̃tiR] *tr. 1* Sentir, experimentar. ■ *2 pr.* Resentirse. ▲ CONJUG. como *mentir.*

resserrer [R(ə)seRe] *tr. 1* Apretar, volver a apretar (boulon, lien, etc.). *2* Cerrar (fermer). *3* Estrechar (un lien d'amitié, etc.). ■ *4 pr.* Estrecharse.

ressort [R(ə)sɔR] *m. 1* TECHN. Resorte, muelle. *2* fig. Energía *f.,* fuerza *f. 3* DR. Instancia *f. 4* Incumbencia *f.,* competencia *f.*

ressortir [R(ə)sɔRtiR] *intr. 1* Salir de nuevo. *2* Resaltar. *3* Resultar, deducirse, desprenderse. ■ *4 tr. ind. — à,* ser de la jurisdicción, depender de.

ressortissant, ˙-ante [R(ə)sɔRtisɑ̃, -ɑ̃t] *s.* Natural, súbdito, ta (d'un pays étranger).

ressource [R(ə)suRs(ə)] *f. 1* Recurso *m. 2 loc. adv. Sans —,* sin remedio.

ressusciter [Resysite] *tr.-intr.* Resucitar.

restant, -ante [REStɑ̃, -ɑ̃t] *adj. 1* Restante. *2 Poste restante,* lista de correos. ■ *3 m.* Resto.

restaurateur, -trice [REStɔRatœR, -tRis]

adj. 1 Restaurador, ra. ■ *2 m.* Encargado o dueño de un restaurante.

restaurer [REStɔRe] *tr.* Restaurar.

reste [RESt(ə)] *m. 1* Resto. *2* MATH. Resta *f.,* diferencia *f. 3 loc. adv. De —,* de sobra; *au —,* por lo demás. ■ *4 pl.* Restos. *5* Sobras *f.* de comida (d'un repas).

rester [RESte] *intr. 1* Quedar, quedarse (demeurer): *— au lit,* quedarse en cama. Loc. *En — là,* ni ir más allá. *2* Quedar, sobrar. ■ *3 impers. Il reste,* queda, quedan.

restitution [REStitysjɔ̃] *f.* Restitución.

restreindre [REStRɛ̃dR(ə)] *tr. 1* Restringir. ■ *2 pr.* Limitarse. ▲ CONJUG. como *craindre.*

restriction [REStRiksjɔ̃] *f.* Restricción.

résultat [Rezylta] *m.* Resultado.

résulter [Rezylte] *intr.* Resultar.

résumé [Rezyme] *m.* Resumen.

résumer [Rezyme] *tr. 1* Resumir. ■ *2 pr.* Resumirse.

résurrection [RezyRεksjɔ̃] *f.* Resurrección.

retable [Rətabl(ə)] *m.* Retablo.

rétablir [Retab*liR*] *tr. 1* Restablecer. ■ *2 pr.* Restablecerse.

retaper [R(ə)tape] *tr. 1* Arreglar, reparar. ■ *2 pr.* fam. Reponerse, remontar la pendiente.

retard [R(ə)taR] *m.* Retraso.

retardataire [R(ə)taRdateR] *adj.-s.* Retrasado, da.

retarder [R(ə)taRde] *tr. 1* Retardar, demorar (attarder). *2* Aplazar, demorar (ajourner). ■ *3 tr.-intr.* Atrasar (horloge). ■ *4 intr.* fam. No estar al tanto, no estar al corriente.

retenir [RətniR; RtəniR] *tr. 1* Retener (garder). *2* Retener, deducir (déduire). *3* Reservar (faire réserver). *4* Recordar (se souvenir). *5* MATH. Llevar: *je pose cinq et je retiens deux,* escribo cinco y llevo dos. *6* Sujetar (attacher). *7* Contener, reprimir: *— sa respiration,* contener la respiración. *8* Retener, detener (arrêter). ■ *9 pr.* Agarrarse (s'accrocher). *10* Retenerse (se contenir). ▲ CONJUG. como *venir.*

rétention [Retɑ̃sjɔ̃] *f.* Retención.

retentissement [R(ə)tɑ̃tismɑ̃] *m.* Resonancia *f.*

retenue [Rətny; Rtəny] *f. 1* Moderación, comedimiento *m.* (mesure). *2* Castigo *m.* escolar (punition). *3* MATH. Cantidad que se lleva. *4* Descuento *m.,* deducción. *5 — d'eau,* embalse *m.*

réticence [Retisɑ̃s] *f.* Reticencia.

rétif, -ive [Retif, -iv] *adj. 1* Repropio, pia (cheval). *2* Reacio, cia, rebelde.

rétine [ʀ(ə)tin] *f.* ANAT. Retina.

retirer [ʀ(ə)tiʀe] *tr. 1* Quitarse, sacarse (ôter). *2* Sacar (faire sortir). *3* Retirar. *4* Obtener, sacar (un bénefice, etc.). ■ *5 pr.* Retirarse, irse. *6* Recogerse (pour se reposer). *7* Volver a su cauce (cours d'eau).

retomber [ʀ(ə)tɔ̃be] *intr. 1* Recaer, volver a caer. *2* Caer (pendre).

retordre [ʀ(ə)tɔʀdʀ(ə)] *tr.* Retorcer. ▲ CONJUG. como *rendre*.

rétorquer [ʀetɔʀke] *tr.* — *que*, contestar, replicar que.

retors, -orse [ʀətɔʀ, -ɔʀs(ə)] *adj.* Retorcido, da.

retoucher [ʀ(ə)tuʃe] *tr.* Retocar.

retour [ʀ(ə)tuʀ] *m. 1* Vuelta *f.*, regreso, retorno. Loc. *Par — du courrier*, a vuelta de correo; *aller et —*, ida y vuelta. *2 — d'âge*, menopausia *f. 3 — sur soi-même*, examen de conciencia. *4* Vuelta *f.*, devolución *f.* (d'un paquet, etc.).

retourner [ʀ(ə)tuʀne] *tr. 1* Volver: — *sur le dos*, volver boca arriba. *2* Revolver, remover (remuer). *3* Devolver (rendre). *4* Reexpedir (une lettre). *5* Conmover (émouvoir). ■ *6 intr.* Volver (revenir). ■ *7 impers. De quoi retourne-t-il?*, ¿de qué se trata? ■ *8 pr.* Volverse. *9 S'en —*, regresar, irse.

retracer [ʀ(ə)tʀase] *tr.* Referir, contar. ▲ CONJUG. como *lancer*.

rétracter [ʀetʀakte] *tr. 1* Retraer. *2* fig. Retractar (ce qu'on avait dit). ■ *3 pr.* Retractarse.

retraite [ʀ(ə)tʀɛt] *f. 1* Retiro *m.* (asile, refuge). *2* MIL. Retirada. *3* Retiro *m.* jubilación.

retrancher [ʀ(ə)tʀɑ̃ʃe] *tr. 1* Suprimir (enlever, ôter). *2* Restar, substraer (déduire). ■ *3 pr.* Parapetarse (*derrière*, tras).

rétrécir [ʀetʀesiʀ] *tr. 1* Estrechar. ■ *2 intr.* Estrecharse, encogerse. ■ *3 pr.* Estrecharse.

rétribuer [ʀetʀibɥe] *tr.* Retribuir.

rétribution [ʀetʀibysjɔ̃] *f.* Retribución.

rétrograde [ʀetʀɔgʀad] *adj.* Retrógrado, da.

rétrospectif, -ive [ʀetʀɔspɛktif, -iv] *adj.* Retrospectivo, va.

retroussé, -ée [ʀ(ə)tʀuse] *adj. 1* Arremangado, da (manches). *2 Nez —*, nariz respingona.

retrousser [ʀ(ə)tʀuse] *tr. 1* Remangar, arremangar, arremangarse (manches, etc.). *2* Levantar, alzar. ■ *3 pr.* Arremangarse, recogerse.

retrouver [ʀ(ə)tʀuve] *tr. 1* Encontrar. *2* Volver a encontrar. *3* Reunirse (rejoindre). *4* Reconocer (reconnaître). ■ *5 pr.* Encontrarse. *6* Reunirse. *7* Volver a encontrar el camino, orientarse. *8* fam. *S'y —*, sacar provecho (tirer profit).

réunion [ʀeynjɔ̃] *f.* Reunión.

réunir [ʀeyniʀ] *tr. 1* Reunir. ■ *2 pr.* Reunirse.

réussir [ʀeysiʀ] *intr. 1* Conseguir, lograr. *2* Tener éxito. *3* Salir bien. ■ *4 tr.* Acertar, hacer bien.

réussite [ʀeysit] *f. 1* Éxito *m. 2* Solitario *m.* (jeu de cartes).

revanche [ʀ(ə)vɑ̃ʃ] *f. 1* Desquite *m. 2* loc. adv. *En —*, en cambio.

rêvasser [ʀɛvase] *intr.* Soñar despierto, ta.

rêve [ʀɛv] *m. 1* Sueño. *2* Fantasía *f.*, quimera *f.*, ensueño.

revêche [ʀəvɛʃ] *adj.* Arisco, ca, áspero, ra.

réveil [ʀevɛj] *m. 1* Despertar. *2* Despertador (pendule). *3* MIL. Diana *f.*

réveille-matin [ʀevɛjmatɛ̃] *m. invar.* Despertador (pendule).

réveiller [ʀeveje] *tr. 1* Despertar. ■ *2 pr.* Despertarse.

réveillon [ʀevɛjɔ̃] *m.* Cena *f.* de Nochebuena (Noël), de Nochevieja (Saint-Sylvestre).

révéler [ʀevele] *tr. 1* Revelar. ■ *2 pr.* Revelarse. ▲ CONJUG. como *accélérer*.

revenant, -ante [ʀəvnɑ̃, -ɑ̃t] *s.* Aparecido, espectro.

revendiquer [ʀ(ə)vɑ̃dike] *tr.* Reivindicar.

revenir [ʀəvniʀ] *intr. 1* Volver, regresar (rentrer). *2* Volver: *je reviens tout de suite*, vuelvo en seguida. *3* Retractarse (se dédire). *4* Acordarse de, recordar (se souvenir): *ça me revient!*, ¡me acuerdo! *5* Recobrar. Loc. *— à soi*, recobrar el sentido. *6* Gustar, agradar (plaire). *7* Ser equivalente. *8* Salir, resultar (coûter au total): *à combien cela t'est-il revenu?*, ¿a cuánto te ha salido esto? *9* CUIS. *Faire —*, dorar. *10 — sur*, volver a hablar de. *11* Corresponder, pertenecer (échoir): *c'est à toi qu'il revient de…*, a ti te corresponde… *12 Il est revenu de tout*, está de vuelta de todo. *13 Je n'en reviens pas*, no salgo de mi asombro, aún no me lo creo. ▲ CONJUG. como *venir*.

revenu [ʀəvny; ʀ(ə)vəny] *m.* Renta *f.* (profit, rapport).

rêver [ʀeve] *intr.-tr. 1* Soñar. ■ *2 intr.* Fantasear. ■ *3 tr. ind. — de*, soñar con.

réverbère [ʀevɛʀbɛʀ] *m. 1* Reverbero *f. 1* Farol (lampadaire).

révérence [ʀeveʀɑ̃s] *f.* Reverencia.

rêverie [ʀɛvʀi] *f.* Ensueño *m.*

revers [ʀ(ə)vɛʀ] *m. 1* Revés (envers, au tennis). *2* Reverso (d'une médaille, d'une monnaie). *3* Dorso (main). *4* Solapa *f.* (d'une veste). *5* Revés, contratiempo.

revêtir [ʀ(ə)vetiʀ] *tr. 1* Revestir. *2* Ponerse, vestirse (un vêtement). *3* Cubrir (recouvrir). *4* Asumir (un caractère, un aspect).

rêveur, -euse [ʀɛvœʀ, -øz] *adj.-s.* Soñador, ra.

revient [ʀəvjɛ̃] *m. Prix de —*, precio de coste.

réviser [ʀevize] *tr.* Revisar.

révision [ʀevizjɔ̃] *f.* Revisión.

révocation [ʀevɔkasjɔ̃] *f. 1* Revocación. *2* Destitución.

revoir [ʀ(ə)vwaʀ] *tr. 1* Volver a ver. *2* Rever. revisar. Loc. *Un au revoir*, un adiós; *se dire au —*, despedirse. *loc. interj. Au —!*, ¡hasta la vista!, ¡adiós! ▲ CONJUG. como *voir*.

révoltant, -ante [ʀevɔltã, -ãt] *adj.* Indignante.

révolte [ʀevɔlt(ə)] *f.* Rebelión.

révolter [ʀevɔlte] *tr. 1* Sublevar. ■ *2 pr.* Sublevarse.

révolution [ʀevɔlysjɔ̃] *f.* Revolución.

révolutionnaire [ʀevɔlysjɔnɛʀ] *adj.-s.* Revolucionario, ria.

revolver [ʀevɔlvɛʀ] *m.* Revólver.

révoquer [ʀevɔke] *tr. 1* Revocar (annuler). *2* Destituir (destituer).

revue [ʀ(ə)vy] *f.* Revista.

révulsif, -ive [ʀevylsif, -iv] *adj.-m.* MÉD. Revulsivo.

rez-de-chaussée [ʀedʃose] *m. invar.* Planta *f. au —*, en la planta baja.

rhétorique [ʀetɔʀik] *f.* Retórica.

rhinocéros [ʀinɔseʀɔs] *m.* Rinoceronte.

rhubarbe [ʀybaʀb(ə)] *f.* Ruibarbo *m.*

rhum [ʀɔm] *m.* Ron.

rhumatisme [ʀymatism(ə)] *m.* Reuma, reumatismo.

rhume [ʀym] *m.* Resfriado, catarro.

riant, -ante [ʀjã, -ãt: ʀijã, -ãt] *adj.* Riente, risueño, ña.

ribambelle [ʀibãbɛl] *f.* Sarta, retahíla.

ricaner [ʀikane] *intr.* Reír burlonamente, sarcásticamente.

richard, -arde [ʀiʃaʀ, -aʀd(ə)] *s.* fam. péj. Ricacho, cha, ricachón, ona.

riche [ʀiʃ] *adj.-s.* Rico, ca.

richesse [ʀiʃɛs] *f.* Riqueza.

ricochet [ʀikɔʃɛ] *m. 1* Rebote. *2 loc. adv. Par —*, de rechazo.

rictus [ʀiktys] *m.* Rictus.

ride [ʀid] *f. 1* Arruga. *2* Onda, pliegue *m.*

rideau [ʀido] *m. 1* Cortina *f.* (en tissu épais, de fumée). *2* Visillo, cortinilla *f.* (transparent). *3* THÉÁT. Telón.

rider [ʀide] *tr. 1* Arrugar. *2* MAR. Rizar (l'eau). *3* MAR. Acollar.

ridicule [ʀidikyl] *adj. 1* Ridículo, la. ■ *2 m.* Ridículo.

ridiculiser [ʀidikylize] *tr.* Ridiculizar.

rien [ʀjɛ̃] *pron. indéf. 1* Nada. Loc. *Pour —*, por nada; *— du tout*, absolutamente nada; *ça ne fait —*, no importa; *— que d'y penser*, sólo con pensarlo. ■ *2 m.* Pequeñez *f.*, nadería *f.* ■ *3 adv.* pop. Un rato, muy (rudement). *4 loc. adv. En moins de —*, en un santiamén.

rigidité [ʀiʒidite] *f.* Rigidez.

rigole [ʀigɔl] *f. 1* Reguero *m.*, reguera. *2* Arroyuelo *m.* (ruisseau).

rigoler [ʀigɔle] *intr.* fam. Reírse (rire), bromear (plaisanter), pasarlo en grande (se divertir).

rigolo, -ote [ʀigɔlo, -ɔt] *adj.* fam. Chusco, ca, gracioso, sa.

rigoureux, -euse [ʀiguʀø, -øz] *adj.* Riguroso, sa.

rigueur [ʀigœʀ] *f.* Rigor *m.* Loc. *À la —*, como máximo.

rime [ʀim] *f.* Rima.

rimer [ʀime] *intr. 1* Rimar. ■ *2 tr.* Poner en verso.

rinçage [ʀɛ̃saʒ] *m. 1* Enjuague. *2* Aclarado (du linge).

rinceau [ʀɛ̃so] *m.* ARCHIT. Follaje.

rincer [ʀɛ̃se] *tr. 1* Enjuagar. *2* Aclarar (le linge). *3* pop. *Se — l'œil*, regodearse. ▲ CONJUG. como *lancer*.

ripaille [ʀipɑj] *f.* fam. Cuchipanda, francachela.

riposter [ʀipɔste] *intr.* Replicar.

rire [ʀiʀ] *intr. 1* Reír, reírse. Loc. *— aux éclats*, reír a carcajadas; *— à gorge déployée*, reírse a mandíbula batiente. *2 — de*, burlarse de. ■ *3 pr.* Reírse. ▲ CONJUG. IRREG. INDIC. Pres.: *je ris, tu ris, il rit, nous rions, vous riez, ils rient.* Imperf.: *je riais*, etc. Pret. indéf.: *je ris*, etc. Fut. Imperf.: *je rirai*, etc. POT.: *je rirais*, etc. SUBJ. Pres.: *que je rie, que tu ries, qu'il rie, que nous riions, que vous riiez, qu'ils rient.* Imperf.: *que je risse*, etc. IMPER.: *ris, rions, riez.* PART. A.: *riant.* PART. P.: *ri.*

rire [ʀiʀ] *m.* Risa *f.*

ris [ʀi] *m. — de veau*, molleja *f.* de ternera.

risée [ʀize] *f.* Burla, mofa (moquerie): *objet de —*, objeto de burla.

risible [ʀizibl(ə)] *adj.* Risible.

risque [ʀisk(ə)] *m.* Riesgo.

risquer [ʀiske] *tr. 1* Arriesgar. *2 — de*, correr el riesgo de.

rissoler [ʀisɔle] *tr.* cuis. Dorar.
ristourne [ʀisturn(ə)] *f.* 1 Comisión. 2 Rebaja, descuento *m.* (réduction).
rite [ʀit] *m.* Rito.
rituel, -elle [ʀityɛl] *adj.-m.* Ritual.
rivage [ʀivaʒ] *m.* Ribera *f.,* orilla *f.*
rival, -ale [ʀival] *adj.-s.* Rival.
rivaliser [ʀivalize] *intr.* Rivalizar.
rive [ʀiv] *f.* Orilla.
river [ʀive] *tr.* 1 Remachar, roblar. 2 Unir sólidamente.
riverain, -aine [ʀivʀɛ̃, -ɛn] *adj.-s.* Ribereño, ña.
riveter [ʀivte] *tr.* Remachar, roblar. ▲ conjug. como *jeter.*
rivière [ʀivjɛʀ] *f.* 1 Río *m.* 2 — *de diamants,* collar *m.* de diamantes.
rixe [ʀiks(ə)] *f.* Riña, pelea.
riz [ʀi] *m.* Arroz.
robe [ʀɔb] *f.* 1 Vestido *m.* (de femme). 2 Toga (gens de loi). 3 Pelo *m.,* pelaje *m.* (d'un animal). 4 Capa (du cheval). 5 — *de chambre,* bata.
robinet [ʀɔbinɛ] *m.* Grifo.
robuste [ʀɔbyst(ə)] *adj.* Robusto, ta.
roc [ʀɔk] *m.* Roca *f.,* peña *f.*
rocaille [ʀɔkaj] *f.* Rocalla.
roche [ʀɔʃ] *f.* Roca.
rocher [ʀɔʃe] *m.* 1 Peñasco, peña *f.,* peñón. 2 ANAT. Peñasco.
rôder [ʀode] *intr.* 1 Vagabundear. 2 Merodear.
rogne [ʀɔɲ] *f.* Rabia, berrinche *m.*
rogner [ʀɔɲe] *tr.* 1 Recortar. 2 AGR. Cercenar. 3 IMPR. Refilar.
rognon [ʀɔɲɔ̃] *m.* cuis. Riñón.
rognure [ʀɔɲyʀ] *f.* Recortes *m. pl.*
roi [ʀwa(ɑ)] *m.* Rey: *jour des Rois,* día de Reyes.
roitelet [ʀwatlɛ] *m.* 1 Reyezuelo. 2 Abadejo (oiseau).
rôle [ʀol] *m.* 1 Papel (d'un acteur et conduite sociale de quelqu'un). 2 Función *f.,* cometido. 3 DR. Registro de pleitos y causas. 4 DR. Registro de contribuyentes (liste des contribuables). 5 MIL. Lista *f.* de reclutas. 6 *loc. adv.* À *tour de —,* por turno.
romain, -aine [ʀɔmɛ̃, -ɛn] *adj.-s.* 1 Romano, na. ■ 2 *m.* IMPR. Letra *f.* redonda. ■ 3 *f.* Lechuga romana (laitue).
roman, -ane [ʀɔmɑ̃, -an] *adj.* 1 Romance (langue). 2 Románico, ca (art). ■ 3 *m.* Novela *f.:* — *policier,* novela policíaca; — *fleuve,* novelón.
romancier, ière [ʀɔmɑ̃sje, jɛʀ] *s.* Novelista.
romantique [ʀɔmɑ̃tik] *adj.-s.* Romántico, ca.

romantisme [ʀɔmɑ̃tism(ə)] *m.* Romanticismo.
romarin [ʀɔmaʀɛ̃] *m.* Romero.
rompre [ʀɔ̃pʀ(ə)] *tr.* 1 Romper, quebrar (casser). 2 Interrumpir, romper (interrompre). 3 MIL. *Rompez les rangs!,* ¡rompez!, ¡rompan filas! ■ 4 *intr.* Romperse. 5 Romper, reñir: *ces fiancés ont rompu,* estos novios han roto. ■ 6 *pr.* Romperse, quebrarse (se casser).
rompu, -ue [ʀɔ̃py] *adj.* 1 Roto, ta (cassé). 2 Molido, da (fourbu). 3 — *à,* avezado, da a.
ronce [ʀɔ̃s] *f.* Zarza, espino *m.*
rond, ronde [ʀɔ̃, ʀɔ̃d] *adj.* 1 Redondo, da. 2 Franco, ca, claro, ra. 3 Rechoncho, cha, regordete (gros). 4 pop. Trompa (ivre). ■ 5 *m.* Círculo, redondel. 6 Rodaja *f.* (rondelle). Loc. — *de serviette,* servilletero. 7 fam. Perra *f.,* blanca *f.* (argent). ■ 8 *adv.* *Tourner —,* marchar bien.
ronde [ʀɔ̃d] *f.* 1 MIL. Ronda. 2 Danza en corro. 3 Letra redondilla. 4 Loc. À *la —,* a la redonda (alentour), por turno (tour à tour).
rondelet, -ette [ʀɔ̃dlɛ, -ɛt] *adj.* Regordete, ta.
rondelle [ʀɔ̃dɛl] *f.* 1 Arandela. 2 Rodaja (tranche).
rondement [ʀɔ̃dmɑ̃] *adv.* 1 Sin rodeos (franchement). 2 Prontamente (vite).
rondeur [ʀɔ̃dœʀ] *f.* 1 Redondez. 2 fig. Franqueza, lealtad.
rond-point [ʀɔ̃pwɛ̃] *m.* Glorieta *f.*
ronflement [ʀɔ̃fləmɑ̃] *m.* Ronquido.
ronfler [ʀɔ̃fle] *intr.* 1 Roncar. 2 Zumbar (un moteur, une toupie, etc.).
ronger [ʀɔ̃ʒe] *tr.* 1 Roer. 2 Carcomer (les vers, etc.). 3 Consumir, atormentar (torturer). ■ 4 *pr.* Atormentarse. ▲ conjug. como *engager.*
rongeur, -euse [ʀɔ̃ʒœʀ, -øz] *adj.-m.* 1 Roedor, ra. ■ 2 *m. pl.* zool. Roedores.
ronron [ʀɔ̃ʀɔ̃] *m.* **ronronnement** [ʀɔ̃ʀɔnmɑ̃] *m.* fam. Ronroneo.
roquette [ʀɔkɛt] *f.* Cohete *m.*
rosace [ʀozas] *f.* Rosetón *m.*
rosaire [ʀozɛʀ] *m.* Rosario de quince decenas.
rose [ʀoz] *f.* 1 Rosa. Loc. fam.: *Envoyer quelqu'un sur les roses,* enviar a alguien a paseo. 2 — *trémière,* malvarrosa. ■ 3 *adj.-m.* Color de rosa: *voir tout en —,* verlo todo color de rosa. ■ 4 *n. pr. f.* Rosa.
roseau [ʀozo] *m.* Caña *f.*
rosée [ʀoze] *f.* Rocío *m.*
roseraie [ʀozʀɛ] *f.* Rosaleda.

rosier [ʀozje] *m.* Rosal.

rosse [ʀɔs] *f. 1* Rocín *m.*, matalón *m.* (mauvais cheval). *2* Mala persona. ■ *3 adj.* Malvado, da.

rosser [ʀɔse] *tr.* fam. Zurrar, apalear.

rossignol [ʀɔsiɲɔl] *m. 1* Ruiseñor. *2* Ganzúa *f.* (pour ouvrir les serrures). *3* Mercancía *f.* que queda invendible.

rostre [ʀɔstʀ(ə)] *m.* MAR. Rostro, espolón.

rôt [ʀo] *m.* Asado.

rotatif, -ive [ʀɔtatif, -iv] *adj.-f.* Rotativo, va.

rôtie [ʀo(ɔ)ti] *f.* Tostada.

rotin [ʀɔtɛ̃] *m. 1* Rota *f. 2* Bastón de caña.

rôtir [ʀo(ɔ)tiʀ] *tr. 1* Asar. ■ *2 intr.* Asarse. ■ *3 pr.* fam. Tostarse al sol (personne).

rôtisserie [ʀo(ɔ)tisʀi] *f.* Restaurante *m.* donde se sirven asados.

rôtissoire [ʀo(ɔ)tiswaʀ] *f.* Asador *m.*

rotonde [ʀɔtɔ̃d] *f.* Rotonda.

rotule [ʀɔtyl] *f.* ANAT.Rótula.

rouage [ʀwaʒ] *m. 1* Rueda *f. 2* fig. Mecanismo.

roublardise [ʀublaʀdiz] *f.* Tunantería, astucia.

roucouler [ʀukule] *intr.* Arrullar.

roue [ʀu] *f.* Rueda.

roué, -ée [ʀwe] *s. 1* Persona sin principios. ■ *2 adj.* Astuto, ta, pillo, lla.

rouelle [ʀwɛl] *f.* Rueda, tajada (de veau).

rouer [ʀwe] *tr. — quelqu'un de coups,* apalear a alguien.

rouet [ʀwe] *m.* Torno.

rouge [ʀuʒ] *adj. 1* Rojo, ja, encarnado, da, colorado, da. *2* Candente (fer). *3 Vin —,* vino tinto. ■ *4 m.* Rojo, encarnado, colorado (couleur). *5* Rubor (du visage). *6* Rojo de labios, carmín (à lèvres). *7* Colorete (fard). *8* Vino tinto (vin). ■ *9 adv. Se fâcher tout —,* sulfurarse.

rouge-gorge [ʀuʒgɔʀʒ(ə)] *m.* Petirrojo.

rougeole [ʀuʒɔl] *f.* Sarampión *m.*

rouget [ʀuʒe] *m.* Salmonete.

rougeur [ʀuʒœʀ] *f. 1* Rubor *m.* ■ *2 pl.* Manchas rojas (sur la peau).

rougir [ʀuʒiʀ] *tr. 1* Enrojecer. ■ *2 intr.* Enrojecer, ponerse rojo, ja. *3* Ruborizarse (de honte, etc.).

rouiller [ʀuje] *tr. 1* Enmohecer, oxidar. *2* fig. Embotar.

rouissage [ʀwisaʒ] *m.* Enriado.

roulant, -ante [ʀulã, -ãt] *adj. 1* Que rueda. *2 Escalier —,* escalera mecánica.

rouleau [ʀulo] *m. 1* Rollo (de papier, etc.). *2* Cartucho (de pièces de monnaie). *3* AGR., CUIS. Rodillo. *4* Rulo (coiffure).

roulement [ʀulmã] *m. 1* Rodadura *f. 2* Circulación *f.* (d'argent). *3* Redoble (de

tambour). *4 — de tonnerre,* trueno. *5* Turno. *6* MÉC. *— à billes,* rodamiento de bolas.

rouler [ʀule] *tr. 1* Hacer rodar, rodar. *2* Enrollar (mettre en rouleau). *3 — une cigarette,* liar un cigarrillo. *4 — les r,* pronunciar fuerte las erres. *5* fig. Dar vueltas a (dans l'esprit). *6* fam. Pegársela a (duper). ■ *7 intr.* Rodar (une boule, etc.). *8* Caerse rodando (tomber). *9* Rodar, ir, marchar (un véhicule). *10* Rodar, correr: *— par le monde,* rodar por el mundo, correr mundo. *11* Circular (argent). *12 — sur,* tratar de (avoir pour sujet). ■ *13 pr.* Revolverse.

rouspéter [ʀuspete] *intr.* pop. Refunfuñar. ▲ CONJUG. como *accélérer.*

roussâtre [ʀusɑtʀ(ə)] *adj.* Bermejo, ja.

roussette [ʀusɛt] *f. 1* Lija (poisson). *2* Bermejizo *m.* (chauve-souris).

rousseur [ʀusœʀ] *f. 1* Color *m.* rojo, rubicundez. *2 Tache de —,* peca.

roussi [ʀusi] *m.* Olor a chamuscado.

roussir [ʀusiʀ] *tr. 1* Chamuscar, socarrar. ■ *2 intr.* Chamuscarse, socarrarse.

route [ʀut] *f. 1* Carretera: *— nationale, départamentale,* carretera nacional, comarcal. *2* Camino *m.*, senda, ruta (itinéraire). *3* Marcha, camino *m.* Loc. *Se mettre en —,* ponerse en marcha; *en —!,* ¡en marcha! *4* MAR. Derrotero *m.*, rumbo *m.*

routier, -ière [ʀutje, -jɛʀ] *adj. 1* De carretera. ■ *2 m.* Camionero.

routine [ʀutin] *f.* Rutina.

roux, -rousse [ʀu, ʀus] *adj. 1* Rojizo, za. *2 Lune rousse,* luna de abril. ■ *3 adj.-s.* Pelirrojo, ja (cheveux). ■ *4 m.* CUIS. Salsa *f.* de harina.

royal, -ale [ʀwajal] *adj.* Real.

royaume [ʀwajom] *m.* Reino.

ruade [ʀyad] *f.* Coz.

ruban [ʀybã] *m.* Cinta *f.*

rubicond, -onde [ʀybikɔ̃, -ɔ̃d] *adj.* Rubicundo, da.

rubis [ʀybi] *m.* Rubí.

rubrique [ʀybʀik] *f.* Rúbrica.

ruche [ʀyʃ] *f.* Colmena.

rucher [ʀyʃe] *m.* Colmenar.

rude [ʀyd] *adj. 1* Rudo, da. *2* Temible (redoutable). *3* Severo, ra. *4* Riguroso, sa (rigoureux). *5* Penoso, sa, fatigoso, sa, duro, ra.

rudesse [ʀydɛs] *f.* Rudeza, aspereza.

rudimentaire [ʀydimɑ̃tɛʀ] *adj.* Rudimentario, ria.

rudoyer [ʀydwaje] *tr.* Maltratar. ▲ CONJUG. como *employer.*

rue [ʀy] *f.* Calle: *grand —,* calle mayor.

ruée [ʀɥe] *f.* Avalancha, riada.
ruelle [ʀɥɛl] *f. 1* Callejuela. *2* Espacio *m.* entre la cama y la pared.
ruer [ʀɥe] *intr. 1* Cocear (le cheval). ■ *2 pr.* Abalanzarse, precipitarse.
rugir [ʀyʒiʀ] *intr.* Rugir.
rugissement [ʀyʒismɑ̃] *m.* Rugido.
rugueux, -euse [ʀygø, -øz] *adj.* Rugoso, sa.
ruine [ʀɥin] *f.* Ruina.
ruiner [ʀɥine] *tr. 1* Arruinar. ■ *2 pr.* Arruinarse.
ruisseau [ʀɥiso] *m.* Arroyo.
ruisseler [ʀɥisle] *intr.* Chorrear. ▲ CONJUG. como *appeler.*

rumeur [ʀymœʀ] *f.* Rumor *m.*
ruminer [ʀymine] *tr.-intr.* Rumiar.
rupture [ʀyptyʀ] *f. 1* Rotura. *2* fig. Ruptura.
rural, -ale [ʀyʀal] *adj. 1* Rural. ■ *2 m. pl. Les ruraux,* los campesinos.
ruse [ʀyz] *f.* Ardid *m.,* artimaña.
ruser [ʀyze] *intr.* Obrar con astucia.
rustique [ʀystik] *adj.* Rústico, ca.
rustre [ʀystʀ(ə)] *adj.-m.* Rústico, ca, patán.
rut [ʀyt] *m.* Celo (des animaux).
rutilant, -ante [ʀytilɑ̃, -ɑ̃t] *adj.* Rutilante.
rythme [ʀitm(ə)] *m.* Ritmo.

s

s [ɛs] m. S f.

sa [sa] adj. poss. f. Su.

sabbat [saba] m. 1 RELIG. Sábado (jour de repos pour les Juifs). 2 Aquelarre (des sorcières).

sable [sɑbl(ə)] m. 1 Arena f. 2 fig. Avoir du — dans les yeux, tener los ojos cargados de sueño. ■ 3 adj. invar. Beige muy claro.

sabler [sɑble] tr. Enarenar (une allée, etc.).

sablonneux, -euse [sɑ(a)blɔnø, -øz] adj. Arenoso, sa.

saborder [sabɔrde] tr. Barrenar, dar barreno a (un navire).

sabot [sabo] m. 1 Zueco, almadreña f. 2 Casco (chevaux), pezuña f. (ruminants). 3 TECHN. Zapata f. (de frein). 4 Cacharro, trasto (mauvais instrument). 5 Baignoire —, media bañera.

sabotage [sabɔtaʒ] m. Sabotaje.

saboter [sabɔte] tr. 1 Frangollar, chapucear (bâcler). 2 Sabotear (train, avion, etc.).

sabre [sɑbʀ(ə)] m. 1 Sable. 2 — d'abattis, machete.

sac [sak] m. 1 Saco (pour marchandises), costal (à grains), talego (en toile). Loc. — de voyage, bolsa f. de viaje; — de couchage, saco de dormir; prendre quelqu'un la main dans le —, coger a alguien con las manos en la masa. 2 Bolsa f. (en papier). 3 Bolso (sac à main). 4 — à dos, mochila f. 5 Saqueo, saco (pillage).

saccade [sakad] f. 1 Sacudida (secousse). 2 Tirón m. 3 Sofrenada (chevaux).

saccadé, -ée [sakade] adj. 1 Brusco, ca. 2 Entrecortado, da (voix, ton). 3 Cortado, da (style).

saccager [sakaʒe] tr. 1 Saquear (mettre à sac). 2 fam. Revolver, trastornar. ▲ CONJUG. como engager.

saccharine [sakaʀin] f. Sacarina.

sacerdotal, -ale [saseʀdɔtal] adj. Sacerdotal.

sachet [saʃɛ] m. 1 Saquito, bolsita f. 2 Sobre (soupe).

sacramentel, -elle [sakʀamɑ̃tɛl] adj. Sacramental.

sacré, -ée [sakʀe] adj. 1 Sagrado, da: les livres sacrés, los libros sagrados. 2 fam. Maldito, ta: — menteur!, ¡maldito embustero!

sacrement [sakʀəmɑ̃] m. Sacramento.

sacrer [sakʀe] tr. 1 Consagrar (consacrer). 2 Coronar (un souverain).

sacrifier [sakʀifje] tr. 1 Sacrificar. ■ 2 intr. Ofrecer un sacrificio. ■ 3 pr. Sacrificarse. ▲ CONJUG. como prier.

sacrilège [sakʀilɛʒ] m. 1 Sacrilegio. ■ 2 adj.-s. Sacrílego, ga.

sacristie [sakʀisti] f. Sacristía.

sacro-saint, sainte [sakʀosɛ̃, sɛ̃t] adj. Sacrosanto, ta.

sadique [sadik] adj.-s. Sádico, ca.

safran [safʀɑ̃] m. Azafrán.

sagacité [sagasite] f. Sagacidad.

sage [saʒ] adj. 1 Prudente, cuerdo, da, sensato, ta. 2 Moderado, da. 3 Tranquilo, la, bueno, na (enfant). ■ 4 m. Sabio.

sage-femme [saʒfam] f. Comadrona.

sagesse [saʒɛs] f. 1 Sabiduría, cordura. 2 Docilidad, obediencia, buena conducta (d'un enfant). 3 Sensatez (bon sens). 4 Dent de —, muela del juicio.

sagittaire [saʒitɛʀ] m. Sagitario (zodiaque).

saignant, -ante [sɛɲɑ̃, -ɑ̃t] adj. 1 Sangriento, ta, sangrante. 2 Viande saignante, carne poco hecha.

saignée [seɲe] f. 1 MÉD. Sangría. 2 fig. Sangría (grande perte).

saigner [seɲe] tr. 1 Sangrar (un malade, etc.). 2 Desangrar: — un agneau, desangrar un cordero. 3 fig. Chupar la sangre a, sacar el dinero a (quelqu'un). ■ 4 *intr.* Sangrar. echar sangre: — *du nez*, echar sangre por la nariz. ■ *5 pr. Se — aux quatre veines*, quitarse el pan de la boca.

saillie [saji] *f. 1* ARCHIT. Vuelo *m.*, saliente *m.*, saledizo *m. 2* ZOOL. Monta. cubrición (accouplement). *3* Agudeza, ocurrencia (trait d'esprit).

saillir [sajiʀ] *intr. 1* Saltar. manar (jaillir). *2* Sobresalir. ■ *3 tr.* ZOOL. Cubrir. montar. ▲ CONJUG. como *assaillir* en *1* y *2*, como *finir* en *3*.

sain, saine [sɛ̃, sɛn] *adj.* Sano. na.

saindoux [sɛ̃du] *m.* Manteca *f.* de cerdo.

sainfoin [sɛ̃fwɛ̃] *m.* Pipirigallo. esparceta *f.*

saint, sainte [sɛ̃, sɛ̃t] *adj. 1* Santo. ta. *2* San (devant un nom de saint. sauf Domingo. Tomás. Tomé. Toribio): — *Joseph*, San José. *3* Sagrado, da (sacré). Loc. *La Sainte Famille*, la Sagrada Familia. ■ *4 s.* Santo. ta. Loc. *Prêcher pour son* —, alabar a su santo.

sainteté [sɛ̃tte] *f. 1* Santidad. *2 Sa* —, su Santidad.

saisie [sezi] *f. 1* DR. Embargo *m.*, incautación. *2* Recogida, secuestro *m.*, retirada de la circulación (d'un journal).

saisir [seziʀ] *tr. 1* Asir, agarrar. coger. *2* Aprovechar. *3* Captar. comprender. entender (une idée. une pensée). *4* Sorprender. pasmar (surprendre). *5* Soasar (exposer à feu vif). *6* DR. Embargar. ■ *7 pr.* Apoderarse. *8* DR. Hacerse cargo de.

saisissant, -ante [sezisɑ̃. -ɑ̃t] *adj.* Sorprendente. conmovedor. ra. pasmoso. sa.

saison [sezɔ̃] *f. 1* Estación. *2* Tiempo *m.*, época. *3* Temporada (de théâtre. sportive. dans une station thermale).

salade [salad] *f. 1* Ensalada. *2* Ensaladilla. *3* Lechuga (laitue). escarola (scarole). *4* fig. fam. Follón *m.*, lío *m.* (mélange confus).

saladier [saladje] *m.* Ensaladera *f.*

salaire [salɛʀ] *m.* Salario. jornal. sueldo.

salaison [salɛzɔ̃] *f.* Salazón.

salamandre [salamɑ̃dʀ(ə)] *f.* Salamandra.

salant [salɑ̃] *adj. 1* Salino. na. *2 Marais* —, salina *f.*

salarié, -ée [salaʀje] *adj.-s.* Asalariado, da.

salaud [salo] *m.* pop. Sinvergüenza. canalla.

sale [sal] *adj. 1* Sucio, cia. *2* Malo. la: *un* —*type*, una mala persona. *3* Feo. ea. desagradable: *une* — *affaire*, un asunto feo.

salé, -ée [sale] *adj. 1* Salado. da. *2* fig. Picante. libre. *3* fig. Excesivo. va: *prix* —, precio excesivo. ■ *4 m.* Carne *f.* de cerdo salada. Loc. *Petit* —, tocino saladillo.

saler [sale] *tr. 1* Salar. *2* fig. fam. Castigar severamente.

saleté [salte] *f. 1* Suciedad. *2* fam. Porquería. cochinada.

salière [saljɛʀ] *f.* Salero *m.*

saligaud [saligo] *m.* pop. Sinvergüenza. canalla.

salique [salik] *adj.* Sálico. ca.

salir [saliʀ] *tr. 1* Ensuciar. manchar. *2* fig. Mancillar. manchar. ■ *3 pr.* Mancharse. ensuciarse.

salive [saliv] *f.* Saliva.

saliver [salive] *intr.* Salivar.

salle [sal] *f. 1* Sala. Loc. — *à manger*, comedor *m.*: — *de bains*, cuarto *m.* de baño: — *d'eau*, aseo *m.*: — *de séjour*, cuarto *m.* de estar: — *de classe*, aula. *2* Público *m.*, sala.

salmigondis [salmigɔ̃di] *m.* Mezcolanza *f.*, revoltijo.

salon [salɔ̃] *m. 1* Salón *f. 2* Exposición *f.*

saloperie [salɔpʀi] *f.* pop. Porquería.

salopette [salɔpɛt] *f. 1* Mono *m. 2* Pantalón *m.* con peto.

salpêtre [salpɛtʀ(ə)] *m.* Salitre.

salsifis [salsifi] *m.* Salsifí.

saltimbanque [saltɛ̃bɑ̃k] *m.* Saltimbanqui.

salubrité [salybʀite] *f.* Salubridad.

saluer [salɥe] *tr. 1* Saludar. *2* fig. Aclamar, proclamar.

salut [saly] *m. 1* Salvación *f. 2* RELIG. Salvación *f.* del alma. *3* Saludo. *4* interj. fam. ¡Hola!. ¡Adiós!

salutation [salytasjɔ̃] *f.* Salutación, saludo *m.*

salve [salv(ə)] *f.* Salva.

samaritain, -aine [samaʀitɛ̃. -ɛn] *adj.-s.* Samaritano. na.

samedi [samdi] *m.* Sábado.

samovar [samɔvaʀ] *m.* Samovar.

sanatorium [sanatɔʀjɔm] *m.* Sanatorio.

sanctifier [sɑ̃ktifje] *tr.* Santificar. ▲ CONJUG. como *prier*.

sanction [sɑ̃ksjɔ̃] *f.* Sanción.

sanctuaire [sɑ̃ktɥɛʀ] *m.* Santuario.

sandale [sɑ̃dal] *f.* Sandalia.

sang [sɑ̃] *m.* Sangre *f.* Loc. *Mon* — *n'a fait qu'un tour*, se me heló la sangre en las venas: *coup de* —, hemorragia *f.* cerebral: fam. *avoir du* — *de navet*, tener sangre de horchata: *se faire du mauvais* —, preocuparse. inquietarse: *verser, faire couler le* —, matar.

sanglant, -ante [sɑ̃glɑ̃. -ɑ̃t] *adj.* Sangriento. ta.

sangle [sɑ̃gl(ə)] *f. 1* Faja, francalete *m.* Loc. *Lit de —,* catre. *2* Cincha (harnais).

sangler [sɑ̃gle] *tr. 1* Cinchar. *2* Ceñir, apretar.

sanglier [sɑ̃glije] *m.* Jabalí.

sanglot [sɑ̃glo] *m.* Sollozo.

sangloter [sɑ̃glɔte] *intr.* Sollozar.

sangsue [sɑ̃sy] *f.* Sanguijuela.

sanguin, -ine [sɑ̃gɛ̃, -in] *adj.* Sanguíneo, ea.

sanguinaire [sɑ̃ginɛʀ] *adj.* Sanguinario, ria.

sanitaire [sanitɛʀ] *adj.* Sanitario, ria.

sans [sɑ̃] *prép. 1* Sin: — *cesse,* sin cesar. *2 loc. conj.* — *que,* sin que.

sanscrit, -ite [sɑ̃skʀi, -it] *adj. 1* Sánscrito, ta. ■ *2 m.* Sánscrito.

sans-culotte [sɑ̃kylɔt] *m.* Revolucionario francés de 1792.

sans-façon [sɑ̃fasɔ̃] *m.* Llaneza *f.,* ausencia *f.* de cumplidos.

sans-gêne [sɑ̃ʒɛn] *adj. 1* Fresco, ca, descarado, da. ■ *2 m.* Desparpajo, frescura *f.*

sansonnet [sɑ̃sɔne] *m.* Estornino.

sans-souci [sɑ̃susi] *adj. invar.* Indiferente, despreocupado, da.

santal [sɑ̃tal] *m.* Sándalo (arbre).

santé [sɑ̃te] *f. 1* Salud. *2* Sanidad.

santon [sɑ̃tɔ̃] *m.* Santón.

sape [sap] *f.* Zapa (tranchée). Loc. *Travail de —,* labor de zapa.

saper [sape] *tr. 1* Zapar, minar. ■ *2 pr. pop.* Vestirse.

saphir [safiʀ] *m.* Zafiro.

sapin [sapɛ̃] *m.* Abeto.

sapinière [sapinjɛʀ] *f.* Abetal *m.,* abetar *m.*

saponifier [saponifje] *tr.* Saponificar. ▲ CONJUG. como *prier.*

sapristi! [sapʀisti] *interj.* ¡Caramba!

sarabande [saʀabɑ̃d] *f. 1* Zarabanda. *2 fam.* Jaleo *m.,* zarabanda.

sarbacane [saʀbakan] *f.* Cerbatana.

sarcasme [saʀkasm(ə)] *m.* Sarcasmo.

sarcastique [saʀkastik] *adj.* Sarcástico, ca.

sarcelle [saʀsɛl] *f.* Cerceta.

sarcler [saʀkle] *tr.* Escardar, sachar.

sarcome [saʀkom] *m.* MÉD. Sarcoma.

sarcophage [saʀkɔfaʒ] *m.* Sarcófago.

sardine [saʀdin] *f.* Sardina.

sardonique [saʀdɔnik] *adj.* Sardónico, ca.

sarigue [saʀig] *f.* Zarigüeya.

sarment [saʀmɑ̃] *m.* Sarmiento.

sarrasin, -ine [saʀazɛ̃, -in] *adj.-s. 1* Sarraceno, na. ■ *2 m.* Alforfón, trigo sarraceno.

sarrau [saʀo] *m.* Blusa *f.,* blusón *m.*

sasser [sase] *tr. 1* Cerner, tamizar. *2* Hacer pasar por la esclusa.

satanique [satanik] *adj.* Satánico, ca.

satellite [sate(ɛl)lit] *m. 1* Satélite. ■ *2 adj.* Satélite.

satiété [sasjete] *f.* Saciedad.

satin [satɛ̃] *m.* Satén, raso.

satirique [satiʀik] *adj.* Satírico, ca.

satiriser [satiʀize] *tr.* Satirizar.

satisfaction [satisfaksjɔ̃] *f.* Satisfacción.

satisfaire [satisfɛʀ] *tr. 1* Satisfacer. ■ *2 tr. ind.* — *à,* cumplir con, satisfacer: — *à ses devoirs,* cumplir con su deber. ▲ CONJUG. como *faire.*

satisfait, -aite [satisfɛ, -ɛt] *adj. 1* Satisfecho, cha. *2* — *de,* contento de.

satrape [satʀap] *m.* Sátrapa.

saturer [satyʀe] *tr.* Saturar.

satyre [satiʀ] *m.* Sátiro.

sauce [sos] *f.* Salsa.

saucière [sosjɛʀ] *f.* Salsera.

saucisse [sosis] *f.* Salchicha, longaniza.

saucisson [sosisɔ̃] *m.* Salchichón.

sauf, sauve [sof, sov] *adj.* Salvo, va, ileso, sa.

sauf [sof] *prép. 1* Salvo, excepto. *2* — *à,* a reserva de. *3* — *le respect que je vous dois,* con perdón de usted.

sauf-conduit [sofkɔ̃dɥi] *m.* Salvoconducto.

sauge [soʒ] *f.* Salvia.

saule [sol] *m.* Sauce.

saumâtre [somɑtʀ(ə)] *adj. 1* Salobre. *2 fig.* Desagradable, molesto, ta.

saumon [somɔ̃] *m. 1* Salmón. ■ *2 adj. invar.* Color salmón, asalmonado, da.

saumure [somyʀ] *f.* Salmuera.

saunier [sonje] *m.* Salinero.

saupoudrer [supudʀe] *tr.* Espolvorear.

saur [sɔʀ] *adj.-m.* Ahumado, da: *hareng —,* arenque ahumado.

saut [so] *m. 1* Salto, brinco. — *périlleux,* salto mortal. Loc. *Faire le —,* pasar el Rubicón; *faire un — chez quelqu'un,* volar a casa de alguien. *2 fig.* Salto, cambio brusco.

sauté, -ée [sote] *adj. 1* CUIS. Salteado, da. ■ *2 m.* CUIS. Salteado.

sauter [sote] *intr. 1* Saltar. *2* Pasar, saltar: — *d'une idée à l'autre,* saltar de una idea a otra. *3* Loc. *fam. Et que ça saute!,* ¡y volando! *4* Estallar (exploser). Loc. *fam. Le directeur risque de —,* el director arriesga su empleo. *5* CUIS. *Faire —,* saltear. ■ *6 tr.* Salvar, salvar, franquear (franchir par un saut). Loc. — *le pas,* decidirse. *7* Saltarse, pasarse, omitir (ne pas lire, dire, chanter).

sauterelle [sotʀɛl] *f.* Saltamontes *m.*

sauterie [sotʀi] *f.* Guateque *m.*

sauteur, -euse [sotœʀ, -øz] *s. 1* Saltador, ra, saltarín, ina. *2 fig.* Veleta.

sauvage [sovaʒ] *adj. 1* Salvaje. *2* BOT. Silvestre.

sauvageon, -onne [sovaʒɔ̃, -ɔn] *s. 1* Salvaje (enfant). ■ *2 m.* Arbolillo silvestre.

sauvagerie [sɔvaʒʀi] *f. 1* Salvajismo *m. 2* Crueldad.

sauvegarder [sovgaʀde] *tr.* Salvaguardar.

sauver [sove] *tr. 1* Salvar, librar. *2* RELIG. Salvar. ■ *3 pr.* Escaparse, largarse. *4* Salirse (liquide).

sauvetage [sovtaʒ] *m.* Salvamento.

sauveteur [sovtœʀ] *m.* Salvador.

sauveur [sovœʀ] *m.* Salvador.

savamment [savamɑ̃] *adv.* Sabiamente.

savane [savan] *f.* GÉOG. Sabana.

savant, -ante [savɑ̃, -ɑ̃t] *adj. 1* Sabio, bia, docto, ta, hábil. ■ *2 s.* Sabio, bia.

savate [savat] *f. 1* Chancla (soulier usagé). *2* Chancleta (pantoufle). *3* fam. Torpe *m. 4* SPORTS. Boxeo *m.* francés.

saveur [savœʀ] *f.* Sabor *m.*

savoir [savwaʀ] *tr. 1* Saber. Loc. *À —,* a saber; *— gré,* agradecer; *— par cœur,* saber de memoria. *2* Poder (au conditionnel): *rien ne saurait m'en empêcher,* nada podría impedírmelo. ■ *3 pr.* Saberse. ▲ CONJUG. IRREG. INDIC. Pres.: *je sais, tu sais, il sait, nous savons, vous savez, ils savent.* Imperf.: *je savais,* etc. Pret. indef.: *je sus,* etc. SUBJ. Pres.: *que je sache,* etc. Imperf.: *que je susse,* etc. IMPER.: *sache, sachons, sachez.* PART. A.: *sachant.* PART. P.: *su, sue.*

savoir [savwaʀ] *m.* Saber, sabiduría *f.*

savon [savɔ̃] *m.* Jabón.

savonner [savɔne] *tr. 1* Enjabonar, jabonar. *2* fam. — *la tête de quelqu'un,* echar una bronca a alguien.

savonnette [savɔnɛt] *f.* Pastilla de jabón.

savourer [savuʀe] *tr.* Saborear.

savoureux, -euse [savuʀø, -øz] *adj.* Sabroso, sa.

saxophone [saksɔfɔn] *m.* MUS. Saxofón, saxófono.

saynète [sɛnɛt] *f.* THÉÁT. Sainete *m.*

sbire [sbiʀ] *m.* Esbirro.

scabreux, -euse [skabʀø, -øz] *adj.* Escabroso, sa.

scandale [skɑ̃dal] *m.* Escándalo.

scandaliser [skɑ̃dalize] *tr. 1* Escandalizar. ■ *2 pr.* Escandalizarse.

scaphandre [skafɑ̃dʀ(ə)] *m.* Escafandra *f.*

scapulaire [skapylɛʀ] *m.* Escapulario.

scarabée [skaʀabe] *m.* Escarabajo.

scarlatine [skaʀlatin] *f.* Escarlatina.

sceau [so] *m.* Sello (cachet officiel). Loc. *Sous le — du secret,* bajo secreto.

scélérat, -ate [seleʀa, -at] *adj.-s.* Perverso, sa, desalmado, da.

scellé [sele] *m.* Sello, precinto sellado.

sceller [sele] *tr. 1* Sellar. *2* Empotrar (fixer). *3* fig. Sellar, consolidar.

scène [sɛn] *f. 1* Escena: *entrer en —,* salir a escena; *sortir de —,* hacer mutis. *2* Escándalo *m.,* altercado *m.*

scepticisme [septisism(ə)] *m.* Escepticismo.

sceptre [septʀ(ə)] *m.* Cetro.

schématique [ʃematik] *adj.* Esquemático, ca.

schisme [ʃism(ə)] *m.* Cisma.

sciage [sjaʒ] *m. 1* Acción *f.* de aserrar. *2* Aserradura *f.*

sciatique [sjatik] *adj. 1* Ciático, ca. ■ *2 f.* Ciática.

scie [si] *f. 1* Sierra. *2* Pez *m.* sierra (poisson). *3* Lata, tabarra (chose ennuyeuse). *4* Tostón *m.,* latoso *m.* (personne ennuyeuse).

sciemment [sjamɑ̃] *adv.* A sabiendas.

science [sjɑ̃s] *f.* Ciencia.

scientifique [sjɑ̃tifik] *adj.-s.* Científico, ca.

scier [sje] *tr. 1* Aserrar. *2* vieil. Dar la lata (ennuyer). ▲ CONJUG. como *prier.*

scierie [siʀi] *f.* Aserradero *m.*

scinder [sɛ̃de] *tr. 1* Dividir, fraccionar. ■ *2 pr.* Dividirse, fraccionarse.

scintillant, -ante [sɛ̃tijɑ̃, ɑ̃t; sɛ̃tillɑ̃, ɑ̃t] *adj.* Centelleante.

scintiller [sɛ̃tije; sɛ̃tille] *intr.* Destellar, centellear.

scission [sisjɔ̃] *f.* Escisión.

sciure [sjyʀ] *f.* Aserrín *m.,* serrín *m.*

sclérose [skleʀoz] *f.* MÉD. Esclerosis.

scolaire [skɔlɛʀ] *adj.* Escolar.

scolastique [skɔlastik] *adj. 1* Escolástico, ca. ■ *2 f.* Escolástica (enseignement). ■ *3 m.* Escolástico (celui qui enseignait la scolastique).

scolopendre [skɔlɔpɑ̃dʀ(ə)] *f. 1* Escolopendra, cientopiés *m.,* ciempiés *m. 2* Lengua de ciervo (fougère).

scorbut [skɔʀbyt] *m.* Escorbuto.

scories [skɔʀi] *f. pl.* Escorias.

scorpion [skɔʀpjɔ̃] *m.* Escorpión, alacrán.

scribe [skʀib] *m.* Escriba.

scruter [skʀyte] *tr.* Escrutar, escudriñar.

scrupule [skʀypyl] *m.* Escrúpulo.

scrutin [skʀytɛ̃] *m. 1* Votación *f.* por medio de urna. *2* Escrutinio.

sculpteur [skyltœʀ] *m.* Escultor.

sculpture [skyltyʀ] *f.* Escultura.

se [s(ə)] *pron. pers.* Se: *il — lave,* se lava; *— laver,* lavarse.

séance [seɑ̃s] *f. 1* Sesión: *ouvrir, lever la —,* abrir, levantar la sesión. *2* Jornada (de travail). *3 loc. adv. — tenante,* en el acto, acto seguido.

séant, -ante [seɑ̃, -ɑ̃t] *adj. 1* Conveniente, decoroso, sa. ■ *2 m.* Loc. *Se dresser sur son* —, incorporarse.

seau [so] *m.* Cubo. Loc. fam. *Il pleut à seaux*, llueve a cántaros.

sébile [sebil] *f.* Platillo *m.*

sec, sèche [sɛk, sɛʃ] *adj. 1* Seco, ca. *2* Enjuto, ta (maigre). *3* Seco, ca (qui manque de douceur): *vin* —, vino seco. *4* Seco, paso, sa (fruit): *raisins secs*, pasas *f.* ■ *5 m.* Seco, lo seco: *tenir au* —, guárdese en sitio seco. ■ *6 adv.* Secamente, ásperamente. *7 À* —, vacío, ía, sin agua (vide); en seco: *nettoyage à* —, limpieza en seco; fam. pelado, da (sans argent).

sécateur [sekatœʀ] *m.* Podadera *f.*

sécession [sesesjɔ̃] *f.* Secesión.

séchage [seʃaʒ] *m.* Secamiento, secado.

sécher [seʃe] *tr. 1* Secar. *2* fam. Fumarse: — *la classe*, fumarse la clase. ■ *3 intr.* Secar. *4* fam. Estar pez (un candidat, un élève). *5* — *sur pied*, consumirse de tristeza. ■ *6 pr.* Secarse. ▲ CONJUG. como *accélérer.*

sécheresse [se(e)ʀɛs] *f. 1* Sequedad. *2* Sequía (du temps).

second, -onde [s(ə)gɔ̃, -ɔ̃d] *adj. 1* Segundo, da: *billet de seconde classe*, billete de segunda clase. ■ *2 m.* Segundo (dans une hiérarchie). *3* Segundo piso (étage). *4* Colaborador, segundo.

secondaire [s(ə)gɔ̃dɛʀ] *adj.* Secundario, ria.

seconde [s(ə)gɔ̃d] *f. 1* Segundo *m.* (temps et angle). *2* Segundo *m.*, instante *m.*

seconder [s(ə)gɔ̃de] *tr.* Secundar.

secouer [s(ə)kwe] *tr. 1* Sacudir. Loc. fig. — *le joug*, sacudir el yugo. *2* Zarandear (agiter rapidement). *3* Menear (remuer). *4* Trastornar (ébranler). ■ *5 pr.* fam. Reaccionar.

secourir [s(ə)kuʀiʀ] *tr.* Socorrer. ▲ CONJUG. como *courir.*

secours [s(ə)kuʀ] *m. 1* Socorro. *2 interj. Au* —*!*, ¡Socorro!

secousse [s(ə)kus] *f. 1* Sacudida. *2* fig. Sacudida.

secret, -ète [səkʀɛ, -ɛt] *adj. 1* Secreto, ta. ■ *2 m.* Secreto: un — *de Polichinelle*, un secreto a voces. *3 Au* —, en un lugar escondido. Loc. *Mettre au* —, incomunicar. *4 loc. adv. En* —, en secreto.

secrétaire [s(ə)kʀetɛʀ] *s. 1* Secretario, ria. ■ *2 m.* Escritorio (mueble).

secrétariat [s(ə)kʀetaʀja] *m. 1* Secretaría *f. 2* Secretariado (emploi).

sécrétion [sekʀesjɔ̃] *f.* Secreción.

sectarisme [sɛktaʀism(ə)] *m.* Sectarismo.

secte [sɛkt(ə)] *f.* Secta.

secteur [sɛktœʀ] *m.* Sector.

section [sɛksjɔ̃] *f.* Sección.

séculaire [sekylɛʀ] *adj.* Secular.

séculier, -ière [sekylje, -jɛʀ] *adj.* Secular, laico, ca.

securité'[sekyʀite] *f. 1* Seguridad. *2* — *sociale*, Seguridad Social.

sédatif [sedatif] *m.* Sedante.

sédentaire [sedɑ̃tɛʀ] *adj.* Sedentario, ria.

sédiment [sedimɑ̃] *m.* Sedimento.

sédition [sedisjɔ̃] *f.* Sedición.

séduction [sedyksjɔ̃] *f.* Seducción.

séduire [sedɥiʀ] *tr. 1* Seducir. *2* Sobornar (suborner). ▲ CONJUG. como *conduire.*

séduisant, -ante [sedɥizɑ̃, -ɑ̃t] *adj.* Seductor, ra, atractivo, va.

segment [sɛgmɑ̃] *m.* Segmento.

seiche [sɛʃ] *f.* Sepia, jibia.

seigneur [sɛɲœʀ] *m.* Señor.

seigneurie [sɛɲœʀi] *f. 1* Señorío *m.* (pouvoir, terre). *2* Señoría: *sa* —, su señoría.

sein [sɛ̃] *m. 1* ANAT. Seno. *2* Pecho (poitrine). *3* Seno, centro. Loc. *Au* — *de*, dentro de, en el seno de.

seing [sɛ̃] DR. Firma *f.*: *blanc-seing*, firma en blanco; — *privé*, firma no legalizada.

séisme [seism(ə)] *m.* Seísmo, sismo, terremoto.

seize [sɛz] *adj. num.* Diez y seis, dieciséis.

seizième [sɛzjɛm] *adj.-s. 1* Decimosexto, ta. ■ *2 m.* Dieciseisavo, va.

séjour [seʒuʀ] *m. 1* Permanencia *f.*, estancia *f.* (dans un lieu). *2* Mansión *f.*, morada *f.* (demeure).

séjourner [seʒuʀne] *intr.* Vivir, permanecer.

sel [sɛl] *m.* Sal *f.*: — *attique*, sal ática.

sélectif, -ive [selɛktif, -iv] *adj.* Selectivo, va.

sélectionner [selɛksjɔne] *tr.* Seleccionar.

selle [sɛl] *f. 1* Silla, silla de montar. *2* Sillín *m.* (de bicyclette, moto). *3* Cuarto *m.* trasero (viande). *4 Aller à la* —, ir al retrete, hacer sus necesidades. ■ *5 pl.* Heces.

seller [sele] *tr.* Ensillar.

sellette [selɛt] *f. 1* Banquillo *m.* (des accusés). *2* Asiento *m.* suspendido (maçons).

selon [s(ə)lɔ̃] *prép. 1* Según. *2* Loc. — *moi*, a mi modo de ver. *3* fam. *C'est* —, según, depende.

semailles [s(ə)mɑj] *f. pl.* Siembra *sing.*

semaine [s(ə)mɛn] *f. 1* Semana. *2* Salario *m.* semanal.

semblable [sɑ̃blabl(ə)] *adj. 1* Parecido, da. ■ *2 s.* Semejante: *toi et tes semblables*, tú y tus semejantes.

semblant [sãblã] *m.* Apariencia *f.* Loc. *Un — de...*, algo de...; *faire — de*, fingir, simular.

sembler [sãble] *intr. 1* Parecer. ■ *2 impers. Il semble que...*, parece que... Loc. *Ce me semble, me semble-t-il*, a mi parecer; *quand bon vous semblera*, cuando le apetezca.

semelle [s(ə)mɛl] *f. 1* Suela (de la chaussure). *2* Plantilla (à l'intérieur d'une chaussure). *3* Soleta (d'un bas).

semer [s(ə)me] *tr. 1* Sembrar. *2* fam. Dejar muy atrás a (à la course). ▲ CONJUG. como *acheter*.

semestre [s(ə)mɛstʀ(ə)] *m.* Semestre.

semeur, -euse [s(ə)mœʀ, -øz] *s.* Sembrador, ra.

sémillant, -ante [semijã, -ãt] *adj.* Bullicioso, sa, vivaracho, cha.

séminariste [seminaʀist(ə)] *m.* Seminarista.

semis [s(ə)mi] *m. 1* Siembra *f. 2* Sembrado (terrain).

sémite [semit] *s.* Semita.

semonce [s(ə)mɔ̃s] *f. 1* Sermón *m.*, represión.

semoule [s(ə)mul] *f.* Sémola.

sempiternel, -elle [sɛpitɛʀnel] *adj.* Sempiterno, na.

sénat [sena] *m.* Senado.

séné [sene] *m.* Sena *f.*, sen.

sénilité [senilite] *f.* Senilidad, decrepitud, vejez.

sens [sãs] *m. 1* Sentido: *les cinq —*, los cinco sentidos; *— commun*, sentido común. *2 Bon —*, sensatez *f.*, buen sentido. *3* Sentido, significado, significación *f.* (d'un mot, etc.). *4* Sentido, dirección *f.: à double —*, de doble dirección (rue). *5 — dessus dessous*, en desorden, patas arriba, de arriba abajo; trastornado, da (moralement).

sensation [sãsasjɔ̃] *f.* Sensación.

sensationnel, -elle [sãsasjɔnel] *adj.* Sensacional.

sensé, -ée [sãse] *adj.* Sensato, ta.

sensibilité [sãsibilite] *f.* Sensibilidad.

sensible [sãsibl(ə)] *adj. 1* Sensible. *2* Apreciable, notable, sensible.

sensiblerie [sãsibləʀi] *f.* Sensiblería.

sensitif, -ive [sãsitif, -iv] *adj. 1* Sensitivo, va. ■ *2 s.* Persona *f.* excesivamente susceptible.

sensualité [sãsɥalite] *f.* Sensualidad.

sente [sãt] *f.* Senda, sendero *m.*

sentence [sãtãs] *f.* Sentencia.

senteur [sãtœʀ] *f.* Olor *m.*, perfume *m.*

sentier [sãtje] *f.* Sendero, senda *f.*

sentiment [sãtimã] *m. 1* Sentimiento. *2* Sentir, opinión *f.* Loc. *J'ai le — que*, me parece que.

sentimental, -ale [sãtimãtal] *adj.* Sentimental.

sentinelle [sãtinel] *f.* Centinela *m.*

sentir [sãtiʀ] *tr. 1* Sentir (percevoir). *2* Presentir, sentir (pressentir, deviner). *3* Apreciar: *— la beauté de*, apreciar la belleza de. *4 Faire —*, hacer notar. *5* Oler (par l'odorat). *6* Oler a (exhaler une odeur): *ce savon sent le jasmin*, este jabón huele a jazmín. *7* Saber a (avoir le goût de). ■ *8 pr.* Sentirse: *se — mal*, sentirse mal, indispuesto, ta. ▲ CONJUG. como *mentir*.

seoir [swaʀ] *intr. 1* Sentar, ir bien (convenir, aller). ■ *2 impers.* Convenir. ▲ CONJUG. Usado generalmente como impersonal y en las formas siguientes: *il sied, il seyait, il siéra*, PART. P.: *séant* o *seyant*.

sépale [sepal] *m.* BOT. Sépalo.

séparable [sepaʀabl(ə)] *adj.* Separable.

séparation [sepaʀasjɔ̃] *f.* Separación.

séparer [sepaʀe] *tr. 1* Separar. *2* Separar, diferenciar, distinguir. ■ *3 pr.* Separarse.

sépia [sepja] *f. 1* Sepia (couleur) *m. 2* Dibujo *m.* hecho con sepia (dessin).

sept [sɛt] *adj. num.-s.* Siete.

septembre [sɛptãbʀ(ə)] *m.* Septiembre.

septentrional, -ale [sɛptãtʀijɔnal] *adj.* Septentrional.

septième [sɛtjem] *adj. 1* Séptimo, ma. ■ *2 s.* Séptimo, la séptima parte.

septuagénaire [sɛptɥaʒeneʀ] *adj.* Septuagenario, ria.

septuagésime [sɛptɥaʒezim] *f.* Septuagésima.

sépulcre [sepylkʀ(ə)] *m.* Sepulcro.

sépulture [sepyltyʀ] *f.* Sepultura.

séquelle [sekel] *f.* MÉD. Secuela.

séquence [sekãs] *f. 1* Escalera (jeux). *2* Secuencia, escena (cinéma).

séquestre [sekɛstʀ(ə)] *m.* Secuestro, embargo.

séquestrer [sekɛstʀe] *tr. 1* Secuestrar, embargar. *2* Secuestrar, recluir (isoler quelqu'un).

sérail [seʀaj] *m.* Serrallo.

séraphin [seʀafɛ̃] *m.* Serafín.

serein, -eine [səʀɛ̃, -ɛn] *adj. 1* Sereno, na (ciel, temps). *2* Sereno, na, tranquilo, la, apacible. ■ *3 m.* Sereno (humidité nocturne).

sérénade [seʀenad] *f.* Serenata.

sérénité [seʀenite] *f.* Serenidad.

serf [sɛʀ(f)] *m.* Siervo.

serge [sɛʀʒ(ə)] *f.* Sarga (tissu).

sergent [sɛrʒɑ̃] *m.* Sargento.

sériculture [serikyltyr] *f.* Sericultura.

série [seri] *f.* Serie: *en* —, en serie.

sérieux, -euse [serjø, -øz] *adj. 1* Serio, ia. *2* Serio, ia, formal (sage). *3* Importante. *4* Grave: *une rechute sérieuse*, una recaída grave. ■ *5 m.* Seriedad *f.*

serin [s(ə)rɛ̃] *m. 1* Canario. *2* fam. Bobo, tonto.

seringa [s(ə)rɛ̃ga] *m.* Jeringuilla *f.*

seringue [s(ə)rɛ̃g] *f.* Jeringa.

serment [sɛrmɑ̃] *m.* Juramento.

sermon [sɛrmɔ̃] *m.* Sermón.

sérosité [serozite] *f.* Serosidad.

serpe [sɛrp(ə)] *f.* Podadera.

serpent [sɛrpɑ̃] *m.* Serpiente *f.*

serpenter [sɛrpɑ̃te] *intr.* Serpentear.

serpentin [sɛrpɑ̃tɛ̃] *m. 1* Serpentín (d'alambic). *2* Serpentina *f.* (rouleau de papier).

serpentine [sɛrpɑ̃tin] *f.* MIL., MINÉR. Serpentina.

serpette [sɛrpɛt] *f.* Podadera.

serpillière [sɛrpijɛr] *f. 1* Bayeta (nettoyage). *2* Harpillera (grosse toile).

serrage [sɛraʒ] *m.* Presión *f.*, apretadura *f.*

serre [sɛr] *f. 1* Estufa, invernáculo *m.*, invernadero *m.* (pour plantes). ■ *2 pl.* Garras (d'oiseau).

serré, -ée [se(ɛ)re] *adj. 1* Ceñido, da, ajustado, da (vêtement). *2* Apretado, da, compacto, ta, denso, sa (compact).

serrement [sɛrmɑ̃] *m. 1* Estrechamiento, apretón. *2 — de cœur*, angustia *f.*, congoja *f.*

serrer [se(ɛ)re] *tr. 1* Apretar, estrechar, cerrar: — *les dents*, apretar los dientes. Loc. fig. — *quelqu'un de près*, acosar a uno; — *la vis à quelqu'un*, apretar las clavijas a alguien. *2* Dar (la main), estrechar (embrasser). *3* Oprimir: *cela me serre le cœur*, esto me oprime el corazón. *4* Cerrar, estrechar: — *les rangs*, apretar las filas. *5* Estar estrecho, cha, apretar (vêtement): *ces chaussures me serrent*, me aprietan estos zapatos. *6* Ceñirse, pegarse: *serrez à droite*, cíñase a la derecha. ■ *7 pr.* Estrecharse, apretarse.

serrure [sɛryr] *f.* Cerradura.

serrurerie [sɛryrri] *f.* Cerrajería.

serrurier [sɛryrje] *m.* Cerrajero.

sertir [sɛrtir] *tr.* Engastar.

sertissure [sɛrtisyr] *f.* Engaste *m.* (d'une pierre).

sérum [serɔm] *m.* Suero.

servage [sɛrvaʒ] *m.* Servidumbre *f.*, sujeción *f.*

servant [sɛrvɑ̃] *m. 1* MIL. Sirviente (d'une arme). *2 Chevalier* —, galán. *3* Persona *f.* que ayuda al sacerdote durante la misa.

servante [sɛrvɑ̃t] *f. 1* Sirvienta. *2* Sierva: — *de Dieu*, sierva de Dios.

serveur, -euse [sɛrvœr, -øz] *s. 1* Camarero, ra (restaurant). ■ *2 m.* Saque, sacador (jeux).

serviable [sɛrvjabl(ə)] *adj.* Servicial.

service [sɛrvis] *m. 1* Servicio (public, domestique). *2 — militaire*, servicio militar. *3* RELIG. Oficio, ceremonia *f.* Loc. — *funèbre*, funeral. *4* Turno, servicio: *médecin de* —, médico de turno. *5* Propina *f.* (au restaurant, au café, etc.). *6* Favor, servicio. Loc. *Rendre* — *à quelqu'un*, prestar un servicio a alguien, hacer un favor; fam. *ça peut toujours rendre* —, esto puede servir. *7 Je suis à votre* —, estoy a su disposición; fam. *qu'y a-t-il pour votre* —?, ¿en qué puedo servirle? *8* SPORTS Saque. *9 Être hors* —, estar fuera de uso. *10* Juego, servicio: — *à café, à thé*, juego de café, de té. *11* Servicio, vajilla *f.* (vaisselle). *12* Mantelería *f.* (linge de table).

serviette [sɛrvjɛt] *f. 1* Servilleta (de table). *2* Toalla (de toilette). *3* Cartera (pour documents). *4 — hygiénique*, compresa.

servile [sɛrvil] *adj.* Servil.

servir [sɛrvir] *tr. 1* Servir: — *le dessert*, servir el postre. *2* Atender (un client). *3* Ayudar: — *la messe*, ayudar a misa. ■ *4 tr.-ind.* — *à*, servir para; *à quoi ça sert?*, ¿para qué sirve eso? Loc. *Pourquoi se lamenter?, cela ne sert à rien*, ¿a qué lamentarse?, no sirve de nada. *5* Servir, hacer de (tenir lieu de). ■ *6 pr.* Servirse (prendre ce dont on a besoin). *7 Se* — *de*, utilizar, usar, servirse (utiliser). Loc. *Se* — *de quelqu'un*, aprovecharse de alguien. ▲ CONJUG. como *mentir*.

serviteur [sɛrvitœr] *m.* Servidor.

servitude [sɛrvityd] *f. 1* Servidumbre, esclavitud. *2* DR. Servidumbre.

ses [se] *adj. poss.* Sus.

sésame [sezam] *m.* Sésamo, ajonjolí (plante).

session [sesjɔ̃] *f. 1* Período *m.* de sesiones. *2* Exámenes *m. pl.* *3* Sesión (d'un concile).

sesterce [sɛstɛrs(ə)] *m.* Sestercio.

seuil [sœj] *m. 1* Umbral. *2* Puertas *f. pl.*, umbrales *pl.*: *au* — *de la mort*, a las puertas, en los umbrales de la muerte.

seul, seule [sœl] *adj. 1* Solo, la. Loc. — *à* —, *tout* —, a solas; *cela va tout* —, eso marcha solo. *2* Único, ca: *le* — *danger*, el único peligro. *3* Sólo (valeur adverbiale). ■ *4 s. Le —, la seule,* el único, la única. *5 Un —, une seule,* uno, una.

seulement [sœlmɑ̃] *adv. 1* Solamente, sólo, únicamente: *non —,* no sólo; *pas —,* ni siquiera, ni tan solo. *2* Al menos: *si —...* si al menos... *3* Sólo, justo: *il vient —d'arriver,* acaba justo de llegar. *4* Pero, solo que (mais).

seulet, -ette [sœlɛ, -ɛt] *adj.* Solito, ta.

sève [sɛv] *f.* Savia.

sévère [sevɛʀ] *adj.* Severo, ra.

sévérité [severite] *f.* Severidad.

sévir [seviʀ] *intr. 1* Castigar con rigor. *2* fig. Reinar, hacer estragos (épidémie, etc.).

sevrer [səvʀe] *tr. 1* Destetar. *2* Privar de. ▲ CONJUG. como *acheter*.

sexagénaire [sɛgz(ks)aʒenɛʀ] *adj.-s.* Sexagenario, ia.

sexe [sɛks(ə)] *m.* Sexo.

sextant [sɛkstɑ̃] *m.* Sextante.

sextuple [sɛkstypl(ə)] *adj.* Séxtuplo, pla.

sexuel, -elle [sɛksɥɛl] *adj.* Sexual.

shako [ʃako] *m.* Chacó.

si [si] *conj. 1* Si: — *tu viens nous sortirons ensemble,* si vienes saldremos juntos. *2* — *ce n'est,* sino; — *ce n'est que...,* salvo que, excepto que. *3* — *seulement,* si por lo menos. *4* Loc. — *bien que,* de manera que, así que. ■ *5 adv.* Sí (affirmation après une négation): *mais —,* claro que sí. *6* Tan (tellement): *c'est une fille — charmante!,* ¡es una chica tan encantadora! *7* — ... *que...,* por... que... ■ *8 m. invar.* MUS. Si.

siamois, -oise [sjamwa, -waz] *adj.-s.* Siamés, esa: *frères —,* hermanos siameses.

sibyllin, -ine [sibil(l)ɛ̃, -in] *adj.* Sibilino, na.

sidéral, -ale [sideral] *adj.* Sideral.

sidérer [sidere] *tr.* fam. Asombrar, dejar estupefacto, ta. ▲ CONJUG. como *accélérer*.

sidérurgie [sideʀyʀʒi] *f.* Siderurgia.

siècle [sjɛkl(ə)] *m.* Siglo.

siège [sjɛʒ] *m. 1* Sede *f.,* oficina *f.* central (d'une administration). *2* Domicilio (d'une société). *3* Asiento (pour s'asseoir). *4* Escaño, puesto (dans une assemblée). *5* Centro, foco (d'une maladie, d'un phénomène). *6* MIL. Sitio, cerco: *état de —,* estado de sitio.

siéger [sjeʒe] *intr. 1* Residir, tener su sede, radicar. *2* Ocupar una sede. *3* Celebrar sesión, reunirse. ▲ CONJUG. como *abréger*.

sien, sienne [sjɛ̃, -sjɛn] *adj.-pron. poss. 1* Suyo, ya. ■ *2 s.* Lo suyo. ■ *3 pl. Les siens,* los suyos (ses parents).

sieste [sjɛst(ə)] *f.* Siesta.

sieur [sjœʀ] *m. 1* DR. Señor. *2* Tal: *le — X,* un tal X.

sifflement [sifləmɑ̃] *m.* Silbido, silbo.

siffler [sifle] *intr.-tr. 1* Silbar. *2* Pitar (avec un sifflet). ■ *3 tr.* Silbar, pitar, abuchear.

sifflet [siflɛ] *m.* Silbato, pito.

sigle [sigl(ə)] *m.* Sigla *f.*

signal [siɲal] *m.* Señal *f.*

signalement [siɲalmɑ̃] *m.* Filiación *f.,* señas *f. pl.*

signaler [siɲale] *tr. 1* Señalar. *2* Indicar, hacer notar. Loc. *Rien à —,* sin novedad. ■ *3 pr.* Distinguirse, señalarse.

signataire [siɲatɛʀ] *s.* Signatario, ria, firmante.

signature [siɲatyʀ] *f.* Firma.

signe [siɲ] *m. 1* Signo: — *de ponctuation,* signo de puntuación. *2* Señal *f.,* seña *f.: c'est bon —,* es una buena señal. *3* Signo (symbole, zodiaque).

signer [siɲe] *tr. 1* Firmar. ■ *2 pr.* Santiguarse.

significatif, -ive [siɲifikatif, -iv] *adj.* Significativo, va.

signifier [siɲifje] *tr. 1* Significar. *2* DR. Notificar. ▲ CONJUG. como *prier*.

silence [silɑ̃s] *m.* Silencio.

silencieux, -euse [silɑ̃sjø, -øz] *adj. 1* Silencioso, sa. ■ *2 m.* Silenciador (automobiles, armes à feu).

silex [silɛks] *m.* Sílex.

silhouette [silwɛt] *f.* Silueta.

silice [silis] *f.* Sílice.

sillage [sijaʒ] *m.* MAR. Estela *f.*

sillon [sijɔ̃] *m. 1* Surco. ■ *2 pl.* poét. Arrugas *f.* (rides).

sillonner [sijɔne] *tr.* Surcar.

silo [silo] *m.* Silo.

simiesque [simjɛsk(ə)] *adj.* Simiesco, ca.

similaire [similɛʀ] *adj.* Similar.

similitude [similityd] *f.* Similitud.

simple [sɛ̃pl(ə)] *adj. 1* Simple (pur). *2* Sencillo, lla, llano, na (sans façon). *3* Simple, crédulo, la (crédule). Loc. — *d'esprit,* inocente. *4* Simple (seul). *5* Sencillo, lla, fácil. *6* Sencillo, lla (qui a peu d'ornements). ■ *7 f.* Simple *m.* (plante). ■ *8 m.* Simple (tennis).

simplet, -ette [sɛ̃plɛ, -ɛt] *adj.* Simplón, ona.

simplicité [sɛ̃plisite] *f. 1* Simplicidad, sencillez. *2* Simpleza (naïveté).

simplifier [sɛ̃plifje] *tr.* Simplificar. ▲ CONJUG. como *prier*.

simulation [simylasjɔ̃] *f.* Simulación.

simuler [simyle] *tr.* Simular.

simultané, -ée [simyltane] *adj.* Simultáneo, ea.

sincérité [sɛ̃seʀite] *f.* Sinceridad.

singe [sɛ̃ʒ] *m.* *1* Mono, mona *f.* *2* fig. Imitador, mono (imitateur). *3* pop. Patrón, patrono.

singerie [sɛ̃ʒʀi] *f.* Mueca, gesto *m.*

singulariser [sɛ̃gylaʀize] *tr.* *1* Singularizar. ■ *2 pr.* Distinguirse, singularizarse.

singularité [sɛ̃gylaʀite] *f.* Singularidad.

singulier, -ière [sɛ̃gylje, -jɛʀ] *adj.-m.* Singular.

sinistre [sinistʀ(ə)] *adj.* *1* Siniestro, tra. *2* Siniestro, tra, triste, aburrido, da (ennuyeux). ■ *3 m.* Siniestro.

sinistré, -ée [sinistʀe] *adj.-s.* Siniestrado, da, damnificado, da.

sinon [sinɔ̃] *conj.* *1* Si no (autrement): *dépêche-toi, — tu vas rater ton train,* date prisa, si no vas a perder el tren. *2* Sino (excepté).

sinuosité [sinɥozite] *f.* Sinuosidad.

sionisme [sjɔnism(ə)] *m.* Sionismo.

siphon [sifɔ̃] *m.* Sifón.

siphonné, ée [sifɔne] *adj.-fam.* Chiflado, da, guillado, da.

sire [siʀ] *m.* *1* Señor (titre). *2* Majestad *f.* (roi).

sirène [siʀɛn] *f.* *1* MYTH. Sirena. *2* Sirena (d'alarme, etc.).

sirop [siʀo] *m.* *1* Jarabe (médicamenteux). *2* Almíbar.

siroter [siʀɔte] *tr.* fam. Beber a sorbos y paladeando.

sis, sise [si, siz] *adj.* Sito, ta, situado, da.

sismique [sismik] *adj.* Sísmico, ca.

site [sit] *m.* Sitio, paisaje.

sitôt [sito] *adv.* Tan pronto como. Loc. — *dit, — fait,* dicho y hecho; *pas de —,* no tan pronto. *loc. conj. — que,* tan pronto como, luego que, al instante que.

situation [sitɥasjɔ̃] *f.* Situación.

situer [sitɥe] *tr.* Situar.

six [sis] *adj. num.-m.* *1* Seis. *2* Sexto, ta. ▲ Solo o en final de frase se pronuncia *sis.*

sixième [sizjɛm] *adj. num.-s.* *1* Sexto, ta. ■ *2 m.* Sexto piso (étage). ■ *3 f.* Primer curso *m.* de bachillerato francés.

ski [ski] *m.*. Esquí.

skieur, -euse [skjœʀ, -øz] *s.* Esquiador, ra.

smoking [smɔkiŋ] *m.* Smoking.

snobisme [snɔbism(ə)] *m.* Esnobismo.

sobre [sɔbʀ(ə)] *adj.* Sobrio, bria.

sobriété [sɔbʀijete] *f.* Sobriedad.

sobriquet [sɔbʀikɛ] *m.* Apodo, mote.

soc [sɔk] *m.* Reja *f.* (de la charrue).

sociable [sɔsjabl(ə)] *adj.* Sociable.

social, -ale [sɔsjal] *adj.* Social.

socialiser [sɔsjalize] *tr.* Socializar.

socialisme [sɔsjalism(ə)] *m.* Socialismo.

sociétaire [sɔsjetɛʀ] *adj.-s.* Socio, cia.

société [sɔsjete] *f.* Sociedad.

sociologie [sɔsjɔlɔʒi] *f.* Sociología.

socle [sɔkl(ə)] *m.* Zócalo.

socque [sɔk] *m.* Chanclo, zoclo.

soda [sɔda] *m.* Soda *f.*

sodium [sɔdjɔm] *m.* Sodio.

sœur [sœʀ] *f.* Hermana.

sofa [sɔfa] *m.* Sofá.

soi [swa] *pron. pers.* Sí, sí mismo, ma. Loc. *Avec —,* consigo; *soi-même,* sí mismo, uno mismo; *chez —,* en su propia casa, en su país; *en —,* de sí, suyo; *à part —,* para sí, en su fuero interno; *cela va de —,* ni que decir tiene, esto cae de su propio peso; *revenir à —,* volver en sí.

soi-disant [swadizɑ̃] *adj. invar.* *1* Sedicente, supuesto, ta. *2 loc. adv.* Según dicen, aparentemente (semble-t-il).

soie [swa] *f.* *1* Seda. *2* Seta, cerda (poil).

soif [swaf] *f.* Sed.

soigner [swaɲe] *tr.* *1* Cuidar: *— un travail,* cuidar un trabajo. *2* Atender a, asistir a: *— un malade,* asistir, cuidar a un enfermo. Loc. fam. *Il faut te faire —!,* ¡estás chalado, da! *3* Tratar, curar: *une maladie aux antibiotiques,* tratar una enfermedad con antibióticos. *4* Esperar, pulir (parfaire). ■ *5 pr.* Cuidarse.

soigneux, -euse [swaɲø, -øz] *adj.* *1* Cuidadoso, sa. *2* Esmerado, da.

soin [swɛ̃] *m.* *1* Cuidado. Loc. *Avoir — de,* ocuparse de; *prendre — de,* ocuparse en, esforzarse en. *2* Esmero (grand soin). ■ *3 pl.* Cuidados.

soir [swaʀ] *m.* *1* Tarde *f.* *2* Noche *f.* (après le coucher du soleil).

soit [swa] *1 v. être.* ■ *2 conj.* Sea, supongamos (supposition). *3* O sea, es decir (c'est-à-dire). *4 Soit... soit,* ya... ya... o... o...; sea... sea... ■ *5 adv.* [swat] Sea, de acuerdo, bueno.

soixantaine [swasɑ̃tɛn] *f.* *1* Unos *m. pl.* sesenta. *2 La —,* los *m. pl.* sesenta (âge).

soixante [swasɑ̃t] *adj. num.-s. invar.* Sesenta.

soixantième [swasɑ̃tjɛm] *adj.-s.* *1* Sexagésimo, ma. ■ *2 m.* Sesentavo.

soja [sɔʒa] *m.* Soja *f.*

sol [sɔl] *m.* *1* Suelo. *2* Terreno. *3* MUS. Sol (note).

solaire [sɔlɛʀ] *adj.* Solar.

soldat [sɔlda] *m.* Soldado: *simple —,* soldado raso.

solde [sɔld(ə)] *f.* *1* Sueldo *m.* Loc. *Être à la — de,* estar a sueldo de. ■ *2 m.* Saldo (d'un compte). ■ *3 m. pl.* Rebajas *f.,* liquidación *f. sing.*

solder [sɔlde] *tr. 1* COMM. Saldar. ■ *2 pr. Se — par,* resultar.

sole [sɔl] *f.* Lenguado *m.* (poisson).

solécisme [sɔlesism(ə)] *m.* Solecismo.

soleil [sɔlɛj] *m. 1* Sol: — *levant, couchant,* sol naciente, poniente. *2* Girasol (fleur). *3* fam. *Piquer un* —, ruborizarse, ponerse colorado, da. *4* Girándula *f.,* rueda *f.* (feu d'artifice).

solennel, -elle [sɔlanɛl] *adj.* Solemne.

solennité [sɔlanite] *f.* Solemnidad.

solfège [sɔlfɛʒ] *m.* Solfeo.

solidaire [sɔlidɛʀ] *adj.* Solidario, ria.

solidarité [sɔlidaʀite] *f.* Solidaridad.

solide [sɔlid] *adj. 1* Sólido, da. Loc. *Un — gaillard,* un mocetón. *2* fam. Gran, buen: *un — appétit,* un buen apetito. *3* Resistente (matériel). ■ *4 m.* Sólido.

solidifier [sɔlidifje] *tr.* Solidificar. ▲ CONJUG. como *prier.*

solidité [sɔlidite] *f.* Solidez.

soliloque [sɔlilɔk] *m.* Soliloquio.

soliste [sɔlist(ə)] *s.* Solista.

solitaire [sɔlitɛʀ] *adj.-s.* Solitario, ia.

solitude [sɔlityd] *f.* Soledad.

solive [sɔliv] *f.* Viga (poutre).

solliciter [sɔ(l)lisite] *tr.* Solicitar, pedir.

sollicitude [sɔ(l)lisityd] *f.* Solicitud.

solo [sɔlo] *m.* MUS. Solo.

solstice [sɔlstis] *m.* Solsticio.

soluble [sɔlybl(ə)] *adj.* Soluble.

solution [sɔlysjɔ̃] *f. 1* Solución. *2 Solutions de continuité,* soluciones de continuidad.

sombre [sɔ̃bʀ(ə)] *adj. 1* Sombrío, ia, oscuro, ra (couleur): *il fait —,* está oscuro. *2* Melancólico, ca, taciturno, na.

sombrer [sɔ̃bʀe] *intr.* MAR. Zozobrar, hundirse, irse a pique.

sommaire [sɔ(m)mɛʀ] *adj. 1* Sumario, ria, sucinto, ta. ■ *2 m.* Sumario, resumen.

somme [sɔm] *f. 1* Suma (addition): *faire la* —, sumar, hacer la suma. *2* Cantidad, suma (d'argent). *3 Bête de* —, bestia de carga. *4 loc. adv. En* —, — *toute,* en resumen, en resumidas cuentas. ■ *5 m.* Sueño.

sommeil [sɔmɛj] *m.* Sueño.

sommelier [sɔməlje] *m.* Bodeguero, botillero (dans un restaurant).

sommer [sɔme] *tr.* Intimar, conminar, requerir.

sommet [sɔmɛ] *m. 1* Cumbre *f.,* cima *f.,* cúspide *f. 2* GÉOM. Vértice.

sommier [sɔmje] *m. 1* Somier (de lit). *2* Fichero (gros registre ou dossier). *3* Yugo (d'une cloche). *4* Secreto (d'un orgue). *5* ARCHIT. Sotabanco.

sommité [sɔm(m)ite] *f.* Eminencia, notabilidad, lumbrera (personnage).

somnambulisme [sɔmnãbylism(ə)] *m.* Sonambulismo.

somnifère [sɔmnifɛʀ] *m.* Somnífero, soporífero.

somnolence [sɔmnɔlãs] *f.* Somnolencia.

somptueux, -euse [sɔ̃ptɥø, -øz] *adj.* Suntuoso, sa.

son [sɔ̃], **sa** [sa], **ses** [se] *adj. poss.* Su, sus: *son frère,* su hermano; *sa valise,* su maleta; *ses livres,* sus libros.

son [sɔ̃] *m. 1* Sonido, son. *2* Salvado, afrecho (des céréales). *3* Loc. fam. *Tache de* —, peca.

sonate [sɔnat] *f.* MUS. Sonata.

sondage [sɔ̃daʒ] *m.* Sondeo.

sonde [sɔ̃d] *f. 1* MAR., MÉD. Sonda. *2* TECHN. Sonda, barrena.

songe [sɔ̃ʒ] *m.* Sueño, ensueño.

songer [sɔ̃ʒe] *intr. 1* Soñar (rêver). *2* Pensar. Loc. *Songez-y bien!,* ¡piénselo bien!; *¡n'y songez pas!,* ¡ni lo sueñe!, ¡ni lo piense! *3* — *que,* considerar que. ▲ CONJUG. como *engager.*

songeur, euse [sɔ̃ʒœʀ, øz] *adj. 1* Pensativo, va. ■ *2 s.* Soñador, ra.

sonnaille [sɔnaj] *f.* Cencerro *m.*

sonnant, -ante [sɔnã, -ãt] *adj. 1* En punto: *à six heures sonnantes,* a las seis en punto. *2 Espèces sonnantes et trébuchantes,* moneda contante y sonante.

sonner [sɔne] *intr. 1* Sonar (rendre un son). *2* Tañer (les cloches). *3* Dar: *midi sonne,* dan las doce. *4* Tocar el timbre, llamar (à la porte). ■ *5 tr. ind. — de,* tocar: — *de la trompette,* tocar la trompeta. ■ *6 tr.* Tocar, tañer (faire résonner): — *le glas,* tocar a difunto. *7* Llamar (par une sonnette). *8* Sonar, dar: *la pendule a sonné six heures,* el reloj ha dado las seis. *9* Dar un palizón, sacudir (frapper).

sonnerie [sɔnʀi] *f. 1* Timbre *m.* (du téléphone, du réveil). *2* Campaneo *m.,* repique *m.* (cloches). *3* Toque *m.* (de clairon).

sonnet [sɔnɛ] *m.* Soneto.

sonnette [sɔnɛt] *f. 1* Campanilla. *2* Timbre *m.*

sonore [sɔnɔʀ] *adj.* Sonoro, ra.

sonorité [sɔnɔʀite] *f.* Sonoridad.

sophisme [sɔfism(ə)] *m.* Sofisma.

sophistiquer [sɔfistike] *tr.* Adulterar.

sorbet [sɔʀbɛ] *m.* Sorbete.

sorcier, -ière [sɔʀsje, -jɛʀ] *s.* Brujo, ja, hechicero, ra.

sordide [sɔʀdid] *adj.* Sórdido, da.

sort [sɔʀ] *m. 1* Suerte *f.* Loc. *Tirage au* —, sorteo; *tirer au* —, sortear. *2* Sortilegio, aojo: *jeter un* — *à quelqu'un,* hechizar, aojar a alguien. *3* Destino, fortuna *f.*

sortant, -ante [sɔrtɑ̃, -ɑ̃t] *adj.* Saliente, que sale.

sorte [sɔrt(ə)] *f. 1* Clase, tipo *m.,* especie (espèce): *une — de...,* una especie de... *2* Modo *m.,* manera: *de la —,* de este modo, así: *en quelque —,* en cierto modo, por decirlo así. *3 Faire en — que,* procurar que. *4 loc. conj. De (telle) — que...,* de tal modo que...

sortie [sɔrti] *f.* Salida.

sortilège [sɔrtilɛʒ] *m.* Sortilegio, hechizo, maleficio.

sortir [sɔrtir] *intr. 1* Salir (partir). *2* Salirse. *3 fam.* Acabar de. *4* Salir (número de loterie). *5* Salir, proceder. ▪ *6 tr.* Sacar (extraire, accompagner quelqu'un). *7* Publicar (un livre). ▪ *8 pr.* **S'en —,** arreglárselas, conseguir salir del apuro. ▲ CONJUG. como *mentir.*

sosie [sɔzi] *m.* Sosia.

sot, sotte [so, sɔt] *adj.-s.* Tonto, ta, necio, cia, bobo, ba.

sottise [sɔtiz] *f.* Tontería, necedad.

sou [su] *m. 1* Perra *f.* chica, cinco céntimos. ▪ *2 pl. fam.* Cuartos, dineros.

soubresaut [subrəso] *m.* Sobresalto, estremecimiento.

soubrette [subrɛt] *f.* Doncella, sirvienta.

souche [suʃ] *f. 1* Cepa, tocón *m.* (d'un arbre). *2* Tronco *m.,* origen *m.* (d'une famille). *3* Matriz (d'un document).

souchet [suʃɛ] *m. 1* Juncia *f. 2 — comestible,* chufa *f.*

souci [susi] *m. 1* Preocupación *f.,* cuidado. Loc. *Se faire du —,* preocuparse, inquietarse. *2* Deseo, ansia *f. 3* Maravilla *f.* (plante).

soucier (se) [susje] *pr.* Inquietarse, preocuparse por, cuidar de. ▲ CONJUG. como *prier.*

soucieux, -euse [susjø, -øz] *adj.* Inquieto, ta, preocupado, da.

soucoupe [sukup] *f. 1* Platillo *m. 2 — volante,* platillo volante.

soudain [sudɛ̃] *adv.* De repente, súbitamente.

soudain, -aine [sudɛ̃, -ɛn] *adj.* Súbito, ta.

soude [sud] *f.* Sosa: *— caustique,* sosa cáustica.

souder [sude] *tr.* Soldar.

soudoyer [sudwaje] *tr. 1* Asoldar, pagar. *2* Sobornar. ▲ CONJUG. como *employer.*

soudure [sudyr] *f.* Soldadura.

soufflage [suflaʒ] *m.* Sopladura *f.*

souffle [sufl(ə)] *m. 1* Soplo (de l'air). *2* Aliento (respiration). *3* Inspiración *f. 4* MÉD. Soplo (cardiaque).

soufflé, -ée [sufle] *adj. 1* Inflado, da, hinchado, da. ▪ *2 m.* CUIS. «Soufflé».

souffler [sufle] *intr. 1* Soplar: *le vent souffle,* el viento sopla. *2* Resoplar. ▪ *3 tr.* Soplar, aventar (le feu). *4* Apagar: *— une bougie,* apagar una vela. *5* Coger, soplar (jeu de dames). *6* Volar (par une explosion). *7* Soplar (le verre). *8* Susurrar, decir en voz baja. Loc. *Ne pas — mot,* no decir ni pío, no chistar. *9 fam.* Dejar patitieso, sa (stupéfier). *10* Soplar, birlar: *— un emploi à,* birlar un empleo a.

soufflet [suflɛ] *m. 1* Fuelle (pour souffler, entre deux wagons, etc.). *2* Bofetón, bofetada *f.* (gifle).

souffleter [sufləte] *tr.* Abofetear. ▲ CONJUG. como *jeter.*

souffleur [suflœr] *m. 1* Soplador (de verre). *2* THÉÁT. Apuntador.

souffrance [sufrɑ̃s] *f. 1* Sufrimiento *m.,* padecimiento *m. 2 En —,* en suspenso, detenido, da.

souffrant, -ante [sufrɑ̃, -ɑ̃t] *adj.* Indispuesto, ta, enfermo, ma.

souffrir [sufrir] *intr. 1* Padecer, sufrir. *2 — de,* pasar, sentir: *nous avons souffert du froid,* hemos pasado frío. *3* Soportar, tolerar, aguantar. *4* Permitir: *souffrez que...* (avec subj.) permita que... *5* Admitir: *cela ne souffre aucun retard,* esto no admite retraso. ▲ CONJUG. como *offrir.*

soufre [sufr(ə)] *m.* Azufre.

souhait [swɛ] *m. 1* Deseo, anhelo. Loc. *À vos souhaits!* ¡Jesús! (à une personne qui éternue). *2 loc. adv. À —,* a pedir de boca. ▪ *3 pl.* Felicitaciones *f.*

souhaiter [swete] *tr.* Desear. Loc. *— le bonjour,* dar los buenos días.

souiller [suje] *tr. 1* Manchar, ensuciar (salir). *2 fig.* Mancillar.

souillon [sujɔ̃] *f.* Criada sucia.

soûl, soûle [su, sul] *adj. 1 fam.* Borracho, cha (ivre). *2* Harto, ta. *3 loc. adv. Tout mon —,* hasta saciarme, tanto como quiera: *tout son —,* hasta hartarse.

soulager [sulaʒe] *tr. 1* Aliviar, aligerar, descargar. *2 fig.* Aliviar (peine, etc.). ▪ *3 pr. fam.* Satisfacer una necesidad corporal. ▲ CONJUG. como *engager.*

soûler [sule] *tr. 1 fam.* Emborrachar, embriagar. *2* Saciar, llenar (de compliments). *3 fam.* Cansar, aburrir (fatiguer). ▪ *4 pr.* Emborracharse, embriagarse.

soulèvement [sulɛvmɑ̃] *m. 1* Levantamiento. *2* Levantamiento, sublevación *f.* (révolte).

soulever [sulve] *tr. 1* Levantar (un poids, un rideau, de la poussière, etc.). Loc.

fig. — *le cœur*, revolver el estómago. *2* Levantar, alzar, sublevar (exciter à la révolte). *3* Provocar, ocasionar. *4* Plantear (une question, un problème). ■ *5 pr.* Sublevarse, alzarse, rebelarse. ▲ CONJUG. como *acheter*.

soulier [sulje] *m.* Zapato.

souligner [suliɲe] *tr. 1* Subrayar. *2* fig. Recalcar, hacer hincapié en.

soumettre [sumɛtR(ə)] *tr. 1* Someter. ■ *2 pr.* Someterse, conformarse. ▲ CONJUG. como *mettre*.

soumission [sumisjɔ̃] *f. 1* Sumisiqn. *2* COMM. Licitación, oferta.

soupape [supap] *f.* TECHN. Válvula: — *de sûreté*, válvula de seguridad.

soupçon [supsɔ̃] *m. 1* Sospecha *f.* 2 fig. Pizca *f.*, un poquito: *un — de sel*, una pizca de sal.

soupe [sup] *f. 1* Sopa. Loc. *Il est — au lait*, es muy irascible. *2* MIL. Rancho *m.* 3 — *populaire*, comedor *m.* de beneficencia.

souper [supe] *m.* Cena *f.*

souper [supe] *intr. 1* Cenar. *2* fam. *J'en ai soupé*, estoy hasta la coronilla.

soupeser [supəze] *tr.* Sopesar. ▲ CONJUG. como *acheter*.

soupière [supjɛR] *f.* Sopera.

soupir [supiR] *m.* Suspiro: *pousser un —*, dar un suspiro.

soupirail [supiRaj] *m.* Respiradero, lumbrera *f.*, tragaluz.

soupirant [supiRɑ̃] *m.* Pretendiente enamorado.

soupirer [supire] *intr.* Suspirar: — *pour, après*, suspirar por.

souple [supl(ə)] *adj. 1* Flexible. *2* Ágil. *3* fig. Flexible, acomodadicio, ia, acomodaticio, ia (accommodant).

souplesse [suplɛs] *f. 1* Flexibilidad, elasticidad. *2* Agilidad, soltura.

source [suRs(ə)] *f. 1* Fuente, manantial *m.* 2 fig. Fuente, origen *m.*

sourcier [suRsje] *m.* Zahorí.

sourcil [suRsi] *m.* Ceja *f.*

sourciller [suRsije] *intr. Sans —*, sin pestañear, sin inmutarse. Ús. solamente en frase negativa.

sourd, sourde [sur, suRd(ə)] *adj. 1* Sordo, da. Loc. — *comme un pot*, sordo como una tapia. *2* fig. Sordo, da, insensible. ■ *3 s.* Sordo, da. Loc. *Crier comme un —*, gritar como un loco, muy fuerte; *frapper comme un —*, golpear muy fuerte.

sourdine [suRdin] *f.* MUS. Sordina. Loc. *En —*, con sordina.

sourd-muet, sourde-muette [suRmyɛ, suRdmyɛt] *adj.-s.* Sordomudo, da.

sourdre [suRdR(ə)] *intr.* Brotar, surgir. ▲

CONJUG. Ús. sólo en inf. y en las terceras pers. del Pres. de Indic.: *il sourd, ils sourdent*.

souriant, -ante [suRjɑ̃, -ɑ̃t] *adj.* Risueño, ña, sonriente.

souricière [suRisjɛR] *f.* Ratonera (piège).

sourire [suRiR] *m.* Sonrisa *f.*

sourire [suRiR] *intr.* Sonreír, sonreírse. ▲ CONJUG. como *rire*.

souris [suRi] *f. 1* Ratón *m.* 2 fam. Muchacha (fille).

sournois, -oise [suRnwa, waz] *adj.-s.* Disimulado, da, solapado, da, socarrón, ona, hipócrita.

sous [su] *prép. 1* Debajo de, bajo: — *la table*, bajo la mesa. *2* Bajo: — *sa direction*, bajo su dirección. *3* Durante el reinado de. *4* Dentro de: *je vous répondrai — huitaine*, le responderé dentro de ocho días; — *peu*, dentro de poco. *5* A: — *les ordres de*, a las órdenes de. *6* — *les yeux de tout le monde*, ante los ojos de todos. *7* So: — *peine de*, so pena de; — *prétexte*, so pretexto.

sous-bois [subwa(ɑ)] *m.* Monte bajo, maleza *f.*

sous-chef [suʃɛf] *m.* Subjefe.

souscription [suskRipsjɔ̃] *f.* Suscripción.

souscrire [suskRiR] *tr. 1* Suscribir. ■ *2 tr. ind.* — *à*, consentir en, convenir en. *3* Suscribirse: — *à une revue*, suscribirse a una revista. ▲ CONJUG. como *écrire*.

sous-cutané, -ée [sukytane] *adj.* Subcutáneo, ea.

sous-développé, -ée [sudevlɔpe] *adj.* Subdesarrollado, da.

sous-diacre [sudjakR(ə)] *m.* Subdiácono.

sous-directeur, -trice [sudiRɛktœR, -tRis] *s.* Subdirector, ra.

sous-entendre [suzɑ̃tɑ̃dR(ə)] *tr.* Sobrentender. ▲ CONJUG. como *rendre*.

sous-locataire [sulɔkatɛR] *s.* Subarrendatario, ria.

sous-louer [sulwe] *tr.* Subarrendar, realquilar.

sous-main [sumɛ̃] *m. invar. 1* Carpeta *f.* 2 *loc. adv. En —*, en secreto.

sous-marin, -ine [sumaRɛ̃, -in] *adj. 1* Submarino, na. ■ *2 m.* Submarino.

sous-officier [suzɔfisje] *m.* MIL. Suboficial.

sous-ordre [suzɔRdR(ə)] *m.* Subalterno, subordinado.

sous-préfet [supRefɛ] *m.* Subprefecto.

sous-secrétaire [sus(ə)kRetɛR] *m.* Subsecretario.

soussigné, -ée [susiɲe] *adj.-s.* Infrascrito, ta, abajo firmante: *je —*, el abajo firmante.

sous-sol [susɔl] *m.* Subsuelo.

sous-titre [sutitʀ(ə)] *m.* Subtítulo.
soustraction [sustʀaksjɔ̃] *f.* Sustracción.
soustraire [sustʀɛʀ] *tr. 1* Sustraer, robar. *2* MATH. Sustraer, restar. ■ *3 pr.* Sustraerse. ▲ CONJUG. como *traire.*
soutane [sutan] *f.* Sotana.
soute [sut] *f. 1* MAR. Pañol *m.* 2 Compartimiento *m.* de equipajes (dans un avion).
soutenable [sutnabl(ə)] *adj.* Defendible.
soutenance [sutnɑ̃s] *f.* Defensa de una tesis.
soutènement [sutɛnmɑ̃] *m.* Contención *f.: mur de —,* muro de contención.
souteneur [sutnœʀ] *m.* Rufián, chulo.
soutenir [sutniʀ] *tr. 1* Sostener. *2* Sostener, ayudar, animar (aider). *3* Apoyar. *4* Defender (une thèse). *5* Afirmar: *je soutiens que...,* afirmo que... *6* Mantener, sustentar, sostener. *7* MIL. Aguantar, resistir. ▲ CONJUG. como *venir.*
soutenu, -ue [sutny] *adj. 1* Elevado, da, noble (style). *2* Constante, persistente.
souterrain, -aine [sutɛʀɛ̃, -ɛn] *adj. 1* Subterráneo, nea. ■ *2 m.* Subterráneo.
soutien [sutjɛ̃] *m.* Sostén, apoyo.
soutirer [sutiʀe] *tr. 1* Trasegar (un liquide). *2 fig.* Sonsacar, sacar con maña: *— de l'argent à quelqu'un,* sacar dinero a alguien.
souvenir [suvniʀ] *m.* Recuerdo.
souvenir (se) [suvniʀ] *pr. 1* Acordarse, recordar. ■ *2 impers. Il me souvient,* creo recordar, creo. ▲ CONJUG. como *venir.*
souvent [suvɑ̃] *adv.* A menudo, frecuentemente, muchas veces.
souverain, -aine [suvʀɛ̃, -ɛn] *adj.-s. 1* Soberano, na. *2 Le —pontife,* el sumo pontífice. ■ *3 m.* Soberano (monnaie).
soviétique [sɔvjetik] *adj.-s.* Soviético, ca.
soyeux, -euse [swajø, -øz] *adj.* Sedoso, sa.
spacieux, -euse [spasjø, -øz] *adj.* Espacioso, sa.
spadassin [spadasɛ̃] *m.* Asesino a sueldo.
sparadrap [spaʀadʀa] *m.* Esparadrapo.
spartiate [spaʀsjat] *adj.-s. 1* Espartano, na. ■ *2 f. pl.* Sandalias.
spasmodique [spasmɔdik] *adj.* Espasmódico, ca.
spatule [spatyl] *f.* Espátula.
spécial, -ale [spesjal] *adj.* Especial.
spécialiste [spesjalist(ə)] *s.* Especialista.
spécialité [spesjalite] *f.* Especialidad.
spécieux, -euse [spesjø, -øz] *adj.* Especioso, sa.
spécifier [spesifje] *tr.* Especificar. ▲ CONJUG. como *prier.*
spécifique [spesifik] *adj.-m.* Específico, ca.
spécimen [spesimɛn] *m.* Espécimen,

muestra *f.: des spécimens,* unos especímenes.
spectacle [spɛktakl(ə)] *m.* Espectáculo.
spectaculaire [spɛktakylɛʀ] *adj.* Espectacular.
spectateur, -trice [spɛktatœʀ, -tʀis] *s.* Espectador, ra.
spectral, -ale [spɛktʀal] *adj. 1* Espectral. *2* PHYS. Espectral.
spéculateur, -trice [spekylatœʀ, -tʀis] *s.* Especulador, ra.
spéculation [spekylɑsjɔ̃] *f.* Especulación.
spéculer [spekyle] *intr.* Especular.
spéléologie [speleɔlɔʒi] *f.* Espeleología.
sperme [spɛʀm(ə)] *m.* Esperma *f.,* Semen.
sphère [sfɛʀ] *f. 1* GÉOM., ASTRON. Esfera. *2* Esfera, campo *m.* (milieu).
sphinx [sfɛ̃ks] *m. invar.* Esfinge *f.*
spinal, -ale [spinal] *adj.* ANAT. Espinal.
spirale [spiʀal] *f.* Espiral.
spire [spiʀ] *f.* Espira.
spiritisme [spiʀitism(ə)] *m.* Espiritismo.
spiritualité [spiʀitɥalite] *f.* Espiritualidad.
spirituel, -elle [spiʀitɥɛl] *adj. 1* Espiritual. *2* Discreto, ta, agudo, da, ingenioso, sa (drôle).
spiritueux, -euse [spiʀitɥø, -øz] *adj. 1* Espirituoso, sa. ■ *2 m.* Bebida *f.* espirituosa.
spleen [splin] *m.* Esplín.
splendeur [splɑ̃dœʀ] *f.* Esplendor *m.*
splendide [splɑ̃did] *adj.* Espléndido, da.
spolier [spɔlje] *tr.* Expoliar. ▲ CONJUG. como *prier.*
spongieux, -euse [spɔ̃ʒjø, -øz] *adj.* Esponjoso, sa.
spontanéité [spɔ̃taneite] *f.* Espontaneidad.
sporadique [spɔʀadik] *adj.* Esporádico, ca.
spore [spɔʀ] *f.* BOT. Espora.
sport [spɔʀ] *m. 1* Deporte: *faire du —,* practicar los deportes. ■ *2 adj. De —,* de deporte, deportivo, va, de sport: *voiture de —,* coche deportivo.
sportif, -ive [spɔʀtif, -iv] *adj.* Deportivo, va. ■ *s.* Deportista.
squameux, -euse [skwamø, -øz] *adj.* Escamoso, sa.
square [skwaʀ] *m.* Plaza *f.* con jardín público.
squelette [skəlɛt] *m. 1* Esqueleto. *2 fig.* Armazón *f.*
stabiliser [stabilize] *tr.* Estabilizar.
stabilité [stabilite] *f.* Estabilidad.
stable [stabl(ə)] *adj.* Estable.
stade [stad] *m. 1* Estadio. *2* Fase *f.,* estadio (phase).
stage [staʒ] *m. 1* Pasantía *f.* (avocat). *2*

Período de estudios prácticos, prácticas *f. pl.* 3 Cursillo.

stagiaire [staʒjɛʀ] *adj.-s.* Que está de prueba, de prácticas.

stagnant, -ante [stagnã, -ãt] *adj.* Estancado, da.

stalactite [stalaktit] *f.* Estalactita.

stalagmite [stalagmit] *f.* Estalagmita.

stalle [stal] *f. 1* Silla de coro (église). *2* Compartimiento *m.* para un caballo (dans une écurie).

stance [stɑ̃s] *f.* Estancia.

stand [stɑ̃d] *m. 1* Barraca *f.* de tiro al blanco (de tir). *2* Stand, caseta *f.* (dans une exposition). *3* Puesto de avituallamiento (d'un coureur sur piste).

standard [stɑ̃daʀ] *adj. invar. 1* Estándar, standard. ■ *2 m.* Modelo, tipo, estándar. Loc. — *de vie,* estándar de vida. *3* Centralita *f.* (téléphonique).

station [stɑ(a)sjɔ̃] *f. 1* Pausa, parada (arrêt). *2* Posición, postura: *rester en — verticale,* quedar en posición vertical. *3* RELIG. Estación. *4* Estación (de métro). *5* Parada (d'autobus, taxis). *6* Estación (météorologique, éméttrice). *7 — thermale,* balneario *m.*

stationnaire [stasjɔnɛʀ] *adj.* Estacionario, ria.

stationnement [stasjɔnmã] *m.* Estacionamiento.

stationner [stasjɔne] *intr.* Estacionarse, aparcar (un véhicule), estacionarse (une personne).

statique [statik] *adj.* Estático, ca.

statistique [statistik] *adj. 1* Estadístico, ca. ■ *2 f.* Estadística.

statue [staty] *f.* Estatua.

statuer [statɥe] *intr.* Estatuir, resolver, decidir.

stature [statyʀ] *f.* Estatura.

statut [staty] *m.* Estatuto.

stéarine [stearin] *f.* Estearina.

stèle [stɛl] *f.* Estela.

stellaire [ste(ɛl)lɛʀ] *adj.* Estelar, sidéreo, rea.

sténographier [stenɔgʀafje] *tr.* Estenografiar, taquigrafiar. ▲ CONJUG. como *prier.*

stentor [stɑ̃tɔʀ] *m.* *Voix de —,* voz estentórea.

steppe [stɛp] *f.* Estepa.

stère [stɛʀ] *m.* Estéreo.

stéréotypie [steʀeɔtipi] *f.* Estereotipia.

stérile [steʀil] *adj.* Estéril.

stériliser [steʀilize] *tr.* Esterilizar.

stérilité [steʀilite] *f.* Esterilidad.

sterling [stɛʀliŋ] *adj. invar. Livre —,* libra esterlina.

sternum [stɛʀnɔm] *m.* Esternón.

stigmatiser [stigmatize] *tr.* Estigmatizar.

stimuler [stimyle] *tr.* Estimular.

stipe [stip] *m.* BOT. Estipe, estípite.

stipulation [stipylasjɔ̃] *f.* Estipulación.

stipule [stipyl] *f.* BOT. Estípula.

stipuler [stipyle] *tr.* Estipular.

stock [stɔk] *m. 1* Existencias *f. pl.,* provisión *f.,* reservas *f. pl.* 2 fam. Depósito.

stoïcisme [stɔisism(ə)] *m.* Estoicismo.

stoïque [stɔik] *adj.-s.* Estoico, ca.

stomacal, -ale [stɔmakal] *adj.* Estomacal.

stoppage [stɔpaʒ] *m.* Zurcido.

stopper [stɔpe] *tr. 1* Zurcir (un vêtement). *2* Parar, detener. ■ *3 intr.* Pararse, detenerse (s'arrêter).

store [stɔʀ] *m. 1* Persiana *f.: — vénitien,* persiana veneciana. *2* Toldo (de magasin).

strabisme [stʀabism(ə)] *m.* Estrabismo.

strangulation [stʀɑ̃gylasjɔ̃] *f.* Estrangulación.

stratagème [stʀataʒɛm] *m.* Estratagema *f.*

strate [stʀat] *f.* GÉOL. Estrato *m.*

stratégie [stʀateʒi] *f.* Estrategia.

stratifier [stʀatifje] *tr.* Estratificar. ▲ CONJUG. como *prier.*

stratigraphie [stʀatigʀafi] *f.* Estratigrafía.

stratosphère [stʀatɔsfɛʀ] *f.* Estratosfera.

stratus [stʀatys] *m.* Estrato (nuage).

strict, stricte [stʀikt(ə)] *adj.* Estricto, ta.

stridence [stʀidɑ̃s] *f.* Estridencia.

strident, -ente [stʀidɑ̃, -ãt] *adj.* Estridente.

strie [stʀi] *f.* Estría.

strier [stʀije] *tr.* Estriar. ▲ CONJUG. como *prier.*

strophe [stʀɔf] *f.* Estrofa.

estructure [stʀyktyʀ] *f.* Estructura.

strychnine [stʀiknin] *f.* Estricnina.

stuc [styk] *m.* Estuco.

studieux, -euse [stydjø, -øz] *adj.* Estudioso, sa.

studio [stydjo] *m.* Estudio (d'artiste, cinématographique).

stupéfaction [stypefaksjɔ̃] *f.* Estupefacción.

stupéfiant, -ante [stypefjã, -ãt] *adj. 1* Estupefactivo, va, estupefaciente. ■ *2 m.* Estupefaciente (narcotique).

stupeur [stypœʀ] *f.* Estupor *m.*

estupidité [stypidite] *f.* Estupidez.

stupre [stypʀ(ə)] *m.* Estupro.

style [stil] *m. 1* Estilo. *2* BOT. Estilo.

stylet [stilɛ] *m.* Estilete.

styliser [stilize] *tr.* Estilizar.

stylo [stilo] *m. 1* Estilográfica *f.* 2 — *à bille,* bolígrafo.

su (au su de) [osyd] *loc. prép.* Con conocimiento de.

suaire [sɥɛʀ] *m.* Sudario.

suant, -ante [sɥã, -ãt] *adj.* fam. Aburrido, da (ennuyeux).

suavité [sɥavite] *f.* Suavidad.

subalterne [sybaltɛʀn(ə)] *adj.-s.* Subalterno, na.

subconscient, -ente [sypkɔ̃sjã, -ãt] *adj.-m.* Subconsciente.

subdiviser [sydivize] *tr.* Subdividir.

subir [sybiʀ] *tr.* Sufrir, experimentar: — *un changement,* experimentar un cambio.

subit, -ite [sybi, -it] *adj.* Súbito, ta.

subjectif, -ive [sybʒɛktif, -iv] *adj.* Subjetivo, va.

subjonctif [sybʒɔ̃ktif] *m.* GRAM. Subjuntivo.

subjuguer [sybʒyge] *tr.* Subyugar, sojuzgar.

sublime [syblim] *adj.* Sublime.

sublimer [syblime] *tr.* Sublimar.

submerger [sybmɛʀʒe] *tr.* Sumergir. ▲ CONJUG. como *engager.*

submersible [sybmɛʀsibl(ə)] *adj.-m.* Sumergible.

subordonné, -ée [sybɔʀdɔne] *adj.-s.* Subordinado, da.

subordonner [sybɔʀdɔne] *tr.* Subordinar.

subornation [sybɔʀnasjɔ̃] *f.* Soborno *m.*, sobornación.

subreptice [sybʀɛptis] *adj.* Subrepticio, cia.

subroger [sybʀɔʒe] *tr.* Subrogar. ▲ CONJUG. como *engager.*

subséquent, -ente [sypsekã, -ãt] *adj.* Subsecuente, subsiguiente.

subside [sypsid] *m.* Subsidio.

subsidiaire [sypsidjɛʀ; sybzidjɛʀ] *adj.* Subsidiario, ria.

subsistance [sybzistãs] *f.* 1 Subsistencia. ■ 2 *pl.* Sustento *m. sing.*

subsister [sybziste] *intr.* Subsistir.

substance [sypstãs] *f.* 1 Sustancia, substancia. 2 *En* —, en sustancia, en resumen.

substantiel, -elle [sypstãsjɛl] *adj.* Substancial.

substantif [sypstãtif] *m.* GRAM. Sustantivo, substantivo.

substituer [sypstitɥe] *tr.* Substituir.

substitut [sypstity] *m.* Substituto.

subterfuge [syptɛʀfyʒ] *m.* Subterfugio.

subtil, -ile [syptil] *adj.* Sutil.

subtilité [syptilite] *f.* Sutileza.

suburbain, -aine [sybyʀbɛ̃, -ɛn] *adj.* Suburbano, na.

subvenir [sybvəniʀ] *intr.* Subvenir, atender, satisfacer. ▲ CONJUG. como *tenir.*

subvention [sybvãsjɔ̃] *f.* Subvención.

subversif, -ive [sybvɛʀsif, -iv] *adj.* Subversivo, va.

suc [syk] *m.* Jugo: — *gastrique,* jugo gástrico.

succédané [syksedane] *m.* Sucedáneo.

succéder [syksede] *tr.-ind.* 1 — *à,* suceder a: *les fils a succédé à son père,* el hijo ha sucedido a su padre. 2 Suceder a, seguir, reemplazar. ■ *3 pr.* Sucederse. ▲ CONJUG. como *accélérer.*

succès [syksɛ] *m.* Éxito: *un — fou,* un éxito clamoroso, un exitazo: *avoir du —,* tener éxito.

successeur [syksesœʀ] *m.* Sucesor.

successif, -ive [syksesif, -iv] *adj.* Sucesivo, va.

succession [syksesjɔ̃] *f.* 1 Sucesión. 2 DR. Sucesión, herencia.

succinct, -incte [syksɛ̃, ɛ̃t syksɛ̃kt, ɛ̃kt(ə)] *adj.* Sucinto, ta, breve, conciso, sa.

succion [syksjɔ̃] *f.* Succión.

succomber [sykɔ̃be] *intr.* Sucumbir.

succulent, -ente [sykylã, -ãt] *adj.* Suculento, ta.

succursale [sykyʀsal] *f.* Sucursal.

sucer [syse] *tr.* 1 Chupar (avec les lèvres). 2 Chuparse (un doigt). ▲ CONJUG. como *lancer.*

suçoter [sysɔte] *tr.* Chupetear.

sucre [sykʀ(ə)] *m.* 1 Azúcar: — *de canne,* azúcar de caña; — *roux,* azúcar moreno; — *raffiné,* azúcar blanco, refinado; *un morceau de —, un —,* un terrón de azúcar. 2 — *d'orge,* pirulí, caramelo largo en forma de palito.

sucrer [sykʀe] *tr.* 1 Azucarar, echar azúcar en. ■ 2 *pr.* fam. Ponerse azúcar.

sucrier, -ière [sykʀije, -ijɛʀ] *adj.* 1 Azucarero, ra: *l'industrie sucrière, la industria azucarera.* ■ 2 *m.* Azucarero (récipient).

sud [syd] *m.* 1 Sur (point cardinal): *Afrique du —,* África del Sur. ■ 2 *adj. invar.* Sur, meridional.

sudation [sydasjɔ̃] *f.* Sudación.

sud-est [sydɛst] *m.* Sudeste.

sud-ouest [sydwɛst] *m.* Sudoeste.

suédois, -oise [sɥedwa, -waz] *adj.-s.* Sueco, ca.

suer [sɥe] *intr.* 1 Sudar (transpirer): — *à grosses gouttes,* sudar la gota gorda. 2 fam. *Faire* —, fastidiar, jorobar. 3 Rezumar (suinter). ■ 4 *tr.* Sudar. Loc. — *sang et eau,* sudar tinta china. 5 fig. Rezumar: — *l'ennui,* rezumar aburrimiento.

sueur [sɥœʀ] *f.* Sudor *m.*

suffire [syfiʀ] *intr.* 1 Bastar, ser suficiente. 2 *interj.* fam. *Ça suffit!, suffit!,* ¡basta! ■ 3 *impers. Il suffit de,* basta con. ■ 4 *pr.* Bastarse (à soi-même). ▲ CONJUG.

IRREG. INDIC. Pres.: *je suffis, tu suffis, il suffit, nous suffisons, vous suffisez, ils suffisent.* Imperf.: *je suffisais*, etc. Pret. indef.: *je suffis*, etc. Fut. imperf.: *je suffirai*, etc. POT.: *je suffirais*, etc. SUBJ. Pres.: *que je suffise*, etc. IMPER.: *suffis, suffisons, suffisez*. PART. A.: *suffisant*. PART. P.: *suffi*.

suffisant, -ante [syfizɑ̃, -ãt] *adj. 1* Suficiente. *2* Presuntuoso, sa, engreído, da (vaniteux).

suffixe [syfiks(ə)] *m*. Sufijo.

suffocant, -ante [syfɔkɑ̃, -ãt] *adj*. Sofocante.

suffoquer [syfɔke] *tr. 1* Sofocar. *2* fig. Sofocar (stupéfier). ■ *3 intr*. Ahogarse (étouffer).

suffrage [syfʀaʒ] *m*. Sufragio: — *universel*, sufragio universal.

suffragette [syfʀaʒɛt] *f*. Sufragista.

suggérer [sygʒeʀe] *tr*. Sugerir: *je vous suggère d'aller le voir*, le sugiero que vaya a verle. ▲ CONJUG. como *accélérer*.

suggestion [sygʒɛstjɔ̃] *f*. Sugestión.

suicide [sɥisid] *m*. Suicidio.

suie [sɥi] *f*. Hollín *m*.

suif [sɥif] *m*. Sebo.

suinter [sɥɛ̃te] *intr*. Rezumar, rezumarse, resudar.

suisse [sɥis] *adj.-s. 1* Suizo, za. ■ *2 m*. Pertiguero (d'église). *3 Manger, boire en —*, comer, beber solo, sin invitar a nadie.

suite [sɥit] *f. 1* Séquito *m*., cortejo *m*., comitiva (escorte). *2* Continuación: *la — d'un roman*, la continuación de una novela. Loc. *Faire — à*, ser continuación de. *3* Consecuencia, resultado *m*. Loc. *— à votre lettre du...*, en respuesta a su carta del...; *donner — à*, dar curso a, cursar. *4* Serie, sucesión (série). *5* Orden *m*., ilación. Loc. *Des mots sans —*, palabras incoherentes; *esprit de —*, perseverancia. *6* MUS. Suite. *7* «Suite», apartamiento *m*. (dans un hôtel). *8 loc. adv. De —*, sin interrupción, seguido, da; *et ainsi de —*, y así sucesivamente; *par la —*, más tarde, luego; *tout de —*, enseguida. *9 loc. prép. À la — de*, después de, a continuación de; *par — de*, en consecuencia de, a causa de.

suivant, -ante [sɥivɑ̃, -ãt] *adj. 1* Siguiente. ■ *2 s. Au —!*, ¡el siguiente!

suivi, -ie [sɥivi] *adj. 1* Seguido, da. *2* Ordenado, da, coherente.

suivre [sɥivʀ(ə)] *tr. 1* Seguir. *2* Perseguir (poursuivre). *3* Acompañar. *4* Imitar, seguir. *5* Seguir, escuchar. *6* Comprender. *7* Seguir (un cours). ■ *8 intr*. Seguir. *9 Faire —*, remítase a las nuevas señas

(sur l'enveloppe d'une lettre). *10 À —*, continuará (article de journal). ■ *11 impers. Il suit de là que*, de ello se desprende que, esto implica que. ■ *12 pr*. Seguirse. *13* Sucederse, seguirse (jours, heures). ▲ CONJUG. IRREG. INDIC. Pres.: *je suis, tu suis, il suit, nous suivons, vous suivez, ils suivent.* Imperf.: *je suivais*, etc. Pret. indef.: *je suivis*, etc. Fut. imperf.: *je suivrai*, etc. POT.: *je suivrais*, etc. SUBJ. Pres.: *que je suive*, etc. Imperf.: *que je suivisse*, etc. IMPER.: *suis, suivons, suivez*. PART. A.: *suivant*. PART. P.: *suivi, suivie*.

sujet [syʒɛ] *m. 1* Asunto, tema. Loc. *Au —de...*, a propósito de... con respecto a. *2* Motivo, causa *f*.: — *de joie*, motivo de alegría. *3* GRAM., PHILOS. Sujeto. *4* Sujeto, persona *f*., tipo: *mauvais —*, mala persona. *5* MÉD. Paciente, enfermo.

sujet, -ette [syʒɛ, -ɛt] *adj. 1* Sujeto, ta, sometido, da, expuesto, ta. ■ *2 s*. Súbdito, ta (d'un souverain).

sujétion [syʒesjɔ̃] *f*. Sujeción.

sulfate [sylfat] *m*. Sulfato.

sulfure [sylfyʀ] *m*. Sulfuro.

sultan [syltɑ̃] *m*. Sultán.

superbe [sypɛʀb(ə)] *adj. 1* Soberbio, ia, magnífico, ca. ■ *2 f*. Soberbia, orgullo *m*.

supercherie [sypɛʀʃəʀi] *f*. Superchería.

superficie [sypɛʀfisi] *f*. Superficie.

superficiel, -elle [sypɛʀfisjɛl] *adj*. Superficial.

superflu, -ue [sypɛʀfly] *adj. 1* Superfluo, ua. ■ *2 m. Le —*, lo superfluo.

supérieur, -eure [sypeʀjœʀ] *adj. 1* Superior. ■ *2 s*. Superior, ra.

supériorité [sypeʀjɔʀite] *f*. Superioridad.

superlatif, -ive [sypɛʀlatif, -iv] *adj. 1* Superlativo, va. ■ *2 m*. GRAM. Superlativo.

superposer [sypɛʀpoze] *tr*. Superponer, sobreponer.

superstition [sypɛʀstisjɔ̃] *f*. Superstición.

supplanter [syplɑ̃te] *tr*. Suplantar.

suppléant, -ante [sypleɑ̃, -ãt] *adj.-s*. Suplente, substituto, ta.

suppléer [syplee] *tr. 1* Suplir, reemplazar. *2* Suplir, substituir. ■ *3 tr. ind. — à*, suplir, compensar.

supplémentaire [syplemɑ̃tɛʀ] *adj. 1* Suplementario, ria. *2 Heures supplémentaires*, horas extraordinarias.

suppliant, -ante [syplijɑ̃, -ãt] *adj.-s*. Suplicante.

supplice [syplis] *m. 1* Suplicio. *2 Être au —*, pasar las de Caín.

supplier [syplije] *tr.* Suplicar. ▲ CONJUG. como *prier.*
supplique [syplik] *f.* Súplica, memorial *m.*
support [sypɔʀ] *m. 1* Soporte. *2* fig. Sostén, apoyo.
supporter [sypɔʀte] *tr. 1* Soportar. *2* Sostener, apoyar.
supposé, -ée [sypoze] *adj. 1* Supuesto, ta. *2 loc. conj. — que,* suponiendo que, en el supuesto de que.
supposer [sypoze] *tr.* Suponer: *supposons que...,* supongamos que...
supposition [sypozisjɔ̃] *f.* Suposición.
suppositoire [sypozitwaʀ] *m.* Supositorio.
suppôt [sypo] *m. 1* Agente. *2* Secuaz. Loc. *— de Satan,* mala persona.
suppression [sypʀesjɔ̃] *f.* Supresión.
supprimer [sypʀime] *tr.* Suprimir.
suppurer [sypyʀe] *intr.* Supurar.
suprématie [sypʀemasi] *f.* Supremacía.
suprême [sypʀɛm] *adj. 1* Supremo, ma: *l'autorité —,* la autoridad suprema. *2* Gran, grande, superior: *une — habileté,* una gran habilidad. *3* Sumo, ma: *au — degré,* en sumo grado.
sur [syʀ] *prép. 1* Sobre: *— la table,* sobre la mesa; *flotter — l'eau,* flotar sobre el agua. *2* En: *écrire — un papier,* escribir en un papel; *baiser — le front,* besar en la frente; *— le trottoir,* en la acera; *s'asseoir — un banc,* sentarse en un banco. *3* Sobre, encima de (au-dessus de): *le chat est — l'armoire,* el gato está encima del armario. *4* A, hacia (direction): *— votre gauche,* a su izquierda; *sortir — le balcon,* salir al balcón. *5* Por (dispersión, mouvement): *se répandre — le sol,* derramarse por el suelo. *6* Sobre: *essai —...,* ensayo sobre... *7* Hacia, sobre: *— les cinq heures,* sobre las cinco. *8* De cada: *un jour — deux,* un día de cada dos. *9* De, entre: *deux ou trois cas — cent,* dos o tres casos entre cien. *10* Por: *deux mètres — quatre,* dos metros por cuatro; *— mon honneur,* por mi honor. *11* Tras: *recevoir visite — visite,* recibir visita tras visita. *12* Bajo: *— parole,* bajo palabra. *13 — soi,* encima: *je n'ai pas d'argent — moi,* no llevo dinero encima. *14 loc. adv. — ce, — ces entrefaites,* en esto.
sur, sure [syʀ] *adj.* Ácido, da, acedo, da.
sûr, -ûre [syʀ] *adj. 1* Seguro, ra. Loc. *Le plus — est de...,* lo mejor es...; *à coup —,* con toda seguridad, seguro. *2 loc. adv. Bien —!,* ¡claro!; ¡desde luego! *3* fam. *Pour —,* seguro, de cierto, ciertamente.
suralimenter [syʀalimɑ̃te] *tr.* Sobrealimentar.
suranné, -ée [syʀane] *adj.* Anticuado, da.

surcharger [syʀʃaʀʒe] *tr. 1* Sobrecargar. *2* Recargar, cargar excesivamente. *3* Agobiar, abrumar (travail). ▲ CONJUG. como *engager.*
surchauffer [syʀʃofe] *tr.* Calentar demasiado.
surcroît [syʀkʀwa(ɑ)] *m. 1* Aumento, acrecentamiento. *2 loc. adv. De —, par —,* además, por añadidura.
surdi-mutité [syʀdimytite] *f.* Sordomudez.
surdité [syʀdte] *f.* Sordera.
sureau [syʀo] *m.* Saúco.
surélever [syʀelve] *tr.* Sobrealzar, dar mayor altura a. ▲ CONJUG. como *acheter.*
sûrement [syʀmɑ̃] *adv.* Seguramente.
surenchérir [syʀɑ̃ʃeʀiʀ] *intr.* Sobrepujar.
suret, -ette [syʀɛ, -ɛt] *adj.* Agrete, agrillo, lla.
sûreté [syʀte] *f. 1* Seguridad: *de —,* de seguridad. Loc. *En —,* a salvo, en seguridad. *2 La Sûreté,* la policía de seguridad. *3* DR. Garantía, seguridad.
surexciter [syʀeksite] *tr.* Sobreexcitar.
surface [syʀfas] *f. 1* Superficie. *2* GÉOM. Superficie, área.
surfiler [syʀfile] *tr.* Sobrehilar.
surgir [syʀʒiʀ] *intr.* Surgir.
surhumain, -aine [syʀymɛ̃, -ɛn] *adj.* Sobrehumano, na.
surintendant [syʀɛ̃tɑ̃dɑ̃] *m.* Superintendente.
surlendemain [syʀlɑ̃dmɛ̃] *m. Le —,* dos días *pl.* después.
surmenage [syʀmənaʒ] *m.* Agotamiento por exceso de trabajo, «surmenaje» (gallic).
surmener [syʀməne] *tr.* Agotar de fatiga. ▲ CONJUG. como *acheter.*
surmonter [syʀmɔ̃te] *tr. 1* Coronar, dominar (être situé au-dessus de). *2* Superar, vencer (une difficulté).
surnager [syʀnaʒe] *intr. 1* Sobrenadar, flotar. *2* fig. Sobrevivir, subsistir. ▲ CONJUG. como *engager.*
surnaturel, -elle [syʀnatyʀɛl] *adj.* Sobrenatural.
surnom [syʀnɔ̃] *m.* Sobrenombre, apodo.
surnommer [syʀnɔme] *tr.* Apellidar, apodar.
surnuméraire [syʀnymeʀɛʀ] *adj.* Supernumerario, ria.
surpasser [syʀpase] *tr. 1* Superar, aventajar. ■ *2 pr.* Superarse.
surplis [syʀpli] *m.* Sobrepelliz *f.*
surplomber [syʀplɔ̃be] *intr. 1* Estar desaplomado, da. ■ *2 tr.* Estar suspendido, da sobre. *3* Dominar.

surplus [syʀply] *m.* *1* Exceso, excedente. *2* **Au —**, por lo demás.

surprenant, -ante [syʀpʀənɑ̃, -ɑ̃t] *adj.* Sorprendente.

surprendre [syʀpʀɑ̃dʀ(ə)] *tr.* *1* Sorprender. *2* Obtener por sorpresa o engaño. ■ *3 pr.* Sorprenderse. ▲ CONJUG. como *prendre*.

surprise [syʀpʀiz] *f.* Sorpresa.

surréalisme [syʀrealism(ə)] *m.* Surrealismo.

sursaut [syʀso] *m.* *1* Sobresalto, repullo. Loc. *Se réveiller en —*, despertarse sobresaltado, da. *2* Arranque (d'énergie).

surseoir [syʀswaʀ] *intr.* Suspender, diferir, sobreseer. ▲ CONJUG. IRREG. INDIC. Pres.: *je sursois, tu sursois, il sursoit, nous sursoyons, vous sursoyez, ils sursoient.* Imperf.: *je sursoyais,* etc. Pret. indef.: *je sursis,* etc. Fut. imperf.: *je surseoirai,* etc. POT.: *je surseoirais,* etc. SUBJ. Pres.: *que je sursoie,* etc. Imperf.: *que je sursisse,* etc. IMPER.: *sursois, sursoyons, sursoyez.* PART. A.: *sursoyant.* PART. P.: *sursis.*

sursis [syʀsi] *m.* *1* Plazo, prórroga *f.* *2* MIL. *— d'incorporation,* prórroga *f.*

surtout [syʀtu] *adv.* *1* Sobre todo. *2* Principalmente, especialmente. ■ *3 m.* Centro de mesa (vaisselle). *4* Sobretodo (pardessus).

surveillant, -ante [syʀvejɑ̃, -ɑ̃t] *s.* *1* Vigilante, celador, ra. *2 — d'études,* jefe de estudios.

surveiller [syʀveje] *tr.* Vigilar.

survenir [syʀvəniʀ] *intr.* Sobrevenir. ▲ CONJUG. como *venir*.

survivant, -ante [syʀvivɑ̃, -ɑ̃t] *s.* Superviviente.

survivre [syʀvivʀ(ə)] *intr.* Sobrevivir. ▲ CONJUG. como *vivre*.

survoler [syʀvɔle] *tr.* Volar por encima de.

sus [sy(s)] *adv.* *1* Sobre: *courir — à,* echarse sobre uno, atacar a alguien. *2 loc. prép.* **En — de...**, además de... *3 interj.* ¡Sas!, ¡a ellos!

susceptible [syseptibl(ə)] *adj.* Susceptible.

suscription [syskʀipsjɔ̃] *f.* Sobrescripto *m.*, sobrescrito *m.*

susdit, -dite [sysdi, -dit] *adj.-s.* Susodicho, cha.

suspect, -ecte [syspɛ(kt), -ɛkt(ə)] *adj.-s.* Sospechoso, sa.

suspendre [syspɑ̃dʀ(ə)] *tr.* *1* Suspender,

colgar: *— à un clou,* colgar de un clavo. *2* Suspender, interrumpir. *3* Suspender (un journal). ▲ CONJUG. como *rendre*.

suspendu, -ue [syspɑ̃dy] *adj.* *1* Suspendido, da, colgado, da. *2* AUTO. Suspendido, da. *3 Pont —*, puente colgante.

suspens (en) [syspɑ̃] *loc. adv.* En suspenso.

suspension [syspɑ̃sjɔ̃] *f.* *1* Suspensión. *2* Lámpara colgante (lustre). *3 Points de —*, puntos suspensivos.

sustenter (se) [systɑ̃te] *pr.* Sustentarse, alimentarse.

susurrer [sysyʀe] *intr.* Susurrar.

suture [sytyʀ] *f.* ANAT., CHIR. Sutura.

suzerain, -aine [syzʀɛ̃, -ɛn] *s.* *1* Soberano, na. ■ *2 m.* Señor feudal de quien otros eran vasallos.

sveltesse [svɛltes] *f.* Esbeltez.

sybarite [sibaʀit] *s.* Sibarita.

sycomore [sikɔmɔʀ] *m.* Sicómoro.

syllabe [si(l)lab] *f.* Sílaba.

syllogisme [si(l)lɔʒism(ə)] *m.* Silogismo.

sylphide [silfid] *f.* Sílfide.

sylviculture [silvikyltyʀ] *f.* Silvicultura.

symbole [sɛ̃bɔl] *m.* Símbolo.

symboliser [sɛ̃bɔlize] *tr.* Simbolizar.

symbolisme [sɛ̃bɔlism(ə)] *m.* Simbolismo.

symétrie [simetʀi] *f.* Simetría.

sympathie [sɛ̃pati] *f.* Simpatía.

sympathiser [sɛ̃patize] *intr.* Simpatizar, congeniar.

symphonie [sɛ̃fɔni] *f.* Sinfonía.

symptomatique [sɛ̃ptɔmatik] *adj.* Sintomático, ca.

synagogue [sinagɔg] *f.* Sinagoga.

synchrone [sɛ̃kʀɔn] *adj.* Sincrónico, ca.

synchroniser [sɛ̃kʀɔnize] *tr.* Sincronizar.

syncope [sɛ̃kɔp] *f.* *1* Síncope *m.*: *avoir une —*, padecer un síncope. *2* MUS. Síncopa.

syndic [sɛ̃dik] *m.* Síndico.

syndical, -ale [sɛ̃dikal] *adj.* Sindical.

syndicat [sɛ̃dika] *m.* *1* Sindicato. *2 — d'initiative,* oficina *f.* de turismo.

synonyme [sinɔnim] *adj.-m.* Sinónimo, ma.

synoptique [sinɔptik] *adj.* Sinóptico, ca.

syntaxe [sɛ̃taks(ə)] *f.* Sintaxis.

synthèse [sɛ̃tɛz] *f.* Síntesis.

synthétiser [sɛ̃tetize] *tr.* Sintetizar.

syrien, -ienne [siʀjɛ̃, -jɛn] *adj.-s.* Sirio, ria.

systématiser [sistematize] *tr.* Sistematizar.

système [sistɛm] *m.* *1* Sistema. Loc. *Par —*, por sistema, de propósito. *2* fam. *Taper sur le —*, excitar los nervios, poner nervioso, sa.

systole [sistɔl] *f.* ANAT. Sístole.

T

t [te] *m.* T *f.*

tabac [taba] *m. 1* Tabaco: — *à priser,* tabaco en polvo; — *à chiquer,* tabaco de mascar. Loc. fam. *C'est toujours le même —,* siempre es lo mismo; *passer quelqu'un à —,* doblar a palos, zurrar la badana a alguien. *2 Bureau de —,* estanco, expendeduría *f.* de tabaco.

tabasser [tabase] *tr.* pop. Zurrar.

tabatière [tabatjɛʀ] *f. 1* Tabaquera. *2* Tragaluz *m.* (lucarne).

tabernacle [tabɛʀnakl(ə)] *m.* Tabernáculo.

table [tabl(ə)] *f. 1* Mesa (meuble): *service de —,* servicio de mesa. Loc. — *de nuit,* mesita de noche; — *roulante,* carrito *m.; se mettre à —,* sentarse a la mesa; *à —!,* ¡a comer!, ¡a la mesa! Loc. fam. *Se mettre à —,* confesar, cantar de plano. Loc. fig. *Jouer cartes sur —,* poner las cartas sobre la mesa. *2 — ronde,* mesa redonda. *3 La sainte —,* el altar. *4 — des matières,* índice *m.* *5* Tabla: — *à repasser,* tabla de planchar. *6* MATH. Tabla: — *de multiplication,* tabla de multiplicar.

tableau [tablo] *m. 1* Cuadro (peinture). *2* Escena *f.* *3* fig. Cuadro, descripción *f.* *4* Tablón, tablero: — *d'affichage,* tablón de anuncios. *5* Lista *f.* (liste): — *d'avancement,* escalafón. *6* Cuadro, tabla *f.* (historique, chronologique). *7* THÉAT. Cuadro. *8* — *noir,* pizarra *f.,* encerado. *9* — *de bord,* tablero de mandos. *10* — *vivant,* cuadro viviente, vivo. *11* — *de chasse,* piezas *f. pl.* cobradas.

tablée [table] *f.* Conjunto *m.* de comensales.

tabler [table] *intr.* — *sur quelque chose,* basar sus cálculos sobre, contar con algo.

tablier [tablije] *m. 1* Delantal, mandil. Loc. *Rendre son —,* despedirse. *2* Piso (d'un pont). *3* Tablero (d'échecs, de dames).

tabou [tabu] *m. 1* Tabú. ■ *2 adj.* Tabú, prohibido, da.

tabouret [tabuʀɛ] *m.* Taburete.

tac [tak] *m. 1* Ruido seco, tac. *2* Loc. *Répondre, riposter du — au —,* replicar vivamente, devolver la pelota.

tache [taʃ] *f. 1* Mancha. Loc. *Faire —,* desentonar, contrastar. *2* fig. Tacha, defecto *m.* *3* — *de rousseur,* peca.

tâche [tɑʃ] *f.* Tarea, labor, faena. Loc. *Travailler à la —,* trabajar a destajo; *prendre à — de,* poner empeño en.

tacher [taʃe] *tr. 1* Manchar. ■ *2 pr.* Mancharse.

tâcher [tɑʃe] *intr.* Procurar, tratar de, esforzarse en.

tâcheron [tɑʃʀɔ̃] *m.* Destajista.

tacheter [taʃte] *tr.* Manchar, salpicar, motear. ▲ CONJUG. como *jeter.*

tacite [tasit] *adj.* Tácito, ta.

taciturne [tasityʀn(ə)] *adj.* Taciturno, na.

tact [takt] *m. 1* Tacto. *2* fig. Tacto, discreción *f.: manque de —,* falta de tacto.

tactile [taktil] *adj.* Táctil.

tactique [taktik] *adj. 1* Táctico, ca. ■ *2 f.* Táctica.

taffetas [tafta] *m.* Tafetán.

taie [tɛ] *f. 1* Funda de almohada. *2* MÉD. Nube (sur l'œil).

taillader [tɑ(a)jade] *tr. 1* Tajar, cortar. *2* Acuchillar.

taille [tɑj] *f. 1* Talla, estatura (stature): *par rang de —,* por orden de estatura. Loc. *Être de — à,* ser capaz de. *2* Tamaño *m.* (grandeur). *3* Dimensión, extensión (étendue). Loc. fam. *De —,* importante. *4* Talle *m.,* cintura: — *fine, svelte,* talle esbelto. Loc. — *de guêpe,* cintura de avispa. *5 Sortir en —,* salir a cuerpo. *6* Tallado *m.,* talla, labra (d'une pierre). Loc. *Pierre de —,* sillar *m.* *7* Poda, tala (des arbres). *8* Filo *m.,* tajo *m.* (tranchant de l'épée). *9* anciens. Pecho *m.* (impôt).

taille-crayon [tɑjkʀɛjɔ̃] *m.* Sacapuntas.
tailler [tɑje] *tr. 1* Cortar (en donnant une forme determinée). *2* Podar, talar (les arbres). *3* Tallar, labrar (pierre). *4* Afilar, sacar punta a (crayon). ■ *5 pr.* pop. Largarse, pirárselas. *6 Se — un beau succès,* tener éxito.
tailleur [tɑjœʀ] *m. 1* Sastre. *2* Vestido sastre (costume de femme). *3 — de pierres,* cantero.
taillis [tɑji] *m.* Monte bajo, raña *f.*
tain [tɛ̃] *m.* Azogue, amalgama *f.* para espejos.
taire [tɛʀ] *tr. 1* Callar. *2 Faire —,* mandar callar, acallar. ■ *3 pr.* Callarse: *tais-toi!,* ¡cállate! *taisez-vous!,* ¡cállese!, ¡cállense! ▲ CONJUG. como *plaire.*
talc [talk] *m.* Talco.
talent [talɑ̃] *m.* Talento (aptitude, monnaie, poids).
talion [taljɔ̃] *m.* Talión.
talisman [talismɑ̃] *m.* Talismán.
taloche [talɔʃ] *f.* Pescozón *m.*
talon [talɔ̃] *m. 1* Talón (du pied, d'un bas). *2* Tacón (d'une chaussure). *3* Canto (d'un pain). *4* Matriz *f.* (d'un carnet).
talonner [talɔne] *tr. 1* Seguir de cerca, apremiar, acosar, pisar los talones a. *2* fig. Acosar, hostigar. *3* SPORTS. Talonar (frapper du talon).
talonnette [talɔnɛt] *f. 1* Talonera. *2* Refuerzo *m.* en el bajo de un pantalón.
talus [taly] *m.* Talud, declive.
tamarin [tamaʀɛ̃] *m.* Tamarindo.
tamaris [tamaʀis] *m.* Tamarisco, taray.
tambour [tɑ̃buʀ] *m. 1* Tambor. *2 — de basque,* pandero, pandereta *f.* *3* Tambor, bastidor (pour broder). *4* ARCHIT. Tambor. *5* TECHN. Tambor (de frein, machine à laver).
tambouriner [tɑ̃buʀine] *intr. 1* Repiquetear, golpear, tabalear. ■ *2 tr.* Tocar con el tambor.
tamis [tami] *m.* Tamiz, cedazo.
tamiser [tamize] *tr.* Tamizar, cerner.
tampon [tɑ̃pɔ̃] *m. 1* Tapón (bouchon). *2* Taco (cheville). *3* Tampón, almohadilla *f.* (pour encrer). *4* Muñeca *f.,* muñequilla *f.* (pour frotter ou imprégner). *5* Tampón, sello (cachet). *6* Matasellos (oblitération). *7* Tope (de wagon, locomotive). Loc. *Coup de —,* topetazo, topetada *f.* ■ *8 adj. État —,* Estado tapón.
tamponner [tɑ̃pɔne] *tr. 1* Taponar (boucher). *2* Sellar (timbrer). *3* Topar, chocar (trains). ■ *4 pr.* Chocar.
tam-tam [tamtam] *m. 1* Batintín, gong. *2* Tam-tam, tantán (en Afrique). *3* fam. Publicidad *f.* ruidosa, bombo.

tancer [tɑ̃se] *tr.* Reprender. ▲ CONJUG. como *lancer.*
tandem [tɑ̃dɛm] *m.* Tándem.
tandis que [tɑ̃dik(ə)] *loc. conj.* Mientras, mientras que.
tangent, -ente [tɑ̃ʒɑ̃, -ɑ̃t] *adj. 1* Tangente. ■ *2 f.* Tangente. Loc. *Prendre la —,* salirse por la tangente.
tangible [tɑ̃ʒibl(ə)] *adj.* Tangible.
tango [tɑ̃go] *m. 1* Tango (danse). ■ *2 adj. invar.* Color anaranjado.
tanière [tanjɛʀ] *f.* Guarida, cubil *m.,* madriguera.
tanin [tanɛ̃] *m.* Tanino.
tank [tɑ̃k] *m. 1* Tanque, carro de asalto. *2* Depósito, cisterna *f.* (citerne).
tanné, -ée [tane] *adj. 1* Curtido, da (cuirs). *2* Bronceado, da, tostado, da (visage, etc.).
tanner [tane] *tr. 1* Curtir (les cuirs). *2* fig. fam. Fastidiar, dar la lata (ennuyer).
tant [tɑ̃] *adv. 1* Tanto (tellement): *il a — plu que...,* ha llovido tanto que... Loc. *— bien que mal,* más o menos bien, mal que bien; *— et plus,* mucho; *— il est vrai,* tan cierto es; *— mieux!,* ¡mejor que mejor!; *— pis!,* ¡tanto peor!, ¡qué le vamos a hacer!; *— pis pour lui!,* ¡peor para él!; *— qu'à faire,* puesto que debemos hacerlo; *— soit peu,* por poco que sea; *— s'en faut,* ni mucho menos. *2 — de,* tanto, ta, tos, tas; *— de livres,* tantos libros; *— de monde,* tanta gente. *3 — que,* mientras, mientras que: *— que je vivrai,* mientras viva. *4 loc. conj. En — que,* en calidad de, como; *si — est que,* suponiendo que. ■ *5 s.* Tanto: *payer à — la page,* pagar a tanto la página. Loc. *— pour cent,* tanto por ciento; *un — soit peu,* un poquito.
tante [tɑ̃t] *f. 1* Tía. *2* fig. pop. *Ma —,* la casa de empeños.
tantôt [tɑ̃to] *adv. 1* Esta tarde, por la tarde (l'après-midi). *2* Luego, dentro de poco. *3 Tantôt... tantôt,* unas veces... otras veces; ya... ya.
taon [tɑ̃] *m.* Tábano.
tapage [tapaʒ] *m.* Ruido, alboroto, escándalo. Loc. *Faire du —,* alborotar.
tapageur, -euse [tapaʒœʀ, -øz] *adj. 1* Alborotador, ra, escandaloso, sa. *2* Ostentoso, sa, llamativo, va (voyant).
tape [tap] *f.* Cachete *m.,* sopapo *m.,* palmada.
tapé, -ée [tape] *adj.* fam. Loco, ca, chiflado, da (fou).
taper [tape] *tr. 1* Pegar, dar un cachete a (frapper). Loc. *— un tapis,* sacudir una alfombra. *2* Dar: *— plusieurs coups à la*

porte, dar varios golpes a la puerta. *3* Mecanografiar, escribir a máquina (dactylographier). *4* fam. Dar un sablazo, pedir dinero prestado a (emprunter de l'argent). ■ *5 intr.* Pegar, dar golpes con. Loc. — *du pied,* dar patadas en el suelo. *6* Escribir a máquina. *7* Pegar: *le soleil tape dur,* el sol pega fuerte. *8* fam. — *dans,* servirse de, coger de (se servir de). ■ *9 pr.* pop. Tragarse, zamparse (manger, boire).

tapette [tapɛt] *f. 1* Pala para sacudir alfombras. *2* Pala matamoscas. *3* fam. Lengua (langue).

tapeur, -euse [tapœr, -øz] *s.* Sablista *m.* (emprunteur).

tapinois (en) [ãtapinwa] *loc. adv.* Callandito, a la chita callando, a escondidas.

tapioca [tapjɔka] *m.* Tapioca *f.*

tapir [tapiʀ] *m.* Tapir.

tapir (se) [tapiʀ] *pr.* Agazaparse, esconderse.

tapis [tapi] *m. 1* Alfombra *f.* (sur le sol, de fleurs, etc.). *2* Estera *f.,* suelo: — *de sparterie,* estera de espartería. Loc. *Tapis-brosse,* felpudo, limpiabarros. *3* Tapete (de table). *4* *Tapis-roulant,* transportador de cinta.

tapisser [tapise] *tr. 1* Tapizar, entapizar. *2* Empapelar (mettre du papier sur les murs). *3* Cubrir, revestir (recouvrir).

tapisserie [tapisʀi] *f. 1* Tapiz *m.* (pour parer les murs). *2* Tapicería (art).

tapoter [tapɔte] *tr. 1* Dar golpecitos. *2* Aporrear (le piano).

taquet [takɛ] *m. 1* Taco, cuña *f.* 2 Pestillo, aldabilla *f.* (loquet).

taquiner [takine] *tr. 1* Hacer rabiar, incordiar, contrariar. *2* fig. Inquietar, preocupar. *3* Loc. fam. — *le goujon,* pescar con caña.

taquinerie [takinʀi] *f. 1* Broma, guasa (action, parole). *2* Incordio *m.* (caractère).

tarabuster [taʀabyste] *tr.* fam. Molestar, importunar.

tarasque [taʀask(ə)] *f.* Tarasca.

tard [taʀ] *adv. 1* Tarde: *se lever —,* levantarse tarde; *tôt ou —,* tarde o temprano. Loc. *Au plus —,* lo más tarde, a más tardar. ■ *2 m. Sur le —,* en el ocaso de la vida.

tarder [taʀde] *intr. 1* Tardar. ■ *2 impers. Il me tarde de,* estoy impaciente por, estoy deseando de.

tardif, -ive [taʀdif, -iv] *adj.* Tardío, -ía.

tare [taʀ] *f. 1* COMM. Tara. *2* fig. Defecto *m.,* vicio *m.*

tarentelle [taʀãtɛl] *f.* Tarantela (danse et musique).

tarentule [taʀãtyl] *f.* Tarántula.

tarer [taʀe] *tr.* COMM. Destarar.

targette [taʀʒɛt] *f.* Pestillo *m.,* pasador *m.*

targuer (se) [taʀge] *pr.* Jactarse, pavonearse.

tarière [taʀjɛʀ] *f. 1* Taladro *m.* 2 ZOOL. Oviscapto *m.*

tarif [taʀif] *m.* Tarifa *f.*

tarir [taʀiʀ] *tr. 1* Secar, agotar (assécher, épuiser). ■ *2 intr.* Secarse, agotarse. *3 Ne pas —,* no cesar de hablar. ■ *4 pr.* Agotarse.

tarlatane [taʀlatan] *f.* Tarlatana.

tarots [taʀo] *m. pl.* Naipes de una baraja de setenta y ocho, con figuras distintas de las de los naipes ordinarios.

tarse [taʀs(ə)] *m.* ANAT. Tarso.

tartan [taʀtã] *m.* Tartán, tela *f.* escocesa.

tartane [taʀtan] *f.* MAR. Tartana.

tarte [taʀt(ə)] *f. 1* Tarta (pâtisserie). *2* pop. Tortazo *m.,* torta (gifle). ■ *3 adj.* fam. Tonto, ta, memo, ma.

tartine [taʀtin] *f. 1* Rebanada de pan con mantequilla, miel, etc. *2* fam. Rollo *m.,* escrito *m.,* discurso *m.* largo y pesado.

tartre [taʀtʀ(ə)] *m. 1* Tártaro (dépôt que laisse le vin). *2* Sarro (des dents). *3* Sedimento, incrustación *f.* (des chaudières, bouilloires).

tartufe, tartuffe [taʀtyf] *m.* Hipócrita, falso, farsante.

tartuferie, tartufferie [taʀtyfʀi] *f.* Hipocresía, gazmoñería.

tas [ta] *m. 1* Montón, pila *f.* 2 *Un — de,* la mar *f.,* un montón de (grand nombre). *3 Des — de...,* mucho, cha: *des — de gens,* mucha gente. *4* fam. Pandilla *f.,* banda *f.* 5 Loc. *Sur le —,* en el lugar de trabajo. *6 Grève sur le —,* huelga de brazos caídos.

tasse [tas] *f. 1* Taza. *2* fam. *Boire une —, la —,* tragar agua (en se baignant).

tasser [tase] *tr. 1* Comprimir, apretar (bourrer). *2* Apretujar, apiñar (des personnes). *3* fam. *Bien tassé,* bien cargado, da, bien servido, da. ■ *4 pr.* Hundirse (s'affaisser). *5* Achaparrarse (personnes). *6* fam. Arreglarse, solucionarse (s'arranger).

tâter [tate] *tr. 1* Tentar, palpar, tocar. Loc. — *le pouls,* tomar el pulso. *2* Tantear, sondear (sonder). *3* — *de,* probar. *4* pop. *Y —,* ser conocedor de. ■ *5 pr.* Reflexionar, pensarlo bien.

tâtonner [tatɔne] *intr. 1* Buscar, andar a tientas. *2* fig. Proceder con vacilación, titubear.

tâtons (à) [atatɔ̃] *loc. adv.* A tientas, a ciegas.

tatou [tatu] *m.* Armadillo, tatú.

tatouage [tatwaʒ] *m.* Tatuaje.

taudis [todi] *m.* Cuchitril, tugurio.

taupe [top] *f.* Topo *m.*

taupinière [topinjɛr] *f. 1* Topera, topinera. *2* Montículo *m.*

taureau [tɔro] *m. 1* Toro: — *de combat,* toro de lidia. *2* Tauro (constelación).

taurillon [tɔrijɔ̃] *f. 1* Novillo.

tauromachie [tɔrɔmaʃi] *f.* Tauromaquia.

taux [to] *m. 1* Nivel, precio (prix). Loc. — *de change,* cambio. *2* Porcentaje, proporción *f. 3* Índice, coeficiente, tasa *f.* (de natalité, d'augmentation).

tavelure [tavlyr] *f.* Mancha.

taxe [taks(ə)] *f. 1* Tasa, tarifa. *2* Impuesto *m.*, contribución.

taxer [takse] *tr. 1* Tasar (les prix). *2* Gravar, poner un impuesto a. *3* — *quelqu'un de,* tachar, acusar a alguien de-

taxi [taksi] *m. 1* Taxi. *2 Chauffeur de* —, taxista.

taximètre [taksimɛtr(ə)] *m.* Taxímetro.

tchèque [tʃɛk] *m. 1* Checo (langue). ■ *2 adj.-s.* Checo, ca.

te [t(ə)] *pron. pers.* Te.

té [te] *m.* Regla *f.* en forma de escuadra.

technicien, -ienne [tɛknisjɛ̃, -jɛn] *s. 1* Técnico *m. 2* Especialista.

technique [tɛknik] *adj.-f.* Técnico, ca.

technocrate [tɛknɔkrat] *m.* Tecnócrata.

teck, tek [tɛk] *m.* Teca *f.*

tégument [tegymɑ̃] *m.* Tegumento.

teigne [tɛɲ] *f. 1* Polilla, mariposilla. *2* MÉD. Tiña.

teigneux, -euse [tɛɲø, -øz] *adj.* Tiñoso, sa.

teindre [tɛ̃dr(ə)] *tr. 1* Teñir. ■ *2 pr.* Teñirse: *elle se teint les cheveux en blond,* se tiñe el pelo de rubio. ▲ CONJUG. como *craindre.*

teinte [tɛ̃t] *f. 1* Tinte *m.*, color *m. 2* fig. Matiz *m.*, tono *m.*, un poco *m.: une* — *d'ironie,* un poco de ironía.

teinture [tɛ̃tyr] *f.* Tintura, tinte *m.*

teinturerie [tɛ̃tyrri] *f. 1* Tintorería. *2* Tinte *m.*

tel, telle [tɛl] *adj. indéf. 1* Tal, semejante: *une telle attitude est inadmissible,* tal actitud es inadmisible. Loc. — *père,* — *fils,* de tal palo, tal astilla. *2* Tal, tan grande: *je ne peux faire face à de telles dépenses,* no puedo asumir tales gastos. *3* — *que,* tal como, tal cual. *4* — *quel,* tal cual. *5* Tal: — *jour, à telle heure,* tal día, a tal hora. ■ *6 pron.* Alguien, quien. *7 Rien de* —, nada como. *8 Un* —, *une telle,* fulano, fulana.

télégramme [telegram] *m.* Telegrama.

télégraphe [telegraf] *m.* Telégrafo.

télégraphie [telegrafi] *f.* Telegrafía.

télégraphiste [telegrafist(ə)] *s.* Telegrafista.

télémètre [telemɛtr(ə)] *m.* Telémetro.

télépathie [telepati] *f.* Telepatía.

téléphérique [teleferik] *m.* Teleférico.

téléphone [telefɔn] *m.* Teléfono: *appeler au* —, llamar por teléfono. Loc. *Coup de* —, llamada telefónica, telefonazo.

téléphoner [telefɔne] *intr.-tr.* Telefonear.

télescope [teleskɔp] *m.* Telescopio.

télescoper [teleskɔpe] *tr.* Chocar de frente.

télévision [televizjɔ̃] *f.* Televisión.

tellement [tɛlmɑ̃] *adv. 1* Tan (devant un adj.): *je suis* — *fatigué que je n'ai pas envie de sortir,* estoy tan cansado que no tengo ganas de salir. Loc. — *que,* de tal modo... que; *pas* —, no mucho. *2* Tanto, ta (tant): *j'ai* — *de soucis,* tengo tantos problemas.

téméraire [temerɛr] *adj.* Temerario, ria.

témérité [temerite] *f.* Temeridad.

témoigner [temwaɲe] *tr. 1* Testimoniar, atestiguar. *2* Demostrar, manifestar. ■ *3 intr.* Declarar como testigo: — *pour, contre,* declarar a favor, en contra.

témoin [temwɛ̃] *m. 1* Testigo: *prendre à* —, tomar por testigo; — *à charge,* testigo de cargo. *2* Padrino, madrina *f.* (dans un mariage). *3* Testigo (dans une course de relais). *4* Prueba *f.*, testimonio (preuve).

tempe [tɑ̃p] *f.* Sien: *les tempes,* las sienes.

tempérament [tɑ̃peramɑ̃] *m. 1* Temperamento. *2* MUS. Temperamento. *3 Vente à* —, venta a plazos.

tempérance [tɑ̃perɑ̃s] *f.* Templanza.

tempérant, -ante [tɑ̃perɑ̃, -ɑ̃t] *adj. 1* Temperante. *2* Moderado, da, mesurado, da.

température [tɑ̃peratyr] *f.* Temperatura.

tempérer [tɑ̃pere] *tr.* Templar, temperar, moderar. ▲ CONJUG. como *accélérer.*

tempête [tɑ̃pɛt] *f. 1* Tempestad, temporal *m.* (en mer), tormenta (sur terre). *2* fig. Torrente *m.* (d'injures). *3* fig. Tempestad (d'applaudissements).

tempétueux, -euse [tɑ̃petɥø, -øz] *adj.* Tempestuoso, sa.

temple [tɑ̃pl(ə)] *m. 1* Templo. *2* Temple (ordre du temple).

templier [tɑ̃plije] *m.* Templario.

temporaire [tɑ̃pɔrɛr] *adj.* Temporal, temporario, ria.

temporal, -ale [tɑ̃pɔral] *adj.-m.* ANAT. Temporal.

temporel, -elle [tɑ̃pɔrɛl] *adj.* Temporal.

temporiser [tɑ̃pɔrize] *intr.* Diferir algo en espera de mejor ocasión.

temps [tɑ̃] *m. 1* Tiempo (durée). Loc.
Avoir le — de, tener tiempo para; *avoir
fait son —,* estar fuera de uso (une
chose), haber cumplido el tiempo de su
servicio (un soldat). *2* Tiempo (atmosphère); *beau —,* buen tiempo. Loc. *Gros
—,* temporal. *3* Tiempo, época *f.* Loc.
Depuis ce — -là, desde entonces; *être de
son —,* ser de su época, de su tiempo. *4*
GRAM., MUS., SPORTS Tiempo. *5 loc. adv.*
À —, a tiempo, con tiempo; *à plein —,*
con plena dedicación; *a mi- —,* media
jornada; *au — jadis, dans le —,* antiguamente, antaño; *de — en —, de — à autres,* de cuando en cuando; *de tout —,* de
siempre, de toda la vida; *en même —,* al
mismo tiempo; *en tout —,* siempre; *entre-temps,* entre tanto; *la plupart du —,*
la mayoría de las veces; fam. *en deux —,
trois mouvements,* en un dos por tres. *6*
*loc. conj. Depuis le — que, voilà beau —
que,* hace mucho tiempo que; *du — que,*
cuando.

tenable [t(ə)nabl(ə)] *adj.* Sostenible, defendible.

ténacité [tenasite] *f. 1* Tenacidad. *2* fig.
Testarudez.

tenaille, tenailles [t(ə)naj] *f.-f. pl.* Tenazas
pl.

tenailler [tənaje] *tr.* Atormentar, hacer sufrir.

tenancier, -ière [tənɑ̃sje, -jɛʀ] *s.* Gerente,
encargado, da (d'un hôtel, d'une mai-
son de jeu).

tenant, -ante [tənɑ̃, -ɑ̃t] *adj. Séance tenante,* en el acto.

tendance [tɑ̃dɑ̃s] *f.* Tendencia.

tendancieux, -euse [tɑ̃dɑ̃sjø, -øz] *adj.* Ten-
dencioso, sa.

tender [tɑ̃dɛʀ] *m.* Ténder.

tendeur [tɑ̃dœʀ] *m.* Tensor.

tendon [tɑ̃dɔ̃] *m.* Tendón.

tendre [tɑ̃dʀ(ə)] *adj. 1* Tierno, na, blando,
da. *2* Tierno, na, sensible: *cœur —,* corazón sensible. *3* Suave, delicado, da
(couleur).

tendre [tɑ̃dʀ(ə)] *tr. 1* Tender. *2* Estirar,
atirantar, tensar. *3* Armar (arc, piège).
4 Alargar: *— le bras,* alargar el brazo. *5*
Tapizar, empapelar (un mur). ■ *6 tr.
ind. — à, vers,* tender a, encaminarse a.
■ *7 pr.* Tensarse (rapports, liens). ▲
CONJUG. como *rendre.*

tendresse [tɑ̃dʀɛs] *f. 1* Ternura, cariño *m.*
■ *2 pl.* Caricias, manifestaciones de
afecto.

tendron [tɑ̃dʀɔ̃] *m. 1* Ternecilla *f.,* cartílago. *2* fam. Jovencita *f.,* pollita *f.*
(jeune fille).

tendu, -ue [tɑ̃dy] *adj. 1* Tenso, sa, tirante:
corde tendue, cuerda tensa. *2* Tenso, sa,
tirante, difícil (qui menace de se rompre): *situation tendue,* situación tensa.

ténèbres [tenɛbʀ(ə)] *f. pl.* Tinieblas.

teneur [tənœʀ] *f. 1* Contenido *m.,* texto *m.*
(d'un écrit). *2* Proporción, cantidad.

ténia, taenia [tenja] *m.* Tenia *f.,* solitaria *f.*

tenir [t(ə)niʀ] *tr. 1* Tener, tener cogido, da
(dans les bras, par la main). *2* Sujetar,
aguantar (retenir). *3* Mantener: *il tint les
yeux fermés,* mantuvo los ojos cerrados.
4 Coger (s'emparer de). *5* fam. Agarrar.
6 — le vin, aguantar mucho bebiendo. *7*
Ocupar, coger (de la place). *8* Contener: *cette bouteille tient un litre,* esta botella contiene un litro. *9* Llevar, estar
encargado, da de (diriger, gérer). *10 —
un rôle,* desempeñar un papel. *11 — des
propos agréables,* decir cosas agrada-
bles. *12* Saber: *je le tiens de mon frère,* lo
sé por mi hermano. *13 — pour,* considerar como, creer. *14* Cumplir: *— sa parole,* cumplir (con) su palabra. *15* Tener, celebrar (une réunion). *16 Tiens!,
tenez!,* ¡hombre!, ¡vaya! ■ *17 intr.* Estar
unido, da, sujeto, ta: *la branche tient encore à l'arbre,* la rama está todavía unida
al árbol. *18* Resistir, aguantar (résister).
19 Caber (dans un espace): *on tient à dix
à cette table,* caben diez personas en esta
mesa. *20 — à,* querer (vouloir absolument): *j'ai tenu à les inviter,* he querido
invitarlos. Loc. *Ne — à rien,* no impor-
tarle a uno nada. *21 — à,* provenir, deberse a (résulter). *22 — de,* tener algo
de, parecerse: *il tenait de son père,* tenía
algo de su padre. ■ *23 impers. Il ne tient
qu'à moi,* sólo depende de mí. Loc. *Qu'à
cela ne tienne,* que no quede por eso. ■
24 pr. Agarrarse, cogerse: *tenez-vous à
la main courante,* agárrese al pasamanos. *25* Quedarse, permanecer: *se — debout,* quedarse de pie; *tiens-toi droit!,*
¡ponte derecho! *26* Estar (être quelque
part). *27* Comportarse, portarse: *il sait
se — en société,* sabe comportarse en
sociedad. *28* Estarse (être et rester): *se
— tranquille,* estarse tranquilo. *29 Ne
pouvoir se —,* no poder aguantarse
de. *30 Savoir à quoi s'en —,* saber a qué
atenerse. *31* Estar íntimamente relacionado, da (choses): *dans cette affaire, tout
se tient,* en este asunto todo está íntimamente relacionado. ▲ CONJUG. como *venir.*

tennis [tenis] *m. 1* Tenis. *2 — de table,* ping
pong. *3 Court de —,* pista *f.* de tenis.

tenon [tənɔ̃] *m.* TECHN. Espiga *f.*

ténor [tenɔʀ] *adj.-s.* mus. Tenor.
tension [tãsjɔ̃] *f. 1* Tensión. *2* fig. Tensión, tirantez. *3 — d'esprit*, esfuerzo *m.* mental, concentración.
tentacule [tãtakyl] *m.* Tentáculo.
tentant, -ante [tãtã, -ãt] *adj.* Tentador, ra.
tentateur, -trice [tãtatœʀ, -tʀis] *adj.-s.* Tentador, ra.
tentative [tãtativ] *f.* Tentativa.
tente [tãt] *f. 1* Tienda de campaña (de camping). *2* Toldo *m.* (de cirque).
tenter [tãte] *tr. 1* Intentar (essayer). *2* Tentar (séduire). *3 — de*, tratar de, intentar, procurar.
tenture [tãtyʀ] *f. 1* Colgadura (d'étoffe, de tapisserie). *2* Papel *m.* pintado.
tenu, -ue [t(ə)ny] *adj. 1 Être — à*, estar obligado, da a. *2 Bien —*, bien cuidado, da, bien atendido, da. *3 Mal —*, descuidado, da.
ténu, -ue [teny] *adj.* Tenue.
tenue [t(ə)ny] *f. 1* Modales *m. pl.*, porte *m.*, compostura (comportement): *manquer de —*, no tener buenos modales. *2* Aspecto *m.*, porte *m.*, manera de vestirse. *3* Traje *m.* (civil), uniforme *m.* (militaire). Loc. *En —*, de uniforme; *grande —*, uniforme de gala; *— de soirée*, traje de etiqueta; fam. *être en petite —*, ir en paños menores. *4* Cuidado *m.*, orden *m.*, mantenimiento *m.* (d'une maison, etc.). *5 — de route*, adherencia a la carretera.
tercet [tɛʀsɛ] *m.* Terceto (vers).
térébenthine [teʀebãtin] *f.* Trementina.
tergiverser [tɛʀʒivɛʀse] *intr.* Andar con rodeos, buscar subterfugios, vacilar.
terme [tɛʀm(ə)] *m. 1* Término, plazo (délai): *à court —*, a corto plazo. Loc. *Vente à —*, venta a plazos; *accoucher à —*, parir a los nueve meses. *2* Alquiler (loyer). *3* Término, fin. *4* Término, vocablo, palabra *f.* (mot). ■ *5' pl.* Términos (d'un contrat).
terminaison [tɛʀminɛzɔ̃] *f.* Terminación.
terminal, -ale [tɛʀminal] *adj. 1* Terminal. *2 Les classes terminales*, el último curso del bachillerato. ■ *3 m.* angl. Terminal *f.* (aérogare).
terminer [tɛʀmine] *tr: 1* Terminar, acabar. ■ *2 pr.* Terminarse, acabarse.
terminologie [tɛʀminɔlɔʒi] *f.* Terminología.
terminus [tɛʀminys] *m.* Término, final de línea.
termite [tɛʀmit] *f.* Termes, comején.
terne [tɛʀn(ə)] *adj. 1* Apagado, da, sin brillo. *2* fig. Aburrido, da (fade).

ternir [tɛʀniʀ] *tr. 1* Empañar. *2* fig. Empañar (l'honneur, la réputation).
terrain [tɛʀɛ̃] *m. 1* Terreno: *un — fertile*, un terreno fértil. Loc. *— vague*, solar. *2 Voiture tout —*, coche todo terreno. *3* Terreno (zone): *sur le —*, sobre el mismo terreno. Loc. *Gagner du —*, avanzar; être sur son —, estar en su elemento; *préparer, sonder, tâter le —*, preparar, sondear, tantear el terreno. *4* Campo (de sport, d'aviation).
terrasse [tɛʀas] *f. 1* Terraza, bancal (levée de terre). *2* Azotea (d'une maison). *3* Terraza (d'un café).
terrassement [tɛʀasmã] *m. 1* Excavación y transporte de tierras. *2* Desmonte, nivelación *f.* (d'un terrain).
terrassier [tɛʀasje] *m.* Peón zapador.
terre [tɛʀ] *f. 1* Tierra, suelo *m.*: *à —, par —*, en el suelo, al suelo, por tierra; *jeter par —*, tirar al suelo. *2* Tierra, mundo *m.*: *la —*, la tierra; *Terre sainte*, Tierra Santa. Loc. *Être sur —*, vivir; *quitter la —*, morir. *3 Terre m.*: *— cuite*, barro cocido. Loc. *Une — cuite*, una terracota. *4* techn. Tierra: *— de Sienne*, *— d'ombre*, tierra de Siena.
terreau [tɛʀo] *m.* Mantillo.
terre-neuve [tɛʀnœv] *m. invar.* Perro de Terranova.
terre-plein [tɛʀplɛ̃] *m.* Terraplén.
terrer (se) [tɛʀe] *pr. 1* Meterse en una madriguera (un animal). *2* Esconderse (une personne).
terrestre [tɛʀɛstʀ(ə)] *adj. 1* Terrestre. *2* Terrenal (opposé à céleste).
terreur [tɛʀœʀ] *f.* Terror *m.*
terreux, -euse [tɛʀø, -øz] *adj.* Terroso, sa.
terrible [tɛʀibl(ə)] *adj.* Terrible.
terrien, -ienne [tɛʀjɛ̃, -jɛn] *adj. 1* Rural (qui possède des terres). Loc. *Propriétaire —*, terrateniente. ■ *2 s.* Terrícola.
terrier [tɛʀje] *m. 1* Madriguera *f. 2* Variedad *f.* de perro: *fox-terrier*, foxterrier.
terrifier [tɛ(ʀ)ʀifje] *tr.* Aterrar, aterrorizar. ▲ conjug. como *prier*.
terrine [tɛʀin] *f. 1* Lebrillo *m.*, cuenco *m. 2* Cacerola de barro.
territoire [tɛʀitwaʀ] *m.* Territorio.
territorial, -ale [tɛʀitɔʀjal] *adj.* Territorial.
terroir [tɛʀwaʀ] *m.* Terruño, patria *f.* chica.
terroriser [tɛʀɔʀize] *tr. 1* Aterrorizar. *2* Someter a un régimen de terror.
terrorisme [tɛʀɔʀism(ə)] *m.* Terrorismo.
tertiaire [tɛʀsjɛʀ] *adj.* Terciario, ia.
tertre [tɛʀtʀ(ə)] *m.* Montículo, cerro.
tes [te] *adj. poss. pl.* Tus.

tesson [tesɔ̃] *m.* Tiesto, casco.

test [tɛst] *m.* Test, prueba *f.*

testament [tɛstamɑ̃] *m.* Testamento.

testateur, -trice [tɛstatœr, -tris] *s.* Testador, ra.

tétanos [tetanos] *m.* Tétanos.

têtard [tɛtar] *m.* Renacuajo.

tête [tɛt] *f. 1* Cabeza: *animal sans —,* animal sin cabeza; *mal de —,* dolor de cabeza; *— de linotte, — d'oiseau,* cabeza de chorlito. *2* Cara, faz, rostro *m.* (visage): *une — sympathique,* una cara simpática; *faire une — de six pieds de long,* poner cara larga. Loc. *Faire la —,* poner mala cara, estar de morros; *tenir — à,* plantar cara a. *3* Cabeza (partie supérieure d'une chose, partie antérieure): *— d'ail, d'épingle,* cabeza de ajo, de alfiler; *wagon de —,* vagón de cabeza. Loc. *— d'affiche,* cabecera del reparto; *— de ligne,* origen *m.* de línea; *— de chapitre,* encabezamiento *m.* de un capítulo. *4 Être à la — de,* estar al frente de. Loc. *La — d'une classe,* los mejores alumnos. *5* SPORTS *Faire une —,* dar un cabezazo.

tête-à-tête [tɛtatɛt] *loc. adv. 1* Solos. ■ *2 m.* invar. Entrevista *f.,* conversación *f.* a solas.

tête-bêche [tɛtbɛʃ] *loc. adv.* Pies contra cabeza.

tête-de-loup [tɛtdəlu] *f.* Deshollinadera, deshollinador *m.*

téter [tete] *tr.* Mamar. ▲ CONJUG. como *jeter.*

tétine [tetin] *f. 1* Teta, mama (mamelle). *2* Tetina (d'un biberon).

téton [tetɔ̃] *m.* fam. Teta *f.,* pecho.

tétraèdre [tetraɛdr(ə)] *m.* Tetraedro.

têtu, -ue [tety] *adj.* Testarudo, da, terco, ca.

texte [tɛkst(ə)] *m.* Texto.

textile [tɛkstil] *adj.-m.* Textil.

textuel, -elle [tɛkstɥɛl] *adj.* Textual.

texture [tɛkstyr] *f.* Textura.

thalle [tal] *m.* BOT. Talo.

thé [te] *m.* Té (arbuste et boisson).

théâtre [teɑtr(ə)] *m. 1* Teatro. Loc. *Pièce de —,* obra teatral, de teatro; *faire du —,* trabajar en el teatro. *2 Coup de —,* sorpresa *f.,* hecho imprevisto.

théière [tejɛr] *f.* Tetera.

théisme [teism(ə)] *m.* Teísmo.

thème [tɛm] *m. 1* Tema (sujet). *2* Traducción *f.* inversa. Loc. fam. *Un fort en —,* un empollón (étudiant). *3* MUS. Tema.

théocratie [teɔkrasi] *f.* Teocracia.

théologie [teɔlɔʒi] *f.* Teología.

théorème [teɔrɛm] *m.* Teorema.

théoricien, -ienne [teɔrisjɛ̃, -jɛn] *s.* Teórico, ca.

théorie [teɔri] *f.* Teoría.

théorique [teɔrik] *adj.* Teórico, ca.

théosophie [teɔzɔfi] *f.* Teosofía.

thérapeutique [terapøtik] *adj. 1* Terapéutico, ca. ■ *2 f.* Terapéutica.

thermes [tɛrm(ə)] *m. pl.* Termas *f.*

thermique [tɛrmik] *adj.* Térmico, ca.

thermomètre [tɛrmɔmɛtr(ə)] *m.* Termómetro.

thésauriser [tezɔrize] *intr.* Atesorar dinero.

thèse [tɛz] *f.* Tesis.

thomisme [tɔmism(ə)] *m.* Tomismo.

thon [tɔ̃] *m.* Atún.

thoracique [tɔrasik] *adj.* Torácico, ca: *cage —,* cavidad torácica.

thorax [tɔraks] *m.* Tórax.

thuya [tyja] *m.* Tuya *f.*

thym [tɛ̃] *m.* Tomillo.

thyroïde [tirɔid] *adj. 1* Tiroideo, a. ■ *2 f.* Tiroides *m.*

thyrse [tirs(ə)] *m.* Tirso.

tiare [tjar] *f.* Tiara.

tibia [tibja] *m.* Tibia *f.*

tic [tik] *m. 1* Tic (geste automatique). *2* fig. Tic, manía *f.*

ticket [tikɛ] *m.* Billete (d'autobus, chemin de fer).

tiède [tjɛd] *adj.* Tibio, ia.

tiédeur [tjedœr] *f.* Tibieza.

tiédir [tjedir] *intr. 1* Entibiarse. ■ *2 tr.* Entibiar.

tien, tienne [tjɛ̃, tjɛn] *adj.-pron. poss. 1* Tuyo, ya: *un ami —,* un amigo tuyo; *le —, la tienne,* el tuyo, la tuya. ■ *2 m. pl. Les tiens,* los tuyos (parents, amis, partisans).

tiers, tierce [tjɛr, tjɛrs(ə)] *adj. 1* Tercer, ra. Loc. *Une tierce personne,* una tercera persona. *2 — monde,* tercer mundo. ■ *3 m.* Tercero, tercera *f.* persona (personne étrangère). *4* Tercio, tercera *f.* parte: *les deux —,* las dos terceras partes.

tige [tiʒ] *f. 1* Tallo *m.* (d'une plante). *2* Caña (d'une botte, d'une colonne). *3* Caña: *une — de bambou,* una caña de bambú. *4* Barra, varilla. *5* MÉC. Vástago *m.*

tignasse [tiɲas] *f.* Greña, pelambrera.

tigre, tigresse [tigr(ə), tigrɛs] *s. 1* Tigre. ■ *2 f.* fig. Mujer muy celosa, fiera.

tilleul [tijœl] *m. 1* Tilo, tila *f.* (arbre). *2* Tila *f.* (fleur, infusion).

timbale [tɛ̃bal] *f. 1* MÚS. Timbal *m. 2* Molde *m.* de cocina (moule). *3* CUIS. Timbal *m. 4* Cubilete *m.* vaso *m.* metálico (pour boire). Loc. fam. *Décrocher la —*, ganar el premio, llevarse la palma.

timbre [tɛ̃bʀ(ə)] *m. 1* Timbre, campanilla *f.* (sonnerie). *2* Timbre, sonido (sonorité). *3* Sello (timbre-poste). *4* Timbre (fiscal). *5* Sello (cachet). *6* Sello, tampón (instrument qui sert à apposser des marques).

timbrer [tɛ̃bʀe] *tr.* Timbrar, sellar.

timidité [timidite] *f.* Timidez.

timon [timɔ̃] *m. 1* Lanza *f.*, pértigo (d'une voiture). *2* MAR. Caña *f.* del timón. *3* fig. Timón, dirección *f.*

timonier [timɔnje] *m.* Timonel.

timoré, -ée [timɔʀe] *adj.* Timorato, ta, indeciso, sa.

tinctorial, -ale [tɛ̃ktɔʀjal] *adj.* Tintóreo, rea.

tintamarre [tɛ̃tamaʀ] *m.* Estruendo, alboroto.

tintement [tɛ̃tmɑ̃] *m. 1* Tañido, campaneo, tintineo. *2* Zumbido (d'oreilles).

tintinnabuler [tɛ̃tinabyle] *intr.* Tintinear.

tintouin [tɛ̃twɛ̃] *m. 1* fam. Jaleo, estrépito (bruit). *2* fam. Preocupación *f.*, mareo, inquietud *f.* (souci).

tique [tik] *f.* Garrapata.

tir [tiʀ] *m. 1* Tiro: *— à blanc*, tiro de fogueo; *— à la cible*, tiro al blanco. *2 — au but*, tiro a gol, remate (football). *3 — au pigeon*, tiro de pichón.

tirade [tiʀad] *f. 1* Tirada (de vers). *2* Parlamento *m.*, monólogo *m.* (théâtre).

tirage [tiʀaʒ] *m. 1* Tiro (d'une cheminée). *2* Devanado (de la soie). *3* IMPR. Tirada *f.* Loc. *Second —*, segunda edición. *4* PHOT. Prueba *f.*, tiraje. *5* Sorteo (loterie). Loc. *— au sort*, sorteo.

tiraillement [tiʀajmɑ̃] *m. 1* Tirón, estirón. *2* Retortijón.

tirailler [tiʀaje] *tr. 1* Dar tirones. *2* fig. Importunar, molestar. ■ *3 intr.* Tirotear.

tirailleur [tiʀajœʀ] *m.* MIL. Tirador, cazador.

tire-bouchon [tiʀbuʃɔ̃] *m. 1* Sacacorchos. *2* Tirabuzón (cheveux).

tire-d'aile (à) [atiʀdɛl] *loc. adv.* Con vuelo rápido, a todo vuelo.

tire-ligne [tiʀliɲ] *m.* Tiralíneas.

tirelire [tiʀliʀ] *f.* Hucha, alcancía.

tirer [tiʀe] *tr. 1* Tirar, estirar (allonger, étirer). Loc. fig. *— les ficelles*, llevar la batuta, llevar las riendas. *2* Sacar: *— l'épée*, sacar la espada. *3* Tirar de (amener vers soi): *— une charrette, les cheveux*, tirar de un carro, del pelo. *4* Correr: *— les rideaux*, correr las cortinas. *5* Arrastrar, tirar (traîner). *6* Llamar (l'at-

tention), atraer (le regard). *7* Trazar (une ligne, un plan). *8* Imprimir, tirar (un livre). Loc. *Bon à —*, listo para imprimir. *9* Tirar, disparar: *— un coup de fusil*, tirar un escopetazo. *10 Se faire — le portrait*, hacerse un retrato. *11 — un chèque*, extender un cheque. *12* Sacar, extraer (faire sortir). Loc. *— les larmes à quelqu'un*, hacer llorar a alguien. ■ *13 intr. — sur*, tirar de: *— sur une corde*, tirar de una cuerda. Loc. fig. *— sur la ficelle*, exagerar, ir demasiado lejos. *14 — sur*, tirar a: *— sur le bleu*, tirar a azul. *15* Loc. fam. *— au flanc*, remolonear, hacerse el remolón, la remolona. *16* Tirar, disparar: *— à l'arc*, tirar con arco; *— en l'air*, disparar al aire (tir). *17 — à sa fin*, tocar a su fin, acabarse. *18 Cela ne tire pas à conséquence*, esto no tiene importancia. ■ *19 pr.* pop. Largarse, pirarse (s'en aller). *20 Se — de*, librarse, zafarse, salir de (sortir). *21 S'en —*, salirse, salir bien.

tiret [tiʀe] *m. 1* Raya *f.* *2* Guión (trait d'union).

tireur, -euse [tiʀœʀ, -øz] *s. 1* Tirador, ra. ■ *2 m.* COMM. Girador, librador. ■ *3 f. Tireuse de cartes*, echadora de cartas.

tiroir [tiʀwaʀ] *m. 1* Cajón (d'un meuble). *2 Fond de —*, cosa *f.* sin valor que se olvida en un cajón.

tisane [tizan] *f.* Tisana.

tison [tizɔ̃] *m.* Tizón, ascua *f.*

tisonner [tizɔne] *tr.* Atizar (le feu).

tissage [tisaʒ] *m. 1* Tejido (action et ouvrage). *2* Fábrica *f.* de tejidos.

tisser [tise] *tr.* Tejer.

tisserand, -ande [tisʀɑ̃, -ɑ̃d] *s.* Tejedor, ra.

tisseur, -euse [tisœʀ, -øz] *s.* Tejedor, ra.

tissu [tisy] *m. 1* Tejido, tela *f.* *2* ANAT. Tejido. *3* fig. Sarta *f.*

titan [titɑ̃] *m.* Titán, gigante.

titiller [titi(l)e; titije] *tr.* Cosquillear.

titre [titʀ(ə)] *m. 1* Título (dignité, grade, fonction). Loc. *En —*, titular; *professeur en —*, profesor titular. *2* COMM., DR. Título (de propriété, etc.). Loc. *— de transport*, billete. *3* Ley *f.* (d'un métal). *4* CHIM. Grado, graduación *f.* *5* IMPR. Título. Loc. *Page de —*, portada; *faux titre*, anteportada *f.* *6 loc. adv. À juste —*, con toda la razón; *à ce —*, por esta razón. *7 loc. prép. À — de*, como, en concepto de, en calidad de. *8 loc. conj. Au même — que*, de la misma manera que, lo mismo que.

tituber [titybe] *intr.* Titubear.

titulaire [titylɛʀ] *adj.-s.* Titular.

toast [tost] m. 1 Brindis. Loc. *Porter un —,* brindar. 2 Tostada f. (rôtie).

toboggan [tɔbɔgã] m. Tobogán.

tocsin [tɔksɛ̃] m. Toque a rebato: *sonner le —,* tocar a rebato.

toge [tɔʒ] f. Toga.

tohu-bohu [tɔybɔy] m. Barullo, confusión f.

toi [twa] *pron. pers.* 1 Tú (sujet), te (complément direct), ti (complément indirect). 2 *Avec —,* contigo.

toile [twal] f. 1 Tela. Loc. *— cirée,* hule m. 2 Lienzo m. (peinture). 3 *— de fond,* telón de foro (au théâtre).

toilette [twalɛt] f. 1 Aseo m., limpieza personal. Loc. *Faire sa —,* lavarse, arreglarse; *faire un brin de —,* lavarse a lo gato; *trousse de —,* estuche m. de aseo. 2 *Cabinet de —,* cuarto de aseo. 3 Tocado m., arreglo m. personal. Loc. *Avoir le goût de la —,* ser coqueta. 4 Traje m., vestido m. (vêtement). Loc. *Être en grande —,* ir con traje de gala. 5 Tocador m. Loc. *Produits de —,* productos de belleza o de tocador. ■ 6 *pl.* Retrete m. *sing.,* lavabo m. *sing.* aseo m. *sing.*

toiser [twaze] *tr.* 1 Medir, tallar. 2 Mirar de arriba abajo (regarder).

toison [twazɔ̃] f. 1 Vellón m. (d'un animal). 2 fig. Cabellera, melena (chevelure).

toit [twa] m. 1 Tejado, techo. 2 fig. Techo, hogar (maison).

toiture [twatyʀ] f. Techumbre, techado m.

tôle [tol] f. 1 Palastro m., chapa: *— ondulée,* chapa ondulada. 2 pop. Chirona, cárcel (prison).

tolérable [tɔleʀabl(ə)] *adj.* Tolerable.

tolérer [tɔleʀe] *tr.* Tolerar, consentir. ▲ CONJUG. como *accélérer.*

tomate [tɔmat] f. 1 Tomate. m. 2 Tomatera (plante).

tombe [tɔ̃b] f. Tumba, sepultura.

tombeau [tɔ̃bo] m. 1 Tumba, sepulcro. 2 *À — ouvert,* a toda velocidad, a todo correr.

tombée [tɔ̃be] f. 1 Caída. 2 *À la — de la nuit, du jour,* al atardecer, a la caída de la tarde.

tomber [tɔ̃be] *intr.* 1 Caer, caerse: *— de fatigue, de sommeil,* caerse de cansancio, de sueño. Loc. fig. *— de son haut, des nues,* quedarse atónito. 2 fig. Caer: *des milliers de soldats tombèrent glorieusement,* miles de soldados cayeron gloriosamente. 3 Caer (un gouvernement, etc.). 4 Caer (le jour, la nuit). 5 Decaer (décliner). 6 Bajar (prix, fièvre). 7 Caer: *une robe qui tombe bien,* un vestido que cae bien. 8 *— en, dans,* caer en; *— dans le ridicule,* caer en ridículo. 9 fig. *Laisse —,* déjalo. 10 *— sur,* caer, atacar. Loc. *— sur quelqu'un,* encontrarse a, con alguien (rencontrer par hasard), emprenderla con alguien (critiquer). 11 *— sous la main de,* llegar a las manos de. 12 Ponerse, caer: *— malade,* caer enfermo. Loc. *— amoureux,* enamorarse; *— d'accord,* ponerse de acuerdo. 13 *— bien, mal,* venir bien, mal, llegar en buen, mal momento. 14 Caer (une fête). ■ 15 IMPERS. *Il tombe de la pluie,* llueve. ■ 16 *tr.* Tumbar, derribar. 17 *— une femme,* seducir a una mujer. 18 fam. *— la veste,* quitarse la chaqueta.

tombereau [tɔ̃bʀo] m. Volquete.

tombola [tɔ̃bɔla] f. Tómbola.

tome [tɔm] m. Tomo.

ton [tɔ̃], **ta** [ta], **tes** [te] *adj. poss.* Tu, tus.

ton [tɔ̃] m. Tono (de la voix, d'un instrument, d'une couleur).

tonalité [tɔnalite] f. Tonalidad.

tondre [tɔ̃dʀ(ə)] *tr.* 1 Esquilar (les animaux). 2 Rapar, cortar (les cheveux). 3 Cortar, igualar (le gazon). 4 fam. Pelar, desplumar (dépouiller). ▲ CONJUG. como *rendre.*

tonifier [tɔnifje] *tr.* Tonificar. ▲ CONJUG. como *prier.*

tonique [tɔnik] *adj.* 1 Tónico, ca. 2 GRAM. Tónico; *accent —,* acento tónico. ■ *3 m.* Tónico, reconstituyente. ■ *4 f.* MÚS. Tónica.

tonnage [tɔnaʒ] m. MAR. Tonelaje, arqueo.

tonnant, -ante [tɔnã, -ãt] *adj.* Estruendoso, sa. Loc. *Voix tonnante,* voz de trueno.

tonne [tɔn] f. 1 Tonel m. grande (tonneau). 2 Tonelada (unité de poids).

tonneau [tɔno] m. 1 Tonel. 2 MAR. Tonelada f. 3 Vuelta de campana: *faire un —,* dar una vuelta de campana (voiture).

tonnelier [tɔnəlje] m. Tonelero.

tonnelle [tɔnɛl] f. Glorieta, cenador m.

tonner [tɔne] *impers.* 1 Tronar: *il tonne,* truena. ■ 2 *intr.* Retumbar, tronar. 3 fig. *— contre,* echar pestes contra.

tonnerre [tɔnɛʀ] m. 1 Trueno. 2 *Coup de —,* trueno; fig. acontecimiento fatal, imprevisto. 3 Salva f. (d'applaudissements). 4 fam. *Du —,* bárbaro, ra, macanudo, da.

tonsurer [tɔ̃syʀe] *tr.* ECCLÉS. Tonsurar.

tonte [tɔ̃t] f. 1 Esquileo m. 2 Corte m. (du gazon).

topaze [tɔpaz] f. Topacio m.

toper [tɔpe] *intr.* 1 Darse la mano, chocarla. *2* fam. *Tope là*, chócala, vengan esos cinco.

topique [tɔpik] *adj.-s.* Tópico, ca.

topographie [tɔpɔgrafi] *f.* Topografía.

toquade [tɔkad] *f.* Manía, chifladura.

toque [tɔk] *f. 1* Bonete *m.* (de magistrat). *2* Gorro *m.* (de cuisiner).

toquer (se) [tɔke] *pr.* fam. *Se — de*, chiflarse por, encapricharse de.

torche [tɔrʃ(ə)] *f.* Tea, antorcha.

torcher [tɔrʃe] *tr. 1* Limpiar, enjugar. *2* pop. Frangollar, hacer de prisa (bâcler).

torchère [tɔrʃɛr] *f.* Tedero *m.*, hachero *m.*

torchis [tɔrʃi] *m.* Adobe.

torchon [tɔrʃɔ̃] *m. 1* Trapo, paño de cocina. Loc. *Le — brûle*, la cosa está que arde. *2* fam. Porquería *f.*

tordre [tɔrdr(ə)] *tr. 1* Torcer. Loc. *— le cou*, retorcer el pescuezo. *2* Doblar, torcer (plier). ■ *3 pr.* Torcerse, retorcerse: *je me suis tordu un pied*, me torcí un pie. *4* fam. *Se — de rire*, desternillarse de risa. ▲ CONJUG. como *rendre*.

tore [tɔr] *m.* ARCHIT. Toro, bocel.

toréador [tɔreadɔr] *m.* Torero.

tornade [tɔrnad] *f.* Tornado *m.*

torpédo [tɔrpedo] *f.* Torpedo *m.*

torpeur [tɔrpœr] *f.* Entorpecimiento *m.*, torpor *m.*

torpillage [tɔrpijaʒ] *m.* Torpedeamiento *m.*

torpille [tɔrpij] *f.* Torpedo *m.*

torpilleur [tɔrpijœr] *m.* Torpedero.

torréfier [tɔr(r)efje] *tr.* Tostar. ▲ CONJUG. como *prier*.

torrent [tɔrã] *m.* Torrente. Loc. *À torrents*, a cántaros.

torrentiel, -elle [tɔrãsjɛl] *adj.* Torrencial.

torride [tɔrid] *adj.* Tórrido, da.

tors, torse [tɔr, tɔrs(ə)] *adj. 1* Torcido, da. *2 Colonne torse*, columna salomónica. *3 Jambes torses*, piernas arqueadas.

torsade [tɔrsad] *f. 1* Franja o cordón *m.* torcido en forma de hélice. *2* TECHN. Empalme *m.*

torse [tɔrs(ə)] *m.* Torso.

torsion [tɔrsjɔ̃] *f.* Torsión.

tort [tɔr] *m. 1* Daño, perjuicio. Loc. *Faire du — à*, perjudicar a; *à —*, injustamente, sin ningún motivo; *à — ou à raison*, con razón o sin ella; *à — et à travers*, a tontas y a locas. *2* Error, culpa *f.: reconnaître son —*, confesar su culpa. Loc. *Avoir —*, no tener razón, estar equivocado, da (se tromper); *avoir — de*, hacer mal en.

torticolis [tɔrtikɔli] *m.* Tortícolis.

tortiller [tɔrtije] *tr. 1* Retorcer, torcer. ■ *2 intr. — des hanches*, contonearse, andar moviendo las caderas. *3* Loc. fam. *Il n'y a pas à —*, no hay que darle vueltas. ■ *4 pr.* Retorcerse, enroscarse.

tortionnaire [tɔrsjɔnɛr] *m.* Verdugo.

tortue [tɔrty] *f.* Tortuga.

tortueux, -euse [tɔrtɥø, -øz] *adj.* Tortuoso, sa.

torturer [tɔrtyre] *tr.* Torturar, atormentar.

tôt [to] *adv. 1* Temprano, pronto: *se lever —*, levantarse temprano; *il est encore trop — pour dire*, aún es pronto para decir. *2 Plus —*, antes. *3 Le, au plus —*, lo más pronto, cuanto antes; *le plus — sera le mieux*, cuanto antes mejor. *4 Avoir — fait de*, no tardar nada en.

total, -ale [tɔtal] *adj.-m.* Total. Loc. *Au —*, en total (en tout), en resumen, total (en somme).

totalité [tɔtalite] *f.* Totalidad.

totem [tɔtɛm] *m.* Tótem.

toton [tɔtɔ̃] *m.* Perinola *f.* (toupie).

toucan [tukã] *m.* Tucán.

touchant [tuʃã] *prép.* Tocante a, concerniente a.

touche [tuʃ] *f. 1* Mordida, picada (pêche). Loc. fam. *Faire une —*, ligar. *2* Pincelada (peinture). *3* fam. Facha, pinta (aspect). *4* Nota: *mettre une — de gaîté*, poner una nota de alegría. *5* Tecla (d'un piano, d'une machine à écrire). *6* Traste *m.* (d'une guitare). *7* SPORTS *Ligne de —*, línea de banda. *8 Pierre de —*, piedra de toque.

toucher [tuʃe] *tr. 1* Tocar: *un objet*, tocar un objeto. *2* Alcanzar (atteindre): *— le but*, dar en el blanco. *3* Localizar, encontrar, tomar contacto con: *où peut-on vous —?*, ¿dónde se le puede localizar? *4* Cobrar (recevoir): *— de l'argent*, cobrar dinero. *5* Conmover, impresionar (émouvoir). *6* Tocar, estar a la vera de (être proche de). *7* Atañer, concernir (concerner). *8* MAR. Tocar, hacer escala en. *9 — un mot de…*, decir dos palabras sobre…; *je lui en toucherai un mot*, le hablaré de ello. ■ *10 tr. ind. — à*, tocar: *ne touche pas à cette bouteille*, no toques esta botella. *11* Tocar, abordar (s'occuper de quelque chose). *12* Llegar (arriver à). Loc. *—à sa fin*, ir acabándose, tocar a su fin. *13* Lindar con, estar junto a (être contigu). ■ *14 pr.* Tocarse.

toucher [tuʃe] *m. 1* Tacto (sens). *2* MÉD. Palpación *f.* *3* MUS. Ejecución *f.*

touffe [tuf] *f. 1* Mata (d'herbe). *2* Mechón *m.* (de cheveux). *3* Manojo *m.* (de fleurs).

touffu, ue [tufy] *adj. 1* Espeso, sa, apretado, da. *2* Frondoso, sa (arbre).

toujours [tuʒuʀ] *adv. 1* Siempre. *2* Todavía, aún: *travaillez-vous — là?,* ¿trabaja todavía allí? *3* fam. *Il peut — courir, se fouiller,* ya puede correr, haga lo que haga. *4 — est-il que...,* en todo caso..., lo cierto es que...

toupet [tupɛ] *m. 1* Tupé. *2* fam. Cara *f.,* caradura *f.,* tupé.

toupie [tupi] *f.* Trompo *m.,* peonza.

tour [tuʀ] *f. 1* Torre: *— de contrôle,* torre de control. *2* Torre (aux échecs). *3 — d'ivoire,* torre de marfil.

tour [tuʀ] *m. 1* Torno (machine-outil, de potier, dans un couvent, etc.). *2* Perímetro, circunferencia *f.* (de hanches, etc.). *3* Anchura *f.* (de hanches, etc.). *4* Vuelta *f.* Loc. *Faire le — du monde,* dar la vuelta al mundo; *le — de France,* la vuelta ciclista a Francia. Loc. *— de cou,* cuello (pièce d'habillement). *5* Vuelta, paseo *m.* (promenade): *faire un —,* dar una vuelta, un paseo. *6* Revolución *f.,* rotación *f. 7 — de reins,* lumbago. *8* Número: *faire un — d'équilibre,* hacer un número de equilibrio. Loc. *— de force,* proeza *f.,* hazaña *f. 9* Faena *f.,* jugada *f.,* pasada *f.: jouer un mauvais —,* hacer una mala pasada. *10* Carácter, aspecto, cariz (aspect). *11 — de phrase,* giro de una frase. *12* Vez *f.,* turno. Loc. *C'est mon —,* me toca a mí, es mi turno. *13 — de chant,* actuación *f.* (d'un chanteur). *14* loc. adv. *À — de bras,* con todas las fuerzas; *à — de rôle,* por turno, en su orden; *en un — de main,* en un santiamén, en un abrir y cerrar de ojos; *— à —,* por turno, alternativamente.

tourbe [tuʀb(ə)] *f.* Turba.

tourbillon [tuʀbijɔ̃] *m. 1* Torbellino (d'air), remolino (d'eau). *2* fig. Torbellino.

tourbillonnement [tuʀbijɔnmɑ̃] *m. 1* Movimiento en remolino. *2* fig. Agitación *f.,* torbellino.

tourier, -ière [tuʀje, -jɛʀ] *adj. -s.* Tornero, ra (d'un couvent).

tourisme [tuʀism(ə)] *m.* Turismo.

touriste [tuʀist(ə)] *s.* Turista.

tourmente [tuʀmɑ̃t] *f.* Tormenta.

tourmenter [tuʀmɑ̃te] *tr. 1* Atormentar, hacer sufrir. ■ *2* pr. Atormentarse, inquietarse.

tournant, -ante [tuʀnɑ̃, -ɑ̃t] *adj. 1* Giratorio, ria. *2* Sinuoso, sa, que da vueltas. Loc. *Un escalier —,* una escalera de caracol.

tournant [tuʀnɑ̃] *m. 1* Vuelta *f.,* recodo. Loc. fam. *Je t'attends au —!,* ¡te espero en la esquina! *2* fig. Momento crucial, viraje decisivo.

tournebroche [tuʀnəbʀɔʃ] *m.* Mecanismo que da vueltas al asador.

tournée [tuʀne] *f. 1* Gira, viaje *m.* (d'inspection, etc.). *2 La — du facteur,* la ronda del cartero. *3* fam. Ronda, convidada (à boire). *4* pop. Paliza (raclée).

tournemain (en un) [ɑ̃nœ̃tuʀnəmɛ̃] *loc. adv.* En un santiamén.

tourner [tuʀne] *tr. 1* Girar, dar vueltas. Loc. *Cette fille lui a tourné la tête,* esta muchacha lo ha vuelto loco, lo ha trastornado. *2* Pasar (les pages d'un livre). *3* Volver (la tête, le dos), girar (une rue, la tête). *4* Rodar (un film). *5* Tornear, labrar (façonner au tour). *6 — en dérision, en ridicule,* ridiculizar, burlarse de. ■ *7* intr. Girar, dar vueltas: *— autour,* dar vueltas alrededor, girar alrededor. *8* Girar (changer de direction). Loc. *La chance a tourné,* la suerte ha cambiado. *9 — à ..., en ...,* ponerse, volverse, tornarse: *le temps tourne au froid,* el tiempo se pone frío. *10 — bien,* salir bien, tomar buen rumbo; *— mal,* echarse a perder. *11* Estropearse, ponerse rancio, ia (s'abîmer), cortarse (le lait), agriarse (le vin). ■ *12* pr. Volverse, girarse: *se — contre quelqu'un,* volverse contra alguien.

tournesol [tuʀnəsɔl] *m. 1* Tornasol (colorant). *2* Girasol (plante).

tourneur [tuʀnœʀ] *m.* Tornero, torneador.

tournevis [tuʀnəvis] *m.* Destornillador.

tourniquet [tuʀnikɛ] *m.* Torniquete.

tournoiement [tuʀnwamɑ̃] *m.* Remolino.

tournoyer [tuʀnwaje] *intr. 1* Remolinar, dar vueltas. *2* Revolotear. ▲ CONJUG. como *employer.*

tournure [tuʀnyʀ] *f. 1* Giro *m.,* sesgo *m.,* cariz *m. 2* Giro *m.* (d'une phrase). *3 — d'esprit,* manera de ver las cosas.

tourte [tuʀt(ə)] *f. 1* Torta, tortada. *2* pop. Mantecado *m.,* zoquete *m.*

tourterelle [tuʀtəʀɛl] *f.* Tórtola.

tousser [tuse] *intr.* Toser.

tout [tu], **toute** [tut], **tous** [tu; tus], **toutes** [tut] *adj. 1* Todo, da, dos, das: *toute la journée,* todo el día; *— le monde,* todo el mundo. Loc. *— le temps,* siempre; *— le reste,* lo demás, lo restante; *— seul,* solo; *tous les deux,* los dos, ambos; *tous les fois que,* cada vez que; *tous les dix mois,* cada diez meses; fam. *tous les trente six du mois,* nunca; *le Tout-Paris,* el todo París, lo mejor de París. *2* Único, ca. *3 — ce qu'il y a de...,* todo lo que hay de... Loc. fam. *— ce qu'il y a de plus,* de lo más. *4 De toute beauté,* de

gran belleza. *5* Todo, da, cualquiera. ■ *6*
pron. Todo, da, dos, das: *tous sont ve-*
nus, han venido todos; *tous ensemble,*
todos juntos. Loc. *Après* —, después de
todo, al fin y al cabo; *à — prendre,*
mirándolo bien, considerándolo todo;
c'est —, nada más, esto es todo; *en — et*
pour —, en total; fam. *ce n'est pas — de*
s'amuser, no basta con divertirse. *7* fam.
Avoir — de, parecerse mucho a, tener
todas las características de. ■ *8 adv.*
Todo, da, completamente, entera-
mente: *je suis — à vous,* estoy entera-
mente a su disposición. Loc. *— à coup,*
de repente, de pronto; — *à l'heure,* hace
un momento, hace un rato; *à — à*
l'heure, hasta luego, hasta ahora; — *au*
plus, a lo sumo, todo lo más. *9* Muy
(avec un sens diminutif devant quelques
adjectifs, participes et adv.): *il est —*
jeune, es muy joven. Loc. — *bas,* bajito,
en voz baja. *10* — *autre,* otro, otra; *c'est*
une — autre affaire, es otro asunto. *11* —
... *que...,* aunque...; — ...*que...* (et
subj.), por muy... que, por más que...:
— *fort qu'il soit,* por muy fuerte que sea.
12 — *à fait,* del todo, completamente,
exactamente. *13* — *en...* (suivi d'un participe présent), mientras: *il chante — en*
travaillant, canta mientras trabaja. ■ *14*
m. Todo, el todo. Loc. *Risquer le —*
pour le —, jugarse el todo por el todo. *15*
Le —, lo importante. *16 loc. adv. Pas du*
—, de ningún modo, de ninguna manera, en absoluto.
toutefois [tutfwa] *adv.* Sin embargo, no
obstante.
tout-puissant, toute-puissante [tupɥisã,
tutpɥisãt] *adj. 1* Todopoderoso, sa, omnipotente. ■ *2 s. Le Tout-Puissant,* el Todopoderoso.
toux [tu] *f.* Tos.
toxique [tɔksik] *adj.-m.* Tóxico, ca.
trac [tʀak] *m.* fam. Nerviosismo, miedo,
canguelo.
traçant, -ante [tʀasã, -ãt] *adj. 1* вот. Horizontal, rastrero, ra (racine). *2 Balle tra-*
çante, bala trazadora.
tracas [tʀaka] *m.* Preocupación *f.,* inquietud *f.*
tracasser [tʀakase] *tr. 1* Molestar, inquietar. ■ *2 pr.* Inquietarse.
trace [tʀas] *f. 1* Rastro *m.,* huella, señal:
suivre les traces, seguir las huellas. *2* Indicio *m.*
trachée [tʀaʃe] *f.* Tráquea.
tractation [tʀaktɑsjɔ̃] *f.* Manejos *m. pl.*
turbios.
tracteur [tʀaktœʀ] *m.* Tractor.

traction [tʀaksjɔ̃] *f.* Tracción.
tradition [tʀadisjɔ̃] *f.* Tradición.
traduction [tʀadyksjɔ̃] *f.* Traducción.
traduire [tʀadɥiʀ] *tr. 1* Traducir: — *du*
français en español, traducir del francés
al español. *2* DR. Citar ante la justicia,
hacer comparecer. ▲ CONJUG. como
conduire.
trafic [tʀafik] *m. 1* Tráfico, comercio. *2*
Tráfico, circulación *f.*
trafiquant, -ante [tʀafikã, -ãt] *s.* Traficante.
tragédie [tʀaʒedi] *f.* Tragedia.
tragique [tʀaʒik] *adj. 1* Trágico, ca. ■ *2 m.*
Lo trágico: *prendre au* —, tomar por lo
trágico.
trahir [tʀaiʀ] *tr. 1* Traicionar. *2* Revelar,
mostrar, descubrir: — *un secret,* descubrir un secreto. ■ *3 pr.* Descubrirse. *4*
Manifestarse, revelarse.
train [tʀɛ̃] *m. 1* Tren: — *de marchandises,*
tren de mercancías. *2* MIL. — *des équipa-*
ges, tren de equipajes. *3* AUTO. — *avant,*
arrière, tren delantero, trasero. *4*
— *d'atterrissage,* tren de aterrizaje. *5* —
d'avant, de derrière, cuarto delantero,
trasero (d'un cheval). *6* pop. Trasero. *7*
— *de pneus,* juego de neumáticos. *8* — *de*
vie, tren de vida, modo de vivir. *9* Paso,
marcha *f.* (allure). Loc. *Aller à fond de*
—, ir a todo correr, a toda marcha; *aller*
bon —, ir de prisa. *10 loc. adv. En* —, en
forma, animado, da: *je ne suis pas en* —,
no estoy en forma; *mettre en* —, empezar (commencer). *11 loc. prép. En* —
de... se traduit en espagnol par le gérondif du verbe correspondant: *il est en —*
de manger, está comiendo.
traînard, -arde [tʀenaʀ, -aʀd(ə)] *s. 1* Rezagado, da. *2* fig. Persona *f.* lenta.
traîneau [tʀeno] *m.* Trineo.
traînée [tʀene] *f. 1* Reguero *m.* (trace). *2*
pop. Prostituta.
traîner [tʀene] *tr. 1* Tirar de, arrastrar.
Loc. — *les pieds,* arrastrar los pies. *2* fig.
Arrastrar, llevar: — *une terrible mala-*
die, arrastrar una penosa enfermedad. *3*
— *une affaire en longueur,* hacer durar,
dar largas a un asunto. ■ *4 intr.* Arrastrar, colgar. *5* Andar rodando, no estar
en su sitio, andar (chose). *6* — *en lon-*
gueur, no acabar nunca, ir para largo.
7 Quedarse atrás, rezagarse (s'attarder). *8* Callejear, vagabundear, andar
(errer). ■ *9 pr.* Arrastrarse (à plat ventre), a gatas (à genoux). *10* Andar
con dificultad (par maladie, fatigue). *11*
Hacerse largo, no acabarse nunca (dans
le temps).

traîneur, -euse [trɛnœr, -øz] *s.* Vagabundo, da.

train-train [trɛtrɛ̃] *m.* Marcha *f.* habitual, rutinaria, rutina *f.*

traire [trɛr] *tr.* Ordeñar. ▲ CONJUG. IRREG. INDIC. Pres.: *je trais, tu trais, il trait, nous trayons, vous trayez, ils traient.* Imperf.: *je trayais,* etc. Fut. imperf.: *je trairai,* etc. POT.: *je trairais,* etc. SUBJ. Pres.: *que je traie,* etc. IMPER.: *trais, trayons, trayez.* PART. A.: *trayant.* PART. P.: *trait, traite.*

trait [trɛ] *m. 1* Rasgo, característica *f.* Loc. — *d'esprit,* agudeza *f.; — de génie,* rasgo de ingenio; *avoir — à,* referirse a, tener relación con. *2* Raya *f.,* trazo (ligne). Loc. — *d'union,* guión; fig. lazo, vínculo. *3* Flecha *f.,* saeta *f.* (flèche). Loc. *Partir comme un —,* salir como una flecha, salir disparado. *4* fig. Pulla *f.* (parole malveillante). *5 Boire d'un —,* beber de un trago. *6 Animal de —,* animal de tiro. ■ *7 pl.* Rasgos, facciones *f.* (du visage). *8* loc. adv. *À grands traits,* a grandes rasgos.

traitable [trɛtabl(ə)] *adj.* Tratable.

traite [trɛt] *f. 1* Tirada, tirón *m. 2 D'une (seule) —,* de una tirada, de un tirón. *3* Ordeño *m.* (des vaches). *4* COMM. Letra de cambio. *5 — des Nègres,* trata de negros; — *des blanches,* trata de blancas.

traité [trete] *m.* Tratado.

traiter [trete] *tr. 1* Tratar. *2* Asistir (un malade). *3 — quelqu'un de,* tratar a alguien de..., calificar a alguien de... ■ *4 intr. — de,* hablar de, tratar de. *5* Negociar.

traître, -esse [trɛtr(ə), ɛs] *adj.-s. 1* Traidor, ra. *2 En —,* a traición, traidoramente. *3 Pas un — mot,* ni una palabra.

trajectoire [traʒɛktwar] *f.* Trayectoria.

trajet [traʒɛ] *m.* Trayecto.

tramer [trame] *tr.* Tramar.

tramontane [tramɔ̃tan] *f.* Tramontana.

tramway [tramwɛ] *m.* Tranvía.

tranchant, -ante [trɑ̃ʃɑ̃, -ɑ̃t] *adj. 1* Cortante. *2* fig. Tajante, decisivo, va. ■ *3 m.* Corte, filo: *épée à deux tranchants,* espada de dos filos.

tranche [trɑ̃ʃ] *f. 1* Tajada, lonja (de jambon), rodaja, raja (de saucisson), rebanada (de pain). *2* Canto *m.* (d'un livre). *3* Grupo *m.* (de chiffres). *4* Sorteo *m.* (de loterie). *5 — de vie,* episodio *m.* de la vida real. *6* Loc. fam. *S'en payer une —,* divertirse mucho, pasarlo en grande.

trancher [trɑ̃ʃe] *tr. 1* Cortar. Loc. — *la gorge,* degollar. *2* fig. Zanjar, resolver: — *une difficulté,* zanjar una dificultad. ■ *3 intr.* Decidir, resolver. Loc. — *dans*

le vif, cortar por lo sano. *4* Resaltar, contrastar (les couleurs).

tranquille [trɑ̃kil] *adj.* Tranquilo, la.

tranquilliser [trɑ̃kilize] *tr. 1* Tranquilizar. ■ *2 pr.* Tranquilizarse.

tranquillité [trɑ̃kilite] *f.* Tranquilidad.

transaction [trɑ̃zaksjɔ̃] *f.* Transacción.

transatlantique [trɑ̃zatlɑ̃tik] *adj. 1* Transatlántico, ca. ■ *2 m.* Transatlántico (paquebot). *3* Tumbona *f.* (chaise longue).

transborder [trɑ̃sbɔrde] *tr.* Transbordar.

transcendance [trɑ̃sɑ̃dɑ̃s] *f.* Trascendencia.

transcription [trɑ̃skripsjɔ̃] *f.* Transcripción.

transcrire [trɑ̃skrir] *tr.* Transcribir. ▲ CONJUG. como *écrire.*

transe [trɑ̃s] *f. 1* Temor *m.,* inquietud, ansia. *2 En —,* en trance (état d'hypnose).

transept [trɑ̃sɛpt] *m.* Crucero.

transférer [trɑ̃sfere] *tr.* Transferir, traspasar, trasladar. ▲ CONJUG. como *accélérer.*

transfert [trɑ̃sfɛr] *m. 1* Transferencia *f.* (de fonds). *2* Traspaso. *3* Traslado (transport).

transfigurer [trɑ̃sfigyre] *tr.* Transfigurar.

transformation [trɑ̃sfɔrmasjɔ̃] *f.* Transformación.

transformer [trɑ̃sfɔrme] *tr. 1* Transformar. ■ *2 pr.* Transformarse.

transfuge [trɑ̃sfyʒ] *m.* Tránsfuga.

transfusion [trɑ̃sfyzjɔ̃] *f.* Transfusión.

transgresser [trɑ̃sgrese] *tr.* Transgredir, quebrantar.

transi, -ie [trɑ̃si; trɑ̃zi] *adj.* Transido, da, aterido, da, pasmado, da.

transiger [trɑ̃ziʒe] *intr.* Transigir. ▲ CONJUG. como *engager.*

transir [trɑ̃sir; trɑ̃zir] *tr.* Helar, pasmar (de froid, de peur).

transit [trɑ̃zit] *m.* Tránsito: *en —,* en tránsito.

transitif, -ive [trɑ̃zitif, -iv] *adj.* GRAM. Transitivo, va.

transition [trɑ̃zisjɔ̃] *f.* Transición.

transitoire [trɑ̃zitwar] *adj.* Transitorio, ria.

translation [trɑ̃slasjɔ̃] *f.* Translación, traslado *m.*

translucide [trɑ̃slysid] *adj.* Translúcido, da.

transmettre [trɑ̃smɛtr(ə)] *tr.* Transmitir. ▲ CONJUG. como *mettre.*

transmission [trɑ̃smisjɔ̃] *f.* Transmisión.

transmutation [trɑ̃smytasjɔ̃] *f.* Transmutación.

transparence [trɑ̃sparɑ̃s] *f.* Transparencia.

transparent, -ente [trãspaʀãs] *adj.* Transparente.

transpercer [trãspeʀse] *tr.* Traspasar, atravesar. ▲ CONJUG. como *lancer.*

transpiration [trãspiʀasjõ] *f.* Transpiración.

transpirer [trãspiʀe] *intr.* Transpirar.

transplanter [trãsplãte] *tr.* Trasplantar.

transport [trãspɔʀ] *m.* *1* Transporte: *transports en commun,* transportes colectivos. *2* fig. Transporte, arrebato. *3* — *au cerveau,* congestión *f.* cerebral, delirio.

transporter [trãspɔʀte] *tr.* *1* Transportar, trasladar. *2* Transmitir. *3* fig. Arrebatar, poner fuera de sí, sacar de quicio. ■ *4 pr.* Trasladarse.

transsubstantiation [trãsypstãsjasjõ] *f.* Transubstanciación.

transvaser [trãsvɑze] *tr.* Transvasar, trasegar.

transversal, -ale [trãsveʀsal] *adj.* Transversal.

trapèze [tʀapɛz] *m.* Trapecio.

trappe [tʀap] *f.* *1* Trampa, trampilla (porte au niveau du sol). *2* Trampa (piège). *3* Trapa (ordre religieux).

trappiste [tʀapist(ə)] *m.* Trapense.

trapu, -ue [tʀapy] *adj.* Rechoncho, cha.

traquenard [tʀaknaʀ] *m.* Trampa *f.*

traquer [tʀake] *tr.* *1* Acosar, acorralar (le gibier). *2* fig. Acosar.

traumatisme [tʀomatism(ə)] *m.* Traumatismo.

travail [tʀavaj] *m.* *1* Trabajo: — *manuel,* trabajo manual. Loc. — *à la chaîne,* producción en cadena; — *saisonnier,* trabajo estacional, de temporero; *un* — *de Romains,* una obra de Romanos. *2 Une femme en* —, una mujer que va de parto. ■ *3 pl.* Faenas *f.: les travaux des champs,* las faenas del campo. *4* Obras *f.*

travailler [tʀavaje] *tr.* *1* Trabajar, pulir, labrar (façonner). *2* Atormentar (faire souffrir). *3* Preocupar (inquiéter). ■ *4 intr.* Trabajar: — *à la tâche,* trabajar a destajo. *5* Estudiar. *6* Fermentar (le vin). *7* Alabearse (le bois). *8* Loc. fam. *Il travaille du chapeau,* está chiflado, loco.

travailleur, -euse [tʀavajœʀ, -øz] *adj. 1* Trabajador, ra. ■ *2 s.* Trabajador, ra. *3* Obrero, ra.

travers [tʀaveʀ] *m.* *1* Defecto (défaut). *2 En* —, de través. Loc. *Se mettre en* —, ponerse atravesado. *3 À* —, a través; *à* — *les carreaux,* a través de los cristales. Loc. *Passer à* — *champs,* pasar a campo traviesa. *4 Au* —, por en medio. Loc.

fig. *Passer au* —, librarse. *5 De* —, de través. *6 À tort et à* —, a tontas y a locas.

traverse [tʀaveʀs(ə)] *f.* *1* Travesaño *m.,* larguero *m.* (pièce de bois). *2* Traviesa (chemin de fer).

traverser [tʀaveʀse] *tr.* *1* Atravesar, cruzar (un pays, une rue). *2* Traspasar, calar (transpercer). *3* fig. Atravesar, pasar.

traversin [tʀaveʀsɛ̃] *m.* Travesaño, almohada *f.* larga.

travesti, -ie [tʀavesti] *adj. 1* Disfrazado, da. Loc. *Bal* —, baile de disfraces. ■ *2 m.* Disfraz. ■ *3 s.* Persona que se disfraza para parecer del otro sexo.

travestir [tʀavestiʀ] *tr. 1* Disfrazar. ■ *2 pr.* Disfrazarse.

trébucher [tʀebyʃe] *intr.* Tropezar, dar un traspié.

trébuchet [tʀebyʃɛ] *m. 1* Pesillo (petite balance). *2* Trampa *f.* para pajaritos.

tréfilerie [tʀefilʀi] *f.* Fábrica de alambre, trefilería.

trèfle [tʀefl(ə)] *m. 1* Trébol. *2* Uno de los palos de la baraja francesa.

tréfonds [tʀefõ] *m.* Lo más íntimo, lo más recóndito.

treillage [tʀejaʒ] *m.* Enrejado, reja *f.*

treille [tʀej] *f. 1* Parra. *2* Emparrado *m.*

treize [tʀez] *adj. num. m.* Trece.

treizième [tʀezjem] *adj. num.* Decimotercio, cia.

tréma [tʀema] *m.* Crema *f.,* diéresis *f.* Ús. sobre la *e,* la *i* o la *u,* para indicar que no forman diptongo con otra vocal: aiguë, naïf, Saül.

tremble [tʀɑ̃bl(ə)] *m.* Tiemblo, álamo temblón.

tremblement [tʀɑ̃bləmɑ̃] *m. 1* Temblor. Loc. — *de terre,* temblor de tierra, terremoto. *2* Temblor, estremecimiento (frémissement). *3* fam. *Et tout le* —, y toda la pesca.

trembler [tʀɑ̃ble] *intr. 1* Temblar. *2* Tiritar, temblar (de froid, de fièvre). Loc. — *comme une feuille,* temblar como un azogado. *3* Temblar, temer, estremecerse (avoir peur).

trembloter [tʀɑ̃blɔte] *intr.* Temblar ligeramente, tembleguear.

trémie [tʀemi] *f.* Tolva de molino.

trémière [tʀemjeʀ] *adj. f. Rose* —, malvarrosa.

trémoussement [tʀemusmɑ̃] *m.* Zarandeo.

tremper [tʀɑ̃pe] *tr. 1* Mojar, bañar, meter en un líquido. *2* Empapar, remojar (imbiber). Loc. *Être trempé,* estar hecho una sopa. *3* TECHN. Templar (l'acier). *4* fig. Templar, dar temple. ■ *5 intr*. Estar en remojo, remojarse. 6 fig. — *dans*, participar en, estar pringado en. ■ *7 pr*. Remojarse (prendre un bain rapide).

tremplin [tʀɑ̃plɛ̃] *m*. Trampolín.

trentaine [tʀɑ̃tɛn] *f*. Treintena, unos *m. pl*. Treinta.

trente [tʀɑ̃t] *adj. num.-m. 1* Treinta. *2 Se mettre sur son — et un*, ponerse de punta en blanco.

trentième [tʀɑ̃tjɛm] *adj. num. 1* Trigésimo, ma. ■ *2 s*. Treintavo, va. ■ *3 m. Le —*, la trigésima *f*. parte.

trépaner [tʀepane] *tr*. Trepanar.

trépas [tʀepɑ] *m*. Muerte *f*., óbito. Loc. *Passer de vie à —*, morir.

trépasser [tʀepɑse] *intr*. Fallecer, morir.

trépidant, -ante [tʀepidɑ̃, -ɑ̃t] *adj*. Trepidante.

trépied [tʀepje] *m*. Trípode.

trépigner [tʀepiɲe] *intr*. Patalear.

très [tʀɛ] *adv. 1* Muy: — *aimable*, muy amable; — *petit*, muy pequeño, pequeñito. *2* Mucho, cha: *il fait — froid*, hace mucho frío; *j'ai — soif*, tengo mucha sed.

trésor [tʀezɔʀ] *m*. Tesoro.

trésorerie [tʀezɔʀʀi] *f*. Tesorería.

tressaillir [tʀesajiʀ] *intr*. Estremecerse. ▲ CONJUG. como *assaillir*.

tressauter [tʀesote] *intr*. Sobresaltarse, estremecerse.

tresser [tʀese] *tr*. Trenzar.

tréteau [tʀeto] *m. 1* Caballete, asnilla *f*. ■ *2 pl*. Tablas *f*. Loc. *Monter sur les tréteaux*, hacerse cómico.

treuil [tʀœj] *m*. Torno de mano.

trêve [tʀɛv] *f. 1* Tregua. *2 Sans —*, sin tregua, sin interrupción.

tri [tʀi] *m*. Selección *f*., clasificación *f*.

triage [tʀijaʒ] *m*. Tría *f*., selección *f*.

triangle [tʀijɑ̃gl(ə)] *m*. Triángulo.

tribord [tʀibɔʀ] *m*. MAR. Estribor.

tribu [tʀiby] *f*. Tribu.

tribulation [tʀibylɑsjɔ̃] *f*. Tribulación.

tribunal [tʀibynal] *m*. Tribunal: *comparaître devant les tribunaux*, comparecer ante los tribunales.

tribune [tʀibyn] *f*. Tribuna.

tribut [tʀiby] *m*. Tributo.

tricher [tʀiʃe] *intr*. Hacer trampas.

tricheur, -euse [tʀiʃœʀ, -øz] *s*. Fullero, ra, tramposo, sa.

tricolore [tʀikɔlɔʀ] *adj*. Tricolor.

tricorne [tʀikɔʀn(ə)] *m*. Tricornio.

tricot [tʀiko] *m. 1* Labor *f*., tejido de punto. *2* Jersey (chandail).

tricoter [tʀikɔte] *tr. 1* Hacer punto: *elle tricote un chandail*, hace un suéter de

punto. ■ *2 intr*. Hacer punto. *3* pop. — *des jambes*, correr mucho.

trictrac [tʀiktʀak] *m*. Chaqueta (jeu).

tricycle [tʀisikl(ə)] *m*. Triciclo.

trident [tʀidɑ̃] *m. 1* Tridente. *2* Fisga *f*. (pour pêcher).

trièdre [tʀi(j)ɛdʀ(ə)] *m*. Triedro.

trier [tʀije] *tr*. Triar, escoger. ▲ CONJUG. como *prier*.

trieur, -euse [tʀijœʀ, -øz] *s. 1* Escogedor, ra. ■ *2 f*. Clasificadora.

trigonométrie [tʀigɔnɔmetʀi] *f*. Trigonometría.

trille [tʀij] *m*. MUS. Trino.

trillion [tʀiljɔ̃] *m*. Trillón.

trilogie [tʀilɔʒi] *f*. Trilogía.

trimestriel, -elle [tʀimɛstʀijɛl] *adj*. Trimestral.

tringle [tʀɛ̃gl(ə)] *f*. Varilla, barra: — *à rideaux*, varilla de cortina.

trinité [tʀinite] *f*. Trinidad.

trinôme [tʀinom] *m*. Trinomio.

trinquer [tʀɛ̃ke] *intr. 1* Hacer chocar los vasos al brindar. *2* fam. Beber. *3* pop. Pagar el pato (subir un dommage).

trio [tʀijo] *m*. Trío, terceto.

triomphe [tʀijɔ̃f] *m*. Triunfo: *arc de —*, arco de triunfo. Loc. *Porter quelqu'un en —*, aclamar triunfalmente.

triompher [tʀijɔ̃fe] *intr. 1* Triunfar. *2 — de...*, triunfar sobre. *3* Sobresalir, distinguirse.

tripe [tʀip] *f. 1* Tripa (boyau). *2* fam. Tripa (de l'homme). Loc. *Rendre tripes et boyaux*, echar las tripas, vomitar. ■ *3 pl*. CUIS. Callos *m*.

triple [tʀipl(ə)] *adj*. Triple.

triporteur [tʀipɔʀtœʀ] *m*. Triciclo para transporte.

tripot [tʀipo] *m*. Garito, timba *f*.

tripotage [tʀipotaʒ] *m*. Chanchullo, tejemaneje.

tripotée [tʀipote] *f. 1* fam. Paliza, tunda (volée). *2* fam. Caterva, montón *f*. (tas).

triptyque [tʀiptik] *m*. Tríptico.

trique [tʀik] *f*. Garrote *m*.

trisaïeul, -eule [tʀizajœl] *s*. Tatarabuelo, la.

triste [tʀist(ə)] *adj*. Triste.

tristesse [tʀistɛs] *f*. Tristeza.

triton [tʀitɔ̃] *m*. ZOOL., MYTH. Tritón.

triturer [tʀityʀe] *tr*. Triturar.

triumvirat [tʀijɔmviʀa] *m*. Triunvirato.

trivial, -ale [tʀivjal] *adj. 1* Trivial. *2* Bajo, ja, grosero, ra.

trivialité [tʀivjalite] *f*. Trivialidad.

troc [tʀɔk] *m*. Trueque, cambalache *m*.

troglodyte [tʀɔglɔdit] *adj.-s*. Troglodita.

trogne [trɔɲ] *f.* Cara gorda y colorada.

trois [trwa] *adj. num.-m.* Tres.

troisième [trwazjɛm] *adj. num.-s.* Tercero, ra.

trois-mâts [trwama] *m.* Barco de tres palos.

trolley [trɔlɛ] *m.* Trole.

trombe [trɔ̃b] *f. 1* Tromba, manga (d'eau). *2 En —, comme une —,* a toda velocidad.

tromblon [trɔ̃blɔ̃] *m. 1* Trabuco naranjero. *2* pop. Chistera *f.* (chapeau).

trombone [trɔ̃bɔn] *m. 1* Trombón. *2* Clip (agrafe).

trompe [trɔ̃p] *f.* Trompa.

trompe-l'œil [trɔ̃plœj] *m. invar.* Engañifa *f.*, apariencia *f.* engañosa. Loc. *En —,* de candilejas.

tromper [trɔ̃pe] *tr. 1* Engañar. *2* Ser infiel a, engañar a (son mari, sa femme). *3* Burlar (échapper). *4* Matar: — *la soif,* matar la sed. ■ *5 pr.* Equivocarse. Loc. *Si je ne me trompe,* si no me equivoco.

trompette [trɔ̃pet] *f. 1* Trompeta (instrument). *2 Nez en —,* nariz respingona. ■ *3 m.* Trompeta (musicien).

trompeur, -euse [trɔ̃pœr, -øz] *adj.* Engañador, ra, engañoso, sa.

tronc [trɔ̃] *m. 1* Tronco. *2* Cepillo (dans une église).

tronçonner [trɔ̃sɔne] *tr.* Cortar en trozos.

trône [tron] *m.* Trono.

tronquer [trɔ̃ke] *tr.* Truncar.

trop [tro] *adv. 1* Demasiado: — *cher,* demasiado caro; — *...pour,* demasiado... para. Loc. *De —, en —,* de más, de sobra: *c'en est —,* es demasiado, esto pasa de la raya. *2* Muy: — *peu,* muy poco. *3* — *de,* demasiado, da, dos, das; — *de choses,* demasiadas cosas. ■ *4 m.* Exceso.

trophée [trɔfe] *m.* Trofeo.

tropical, -ale [trɔpikal] *adj.* Tropical: *pays tropicaux,* países tropicales.

tropique [trɔpik] *m. 1* Trópico. *2 Les tropiques,* los trópicos.

tropisme [trɔpism(ə)] *m.* Tropismo.

troquer [trɔke] *tr.* Trocar, cambiar.

trot [tro] *m. 1* Trote. *2 Au —,* al trote, a trote.

trotter [trɔte] *intr. 1* Trotar, ir al trote (cheval). *2* Corretear, callejear (marcher beaucoup). *3* — *par la tête,* dar vueltas en la cabeza. ■ *4 pr.* pop. Largarse (se sauver).

trottoir [trɔtwar] *m. 1* Acera *f.* (de rue). Loc. *Faire le —,* dedicarse a la prostitución. *2* — *roulant,* plataforma *f.* móvil.

trou [tru] *m. 1* Agujero, orificio. Loc. — *d'air,* bache (avion). *2* Ojo (de la serrure). *3* Madriguera *f.* (des animaux), ratonera *f.* (de souris). Loc. fig. *Faire son —,* establecerse, colocarse bien. *4* — *du souffleur,* concha *f.* del apuntador. *5* Poblacho, villorrio, aldea (petit village). *6* Fallo (de mémoire). *7* pop. *Être au —,* estar en chirona, en la cárcel. *8* SPORTS. Hoyo (golf).

troubadour [trubadur] *m.* Trovador.

trouble [trubl(ə)] *adj. 1* Turbio, bia. *2* Confuso, sa. ■ *3 m.* Disturbio, desorden, confusión *f. 4* Turbación *f.*, emoción *f.* ■ *5 m. pl.* Disturbios, revueltas *f.* (rébellion). *6* Trastornos (de la santé): *troubles psychiques,* trastornos psíquicos.

trouble-fête [trubləfɛt] *m. invar.* Aguafiestas.

troubler [truble] *tr. 1* Enturbiar (rendre trouble). *2* Turbar, agitar (agiter). *3* Perturbar, trastornar (dérégler). *4* Inquietar, impresionar. ■ *5 pr.* Turbarse, perder la serenidad.

trouer [true] *tr.* Horadar, agujerear.

troupe [trup] *f. 1* Tropa, pandilla. *2* Bandada, vuelo *m.* (d'oiseaux). *3* MIL. Tropa. *4* Compañía (de comédiens, etc.).

troupeau [trupo] *m. 1* Rebaño, manada *f.* (d'animaux). *2* Multitud *f.*, rebaño (de personnes).

trousse [trus] *f. 1* Estuche *m.:* — *de toilette,* estuche de aseo.

trousseau [truso] *m. 1* Manojo (de clefs). *2* Ajuar, equipo, ropa *f.* (d'une fiancée, d'un collégien).

trousser [truse] *tr. 1* Arremangar, levantar, recoger (les vêtements). *2* CUIS. — *une volaille,* atar un ave para asarla. *3* Hacer rápido y hábilmente, despachar de prisa (faire rapidement).

trouvaille [truvaj] *f.* Hallazgo *m.*

trouver [truve] *tr. 1* Encontrar, hallar, dar con: *je ne trouve pas mes lunettes,* no encuentro mis gafas. *2* Sentir, experimentar (éprouver). *3* Ver, encontrar: — *bon, mauvais,* encontrar bien, mal; *aller — quelqu'un,* ir a ver a alguien. Loc. *Vous trouvez?,* ¿usted cree? (croire). ■ *4 pr.* Encontrarse, hallarse. *5* Sentirse, encontrarse: *je me trouve bien ici,* me siento a gusto aquí. ■ *6 impers. Il se trouve que,* sucede que, ocurre que. *7 Il se trouve toujours des personnes qui...,* hay siempre personas que...

trouvère [truver] *m.* Trovero.

truand, -ande [tryɑ̃, -ɑ̃d] *s.* Truhán, ana, pícaro, ra.

truc [tʀyk] *m. 1* Truco. *2* fam. Chisme, cosa *f.,* cacharro (chose quelconque). *3* Sistema, mecanismo.

truculent, -ente [tʀykylɑ̃, -ɑ̃t] *adj.* Truculento, ta.

truelle [tʀyɛl] *f. 1* Palustre *m.,* llana (de maçon). *2* Paleta (pour servir).

truffe [tʀyf] *f.* Trufa.

truie [tʀɥi] *f.* Marrana, cerda.

truite [tʀɥit] *f.* Trucha.

truquer [tʀyke] *tr.* Falsificar.

trust [tʀœst] *m.* Trust.

tu [ty] *pron. pers.* Tú.

tuant, -ante [tɥɑ̃, -ɑ̃t] *adj.* fam. Penoso, sa, fatigante, agobiante.

tuba [tyba] *m.* Tuba.

tube [tyb] *m. 1* Tubo: — *à essai,* tubo de ensayo. *2* ANAT. Tubo. *3* fam. Canción *f.* de éxito.

tubercule [tybɛʀkyl] *m.* Tubérculo.

tuberculeux, -euse [tybɛʀkylø, -øz] *adj.-s.* Tuberculoso, sa.

tubulaire [tybylɛʀ] *adj.* Tubular.

tudesque [tydɛsk(ə)] *adj.-m.* Tudesco, ca.

tuer [tɥe] *tr. 1* Matar. *2 — le temps,* matar el tiempo. ■ *3 pr.* Matarse: *se — au travail,* matarse trabajando. *4* Suicidarse.

tuerie [tyʀi] *f.* Matanza, carnicería.

tue-tête (à) [atytɛt] *loc. adv.* A grito pelado, a voz en grito.

tueur, -euse [tɥœʀ, -øz] *s. 1* Matador, ra, asesino, na. ■ *2 m.* Matarife (dans un abattoir).

tuile [tɥil] *f. 1* Teja. *2* fam. Accidente *m.,* sorpresa desagradable.

tulipe [tylip] *f.* Tulipán *m.*

tulle [tyl] *m.* Tul.

tuméfier [tymefje] *tr.* Causar tumefacción, hinchar. ▲ CONJUG. como *prier.*

tumeur [tymœʀ] *f.* Tumor *m.*

tumulte [tymylt(ə)] *m.* Tumulto.

tumultueux, -euse [tymyltɥø, -øz] *adj.* Tumultuoso, sa.

tungstène [tœ̃kstɛn] *m.* Tungsteno.

tunique [tynik] *f. 1* Túnica. *2* ANAT., BOT. Túnica.

tunnel [tynɛl] *m.* Túnel.

turban [tyʀbɑ̃] *m.* Turbante.

turbine [tyʀbin] *f.* Turbina.

turbulence [tyʀbylɑ̃s] *f.* Turbulencia.

turbulent, -ente [tyʀbylɑ̃, -ɑ̃t] *adj.* Turbulento, ta.

turc, turque [tyʀk, -k(ə)] *adj.-s.* Turco, ca.

turgescent, -ente [tyʀʒesɑ̃, -ɑ̃t] *adj.* MÉD. Turgente.

turpitude [tyʀpityd] *f.* Torpeza, vileza.

turquoise [tyʀkwaz] *f. 1* Turquesa (pierre). ■ *2 adj. invar.* Color turquesa.

tutélaire [tytelɛʀ] *adj.* Tutelar.

tutelle [tytɛl] *f.* Tutela.

tuteur, -trice [tytœʀ, -tʀis] *s. 1* Tutor, ra. ■ *2 m.* AGR. Tutor, rodrigón.

tutoyer [tytwaje] *tr.* Tutear, tratar de tú. ▲ CONJUG. como *employer.*

tutu [tyty] *m.* Tonelete (des danseuses).

tuyau [tɥijo] *m. 1* Tubo. Loc. — *d'arrosage,* manga *f.,* manguera *f.* de riego; — *d'échappement,* tubo de escape. *2* Cañón (d'une plume d'oiseau, d'une cheminée, d'orgue). *3* Pliegue en forma de tubo. *4* fam. Informe, noticia *f.* confidencial (renseignement).

tuyauterie [tɥijotʀi] *f. 1* Tubería (ensemble de tuyaux). *2* Cañería.

tuyère [ty(ɥi)jɛʀ] *f.* Tobera.

tympan [tɛ̃pɑ̃] *m.* ANAT., ARCHIT. Tímpano.

tympanon [tɛ̃panɔ̃] *m.* MUS. Tímpano.

type [tip] *m. 1* Tipo (modèle). *2* fig. Tipo (personnage original). *3* fam. Tipo, tío (homme quelconque): *pauvre —,* pobre tipo; *un chic —,* un tío estupendo.

typhoïde [tifɔid] *adj.-f.* Tifoidea (fièvre).

typhon [tifɔ̃] *m.* Tifón.

typhus [tifys] *m.* Tifus.

typique [tipik] *adj.* Típico, ca.

typographie [tipɔgʀafi] *f.* Tipografía.

tyran [tiʀɑ̃] *m.* Tirano.

tyrannie [tiʀani] *f.* Tiranía.

tyranniser [tiʀanize] *tr.* Tiranizar.

U

u [y] *m.* U *f.*

ubiquité [ybikµite] *f.* Ubicuidad.

uhlan [ylɑ̃] *m.* Ulano.

ukase [ykɑz], **oucase** [ukɑz] *m. 1* Ucase, ukase (décret du Tsar). *2 fig.* Decisión *f.* arbitraria.

ulcérer [ylseʀe] *tr. 1* Ulcerar. *2 fig.* Herir, lastimar moralmente. ▲ CONJUG. como *accélérer.*

ultérieur, -eure [ylteʀjœʀ] *adj.* Ulterior.

ultimatum [yltimatɔm] *m.* Ultimátum.

ultra [yltʀa] *adj.-s.* Extremista, ultra.

ultramontain, -aine [yltʀamɔ̃tɛ̃, -ɛn] *adj.-s.* Ultramontano, na.

ululer [ylyle] *intr.* Ulular.

un, une [œ̃, yn] *adj. num. indéf. 1* Uno, una. Loc. *Pas —*, ni uno, ninguno; *ne faire qu'—*, no ser más que uno, ser una misma persona; *c'est tout —*, es lo mismo, es todo uno; *— à —*, uno por uno. ■ *2 adj. ordin.* Primero, ra: *livre —*, libro primero. Loc. *fam. Ne faire ni une ni deux,* no pararse en barras. ■ *3 adj.* Uno, una (indivisible). ■ *4 art. indéf.* Un, una: *— de mes amis,* un amigo mío. ■ *5 pron. indéf.* Un, una, unos, unas: *l'—d'eux,* uno de ellos. Loc. *Ni l'— ni l'autre,* ni uno ni otro, ninguno de los dos; *l'— et l'autre,* uno y otro, ambos, los dos. ■ *6 m.* Uno (une unité). ■ *7 f.* Primera plana (d'un journal): *à la une,* en primera plana.

unanimité [ynanimite] *f.* Unanimidad: *à l'—*, por unanimidad.

uni, -ie [yni] *adj. 1* Unido, da: *unis contre quelqu'un,* unidos contra alguien. *2* Llano, na, liso, sa (une surface). *3* Liso, sa: *couleurs unies,* colores lisos; *chemisier —*, blusa lisa.

unicité [ynisite] *f.* Unicidad.

unifier [ynifje] *tr.* Unificar. ▲ CONJUG. como *prier.*

uniforme [ynifɔʀm(ə)] *adj.-m.* Uniforme.

uniformiser [ynifɔʀmize] *tr.* Uniformar, uniformizar (rendre uniforme).

unilatéral, -ale [ynilateʀal] *adj.* Unilateral: *contrats unilatéraux,* contratos unilaterales.

union [ynjɔ̃] *f.* Unión.

unique [ynik] *adj.* Único, ca.

unir [yniʀ] *tr. 1* Unir (annexer, assembler). ■ *2 pr.* Unirse (s'associer). *3* Casarse (se marier).

unisson [ynisɔ̃] *m. 1* Unisón, unísono. *2 À l'—*, al unísono.

unitaire [ynitɛʀ] *adj.* Unitario, ria.

unité [ynite] *f.* Unidad.

univers [ynivɛʀ] *m.* Universo.

universalité [ynivɛʀsalite] *f.* Universalidad.

universel, -elle [ynivɛʀsɛl] *adj.* Universal.

universitaire [ynivɛʀsitɛʀ] *adj. 1* Universitario, ia. ■ *2 s.* Profesor, ra de la Universidad.

université [ynivɛʀsite] *f.* Universidad.

uranium [yʀanjɔm] *m.* Uranio.

urbain, -aine [yʀbɛ̃, -ɛn] *adj.* Urbano, na.

urbaniser [yʀbanize] *tr.* Urbanizar.

urbanité [yʀbanite] *f.* Urbanidad.

urée [yʀe] *f.* Urea.

urémie [yʀemi] *f.* Uremia.

urgence [yʀʒɑ̃s] *f. 1* Urgencia. *2 D'—*, con urgencia, urgentemente.

urgent, -ente [yʀʒɑ̃, -ɑ̃t] *adj. 1* Urgente. *2 Être —*, ser urgente, urgir.

urinaire [yʀinɛʀ] *adj.* Urinario, ia.

urinal [yʀinal] *m.* Orinal (pour malades).

urine [yʀin] *f.* Orina.

urinoir [yʀinwaʀ] *m.* Urinario.

urne [yʀn(ə)] *f.* Urna. Loc. *Aller aux urnes,* ir a votar.

urologie [yʀɔlɔʒi] *f.* Urología.

urticaire [yʀtikɛʀ] *f.* Urticaria.

us [ys] *m. pl.* Usos: *les — et coutumes,* los usos y costumbres.

usage [ysaʒ] *m. 1* Uso, empleo (utilisation). Loc. *Faire — de,* emplear, hacer uso de; *à l'—*, con el uso; *à l'— de,* para uso de; *en —*, en uso; *hors d'—*, fuera de uso, desusado, da; *fam. faire de l'—*, durar. *2* Uso.

costumbre *f.* (coutume). Loc. *D'—,* usual, de costumbre. *3* Educación *f.,* buenas costumbres *f. pl. 4* Usufructo.

usagé, -ée [yzaʒe] *adj.* Usado, da: *vêtements usagés,* vestidos usados.

usager [yzaʒe] *m.* Usuario.

usé, -ée [yze] *adj. 1* Gastado, da, usado, da. *2* Desgastado, da, gastado, da (affaibli). *3* Trillado, da, común (banal).

user [yze] *intr. 1* Usar, emplear, hacer uso de, valerse de: *— d'un privilège,* hacer uso de un privilegio. *2 En — avec quelqu'un,* comportarse, obrar, portarse con alguien. ■ *3 tr.* Gastar, consumir. *4* Gastar, desgastar (détériorer). Loc. *— ses fonds de culottes sur les bancs de l'école,* ir a la escuela. *5* Debilitar, minar, gastar (santé, forces). ■ *6 pr.* Gastarse.

usine [yzin] *f.* Fábrica.

usité, -ée [yzite] *adj.* Usado, da, en uso, empleado, da.

ustensile [ystɑ̃sil] *m.* Utensilio.

usuel, -elle [yzɥɛl] *adj.* Usual.

usufruit [yzyfrɥi] *m.* Usufructo.

usure [yzyʀ] *f. 1* Usura (intérêt). *2* Desgaste *m.,* deterioro *m.* (détérioration).

usurier, -ière [yzyʀje, -jɛʀ] *s.* Usurero, ra.

usurpateur, -trice [yzyʀpatœʀ, -tʀis] *s.* Usurpador, ra.

usurper [yzyʀpe] *tr.* Usurpar.

ut [yt] *m.* MUS. Do.

utérin, -ine [yteʀɛ̃, -in] *adj.* Uterino, na.

utile [ytil] *adj. 1* Útil. *2 En temps —,* en su debido tiempo. ■ *3 m.* Lo útil, lo que es útil.

utiliser [ytilize] *tr.* Utilizar.

utilitaire [ytilitɛʀ] *adj.* Utilitario, ia.

utilité [ytilite] *f. 1* Utilidad. *2* THÉÂT. Empleo *m.* subalterno de actor.

utopie [ytɔpi] *f.* Utopía.

V

v [ve] *m.* V *f.*

va [va] *1* v. **aller**: *qui — là?*, ¿quién va?; *va-t-en*, vete. *2 — pour*, sea, vaya por: *— pour dix francs*, vaya por diez francos. *3 interj.* ¡Anda!, ¡venga!, ¡vamos!

vacance [vakɑ̃s] *f. 1* Vacante (poste, chaire). ■ *2 pl.* Vacaciones: *être en vacances*, estar de vacaciones; *grandes vacances*, vacaciones de verano.

vacant, -ante [vakɑ̃, -ɑ̃t] *adj. 1* Vacante. *2* Desocupado, da, libre (siège, logement, etc.).

vacarme [vakaʀm(ə)] *m.* Alboroto, estrépito.

vaccin [vaksɛ̃] *m.* Vacuna *f.*

vacciner [vaksine] *tr.* Vacunar.

vache [vaʃ] *f. 1* Vaca. Loc. fam. *Manger de la — enragée*, pasar las de Caín. *2* Vaqueta, vaca (cuir). *3* fig. fam. Mala bestia, mal bicho *m.*, hueso *m.* (personne). ■ *4 adj.* fam. Mal intencionado, da.

vacherie [vaʃʀi] *f. 1* Vaquería. *2* pop. Mala jugada, cochinada.

vacillation [vasijɑsjɔ̃, vasilɑsjɔ̃] *f.* Vacilación.

vaciller [vasije] *intr.* Vacilar.

vacuité [vakɥite] *f.* Vacuidad.

va-et-vient [vaevjɛ̃] *m. invar. 1* Vaivén. *2* MAR. Andarivel, estacha *f.* (cordage).

vagabond, -onde [vagabɔ̃, -ɔ̃d] *adj.-m.* Vagabundo, da.

vagabonder [vagabɔ̃de] *intr.* Vagabundear, vagar, errar.

vagir [vaʒiʀ] *intr. 1* Llorar (nouveau-né). *2* Chillar (lièvre).

vagissement [vaʒismɑ̃] *m.* Vagido.

vague [vag] *adj. 1* Vago, ga, indeciso, sa. *2 Terrain —*, baldío, solar. ■ *3 m.* Vaguedad *f.* Loc. *— à l'âme*, morriña *f.*, melancolía *f.*: *rester dans le —*, ser impreciso, sa. ■ *4 f.* Ola (de la mer, etc.). *5 — de chaleur*, ola de calor. *6* fig. Oleada, ola.

vaguement [vagmɑ̃] *adv.* Apenas, poco, más o menos.

vaguer [vage] *intr.* Vagar, errar.

vaillance [vajɑ̃s] *f.* Valentía, valor *m.*

vaillant, -ante [vajɑ̃, -ɑ̃t] *adj.* Valiente, intrépido, da, animoso, sa. Loc. *Pas un sou —*, ni un cuarto.

vain, vaine [vɛ̃, ven] *adj. 1* Vano, na. ■ *2 loc. adv. En —*, en vano.

vaincre [vɛ̃kʀ(ə)] *tr. 1* Vencer. ■ *2 pr.* Vencerse, dominarse. ▲ CONJUG. IRREG. INDIC. Pres.: *je vaincs, tu vaincs, il vainc, nous vainquons, vous vainquez, ils vainquent.* Imperf.: *je vainquais*, etc. Pret. indef.: *je vainquis*, etc. Fut. imperf.: *je vaincrai*, etc. POT.: *je vaincrais*, etc. SUBJ. Pres.: *que je vainque*, etc. Imperf.: *que je vainquisse*, etc. IMPER.: *vaincs, vainquons, vainquez.* PART. A.: *vainquant.* PART. P.: *vaincu, ue.*

vaincu, -ue [vɛ̃ky] *adj.-s.* Vencido, da: *s'avouer —*, darse por vencido.

vainqueur [vɛ̃kœʀ] *m. 1* Vencedor. ■ *2 adj.* Victorioso, sa, vencedor, ra, triunfante.

vaisseau [veso] *m. 1* MAR. Buque, nave *f.*, navío: *capitaine de —*, capitán de navío; *— école*, buque escuela; *— spatial*, nave espacial. Loc. fig. *Brûler ses vaisseaux*, quemar sus naves. *2* ARCHIT. Nave *f. 3* ANAT., BOT. Vaso.

vaisselle [vesɛl] *f.* Vajilla. Loc. *Faire la —*, lavar los platos, fregar.

val [val] *m.* Valle. Loc. *Par monts et par vaux*, por todas partes.

valable [valabl(ə)] *adj.* Válido, da, valedero, ra.

valériane [valeʀjan] *f.* Valeriana.

valet [valɛ] *m. 1* Lacayo, criado, mozo. Loc. *— de pied*, lacayo; *— de chambre*, ayuda- de cámara; *— de ferme*, gañán; *—d'écurie*, mozo de cuadra. *2* Sota (jeux de cartes). *3* TECHN. Barrilete, siete.

valétudinaire [valetydinɛʀ] *adj.-s.* Valetudinario, ria.

valeur [valœʀ] *f. 1* Valor *m.: objet de —,* objeto de valor. Loc. *Attacher de la — à,* dar importancia a; *mettre en —,* dar valor a, beneficiar (une terre), destacar, hacer resaltar (mettre en évidence). *2* COMM. Valor *m.: valeurs à lots,* valores amortizables. *3* Valía: *un homme de —,* un hombre de valía. *4* MÚS., PEINT. Valor *m.*

valeureux, -euse [valœʀø, -øz] *adj.* Valeroso, sa.

valide [valid] *adj.* Válido, da.

validité [validite] *f.* Validez.

valise [valiz] *f. 1* Maleta, valija. *2 — diplomatique,* valija diplomática.

valkyrie [valkiʀi] *f.* Valquiria.

vallée [vale] *f.* Valle *m.*

vallon [valɔ̃] *m.* Vallecito, cañada *f.*

valoir [valwaʀ] *intr. 1* Valer (coûter). Loc. *Faire —,* beneficiar (une terre), destacar, hacer resaltar (mettre quelque chose en évidence), hacer valer, acreditar, (quelqu'un); *se faire —,* darse importancia, sostener sus derechos; *autant vaut,* tanto monta; *il vaut mieux,* vale más, es preferible; *rien qui vaille,* nada bueno *loc. adv. À —,* a cuenta; *vaille que vaille,* mal que bien. *2* Valer, equivaler. *3* Valer, merecer: *— la peine de,* valer la pena de. ■ *4 tr.* Valer, procurar. ■ *5 pr.* Ser equivalentes. ▲ CONJUG. IRREG. INDIC. Pres.: *je vaux, tu vaux, il vaut, nous valons, vous valez, ils valent.* Imperf.: *je valais,* etc. Pret. indef.: *je valus,* etc. Fut. Imperf.: *je vaudrai,* etc. POT.: *je vaudrais,* etc. SUBJ. Pres.: *que je vaille, que tu vailles, qu'il vaille, que nous valions, que vous valiez, qu'ils vaillent.* Imperf.: *que je valusse,* etc. IMPER.: *vaux, valons, valez.* PART. A.: *valant.* PART. P.: *valu, ue.*

valoriser [valɔʀize] *tr.* Valorizar.

valse [vals(ə)] *f.* Vals *m.*

valve [valv(ə)] *f. 1* Valva (mollusques). *2* ÉLECTR., TECHN. Válvula.

valvule [valvyl] *f.* ANAT. Válvula.

vampire [vɑ̃piʀ] *m.* Vampiro.

van [vɑ̃] *m.* Harnero de mimbre.

vandale [vɑ̃dal] *m.* Vándalo.

vandalisme [vɑ̃dalism(ə)] *m.* Vandalismo.

vanille [vanij] *f.* Vainilla: *glace à la —,* helado de vainilla.

vanillier [vanije] *f.* Vainilla (plante).

vanité [vanite] *f.* Vanidad. Loc. *Tirer — de,* enorgullecerse de. *loc. adv. Sans —,* sin jactancia.

vaniteux, -euse [vanitø, -øz] *adj.-s.* Vanidoso, sa.

vanne [van] *f.* Compuerta, alza (d'une écluse).

vanneau [vano] *m.* Avefría *f.*

vanner [vane] *tr. 1* Ahechar. *2* fam. Fatigar, agotar (fatiguer).

vannier [vanje] *m.* Cestero.

vantail [vɑ̃taj] *m.* Hoja *f.*, batiente *f.: les vantaux d'une fenêtre,* las hojas de una ventana.

vantard, -arde [vɑ̃taʀ, -aʀd(ə)] *adj.-s.* Jactancioso, sa, alabancioso, sa.

vanter [vɑ̃te] *tr. 1* Alabar, celebrar, ensalzar. ■ *2 pr.* Alabarse, jactarse.

vapeur [vapœʀ] *f. 1* Vapor *m.*, vaho *m. loc. adv. À la —,* al vapor; *à toute —,* a todo vapor. ■ *2 pl.* Vapores: *les vapeurs de l'ivresse,* los vapores del vino. ■ *3 m.* Vapor (bateau).

vaporeux, -euse [vapɔʀø, -øz] *adj. 1* Vaporoso, sa (aérien). *2* Cargado, da de nubes o vapores. *3* fig. Nebuloso, sa, obscuro, ra.

vaporiser [vapɔʀize] *tr. 1* Vaporizar. ■ *2 pr.* Vaporizarse.

varech [vaʀɛk] *m.* Fuco.

vareuse [vaʀøz] *f. 1* Marinera, chaqueta. *2* MIL. Guerrera, chaquetón *m.*

variable [vaʀjabl(ə)] *adj.-f.* Variable.

variant, -ante [vaʀjɑ̃, -ɑ̃t] *adj.-f.* Variante.

variation [vaʀjɑsjɔ̃] *f.* Variación.

varice [vaʀis] *f.* Variz, varice.

varier [vaʀje] *tr. 1* Variar. ■ *2 intr.* Variar. *3* Diferir. ▲ CONJUG. como *prier.*

variété [vaʀjete] *f. 1* Variedad. ■ *2 pl.* Variedades (spectacle).

variole [vaʀjɔl] *f.* Viruela.

varlope [vaʀlɔp] *f.* Garlopa.

vasculaire [vaskylɛʀ] *adj.* Vascular.

vase [vɑz] *m. 1* Vaso, vasija *f.* Loc. *Vases communiquants,* vasos comunicantes; *— de nuit,* orinal. *2* Jarrón, florero (à fleurs). ■ *3 f.* Cieno *m.*, légamo *m.*

vaseline [vazlin] *f.* Vaselina.

vaseux, -euse [vɑzø, -øz] *adj. 1* Cenagoso, sa, limoso, sa. *2* fam. Pachucho, cha, malucho, cha (fatigué). *3* fam. Obscuro, ra, poco inteligible (peu clair).

vasistas [vazistas] *m.* Cuarterón móvil, tragaluz.

vasque [vask(ə)] *f.* Pilón *m.*

vasselage [vaslaʒ] *m.* Vasallaje.

vaste [vast(ə)] *adj.* Vasto, ta, extenso, sa, amplio, a.

vaticiner [vatisine] *intr.* Vaticinar.

va-tout [vatu] *m. invar.* Envite del resto. Loc. *Jouer son —,* arriesgar el todo por el todo.

vaudeville [vodvil] *m.* Vodevil.

vaurien, -ienne [voʀjɛ̃, jɛn] *adj.-s.* Granuja, golfo, fa.

vautour [votuʀ] *m.* Buitre.

vautrer (se) [votʀe] *pr.* Revolcarse, repanchigarse.

veau [vo] *m.* 1 Terreno, becerro. Loc. *Pleurer comme un —,* berrear; *tuer le — gras,* echar la casa por la ventana. 2 Ternera *f.* (viande). 3 Becerro (cuir). 4 — *marin,* becerro marino.

vecteur [vɛktœʀ] *m.* Vector.

vedette [vədɛt] *f.* 1 Pequeño barco *m.* de guerra (bateau militaire). 2 Lancha motora rápida (canot rapide). 3 Estrella, primera figura (artiste). 4 Divo *m.,* diva (d'opéra). Loc. *Mettre en —,* destacar, poner en primer plano. 5 ancienn. Centinela *m.* (soldat).

végétal, -ale [veʒetal] *adj.-m.* Vegetal: *médicaments végétaux,* medicamentos vegetales.

végétarien, -ienne [veʒetaʀjɛ̃, -jɛn] *adj.-s.* Vegetariano, na.

végétation [veʒetasjɔ̃] *f.* 1 Vegetación. ■ 2 *pl.* MÉD. Vegetaciones.

végéter [veʒete] *intr.* Vegetar. ▲ CONJUG. como *accélérer.*

véhémence [veemɑ̃s] *f.* Vehemencia.

véhicule [veikyl] *m.* Vehículo.

veille [vɛj] *f.* 1 Vigilia, vela. 2 Víspera (jour précédent): *être à la — de,* estar en vísperas de. 3 Vigilia (d'une fête religieuse). ■ 4 *pl.* Desvelos *m.*

veillée [veje] *f.* 1 Velada. 2 — *funèbre,* velatorio *m.,* velorio *m.*

veiller [veje] *intr.* 1 Velar (rester sans dormir). 2 Velar, vigilar. Loc. — *à, — sur,* velar por, tener cuidado de; — *à ce que,* procurar de. ■ 3 *tr.* Velar (un malade, un mort).

veilleur, -euse [vejœʀ, øz] *s.* Velador, ra, vigilante. Loc. — *de nuit, vigilante nocturno, sereno.*

veilleuse [vejøz] *f.* Mariposa, lamparilla de noche (lampe), llama piloto (d'un chauffe-eau). Loc. *Mettre en —,* poner a media luz (une lumière), limitar (une activité).

veinard, -arde [vɛnaʀ, -aʀd(ə)] *adj.-s.* fam. Potroso, sa.

veine [vɛn] *f.* 1 Vena. 2 MIN. Vena, veta. 3 fig. Vena: — *poétique,* vena poética. 4 fam. Potra, suerte. Loc. *Pas de —!,* ¡qué mala pata!; *être en —,* estar de suerte.

veineux, -euse [vɛnø, -øz] *adj.* 1 Venoso, sa. 2 Veteado, da (bois, etc.).

vélaire [velɛʀ] *adj.-f.* GRAM. Velar.

vêler [vele] *intr.* Parir (vache).

vélin [velɛ̃] *m.* Vitela *f.: papier —,* papel vitela.

velléité [ve(ɛl)leite] *f.* Veleidad.

vélo [velo] *m.* fam. Bici *f.*

véloce [velɔs] *adj.* Veloz.

vélocité [velɔsite] *f.* Velocidad, rapidez.

vélodrome [velɔdʀɔm] *m.* Velódromo.

velours [v(ə)luʀ] *m.* 1 Terciopelo. 2 — *côtelé,* pana *f.* Loc. *Faire patte de —,* esconder las uñas; *jouer sur le —,* jugar sobre seguro.

velu, -ue [vəly] *adj.* Velludo, da, velloso, sa.

vélum [velɔm] *m.* Toldo.

venaison [vənɛzɔ̃] *f.* Carne de venado.

vénal, -ale [venal] *adj.* 1 Venal. 2 *Valeur vénale,* valor comercial.

venant, -ante [v(ə)nɑ̃, -ɑ̃t] *adj.-s.* Viniente, que llega. Loc. *À tout —,* al primer llegado, a todo el mundo.

vendable [vɑ̃dabl(ə)] *adj.* Vendible.

vendange [vɑ̃dɑ̃ʒ] *f.* Vendimia.

vendangeur, -euse [vɑ̃dɑ̃ʒœʀ, -øz] *s.* Vendimiador, ra.

vendémiaire [vɑ̃demjɛʀ] *m.* Vendimiario (primer mes del año republicano francés).

vendeur, -euse [vɑ̃dœʀ, -øz] *s.* 1 COMM. Vendedor, ra. 2 Dependiente, ta (employé).

vendre [vɑ̃dʀ(ə)] *tr.* 1 Vender: — *à terme,* vender a plazos: — *aux enchères,* vender en pública subasta; *à —,* en venta. 2 — *la mèche,* revelar un secreto. ■ 3 *pr.* Venderse. ▲ CONJUG. como *rendre.*

vendredi [vɑ̃dʀədi] *m.* Viernes.

venelle [vənɛl] *f.* Callejón *m.,* callejuela.

vénéneux, -euse [venenø, -øz] *adj.* Venenoso, sa.

vénération [veneʀasjɔ̃] *f.* Veneración.

vénérer [veneʀe] *tr.* Venerar. ▲ CONJUG. como *accélérer.*

vénerie [venʀi] *f.* Montería.

vengeance [vɑ̃ʒɑ̃s] *f.* Venganza. Loc. *Tirer — de,* vengarse de.

venger [vɑ̃ʒe] *tr.* 1 Vengar. ■ 2 *pr.* Vengarse. ▲ CONJUG. como *engager.*

véniel, -elle [venjɛl] *adj.* Venial.

venimeux, -euse [vənimø, -øz] *adj.* Venenoso, sa, ponzoñoso, sa.

venin [vənɛ̃] *m.* Veneno, ponzoña *f.* Loc. *Jeter tout son —,* desahogar la cólera; *morte la bête, mort le —,* muerto el perro se acabó la rabia.

venir [v(ə)niʀ] *intr.* 1 Venir: *il est venu hier,* vino ayer; *dites-lui de —,* dígale que venga; *ces oranges viennent de Valence,* estas naranjas vienen de Valencia. Loc. — *à l'esprit,* venir al pensamiento, ocurrirse; *laisser* —, *voir* —, ver venir, esperar sin prisas; *le temps à* —, el tiempo venidero. 2 Ir (aller). 3 Llegar, venir, ocurrir: *un malheur ne vient jamais seul*, una desgracia nunca llega sola. 4 Formarse, aparecer. 5 Crecer, desarrollarse: *cet arbre vient bien*, este árbol crece bien. 6 — *de*, acabar de: *il vient d'arriver, de partir*, acaba de llegar, de salir. 7 — *à bout d'une chose*, llevar a cabo una cosa; — *à bout de quelqu'un*, vencer, hacer ceder a uno; *en* — *à*, *jusqu'à*, llegar a, verse reducido a; *en* — *aux mains*, venir a las manos, reñir; *faire* — *quelqu'un*, llamar a alguien; *vouloir en* —, querer ir a parar. ▲ CONJUG. IRREG. INDIC. Pres.: *je viens, tu viens, il vient, nous venons, vous venez, ils viennent.* Imperf.: *je venais*, etc. Pret. indef.: *je vins*, etc. Fut. imperf.: *je viendrai*, etc. POT.: *je viendrais*, etc. SUBJ. Pres.: *que je vienne*, etc. Imperf.: *que je vinsse*, etc. IMPER.: *viens, venons, venez.* PART. A.: *venant.* PART. P.: *venu, ue.*

vénitien, -ienne [venisjɛ̃, jɛn] *adj.-s.* Veneciano, na.

vent [vɑ̃] *m.* 1 Viento. 2 Aire (air). 3 Viento (odeur du gibier). Loc. *Avoir* — *de*, barruntar, tener noticia de. 4 Viento, ventosidad *f.* (gaz intestinal).

vente [vɑ̃t] *f.* 1 Venta: — *au comptant, à tempérament*, venta al contado, a plazos. 2 — *aux enchères*, subasta, almoneda.

venter [vɑ̃te] *impers.* Ventear: *il vente*, ventea.

venteux, -euse [vɑ̃tø, -øz] *adj.* Ventoso, sa.

ventilateur [vɑ̃tilatœr] *m.* Ventilador.

ventilation [vɑ̃tilɑsjɔ̃] *f.* Ventilación.

ventiler [vɑ̃tile] *tr.* 1 Ventilar. 2 COMM. Desglosar, repartir.

ventosité [vɑ̃tozite] *f.* Ventosidad.

ventouse [vɑ̃tuz] *f.* Ventosa.

ventral, -ale [vɑ̃tral] *adj.* Ventral.

ventre [vɑ̃tr(ə)] *m.* 1 Vientre, prov. — *affamé n'a point d'oreilles*, el hambre no admite razones. 2 fam. Barriga *f.*, panza *f.* 3 *loc. adv. À plat* —, *sur le* —, de bruces, boca abajo; *à* — *déboutonné*, como un descosido; — *à terre*, a galope tendido.

ventricule [vɑ̃trikyl] *m.* ANAT. Ventrículo.

ventrière [vɑ̃trijɛr] *f.* Ventrera.

ventriloque [vɑ̃trilɔk] *adj.-s.* Ventrílocuo, -ua.

ventru, -ue [vɑ̃try] *adj.* Ventrudo, da, barrigudo, da.

venu, -ue [v(ə)ny] *adj.-s.* 1 Venido, da, llegado, da: *le premier* —, el primero que

llegue, cualquiera; *nouveau* —, recién llegado; *soyez le bien* —, sea usted bien venido. 2 Ejecutado, da, logrado, da: *dessin bien* —, dibujo bien ejecutado.

vêpres [vɛpr(ə)] *f. pl.* LITURG. Vísperas.

ver [vɛr] *m.* Gusano: — *à soie*, gusano de seda. Loc. — *luisant*, luciérnaga *f.*; — *solitaire*, solitaria *f.*

véracité [verasite] *f.* Veracidad.

véranda [verɑ̃da] *f.* 1 Veranda, galería cubierta. 2 Mirador *m.*

verbal, -ale [vɛrbal] *adj.* Verbal: *adjectifs verbaux*, adjetivos verbales.

verbe [vɛrb(ə)] *m.* 1 GRAM. Verbo. 2 Palabra *f.*, voz *f.* Loc. *Avoir le* — *haut*, tener la voz fuerte; fig. hablar con arrogancia. 3 RELIG. Verbo (de Dieu).

verbiage [vɛrbjaʒ] *m.* Cháchara *f.*, palabrería *f.*

verbosité [vɛrbozite] *f.* Verbosidad.

verdâtre [vɛrdɑtr(ə)] *adj.* Verdoso, sa.

verdelet, -ette [vɛrdəlɛ, -ɛt] *adj.* Agrete (vin).

verdet [vɛrdɛ] *m.* Verdete, cardenillo.

verdeur [vɛrdœr] *f.* 1 Estado *m.* de la leña o la fruta verde. 2 Aspereza (du vin). 3 Verdor *m.*, lozanía (d'une personne). 4 Licencia, libertad (du langage).

verdict [vɛrdik(t)] *m.* Veredicto: — *d'acquittement*, veredicto de inculpabilidad.

verdier [vɛrdje] *m.* Verderón.

verdir [vɛrdir] *tr.* 1 Colorear, pintar de verde. ■ 2 *intr.* Tomar color verde. 3 Verdecer, verdear (les champs, etc.).

verdoyer [vɛrdwaje] *intr.* Verdear. ▲ CONJUG. como *employer*.

verdure [vɛrdyr] *f.* 1 Verde *m.*, verdor *m.*, verdura. 2 Vegetación. 3 Hierba, césped *m.*: *se coucher sur la* —, tenderse en la hierba.

véreux, -euse [verø, -øz] *adj.* 1 Agusanado, da. 2 fig. Malhonesto, ta, sospechoso, sa.

verge [vɛrʒ(ə)] *f.* 1 Vara, varilla. 2 Azote *m.* (pour frapper). 3 MAR. Caña. 4 ANAT. Miembro viril.

verger [vɛrʒe] *m.* Vergel.

verglas [vɛrgla] *m.* Hielo.

vergne [vɛrɲ(ə)] *m.* Aliso.

vergogne (sans) [vɛrgɔɲ] *loc. adv.* Sin vergüenza.

véridique [veridik] *adj.* Verídico, ca.

vérification [verifikɑsjɔ̃] *f.* Verificación, comprobación.

vérifier [verifje] *tr.* Verificar, comprobar. ▲ CONJUG. como *prier*.

vérin [verɛ̃] *m.* MÉC. Gato, cric.

vérisme [verism(ə)] *m.* Verismo.

véritable [veritabl(ə)] *adj.* Verdadero, ra.

vérité [veʀite] *f.* Verdad: *la — vraie*, la pura verdad; *dire à quelqu'un ses vérités*, decir a uno cuatro verdades, *loc. adv. À la —*, a la verdad; *en —*, en verdad.

vermeil, -eille [vɛʀmɛj] *adj. 1* Bermejo, ja, encarnado, da. ■ *2 m.* Plata *f.* sobredorada (métal).

vermicelle [vɛʀmisɛl] *m.* Fideo.

vermifuge [vɛʀmifyʒ] *adj.-m.* MÉD. Vermífugo, ga, vermicida.

vermillon [vɛʀmijɔ̃] *m. 1* Bermellón. *2* fig. Carmín.

vermine [vɛʀmin] *f. 1* Miseria. *2* fig. Canalla, gentuza.

vermoulu, -ue [vɛʀmuly] *adj.* Carcomido, da.

vernaculaire [vɛʀnakylɛʀ] *adj. 1* Vernáculo, la. *2 Langue —*, idioma vernáculo.

verni, -ie [vɛʀni] *adj.* fig. fam. Afortunado, da. Loc. *Être —*, tener potra.

vernir [vɛʀniʀ] *tr. 1* Barnizar. *2* Charolar (le cuir).

vernissage [vɛʀnisaʒ] *m. 1* Barnizado. *2* Inauguración *f.* (d'une exposition).

vernisser [vɛʀnise] *tr.* Vidriar.

vérole [veʀɔl] *f. 1* MÉD. Sífilis. *2 Petite —*, viruelas *pl.*

verrat [veʀa] *m.* Verraco.

verre [fɛʀ] *m. 1* Vidrio: *— double*, vidrio grueso. Loc. *— de lampe*, tubo de lámpara; *cloche de —*, fanal, campana *f.* de vidrio; *papier de —*, papel de lija. *2* Cristal (de lunettes, montre). *3* Vaso, copa *f.* (à boire): *un — d'eau*, un vaso de agua; *— à pied*, copa *f.*; *petit —*, copita *f.* Loc. *Prendre un —*, tomar una copa. ■ *4 pl.* Lentes, gafas *f.* (lunettes).

verrerie [vɛʀʀi] *f. 1* Vidriería. *2* Objetos *m. pl.* de vidrio.

verrière [vɛʀjɛʀ] *f.* Vidriera.

verroterie [vɛʀɔtʀi] *f.* Abalorios *m. pl.*

verrou [veʀu] *m.* Cerrojo. Loc. *Être sous les verrous*, estar preso, sa.

verrue [veʀy] *f.* Verruga.

verruqueux, -euse [veʀykø, -øz] *adj.* Verrugoso, sa.

vers [vɛʀ] *m. 1* Verso. ■ *2 prép.* Hacia (direction). *2* Hacia, a eso de: *— six heures*, hacia las seis, a eso de las seis.

versant [vɛʀsɑ̃] *m.* Vertiente *f.* (d'une montagne).

versatile [vɛʀsatil] *adj.* Versátil.

verse (à) [vɛʀs(ə)] *loc. adv.* A cántaros: *il pleut à —*, llueve a cántaros.

versé, -ée [vɛʀse] *adj.* Versado, da.

versement [vɛʀsəmɑ̃] *m. 1* Entrega *f.*, ingreso (fonds). *2* Pago: *en plusieurs versements*, en varios pagos.

verser [vɛʀse] *tr. 1* Echar, verter, derramar: *— à boire*, echar de beber, llenar el vaso; *— du sang, des larmes*, derramar sangre, lágrimas. *2* Entregar, ingresar, abonar (fonds): *— au compte de*, abonar en cuenta de. ■ *3 intr.* Volcar (un véhicule). *4* Encamarse (céréales). *5* fig. *— dans*, caer en.

verset [vɛʀse] *m.* Versículo.

verseuse [vɛʀsøz] *f.* Cafetera de mango recto.

versification [vɛʀsifikasjɔ̃] *f.* Versificación.

version [fɛʀsjɔ̃] *f. 1* Versión. *2* Traducción directa.

verso [vɛʀso] *m.* Vuelta *f.*, verso, dorso (d'un feuillet).

verste [vɛʀst(ə)] *f.* Versta.

vert, verte [vɛʀ, -vɛʀt(ə)] *adj. 1* Verde. Loc. *Légumes verts*, verduras *f.*: *vin —*, vino agraz; *haricot —*, judía *f.* verde; fig. *verte réprimande*, represión agria. *2* Sin curtir (cuir). *3* Vigoroso, sa, lozano, na (en parlant des gens âgés). *4* Verde (licencieux). ■ *5 m.* Verde (couleur): *— de mer*, verdemar. *6* Forraje verde. Loc. fig. *Se mettre au —*, irse al campo a descansar.

vert-de-gris [vɛʀdəgʀi] *m. invar.* Verdete, cardenillo.

vertébral, -ale [vɛʀtebʀal] *adj.* Vertebral.

vertébré, -ée [vɛʀtebʀe] *adj. 1* Vertebrado, da. ■ *2 m.* Vertebrado.

vertement [vɛʀtəmɑ̃] *adv.* Ásperamente, vivamente.

vertigineux, -euse [vɛʀtiʒinø, -øz] *adj.* Vertiginoso, sa.

vertu [vɛʀty] *f.* Virtud. *loc. prép. En — de*, en virtud de.

vertueux, -euse [vɛʀtɥø, -øz] *adj.* Virtuoso, sa.

verve [vɛʀv(ə)] *f. 1* Inspiración, vena. *2* Locuacidad. Loc. *Être en —*, estar locuaz.

verveine [vɛʀvɛn] *f.* Verbena.

vesce [vɛs] *f.* Arveja.

vésicule [vezikyl] *f.* Vesícula.

vesou [vazu] *m.* Guarapo.

vespéral, -ale [vɛspeʀal] *adj. 1* Vespertino, na. ■ *2 m.* Vesperal.

vesse [vɛs] *f.* Follón *m.*, zullón *m.*

vessie [vesi] *f.* Vejiga.

vestale [vɛstal] *f.* Vestal.

veste [vɛst(ə)] *f.* Chaqueta, americana.

vestiaire [vɛstjɛʀ] *m.* Guardarropa.

vestibule [vɛstibyl] *m.* Vestíbulo.

vestige [vɛstiʒ] *m.* Vestigio, huella *f.*

veston [vɛstɔ̃] *m.* Chaqueta *f.*, americana *f.*

vêtement [vɛtmɑ̃] *m. 1* Vestido, ropa *f.: vêtements usagés,* vestidos usados, ropa usada. *2* Traje: — *militaire,* traje militar.

vétéran [veterɑ̃] *m.* Veterano.

vétérinaire [veterinɛr] *adj.-s.* Veterinario, ria.

vétilleux, -euse [vetijø, -øz] *adj.* Minucioso, sa, meticuloso, sa.

vêtir [vetir] *tr. 1* Vestir. ■ *2 pr.* Vestirse.

veto [veto] *m.* Veto.

vétuste [vetyst(ə)] *adj.* Vetusto, ta.

veuf, veuve [vœf, vœv] *adj.-s.* Viudo, da.

veule [vøl] *adj.* Flojo, ja, débil, sin voluntad.

veuvage [vœvaʒ] *m.* Viudez *f.*

vexation [vɛksɑsjɔ̃] *f.* Vejación.

vexer [vɛkse] *tr. 1* Vejar. *2* Molestar, fastidiar. ■ *3 pr.* Molestarse, picarse.

via [vja] *prép.* Vía, por.

viabilité [vjabilite] *f. 1* Viabilidad. *2* Calidad de transitable (chemin).

viaduc [vjadyk] *m.* Viaducto.

viager, -ère [vjaʒe, -ɛr] *adj. 1* Vitalicio, cia. ■ *2 m.* Renta *f.* vitalicia.

viande [vjɑ̃d] *f.* Carne.

viatique [vjatik] *m.* Viático.

vibrant, -ante [vibrɑ̃, -ɑ̃t] *adj.* Vibrante.

vibration [vibrɑsjɔ̃] *f.* Vibración.

vibrer [vibre] *intr.* Vibrar.

vicaire [vikɛr] *m.* Vicario.

vice [vis] *m.* Vicio.

vice [vis] *particule invar.* Vice: *vice-amiral,* vicealmirante; *vice-consul,* vicecónsul.

vice-roi [visrwa] *m.* Virrey.

vice versa [visevɛrsa; visvɛrsa] *loc. adv.* Viceversa.

vicier [visje] *tr. 1* Viciar. ■ *2 pr.* Viciarse. ▲ CONJUG. como *prier.*

vicieux, -euse [visjø, -øz] *adj. 1* Vicioso, sa. *2* Resabiado, da (chevaux).

vicinal, -ale [visinal] *adj.* Vecinal.

vicissitude [visisityd] *f.* Vicisitud.

vicomte [vikɔ̃t] *m.* Vizconde.

vicomtesse [vikɔ̃tɛs] *f.* Vizcondesa.

victime [viktim] *f.* Víctima.

victoire [viktwar] *f.* Victoria, triunfo *m.*

victorieux, -euse [viktɔrjø, -øz] *adj.* Victorioso, sa.

victuailles [viktɥɑj] *f. pl.* Vituallas.

vidanger [vidɑ̃ʒe] *tr. 1* Vaciar (bouteilles). *2* Limpiar (fosse d'aisance). *3* Cambiar el aceite (d'une voiture). ▲ CONJUG. como *engager.*

vide [vid] *adj. 1* Vacío, ía. *2* — *de,* desprovisto de. *3 loc. adv. À —,* de vacío (sans

rien dedans). ■ *4 m.* Vacío. *5* ARCHIT. Hueco. *6* fig. Vanidad *f.*, vacuidad *f.*

vider [vide] *tr. 1* Vaciar. Loc. — *les arçons,* caer del caballo; fig. — *son sac,* desembuchar; — *les lieux,* desocupar una vivienda. *2* Limpiar (un poisson, une volaille). *3* Resolver, dirimir (une question). *4* fam. Echar (expulser). *5* fam. Agotar (épuiser). ■ *6 pr.* Vaciarse.

viduité [vidɥite] *f.* Viudez.

vie [vi] *f.* Vida: *aimer la —,* tener apego a la vida; *plein de —,* lleno de vida. Loc. *Avoir la — dure,* tener siete vidas como los gatos; *faire la —,* entregarse a los placeres; *redonner, rendre la —,* reanimar; *gens de mauvaise —,* gente de mal vivir. *loc. adv.-adj. À la —, pour la —,* para siempre; *de la —, de ma —, de ta —,* etc., en la vida, en mi vida, en tu vida, etc.; *jamais de la —,* nunca, jamás; *la — durant,* durante toda la vida.

vieil [vjɛj] *adj.* Forma de *vieux* que se emplea delante de vocal o *h* muda: *un — homme,* un hombre viejo.

vieillard [vjɛjar] *m.* Viejo, anciano.

vieillesse [vjɛjɛs] *f.* Vejez.

vieillir [vjɛjir] *intr. 1* Envejecer. *2* Avejentarse. *3* fig. Anticuarse (se démoder). ■ *4 tr.* Envejecer, hacer parecer viejo, ja. ■ *5 pr.* Hacerse parecer viejo, ja, hacerse pasar por viejo.

vieillissement [vjejismɑ̃] *m.* Envejecimiento.

vieillot, -otte [vjɛjo, -ɔt] *adj.* Anticuado, da.

vielle [vjɛl] *f.* Zanfonía.

vierge [vjɛrʒ(ə)] *adj. 1* Virgen: *cire —,* cera virgen; *terre —,* tierra virgen. ■ *2 f.* Virgen, doncella. *3 La sainte Vierge,* la Virgen María. *4* ASTRON. Virgo *m.*

vieux [vjø] (antes de vocal o *h* muda *vieil*), **vieille** [vjɛl] *adj. 1* Viejo, ja. Loc. — *garçon, vieille fille,* solterón, solterona; *faire de vieux os,* llegar a viejo; *goût de —,* sabor rancio. *2* Antiguo, gua: *un vieil usage,* una costumbre antigua. ■ *3 s.* Viejo, ja (personne): *petit —, petite vieille,* viejecito, viejecita. ■ *4 m.* Lo viejo.

vif, -vive [vif, viv] *adj. 1* Vivo, va: *eau vive,* agua viva; *chaux vive,* cal viva; *vive arête,* arista viva. *loc. adv. De vive force,* a viva fuerza; *de vive voix,* de viva voz. *2* Intenso, sa: *froid —,* frío intenso. ■ *3 m.* DR. Vivo: *entre vifs,* entre vivos. *4* Lo importante, meollo. Loc.

Piquer au —, herir en lo vivo; *prendre sur le* —, reproducir del natural; trancher dans le —, cortar por lo sano. *5 À* —, en carne viva.

vif-argent [vifaʀʒã] *m.* Azogue, mercurio.

vigie [viʒi] *f.* Vigía *m.*

vigilance [viʒilãs] *f.* Vigilancia.

vigne [viɲ] *f. 1* Vid (plante). *2 Pied de* —, cepa *f. 3* — *vierge,* cepa virgen. *4* Viña (vignoble). Loc. *Être dans les vignes du Seigneur,* estar embriagado, da.

vigneron, -onne [viɲʀɔ̃, -ɔn] *s.* Viñador, ra, viticultor, ra.

vignette [viɲɛt] *f. 1* Viñeta. *2* Sello *m.,* timbre *m.*

vignoble [viɲɔbl(ə)] *m. 1* Viñedo, viña *f.* ■ *2 adj.* Vinícola.

vigogne [vigɔɲ] *f.* Vicuña.

vigoureux, -euse [viguʀø, -øz] *adj.* Vigoroso, sa.

vigueur [vigœʀ] *f.* Vigor *m.*

vil, vile [vil] *adj.* Vil.

vilain, -aine [vilɛ̃, -ɛn] *adj.-s. 1* Villano, na (non noble). ■ *2 adj.* Feo, a (laid). *3* Malo, la, desagradable. *4* Ruin, deshonroso, sa (vil). ■ *5 m. Il va y avoir du* —, se va a armar la gorda.

vilebrequin [vilbʀəkɛ̃] *m. 1* Berbiquí. *2* Cigüeñal (moteur).

vilenie [vilni] *f.* Villanía.

vilipender [vilipɑ̃de] *tr.* Vilipendiar.

villa [villa] *f.* Villa, quinta.

village [vilaʒ] *m.* Pueblo, lugar, villorrio, aldea *f.: petit* —, pueblecito.

villageois, -oise [vilaʒwa, -waʒ] *adj.-s.* Lugareño, ña, aldeano, na.

ville [vil] *f.* Ciudad. Loc. — *forte,* plaza fuerte; *habit de* —, traje de calle; *aller en* —, ir de compras, de paseo, de visita; *dîner en* —, comer fuera de casa.

villégiature [vi(l)leʒjatyʀ] *f.* Veraneo *m.,* temporada en el campo.

villosité [vi(l)lozite] *f.* Vellosidad.

vin [vɛ̃] *m.* Vino. Loc. fig. *Cuver son* —, dormir la mona; *être entre deux vins,* estar entre Pinto y Valdemoro; *mettre de l'eau dans son* —, moderarse.

vinaigre [vinɛgʀ(ə)] *m. 1* Vinagre. *2* Tocino (au saut à la corde).

vinaigrette [vinɛgʀɛt] *f. 1* Vinagreta. *2* ancienn. Silla de manos con dos ruedas.

vinaigrier [vinɛgʀije] *m. 1* Vinagrero (fabricant). *2* Vinagrera *f.* (récipient).

vinasse [vinas] *f.* Vinaza.

vindicatif, -ive [vɛ̃dikatif, -iv] *adj.* Vindicativo, va, vengativo, va.

vineux, -euse [vinø, -øz] *adj.* Vinoso, sa.

vingt [vɛ̃] *adj.-m.* Veinte.

vingtaine [vɛ̃tɛn] *f.* Veintena, unos veinte.

vingtième [vɛ̃tjɛm] *adj.-s.* Veinteavo, va, vigésimo, ma.

vinicole [vinikɔl] *adj.* Vinícola, vitivinícola.

viol [vjɔl] *m.* Violación *f.*

violacé, -ée [vjɔlase] *adj.* Violáceo, ea.

violation [vjɔlasjɔ̃] *f.* Violación.

viole [vjɔl] *f.* MUS. Viola.

violence [vjɔlɑ̃s] *f.* Violencia.

violenter [vjɔlɑ̃te] *tr.* Violentar.

violer [vjɔle] *tr.* Violar.

violet, -ette [vjɔlɛ, -ɛt] *adj.-m. 1* Violeta, violado, da, morado, da. ■ *2 f.* Violeta (fleur).

violon [vjɔlɔ̃] *m. 1* MUS. Violín. Loc. fig. — *d'Ingres,* pasatiempo artístico favorito: *la peinture est son* —, la pintura es su pasatiempo favorito. *2* fam. Calabozo (prison).

violoncelle [vjɔlɔ̃sɛl] *s.* Violoncelo.

vipère [vipɛʀ] *f. 1* Víbora. *2* fig. *Langue de* —, lengua viperina. *3* fig. Víbora, persona muy mala.

virage [viʀaʒ] *m. 1* Viraje, virada *f.* (action). *2* Curva *f.: — dangereux,* curva peligrosa. *3* fig. Giro, sesgo. *4* PHOT. Viraje.

virago [viʀago] *f.* Virago.

virement [viʀmɑ̃] *m. 1* Virada *f.* (d'un bateau). *2* COMM. Traspaso, transferencia *f.,* giro: — *postal,* giro postal.

virer [viʀe] *intr. 1* Virar, girar. *2* MAR. Virar: — *de bord,* virar en redondo. *3* PHOT. Virar. *4* COMM. Hacer una transferencia.

vireton [viʀtɔ̃] *m.* Viratón, virote.

virevolte [viʀvɔlt(ə)] *f. 1* Caracol *m.* (d'un cheval). *2* Vuelta rápida.

virginal, -ale [viʀʒinal] *adj.* Virginal.

virginité [viʀʒinite] *f.* Virginidad.

virgule [viʀgyl] *f.* Coma.

virilité [viʀilite] *f.* Virilidad.

virtuel, -elle [viʀtɥɛl] *adj.* Virtual.

virtuose [viʀtɥoz] *s.* Virtuoso, sa.

virulence [viʀylɑ̃s] *f.* Virulencia.

virus [viʀys] *m.* Virus.

vis [vis] *f. 1* Tornillo *m.* Loc. — *d'Archimède,* tornillo, rosca de Arquímedes; *escalier à* —, escalera de caracol; *pas de* —, paso de rosca. *2 Serrer la — à quelqu'un,* sujetar, apretar las clavijas a alguien.

visa [viza] *m. 1* Visado (sur passeport). *2* Visto bueno.

visage [vizaʒ] *m.* Rostro, cara *f.,* semblante. Loc. *Changer de* —, demudarse. *loc. adv. À — découvert,* a cara descubierta.

vis-à-vis [vizavi] *adv. 1* Uno frente a otro.

2 loc. prép. — *de*, en frente de, frente a (en face de), respecto de (à l'égard de). ■ *3 m.* Persona que se halla frente a otra. *4* Confidente, canapé.

viscère [viseʀ] *m.* Víscera *f.*

viscosité [viskozite] *f.* Viscosidad.

visée [vize] *f. 1* Puntería. *2* fig. Mira, intención. Loc. *Avoir des hautes visées,* picar muy alto.

viser [vize] *tr. 1* fig. Poner la mira en, ambicionar. *3* Atañer a, afectar (concerner). Loc. *Se sentir visé,* darse por aludido. *4* Visar, refrendar (un document). ■ *5 intr.* Apuntar. ■ *6 tr. ind.* — *à,* dirigir el golpe hacia; fig. tender a.

viseur [vizœʀ] *m.* Visor.

visibilité [vizibilite] *f.* Visibilidad.

visible [vizibl(ə)] *adj.* Visible.

visière [vizjɛʀ] *f.* Visera. Loc. *Rompre en* —, reñir, atacar, desmentir con rudeza.

vision [vizjɔ̃] *f.* Visión.

visionnaire [visjɔnɛʀ] *adj.-s.* Visionario, ia.

visite [vizit] *f.* Visita: — *de politesse, de condoléances,* visita de cumplido, de pésame; — *pastorale,* visita pastoral; — *médicale,* visita médica; *la* — *du château,* la visita al castillo; *carte de* —, tarjeta de visita. Loc. *Rendre* —, visitar; *rendre à quelqu'un sa* —, devolver a alguien la visita.

visiteur, -euse [vizitœʀ, -øz] *s. 1* Visitante, visita; *les visiteurs d'un musée,* los visitantes de un museo. *2* Visitador, ra.

vison [vizɔ̃] *m.* Visón.

visqueux, -euse [viskø, -øz] *adj.* Viscoso, sa.

visser [vise] *tr.* Atornillar.

visuel, -elle [vizɥel] *adj.* Visual.

vital, -ale [vital] *adj.* Vital.

vitalité [vitalite] *f.* Vitalidad.

vitamine [vitamin] *f.* Vitamina.

vite [vit] *adj. 1* Rápido, da, ligero, ra. ■ *2 adv.* De prisa: *aller* —, ir de prisa. Loc. *Au plus* —, lo más pronto posible; *faire* —, apresurarse. *3* Pronto: *c'est* — *dit,* pronto está dicho.

vitesse [vites] *f. 1* Velocidad. Loc. *Gagner quelqu'un de* —, adelantarse a uno, ganar por la mano a alguien; *être en perte de* —, perder velocidad. *loc. adv.* fam. *En* —, muy de prisa, rápido. *2* AUTO. Velocidad: *boîte de vitesses,* caja de velocidades.

viticulteur [vitikyltœʀ] *m.* Viticultor.

vitrage [vitʀaʒ] *m. 1* Acción *f.* de poner vidrios. *2* Conjunto de cristales. *3* Vidriera *f.* (châssis). *4* Visillo (rideau).

vitrail [vitʀaj] *m.* Vidriera *f.: les vitraux*

d'une cathédrale, las vidrieras de una catedral.

vitre [vitʀ(ə)] *f. 1* Cristal *m.,* vidrio *m.,* Loc. fam. *Ça ne casse pas les vitres,* no vale gran cosa. *2* Ventanilla (train, automobile).

vitré, -ée [vitʀe] *adj. 1* ANAT. Vítreo, a. *2 Porte vitrée,* puerta de cristales, puerta vidriera.

vitreux, -euse [vitʀø, -øz] *adj. 1* Vítreo, a. *2* Vidrioso, sa (œil).

vitrifier [vitʀifje] *tr. 1* Vitrificar. ■ *2 pr.* Vitrificarse. ▲ CONJUG. como *prier.*

vitrine [vitʀin] *f. 1* Vitrina. *2* Escaparate *m.* (d'un magasin).

vitriol [vitʀijɔl] *m.* Vitriolo.

vitupérer [vitypeʀe] *tr.* Vituperar. ▲ CONJUG. como *accélérer.*

vivace [vivas] *adj.* Vivaz: *plantes vivaces,* plantas vivaces.

vivacité [vivasite] *f.* Vivacidad.

vivant, -ante [vivã, -ãt] *adj. 1* Vivo, va, viviente: *langues vivantes,* lenguas vivas; *êtres vivants,* seres vivientes. Loc. *Moi* —, mientras yo viva. *2* Lleno, na de vida, vivo, va (plein de vie): *le* — *portrait de,* el vivo retrato de. *3* Animado, da (lieu). ■ *4 m.* Vivo, viviente: *les vivants,* los vivos. Loc. *Un bon* —, un hombre regalón. *5 De son* —, en vida; *du* — *de,* en vida de.

vivat [viva] *interj. 1* ¡Viva! ■ *2 m.* Viva, vítor, aclamación *f.*

vive [viv] *f. 1* Araña, peje *m.* araña (poisson). *2 interj.* ¡Viva!

viveur [vivœʀ] *m.* Epicúreo.

vivier [vivje] *m.* Vivero.

vivifier [vivifje] *tr.* Vivificar. ▲ CONJUG. como *prier.*

vivipare [vivipaʀ] *adj.-s.* Vivíparo, ra.

vivre [vivʀ(ə)] *intr. 1* Vivir. Loc. — *au jour le jour,* vivir al día; — *d'amour et d'eau fraîche,* mantenerse del aire; *âme qui vive,* alma viviente; *savoir* —, saber conducirse en sociedad; *qui vive?,* ¿quién vive?; *être sur le qui-vive,* estar alerta. ■ *2 tr.* — *sa vie,* hacer vida independiente. ▲ CONJUG. IRREG. INDIC. Pres.: *je vis, tu vis, il vit, nous vivons, vous vivez, ils vivent.* Imperf.: *je vivais,* etc. Pret. indef.: *je vécus,* etc. Fut. imperf.: *je vivrai,* etc. POT.: *je vivrais,* etc. SUBJ. Pres.: *que je vive,* etc. Imperf.: *que je vécusse,* etc. IMPER.: *vis, vivons, vivez.* PART. A.: *vivant.* PART. P.: *vécu, ue.*

vivre [vivʀ(ə)] *m. 1* Alimento: *avoir le* — *et le couvert,* tener casa y comida. ■ *2 pl.* Víveres.

281

vol

vocable [vɔkabl(ə)] *m.* *1* Vocablo. *2* Advocación *f.* (d'une église).

vocabulaire [vɔkabylɛʀ] *m.* Vocabulario.

vocal, -ale [vɔkal] *adj.* Vocal.

vocaliser [vɔkalize] *intr.* Vocalizar.

vocatif [vɔkatif] *m.* Vocativo.

vocation [vɔkasjɔ̃] *f.* Vocación.

vociférer [vɔsifeʀe] *intr.-tr.* Vociferar. ▲ CONJUG. como *accélérer*.

vœu [vø] *m.* Voto: *faire — de,* hacer voto de, prometer; *faire des vœux pour,* hacer votos por.

vogue [vɔg] *f.* Boga. Loc. *Être en —,* estar de moda.

voguer [vɔge] *intr.* Navegar. Loc. *— à pleines voiles,* ir viento en popa; *vogue la galère!,* ¡ruede la bola!

voici [vwasi] *prép.* *1* He aquí: *le —,* hele aquí. *2 L'homme que —,* este hombre; *— l'hiver,* he aquí el invierno; *nous — arrivés,* ya hemos llegado. *3.* Úsase para indicar lo que se va a decir: *— les faits,* he aquí los hechos.

voie [vwa] *f.* *1* Vía: *— ferrée,* vía férrea; *—publique,* vía pública; *— d'eau,* vía de agua; *— de garage,* vía muerta; *voies de fait,* vías de hecho. Loc. *Mettre sur la —,* encaminar, encauzar; *être en — de,* estar en vías de. *2* Rastro *m.* (du gibier). *3* Pista (d'autoroute). *4 Donner de la — à une scie,* triscar una sierra.

voilà [vwala] *prép.* *1* He allí, ahí: *le —,* hele allí, ahí. *2 L'homme que —,* aquel hombre; *le — qui vient,* ahí viene; *le — qui court,* míralo como corre; *en — assez,* basta, se acabó; *— qui est bien,* está bien, basta; *ne —-t-il pas que…!,* ¡querrá usted creer que…!? *3* Úsase con referencia a lo que se acaba de decir: *— tout,* eso es todo. *4* Hace (il y a): *un mois qu'il est parti,* hace un mes que se marchó.

voile [vwal] *m.* *1* Velo. Loc. *Prendre le —,* tomar el velo, profesar; *les voiles de la nuit,* las tinieblas; *avoir un — devant les yeux,* tener una venda en los ojos. *2* ANAT. *— du palais,* velo del paladar. *3* PHOT. Veladura *f.* ■ *4 f.* MAR. Vela. Loc. *Faire — sur,* hacer rumbo a; *mettre à la —,* hacerse a la vela.

voiler [vwale] *tr.* *1* Velar, cubrir con un velo. *2* Ocultar (cacher). *3* PHOT. Velar. *4* Torcer, alabear (gauchir). *5 pr.* Cubrirse con un velo. *6* Empañarse (se ternir). *7* Volverse opaca (la voix).

voilette [vwalɛt] *f.* Velo *m.,* velillo *m.*

voilier [vwalje] *m.* MAR. Velero.

voilure [vwalyʀ] *f.* *1* Velamen *m.* *2* Alas

pl. (d'un avion). *3* TECHN. Alabeo *m.* (gauchissement).

voir [vwaʀ] *tr.-intr.* *1* Ver: *je ne l'avais jamais vu,* nunca lo había visto. Loc. *Faire —,* mostrar, enseñar; *se faire —,* dejarse ver; *c'est à —,* está por ver, es digno de verse; *nous allons —,* vamos a ver, veamos; *on verra ça,* ya veremos; *y — clair,* ver claro; *— d'un bon, d'un mauvais œil,* ver con buenos, con malos ojos; *voyez-vous?,* ¿ve usted?, ¿comprende usted?; *— au microscope,* mirar al microscopio; *voyez, voir page 10,* véase pág. 10. ■ *2 intr. — à ce que,* cuidar de que. *3 Voyons!,* ¡vamos!, ¡venga!, ¡va ver!; *vois!, voyez!,* ¡mira!, ¡miren! ▲ CONJUG. IRREG. INDIC. Pres.: *je vois, tu vois, il voit, nous voyons, vous voyez, ils voient.* Imperf.: *je voyais,* etc. Pret. indef.: *je vis,* etc. Fut. imperf.: *je verrai,* etc. POT.: *je verrais,* etc. SUBJ. Pres.: *que je voie,* etc. Imperf.: *que je visse,* etc. IMPER.: *vois, voyons, voyez.* PART. A.: *voyant.* PART. P.: *vu,* que.

voire [vwaʀ] *adv.* Hasta, aún: *il peut le faire en un jour, — en une heure,* puede hacerlo en un día, y hasta en una hora.

voirie [vwaʀi] *f.* *1* Red de comunicaciones (ensemble des voies de communication). *2* Vialidad, servicios *m. pl.* municipales de limpieza (entretien). *3* Muladar *m.* (lieu).

voisin, -ine [vwazɛ̃, -in] *adj.-s.* Vecino, na.

voisinage [vwazinaʒ] *m.* *1* Vecindad *f.* (proximité). *2* Vecindario (les voisins).

voiture [vwatyʀ] *f.* *1* Carruaje *m.,* carro *m.* Loc. *— à bras,* carrito de mano. *2* Coche *m.: — à cheval,* coche de caballo; *— d'enfant,* cochecito de niño. *3* Coche *m.* (automobile): *— de course, de sport,* coche de carreras, deportivo. Loc. *— de tourisme,* turismo *m.,* coche de turismo. *4* Coche *m.* (de train). Loc. *En —!,* ¡al tren!

voiturer [vwatyʀe] *tr.* Acarrear, transportar.

voix [vwa(a)] *f.* *1* Voz: *des voix aiguës,* voces agudas; *parler d'une — caverneuse,* hablar con voz cavernosa. Loc. *Avoir au chapitre,* tener voz y voto en un asunto. *loc. adv. À haute —,* en voz alta; *à — basse,* en voz baja; *de vive —,* de viva voz. *2* Voto *m.,* sufragio *m.* (vote): *— délibérative,* voto, derecho de voto en una asamblea. Loc. *Mettre aux —,* poner a votación.

vol [vɔl] *m.* *1* Vuelo (action de se déplacer dans l'air). Loc. *Prendre son —,* alzar el vuelo. *loc. adv. À — d'oiseau,* en línea recta, a vuelo de pájaro; *au —,* al vuelo.

2 Bandada *f.* (d'oiseaux ou d'insectes). 3 Robo, hurto: — *qualifié,* robo con circunstancias agravantes. Loc. — *à main armée,* atraco.

volage [vɔlaʒ] *adj.* Voluble, veleidoso, sa.

volaille [vɔlaj] *f. 1* Aves *pl.* de corral (ensemble des oiseaux de basse-cour). *2* Ave (un seul oiseau): *blanc de —,* pechuga de ave.

volailler [vɔlaje] *m.* Vendedor de aves, pollero.

volant, -ante [vɔlɑ̃, -ɑ̃t] *adj. 1* Volador, ra, volante: *poisson —,* pez volador. Loc. *Fusée volante,* cohete *m.; feuille volante,* hoja suelta. ■ *2 m.* Volante (jeu, d'une robe). *3* Volante (d'une auto, machine): *être au —,* estar al volante.

volatiliser [vɔlatilize] *tr.* Volatilizar.

vol-au-vent [vɔlovɑ̃] *m. invar.* Pastel *m.* relleno de carne o pescado.

volcan [vɔlkɑ̃] *m.* Volcán.

volée [vɔle] *f. 1* Vuelo *m.,* volada (d'un oiseau): *prendre sa —,* alzar el vuelo. *loc. adv. À la —,* al vuelo, en el aire. *2* Bandada (d'oiseaux). *3* Rango *m.,* calidad: *dame de haute —,* dama de alto copete. *4* Paliza (de coups). *5* Descarga (de projectiles). *6* Repique *m.,* campanada: *sonner à toute —,* echar las campanas. *7* AGR. Voleo: *semer à la —,* sembrar a voleo. *8* ARCHIT. Tramo *m.* (d'escalier). *9* SPORTS Volea (tennis).

voler [vɔle] *intr. 1* Volar: *l'aigle vole très haut,* el águila vuela muy alto. ■ *2 tr.* Robar, hurtar.

volet [vɔle] *m. 1* Contraventana *f.,* postigo. *2* Tabla *f.* (pour fermer un magasin). *3* Hoja *f.* (d'un triptyque). ■ *4* Loc. *Trier sur le —,* escoger con cuidado.

voleter [vɔlte] *intr.* Revolotear. ▲ CONJUG. como *jeter.*

voleur, -euse [vɔlœr, -øz] *adj.-s. 1* Ladrón, ona. *2* — *à la tire,* carterista. *3 interj. Au —!,* ¡ladrones!

volière [vɔljer] *f.* Pajarera.

volition [vɔlisjɔ̃] *f.* Volición.

volontaire [vɔlɔ̃ter] *adj. 1* Voluntario, ria. *2* Voluntarioso, sa (opiniâtre). ■ *3 m.* Voluntario (soldat).

volonté [vɔlɔ̃te] *f.* Voluntad: *dernières volontés,* últimas voluntades. Loc. *Faire ses quatre volontés,* hacer su santa voluntad. *loc. adv. À —,* a voluntad, a discreción; *feu à —,* fuego a discreción.

volontiers [vɔlɔ̃tje] *adv.* De buena gana, con mucho gusto.

volt [vɔlt] *m.* Voltio.

voltage [vɔltaʒ] *m.* Voltaje.

voltaïque [vɔltaik] *adj.* Voltaico, ca.

voltiger [vɔltiʒe] *intr. 1* Revolotear. *2* Mariposear (papillonner). ▲ CONJUG. como *engager.*

volubile [vɔlybil] *adj. 1* BOT. Voluble. *2* Que habla mucho y de prisa, locuaz.

volubilité [vɔlybilite] *f.* Locuacidad, elocución fácil y rápida.

volume [vɔlym] *m. 1* Volumen. *2* Caudal (débit d'eau). *3* Volumen (livre): *dictionnaire en deux volumes,* diccionario en dos volúmenes.

volumineux, -euse [vɔlyminø, -øz] *adj.* Voluminoso, sa.

volupté [vɔlypte] *f.* Voluptuosidad.

voluptueux, -euse [vɔlyptɥø, -øz] *adj.-s.* Voluptuoso, sa.

volute [vɔlyt] *f.* Voluta.

vomique [vɔmik] *adj. Noix —,* nuez vómica.

vomir [vɔmir] *tr.-intr. 1* Vomitar. *2 Faire —,* dar náuseas.

vomissement [vɔmismɑ̃] *m.* Vómito.

vorace [vɔras] *adj.* Voraz: *des animaux voraces,* animales voraces.

voracité [vɔrasite] *f.* Voracidad.

vos [vo] *adj. poss. pl. 1* Vuestros, vuestras. *2* Sus, de usted, de ustedes (avec vouvoiement).

votant, -ante [vɔtɑ̃, -ɑ̃t] *adj.-s.* Votante.

vote [vɔt] *m. 1* Voto, sufragio. *2* Votación *f.: — secret,* votación secreta.

voter [vɔte] *intr.* Votar.

votif, -ive [vɔtif, -iv] *adj.* Votivo, va.

votre [vɔtr(ə)] *adj. poss. 1* Vuestro, vuestra. *2* Su (avec vouvoiement): — *Majesté,* Su Majestad.

vôtre [votr(ə)] *pron. poss. 1* Vuestro, vuestra (avec tutoiement), suyo, suya (avec vouvoiement): *mon livre et le —,* mi libro y el vuestro (tutoiement), el suyo (vouvoiement). ■ *2 m.* Lo vuestro, lo suyo: *vous y mettez du —,* usted pondrá algo de su parte. ■ *3 pl. Les vôtres,* los vuestros, las vuestras, los suyos, las suyas. Loc. *Vous en faites des vôtres,* usted hace de las suyas.

vouer [vwe] *tr. 1* Consagrar, dedicar: — *à Dieu,* consagrar a Dios. *2* Destinar: *voué à l'échec,* destinado a fracasar. ■ *3 pr.* Consagrarse, dedicarse: *se — à l'étude,* consagrarse al estudio.

vouloir [vulwar] *tr.-intr. 1* Querer: *veux-tu m'accompagner?,* ¿quieres acompañarme? ■ *2 tr.* Pedir, exigir, requerir (exiger): *cela veut de la patience,* esto requiere paciencia. ▲ CONJUG. IRREG. INDIC. Pres.: *je veux, tu veux, il veut, nous voulons, vous voulez, ils veulent.* Imperf.: *je voulais,* etc. Pret. indef.: *je vou-*

lus, etc. Fut. imperf.: *je voudrai*, etc. POT.: *je voudrais*, etc. SUBJ. Pres.: *que je veuille*, etc. Imperf.: *que je voulusse*, etc. IMPER.: *veux, voulons, voulez*, o *veuille, veuillons, veuillez.* PART. A.: *voulant.* PART. P.: *voulu, ue.*

vouloir [vulwaʀ] *m*. Voluntad *f.: bon* —, buena voluntad; *mauvais* —, malquerencia *f*.

voulu, -ue [vuly] *adj*. Querido, da, deseado, da: *en temps* —, en el momento deseado.

vous [vu] *pron. pers. 1* Vosotros, tras (sujet, avec tutoiement), usted (sujet sing., avec vouvoiement): *avez- — votre passeport?*, ¿tiene usted su pasaporte?; ustedes (sujet pl., avec vouvoiement). *2* Vos (pour s'adresser à Dieu, à un saint, à un roi). *3* Os (complément, avec tutoiement), le, la (complément sing., avec vouvoiement): *monsieur, je — invite à dîner*, señor, le invito a cenar; les, las (complément pl., avec vouvoiement).

voûte [vut] *f. 1* Bóveda: — *d'arête*, bóveda por arista o de ajibe; — *en berceau*, bóveda en cañón; — *du palais* o *palatine*, bóveda palatina; — *du ciel*, bóveda celeste. *2* MAR. Bovedilla.

voûté, -ée [vute] *adj. 1* Abovedado, da. *2* fig. Encorvado, da (une personne).

voyage [vwajaʒ] *m*. Viaje: *partir en* —, ir de viaje; — *au long cours*, largo viaje; — *de noces*, viaje de bodas; *bon* —*!*, ¡buen viaje!

voyager [vwajaʒe] *intr*. Viajar. ▲ CONJUG. como *engager.*

voyageur, -euse [vwajaʒœʀ, -øz] *s. 1* Viajero, ra. ■ *2 adj.-m. Commis* —, — *de commerce*, viajante de comercio.

■ *3 adj. Pigeon* —, paloma mensajera.

voyant, -ante [vwajã, -ãt] *s. 1* Vidente. ■ *2 adj.* Vistoso, sa, llamativo, va (qui attire la vue). ■ *3 m.* Señal *f*. de boya o baliza (d'une bouée, balise). *4* Piloto (signal électrique).

voyelle [vwajɛl] *f*. GRAM. Vocal.

voyou [vwaju] *m*. Golfo, bribón, granuja.

vrac (en) [ãvʀak] *loc. adv.* Sin embalar.

vrai, vraie [vʀɛ] *adj. 1* Verdadero, ra. *2* Cierto, ta; *il n'est que trop* —, es muy cierto: ■ *3 m.* Verdad *f*., lo cierto; *être dans le* —, estar en lo cierto. *loc. adv.* À — *dire*, a decir verdad; *pour de* —, de veras; *fam. pas* —*?*, ¿no es verdad?, ¿verdad?

vraiment [vʀɛmã] *adv. 1* Verdaderamente. *2 Vraiment?*, ¿de verdad?

vraisemblable [vʀɛsãblabl(ə)] *adj*. Verosímil.

vrille [vʀij] *f. 1* Barrena (outil). *2* BOT. Zarcillo *m*. *3 Descendre en* —, entrar en barrena (avión).

vrombir [vʀõbiʀ] *intr*. Zumbar.

vu, vue [vy] *1 p. p.* de *voir.* ■ *2 adj*. Visto, ta. *3* Considerado, da. Loc. fig. *Être mal* —, ser mal visto. ■ *4 prép*. En vista de, atendido, en consideración a: — *la difficulté*, en vista de la dificultad; — *que*, en vista de que. ■ *5 m. Au — de tout le monde*, a la vista de todo el mundo.

vulcaniser [vylkanize] *tr*. Vulcanizar.

vulgaire [vylgɛʀ] *adj. 1* Vulgar. ■ *2 m.* Vulgo. *3* Vulgaridad *f.: donner dans le* —, caer en la vulgaridad, adocenarse.

vulgarité [vylgaʀite] *f*. Vulgaridad.

vulnérable [vylneʀabl(ə)] *adj*. Vulnerable.

vulnéraire [vylneʀɛʀ] *adj.-m. 1* MÉD. Vulnerario, ria. ■ *2 f.* Vulneraria (plante).

vulve [vylv(ə)] *f*. Vulva.

W

w [dubləve] *m*. W *f*.

wagnérien, -enne [vagneʀjɛ̃, -ɛn] *adj.-s.* Wagneriano, na.

wagon [vagɔ̃] *m*. Vagón, coche.

wagonnet [vagɔne] *m*. Vagoneta *f*.

walkyrie [valkiʀi] *f*. Valquiria.

wallon, -onne [walɔ̃, -ɔn] *adj.-s.* Valón, ona.

warrant [w(v)aʀɑ̃(t)] *m*. COMM. Warrant.

water-polo [waterpɔlo] *m*. Water-polo.

watt [wat] *m*. Vatio.

wolfram [vɔlfʀam] *m*. Wolframio.

X

x [iks] *m. 1* X *f. 2* Equis: *monsieur X,* el señor equis; *en un temps X,* en equis tiempo.

xénophile [ksenɔfil] *adj.-s.* Xenófilo, la.
xénophobe [ksenɔfɔb] *adj.-s.* Xenófobo, ba.
xylophone [ksilɔfɔn] *m.* Xilófono.

Y

y [igʀɛk] *m*. Y *f*.

y [i] *adv*. *1* Ahí, allí, allá: *allez- — à pied,* vaya usted allí andando; *— est-il?,* ¿está él allí? Loc. *Ah! j'— suis,* ¡ah!, ¡ya caigo! ■ *2 pron*. En él, ella, ellos, ellas, ello, eso, a él, ella, etc., de él, de ella, etc.: *j'— pense,* pienso en ello; *il ne faut pas s'— fier,* no hay que fiarse de él, de ello. *3* Es expletivo en las formas impersonales de *avoir: il n'— a rien,* no hay nada; *il — a deux mois,* hace dos meses.

yacht [jɔt; jak] *m*. Yate.
yankee [jãki] *adj*. Yanqui.
yard [jaʀd] *m*. Yarda *f*.
yatagan [jatagã] *m*. Yatagán.
yen [jɛn] *m*. Yen.
yeuse [jøz] *f*. Encina.
yeux [jø] *m. pl*. Ojos.
yogourt [jɔguʀ(t)] *m*. Yogur.
yole [jɔl] *f*. Yola.
yougoslave [jugɔslav] *adj.-s*. Yugoslavo, va.
youyou [juju] *m*. Canoa *f.,* bote pequeño.

Z

z [zɛd] *m.* Z *f.*

zèbre [zɛbʀ(ə)] *m. 1* Cebra *f. 2* fam. Individuo, elemento.

zébrer [zebʀe] *tr.* Rayar. ▲ CONJUG. como *accélérer.*

zébu [zeby] *m.* Cebú.

zélateur, -trice [zelatœʀ, -tʀis] *s. 1* Defensor, ra. *2* Celador, ra.

zèle [zɛl] *m. 1* Celo, interés. *2 Faire du —,* ostentar gran celo.

zélé, -ée [zele] *adj.-s.* Celoso, sa, afanoso, sa (dévoué).

zénith [zenit] *m.* Cenit.

zéphyr, zéphyre [zefiʀ] *m.* Céfiro.

zéro [zeʀo] *m. 1* Cero. ■ *2 adj.* Ninguno, na: *— faute,* ninguna falta.

zeste [zɛst(ə)] *m.* Cáscara *f.* (d'orange, de citron).

zézayer [zezeje] *intr.* Cecear.

zibeline [ziblin] *f.* Marta cibelina, marta cebellina.

zigzag [zigzag] *m.* Zigzag.

zigzaguer [zigzage] *intr.* Zigzaguear.

zinc [zɛ̃g] *m. 1* Cinc (métal). *2* fam. Mostrador de taberna, barra *f.: sur le —,* en el mostrador.

zingueur [zɛ̃gœʀ] *adj.-m.* Cinquero.

zircon [ziʀkɔ̃] *m.* Circón.

zizanie [zizani] *f. 1* Cizaña. *2* fig. Cizaña, discordia.

zodiaque [zɔdjak] *m.* Zodíaco.

zone [zon] *f. 1* Zona: *— bleue,* zona azul; *— frontière,* zona fronteriza. *2 La —,* los suburbios (d'une grande ville).

zoo [zoo] *m.* Zoo, parque zoológico.

zoologie [zɔɔlɔʒi] *f.* Zoología.

zoologique [zɔɔlɔʒik] *adj.* Zoológico, ca.

zouave [zwav] *m. 1* Zuavo. *2* fam. *Faire le —,* hacer el bobo.

zut [zyt] *interj.* fam. ¡Cáscaras!, ¡caramba!

zygomatique [zigɔmatik] *adj.* Cigomático, ca.

ESPAGNOL-FRANÇAIS

A

a [a] *f*. A *m*.

a [a] *prép*. *1* À, marquant: a) complément d'attribution: **doy un libro — mi hijo**, je donne un livre à mon fils; b) orientation, propension, tendance: **de cara al Norte**, face au Nord; **eso tiende — mejorar**, cela tend à s'améliorer. *2* À, en, dans, par, vers (avec un verbe de mouvement): **ir — Paris**, aller à Paris; **ir — España**, aller en Espagne; **caer al agua**, tomber dans l'eau; **caer al suelo**, tomber à terre, par terre; **dirigirse al Sur**, se diriger vers le Sud. *3* Pour, de (marquant l'affection, un sentiment): **el amor — sus hijos**, l'amour pour ses enfants; **el amor — la patria**, l'amour de la patrie. *4* À, en avec. par (marquant la manière, le moyen, etc.): **— tientas**, à tâtons: **— lo grande**, en grand seigneur; **al óleo**, à l'huile: **— máquina**, à la machine; **reducir — polvo**, réduire en poudre; **quien — hierro mata, — hierro muere**, qui tue par le fer, périra par le fer. *5* Sur: **dar — la calle**, donner sur la rue. *6* Auprès, près, à (marquant la proximité): **— la lumbre**, auprès du feu; **al rayar el alba**, à l'aube. *7* (Avec un infinitif, **a** prend parfois un sens impératif): **¡A callar!**, taisez-vous!: **¡a comer!**, à table!: **¡a trabajar!**, au travail! *8* Ne se traduit pas: a) quand il précède un complément d'objet direct se rapportant à une personne ou à une chose personnifiée: **César venció — Pompeyo**, César vainquit Pompée; **no conozco — nadie aquí**, je ne connais personne ici; b) devant l'infinitif complément d'un verbe de mouvement: **ir — pasear**, aller se promener; c) dans certaines expressions: **— fe de hombre honrado**, foi d'honnête homme; **aguardo — que venga**, j'attends qu'il vienne; **— que se cae**, je parie qu'il va tomber; **¿— qué?**, à quoi ça rime?, à quoi bon? **COMPLÉMENT* ▲ Avec l'article masculin singulier **a** se contracte en **al**.

abacería [aβaθeria] *f*. Épicerie.

abacero, ra [aβaθéro, -ra] *s*. Épicier, ière.

abacial [aβaθjál] *adj*. Abbatial, ale.

ábaco [áβako] *m*. *1* Boulier (tablero contador). *2* ARQ. Abaque.

abad [aβáδ] *m*. Abbé (de un monasterio): **— mitrado**, abbé crossé et mitré.

abadejo [aβaδéxo] *m*. *1* Morue *f*. (bacalao). *2* Roitelet (pájaro).

abadesa [aβaδésa] *f*. Abbesse.

abadía [aβaδía] *f*. Abbaye.

abajo [aβáxo] *adv*. *1* En bas: **está —**, il est en bas. Loc. **Echar —**, jeter à bas, démolir. *2* Au-dessous de: **cien para —**, au-dessous de cent. *3* Vers le bas, en descendant: **río —**, en descendant le courant, en aval. *4* loc. adv. **De arriba —**, de haut en bas; de fond en comble; **más —**, plus bas, ci-dessous (en un escrito). *5* interj. À bas!: **¡— el dictador!**, à bas le dictateur!

abanderado [aβanderáδo] *m*. Porte-drapeau *invar*.

abandonado, -da [aβandonáδo, -δa] *adj*. *1* Négligent, ente. *2* Négligé, ée, malpropre (persona). *3* À l'abandon (cosa).

abandonar [aβandonár] *tr*. *1* Abandonner. ■ *2 pr*. S'abandonner, se laisser aller.

abanicar [aβanikár] *tr*. *1* Éventer. ■ *2 pr*. S'éventer.

abanico [aβaniko] *m*. *1* Éventail. *2* loc. adv. **En —**, en éventail.

abaratar [aβaratár] *tr*. *1* Baisser le prix de. ■ *2 intr.-pr*. Baisser, diminuer de prix.

abarca [aβárka] *f*. Sorte de sandale.

abarcar [aβarkár] *tr*. *1* Embrasser. Loc. **Quien mucho abarca, poco aprieta**, qui trop embrasse, mal étreint. *2* Comprendre (contener algo dentro de sí).

abarrancar [aβaraŋkár] *tr*. *1* Raviner. ■ *2 intr.-pr*. MAR. Échouer. ■ *3 pr*. S'embourber.

abarrotar [aβar̄otár] *tr. 1* Bourrer (atiborrar). *2* Bonder, remplir: *tren abarro-* *tado,* train bondé.

abastecer [aβasteθér] *tr.* Approvisionner, ravitailler *(de,* en). ▲ CONJUG. comme *agradecer.*

abatir [aβatír] *tr. 1* Abattre (tumbar, derribar). *2* Incliner, coucher (lo que estaba vertical). *3* fig. Abattre (desanimar). *4* fig. Humilier. ■ *5 intr.* MAR. Abattre. ■ *6 pr.* S'abattre. *7* fig. Se soumettre, céder. *8* S'humilier, s'abaisser.

abdicar [aβðikár] *tr. 1* Abdiquer: — *la corona en,* abdiquer la couronne en faveur de. ■ *2 intr.* Abdiquer. *3* — *de,* renoncer à, abandonner.

abdomen [aβðòmen] *m.* Abdomen.

abecé [aβeθé] *m.* A. b. c.

abecedario [aβeθeðárjo] *m. 1* Abécédaire, a. b. c. *2* Alphabet.

abedul [aβeðúl] *m.* Bouleau.

abeja [aβéxa] *f.* Abeille: — *machiega,* *maestra, reina,* reine.

abejón [aβexón] *m. 1* Faux-bourdon (zángano). *2* Bourdon (himenóptero).

abejorro [aβexór̄o] *m. 1* Bourdon (himenóptero). *2* Hanneton (coléoptero).

aberración [aβer̄aθjón] *f.* Aberration.

abertura [aβertúra] *f. 1* Ouverture.

abeto [aβéto] *m.* Sapin.

abierto, ta [aβjérto, -ta] *adj.* Ouvert, erte.

abigarrar [aβiɣar̄ár] *tr.* Bigarrer, barioler.

abismal [aβizmál] *adj.* Abyssal, ale.

abismo [aβizmo] *m.* Abîme.

abjurar [aβxurár] *tr.-intr.* Abjurer: — *de su religión,* abjurer sa religion.

ablandamiento [aβlandamjénto] *m.* Amollissement, ramollissement.

ablandar [aβlandár] *tr. 1* Amollir, ramollir. *2* fig. Adoucir (moderar).

ablución [aβluθjón] *f.* Ablution.

abnegation [aβneɣaθjón] *f.* Abnégation, dévouement *m.*

abnegado, da [aβneɣáðo, ða] *adj.* Dévoué, ée.

abocar [aβokár] *tr. 1* Verser (verter). *2* Approcher (acercar). Loc. *Estar abocado a la ruina,* être proche de la ruine.

abocetar [aβoθetár] *tr.* PINT. Ébaucher, esquisser.

abochornado, da [aβot͡ʃornáðo, -ða] *adj. 1* Suffoqué, ée (por el calor). *2* fig. Honteux, euse (avergonzado).

abochornar [aβot͡ʃornár] *tr. 1* Échauffer, suffoquer (hablando del calor).

abofetear [aβofeteár] *tr.* Souffleter, gifler.

abogacía [aβoɣaθía] *f.* Barreau *m.,* profession d'avocat.

abogada [aβoɣáða] *f.* Avocate.

abogado [aβoɣáðo] *m.* Avocat.

abogar [aβoɣár] *intr. 1* DER. Plaider. *2* fig. Intercéder.

abolengo [aβolénɡo] *m.* Ascendance *f.*

abolición [aβoliθjón] *f.* Abolition.

abolir [aβolír] *tr.* Abolir. ▲ CONJUG. IRREG. Il ne s'emploie qu'aux pers. dont la terminaison commence par *i.* INDIC. Prés.: *abolimos, abolís.* Imparf.: *abolía,* etc. P. simple: *abolí,* etc. Fut.: *aboliré,* etc. SUBJ. Imparf.: *aboliera,* etc. ou *aboliese,* etc. Fut.: *aboliere,* etc. PART. PAS.: *abolido.* GÉR.: *aboliendo.*

abollar [aβoʎár] *tr.* Bosseler, cabosser.

abominación [aβominaθjón] *f.* Abomination.

abominar [aβominár] *tr. 1* Abominer, avoir en abomination. ■ *intr.* Maudire.

abonar [aβonár] *tr. 1* AGR. Amender, fumer, engraisser. *2* COM. Créditer (asentar en una cuenta). *3* Payer, verser (una suma): — *al contado, en metálico,* payer comptant, en espèces; — *en cuenta de,* verser au compte de. *4* Cautionner, répondre de, garantir. *5* Accréditer: — *un rumor,* accréditer un bruit. *6* Abonner (inscribir). ■ *7 pr.* S'abonner (suscribirse).

abono [aβóno] *m. 1* COM. Inscription *f.* au crédit. *2* Paiement, versement (pago). *3* AGR. Engrais, fumier. *4* Abonnement (suscripción): *sacar un —* prendre un abonnement.

abordar [aβorðár] *tr.-intr.* Aborder.

aborrecer [aβor̄eθér] *tr. 1* Détester, abhorrer, haïr. *2* Ennuyer, agacer (fastidiar). *3* Abandonner (el nido, a sus crías). ▲ CONJUG. comme *agradecer.*

abortar [aβortár] *intr. 1* Avorter. *2* Faire une fausse couche (involuntariamente). *3* fig. Avorter.

aborto [aβórto] *m. 1* Avortement. *2* Fausse couche *f.* (involuntario). *3* fig. Avorton, monstre.

abrasar [aβrasár] *tr. 1* Embraser, brûler. *2* fig. Brûler, enflammer, consumer (una pasión). *3* AGR. Griller (las plantas). ■ *4 intr.* Brûler, être brûlant, ante. ■ *5 pr.* Brûler, avoir très chaud.

abrazar [aβraθár] *tr. 1* Serrer dans ses bras, serrer, étreindre, enlacer: *abrazó a su pareja,* il enlaça sa cavalière. ■ *2 pr.* Serrer dans ses bras, étreindre: *me abracé a ella,* je la serrai dans mes bras.

abrazo [aβráθo] *m. 1* Embrassade *f.,* accolade *f.* *2* Étreinte *f.* (muy cariñoso).

abrelatas [aβrelátas] *m. invar.* Ouvreboîtes.

abreviar [aβreβjár] *tr.* Abréger. ▲ CONJUG. comme *cambiar.*

abrigar [aβriɣár] *tr. 1* Abriter. *2* Couvrir chaudement (tapar). *3* Tenir chaud, garantir du froid. ■ *4 pr.* S'abriter. *5* Se couvrir (con ropa).

abrigo [aβríɣo] *m. 1* Manteau (para ambos sexos), pardessus (de hombre): — *de pieles,* manteau de fourrure. Loc. *De —,* chaud, chaude (prendas); fig. fieffé, ée.

abril [aβríl] *m.* Avril.

abrillantar [aβriʎantár] *tr. 1* Brillanter, faceter. *2* Brunir, polir (pulir). *3* fig. Donner de l'éclat à.

abrir [aβrír] *tr. 1* Ouvrir. *2* Couper: — *un libro,* couper les pages d'un livre. *3* Graver, sculpter (una lámina, etc.). ■ *4 intr.* Ouvrir, s'ouvrir (una puerta, etc.). ■ *5 pr.* S'ouvrir: *el paracaídas se ha abierto,* le parachute s'est ouvert. PART. PAS. irrég.: *abierto.*

abrochar [aβrotʃár] *tr.* Boutonner (con botones), agrafer (con broche), attacher: *abróchense los cinturones,* attachez vos ceintures.

abrojo [aβróxo] *m. 1* Variété de chardon (planta). ■ *2 f.* MIL. Chausse-trape.

abrumar [aβrumár] *tr. 1* Accabler, écraser. ■ *2 pr.* Devenir brumeux, euse (tiempo).

abrupto, -ta [aβrúβto, -ta] *adj.* Abrupt, te, escarpé, ée.

absceso [aβsθéso] *m.* Abcès.

absoluto, -ta [aβsolúto, -ta] *adj. 1* Absolu, ue. *2 loc. adv. En —,* absolument (completamente), pas du tout, aucunement (de ninguna manera).

absolver [aβsolβér] *tr. 1* Absoudre (a un penitente). *2* Acquitter (a un reo). ▲ CONJUG. comme *mover.* PART. PAS.: *absuelto, ta.*

absorber [aβsorβér] *tr.* Absorber.

absorto, -ta [aβsórto, -ta] *1 p. p. de absorber.* ■ *2 adj.* Étonné, ée, médusé, ée, ébahi, ie (extrañado).

abstemio, -ia [aβstémjo, -ja] *adj.-s.* Abstème.

abstenerse [aβstenérse] *pr.* S'abstenir: *me abstuve de contestar,* je me suis abstenu de répondre. ▲ CONJUG. comme *tener.*

abstinencia [aβstinénθja] *f.* Abstinence.

abstracto, -ta [aβstráyto, -ta] *adj.* Abstrait, aite.

abstraer [aβstraér] *tr.* Abstraire. ▲ Ce verbe a deux p. p.: *abstracto,* irrég., y *abstraído.*

absurdo, -da [aβsúrðo, -ða] *adj. 1* Absurde. ■ *2 m.* Absurdité *f.*

abuchear [aβutʃeár] *tr.* Huer, conspuer, siffler: — *a un orador,* siffler un orateur.

abuela [aβwéla] *f.* Grand-mère, aïeule.

abuelo [aβwélo, -la] *m. 1* Grand-père, aïeul.

abulia [aβúlja] *f.* Aboulie.

abultar [aβultár] *tr. 1* Grossir. *2* fig. Exagérer, grossir. ■ *3 intr.* Être gros, grosse, faire du volume. *4* Prendre de la place: *esta cama plegable casi no abulta,* ce lit pliant ne prend presque pas de place.

abundancia [aβundánθja] *f.* Abondance.

abundante [aβundánte] *adj.* Abondant, ante.

¡abur! [aβúr] *interj.* fam. Au revoir!, salut!

aburrido, -da [aβurríðo, -ða] *adj. 1* Ennuyeux, euse (que aburre). *2* Qui s'ennuie. *3 Estar —,* s'ennuyer. *4* Las, lasse, dégoûté, ée: *un aire —,* un air las.

aburrir [aβurrír] *tr. 1* Ennuyer. ■ *2 pr.* S'ennuyer: *me aburro,* je m'ennuie.

abusar [aβusár] *intr.* Abuser.

abuso [aβúso] *m.* Abus: — *de autoridad,* abus de pouvoir.

abyección [aβjeɣθjón] *f.* Abjection.

acá [aká] *adv. 1* Ici, là, près: *ven —,* viens ici; — *en la tierra,* ici-bas (*acá* est moins précis que *aquí* et admet des degrés de comparaison): *más —,* plus près; *muy —,* tout près; *no tan —,* pas si près, moins près. *2 loc. adv. — y allá, — y acullá,* çà et là; *de — para allá,* de ci de là; *más — de,* en deça de.

acabado, -da [akaβáðo, -ða] *adj. 1* Fini, ie, accompli, ie, achevé, ée, parfait, aite. *2* Fini, ie, usé, ée (persona).

acabar [akaβár] *tr. 1* Achever, finir, terminer. *2* Épuiser, consommer. ■ *3 intr.* Finir, se terminer. Loc. *Es cosa de nunca —,* c'est à n'en plus finir: *¡acabáramos!,* enfin! *4* Mourir. *5 —con,* venir à bout de. *6 — de* (con inf.) venir de: *acaba de llegar,* il vient d'arriver; —*por,* finir par. ■ *7 pr.* Finir, prendre fin.

acacia [akáθja] *f.* Acacia *m.*

academia [akaðémja] *f. 1* Académie. *2* École (establecimiento privado). *3* ESC., PINT. Académie.

académico, -ca [akaðémiko, -ka] *adj. 1* Académique. ■ *2 s.* Académicien, ienne.

acaecer [akaeθér] *intr.* Arriver, avoir lieu. ▲ CONJUG. comme *agradecer.*

acalorar [akalorár] *tr. 1* Échauffer (dar calor, excitar). ■ *2 pr.* fig. S'échauffer, s'enflammer, prendre feu (apasionarse).

acallar [akaʎár] *tr. 1* Faire taire. *2* Apaiser, calmer.

acampar [akampár] *intr.-tr. 1* Camper. ■ *2 pr.* Camper.

acantilado, -da [akantiláðo, -ða] *adj. 1* À

pic. escarpé. ée (costa). ■ *2 m*. Falaise *f*.

acaparar [akaparár] *tr*. Accaparer.

acaramelado, -da [akarameláðo, -ða] *adj*. *1* Caramélisé. ée. *2* fig. Doucereux, euse. mielleux. euse. Loc. *Estar* —, être tout sucre tout miel.

acariciar [akariθjár] *tr*. *1* Caresser. *2* fig. Caresser (un proyecto). ▲ CONJUG. comme *cambiar*.

ácaro [ákaro] *m*. *1* Acare. *2* — *de la sarna*, sarcopte.

acarrear [akařeár] *tr*. *1* Transporter. *2* Charroyer (en carro). *3* fig. Amener, occasionner, entraîner.

acartonarse [akartonárse] *pr*. *1* Maigrir, se ratatiner, se dessécher. *2* Se durcir comme du carton.

acaso [akáso] *m*. *1* Hasard. ■ *2 adv*. Par hasard (por casualidad). *3* Peut-être (dubitativo): — *lo sepas*, peut-être le sais-tu. *4 ¿Acaso...?*, est-ce que par hasard...? *5 loc. adv. Por si* —, au cas où, en cas que, pour le cas où.

acatar [akatár] *tr*. *1* Respecter. *2* Obéir à, se soumettre à: — *una ley*, se soumettre à une loi.

acatarrarse [akatařárse] *pr*. S'enrhumer.

acaudalado, -da [akaŭðaláðo, -ða] *adj*. Riche, fortuné, ée.

acaudillar [akaŭðiλár] *tr*. Commander, diriger (tropas, un partido).

acceder [ayθeðér] *intr*. *1* Acceder (*a*, à). *2* Acquiescer (asentir). *3* Accepter, consentir: *accedió a acompañarme*, il accepta de. consentit à m'accompagner.

accésit [ayθésit] *m*. Acéssit.

acceso [ayθéso] *m*. *1* Accès. *2* MED. Accès, poussée *f*. (fiebre).

accesorio, -ia [ayθesórjo, -ja] *adj.-m*. *1* Accesoire. *2 Gastos accesorios*, faux frais.

accidentado, -da [ayθiðentáðo, -ða] *adj*. *1* Accidenté, ée. *2* Mouvementé, ée, agité, ée (vida).

acción [ayθjón] *f*. *1* Action. Loc. *En* —, en action.

accionista [ayθjonísta] *s*. Actionnaire.

acecho [aθètʃo] *m*. *1* Guet. *2 loc. adv. Al* —, *en* —, aux aguets, a l'affût.

acedar [aθeðár] *tr*. Aigrir.

acedo, -da [aθéðo, -ða] *adj*. Aigre, sur, sure, acide.

acéfalo, -la [aθéfalo, -la] *adj*. Acéphale.

aceitar [aθeitár] *tr*. Huiler.

aceite [aθéite] *m*. Huile *f*.

aceitera [aθeitéra] *f*. *1* Burette. ■ *2 pl*. Huilier *m. sing*. (vinagreras).

aceituna [aθeitúna] *f*. Olive: — *rellena*, olive farcie.

aceituno [aθeitúno] *m*. Olivier.

acelerar [aθelerár] *tr*. *1* Accélérer. *2* — *el paso*, hâter le pas.

acelga [aθélya] *f*. Bette, blète, poirée.

acémila [aθémila] *f*. *1* Bête de somme.

acendrado, -da [aθendráðo, -ða] *adj*. Pur, pure, sans tache.

acento [aθénto] *m*. Accent.

acepción [aθeβθjón] *f*. Acception.

acepillar [aθepiλár] *tr*. *1* Raboter (la madera). *2* Brosser (los vestidos).

aceptación [aθeβtaθjón] *f*: *1* Acceptation. *2* Approbation. *3* Succès *m*. (éxito).

acequia [aθékja] *f*. Petit canal *m*. d'irrigation.

acera [aθèra] *f*. Trottoir *m*.

acerca de [aθèrka de] *loc. prep*. Au sujet de, sur.

acercar [aθerkár] *tr*. *1* Approcher. *2* fig. Rapprocher. ■ *3 pr*. S'approcher: *acercarse a*, s'approcher de. *4* Approcher: *se acercan las fiestas*, les fêtes approchent.

acerico [aθeriko] *m*. Pelote *f*. à épingles.

acero [aθèro] *m*. *1* Acier. *2* fig. Arme *f*. blanche, fer (espada, etc.).

acérrimo, -ma [aθéřimo, -ma] *adj*. Très fort, forte, très tenace.

acertar [aθertár] *tr*. *1* Atteindre, toucher (el blanco). ■ *2 tr.-intr*. Trouver, deviner (adivinar). *3* Voir juste (atinar). ■ *4 intr*. — *a*, arriver à: *no acierto a comprender*, je n'arrive pas à comprendre. *5* — *con*, trouver ▲ CONJUG. IRRÉG. ÍNDIC. Prés.: *acierto, aciertas, acierta, aciertan*. SUBJ. Prés.: *acierte, aciertes, acierte, acierten*. IMPER.: *acierta, acierte, acierten*. Les autres formes sont régulières.

acertijo [aθertixo] *m*. Devinette *f*.

acervo [aθérβo] *m*. *1* Tas, amas (montón). *2* Biens *pl*. communs.

acetileno [aθetiléno] *m*. QUÍM. Acétylène.

acetona [aθetóna] *f*. QUÍM. Acétone.

acezar [aθeθár] *intr*. Haleter.

aciago, -ga [aθjáyo, -ya] *adj*. Funeste, de mauvais augure.

acial [aθjál] *m*. Morailles *f. pl*.

aciano [aθjáno] *m*. Bleuet.

acíbar [aθíβar] *m*. *1* Aloès, chicotin. *2* fig. Amertume *f*., fiel.

acicalar [aθikalár] *tr*. *1* Fourbir (armas). *2* Orner, parer (una persona). ■ *3 pr*. Se pomponner.

acicate [aθikáte] *m*. *1* Éperon à broche. *2* fig. Aiguillon, stimulant.

acierto [aθjérto] *m*. *1* Succès, réussite *f*. *2* Adresse *f*., habileté *f*., talent. *3* Hasard (casualidad).

ácimo [áθimo] *adj*. Azyme: *pan* —, pain azyme.

aclamar [aklamår] *tr. 1* Acclamer. *2* Proclamer, nommer.

aclarar [aklarår] *tr. 1* Éclaircir. *2* Rincer (la ropa). *3* Rendre moins obscur, ure. *4* fig. Élucider, tirer au clair. *5* fig. Dissiper (una duda). ■ *6 intr.* S'éclaircir (el tiempo). ■ *7 pr.* S'éclaircir.

aclimatar [aklimatår] *tr.* Acclimater.

acobardar [akoβarðår] *tr. 1* Faire peur, effrayer, intimider. ■ *2 pr.* Avoir peur, être intimidé, ée.

acodar [akoðår] *tr. 1* Appuyer sur le coude. *2* AGR. Marcotter. *3* CONSTR. Étrésillonner. ■ *4 pr.* S'accouder (*en*, à, sur).

acoger [akoxér] *tr. 1* Accueillir. *2* Recevoir. *3* Secourir, protéger. ■ *4 pr.* Se réfugier.

acogida [akoxiða] *f. 1* Accueil *m.*: *una — calurosa*, un accueil chaleureux.

acogotar [akoγotår] *tr.* Assommer (de un golpe en la nuca).

acólito [akólito] *m.* Acolyte.

acollar [akoλår] *tr. 1* AGR. Butter. *2* MAR. Rider.

acometer [akometér] *tr. 1* Assaillir. *2* Entreprendre, attaquer. *3* Saisir, prendre (el sueño, etc.). *4* MIN., CONSTR. Déboucher dans. *5 — a*, entreprendre, se mettre à. *6 — contra*, foncer sur.

acomodación [akomoðaθjón] *f.* Accomodation.

acomodado, -da [akomoðåðo, -ða] *adj. 1* Approprié, ée, accommodé, ée. *2* Riche, aisé, ée, à l'aise (en buena posición económica). *3* Modéré, ée (precio).

acomodador, -ra [akomoðaðór, -ra] *adj. 1* Qui place, qui adapte. *2* Conciliateur, trice. ■ *3 m.* Placeur (de espectadores). ■ *4 f.* Ouvreuse (cine, teatro).

acomodar [akomoðår] *tr. 1* Accommoder, ajuster. *2* Placer, installer (poner en sitio conveniente). *3* Adapter. *4* Concilier. *5* Placer (proporcionar empleo).

acompañar [akompañår] *tr. 1* Accompagner. *2* Raccompagner, reconduire (despedir). *3* Tenir compagnie (hacer compañía). *4* Joindre, inclure. *5* Participer à, partager: *le acompaño en su sentimiento*, je partage votre chagrin.

acompasar [akompasår] *tr.* Rythmer, régler selon une cadence.

aconchar [akontʃår] *tr.* MAR. Affaler.

acondicionar [akondiθjonår] *tr. 1* Conditionner (mercancías). *2* Aménager (un local).

acongojar [akoŋgoxår] *tr.* Affliger, angoisser.

aconsejar [akonsexår] *tr. 1* Conseiller. ■ *2*

pr. Prendre conseil: *aconsejarse con*, prendre conseil de.

acontecer [akonteθér] *intr.* Arriver, avoir lieu. ▲ CONJUG. comme *agradecer*.

acoplar [akoplår] *tr. 1* Accoupler (piezas, motores, etc.). *2* Ajuster (ajustar). *3* Accoupler (animales). ■ *4 pr.* Se lier d'amitié.

acoquinar [akokinår] *tr. 1* Intimider, faire peur. *2* Décourager (desanimar). ■ *3 pr.* Prendre peur.

acorazar [akoraθår] *tr.* Cuirasser, blinder.

acorazonado, -da [akoraθonåðo, -ða] *adj.* Cordé, ée, cordiforme.

acordar [akorðår] *tr. 1* Décider de, se mettre d'accord pour. *2* Rappeler (recordar). *3* MÚS. Accorder. *4* PINT. Harmoniser. *5* Accorder, concilier. ■ *6 intr.* Concorder, convenir. ■ *7 pr.* Se mettre d'accord. *8* Se souvenir, se rappeler. ▲ CONJUG. comme *contar*.

acorde [akórðe] *adj. 1* D'accord: *quedar acordes*, tomber d'accord. *2 m.* MÚS. Accord.

acordeón [akorðeón] *m.* Accordéon.

acordonar [akorðonår] *tr. 1* Attacher avec un cordon. *2* Lacer (zapatos).

acornar [akornår]. **acornear** [akorneår] *tr.* Encorner.

acorralar [akoralår] *tr. 1* Parquer, enfermer (el ganado). *2* Acculer (arrinconar).

acorrer [akorér] *tr.* Secourir.

acortar [akortår] *tr.-intr. 1* Raccourcir, écourter. *2* Réduire, diminuer (una cantidad) *3 pr.* Raccourcir.

acosar [akosår] *tr. 1* Traquer, serrer de près, harceler. *2* fig. Harceler, presser.

acostar [akostår] *tr. 1* Coucher. *2* MAR. Accoster. ■ *2 intr.* MAR. Arriver à la côte. ■ CONJUG. comme *contar*.

acostumbrar [akostumbrår] *tr. 1* Accoutumer, habituer. ■ *2 intr.* Avoir l'habitude de, avoir coutume de. ■ *3 pr.* S'habituer.

acotación [akotaθjón] *f. 1* Note marginale. *2* TEAT. Note de mise en scène. Cote (topografía).

acotar [akotår] *tr. 1* Borner, marquer, fixer. *2* Coter (topografía).

acracia [akråθja] *f.* Anarchie.

acre [åkre] *adj. 1* Acre. *2* fig. Aigre (tono).

acrecentar [akreθentår] *tr.* Accroître. ▲ CONJUG. comme *acertar*.

acrecer [akreθér] *tr.-intr. 1* Accroître. ▲ CONJUG. comme *agradecer*.

acreditar [akreðitår] *tr. 1* Accréditer. *2* COM. Créditer, porter au crédit. *3* Prouver, montrer. ■ *4 pr.* S'accréditer.

acreedor [akreeðòr, -ra] *adj.-s.* *1* Créancier, ière, créditeur, trice. *2* — *a*, digne de.

acribillar [akriβiʎár] *tr.* *1* Cribler, percer: — *a balazos*, cribler de balles. *2* fig. Assaillir: — *a preguntas*, assaillir de questions.

acrisolar [akrisolár] *tr.* Affiner, purifier, épurer.

acróbata [akróβata] *s.* Acrobate.

acrópolis [akrópolis] *f.* Acropole.

acta [áyta] *f.* *1* Compte rendu *m.*, procès-verbal *m.* (de una reunión, sesión, etc.): **levantar —**, dresser procès-verbal, rédiger un compterendu.

actinia [aytinja] *f.* Actinie.

actitud [aytitùð] *f.* Attitude.

activar [aytiβár] *tr.* Activer.

actividad [aytiβiðáð] *f.* Activité.

acto [áyto] *m.* *1* Acte (acción, hecho). *2* Action *f.* *3* FIL., TEAT. Acte. *4* REL. Acte. *5* Cérémonie *f.*, séance *f.*: *el — de inauguración*, la cérémonie d'inauguration.

actor [aytór] *m.* *1* Acteur. *2* DER. Demandeur.

actriz [aytriθ] *f.* Actrice.

actuación [aytwaθjón] *f.* *1* Conduite (acción de actuar). *2* Rôle *m.* (papel). *3* Jeu *m.* (de un actor, de un deportista).

actualidad [aytwaliðáð] *f.* *1* Actualité. *2* *loc. adv.* **En la —**, actuellement, à l'heure actuelle.

actuar [aytwár] *intr.* *1* Exercer ses fonctions. *2* Agir (un medicamento, una fuerza, etc.). *3* Jouer (un actor).

actuario [aytwárjo] *m.* DER. Greffier.

acuarela [akwaréla] *f.* Aquarelle.

acuario [akwárjo] *m.* *1* Aquarium. ■ *2 n. pr. m.* ASTR. Verseau.

acuartelar [akwartelár] *tr.* *1* Caserner (la tropa). *2* Consigner (la tropa en previsión de algún disturbio).

acuático, -ca [akwátiko, -ka] *adj.* Aquatique.

acuciar [akuθjár] *tr.* *1* Presser. *2* Désirer violemment (anhelar). ▲ CONJUG. comme *cambiar*.

acuchillar [akutʃiʎár] *tr.* *1* Poignarder, donner des coups de couteau, d'épée.

acudir [akuðir] *intr.* *1* Aller, se rendre: — *a la oficina*, se rendre au bureau. *2* Accourir (con prisa). *3* Venir en aide (auxiliar).

acueducto [akweðúyto] *m.* Aqueduct.

acuerdo [akwèrðo] *m.* *1* Accord: *ponerse de —*, se mettre d'accord. *2* Accord, convention *f.* *3* Décision *f.* *4* Réflexion *f.* Loc. *Estar uno en su —*, jouir de sa raison.

acumular [akumulár] *tr.* *1* Accumuler. *2* Cumuler (cargos, empleos).

acunar [akunár] *tr.* Bercer (a un niño).

acuñar [akuɲár] *tr.* *1* Frapper (monedas, medallas). *2* Serrer avec des coins.

acuoso, -sa [akwóso, -sa] *adj.* Aqueux, euse.

acurrucarse [akuřukárse] *pr.* Se pelotonner, se blottir, s'accroupir.

acusar [akusár] *tr.* *1* Accuser. *2* Dénoncer (delatar). *3* Annoncer (juegos).

acusativo [akusatiβo] *m.* Accusatif.

acuse [akúse] *m.* *1* Annonce *f.* (juegos). *2* — *de recibo*, accusé de réception.

acústico, -ca [akústiko, -ka] *adj.-f.* Acoustique.

achacar [atʃakár] *tr.* Imputer, attribuer.

achaflanar [atʃaflanár] *tr.* Chanfreiner.

achaparrado, -da [atʃapařáðo, -ða] *adj.* *1* AGR. Bas et touffu (árbol). *2* Trapu, ue.

achaque [atʃáke] *m.* *1* Infirmité *f.* *2* Indisposition *f.* (malestar). *3* fig. Vice, défaut. *4* fig. Excuse *f.*, prétexte.

achatar [atʃatár] *tr.* Aplatir.

achicar [atʃikár] *tr.* *1* Diminuer, rapetisser. *2* fig. Intimider, humilier. *3* MIN., MAR. Écoper. ■ *4 pr.* Céder, se dégonfler.

achicoria [atʃikórja] *f.* Chicorée.

achicharrar [atʃitʃařár] *tr.* *1* Brûler, griller, rôtir. *2* fig. Agacer, embêter, crisper (fastidiar).

achispado, -da [atʃispáðo, -ða] *adj.* Gris, grise, émeché, ée.

achuchar [atʃutʃár] *tr.* *1* Écraser, aplatir. *2* Bousculer, pousser (empujar).

achulado, -da [atʃuláðo, -ða], **achulapado, -da** [atʃulapáðo, -ða] *adj.* *1* Un peu vulgaire. *2* Effronté, ée (descarado).

adagio [aðáxjo] *m.* *1* Adage. *2* MÚS. Adagio.

adalid [aðalið] *m.* *1* Chef. *2* fig. Champion.

adarga [aðárya] *f.* Targe.

adarve [aðárβe] *m.* Chemin de ronde.

adecuar [aðekwár] *tr.* Approprier, adapter.

adefesio [aðefèsjo] *m.* *1* Sottise *f.*, extravance. *f.* *2* Épouvantail (persona de aspecto ridículo).

adelantado, -da [aðelantáðo, -ða] *adj.* *1* Précoce, hâtif, ive.

adelantar [aðelantár] *tr.* *1* Avancer. *2* —*un coche*, dépasser, doubler une voiture; *prohibido —*, défense de doubler. *3* *¿Qué adelantas con…?*, à quoi ccla t'avance de…? ■ *4 intr.* Avancer, faire des progrès.

adelante [aðelánte] *adv.* *1* Avant, en

avant. Loc. *Seguir* —, continuer; *pasar* —, passer outre; *sacar* —, mener à bon terme.

adelanto [aðelánto] *m.* *1* Avancement, progrès. *2* Avance *f.* (del reloj, etc.). *3* Avance *f.* (de dinero).

adelgazar [aðelɣaθár] *intr.* *1* Maigrir. ■ *2* *tr.* Faire maigrir (a una persona).

ademán [aðemán] *m.* *1* Geste, attitude *f.* Loc. *Hacer* — *de*, faire mine de. *2* Manières *f.*, façons *f.* (modales).

además [aðemás] *adv.* *1* En outre, en plus. *2* D'ailleurs.

adentro [aðéntro] *adv.* *1* Dans l'intérieur, vers l'intérieur, au dedans. Loc. *Tierra* —, vers l'intérieur, à l'intérieur du pays.

adepto, -ta [aðébto, -ta] *adj.-s.* Adepte.

aderazar [aðereθár] *tr.* *1* Orner, parer. *2* Préparer, arranger. *3* coc. Assaisonner, accommoder. *4* Apprêter (un tejido).

adeudar [aðeuðár] *tr.* *1* Devoir (dinero). *2* Être soumis, ise au payement d'un impôt. *3* com. — *en una cuenta...*, débiter un compte de..., porter au débit d'un compte.

adherir [aðerir] *intr.* *1* Adhérer. ■ *2* *pr.* Adhérer: *no se adhiere a ningún partido*, il n'adhère à aucun parti. ▲ CONJUG. comme *hervir*.

adición [aðiθjón] *f.* *1* Addition. *2* DER. Addition (de la herencia).

adicto, -ta [aðíkto, -ta] *adj.* *1* Attaché, ée, dévoué, ée, fidèle. ■ *2* *m.* Partisan.

adiestrar [aðjestrár] *tr.* *1* Dresser. *2* Exercer, instruire (a una persona).

adinerado, -da [aðineráðo, -ða] *adj.* Riche, fortuné, ée.

adiós [aðjós] *interj.* *1* Adieu. *2* Au revoir (hasta luego). Loc. fig. *¡Adiós mi dinero!*, c'en est fait!; *decir* — *a algo*, dire adieu à quelque chose.

adiposo, -sa [aðipóso, -sa] *adj.* Adipeux, euse.

aditamento [aðitaménto] *m.* *1* Addition *f.* *2* Complément.

adivinación [aðiβinaθjón] *f.* Divination.

adivinar [aðiβinár] *tr.* Deviner.

adjetivo, -va [aðxetíβo, -βa] *adj.* *1* Adjectif, ive. ■ *2* *m.* GRAM. Adjectif.

adjudicar [aðxuðikár] *tr.* Adjuger.

adjunto, -ta [aðxúnto, -ta] *adj.* *1* Ci-joint, te, ci-inclus, se: *la copia adjunta*, la copie ci-jointe, ci-incluse; *adjunto le remito*, je vous envoie ci-joint. ■ *2* *adj.-s.* Adjoint, ointe.

administrador, -ra [aðministraðór, -ra] *adj.-s.* Administrateur, -trice.

administrar [aðministrár] *tr.* Administrer.

admiración [aðmiraθjón] *f.* *1* Admiration.

2 GRAM. Point *m.* d'exclamation.

admirador, -ra [aðmiraðór, -ra] *adj.-s.* Admirateur, trice.

admirar [aðmirár] *tr.* *1* Admirer (ver con admiración). *2* Étonner, émerveiller (asombrar): *me admira que*, je m'étonne que. ■ *3* *pr.* S'étonner (asombrarse): *me admiro de que*, je m'étonne que.

admitir [aðmitir] *tr.* Admettre: *no se admiten propinas*, les pourboires ne sont pas admis.

adobar [aðoβár] *tr.* *1* Apprêter, accommoder. *2* coc. Mettre à mariner (las carnes). *3* Apprêter (pieles).

adobe [aðóβe] *m.* Brique *f.* crue.

adolecer [aðoleθér] *intr.* *1* Tomber malade, être souffrant, ante. *2* Être sujet, ette à (un vicio, una pasión); avoir, souffrir de (un defecto). ▲ CONJUG. comme *agradecer*.

adolescencia [aðolesθénθja] *f.* Adolescence.

adolescente [aðolesθénte] *adj.-s.* Adolescent, ente.

adonde [aðónde] *adv.* Où.

adoptar [aðoβtár] *tr.* Adopter.

adoptivo, -va [aðoβtíβo, -βa] *adj.* *1* Adoptif, ive: *hijo* —, fils adoptif.

adoquín [aðokín] *m.* *1* Pavé (piedra). *2* fig. Sot, sotte, bûche *f.*, ballot.

adoquinar [aðokinár] *tr.* Paver.

adoración [aðoraθjón] *f.* *1* Adoration. *2* — *de los Reyes*, adoration des Mages, épiphanie.

adorar [aðorár] *tr.* Adorer.

adormecer [aðormeθér] *tr.* *1* Endormir, assoupir. *2* Calmer, apaiser (un dolor, etc.) ■ *3* *pr.* S'endormir, s'assoupir. *4* S'engourdir (un miembro). ▲ CONJUG. comme *agradecer*.

adormilarse [aðormilárse] *pr.* S'endormir à moitié, s'assoupir.

adornar [aðornár] *tr.* *1* Orner, décorer, enjoliver: — *con flores*, orner de fleurs. *2* fig. Parer, orner (cualidades, virtud, etc.). *3* fig. Embellir, broder (una historia).

adosar [aðosár] *tr.* Adosser.

adquirir [aðkirir] *tr.* Acquérir. ▲ CONJUG. IRREG. INDIC. Prés.: *adquiero, adquieres, adquiere, adquieren*. SUBJ. Prés.: *adquiera, adquieras, adquiera, adquieran*. IMPER.: *adquiere, adquiera, adquieran*. Les autres formes sont régulières.

adquisición [aðkisiθjón] *f.* Acquisition.

adrede [aðréðe] *adv.* Exprès, à dessein.

adscribir [aðskriβir] *tr.* *1* Attacher, attribuer. *2* Affecter, attacher (a un empleo). ▲ PART. PAS. irrég.: *adscrito, ta*.

aduana [aðwàna] f. Douane.

aduanero, -ra [aðwanéro, -ra] adj.-m. Douanier, ière.

aducir [aðuθir] tr. Alléguer. ▲ CONJUG. comme **conducir**.

adueñarse [aðweɲárse] pr. S'emparer, se rendre maître.

adular [aðulár] tr. Aduler, flatter.

adulón, -ona [aðulón, -óna] adj.-s. fam. Flagorneur, euse, lècheur, euse.

adulterar [aðulterár] intr. 1 Commettre un adultère. ■ 2 tr. Falsifier, frelater, adultérer: — un vino, frelater un vin.

adulterio [aðultérjo] m. Adultère.

adulto, -ta [aðúlto, -ta] adj.-s. Adulte.

adusto, -ta [aðústo, -ta] adj. 1 Sévère, austère, bourru, ue. 2 Brûlé, ée (quemado), torride (muy cálido).

advenedizo, -za [aðβeneðiθo, -θa] adj.-s. 1 Étranger, ère (forastero). 2 Parvenu, ue.

advenir [aðβenir] intr. Advenir, arriver. ▲ CONJUG. comme **venir**.

adverbio [aðβérβjo] m. Adverbe.

adversario, -ia [aðβersárjo, -ja] s. Adversaire.

adversativo, -va [aðβersatiβo, -βa] adj. GRAM. Adversatif, ive.

adverso, -sa [aðβérso, -sa] adj. Adverse.

advertir [aðβertir] tr. 1 Avertir (avisar). 2 Signaler (indicar). 3 Conseiller (recomendar). 3 Remarquer, observer (notar).

adviento [aðβjénto] m. Avent.

advocación [aðβokaθjón] f. REL. Vocable m.

adyacente [aðjaθénte] adj. Adjacent, ente.

aéreo, -ea [aéreo, -ea] adj. Aérien, ienne.

aerodinámico, -ca [aeroðinámiko, -ka] adj.-f. Aérodynamique.

aeródromo [aeróðromo] m. Aérodrome.

aerolito [aerolito] m. Aérolithe.

aeronauta [aeronáṷta] m. Aéronaute.

aeronáutico, -ca [aeronáṷtiko, -ka] adj.-f. Aéronautique.

aeropuerto [aeropwérto] m. Aéroport.

aeróstato [aeróstato] m. Aérostat (globo).

afable [afáβle] adj. Affable.

afamado, -da [afamáðo, -ða] adj. Renommé, ée, fameux, euse.

afán [afán] m. 1 Ardeur f., empressement. 2 Désir véhément, soif f. (anhelo): tiene mucho — por aprender, il a un grand désir d'apprendre; un — de riquezas, une soif de richesses. 3 Effort (esfuerzo). ■ 4 pl. Tourments, souffrances f., soucis (penalidades).

afear [afeár] tr. 1 Enlaidir. 2 fig. Reprocher, blâmer.

afectado, -da [afeɣtàðo, -ða] adj. 1 Affecté, ée, apprêté, ée (amanerado). 2 Feint, feinte (fingido).

afectar [afeɣtár] tr. 1 Affecter, feindre (fingir). 2 Affecter (emocionar). 3 Toucher, affecter (concernir). 4 MED. Affecter. ■ 5 pr. S'affecter.

afecto, -ta [afeɣto, -ta] adj. 1 Attaché, ée, dévoué, ée (adicto). 2 Affecté, ée (destinado). ■ 3 m. Affection f., attachement (cariño). 4 MED. Affection f.

afeitar [afeitár] tr. 1 Raser. Loc. Maquinilla de —, rasoir m. 2 Farder (poner afeites). 3 Orner. 4 TAUROM. Épointer (les cornes). ■ 5 pr. Se raser.

afeminado, -da [afeminàðo, -ða] adj. Efféminé, ée.

aféresis [aféresis] f. GRAM. Aphérèse.

aferrar [aferár] tr. 1 Accrocher, saisir (agarrar). 2 MAR. Gaffer. 3 MAR. Ferler (velas). 4 MAR. Assujetir avec des ancres. ■ 5 intr. MAR. Mordre (el ancla). ■ 6 pr. S'accrocher, se cramponner.

afgano, -na [afɣàno, -na] adj.-s. Afghan, ane.

afianzar [afianθár] tr. 1 Cautionner, garantir (garantizar). 2 Étayer, soutenir, fixer (con puntales, etc.). 3 Affermir, consolider. ■ 4 pr. Se soutenir, se cramponner.

afición [afiθjón] f. 1 Penchant m., goût m. Loc. Tener — a, aimer, avoir le goût de, s'intéresser à. 2 La —, les amateurs m. pl. (conjunto de aficionados).

afilador, -ra [afilaðòr, -ra] adj. 1 Qui affile. ■ 2 m. Affileur, rémouleur. 3 Cuir à rasoir (correa).

afilar [afilár] tr. 1 Aiguiser, afflûter, affiler (una navaja, etc.), tailler (un lápiz). ■ 2 pr. fig. S'effiler, amincir (cara, etc.).

afiliar [afiljár] tr. Affilier.

afín [afin] adj. 1 Proche, contigu, uë. 2 Analogue (semejante). 3 Connexe. 4 Ideas afines, idées voisines, analogies.

afinador [afinaðòr] m. 1 MÚS. Accordeur (persona). 2 MÚS. Accordoir (instrumento).

afinar [afinár] tr. 1 Perfectionner, mettre la dernière main à (una cosa). 2 Affiner. 3 MÚS. Accorder, ajuster. ■ 4 tr. -intr. MÚS. Chanter, jouer juste.

afinidad [afiniðàð] f. 1 Affinité. 2 Alliance (parentesco).

afirmación [afirmaθjón] f. 1 Affirmation (palabra). 2 Affermissement m., consolidation.

afirmar [afirmár] tr. 1 Affermir. 2 Affirmer (aseverar). ■ 3 pr. S'appuyer, se bien tenir sur. 4 Maintenir (lo dicho).

aflicción [afli'θjón] *f.* Affliction.

afligir [aflixír] *tr.* Affliger.

aflojar [afloxár] *tr. 1* Relâcher, lâcher (soltar). *2* Détendre (un muelle). *3* Desserrer (un tornillo, un nudo). Loc. — *las riendas*, lâcher la bride; fam. — *la mosca*, lâcher du fric. *4* Relâcher, rendre moins rigoureux, euse.

aflorar [aflorár] *intr.* Affleurer.

afluir [aflwír] *intr. 1* Affluer. *2* Confluer: *río que afluye a*, rivière qui conflue avec. *3* Aboutir (calle).

afónico, -ca [afóniko, -ka] *adj.* Aphone.

aforismo [aforizmo] *m.* Aphorisme.

afortunado, -da [afortunáðo, -ða] *adj. 1* Heureux, euse (feliz). *2* Chanceux, euse (con suerte).

afrancesado, -da [afranθesáðo, -ða] *adj. 1* Francisé, ée. ■ *2 s.* Personne qui imite les Français.

afrecho [afrétʃo] *m.* Son (du blé).

afrentar [afrentár] *tr. 1* Faire affront à. ■ *2 pr.* Avoir honte.

africano, -na [afrikáno, -na] *adj.-s.* Africain, aine.

afrontar [afrontár] *tr. 1* Affronter. *2* Confronter (dos personas).

afta [áfta] *f.* MED. Aphte *m.*

afuera [afwéra] *adv. 1* Dehors, au dehors. ■ *2 f. pl.* Alentours *m.*, environs *m. 3 interj.* Hors d'ici!

agachar [ayatʃár] *tr. 1* Baisser, courber (la cabeza, el cuerpo). ■ *2 pr.* Se baisser, s'accroupir.

agalla [ayáʎa] *f. 1* BOT. Galle, noix de galle. *2* Pomme (de ciprés). *3* ANAT. Amygdale. *4* Côté *m.* de la tête d'un oiseau.

ágape [áyape] *m.* Agape *f.*

agarrada [ayaráða] *f.* Empoignade.

agarradero [ayaraðéro] *m.* Manche, poignée *f.* (mango). anse *f.* (asa).

agarrar [ayarár] *tr. 1* Empoigner, saisir, attraper: — *del brazo*, saisir par le bras. *2* fig. Attraper, ramasser (enfermedad, etc.). *3* fig. fam. Décrocher (obtener), saisir (oportunidad). ■ *4 pr.* Tenir: *agárrese al pasamanos*, tenez la main courante.

agarrotar [ayarotár] *tr. 1* Serrer (apretar). *2* Garrotter (a un reo).

agasajar [ayasaxár] *tr. 1* Fêter, accueillir chaleureusement.

agazaparse [ayaθapárse] *pr.* Se blottir, se tapir.

agencia [axénθja] *f. 1* Agence: — *de viajes*, agence de voyages. *2* Bureau *m.* (despacho). *3* Démarche (trámite).

agenciar [axenθjár] *tr. 1* Faire des démar-

ches pour obtenir (una cosa). ■ *2 pr.* Se procurer, obtenir (procurarse).

agenda [axénda] *f.* Agenda *m.*

agente [axénte] *adj. 1* Qui agit. *2* GRAM. *Complemento —*, complément d'agent. ■ *3 m.* Agent: — *de seguros*, agent d'assurances.

ágil [áxil] *adj. 1* Agile. *2* Vif, vive, alerte: *estilo —*, style alerte.

agio [áxjo] *m.* COM. Agio.

agitación [axitaθjón] *f.* Agitation.

agitar [axitár] *tr.* Agiter.

aglomeración [aylomeraθjón] *f. 1* Agglomération. *2* Attroupement *m.* (de personas). *3* Encombrement *m.*, embouteillage *m.* (de vehículos).

aglutinante [aylutinánte] *adj.-m.* Agglutinant, ante.

aglutinar [aylutinár] *tr.* Agglutiner.

agobiar [ayoβjár] *tr. 1* Courber (doblar). *2* Faire plier sous un poids. *3* fig. Accabler (los quehaceres, etc.). *3* Abattre (desanimar). ▲ CONJUG. comme *cambiar.*

agolparse [ayolpárse] *pr. 1* Se rassembler, affluer (personas), s'entasser (cosas). *2* Venir tout d'un coup (ocurrir).

agonía [ayonía] *f. 1* Agonie. *2* Désir *m.* violent (deseo).

agonizar [ayoniθár] *intr. 1* Agoniser. *2* fig. — *por*, mourir d'envie de.

agorero, -ra [ayoréro, -ra] *adj.-s. 1* Devin, devineresse. *2* Qui prédit des malheurs.

agosto [ayósto] *m. 1* Août. *2* Moisson *f.* (cosecha). Loc. fig. fam. *Hacer uno su —*, faire son beurre.

agotar [ayotár] *tr. 1* Épuiser: — *una cisterna, las existencias*, épuiser une citérne, les stocks. *2* fig. Épuiser (cansar).

agraciar [ayraθjár] *tr. 1* Rendre gracieux, euse. *2* Favoriser. *3* Gratifier: — *con una merced*, gratifier d'une faveur.

agradable [ayraðáβle] *adj.* Agréable.

agradecer [ayraðeθér] *tr. 1* Être reconnaissant, ante (estar agradecido): *le agradecería me facilite su dirección*, je vous serais reconnaissant de me donner votre adresse. *2* Remercier de: *le agradezco su carta*, je vous remercie de votre lettre: — *con una sonrisa*, remercier d'un sourire. ▲ CONJUG. IRRÉG. INDIC. Prés.: *agradezco, agradeces*, etc. SUBJ. Prés.: *agradezca, agradezcas, agradezca, agradezcamos, agradezcáis, agradezcan.* IMPER.: *agradece, agradezca, agradezcamos, agradezcan.* Les autres formes sont régulières.

agrado [ayráðo] *m. 1* Plaisir (gusto). *2* Plaisir, gré: *haga usted lo que sea de su —*, faites à votre gré: *ser del — de uno*, être agréable à quelqu'un. *3* Complaisance *f.*, amabilité *f.*

agrandar [aɣrandár] *tr. 1* Agrandir. *2* Grossir, amplifier. ■ *3 pr.* Augmenter.

agrario, -ia [aɣrárjo, -ja] *adj. 1* Agraire. *2* Agrarien, ienne.

agravar [aɣraβár] *tr.* Aggraver.

agraviar [aɣraβjár] *tr. 1* Offenser. *2* Léser, faire fort (perjudicar). ■ *3 pr.* S'offenser. ▲ CONJUG. comme *cambiar.*

agredir [aɣreðir] *tr.* Attaquer, assaillir. ▲ CONJUG. comme *aguerrir.*

agregar [aɣreɣár] *tr. 1* FÍS. Agréger. *2* Ajouter, joindre, adjoindre.

agresión [aɣresjón] *f.* Agression.

agresor, -ra [aɣresór, -ra] *adj.-s.* Agresseur.

agreste [aɣréste] *adj.* Agreste.

agriar [aɣrjár] *tr. 1* Aigrir. ■ *2 pr.* Aigrir. *3* fig. S'aigrir.

agricultor, -ra [aɣrikultór, -ra] *s.* Agriculteur, trice.

agricultura [aɣrikultúra] *f.* Agriculture.

agridulce [aɣriðúlθe] *adj.* Aigre-doux, douce.

agrietar [aɣrjetár] *tr.* Crevasser, lézarder.

agrimensor [aɣrimensór] *m.* Arpenteur.

agrio, -ia [áɣrjo, -ja] *adj. 1* Aigre. *2* Accidenté, ée, raboteux, euse (terreno). ■ *3 m. pl.* Agrumes (naranjas, limones, etc.).

agronomía [aɣronomía] *f.* Agronomie.

agrupar [aɣrupár] *tr.* Grouper.

agua [áɣwa] *f. 1* Eau (líquido). Loc. — *viva,* eau vive; — *llovediza, de lluvia,* eau de pluie; — *ahogarse en un vaso de —,* se noyer dans un verre d'eau; *se me hace la boca —,* l'eau m'en vient à la bouche; *volverse en — de cerrajas,* tourner en eau de boudin. *2* Eau (licor artificial); — *de azahar,* eau de naffe, de fleurs d'oranger; — *fuerte,* eau forte; — *regia,* eau régale. *3* Pente (de un tejado). ■ *5 pl.* Moiré *m. sing.,* moirures (de un tejido). ■ *6* Eau *sing.* (de una piedra preciosa). *7 Hacer aguas menores,* uriner; *hacer aguas mayores,* aller à la selle.

aguacate [aɣwakáte] *m. 1* Avocatier (árbol). *2* Avocat (fruto).

aguacero [aɣwaθéro] *m.* Averse *f.*

aguada [aɣwáða] *f. 1* MIN. Inondation. *2* PINT. Gouache.

aguador, -ra [aɣwaðór, -ra] *s.* Porteur, euse d'eau.

aguafiestas [aɣwafjèstas] *s. invar.* Trouble-fête, rabat-joie.

aguafuerte [aɣwafwèrte] *f.* Eau-forte.

aguamar [aɣwamár] *m.* Méduse *f.*

aguamarina [aɣwamarína] *f.* MINER. Aigue-marine.

aguanieve [aɣwanjéβe] *f.* Pluie mêlée de neige, neige fondue.

aguantar [aɣwantár] *tr. 1* Supporter, endurer (sufrir). *2* Soutenir (sostener). *3* Tenir (sujetar). *4* Réprimer, contenir. *5* TAUROM. Attendre sans bouger (el toro). ■ *6 intr.* Tenir bon.

aguante [aɣwánte] *m. 1* Endurance *f.*, résistance *f.* *2* Patience *f.*

aguar [aɣwár] *tr. 1* Couper, mouiller, étendre d'eau (vino, leche). *2* fig. Troubler, gâter: — *una fiesta,* troubler une fête.

aguardar [aɣwarðár] *tr.-intr. 1* Attendre: *aguardo a que venga,* j'attends qu'il vienne. ■ *2 pr.* Attendre.

aguardiente [aɣwarðjénte] *m.* Eau-de-vie *f.*

aguarrás [aɣwarrás] *m.* Essence *f.* de térébenthine.

agudizar [aɣuðiθár] *tr. 1* Rendre plus aigu, uë. ■ *2 pr.* Devenir plus aigu, uë. *3* S'aggraver (una enfermedad).

agudo, -da [aɣúðo, -ða] *adj. 1* Aigu, uë. *2* Pointu, ue (afilado). *3* fig. Fin, fine, subtil, ile, perspicace: — *de ingenio,* d'esprit subtil. *4* Spirituel, elle (gracioso). Loc. *Dicho —,* bon mot.

aguerrir [aɣeřír] *tr.* Aguerrir. ▲ CONJUG. comme *abolir.*

aguijón [aɣixón] *m.* Aiguillon.

águila [áɣila] *f.* Aigle *m.*

aguileño, -ña [aɣileɲo, -ɲa] *adj. 1 Nariz aguileña,* nez aquilin.

aguinaldo [aɣináldo] *m.* Étrennes *f. pl.*

aguja [aɣúxa] *f. 1* Aiguille. Loc. — *magnética,* aiguille aimantée; — *de marear,* boussole; — *de hacer media,* aiguille à tricoter; — *mechera,* lardoire; fig. *buscar una — en un pajar,* chercher une aiguille dans une botte de foin. ■ *3 pl.* Côtes antérieures d'un animal.

agujero [aɣuxéro] *m.* Trou.

agujeta [aɣuxèta] *f. 1* Aiguillette (cinta). ■ *2 pl.* Courbatures (dolores).

¡agur! [aɣúr] *interj.* Adieu!, au revoir!

agustino, -na [aɣustíno, -na] *adj.-s.* Augustin, ine (religioso).

aguzar [aɣuθár] *tr. 1* Aiguiser. *2* fig. Stimuler, rendre plus vif, vive, aiguiser.

¡ah! [a] *interj.* Ah!

ahí [ai] *adv. 1* Là (en este lugar, en un lugar cercano): — *está, he —,* voilà; — *viene, hele —,* le voilà. Loc. — *me las den todas,* ça m'est égal; *por — se dice,* on dit, le bruit court.

ahilarse [aiları́nse] *pr. 1* Tomber en défaillance. *2* Maigrir (adelgazar). *3* S'étioler (las plantas). *4* Filer (el vino).

ahínco [aíŋko] *m.* *1* Empressement, ardeur *f.*, acharnement. *2* Insistance *f.*

ahitar [aítár] *tr.-intr.* *1* Causer une indigestion. ■ *2 pr.* Se bourrer à en être malade, se gaver.

ahogar [aoɣár] *tr.* *1* Noyer (en agua). *2* Étouffer: — *sus sollozos,* étouffer ses sanglots. *3* fig. Accabler, oppresser. *4* Étrangler (estrangular). ■ *5 pr.* Se noyer (en agua). *6* Étouffer (respirar con dificultad).

ahogo [aóɣo] *m.* *1* Oppression *f.*, étouffement, suffocation.

ahondar [aondár] *tr.* *1* Approfondir. ■ *2 intr.* Creuser, pénétrer. *3* fig. Approfondir: — *en una cuestión,* approfondir une question. ■ *4 pr.* S'enfoncer.

ahora [aóra] *adv.* *1* Maintenant, à présent. *2 loc. adv.* — *bien,* or; — *mismo,* à l'instant même (poco antes); immédiatement, tout de suite; tout à l'heure, dans un instant (después); *de — en adelante,* dorénavant, désormais; *por —,* pour le moment.

ahorcar [aorkár] *tr.* Pendre. Loc. fig. — *los hábitos,* jeter le froc aux orties.

ahorrar [aorár] *tr.* *1* Épargner, économiser. *2* Economie *f.* (lo que se ahorra).

ahorro [aóro] *m.* *1* Épargne *f.*: *caja de ahorros,* caisse d'épargne.

ahuecar [a(ɣ)wekár] *tr.* *1* Rendre creux, euse. *2* Faire bouffer, faire gonfler. *3* Ameublir, rendre moins compact, acte (la tierra).

ahumar [aũmár] *tr.* *1* Fumer, saurer. *2* Enfumer (llenar de humo).

ahuyentar [aũjentár] *tr.* Chasser, éloigner.

airar [aírár] *tr.* Irriter, mettre en colère.

aire [áire] *m.* *1* Air (fluido, atmósfera, viento). Loc. — *colado,* vent coulis; *al — libre,* au grand air, en plein air; fig. *beber los aires por,* désirer ardemment; *mudar de aires,* changer d'air; *ofenderse del —,* être très susceptible. *2* Air (aspecto, semejanza); *un — de familia,* un air de famille; *darse uno un — a otro,* avoir un air de ressemblance avec.

airear [aireár] *tr.* *1* Aérer, ventiler. ■ *2 pr.* Prendre l'air.

airoso, -sa [aíróso, -sa] *adj.* *1* Gracieux, euse, dégagé, ée, élégant, ante. *2* Qui réussit. Loc. *Quedar, salir —,* réussir, s'en tirer brillamment.

aislado, -da [aizláðo, -ða] *adj.* Isolé, ée.

aislar [aizlár] *tr.* Isoler.

ajar [axár] *tr.* *1* Flétrir, faner (una planta, la tez). *2* Friper, froisser, chiffonner (arrugar). *3* fig. Flétrir, humilier.

ajedrez [axeðréθ] *m.* Échecs *pl.*: *jugar al —,* jouer aux échecs.

ajenjo [axéŋxo] *m.* Absinthe *f.*

ajeno, -na [axéno, -na] *adj.* *1* D'autrui: *la opinión ajena,* l'opinion d'autrui. *2* Étranger, ère, contraire: — *a su carácter,* contraire à son caractère. *3* Ignorant, ante. *4* Libre, exempt, empte: — *de cuidados,* libre de soucis.

ajetreo [axetréo] *m.* *1* Agitation *f.* *2* Animation *f.* *3* Tracas, fatigue *f.* (cansancio).

ají [axi] *m.* Piment rouge.

ajo [áxo] *m.* *1* Ail. Loc. *Cabeza de —, de ajos,* tête d'ail: *diente de —,* gousse *f.* d'ail; fig. *harto de ajos,* rustre, mal élevé. Loc. *Andar metido en el —, estar en el —,* être dans le coup.

ajuar [axwár] *m.* *1* Mobilier (muebles). *2* Trousseau (de novia).

ajuiciado, -da [axwiθjáðo, -ða] *adj.* Sage, sensé, ée.

ajustar [axustár] *tr.* *1* Ajuster, adapter. *2* MEC. Ajuster (dos piezas), régler (un mecanismo). *3* Régler, liquider (una cuenta). *4* Convenir: — *un precio,* convenir d'un prix. *5* Conclure (la paz), etc.). *6* IMPR. Mettre en pages. *7* Embaucher, engager (contratar). *8* Faire cadrer (adaptar). *9* Accommoder, conformer.

ajusticiar [axustiθjár] *tr.* Supplicier, exécuter.

al [al] *contr.* *1* (Contraction de la prép. *a* et de l'article *el*). Au, à (devant un masculin); chez (en casa de). *2* Devant un infinitif, il donne à celui-ci la valeur d'un gérondif français: — *llegar,* en arrivant.

ala [ála] *f.* *1* Aile. Loc. fam. *Ahuecar el —,* mettre les voiles; *caérsele a uno las alas del corazón,* se décourager; *cortar las alas,* couper, rogner les ailes. *2* Bord *m.* (de un sombrero). *3* Auvent *m.* (alero).

alabancero, -ra [alaβanθéro, -ra] *adj.* fam. Adulateur, trice.

alabanza [alaβánθa] *f.* *1* Louange, éloge *m.* *2* Vantardise (jactancia).

alabar [alaβár] *tr.* Louer, vanter.

alabastro [alaβástro] *m.* Albâtre.

alabeado, -da [alaβeáðo, -ða] *adj.* Gauchi, ie, déjeté, ée.

alacena [alaθéna] *f.* Placard *m.*

alacrán [alakrán] *m.* *1* Scorpion (arácnido). *2* Crochet (gancho).

alado, -da [aláðo, -ða] *adj.* *1* Ailé, ée. *2* fig. Léger, ère, rapide.

alamar [alamár] *m.* *1* Brandebourg (adorno). *2* Frange *f.* (fleco).

alambique [alambíke] *m.* Alambic.

alambrar [alambrár] *tr.* Clôturer avec des fils de fer.

alambre [alámbre] *m.* Fil de fer: — *de púas*, fil de fer barbelé.

alameda [alaméða] *f. 1* Peupleraie. *2* Allée (de árboles), promenade (paseo).

álamo [álamo] *m. 1* Peuplier. *2* — *temblón*, tremble.

alarde [alárðe] *m. 1* Parade *f.*, ostentation *f.*, étalage. Loc. *Hacer* — *de*, faire étalage de, faire montre de, se vanter de. *2* Démonstration *f.*, manifestation *f.: un* — *de buen humor*, une manifestation de bonne humeur.

alargar [alaryár] *tr. 1* Allonger. *2* Étendre, étirer (un miembro). *3* Laisser filer (una cuerda). *4* Passer, tendre (dar). *5* Augmenter (el sueldo, una ración, etc.). *6* Prolonger: — *su estancia*, prolonger son séjour.

alarido [alaríðo] *m.* Cri, hurlement.

alarma [alárma] *f. 1* Alarme. *2 Aparato de* —, Alerte: *estado de* —, état d'alerte. *4* Tocsin *m.*

alarmista [alarmísta] *adj.-s.* Alarmiste.

alazán, -ana [alaθán, -ána], **alazano, -na** [alaθáno, -na] *adj.-s.* Alezan, ane.

alazo [aláθo] *m.* Coup d'aile.

alba 'álβa] *f. 1* Aube, point *m.* du jour. *2* LITURG. Aube.

albacea [alβaθéa] *m.* DER. Exécuteur testamentaire.

albahaca [alβaáka] *f.* Basilic *m.*

albañil [alβaníl] *m.* Maçon.

albañilería [alβañilería] *m.* Maçonnerie.

albar [alβár] *adj.* Blanc, blanche, blanchâtre.

albardar [alβarðár] *tr. 1* Bâter. *2* coc. Barder.

albaricoque [alβarikóke] *m. 1* Abricot. *2* Abricotier (árbol).

albarrana [alβaŕána] *adj. f. Torre* —, tour de guet.

albatros [alβátros] *m.* Albatros.

albedrío [alβeðrío] *m. 1* Arbitre: *libre* —, libre arbitre. *2* Volonté *f.*, caprice: *obrar a su* —, agir à sa volonté, à sa guise.

albergar [alβeryár] *tr. 1* Héberger, loger. *2* fig. Nourrir (un sentimiento). ■ *3 pr.* Loger.

albergue [alβérye] *m. 1* Auberge *f.*, logis. Loc. *Dar* —, héberger. *2* Abri, asile (cobijo).

albino, -na [alβíno, -na] *adj.-s.* Albinos.

albóndiga [alβóndiya], **albondiguilla** [alβondiyiʎa] *f.* coc. Boulette.

albor [alβór] *m. 1* Blancheur *f.* 2 Aube *f.* (alba). *3* fig. Aube *f.*, début, seuil. Loc. *Los albores de la vida*, l'enfance, la jeunesse, le printemps de la vie.

albornoz [alβornóθ] *m. 1* Burnous. *2* Peignoir de bain: — *de felpa*, peignoir en tissu-éponge.

alborotar [alβorotár] *tr. 1* Troubler, agiter (perturbar). *2* Ameuter (amotinar). ■ *3 intr.* Faire du tapage. ■ *4 pr.* Se troubler, s'affoler. *5* S'emporter (encolerizarse).

alborozo [alβoróθo] *m.* Grande joie *f.*

albricias [alβriθjas] *f. pl. 1* Cadeau *m. sing.* fait au porteur d'une bonne nouvelle. *2 interj.* Victoire!, chic!

albufera [alβuféra] *f.* Étang *m.* salé, lagune.

álbum [álβum] *m.* Album.

albúmina [alβúmina] *f.* Albumine.

alcachofa [alkatʃófa] *f. 1* Artichaut *m. 2* Pomme (de ducha, regadera). *3* Crapaudine, crépine (de tubo).

alcahuete, -ta [alka(y)wéte, -ta] *s. 1* Entremetteur, euse. *2* Personne qui couvre les actions d'une autre. ■ *3 m.* TEAT. Rideau d'entracte.

alcaide [alkáiðe] *m. 1* ant. Gouverneur d'un château. *2* Chef d'une prison, geôlier.

alcalde [alkálde] *m.* Maire.

alcaldesa [alkaldésa] *f.* Mairesse.

alcaldía [alkaldía] *f. 1* Mairie (edificio). *2* Charge de maire.

alcance [alkánθe] *m. 1* Poursuite *f.* (persecución). Loc. *Dar* — *a uno*, rattraper, rejoindre quelqu'un; *ir al* —, *ir a*, *en los alcances de*, être sur le point d'atteindre, poursuivre. *2* Portée *f.* (de la mano, de un arma, etc.): *al* — *de la mano*, à portée de la main. *3* Portée *f.*, importance *f.* (importancia): *decisión de mucho* —, décision d'une grande portée.

alcancía [alkanθía] *f.* Tirelire.

alcanfor [alkanfór] *m.* Camphre.

alcantarilla [alkantariʎa] *f. 1* Égout *m.* (canal). *2* Bouche d'égout (hueco). *3* Ponceau *m.* (puentecillo).

alcanzar [alkanθár] *tr. 1* Atteindre. *2* Rattraper (al que va delante). *3* Saisir (alargando el brazo). *4* Saisir, comprendre. *5* Obtenir. ■ *6 intr.* Atteindre, arriver (llegar). *7 No alcanzo a comprender*, je ne comprends pas.

alcaparra [alkapáŕa] *f. 1* Câpre. *2* Câprier *m.* (arbusto).

alcazaba [alkaθáβa] *f.* Casbah.

alcázar [alkáθar] *m. 1* Château fort. *2* Palais royal. *3* MAR. Gaillard d'arrière.

alce [álθe] *m. 1* Élan (mamífero). *2* Cartes *f. pl.* qu'on lève en coupant, coupe *f.*

alción [alθjòn] *m. 1* Alcyon. *2* Martin-pêcheur (pájaro).

alcoba [alkóβa] *f. 1* Chambre à coucher (dormitorio). *2* Alcôve (gabinete). *3* Châsse (de balanza).

alcohol [alkoòl] *m. 1* Alcool. *2* Khôl, kohol (afeite).

alcohólico, -ca [alkoóliko, -ka] *adj.-s.* Alcoolique.

alcorán [alkoràn] *m.* Coran.

alcornoque [alkornóke] *m. 1* Chêneliège. *2* fig. Buse *f.* (ignorante).

alcurnia [alkúrnja] *f.* Lignage *m.*, ascendance. Loc. *De* —, noble.

alcuza [alkúθa] *f.* Huilier *m.*

aldaba [aldáβa] *f.* Heurtoir *m.*, marteau *m.* de porte. Loc. fig. *Tener buenas aldabas*, avoir de hautes protections, des relations.

aldea [aldéa] *f. 1* Village *m.* *2* Hameau *m.* (caserío).

alderredor [aldeřeðòr] *adv.* Autour (alrededor).

alear [aleár] *intr. 1* Battre des ailes. *2* fig. Reprendre des forces. ■ *3 tr.* METAL. Allier.

aledaño, -ña [aleðáɲo, -ɲa] *adj. 1* Limitrophe, voisin, ine. ■ *2 m. pl.* Limites *f.* *3* Alentours (alrededores).

alegar [aleár] *tr.* Alléguer.

alegato [aleáto] *m.* Allégation.

alegoría [aleyoría] *f.* Allégorie.

alegrar [aleɣrár] *tr. 1* Réjouir, égayer. *2* Egayer, embellir (hermosear). *3* TAUROM. Exciter (al toro). ■ *4 pr.* Se réjouir: *alegrarse de, con, por,* se réjouir de. *5* Être heureux, euse, ravi, ie: *me alegro de verle,* je suis heureux de vous voir. *6* fam. Se griser (bebiendo).

alegría [aleɣría] *f. 1* Joie, allégresse: *loco de* —, fou de joie; — *de vivir,* joie de vivre. *2* Gaieté: *se le ha acabado la* —, il a perdu sa gaieté. *3* Sésame *m.* (plante).

alegrón [aleɣròn] *m. 1* Joie *f.* vive.

alejandrino, -na [alexandrino, -na] *adj.-m.* Alexandrin, ine.

alejar [alexár] *tr. 1* Éloigner. *2* Écarter. ■ *3 pr.* S'éloigner.

alelar [alelár] *tr.* Hébéter.

alelí [aleli] *m.* Giroflée *f.*

aleluya [alelúja] *m.-f. 1* Alléluia *m.* (canto religioso). ■ *2 m.* Temps de Pâques.

alentar [alentár] *intr. 1* Respirer. *2* Encourager, animer. ■ *3 pr.* Reprendre courage (reponerse). ▲ CONJUG. comme *acertar.*

alerce [alèrθe] *m.* Mélèze.

alero [alèro] *m.* Avant-toit.

alerta [alèrta] *adv. 1* En éveil, sur ses gardes, sur le qui-vive. Loc. *Estar ojo* —, avoir l'œil aux aguets, être sur le qui-

vive: *estar* —, se tenir en éveil. ■ *2 m.* Alerte *f.*, alarme *f.* *3 interj.* Alerte!

aleta [aléta] *f. 1* Ailette (de torpedo). *2* Nageoire (de pez). *3* Aile (de nariz, de coche). *4* Palme (para nadar).

aletargar [aletarɣàr] *tr. 1* Faire tomber en léthargie. ■ *2 pr.* Tomber en léthargie.

aletear [aleteár] *intr. 1* Battre des ailes (ave). *2* Agiter les nageoires (pez).

alevosía [aleβosía] *f. 1* Perfidie, traîtrise. *2 loc. adv. Con* —, traîtreusement.

alfa [álfa] *f.* Alpha *m.* (letra griega).

alfabeto [alfaβèto] *m.* Alphabet.

alfajor [alfaxòr] *m.* Gâteau au miel.

alfalfa [alfálfa] *f.* Luzerne.

alfar [alfàr] *m. 1* Atelier de potier. *2* Argile *f.* (arcilla).

alfarería [alfareria] *f.* Poterie.

alfarje [alfárxe] *m. 1* Moulin à huile. *2* ARQ. Soffite.

alfeñique [alfeɲike] *m. 1* Pâte *f.* de sucre, sucre d'orge. *2* fig. Gringalet, mauviette *f.*, personne *f.* faible, délicate.

alferecía [alfereθía] *f.* Maladie convulsive des enfants, épilepsie.

alférez [alférez] *m. 1* MIL. Sous-lieutenant. *2* MAR. Enseigne (oficial).

alfil [alfil] *m.* Fou (ajedrez).

alfiler [alfilér] *m. 1* Épingle *f.* Loc. *Ir de veinticinco alfileres,* être tiré, ée à quatre épingles. *2* — *de París,* pointe *f.*, long clou.

alfiletero [alfiletèro] *m.* Aiguillier.

alfombra [alfómbra] *f. 1* Tapis *m.* *2* fig. Tapis *m.* (de flores, etc.).

alfóncigo [alfónθiɣo] **alfónsigo** [alfónsiɣo] *m. 1* Pistachier (árbol). *2* Pistache *f.*

alforza [alfórθa] *f.* Rempli *m.*, troussis *m.*

alga [álɣa] *f.* Algue.

álgebra [álxeβra] *f. 1* Algèbre. *2* ant. Art *m.* de remboîter les os.

álgido, -da [álxido, -ða] *adj.* Algide.

algo [álɣo] *pron. indef. 1* Quelque chose. *2* Un peu (un poco). *3* Loc. — *así como,* quelque chose comme: *por* — *será,* il y a certainement une raison. ■ *4 adv.* Un peu, quelque peu.

algodón [alɣodón] *m. 1* Coton: — *hidrófilo,* coton hydrophile. Loc. fig. *Criado entre algodones,* élevé dans du coton. *2* Cotonnier (arbusto). *3* Barbe *f.* à papa (golosina).

alguacil [alɣwaθil] *m. 1* Alguazil. *2* Huissier à verge.

alguien [álɣjen] *pron. indef.* Quelqu'un.

algún [alɣùn] *adj. 1* Forme apocopée de **alguno.** Ne s'emploie que devant un substantif *m.* sing.: — *día,* un jour; — *tiempo,* quelque temps. *2 loc. adv.* — *tanto,* un peu, quelque peu.

alguno, -na [alɣúno, -na] *adj. 1* Quelque: *algunas personas,* quelques personnes; un peu de (un poco de). *2 loc. adj.* — *que otro,* quelques, un petit nombre. *3* Placé après le nom, il prend un sens negatif: *No... —,* ne... aucun (ninguno); *en parte alguna,* nulle part; *sin valor —,* sans aucune valeur. *4 pron. indef.* Quelqu'un (alguien).

alhaja [aláxa] *f. 1* Bijou *m.* (joya). *2* Meuble *m.,* objet *m.* précieux. *3* fig. Joyau *m.* (objeto), perle (persona).

alhelí [alelí] *m.* Giroflée *f.*

aliar [aliár] *tr.* Allier, liguer. ▲ CONJUG. comme *desviar.*

alias [áljas] *adv.* Alias, surnommé, ée, dit.

alicates [alikátes] *m. pl.* Pince *f.* sing.

aliciente [aliθjénte] *m. 1* Attrait, intérêt. *2* Stimulant.

alienación [alienaθjón] *f.* Aliénation.

aliento [aljénto] *m. 1* Haleine *f.: mal —,* mauvaise haleine. *2* Souffle, respiration *f.: el último —,* le dernier souffle. *3* fig. Courage, énergie *f.,* vigueur *f.*

aligerar [alixerár] *tr. 1* Alléger (hacer más ligero). *2* Accélérer, hâter: — *el paso,* accélérer le pas. ■ *3 intr.-pr.* Se dépêcher (darse prisa). ■ *4 pr. Aligerarse de ropa,* s'habiller plus légèrement.

alijo [alixo] *m. 1* MAR. Déchargement. *2* Contrebande *f.,* marchandises *f. pl.* de contrebande.

alimaña [alimáɲa] *f. 1* Animal *m.,* bête. *2* Bête nuisible.

alimentación [alimentaθjón] *f.* Alimentation.

alimentar [alimentár] *tr. 1* Alimenter. ■ *2 pr.* S'alimenter, se nourrir (*de, con,* de).

alimento [aliménto] *m.* Aliment, nourriture *f.*

alindar [alindár] *tr. 1* Borner (un terreno). *2* Embellir. ■ *3 intr. Alindar con,* être contigu, uë à.

alinear [alineár] *tr.* Aligner.

aliñar [aliɲár] *tr. 1* Apprêter, orner (adornar), arranger (componer). *2* COC. Assaisonner.

alisar [alisár] *tr. 1* Lisser (pulir). *2* Peigner légèrement (el pelo).

alisios [alisjos] *adj.-pl. Vientos —,* vents alizés.

alistar [alistár] *tr. 1* Recruter, enrôler (soldados, etc.). *2* Inscrire sur une liste. *3* Embrigader (para algún fin). *4* Préparer, disposer (disponer). ■ *5 pr.* S'enrôler.

aliviar [alißjár] *tr. 1* Alléger, soulager (de un peso). *2* fig. Soulager. *3* fig. Adoucir, calmer. ■ *4 pr.* Se soulager. *5* Aller

mieux (un enfermo). ▲ CONJUG. comme *cambiar.*

aljama [alxáma] *f. 1* Communauté mauresque, juiverie (en una ciudad cristiana). *2* Mosquée (mezquita). *3* Synagogue.

aljibe [alxiβe] *m.* Citerne *f.*

aljofifar [alxofifár] *tr.* Laver le plancher.

alma [álma] *f. 1* Âme. Loc. fig. — *de cántaro,* brute; — *de Dios,* brave homme; — *en pena,* âme en peine; — *viviente,* âme qui vive; *caérsele a uno el* — *a los pies,* se décourager; *llegar al —,* aller droit au cœur; *2* Âme: *el — de la rebelión,* l'âme du soulèvement. *3 loc. adv. Con toda el —, con el — y la vida,* de tout cœur, de grand cœur.

almacén [almaθén] *m.* Magasin.

almacenar [almaθenár] *tr.* Emmagasiner.

almácigo [almáθiɣo] *m.* Lentisque.

almadraba [almaðráβa] *f. 1* Pêche aux thons. *2* Madrague (red).

almadreña [almaðréɲa] *f.* Sabot *m.*

almanaque [almanáke] *m.* Almanach.

almazara [almaθára] *f.* Moulin *m.* à huile.

almeja [almèxa] *f.* Clovisse.

almenar [almenár] *tr.* ARQ. Créneler.

almendra [almèndra] *f. 1* Amande. *2* — *garrapiñada,* praline.

almendro [alméndro] *m.* Amandier.

almez [almèθ] *m.* Micocoulier.

almiar [almjár] *m.* Meule *f.* (de heno, paja).

almíbar [almíβar] *m.* Sirop: *melocotones en —,* pêches au sirop.

almidón [almiðón] *m.* Amidon.

almidonar [almiðonár] *tr. 1* Amidonner.

almilla [almíʎa] *f.* Gilet *m.,* brassière.

almirantazgo [almirantáθɣo] *m.* Amirauté *f.*

almirante [almiránte] *m.* Amiral.

almirez [almirèθ] *m.* Mortier.

almizcle [almíθkle] *m.* Musc.

almocafre [almokáfre] *m.* Sarcloir, serfouette *f.*

almohada [alomáða] *f. 1* Oreiller *m.* (de cama). Loc. *Consultar con la —,* réfléchir longuement avant de prendre une décision. *2* Taie d'oreiller (funda). *3* Coussin *m.* (cojín).

almohadilla [almoaðíʎa] *f. 1* Coussinet *m.* (de costura). *2* Panneau *m.* (de arreos). *3* Tampon *m.* encreur. *4* ARQ. Bossage *m.*

almoneda [almonéða] *f. 1* Encan *m.,* vente aux enchères (subasta). *2* Soldes *m. pl.*

almoravide [almoráβiðe] *adj.-s.* Almoravide.

almorranas [almoránas] *f. pl.* Hémorroïdes.

almorzar [almorθár] *intr. 1* Déjeuner. ■ *2 tr.* Manger au déjeuner, déjeuner de. ▲ CONJUG. comme *contar*.

almuerzo [almwèrθo] *m.* Déjeuner.

alocado, -da [alokàðo, -ða] *adj. 1* Étourdi, ie. *2* Irréflechi, ie (acción).

alocución [alokuθjón] *f.* Allocution.

áloe [áloe] *m.* Aloès.

alojado [aloxàðo] *m.* Militaire logé chez un particulier.

alojar [aloxár] *tr. 1* Loger, héberger. *2* Loger (meter). ■ *3 intr.-pr.* Loger, se loger.

alón [alón] *m.* coc. Aile *f.* (de ave).

alondra [alóndra] *f.* Alouette.

aloque [alóke] *adj.-m. Vino* —, vin rosé, clairet.

alpaca [alpáka] *f. 1* Alpaga *m.* (animal). *2* Maillechort *m.*, métal *m.* blanc.

alpargata [alparɣáta] *f.* Espadrille.

alpinismo [alpinízmo] *m.* Alpinisme.

alpino, -na [alpíno, -na] *adj.* Alpin, ine.

alpiste [alpíste] *m.* Alpiste (planta).

alquería [alkería] *f.* Ferme, métairie.

alquilar [alkilár] *tr.* Louer: *piso por* —, appartement à louer; *se alquila*, à louer.

alquiler [alkilér] *1* Location *f.* (piso, etc.): *coche de* —, voiture en location. *2* Loyer (precio).

alrededor [alřeðeðór] *adv. 1* Autour: *a nuestro* —, autour de nous. *2* — *de*, autour de, environ, à peu près: — *de un millón*, autour d'un million. ■ *3 m. pl.* Alentours, environs: *los alrededores de Bilbao*, les environs de Bilbao.

alta [álta] *f. 1* ant. Danse. *2* Déclaration de guérison, bulletin *m.* de sortie (de un enfermo): *dar de* — *a*, donner son bulletin de sortie à. *3* Incorporación, réincorporation (de un militar).

altar [altár] *m.* Autel: — *mayor*, maître-autel.

alterar [alterár] *tr. 1* Altérer. *2* Troubler, émouvoir (emocionar). *3* Perturber (trastornar). *4* Mettre en colère, irriter (enojar).

altercar [alterkár] *intr.* Se disputer.

alternar [alternár] *tr. 1* Faire alterner. *2* AGR. Alterner (los cultivos). ■ *3 intr.* Alterner. *4* Fréquenter, avoir des relations: — *con sus vecinos*, fréquenter ses voisins. ■ *5 pr.* Se relayer.

alteza [altéθa] *f. 1* Élévation, hauteur, sublimité. *2* Altesse (título).

altillo [altíʎo] *m. 1* Tertre, coteau. *2* Galetas, grenier (desván), entresol (entre-suelo).

altitud [altituð] *f.* Altitude.

altivo, -va [altíβo, -βa] *adj.* Altier, ière, hautain, aine.

alto, -ta [álto, -ta] *adj. 1* Haut, haute, élevé, ée. Loc. *Pasar por* —, passer sur, omettre, taire; *esto me había pasado por* —, cela m'avait échappé. *2* Grand, grande (de gran estatura). *3* Avancé, ée; *a altas horas de la noche*, à une heure avancée de la nuit. ■ *4 adv.* Haut: *hablar* —, parler haut. ■ *5 m.* Haut, hauteur *f.* (dimensión). *6* Étage élevé (piso). *7* interj. Halte! *8* ¡*Alto ahí!*, Halte-là!

altruismo [altrwízmo] *m.* Altruisme.

altura [altúra] *f. 1* Hauteur (dimensión, elevación moral).

alubia [alúβja] *f.* Haricot *m.*

alucinación [aluθinaθjón] *f.* Hallucination.

alud [alúð] *m.* Avalanche *f.*

aludir [aluðír] *tr. 1* Faire allusion. *2* Faire mention de (en un discurso).

alumbrar [alumbrár] *intr. 1* Éclairer (dar luz). *2* Accoucher, enfanter (parir). *3 tr.* Éclairer. ■ *4 pr.* fam. Se griser, s'enivrer.

alumbre [alúmbre] *m.* Alun.

aluminio [alumínjo] *m.* Aluminium.

alumno, -na [alúmno, -na] *s.* Élève.

alusión [alusjón] *f.* Allusion.

aluvión [aluβjón] *m. 1* Alluvion. *2* fig. Avalanche (de personas o cosas).

alverja [alβérxa] *f.* Vesce.

alza [álθa] *f. 1* Hausse (de los precios, de un arma de fuego). *2* Vanne (de esclusa, etc.).

alzar [alθár] *tr. 1* Lever, élever. Loc. — *la mano a uno*, lever la main sur quelqu'un; — *el vuelo*, prendre son vol. *2* Soulever: *el viento alzaba remolinos de polvo*, le vent soulevait des tourbillons de poussière. *3* Relever (poner de pie). *4* Hausser (la voz, los precios). *5* IMPR. Assembler. *6* Soulever, ameuter (sublevar). ■ *7 tr.-intr.* LITURG. Élever (la hostia, el cáliz): *al* —, à l'élévation.

allá [aʎá] *adv. 1* Là, là-bas (lugar). Loc. — *se las haya*, qu'il s'arrange comme il pourra; — *tú*, c'est ton affaire, tant pis pour toi.

allanar [aʎanár] *tr. 1* Aplanir (terreno, dificultad). *2* Pacifier, soumettre. *3* Violer (un domicilio). ■ *4 pr.* Se soumettre, se plier.

allegado, -da [aʎeɣáðo, -ða] *adj. 1* Voisin, ine. ■ *2 adj.-s.* Parent, ente, proche. *3* Partisan (partidario).

allí [aʎí] *adv. 1* Là (par opposition à ici); *aquí y* —, ici et là; y: *voy* —, j'y vais. *2* Alors (entonces). Loc. — *fue Troya*, alors les choses se sont gâtées.

ama [áma] *f. 1* Maîtresse de maison. *2*

Gouvernante (de un soltero). Loc. — *de llaves*, femme de charge. 3 Nourrice (nodriza).

amable [amáβle] *adj.* Aimable *(a, con, para*, avec).

amado, -da [amáðo, -ða] *adj.-s.* Bien-aimé, ée.

amador, -ra [amaðór, -ra] *adj.-s.* Amoureux, euse.

amadrinar [amaðrinár] *tr.* 1 Accoupler par le mors (dos caballos). 2 Être la marraine de.

amaestrar [amaestrár] *tr.* 1 Exercer, instruire. 2 Dresser (animales).

amagar [amayár] *tr.* 1 Faire le geste, faire mine de (de ejecutar alguna cosa). 2 Esquisser (saludo, sonrisa). 3 Menacer (amenazar). ■ 4 *intr.* Être imminent.

amainar [amainár] *tr.* 1 MAR. Amener (una vela). ■ 2 *intr.* Mollir, faiblir (el viento). 3 fig. Se calmer, se modérer.

amalgama [amalyáma] *f.* Amalgame *m.*

amamantar [amamantár] *tr.* Allaiter.

amanecer [amaneθér] *impers.* 1 Commencer à faire jour. ■ 2 *intr.* Arriver au lever du jour, être à l'aube: *amanecimos en el Escorial*, nous arrivâmes à l'Escurial au lever du jour. 3 Se réveiller le matin (despertar). ▲ CONJUG. como *agradecer*.

amanerado, -da [amaneráðo, -ða] *adj.* Maniéré, ée.

amansar [amansár] *tr.* 1 Apprivoiser (animal). 2 fig. Calmer.

amante [amánte] *adj.* 1 Aimant, ante. 2 Ami, amie (de algo); — *de las artes*, ami des arts. ■ 3 *s.* Amant, ante. ■ 4 *f.* Maîtresse, amie.

amañar [amaɲár] *tr.* 1 Arranger adroitement, truquer. ■ 2 *pr.* S'arranger, se débrouiller.

amapola [amapóla] *f.* Coquelicot *m.*

amar [amár] *tr.* Aimer. S'emploie essentiellement dans le style relevé et dans un sens généralement abstrait: — *a Dios, a la patria*, aimer Dieu, sa patrie. *CONJUGAISON.*

amargar [amaryár] *intr.* 1 Avoir un goût amer. ■ 2 *tr.* Donner un goût amer. 3 fig. Rendre amer, ère, aigrir. 4 Attrister, peiner (afligir).

amargo, ga [amáryo, -ya] *adj.* 1 Amer, ère. ■ 2 *m.* Amer (licor).

amarilis [amarílis] *f.* Amaryllis.

amarillo, -lla [amaríʎo, -ʎa] *adj.-m.* Jaune (color).

amarrar [amarrár] *tr.* 1 Amarrer. 2 Attacher (atar).

amasador, -ra [amasaðór, -ra] *adj.-s.* 1 Pé-

trisseur, euse. 2 Gâcheur (de mortero, etc.). ■ 3 *s.* Masseur, euse.

amasar [amasár] *tr.* 1 Pétrir. 2 Gâcher (mortero, etc.). 3 Masser (dar masajes). 4 Amasser (dinero).

amasijo [amasíxo] *m.* 1 Pâte *f.* (de harina).

amatista [amatísta] *f.* Améthyste.

amatorio, -ia [amatórjo, -ja] *adj.* D'amour, amoureux, euse.

ámbar [ámbar] *m.* Ambre.

ambición [ambiθjón] *f.* Ambition.

ambicionar [ambiθjonár] *tr.* Ambitionner.

ambiente [ambjénte] *adj.* 1 Ambiant, ante. ■ 2 *m.* Ambiance *f.*, atmosphère *f.*, climat. 3 Air ambiant. 4 Milieu (medio); *en los ambientes intelectuales*, dans les milieux intellectuels.

ambiguo, -ua [ambíywo, -wa] *adj.* Ambigu, uë.

ámbito [ámbito] *m.* 1 Contour (de un espacio). 2 Étendue *f.* (extensión). 3 fig. Cadre (campo).

ambos, -as [ámbos, -as] *adj. pl.* 1 Les deux. ■ 2 *pron. pl.* Tous deux, toutes deux, tous les deux, toutes les deux.

ambulancia [ambulánθja] *f.* 1 Ambulance. 2 Bureau *m.* ambulant (correo).

amedrentar [ameðrentár], **amedrentrar** [ameðrentár] *tr.* Effrayer, intimider.

amén [amén] *adv.* 1 Amen. 2 *loc. adv. En un decir —*, en un clin d'œil. 3 *loc. prep.* — *de*, excepte, en plus de, outre (además).

amenaza [amenáθa] *f.* Menace.

amenazar [amenaθár] *tr.-intr.* Menacer *(con*, de).

amenguar [amengwár] *tr.* 1 Diminuer. 2 fig. Déshonorer.

ameno, -na [améno, -na] *adj.* 1 Amène, agréable (lugar). 2 Agréable.

americano, -na [amerikáno, -na] *adj.-s.* Américain, aine.

ametralladora [ametraʎaðóra] *f.* Mitrailleuse.

ametrallar [ametraʎár] *tr.* Mitrailler.

amianto [amjánto] *m.* Amiante.

amiga [amíya] *f.* 1 Amie. 2 École de filles.

amigo, -ga [amíyo, -ya] *adj.-s.* 1 Ami, ie. Loc. — *del alma*, ami très cher; *cara de pocos amigos*, mine rébarbative. ■ 2 *adj.* Porté, ée à, qui aime à, amateur de.

aminorar [aminorár] *tr.* 1 Diminuer, amoindrir. 2 — *la marcha*, ralentir.

amistad [amistáð] *f.* 1 Amitié (afecto). ■ 2 *pl.* Personnes amies, relations, amis *m.*

amistoso, -sa [amistóso, -sa] *adj.* Amical, ale.

amo [ámo] *m.* 1 Maître: *el — de la casa*, le

maître de maison. *2* Propriétaire (propietario). *3* Patron (de obreros, empleados).

amoblar [amoβlár] *tr.* Meubler. ▲ CONJUG. comme *contar*.

amodorrarse [amoðoṙárse] *pr.* S'assoupir.

amojamar [amoxamár] *tr. 1* Boucaner (el atún). ■ *2 pr.* Se dessécher, maigrir.

amojonar [amoxonár] *tr.* Borner.

amolar [amolár] *tr. 1* Aiguiser, émoudre. *2 fam.* Embêter. ▲ CONJUG. comme *contar*.

amoldar [amoldár] *tr. 1* Ajuster à un moule, mouler. *2* Adapter, conformer.

amonedar [amoneðár] *tr.* Monnayer.

amonestar [amonestár] *tr. 1* Admonester. *2* Publier les bans (de boda).

amoníaco, -ca [amoniako, -ka] *adj.* Ammoniac, que: *sal amoníaca*, sel ammoniac. ■ *2 m.* Ammoniaque.

amontillado [amontiʎáðo] *adj.-m.* Sorte de xérès très sec (vino).

amontonar [amontonár] *tr. 1* Entasser, amonceler. ■ *2 pr.* S'entasser, se masser (muchedumbre). *3 fig. fam.* Se mettre en colère.

amor [amór] *m. 1* Amour: *el — a la patria, al prójimo*, l'amour de la patrie, du prochain. Loc. — *propio*, amour-propre. *2 Por — de*, pour l'amour de, à cause de, par égard à.

amoral [amorál] *adj.* Amoral, ale.

amordazar [amorðaθár] *tr. 1* Bâillonner. *2 fig.* Museler (hacer callar).

amorfo, -fa [amórfo, -fa] *adj.* Amorphe.

amoroso, -sa [amoróso, -sa] *adj. 1* Amoureux, euse. *2* Affectueux, euse, tendre (cariñoso). *3 fig.* Facile à travailler (tierra).

amortajar [amortaxár] *tr.* Ensevelir, mettre dans un linceul.

amortiguador, -ra [amortiɣwaðór, -ra] *adj. 1* Qui amortit. ■ *2 m.* MEC. Amortisseur.

amortizar [amortiθár] *tr.* Amortir: — *una deuda*, amortir une dette.

amotinar [amotinár] *tr. 1* Ameuter. ■ *2 pr.* Se soulever, se mutiner.

amparar [amparár] *tr. 1* Protéger, défendre. *2 pr.* S'appuyer sur la faveur, la protection de. *3* Se réfugier, s'abriter: *ampararse en una ley*, s'abriter derrière une loi.

amperio [ampérjo] *m.* FÍS. Ampère.

ampliar [ampliár] *tr. 1* Élargir (ensanchar), agrandir (un local, una foto). *2* Augmenter (un número). *3* Développer (un negocio, una explicación).

amplificar [amplifikár] *tr.* Amplifier (el sonido, agrandir (ampliar).

amplio, -ia [ámpljo, -ja] *adj. 1* Ample (prenda de vestir). *2* Vaste, étendu, ue (extenso). *3 fig.* Large (espíritu, etc.): *en el sentido más — de la palabra*, au sens le plus large du mot.

ampolla [ampóʎa] *f. 1* Ampoule (en la piel). *2* Ampoule (vasija). *3* Bulle d'air (burbuja).

ampuloso, -sa [ampulóso, -sa] *adj. 1* Ampoulé, ée. *2* Emphatique (orador, escritor).

amputar [amputár] *tr.* Amputer.

amueblar [amweβlár] *tr.* Meubler.

amuleto [amuléto] *m.* Amulette *f.*

amurallar [amuraʎár] *tr.* Entourer de murailles.

anacoreta [anakoréta] *m.* Anachorète.

anacrónico, -ca [anakróniko, -ka] *adj.* Anachronique.

ánade [ánaðe] *m.* Canard.

anafe [anáfe] *m.* Fourneau portatif.

anagrama [anaɣráma] *m.* Anagramme *f.*

anal [anál] *adj.* Anal, ale.

anales [análes] *m. pl.* Annales *f.*

analfabeto, -ta [analfaβéto, -ta] *adj.-s.* Analphabète, illettré, ée.

analgesia [analxésja] *f.* MED. Analgésie, analgie.

análisis [análisis] *m.* Analyse *f.*

analista [analísta] *m. 1* Analyste. *2* Annaliste (autor de anales).

analizar [analiθár] *tr.* Analyser.

analogía [analoxía] *f.* Analogie.

ananás [ananás] *m.* Ananas.

anaquel [anakél] *m.* Rayon, étagère *f.*

anaranjado, -da [anaraŋxáðo, -ða] *adj.- m. 1* Orangé, ée. ■ *2 m.* Orange, orangé.

anarquía [anarkía] *f.* Anarchie.

anarquista [anarkísta] *s.* Anarchiste.

anastomosis [anastomósis] *f.* Anastomose.

anatema [anatéma] *m.-f.* Anathème *m.*

anatomista [anatomísta] *m.* Anatomiste.

anca [áŋka] *f. 1* Croupe (del caballo): *llevar a ancas*, porter en croupe. *2* Fesse (nalga).

anciano, -na [anθjáno, -na] *adj. 1* Âgé, ée, vieux, vieille. ■ *2 m.* Vieillard, vieil homme. ■ *3 f.* Vieille femme (mujer).

ancla [áŋkla] *f.* MAR. Ancre.

anclar [aŋklár] *intr.* MAR. Ancrer, mouiller l'ancre.

ancho, -cha [ántʃo, -tʃa] *adj. 1* Large. Loc. fig. *Venirle — a uno un cargo, etc.*, ne pas être de taille à remplir les devoirs d'une charge, etc. *2 loc. adv.* **A mis, a tus, a sus anchas**, à mon, à ton, à son aise ■ *3 m.* Largeur *f.*

anchoa [antʃóa] *f.* Anchois *m.*: *filetes de —*, filets d'anchois.

andador, -ra [andaðór, -ra] *adj.-s.* *1* Bon marcheur, bonne marcheuse. ■ *2 m. pl.* Lisières *f.* (de niño).

andaluz, -za [andalúθ, -θa] *adj.-s.* Andalou, ouse.

andamio [andámjo] *m.* *1* CONSTR. Échafaudage. *2* Estrade *f.* (tablado).

andana [andána] *f.* *1* Rangée. *2* MAR. Bordée. *3* Loc. *Llamarse uno* —, se dédire de ce qu'on a promis, revenir sur sa parole.

andanada [andanáða] *f.* *1* MAR. Bordée (descarga). *2* fig. Verte reprimande: *soltar a uno una* —, réprimander quelqu'un sévèrement. *3* TAUROM. Série de gradins couverts.

andante [andánte] *adv.-m.* *1* MÚS. Andante. ■ *2 adj. Caballero* —, chevalier errant.

andanza [andánθa] *f.* *1* Aventure. *2 Buena, mala* —, bonne, mauvaise fortune.

andar [andár] *intr.* *1* Marcher (moverse, funcionar). *2* S'écouler (el tiempo). *3* Être, (estar); — *bien vestido*, être bien habillé; *anda muy atareado*, il est très affairé; *los pareceres andaban muy divididos*, les avis étaient très partagés. *4* S'occuper de, avoir, être en: — *en negocios*, s'occuper d'affaires; — *en tratos*, être en pourparlers. *5* Se battre (a puñetazos, etc.). *6* Fouiller, manier: — *en un cajón*, fouiller dans un tiroir. Loc. — *con pólvora*, jouer avec la poudre. *7* Être en train de (con el gerundio): *anda escribiendo una novela*, il est en train d'écrire un roman, il écrit un roman (ne se traduit souvent pas: — *buscando*, chercher). *8* Hanter, fréquenter: *dime con quién andas y te diré quién eres*, dis-moi qui tu hantes et je te dirai qui tu es. *9* Aller: — *por los treinta años*, aller sur ses trente ans. *10* Aller, se porter: *¿qué tal anda el enfermo?*, comment va le malade? ■ *11 tr.* Parcourir (recorrer). ■ *12 pr. Andarse con*, user de, employer, faire: *andarse con ceremonias*, faire des cérémonies. Loc. *No andarse con rodeos*, ne pas y aller par quatre chemins. *13* Interj. *¡Anda!*, va!, allons! (para animar), allons donc! (incredulidad). *14 ¡Andando!*, en avant! ▲ CONJUG. IRRÉG. INDIC. Prés.: *ando, andas, anda, andamos, andáis, andan.* Imparf.: *andaba, andabas,* etc. Pas. simple: *anduve, anduviste, anduvo, anduvimos, anduvisteis, anduvieron.* Fut.: *andaré, andarás,* etc. COND.: *andaría, andarías,* etc. SUBJ. Prés.: *ande, andes,* etc. Imparf.: *andu-*

viera, anduvieras, anduviera, anduviéramos, anduvierais, anduvieran; ou *anduviese, anduvieses,* etc. Fut.: *anduviere, anduvieres,* etc. IMPÉR.: *anda, ande, andemos, andad, anden.* PART. PAS.: *andado.* GÉR.: *andando.*

andar [andár] *m.* *1* Marche *f.* (acción). *2* Démarche *f.* (modo de andar).

andarín, -ina [andarin, -ina] *adj.-s.* Bon marcheur, bonne marcheuse.

andén [andén] *m.* *1* Quai (en una estación). *2* Trottoir (acera). *3* Parapet.

andino, -na [andíno, -na] *adj.* Des Andes.

andrajoso, -sa [andraxóso, -sa] *adj.* Déguenillé, ée, loqueteux, euse.

andullo [andúʎo] *m.* Carotte *f.* (de tabaco).

anécdota [anéɣðota] *f.* Anecdote.

anegar [aneɣár] *tr.* *1* Inonder (un terreno). *2* Noyer (ahogar). ■ *3 pr.* Se noyer. Loc. fig. *Anegarse en llanto*, fondre en larmes.

anejo, -ja [anéxo, -xa] *adj.* *1* Annexe. ■ *2 m.* Annexe *f.*

anemia [anémja] *f.* Anémie.

anestesia [anestésja] *f.* Anesthésie.

anestesiar [anestesjár] *tr.* Anesthésier. ▲ CONJUG. comme *cambiar*.

anexo, -xa [anéɣ(γ)so, (γ)sa] *adj.* *1* Annexe. ■ *2 m.* Annexe *f.*

anfibio [amfíβjo] *adj.* *1* Amphibie. ■ *2 m. pl.* ZOOL. Amphibiens.

anfiteatro [amfiteátro] *m.* Amphithéâtre.

anfitrión [amfitrjòn] *m.* Amphitryon.

ánfora [ámfora] *f.* Amphore.

ángel [áŋxel] *m.* Ange: — *caído*, ange déchu; — *custodio, de la guarda*, ange gardien. Loc. fam. *Tener* —, avoir du charme, être sympathique.

angelical [aŋxelikál], **angélico, -ca** [aŋxéliko, -ka] *adj.* Angélique.

ángelus [áŋxelus] *m.* Angélus.

angina [aŋxína] *f.* Angine.

anglicano, -na [aŋglikáno, -na] *adj.-s.* Anglican, ane.

anglicismo [aŋgliθizmo] *m.* Anglicisme.

anglosajón, -ona [aŋglosaxòn, -óna] *adj.-s.* Anglo-saxon, onne.

angosto, -ta [aŋgósto, -ta] *adj.* Étroit, oite.

anguila [aŋgíla] *f.* *1* Anguille. *2* MAR. *Anguila de cabo*, fouet *m.*

angula [aŋgúla] *f.* Civelle.

ángulo [áŋgulo] *m.* Angle.

angustiar [aŋgustjár] *tr.* Angoisser, affliger. ▲ CONJUG. comme *cambiar*.

anhelar [anelár] *intr.* *1* Haleter (jadear). *2* fig. Aspirer à, désirer avec ardeur.

anhídrido [aníðriðo] *m.* QUÍM. Anhydride.

anidar [aniðár] *intr.* 1 Nicher, faire son nid. ■ 2 *pr.* Se nicher.

anilina [anilína] *f.* QUÍM. Aniline.

anilla [aníʎa] *f.* 1 Anneau *m.* ■ 2 *pl.* Anneaux *m.* (de gimnasia).

anillo [aníʎo] *m.* 1 Anneau, bague *f.* (sortija). Loc. *Esto viene como — al dedo,* cela convient à merveille, tombe à pic. 2 *— de boda,* alliance *f.* 3 *— de Saturno,* anneau de Saturne.

ánima [ánima] *f.* 1 Âme (humana). 2 Âme (del Purgatorio): *toque de ánimas,* glas des âmes du Purgatoire. 3 Âme (de un cañón).

animadversión [animaðβersjón] *f.* Animadversion.

animal [animál] *adj.-m.* 1 Animal, ale. ■ 2 *m.* Animal, bête *f.: animales domésticos,* animaux domestiques. 3 fig. Bête *f.,* brute *f.*

animar [animár] *tr.* 1 Animer. 2 *pr.* Prendre courage. 4 Se décider: *animarse a salir,* se décider à sortir; *¡anímate!,* allez!, décide-toi!

aniquilar [anikilár] *tr.* Annihiler, néantir.

anís [anís] *m.* 1 Anis. 2 Anisette *f.* (licor).

aniversario, -ia [aniβersárjo, -ja] *adj.* Anniversaire.

ano [áno] *m.* Anus.

anoche [anótʃe] *adv.* Hier soir.

anochecer [anotʃeθér] 1 *impers.* Commencer à faire nuit. ▲ CONJUG. comme *agradecer.*

anochecer [anotʃeθér] *m.,* **anochecida** [anotʃeθíða] *f.* 1 Crépuscule *m.,* tombée *f.* de la nuit. 2 *loc. adv. Al anochecer,* à la nuit tombante.

anodino, -na [anoðíno, -na] *adj.* Anodin, ine.

anomalía [anomalía] *f.* Anomalie.

anonadar [anonaðár] *tr.* Anéantir.

anónimo, -ma [anónimo, -ma] *adj.-m.* 1 Anonyme. ■ 2 *m.* Lettre *f.* anonyme (carta). 3 Anonymat: *guardar el —,* garder l'anonymat.

anormal [anormál] *adj.-s.* Anormal, ale: *niños anormales,* enfants anormaux.

anotar [anotár] *tr.* 1 Annoter. 2 Noter, prendre note (apuntar). 3 Inscrire.

ansia [ánsja] *f.* 1 Angoisse, anxiété (angustia). 2 Affliction. 3 Désir *m.* ardent, soif (anhelo): *— de libertad,* soif de liberté.

ansiedad [ansjeðáð] *f.* 1 Anxiété. 2 MED. Angoisse.

antagonismo [antayonízmo] *m.* Antagonisme.

antaño [antáɲo] *adv.* Autrefois, jadis, antan.

antártico, -ca [antártikó, -ka] *adj.* Antarctique.

ante [ánte] *m.* 1 Élan. 2 Bubale. 3 Daim (piel).

ante [ánte] *prép.* 1 Devant: *— la casa,* devant la maison. Loc. *— todo,* avant tout. 2 Par-devant: *— notario,* par-devant notaire.

anteanoche [anteanótʃe] *adv.* Avant-hier au soir.

anteayer [anteajér] *adv.* Avant-hier.

antebrazo [anteβráθo] *m.* Avant-bras.

antecedente [anteθeðénte] *adj.-m.* Antécédent, ente.

antecesor [anteθesór] *adj.-s.* Prédécesseur.

antedicho, -cha [anteðítʃo, -tʃa] *adj.* Qui a été dit auparavant.

antemano (de) [deantemáno] *loc. adv.* D'avance.

antena [anténa] *f.* Antenne.

anteojo [anteóxo] *m.* 1 ÓPT. Lunette *f.* 2 *— de larga vista,* longue-vue *f.* ■ 3 *pl.* Lunettes *f.* (lentes). 4 Jumelles *f.* (prismáticos).

antepasado [antepasáðo] *m.* 1 Ancêtre. ■ 2 *pl.* Aïeux, ancêtres.

antepenúltimo, -ma [antepenúltimo, -ma] *adj.* Antépénultième.

anteponer [anteponér] *tr.* 1 Mettre devant. 2 fig. Préférer. ▲ CONJUG. comme *poner.*

anteproyecto [anteprojéyto] *m.* Avant-projet.

anterioridad [anterjoriðáð] *f.* 1 Antériorité. 2 *loc. adv. Con —,* précédemment, antérieurement.

antes [ántes] *adv.* 1 Avant (marquant priorité de temps, lieu, etc.): *el día —,* le jour d'avant; *— de poco,* avant peu; *— que llegue,* avant qu'il n'arrive; *mucho — que él,* bien avant lui. 2 Auparavant, autrefois. 3 *loc. adv. Antes con —, cuanto —, lo — posible,* au plus tôt, le plus tôt possible; *de mucho —,* depuis longtemps. ■ 4 *conj.* Plutôt: *— morir que pecar,* plutôt mourir que pécher.

antesala [antesála] *f.* Antichambre.

antialcohólico, -ca [antjalkoóliko, -ka] *adj.* Antialcoolique.

anticiclón [antiθiklón] *m.* Anticyclone.

anticipación [antiθipaθjón] *f.* Anticipation: *con —,* d'avance, par anticipation.

anticipar [antiθipár] *tr.* 1 Anticiper, avancer la date de (fecha, plazo). 2 Avancer (dinero). ■ 3 *pr.* Anticiper, devancer, prévenir.

anticristo [antikrísto] *m.* Antéchrist.

anticuado, -da [antikwáðo, -ða] *adj.* 1 Vieilli, ie. 2 Démodé, ée (pasado de moda).

anticuario [antikwárjo] *m.* Antiquaire.

antídoto [antíðoto] *m.* Antidote.

antifaz [antifáθ] *m. 1* Masque (máscara). *2* Loup (sólo para la frente y los ojos).

antífrasis [antífrasis] *f.* Antiphrase.

antigüedad [antiɣweðáð] *f. 1* Ancienneté (en un empleo, un cuerpo). *2* Antiquité. ■ *3 pl.* Antiquités.

antiguo, -ua [antíɣwo, -wa] *adj. 1* Ancien, ienne, vieux, vieille. *2* Antique (de la Antigüedad). ■ *3 m.* Ancien (alumno). *4 loc. adv. A lo —,* à l'antique; *de —,* depuis longtemps. ■ *5 m. pl.* Anciens.

antílope [antílope] *m.* Antilope *f.*

antipapa [antipápa] *m.* Antipape.

antiparras [antipáras] *f. pl.* Lunettes.

antipatía [antipatía] *f.* Antipathie. Loc. *Coger — a,* prendre en grippe.

antípoda [antípoða] *m.* Antipode: *en los antípodas,* aux antipodes.

antiquísimo, -ma [antikísimo, -ma] *adj.* Très ancien, ienne.

antiséptico, -ca [antiséβtiko, -ka] *adj.-m.* MED. Antiseptique.

antítesis [antítesis] *f.* Antithèse.

antojarse [antoxárse] *pr. 1* Avoir envie: *se le antojó salir,* l'envie lui a pris, il a eu envie de sortir. *2* Paraître, sembler avoir dans l'idée: *se me antoja que va a llover,* il me semble qu'il va pleuvoir.

antojo [antóxo] *m. 1* Désir passager, caprice. Loc. *A su —,* à sa guise. *2* Envie (de mujer embarazada, mancha).

antología [antoloxía] *f.* Anthologie.

antorcha [antórtʃa] *f.* Torche, flambeau *m.*

antracita [antraθíta] *f.* Anthracite *m.*

antro [ántro] *m.* Antre.

antropofagia [antropofáxia] *f.* Anthropophagie.

antropología [antropoloxía] *f.* Anthropologie.

antropólogo, -ga [antropóloɣo, -ɣa] *s.* Anthropologiste, anthropologue.

antruejo [antrwéxo] *m.* Les trois jours de Carnaval.

anual [anwál] *adj.* Annuel, elle.

anuario [anwárjo] *m.* Annuaire.

anublar [anuβlár] *tr. 1* Couvrir, obscurcir (el cielo). *2* fig. Obscurcir, ternir. ■ *3 pr.* Se couvrir (el cielo). *4* Se dessécher, se faner (plantas).

anudar [anuðár] *tr. 1* Nouer. *2* fig. Renouer (una cosa interrumpida).

anulación [anulaθjón] *f.* Annulation.

anular [anulár] *tr.* Annuler.

anunciar [anunθjár] *tr. 1* Annoncer. *2* Faire de la publicité pour. ▲ CONJUG. comme *cambiar.*

anuncio [anúnθjo] *m. 1* Annonce *f.* *2* Affiche *f.,* (cartel).

anverso [ambérso] *m. 1* Anvers (de una moneda, una medalla). *2* IMPR. Recto.

anzuelo [anθwélo] *m. 1* Hameçon. *2* fig. Attrait, appât: *picar en el —,* mordre à l'hameçon.

añadido [aɲaðíðo] *m. 1* Cheveux *pl.* postiches, postiche. *2* Ajout (añadidura).

añadir [aɲaðír] *tr.* Ajouter.

añejo, -ja [aɲéxo, -xa] *adj.* Vieux, vieille.

añicos [aɲíkos] *m. pl.* Petits morceaux, miettes *f.: hacer —,* réduire en miettes.

año [aɲo] *m. 1* Année *f.: — civil, escolar,* année civile, scolaire. *2* An: *tiene diez años,* il a dix ans. Loc. *— nuevo,* nouvel an, nouvelle année; *día de Año Nuevo,* le jour de l'an; *feliz — nuevo,* bonne année; *cabo de —,* anniversaire, bout de l'an. ■ *2 pl.* Années *f.: por los años 1600,* dans les années 1600, vers 1600. *3* Âge *sing.: a mis años,* à mon âge. Loc. *Entrado en años,* d'un âge avancé, très âgé.

añorar [aɲorár] *tr.* Regretter.

aorta [aórta] *f.* NAT. Aorte.

apabullar [apaβuʎár] *tr. 1* fam. Aplatir, écraser. *2* fig. Sidérer, laisser baba.

apacentar [apaθentár] *tr. 1* Paître, faire paître. *2* fig. Repaître, nourrir (el espíritu, etc.). ■ *3 pr.* Paître (el ganado). ▲ CONJUG. comme *acertar.*

apadrinar [apaðrinár] *tr. 1* Servir de parrain. *2* Servir de témoin (en una boda, un duelo).

apagado, -da [apaɣáðo, -ða] *adj. 1* Morne, faible, sans éclat, éteint, einte. *2* Étouffé, ée (ruido).

apagar [apaɣár] *tr. 1* Éteindre (el fuego, la luz, la cal). *2* fig. Apaiser, calmer (pasiones). *3* Étancher (la sed). *4* PINT. Éteindre, amortir (los colores). ■ *5 pr.* S'éteindre: *se apagó la luz,* la lumière s'éteignit.

apaisado, -da [apaisáðo, -ða] *adj.* Plus large que haut, à l'italienne.

apalear [apaleár] *tr. 1* Bâtonner, battre. *2* AGR. Gauler (las ramas de los árboles). *3* Pelleter (el grano).

apandillar [apandiʎár] *tr. 1* Réunir en bande.

apañar [apaɲár] *tr. 1* Saisir, prendre (coger). *2* Voler, barboter (hurtar). *3* Arranger (arreglar). *4* Raccommoder (remendar). ■ *5 pr.* S'arranger, se débrouiller.

aparador [aparaðór] *m. 1* Buffet, dressoir. *2* Vitrine *f.* (escaparate).

aparato [aparáto] *m. 1* Appareil (instrumento). *2* Apparat (ostentación). *3* Appareil (conjunto de órganos).

aparatoso, -sa [aparatóso, -sa] *adj. 1* Pompeux, euse. *2* Spectaculaire, théâtral, ale.

aparcero, -ra [aparθéro, -ra] *s.* Métayer, ère.

aparear [apareár] *tr. 1* Appareiller, apparier, accoupler. ■ *2 pr.* S'accoupler.

aparecer [apareθér] *intr. 1* Apparaître, paraître, se montrer. ■ *2 pr.* Apparaître. ▲ CONJUG. comme *agradecer.*

aparecido [apareθiðo] *m.* Revenant.

aparejador [aparexaðór] *adj. 1* Qui prépare. ■ *2 m.* Aide d'un architecte.

aparejo [aparéxo] *m. 1* Préparation *f.*, apprêt. *2* MAR. Gréement, agrès. *3* MEC. Moufle *f.*, palan.

aparentar [aparentár] *tr. 1* Feindre, simuller, faire semblant de. *2* Faire: *aparenta unos cincuenta años,* il, fait dans les cinquante ans.

apariencia [aparjénθja] *f.* Apparence.

apartado, -da [apartáðo, -ða] *adj. 1* Écarté, ée, retiré, ée, éloigné, ée. ■ *2 m.* Boîte *f.* postale (de correos). *3* Paragraphe, alinéa (párrafo).

apartar [apartár] *tr. 1* Écarter, éloigner (alejar). *2* Détourner, dissuader. *3* Trier (la lana, etc.). ■ *4 pr.* S'écarter, s'éloigner. *5* De détourner.

aparte [apárte] *adv. 1* A part, de côté, séparément, à l'écart: *dejar —,* laisser de côté. ■ *2* Alinéa, paragraphe. *3* *Punto y —,* point à la ligne.

apasionar [apasjonár] *tr. 1* Passionner. ■ *2 pr.* Se passionner.

apatía [apatía] *f.* Apathie.

apear [apeár] *tr. 1* Faire descendre, descendre (d'un cheval, d'une voiture). *2* Entraver (un caballo). ■ *3 pr.* Descendre. Loc. fig. *Apearse del burro,* reconnaître son erreur.

apego [apéɣo] *m.* Attachement, affection *f.* (cariño). Loc. *Tenía mucho — a su casa,* il était très attaché à sa maison.

apelación [apelaθjón] *f.* DER. Appel *m.*

apelmazar [apelmaθár] *tr. 1* Tasser, rendre dur, dure, compact, acte. *2* Feutrer (la lana).

apellido [apeʎiðo] *m. 1* Nom, nom de famille: *el nombre y el —,* le prénom et le nom. *2* Surnom (apodo).

apenas [apénas] *adv. 1* À peine. *2 — ...cuando,* à peine... que. *3 — si...,* c'est à peine si...

apéndice [apéndiθe] *m.* Appendice.

apercibir [aperθiβir] *tr. 1* Apprêter, préparer, disposer. *2* Admonester (adver-

tir). *3* DER. Sommer, avertir. ■ *4 pr.* Se préparer.

aperitivo, -va [aperitiβo, -βa] *adj.-m.* Apéritif, ive.

apero [apéro] *m. 1* Bêtes *f. pl.* de labeur d'une ferme. ■ *2 pl.* Outils, machines *f.* (para la agricultura).

apertura [apertúra] *f. 1* Ouverture (acción). *2* Percement *m.* (de una calle). *3 — de curso,* rentrée des classes.

apesadumbrar [apesaðumbrár], **apesarar** [apesarár] *tr.* Chagriner, attrister.

apestar [apestár] *tr. 1* Empester. *2* Ennuyer, assommer (fastidiar). ■ *3 intr.* Puer, empester.

apetecer [apeteθér] *tr. 1* Désirer, convoiter. ■ *2 intr.* Plaire, faire envie, avoir envie: *no me apetece salir esta noche,* ça ne me fait pas envie, je n'ai pas envie de sortir ce soir. ▲ CONJUG. como *agradecer.*

apetito [apetito] *m.* Appétit.

apiadar [apjaðár] *tr. 1* Apitoyer. ■ *2 pr.* Avoir pitié: *apiádate de nosotros,* aie pitié de nous.

ápice [ápiθe] *m. 1* Extrémité *f.*, pointe *f. 2* Partie *f.* très petite, rien: *no falta un —,* il n'y manque rien.

apicultor, -ra [apikultór, -ra] *s.* Apiculteur, trice.

apicultura [apikultúra] *f.* Apiculture.

apilar [apilár], **apilonar** [apilonár] *tr.* Empiler.

apiñado, -da [apiɲáðo, -ða] *adj.* Entassé, ée, serré, ée.

apio [ápjo] *m.* Céleri.

apisonar [apisonár] *tr.* Tasser, damer (el suelo).

aplacar [aplakár] *tr.* Calmer, apaiser.

aplanar [aplanár] *tr. 1* Aplanir. *2* fig. fam. Abattre, accabler.

aplastar [aplastár] *tr. 1* Aplatir. *2* fig. Écraser (vencer). *3* fig. Confondre, anéantir (abatir).

aplauso [apláuso] *m. 1* Applaudissement. *2* Approbation *f.*, éloge.

aplazar [aplaθár] *tr.* Ajourner, différer.

aplicar [aplikár] *tr. 1* Appliquer. *2* Destiner, affecter (a un uso). ■ *3 pr.* S'appliquer. *4* Être destiné, ée.

aplomo [aplómo] *m. 1* Aplomb. *2* Gravité *f.*, circonspection *f.*, sérieux.

apocalipsis [apokalíßsis] *m.* Apocalypse *f.*

apocar [apokár] *tr. 1* Diminuer, amoindrir. ■ *2 pr.* S'humilier. *3* S'effrayer.

apócope [apókope] *f.* Apocope.

apodar [apodár] *tr.* Donner un sobriquet à, surnommer.

apoderado, -da [apoderáðo, -ða] *s.* Fondé, ée de pouvoirs.

apoderar [apoðerár] *tr.* *1* Charger de pouvoirs. ■ *2 pr.* S'emparer, se saisir, se rendre maître.

apogeo [apoxéo] *m.* *1* Apogée. *2* fig. Apogée. *loc. prep.* *En el —de,* à l'apogée de.

apolillar [apoliʎár] *tr.* *1* Manger, piquer (hablando de la polilla). ■ *2 pr.* Être mangé, ée par les mites (la ropa).

apología [apoloxía] *f.* Apologie.

aplejía [aplepexía] *f.* MED. Apoplexie.

aporrear [apořeár] *tr.* *1* Frapper, donner des coups à, cogner. *2* Assommer, ennuyer. ■ *3 pr.* Se fatiguer, travailler beaucoup.

aportar [aportár] *intr.* *1* MAR. Aborder. ■ *2 tr.* Apporter (bienes, fondos). *3* Fournir (proporcionar).

aposento [aposénto] *m.* *1* Logement, hébergement (hospedaje). *2* Chambre *f.,* pièce *f.* (habitación).

aposición [aposiθjón] *f.* GRAM. Apposition.

apósito [apósito] *m.* Pansement.

apostar [apostár] *tr.* *1* Parier, gager: *apuesto a que,* je parie que. *2* Poster (colocar a una o más personas). ■ *3 pr.* Parier: *¿qué te apuestas a que...?,* qu'est-ce que tu paries que...? ▲ CONJUG. comme *contar.*

apostilla [apostíʎa] *f.* Apostille.

apóstol [apóstol] *m.* Apôtre.

apostolado [apostoláðo] *m.* Apostolat.

apóstrofe [apóstrofe] *m.* Apostrophe *f.*

apóstrofo [apóstrofo] *m.* GRAM. Apostrophe *f.*

apoteosis [apoteósis] *f.* Apothéose.

apoyar [apoJár] *tr.* *1* Appuyer. ■ *2 pr.* S'appuyer, reposer (en, sur).

apreciación [apreθjaθjón] *f.* Appréciation.

apreciar [apreθjár] *tr.* Apprécier. ▲ CONJUG. comme *cambiar.*

aprehender [apreendér] *tr.* *1* Appréhender, saisir. *2* Saisir par l'esprit.

apremiar [apremjár] *tr.* *1* Presser, contraindre. ■ *2 intr.* Presser (urgir).

aprender [aprendér] *tr.* Apprendre: *aprendió el inglés en Londres,* il a appris l'anglais à Londres.

aprendiz, -za [aprendiθ, -θa] *s.* Apprenti, ie.

aprendizaje [aprendiθáxe] *m.* Apprentissage.

aprensión [aprensjón] *f.* *1* Appréhension (miedo). *2* Scrupule *m.*

apresar [apresár] *tr.* Saisir, prendre, capturer.

apresurar [apresurár] *tr.* *1* Hâter, presser. ■ *2 pr.* Se hâter, s'empresser: *apresurarse a,* se hâter de.

apretar [apretár] *tr.* *1* Serrer: *— los dientes,* serrer les dents. *2* Étreindre, serrer: *— contra el pecho,* serrer contre sa poitrine. *3* Presser (comprimir). Loc. fig. *— los tornillos a uno,* serrer la vis à quelqu'un. *4* fig. Presser, harceler (acosar). *5* Appuyer sur (un botón, el gatillo, etc.). ■ *6 intr.* Redoubler (hablando de la lluvia, etc.). ■ *7 pr.* Se serrer. *8 interj.* *¡Aprieta!,* allons donc!

apretón [apretón] *m.* *1* Étreinte *f.,* serrement. Loc. *Un — de manos,* une poignée *f.* de main. *2* Effort violent.

apretujar [apretuxár] *tr.* Presser, serrer fortement.

aprieto [aprjéto] *m.* Embarras, situation *f.* difficile, gêne *f.* Loc. *Salir de —,* se tirer d'embarras, d'affaire.

aprisa [aprísa] *adv.* Vite.

aprisionar [aprisjonár] *tr.* *1* Emprisonner. *2* Mettre les fers (poner grillos). *3* fig. Enchaîner, retenir.

aprobar [aproβár] *tr.* *1* Approuver. *2* Recevoir, admettre (en un examen). *3* Passer avec succès (un examen).

aprontar [aprontár] *tr.* *1* Disposer promptement. *2* Verser, payer aussitôt (dinero).

apropiar [apropjár] *tr.* *1* Approprier, adapter. ■ *2 pr.* S'approprier. ▲ CONJUG. comme *cambiar.*

aprovechar [aproβetʃár] *tr.* *1* Utiliser, bien employer, profiter de: *— la ocasión,* profiter de l'occasion. ■ *2 intr.* Profiter, être utile, servir. Loc. *¡Que aproveche!,* bon appétit! ■ *3 intr.-pr.* En profiter. ■ *4 pr.* Tirer parti, profiter.

aproximar [apro(ɣ)simár] *tr.* *1* Approcher. ■ *2 pr.* Approcher: *se aproximan las fiestas,* les fêtes approchent. *3* Approximarse a,* s'approcher de.

apto, -ta [áβto, -ta] *adj.* *1* Apte (para, à). *2* Propre à. *3* — *para el servicio militar,* bon pour le service militaire.

apuesta [apwésta] *f.* Pari *m.*

apuntalar [apuntalár] *tr.* Étayer, étançonner.

apuntar [apuntár] *tr.* *1* Pointer, braquer. *2* Viser: *— el blanco,* viser le but. *3* Montrer du doigt, indiquer (señalar). *4* Noter, prendre note (anotar). *5* Marquer d'un point. *6* PINT. Esquisser. *7* Indiquer en peu de mots, faire remarquer. *8* Souffler (a un actor, un alumno, etc.). ■ *9 intr.* Poindre (el día). *10* Commencer à pousser (la barba). ■ *11 pr.* S'inscrire (en una lista).

apunte [apúnte] *m.* *1* Note *f.: tomar apuntes,* prendre des notes.

apuñalar [apuɲalár] *tr.* Poignarder.

apurar [apurár] *tr. 1* Épurer, purifier. *2* Épuiser. Loc. — **la paciencia,** faire perdre patience. *3* Pousser à bout. *4* Inquiéter, affliger. ■ *5 pr.* S'inquiéter, s'en faire: *no se apura por nada,* il ne s'en fait du tout. *8* amer. Se dépêcher (darse prisa).

aquel [akél], **aquella** [akéʎa], **aquellos** [akéʎos], **aquellas** [akéʎas] *adj. dem.* Ce, cet... là (delante de un substantivo masculino que empiece por vocal o *h* muda), cette... là, ces... là: *aquel libro,* ce livre là; *aquellas casas,* ces maisons là.

aquél [akél], **aquélla** [akéʎa], **aquéllos** [akéʎos], **aquéllas** [akéʎas] *pron. dem.* Celui-là, celle-là, ceux-là, celles-là.

aquelarre [akelárre] *m.* Sabbat.

aquello [akéʎo] *pron. dem.* Cela (en parlant d'une chose éloignée).

aquí [akí] *adv. 1* Ici: — *cerca,* près d'ici. *2* Là: — *y allá,* ça et là. *3* Ci: — *yace,* ci-gît. *4* He —, voici; — *estoy,* me voilà. *5* Maintenant, à présent. *6 loc. adv.* **de —en adelante,** dorénavant, désormais.

aquietar [akjetár] *tr.* Apaiser, tranquilliser.

ara [ára] *f. 1* Autel *m.* 2 Pierre d'autel. *3 loc. prep.* **En aras de,** au nom de.

árabe [áraβe] *adj.-s.* Arabe.

arabesco, -ca [araβésko, -ka] *adj. 1* Arabesque. ■ *2 m.* Arabesque *f.*

arábigo, -ga [aráβiɣo, -ɣa] *adj. 1* Arabique (goma). *2 Cifras arábigas,* chiffres arabes. ■ *3 m.* Arabe (idioma).

arado [aráðo] *m. 1* Charrue *f. 2* Labour à la charrue (labor).

aragonés, -esa [araɣonès, -èsa] *adj.-s.* Aragonais, aise.

arancel [aranθél] *m.* Tarif douanier.

arandela [arandéla] *f. 1* Bobèche. *2* MEC. Rondelle.

araña [aráɲa] *f. 1* Araignée. *2* Lustre *m.* (lámpara).

arañar [araɲár] *tr.* Griffer (con las uñas).

arañazo [araɲáθo] *m. 1* Coup de griffe. *2* Égratignure *f.* (herida).

arar [arár] *tr.* AGR. Labourer.

arbitral [arβitrál] *adj.* Arbitral, ale.

arbitrar [arβitrár] *tr.* Arbitrer.

arbitrariedad [arβitrarjeðáð] *f.* Procédé *m.* Arbitraire.

árbitro, -tra [árβitro, -tra] *s.* Arbitre.

árbol [árβol] *m. 1* Arbre: — *frutal, genealógico,* arbre fruitier, généalogique. *2* MAR. Mât. *3* MEC. Arbre.

arbolado, -da [arβoláðo, -ða] *adj. 1* Boisé, ée (terreno). ■ *2 m.* Ensemble d'arbres.

arboleda [arβoléða] *f.* Bois *m.*

arboricultura [arβorikultùra] *f.* Arboriculture.

arbusto [arβústo] *m.* Arbuste.

arca [árka] *f. 1* Coffre *m.* Loc. fig. — *del cuerpo,* tronc du corps humain. *2* Coffre-fort *m.* Loc. *Las arcas nacionales,* le trésor public, les coffres de l'État.

arcabuz [arkaβúθ] *m.* Arquebuse *f.*

arcada [arkáða] *f. 1* Arcade. *2* Arche (de puente). ■ *3 pl.* Nausées.

arcaduz [arkaðúθ] *m. 1* Tuyau, conduit (de agua). *2* Godet (de noria).

arcaico, -ca [arkáiko, -ka] *adj.* Archaïque.

arcángel [arkáŋxel] *m.* Archange.

arce [árθe] *m.* Érable.

arcilla [arθíʎa] *f.* Argile, glaise.

arcipreste [arθiprèste] *m.* Archiprêtre.

arco [árko] *m. 1* GEOM., ARQ. Arc: — *de medio punto,* arc en plein cintre; — *de triunfo,* arc de triomphe. *2* Arche *f.* (de un puente). *3* Arc (arma). *4* Arc (voltaico). *5* Archet (de violín, etc.). *6* Cercle (de tonel).

archidiácono [artʃiðjákono] *m.* Archidiacre.

archiduque [artʃiðúke] *m.* Archiduc.

archipiélago [artʃipjélaɣo] *m.* Archipel.

archivar [artʃiβár] *tr. 1* Garder, classer aux archives. *2* fig. Classer.

archivo [artʃiβo] *m.* Archives *f. pl.*

arder [arðér] *intr. 1* Brûler: *la casa arde,* la maison brûle. *2* fig. — *en deseos,* brûler d'envie; fam. *La cosa está que arde,* ça barde, ça chauffe, le torchon brûle.

ardid [arðíð] *m.* Ruse *f.,* stratagème.

ardiente [arðjènte] *adj.* Ardent, ente.

ardilla [arðíʎa] *f.* Écureuil *m.*

ardor [arðór] *m.* Ardeur *f.*

arduo, -ua [árðwo, -wa] *adj.* Ardue, ue, difficile.

área [área] *f. 1* Are *m.* (medida). *2* GEOM. Aire. *3* Zone.

arena [arèna] *f. 1* Sable *m.* 2 Arène (redondel). ■ *3 pl.* MED. Calculs *m.*

arengar [areŋɡár] *tr.* Haranguer.

arenilla [areníʎa] *f. 1* Sable *m.* (para secar la tinta). ■ *2 pl.* MED. Sable *m. sing.,* gravelle *sing.*

arenoso, -sa [arenóso, -sa] *adj.* Sablonneux, euse.

arete [aréte] *m. 1* Petit anneau. *2* Boucle *f.* d'oreille (pendiente).

argamasa [arɣamása] *f.* CONSTR. Mortier *m.*

argelino, -na [arxelíno, -na] *adj.-s.* Algérien, enne (de Argelia).

argentino, -na [arxentíno, -na] *adj. 1* Argentin, ine (voz, etc.). ■ *2 adj.-s.* Argentin, ine (de Argentina).

argolla [aɾɣóʎa] *f. 1* Anneau *m.* (de metal). *2* Carcan *m.* (castigo).

argüir [aɾɣwiɾ] *tr. 1* Arguer. *2* Démontrer, prouver. ■ *3 intr.* Argumenter. ▲ CONJUG. comme *huir.*

argumento [aɾɣumɛ́nto] *m. 1* Argument. *2* Scénario (de película).

aria [áɾja] *f.* MÚS. Aria.

árido, -da [áɾiðo, -ða] *adj. 1* Aride. ■ *2 m. pl.* Matières *f.* sèches, grains.

ario, -ia [áɾjo, -ja] *adj.-s.* Aryen, enne.

arista [aɾista] *f. 1* BOT. Barbe, arête. *2* GÉOM. Arête.

aristocracia [aɾistokɾáθja] *f.* Aristocratie.

aritmética [aɾiðmétika] *f.* Arithmétique.

arlequín [aɾlekín] *m. 1* Arlequin. *2* Guignol (persona ridícula).

arma [áɾma] *f. 1* Arme: — *arrojadiza, blanca, de fuego,* arme de jet, blanche, à feu. Loc. *Rendir las armas,* rendre les armes. ■ *2 pl.* Armées (de un país). *3* BLAS. Armes, armoiries.

armada [aɾmáða] *f.* Flotte, escadre.

armadura [aɾmaðúɾa] *f. 1* Armure. *2* Armature (armazón). *3* ARQ. Ferme.

armamento [aɾmamɛ́nto] *m.* Armement.

armar [aɾmáɾ] *tr. 1* Armer (dar armas). *2* Monter (un mueble, una máquina, etc.). *3* Dresser (una tienda de campaña). *4* Bander (un arco). *5* fig. Préparer, tramer, susciter. Loc. — *una trampa,* tendre un piège; faire: — *jaleo, un escándalo,* faire du tapage, un scandale. ■ *6 pr.* S'armer.

armario [aɾmáɾjo] *m. 1* Armoire *f. 2* —*empotrado,* placard.

armazón [aɾmaθón] *f. 1* CONSTR. Armature, charpente. *2* Montage *m.* (acción). *3* Châssis *m.* (bastidor).

armiño [aɾmíɲo] *m.* Hermine *f.*

armisticio [aɾmistíθjo] *m.* Armistice.

armonía [aɾmonía] *f.* Harmonie.

armonizar [aɾmoniθáɾ] *tr. 1* Harmoniser. ■ *2 intr.* S'harmoniser, être en harmonie.

aro [áɾo] *m. 1* Cercle, cerceau. Loc. fig. *Entrar por el —,* s'incliner, se soumettre. *2* Cerceau (juguete). *3* Bague *f.* (sortija). *4* Arum, gouet (planta).

aroma [aɾóma] *m.* Arome, parfum.

aromatizar [aɾomatiθáɾ] *tr.* Aromatiser.

aromo [aɾómo] *m.* Cassie *f.,* cassier.

arpa [áɾpa] *f.* MÚS. Harpe.

arpegio [aɾpéxjo] *m.* MÚS. Arpège.

arpía [aɾpía] *f.* Harpie.

arpillera [aɾpiʎéɾa] *f.* Serpillière.

arpón [aɾpón] *m.* Harpon.

arquear [aɾkeáɾ] *tr. 1* Arquer, courber. *2* Jauger (un barco).

arqueología [aɾkeoloxía] *f.* Archéologie.

arqueólogo, -ga [aɾkeóloɣo, -ɣa] *s.* Archéologue.

arquero [aɾkéɾo] *m.* Archer.

arquilla [aɾkíʎa] *f.* Coffret *m.*

arquitecto [aɾkitéyto] *m.* Architecte.

arquitectónico, -ca [aɾkiteytóniko, -ka] *adj.* Architectonique, architectural, ale.

arquitectura [aɾkiteytúɾa] *f.* Architecture.

arquivolta [aɾkiβólta] *f.* ARQ. Archivolte.

arrabal [aɾaβál] *m.* Faubourg.

arrabalero, -ra [aɾaβaléɾo, -ra] *adj.* Faubourien, ienne.

arraigar [aɾaiɣáɾ] *intr.-pr. 1* S'enraciner, prendre racine. ■ *2 tr.* Enraciner. ■ *3 pr.* Se fixer (establecerse).

arrancar [aɾaŋkáɾ] *tr. 1* Arracher. Loc. — *de raíz, de cuajo,* déraciner, extirper. ■ *2 intr.* Démarrer, partir: *el coche arrancó,* la voiture démarra. *3* S'élancer. *4* Partir brusquement, se mettre à courir. ■ *5 pr.* S'arracher. *6* **Arrancarse a,** se mettre a.

arranque [aɾáŋke] *m. 1* Arrachement. *2* Démarrage (de un vehículo, motor). *3* Mouvement subit, accès (de ira, etc.). *4* Élan (de generosidad, etc.). *5* Saillie. *f* (ocurrencia).

arrasar [aɾasáɾ] *tr. 1* Aplanir, niveler (allanar). *2* Raser, détruire. *3* Dévaster, ravager. *4* Rader (una medida). *5* Remplir jusqu'au bord (llenar). ■ *6 intr.-pr.* S'éclaircir (el cielo).

arrastrado, -da [aɾastɾáðo, -ða] *adj.* Pénible, misérable: *una vida —,* une vie misérable.

arrastrar [aɾastɾáɾ] *tr. 1* Traîner: — *los pies,* traîner les pieds. *2* Entraîner (llevar tras sí, acarrear): — *en su caída,* entraîner dans sa chute. ■ *3 intr.* Traîner (pender hasta el suelo). *4* Jouer atout (naipes). ■ *5 pr.* Se traîner: *arrastrarse por el suelo,* se traîner par terre, ramper (reptar).

¡arre! [áɾe] *interj.* Hue!

arrear [aɾeáɾ] *tr. 1* Stimuler les bêtes pour les faire avancer.

arrebatar [aɾeβatáɾ] *tr. 1* Enlever, arracher. *2* fig. Entraîner, enflammer. *3* fig. Transporter, ravir. ■ *4 pr.* S'emporter.

arrebato [aɾeβáto] *m. 1* Emportement. *2* Accès (de cólera). *3* Extase *f.,* transport.

arreciar [aɾeθjáɾ] *intr.-pr.* Redoubler (de force, de violence): *arrecia el temporal,* la tempête redouble. ▲ CONJUG. comme *cambiar.*

arrecife [aɾeθife] *m.* Récif.

arreglado, -da [aɾeɣláðo, -ða] *adj. 1* Con-

forme à. *2* fig. Réglé. ée. ordonné. ée.
modéré. ée.

arreglar [areɣlár] *tr. 1* Arranger. ranger
(ordenar). *2* Arranger (concertar). *3*
Régler (cuentas. diferencias). *4* Arranger. réparer (componer). ■ *5 pr.* Régler
sa vie. *6* S'habiller (vestirse). *7* S'arranger (ataviarse). *8* S'arranger. se mettre
d'accord. *9 Arreglárselas*, s'arranger. s'y
prendre.

arremangar [aremaŋgár] *tr. 1* Trousser,
retrousser. ■ *2 pr.* Retrousser, se trousser: *se arremangó las faldas*, elle retroussa ses jupes.

arremeter [aremetér] *intr.* Attaquer, se jeter sur, foncer sur: — *contra el enemigo*,
foncer sur l'ennemi.

arrendamiento [arendamjénto] *m. 1* Affermage. *2* Bail (contrato). *3* Loyer. fermage (precio).

arreo [aréo] *m. 1* Parure. ■ *2 pl.* Harnais
(de las caballerías). *3* Accessoires. attirail *sing.*

arrepentirse [arepentírse] *pr.* Se repentir.
▲ CONJUG. comme *hervir.*

arrestar [arestár] *tr.* Arrêter. mettre aux
arrêts. consigner.

arriar [arjár] *tr. 1* Amener. baisser (una
vela, una bandera, etc.). *2* Filer. lâcher
(un cable).

arriba [arríβa] *adv. 1* En haut. vers le haut.
2 Au-dessus: *de cien pesetas —*, au-dessus de cent pesetas. *3* Ci-dessus: *lo —
dicho*, ce qui est dit ci-dessus. *4 loc. adv.
De —*, d'en haut; *de — abajo*, de haut en
bas: — *de todo*, tout en haut; *más —*,
plus haut; *por —*, par en haut: *ir río —*,
remonter le fleuve. *5 interj.* Debout!,
courage! (ánimo); *¡— España!*, vive
l'Espagne!: *¡manos —!*, haut les mains!

arribo [arríβo] *m. 1* Arrivée *f.* (llegada). *2*
Arrivage (de mercancías).

arriero [arjéro] *m.* Muletier.

arriesgar [arjezɣár] *tr. 1* Risquer, hasarder. ■ *2 pr.* Se risquer.

arrimar [arimár] *tr. 1* Approcher (acercar): — *a*, approcher de. *2* Appuyer
(apoyar). Loc. fig. — *el hombro*, donner
un coup de main (ayudar). travailler
dur. *3 pr.* S'approcher: *arrimarse al
fuego*, s'approcher du feu. *4* S'appuyer.
s'adosser: *arrimarse a la pared*, s'adosser
au mur. *5* fig. *Arrimarse a*, se mettre
sous la protection de.

arrinconar [ariŋkonár] *tr. 1* Mettre dans
un coin. *2* Laisser de côté. abandonner.
■ *3 pr.* Se renfermer.

arrocero, -ra [aroθéro, -ra] *adj. 1* Rizier.
ière. ■ *2 m.* Riziculteur.

arrodillarse [aroðiʎárse] *pr.* S'agenouiller. se mettre à genoux.

arrogante [aroɣánte] *adj. 1* Arrogant,
ante. *2* Fort. forte. vigoureux. euse.

arrojar [aroxár] *tr. 1* Jeter. lancer. Loc.
fig. — *a la calle*, mettre à la porte. jeter
dans la rue; — *de sí a uno*, repousser
quelqu'un. *2* Rejeter (fuera de sí). *3* Vomir. *4* Donner comme résultat. totaliser. atteindre (una cifra). faire apparaître (un resultado): ■ *5 pr.* Se lancer.

arrojo [aróxo] *m.* Audace *f.*, intrépidité *f.*

arrollar [aroʎár] *tr. 1* Rouler. enrouler
(enrollar). *2* Écraser. renverser: *el ciclista fue arrollado en el cruce*, le cycliste
a été renversé au croisement. *3* fig. Culbuter. vaincre (al enemigo). *4* Confondre (dejar sin poder replicar).

arropar [aropár] *tr.* Couvrir.

arroyo [arójo] *m.* Ruisseau.

arroz [arróθ] *m.* Riz.

arrugar [aruɣár] *tr. 1* Rider (la piel). Loc.
— *el entrecejo*, froncer les sourcils. *2*
Chiffonner. froisser, friper (ropa, papel).

arruinar [aruinár] *tr.* Ruiner.

arrullar [aruʎár] *intr. 1* Roucouler. ■ *2 tr.*
Roucouler auprès de (cortejar).

arrumaco [arumáko] *m.* fam. Câlinerie *f.*,
cajolerie *f.*

arrumbar [arumbár] *tr.* Mettre au rebut.

arsenal [arsenál] *m.* Arsenal.

arsénico [arséniko] *m.* QUÍM. Arsenic.

arte [árte] *m.-f. 1* Art *m.* Loc. fig. *No tener
— ni parte en algo*, n'y être pour rien. *2*
Habileté *f.*, ruse *f.*, artifice: *malas artes*,
moyens malhonnêtes. *3* Engin (de
pesca). ■ *4 f. pl.* Arts *m.*: *las bellas artes*,
les beaux-arts.

artefacto [artefáyto] *m. 1* Machine *f.*, engin. dispositif. *2* Engin: — *explosivo*, engin explosif.

arteria [artérja] *f.* ANAT. Artère.

artesano, -na [artesáno, -na] *s.* Artisan.
ane.

ártico, -ca [ártiko, -ka] *adj.* Arctique.

articulado, -da [artikuláðo, -ða] *adj. 1* Articulé. ée. ■ *2 m.* Ensemble des articles
(de una ley, etc.). ■ *3 m. pl.* ZOOL. Articulés.

articular [artikulár] *tr.* Articuler.

artículo [artíkulo] *m. 1* Article. *2* — *de
fondo*, éditorial.

artífice [artífiθe] *m. 1* Artiste. ouvrier
d'art. *2* fig. Auteur. artisan.

artificial [artifiθjál] *adj.* Artificiel. elle.

artificio [artifíθjo] *m. 1* Artifice. *2* Engin.
appareil (aparato).

artificioso, -sa [artifiθjóso, -sa] *adj. 1* Fait.

faite, avec art. 2 Artificieux, euse (cauteloso).

artillería [artiʎería] f. Artillerie.

artimaña [artimáɲa] f. 1 Piège m. (trampa). 2 fig. Ruse (ardid).

artista [artísta] adj.-s. Artiste.

artrópodos [artrópoðos] m. pl. ZOOL. Arthropodes.

arveja [arβéxa] f. Vesce.

arzobispo [arθoβíspo] m. Archevêque.

as [as] m. As.

asa [ása] f. Anse (de una vasija, cesta, etc.), poignée (de maleta).

asado [asáðo] m. Rôti.

asalariar [asalarjár] tr. Salarier.

asalto [asálto] m. 1 Assaut: tomar por —, prendre d'assaut. 2 Attaque f., agression f.: — a mano armada, attaque à main armée. 3 Round (boxeo).

asamblea [asamblèa] f. 1 Assemblée. 2 MIL. Rassemblement m.

asar [asár] tr. 1 Rôtir (en un horno), griller (en una parrilla). ■ 2 pr. Rôtir.

ascender [asθendér] intr. 1 Monter (subir). 2 S'élever, monter (a cierta cantidad): los daños ascienden a un millón, les dégats s'élèvent à un million. 3 tr. Faire monter en grade, promouvoir, donner de l'avancement. 4 — al trono, élever, placer sur le trône. ▲ CONJUG. comme entender.

ascendiente [asθendjénte] adj. 1 Ascendant, ante. ■ 2 m. Ascendant (antepasado). 3 Ascendant (autoridad).

ascensor [asθensór] m. Ascenseur.

asco [ásko] m. 1 Dégoût. Loc. Dar —, inspirer du dégoût, dégoûter; da —, c'est dégoûtant; hacer ascos a, faire le dégoûté devant; ¡qué —!, quelle horreur! 2 Chose f. dégoûtante. Loc. Estar hecho un —, être très sale.

ascua [áskwa] f. Charbon m. ardent. Loc. fig. Estar en ascuas, être sur des charbons ardents.

asear [aseár] 1 tr. Nettoyer (limpiar), arranger (componer).

asechar [aseʧár] tr. Tendre des pièges, des embûches.

asediar [aseðjár] tr. Assiéger. ▲ CONJUG. comme cambiar.

asegurado, -da [aseɣuráðo, -ða] adj.-s. COM. Assuré, ée: — contra incendios, robo, assuré contre l'incendie, le vol.

asegurar [aseɣurár] tr. 1 Assurer. 2 Affermir. 3 COM. Assurer. ■ 4 pr. S'assurer.

asemejar [asemexár] tr. 1 Assimiler. ■ int.-pr. Ressembler. ■ 3 pr. Se ressembler.

asentador [asentaðòr] m. Fournisseur (en un mercado).

asentar [asentár] tr. 1 Asseoir. 2 Assener (un golpe). 3 Aplatir (una costura). 4 Tasser (el suelo). 5 Conclure (un acuerdo). 6 Porter, inscrire (en un libro). ■ 7 pr. Se fixer. 8 Déposer (un líquido). 9 Être situé, ée (estar situado). ▲ CONJUG. comme acertar.

asentir [asentír] intr. 1 Acquiescer, donner son assentiment. 2 Accepter. ▲ CONJUG. comme hervir.

aseo [asèo] m. 1 Propreté f. (limpieza). 2 Toilette f.: cuarto de —, cabinet de toilette.

asepsia [asèβsja] f. Asepsie.

asequible [asekíβle] adj. Accessible.

aserradero [aserraðéro] m. Scierie f.

aserrar [aserár] tr. Scier. ▲ CONJUG. comme acertar.

aserrín [aserín] m. Sciure f.

asesinar [asesinár] tr. Assassiner.

asesor, -ra [asesòr, -ra] adj.-s. Conseiller, ère.

aseveración [aseβeraθjón] f. Affirmation.

asfalto [asfálto] m. Asphalte.

asfixia [asfi(ɣ)sja] f. Asphyxie.

así [así] adv. 1 Ainsi, de cette manière, comme ça. Loc. — es, c'est comme ça: — sea, qu'il en soit ainsi. 2 Tant, de même: — los unos como los otros, tant les uns que les autres. Loc. — como, de même que. 3 Si, tellement: — estaba desfigurado que..., il était tellement défiguré que... 4 Alors (denota extrañeza): ¿— me abandonas?, alors tu me quittes? 5 loc. adv. Así —, comme ci, comme ça; — como, de toutes façons; ¿cómo —?, pourquoi donc cela? ■ 6 conj. Même si, quand bien même. 7 — pues, ainsi donc. ■ 8 adj. Pareil, eille, de la sorte, comme celui-là, comme celle-là: un caso —, un cas pareil.

asiático, -ca [asjátiko, -ka] adj.-s. Asiatique.

asiduo, -ua [asíðwo, -wa] adj. Assidu, ue.

asiento [asjènto] m. 1 Siège (para sentarse), place f. (sitio). Loc. Tomar —, s'asseoir, prendre un siège; baño de —, bain de siège. 2 Siège, base f., fondement (base). 3 COM. Inscription f. (en un libro de contabilidad), note.

asignar [asiɣnár] tr. 1 Assigner. 2 Affecter (destinar).

asignatura [asiɣnatúra] f. Matière d'enseignement, matière.

asilo [asílo] m. Asile.

asimilar [asimilár] tr. 1 Assimiler. ■ 2 pr. Se assimiler.

asir [asir] tr. 1 Saisir, prendre: — de la mano, prendre par la main. ■ 2 pr. S'accrocher, se cramponner (agarrarse): *asirse a, de*, s'accrocher à. *3 Iban asidos del brazo*, ils allaient, bras dessus, bras dessous. ▲CONJUG. IRRÉG. INDIC. Prés.: *asgo, ases*, etc. Imparf.: *asía*, etc. Pas. simple: *así*, etc. Fut.: *asiré*, etc. COND.: *asiría*, etc. SUBJ. Prés.: *asga, asgas, asga, asgamos, asgáis, asgan*. Imparf.: *asiera*, ou *asiese*, etc. IMPÉR.: *ase, asga, asgamos, asid, asgan*. PART. PAS.: *asido*. GÉR.: *asiendo*.

asirio, -ia [asírjo, -ja] *adj.-s.* Assyrien, ienne.

asistir [asistír] *tr.* 1 Assister. Loc. fig. *Me asiste la razón*, j'ai la raison pour moi. 2 Soigner: — *a un herido*, soigner un blessé. ■ *3 intr.* Assister (estar presente).

asma [ázma] *f.* Asthme *m.*

asno [ázno] *m.* Âne, baudet.

asociar [asoθjár] *tr.* 1 Associer. ■ *2 pr.* S'associer. ▲ CONJUG. comme *cambiar*.

asolar [asolár] *tr.* 1 Dévaster. ■ *2 pr.* Déposer (un líquido). ▲ CONJUG. comme *contar*.

asolear [asoleár] *tr.* 1 Exposer au soleil.

asomar [asomár] *intr.* 1 Apparaître, se montrer: *asomó el sol*, le soleil apparut. *2 pr.* Se pencher: *asomarse a la ventana*, se pencher à la fenêtre. *3* Se montrer (mostrarse).

asombrar [asombrár] *tr.* 1 Effrayer (asustar). 2 Étonner, stupéfier (sorprender). *3 Quedarse asombrado*, être stupéfait.

asomo [asómo] *m.* 1 Indice, signe, soupçon. 2 loc. adv. *Ni por —*, en aucune manière, pas le moins du monde.

asonante [asonánte] *adj.* 1 Assonant, ante. ■ *2 m.* Mot assonant.

aspa [áspa] *f.* 1 Croix en forme d'X: — *de San Andrés*, croix de Saint-André. 2 Dévidoir *m.* en forme d'X. *3* Aile (de un molino). *4* BLAS. Sautoir *m.*

aspaviento [aspaβjénto] *m.* Manifestation *f.* exagérée de crainte, d'étonnement, etc., simagrées *f. pl.*

aspecto [aspéyto] *m.* 1 Aspect. 2 Air. *3* Mine *f.* (semblante). *4* Allure *f.* (presencia). *5* loc. adv. *A, al primer —*, à première vue.

áspero, -ra [áspero, -ra] *adj.* 1 Âpre (al gusto). 2 Rude, revêche (adusto). *3* Raboteux, euse (terreno). *4* Criard, arde (voz, sonido).

aspersión [aspersjón] *f.* Aspersion.

aspirar [aspirár] *tr.-intr.* Aspirer.

aspirina [aspirína] *f.* Aspirine.

asqueroso, -sa [askeróso, -sa] *adj.* Sale, dégoûtant, ante.

asta [ásta] *f.* 1 Bois *m.* (de lanza, etc.). 2 Hampe (de bandera). *3* Manche *m.* (de un pincel). *4* Corne (de un animal). *5* loc. adv. *A media —*, en berne.

asterisco [asterísko] *m.* Astérisque.

asteroide [asteróiðe] *m.* ASTR. Astéroïde.

astilla [astíʎa] *f.* Éclat *m.* de bois, de pierre, etc. Loc. *Hacer astillas*, briser en éclats.

astillero [astiʎéro] *m.* Chantier naval.

astracán [astrakán] *m.* Astracan, astrakan.

astringir [astrinxír] *tr.* 1 Resserrer, contracter (los tejidos orgánicos). 2 fig. Astreindre.

astro [ástro] *m.* Astre.

astrología [astroloxía] *f.* Astrologie.

astronomía [astronomía] *f.* Astronomie.

astucia [astúθja] *f.* 1 Astuce. 2 Ruse.

asturiano, -na [asturjáno, -na] *adj.-s.* Asturien, ienne.

asueto [aswéto] *m.* Congé (de un día o unas horas).

asumir [asumír] *tr.* Assumer.

asunto [asúnto] *m.* 1 Sujet, matière *f.*, thème. 2 Affaire *f.* (negocio, incumbencia).

asustar [asustár] *tr.* 1 Effrayer, épouvanter, faire peur.

atacar [atakár] *tr.* Attaquer.

atado [atáðo] *m.* Paquet.

atajar [ataxár] *intr.* 1 Prendre un raccourci. ■ *2 tr.* Barrer, couper le chemin à (uno). 3 Arrêter (el curso de): — *el fuego*, couper le feu. 4 Enrayer (una epidemia).

atajo [atáxo] *m.* 1 Raccourci (camino). Loc. fig. *Echar por el —*, prendre le chemin le plus court, abréger.

atalaya [ataláʝa] *f.* 1 Tour de guet. 2 Hauteur, éminence (lugar elevado).

atañer [atañér] *intr.* 1 Appartenir, toucher, regarder, concerner. 2 Incomber (incumbir). ▲ CONJUG. comme *tañer*.

ataque [atáke] *m.* 1 Attaque *f.* 2 Crise *f.* (de nervios, cardíaco). *3* — *de risa*, fou rire, crise de fou rire.

atar [atár] *tr.* 1 Attacher, lier (sujetar). Loc. fig. — *corto a*, tenir la bride à; — *de pies y manos a uno*, lier les mains de quelqu'un; — *la lengua*, lier la langue. ■ *2 pr.* Attacher, nouer, lacer: *se ató los cordones de los zapatos*, il laça ses chaussures.

atardecer [atarðeθér] *impers.* Être à la tombée du jur. ▲ CONJUG. comme *agradecer*.

atareado, -da [atareáðo, -ða] *adj.* Occupé, ée, affairé, ée.

atascar [ataskár] *tr. 1* Étouper. *2* fig.
Arrêter, embarrasser (un asunto). *3*
Engorger (una cañería). ■ *4 pr.* S'embourber. *5* fig. Être arrêté, ée (por un
obstáculo).

ataúd [ataùd] *m.* Cercueil, bière *f.*

ataviar [ataβjár] *tr. 1* Orner, parer. ■ *2 pr.*
Se parer.

ateísmo [ateizmo] *m.* Athéisme.

atemorizar [atemoriθár] *tr.* Effrayer, intimider.

atención [atenθjón] *f. 1* Attention: *llamar
la —,* attirer l'attention; *prestar —,* faire
attention. *2* Courtoisie, politesse. *3*
Considération, égard *m.* (demostración
de respeto). *4 — médica,* assistance médicale, soins *m. pl.*

atender [atendér] *tr. 1* Écouter, accueillir
favorablement, satisfaire (petición,
queja, etc.). *2* Prendre soin, s'occuper
de. *3* S'occuper de, servir (a un cliente).
4 Soigner (a un enfermo). *5* Tenir
compte de: *atendiendo a las circunstancias,* compte tenu des circonstances. ▲
CONJUG. comme *entender.*

ateneo [atenèo] *m.* Athénée (sociedad literaria o científica).

atenerse [atenérse] *pr.* S'en tenir: *me
atengo a tus instrucciones,* je m'en tiens à
tes instructions, ▲ CONJUG. comme *tener.*

atentar [atentár] *tr.* Attenter: *— contra la
vida de,* attenter à la vie de. ▲ CONJUG.
comme *acertar.*

atento, -ta [atento, -ta] *adj. 1* Attentif, ive.
2 Attentionné, ée, prévenant, ante
(cortés). *3 Su atenta,* votre honorée
(carta).

atenuar [atenwár] *tr.* Atténuer.

ateo, -ea [atèo, -éa] *adj.-s.* Athée.

aterrar [aterrár] *tr. 1* Renverser, jeter à terre. *2* Terrifier, effrayer (aterrorizar). *3*
Aterrer. ■ *4 intr.* MAR. Aborder. *5*
AVIAC. Aterrir. ▲ CONJUG. comme *acertar.* Dans les acceptions 2 et 3 il est régulier.

aterrizar [ateřiθár] *intr.* Aterrir.

atesorar [atesorár] *tr.* Thésauriser, amasser.

atestiguar [atestiɣwár] *tr.* Attester, témoigner.

atiborrar [atiβořár] *tr. 1* Bourrer, remplir.
2 Bourrer (hartar). ■ *3 pr.* Se bourrer,
se gaver (de alimentos).

ático, -ca [átiko, -ka] *adj. 1* Attique. ■ *2 m.*
ARQ. Attique.

atildar [atildár] *tr. 1* Censurer, critiquer. *2*
Rendre propre, soigner, pomponner
(acicalar).

atinar [atinár] *intr. 1* Trouver (encontrar):
— con algo, trouver quelque chose. *2*
Trouver, deviner (acertar). *3* Frapper
au but, viser juste (dar en el blanco). *4*
Arriver, réussir (lograr).

atirantar [atirantár] *tr. 1* Tendre, raidir. *2*
CONSTR. Entretoiser.

atisbo [atizβo] *m. 1* Action *f.* de guetter,
d'épier. *2* fig. Indice, soupçon.

atizador [atiθaðór] *m.* Tisonnier.

atizar [atiθár] *tr. 1* Attiser. *2* Moucher
(una vela). *3* fig. Flanquer (un golpe),
allonger (un puntapié).

atlántico, -ca [aðlántiko, -ka] *adj.-n. pr.
m.* Atlantique.

atleta [aðléta] *s.* Athlète.

atletismo [aðletizmo] *m.* Athlétisme.

atmósfera [aðmósfera] *f.* Atmosphère.

atolondrado, -da [atolondráðo, -ða] *adj.*
Étourdi, ie.

atollar [atoʎár] *intr.* S'embourber.

atómico, -ca [atómiko, -ka] *adj.* Atomique.

átomo [átomo] *m.* Atome.

atónito, -ta [atónito, -ta] *adj.* Étonné, ée,
stupéfait, aite, abasourdi, ie.

atontar [atontár] *tr. 1* Étourdir (aturdir). *2*
Hébéter, abrutir (embrutecer).

atormentar [atormentár] *tr.* Tourmenter.

atornillar [atorniʎár] *tr.* Visser.

atosigar [atosiɣár] *tr. 1* Empoisonner (envenenar). *2* fig. Harceler, importuner. ■
3 pr. Se hâter, se donner de la peine.

atracar [atrakár] *tr.-intr. 1* MAR. Accoster.
■ *2 tr.* Attaquer (saltear para robar). *3*
Dévaliser (robar). *4* Bourrer, rassasier.
■ *5 pr.* Se bourrer, se gaver.

atracción [atraɣjón] *f.* Attraction.

atraco [atráko] *m.* Vol à main armée,
hold-up.

atractivo, -va [atraɣtiβo, -βa] *adj. 1* Attrac-
tif, ive, attirant, ante. ■ *2 m.* Attrait. ■ *3
pl.* Attraits, appas.

atrancar [atraŋkár] *tr. 1* Barrer (una
puerta). *2* Boucher, obstruer (un conducto). ■ *3 intr.* Marcher à grands pas. ■ *4
pr.* Se boucher, s'obstruer.

atrapar [atrapár] *tr. 1* Attraper (coger). *2*
fam. Décrocher (un empleo, un premio,
etc.)

atrás [atrás] *adv. 1* Arrière, en arrière: *la
parte de —,* la partie arrière; Loc. fig.
Volverse —, se dédire. *2* Derrière: *dejar
—,* laisser derrière, en arrière. *3* Puede
tener un sentido temporal: *días —,* il y a
quelques jours, quelques jours plus tôt. *4
interj.* Arrière!

atrasado, -da [atrasàðo, -ða] *adj. 1* Arriéré,
ée. *2 Llegar —,* arriver en retard. *3* En-
detté, ée (con deudas).

atravesar [atraβesár] *tr.* *1* Mettre en travers, de travers. *2* Traverser (cruzar). ■ *3 pr.* Se mettre en travers. *4* S'interposer. *5* MAR. Mettre à la cape. ▲ CONJUG. comme **acertar**.

atreverse [atreβérse] *pr.* Oser: — *a decir*, oser dire; *no me atrevo*, je n'ose pas. *Loc.* — *con uno*, se montrer insolent, ente, oser se mesurer avec quelqu'un.

atrevido, -da [atreβíðo, -ða] *adj.* *1* Hardi, ie. *2* Hasardeux, euse. *3* Osé, ée (indecoroso). ■ *4 adj.-s.* Audacieux, euse. *5* Insolent, ente.

atribuir [atriβwir] *tr.* Attribuer. ▲ CONJUG. comme **huir**.

atributo [atriβúto] *m.* Attribut.

atril [atríl] *m.* *1* Pupitre (para un libro). *2* Lutrin (facistol).

atrincherar [atrintʃerár] *tr.* MIL. Retrancher.

atrocidad [atroθiðáð] *f.* *1* Atrocité. *2* fam. Énormité.

atrofia [atrófja] *f.* Atrophie.

atronar [atronár] *tr.* *1* Assourdir (con gritos, ruido). *2* Assommer (una res).

atropellado, -da [atropeʎáðo, -ða] *adj.* *1* Précipité, ée. *2* Qui parle ou agit avec précipitation.

atropello [atropéʎo] *m.* *1* Accident (debido a un vehículo). *2* Bousculade *f.* (empujón). *3* fig. Outrage, abus de pouvoir, de force. *4* Précipitation *f.*

atroz [atróθ] *adj.* *1* Atroce. *2* fig. Atroce, épouvantable.

atuendo [atwéndo] *m.* *1* Ostentation *f.*, apparat. *2* Habillement, habits *pl.*, toilette *f.* (atavío).

atún [atún] *m.* Thon.

aturdir [aturðír] *tr.* Étourdir, abasourdir.

audaz [auðáθ] *adj.* Audacieux, euse.

audiencia [auðjénθja] *f.* *1* Audience. *2* Cour, palais *m.* de justice: — *provincial*, cour d'assises; — *territorial*, cour d'appel.

auditivo, -va [auðitiβo, -βa] *adj.* Auditif, ive.

auge [áuxe] *m.* *1* Apogée: *en el* — *de su gloria*, à l'apogée de sa gloire. *2* Essor: *en pleno* —, en plein essor.

augurio [auɣúrjo] *m.* Augure, présage.

aula [áula] *f.* *1* Salle, classe (de colegio o de universidad). *2* — *magna*, grand amphithéâtre.

aullido [auʎíðo] *m.* Hurlement: *dar aullidos*, pousser des hurlements, hurler.

aumentar [aumentár] *tr.* *1* Augmenter. *2* Grossir (lente). ■ *3 intr.* Augmenter.

aun [aún] *adv.* *1* Même: *te darán dos y tres*, on t'en donnera deux et même

troix; *ni* —, pas même. *2 loc. conj.* — *cuando*, même si, quand bien même.

aún [aún] *adj.* Encore: — *no ha llegado*, il n'est pas encore arrivé; — *no*, pas encore. ★ACCENT.

aunque [áuŋke] *conj.* Quoique, encore que, bien que, quand bien même (con el subjuntivo en francés): — *es rico, no tiene coche*, bien qu'il soit riche, il n'a pas de voiture.

aureola [aureóla], **auréola** [auréola] *f.* Auréole.

auricular [aurikulár] *adj.-m.* *1* Auriculaire. ■ *2 m.* Écouteur (de teléfono).

aurora [auróra] *f.* *1* Aurore. *2 loc. adv. Al despuntar la* —, à la pointe du jour, au point du jour.

ausencia [ausénθja] *f.* *1* Abscence. *2 loc. prep. En* — *de*, en l'absence de.

auspicio [auspiθjo] *m.* Auspice.

austeridad [austeriðáð] *f.* Austérité.

australiano, -na [australjáno, -na] *adj.-s.* Australien, ienne.

austríaco, -ca [austríako, -ka] *adj.-s.* Autrichien, ienne.

autárquico, -ca [autárkiko, -ka] *adj.-s.* Autarcique.

autenticidad [autentiθiðáð] *f.* Authenticité.

auténtico, -ca [auténtiko, -ka] *adj.* *1* Authentique. *2* Véritable, vrai, vraie: *perlas auténticas*, perles véritables.

auto [áuto] *m.* *1* DER. Arrêt d'un juge (sentencia). *2* Auto *f.*, automobile *f.* *3* — *de fe*, autodafé. *4* TEAT. Mystère: — *sacramental*, auto.

autobús [autoβús] *m.* Autobus.

autocar [autokár] *m.* Autocar.

autócrata [autókrata] *s.* Autocrate.

autóctono, -na [autóγtono, -na] *adj.-s.* Autochtone.

autódromo [autóðromo] *m.* Autodrome.

autógrafo, -fa [autóɣrafo, -fa] *adj.-m.* Autographe.

autómata [autómata] *m.* Automate.

automático, -ca [automátiko, -ka] *adj.* *1* Automatique. ■ *2 m.* Bouton-pression.

automóvil [automóβil] *adj.* *1* Automobile. ■ *2 m.* Automobile *f.*

autonomía [autonomía] *f.* Autonomie.

autopsia [autóβsja] *f.* Autopsie.

autor, -ra [autór, -ra] *s.* Auteur. ▲ Sin femenino en francés.

autoridad [autoriðáð] *f.* Autorité.

autorizar [autoriθár] *tr.* *1* Autoriser. *2* DER. Authentifier, légaliser.

autovía [autoβía] *f.* Autorail *m.*, micheline.

auxiliar [au(γ)siljár] *adj.-s.* *1* Auxiliaire. ■

2 s. Assistant, ante (en una facultad). ■
3 m. Employé subalterne.

aval [aβál] m. Aval, garantie f.

avalorar [aβalorár] tr. Donner de la valeur à.

avance [aβánθe] m. 1 Avancement (acción). 2 Progrès. 3 Avance f. (de dinero). 4 Sélection f. (de los programas de radio, televisión).

avanzada [aβanθáða] f. MIL. Avancée.

avanzar [aβanθár] tr. 1 Avancer. ■ 2 intr. pr. Avancer: — diez metros, avancer de dix mètres.

avaricia [aβariθja] f. Avarice.

avaro, -ra [aβáro, -ra] adj.-s. Avare.

avasallar [aβasaʎár] tr. Asservir, subjuguer.

ave [áβe] f. 1 Oiseau m.: — de paso, de rapiña, oiseau de passage, de proie; — del Paraíso, oiseau de Paradis; — lira, oiseau-lyre. 2 Aves de corral, oiseaux de basse-cour, volailles.

avecinarse [aβeθinárse] pr. Approcher, être imminent, ente (una fecha, etc.): se avecina una subida del precio de la gasolina, une augmentation du prix de l'essence est imminente.

avechucho [aβetʃútʃo] m. Vilain oiseau.

avejentar [aβexentár] tr.-intr. Vieillir.

avellana [aβeʎána] f. Noisette, aveline.

avellaneda [aβeʎanéða] f. Coudraie.

avellano [aβeʎáno] m. Noisetier, coudrier.

avemaría [aβemaria] f. 1 Ave m., Ave Maria m. 2 Angélus m. 3 loc. adv. Al— , à la tombée de la nuit; en un —, en un clin d'œil.

avena [aβéna] f. Avoine: — loca, folle avoine.

avenida [aβeníða] f. 1 Crue (de un río). 2 Avenue (calle).

avenir [aβenir] tr. 1 Concilier, mettre d'accord. ■ 2 pr. S'accorder, s'entendre (personas). 3 Se résigner, consentir à. ▲ CONJUG. comme venir.

aventajado, -da [aβentaxáðo, -ða] adj. Remarquable (notable).

aventura [aβentúra] f. Aventure.

aventurero, -ra [aβenturéro, -ra] adj.-s. Aventurier, ière.

avergonzar [aβeryonθár] tr. 1 Faire honte. ■ 2 pr. Avoir honte. ▲ CONJUG. comme contar.

avería [aβeria] f. 1 Avarie. 2 Panne (de un vehículo, motor, electricidad).

averiguar [aβeriɣwár] tr. 1 S'enquérir de, se renseigner sur, rechercher: — las causas de un siniestro, rechercher les causes d'un sinistre.

averío [aβerio] m. Ensemble d'oiseaux.

aversión [aβersjón] f. Aversion: coger — a, prendre en aversion.

avestruz [aβestrúθ] m. Autruche f.

aviación [aβjaθjón] f. Aviation.

aviador, -ra [aβjaðór, -ra] adj.-s. Aviateur, trice.

aviar [aβjár] tr. 1 Arranger, préparer, disposer. Loc. Estar uno aviado, être dans de beaux draps. 2 Équiper, pourvoir. ■ 3 intr.-pr. fam. Se dépêcher, se grouiller (apresurarse). ▲ CONJUG. comme desviar.

avicultura [aβikultúra] f. Aviculture.

avidez [aβiðéθ] f. Avidité.

avilantez [aβilantéθ] f. Audace, insolence.

avinagrado, -da [aβinaɣráðo, -ða] adj. fam. Aigre, acariâtre.

avío [aβío] m. 1 Préparatifs pl., apprêts pl. Loc. ¡Al avío!, dépêchez-vous!, au travail!; hacer —, rendre service. ■ 2 pl. Ustensiles, attirail sing.

avión [aβjón] m. 1 Avion: — de reacción, avion à réaction. 2 Oiseau voisin du martinet (ave).

aviso [aβiso] m. 1 Avis (noticia, escrito). 2 Avertissement (advertencia). Loc. Estar sobre —, être sur ses gardes; sin previo —, sans préavis. 3 MAR. Aviso.

avispa [aβíspa] f. Guêpe.

avispar [aβispár] tr. 1 Dégourdir, déniaiser. ■ 2 pr. Se dégourdir.

avispón [aβispón] m. Frelon.

avistar [aβistár] tr. 1 Apercevoir. ■ 2 pr. Avoir une entrevue.

avivar [aβiβár] tr. 1 Aviver, raviver. Loc. fig. — el paso, presser le pas. 2 Exciter, animer. ■ 3 intr.-pr. Reprendre des forces, reprendre vigueur.

avutarda [aβutárða] f. Outarde.

axila [a(ɣ)síla] f. Aisselle.

axioma [a(ɣ)sjóma] m. Axiome.

¡ay! [aí] interj. 1 Aïe! (dolor). 2 Hélas (aflicción). Loc. — de..., malheur à...; ¡Ay de mí!, malheureux que je suis. ■ 3 m. Souplir, plainte f., gémissement.

ayer [ajèr] adv. 1 Hier: — noche, hier soir; antes de —, avant-hier. 2 loc. adv. De — acá, de — a hoy, en peu de temps, depuis peu. ■ 3 m. El —, le passé.

ayuda [ajúða] f. 1 Aide, assistance. Loc. — de costa, gratification. 2 MED. Lavement m., clystère m. 3 loc. prep. Con — de, à l'aide de.

ayudar [ajuðár] tr. 1 Aider. 2 — a misa, servir la messe. ■ 3 pr. S'aider. 4 S'entraider (mutuamente)

ayunar [ajunár] intr. Jeûner.

ayuno, -na [ajúno, -na] adj. 1 À jeun. 2 Qui est dans l'ignorance d'une chose. 3

Loc. *Estar en ayunas, en ayuno,* être à jeun; fig. ne rien comprendre, ne pas être au courant. ■ *4 m.* Jeûne.

ayuntamiento [ajuntamjénto] *m. 1* Conseil municipal, municipalité. *f. 2* Hôtel de ville, mairie *f.* (edificio). *3* Accouplement (cópula).

azabache [aθaβátʃe] *m. 1* Jais. *2* Mésange *f.* noire, petite charbonnière *f.* (pájaro).

azada [aθáða] *f.* Houe.

azafata [aθafáta] *f. 1* Hôtesse de l'air (en un avión). *2* ant. Dame d'atour.

azafrán [aθafrán] *m.* Safran.

azahar [aθaár] *m.* Fleur *f.* d'oranger.

azalea [aθaléa] *f.* Azalée.

azar [aθár] *m. 1* Hasard. *2* Malheur, accident (desgracia). *3* loc. adv. *Al —,* au hasard.

azaroso, -sa [aθaróso, -sa] *adj. 1* Malheureux, euse. *2* Agité, ée.

azogue [aθóɣe] *m.* Mercure, vif-argent (metal).

azor [aθór] *m.* Autour.

azorar [aθorár] *tr. 1* Troubler, effarer. *2* Effrayer (asustar).

azotar [aθotár] *tr. 1* Fouetter, cingler (con azote; dicho del viento). *2* Frapper, battre (golpear). Loc. fig. *— calles,* battre le pavé; *— el aire,* battre l'air. ■ *4 pr.* Se flageller.

azotea [aθotéa] *f.* Terrasse.

azúcar [aθúkar] *m.-f.* Sucre *m.: — cande,* sucre candi; *— moreno, negro,* sucre roux; *pan, pilón de —,* pain de sucre; *terrón de —,* morceau de sucre.

azucarado, -da [aθukaráðo, -ða] *adj.* Sucré, ée.

azucarera [aθukaréra] *f. 1* Sucrier *m.* (vasija). *2* Sucrerie (fábrica).

azucena [aθuθéna] *f.* Lis *m.*

azuela [aθwéla] *f.* CARP. Herminette.

azufre [aθúfre] *m.* Soufre.

azul [aθúl] *adj. 1* Bleu, eue. *2* Costa *—,* Côte d'Azur. ■ *3 m.* Bleu.

azulado, -da [aθuláðo, -ða] *adj.* Bleu, eue, bleuâtre.

azulejo, -ja [aθuléxo, -xa] *adj. 1* Bleuâtre. ■ *2 m.* Carreau de faïence, azulejo.

azulete [aθuléte] *m.* Bleu des blanchisseuses.

azuzar [aθuθár] *tr. 1* Exciter (a los perros). *2* fig. Irriter, exciter.

B

b [be] *f.* B *m.*

baba [báβa] *f.* Bave. Loc. fig. *Caérsele a uno la —,* être aux anges.

babear [baβeár] *intr.* Baver.

babero [baβéro] *m.* Bavette *f.,* bavoir.

babieca [baβjéka] *adj.-s.* Nigaud, aude.

babilonio, -ia [baβilónjo, -ja], **babilónico, -ca** [baβilóniko, -ka] *adj.* Babylonien, ienne.

babor [baβór] *m.* MAR. Bâbord.

babosa [baβósa] *f.* Limace.

babucha [baβútʃa] *f.* Babouche.

baca [báka] *f. 1* Impériale (de diligencia). *2* Bâche (lona). *3* Galerie (de automóvil).

bacalao [bakaláo] *m.* Morue *f.* Loc. fig. *Cortar el —,* être le maître, faire la pluie et le beau temps.

bacante [bakánte] *f.* Bacchante.

bacilo [baθílo] *m.* Bacille.

bacteria [baytérja] *f.* Bactérie.

báculo [bákulo] *m. 1* Bâton recourbé. Loc. *— pastoral,* crosse *f.* épiscopale. *2* fig. Appui, soutien.

bache [bátʃe] *m.* 1 Trou, nid de poule (en una carretera, etc.). 2 Trou d'air (en avión).

bachiller, -ra [batʃiʎér, -ra] *s. 1* Bachelier, ière. ■ *2 adj.-s.* Bavard, arde.

bachillerato [batʃiʎeráto] *m. 1* Baccalauréat, bac (examen). *2* Études *f. pl.* secondaires.

badajo [baðáxo] *m.* Battant (de campana).

badén [baðén] *m. 1* Caniveau, rigole *f.* (zanja). *2* Cassis (en una carretera).

bagaje [bayáxe] *m. 1* MIL. Bagage. *2* fig. Bagage (intelectual, etc.).

bagatela [bayatéla] *f.* Bagatelle.

¡bah! [ba] *interj.* Bah!

bahía [baía] *f.* GEOG. Baie.

bailar [baiʎár] *intr.-tr. 1* Danser. Loc. *— al son que tocan,* s'accommoder aux circonstances, hurler avec les loups.

bailarín, -ina [baiʎarin, -ina] *adj. 1* Qui danse. ■ *2 m.* Danseur. ■ *3 f.* Danseuse, ballerine.

baile [báiʎe] *m. 1* Danse. *2* Bal: *— de máscaras,* bal masqué. *3* TEAT. Ballet.

bailotear [baiʎoteár] *intr.* Dansotter.

baja [báxa] *f. 1* Baisse (de los precios, etc.). *2* MIL. Perte. *3* Arrêt *m.* de travail, congé *m.* (de un empleado). Loc. *Dar de —,* donner congé (por enfermedad, etc.), congédier, licencier (despedir).

bajada [baxáða] *f. 1* Descente (acción, camino). *2* Baisser *m.* (del telón).

bajamar [baxamár] *f.* Basse mer.

bajar [baxár] *tr. 1* Baisser, abaisser (el brazo, el tono, los párpados, etc.). Loc. *— el orgullo a uno,* rabaisser, rabattre l'orgueil à quelqu'un. *2* Descendre (una escalera, etc.). *3 intr.* Descendre (ir de arriba abajo).

bajel [βaxél] *m.* Bateau.

bajeza [baxéθa] *f.* Bassesse.

bajo, -ja [báxo, -xa] *adj. 1* Bas, basse (de poca altura, etc.). *2* Baissé, ée: *con los ojos bajos,* les yeux baissés. *3* Loc. *A — precio,* à vil prix. ■ *4 adv. 1* Bas: *hablar —,* parler bas. *loc. adv. Por lo —,* tout bas (en voz baja); *— cero,* au-dessous de zéro (temperatura). ■ *2 prep.* Sous. *loc. prep. — pena de,* sous peine de. ■ *3 m.* Terrain bas. *4* MAR. Bas-fond. *5* MÚS. Basse *f.: — cantante,* basse-taille. ■ *6 m. pl.* Bas *sing.* (de una falda, etc.).

bajón [baxón] *m. 1* MÚS. Basson (instrumento). *2* Bassoniste. *3* fig. Baisse *f.* subite, chute *f.* Loc. *Dar un —,* baisser.

bajorrelieve [baxoreljéβe] *m.* Bas-relief.

bala [bála] *f. 1* Balle. Loc. *— perdida,* balle perdue. *2* Boulet *m.* (de cañón).

balada [baláða] *f.* Ballade.

baladí [balaðí] *adj.* Futile, insignifiant, ante.

balance [balánθe] *m. 1* Balancement. *2* MAR. Roulis. *3* COM. Balance *f.*, bilan.

balancear [balanθeár] *intr. 1* Se balancer. *2* MAR. Rouler. *3* fig. Balancer, hésiter. ■ *4 tr.* Balancer, compenser.

balancín [balanθín] *m. 1* Palonnier. *2* Balancier (de volatinero). *3* Rockingchair (mecedora).

balanza [balánθa] *f. 1* Balance (para pesar). *2* fig. Balance (comparación). *3* COM. Balance.

balar [balár] *intr.* Bêler.

balazo [baláθo] *m. 1* Blessure *f.* de balle (herida). *2* Coup de feu, balle *f.*: *recibió un — en el pecho*, il reçut une balle dans la poitrine.

balbucir [balβuθír] *intr.* Balbutier. ▲ CONJUG. Ce verbe ne s'emploie qu'à l'inf. et aux formes qui ont un *i* dans la terminaison: *balbucía, balbucieron*, etc.

balcón [balkón] *m.* Balcon.

balde [bálde] *m. 1* Baille *f.*, seau en bois. *2* *loc. adv. De —*, gratis; *en —*, en vain.

baldío, -ía [baldío, -ía] *adj. 1* Vague, inculte (terreno). *2* Vain, vaine (inútil). *3* Vagabond, onde. ■ *4 m.* Terrain inculte.

baldosa [baldósa] *f. 1* Carreau *m. 2* Dalle (de tamaño mayor).

balear [baleár], **baleárico, -ca** [baleáriko, -ka] *adj.-s.* Baléare.

balido [balído] *m.* Bêlement.

balín [balín] *m.* Balle *f.* de petit calibre.

balística [balístika] *f.* Balistique.

baliza [balíθa] *f.* MAR., AVIAC. Balise.

balneario, -ia [balneárjo, -ja] *adj. 1* Balnéaire. ■ *2 m.* Station *f.* balnéaire (en el mar).

balón [balón] *m. 1* Ballon (para jugar). *2* Ballon (de oxígeno, etc.).

balsa [bálsa] *f. 1* Mare (charca). Loc. fig. *Como una — de aceite*, très calme. *2* Radeau *m.* (embarcación). *3* Bac *m.* (para pasar un río).

bálsamo [bálsamo] *m.* Baume.

báltico, -ca [báltiko, -ka] *adj.* Balte.

baluarte [balwárte] *m. 1* Bastion. *2* fig. Rempart, défense *f.*

ballena [baʎéna] *f. 1* Baleine. *2* *Esperma de —*, blanc de baleine.

ballesta [baʎésta] *f. 1* Arbalète. *2* Ressort *m.* à lames (de coche).

bamba [bámba] *f.* Raccroc *m.* (billar).

bambalina [bambalína] *f.* TEAT. Frise.

banca [bánka] *f. 1* Banc *m.* sans dossier, banquette. *2* Banque (comercio, juego): *operaciones de —*, opérations de banque.

bancario, -ia [bankárjo, -ja] *adj.* Bancaire.

banco [bánko] *m. 1* Banc. Loc. fig. *Razón de pie de —*, raisonnement absurde. *2* Établi (de carpintero). *3* Banque *f.* (establecimiento): *billete de —*, billet de banque.

banda [bánda] *f. 1* Bande. *2* Écharpe, grand cordon *m.* (condecoración). *3* Côté *m.* (lado), rive (orilla). Loc. fig. *Cerrarse a la —*, ne rien vouloir entendre. *4* Fanfare, musique (conjunto de músicos).

bandada [bandáða] *f.* Bande (de pájaros).

bandeja [bandéxa] *f.* Plateau *m.* (para servir).

bandera [bandéra] *f. 1* Drapeau *m.*: *la — francesa, blanca*, le drapeau français, blanc. *2* Bannière (de una asociación, etc.). *3* Pavillon *m.* (de un barco). Loc. *Arriar —*, amener pavillon.

banderilla [banderíʎa] *f.* TAUROM. Banderille.

banderillero [banderiʎéro] *m.* TAUROM. Banderillero, torero qui plante des banderilles.

banderola [banderóla] *f.* Banderole, flamme.

bandido [bandíðo] *m.* Bandit.

bando [bándo] *m. 1* Ban, ordonnance *f.* édit (de la autoridad). *2* Parti, faction *f.* *3* Bande *f.* (bandada).

bandolera [bandoléra] *f. 1* Bandoulière, *loc. adv. En —*, en bandoulière. *2* Femme d'un bandit.

bandurria [bandúṛja] *f.* MÚS. Sorte de petite guitare à douze cordes, mandore.

banquero [bankéro] *m.* Banquier.

banquete [bankéte] *m.* Banquet (comida).

banquillo [bankíʎo] *m. 1* Petit banc. *2* Sellette *f.*, banc des accusés (en el tribunal).

bañador, -ra [baɲaðór, -ra] *adj.-s. 1* Qui baigne. ■ *2 m.* Maillot de bain.

bañar [baɲár] *tr. 1* Baigner. *2* fig. Baigner, tremper. *3* Enrober, glacer (con azúcar), couvrir. ■ *4 pr.* Se baigner.

bañera [baɲéra] *f.* Baignoire.

baño [báɲo] *m. 1* Baignade *f.*, bain (acción). *2 — de María*, bain-marie. *3* Couche *f.*, enduit (capa).

baobab [baoβáβ] *m.* Baobab.

baqueta [bakéta] *f. 1* Baguette (de fusil). ■ *2 pl.* Baguettes (de tambor).

baqueteado, -da [baketeáðo, -ða] *adj.* fig. Aguerri, ie.

bar [bar] *m. 1* Bar. *2* FÍS. Bar.

baraja [baráxa] *f.* Jeu *m.* de cartes. Loc.

fig. *Jugar con dos barajas,* jouer double jeu.

barajar [baraxár] *tr.* *1* Battre (los naipes). *2* fig. Mêler, brouiller.

baranda [baránda] *f.* *1* v. **barandilla.** *2* Bande (de billar).

barandilla [barandíᴧa] *f.* *1* Balustrade (de balcón). *2* Rampe d'escalier (de escalera). *3* Garde-fou *m.* (de puente).

baratija [baratíxa] *f.* *1* Babiole, bagatelle, bricole. *2* Camelote (joya sin valor).

barato, -ta [baráto, -ta] *adj.-adv.* *1* Bon marché *invar.: salir —,* revenir bon marché; *más —,* meilleur marché. ■ *2* *m.* Vente *f.* au rabais, liquidation.

barba [bárβa] *f.* *1* Barbe (pelo). Loc. *— cerrada,* barbe fournie; *tanto por —,* tant par tête. *2* Menton *m.* (parte de la cara). *3* Caroncules *pl.* (del gallo). *4* *m.* TEAT. Père noble.

barbacana [barβakána] *f.* Barbacane.

barbado, -da [barβádo, -ða] *adj.* Barbu, ue.

barbaridad [barβaridàð] *f.* *1* Énormité, bêtise: *decir barbaridades,* sortir des énormités. *2* *interj.* *¡Qué —!,* c'est incroyable! (asombro).

barbarie [barβárje] *f.* Barbarie.

bárbaro, -ra [bárβaro, -ra] *adj.-s.* *1* Barbare. ■ *2* *adj.* fam. Formidable. *3* fam. Terrible (tremendo). *4* fam. Énorme.

barbecho [barβétʃo] *m.* Jachère *f.*

barbería [barβería] *f.* Boutique du barbier, du coiffeur.

barbilampiño, -ña [barβilampiɲo, -ɲa] *adj.* Imberbe, qui a peu de barbe.

barbilindo [barβilindo], **barbilucio** [barβilúθjo] *adj.-m.* Élégant, efféminé.

barbilla [barβiᴧa] *f.* *1* Menton *m.,* bout *m.* du menton. *2* Barbillon *m.* (de pez).

barbo [bárβo] *m.* Barbeau.

barbotar [barβotár], **barbotear** [barβoteár] *intr.* Marmotter.

barbudo, -da [barβúðo, -ða] *adj.* Barbu, ue.

barca [bárka] *f.* *1* Barque.

barcaza [barkáða] *f.* *1* MAR. Allège. *2* Péniche (de desembarco).

barcelonés, -esa [barθelonés, -ésa] *adj.-s.* Barcelonais, aise.

barco [bárko] *m.* MAR. Bateau: *— de vapor, de velas,* bateau à vapeur, à voiles.

barda [bárða] *f.* *1* Barde. *2* Garniture de paille, de ronces, etc. (sobre una tapia).

baremo [barémo] *m.* Barème.

bargueño [barɣéɲo] *m.* Cabinet espagnol (mueble).

bario [bárjo] *m.* QUÍM. Baryum.

barítono [baritono] *m.* Baryton.

barlovento [barloβénto] *m.* *1* MAR. Dessus du vent. ■ *2* *n. pr.* *Islas de Barlovento,* Îles du Vent.

barnizar [barniθár] *tr.* Vernir (madera, etc.), vernisser (loza).

barómetro [barómetro] *m.* Baromètre.

barón [barón] *m.* Baron.

barquero, -ra [barkéro, -ra] *s.* Batelier, ière.

barquillo [barkíᴧo] *m.* *1* Petit bateau. *2* Oublie *f.,* plaisir, gaufre *f.* (golosina).

barquinazo [barkináθo] *m.* Cahot.

barra [bárra] *f.* *1* Barre (de madera, de metal, etc.). *2* Barre, lingot *m.* (de oro). *3* Bâton *m.* (de lacre, de carmín). *4* *No pararse en barras,* nes pas y aller par quatre chemins.

barraca [barráka] *f.* *1* Baraque. *2* Chaumière (en Valencia).

barranca [barráŋka] *f.* Ravin *m.,* fondrie- `re.

barrenar [barrenár] *tr.* *1* Forer, percer. *2* MAR. Saborder.

barrendero, -ra [barrendéro, -ra] *s.* Balayeur, euse.

barrer [barrér] *tr.* Balayer.

barrera [barréra] *f.* *1* Barrière (valla, obstáculo). Loc. *— del sonido,* mur *m.* du son. *2* Glaisière (de donde se saca el barro).

barretina [barretina] *f.* Bonnet *m.* catalán.

barriada [barrjàða] *f.* Quartier *m.,* faubourg *m.*

barricada [barrikáða] *f.* Barricade.

barriga [barríɣa] *f.* Ventre *m.* (vientre), panse (panza).

barril [barríl] *m.* Baril.

barrio [bárrjo] *m.* Quartier. Loc. *Barrios bajos,* bas quartiers; fig. *irse al otro —,* mourir, passer l'arme à gauche, casser sa pipe.

barro [bárro] *m.* *1* Boue *f.* (lodo). *2* Terre *f.* glaise (que utilizan los alfareros). *3* Point noir (en la cara).

barroco, -ca [barróko, -ka] *adj.-m.* B. ART. Baroque.

barrote [barróte] *m.* Barreau.

bartola (a la) [a la bartóla] *loc. adv.* Sans souci. Loc. *Tumbarse a la —,* se coucher sur le dos, s'étendre tout à son aise (echarse).

barullo [barúᴧo] *m.* *1* Tohu-bohu (agitación), raffut (ruido). *2* Cohue *f.* (muchedumbre).

basar [basár] *tr.* *1* Baser. ■ *2* *pr.* *Basarse en,* se fonder sur, se baser sur.

báscula [báskula] *f.* Bascule.

base [báse] *f.* *1* Base. *2* Loc. *Partiendo de la — de que,* en admettant que.

basílica [basílika] *f.* Basilique.

basta [básta] *f.* 1 Faufilure, bâti *m.* 2 Piqûre (en un colchón).

¡basta! [básta] *interj.* 1 Assez!, ça suffit!; **¡— ya!**, en voilà assez! 2 *loc. prep.* **— de,** trève de.

bastante [bastánte] *adj.* 1 Suffisant, ante, assez de: **esto no es —,** cela n'est pas suffisant. ■ 2 *adv.* Assez: **¿habéis comido —?,** avez-vous assez mangé?

bastar [bastár] *intr.* 1 Suffire: **basta la intención,** l'intention suffit. 2 — **de habladurías...,** assez de bavardages.

bastardilla [bastarðíʎa] *adj.-f.* IMPR.. Italique.

bastardo, -da [bastárðo, -ða] *adj.-s.* 1 Bâtard, arde. 2 Vil, vile, indigne.

bastidor [bastiðór] *m.* 1 Châssis. 2 Métier (para bordar). ■ 3 *pl.* TEAT. Coulisses *f.* Loc. fig. **Entre bastidores,** dans les coulisses.

bastilla [bastíʎa] *f.* Ourlet *m.*

basto, -ta [básto, -ta] *adj.* 1 Grossier, ière. ■ 2 *m.* Bât (albarda). ■ 3 *pl.* Une des couleurs des cartes espagnoles.

bastón [bastón] *m.* 1 Canne *f.* 2 Bâton (insignia, de esquí).

basura [basúra] *f.* 1 Ordures *pl.:* **prohibido arrojar —,** défense de déposer des ordures.

basurero [basuréro] *m.* 1 Éboueur, boueur, boueux. 2 Dépôt d'ordures, décharge *f.* (sitio).

bata [báta] *f.* 1 Robe de chambre, peignoir *m.*

batalla [batáʎa] *f.* 1 Bataille: — **campal,** bataille rangée.

batallón [bataʎón] *m.* Bataillon.

batata [batáta] *f.* 1 Patate douce.

batea [batéa] *f.* 1 Plateau *m.* (bandeja). 2 Bateau *m.* plat, acon *m.* (barco). 3 Plateforme, plateau *m.* (vagón).

batería [batería] *f.* 1 ARTILL., ELECT., MÚS. Batterie. 2 Batterie (de aparatos, utensilios). 3 TEAT. Rampe.

batida [batíða] *f.* 1 Battue. 2 fig. Rafle (de la policía).

batido, -da [batíðo, -ða] *adj.* 1 Battu, ue (camino, tierra). ■ 2 *m.* Oeufs *pl* battus en neige. 3 Milk-shake (bebida). 4 Batte *f.* (del oro).

batín [batín] *m.* Veste *f.* d'intérieur.

batir [batír] *tr.* 1 Battre (golpear). 2 Battre (la lluvia, el viento, etc.). 3 Battre (vencer): **nuestro equipo fue batido en la final,** notre équipe a été battue en finale. 4 Battre (un récord). ■ 5 *pr.* Se battre: **batirse en duelo,** se battre en duel.

batista [batísta] *f.* Batiste (tela).

batracios [batraθjos] *m. pl.* ZOOL. Batraciens.

baturrillo [baturíʎo] *m.* Méli-mélo, brouillamini, fatras.

baturro, -rra [batúro, -ra] *adj.-s.* Paysan aragonais, paysanne aragonaise.

batuta [batúta] *f.* Baguette de chef d'orcheste. Loc. **Llevar la —,** diriger l'orchestre; fig. mener la danse.

baúl [baúl] *m.* Malle *f.:* — **mundo,** grande malle.

bautismo [baútizmo] *m.* Baptême. Loc. — **del aire, de fuego,** baptême de l'air, du feu.

bautizo [baútiθo] *m.* Baptême.

bayeta [bajéta] *f.* Bayette.

bayo, ya [bájo, -ja] *adj.-s.* Bai, baie.

bayoneta [bajonéta] *f.* Baïonnette.

baza [báθa] *f.* 1 Levée, pli *m.* (en el juego de naipes). Loc fig. **Meter —,** dire son mot.

bazar [baθár] *m.* Bazar.

bazo, -za [báθo, -θa] *adj.* 1 Bis, bise. ■ 2 *m.* ANAT. Rate *f.*

bazofia [baθófja] *f.* 1 Graillons *m., restes m. pl.* (desechos).

beatificar [beatifikár] *tr.* Béatifier.

beato, -ta [beáto, -ta] *adj.* 1 Bienheureux, euse. ■ 2 *adj.-s.* Dévot, ote (muy piadoso). 3 fam. Bigot, ote.

bebé [bebé] *m.* Bébé, poupon.

bebedero, -ra [beβeðéro, -ra] *adj.* 1 Buvable. ■ 2 *m.* Abreuvoir.

bebedor, -ra [beβeðór, -ra] *adj.-s.* Buveur, euse.

beber [beβér] *intr.-tr.* 1 Boire. Loc. fig. — **en buenas fuentes,** puiser à de bonnes sources. ■ 2 *pr.* Boire: **se bebió tres cervezas una tras otra,** il but trois bières l'une après l'autre.

bebida [beβíða] *f.* Boisson: **darse a la —,** s'adonner à la boisson.

beca [béka] *f.* Bourse (de estudio).

becario, -ia [bekárjo, -ja] *s.* Boursier, ière.

becerra [beθéra] *f.* Génisse.

becerro [beθéro] *m.* 1 Veau. 2 — **marino,** veau marin. 3 Cartulaire (libro).

bedel [beðél] *m.* Appariteur.

beduino, -na [beðwino, -na] *adj.* 1 Bédouin, ine. 2 fig. Homme grossier.

begonia [beɣónja] *m.* Bégonia.

beleño [beléɲo] *m.* Jusquiame *f.*

belga [bélɣa] *adj.-s.* Belge.

bélico, -ca [béliko, -ka] *adj.* Martial, ale, belliqueux, euse.

beligerante [belixeránte] *adj.-s.* Belligérant, ante.

bello, -lla [béʎo, -ʎa] *adj.* 1 Beau, bel (delante de un masc. sing. que empieza por vocal o *h* aspirada), belle: **el — sexo,** le

beau sexe; *las bellas artes*, les beaux-arts. ■ *2 f.* Belle (mujer).
bellota [beʎóta] *f. 1* BOT. Gland *m. 2 — de mar*, gland de mer.
bencina [benθína] *f.* Benzine.
bendecir [bendeθír] *tr.* Bénir: *¡Dios le bendiga!*, Dieu vous bénisse!. ▲ CONJUG. comme *decir*, saux aux formes suivantes: INDIC. Fut.: *bendeciré*, etc. COND.: *bendeciría*, etc. IMPÉR.: *bendice*. PART. PAS.: *bendecido*, *bendito*. Le part irrég. *bendito* n'est employé que comme adjectif ou dans les prières et invocations.
bendición [bendiθjón] *f.* Bénédiction; *echar la —*, donner sa bénédiction.
bendito, -ta [bendíto, -ta] 1 p. p. de *bendecir*. ■ *2 adj.* Béni, ie, bénit, ite: *agua bendita*, eau bénite; *¡Bendito sea Dios!*, Dieu soit béni!
benedictino, -na [beneðiɣtíno, -na] *adj.-s. 1* Bénédictin, ine. ■ *2 m.* Bénédictine *f.* (licor).
beneficencia [benefiθénθja] *f. 1* Bienfaisance. *2 — pública*, assistance publique.
beneficiar [benefiθjár] *tr. 1* Faire du bien. *2* Améliorer, exploiter (un terreno), bénéficier (una mina), traiter (el mineral). ■ *3 intr.-pr.* Bénéficier de. ▲ CONJUG. comme *cambiar*.
beneficio [benefíθjo] *m. 1* Bénéfice. *2* Bienfait (bien). *3* AGR. Culture *f. 4* Exploitation *f.* (de minas, etc.).
benéfico, -ca [benéfiko, -ka] *adj.* Bienfaisant, ante.
benemérito, -ta [benemérito, -ta] *adj. 1* Digne d'honneur, de récompense: *— de la patria*, qui a bien mérité de la patrie.
benévolo, -la [benéβolo, -la] *adj. 1* Bienveillant, ante (indulgente).
benigno, -na [beníɣno, -na] *adj. 1* Bénin, igne. *2* Doux, douce (clima, etc.).
Benito, -ta [beníto, -ta] *n.-r.* Benoît, oïte.
berenjena [bereŋxéna] *f.* Aubergine.
berlina [berlína] *f. 1* Berline (coche). *2* Coupé *m.* (de diligencia). *3 Poner en —*, tourner en ridicule.
berlinés, -esa [berlinés, -ésa] *adj.-s.* Berlinois, oise.
bermellón [bermeʎón] *m.* Vermillon.
bernardo, -da [bernárðo, -ða] *adj.-s. 1* Bernardin (monje). ■ *2 n. pr.* Bernard, Bernardette.
berrear [bereár] *intr. 1* Beugler (hablando del becerro). *2* fig. Beugler, brailler.
berrinche [beríntʃe] *m.* fam. Accès de colère, rogne *f.* (enfado): *coger un —*, piquer une rogne.
berro [béro] *m.* Cresson.

berza [bérθa] *f.* Chou *m.* (col).
besar [besár] *tr. 1* Embrasser: *— en las mejillas, en la boca*, embrasser sur les joues, sur la bouche. *2 Beso a usted la mano, los pies*, je vous baise les mains, les pieds.
beso [béso] *m.* Baiser. Loc. fig. fam. *Comerse a besos a uno*, couvrir, dévorer quelqu'un de baisers.
bestia [béstja] *f.* Bête. Loc. *— de albarda*, âne; *— de carga*, bête, brute.
bestialidad [bestjaliðàð] *f.* Bestialité.
besugo [besúɣo] *m.* Pagel, rousseau.
besuquear [besukeár] *tr.* Bécoter, biser.
betún [betún] *m. 1* Bitume. Loc. *Negro como el —*, noir comme un pruneau. *2* Cirage (para el calzado). Loc. *Dar — a un zapato*, cirer une chaussure.
biberón [biβerón] *m.* Biberon.
biblia [bíβlia] *f.* Bible.
bíblico, -ca [bíβliko, -ka] *adj.* Biblique.
bibliografía [biβljoɣrafía] *f.* Bibliographie.
biblioteca [biβljotéka] *f.* Bibliothèque.
bibliotecario, -ia [biβljotekárjo, -ja] *s.* Bibliothécaire.
bicarbonato [bikarβonáto] *m.* Bicarbonate.
bíceps [bíθeβs] *m.* Biceps.
bicicleta [biθikléta] *f.* Bicyclette.
bicoca [bikóka] *f. 1* FORT. Bicoque. *2* fig. fam. Bagatelle, babiole (frusleria). *3* Occasion (ganga).
bicolor [bikolór] *adj.* Bicolore.
bicóncavo, -va [bikóŋkaβo, -βa] *adj.* Biconcave.
biconvexo, -xa [bikombe(ɣ)so, -(ɣ)sa] *adj.* Biconvexe.
bicho [bítʃo] *m. 1* Bête *f.*, bestiole *f.* Loc. fig. *Todo — viviente*, tout le monde; *mal —*, sale individu. *2* TAUROM. Taureau.
biela [bjéla] *f. 1* Bielle. *2* Manivelle (de bicicleta).
bien [bjén] *m. 1* Bien. Loc. *Bienes raíces*, biens-fonds. ■ *2 adv.* Bien. Loc. *Salir —*, bien réussir; *tener a —*, vouloir, vouloir bien. ■ *3 conj.* Soit: *— por la mañana, — por la tarde*, soit le matin, soit l'après-midi. *4 loc. conj. Ahora —*, or; *más —*, plutôt; *no —*, aussitôt que, à peine; *— que, si —*, si bien que.
bienal [bjenál] *adj.-f.* Biennal, ale.
bienaventurado, -da [bjenaβenturáðo, -ða] *adj.-s.* Bienheureux, euse. *2* fig. Candide.
bienestar [bjenestár] *m.* Bien-être, aisance *f.*, confort.
bienhechor, -ra [bienetʃór, -ra] *adj.-s.* Bienfaiteur, trice.

bienintencionado, -da [bjenintenθjonàðo, -ða] *adj.* Bien intentionné. éc.
bienvenida [bjembeniða] *f.* Bienvenue: *dar la —,* souhaiter la bienvenue.
bife [bife] *m.* amer. Bifteck.
biftec [biftéɣ] *m.* Bifteck.
bifurcación [bifurkaθjón] *f.* Bifurcation.
bigamia [biɣámja] *f.* Bigamie.
bigarrado, -da [biɣaṙàðo, -ða] *adj.* Bigarré. ée.
bigornia [biɣórnja] *f.* Bigorne.
bigote [biɣóte] *m.* Moustache *f.* Loc. fam. *De —,* terrible, formidable.
bigotudo, -da [biɣotúðo, -ða] *adj.* Moustachu. ue.
bikini [bikini] *m.* Bikini.
bilateral [bilaterál] *adj.* Bilatéral, ale.
biliar [biljár] *adj.* Biliaire.
bilingüe [bilíŋgwe] *adj.* Bilingue.
bilis [bilis] *f.* Bile.
billar [biÁár] *m.* Billard.
billete [biÁéte] *m. 1* Billet. *2* Billet (de banco, de tren, de lotería, etc.). Loc. *No hay billetes,* complet.
bina [bina] *f.* AGR. Binage *m.*
binadera [binaðéra] *f.* AGR. Binette.
binar [binár] *tr. 1* AGR. Biner. ■ *2 intr.* LITURG. Biner.
binario, -ia [binárjo, -ja] *adj.* Binaire.
binóculo [binókulo] *m.* Binocle.
binomio [binómjo] *m.* Binôme.
biografía [bioɣrafía] *f.* Biographie.
biología [bjoloxía] *f.* Biologie.
biombo [bjómbo] *m.* Paravent.
bioquímica [bjokímika] *f.* Biochimie.
bióxido [bjó(ɣ)siðo] *m.* QUÍM. Bioxyde.
biplano [biplàno] *m.* Biplan.
birlar [birlár] *tr. 1* Rebattre (en el juego de bolos). *2* fam. Souffler, barboter: *le han birlado la bici,* on lui a barboté son velo.
birlibirloque (por arte de) [birliɓirlóke] *loc. adv.* Comme par enchantement.
birlocho [birlótʃo] *m.* Voiture *f.* découverte à quatre roues, calèche *f.*
birrete [bíṙéte] *m. 1* Toque *f.* (de magistrado, etc.). *2* Barrette *f.* (de eclesiásticos). *3* Bonnet (de catedrático).
birria [bíṙja] *f.* fam. Horreur.
bis [bis] *adv.* Bis.
bisabuelo, -la [bisaɓwélo, -la] *s. 1* Bisaïeul, eule, arrière-grand-père, arrière-grand-mère. ■ *2 pl.* Arrière-grands-parents, bisaïeux.
bisagra [bisáɣra] *f.* Charnière (de puerta).
bisel [bisél] *m.* Biseau.
bisemanal [bisemanál] *adj.* Bihebdomadaire.
bisiesto [bisjésto] *adj.* Bissextile: *año —,* année bissextile.

bisílabo, -ba [bisilaβo, -βa] *adj.* Dissyllabe.
bisonte [bisónte] *m.* Bison.
bisoño, -ña [bisóɲo, -ɲa] *adj.-s. 1* Novice. ■ *2 m.* MIL. Nouvelle recrue *f.,* bleu.
bisturí [bisturí] *m.* Bistouri.
bisutería [bisutería] *f.* Bijouterie d'imitation.
bizantino, -na [biθantíno, -na] *adj.-s.* Byzantin, ine.
bizarría [biθaṙía] *f. 1* Courage *m.,* bravoure (valor). *2* Générosité.
bizco, -ca [bíθko, -ka] *adj. 1* Bigle, louche. ■ *2 s.* Loucheur, euse.
bizcocho [biθkótʃo] *m. 1* Biscuit. *2 — borracho,* baba.
blanca [blàŋka] *f. 1* Monnaie *f.* Loc. fig. *No tener —, estar sin —,* être sans le sou, à sec. *2* MÚS. Blanche.
blanco, -ca [blàŋko, -ka] *adj. 1* Blanc, blanche: *arma blanca,* arme blanche. ■ *2 s.* Blanc, blanche (de raza blanca). ■ *3 m.* Blanc (color): *— de cinc, de plata,* blanc de zinc, d'argent. *4* fig. But, cible *f.* (fin, objeto). Loc. *Dar en el —,* frapper au but, viser juste, faire mouche.
blancor [blaŋkór] *m.,* **blancura** [blaŋkúra] *f.* Blancheur *f.*
blandengue [blandéŋge] *adj. 1* Mou, molle, faible.
blandir [blandir] *tr.* Brandir.
blando, -da [blándo, -da] *adj. 1* Mou, molle: *un colchón —,* un matelas mou. *2* Mou, molle, faible (de carácter), lâche (cobarde).
blandura [blandúra] *f. 1* Mollesse. *2* Douceur (en el trato).
blanquear [blaŋkeár] *tr. 1* Blanchir (poner blanco). *2* Badigeonner (con cal). ■ *3 intr.* Blanchoyer (mostrar su blancura). ■ *4* Blanchir (volverse blanco). *5* Tirer sur le blanc.
blasfemar [blasfemár] *intr.* Blasphémer.
blasfemia [blasfémja] *f.* Blasphème *m.*
blasón [blasón] *m. 1* Blason. *2* fig. Honneur, titre de gloire.
bledo [bléðo] *m.* Blette *f.* Loc. fig. fam. *me importa un —,* je m'en fiche, je m'en moque comme de l'an quarante.
blindar [blindár] *tr.* Blinder.
bloque [blóke] *m.* Bloc.
bloqueo [blokéo] *m. 1* MAR., MIL. Blocus. *2* COM. Blocage (de créditos, etc.).
blusa [blúsa] *f.* Corsage *m.,* chemisier *m.,* blouse: *una — de seda,* un chemisier en soie.
boa [bóa] *f. 1* Boa *m.* (reptil). ■ *2 m.* Boa (prenda).
bobina [boβina] *f.* Bobine.

bobo, -ba [bóβo, -βa] *adj.-s. 1* Sot, sotte, nigaud, aude, idiot, ote. Loc. *Hacer el* —, faire l'idiot, le zouave.

boca [bóka] *f. 1* Bouche. Loc. fig. *no decir esta — es mía,* ne pas ouvrir la bouche, ne pas desserrer les dents. *2* Gueule (de los carnívoros, de horno, cañón). Loc. *Está oscuro como — de lobo,* il fait noir comme dans un four. *3* Pince (de crustáceo). *4 loc. adv. A — de jarro,* à bout portant (cerca), à brûle-pourpoint (bruscamente); *-abajo, arriba,* à plat ventre, sur le dos (una persona).

bocacalle [bokakáʎe] *f. 1* Entrée d'une rue.

bocadillo [bokaðíʎo] *m. 1* Sandwich. *2 Tomar un* —, casser la croûte.

bocado [bokáðo] *m. 1* Bouchée *f.* (de comida). *2* Mors (del caballo). *3* Morsure *f.*, coup de dent (mordisco).

bocazas [bokáθas] *m.* fig. fam. Grande gueule *f.*

boceto [boθéto] *m.* Ébauche *f.*, esquisse *f.*

bocina [boθína] *f. 1* MÚS. Corne, trompe. *2* Corne, avertisseur *m.*, klaxon *m.* (de coche).

bocio [bóθjo] *m.* Goitre.

bocha [bótʃa] *f. 1* Boule (bola). ■ *2 pl.* Jeu *m. sing.* de boules, pétanque *sing.*

bochorno [botʃórno] *m. 1* Vent chaud. *2* Chaleur *f.* lourde, temps lourd. *3* fig. Rougeur *f.*, honte *f.*

boda [bóða] *f. 1* Noce (fiesta), mariage *m.* (ceremonia).

bodega [boðéɣa] *f. 1* Cave, chai *m.* cellier *m. 2* Cale (de un barco).

bodeguero, -ra [boðeɣéro, -ra] *s.* Maître, maîtresse d'un chai.

bodrio [bóðrjo] *m.* Ratatouille *f.*

bofe [bófe] *m.* Poumon, mou. Loc. fig. fam. *Echar uno el* —, *los bofes,* se tuer au travail.

bofetada [bofetáða] *f. 1* Gifle. *2* Soufflet *m.* (desaire).

bogar [boɣár] *intr.* MAR. Ramer.

bohemio, -ia [boémjo, -ja] *adj.-s. 1* Bohémien, ienne. ■ *2 s.* Tzigane. *3* fig. Bohème. ■ *4 adj.* De bohème.

boicotear [boikoteár] *tr.* Boycotter.

boina [bóina] *f.* Béret *m.*

bol [ból] *m. 1* Bol (taza grande). *2* — *arménico,* bol d'Arménie.

bola [bóla] *f. 1* boule (cuerpo esférico). Loc. fig. *¡Ruede la* —*!,* laissez faire!, vogue la galère! *2* Bille: *rodamiento a, de bolas,* roulement à billes. *3* Vole (naipes). *4* fig. Mensonge *m.*, bobard *m.* (embuste). *5* Cirage *m.* (betún).

bolado [boláðo] *m.* Sucre spongieux (azucarillo).

bolchevique [boltʃeβíke] *s.* Bolcheviste.

bolero, -ra [boléro, -ra] *adj.-s. 1* Menteur, euse. ■ *2 m.* Boléro (baile, chaquetilla).

boletín [boletín] *m. 1* Bulletin (publicación). *2* — *oficial,* Journal officiel. *3* Billet.

bólido [bóliðo] *m.* Bolide.

bolígrafo [bolíɣrafo] *m.* Stylo à bille.

bolillo [bolíʎo] *m.* Fuseau (para hacer encajes).

boliviano, -na [boliβjáno, -na] *adj.-s.* Bolivien, ienne.

Bolonia [bolónja] *n. pr.* Bologne.

boloñés, -esa [boloɲés, -ésa] *adj.-s.* Bolonais, aise.

bolsa [bólsa] *f. 1* Bourse (para el dinero). *2* Sac *m.: — de papel, de plástico,* sac en papier, en plastique. *3* MIN., MIL. Poche. *4* Poche, faux pli *m.*

bolsillo [bolsíʎo] *m. 1* Poche *f.* (de un vestido). Loc. *Libro de* —, livre de poche. *2* Bourse *f.*, porte-monnaie.

bollo [bóʎo] *m. 1* Brioche *f.* (redondo), petit pain au lait (alargado). Loc. *No está el horno para bollos,* ce n'est vraiment pas le moment. *2* Bouillon (pliegue). *3* Bosse *f.* (bulto).

bomba [bómba] *f. 1* Pompe (máquina): *aspirante, impelente,* pompe aspirante, foulante. *2* Bombe (proyectil, artefacto explosivo). Loc. *— de mano,* grenade.

bombardear [bombarðeár] *tr.* Bombarder.

bombear [bombeár] *tr. 1* Bombarder. *2* fam. Vanter, couvrir d'éloges.

bombero [bombéro] *m.* Pompier, sapeur-pompier.

bombilla [bombíʎa] *f. 1* ELECT. Ampoule. *2* amer. Pipette (para beber mate).

bombín [bombín] *m.* fam. Chapeau melon.

bombo, -ba [bómbo, -ba] *adj. 1* fam. Étourdi, ie, abasourdi, ie. ■ *2 m.* MÚS. Grosse caisse *f. 3* Sphère *f.* pour le tirage de la loterie.

bombón [bombón] *m.* Bonbon au chocolat.

bonachón, -ona [bonatʃón, -óna] *adj. 1* Bonasse, débonnaire.

bonaerense [bonaerénse] *adj.-s.* De Buenos Aires.

bonanza [bonánθa] *f.* Bonace (calma).

bondad [bondáð] *f.* Bonté.

bondadoso, -sa [bondaðóso, -sa] *adj.* Bon, bonne.

bonete [bonéte] *m.* Bonnet (de eclesiásticos, colegiales, graduados), barrette *f.* (de eclesiásticos).

bonificar [bonifikár] *tr.* Bonifier, améliorer.

bonito, -ta [bonito, -ta] *adj. 1* Joli, ie. ■ *2 m.* Bonite *f.*, thon (pez).

bono [bóno] *m.* Bon: — *del Tesoro, de caja,* bon du Trésor, de caisse.

boquear [bokeàr] *intr.* *1* Ouvrir la bouche. *2* fig. Être mourant, ante. *3* Tirer à sa fin (cosa).

boquera [bokèra] *f.* *1* Prise d'eau, saignée (para el riego). *2* MED. Gerçure au coin des lèvres, perlèche.

boquerón [bokerón] *m.* Anchois (pez).

boquete [bokète] *m.* *1* Passage étroit. *2* Trou, brèche *f.*

boquilla [bokíʎa] *f.* *1* MÚS. Bec *m.*, embouchure (de un instrumento). *2* Fumecigare *m. invar.*, fume-cigarette *m. invar.*

borbónico, -ca [borβóniko, -ka] *adj.* Bourbonien, ienne.

borboteo [borβotèo] *m.* Bouillonnement.

borceguí [borθeɣí] *m.* Brodequin.

borda [bórða] *f.* MAR. Extrémité supérieure du bord d'un bateau, plat-bord *m.*, bord *m.*; *lanzar por la* —, jeter pardessus bord.

bordado [borðáðo] *m.* Broderie *f.*

bordar [borðár] *tr.* Broder.

borde [bórðe] *m.* *1* Bord. *2* loc. prep. *Al* — *de,* au bord de; *al* — *de llorar,* sur le point de pleurer, au bord des larmes.

bordear [borðeàr] *tr.-intr.* *1* Côtoyer, border. ■ *2 tr.* fig. Friser (acercarse mucho). *3* Frôler (un peligro, etc.).

bordillo [borðíʎo] *m.* Bordure *f.: el* — *de la acera,* la bordure du trottoir.

bordo [bórðo] *m.* MAR. Bord: *a* —, à bord.

bordón [borðón] *m.* *1* Bourdon (bastón). *2* MÚS., IMPR. Bourdon.

boreal [boreál] *adj.* Boréal, ale.

borgoñón, -ona [borɣoɲón, -óna] *adj.-s.* Bourguignon, onne.

borla [bórla] *f.* *1* Houppe, gland *m.* (de pasamanería). *2* Pompon *m.* (de gorro, birrete).

borne [bórne] *m.* *1* Morne *f.* (de la lanza). *2* ELECT. Borne *f.*

borra [bórra] *f.* *1* Bourre (de lana, pelo). *2* fig. Remplissage *m.* (en un escrito).

borracho, -cha [borráʧo, -ʧa] *adj.* *1* Ivre. ■ *2 s.* Ivrogne, ivrognesse.

borrador [borraðór] *m.* *1* Brouillon (escrito). *2* COM. Brouillard.

borraja [borráxa] *f.* Bourrache (planta). Loc. *Agua de borrajas,* eau de boudin.

borrar [borrár] *tr.* *1* Effacer (hacer desaparecer). *2* Biffer, rayer (tachar).

borrasca [borráska] *f.* Bourrasque, tempête.

borrego, -ga [borréɣo, -ɣa] *s.* *1* Mouton, brebis d'un à deux ans. *2* fig. Benêt (necio). *3* fig. Mouton (dócil).

borrico [borríko] *m.* *1* Âne. *2* CARP. Baudet.

borrón [borrón] *m.* *1* Pâté (de tinta). *2* Tache *f.* (imperfección, deshonra).

borroso, -sa [borróso, -sa] *adj.* Confus, use, illisible (escritura).

bosque [bóske] *m.* Bois, forêt *f.* ▲ *En francés bois* difiere de *forêt* en que el primero tiene menor extensión.

bosquejo [boskèxo] *m.* Ébauche *f.*, esquisse *f.*

bostezar [bosteθár] *intr.* Bâiller.

bota [bóta] *f.* *1* Gourde en cuir. *2* Tonneau *m.*, barrique (cuba). *3* Botte: *botas de montar,* bottes à l'écuyère. *4* Chaussure montante: — *de esquí,* chaussure de ski.

botadura [botaðùra] *f.* Lancement *m.* (de un buque).

botafuego [botafwèɣo] *m.* MIL. Boutefeu.

botánico, -ca [botániko, -ka] *adj.* *1* Botanique. ■ *2 s.* Botaniste. ■ *3 f.* Botanique.

botar [botár] *tr.* *1* Jeter, lancer, pousser dehors (una cosa), mettre à la porte, mettre dehors (a una persona). *2* Lancer (un barco). ■ *3 intr.* Rebondir (hablando de una pelota). *4* Bondir, sauter.

botarate [botaràte] *m.* fam. Étourdi, écervelé.

bote [bóte] *m.* *1* Canot (barco). *2* Bocal, pot (vasija). *3* Coup (de lanza, de pica). *4* Bond (salto): *dar botes,* faire des bonds. *5* loc. adv. *De* — *en* —, bondé, ée, plein, pleine à craquer.

botella [botéʎa] *f.* Bouteille.

botica [botika] *f.* Pharmacie (farmacia).

boticario, -ia [botikárjo, -ja] *s.* Pharmacien, ienne, apothicaire.

botijo [botixo] *m.* Cruche *f.*, gargoulette *f.*

botín [botín] *m.* *1* Guêtre *f.* (polaina). *2* MIL. Butin.

botiquín [botikín] *m.* Boîte *f.* à pharmacie (armario), pharmacie *f.* portative.

botón [botón] *m.* *1* BOT. Bourgeon (yema). *2* BOT. Bouton (de flor). *3* Bouton (de vestido, de timbre, de florete, etc.).

botones [botònes] *m.* Chasseur, groom.

bóveda [bóβeða] *f.* *1* Voûte: — *de aljibe.* *2* — *celeste,* voûte céleste.

bovino, -na [boβino, -na] *adj.-s.* *1* Bovin, ine. ■ *2 m. pl.* Bovidés, bovins.

boxeador [bo(ɣ)seaðór] *m.* Boxeur.

boxeo [bo(ɣ)sèo] *m.* Boxe *f.*

boya [bója] *f.* Bouée.

boyante [bojánte] *adj.* *1* MAR. Qui flotte à nouveau. *2* fig. Prospère, florissant, ante. *3* MAR. Lège.

boyerizo [bojeríθo], **boyero** [bojéro] *m.* Bouvier.

bozal [boθál] *adj.-s.* *1* Se disait du nègre nouvellement arrivé de son pays. *2* fig.

Novice. *3* Sot, sotte, idiot, ote. ■ *4 m.* Muselière *f.*

bozo [bóθo] *m.* Duvet.

bracear [braθeár] *intr. 1* Mouvoir les bras. *2* Nager la brasse (nadar). *3* MAR. Brasser.

bracero [braθéro] *m. 1* Manœuvre, journalier. *2 loc. adv. De —,* bras dessus, bras dessous.

braga [bráγa] *f. 1* Lange m., couche (de niño). ■ *2 pl.* Culotte *sing.*, slip *m. sing.* (de mujer).

bragadura [braγaðúra] *f. 1* Entrecuisse *m.* (de un animal). *2* Enfourchure (de un pantalón).

braguero [braγéro] *m. 1* Bandage herniaire. *2* MAR. Brague *f.*

bragueta [braγéta] *f.* Braguette.

brahmán [braman] *m.* Brahmane.

brahmín [bramin] *m.* Brahmane.

bramante [bramánte] *m.* Ficelle *f.*

bramar [bramár] *intr. 1* Bramer (el ciervo), mugir (el toro). *2* fig. Rugir (de ira). *3* fig. Mugir (el viento, el mar).

branquia [bránkja] *f.* Branchie.

brasa [brása] *f.* Braise.

brasero [braséro] *m.* Brasero.

brasil [brasil] *m.* Bois du Brésil, brésil.

brasileño, -ña [brasiléɲo, -ɲa] *adj.-s.* Brésilien, ienne.

bravata [braβáta] *f.* Bravade.

bravo, -va [bráβo, -βa] *adj. 1* Brave, vaillant, ante. *2* Fanfaron, onne. *3* Grand, ande, magnifique. *4* Sauvage, indompté, ée (animal), de combat (toro). *5* Déchaîné, ée (mar). *6 interj.* ¡*Bravo!*, bravo!

bravura [braβúra] *f. 1* Bravoure. *2* Férocité (de los animales). *3* Combativité (de un toro de lidia).

braza [bráθa] *f. 1* MAR. Brasse. *2* Brasse (modo de nadar): *nadar a —,* nager la brasse.

brazalete [braθaléte] *m. 1* Bracelet (pulsera). *2* Brassard (brazal).

brazo [bráθo] *m. 1* Bras: *iban cogidos del —,* ils allaient bras dessus, bras dessous; *estar hecho un — de mar,* être très chic, très élégant. *loc. adv. A — partido,* à tour de bras (con empeño); *con los brazos abiertos,* à bras ouverts.

brea [bréa] *f.* Goudron *m.*, brai *m.*

brebaje [breβáxe] *m.* Breuvage.

brecha [brétʃa] *f.* Brèche (abertura). Loc. *Abrir —,* faire une brèche.

bregar [breγár] *intr. 1* Lutter, se battre. *2* fig. Se démener, se donner du mal (ajetrearse).

brete [bréte] *m. 1* Fers *pl.* (de un reo). *2*

fig. Difficulté *f.*, embarras: *poner en un —,* mettre dans une situation difficile.

bretón, -ona [bretón, -óna] *adj.-s.* Breton, onne.

breva [bréβa] *f.* Figue-fleur. Loc. fig. *Más blando que una —,* soumis, ise, doux comme un agneau.

breve [bréβe] *adj. 1* Bref, brève. *loc. adv. En —,* sous peu. ■ *2 m.* Bref (pontificio). ■ *3 f.* MÚS. Brève.

brevedad [breβeðáð] *f.* Brièveté.

breviario [breβjárjo] *m.* Bréviaire.

bribón, -ona [briβón, -óna] *adj.-s.* Fripon, onne, coquin, ine.

brida [bríða] *f. 1* Bride. *loc. adv. A toda —,* à bride abattue. *2* CIR. Bride.

brigada [briγáða] *f. 1* Brigade. ■ *2 m.* MIL. Adjudant.

brillante [briʎánte] *adj.* Brillant, ante.

brillar [briʎár] *intr.* Briller.

brincar [briŋkár] *intr. 1* Sauter, bondir, gambader. Loc. fig. *— de gozo,* bondir de joie. *2* fig. Bondir.

brindar [brindár] *intr. 1* Boire à la santé de, porter un toast, boire: *brindo por los recién casados,* je bois à la santé des jeunes mariés. ■ *2 intr.-tr.* Offrir: *— su ayuda,* offrir son aide. ■ *3 pr.* S'offrir, offrir, proposer: *se brindó a acompañarme,* il proposa de m'accompagner.

brindis [bríndis] *m.* Toast: *echar un —,* porter un toast.

brioso, -sa [brjóso, -sa] *adj.* Vigoureux, euse, énergique, vaillant, ante.

brisa [brisa] *f.* Brise. *2* Marc *m.* de raisin.

brisca [briska] *f.* Brisque (juego).

británico, -ca [britániko, -ka] *adj.-s.* Britannique.

brocha [brótʃa] *f. 1* Blaireau *m.* (de afeitar). *2* Brosse, gros pinceau *m.* (pincel).

broche [brótʃe] *m. 1* Broche *f.* (joya), agrafe *f.* (para sujetar).

broma [bróma] *f. 1* Plaisanterie, farce, blague: *— pesada,* mauvaise plaisanterie.

bromista [bromista] *adj.-s.* Farceur, euse, blagueur, euse.

bromo [brómo] *m.* BOT., QUÍM. Brome.

bronce [brónθe] *m.* Bronze.

bronceado, -da [bronθeáðo, -ða] *adj. 1* Bronzé, ée. ■ *2 m.* Bronzage.

bronco, -ca [brónko, -ka] *adj. 1* Rude, âpre. *2* Rauque (voz sonido). *3* Acariâtre, bourrue, ue (de genio).

bronco(p)neumonia [broŋko(β)neŭmonia] *f.* MED. Broncho-pneumonie.

bronquio [bróŋkjo] *m.* ANAT. Bronche *f.*

brotar [brotár] *intr. 1* Pousser, bourgeonner (hablando de las plantas). *2* Jaillir, sourdre (un líquido): *el agua brotaba del manantial*, l'eau jaillissait de la source. *3* fig. Apparaître, germer.

brote [bróte] *m.* BOT. Bourgeon, pousse *f.*

bruces (de) [deβrúθes] *loc. adv.* À plat ventre (caerse).

bruja [brúxa] *f. 1* Sorcière. Loc. fig. *Creer en brujas*, croire au Père Noël. *2* fig. Vieille sorcière (mujer fea).

brujería [bruxería] *f.* Sorcellerie.

brújula [brúxula] *f.* Boussole.

bruma [brúma] *f.* Brume.

brumario [brumárjo] *m.* Brumaire.

bruñido [bruñído] *m.* Bruni, brunissage.

brusco, -ca [brúsko, -ka] *adj. 1* Brusque. ■ *2 m.* Fragon, petit houx.

brutal [brutál] *adj.-s.* Brutal, ale.

bruto, -ta [brúto, -ta] *adj.-s. 1* Sot, sotte, bête. ■ *2 adj.* Brutal, ale: *la fuerza bruta*, la force brutale. *3* Brut, ute (sin labrar). *loc. adv.* **En —**, brut, ute. *4* COM. Brut (peso, beneficio, etc.). ■ *5 m.* Brute *f.*

bu [bu] *m.* fam. Croque-mitaine.

bucal [bukál] *adj.* Buccal, ale.

bucanero [bukanéro] *m.* Boucanier.

bucear [buθeár] *intr. 1* Plonger, travailler sous l'eau (el buzo). *2* Nager sous l'eau (nadar). *3* fig. Explorer.

bucle [búkle] *m.* Boucle *f.* (de cabello).

buche [bútʃe] *m. 1* Jabot (de las aves). *2* fam. Estomac, panse *f. 3* Gorgée *f.* (de líquido).

budismo [buðízmo] *m.* Boudhisme.

buen [βwen] *adj.* Forme apocopée de *bueno*.

buenaventura [bwenaβentúra] *f.* Bonne aventure.

bueno, -na [βwéno, -na] *adj. 1* Bon, bonne: *un hombre —*, un homme bon. Loc. *Dar por —*, approuver, juger bon. *3 loc. adv.* *A buenas, por las buenas*, de bon gré: *de buenas a primeras*, de but en blanc, de prime abord. *4 interj.* Bon!, bien!: *! — está!*, bon!, ça va comme ça! *¡muy buenas!*, salut!

buey [bwei] *m.* Bœuf.

búfalo, -la [búfalo, -la] *s.* Buffle, bufflonne.

bufanda [bufánda] *f.* Cache-nez *m.* invar.

bufar [bufár] *intr. 1* Souffler (el toro). *2* S'ébrouer (resoplar el caballo). *3* fig. Frémir de colère.

bufete [buféte] *m. 1* Bureau (mesa). *2* Cabinet, étude *f.* (de abogado).

bufón, -ona [bufón, -óna] *adj.-s.* Bouffon, onne.

buhardilla [bwarðíʎa] *f. 1* Mansarde (desván). *2* Lucarne (ventana).

búho [búo] *m.* Hibou.

buitre [bwitre] *m.* Vautour.

bujía [buxia] *f.* Bougie.

bula [búla] *f. 1* Bulle (del Papa). *2* fig. Exemption, privilège *m.*

bulbo [búlβo] *m.* BOT., ANAT. Bulbe.

búlgaro, -ra [búlɣaro, -ra] *adj.-s.* Bulgare.

bulto [búlto] *m. 1* Volume, grosseur *f.* (de una cosa). *2* Forme *f.* vague, silhouette *f.* Loc. fig. *Escurrir el —*, s'esquiver, se dérober. *loc. adv.* **A —**, en gros, approximativement, au jugé. *3* Bosse *f.*, enflure *f.* (hinchazón). *4* Paquet, colis (paquete).

bulla [búʎa] *f.* Tapage *m.*, bruit *m.*

bullicio [buʎíθjo] *m. 1* Mouvement (de una muchedumbre). *2* Tumulte, agitation *f.* (de una ciudad, etc.).

bullir [buʎír] *intr. 1* Bouillir, bouillonner, s'agiter. *2* Grouiller (insectos). *3* Foisonner, abonder (cosas). *4* S'agiter, remuer. ■ *5 tr.* Mouvoir, remuer. ▲ CONJUG. comme *mullir*.

buñuelo [buɲwélo] *m. 1* Beignet. *2* fig. fam. Navet (cosa mal hecha).

buque [búke] *m. 1* MAR. Navire, vaisseau, bateau (barco). *2* Coque *f.* (casco).

burbuja [burβúxa] *f.* Bulle (de aire).

burdo, -da [búrðo, -ða] *adj.* Grossier, ière.

burgalés, -esa [burɣalés, -ésa] *adj.-s.* De Burgos.

burgomaestre [burɣomaéstre] *m.* Bourgmestre.

burgués, -esa [burɣés, -ésa] *adj.-s.* Bourgeois, oise.

burguesía [burɣesía] *f.* Bourgeoisie.

buril [buril] *m.* Burin.

burla [búrla] *f. 1* Moquerie, raillerie. Loc. *Hacer —*, se moquer. *2* Plaisanterie (chanza). *loc. adv.* *De burlas*, pour rire.

burlar [burlár] *intr. 1* Plaisanter, badiner. *2 loc. adv.* *Burla burlando*, sans s'en douter, sans en avoir l'air. ■ *3 tr.* Tromper: *— a uno*, tromper quelqu'un. ■ *4 pr.* Se moquer.

burlete [burléte] *m.* Bourrelet (de puerta o ventana).

burocracia [burokráθja] *f.* Bureaucratie.

burócrata [burókrata] *s.* Bureaucrate.

burra [búra] *f. 1* Ânesse. ■ *2 adj.-f.* Sotte, ignorante.

burro [búro] *m.* Âne. Loc. fig. *Apearse, caerse del —*, reconnaître son erreur.

bursátil [bursátil] *adj.* Boursier, ière.

busca [búska] *f.* Recherche, quête: *a la —, en — de*, à la recherche de, en quête de.

buscar [buskár] *tr.* Chercher. Loc. fig. *Buscársela a uno*, provoquer quelqu'un.

búsqueda [búskeða] *f.* Recherche.

busto [bústo] *m.* Buste.

butaca [butáka] *f.* Fauteuil *m.; — de patio*, fauteuil d'orchestre.

butifarra [butifářa] *f.* Saucisse, sorte de boudin *m.*

buzo [búθo] *m.* *1* Plongeur, scaphandrier. *2* Bleu (mono, traje de faena).

buzón [buθón] *m.* Boîte *f.* aux lettres: *echar una carta al —*, mettre une lettre à la boîte.

C

c [θe] *f.* C *m.*

cabal [kaβál] *adj. 1* Juste, exact, acte, complet, ète, entier, ière. *2 fig.* Accompli, ie, parfait, aite, loyal, ale.

cábala [káβala] *f.* Cabale.

cabalgada [kaβalɣáða] *f.* Chevauchée.

cabalgar [kaβalɣàr] *intr. 1* Chevaucher, aller à cheval. ■ *2 tr.* Monter.

cabalgata [kaβalɣáta] *f.* Cavalcade.

cabalmente [kaβálmente] *adv.* Justement, précisément.

caballa [kaβáʎa] *f.* Maquereau *m.*

caballar [kaβaʎár] *adj. 1* Chevalin, ine. *2 Cría —*, élevage *m.* de chevaux.

caballería [kaβaʎería] *f. 1* Monture, bête de selle. *2 MIL.* Cavalerie. *3* Chevalerie: *— andante*, chevalerie errante.

caballeriza [kaβaʎeríθa] *f.* Écurie.

caballero, -ra [kaβaʎéro, -ra] *adj. 1* Monté, ée à cheval: *— en una mula*, à cheval sur une mule. *2 m.* Chevalier (noble, el que pertenece a una orden): *— andante*, chevalier errant. *3* Homme bien élevé, loyal, galant homme: *portarse como un —*, agir noblement, se conduire en gentleman. *4* Monsieur (n'accompagnant pas le nom): *señoras y caballeros*, mesdames et messieurs. *5* Cavalier (soldado a caballo).

caballete [kaβaʎéte] *m. 1* Chevalet (de pintor, de tortura). *2* Tréteau (soporte). *3* Faîte (de un tejado). *4* Capuchón, abatvent, mitre *f.* (de chimenea).

caballito [kaβaʎíto] *m. 1* Petit cheval. *2 —del diablo*, libellule *f.* ■ *2 pl.* Manège *sing.* de chevaux de bois.

caballo [kaβáʎo] *m. 1* Cheval. Loc. *— padre*, étalon; *— de vapor*, cheval-vapeur. *loc. adv.* **A —**, à cheval. *2* Cavalier (del ajedrez). *3* Dame *f.* du jeu de cartes espagnol (naipes).

cabaña [kaβáɲa] *f. 1* Cabane. *2* Grand troupeau *m.* (rebaño). *3* Bétail *m.* (ganado). *4* Cheptel *m.*

cabe [káβe] *prep.* Près de, à côté de.

cabecera [kaβeθéra] *f. 1* Commencement *m.*, partie principale. *2* Haut bout *m.* (en la mesa). *3* Source (de un río). *4* Chevet *m.*, tête (de cama). *5* Tête (de un puente). *6* Chef-lieu *m.* (capital).

cabecilla [kaβeθíʎa] *m.* Chef de rebelles, meneur.

cabello [kaβéʎo] *m. 1* Cheveu (pelo). Loc. fig. ***Poner los cabellos de punta***, faire dresser les cheveux sur la tête. *loc. adv.* ***En cabellos***, en cheveux, nu-tête. *2* Chevelure *f.*, cheveux *pl.*: *tiene el — negro*, elle a les cheveux noirs.

caber [kaβér] *intr. 1* Tenir: *estos libros no caben en el armario*, ces livres ne tiennent pas dans l'armoire. *2* Avoir, revenir, incomber: *me cabe el honor de*, j'ai l'honneur de. *3* Être possible, naturel, y avoir lieu de: *cabe pensar que*, il y a lieu de penser que; *no cabe duda*, il n'y a pas de doute. ▲ CONJUG. IRRÉG. INDIC. Prés.: *quepo, cabes, cabe, cabemos, cabéis, caben*. Imparf.: *cabía*, etc. Pas. simple: *cupe, cupiste, cupo, cupimos, cupisteis, cupieron*. Fut.: *cabré*, etc. COND.: *cabría*, etc. SUBJ. Prés.: *quepa, quepas, quepa, quepamos, quepáis, quepan*. Imparf.: *cupiera, cupieras, cupiera, cupiéramos, cupierais, cupieran*, ou *cupiese, cupieses, cupiésemos, cupieseis, cupiesen*. Fut.: *cupiere, cupieres, cupiere, cupiéremos, cupiereis, cupieren*. IMPÉR.: *cabe, quepa, quepamos, cabed, quepan*. PART. PAS.: *cabido*. GÉR.: *cabiendo*.

cabeza [kaβéθa] *f. 1* Tête. Loc. *Mala —*, mauvaise tête; *— de ajos*, tête d'ail; *—de turco*, bouc émissaire, tête de turc; *conservar la —*, avoir toute sa tête; *quebrarse, romperse la —*, se casser, se creuser la tête. *2 — de partido*, chef-lieu *m.* d'arrondissement. ■ *3 m.* Chef: *— de familia*, chef de famille.

cabezada [kaβeθáða] *f. 1* Coup *m.* donné avec la tête. *2* Dodelinement *m.* de la tête (al dormir). *3* Salut *m.* de la tête (saludo). *4* Têtière (de la brida).

cabezota [kaβeθóta] *f. 1* fam. Grosse tête. ■ *2* adj.-s. Cabochard, arde, têtu, ue.

cabida [kaβiða] *f.* Capacité, contenance.

cabildo [kaβílðo] *m. 1* Chapitre (de una iglesia). *2* Conseil municipal (ayuntamiento).

cabina [kaβina] *f.* Cabine (de avión, telefónica, etc.).

cable [káβle] *m. 1* Câble. *2* Câblogramme, câble. *3* MAR. Encablure *f.* (medida).

cabo [káβo] *m. 1* Bout, extrémité *f.*, terme. Loc. fig.; *llevar a —,* réaliser, mener à bien. *loc. adv. Al —,* à la fin. *2* GEOG. Cap. *3* Bout (pedacito): *— de vela,* bout de chandelle. *4* MAR. Cordage. *5* MIL. Caporal. ■ *6 pl.* Loc. *Atar cabos,* réunir des renseignements, faire des recoupements.

cabotaje [kaβotáxe] *m.* Cabotage.

cabra [káβra] *f. 1* Chèvre. Loc. fig. *La — siempre tira al monte,* la caque sent toujours le hareng. *2 — montés,* bouquetin *m.*

cabrear [kaβreár] *tr. 1* fam. Taper sur le système. ■ *2 pr.* pop. Se foutre en rogne.

cabrilla [kaβriʎa] *f. 1* Chevrette (cabra pequeña). *2 pl.* ASTR. Pléiades. *3* Vagues qui moutonnent, moutons *m.* (olas). *4* Ricochets *m.* (juego).

cabrío, -ía [kaβrio, -ia] *adj. 1* Caprin, ine. ■ *2 m.* Troupeau de chèvres.

cabritilla [kaβritiʎa] *f.* Chevreau (piel).

cabrito [kaβrito] *m.* Chevreau, cabri.

cabrón [kaβrón] *m. 1* Bouc. *2* fam. Cocu (cornudo).

caca [káka] *f.* Caca *m.*

cacahué [kaka(y)wé], **cacahuete** [kaka(y)wéte] *m. 1* Cacahuète *f. 2 Aceite de —,* huile d'arachide.

cacao [kakáo] *m. 1* Cacaoyer, cacaotier (árbol). *2* Cacao.

cacarear [kakareár] *intr. 1* Caqueter. ■ *2 tr.* fig. Vanter, claironner.

cacería [kaθería] *f.* Partie de chasse.

cacerola [kaθeróla] *f.* Casserole (con mango). Casserole *f.* (con asas).

cacillo [kaθiʎo] *m.* Petite casserole *f.*

caciquismo [kaθikizmo] *m.* Influence *f.* d'un cacique, arbitraire.

caco [káko] *m.* fig. Filou, voleur.

cacto [kákto] *m.* Cactus.

cachalote [katʃalóte] *m.* Cachalot.

cacharro [katʃáṛo] *m. 1* Pot, vase (vasija). *2* Tesson (pedazo). *3* fam. Truc (chisme), clou (bicicleta, coche), guimbarde *f.* (coche), rafiot (barco).

cachear [katʃeár] *tr.* Fouiller (registrar).

cachete [katʃéte] *m. 1* Joue *f.* (carrillo). *2* Claque *f.* (bofetada), coup de poing (golpe).

cachifollar [katʃifoʎár] *tr. 1* fam. Humilier, confondre. *2* Gâcher (estropear).

cachiporra [katʃipóṛa] *f.* Massue, matraque.

cachivache [katʃiβátʃe] *m. 1* Vase, ustensile. *2* Machin, truc (chisme).

cacho [kátʃo] *m. 1* Petit morceau: *hacer cachos,* casser en morceaux. *2* Gardon (pez).

cachondearse [katʃondeárse] *pr. 1* pop. Se payer la tête, se ficher de (burlarse). *2* Rigoler, se marrer (reírse).

cachorro, -rra [katʃóṛo, -ṛa] *s.* Petit *m.* (de la chienne et de divers mammifères).

cada [káða] *adj. 1* Chaque. Loc. *— cual, — uno,* chacun. *2* Tous les, toutes les; *cada cuatro días,* tous les quatre jours; *— vez que,* toutes les fois que.

cadalso [kaðálso] *m.* Échafaud.

cadáver [kaðáβer] *m. 1* Cadavre. *2* Corps.

cadena [kaðéna] *f. 1* Chaîne. *2 Trabajo en —,* travail à la chaîne. *3* DER. Travaux *m. pl.* forcés: *— perpetua,* travaux forcés à perpétuité.

cadencia [kaðénθja] *f.* Cadence.

cadeneta [kaðenéta] *f. 1* Point *m.* de chaînette.

cadera [kaðéra] *f.* Hanche.

cadete [kaðéte] *m. 1* MIL. Cadet. *2* amer. Apprenti.

caducar [kaðukár] *intr. 1* Devenir gâteux, euse (por la edad). *2* Se périmer, être périmé, ée (un billete, etc.). *3* Expirer (un plazo). *4* S'éteindre (un derecho).

caduco, -ca [kaðúko, -ka] *adj.* Caduc, uque.

caer [kaér] *intr. 1* Tomber: *— de espaldas,* tomber sur le dos, à la renverse. *2* Échoir, gagner: *le cayó el premio,* il a gagné le prix. *3* Se trouver, être située, ée: *esto cae lejos de aquí,* cela se trouve loin d'ici. *4* Seoir, aller (sentar bien o mal): *este peinado te cae bien,* cette coiffure te va bien. *5* Loc. *¡Ya caigo!,* je comprends!, j'y suis!. ▲ CONJUG. IRRÉG. INDIC. Prés.: *caigo, caes, cae,* etc. Imparf.: *caía,* etc. Pas. simple: *caí, caíste, cayó, caímos, caísteis, cayeron.* Fut.: *caeré,* etc. COND.: *caería,* etc. SUBJ. Prés.: *caiga, caigas, caiga, caigamos, caigáis, caigan.* Imparf.: *cayera, cayeras, cayera, cayéramos, cayerais, cayeran,* ou *cayese, cayeses, cayese, cayése-*

mos, cayeseis, cayesen. Fut.: *cayere, cayeres, cayere, cayéremos, cayereis, cayeren.* IMPER. *cae, caiga, caigamos, caed, caigan.* PART. PAS.: *caído.* GER.: *cayendo.*

café [kafé] *m. 1* Café: — *con leche,* café au lait. *2* Caféier (cafeto).

cafeína [kafeína] *f.* Caféine.

cafetera [kafetéra] *f.* Cafetière.

cagar [kaγár] *intr. 1* pop. Chier. ■ *2 pr.* Chier. Loc. fig. pop. *Cagarse de miedo,* avoir la trouille.

caída [kaíða] *f. 1* Chute. *2* Partie tombante, rétombée (de una cortina, etc.). *3* fig. Bon mot *m.* (ocurrencia). *4* Tombée. *loc. adv. A la — de la tarde,* à la tombée de la nuit.

caído, -da [kaíðo, -ða] *1 p. p.* de **caer.** ■ *2 adj.* Déchu, ue: *ángel —,* ange déchu. *3* fig. Défaillant, ante, affaibli, ie. ■ *4 m. pl.* Morts: *monumento a los caídos,* monument aux morts.

caimán [kaĩmán] *m.* Caïman.

caja [káxa] *f. 1* Boîte (pequeña), caisse (grande). Loc. — *de cambios,* boîte de vitesses. *2* Caisse (dinero, establecimiento): — *de ahorros,* caisse d'épargne. *3* Boîtier *m.* (de reloj). *4* IMPR. Casse: — *alta,* haut de casse; — *baja,* bas de casse. *5* Cercueil *m.,* bière (ataúd). *6* Cage (de escalera) *7* Caisse (de un violín, etc.).

cajera [kaxéra] *f.* Caissière.

cajetilla [kaxetíʎa] *f.* Paquet *m.* de tabac, de cigarettes.

cajón [kaxón] *m. 1* Grande caisse *f. 2* Tiroir (de mueble). *3 Ser de —,* être normal, de règle.

cal [kal] *f.* Chaux: — *viva,* chaux vive; — *muerta,* chaux éteinte.

cala [kála] *f. 1* Cale (de un barco). *2* Crique (ensenada). *3* MED. Sorte de suppositoire *m. 4* CIR. Sonde.

calabacín [kalaβaθín] *m.* Courgette *f.*

calabaza [kalaβáθa] *f. 1* Citrouille, courge, potiron *m. 2* Calebasse (recipiente). Loc. — *vinatera,* gourde. *3* fig. *Dar calabazas,* recaler (en un examen), éconduire (a un pretendiente).

calabazada [kalaβaθáða] *f.* Coup donné avec la tête, à la tête.

calabozo [kalaβóθo] *m.* Cachot (cárcel).

calado, -da [kaláðo, -ða] *adj. 1* Percé, ée, ajouré, ée. ■ *2 m.* Ajour, broderie *f.,* découpage à jour. *3* MAR. Calaison *f.,* tirant d'eau. ■ *4* MAR. Profondeur *f.* (profundidad).

calafate [kalafáte] *m. 1* Calfat.

calamar [kalamár] *m.* Calmar, encornet.

calambre [kalámbre] *m.* MED. Crampe *f.*

calamidad [kalamiðáð] *f.* Calamité.

cálamo [kálamo] *m. 1* MÙS. Chalumeau. *2* Calame (caña). *3* poét. Plume *f.* (para escribir).

calandria [kalándrja] *f.* Calandre (máquina, pájaro).

calaña [kaláɲa] *f.* Caractère *m.,* espèce, acabit *m.: dos individuos de la misma —,* deux individus du même acabit.

calar [kalár] *tr. 1* Imbiber, pénétrer (tratándose de un líquido). *2* Percer, transpercer (atravesar). *3* Ajourer (telas, papel, etc.). *4* Mouiller (las redes). *5* Caler (las velas). *6* fig. Deviner, pénétrer (las intenciones, etc.). ■ *7 intr.* Caler (un barco).

calavera [kalaβéra] *f. 1* Tête de mort. ■ *2 m.* fig. Écervelé. *3* Noceur (juerguista).

calcáneo [kalkáneo] *m.* Calcanéum.

calcar [kalkár] *tr. 1* Calquer, décalquer. *2* Presser du pied.

calcáreo, -ea [kalkáreo, -ea] *adj.* Calcaire.

calce [kálθe] *m. 1* Bandage (de una rueda). *2* Coin (cuña). *3* Cale *f.*

calceta [kalθéta] *f.* Bas *m.* Loc. *Hacer —,* tricoter.

calcetín [kalθetín] *m.* Chaussette *f.*

calcinar [kalθinár] *tr.* Calciner.

calcio [kálθjo] *m.* Calcium.

calco [kálko] *m. 1* Calque.

calcomanía [kalkomanía] *f.* Décalcomanie.

calcular [kalkulár] *tr. 1* Calculer. *2* fig. Calculer, estimer, penser.

cálculo [kálkulo] *m.* Calcul.

caldear [kaldeár] *tr. 1* Chauffer.

caldeo, -ea [kaldéo, -éa] *adj.-s. 1* Chaldéen, enne. ■ *2 m.* Chauffage.

caldera [kaldéra] *f.* Chaudière. Loc. — *de jabón,* fabrique de savon.

calderada [kalderáða] *f.* Chaudière, chaudronnée.

calderilla [kalderíʎa] *f.* Menue monnaie, petite monnaie.

caldero [kaldéro] *m.* Chaudron.

calderón [kalderón] *m. 1* Grand chaudron. *2* MÚS. Point d'orgue. *3* IMPR. Pied de mouche.

caldo [káldo] *m. 1* Bouillon. Loc. fig. *Hacer a uno el — gordo,* faire le jeu de quelqu'un. ■ *2 pl.* Liquides alimentaires (vino, aceite, etc.).

caldoso, -sa [kaldóso, -sa] *adj.* Qui a beaucoup de jus.

calefacción [kalefaγθjón] *f.* Chauffage *m.; la — central,* le chauffage central.

calendario [kalendárjo] *m.* Calendrier.

caléndula [kaléndula] *f.* Souci *m.*

calentador, -ra [kalentaðór. -ra] *adj. 1*
Chauffant. ante. ■ *2 m.* Bassinoire *f.* (de
la cama). *3* Chauffe-bain *invar.* (de
baño).

calentar [kalentár] *tr. 1* Chauffer, faire
chauffer. *2* fam. Battre. rosser. ■ *3 pr.*
Se chauffer. *4* fig. S'échauffer (excitarse, animarse). ▲ CONJUG. comme
acertar.

calentura [kalentúra] *f.* Fièvre: *tener —,*
avoir de la fièvre.

calesa [kalèsa] *f.* Calèche.

calibre [kaliβre] *m. 1* Calibre (diámetro).
2 fig. Importance *f.*

calidad [kaliðàð] *f. 1* Qualité. *2* Nature,
caractère *m.*

cálido, -da [káliðo, -ða] *adj. 1* Chaud,
chaude: *clima —,* climat chaud. *2* fig.
Chaleureux.

calidoscopio [kaliðoskópjo] *m.* Kaléidoscope.

caliente [kaljènte] *adj.* Chaud, chaude:
mantener —, tenir au chaud.

califa [kalifa] *m.* Calife.

calificación [kalifika0jón] *f. 1* Qualifica-
tion. *2* Mention (en un examen).

calificado, -da [kalifikàðo, -ða] *adj.* Qualifié, ée.

calificar [kalifikár] *tr. 1* Qualifier. *2* Attribuer des mentions (en un examen, etc.).

calificativo, -va [kalifikatiβo, -βa] *adj.-m.*
Qualificatif, ive.

caligrafía [kaligrafía] *f.* Calligraphie.

cáliz [káli0] *m.* Calice.

caliza [kali0a] *f.* Calcaire *m.* (roca).

calma [kálma] *f. 1* Calme *m.*: *— chicha,*
calme plat; *mar en —,* mer calme. *2* Ac-
calmie (en los dolores, negocios, etc.). *3*
fig. Calme *m.*, sérénité.

calmar [kalmár] *tr. 1* Calmer. ■ *2 intr.-pr.*
Se calmer, s'apaiser.

calmoso, -sa [kalmóso, -sa], **calmudo, -da**
[kalmùðo, -ða] *adj.* Flegmatique, indolent, ente.

caló [kaló] *m.* Argot des gitans.

calofrío [kalofrio] *m.* Frisson.

calor [kalór] *m. 1* Chaleur *f.* Loc. fig. *Dar
—,* animer, encourager. *2* Chaud: *hacer
—,* faire chaud; *tener —,* avoir chaud.

caloría [kaloria] *f.* Caloric.

calumnia [kalùmnja] *f.* Calomnie.

calumniar [kalumnjár] *tr.* Calomnier.

caluroso, -sa [kaluróso, -sa] *adj. 1* Chaud,
chaude (tiempo). *2* fig. Chaleureux,
euse.

calva [kálβa] *f. 1* Partie dégarnie de cheveux (en la cabeza). *2* Partie d'un terrain dépourvue de végétation.

calvicie [kalβi0je] *f.* Calvitic.

calvo, -va [kálβo, -βa] *adj. 1* Chauve (cabeza). *2* Rapé, ée (tejido).

calzada [kal0àða] *f. 1* Route pavée. *2*
Chaussée (de una calle).

calzado, -da [kal0àðo, -ða] *adj. 1* Chaussé,
ée. *2* Pattu, ue (pájaro). *3* Balzan (caballo). ■ *4 m.* Chaussure *f.*

calzador [kal0aðór] *m.* Chausse-pied.

calzar [kal0ár] *tr. 1* Chausser (zapatos). *2*
Porter (llevar puesto). *3* Caler (poner
calces).

calzón [kal0ón] *m.* Culotte *f.* Loc. fig. *Ponerse, llevar los calzones,* porter la culotte.

calzoncillos [kal0on0iλos] *m. pl.* Caleçon
sing.

callado, -da [kaλàðo, -ða] *adj.* Silencieux,
euse, réservé, ée, discret, ète.

callar [kaλár] *intr.-pr. 1* Se taire: *Quien
calla otorga,* qui ne dit mot consent: *hacer —,* faire taire. *2* interj. ¡*Calla!*, va
donc!

calle [káλe] *f. 1* Rue. Loc. fig. *echar, poner
en la —,* mettre à la porte.

callejero, -ra [kaλexéro, -ra] *adj. 1* De la
rue: *escena callejera,* scène de la rue.

callejuela [kaλexwèla] *f.* Ruelle.

callo [kàλo] *m. 1* Durillon (en las manos,
en los pies), cor (en los pies). *2* CIR. Cal.
■ *3 pl.* coc. Tripes *f.* gras-double sing.

cama [káma] *f. 1* Lit *m.* Loc. *Caer en —,*
tomber malade. *2* Gîte *m.*, repaire *m.*
(de animales). *3* Litière (en un establo).
4 coc. Couche.

camada [kamàða] *f. 1* Portée (de una hembra). *2* fig. Bande (de ladrones).

camafeo [kamafèo] *m.* Camée.

camaleón [kamaleón] *m.* Caméléon.

cámara [kàmara] *f. 1* Salle (de una casa). *2*
Chambre du roi. *3* Chambre (asamblea,
cuerpo): *las cámaras,* les chambres, le
corps législatif. *4* Chambre (cavidad):
— obscura, chambre noire, obscure; *5*
Caméra (cinematográfica), appareil *m.*
(fotográfica).

camarada [kamaràða] *s.* Camarade.

camarero [kamaréro] *m. 1* Garçon (de
café, de restaurante). *2* Valet de chambre (en un hotel). *3* Camérier (del
Papa).

camarilla [kamaríλa] *f.* Coterie influente.

camarín [kamarin] *m. 1* Cabinet, boudoir.
2 TEAT. Loge *f.* (de actores). *3* Petite
chapelle *f.* derrière un autel.

camarón [kamarón] *m.* Crevette *f.* grise,
salicoque *f.*

camarote [kamaróte] *m.* MAR. Cabine *f.*

camastro [kamástro] *m. 1* Grabat. *2* Lit de
camp (en los campos de guardia).

cambalache [kambalátʃe] *m.* fam. Troc.

cambiar [kambjár] *tr.-intr. 1* Changer. ■ *2 tr.* Échanger (trocar): *¿me puede — esta camisa blanca por otra azul?*, pouvez-vous m'échanger cette chemise blanche contre une autre bleue? ▲ CONJUG. L'accent tonique porte sur le a du radical dans les formes suivantes: INDIC. Prés.: *cambio, cambias, cambia, cambian.* SUBJ. Prés.: *cambie, cambies, cambie, cambien.* IMPÉR.: *cambia, cambie, cambien.*

cambio [kámbjo] *m. 1* Change: *letra de —*, lettre de change. *2* Échange: *— de impresiones*, échange de vues. *3* Changement (modificación). *4 loc. adv. A las primeras de —*, de but en blanc; *en —*, en revanche, par contre (al contrario), en échange (reciprocidad).

cambista [kambísta] *m.* Changeur.

camelia [kamélja] *f.* Camélia *m.*

camelo [kamélo] *m. 1* fam. Baratin, histoires. *2* Fumisterie *f.* (engaño). *3 Hablar en —*, *soltar camelos*, raconter des blagues.

camellero [kameʎéro] *m.* Chamelier.

camello [kaméʎo] *m.* Chameau.

camilla [kamíʎa] *f. 1* Lit *m.* de repos. *2* Brancard *m.* (para enfermos). *3* Table sous laquelle on met un brasero, tandour *m.*

camillero [kamiʎéro] *m.* Brancardier.

caminar [kaminár] *intr. 1* Marcher, cheminer (andar), voyager (viajar). Loc. fig. *— derecho*, marcher droit. ■ *2 tr.* Parcourir en marchant (una distancia).

camino [kamíno] *m. 1* Chemin: *— de hierro*, chemin de fer.

camión [kamjón] *m.* Camion.

camisa [kamísa] *f. 1* Chemise. Loc. fig. *Meterse en — de once varas*, se mêler des affaires d'autrui. *2* Manchon *m.* (de mechero de gas). *3 — de fuerza*, camisole de force.

camiseta [kamiséta] *f.* Gilet *m.* de corps, maillot *m.* de corps, tricot *m.* de corps (ropa interior).

camisón [kamisón] *m.* Chemise *f.* de nuit.

camomila [kamomíla] *f.* Camomille.

campal [kampál] *adj. Batalla —*, bataille rangée.

campamento [kampaménto] *m.* Campement.

campana [kampána] *f. 1* Cloche. Loc. *— de buzo*, cloche à plongeur; *echar las campanas al vuelo*, sonner à toute volée. *2* Hotte, manteau *m.* (de chimenea).

campanario [kampanárjo] *m.* Clocher.

campanilla [kampaníʎa] *f. 1* Sonnette

(para llamar a la puerta), clochette (campana pequeña). Loc. *De campanillas*, important, ante.

campante [kampánte] *adj.* Content, ente, satisfait, aite.

campaña [kampáɲa] *f. 1* Campagne. *2* Campagne (militar, electoral, etc.).

campar [kampár] *intr. 1* Camper (acampar). *2* fig. *— por sus respetos*, agir à sa guise.

campear [kampeár] *intr. 1* Aller paître aux champs. *2* Verdoyer (verdear). *3* MIL. Être en campagne. *4* Apparaître (aparecer).

campechano, -na [kampetʃáno, -na] *adj.* Franc, franche, gai, gaie, ouvert, erte, bon enfant *invar.*

campeón, -na [kampeón, -na] *s.* Champion.

campeonato [kampeonáto] *m.* Championnat.

campesino, -na [kampesíno, -na] *adj.* Paysan, anne, campagnard, arde.

campo [kámpo] *m. 1* Champ. *loc. adv. A — raso*, à la belle étoile, à découvert: *a — traviesa*, à travers champs. *2* Campagne *f.* (extensión de terreno llano fuera de poblado). *3* MIL. Camp: *levantar el —*, lever le camp.

can [kan] *m. 1* Chien. *2* ARQ. Corbeau, modillon.

cana [kána] *f. 1* Cheveu *m.* blanc. Loc. fig. *Echar una — al aire*, s'amuser, se divertir.

canadiense [kanaðjénse] *adj.-s.* Canadien, ienne.

canal [kanál] *m. 1* Canal. *2* Chenal (de un puerto). *3* ARQ. Gouttière *f.* (conducto), noue *f.* *4 Abrir en —*, ouvrir de haut en bas (un animal).

canalizar [kanaliθár] *tr.* Canaliser.

canalla [kanáʎa] *f. 1* Canaille (gente baja). ■ *2 m.* Canaille *f.*, fripouille *f.* (hombre).

canapé [kanapé] *m.* Canapé.

canario, -ia [kanárjo, -ja] *adj.-s. 1* Canarien, ienne. ■ *2 m.* Canari, serin (pájaro).

canasta [kanásta] *f.* Panier *m.* (cesta), manne, corbeille (con dos asas).

canastilla [kanastíʎa] *f. 1* Corbeille. *2* Layette, trousseau *m.* (ropa para recién nacido).

canasto [kanásto] *m. 1* Panier haut et étroit. *2 interj. ¡Canastos!*, sapristi!

cancelar [kanθelár] *tr.* Annuler (un contrato, etc.).

canceroso, -sa [kanθeróso, -sa] *adj.* Cancéreux, euse.

canciller [kanθiʎér] *m*. Chancelier.

canción [kanθjón] *f*. *1* Chanson.

cancionista [kanθjonista] *s*. Chansonnier, ère, compositeur, trice de chansons.

cancha [kántʃa] *f*. *1* Terrain *m*. destiné aux jeux de balle, aux combats de coqs, etc. *2* amer. Terrain *m*. (de fútbol, etc.).

candado [kandáðo] *m*. Cadenas.

candeal [kandeál] *adj*. **Trigo —**, froment; *pan —*, pain de froment.

candela [kandéla] *f*. *1* Chandelle. *2* Feu *m*. (fuego).

candelabro [kandeláβro] *m*. Candélabre.

candente [kandénte] *adj*. *1* Incandescent, ente.

candidatura [kandiðatúra] *f*. *1* Candidature. *2* Liste de candidats. *3* Bulletin *m*. de vote (papeleta).

cándido, -da [kándiðo, -ða] *adj*. Candide, naïf, naive.

candil [kandil] *m*. *1* Petite lampe *f*. à huile. *2* Corne *f*. (de sombrero). *3* Andouiller (de una cuerna).

candileja [kandiléxa] *f*. *1* Petite lampe. ■ *2 pl*. TEAT. Rampe *sing*.

candor [kandór] *m*. Candeur *f*.

canela [kanéla] *f*. *1* Cannelle. *2* fig. Chose exquise, délice *m*.

canelón [kanelón] *m*. *1* Gouttière *f*. (canalón). *2* Glaçon (carámbano). *3* Torsade *f*. (pasamanería).

canesú [kanesú] *m*. *1* Canezou. *2* Empiècement (de un vestido).

cangrejo [kaŋgréxo] *m*. *1* Crabe, écrevisse *f*.: — *de mar*, crabe; — *de río*, écrevisse. *2* MAR. Corne *f*.

canguro [kaŋgúro] *m*. Kangourou.

canibalismo [kaniβalizmo] *m*. Cannibalisme.

canica [kanika] *f*. Bille.

canícula [kanikula] *f*. Canicule.

canilla [kaniʎa] *f*. *1* Cannelle, cannette (grifo). *2* Canette, cannette (en las máquinas de tejer). *3* Os *m*. long de la jambe ou du bras (hueso).

canino, -na [kanino, -na] *adj*. *1* Canin, ine. ■ *2 m*. Canine *f*. (diente).

canje [káŋxe] *m*. Échange (de prisioneros, notas diplomáticas, etc.).

cano, -na [káno, -na] *adj*. *1* Blanc, blanche (pelo, etc.). *2* Chenu, ue, qui a les cheveux blancs (persona).

canoa [kanóa] *f*. *1* Canoë *m*. (piragua). canot *m*. (de remo o con motor).

canon [kánon] *m*. *1* REL., LIT., MÚS., B. ART. Canon. ■ *2 pl*. Droit *sing*. canon.

canónico, -ca [kanóniko, -ka] *adj*. *1* Canonique. *2* Canon (derecho). *3* **Horas canónicas**, heures canoniales.

canonizar [kanoniθár] *tr*. Canoniser.

canoso, -sa [kanóso, -sa] *adj*. Chenu, ue, grisonnant, ante.

cansado, -da [kansáðo, -ða] *adj*. *1* Fatigué, ée, las, lasse. *2* Fatigant, ante (que cansa), ennuyeux, euse (que fastidia).

cansancio [kansánθjo] *m*. Fatigue *f*.

cansar [kansár] *tr*. *1* Fatiguer, lasser.

cantábrico, -ca [kantáβriko, -ka] *adj*. Cantabrique.

cantante [kantánte] *s*. Chanteur, euse.

cantar [kantár] *intr*.-*tr*. *1* Chanter. ■ *2 intr*. fig. fam. Avouer, chanter (confesar).

cantar [kantár] *m*. *1* Court poème populaire pouvant être chanté, chanson *f*. *2* — *de gesta*, chanson de geste. *3* **El Cantar de los cantares**, le Cantique des cantiques.

cántaro [kántaro] *m*. Cruche *f*. Loc. fig. fam. **Alma de —**, niais, cruche; **llueve a cántaros**, il pleut à verse.

cantata [kantáta] *f*. Cantate.

cante [kánte] *m*. Chant populaire andalou.

cantera [kantéra] *f*. *1* Carrière (de piedra). *2* fig. Pépinière.

cantidad [kantiðáð] *f*. *1* Quantité. *2* Somme (de dinero): **recibí la — de cien pesetas**, j'ai reçu la somme de cent pesetas.

cantimplora [kantimplóra] *f*. *1* Gourde, bidon *m*. (recipiente). *2* Siphon *m*.

cantina [kantina] *f*. *1* Cantine. *2* Buvette (en una estación).

canto [kánto] *m*. *1* MÚS., LIT. Chant: **—gregoriano, llano**, chant grégorien, plainchant. *2* Coin, angle. *3* Pierre *f*., gros caillou: **— rodado**, galet. *4* Tranche *f*. (de una moneda, de un libro). *5* Dos (de un cuchillo). *6* Épaisseur *f*. *7* loc. adv. **De —**, de chant.

cantón [kantón] *m*. *1* Canton (división administrativa). *2* Coin (esquina). *3* MIL. Cantonnement.

cantor, -ra [kantór, -ra] *adj*.-*s*. Chanteur, euse.

canturrear [kantuřeár] *intr*. fam. Chantonner, fredonner.

cánula [kánula] *f*. Canule.

canutero [kanutéro] *m*. Aiguiller.

caña [káɲa] *f*. *1* Chaume *m*., tige (tallo). *2* Roseau *m*., canne. Loc. **— de azúcar**, canne à sucre; **— de Indias**, rotang, rotin; **— de pescar**, canne à pêche. *3* Tige (de la bota). *4* Barre (del timón). *5* Verre *m*. (vaso). *6* Fût *m*. (de fusil, de columna). ■ *7 pl*. sort. Sorte de joute *sing*.

cañada [kaɲáða] *f*. *1* Vallon *m*. *2* Chemin *m*. pour les troupeaux, draille.

cáñamo [káɲamo] *m*. Chanvre *m*.

cañería [kaɲeria] f. Conduite (de agua, de gas).

cañón [kaɲón] m. *1* Cañon (de un arma de fuego). *2* ARTILL. Canon. *3* Tuyau: — *de chimenea, del órgano,* tuyau de cheminée, d'orgue.

cañonazo [kaɲonáθo] m. Coup de canon.

cañonero, -ra [kaɲonéro, -ra] adj. *1* Canonnier: *lancha cañonera,* chaloupe canonnière. ■ *2* MAR. Canonnière f.

cañutillo [kaɲutíʎo] m. *1* Petit tube. *2* Cannetille f. (para bordar).

caoba [kaóβa] f. Acajou m.

caos [káos] m. Chaos.

capa [kápa] f. *1* Cape (prenda). loc. adv. *So — de,* sous couleur de, sous prétexte de; *so —,* sous cape. *2* — *pluvial,* chape d'église. *3* Robe (de un animal). *4* Couche (de pintura, de aire, de rocas, etc.). *5* MAR. *Estar a la —,* être à la cape.

capacidad [kapaθiðáð] f. Capacité.

capacitar [kapaθitár] tr. *1* Rendre apte, rendre capable. *2* Autoriser, habiliter (habilitar). *3* Former.

capar [kapár] tr. Castrer, châtrer.

caparazón [kaparaθón] m. *1* Caparaçon. *2* Carapace f. (de insecto, crustáceo). *3* Carcasse f. (de ave).

capataz [kapatáθ] m. Contremaître.

capaz [kapáθ] adj. Capable (persona).

capazo [kapáθo] m. Grand cabas.

capcioso, -sa [kaβθjóso, -sa] adj. Captieux, euse.

capear [kapeár] tr. *1* TAUROM. Tromper (le taureau) avec la cape. *2* fig. Tromper par des subterfuges. ■ *3* tr.-intr. MAR. Se mettre à la cape, éviter la tempête.

capellán [kapeʎán] m. Chapelain, aumônier.

caperucita [kaperuθíta] f. *1* Petit chaperon m. *2* — *Roja,* le Petit Chaperon rouge.

capilar [kapilár] adj. Capillaire.

capilla [kapíʎa] f. *1* Chapelle. Loc. *Estar en —,* se dit d'un condamné à mort qui attend dans une chapelle le moment de son exécution. *2* Capuchon m., capuce (capucha). *3* Chapelle (músicos).

capillo [kapíʎo] m. *1* Têtière (de niño de pecho). *2* Chrémeau (de cristianar).

capirote [kapiróte] m. *1* Hennin (de mujer). *2* Chaperon (capucho). *3* Chaperon (cetrería).

capital [kapitál] adj. *1* Capital, ale. ■ *2 m.* Capital: *invertir capitales,* investir des capitaux. ■ *3* f. Capitale (de un estado), chef-lieu m. (de provincia).

capitalismo [kapitalizmo] m. Capitalisme.

capitalizar [kapitaliθár] tr. Capitaliser.

capitán [kapitán] m. Capitaine.

capitanear [kapitaneár] tr. Commander, conduire.

capitanía [kapitania] f. *1* Charge de capitaine. *2* — *general,* commandement d'une région militaire.

capitel [kapitél] m. ARQ. Chapiteau: *capiteles románicos,* chapiteaux romans.

capitulación [kapitulaθjón] f. *1* Capitulation. ■ *2* pl. Contrat m. sing. de mariage.

capitular [kapitulár] intr. *1* Capituler.

capítulo [kapitulo] m. *1* Chapitre. Loc. — *de culpas,* accusation faite à un fonctionnaire: *llamar, traer a —,* chapitrer.

capón [kapón] m. *1* Castrat. *2* Chapon (pollo).

capona [kapóna] f. MIL. Contre-épaulette.

capote [kapóte] m. *1* Capote f., manteau. loc. adv. fam. *Para mi —,* dans mon for intérieur, à mon avis. *2* TAUROM. Cape f. *3* Capot (en el juego): *dar —,* faire capot.

capricho [kapritʃo] m. Caprice.

caprichoso, -sa [kapritʃóso, -sa] adj. *1* Capricieux, euse. *2* Qui est fait par caprice.

caprino, -na [kaprino, -na] adj. Caprin, ine.

cápsula [káβsula] f. Capsule.

captación [kaβtaθjón] f. *1* DER. Captation. *2* Captage m. (de aguas, ondas).

capturar [kaβturár] tr. Capturer.

capucha [kapútʃa] f. Capuche, capuchon m.

capuchino, -na [kaputʃíno, -na] adj.-s. *1* Capucin, ine (religioso). ■ *2* f. Capucine (planta).

capullo [kapúʎo] m. *1* Cocon (de gusano de seda). *2* Bouton (de flor).

cara [kára] f. *1* Visage m., figure, face. Loc. — *de Pascuas,* visage réjoui; *dar la —,* agir ouvertement, se déclarer responsable. loc. adv. *A — descubierta,* à visage découvert; — *a —,* face à face; *de —,* en face; *mirar las cosas de —,* regarder les choses en face. *2* Mine, air m.: *poner mala —,* faire grise mine. *3* Façade (parte anterior). *4* GEOM., FORT. Face. *5* Face: —*o cruz,* pile ou face. *6* adv. Vers, face à: — *al sol,* face au soleil.

carabela [karaβéla] f. Caravelle.

carabinero [karaβinéro] m. *1* Douanier. *2* Carabinier.

caracol [karakól] m. *1* Escargot, limaçon, colimaçon. *2* Limaçon (del oído). *3* EQUIT. Caracole f. *4* interj. ¡*Caracoles!,* sapristi!

carácter [karáyter] m. *1* Caractère: *buen, mal —* bon, mauvais caractère.

característico, -ca [karaɣteristiko, -ka] *adj.-f. 1* Caractéristique. ■ *2 f.* Actrice qui joue les rôles de femme âgée, duègne.

caracterizar [karaɣteriθár] *tr.* Caractériser.

¡caramba! [karámba] *interj.* Sapristi!, diable! (extrañeza), zut!, flûte! (disgusto).

carambola [karambóla] *f. 1* Carambolage *m. 2 loc. adv.* fig. *Por —*, indirectement, par ricochet.

caramelo [karamélo] *m. 1* Bonbon (golosina): *— relleno, ácido,* bonbon fourré, acidulé. *2* Caramel (azúcar fundido).

carátula [karátula] *f.* Masque *m.* (careta).

caravana [karaβána] *f. 1* Caravane (de nómadas, etc.). *2* File: *una — de coches,* une file de voitures.

carbón [karβón] *m. 1* Charbon: *— vegetal,* charbon végétal; *— de piedra,* charbon de terre. ■ *2 adj.* *Papel —,* papier carbone.

carbonado [karβonáðo] *m.* Diamant noir.

carbonato [karβonáto] *m.* QUÍM. Carbonate.

carboncillo [karβonθíʎo] *m.* Fusain: *dibujo al —,* dessin au fusain.

carbonera [karβonéra] *f. 1* Meule *f.* à faire du charbon. *2* Charbonnière *f.* (donde se guarda carbón).

carbonero, -ra [karβonéro, -ra] *adj.-m.* Charbonnier, ière.

carbonilla [karβoníʎa] *f. 1* Poussier *m.* (polvo). *2* Escarbille (de una locomotora, etc.).

carbonizar [karβoniθár] *tr.* Carboniser.

carbono [karβóno] *m.* QUÍM. Carbone.

carburador [karβuraðór] *m.* Carburateur.

carburante [karβuránte] *adj.-m.* Carburant.

carcajada [karkaxáða] *f.* Éclat *m.* de rire: *reír a carcajadas,* rire aux éclats.

carcamal [karkamál] *m.* fam. Vieux gâteux, vieux croulant.

cárcel [kárθel] *f. 1* Prison, geôle: *meter en la —,* mettre en prison. *2* CARP. Sergent *m.,* serre-joint *m.*

carcelero, -ra [karθeléro, -ra] *s.* Geôlier, ière.

carcoma [karkóma] *f. 1* Vrillette, artison *m.* (insecto). *2* Vermoulure (polvo). *3* fig. Ver *m.* rongeur.

carda [kárða] *f. 1* Cardage *m.* (acción). *2* Carde (instrumento). *3* fig. Savon *m.,* réprimande.

cardador, -ra [karðaðór, -ra] *s. 1* Cardeur, euse. ■ *2 m.* Iule.

cardenal [karðenál] *m. 1* Cardinal. *2* Bleu (equimosis).

cardenalicio, -ia [karðenaliθjo, -ja] *adj.* Cardinalice.

cardíaco, -ca [karðiako, -ka] *adj.-s.* MED. Cardiaque.

cardinal [karðinál] *adj.* Cardinal, ale: *puntos cardinales,* points cardinaux.

carecer [kareθér] *intr.* Manquer (*de,* de).

carencia [karénθja] *f. 1* Manque *m.,* absence. *2* MED. Carence.

careo [karéo] *m.* Confrontation *f.*

carestía [karestía] *f. 1* Disette (escasez). *2* Cherté (precio subido).

careta [karéta] *f.* Masque *m.* (de cartón, de colmenero, de esgrima): *— antigás,* masque à gaz.

carga [kárɣa] *f. 1* Chargement *m.* (acción). *2* Chargement *m.,* charge (cosa transportada). Loc. *Bestia de —,* bête de somme. *3* fig. Charge (obligación, imposición, hipoteca, etc.). *4* Charge (eléctrica, de un arma de fuego, de una mina, etc.). *5* MIL. Charge (embestida). Loc. fig. *Volver a la —,* revenir à la charge.

cargado, -da [karɣáðo, -ða] *adj. 1* Chargé, ée, lourd, lourde (el tiempo). *2* Fort, forte, saturé, ée (un líquido): *café muy —,* café très fort. *3 — de espaldas,* qui a le dos voûté.

cargador [karɣaðór] *m.* Chargeur.

cargar [karɣár] *tr. 1* Charger: *— un buque,* charger un bateau. *2* fig. Aggraver, alourdir. *3* fig. Attribuer, imputer. *4* fam. Ennuyer, assommer, empoisonner (molestar). *5* COM. Débiter, porter au débit. *6* MAR. Carguer (velas). ■ *7 intr.* Tomber, porter (hablando del acento). *8 — con,* prendre sur soi, assumer.

cargazón [karɣaθón] *f. 1* MAR. Chargement *m.,* cargaison. *2* Pesanteur (de cabeza), lourdeur (de estómago). *3* Amoncellement *m.* de nuages (de nubes).

cargo [kárɣo] *m. 1* Chargement (acción). *2* Charge *f.,* poids. *3* fig. Obligation *f.,* charge *f.* Loc. *— de conciencia,* cas de conscience. *4 loc. prép. A — de,* à la charge de. *5* COM. Doit, débit (de una cuenta). *6* Reproche, accusation *f.: hacer cargos,* faire des reproches. *7* DER. Charge *f.,* accusation *f.: testigo de —,* témoin à charge.

cariar [karjár] *tr. 1* Carier. ■ *2 pr.* Se carier.

caribe [karíβe] *adj.-s.* Caraïbe.

caricatura [karikatúra] *f.* Caricature.

caricaturizar [karikaturiθár] *tr.* Caricaturer.

caricia [karíθja] *f.* Caresse.

caridad [kariðàð] *f. 1* Charité: *¡Por —!*, de grâce!, par charité! *2* Aumône, charité (limosna).

caries [kárjes] *f. invar.* Carie.

carilla [kariʎa] *f. 1* Page (d'un papier à lettres). *2* Face, côté *m.*

cariño [kariɲo] *m. 1* Affection *f.*, tendresse *f.: tener — a*, avoir de l'affection pour (una persona), être attaché, ée à (cosa).

cariñoso, -sa [kariɲóso, -sa] *adj.* Affectueux, euse, tendre.

carísimo, -ma [karisimo, -ma] *adj.* Très cher, chère.

caritativo, -va [karitatiβo, -βa] *adj.* Charitable.

cariz [kariθ] *m. 1* Aspect (de la atmósfera).

carlista [karlista] *adj.-s.* Carliste.

carmelita [karmelita] *adj. 1* De l'ordre du Mont-Carmel. ■ *2 m.* Carme. ■ *3 f.* Carmélite.

carmesí [karmesi] *adj.-m.* Cramoisi, ie.

carmín [karmin] *m. 1* Carmin. *2 — de labios*, rouge à lèvres.

carnada [karnàða] *f. 1* Appât *m.* de viande. *2* fig. Leurre *m.*

carnal [karnàl] *adj. 1* Charnel, elle. *2 Primo —*, cousin germain. *3 Tío, sobrino —*, oncle, neveu au premier degré.

carnaval [karnaβàl] *m.* Carnaval.

carne [kárne] *f. 1* Chair. Loc. *— viva*, chair vive; *— de gallina*, chair de poule; *en — viva*, à vif. *2* Viande (alimento): *— de vaca*, viande de bœuf. *3 — de membrillo*, pâte de coings.

carné [karné] *m.* Carnet (librillo). *2* Carte *f.: — de identidad*, carte d'identité.

carnero [karnèro] *1.* Mouton Loc. fig. *No hay tales carneros*, c'est faux. *2* Charnier, ossuaire.

carnicería [karniθeria] *f. 1* Boucherie. *2* Carnage m. (degollina).

carnicero, -ra [karniθéro, -ra] *s. 1* Boucher, ère. ■ *2 adj.-s.* Carnassier, ière.

carnoso, -sa [karnóso, -sa] *adj.* Charnu, ue.

caro, -ra [káro, -ra] *adj.* Cher, chère: *el visón es —*, le vison est cher.

carolingio, -ia [karoliɲxjo, -ja] *adj.* Carolingien, ienne.

carpa [kárpa] *f. 1* Carpe (pez). *2* amer. Tente.

carpeta [karpèta] *f. 1* Tapis *m.* de table. *2* Sous-main *m. invar.* (para escribir). *3* Carton *m.* (cartera grande). *4* Chemise (para guardar papeles).

carpintería [karpinteria] *f. 1* Charpenterie (de carpintero de armar). *2* Menuiserie.

carpintero [karpintéro] *m.* Charpentier, menuisier.

carrasca [kařáska] *f., carrasco* [kařásko] *m.* Petit chêne vert *m.*, yeuse *f.*

carraspera [kařaspéra] *f.* Enrouement *m.*

carrera [kařéra] *f. 1* Course (paso rápido, competición). *loc. adv. A — abierta, a — tendida*, à bride abattue. *3* Études *pl.: hace la — de arquitecto*, il fait ses études d'architecte. *4* fig. Voie, chemin *m.*, vie. *5* Cours *m.*, rue (calle). *6* Échelle (en las medias).

carrero [kařéro] *m.* Charretier.

carreta [kařéta] *f.* Charrette.

carrete [kařéte] *m. 1* Bobine *f.* *2.* Moulinet (de una caña de pescar). *3* FOT. Rouleau.

carretear [kařeteár] *tr.* Charrier, charroyer.

carretera [kařetéra] *f. 1* Route. *2 Red de carreteras*, réseau routier.

carretero [kařetéro] *adj. 1* Carrossable (camino). ■ *2 m.* Charretier (que conduce). *3* Charron (constructor).

carretilla [kařetiʎa] *f. 1* Brouette. *2* Chariot *m.: — elevadora*, chariot élévateur; diable *m.*

carril [kařil] *m. 1* Ornière *f.* *2* Rail (de vía férrea). *3* Voie *f.* (de carretera).

carro [kářo] *m. 1* Chariot, charrette *f.* Loc. *— fuerte*, binard, camion; fig. *untar el —*, graisser la patte. *2* Char (de combate). *3* Charretée *f.* (contenido). *4* Chariot (de una máquina) *f.* ■ *5 n. pr.* ASTR. *Carro Mayor*, Grande Ourse.

carrocería [kařoθeria] *f.* Carrosserie.

carroña [kařóɲa] *f.* Charogne.

carroza [kařóθa] *f. 1* Carrosse. *2* Char *m.* (de carnaval). *3 — fúnebre*, corbillard *m.*

carta [kárta] *f. 1* Lettre. Loc. *Cartas credenciales*, lettres de créance; *— de crédito*. *3* Charte (ley constitucional o fundamental). *4* Carte (naipe). Loc. fig. *Tomar cartas en un asunto*, intervenir dans une affaire. *5* Carte (mapa): *— de marear*, carte marine.

cartel [kartél] *m. 1* Affiche *f.* (anuncio): *grandes carteles publicitarios*, de grandes affiches publicitaires.

cartelera [kartelèra] *f. 1* Porte-affiches *m. invar.*

cartera [kartéra] *f. 1* Portefeuille *m.* (de bolsillo). *2* Cartable *m.* (de colegial), serviette (para llevar libros, documentos, etc.). *3* Carton *m.* (para dibujos). *4* Patte (de un bolsillo).

carterista [karterista] *m.* Voleur à la tire, pickpocket.

cartero [kartéro] *m*. Facteur.

cartílago [kartílayo] *m*. Cartilage.

cartilla [kartíʎa] *f*. *1* Abécédaire *m*. (libro). Loc. fig. *Cantarle a uno la —*, réprimander quelqu'un. *2* Livret *m*.: *—militar, de ahorros*, livret militaire; de caisse d'épargne.

cartografía [kartoɣrafía] *f*. Cartographie.

cartón [kartón] *m*. Carton.

cartuchera [kartutʃéra] *f*. Cartouchière, giberne.

cartucho [kartútʃo] *m*. *1* Cartouche *f*. (de arma). *2* Cornet (cucurucho). *3* Rouleau (de monedas).

cartuja [kartúxa] *f*. Chartreuse.

cartulina [kartulína] *f*. Bristol *m*.

casa [kása] *f*. *1* Maison. Loc. *— de campo*, maison de campagne; *— de comidas*, gargote; *— de empeños, de préstamos*, maison de prêts sur gages; *— de huéspedes*, pension de famille; *la — de tócame Roque*, la cour du roi Pétaud. *2* Case (del tablero de damas o ajedrez). *3* Quartier *m*. (del billar).

casaca [kasáka] *f*. Casaque, justaucorps *m*. habit. Loc. fig. *Volver —*, tourner casaque, retourner sa veste.

casación [kasaxjón] *f*. DER. Cassation.

casado, -da [kasáðo, -ða] *adj.-s*. Marié, ée.

casamentero, -ra [kasamentéro, -ra] *adj.-s*. Marieur, euse.

casamiento [kasamjénto] *m*. Mariage.

casar [kasár] *intr.-pr*. *1* Se marier. Loc. fig. *No casarse con nadie*, garder sa liberté d'action, d'opinion. ■ *2 tr*. Marier. *3* DER. Casser, annuler.

cascabel [kaskaβél] *m*. Grelot. Loc. fig. *poner el — al gato*, attacher le grelot.

cascabelero, -ra [kaskaβeléro, -ra] *adj*. fig. fam. Étourdi, ie.

cascada [kaskáða] *f*. Cascade.

cascado, -da [kaskáðo, -ða] *adj*. *1* Fêlé, ée (vaso). *2* Vieux, vieille, usé, ée (persona).

cascadura [kaskaðúra] *f*. Fêlure, cassure.

cascanueces [kaskanwéθes] *m*. *invar*. Casse-noix.

cascar [kaskár] *tr*. *1* Fêler. *2* Casser, briser. *3* fig. Ébranler (la salud). *4* Battre, frapper (pegar). ■ *5 intr*. fam. Bavarder (charlar).

cáscara [káskara] *f*. *1* Coque, coquille (de fruto seco). *2* Écorce, zeste *m*. (de naranja, limón). *3 interj*. *¡Cáscaras!*, diable!

cascarrabias [kaskaráβjas] *s*. Grincheux, euse.

casco [kásko] *m*. *1* Casque. *2* Forme *f*. (de sombrero). *3* Sabot (de las caballerías).

4 Coque *f*. (de un barco). *5* Fût (tonel). *6* Tesson (de una vasija rota). *7* Éclat (de obús, de vidrio, etc.). *8* Intérieur, centre (de una ciudad).

casería [kasería] *f*. Métairie, ferme.

caserío [kaserío] *m*. *1* Ensemble de maisons. *2* Hameau (pueblo).

casero, -ra [kaséro, -ra] *adj*. *1* De ménage, maison: *pan —*, pain de ménage. *2* Domestique. *3* Simple, familial, ale, sans solennité: *fiesta casera*, fête de famille. *4 s*. Propriétaire, gérant, ante.

casi [kási] *adv*. *1* Presque: *— increíble*, presque incroyable.

casilla [kasíʎa] *f*. *1* Maisonnette (de un guardagujas, etc.). *2* Case (compartimiento, división). Loc. fig. *Salir de sus casillas*, sortir de ses gonds, s'emporter.

casillero [kasiʎéro] *m*. Casier (mueble).

casino [kasíno] *m*. *1* Casino. *2* Cercle, club.

casita [kasíta] *f*. Maisonnette.

caso [káso] *m*. *1* Cas. Loc. *— apretado*, cas difficile; *hacer al —, ser del —, venir al —*, venir à propos; *hacer — omiso*, laisser de côté, passer sous silence. *2 loc. conj.*, *adv.* *— que, en — de que*, au cas où, dans le cas où.

caspa [káspa] *f*. Pellicules *pl*. (de la cabeza).

casquillo [kaskíʎo] *m*. *1* Frette *f*. (anillo). *2* Douille *f*. culot (de un cartucho, de una bombilla).

casta [kásta] *f*. *1* Race. *2* Caste (en la India). *3* fig. Nature, espèce (de las cosas).

castaña [kastáɲa] *f*. *1* Châtaigne, marron *m*.: *— confitada*, marron glacé. *2* Dame-jeanne (botella). *3* Chignon *m*. (moño).

castaño, -ña [kastáɲo, -ɲa] *adj.-m*. *1* Châtain, aine, marron *invar*.

castañuela [kastaɲwéla] *f*. Castagnette.

castellano, -na [kasteʎáno, -na] *adj.-s*. *1* Castillan, ane. ■ *2 m*. Castillan, espagnol (lengua española).

castidad [kastiðáð] *f*. Chasteté.

castigar [kastiɣár] *tr*. *1* Punir, châtier. *2* fig. Châtier (el estilo). *3* Mortifier (el cuerpo).

castigo [kastíyo] *m*. Châtiment, punition *f.*: *— ejemplar*, châtiment exemplaire.

castillo [kastíʎo] *m*. Château, château fort.

castizo, -za [kastíθo, -θa] *adj*. *1* De bonne race. *2* Pur, pure, sans influence étrangère, châtié, ée (lenguaje). *3* Typique.

castrar [kastrár] *tr*. Châtrer, castrer.

castrense [kastrénse] *adj*. Militaire: *capellán —*, aumônier militaire.

casualidad [kaswaliðáð] *f*. Hasard *m*.

casuístico, -ca [kaswistiko, -ka] *adj.-m.* Casuistique.

cata [káta] *f.* Action de goûter, dégustation.

cataclismo [kataklizmo] *m.* Cataclysme.

catacumbas [katakúmbas] *f. pl.* Catacombes.

catador [kataðór] *m.* Dégustateur.

catafalco [katafálko] *m.* Catafalque.

catalán, -ana [katalán, -ána] *adj.-s.* Catalan, ane.

catalejo [kataléxo] *m.* Longue-vue *f.*

catalítico, -ca [katalitiko, -ka] *adj.* Catalytique.

catalogar [kataloyár] *tr.* Cataloguer.

catálogo [kátaloyo] *m.* Catalogue.

cataplasma [kataplázma] *f.* Cataplasme *m.*

¡cataplum! [kataplúm] *interj.* Patatras!

catapulta [katapúlta] *f.* Catapulte.

catar [katár] *tr.* 1 Goûter, déguster. 2 *Cátate ahí, cátate,* voici, voilà.

catarata [kataráta] *f.* 1 Cataracte, chute (de agua). 2 Cataracte (del ojo).

catarro [katáro] *m.* 1 Rhume. 2 MED. Catarrhe.

catastro [katástro] *m.* Cadastre.

catástrofe [katástrofe] *f.* Catastrophe.

cate [káte] *m.* fam. Coup, taloche *f.*

catecismo [kateθizmo] *m.* Catéchisme.

cátedra [káteðra] *f.* Chaire: *la — de San Pedro,* la chaire de Saint-Pierre.

catedral [kateðrál] *adj.-f.* Cathédrale.

catedrático [kateðrátiko] *m.* Professeur d'Université, de lycée, agrégé.

categoría [kateyoría] *f.* 1 Catégorie. 2 Rang *m.,* classe (social): *gente de —,* des gens d'un rang élevé, de haut rang. 3 Classe (calidad).

categórico, -ca [kateyóriko, -ka] *adj.* Catégorique.

catequesis [katekésis] *f.* Catéchèse.

cateto [katéto] *m.* GEOM. Cathète *f.*

cátodo [kátoðo] *m.* Cathode *f.*

catolicismo [katoliθizmo] *m.* Catholicisme.

católico, -ca [katóliko, -ka] *adj.-s.* Catholique.

catorce [katórθe] *adj.-m.* 1 Quatorze. 2 *El siglo —,* le quatorzième siècle.

catre [kátre] *m.* Lit léger et à une place: *— de tijera,* lit de sangle.

cauce [káuθe] *m.* Lit (de un río o arroyo).

caución [kauθjón] *f.* Précaution.

caucho [káutʃo] *m.* Caoutchouc.

caudal [kauðál] *adj.* 1 Caudal, ale. ■ 2 *m.* Débit (de un río, etc.). 3 Fortune *f.,* biens *pl.,* capital (dinero).

caudillaje [kauðiʎáxe] *m.* Commandement (de un jefe).

caudillo [kauðiʎo] *m.* 1 Chef. 2 Caudillo.

causa [káusa] *f.* 1 Cause. *loc. prep. A — de,* à cause de.

causante [kausánte] *adj.-s.* Auteur, qui est la cause.

causar [kausár] *tr.* Causer, occasionner.

cáustico, -ca [káustiko, -ka] *adj.-m.* Caustique.

cautela [kautéla] *f.* Prudence, précaution, cautèle.

cauteloso, -sa [kautelóso, -sa] *adj.* 1 Prudent, ente, avisé, ée. 2 Rusé, ée (astuto).

cauterizar [kauteriθár] *tr.* Cautériser.

cautiverio [kautiβérjo] *m.,* **cautividad** [kautiβiðáð] *f.* Captivité *f.*

cautivo, -va [kautíβo, -βa] *adj.-s.* Captif, ive.

cauto, -ta [káuto, -ta] *adj.* Avisé, ée, prudent, ente.

cava [káβa] *f.* 1 AGR. Façon que l'on donne avec la houe, avec la bêche.

cavar [kaβár] *tr.* 1 Creuser, bêcher. Loc. fig. *— su propia sepultura,* creuser sa tombe. ■ 2 *intr.* Approfondir, pénétrer.

caverna [kaβérna] *f.* Caverne.

cavial [kaβjál], **caviar** [kaβjár] *m.* Caviar.

cavilar [kaβilár] *tr.* Réfléchir, se creuser la tête.

caza [káθa] *f.* 1 Chasse: *dar — a,* donner la chasse à. 2 Gibier *m.: — mayor,* gros gibier; *— menor,* petit gibier.

cazar [kaθár] *tr.* Chasser (los animales).

cazcarria [kaθkárja] *f.* Crotte, boue.

cazo [káθo] *m.* 1 Louche *f.,* cuiller *f.* à pot (cuchara). 2 Casserole *f.* (recipiente).

cazuela [kaθwéla] *f.* 1 Sorte de terrine peu profonde. 2 COC. Ragoût *m.* (guiso). 3 TEAT. Paradis *m.,* poulailler *m.*

ce [θe] *f.* C *m.,* lettre *c.*

cebada [θeβáða] *f.* Orge *m.-f.: — perlada,* orge perlé.

cebador [θeβaðór] *m.* Flasque *f.,* poire *f.* à poudre.

cebar [θeβár] *tr.* 1 Engraisser, gaver (animales). 2 Alimenter (un horno, etc.). 3 Amorcer (un arma, una bomba, un anzuelo, etc.). 4 fig. Nourrir (un sentimiento). ■ 5 *pr.* S'acharner: *se cebó en su víctima,* il s'acharna sur sa victime.

cebo [θéβo] *m.* 1 Nourriture *f.,* pâture *f.* (que se da a los animales). 2 Appât, (en el anzuelo). 3 Amorce *f.* (en un arma, una bomba, etc.). 4 fig. Aliment (de un sentimiento o pasión).

cebolla [θeβóʎa] *f.* Oignon *m.* 2 *— albarana,* scille.

cebra [θéβra] *f.* Zèbre.

cecear [θeθeár] *intr.* Zézayer, prononcer le *s* comme le *z.*

cedazo [θeðáθo] *m.* Tamis, blutoir.

ceder [θeðér] *tr.-intr.* Céder.

cedro [θéðro] *m.* Cèdre.

cédula [θéðula] *f. 1* Billet *m. 2* Cédule (en que se reconoce una deuda). *3* ANT. — *personal,* carte d'identité.

cefálico, -ca [θefáliko, -ka] *adj.* Céphalique.

céfiro [θéfiro] *m. 1* Zéphyr (viento). *2* Zéphir, zéphire (toile).

cegar [θeɣár] *intr. 1* Perdre la vue. ■ *2 intr.-pr.* fig. S'aveugler, perdre momentanément la raison. ■ *3 tr.* Aveugler. *4* fig. Boucher, obstruer (una puerta, etc.). ▲ CONJUG. comme *acertar.*

cegesimal [θexesimál] *adj.* Cégésimal, ale.

ceguedad [θeɣeðáð] *f.* **ceguera** [θeɣéra] *1* Cécité. *2* fig. Passion aveugle, aveuglement *m.*

ceiba [θéiβa] *f.* Fromager *m.*

ceja [θéxa] *f.* Sourcil *m.* Loc. fig. *Quemarse las cejas,* étudier beaucoup. *2* Crête (de una montaña). *3* Bord *m.* saillant, rebord *m. 4* MÚS. Sillet *m.*

cejar [θexár] *intr. 1* Reculer (marcher en arrière). *2* fig. Céder, démordre, faiblir.

celador, -ra [θeladór, -ra] *s.* Surveillant, ante.

celar [θelár] *tr. 1* Veiller à (la observancia de una ley, etc.). *2* Observer, surveiller (vigilar). *3* Celer, cacher (ocultar).

celda [θélda] *f.* Cellule (de religioso, de detenido).

celebración [θeleβraθjón] *f. 1* Célébration. *2* Réalisation.

celebrar [θeleβrár] *tr. 1* Célébrer. *2* Tenir (una reunión, una sesión).

célebre [θéleβre] *adj.* Célèbre.

celeste [θeléste] *adj.* Céleste.

celestial [θeléstjál] *adj.* Céleste. Loc. *Es música —,* c'est du vent.

celibato [θeliβáto] *m.* Célibat.

celo [θélo] *m. 1* Zèle. *2* Rut (de los animales). ■ *3 pl.* Jalousie *f. sing* (de amor). Loc. *Dar celos,* rendre jaloux.

celosía [θelosía] *f.* Jalousie (enrejado).

celta [θélta] *adj.-m.* Celtique. ■ *2 s.* Celte.

célula [θélula] *f. 1* BIOL., FÍS. Cellule. *2* fig. Cellule (grupo).

celuloide [θelulóiðe] *m.* Celluloïd.

celulosa [θelulósa] *f.* Cellulose.

cementerio [θementérjo] *m.* Cimetière.

cemento [θeménto] *m. 1* Ciment. *2* — *armado,* ciment, béton armé. *3* METAL. Cément.

cena [θéna] *f. 1* Dîner *m.,* souper *m. 2* Cène (de Jesucristo).

cenáculo [θenákulo] *m.* Cénacle.

cenagoso, -sa [θenaɣóso, -sa] *adj.* Bourbeux, euse.

cenar [θenár] *intr. 1* Dîner, souper. ■ *2 tr.* Manger au dîner, dîner de.

cencerro [θenθéro] *m. 1* Sonnaille *f.* Loc. fig. *Más loco que un —,* fou à lier.

cenefa [θenéfa] *f. 1* Liséré *m.,* bordure (lista). *2* Dessin d'ornementation en forme de bande.

cenicero [θeniθéro] *m.* Cendrier.

cenit [θénit] *m.* Zénith. Loc. fig. *En el — de,* au zénit de.

ceniza [θeníθa] *f.* Cendre: *miércoles de —,* mercredi des Cendres.

cenobio [θenóβjo] *m.* Monastère.

cenobita [θenoβíta] *s.* Cénobite.

censo [θénso] *m. 1* Cens (de los censores romanos). *2* Charge *f.* (sobre una casa). *3* Recensement (de los habitantes, etc.).

censurar [θensurár] *tr. 1* Censurer. *2* Critiquer, blâmer.

centauro [θentáuro] *m.* Centaure.

centavo, -va [θentáβo, -βa] *adj.-s. 1* Centième. ■ *2 m.* Centime. Loc. *Estar sin un —,* ne pas avoir un sou.

centella [θentéʎa] *f.* Foudre, éclair *m.* Étincelle (chispa).

centelleo [θenteʎéo] *adj.* Scintillement.

centenar [θentenár] *m. 1* Centaine *f. 2 loc. adv. A centenares,* par centaines. *3* Centenaire (centenario).

centenario, -ia [θentenárjo, -ja] *adj.-s.* Centenaire (que tiene cien años).

centeno, -na [θenténo, -na] *adj. 1* Centième. ■ *2 m.* Seigle (planta).

centígrado, -da [θentiɣraðo, -ða] *adj.* Centigrade.

céntimo, -ma [θéntimo, -ma] *adj. 1* Centième. ■ *2 m.* Centime.

centinela [θentinéla] *m.-f.* Sentinelle *f.: — de vista,* garde à vue.

centolla [θentóʎa] *f.,* **centollo** [θentóʎo] *m.* Araignée *f.* de mer.

central [θentrál] *adj.* Central, ale.

centralismo [θentralizmo] *m.* Centralisme.

centrar [θentrár] *tr.* Centrer.

céntrico, -ca [θéntriko, -ka] *adj.* Central, ale (calle, etc.).

centrífugo, -ga [θentrífuɣo, -ɣa] *adj.* Centrifuge.

centro [θéntro] *m. 1* Centre. Loc. fig. *Estar en su —,* être dans son élément. *2* Cercle, société. *f.*

centuplicar [θentuplikár] *tr.* Centupler.

centuria [θentúrja] *f. 1* Siècle *m.* (siglo). *2* Centurie (en la milicia romana).

centurión [θenturjón] *m.* Centurion.

ceñido, -da [θeníðo, -ða] *adj. 1* Ceint, ceinte. *2* Qui serre le corps, ajusté, ée, moulant, ante (vestido, etc.). *3* fig. Économe.

ceño [θéɲo] *m. 1* Froncement de sourcils. *2* Aspect menaçant.

cepa [θépa] *f. 1* Cep *m.* (de la vid). *2* Souche (de árbol, de una familia). *3* — *virgen*, vigne vierge.

cepillar [θepiʎár] *tr. 1* Brosser (quitar el polvo). *2* CARP. Raboter.

cepillo [θepíʎo] *m. 1* Brosse *f.* (para quitar el polvo). *2* CARP. Rabot. *3* Tronc (para las limosnas).

cepo [θépo] *m. 1* Branche *f.* d'arbre coupée. *2* Billot (para el yunque). *3* Cep, fer (de tortura).

cera [θéra] *f.* Cire. Loc. *Amarillo como la* —, jaune comme un citron.

cerámico, -ca [θerámiko, -ka] *adj.* Céramique.

cerca [θérka] *adv. 1* Près: *muy* —, très, près, tout près. *2 loc. adv. De* —, de près. *3 loc. prep.* — *de*, près de (casi), environ (aproximadamente). ■ *4 f.* Clôture (vallado, tapia, etc.).

cercado [θerkáðo] *m. 1* Clos, enclos. *2* Clôture *f.* (cerca).

cercanía [θerkanía] *f. 1* Voisinage *m.*, proximité. ■ *2 pl.* Environs *m.*

cercano, -na [θerkáno, -na] *adj.* Proche, voisin, ine (*a*, de).

cercenar [θerθenár] *tr.* Rogner, retrancher.

cerco [θérko] *m. 1* Cercle, cerceau (aro). *2* Halo. *3* MIL. Siège, investissement.

cerda [θérða] *f. 1* Crin *m.* 2 Soie (de jabalí, de cerdo). Loc. *Ganado de* —, porcs. *3* Truie (hembra del cerdo).

cerdo [θérðo] *m. 1* Porc, cochon: *carne de* —, viande de porc.

cereal [θereál] *m.* Céréale *f.*

cerebral [θereβrál] *adj.* Cérébral, ale.

cerebro [θeréβro] *m.* Cerveau.

ceremonia [θeremónja] *f. 1* Cérémonie. *2* Façons *pl.*, manières *pl.*

ceremonial [θeremonjál] *adj.-m.* Cérémonial, ale.

cereza [θeréθa] *f. 1* Cerise. *2* — *gordal*, bigarreau *m.* *3* — *silvestre*, merise.

cerezo [θeréθo] *m. 1* Cerisier. *2* — *silvestre*, merisier.

cerilla [θeríʎa] *f. 1* Allumette (fósforo). *2* Rat *m.* de cave (vela). *3* Cérumen.

cerner [θernér] *tr. 1* Bluter, tamiser. ■ *2 intr.* AGR. Avoir les fleurs en période de fécondation. *3* Bruiner (llover). ■ *4 pr.* Se dandiner (al andar). ▲ CONJUG. comme *entender*.

cernido [θerníðo] *f.* Blutage.

cero [θéro] *m.* Zéro. Loc. fig. *Ser un* — *a la izquierda*, être un zéro.

cerquita [θerkíta] *adv.* Tout près.

cerrado, -da [θeřáðo, -ða] *adj. 1* Fermé, ée, clos, close. Loc. *A ojos cerrados*, les yeux fermés. *2* Bouché, ée, couvert, erte (tiempo, cielo). *3* Incompréhensible, obscur, ure. *4* Épaisse, drue (barba).

cerradura [θeřaðúra] *f.* Serrure.

cerraja [θeřáxa] *f. 1* Serrure. *2* Laiteron *m.* (planta).

cerrajero [θeřaxéro] *m.* Serrurier.

cerrar [θeřár] *tr. 1* Fermer. *2* Boucher, obstruer (un conducto, etc.). *3* Déclarer clos, close (suscripción, etc.). *4* Serrer (las filas). ■ *5 intr.* Fermer (una puerta, etc.). *6* — *con contra uno*, tomber sur, attaquer quelqu'un. ■ *7 pr.* Se fermer. Loc. — *en falso*, se fermer mal (tratándose de una herida). ▲ CONJUG. comme *acertar*.

cerrazón [θeřaθón] *f.* Temps *m.* sombre.

cerrillo [θeříʎo] *m.* Mamelon, coteau.

cerro [θéřo] *m. 1* Colline *f.*, butte *f.* 2 Cou (cuello del animal). *3* Échine *f.*, dos (lomo).

cerrojo [θeřóxo] *m.* Verrou: *echar, correr el* —, mettre le verrou, verrouiller.

certamen [θertámen] *m. 1* Discussion *f.* littéraire. *2* Concours (para un premio literario, científico, artístico).

certeza, [θertéθa]. **certidumbre** [θertiðúmbre] *f.* Certitude.

certificado, -da [θertifikáðo, -ða] *adj. 1* Recommandé, ée: *carta certificada*, lettre recommandée. ■ *2 m.* Certificat.

cerumen [θerúmen] *m.* Cérumen.

cervato [θerβáto] *m.* Faon.

cervecería [θerβeθería] *f.* Brasserie.

cerveza [θerβéθa] *f.* Bière: — *de barril*, bière à la pression.

cervical [θerβikál] *adj.* Cervical, ale.

cerviz [θerβiθ] *f.* Nuque. Loc. fig. *Bajar, doblar la* —, courber la tête.

cesante [θesánte] *adj. 1* Qui quitte un emploi, une charge. ■ *2 adj.-s.* Mis, mise à pied (funcionario).

cesar [θesár] *intr. 1* Cesser. *2 loc. adv. Sin* —, sans cesse.

cese [θése] *m.* Cessation.

cesionista [θesjonísta] *s.* Cédant, ante.

césped [θéspeð] *m.* Gazon, pelouse *f.*

cesta [θésta] *f. 1* Panier *m.* 2 Chistera *m.-f.*

cestería [θestería] *f.* Vannerie.

cesura [θesúra] *f.* Césure (poesía).

ceta [θéta] *f. 1* Zède *m.* 2 Zêta *m.* (letra griega).

cetrería [θetrería] *f.* Fauconnerie.

cetro [θétro] *m.* Sceptre. Loc. *Empuñar el*

—, prendre le sceptre, monter sur le trône.

cianuro [θjanúro] *m.* QUÍM. Cyanure.

ciático, -ca [θjátiko, -ka] *adj.-f.* MED. Sciatique.

cicatear [θikateár] *tr.* fam. Lésiner.

cicatero, -ra [θikatéro, -ra] *adj.-s.* Lésineur, euse, chiche.

cicatriz [θikatríθ] *f.* Cicatrice.

cicatrizar [θikatriθár] *tr.* Cicatriser.

cicerone [θiθeróne] *m.* Cicerone.

cíclico, -ca [θikliko, -ka] *adj.* Cyclique.

ciclismo [θiklizmo] *m.* Cyclisme.

ciclo [θiklo] *m.* Cycle.

ciclón [θiklón] *m.* Cyclone.

cíclope [θiklope] *m.* Cyclope.

cicuta [θikúta] *f.* Ciguë.

cidra [θíðra] *f. 1* Cédrat *m.* (fruto). *2* — *cayote*, variété de pastèque.

cidro [θíðro] *m.* Cédratier.

ciego, -ga [θjéyo, -ya] *adj.-s. 1* Aveugle: — *de nacimiento*, aveugle de naissance. *2 loc. adv. A ciegas*, à l'aveuglette. ■ *3 m.* ANAT. Cæcum.

cielo [θjélo] *m. 1* Ciel (*pl.* ciels o cieux): *el reino de los cielos*, le royaume des cieux. *2* — *de la boca*, palais. *3* — *de la cama*, ciel de lit. *4* — *raso*, plafond.

ciempiés [θjempjés] *m. invar.* Millepattes, scolopendre *f.*

cien [θjen] *adj.* Cent. Forme apocopée de *ciento*.

ciénaga [θjénaya] *f.* Bourbier *m.*, marécage *m.*

ciencia [θjénθja] *f.* Science.

científico, -ca [θjentífiko, -ka] *adj.-s.* Scientifique.

ciento [θjénto] *adj.-m.* Cent.

cierre [θjére] *m. 1* Fermeture *f.* 2 —*metálico*, rideau métallique. *3* Clôture *f.* (de una sesión, congreso, bolsa, etc.).

cierto, -ta [θjérto, -ta] *adj. 1* Certain, aine, sûr, sûre: *estoy* — *de lo que afirmo*, je suis certain de ce que j'affirme. *2* Vrai, vraie: *eso no es* —, ce n'est pas vrai. ■ *3 m. Estar en lo* —, être dans le vrai; *lo* — *es que*, toujours est-il que.

ciervo [θjérβo] *m. 1* Cerf. *2* — *volante*, cerf-volant (insecto).

cifra [θífra] *f.* Chiffre *m.* 2 Abréviation. *3* Résumé *m.*

cifrar [θifrár] *tr. 1* Chiffrer (escribir en cifra). *2* fig. Abréger, résumer.

cigala [θiyála] *f.* Langoustine.

cigarrera [θiyaréra] *f. 1* Cigarière (que fabrica cigarros). *2* Porte-cigares *m. invar.* (estuche).

cigarro [θiyáro] *m. 1* Cigare. *2* — *puro*, cigare; — *de papel*, cigarette *f.*

cigüeña [θiywéɲa] *f. 1* Cigogne (ave). *2* Manivelle.

cigüeñal [θiyweɲál] *m. 1* Manivelle *f.* 2 MEC. Vilebrequin.

cilicio [θíliθjo] *m.* Cilice.

cilindro [θilindro] *m.* Cylindre.

cima [θíma] *f. 1* Cime, sommet *m.* 2 Fin, terme *m.* (de una obra, etc.). *3* BOT. Cyme *m.* 4 *loc. adv. Por* —, par-dessus (por encima), légèrement.

cimbel [θimbél] *m.* Appeau, appelant (ave).

cimbra [θimbra] *f.* Cintre *m.*

cimbrar [θimbrár] *tr. 1* Faire vibrer (un objeto flexible). *2* fig. Cingler (golpear).

cimbreante [θimbreánte] *adj.* Flexible, souple.

cimentar [θimentár] *tr.* Jeter les fondations (de un edificio).

cimera [θimèra] *f.* Cimier *m.* (del casco).

cimiento [θimjénto] *m. 1* CONSTR. Fondations *f. pl.* 2 fig. Base *f.*, fondement *m.*

cinc [θiŋk] *m.* Zinc (metal).

cincel [θinθél] *m.* Ciseau.

cincelado [θinθeláðo] *m.* Ciselure *f.*

cinco [θiŋko] *adj.-m.* Cinq. Loc. fig. *Decir a uno cuántas son* —, dire à quelqu'un ses quatre vérités.

cincuenta [θiŋkwènta] *adj.-m. 1* Cinquante. *2* Cinquantième (quincuagésimo).

cincuentavo, -va [θiŋkwentáβo, -βa] *adj.-s.* Cinquantième (parte).

cincuentena [θiŋkwentèna] *f.* Cinquantaine.

cincha [θíntʃa] *f.* Sangle.

cinchar [θintʃár] *tr.* Sangler (la cincha).

cine [θíne] *m.* Cinéma.

cinematógrafo [θinematóyrafo] *m.* Cinématographe.

cinerario, -ia [θinerárjo, -ja] *adj. 1* Cinéraire. ■ *2 f.* Cinéaire (planta).

cíngaro, -ra [θíŋgaro, -ra] *adj.-s.* Tzigane.

cínico, -ca [θíniko, -ka] *adj.-s.* Cynique.

cinismo [θinizmo] *m.* Cynisme.

cinta [θínta] *f. 1* Ruban *m.* (de tela, etc.): — *adhesiva*, ruban adhésif. *2* Film *m.* (cinematográfica).

cintillo [θintíʎo] *m. 1* Bourdalou (de sombrero). *2* Bague *f.* garnie de pierreries.

cinto [θínto] *m.* Ceinture *f.*

cintura [θintúra] *f.* Ceinture (del cuerpo, de un vestido).

cinturón [θinturón] *m.* Ceinture *f.: de seguridad*, ceinture de sécurité.

ciprés [θiprès] *m.* Cyprès.

circense [θirθènse] *adj.* Du cirque.

circo [θírko] *m.* Cirque.

circuito [θirkwíto] m. 1 Circuit. 2 ELECT. *Corto* —, court-circuit.

circular [θirkulár] adj. 1 Circulaire. ■ 2 f. Circulaire (carta).

circular [θirkulár] intr. Circuler.

círculo [θírkulo] m. 1 GEOM., GEOG., ASTR. Cercle. 2 Cercle (de personas, sociedad). ■ 3 pl. Milieux (medios).

circuncidar [θirkunθiðár] tr. Circoncire.

circuncisión [θirkunθisjón] f. Circoncision.

circundar [θirkundár] tr. Entourer.

circunferencia [θirkumferénθja] f. Circonférence.

circunflejo [θirkumfléxo] adj. Circonflexe.

circunscribir [θirkunskriβír] tr. Circonscrire.

circunspección [θirkunspeγθjón] f. Circonspection.

circunspecto, -ta [θirkunspéγto, -ta] adj. Circonspect, ecte.

circunstancia [θirkunstánθja] f. Circonstance.

circunstancial [θirkunstanθjál] adj. Circonstanciel, elle.

circunvolución [θirkumboluθjón] f. Circonvolution.

cirial [θirjál] m. LITURG. Chandelier que portent les acolytes.

cirio [θírjo] m. Cierge.

cirrosis [θiRósis] f. Cirrhose.

ciruela [θirwéla] f. 1 Prune. 2 — *claudia,* reine-claude; — *pasa,* pruneau m.

ciruelo [θirwélo] m. Prunier.

cirugía [θiruxía] f. Chirurgie.

cirujano [θiruxáno] m. Chirurgien.

cisco [θísko] m. 1 Charbon végétal très menu. Loc. fig. *Hacer* —, casser, réduire en morceaux. 2 fig. Tapage, grabuge.

cisma [θízma] m. Schisme.

cisne [θízne] m. Cygne.

cisterna [θistérna] f. Citerne.

cita [θíta] f. Rendez-vous m.: *darse* —, se donner rendez-vous. 2 Citation (nota).

citar [θitár] tr. 1 Fixer un rendez-vous. 2 DER. Citer, convoquer. 3 Citer (un autor, etc.). 4 TAUROM. Provoquer (el toro).

cítara [θítara] f. MÚS. Cithare.

cítola [θítola] f. Claquet m.

cítrico, -ca [θítriko, -ka] adj. 1 QUÍM. Citrique. ■ 2 m. pl. Agrumes.

ciudad [θjuðáð] f. 1 Ville. 2 Cité: — *universitaria,* cité universitaire.

ciudadano, -na [θjuðaðáno, -na] adj.-s. Citoyen, enne, citadín, ine.

civil [θiβíl] adj. 1 Civil, ile. ■ 2 m. fam. Gendarme.

civilización [θiβiliθaθjón] f. Civilisation.

civismo [θiβízmo] m. Civisme.

cizaña [θiθáɲa] f. 1 Ivraie. 2 fig. Zizanie: *meter* —, semer la zizanie.

clamar [klamár] intr. Parler d'une voix grave et solennelle. 2 Implorer: — *al cielo,* implorer le ciel. 3 tr. Clamer, crier: — *venganza,* crier vengeance.

clamoroso, -sa [klamoróso, -sa] adj. 1 Plaintif, ive (quejoso). 2 Bruyant, ante, retentissant, ante.

clan [klan] m. Clan.

clandestino, -na [klandestino, -na] adj. Clandestin, ine.

clara [klára] f. 1 Blanc m. (de huevo). 2 Clairière (de un tejido). 3 Éclaircie, embellie (del tiempo).

claraboya [klaraβóʝa] f. Lucarne, châssis m. vitré.

clarear [klareár] tr. 1 Éclairer (una cosa). ■ 2 intr. Commencer à faire jour. 3 S'éclaircir (el tiempo).

claridad [klariðáð] f. 1 Clarté. 2 fig. Vérité.

clarinete [klarinéte] m. 1 Clarinette f. 2 Clarinettiste (músico).

clarividente [klariβiðénte] adj. Clairvoyant, ante.

claro, -ra [kláro, -ra] adj. 1 Clair, aire: *cielo* —, ciel clair; *voz clara,* voix claire. 2 Clairsemé, ée (ralo). 3 Franc, franche. 4 Illustre, fameux, euse. 5 loc. adv. *A las claras,* clairement; *de* — *en* —, d'un bout à l'autre. ■ 6 m. Clair (de luna).

claroscuro [klaroskúro] m. Clair-obscur.

clase [kláse] f. 1 Classe: *lucha de clases,* lutte des classes. 2 Classe (aula). ■ 3 pl. MIL. Sous-officiers m.

clásico, -ca [klásiko, -ka] adj.-s. Classique.

clasificar [klasifikár] tr. 1 Classifier. 2 Classer.

claudicar [klaŭðikár] intr. 1 Boiter, clocher. 2 fig. Manquer à ses devoirs, à ses principes, faillir.

claustro [kláŭstro] m. 1 Cloître. 2 Conseil des professeurs d'une université, d'un lycée.

cláusula [kláŭsula] f. 1 Clause. 2 RET. Période.

clausura [klaŭsúra] f. REL. Clôture. 2 Clôture (última sesión).

clausurar [klaŭsurár] tr. Fermer (un establecimiento).

clavado, -da [klaβáðo, -ða] adj. 1 Cloué, ée. 2 fam. *A las siete clavadas,* à sept heures tapantes, pile. 3 fam. *Es* — *a su padre,* c'est son père tout craché.

clavar [klaβár] tr. 1 Clouer. 2 Enfoncer (un clavo, etc.). 3 Fixer (la mirada).

clave [kláβe] *f. 1* Clef, clé (en música; de un enigma, etc.). *2* ARQ. Clef, claveau *m.* ■ *3 m.* Clavecin (clavicordio).

clavel [klaβél] *m.* Œillet.

clavellina [klaβeʎína] *f.* Mignonnette, petit œillet. *m.*

clavicordio [klaβikórðjo] *m.* MÚS. Clavecin.

clavícula [klaβíkula] *f.* Clavicule.

clavija [klaβíxa] *f. 1* Cheville (de madera o metal), goujon *m.*

clavo [kláβo] *m. 1* Clou (de metal). *2* Clou (furúnculo). *3* Cor (en el pie). *4* Clou de girofle (especia).

clemencia [kleménθja] *f.* Clémence.

cleptomanía [kleβtomanía] *f.* Cleptomanie.

clerecía [klereθía] *f.* Clergé *m.*

clerical [klerikál] *adj.-s.* Clérical, ale.

clero [kléro] *m.* Clergé.

cliente [kljénte] *s.* Client, ente.

clima [klíma] *m.* Climat.

climatología [klimatoloxía] *f.* Climatologie.

clin [klin] *f.* Crin.

clínico, -ca [klíniko, -ka] *adj.-f. 1* Clinique. ■ *2 m.* Clinicien.

clisar [klisár] *tr.* Clicher.

clisé [klisé] *m.* IMPR., FOT. Cliché.

cloaca [kloáka] *f. 1* Cloaque *m. 2* Égout *m.*

cloquear [klokeár] *intr.* Glousser.

clorhídrico, -ca [kloríðriko, -ka] *adj.* Chlorhydrique.

cloro [klóro] *m.* QUÍM. Chlore.

clorofila [klorofíla] *f.* Chlorophylle.

cloroformo [klorofórmo] *m.* QUÍM. Chloroforme.

clorosis [klorósis] *f.* MED. Chlorose.

cloruro [klorúro] *m.* Chlorure.

club [kluβ] *m.* Club.

clueca [klwéka] *adj.-f.* Couveuse.

coacción [koayθjón] *f.* Contrainte.

coaccionar [koayθjonár] *tr.* Contraindre.

coadyuvar [koaðjuβár] *tr.* Aider, contribuer, coopérer.

coágulo [koáyulo] *m. 1* Coagulum. *2* Caillot (de sangre).

coalición [koaliθjón] *f.* Coalition.

coartar [koartár] *tr.* Restreindre, limiter (la libertad, etc.).

cobarde [kobárðe] *adj. 1* Lâche, poltron, onne, couard, arde. *2* Timide.

cobardía [koβarðía] *f.* Lâcheté, poltronnerie, couardise.

cobayo [koβájo] *m.* Cobaye, cochon d'Inde.

cobertizo [koβertíθo] *m. 1* Auvent (saledizo). *2* Hangar (sitio cubierto).

cobertura [koβertúra] *f. 1* Couverture. *2* Couverture (garantía).

cobijar [koβixár] *tr. 1* Couvrir. *2* Héberger, loger (albergar).

cobra [kóβra] *1* Cobra m., naja *m. 2* Courroie pour atteler les bœufs. *3* Ramassage *m.* (de la caza).

cobrador [koβraðór] *m. 1* Garçon de recette. *2* Receveur (en un autobús, etc.).

cobrar [koβrár] *tr. 1* Toucher, percevoir, encaisser, recouvrer (dinero). *2* Prendre: *¿cuánto le ha cobrado el garajista?*, combien vous a pris le garagiste? *3* fam. Acquérir, prendre: — *fama,* acquérir de la renommée; — *ánimo,* prendre courage. *4* Tirer à soi (cuerda). ■ *5 pr.* Se remettre.

cobre [kóβre] *m.* Cuivre. Loc. fig. *Batir el* —, travailler avec ardeur.

cobrizo, -za [koβríθo, -θa] *adj. 1* Cuivré, ée. *2* Cuivreux, euse.

coca [kóka] *f. 1* Coca m. (arbusto).

cocaína [kokaína] *f.* QUÍM. Cocaïne.

cocción [koyθjón] *f. 1* Cuisson. *2* Coction.

cocear [koθeár] *intr.* Ruer.

cocido [koθíðo] *m.* Pot-au-feu *invar.*

cocina [koθína] *f. 1* Cuisine. *2* Cuisinière (aparato).

cocinar [koθinár] *tr. 1* Cuire, apprêter (los manjares). ■ *2 intr.* Cuisiner.

coco [kóko] *m. 1* Noix *f.* de coco (fruto). *2* Cocotier (árbol). *3* Coccus (bacteria). *4* Ver (en las frutas). *5* Croque-mitaine (bu). *6* Grimace *f.*

cocodrilo [kokoðrílo] *m.* Crocodile.

coche [kótʃe] *m. 1* Voiture f. Loc. — *de punto,* voiture de place; — *fúnebre,* corbillard. *2* Coche (diligencia). *3* Wagon (para viajeros): — *cama,* wagon-lit.

cochera [kotʃéra] *adj. f. 1 Puerta* —, porte cochère. ■ *2 f.* Remise, garage *m.*

cochero [kotʃéro] *m.* Cocher.

cochinero, -ra [kotʃinéro, -ra] *adj. 1* De cochon. *2 Trote* —, petit trot.

cochinillo [kotʃiníʎo] *m.* Cochon de lait.

cochino, -na [kotʃíno, -na] *adj. 1* Malpropre, sale. ■ *2 m.* Cochon, porc. ■ *3 s.* fig. fam. Cochon, onne.

coda [kóða] *f.* MÚS. Coda.

codazo [koðáθo] *m.* Coup de coude.

codear [koðeár] *intr. 1* Donner des coups de coude. ■ *2 pr.* Coudoyer, fréquenter.

códice [kóðiθe] *m.* Manuscrit ancien.

codicia [koðíθja] *f.* Cupidité (de dinero), convoitise.

codiciar [koðiθjár] *tr.* Convoiter.

codificar [koðifikár] *tr.* Codifier.

código [kóðiyo] *m.* Code: — *de la circulación,* code de la route.

codo [kòðo] *m. 1* Coude (del hombre, del caballo). Loc. fig. **Empinar el —,** lever le coude. *2* Tuyau coudé. *3* Coudée *f.* (medida).

codorniz [koðorniθ] *f.* Caille.

coeficiente [koefiθjénte] *m.* Coefficient.

coercitivo, -va [koerθitiβo, -βa] *adj.* Coercitif, ive.

coetáneo, -ea [koetáneo, -ea] *adj.* Contemporain, aine.

coexistir [koeysistir] *intr.* Coexister.

cofia [kófja] *f. 1* Coiffe (de mujer). *2* ant. Filet *m.,* résille (para el pelo). *3* BOT. Coiffe.

cofradía [kofraðía] *f. 1* Confrérie. *2* Association.

cofre [kófre] *m.* Coffre.

cogedero [koxeðéro] *m.* Manche.

coger [koxér] *tr. 1* Cueillir, ramasser (frutas). *2* Prendre, saisir, attraper: **— descuidado,** prendre au dépourvu; **— la palabra a uno,** prendre quelqu'un au mot. *2* Atteindre, attraper, rattraper (alcanzar). *3* Trouver (hallar): **— a uno de buen humor,** trouver quelqu'un de bonne humeur. *4* Tenir, contenir. *5* Occuper (un espacio).

cogida [koxiða] *f. 1* Récolte, cueillette (de frutas). *2* TAUROM. Prise d'un torero par le taureau, coup *m.* de corne.

cogido [koxiðo] *m.* Pli, fronce *f.*

cognoscitivo, -va [koɣnosθitiβo, -βa] *adj.* Cognitif, ive.

cogollo [koɣóʃo] *m. 1* Cœur (de col, de lechuga, etc.). *2* Bourgeon, pousse *f.*

cogote [koɣóte] *m.* Nuque *f.*

cohechar [koetʃár] *tr.* Suborner.

coheredero, -ra [koereðéro, -ra] *s.* Cohéritier, ière.

coherente [koerénte] *adj.* Cohérent, ente.

cohesión [koesjón] *f.* Cohésion.

cohete [koéte] *m. 1* Fusée *f.* (de fuegos artificiales, espacial). *2* MIL. Roquette *f.*

cohibir [koïβir] *tr. 1* Contraindre, gêner. *2* Intimider.

cohonestar [koonestár] *tr.* Sauver les apparences, présenter sous un jour flatteur.

coincidencia [koïnθiðénθja] *f.* Coïncidence.

coincidir [koïnθiðir] *intr. 1* Coïncider.

coito [kóïto] *m.* Coït.

cojear [koxeár] *intr.* Boiter, clocher.

cojín [koxin] *m.* Coussin (almohadón).

cojinete [koxinéte] *m.* Coussinet.

cojo, -ja [kóxo, -xa] *adj.-s.* Boiteux, euse.

col [kol] *f.* Chou *m.*

cola [kóla] *f. 1* Queue (de un animal, de un cometa; hilera de personas; parte final).

Loc. **Hacer —,** faire la queue. *2* Traîne, queue (de un vestido). *3* BOT. Kola: **nuez de —,** noix de kola. *4* Colle (pegamento).

colaboración [kolaβoraθjòn] *f.* Collaboration.

colaborador, -ra [kolaβoraðór, -ra] *s.* Collaborateur, trice.

colaborar [kolaβorár] *intr.* Collaborer.

colación [kolaθjòn] *f. 1* Collation. *2* **Traer a —,** exposer des preuves, des raisons; **sacar a —,** faire mention de.

colada [koláða] *f.* Lessive, lessivage *m.:* **hacer la —,** faire la lessive.

colado, -da [koláðo, -ða] *adj. 1* Coulis (viento). *2* **Hierro —,** fonte *f.*

colador [kolaðór] *m.* Passoire *f.,* filtre.

colapso [koláβso] *m.* MED. Collapsus.

colar [kolár] *tr. 1* Conférer (un beneficio eclesiástico). *2* Passer, filtrer (un líquido). *3* Couler (la colada). *4* Passer, refiler (una moneda falsa). ■ *5 pr.* Se faufiler, s'introduire, resquiller. *6* fam. Se tromper (equivocarse), faire une gaffe (meter la pata).

colcha [kóltʃa] *f.* Couvre-lit *m.,* courtepointe.

colchón [koltʃón] *m. 1* Matelas. *2* **— de muelles, de tela metálica,** sommier métallique.

colear [koleár] *intr.* Remuer la queue.

colección [koleɣθjón] *f.* Collection.

coleccionista [koleɣθjonista] *s.* Collectionneur, euse.

colecta [koléɣta] *f.* Collecte.

colectividad [koleɣtiβiðáð] *f.* Collectivité.

colega [koléɣa] *m.* Collègue.

colegial [kolexjál] *adj. 1* Collégien, enne. *2* Collégial, ale.

colegiarse [kolexjárse] *pr.* Se grouper dans un corps professionnel.

colegio [koléxjo] *m. 1* Collège. *2* École *f.* privée.

cólera [kólera] *f. 1* Bile (bilis). *2* Colère, courroux *m.:* **montar en —,** se mettre en colère. ■ *3 m.* MED. Choléra.

coleta [koléta] *f. 1* Queue (peinado antiguo). *2* Tresse, natte (de un torero, un chino).

coletazo [koletáθo] *m.* Coup de queue.

coletilla [koletíʎa] *f.* Ajouté *m.,* ajout *m.,* addition (a un escrito, un discurso).

colgado, -da [kolɣáðo, -ða] *adj. 1* Pendu, ue, suspendu, ue, accroché, ée *(de,* à). *2* fig. Déçu, ue: **dejar — a uno,** décevoir quelqu'un.

colgador [kolɣaðór] *m.* IMPR. Étendoir.

colgajo [kolɣáxo] *m. 1* Lambeau. *2* Grappe *f.* de fruits suspendus.

colgar [kolɣár] *tr.* *1* Pendre, suspendre, accrocher: *ha colgado el sombrero de un clavo*, il a suspendu son chapeau à un clou. *2* Pendre (ahorcar). *3* Imputer, attribuer (achacar). ■ *4 intr.* Pendre: *una lámpara cuelga del techo*, une lampe pend au plafond. ▲ CONJUG. comme *contar*.

cólico [kóliko] *m.* Colique *f.*

coliflor [koliflór] *f.* Chou-fleur *m.*

colilla [koliʎa] *f.* Mégot *m.*

colina [kolina] *f.* Colline *f.*

colindante [kolindánte] *adj.* Limitrophe, contigu, uë.

colisión [kolisjón] *f.* Collision, choc *m.*

colmado, -da [kolmáðo, -ða] *adj.* *1* Plein, pleine, comble. ■ *2 m.* Épicerie *f.* (tienda).

colmar [kolmár] *tr.* Combler, remplir.

colmena [kolména] *f.* Ruche.

colmenar [kolmenár] *m.* Rucher.

colmillo [kolmiʎo] *m.* *1* Canine *f.* *2* Croc (del perro, del lobo). *3* Défense *f.* (del elefante, del jabalí).

colmo, -ma [kólmo, -ma] *adj.* *1* Comble. ■ *2 m.* Comble. Loc. fig. *Es el —*, c'est le comble; *para —*, par-dessus le marché.

colocación [kolokaθjón] *f.* *1* Situation, position, emplacement *m.* (sitio). *2* Placement *m.* (de empleados). *3* Place, emploi *m.*, situation, poste *m.* (empleo).

colocar [kolokár] *tr.* *1* Placer (cosas o personas).

colombiano, -na [kolombjáno, -na] *adj.-s.* Colombien, ienne.

colon [kólon] *m.* ANAT. Côlon.

colonia [kolónja] *f.* *1* Colonie. *2* Eau de Cologne.

colonial [kolonjál] *adj.* Colonial, ale.

colonizar [koloniθár] *tr.* Coloniser.

colono [kolóno] *m.* Colon.

coloquio [kolókjo] *m.* Colloque.

color [kolór] *m.* *1* Couleur *f.* Loc. fig. *De — de rosa*, en rose; *distinguir de colores*, savoir juger. ■ *2 pl.* *Los colores nacionales*, les couleurs nationales.

colorado, -da [koloráðo, -ða] *adj.* *1* Coloré, ée. *2* Rouge (rojo).

colorear [koloreár] *tr.* *1* Colorer. ■ *2 intr.* Se colorer, rougir (algunos frutos).

colorete [koloréte] *m.* Rouge, fard.

colorido [koloríðo] *m.* *1* Coloris. *2* fig. Couleur *f.*, prétexte.

colosal [kolosál] *adj.* Colossal, ale.

columna [kolúmna] *f.* Colonne.

columnata [kolumnáta] *f.* Colonnade.

columpiar [kolumpjár] *tr.* *1* Balancer. ■ *2 pr.* Se balancer.

columpio [kolúmpjo] *m.* Balançoire *f.*, escarpolette *f.*

colusión [kolusjón] *f.* DER. Collusion.

colza [kólθa] *f.* Colza *m.*

collado [koʎáðo] *m.* *1* Coteau (monte). *2* Col (paso).

collar [koʎár] *m.* *1* Collier. *2* Carcan (castigo).

coma [kóma] *f.* *1* Virgule. *2* MÚS. Comma *m.* ■ *3 m.* MED. Coma: *entrar en —*, entrer dans le coma.

comadre [komáðre] *f.* *1* Commère. *2* Accoucheuse (partera).

comadreja [komaðréxa] *f.* Belette.

comadrona [komaðróna] *f.* fam. Sage-femme, accoucheuse.

comandante [komandánte] *m.* Commandant.

comandar [komandár] *tr.* MIL. Commander.

comarca [komárka] *f.* Contrée, région.

comarcal [komarkál] *adj.* De la contrée, régional, ale.

comba [kómba] *f.* *1* Courbure, cambrure. *2* Corde: *saltar a la —*, sauter à la corde.

combate [kombáte] *m.* Combat.

combatiente [kombatjénte] *adj.-m.* Combattant, ante.

combatir [kombatir] *intr.-tr.* Combattre.

combinación [kombinaθjón] *f.* *1* Combinaison. *2* Cocktail *m.* (bebida).

combinar [kombinár] *tr.* Combiner.

combustible [kombustiβle] *adj.-m.* Combustible.

comedero, -ra [komeðéro, -ra] *adj.* *1* Mangeable. ■ *2 m.* Auge *f.*, mangeoire *f.*

comedia [komédja] *f.* Comédie.

comedido, -da [komedíðo, -ða] *adj.* *1* Discret, ète, modéré, ée. *2* Courtois, oise.

comedor, -ra [komeðór, -ra] *adj.* *1* Mangeur, euse. ■ *2 m.* Salle *f.* à manger. *3* Restaurant économique, cantine *f.*

comendador [komendaðór] *m.* Commandeur.

comensal [komensál] *s.* Commensal, ale, convive.

comentar [komentár] *tr.* Commenter.

comentario [komentárjo] *m.* Commentaire.

comenzar [komenθár] *tr.-intr.* Commencer. ▲ CONJUG. comme *acertar*.

comer [komér] *tr.-intr.* *1* Manger. Loc. *— de carne*, faire gras. ■ *2 tr.* Prendre (en las damas, ajedrez). ■ *3 intr.* Déjeuner (al mediodía), dîner (cenar). ■ *Comer* dans les sens transitif s'emploie souvent sous la forme réfléchie: *se lo ha comido todo*, il a tout mangé.

comercial [komerθjál] *adj.* Commercial, ale.

comercio [komèrθjo] *m.* Commerce.

comestible [komestiβle] *adj.-m.* Comestible.

cometa [komèta] *m. 1* ASTR. Comète *f.* ■ *2 f.* Cerf-volant *m.* (juguete).

cometer [kometèr] *tr.* Commettre (hacer).

cometido [kometiðo] *m.* Mission *f.*

comicios [komiθjos] *m. pl.* Comices.

cómico, -ca [kómiko, -ka] *adj. 1* Comique. ■ *2 s.* Comédien, ienne (actor, actriz).

comida [komiða] *f. 1* Nourriture (alimento). *2* Déjeuner *m.* (almuerzo), dîner *m.* (cena).

comienzo [komjénθo] *m.* Commencement, début: *en los comienzos de,* au début de. Loc. *Dar* —, commencer.

comilla [komiΛa] *f.* Guillemet *m.*

comino [komino] *m.* Cumin. Loc. *Esto no vale un* —, cela ne vaut rien.

comisaría [komisaria] *f.*, **comisariato** [komisarjáto] *m.* Commissariat *m.*

comisario [komisarjo] *m.* Commissaire.

comisión [komisjòn] *f.* Commission.

comisionado, -da [komisjonáðo, -ða] *adj.-s. 1* Commissionné, ée. *2 — de apremios,* porteur de contraintes.

comité [komitè] *m.* Comité.

comitiva [komitiβa] *f.* Suite, cortège *m.*

como [kómo] *adv. 1* Comme: Loc. *—quiera que,* étant donné que. *2* Comment (interrogación, de qué manera, por qué motivo). *3 como.* Comme (causal, temporal). *4* Que: *sabrás — hemos llegado bien,* je t'informe que nous sommes bien arrivés. *5 m.* Comment: *el cómo y el porqué,* le pourquoi et le comment.

cómoda [kómoða] *f.* Commode (mueble).

comodidad [komoðiðáð] *f. 1* Commodité. *2* Confort *m.,* aise.

cómodo, -da [kómoðo, -ða] *adj. 1* Commode (conveniente, fácil). *2* Confortable. *3 Estar* —, être à l'aise (a gusto).

compacto, -ta [kompáγto, -ta] *adj.* Compact, acte.

compadecer [kompaðeθèr] *tr.-pr. 1* Compatir à, plaindre. ■ *2 pr.* S'accorder, être compatible (hablando de cosas). ▲ CONJUG. comme *agradecer.*

compadre [kompáðre] *m. 1* Compère, parrain, par rapport au père, etc. *2* Compère (amigo).

compaginar [kompayinár] *tr. 1* IMPR. Mettre en pages. *2* Combiner, accorder, rendre compatible.

compañero, -ra [kompañèro, -ra] *s. 1* Compagnon, compagne, camarade. *2* Partenaire (en el juego). *3* Pendant *m.,* chose *f.* qui va avec une autre (objeto).

compañía [kompaɲia] *f. 1* Compagnie. Loc. *Hacer* —, tenir compagnie. *2* Troupe (de actores).

comparar [komparár] *tr.* Comparer.

comparecer [kompareθèr] *intr.* Comparaître. ▲ CONJUG. comme *agradecer.*

compartir [kompartir] *tr. 1* Répartir, diviser. *2* Partager (poseer, utilizar con otros).

compás [kompás] *m. 1* Compas. *2* MAR. Boussole *f. 3* MÚS. Mesure *f.: marcar, llevar el* —, battre la mesure.

compasión [kompasjòn] *f.* Compassion.

compatible [kompatiβle] *adj.* Compatible.

compatriota [kompatrjòta] *s.* Compatriote.

compendio [kompèndjo] *m. 1* Abrégé, compendium, résumé. *2 loc. adv. En* —, sommairement, en résumé.

compenetrarse [kompenetrárse] *pr. 1* Se compénétrer. *2* S'identifier.

compensar [kompensár] *tr. 1* Compenser. *2* Dédommager.

competencia [kompetènθja] *f. 1* Compétence (aptitud). *2* Ressort *m.,* compétence (incumbencia). *3* Concurrence (rivalidad, en comercio).

competente [kompetènte] *adj. 1* Compétent, ente. *2* Apte.

competir [kompetir] *intr. 1* Concourir, être en concurrence. *2* Rivaliser. ■ *3 pr.* Se faire concurrence. ▲ CONJUG. comme *servir.*

compilar [kompilár] *tr.* Compiler.

complacer [komplaθèr] *tr. 1* Complaire, être agréable. ■ *2 pr.* Se complaire, se plaire *(en,* à). ▲ CONJUG. comme *agradecer.*

complejo, -ja [komplèxo, -xa] *adj.* Complexe.

complementar [komplementár] *tr.* Compléter, donner un complément à.

complemento [komplemènto] *m.* Complément.

completar [kompletár] *tr.* Compléter.

complexión [komple(y)sjòn] *f.* Complexion.

complicado, -da [komplikáðo, -ða] *adj.* Compliqué, ée.

complicar [komplikár] *tr. 1* Compliquer. *2* Mêler, impliquer.

cómplice [kómpliθe] *s.* Complice.

complot [komplòt] *m.* Complot.

componente [kompo nènte] *adj.-m.* Composant, ante.

componer [komponèr] *tr. 1* Composer. *2* Préparer (con ingredientes). *3* Réparer, raccommoder (arreglar, reparar). *4* Arranger (un asunto). *5* Orner, parer. ■

6 pr. Composer (transigir). *7* Se parer, se vêtir, s'arranger (ataviarse). *8 Componérselas,* s'arranger, s'ingénier, s'y prendre. ▲ CONJUG. comme *poner.*

comportamiento [komportamjénto] *m.* Comportement, conduite *f.*

composición [komposiθjón] *f. 1* Composition.

compositor, -ra [kompositór, -ra] *s.* Compositeur, trice.

compostura [kompostúra] *f. 1* Réparation, raccommodage *m.* (remiendo).

compota [kompóta] *f.* Compote.

compra [kómpra] *f. 1* Achat *m. 2* Emplette.

comprador, -ra [kompraðór, -ra] *adj.-s.* Acheteur, euse.

comprender [komprendér] *tr.* Comprendre: *no comprendí lo que decía,* je n'ai pas compris ce qu'il disait.

comprensivo, -va [komprensiβo, -βa] *adj.* Compréhensif, ive.

compresa [komprésa] *f. 1* Compresse. *2* Serviette hygiénique.

compresión [kompresjón] *f.* Compression.

comprimido, -da [komprimíðo, -ða] *adj.-m.* Comprimé, ée.

comprobar [komproβár] *tr. 1* Constater (obtener la confirmación de algo). *2* Vérifier (averiguar). *3* Confirmer. ▲ CONJUG. comme *contar.*

comprometer [komprometér] *tr. 1* Compromettre (exponer a algún peligro o daño). *2* Engager (en una obligación).

compromiso [kompromiso] *m. 1* Compromis (convenio). *2* Engagement, obligation *f.: sin — por su parte,* sans engagement de votre part. *3* Difficulté *f.,* embarras (apuro).

compuesto, -ta [kompwésto, -ta] *adj. 1* Composé, ée. *2* Orné, ée, paré, ée (ataviado). *3* Arrangé, ée, raccomodé, ée (arreglado). *4* ARQ. Composite. ■ *5 m.* Composé. ■ *6 f. pl.* BOT. Composacées.

cómputo [kómputo] *m. 1* Comput (eclesiástico). *2* Supputation *f.*

comulgante [komulyánte] *s.* Communiant, ante.

comulgar [komulyár] *intr.* Communier.

común [komún] *adj. 1* Commun, une: *nombre —,* nom commun; *lugares comunes,* lieux communs.

comunal [komunál] *adj. 1* Commun, une (no privativo). *2* Communal, ale (del municipio).

comunicación [komunikaθjón] *f.* Communication.

comunicar [komunikár] *tr. 1* Communiquer (una cosa).

comunidad [komuniðáð] *f.* Communauté.

comunión [komunjón] *f.* Communion.

comunista [komunista] *adj.-s.* Communiste.

con [kon] *prep. 1* Avec: *viene — su amigo,* il vient avec son ami. *2* De: *saludó — la mano,* il salua de la main. *3* Avec l'infinitif se traduit par un gérondif ou par «quoique», «bien que», «malgré»: *— discutir no lograremos nada,* en discutant, nous n'obtiendrons rien. *4* Exprime la réciprocité, la comparaison, certains rapports: *esto no es nada — lo que puedo hacer yo,* cela n'est rien en comparaison de ce que je peux faire. *5 Para —,* envers, à l'égard de.

conato [konáto] *m. 1* Effort, obstination *f.* (empeño). *2* Commencement: *— de incendio,* commencement d'incendie.

cóncavo, -va [kónkaβo, -βa] *adj. 1* Concave. ■ *2 m.* Concavité *f.*

concebir [konθeβír] *tr.* Concevoir. ▲ CONJUG. comme *servir.*

conceder [konθeðér] *tr. 1* Concéder, accorder (otorgar).

concejal [konθexál] *m.* Conseiller municipal.

concejo [konθéxo] *m. 1* Conseil municipal.

concentración [konθentraθjón] *f. 1* Concentration.

concentrar [konθentrár] *tr. 1* Concentrer.

concéntrico, -ca [konθéntriko, -ka] *adj.* Concentrique.

concepto [konθéβto] *m. 1* FIL. Concept. *2* Pensée *f.,* idée *f. 3* Opinion *f.,* jugement. Loc. *Tener buen — de uno,* avoir une bonne opinion de quelqu'un.

concerniente [konθernjénte] *adj.* Concernant, relatif, ive.

concertar [konθertár] *tr. 1* Concerter. *2* Arranger, ajuster (una cosa). *3* Accorder (voces, instrumentos de música). *4* Faire concorder (una cosa con otra). ■ *5 intr.-pr.* Concorder (hablando de cosas). ■ *6 intr.* GRAM. S'accorder. ▲ CONJUG. comme *acertar.*

concertista [konθertista] *s.* Concertiste.

concesión [konθesjón] *f.* Concession.

conciencia [konθjénθja] *f. 1* Conscience. *2 loc. adv. A —,* consciencieusement.

concierto [konθjérto] *m. 1* Bon ordre, bonne disposition *f.* des choses. *2* Concert, accord, union *f. 3* MÚS. Concert (función).

conciliador, -ra [konθiljaðór, -ra] *adj.-s.* Conciliateur, trice, conciliant, ante.

conciliar [konθiljár] *adj.* Conciliaire.

conciliar [konθiljár] *tr.* Concilier.

concilio [konθiljo] *m.* Concile.

conciudadano, -na [konθjuðaðáno, -na] *s.* Concitoyen, enne.

cónclave [kóŋklaβe] *m.* Conclave.

concluir [koŋklwir] *tr.* 1 Conclure, achever, terminer. 2 *intr.* Finir, se terminer. ▲ CONJUG. comme *huir*.

conclusión [koŋklusjón] *f.* Conclusion.

concomitancia [koŋkomitánθja] *f.* Concomitance.

concordante [koŋkorðánte] *adj.* Concordant, ante.

concordar [koŋkorðár] *tr.* 1 Accorder (cosas, palabras). ■ 2 *intr.* Concorder. 3 GRAM. S'accorder. ▲ CONJUG. comme *contar*.

concordato [koŋkorðáto] *m.* Concordat.

concordia [koŋkórðja] *f.* 1 Concorde. 2 Arrangement *m.*, accord *m.* (ajuste). 3 *loc. adv. De* —, d'un commun accord.

concretar [koŋkretár] *tr.* 1 Préciser. résumer. 2 *pr.* Se borner (limitarse). 3 Se concrétiser. prendre corps.

concreto, -ta [koŋkréto, -ta] *adj.* 1 Concret. ète.

concubina [koŋkuβina] *f.* Concubine.

concubinato [koŋkuβináto] *m.* Concubinage.

concurrencia [koŋkuřénθja] *f.* 1 Assistance. affluence. concours *m.* (de personas). 2 Concours *m.*, coïncidence (coincidencia). 3 Concours *m.*, aide (ayuda).

concurrir [koŋkuřír] *intr.* 1 Se rendre, aller (ir a un lugar). assister (asistir): — *a un baile*, fréquenter un bal. 2 Concourir. contribuer, coopérer (contribuir).

concurso [koŋkúrso] *m.* Concours.

concha [kóntʃa] *f.* 1 Coquille, carapace (de tortuga, etc.). 2 Huitre. 3 Écaille (carey). 4 TEAT. Trou *m.* du souffleur. 5 GEOG. Anse. petite baie.

condado [kondáðo] *m.* 1 Comté (territorio). 2 Dignité *f.* de comte.

condal [kondál] *adj.* 1 Comtal. ale. 2 *La Ciudad* —, Barcelone.

conde [kónde] *m.* Comte.

condecoración [kondekoraθjón] *f.* 1 Action de décorer (una persona). 2 Décoration (insignia).

condena [kondéna] *f.* 1 DER. Condamnation. 2 Peine.

condenado, -da [kondenáðo. -ða] *adj.-s.* 1 Condamné. ée. 2 Damné. ée (al infierno). 3 fig. Maudit. ite.

condenar [kondenár] *tr.* 1 Condamner. ■ 2 *pr.* S'accuser. 3 Se damner (al infierno).

condensar [kondensár] *tr.* Condenser.

condesa [kondésa] *f.* Comtesse.

condescender [kondesθendér] *intr.* Condescendre. ▲ CONJUG. comme *entender*.

condición [kondiθjón] *f.* 1 Condition. 2 Caractère *m.* (de una persona).

condicionar [kondiθjonár] *tr.* 1 Conditionner. 2 Faire dépendre (supeditar): — *a*, faire dépendre de.

condimentar [kondimentár] *tr.* Assaisonner.

condolerse [kondolérse] *pr.* — *de*, compatir à, s'apitoyer sur. ▲ CONJUG. comme *mover*.

cóndor [kóndor] *m.* Condor.

conducción [konduɣθjón] *f.* 1 Conduite (acción). 2 Conduite (de agua, de gas, etc.). 3 fís. Conduction.

conducir [konduθir] *tr.* 1 Conduire (guiar, dirigir, llevar). 2 Porter, transporter (una carga). ▲ CONJUG. IRRÉG. INDIC. Prés.: *conduzco, conduces, conduce, conducimos, conducís, conducen.* Imparf.: *conducía*, etc. Pas. simple: *conduje, condujiste, condujo, condujimos, condujisteis, condujeron.* Fut.: *conduciré*, etc. COND.: *conduciría*, etc. SUBJ. Prés.: *conduzca, conduzcas, conduzca, conduzcamos, conduzcáis, conduzcan.* Imparf.: *condujera*, etc. ou *condujese*, etc. Fut.: *condujere*, etc. IMPÉR.: *conduce, conduzca, conduzcamos, conducid, conduzcan.* GÉR.: *conduciendo.* PART. PAS.: *conducido.*

conducta [kondúyta] *f.* Conduite.

conducto [kondúyto] *m.* 1 Conduit. 2 fig. Canal. intermédiaire.

conductor, -ra [konduɣtór, -ra] *adj.-s.* Conducteur. trice.

conectar [koneɣtár] *tr.* Connecter.

conejo [konéxo] *m.* Lapin: — *casero*, lapin domestique: — *de campo*, lapin de garenne.

conexión [kone(ɣ)sjón] *f.* Connexion.

confabulación [konfaβulaθjón] *f.* Entente, ligue, complot *m.* (contra uno).

confeccionar [konfeɣθjonár] *tr.* Confectionner.

confederación [konfeðeraθjón] *f.* Confédération.

confederar [konfeðerár] *tr.* Confédérer.

conferencia [konferénθja] *f.* Conférence.

conferir [konferir] *tr.* Conférer (conceder, atribuir). ▲ CONJUG. comme *hervir*.

confesar [konfesár] *tr.* 1 Confesser. 2 Avouer. ▲ CONJUG. comme *acertar*.

confesión [konfesjón] *f.* 1 Confession (al confesor, creencia). 2 Aveu *m.* (de haber hecho o dicho algo).

confesor [konfesór] *m.* Confesseur.

confianza [komfjánθa] f. Confiance.

confiar [komfjár] tr. 1 Confier. ■ 2 intr. — en, avoir confiance en: *confío en él*, j'ai confiance en lui. ■ 3 pr. Se confier.

confidencial [komfiðenθjál] adj. Confidentiel, elle.

confidente [komfiðénte] adj. 1 Fidèle, sûr, sûre. ■ 2 s. Confident, ente. 3 Indicateur m., mouchard m. (espía).

configurar [komfiyurár] tr. Configurer.

confín [komfin] adj. 1 Limitrophe. ■ 2 m. pl. Confins: *en los confines de*, aux confins de.

confirmar [komfirmár] tr. 1 Confirmer. ■ 2 pr. Se confirmer.

confiscar [komfiskár] tr. Confisquer.

confite [komfíte] m. Dragée f. (bolita), sucrerie f. (golosina).

confitero, -ra [komfitéro, -ra] s. 1 Confiseur, euse. ■ 2 m. Confiturier.

confitura [komfitúra] f. Confiture.

conflicto [komfliyto] m. Conflit.

confluencia [komflwénθja] f. 1 Confluence. 2 Confluent m. (de dos ríos). 3 Embranchement m. (de caminos). 4 MED. Confluence.

confluir [komflwír] intr. 1 Confluer. 2 Converger (dos o más caminos). 3 Affluer de différents endroits.

conformar [komformár] tr. 1 Conformer (ajustar). ■ 2 intr.-pr. Être du même avis, être d'accord.

conforme [komfórme] adj. 1 Conforme. 2 D'accord, du même avis.

conformidad [komformiðáð] f. 1 Conformité. 2 Accord m. (aprobación). 3 Résignation, patience.

confortable [komfortáβle] adj. Confortable.

confraternidad [komfraterniðáð] f. 1 Fraternité. 2 Amitié intime.

confrontación [komfrontaθjón] f. Confrontation.

confrontar [komfrontár] tr. Confronter.

confundir [komfundír] tr. Confondre.

confusión [komfusjón] f. Confusion.

confuso, -sa [komfúso, -sa] adj. Confus, use.

congelar [koŋxelár] tr. 1 Congeler. 2 COM. Bloquer, immobiliser.

congeniar [koŋxenjár] intr. Sympathiser, s'accorder.

congénito, -ta [koŋxénito, -ta] adj. Congénital, ale.

congestionar [koŋxestjonár] tr. Congestionner.

conglomerado, -da [koŋglomeráðo, -ða] adj. 1 Congloméré, ée. ■ 2 m. Conglomérat.

congoja [koŋgóxa] f. Angoisse.

congraciar [koŋgraθjár] tr.-pr. Gagner les bonnes grâces.

congratular [koŋgratulár] tr. 1 Congratuler. ■ 2 pr. Se congratuler.

congregación [koŋgreyaθjón] f. Congrégation.

congregar [koŋgreyár] tr. Assembler, réunir, rassembler.

congreso [koŋgréso] m. 1 Congrès. 2 — de los Diputados, Chambre des députés.

congrio [kóŋgrjo] m. Congre.

congruencia [koŋgrwénθja] f. Congruence.

cónico, -ca [kóniko, -ka] adj.-f. GEOM. Conique.

coníferas l[koníferas] f. pl. BOT. Conifères m.

conjetura [koŋxetúra] f. Conjecture.

conjugación [koŋxuyaθjón] f. Conjugaison.

conjugar [koŋxuyár] tr. Conjuguer.

conjuntivo, -va [koŋxuntíβo, -βa] adj. Conjonctif, ive.

conjunto, -ta [koŋxúnto, -ta] adj. 1 Conjoint, ointe. ■ 2 m. Ensemble. 3 loc. adv. En —, dans l'ensemble.

conjura [koŋxúra] f. 1 Conjuration, conspiration. 2 Intrigue.

conjurar [koŋxurár] tr.-intr. Conjurer.

conmemoración [kommemoraθjón] f. Commémoration.

conmemorar [kommemorár] tr. Commémorer.

conmensurable [kommensuráβle] adj. Commensurable.

conmigo [kommiyo] pron. pers. Avec moi. ★PERSONNEL.

conminar [komminár] tr. 1 Menacer. 2 DER. Ordonner en menaçant, intimer.

conmoción [kommoθjón] f. Commotion.

conmovedor, -ra [kommoβeðór, -ra] adj. Émouvant, ante, touchant, ante.

conmover [kommoβér] tr. 1 Émouvoir, toucher. 2 Ébranler. ▲ CONJUG. comme *mover*.

conmutar [kommutár] tr. Commuer.

connivencia [konniβénθja] f. Connivence.

cono [kóno] m. GEOM., BOT. Cône.

conocedor, -ra [konoθeðór, -ra] adj.-s. Connaisseur, euse.

conocer [konoθér] tr. 1 Connaître. 2 Voir, deviner, conjecturer. ■ 3 intr. Connaître (en un asunto). ▲ CONJUG. comme *nacer*.

conocimiento [konoθimjénto] m. 1 Connaissance f. 2 COM. Connaissement.

conquista [koŋkista] f. Conquête.

conquistador, -ra [koŋkistaðór, -ra] adj. Conquérant, ante.

conquistar [koŋkistár] *tr.* Conquérir.

consabido, -da [konsaβíðo, -ða] *adj.* Dont on a déjà parlé, susdit, ite (nombrado antes).

consagración [konsaɣraθjón] *f. 1* Consécration. *2* Sacre *m.* (ceremonia).

consagrar [konsaɣrár] *tr. 1* Consacrer. *2* Sacrer (a un rey, un obispo).

consanguíneo, -ea [konsaŋɣíneo, -ea] *adj.-s.* Consanguin, ine.

consciente [konsθjénte] *adj.* Conscient, ente.

conscripto [konskríβto] *adj.* Conscrit: *padre —,* père conscrit.

consecuencia [konsekwénθja] *f.* Conséquence.

consecuente [konsekwénte] *adj.* Conséquent, ente.

conseguir [konseɣír] *tr. 1* Obtenir (obtener). *2* Atteindre (alcanzar). ▲ CONJUG. comme *seguir*.

consejero, -ra [konsexéro, -ra] *s.* Conseiller, ère.

consejo [konséxo] *m.* Conseil.

consenso [konsénso] *m.* Consentement, consensus.

consentido, -da [konsentíðo, -ða] *adj.* Gâté, ée (niño).

consentir [konsentír] *intr.-tr. 1* Consentir. ■ *2 tr.* Permettre, tolérer. *3 pr.* Commencer à se fêler, à se briser, à se fendre. ▲ CONJUG. comme *sentir*.

conserjería [konserxería] *f.* Conciergerie.

conserva [konsérβa] *f.* Conserve.

conservación [konserβaθjón] *f.* Conservation.

conservador, -ra [konserβaðór, -ra] *adj.* Conservateur, trice.

conservar [konserβár] *tr.* Conserver.

conservatorio, -ia [konserβatórjo, -ja] *adj.-m.* Conservatoire.

considerado, -da [konsiðeráðo, -ða] *adj. 1* Considéré, ée. *2* Réflechi, ie.

considerar [konsiðerár] *tr.* Considérer.

consigna [konsíɣna] *f.* Consigne (instrucción, orden).

consignar [konsiɣnár] *tr.* Consigner.

consigo [konsíɣo] *pron. pers.* Avec soi, avec lui: fig. *no tenerlas todas —,* ne pas être tranquille, avoir peur. ★PERSONNEL.

consiguiente [konsiɣjénte] *adj.* Qui est la conséquence de, consécutif, ive.

consistente [konsisténte] *adj.* Consistant, ante.

consistir [konsistír] *intr.* Consister.

consola [konsóla] *f.* Console (mueble).

consolador, -ra [konsolaðór, -ra] *adj.-s. 1* Consolateur, trice. ■ *2 adj.* Consolant, ante.

consolar [konsolár] *tr.* Consoler ▲ CONJUG. comme *contar*.

consolidar [konsoliðár] *tr.* Consolider.

consonancia [konsonánθja] *f. 1* MÉTR., MÚS. Consonance. *2* fig. Accord *m.*

consonante [konsonánte] *adj. 1* Consonant, ante. *2* Qui est en conformité avec. ■ *3 m.* Mot consonant, rime. *f.* ■ *4 f.* GRAM. Consonne.

consorcio [konsórθjo] *m. 1* Consortium. *2* Union *f.*

consorte [konsórte] *s. 1* Conjoint, ointe (marido, mujer). ■ *2 pl.* DER. Consorts.

conspirar [konspirár] *intr.* Conspirer.

constancia [konstánθja] *f. 1* Constance. *2* Preuve, certitude (certeza).

constar [konstár] *intr. 1* Être composé, ée de (componerse). *2* Être certain, aine, sûr, sûre. Loc. *Me consta que,* je suis certain, aine que, j'ai la certitude que.

constelación [konstelaθjón] *f.* ASTR. Constellation.

consternar [konsternár] *tr. 1* Consterner. ■ *2 pr.* Être consterné, ée.

constipado, -da [konstipáðo, -ða] *adj. 1* Enrhumé, ée. ■ *2 m.* Rhume.

constitución [konstituθjón] *f.* Constitution.

constituir [konstitwír] *tr. 1* Constituer. ■ *2 pr.* Se constituer.

constituyente [konstitujénte] *adj.-m.* Constituant, ante: *Cortes constituyentes,* Assemblée constituante.

constreñir [konstreɲír] *tr. 1* Contraindre, forcer. *2* MED. Resserrer.

construcción [konstruɣθjón] *f.* Construction.

construir [konstrwír] *tr.* Construire. ▲ CONJUG. comme *huir*.

consubstancial [konsuβstanθjàl] *adj.* Consubstantiel, elle.

consuelo [konswélo] *m. 1* Consolation *f.* *2* Soulagement (alivio).

consuetudinario, -ia [konswetuðinárjo, -ja] *adj.* Habituel, elle, coutumier, ière.

cónsul [kónsul] *m.* Consul.

consultar [konsultár] *tr.* Consulter.

consultivo, -va [konsultíβo, -βa] *adj.* Consultatif, ive.

consultorio [konsultórjo] *m.* Cabinet de consultation.

consumado, -da [konsumáðo, -ða] *adj.* Consommé, ée, parfait, aite.

consumar [konsumár] *tr.* Consommer.

consumición [konsumiθjón] *f.* Consommation (acción de consumir, bebida).

consumidor, -ra [konsumiðór, -ra] *adj.-s.* Consommateur, trice.

consumir [konsumír] *tr.* 1 Consumer (destruir, afligir). 2 Consommer (comestibles, electricidad, etc.).

contabilidad [kontaβiliðáð] *f.* Comptabilité.

contacto [kontáyto] *m.* Contact.

contado, -da [kontáðo, -ða] *adj.* 1 Compté, ée. 2 Rare, peu nombreux, euse (escaso): *en contadas ocasiones,* en de rares occasions. 3 *loc. adv. Al —,* au comptant, comptant; *de —,* sur le champ; *por de —,* pour sûr.

contaduría [kontaðuría] *f.* 1 Charge, emploi *m.* de comptable. 2 TEAT. Bureau *m.* de location.

contagiar [kontaxjár] *tr.* 1 Contaminer. 2 fig. Communiquer, transmettre.

contagioso, -sa [kontaxjóso, -sa] *adj.* Contagieux, euse.

contaminar [kontaminár] *tr.* 1 Contaminer.

contar [kontár] *tr.* 1 Compter (numerar). 2 Raconter, conter (narrar). ■ 3 *intr.* Compter: *saber —,* savoir compter; — *con,* compter sur. ▲ CONJUG. IRRÉG. INDIC. Prés.: *cuento, cuentas, cuenta, contamos, contáis, cuentan.* SUBJ. Prés.: *cuente, cuentes, cuente, contemos, contéis, cuenten.* IMPÉR.: *cuenta, cuente, contemos, contad, cuenten.* Les autres temps sont réguliers.

contemplar [kontemplár] *tr.* 1 Contempler. 2 Avoir des égards pour (complacer).

contemporáneo, -ea [kontemporáneo, -ea] *adj.-s.* Contemporain, aine.

contender [kontendér] *intr.* 1 Se battre, lutter. 2 fig. Disputer.

contener [kontenér] *tr.* 1 Contenir. ■ 2 *pr.* Se contenir, se retenir. ▲ CONJUG. comme *tener.*

contenido, -da [konteníðo, -ða] *adj.* 1 Contenu, ue. 2 Modéré, ée, prudent, ente. ■ 3 *m.* Contenu.

contento, -ta [konténto, -ta] *adj.* 1 Content, ente. ■ 2 *m.* Contentement, joie *f.*

contestación [kontestaθjón] *f.* 1 Réponse. 2 Contestation (disputa).

contestar [kontestár] *tr.* Répondre.

contexto [konte(y)sto] *m.* Contexte.

contigo [kontíyo] *pron. pers.* Avec toi.

contiguo, -ua [kontíywo, -wa] *adj.* Contigu, uë.

continente [kontinénte] *adj.* 1 Continent, ente. ■ 2 *m.* GEOG. Continent.

contingente [kontiŋxénte] *adj.* 1 Contingent, ente. ■ 2 *m.* Contingent.

continuar [kontinwár] *tr.-intr.* 1 Conti-

nuer: — *leyendo,* continuer à lire. ■ 2 *intr.* Rester (permanecer): — *sentado,* rester assis.

continuo, -ua [kontínwo, -wa] *adj.* 1 Continu, ue: *corriente continua,* courant continu. 2 Continuel, elle.

contorno [kontórno] *m.* 1 Contour. 2 *loc. adv. En —,* autour. ■ 3 *pl.* Alentours.

contorsión [kontorsjón] *f.* Contorsion.

contra [kóntra] *prep.* 1 Contre (expresa oposición). ■ 2 *m.* Contre: *el pro y el —,* le pour et le contre. ■ 3 *f.* Difficulté, inconvénient *m.,* opposition. Loc. *Hacer, llevar la — a uno,* contredire quelqu'un, s'opposer aux desseins de quelqu'un.

contraalmirante [kontraalmiránte] *m.* Contre-amiral.

contraataque [kontraatáke] *m.* MIL. Contre-attaque *f.*

contrabandista [kontraβandista] *s.* Contrebandier, ière.

contrabando [kontraβándo] *m.* Contrebande *f.*

contracción [kontrayθjón] *f.* Contraction.

contracto, -ta [kontráyto, -ta] *adj.* Contracté, ée.

contractual [kontraytwál] *adj.* Contractuel, elle.

contradanza [kontraðánθa] *f.* Contredanse.

contradecir [kontraðeθír] *tr.* Contredire.

contradicción [kontraðiyθjón] *f.* Contradiction.

contradictor, -ra [kontraðiytór, -ra], contradictorio, -ia [kontraðiytórjo, -ja] *adj.* Contradictoire.

contraer [kontraér] *tr.* Contracter (encoger). ▲ CONJUG. comme *traer.*

contraescarpa [kontraeskárpa] *f.* Contrescarpe.

contrafilo [kontrafílo] *m.* Contre-pointe *f.*

contrafuerte [kontrafwérte] *m.* Contrefort.

contrahecho, -cha [kontraétʃo, -tʃa] *adj.* Contrefait, aite.

contralto [kontrálto] *m.* MÚS. Contralto.

contraluz [kontralúθ] *m.* 1 Contre-jour. 2 *loc. adv. A —,* à contre-jour.

contramaestre [kontramaéstre] *m.* 1 Contremaître (en una fábrica). 2 MAR. Second maître.

contraorden [kontraórðen] *f.* Contrordre *m.*

contrapelo (a) [akontrapélo] *loc. adv.* 1 À rebrousse-poil, à contre-poil. 2 fig. A contre-cœur.

contrapesar [kontrapesár] *tr.* Contrebalancer.

contrapeso [kontrapèso] *m.* Contrepoids.

contraponer [kontraponèr] *tr.* *1* Opposer. *2* Comparer. ■ *3* *pr.* S'opposer. ▲ CONJUG. comme **poner.**

contraproducente [kontraproδuθènte] *adj.* Qui a un effet contraire à celui que l'on veut obtenir.

contraproyecto [kontraprojèyto] *m.* Contre-projet.

contrapunto [kontrapúnto] *m.* Contre-point.

contrariedad [kontrarjeδáδ] *f.* *1* Contrariété (disgusto).

contrario, -ia [kontrárjo, -ja] *adj.-m.* *1* Contraire, opposé, ée. *2* *loc. adv.* **Al —, por el —, por lo —,** au contraire; **de lo —,** autrement. ■ *3* *f.* Opposition. Loc. **Llevar la contraria a uno,** contredire quelqu'un, s'opposer aux desseins de quelqu'un.

contrarrestar [kontrarɛstár] *tr.* Contrecarrer, résister.

contraseña [kontrasèɲa] *f.* *1* Contremarque. *2* MIL. Mot *m.* de passe.

contrastar [kontrastár] *tr.* *1* S'opposer, résister. *2* Contrôler, poinçonner (oro, plata). *3* Étalonner (pesos, medidas). ■ *4* *intr.* Contraster.

contraste [kontràste] *m.* *1* Résistance *f.* *2* Contraste (oposición, diferencia).

contratar [kontratár] *tr.* *1* Contracter. *2* Engager (actor, criado, etc.), embaucher (obreros). *3* Commercer.

contratiempo [kontratjèmpo] *m.* Contretemps.

contrato [kontráto] *m.* Contrat.

contravenir [kontraβenir] *tr.* Contrevenir. ▲ CONJUG. comme **venir.**

contrayente [kontrajènte] *adj.-s.* Contractant, ante (se dit spécialement de ceux qui se marient).

contribución [kontriβuθjón] *f.* Contribution.

contribuir [kontriβwir] *intr.* *1* Contribuer. ■ *2* *tr.* Payer. ▲ CONJUG. comme **huir.**

contribuyente [kontriβujénte] *adj.* *1* Contribuant, ante.

contrincante [kontriŋkánte] *m.* Concurrent, compétiteur.

controversia [kontroβérsja] *f.* Controverse.

controvertir [kontroβertir] *tr.-intr.* Controverser. ▲ CONJUG. comme **hervir.**

contundente [kontundénte] *adj.* *1* Contondant, ante. *2* Convaincant, ante, concluant, ante (argumento).

conturbar [konturβár] *tr.* Troubler, inquiéter.

contusión [kontusjón] *f.* Contusion.

contuso, -sa [kontúso, -sa] *adj.* Contus, use.

convalecencia [kombaleθènθja] *f.* Convalescence.

convalecer [kombaleθèr] *intr.* Être, entrer en convalescence. ▲ CONJUG. comme **agradecer.**

convalidar [kombaliδár] *tr.* Valider.

convencer [kombenθèr] *tr.* Convaincre: **estoy convencido de que,** je suis convaincu que.

convencional [kombenθjonál] *adj.-m.* Conventionnel, elle.

conveniencia [kombenjénθja] *f.* *1* Convenance. *2* Utilité, profit *m.*, commodité, opportunité.

convenir [kombenir] *intr.* *1* Être du même avis. *2* Convenir (decidir de acuerdo): **hemos convenido en asociarnos,** nous avons convenu de nous associer. ■ *3* *pr.* S'accorder, s'entendre. ▲ CONJUG. comme **venir.**

convento [kombènto] *m.* Couvent.

convergente [komberxènte] *adj.* Convergent, ente.

conversación [kombersaθjón] *f.* *1* Conversation (charla): **trabar —,** engager la conversation. *2* Entretien *m.*

conversar [kombersár] *intr.* Converser, causer, s'entretenir.

conversión [kombersjón] *f.* Conversion.

convertir [kombertir] *tr.* *1* Convertir. ▲ CONJUG. comme **discernir.**

convexo, -xa [kombe(ɣ)so, -sa] *adj.* Convexe.

convicción [kombiɣθjón] *f.* Conviction.

convicto, -ta [kombiɣto, -ta] *adj.* DER. Convaincu, ue.

convidar [kombiδár] *tr.* Convier, inviter: **me convidó a un vermut,** il m'invita à prendre un vermouth.

convivencia [kombiβènθja] *f.* Cohabitation, vie en commun.

convocar [kombokár] *tr.* Convoquer (a ciertas personas, una asamblea, etc.).

convocatoria [kombokatòrja] *f.* Convocation, lettre, avis *m.* de convocation.

convoy [kombói] *m.* *1* Convoi. *2* Suite *f.*, cortège (séquito).

convulsión [kombulsjón] *f.* Convulsion.

cónyuge [kòndʒuxe] *s.* Conjoint, ointe.

coñac [koɲák] *m.* Cognac.

cooperar [kooperár] *intr.* Coopérer.

cooperativo, -va [kooperatiβo, -βa] *adj.* Coopératif, ive.

coordenada [koorδenáδa] *f.* GEOM. Coordonnée.

coordinación [koorδinaθjón] *f.* Coordination.

copa [kópa] f. 1 Coupe (para beber, trofeo). 2 Verre m. à pied (vaso). 3 Tête (de un árbol). 4 Forme (de un sombrero). ■ 5 pl. Une des couleurs des cartes espagnoles.

copar [kopár] tr. 1 MIL. Couper la retraite à. 2 — la banca, faire banco. 3 fig. Emporter tous les sièges (en unas elecciones).

copete [kopéte] m. 1 Toupet, houppe f. (de cabellos). 2 Sommet (de una montaña).

copia [kópja] f. 1 Copie (imitación, reproducción). 2 Abondance (gran cantidad).

copiar [kopjár] tr. Copier. ▲ CONJUG. comme cambiar.

copla [kópla] f. 1 Stance, strophe. 2 Couplet m. (de canción popular). ■ 3 pl. Vers m., poésies.

coplero, -ra [kopléro, -ra] s. 1 Vendeur, euse de chansons. 2 Rimailleur, euse.

copo [kópo] m. 1 Quenouillée f. (de cáñamo, lana, etc.). 2 Flocon: — de nieve, de avena, flocon de neige, d'avoine. 3 Poche f. (de una red).

copudo, -da [kopúðo, -ða] adj. Touffu, ue (árbol).

cópula [kópula] f. 1 Copulation. 2 Lien m. (entre dos cosas). 3 GRAM., LÓG. Copule.

copulativo, -va [kopulatiβo, -βa] adj. Copulatif, ive.

coquetear [koketeár] intr. 1 Faire la coquette. 2 Flirter.

coquetería [koketería] f. Coquetterie.

coraje [koráxe] m. 1 Bravoure f., courage (valor). 2 Colère f., irritation f. (ira).

coral [korál] adj.-s. 1 MÚS. Choral, ale. ■ 2 m. Corail: arrecifes de corales, récifs de coraux. Loc. fig. Fino como un —, fin comme l'ambre.

corán [korán] m. Coran.

corazón [koraθón] m. Cœur.

corazonada [koraθonáða] f. 1 Impulsion, mouvement m. intérieur. 2 Pressentiment m.

corbata [korβáta] f. Cravate.

corbeta [korβéta] f. Corvette (embarcación).

corcovado, -da [korkoβáðo, -ða] adj.-s. Bossu, ue.

corchea [kortʃéa] f. MÚS. Croche.

corchete [kortʃéte] m. 1 Agrafe f. 2 Crochet (gancho). 3 IMPR. Crochet.

corcho [kórtʃo] m. 1 Liége. 2 Bouchon de liège (tapón). 3 Planche f., flotteur, etc. de liège.

cordel [korðél] m. 1 Corde f. mince, ficelle f. (cuerda delgada). 2 Cordeau (de albañil).

cordero [korðéro] m. Agneau.

cordial [korðjál] adj. 1 Cordial, ale. ■ 2 m. Cordial (bebida reconfortante).

cordillera [korðiʎéra] f. Cordillère, chaîne.

cordobés, -esa [korðoβés, -ésa] adj.-s. Cordouan, ane.

cordón [korðón] m. 1 Cordon (cuerda pequeña). 2 Cordelière f. (de algunos religiosos, de un vestido).

cordura [korðúra] f. Sagesse, bon sens m.

corear [koreár] tr. 1 Accompagner en chœur. 2 Faire chorus (asentir).

corifeo [koriféo] m. Coryphée.

corintio, -ia [koríntjo, -ja] adj.-s. Corinthien, ienne.

corista [korista] s. Choriste.

cornada [kornáða] f. Coup m. de corne.

cornamenta [kornaménta] f. Cornes pl., encornure (de un animal).

córnea [kórnea] f. Cornée.

córneo, -ea [kórneo, -ea] adj. Corné, ée.

corneta [kornéta] f. 1 MÚS. Clairon m. (militar). 2 Cornet m.: — de llaves, cornet à pistons. Loc. — de monte, cor de chasse. 3 Cornette (bandera). ■ 4 m. Cornettiste. 5 Clairon (soldado).

cornisa [kornisa] f. ARQ., GEOG. Corniche.

cornudo, -da [kornúðo, -ða] adj. 1 Cornu, ue. ■ 2 adj.-m. fam. Cocu.

coro [kóro] m. 1 MÚS., TEAT. Chœur. Loc. fig. Hacer —, faire chorus. 2 ARQ. Chœur (en una iglesia).

corolario [korolárjo] m. Corollaire.

corona [koróna] f. 1 Couronne. 2 Tonsure (de los eclesiásticos).

coronación [koronaθjón] f. Couronnement m.

coronar [koronár] tr. 1 Couronner. 2 Damer (una ficha en el juego de damas). ■ 3 pr. Se couronner.

coronel [koronél] m. Colonel.

coronilla [koroniʎa] f. 1 Petite couronne. 2 Sommet m. de la tête. Loc. fig.: estar hasta la —, en avoir par-dessus la tête, en avoir ras le bol.

corpiño [korpiɲo] m. Corsage (sans manches).

corporación [korporaθjón] f. 1 Corporation. 2 Corps m. constitué.

corporal [korporál] adj. 1 Corporel, elle. ■ 2 m. LITURG. Corporal.

corporativo, -va [korporatiβo, -βa] adj. Corporatif, ive.

corpulento, -ta [korpulénto, -ta] adj. Corpulent, ente.

corral [korál] m. 1 Cour f. (patio para aves). 2 Parc, enclos (para el ganado).

correa [koréa] f. 1 Courroie (tira de

cuero). *2* Élasticité (flexibilidad). *3* fam. Patience, endurance.

correccional [kořeɣθjonál] *adj. 1* Correctionnel, elle. ■ *2 m.* Établissement pénitentiaire.

correcto, -ta [kořékto, -ta] *adj.* Correct, ecte.

corredera [kořeðéra] *f. 1* Coulisse (ranura). *2* Tiroir *m.* (de máquina de vapor). *3* MAR. Loch *m. 4* Cancrelat *m.* (cucaracha).

corredor, -ra [kořeðór, -ra] *adj.-s.* Coureur, euse.

corregidor, -ra [kořeɣiðór, -ra] *adj. 1* Qui corrige. ■ *2 m.* Corrégidor (ant. magistrado), maire (ant. alcalde).

corregir [kořeɣir] *tr.* Corriger. ▲ CONJUG. comme *servir.*

correo [kořéo] *m. 1* Courrier: *despachar el —,* expédier le courrier. ■ *2 pl.* Poste *f. sing.* (servicio), bureau *sing.* de poste, poste *f. sing.* (oficina).

correr [kořér] *intr. 1* Courir. *2* Couler (hablando de un líquido, un río). *3* Souffler (el viento). *4* Être dû, due (sueldo, intereses). *5* Circuler, avoir cours (una moneda). *6* Courir: *corre la voz,* le bruit court. ■ *7 tr.* Courir, parcourir (recorrer). Loc. fig. *Correrla,* faire la noce. ■ *8* Faire courir (un caballo). *9* Pousser, déplacer (una cosa), tirer (una cortina, un cerrojo), tourner (una llave). *10* Confondre, faire honte (avergonzar). ■ *11 pr.* Se déplacer vers un côté, se pousser (apretarse).

correspondencia [kořespondénθja] *f.* Correspondance.

corresponder [kořespondér] *intr. 1* Répondre, payer de retour (pagar con igualdad sentimientos, agasajos, etc.). *2* Appartenir, incomber (incumbir), être à (tocar). *3* Revenir (en un reparto, etc.).

corresponsal [kořesponsál] *m.* Correspondant (comercial, de un periódico).

corretear [kořeteár] *intr.* Courailler, courir de côté et d'autre.

corrida [koříða] *f. 1* Course (acción). *2 —de toros,* course de taureaux, corrida. *3 loc. adv. De —,* couramment.

corrido, -da [koříðo, -ða] *adj. 1* Qui dépasse le poids, la mesure dont on parle, bon, bonne: *un kilo —,* un bon kilo. *2* Honteux, euse, confus, use (avergonzado). *3* Cursive (escritura). *4* Expérimenté, ée, roué, ée. *5* Continu, ue (referido a un edificio).

corriente [kořjénte] *adj. 1* Courant, ante: *moneda —,* monnaie courante. *2* Actuel, elle (tiempo). ■ *3 m.* Courant: *el 12 del —,* le 12 courant. ■ *4 f.* Courant *m.* (de agua, aire, etc.). ■ *5 adv.* D'accord, soit, bon.

corrillo [koříʎo] *m.* Groupe à part, petit cercle (de personas).

corro [kóřo] *m. 1* Cercle (de personas).

corroborar [kořoβorár] *tr.* Corroborer.

corromper [kořompér] *tr.* Corrompre.

corrosión [kořosjón] *f.* Corrosion.

corrupción [kořuβθjón] *f.* Corruption.

corrupto, -ta [kořuβto, -ta] *adj.* Corrompu, ue.

corsario, -ia [korsárjo, -ja] *adj.-m.* Corsaire.

corsé [korsé] *m.* Corset.

corso [kórso] *m.* MAR. Course *f.* (de corsarios).

corta [kórta] *f.* Coupe (de árboles).

cortado, -da [kortáðo, -ða] *adj. 1* Coupé, ée. *2* Haché, ée (estilo).

cortador, -ra [kortaðór, -ra] *adj. 1* Qui coupe. ■ *2 s.* Coupeur, euse.

cortante [kortánte] *adj. 1* Coupant, ante, tranchant, ante. *2* Piquant, ante (aire, frío).

cortaplumas [kortaplúmas] *m. invar.* Canif.

cortar [kortár] *tr. 1* Couper. Loc. fig. *— por lo sano,* couper dans le vif. *2* fig. Trancher, résoudre. ■ *3 intr.* Couper (estar bien afilado). ■ *4 pr.* Se couper. *5* Se gercer (hablando de la piel). *6* Tourner (la leche, etc.). *7* fig. Se troubler, demeurer court.

corte [kórte] *m. 1* Tranchant (filo). *2* Coupure *f.,* incision *f. 3* Coupe *f.* (acción, manera de cortar). *4* Tranche *f.* (de un libro). ■ *5 f.* Cour (de un soberano). *6 Hacer la —,* faire la cour. ■ *7 f. pl.* ant. HIST. États *m.* généraux. *8 Las Cortes,* les Cortès, les corps *m.* législatifs.

cortejar [kortexár] *tr.* Courtiser, faire la cour à.

cortejo [kortéxo] *m. 1* Cortège. *2* Cour *f.* (acción de cortejar).

cortés [kortés] *adj.* Courtois, oise, poli, ie.

cortesía [kortesía] *f.* Courtoisie, politesse.

corteza [kortéθa] *f. 1* Écorce. *2* Croûte (del pan, del queso). *3* Couenne (del tocino). *4 — terrestre,* écorce, croûte terrestre.

cortijo [kortíxo] *m.* Domaine rural.

cortina [kortína] *f. 1* Rideau *m. 2* FORT. Courtine.

corto, -ta [kórto, -ta] *adj. 1* Court, courte (de poca extensión o duración). *2* fig. Timide, embarrassé, ée. *3 loc. adv. A la corta o a la larga,* tôt ou tard.

corveta [korβéta] f. EQUIT. Courbette.

corvo, -va [kórβo, -βa] adj. Courbe, courbé, ée, crochu, ue.

corza [kórθa] f. Chevrette.

corzo [kórθo] m. Chevreuil, brocard.

cosa [kósa] f. 1 Chose: *no es — del otro jueves,* cela n'a rien d'extraordinaire, de rare; *no hay tal —,* c'est faux, ce n'est pas vrai. 2 loc. adv. A — *hecha,* exprès, à dessein; *como quien no quiere la —,* sans en avoir l'air; — *de,* environ, à peu près. ■ 3 pl. Idées, extravagances (de una persona).

cosaco, -ca [kosáko, -ka] adj.-s. Cosaque.

coscorrón [koskořón] m. Coup sur la tête.

cosecha [kosétʃa] f. Récolte. Loc. fig. *De su —,* de son cru, de son invention.

cosechar [kosetʃár] intr.-tr. Récolter.

cosechero, -ra [kosetʃéro, -ra] s. Propriétaire récoltant.

coseno [koséno] m. MAT. Cosinus.

coser [kosèr] tr. Coudre. Loc. fig. — *a puñaladas,* larder de coups de couteau.

cosmético, -ca [kozmétiko, -ka] adj.-m. Cosmétique.

cósmico, -ca [kózmiko, -ka] adj. Cosmique.

cosmopolita [kozmopolíta] adj.-s. Cosmopolite.

cosmos [kózmos] m. Cosmos, univers.

coso [kóso] m. 1 Arènes f. pl. (plaza de toros). 2 Rue f. principale (dans quelques villes).

cosquillas [koskíʎas] f. pl. Chatouillement m. sing. Loc. *Hacer —,* chatouiller, faire des chatouilles.

costa [kósta] f. 1 Côte (litoral). 2 Prix m. coût m., frais m. 2 loc. adv.: *A toda —,* à tout prix. ■ 3 pl. DER. Dépens (de un proceso).

costado [kostàðo] m. Côté (del cuerpo humano, línea de parentesco).

costal [kostál] adj. 1 Costal, ale. ■ 2 m. Sac (para granos, etc.).

costanera [kostanèra] f. Côte, pente.

costar [kostár] intr. 1 Coûter. 2 loc. adv. *Cueste lo que cueste,* coûte que coûte. ▲ CONJUG. comme *contar.*

coste [kóste] m. Prix, coût.

costear [kosteár] tr. 1 Payer le coût de, financer. 2 MAR. Côtoyer.

costero, -ra [kostéro, -ra] adj. Côtier, ière.

costilla [kostíʎa] f. Côte.

costo [kósto] m. Coût.

costra [kóstra] f. Croûte.

costumbre [kostúmbre] f. 1 Coutume, habitude, usage. ■ 2 pl. Mœurs.

costura [kostúra] f. Couture.

costurero [kosturéro] m. Petite table f. à ouvrage (mesita), nécessaire de couture (neceser).

cotejo [kotéxo] m. Confrontation f., comparaison f.

cotidiano, -na [kotiðjáno, -na] adj. Quotidien, ienne.

cotización [kotiθaθjón] f. 1 Cotisation (acción). 2 Cotation, cote, cours m. (de los valores).

cotizar [kotiθár] tr. COM. Coter.

coto [kóto] m. 1 Terrain clos, réservé. 2 fig. Borne f., limite f. 3 *Poner — a,* mettre un terme à, un frein à. 4 Chabot (pez).

cotorra [kotóřa] f. 1 Perruche. 2 fig. Pie.

cotorrera [kotořéra] f. fig. fam. Femme bavarde, pie.

coxis [kó(ɣ)sis] m. Coccyx.

coyote [kojóte] m. Coyote.

coyuntura [kojuntúra] f. 1 ANAT. Jointure. 2 Conjoncture, occasion (oportunidad). 3 Conjoncture (económica).

coz [koθ] f. 1 Ruade: *dar, tirar coces,* lancer des ruades. 2 Recul m. (de un arma de fuego).

craneal [kraneál], **craneano, -na** [kraneáno, -na] adj. Crânien, ienne.

cráneo [kráneo] m. Crâne.

craso, -sa [kráso, -sa] adj. Gras, grasse.

cráter [kráter] m. Cratère (de un volcán).

creación [kreaθjón] f. Création.

creador, -ra [kreaðór, -ra] adj.-s. Créateur, trice.

crear [kreár] tr. Créer.

crecer [kreθér] intr. 1 Croître, augmenter. 2 Grandir (aumentar de estatura). ■ 3 pr. Prendre plus d'autorité, d'audace, s'enhardir. ▲ CONJUG. comme *agradecer.*

creces [kréθes] f. pl. Augmentation sing., surplus m. sing.

crecido, -da [kreθíðo, -ða] adj. 1 Grand, ande, important, ante: *un — número de,* un grand nombre de. 2 Grand, ande (niño).

creciente [kreθjénte] adj. 1 Croissant, ante. ■ 2 m. Premier quartier. ■ 3 m. Croissant (de la luna). 4 Flux (del mar).

credencial [kreðenθjál] adj. Qui accrédite, de créance: *cartas credenciales,* lettres de créance.

crédito [kréðito] m. Crédit: *carta de —,* lettre de crédit.

credo [kréðo] m. Credo.

crédulo, -la [kréðulo, -la] adj. Crédule.

creer [kreér] tr.-intr. 1 Croire: — *en Dios,* croire en Dieu. ■ 2 pr. Se croire: *se creía rico,* il se croyait riche.

crema [kréma] f. *1* Crème. *2* Cirage m. (betún). ■ *3* adj. Crème (color).

cremallera [kremaλéra] f. *1* MEC. Crémaillère. *2* Fermeture à glissière (cierre).

crepitar [krepitár] intr. Crépiter.

crepúsculo [krepúskulo] m. Crépuscule.

crespo, -pa [kréspo. -pa] adj. Crépu. ue.

crespón [krespón] m. Crêpe, crépon.

cresta [krésta] f. *1* Crête (de gallo). *2* Huppe (copete).

cretino, -na [kretino, -na] adj.-s. Crétin, ine.

cretona [kretóna] f. Cretonne.

creyente [krejénte] adj.-s. Croyant, ante.

cría [kria] f. *1* Allaitement m. *2* Élevage m. (de animales). *3* Nourrisson m. (niño de pecho). *4* Petit m. (animal).

criada [krjáða] f. Domestique, servante, bonne: — *para todo*, bonne à tout faire.

criadero [krjaðéro] m. *1* Pépinière f. *2* Élevage (de animales). *3* MIN. Gisement.

criador, -ra [krjaðór, -ra] adj. *1* Producteur, trice (tierra, país). ■ *2* s. Éleveur, euse. ■ *3* m. — *de vino*, viticulteur.

criar [krjár] tr. *1* Produire. *2* Nourrir, allaiter: — *con biberón*, nourrir au biberon. *3* Élever (un animal). *4* Élever, éduquer (un niño).

criatura [krjatúra] f. *1* Créature. *2* Nourrisson m. (niño de pecho).

crimen [krímen] m. Crime.

criminal [kriminál] adj.-s. Criminel, elle.

crin [krin] f. *1* Crin m. *2* — *vegetal*, crin végétal. ■ *3 pl.* Crinière sing.

crío [krio] m. *1* Nourrisson, bébé. *2* Petit, gosse (niño).

cripta [kríβta] f. Crypte.

crisantema [krisantéma] f., **crisantemo** [krisantémo] m. Chrysanthème m.

crisis [krisis] f. Crise.

crisma [krizma] m.-f. *1* Chrême m. *2* fam. Figure f. (cabeza): *romper, romperse la* —, casser, se casser la figure.

crispar [krispár] tr. Crisper. Loc. fam. *Me crispa los nervios*, ça me tape sur les nerfs.

cristal [kristál] m. *1* Cristal: *unos cristales de cuarzo*, des cristaux de quartz. *2* Carreau, vitre f. (de ventana), glace f. (de escaparate, parabrisas, etc.).

cristalino, -na [kristalino, -na] adj.-m. Cristallin, ine.

cristalizar [kristaliθár] tr.-intr. Cristalliser.

cristianar [kristjanár] tr. fam. Baptiser.

cristianismo [kristjanizmo] m. Christianisme.

cristiano, -na [kristjáno, -na] adj.-s. Chrétien, ienne.

criterio [kritérjo] m. *1* Critère, critérium. *2* Jugement, discernement (juicio). *3* Opinion f.

crítica [kritika] f. Critique.

crítico, -ca [kritiko, -ka] adj. *1* Critique. ■ *2 m.* Critique (persona).

croar [kroár] intr. Coasser.

cromático, -ca [kromátiko, -ka] adj. FÍS., MÚS. Chromatique.

cromo [krómo] m. *1* Chrome (metal). *2* Chromo (estampa).

crónica [krónika] f. Chronique.

cronista [kronista] f. Chroniqueur.

cronología [kronoloxía] f. Chronologie.

cronómetro [kronómetro] m. Chronomètre.

croqueta [krokéta] f. COC. Croquette.

croquis [krókis] m. Croquis.

cruce [krúθe] m. *1* Croisement (de vías, acción de cruzar). *2* Interférence f. (de ondas). *3* Croisement (de razas).

crucero [kruθéro] adj. *1* Qui croise une voûte d'arête (arco). ■ *2 m.* Portecroix. *3* ARQ. Croisée f. du transept.

crucial [kruθjál] adj. Crucial, ale.

crucificar [kruθifikár] tr. Crucifier.

crucifijo [kruθifixo] m. Crucifix.

crudeza [kruðéθa] f. *1* Crudité. *2* Rigueur (del tiempo).

crudo, -da [krúðo, -ða] adj. *1* Cru, crue (no cocido). *2* Rigoureux, euse, rude (tiempo). *3* Écru, ue (seda).

cruel [krwél] adj. Cruel, elle.

crueldad [krweldáð] f. Cruauté.

crujía [kruxía] f. *1* Galerie, corridor m. *2* Salle d'hôpital à deux rangs de lits.

crujido [kruxiðo] m. *1* Craquement. *2* Crissement, Frou-frou (de la seda).

crujir [kruxir] intr. Craquer, croquer.

cruz [kruθ] f. *1* Croix. Loc. *Señal de la* —, signe de la croix; *hacerse cruces*, s'étonner. *2* Garrot m. (de un animal). *3* Pile (de una moneda).

cruzado, -da [kruθáðo, -ða] adj.-m. *1* Croisé, ée (alistado para una cruzada). ■ *2* adj. Croisé, ée (animal).

cruzar [kruθár] tr. *1* Croiser: — *los brazos*, croiser les bras. *2* Traverser (atravesar).

cuadernillo [kwaðerniλo] m. *1* Petit cahier. *2* Cahier de cinq feuilles de papier.

cuaderno [kwaðérno] m. *1* Cahier. *2* MAR. — *de bitácora*, livre de bord.

cuadra [kwáðra] f. *1* Écurie. *2* Dortoir m. (de hospital, etc.), chambrée (de cuartel).

cuadrado, -da [kwaðráðo, -ða] adj. *1* Carré, ée. ■ *2 m.* GEOM., MAT. Carré. *3* Carrelet (regla). *4* IMPR. Cadrat.

cuadrante [kwaðrànte] *m*. *1* Quadrant. *2* Cadran solaire (reloj de Sol). *3* ASTR. Quart de cercle.

cuadrar [kwaðrár] *tr*. *1* Carrer. *2* Équarrir (la madera, etc.). ■*3 intr*. Cadrer, aller. *4* Plaire, convenir: *esto no me cuadra*, cela ne me plaît pas. ■*5 pr*. Se mettre au garde-à-vous (un soldado).

cuadricular [kwaðrikulár] *tr*. Quadriller.

cuadrilátero, -ra [kwaðrilátero, -ra] *adj.-m*. *1* Quadrilatère. ■ *2 m*. Ring (de boxeo).

cuadrilla [kwaðriʎa] *f*. *1* Équipe, troupe. *2* Bande (de ladrones). *3* Quadrille *m*. (baile).

cuadro, -dra [kwàðro, -ðra] *adj*. *1* Carré, ée. ■ *2 m*. Parterre (de jardín). *3* Tableau (pintura, descripción, espectáculo). *4* Tableau (cronológico, de distribución, etc.). *5* TEAT. Tableau. *6* Cadre (de una bicicleta).

cuadrúpedo [kwàðrúpeðo] *adj.-m*. ZOOL. Quadrupède.

cuadruplicar [kwaðruplikár] *tr*. Quadrupler.

cuajado, -da [kwaxàðo, -ða] *adj*. *1* Caillé, ée (leche). *2* Plein, pleine, rempli, ie (lleno).

cuajar [kwaxár] *tr*. *1* Cailler (la leche), coaguler (la sangre). ■ *2 intr.-pr*. Prendre (la nieve).

cuajo [kwàxo] *m*. *1* Présure *f*. (substancia). *2* Caillement. *3* Caillette *f*. (de los rumiantes). *4 loc. adv. Arrancar de —*, déraciner (árbol), fig. extirper.

cual [kwal] *pl*. **cuales** [kwàles] *adj.-pron*. *1* Comme, tel.: — *el padre, tal el hijo*, tel père, tel fils. *2* Quel, quelle, quel, laquelle, etc.; *¿cuál de los dos?*, lequel des deux? ■ *3 pron. rel*. Qui, lequel, laquelle, etc. (con el artículo definido): *Juan, el — acaba de llegar*, Jean, qui vient d'arriver. *4 Lo —*, ce qui, ce que. Loc. *Por lo —*, c'est pourquoi. ■ *5 Loc. Cada —*, chacun. ■ *6 adv*. Comme, ainsi que: *lo ha hecho — lo había prometido*, il l'a fait comme il l'avait promis. ■ *7* Comment (exclamativo). ★ACCENT.

cualesquiera [kwaleskjéra] *adj.-pron. indef. pl*. de **cualquiera**.

cualidad [kwaliðàð] *f*. Qualité.

cualquiera [kwalkjéra] *adj.-indef*. *1* N'importe quel, n'importe quelle, tout, toute (cualquier antepuesto a un substantivo): *a cualquier hora*, à n'importe quelle heure. *2* Quelconque (después de un substantivo): *un libro —*, un livre quelconque. ■ *3 pron. indef*. N'importe qui, qui que ce soit, quiconque: — *que haya viajado*, quiconque a voyagé. ■ *4 s. Un —*, un homme quelconque; *una —*, une femme de rien.

cuan [kwan] *adv*. Combien, que (delante de un adj. o de un adv.): *imagínate cuán triste sería que*, imagine combien il serait triste que.

cuando [kwàndo] *adv*. *1* Quand: *¿de cuándo acá?*, depuis quand? *loc. adv.* — *más*, tout au plus. ■ *2 conj*. Quand, lorsque: — *niño, Carlos ...*, quand il était enfant, Charles... *3 Aun —*, même si, quand bien même. *4* Tantôt (sentido distributivo): *siempre discutía, cuándo con unos, cuándo con otros*, il discutait toujours, tantôt avec les uns, tantôt avec les autres. ★ACCENT.

cuantioso, -sa [kwantjóso, -sa] *adj*. Abondant, ante, considérable.

cuantitativo, -va [kwantitatiβo, -βa] *adj*. Quantitatif, ive.

cuanto [kwànto] *adv*. *1* Combien: *¿cuánto vale esto?*, combien ça vaut? *2* Combien, comme, que (hasta qué punto): *tú sabes cuánto te quiero*, tu sais combien je t'aime; *¡cuánto me alegro de veros!*, que je suis content de vous voir! *3* Combien de temps, tout le temps que, tant que: *¿cuánto hace que se marchó?*, depuis combien de temps est-il parti?; *esto durará — quiera él*, cela durera tout le temps qu'il voudra. *4* Con más, menos, etc., y en correlación con más, menos, etc.: — *más tiene, más quiere*, plus il en a, plus il en veut. *5 Loc. — a, en — a*, quant à; — *antes*, au plus tôt, le plus tôt possible; — *más*, — *y más*, à plus forte raison; *en* —, aussitôt que; *por* —, parce que, puisque.

cuanto, cuanta [kwànto, kwànta] *adj.-pron*. *1* Autant de... que, les... que, ce que, ceux qui ce que (en correlación con tanto y todo): *haz tanto bien — puedas*, fais tout le bien que tu pourras: *todas cuantas veces*, toutes les fois que. ■ *2 pron*. Tout ce qui ou que; autant que, tous ceux, toutes celles qui ou que: *pregúntelo a cuantos lo vieron*, demandez-le à tous ceux qui l'ont vu. ■ *3 adj.-adv*. Combien (de), que de: *¡cuánta gente!*, que de monde. *4 Unos cuantos, unas cuantas*, quelques.

cuarenta [kwarènta] *adj*. Quarante.

cuarentena [kwarenténa] *f*. Quarantaine.

cuaresma [kwarèzma] *f*. Carême *m*.

cuarta [kwàrta] *f*. *1* Quart *m*. (cuarta parte). *2* Empan *m*. (palmo). *3* MAR. Rumb *m*., quart *m*. de vent. *4* MÚS., ESGR. Quarte.

cuartear [kwarteár] *tr. 1* Diviser en quatre. *2* Dépecer (descuartizar). *3* Faire zigzaguer. ■ *4 pr.* Se crevasser (un muro, un techo).

cuartel [kwartél] *m. 1* MIL., BLAS. Quartier. *2* Caserne *f.* (alojamiento de la tropa). *3* Quartier (gracia): *dar —,* faire quartier. *4* Quart (cuarta parte). *5* Quartier (barrio).

cuarteto [kwartéto] *m. 1* Quatrain (vers de plus de dix syllabes). *2* MÚS. Quatuor.

cuartilla [kwartíʎa] *f. 1* Feuille, feuillet *m.* (de papel). *2* Paturon *m.* (del caballo).

cuartillo [kwartíʎo] *m. 1* Chopine *f. 2* ant. Quart d'un réal.

cuarto, -ta [kwárto, -ta] *adj.-s. 1* Quatrième. ■ *2 m.* Quart (cuarta parte): *dentro de un — de hora,* dans un quart d'heure. *3* Quartier (de luna). *4* Quartier (de un vestido). *5* Train: *— delantero, trasero,* train de devant, de derrière (de un animal). *6* Quartier (de descendencia). *7* Pièce *f.,* chambre *f.* (habitación): *— de dormir,* chambre à coucher. *8* Appartement (piso). *9* ant. Monnaie *f.* de trois centimes. *10 En —,* in-quarto. ■ *11 pl.* fam. Argent *sing.,* sous, pognon *sing.* (dinero). *12* Membres d'un animal bien bâti.

cuatro [kwátro] *adj.-m.* Quatre.

cuatrocientos, -as [kwatroθjéntos, -as] *adj.* Quatre cents.

cuba [kúβa] *f. 1* Tonneau *m.,* fût *m. 2* Cuve (donde fermenta el mosto).

cubano, -na [kuβáno, -na] *adj.-s.* Cubain, aine.

cubeta [kuβéta] *f. 1* Tonnelet *m.* (cuba pequeña). *2* Baquet *m.,* cuveau *m. 3* Cuvette (del barómetro, de laboratorio).

cúbico, -ca [kúβiko, -ka] *adj. 1* Cubique. *2* Cube: *metro —,* mètre cube.

cubierta [kuβjérta] *f. 1* Couverture. *2* Couverture (de un libro, tejado). *3* Pont *m.* (de un barco).

cubierto, -ta [kuβjérto, -ta] *adj. 1* Couvert, erte. ■ *2 m.* Couvert (tenedor, cuchara y cuchillo).

cubilete [kuβiléte] *m. 1* Gobelet. *2* Cornet (para jugar a los dados).

cubismo [kuβízmo] *m.* Cubisme.

cúbito [kúβito] *m.* Cubitus.

cubo [kúβo] *m. 1* Seau (recipiente). *2* Douille *f.* (de bayoneta). *3* MAT., GEOM. Cube.

cubrecama [kuβrekáma] *m.* Couvre-lit.

cubrir [kuβrír] *tr.* Couvrir. ▲ CONJUG. PART. PAS. irrég.: *cubierto.*

cucaracha [kukarátʃa] *f. 1* Blatte, cafard. *2 m.* Cancrelat *m.*

cuclillas (en) [kuklíʎas] *loc. adv.* Accroupi, ie.

cuco, -ca [kúko, -ka] *adj. 1* Mignon, onne, joli, ie. ■ *2 adj.-s.* Main, igne, rusé, ée (astuto). ■ *3 m.* Coucou (pájaro).

cuchara [kutʃára] *f.* Cuiller, cuillère.

cucharilla [kutʃaríʎa] *f.* Petite cuiller, cuiller à café.

cucharón [kutʃarón] *m. 1* Louche *f. 2 — de cocina,* cuiller *f.* à pot.

cuchilla [kutʃíʎa] *f. 1* Couperet *m.,* coutelas *m. 2* Coutre (de arado). *3* Lame (de un arma blanca). *4* poét. Glaive *m.,* épée.

cuchillada [kutʃiʎáða] *f. 1* Coup *m.* de couteau, d'épée. *2* Balafre, estafilade (herida).

cuchillo [kutʃíʎo] *m.* Couteau: Loc. fig. *Pasar a —,* passer au fil de l'épée.

cuello [kwéʎo] *m. 1* Cou. *2* Col: *— postizo,* faux col.; *— cisne,* col roulé. *3* Goulot (de botella). *4* Col (parte estrecha).

cuenca [kwéŋka] *f.* Écuelle de bois.

cuenco [kwéŋko] *m. 1* Terrine *f.,* jatte *f. 2* Concavité *f.*

cuenta [kwénta] *f. 1* Compte *m.* Loc. *— de la vieja,* compte fait sur les doigts; *cuentas del Gran Capitán,* comptes d'apothicaire; *ajustar cuentas,* régler les comptes. *2* Note, addition (en el restaurante, etc.). *3* COM. Compte *m.: — corriente,* compte. *4* Compte *m.: dar — de,* rendre compte. *5* Charge, obligation (incumbencia): *esto corre por — mía,* cela est à ma charge. *6* Otros sentidos: *a buena —,* en acompte; *tener en —,* tenir compte de, considérer. *7* Grain *m.* (de un rosario, un collar, etc.).

cuentagotas [kwentayótas] *m. invar.* Compte-gouttes.

cuentista [kwentísta] *adj.-s. 1* Cancanier, ière (chismoso). *2* Conteur, euse.

cuento [kwénto] *m. 1* Conte, historiette *f.: eso no viene a —,* cela ne rime à rien. *2* Cancan, potin, histoire *f.* (chisme). Loc. *Dejarse de cuentos,* aller droit au but. *3 loc. adv. Sin —,* innombrable, sans nombre.

cuerda [kwérða] *f. 1* Corde (de cáñamo, lino, etc., de un arco). *2* GEOM. MÚS. Corde. *3* Ressort *m.* (de reloj). Loc. *Dar — al reloj,* remonter la montre. *4 loc. adv. Por debajo de —,* en cachette, sous main. ■ *5 pl. Cuerdas vocales,* cordes vocales.

cuerdo, -da [kwérðo, -ða] *adj.-s.* Sage, sensé, ée, prudent, ente.

cuerno [kwérno] *m. 1* Corne *f.* (asta). Loc. *— de la abundancia,* corne d'abondance. *2* MÚS. Cor. *3* Corne *f.* (materia).

cuero [kwéro] *m.* Cuir: *— cabelludo,* cuir chevelu.

cuerpo [kwérpo] *m. 1* Corps. Loc. *Dar con el — en tierra,* tomber par terre. *2* Cadavre, corps. *3 loc. adv. A —, en —,* sans pardessus, en taille; *a — de rey,* comme un prince; *— y alma,* corps et âme.

cuervo [kwérβo] *m. 1* Corbeau. *2 — marino,* cormoran.

cuesta [kwésta] *f. 1* Côte, pente: *en —,* en pente. *2 A cuestas,* sur le dos; fig. sur les épaules.

cuestión [kwestjón] *f. 1* Question: *— batallona, candente,* question brûlante. *2* Affaire: *esta es la —,* voilà l'affaire.

cuestionario [kwestjonárjo] *m.* Questionnaire.

cueva [kwéβa] *f. 1* Caverne, grotte. *2* Cave (sótano).

cuidado [kwiðáðo] *m. 1* Soin: *prodigar sus cuidados,* prodiguer ses soins. *2* Souci, inquiétude *f.* Loc. *Estar con —,* s'inquiéter, s'alarmer. *3 interj.* Attention!, gare!: *—con el perro!,* attention au chien!

cuidar [kwiðár] *tr. 1* Soigner, avoir soin de. ■ *2 tr.-intr.* Prendre soin, s'occuper de, veiller à. ■ *3 pr.* Se soucier de (preocuparse).

culantrillo [kulantríʎo] *m.* Capillaire *f.*

culata [kuláta] *f. 1* Croupe (de caballo). *2* Crosse (de fusil, de pistola). *3* Culasse (de cañón).

culebra [kuléβra] *f. 1* Couleuvre. *2* Serpent *m. 3* Serpentín *m.* (de alambique).

culebrina [kuleβrína] *f.* Coulevrine.

culero, -ra [kuléro, -ra] *adj. 1* Paresseux, euse. ■ *2 m.* Sorte de lange.

culinario, -ia [kulinárjo, -ja] *adj.* Culinaire.

culminante [kulminánte] *adj.* Culminant, ante.

culminar [kulminár] *intr.* Culminer.

culo [kúlo] *m.* Cul.

culpa [kúlpa] *f.* Faute: *es — mía,* c'est ma faute.

culpable [kulpáβle] *adj.-s.* Coupable.

culpar [kulpár] *intr. 1* Accuser, rendre responsable. *2* DER. Inculper.

culterano, -na [kulteráno, -na] *adj.* Partisan du cultisme.

cultivo [kultíβo] *m.* Culture *f.*

culto, -ta [kúlto, -ta] *adj. 1* Cultivé, ée. ■ *2 m.* Culte.

cultura [kultúra] *f.* Culture.

cumbre [kúmbre] *f.* Sommet *m.*

cumpleaños [kumpleáɲos] *m. invar.* Anniversaire (del nacimiento).

cumplido, -da [kumplíðo, -ða] *adj. 1* Complet, ète, accompli, ie (perfecto). *2* Révolu. ue: *20 años cumplidos,* 20 ans révolus. *3* Large, ample (holgado). *4* Poli, ie, attentionné, ée (cortés). ■ *5 m.* Compliment (alabanza).

cumplimiento [kumplimjénto] *m. 1* Exécution *f.,* accomplissement. *2* Compliment, politesse *f.* (cortesía). *3 loc. adv. De, por —,* de, par politesse.

cumplir [kumplír] *tr. 1* Accomplir, remplir (un deber, una misión, etc.). *2* Exécuter (una orden). *3* S'acquitter (de una obligación). *4* Satisfaire (los deseos de uno). *5* Tenir (una promesa). *6* Avoir (edad); *hoy cumple 10 años,* il a aujourd'hui 10 ans ■ *7 intr. — con,* remplir ses devoirs envers; *— con sus compromisos,* remplir ses engagements.

cúmulo [kúmulo] *m. 1* Tas, accumulation *f. 2* Cumulus (nube).

cuna [kúna] *f.* Berceau *m.*

cundir [kundír] *intr. 1* S'étendre, se répandre, s'étaler (líquido). *2* fig. Se répandre (noticia).

cuña [kúɲa] *f.* Coin *m.* (para hender).

cuñada [kuɲáða] *f.* Belle-sœur.

cuñado [kuɲáðo] *m.* Beau-frère.

cuño [kúɲo] *m. 1* Coin (para las monedas, etc.). *2* Frappe *f.* (impresión), empreinte *f.,* marque *f.* (señal).

cuota [kwóta] *f.* Quote-part.

cupo [kúpo] *m.* Quote-part *f.* (de un impuesto).

cupón [kupón] *m.* Coupon.

cúpula [kúpula] *f. 1* ARQ. Coupole. *2* BOT. Cupule.

cura [kúra] *m. 1* Prêtre, abbé, curé. *2 —párroco,* curé. ■ *3 f.* Cure (tratamiento médico, curación). *4* Pansement *m.: hacer una — provisional,* faire un pansement provisoire.

curación [kuraθjón] *f. 1* Cure, traitement *m. 2* Guérison (efecto de curarse).

curandero, -ra [kurandéro, -ra] *s.* Rebouteur, euse, guérisseur, euse.

curar [kurár] *intr. 1* Avoir soin de. ■ *2 tr.* Guérir (remediar un mal). *3* Saurer, boucaner, saler (carne, pescado). *4* Apprêter (los cueros), sécher (la madera), blanchir (las telas). *5* Panser, appliquer des remèdes à (una herida). *6* Soigner (tratar). ■ *7 intr.-pr.* Guérir (sanar).

curasao [kurasáo] *m.* Curaçao (licor).

curativo, -va [kuratíβo, -βa] *adj.* Curatif, ive.

curdo, -da [kúrðo, -ða] *adj.-s.* Kurde.

curia [kúrja] f. 1 HIST. Curie. 2 Basoche, gens m. pl. de robe (justicia).

curiosidad [kurjosiðáð] f. 1 Curiosité. 2 Propreté (limpieza). 3 Soin m. (esmero).

curioso, -sa [kurjóso, -sa] adj.-s. 1 Curieux, euse: — *por saber*, curieux de savoir. ■ 2 adj. Propre, bien tenu, ue (limpio).

cursar [kursár] tr. 1 Fréquenter (un lugar). 2 Étudier (estudiar). 3 Donner suite, faire suivre son cours à (a un asunto).

cursi [kúrsi] adj. 1 Ridicule, prétentieux, euse, de mauvais goût. ■ 2 s. Snob.

cursivo, -va [kursiβo, -βa] adj.-s. 1 Cursif, ive. ■ 2 f. IMPR. Italique m.

curso [kúrso] m. Cours.

curtido [kurtiðo] m. 1 Cuir tanné, corroyé. 2 Tannage (acción).

curtidor [kurtiðór] m. Tanneur, corroyeur.

curtimiento [kurtimjènto] m. Tannage, corroyage.

curtir [kurtir] tr. 1 Tanner, corroyer. 2 Hâler (la piel). 3 fig. Endurcir, aguerrir (a una persona).

curva [kúrβa] f. Courbe.

curvatura [kurβatúra] f. Courbure.

curvo, -va [kúrβo, -βa] adj. Courbe.

cúspide [kúspiðe] f. Sommet m.

custodia [kustóðja] f. 1 Garde, surveillance. 2 LITURG. Ostensoir m.

custodiar [kustoðjár] tr. Garder, surveiller.

cutáneo, -ea [kutáneo, -ea] adj. Cutané, ée.

cutis [kútis] m. Peau f. (du visage).

cuyo, -ya [kújo, ja] pron. rel. 1 Dont le, dont la, etc. (exprimant toujours une idée de possession): *mi hermano, cuya mujer está enferma*, mon frère, dont la femme est malade. 2 De qui, duquel, de laquelle, etc. (después de una prep.): *el amigo con — padre viajo*, l'ami avec le père duquel je voyage.

cuzcuz [kuθkúθ] m. Couscous.

CH

ch [tʃe] *f.* Ch. *m.* (groupe de consonnes qui est considéré en espagnol comme la quatrième lettre de l'alphabet).

chabacano, -na [tʃaβakáno, -na] *adj.* Vulgaire, grossier, ière.

chacal [tʃakál] *m.* Chacal.

chacó [tʃakó] *m.* Shako.

chacona [tʃakóna] *f.* Chaconne.

chacota [tʃakóta] *f. 1* Joie bruyante. *2* Blague, plaisanterie.

chacotear [tʃakoteár] *intr.* Plaisanter.

chacha [tʃátʃa] *f.* fam. Bonne d'enfant.

cháchara [tʃátʃara] *f. 1* Babillage *m. 2* Verbiage *m.*, bavardage *m.*

chafallar [tʃafaʎár] *tr.* fam. Gacher, saboter, cochonner.

chafallón, -ona [tʃafaʎón, -óna] *adj.-s.* Gacheur, euse, saboteur, euse.

chafar [tʃafár] *tr. 1* Écraser, aplatir. *2* Froisser, chiffonner (la ropa).

chaflán [tʃaflán] *m. 1* Chanfrein. *2* Pan coupé (esquina).

chaflanar [tʃaflanár] *tr.* Chanfreiner.

chal [tʃal] *m.* Châle.

chalado, -da [tʃaláðo, -ða] *adj. 1* pop. Maboul, le. *2* pop. Amoureux, euse.

chalaneo [tʃalanéo] *m.* Maquignonnage.

chaleco [tʃaléko] *m.* Gilet.

chalet [tʃalét] *m.* Pavillon, villa *f.* (casa con jardín), chalet (de madera).

chalina [tʃalína] *f.* Lavallière.

chalupa [tʃalúpa] *f.* Chaloupe.

chamarilero, -ra [tʃamariléro, -ra] *s.* Brocanteur, euse.

chambelán [tʃambelán] *m.* Chambellan.

chambergo [tʃambéryo] *m.* ant. Chapeau à bord large et relevé.

chambra [tʃámbra] *f.* Caraco *m.*, blouse.

chamizo [tʃamíθo] *m. 1* Arbre, bois à demi brûlé, arsin. *2* Hutte *f.*, chaumière *f.* (choza).

champú [tʃampú] *m.* Shampooing.

chamuscar [tʃamuskár] *tr. 1* Flamber, roussir. ■ *2 pr.* Être roussi, ie, se roussir.

chancleta [tʃaŋkléta] *f. 1* Pantoufle (sans quartier), savate. *2 loc. adv. En —*, en savate.

chanchullo [tʃantʃúʎo] *m.* Manigances *f. pl.*, tripotage.

chantaje [tʃantáxe] *m.* Chantage.

chantajista [tʃantaxista] *s.* Maître *m.* chanteur.

chanza [tʃánθa] *f.* Plaisanterie, mot *m.* pour rire.

chapa [tʃápa] *f. 1* Feuille, plaque (de madera, metal, etc.). *2* fig. Bon sens *m.*, sérieux. *m.*: **hombre de —**, homme sérieux. ■ *3 pl.* Sorte de jeu *m. sing.* de pile ou face.

chapado, -da [tʃapáðo, -ða] *adj. 1* Plaqué, ée: *— de oro*, plaqué or. *2* fig. *— a la antigua*, vieux jeu.

chapalear [tʃapaleár] *intr.* Patauger, barboter.

chaparrón [tʃaparón] *m.* Averse *f.*

chapeta [tʃapéta] *f. 1* Petite plaque. *2* Rougeur au visage.

chapitel [tʃapitél] *m. 1* ARQ. Flèche *f.* (de una torre, etc.). *2* ARQ. Chapiteau (de columna).

chapotear [tʃapoteár] *intr.* Barboter.

chapucear [tʃapuθeár] *tr.* Bâcler, bousiller.

chapucero, -ra [tʃapuθéro, -ra] *adj. 1* Grossier, ière (trabajo). ■ *2 adj.-s.* Bâcleur, euse (persona).

chapuza [tʃapúθa] *f. 1* Bricole (obra de poca importancia). *2* Ouvrage *m.* grossier.

chaqué [tʃaké] *m.* Jaquette *f.*

chaqueta [tʃakéta] *f.* Veste, veston *m.*

chaquetón [tʃaketón] *m.* Grande veste *f.*

charca [tʃárka] *f.* Mare.

charco [tʃárko] *m.* Flaque.

charla [tʃárla] *f. 1* Bavardage *m. 2* Causerie (conferencia).

charlar [tʃarlár] *intr.* Bavarder.

charlatán, -ana [tʃarlatán, -ána] *adj.-s. 1*

Bavard, arde. ■ *2 m.* Charlatán (curandero).

charol [tʃaról] *m. 1* Vernis (barniz). *2* Cuir verni (cuero).

charrán [tʃařán] *m.* Fripon, vaurien.

charretera [tʃařetéřa] *f. 1* MIL. Épaulette. *2* Jarretière.

charro, -rra [tʃářo, -řa] *adj.-s. 1* Paysan, anne de Salamanque. ■ *2 adj.* fig. Orné, ée avec mauvais goût.

chascar [tʃaskár] *tr. 1* Faire claquer (la lengua, el látigo, etc.). ■ *2 intr.* Craquer (la madera, etc.).

chasco [tʃásko] *m. 1* Moquerie *f.*, tour, niche *f.* (burla). *2* Désillusion *f.*, déception *f.*

chasis [tʃásis] *m.* Châssis.

chasquido [tʃaskiðo] *m. 1* Claquement (del látigo). *2* Craquement.

chatarra [tʃatářa] *f. 1* Scorie du fer. *2* Ferraille (hierro viejo).

chato, -ta [tʃáto, -ta] *adj. 1* Camus, use, camard, arde (nariz). *2* Plat, plate, aplati, ie: *barco —*, bateau plat.

chaval [tʃaβál] *m.* fam. Gars, jeune homme.

chavala [tʃaβála] *f.* fam. Jeune fille, fille, gamine.

checoslovaco, -ca [tʃekosloβáko, -ka], **checoeslovaco, ca** [tʃekoesloβáko, -ka] *adj.-s.* Tchécoslovaque.

chelín [tʃelín] *m.* Shilling (moneda).

cheque [tʃéke] *m.* Chèque: — *cruzado*, chèque barré.

chico, -ca [tʃíko, -ka] *adj. 1* Petit, ite. ■ *2 m.* Garçon. ■ *3 f.* Jeune fille, fille: *una chica bonita*, une jolie fille.

chicoria [tʃikórja] *f.* Chicorée.

chicuelo, -la [tʃikwélo, -la] *adj. 1* Très petit, ite. ■ *2 s.* Gamin, ine.

chicha [tʃitʃa] *f.* Chicha (boisson de maïs).

chicharra [tʃitʃářa] *f.* Cigale.

chicharrón [tʃitʃařón] *m. 1* Rillons *pl. 2* fig. Viande *f.* brûlee.

chichón [tʃitʃón] *m.* Bosse *f.*

chifla [tʃífla] *f. 1* Sifflement *m.* 2 Huée. *3* Espèce de sifflet *m.* (pito).

chiflar [tʃiflár] *tr. 1* Huer, siffler (a un actor, etc.). *2* fam. Siffler (beber). ■ *3 intr.* Siffler (silbar). ■ *4 pr.* Devenir toqué, ée. *5* Chiflarse por, s'éprendre de, se toquer de (una persona), raffoler de (cosa).

chileno, -na [tʃiléno, -na] *adj.-s.* Chilien, ienne.

chillar [tʃiʎár] *intr. 1* Crier, pousser des cris aigus. *2* Glapir.

chillido [tʃiʎíðo] *m. 1* Cri aigu, perçant. *2* Glapissement (de animal).

chimenea [tʃimenéa] *f.* Cheminée.

chimpancé [tʃimpanθé] *m.* Chimpanzé.

china [tʃína] *f.* Petit caillou *m.* Loc. fig. *Poner chinas*, mettre des bâtons dans les roues, susciter des difficultés; *tocarle a uno la —*, être désigné par le sort.

chinche [tʃíntʃe] *m.* Punaise *f.* (insecto, clavo).

chinchilla [tʃintʃíʎa] *f.* Chinchilla *m.*

chinchorrería [tʃintʃořería] *f.* Impertinence, importunité.

chinela [tʃinéla] *f.* Mule (zapatilla).

chinesco, -ca [tʃinésko, -ka] *adj. 1* Chinois, oise. ■ *2 m.* MÚS. Chapeau chinois.

chino, -na [tʃíno, -na] *adj.-s. 1* Chinois, oise. *2* Indien, ienne, métis, isse (en América).

chipirón [tʃipirón] *m.* Calmar, encornet.

chipriota [tʃiprjóta] *adj.-s.* Chypriote.

chiquero [tʃikéro] *m. 1* TAUROM. Toril. *2* Porcherie *f.*

chiquillada [tʃikiʎáða] *f.* Enfantillage *m.*

chiquillo, -lla [tʃikíʎo, -ʎa] *adj.-s.* Gosse, gamin, ine.

chiquito, -ta [tʃikíto, -ta] *adj.-s. 1* Petit, ite, très petit, ite. *2* Loc. *No andarse con chiquitas*, ne pas y aller de main morte.

chirigota [tʃiriyóta] *f.* Plaisanterie, blague.

chirimbolo [tʃirimbólo] *m.* fam. Machin, truc.

chirimía [tʃirimía] *f.* MÚS. Chalumeau *m.*

chirimoya [tʃirimója] *f.* Chérimole.

chirivía [tʃiriβía] *f.* Chervis *m.*, panais *m.*

chirle [tʃírle] *adj.* fam. Insipide.

chirlo [tʃírlo] *m.* Balafre *f.*, estafilade *f.*

chirriar [tʃiřjár] *intr. 1* Grésiller (al freír). *2* Grincer (ruedas, etc.). *3* Piailler, crier (pájaros). ▲ CONJUG. comme *cambiar*.

chirrido [tʃiříðo] *m. 1* Grincement. *2* Stridulation *f.* (de los insectos). *3* Cri aigu (de los pájaros).

¡chis! [tʃís] *interj.* Chut!

chisme [tʃísme] *m. 1* Cancan, potin. *2* Machin, chose *f.*, truc (cosa cuyo nombre no se recuerda).

chismorreo [tʃizmořéo] *m.* Bavardage, cancans *pl.*

chismoso, -sa [tʃizmóso, -sa] *adj.-s.* Cancanier, ière.

chispa [tʃíspa] *f. 1* Étincelle. Loc. fig. *Echar chispas*, être furieux, euse. *2* Gouttelette (de lluvia). *3* fig. Esprit *m.*, verve (ingenio). Loc. *Tener —*, avoir de l'esprit (persona), être drôle (cosa).

chispazo [tʃispáθo] *m. 1* Jaillissement d'une étincelle. *2* Brûlure *f.* (quemadura).

chispeante [tʃispeánte] *adj.* Étincelant, ante.

chispero [tʃispèro] m. ant. Homme du bas peuple de Madrid.

chisporrotear [tʃisporoteàr] intr. Crépiter, jeter des étincelles, grésiller.

chistar [tʃistár] intr. 1 Parler, répliquer, ouvrir la bouche. 2 loc. adv. Sin —, sans répliquer, sans mot dire.

chiste [tʃiste] m. 1 Bon mot, plaisanterie f. (dicho gracioso). 2 Histoire f. drôle, blague f. (cuento gracioso).

chistera [tʃistèra] f. 1 Petit panier m. de pêcheur. 2 fam. Tube m., chapeau m. haut de forme (sombrero). 3 Chistera (para jugar a la pelota).

¡chito! [tʃito] interj. Chut!

chito [tʃito] m. Bouchon (juego).

chivato, -ta [tʃiβáto, -ta] s. 1 Chevreau de six mois à un an. 2 fam. Mouchard, arde.

chivo [tʃiβo] m. Chevreau, cabri.

chocar [tʃokár] intr. 1 Se heurter, se tamponner. 2 fig. Se battre (pelear), se disputer (reñir). 3 fig. Choquer, déplaire (extrañar).

chocolate [tʃokolàte] m. Chocolat.

chocolatería [tʃokolateria] f. Chocolaterie.

chochear [tʃotʃeàr] intr. 1 Radoter (hablando de un anciano). 2 fig. Être pincé, ée.

chocho, -cha [tʃotʃo, -tʃa] adj. 1 Gâteux, euse, gaga, radoteur, euse. 2 fig. Estar — por, raffoler de, être toqué de.

chófer [tʃofer] m. Chauffeur.

chopo [tʃópo] m. 1 Peuplier noir. 2 fam. Flingot, flingue, pétoire f. (fusil).

choque [tʃóke] m. 1 Choc, heurt, collision f. 2 Tamponnement (de trenes).

chorizo [tʃoriθo] m. Saucisson au piment rouge, chorizo.

chorrear [tʃoreàr] intr. 1 Couler (un líquido). 2 Dégoutter, couler goutte à goutte, dégouliner (goteando). 3 Ruisseler.

chorreo [tʃoréo] m. Écoulement, ruissellement.

chorro [tʃóro] m. 1 Jet (de un líquido, de luz). Loc. fig. Soltar el —, rire aux éclats. 2 loc. adv. A —, à jet continu; a chorros, copieusement.

choteo [tʃotèo] m. fam. Moquerie f., raillerie f. (zumba), rigolade f. (broma).

choza [tʃóθa] f. Cabane, hutte.

chubasco [tʃuβásko] m. 1 Averse f. 2 fig. Contretemps passager.

chubasquero [tʃuβaskèro] m. Imperméable.

chucha [tʃútʃa] f. fam. Chienne.

chuchería [tʃutʃeria] f. Babiole.

chucho [tʃútʃo] m. fam. Chien.

chufa [tʃúfa] f. Souchet m. comestible.

chulada [tʃuláða] f. 1 Grossièreté (grosería). 2 Propos m. désinvolte. 3 Bravade, aplomb m. (bravuconada).

chuleta [tʃulèta] f. coc. Côtelette (pequeña), côte (mayor).

chulo, -la [tʃúlo, -la] adj. 1 Effronté, ée, culotté, ée, désinvolte (descarado). ■ 2 s. Homme, femme du baus peuple de Madrid qui affecte des airs hardis et désinvoltes, type m., môme f. ■ 3 m. Souteneur (rufián).

chupa [tʃúpa] f. Sorte de justaucorps m.

chupada [tʃupáða] f. 1 Sucement m. 2 Bouffée (de tabaco): dar una —, tirer une bouffée.

chupador, -ra [tʃupaðòr, -ra] adj. 1 Suceur, euse. ■ 2 m. Sucette f. (de goma).

chupete [tʃupète] m. 1 Tétine f. (del biberón). 2 Sucette f. (chupador).

chupetear [tʃupeteàr] tr. Suçoter.

chupón, -ona [tʃupón, -óna] adj. 1 fam. Suceur, euse. ■ 2 s. fig. Sangsue f., profiteur (persona).

churra [tʃúra] f. Gélinotte des bois.

churrería [tʃureria] f. Boutique où l'on vend des churros.

churrete [tʃurète] m. Tache f. de graisse.

churrigueresco, -ca [tʃuriyerèsko, -ka] adj. ARQ. Churrigueresque.

churro [tʃúro] m. Sorte de beignet allongé.

chuscada [tʃuskáða] f. Drôlerie, plaisanterie.

chusma [tʃúzma] f. 1 Chiourme. 2 Populace (muchedumbre).

chuzo [tʃúθo] m. Epieu, pique f. courte. Loc. fig. Llover chuzos, pleuvoir à verse.

D

d [de] *f.* D. *m.*

dable [dáβle] *adj.* Faisable, possible.

daca [dáka] Contraction de *da* et *acá*. Donne, apporte. Loc. *Toma y —*, donnant donnant.

dactilografía [daɣtiloɣrafía] *f.* Dactylographie.

dádiva [dáðiβa] *f.* Don *m.*, cadeau *m.*

dado, -da [dáðo, -ða] *1 p.p.* de *dar. 2 loc. conj.* — *que*, — *el caso que*, étant donné que, si. ■ *3 adj.* Supposé, ée. *4* Adonné, ée, enclin, ine. ■ *5 m.* Dé (pieza cúbica para jugar): — *falso*, dé pipé.

daga [dáɣa] *f.* Dague.

daguerrotipo [daɣeřotípo] *m.* Daguerréotype.

dalia [dálja] *f.* Dahlia *m.*

dalmática [dalmátika] *f.* LITURG. Dalmatique.

daltonismo [daltonízmo] *m.* Daltonisme.

dama [dáma] *f. 1* Dame (mujer noble). *2* Première actrice: — *joven*, jeune première. ■ *3 pl.* Dames (juego).

damajuana [damaxwána] *f.* Damejeanne.

damasquinar [damaskinár] *tr.* Damasquiner.

damisela [damiséla] *f.* Demoiselle.

damnificar [damnifikár] *tr.* Endommager.

danés, -esa [danés, -ésa] *adj.-s.* Danois, oise.

danza [dánθa] *f.* Danse.

danzar [danθár] *intr.-tr.* Danser.

dañar [daɲár] *tr.* Endommager, abîmer, détériorer (estropear).

daño [dáɲo] *m. 1* Dommage, préjudice: *daños y perjuicios*, dommages et intérêts. *2* Mal: *hacer —*, faire du mal; *hacerse —*, se faire mal.

dar [dar] *tr. 1* Donner. Loc. — *de comer*, donner à manger. *2* Déclarer, tenir, considérer: — *por hecho*, considérer comme fait. *3* Faire (con algunos substantivos): — *un paseo*, faire une promenade. *4* Sonner (las horas): *el reloj da las seis* o (impers.) *dan las seis*, six heures sonnent. *5 intr.* Rencontrer, trouver: — *con lo que se busca*, trouver ce que l'on cherche. *6* Tomber, heurter: — *en un error*, tomber dans une erreur. *7* Frapper (golpear). *8* Sentidos diversos: *me lo da el corazón*, le cœur me le dit. *9* Se livrer, s'adonner (entregarse): *darse a la bebida*, s'adonner à la boisson. *10* Se tenir pour, se considérer comme, s'estimer, s'avouer: *darse por satisfecho*, s'estimer satisfait. *11* Sentidos diversos: *darse a conocer*, se faire connaître. ▲ CONJUG. IRRÉG. INDIC. Prés.: *doy, das, da, damos, dais, dan.* Imparf.: *daba, dabas*, etc. Pas. simple: *di, diste*, etc. Fut.: *daré, darás*, etc. COND.: *daría, darías*, etc. SUBJ. Prés.: *dé, des, dé, demos, deis, den.* Imparf.: *diera, dieras*, etc., ou *diese, dieses*, etc. Fut.: *diere, dieres*, etc. IMPÉR.: *da, dé, demos, dad, den.* PART. PAS.: *dado.* GÉR.: *dando.*

dardo [dárðo] *m.* Dard (arma).

dársena [dársena] *f.* Darse, bassin *f.*

data [dáta] *f. 1* Date. *2* COM. Débit *m.*

dátil [dátil] *m.* Datte *f.*

dativo, -va [datíβo, -βa] *adj.-m.* Datif, ive.

dato [dáto] *m.* Donnée *f.*, renseignement.

de [de] *f.* D *m.*, lettre d.

de [de] *prep. 1* Sert à marquer des rapports de matière, d'instrument, de manière, d'état: *cesta — mimbre*, panier en osier, d'osier: *máquina — coser*, machine à coudre. *2* Sur: — *diez veces una*, une fois sur dix. *3 De* précède le nom d'épouse d'une femme mis après son nom de jeune fille: *Doña María Ruiz — Ponce*, Madame Marie Ponce, née Ruiz.

deambular [deambulár] *intr.* Déambuler.

deán [deán] *m.* Doyen (de cabildo).

debajo [deβáxo] *adv. 1* Dessous. *2 loc. prep.* — *de*, sous, au-dessous de.

debate [deβáte] *m*. Débat.

debe [dèbe] *m*. *1* COM. Doit. *2* Débit (de una cuenta).

deber [deβér] *m*. Devoir.

deber [deβér] *tr*. Devoir. ▲ Dans le sens d'être probable, se construit avec la prép. *de: debe de haber llegado*, il doit être arrivé.

debido, -da [deβiðo, -ða] *adj*. *1* Dû, due, juste, raisonnable. *2 loc. adv. Como es* —, comme il faut.

débil [dèβil] *adj.-s*. *1* Faible. *2* Débile.

debilidad [deβiliðàð] *f*. *1* Faiblesse. *2* Débilité (duradera).

debilitar [deβilitár] *tr*. *1* Affaiblir, débiliter. ■ *2 pr*. S'affaiblir, faiblir.

década [dékaða] *f*. Décade.

decadencia [dekaðènθja] *f*. Décadence.

decadente [dekaðènte] *adj*. Décadent, ente.

decaer [dekaér] *intr*. *1* Déchoir. *2* S'affaiblir, décliner. ▲ CONJUG. comme *caer*.

decágono [dekáɣono] *m*. *1* Décagone. ■ *2 adj*. Décagonal.

decaído, -da [dekaíðo, -ða] *adj*. *1* Affaibli, ie (debilitado), abattu, ue (abatido). *2* Déchu, ue (en decadencia).

decálogo [dekáloɣo] *m*. Décalogue.

decano [dekáno] *m*. Doyen.

decantar [dekantár] *tr*. *1* Décanter (un líquido). *2* Louer, vanter (alabar).

decapitar [dekapitár] *tr*. Décapiter.

decena [deθéna] *f*. Dizaine.

decencia [deθénθja] *f*. Décence.

decente [deθénte] *adj*. *1* Décent, ente. *2* Convenable, satisfaisant, ante (satisfactorio).

decepcionar [deθeβθjonár] *tr*. Décevoir, désappointer.

decidido, -da [deθiðiðo, -ða] *adj*. Décidé, ée, résolu, ue.

decidir [deθiðir] *tr*. *1* Décider: *decidió marcharse*, il décida de s'en aller. ■ *2 pr*. Se décider.

decilitro [deθilitro] *m*. Décilitre.

décima [dèθima] *f*. *1* Dixième (parte). *2* LIT. Dizain *m*.

decimal [deθimál] *adj*. Décimal, ale.

décimo, -ma [dèθimo, -ma] *adj.-s*. *1* Dixième. ■ *2 m*. Dixième (de un billete de lotería).

decir [deθir] *tr*. *1* Dire. Loc. — *misa*, dire la messe; — *entre sí, para sí*, dire à part soi; — *que no*, dire non; *dicho y hecho*, aussitôt dit, aussitôt fait; *¡diga!, ¡dígame!*, allô! (teléfono); *el que dirán*, le qu'en-dira-t-on; *es* —, c'est-à-dire. *2* Aller, convenir (con los adverbios bien o mal). ■ *3 pr*. Se dire. ▲ CONJUG. IRRÉG.

INDIC. Prés.: *digo, dices, dice, decimos, decís, dicen*. Imparf.: *decía, decías*, etc. Pas. simple: *dije, dijiste, dijo, dijimos, dijisteis, dijeron*. Fut.: *diré, dirás*, etc. COND.: *diría, dirías*, etc. SUBJ. Prés.: *diga, digas, diga, digamos, digáis, digan*. Imparf.: *dijera, dijeras, dijera, dijéramos, dijerais, dijeran*, ou *dijese, dijeses*, etc. Fut.: *dijere, dijeres*, etc. IMPÉR.: *di, diga, digamos, decid, digan*. PART. PAS.: *dicho*. GÉR.: *diciendo*.

decisión [deθisjón] *f*. Décision.

declamar [deklamár] *intr.-tr*. Déclamer.

declarar [deklarár] *tr*. *1* Déclarer. *2* Expliquer. ■ *3 intr*. DER. Déposer. ■ *4 pr*. Se déclarer.

declinar [deklinár] *intr.-tr*. Décliner.

declive [deklíβe] *m*., **declividad** [deklíβiðáð] *f*. Déclivité *f*., pente *f*.

decomisar [dekomisár] *tr*. Saisir, confisquer.

decoración [dekoraθjón] *f*. *1* Décoration, ornement *m*. *2* TEAT. Décor *m*.

decorar [dekorár] *tr*. Décorer (adornar).

decorativo, -va [dekoratiβo, -βa] *adj*. Décoratif, ive.

decoro [dekóro] *m*. Décorum *f*.

decrecer [dekreθér] *intr*. Décroître. ▲ CONJUG. comme *agradecer*.

decrépito, -ta [dekrépito, -ta] *adj*. Décrépit, ite.

decretar [dekretár] *tr*. Décréter.

decreto [dekréto] *m*. *1* Décret. *2* Arrêt, ordre (de un juez, etc.).

dedal [deðál] *m*. Dé à coudre, dé.

dedicar [deðikár] *tr*. *1* Consacrer, dédier (una iglesia, etc.). *2* Dédicacer (un libro, una foto).

dedicatoria [deðikatórja] *f*. Dédicace (de un libro, de una foto).

dedillo [deðíʎo] *m*. Petit doigt. Loc. *Saber una cosa al* —, savoir une chose sur le bout du doigt.

dedo [dèðo] *m*. *1* Doigt. Loc. — *anular*, annulaire; — *de en medio, del corazón*, doigt du milieu, majeur; — *gordo, pulgar*, pouce; — *índice*, index. *2* Loc. fig. *A dos dedos de*, à deux doigts de; *contar con los dedos*, compter sur les doigts.

deducción [deðuɣθjón] *f*. Deduction.

deducir [deðuθir] *tr*. Déduire. ▲ CONJUG. comme *conducir*.

defecar [defekár] *tr.-intr*. Déféquer.

defecto [defékto] *m*. Défaut.

defender [defendér] *tr*. Défendre.

defensa [defénsa] *f*. Défense.

defensivo, -va [defensiβo, -βa] *adj*. Défensiv, ive.

deficiencia [defiθjènθja] *f*. Déficience, défaut *m*.

déficit [défiθit] *m.* Déficit.

definición [definiθjón] *f.* Définition.

definir [definír] *tr.* Définir.

definitivo, -va [definitíβo, -βa] *adj.* Définitif, ive. *loc. adv.* **En definitiva,** en définitive.

deflagrar [deflayrár] *intr.* Déflagrer, s'enflammer en explosant.

deformación [deformaθjón] *f.* Déformation.

deformar [deformár] *tr.* Déformer.

defraudar [defrauðár] *tr.* 1 Frauder (cometer un fraude). 2 Tromper, décevoir (las esperanzas): *me ha defraudado la película,* le film m'a déçu.

defunción [defunθjón] *f.* Décès *m.*

degeneración [dexeneraθjón] *f.* Dégénérescence.

degenerar [dexenerár] *intr.* Dégénérer.

deglutir [deylutír] *tr.-intr.* Déglutir.

degollar [deyoʎár] *tr.* 1 Égorger. 2 Décolleter, échancrer (escotar). ▲ CONJUG. comme *contar.*

degradante [deyraðánte] *adj.* Dégradant, ante.

degradar [deyraðár] *tr.* Dégrader.

degustación [deyustaθjón] *f.* Dégustation.

deidad [deiðáð] *f.* 1 Divinité. 2 Déité.

dejado, -da [dexáðo, -ða] *adj.* 1 Négligent, ente, nonchalant, ante. 2 Abattu, ue (decaído).

dejar [dexár] *tr.* 1 Laisser. *Loc.* — *caer,* laisser tomber (un objeto); fig. insinuer; — *plantado,* planter là; — *seco a uno,* tuer quelqu'un net; — *que* (con un subjuntivo), permettre, laiser; *¿me deja que le pregunte algo?,* vous me permettez de vous demander quelque chose? 2 Prêter (prestar). 3 Quitter (abandonar). 4 Cesser: — *de hablar,* cesser de parler. ■ 5 *pr.* Se laisser. *Loc.* **Dejarse caer,** se laisser tomber. 6 S'abandonner, se négliger, se laisser aller (descuidarse).

dejo [déxo] *m.* 1 Accent, intonation *f.* 2 Arrière-goût (sabor). 3 Mollesse *f.,* lassitude *f.* (flojedad).

del [del] contraction de *de* et *el.* Du, de l': — *lobo,* du loup; — *aire,* de l'air.

delantal [delantál] *m.* Tablier.

delante [delánte] *adv.* Devant. *loc. prép.* — *de,* devant; *por* — *de,* devant.

delantera [delantèra] *f.* 1 Avant *m.* (de un coche, etc.), devant *m.* (de un vestido, etc.). 2 Premier rang *m.* (en un teatro, etc.).

delatar [delatár] *tr.* Dénoncer.

delator, -ra [delatór, -ra] *adj.-s.* Délateur, trice.

delegación [deleyaθjón] *f.* Délégation.

delegado, -da [deleyáðo, -ða] *adj.-s.* Délégué, ée.

deleitar [deleĭtár] *tr.* Délecter, charmer.

deleite [delèĭte] *m.* Plaisir, délice.

deletrear [deletreár] *tr.* Épeler.

delfín [delfín] *m.* Dauphin (cetáceo, príncipe).

delgado, -da [delyáðo, -ða] *adj.* 1 Mince, grèle (de poco grosor). 2 Maigre (persona, terreno).

deliberación [deliβeraθjón] *f.* Délibération.

deliberar [deliβerár] *intr.* 1 Délibérer. ■ 2 *tr.* Décider.

delicadeza [delikaðéθa] *f.* Délicatesse.

delicado, -da [delikáðo, -ða] *adj.* Délicat, ate.

delicia [delíθja] *f.* Délice *m.*

delicioso, -sa [deliθjóso, -sa] *adj.* Délicieux, euse.

delimitar [delimitár] *tr.* Délimiter.

delincuencia [deliŋkwénθja] *f.* Délinquance.

delincuente [deliŋkwénte] *adj.-s.* Délinquant, ante.

delineante [delineánte] *m.* Dessinateur industriel.

delinear [delineár] *tr.* 1 Délinéer. 2 Dessiner (planos).

delirar [delirár] *intr.* Délirer.

delirio [delírjo] *m.* Délire.

delito [delito] *m.* Délit: *flagrante* —, flagrant délit.

delta [dèlta] *f.* 1 Delta *m.* (letra). ■ 2 *m.* GEOG. Delta.

demacrado, -da [demakráðo, -ða] *adj.* Émacié, ée, très maigre.

demagogia [demayóxja] *f.* Démagogie.

demanda [demánda] *f.* 1 Demande. 2 Quête (busca): *ir en* — *de,* aller en quête de.

demarcación [demarkaθjón] *f.* 1 Démarcation. 2 Terrain *m.* délimité.

demás [demás] *adj.-pron. indef.* 1 L'autre, les autres, le reste. Est ordinairement précédé de l'article: *la* — *gente,* les autres gens; *los* —, les autres; *lo* —, le reste; *y* —, et le reste, et cætera. 2 *loc. adv. Por* —, à l'excès (en demasía), inutile (inútil); *por lo* —, au reste, du reste.

demasiado, -da [demasjàðo, -ða] *adj.* 1 Trop de: — *dinero,* trop d'argent. ■ 2 *adv.* Trop.

demente [deménte] *adj.-s.* Dément, ente.

democracia [demokráθja] *f.* Démocratie.

democrático, -ca [demokrátiko, -ka] *adj.* Démocratique.

demográfico, -ca [demoyráfiko, -ka] *adj.* Démographique.

demoler [demolèr] *tr.* Démolir. ▲ CONJUG. comme *mover*.

demolición [demoliθjòn] *f.* Démolition.

demoníaco, -ca [demoniako, -ka] *adj.-s.* Démoniaque.

demonio [demònjo] *m.* Démon, diable.

demora [demóra] *f.* Retard *m.*, délai *m.*

demorar [demorár] *tr.* Retarder, différer.

demostración [demostraθjòn] *f.* Démonstration.

demostrar [demostrár] *tr. 1* Démontrer. *2* Prouver (probar). ▲ CONJUG. comme *contar*.

denegar [deneγár] *tr. 1* Refuser: — *un proyecto*, refuser un projet. *2* Nier. ▲ CONJUG. comme *acertar*.

denigrante [deniγránte] *adj.* Dénigrant, ante.

denigrar [deniγrár] *tr.* Dénigrer.

denodado, -da [denoðáðo, -ða] *adj.* Intrépide, courageux, euse.

denominado [denominàðo] *adj.* MAT. *Número —,* nombre complexe.

denominar [denominár] *tr.* Dénommer, nommer.

densidad [densiðàð] *f.* Densité.

denso, -sa [dènso, -sa] *adj.* Dense.

dentado, -da [dentáðo, -ða] *adj. 1* Denté, ée (rueda, etc.). *2* Dentelé, ée.

dentadura [dentaðúra] *f.* Denture (de una persona, de un animal).

dental [dentál] *adj. 1* Dentaire. ■ *2 adj.-f.* GRAM. Dental, ale. ■ *3 m.* Sep.

dentellada [denteʎáða] *f.* Coup *m.* de dents.

dentición [dentiθjòn] *f.* Dentition.

dentífrico, -ca [dentifriko, -ka] *adj.-m.* Dentifrice.

dentista [dentista] *m.* Dentiste.

dentro [dèntro] *adv. 1* Dedans, à l'intérieur: *estar —,* être dedans. *2 — de,* dans: — *del cajón,* dans le tiroir.

denuncia [denúnθja], **denunciación** [denunθjaθjòn] *f.* Dénonciation.

denunciar [denunθjár] *tr. 1* Dénoncer. *2* Faire enregistrer une mine.

deparar [deparár] *tr.* Procurer, accorder (proporcionar), présenter, offrir (ofrecer).

departamento [departaménto] *m.* Département (de un territorio, una administración).

depender [depèndèr] *intr.* Dépendre.

dependiente [dependjènte] *adj. 1* Dépendant, ante. ■ *2 m.* COM. Employé, commis, vendeur.

depilar [depilár] *tr. 1* Épiler, dépiler. ■ *2 pr.* S'épiler.

deplorable [deploráβle] *adj.* Déplorable.

deponer [deponèr] *tr. 1* Éloigner, écarter de soi (apartar de sí). *2* Poser (las armas). *3* Déposer (destituir). *4* Déposer (ante el juez). ■ *5 intr.* Aller à la selle. ▲ CONJUG. comme *poner*.

deportado, -da [deportáðo, -ða] *adj.-s.* Déporté, ée.

deporte [depòrte] *m.* Sport.

deportista [deportista] *s.* Sportif, ive.

deposición [deposiθjòn] *f. 1* Déposition. *2* Selles *pl.* (excremento).

depositar [depositár] *tr. 1* Déposer (confiar a uno, colocar en un sitio): — *valores en el Banco,* déposer ses valeurs à la Banque. *2* Placer (la confianza). *3* Déposer (un líquido).

depósito [depósito] *m. 1* Dépôt (acción, cosa depositada, lugar). *2* Entrepôt (almacén). *3* Réservoir (para líquidos).

depravado, -da [depraβáðo, -ða] *adj.-s.* Dépravé, ée.

depravar [depraβár] *tr.* Dépraver.

depreciación [depreθjaθjòn] *f.* Dépréciation.

depredador, -ra [depreðaðòr, -ra] *adj.-s.* Déprédateur, trice.

depresión [depresjòn] *f.* Dépression.

deprimir [deprimír] *tr.* Déprimer.

depurar [depurár] *tr.* Épurer, dépurer.

derecha [derétʃa] *f. 1* Droite (mano, lado). *2* Droite (política). *3 loc. adv.* A *la —,* à droite.

derecho [derètʃo] *m. 1* Endroit (de una tela, etc.). *2* Droit: — *de gentes,* droit des gens; *¿con qué —?,* de quel droit? ■ *3 adv.* Droit: *andar —,* marcher droit.

derecho, -cha [derétʃo, -tʃa] *adj. 1* Droit, droite: *mano derecha,* main droite. *2* Juste, raisonnable.

deriva [deriβa] *f.* Dérive.

derivar [deriβár] *intr.-tr. 1* Dériver. ■ *2 pr.* Dériver, découler (resultar).

dermatología [dermatoloxía] *f.* Dermatologie.

dermis [dèrmis] *f.* ANAT. Derme *m.*

derogar [deroγár] *tr. 1* Abolir, abroger (a una ley, etc.). *2* Déroger.

derramar [deřamár] *tr. 1* Verser, répandre (un líquido, etc.). *2* Éparpiller, disperser.

derrame [deřáme] *m. 1* Perte *f.* (líquido perdido). *2* MED. Épanchement. *3* Épanchement, écoulement (derramamiento).

derrengar [deřeŋgár] *tr. 1* Éreinter, casser les reins. *2* Tordre.

derretimiento [deřetimjènto] *m. 1* Fonte *f.*, fusion *f.* *2 fig.* Grand amour.

derretir [deřetir] *tr. 1* Fondre (por medio

del calor). ■ *2 pr.* Fondre: *el hielo se derrite con el calor*, la glace fond à la chaleur. *3* fig. Brûler (d'amour). ▲ CONJUG. comme *servir*.

derribar [derĩβár] *tr.* Démolir, abattre (un edificio), renverser, terrasser (a una persona o animal), abattre (un avión).

derribo [derĩβo] *m.* Démolition *f.* (de un edificio).

derrocar [derokár] *tr.* *1* Précipiter (du haut d'un rocher). *2* Renverser (el poder).

derrochador, -ra [derotʃaðór, -ra] *s.* Dissipateur, trice, gaspilleur, euse.

derroche [derótʃe] *m.* *1* Dissipation *f.*, gaspillage. *2* Excès, dépense *f.* excessive.

derrota [deróta] *f.* *1* MIL. Déroute, défaite. *2* Chemin *m.* (camino). *3* MAR. Route.

derrotado, -da [derotáðo, -ða] *adj.* Misérablement vêtu, ue, dépenaillé, ée (andrajoso).

derrotar [derotár] *tr.* MIL. *1* Mettre en déroute, vaincre. *2* Battre (en una competición).

derruir [derwĩr] *tr.* Démolir (un edificio).

derrumbamiento [derumbamjénto] *m.* Écroulement, éboulement.

derrumbar [derumbár] *tr.* *1* Précipiter. *2* Abattre (derribar). ■ *3 pr.* S'écrouler.

desaborido, -da [desaβoríðo, -ða] *adj. 1* Fade, insipide. *2* fig. Insignifiant, ante, terne, falot, te (persona).

desabotonar [desaβotonár] *tr.* Déboutonner.

desabrido, -da [desaβríðo, -ða] *adj. 1* Fade, insipide. *2* Désagréable (tiempo). *3* fig. Revêche, acariâtre (persona).

desabrigado, -da [desaβriɣáðo, -ða] *adj. 1* Mal abrité, ée. *2* Qui n'est pas assez couvert. *3* fig. Délaissé, ée (desamparado).

desabrochar [desaβrotʃár] *tr.* Dégrafer (broches, corchetes), déboutonner (botones).

desacato [desakáto] *m.* Manque de respect, d'obéissance.

desacertado, -da [desaθertáðo, -ða] *adj.* Erroné, ée.

desaconsejar [desakonsexár] *tr.* Déconseiller.

desacordar [desakorðár] *tr.* *1* MÚS. Désaccorder. ■ *2 pr.* Oublier (olvidarse). ▲ CONJUG. comme *contar*.

desacorde [desakórðe] *adj.* Discordant, ante.

desacostumbrado, -da [desakostumbráðo, -ða] *adj.* Inhabituel, elle, inusité, ée.

desacreditar [desakreðitár] *tr.* *1* Discrédi-

ter, déconsidérer, décrier. ■ *2 pr.* Se discréditer.

desacuerdo [desakwérðo] *m.* *1* Désaccord: *estar en —*, être en désaccord. *2* Erreur *f.*

desafecto, -ta [desaféyto, -ta] *adj.* Opposé, ée, hostile.

desafiar [desafjár] *tr.* *1* Défier, braver. ■ *2 pr.* Se défier.

desafinar [desafinár] *intr.* *1* MÚS. Chanter faux, jouer faux. ■ *2 pr.* MÚS. Se désaccorder.

desafío [desafío] *m.* *1* Défi. *2* Duel.

desafortunado, -da [desafortunáðo, -ða] *adj.* Infortuné, ée.

desagradable [desaɣraðáβle] *adj.* Désagréable.

desagradecer [desaɣraðeθér] *tr.* Faire preuve d'ingratitude, manquer de reconnaissance. ▲ CONJUG. comme *agradecer*.

desagradecido, -da [desaɣraðeθíðo, -ða] *adj.* Ingrat, ate.

desagrado [desaɣráðo] *m.* Déplaisir, mécontentement.

desagregar [desaɣreɣár] *tr.* Désagréger.

desaguar [desaɣwár] *tr.* Vider (extraer el agua), dessécher (desecar).

desagüe [desaɣwe] *m.* *1* Écoulement (del agua). *2* Déversoir (desaguadero).

desaguisado, -da [desaɣisáðo, -ða] *adj. 1* Illégal, ale. *2* Absurde.

desahogado, -da [desaoɣáðo, -ða] *adj.* Débarrassé, ée, dégagé, ée (sitio).

desahogar [desaoɣár] *tr.* Soulager, réconforter (consolar).

desahogo [desaóɣo] *m.* *1* Soulagement, consolation *f.* *2* Délassement. *3* Épanchement, effusion *f.* (de sentimientos).

desahuciar [desaũθjár] *tr.* *1* Enlever tout espoir. *2* Condamner (a un enfermo). *3* DER. Expulser (a un inquilino).

desairado, -da [desaĩráðo, -ða] *adj.* Disgracieux, euse, gauche.

desairar [desaĩrár] *tr.* Repousser, éconduire (a una persona).

desaire [desaĩre] *m.* Mépris, dédain.

desalar [desalár] *tr.* *1* Dessaler (quitar la sal). *2* Couper les ailes.

desalentar [desalentár] *tr.* Décourager. ▲ CONJUG. comme *acertar*.

desaliento [desaljénto] *m.* Découragement, abattement.

desaliñar [desaliɲár] *tr.* Chiffonner, froisser (ajar).

desalmado, -da [desalmáðo, -ða] *adj.-s. 1* Cruel, elle, inhumain, aine. ■ *2 s.* Scélérat, ate.

desalojar [desaloxár] *tr.* *1* Déloger, chasser (expulsar). 2 Quitter, vider (un sitio).

desalquilado, -da [desalkiláðo, -ða] adj. Vide, à louer (local).

desamoblar [desamoβlár] tr. Démeubler. ▲ CONJUG. comme *contar*.

desamor [desamór] m. 1 Manque d'affection. 2 Inimitié f., haine f.

desamortización [desamortiθaθjón] f. Désamortisation.

desamparado, -da [desamparáðo, -ða] adj. Abandonné, ée, délaissé, ée.

desandar [desandár] tr. — *camino*, rebrousser chemin. ▲ CONJUG. comme *andar*.

desangrar [desaŋgrár] tr. 1 Saigner. 2 Assécher (un estanque, etc.). 3 fig. Appauvrir, ruiner. ■ 4 pr. Saigner abondamment.

desanimar [desanimár] tr. Décourager.

desánimo [desánimo] m. Découragement, abattement.

desapacible [desapaθiβle] adj. 1 Désagréable, rude. 2 *Tiempo* —, temps maussade.

desaparecer [desapareθér] intr. Disparaître.

desaparejar [desaparexár] tr. 1 Débâter, déharnacher. 2 MAR. Dégréer (un barco).

desaparición [desapariθjón] f. Disparition.

desapego [desapéyo] m. Détachement, indifférence f.

desapercibido, -da [desaperθiβiðo, -ða] adj. Inaperçu, ue. Loc. *Coger* —, prendre au dépourvu.

desaplicado, -da [desaplikáðo, -ða] adj. Inappliqué, ée.

desaprensión [desaprensjón] f. Sans-gêne m., manque m. de scrupules.

desaprobar [desaproβár] tr. Désapprouver. ▲ CONJUG. comme *contar*.

desaprovechado, -da [desaproβetʃáðo, -ða] adj.-s. 1 Inappliqué, ée. ■ 2 adj. Infructueux, euse, dont on n'a pas profité.

desaprovechar [desaproβetʃár] tr. Mal employer, ne pas profiter de.

desarmar [desarmár] tr. 1 Désarmer. 2 Démonter (un reloj, un motor, un mueble, etc.).

desarme [desárme] m. 1 Désarmement (de un país, etc.). 2 Démontage.

desarraigo [desařáiɣo] m. Déracinement.

desarreglar [desařeɣlár] tr. 1 Dérégler. 2 Mettre en désordre (desordenar). 3 Déranger (frustrar).

desarrollar [desařoʎár] tr. 1 Dérouler (lo que está arrollado). 2 Développer (el cuerpo, una industria, una teoría, etc.).

desarropar [desařopár] tr. Dévêtir, découvrir (una persona).

desarrugar [desařuɣár] tr. Déplisser, défroisser (un tejido, etc.).

desarticular [desartikulár] tr. Désarticuler.

desaseo [desaséo] m. Malpropreté f., saleté f.

desasir [desasír] tr. 1 Lâcher (soltar), détacher (desprender). ■ 2 pr. Se détacher, se dégager (soltarse). ▲ CONJUG. comme *asir*.

desasnar [desasnár] tr. Déniaiser, dégrossir.

desasosiego [desasosjéɣo] m. Inquiétude f.

desastrado, -da [desastráðo, -ða] adj. Malheureux, euse, infortuné, ée.

desastre [desástre] m. Désastre.

desastroso, -sa [desastróso, -sa] adj. Désastreux, euse.

desatadura [desataðúra] f. Déliement m., détachement m.

desatar [desatár] tr. 1 Détacher, défaire, dénouer (lo atado), délacer (zapatos). ■ 2 pr. fig. Perdre la timidité. 3 Parler sans retenue.

desatascar [desataskár] tr. 1 Désembourber. 2 Désobstruer, dégorger (un conducto). 3 fig. Dépêtrer.

desatender [desatendér] tr. 1 Ne pas prêter attention à. 2 Ne pas écouter (un consejo, una advertencia). 3 Manquer d'attentions à l'égard de (una persona). ▲ CONJUG. comme *entender*.

desatento, -ta [desaténto, -ta] adj. 1 Inattentif, ive, distrait, aite. 2 Impoli, ie (descortés).

desatino [desatino] m. 1 Manque de bon sens. 2 Bêtise f., sottise f. (despropósito). 3 Erreur f.

desatornillar [desatorniʎár] tr. Dévisser.

desatracar [desatrakár] tr. 1 Éloigner d'un quai, d'un autre bateau. ■ 2 intr. MAR. Gagner le large.

desautorizar [desaǔtoriθár] tr. Retirer, enlever, l'autorité, le pouvoir, l'estime.

desavenencia [desaβenénθja] f. Discorde, brouille, désaccord m.

desavenido, -da [desaβeniðo, -ða] adj. Brouillé, ée, désuni, ie.

desavenir [desaβenír] tr. Brouiller, indisposer, désaccorder. ▲ CONJUG. comme *venir*.

desayunar [desajunár] intr.-tr.-pr. Prendre le petit déjeuner, déjeuner.

desayuno [desajúno] m. Petit déjeuner.

desazón [desaθón] f. 1 Fadeur (falta de sabor). 2 Sécheresse (en las tierras). 3 fig. Contrariété (disgusto).

desazonar [desaθonár] tr. 1 Affadir (un manjar). 2 Contrarier, chagriner, inquiéter.

desbancar [dezβaŋkár] tr. 1 Débanquer (en el juego). 2 fig. Supplanter (a alguien).

desbandada [dezβandáδa] f. Débandade, déroute.

desbarajuste [dezβaraxúste] m. Désordre, confusion f.

desbaratar [dezβaratár] tr. 1 Détruire, défaire. 2 MIL. Mettre en déroute, défaire.

desbarrar [dezβařár] intr. fig. Déraisonner, divaguer.

desbastar [dezβastár] tr. 1 Dégrossir, ébaucher. 2 fig. Dégrossir, polir.

desbocado, -da [dezβokáδo, -δa] adj. 1 Emballé, ée (caballo). 2 Égueulé, ée (vasija). 3 Émoussé, ée (instrumento). ■ 4 adj.-s. fig. Insolent, ente.

desbocar [dezβokár] tr. 1 Égueuler. ■ 2 pr. S'emballer (un caballo).

desbordar [dezβorðár] intr.-pr. Déborder.

desbravar [dezβraβár] tr. Dompter, dresser (caballos).

desbrozo [dezβróθo] m. Débroussaillement, nettoyage.

desbullar [dezβuλár] tr. Écailler (las ostras).

descabalar [deskaβalár] tr. 1 Rendre incomplet, ète. 2 Dépareiller.

descabalgar [deskaβalyár] intr. Descendre du cheval.

descabellado, -da [deskaβeλáδo, -δa] adj. Absurde, saugrenu, ue.

descabellar [deskaβeλár] tr. 1 Dépeigner. 2 TAUROM. Tuer (le taureau) d'un coup d'épée à la nuque.

descabezar [deskaβeθár] tr. 1 Décapiter. 2 Étêter (árbol). 3 Loc. fig. — *el sueño,* faire un petit somme.

descalabrar [deskalaβrár] tr. 1 Blesser à la tête. 2 Blesser, maltraiter.

descalabro [deskaláβro] m. Contretemps, échec.

descalificar [deskalifikár] tr. Disqualifier.

descalzar [deskalθár] tr. 1 Déchausser. 2 Décaler (quitar los calzos).

descalzo, -za [deskálθo, -θa] adj. 1 Nupieds. 2 Déchaussé, déchaux (religioso).

descamación [deskamaθjón] f. Desquamation.

descaminar [deskaminár] tr. Égarer, fourvoyer.

descampado, -da [deskampáδo, -δa] adj.-m. Découvert, erte (terreno).

descansado, -da [deskansáδo, -δa] adj. Reposé, ée.

descansar [deskansár] intr. 1 Reposer, se reposer. ■ 2 tr. Reposer, appuyer (apoyar). 3 Aider, soulager du travail.

descansillo [deskansiλo] m. Palier (de escalera).

descanso [deskánso] m. Repos. 2 Halte f. (pausa). 3 Palier (de escalera).

descarado, -da [deskaráδo, -δa] adj. Effronté, ée, insolent, ente.

descarga [deskárya] f. Décharge, déchargement m. (acción de descargar).

descargador [deskaryaδòr] m. Déchargeur.

descargar [deskaryár] tr. 1 Décharger. 2 MAR. Débarder. ■ 3 pr. Se décharger: *descargarse de una responsabilidad en alguien,* se décharger d'une responsabilité sur quelqu'un.

descargo [deskáryo] m. 1 Déchargement. 2 Décharge f., acquit.

descarnado, -da [deskarnáδo, -δa] adj. Décharné, ée.

descarnar [deskarnár] tr. 1 Décharner (un hueso). 2 Déchausser (los dientes).

descaro [deskáro] m. Effronterie f., insolence f.

descarriar [deskařjár] tr. Égarer, dévoyer, fourvoyer.

descarrilar [deskařilár] intr. Dérailler.

descartar [deskartár] tr. 1 Éloigner, écarter, rejeter. ■ 2 pr. Écarter, se défausser (en el juego).

descarte [deskárte] m. Écart (juego de naipes).

descender [desθendèr] intr. Descendre. ▲ CONJUG. comme *entender.*

descendiente [desθendjénte] adj. Descendant, ante.

descenso [desθénso] m. 1 Descente f. (acción). 2 Décadence f., déchéance f. 3 Décrue f., baisse f. (de las aguas).

descentralizar [desθentraliθár] tr. Décentraliser.

descepar [desθepár] tr. 1 Déraciner. 2 Essoucher.

descerrajar [desθeřaxár] tr. 1 Forcer (una cerradura). 2 fig. Tirer (disparar un tiro).

descifrar [desθifrár] tr. Déchiffrer.

desclavar [desklaβár] tr. 1 Déclouer. 2 Désenchâsser (una piedra preciosa).

descocado, -da [deskokáδo, -δa] adj. Impudent, ente, effronté, ée.

descoco [deskóko] m. Impudence f.

descolgar [deskolyár] tr. 1 Décrocher (un cuadro, el teléfono). 2 Faire descendre un objet en le retenant au moyen d'une corde. ■ *3 pr.* Se laisser glisser (escurrirse), descendre (bajar). *4* Dire quelque chose d'inattendu. ▲ CONJUG. comme *contar*.

descolorar [deskolorár] *tr.* Décolorer.

descolorido, -da [deskolorìðo, -ða] *adj. 1* Décoloré, ée. *2* Pâle.

descollar [deskoʎár] *intr. 1* Surpasser, dépasser en hauteur, dominer. *2* fig. Surpasser, se distinguer (entre otros). ▲ CONJUG. comme *contar*.

descomedido, -da [deskomeðìðo, -ða] *adj. 1* Excessif, ive. *2* Impoli, ie, insolent, ente.

descomponer [deskomponér] *tr. 1* Décomposer. *2* Déranger, désordonner (desordenar), détraquer, dérégler (estropear). ■ *3 pr.* fig. Perdre son calme, sa retenue, s'emporter (irritarse). ▲ CONJUG. comme *poner*.

descomposición [deskomposiθjón] *f.* Décomposition.

descompostura [deskompostúra] *f. 1* Dérangement *m.*, détraquement *m. 2* Négligence (desaliño).

descomulgar [deskomulɣár] *tr.* Excommunier.

descomunal [deskomunál] *adj.* Énorme, démesuré, ée, phénoménal, ale.

desconcertante [deskonθertánte] *adj.* Déconcertant, ante.

desconcertar [deskonθertár] *tr. 1* Déconcerter, dérouter (sorprender). *2* Déranger, détraquer. *3* Démettre, disloquer (huesos). ▲ CONJUG. comme *acertar*.

desconcierto [deskonθjérto] *m. 1* Dérangement, détraquement. *2* fig. Désordre, confusion *f. 3* Diarrhée *f.*

desconectar [deskoneytár] *tr. 1* MEC. Débrayer. *2* ELECT. Débrancher, couper.

desconfiar [deskoɱfjár] *intr.* Se méfier, n'avoir pas confiance, se défier: *desconfía de todos*, il se méfie de tout le monde, il n'a confiance en personne.

descongestionar [deskoŋxestjonár] *tr.* Décongestionner.

desconocer [deskonoθér] *tr. 1* Méconnaître. *2* Ne pas connaître, ignorer. *3* fig. Ne pas reconnaître (una persona o cosa). *4* Ignorer, désavouer (negar uno ser suya alguna cosa). ▲ CONJUG. comme *agradecer*.

desconocido, -da [deskonoθìðo, -ða] *adj.-s. 1* Inconnu, ue. ■ *2 adj.* Méconnaissable (muy cambiado).

desconocimiento [deskonoθimjénto] *m. 1* Ignorance *f. 2* Ingratitude *f.*

desconsiderado, -da [deskonsiðeráðo, -ða] *adj. 1* Qui manque d'égards, de respect. *2* Étourdi, ie.

desconsolado, -da [deskonsoláðo, -ða] *adj. 1* Désolé, ée, affligé, ée, inconsolé, ée. *2* Inconsolable. *3* Triste.

descontar [deskontár] *tr. 1* Déduire, décompter. *2* COM. Escompter. ▲ CONJUG. comme *contar*.

descontento, -ta [deskonténto, -ta] *adj.* Mécontent, ente.

descorazonamiento [deskoraθonamjénto] *m.* Découragement.

descorchar [deskortʃár] *tr.* Déboucher (una botella).

descornar [deskornár] *tr.* Décorner (un animal). ▲ CONJUG. comme *contar*.

descorrer [deskořér] *tr.* Tirer (un cerrojo, una cortina).

descortés, -esa [deskortés, -ésa] *adj.* Impoli, ie, grossier, ière.

descoser [deskosér] *tr.* Découdre.

descosido, -da [deskosìðo, -ða] *adj. 1* Décousu, ue. *2* Bavard, arde, indiscret, ète.

descoyuntar [deskojuntár] *tr.* Déboîter, démettre, disloquer.

descrédito [deskréðito] *m.* Discrédit.

descreído, -da [deskreíðo, -ða] *adj.-s.* Incrédule, incroyant, ante.

describir [deskriβír] *tr.* Décrire. ▲ CONJUG. PART. PAS. irrég.: *descrito, ta.*

descripción [deskriβθjón] *f.* Description.

descuadernar [deskwaðernár] *tr. 1* Dérelier. *2* fig. Déranger, défaire.

descuaje [deskwáxe] *m.* AGR. Déracinement.

descuartizar [deskwartiθár] *tr. 1* Écarteler (a una persona). *2* Dépecer, équarrir (animales).

descubierta [deskuβjérta] *f.* MIL. Reconnaissance: *ir a la —*, aller en reconnaissance, à la découverte.

descubierto, -ta [deskuβjérto, -ta] *adj. 1* Découvert, erte. *2* loc. adv. *Al —*, à découvert. ■ *3 m.* COM. Découvert.

descubridor, -ra [deskuβriðór, -ra] *adj.-s.* Découvreur, euse, inventeur, trice.

descubrir [deskuβrír] *tr.* Découvrir.

descuento [deskwénto] *m. 1* COM. Escompte. *2* Décompte (deducción).

descuidar [deskwiðár] *tr. 1* Décharger, libérer (de una obligación). Loc. *Descuide usted*, soyez tranquille, n'ayez crainte. ■ *2 pr.* Négliger, oublier: *descuidarse de sus deberes*, négliger ses devoirs.

descuido [deskwìðo] *m. 1* Négligence *f. 2* Oubli, inattention.

desde [dézðe] *prep. 1* Depuis, de, dès: *— ahora*, dès maintenant. *2* loc. adv. *— luego*, bien entendu, évidemment.

desdecir [dezðeθír] *intr.* Ne pas cadrer, ne pas être en accord. ▲ CONJUG. comme *decir,* sauf au Fut. de l'INDIC. et au COND. qui sont réguliers, et à la 2ème pers. du sing. de l'IMPÉR.: *desdice.*

desdén [dezðén] *m.* Dédain, mépris.

desdicha [dezðítʃa] *f. 1* Malheur *m.* ■ *2 loc. adv. Por —,* par malheur, malheureusement.

desdichado, -da [dezðitʃáðo, -ða] *adj.-s.* Malheureux, euse.

desdoblar [dezðoβlár] *tr. 1* Déplier (extender). *2* Dédoubler (separar).

desear [deseár] *tr.* Désirer, souhaiter: *le deseo un feliz año nuevo,* je vous souhaite une bonne année.

desecación [desekaθjón] *f.* Dessiccation.

desechar [desetʃár] *tr. 1* Exclure, rejeter. *2* Mettre au rebut (dejar por inútil).

desecho [desétʃo] *m. 1* Rebut, reste. *2* fig. Mépris.

desembalar [desembalár] *tr.* Déballer.

desembarazar [desembaraθár] *tr.* Débarrasser, dégager.

desembarcadero [desembarkaðéro] *m.* Débarcadère.

desembarco [desembárko] *m.* Débarquement.

desembarque [desembárke] *m.* Débarquement.

desembarrancar [desembaraŋkár] *tr.* Déséchouer.

desembocadura [desembokaðúra] *f. 1* Sortie, débouché *m.* (de una calle). *2* Embouchure (de un río).

desembolso [desembólso] *m. 1* Déboursement. *2* Dépenses *f. pl.* (gastos).

desembotar [desembotár] *tr.* fig. Dégourdir.

desembozar [desemboθár] *tr. 1* Découvrir (la partie du visage cachée par le manteau, etc.). *2* fig. Découvrir.

desembragar [desembrayár] *tr.* Débrayer.

desembriagar [desembrjayár] *tr.* Désenivrer, dégriser.

desembrollar [desembroʎár] *tr.* Débrouiller.

desemejanza [desemexánθa] *f.* Dissemblance.

desempacho [desempátʃo] *m.* Désinvolture *f.,* hardiesse *f.*

desempañar [desempaɲár] *tr. 1* Nettoyer (una cosa empañada). *2* Démailloter (a un niño).

desempaquetar [desempaketár] *tr.* Dépaqueter.

desempatar [desempatár] *tr.* Départager (votos, en deportes).

desempeñar [desempeɲár] *tr. 1* Dégager

(lo que estaba empeñado), libérer de dettes (desentrampar). *2* S'acquitter de (una obligación), remplir, exercer (un cargo, una función), jouer (un papel). ■ *3 pr.* Se libérer de ses dettes, payer ses dettes.

desempolvar [desempolβár] *tr.* Épousseter, dépoussiérer.

desempotrar [desempotrár] *tr.* Desceller.

desencadenar [deseŋkaðenár] *tr. 1* Déchaîner. ■ *2 pr.* fig. Se déchaîner.

desencajar [deseŋkaxár] *tr. 1* Déboîter. *2* Désassembler. ■ *3 pr.* Se défaire, s'altérer (el semblante).

desencaminar [deseŋkaminár] *tr.* Égarer, fourvoyer.

desencanto [deseŋkánto] *m.* Désenchantement.

desencapotar [deseŋkapotár] *tr. 1* Enlever le manteau. *2* fig. Découvrir, manifester.

desencaprichar [deseŋkapritʃár] *tr.* Faire passer un caprice, etc.

desencolar [deseŋkolár] *tr.* Décoller.

desencuadernar [deseŋkwaðernár] *tr.* Dérelier, débrocher (un libro).

desenchufar [desentʃufár] *tr.* ELECT. Débrancher.

desenfadado, -da [desemfaðáðo, -ða] *adj.* Hardi, ie, désinvolte.

desenfado [desemfáðo] *m. 1* Désinvolture *f.,* sans-gêne. *2* Insouciance *f.* (despreocupación).

desenfrenado, -da [desemfrenáðo, -ða] *adj.* Effréné, ée.

desenfrenar [desemfrenár] *tr. 1* Débrider. ■ *2 pr.* S'abandonner sans frein aux passions, aux vices.

desenfreno [desemfréno] *m.* Dérèglement, débordement.

desenganchar [deseŋgantʃár] *tr. 1* Décrocher, détacher. *2* Dételer (caballos).

desengañar [deseŋgaɲár] *tr. 1* Détromper. *2* Désabuser.

desengaño [deseŋgáɲo] *m.* Déception *f.,* désillusion *f.,* déconvenue *f.*

desengrasar [deseŋgrasár] *tr.* Dégraisser.

desenhebrar [deseneβrár] *tr.* Désenfiler (una aguja).

desenlace [desenláθe] *m.* Dénouement.

desenlazar [desenlaθár] *tr. 1* Désenlacer. *2* fig. Dénouer (una dificultad, un enredo, etc.).

desenmascarar [desemmaskarár] *tr.* Démasquer.

desenredar [desenreðár] *tr. 1* Débrouiller. ■ *2 pr.* Se tirer d'affaire, se débrouiller.

desenroscar [desenroskár] *tr. 1* Détortiller (desenrollar). *2* Dévisser (un tornillo).

desentenderse [desentendèrse] *pr*. Feindre d'ignorer.

desentendido, -da [desentendiðo, -ða] *adj*. *Hacerse el —*, feindre d'ignorer, de ne pas comprendre, faire l'ignorant.

desenterrar [desenteřár] *tr*. *1* Déterrer. *2* fig. Tirer de l'oubli, exhumer. ▲ CONJUG. comme *acertar*.

desentonar [desentonár] *tr*. *1* Rabattre l'orgueil (de alguien). ■ *2 intr*. Détonner. *3* Chanter faux. ■ *4 pr*. fig. Élever la voix.

desentumecer [desentumeθér] *tr*. Dégourdir (un miembro). ▲ CONJUG. comme *agradecer*.

desenvoltura [desemboltúra] *f*. Désinvolture.

desenvolver [desembolβér] *tr*. *1* Dérouler (desenrollar). *2* Développer (lo envuelto). ■ *3 pr*. Se développer (desenrollarse). ▲ CONJUG. comme *mover*, sauf le PART. PAS.: *desenvuelto, ta*.

desenvuelto, -ta [desembwélto, -ta] *adj. 1* Déroulé, ée. *2* fig. Dégagé, ée, désinvolte.

deseo [desèo] *m*. Désir, envie *f*.

deseoso, -sa [deseóso, -sa] *adj*. Désireux, euse.

desequilibrado, -da [desekiliβráðo, -ða] *adj.-s*. Déséquilibré, ée.

desequilibrio [desekiliβrjo] *m*. Déséquilibre.

desertar [desertár] *intr*. Déserter.

desertor [desertòr] *m*. Déserteur.

desesperación [desesperaθjón] *f*. Désespoir.

desesperado, -da [desesperáðo, -ða] *adj.-s*. Désespéré, ée.

desesperar [desesperár] *tr.-intr*. *1* Désespérer. ■ *2 pr*. Désespérer, être au désespoir, être désespéré, ée.

desestimar [desestimár] *tr*. *1* Mésestimer, sous-estimer. *2* Refuser, rejeter (rechazar).

desfachatez [desfatʃateθ] *f*. Effronterie, insolence, sans-gêne *m*.

desfalco [desfálko] *m*. *1* Défalcation *f*. *2* Détournement (de fondos).

desfallecer [desfaʎeθér] *tr*. *1* Affaiblir, abattre. ■ *2 intr*. Défaillir. ▲ CONJUG. comme *agradecer*.

desfavorecer [desfaβoreθér] *tr*. Défavoriser, désavantager. ▲ CONJUG. comme *agradecer*.

desfigurar [desfiɣurár] *tr*. *1* Défigurer. ■ *2 pr*. S'altérer, changer.

desfiladero [desfilaðéro] *m*. Défilé.

desfile [desfíle] *m*. Défilé (de tropas).

desflecar [desflekár] *tr*. Effranger.

desflorar [desflorár] *tr*. *1* Faner, défleurir. *2* Effleurer (un asunto, etc.). *3* Déflorer (a una mujer).

desfondar [desfondár] *tr*. *1* Défoncer (romper el fondo). ■ *2* MAR. Défoncer.

desformar [desformár] *tr*. Déformer.

desfruncir [desfrunθir] *tr*. Défroncer.

desgajar [dezɣaxár] *tr*. *1* Arracher (arrancar). *2* Détacher (separar).

desgana [dezɣána] *f*. *1* Inappétence, dégoût *m*. *2* fig. Dégoût *m*., répugnance.

desganar [dezɣanár] *tr*. *1* Dégoûter. ■ *2 pr*. Perdre l'appétit.

desgarbado, -da [dezɣarβáðo, -ða] *adj*. Dégingandé, ée.

desgarrado, -da [dezɣařáðo, -ða] *adj. 1* Déchiré, ée. ■ *2 adj.-s*. Dévergondé, ée.

desgarrar [dezɣařár] *tr*. Déchirer.

desgarro [dezɣář0] *m*. *1* Déchirement. *2* fig. Impudence *f*., effronterie *f*.

desgastar [dezɣastár] *tr*. User.

desgaste [dezɣáste] *m*. Usure *f*., détérioration *f*.

desgobierno [dezɣoβjèrno] *m*. *1* Désordre, manque d'ordre. *2* Déboîtement.

desgracia [dezɣráθja] *f*. *1* Malheur *m*., infortune. *2* Accident *m*. funeste. *3* Disgrâce (pérdida de favor): *caer en —*, tomber en disgrâce.

desgraciado, -da [dezɣraθjáðo, -ða] *adj.-s*. *1* Malheureux, euse. ■ *2 adj*. Disgracieux, euse (falto de atractivo).

desgraciar [dezɣraθjár] *tr*. *1* Déplaire, fâcher (disgustar). *2* Estropier (lisiar). *3* Abîmer, gâter (estropear). ■ *4 pr*. Rater, échouer (malograrse).

desgranar [dezɣranár] *tr*. Égrener, égrapper.

desgrasar [dezɣrasár] *tr*. Dégraisser.

desgreñar [dezɣreɲár] *tr*. Écheveler, ébouriffer.

desguazar [dezɣwaθár] *tr*. *1* Dégrossir (un madero). *2* Dépecer (un barco).

deshabitado, -da [desaβitáðo, -ða] *adj*. Inhabité, ée.

deshacedor, -ra [desaθeðòr, -ra] *adj.-s*. Qui défait.

deshacer [desaθér] *tr*. *1* Défaire. *2* Détruire. *3* Faire fondre (disolver), délayer (desleír). ▲ CONJUG. comme *hacer*.

desharrapado, -da [desařapáðo, -ða] *adj.-s*. Déguenillé, ée.

deshecho, -cha [desétʃo, -tʃa] *adj. 1* Défait, aite. *2* Violent, ente, impétueux, euse (tempestad, etc.).

desheredar [desereðár] *tr*. Déshériter.

deshidratar [desiðratár] *tr*. Déshydrater.

deshielo [desjèlo] *m*. Dégel.

deshilachar [desilatʃár] *tr*. Effilocher.

deshilvanado, -da [desilβanáðo, -ða] *adj.*
fig. Décousu, ue.

deshinchar [desintʃár] *tr.* Dégonfler (globo, etc.), désenfler (miembro, tumor).

deshojar [desoxár] *tr.* Effeuiller.

deshollinador [desoʎinaðór] *m.* Ramoneur (hombre).

deshonestidad [desonestiðáð] *f.* Déshonnêteté, impudicité.

deshonor [desonór] *m.* 1 Déshonneur. 2 Affront.

deshonra [desónra] *f.* Déshonneur *m.*

deshora [desóra] *f.* Heure indue, inopportune.

deshuesar [deswesár; dezywesár] *tr.* Désosser (un animal).

desidia [desiðja] *f.* Apathie, négligence.

desierto, -ta [desjérto, -ta] *adj.* Désert, erte.

designar [desiɲár] *tr.* Désigner.

designio [desiɲjo] *m.* Dessein.

desigual [desiɣwál] *adj.* Inégal, ale.

desilusión [desilusjón] *f.* Désillusion, déception.

desilusionar [desilusjonár] *tr.* Désillusionner, décevoir.

desinfectante [desiɱfeɣtánte] *adj.-m.* Désinfectant, ante.

desinfectar [desiɱfeɣtár] *tr.* Désinfecter.

desinflar [desiɱflár] *tr.* Dégonfler.

desintegrar [desinteɣrár] *tr.* Désintégrer.

desinterés [desinterés] *m.* Désintéressement.

desinteresado, -da [desinteresáðo, -ða] *adj.* Désintéressé, ée.

desistir [desistir] *intr.* 1 Renoncer: — *de,* renoncer à. 2 DER. Se désister.

desjuiciado, -da [desxwiθjáðo, -ða] *adj.* Qui manque de jugement, écervelé, ée.

deslavar [dezlaβár] *tr.* 1 Laver à demi. 2 Délaver, affaiblir la couleur de.

desleal [dezleál] *adj.* Déloyal, ale.

desleír [dezleír] *tr.* Délayer. ▲ CONJUG. comme *reír.*

desligar [dezliɣár] *tr.* Délier.

deslindar [dezlindár] *tr.* Délimiter.

desliz [dezliθ] *m.* 1 Glissade *f.*, glissement. 2 fig. Faute *f.*, faux pas.

deslizante [dezliθánte] *adj.* Glissant, ante.

deslizar [dezliθár] *intr.* 1 Glisser. ■ 2 *pr.* Glisser. 3 Se glisser (escurrirse). 4 fig. Faire un faux pas.

deslomar [dezlomár] *tr.* Éreinter.

deslucido, -da [dezluθiðo, -ða] *adj.* Terne, peu brillant, ante.

deslucir [dezluθir] *tr.* Ôter la grâce, l'éclat, l'attrait de (una cosa). ▲ CONJUG. Comme *lucir.*

deslumbrante [dezlumbránte] *adj.* Éblouissant, ante.

deslumbrar [dezlumbrár] *tr.* Éblouir.

deslustrar [dezlustrár] *tr.* 1 Ternir, dépolir (cristal). 2 Décatir, délustrer (tejidos).

desmadejar [dezmaðexár] *tr.* Amollir, alanguir (una persona).

desmán [dezmán] *m.* 1 Excès, désordre. 2 Abus. 3 Desman (mamífero).

desmantelado, -da [dezmanteláðo, -ða] *adj.* Dégarni, ie (local, casa).

desmantelar [dezmantelár] *tr.* 1 FORT. Démanteler. 2 MAR. Désarmer, démâter.

desmañado, -da [dezmaɲáðo, -ða] *adj.* Maladroit, oite, gauche.

desmayado, -da [dezmajáðo, -ða] *adj.* 1 Évanoui, ie, défaillant, ante. 2 Pâle, délavé, ée (color).

desmayar [dezmajár] *tr.* 1 Causer un évanouissement, faire défaillir. ■ 2 *intr.* Se décourager. ■ 3 *pr.* S'évanouir, perdre connaissance, défaillir.

desmedido, -da [dezmeðiðo, -ða] *adj.* Démesuré, ée.

desmedirse [dezmeðirse] *pr.* 1 Dépasser la mesure. 2 Se montrer insolent, ente.

desmedrar [dezmeðrár] *tr.* 1 Détériorer. ■ 2 *intr.* Déchoir, dépérir. ■ 3 *pr.* S'affaiblir, dépérir.

desmejorar [dezmexorár] *tr.* 1 Détériorer (cosas), affaiblir (personas). ■ 2 *intr. pr.* Baisser, s'affaiblir, décliner (de salud). 3 Se détériorer.

desmelenar [dezmelenár] *tr.* Écheveler.

desmembrar [dezmembrár] *tr.* Démembrer. ▲ CONJUG. comme *acertar.*

desmemoriado, -da [dezmemorjáðo, -ða] *adj.-s.* Oublieux, euse.

desmentir [dezmentir] *tr.* Démentir. ▲ CONJUG. comme *hervir.*

desmenuzar [dezmenuθár] *tr.* 1 Émietter (pan). 2 Déchiqueter (hacer trizas).

desmerecer [dezmereθér] *tr.* 1 Démériter. ■ 2 *intr.* Perdre de sa valeur. 3 Être inférieur, eure à. ▲ CONJUG. comme *agradecer.*

desmesurado, -da [dezmesuráðo, -ða] *adj.* Démesuré, ée.

desmigar [dezmiɣár] *tr.* Émietter (el pan).

desmirriado, -da [dezmirjáðo, -ða] *adj.* fam. Maigre, chétif, ive, rabougri, ie.

desmontar [dezmontár] *tr.* 1 Démonter. 2 Déboiser (cortar árboles), défricher (roturar). 3 Déblayer, niveler (un terreno). ■ 4 *intr.* Descendre du cheval, mettre pied à terre.

desmonte [dezmónte] *m.* 1 Déboisement. 2 Déblayement, terrassement.

desmoralizar [dezmoraliθár] *tr.* Démoraliser.

desmoronar [dezmoronár] *tr.* 1 Ébouler. 2

fig. Miner, saper, ruiner lentement. ■ *3 pr.* fig. S'écrouler (imperios, etc.).

desmovilizar [dezmoβiliθár] *tr.* Démobiliser.

desnacionalizar [deznaθjonaliθár] *tr.* Dénationaliser.

desnatar [deznatár] *tr.* Écrémer.

desnivel [dezniβél] *m. 1* Dénivellation *f.*, dénivellement. *2* fig. Inégalité *f.*

desnucar [deznukár] *tr.* Casser le cou.

desnudar [deznuðár] *tr. 1* Déshabiller, dévêtir. *2* Dépouiller, dénuder (despojar).

desnudo, -da [deznúðo, -ða] *adj. 1* Nu, nue. *2* Dépourvu, ue, dénué, ée (desprovisto). ■ *3 m.* B. ART. Nu.

desnutrición [deznutriθjón] *f.* Dénutrition.

desobedecer [desoβeðeθér] *tr.* Désobéir à. ▲ CONJUG. comme *agradecer.*

desobediente [desoβeðjénte] *adj.* Désobéissant, ante.

desocupado, -da [desokupáðo, -ða] *adj.-s.* Désœuvré, ée, oisif, ive.

desocupar [desokupár] *tr. 1* Débarrasser, laisser libre (un local, etc.). *2* Vider (vaciar).

desoír [desoir] *tr.* Ne pas écouter.

desolación [desolaθjón] *f.* Désolation.

desolar [desolár] *tr. 1* Désoler, dévaster (asolar). ■ *2 pr.* Se désoler. ▲ CONJUG. comme *contar.*

desollar [desoʎár] *tr.* Écorcher. ▲ CONJUG. comme *contar.*

desordenado, -da [desorðenáðo, -ða] *adj.* Désordonné, ée.

desordenar [desorðenár] *tr.* Mettre en désordre, déranger, désordonner.

desorganización [desorɣaniθaθjón] *f.* Désorganisation.

desorganizar [desorɣaniθár] *tr.* Désorganiser.

desorientar [desorjentár] *tr.* Désorienter.

desosar [desosár] *tr. 1* Désosser (deshuesar). *2* Dénoyauter (frutas). ▲ CONJUG. INDIC. Prés.: *deshueso, deshuesas, deshuesa, desosamos, desosáis, deshuesan.* SUBJ. Prés.: *deshuese, deshueses, deshuese, desosemos, desoséis, deshuesen.* IMPÉR.: *deshuesa, deshuese, desosemos, desosad, deshuesen.* Les autres temps sont réguliers.

desovar [desoβár] *intr.* Frayer (las hembras de los peces).

despabilado, -da [despaβiláðo, -ða] *adj.* Éveillé, ée (despierto).

despabilar [despaβilár] *tr. 1* Moucher (una vela). *2* fig. Éveiller, dégourdir (avivar el ingenio).

despacio [despáθjo] *adv. 1* Lentement. *2* *interj.* Doucement!

despachar [despatʃár] *tr. 1* Expédier (paquetes), envoyer (cartas). *2* Dépêcher, envoyer (a un mensajero). *3* Débiter (mercancías), vendre (vender), servir (atender). *4* Congédier, renvoyer (despedir). ■ *5 intr.-pr.* Se dépêcher (darse prisa).

despacho [despátʃo] *m. 1* Expédition *f. 2* Vente *f.*, débit. *3* Débit (tienda). *4* Bureau (oficina). *5* Cabinet de travail. *6* Dépêche *f.* (comunicación).

despaldar [despaldár], **despaldillar** [despaldiʎár] *tr.* Démettre, casser l'épaule.

desparejo, -ja [desparéxo, -xa] *adj.* Dissemblable.

desparramar [desparramár] *tr.* Éparpiller (esparcir), répandre (verter).

despavorido, -da [despaβoriðo, -ða] *adj.* Effrayé, ée.

despectivo, -va [despeytiβo, -βa] *adj. 1* Méprisant, ante. *2* GRAM. Péjoratif, ive.

despechar [despetʃár] *tr.* Dépiter.

despecho [despétʃo] *m. 1* Dépit. *2* *loc. prep. A — de,* en dépit de, malgré.

despedazar [despeðaθár] *tr. 1* Dépecer, mettre en morceaux. *2* fig. Déchirer (el corazón).

despedida [despeðiða] *f.* Adieux *m. pl.: visita de —,* visite d'adieux.

despedir [despeðir] *tr. 1* Jeter, lancer: *— chispas,* jeter des étincelles. *2* Rejeter. *3* Congédier, renvoyer, éconduire (a un empleado): *— a un criado,* renvoyer un domestique. *4* Reconduire, accompagner. ■ *5 pr.* Demander son congé, quitter son emploi (un empleado). *6* Se dire au revoir. ▲ CONJUG. comme *servir.*

despegado, -da [despeɣáðo, -ða] *adj. 1* Décollé, ée, détaché, ée. *2* fig. Revêche, insociable.

despeinar [despeinár] *tr.* Décoiffer, dépeigner, écheveler.

despejado, -da [despexáðo, -ða] *adj.* Qui a de l'aisance, désinvolte.

despejar [despexár] *tr. 1* Débarrasser, dégager (un espacio). *2* MAT. Dégager (una incógnita). ■ *3 pr.* S'éclaircir (el cielo).

despeluzar [despeluθár] *tr.* Écheveler, ébouriffer.

despellejar [despeʎexár] *tr.* Écorcher, dépouiller.

despensa [despénsa] *f. 1* Dépense, garde-manger *m.* (lugar). *2* MAR. Cambuse.

despeñadero [despeɲaðèro] *m. 1* Précipice. *2* fig. Péril, danger.

despeñar [despeɲár] *tr.* Précipiter.

desperdiciar [desperðiθjár] *tr. 1* Gaspiller, mal employer. *2* Ne pas profiter de.

desperdicio [desperðiθjo] *m. 1* Gaspillage.
2 Déchet, reste.

desperezarse [despereθársɛ] *pr.* S'étirer.

desperfecto [desperféyto] *m. 1* Légère détérioration *f.*, dommage (daño). *2* Petit défaut.

despertador [despertaðòr] *m.* Réveille-matin *invar.*

despertar [despertàr] *tr. 1* Réveiller, éveiller. ■ *2 intr.-pr.* Se réveiller, s'éveiller: *me desperté a las seis,* je me suis réveillé à six heures. ▲ CONJUG. comme *acertar.*

despiadado, -da [despjaðàðo, -ða] *adj.* Impitoyable, cruel, elle.

despido [despiðo] *m.* Renvoi, congé, licenciement.

despierto, -ta [despjèrto, -ta] *adj. 1* Éveillé, ée (que no duerme). *2* fig. Éveillé, ée, vif, vive, dégourdi, ie.

despilfarro [despilfàro] *m. 1* Gaspillage (derroche). *2* Prodigalité *f.*

despistar [despistàr] *tr. 1* Dépister, faire perdre la piste. ■ *2 pr.* fig. Perdre la tête.

desplacer [desplaθèr] *tr.* Déplaire, mécontenter. ▲ CONJUG. comme *agradecer.*

desplante [desplànte] *m.* fig. *1* Insolence *f.* *2* Geste arrogant, effronté.

desplazar [desplaθàr] *tr.* Déplacer.

desplegar [despleɣàr] *tr. 1* Déployer (banderas, las tropas). *2* Déplier (un papel, etc.). *3* Déferler (las velas). ▲ CONJUG. comme *acertar.*

desplomar [desplomàr] *tr. 1* ARQ. Faire perdre l'aplomb. ■ *2 pr.* S'écrouler, s'affaisser. *3* fig. S'écrouler (desaparecer).

despoblado [despoβlàðo] *m.* Lieu désert, inhabité. Loc. *En —,* en rase campagne.

despojo [despóxo] *m. 1* Dépouillement, spoliation *f.* (acción). *2* Butin, dépouilles *f. pl.* ■ *3 pl.* Abats (de aves). *4* Reliefs (de una comida). *5* Dépouille *f. sing.* mortelle (cadáver).

desportillar [desportiʎàr] *tr.* Ébrécher.

desposar [desposàr] *tr. 1* Marier. ■ *2 pr.* Se fiancer (contraer esponsales), se marier (casarse).

desposeer [desposeèr] *tr.* Déposséder.

despótico, -ca [despótiko, -ka] *adj.* Despotique.

despreciar [despreθjàr] *tr.* Mépriser.

desprecio [despréθjo] *m. 1* Mépris. *2* Refus offensant, affront (desaire).

desprender [desprendèr] *tr. 1* Détacher, décoller (separar). *2* Dégager (un olor, etc.). ■ *3 pr.* Se dessaisir, se défaire (desapropiarse). *4* Se dégager, se déduire.

despreocupado, -da [despreokupàðo, -ða]
adj. Libre de préjugés, de préoccupations, insouciant, ante.

desprestigio [desprestixjo] *m.* Perte *f.* de prestige, discrédit.

desprevenido, -da [despreβenído, -ða] *adj.* Dépourvu, ue, non préparé, ée. Loc. *Coger —,* prendre au dépourvu.

desproporción [despropor θjón] *f.* Disproportion.

despropósito [despropósito] *m.* Absurdité *f.*, sottise *f.*

desproveer [desproβeèr] *tr.* Dépourvoir, démunir. ▲ CONJUG. PART. PAS. irrég.: *desprovisto, ta.*

después [despwés] *adv.* Après. Loc. *— de,* après: *— de las 10,* après 10 heures; *— de mí,* après moi; *— de comer,* après avoir mangé.

despuntar [despuntàr] *tr. 1* Épointer. ■ *2 intr.* Bourgeonner, commencer à pousser (las plantas). *3* fig. Briller, se distinguer. *4* Poindre (el día).

desquiciar [deskiθjàr] *tr. 1* Dégonder. *2* fig. Bouleverser, détraquer, ébranler.

desquitar [deskitàr] *tr. 1* Dédommager, compenser. ■ *2 pr.* Se rattraper. *3* Prendre sa revanche (vengarse).

desrizar [dezriθàr] *tr.* Défriser.

destacamento [destakamènto] *m.* MIL. Détachement.

destacar [destakàr] *tr. 1* MIL., PINT. Détacher. ■ *2 pr.* Se détacher, se distinguer (sobresalir).

destajo [destáxo] *m. 1* Forfait: *trabajar a —,* travailler à forfait. *2* Loc. fig. fam. *Hablar a —,* parler trop.

destapar [destapàr] *tr. 1* Déboucher (una botella, etc.). *2* Découvrir (lo tapado).

destartalado, -da [destartalàðo, -ða] *adj.* Délabré, ée (descompuesto), disproportionné, ée (desproporcionado).

destejer [destexèr] *tr.* Détisser.

destello [destéʎo] *m. 1* Scintillement. *2* Étincelle *f.* (chispa). *3* Lueur *f.* (viso).

destemplar [destemplàr] *tr. 1* Déranger l'ordre, l'harmonie (de una cosa). *2* Désaccorder (un instrumento). *3* METAL. Détremper (el acero). ■ *4 pr.* Avoir un malaise, être indisposé, ée.

desteñir [desteɲir] *tr. 1* Déteindre. ■ *2 intr.-pr.* Déteindre: *esa tela destiñe mucho,* cette étoffe déteint beaucoup. ▲ CONJUG. comme *reír.*

desterrar [desteràr] *tr.* Exiler, bannir. ▲ CONJUG. comme *acertar.*

destetar [destetàr] *tr.* Sevrer.

destiempo (a) [aðestjèmpo] *loc. adv.* A contretemps, inopportunément, hors de saison.

destierro [destjéřo] *m. 1* Exil, bannissement. *2* Lieu écarté (lugar).

destilar [destilár] *tr. 1* Distiller. *2* Laisser tomber goutte à goutte, sécréter. ■ *3 intr.* Dégoutter.

destilería [destilería] *f.* Distillerie.

destino [destíno] *m. 1* Destin. *2* Destinée *f.* (fatalidad). *3* Destination *f. 4* Emploi, situation *f.*, place *f.* (empleo).

destituir [destitwír] *tr.* Destituer. ▲ CONJUG. comme **huir.**

destornillado, -da [destorniʎáðo, -ða] *adj.-s.* Étourdi, ie, écervelé, ée.

destornillador [destorniʎaðór] *m.* Tournevis.

destornillar [destorniʎár] *tr.* Dévisser.

destrenzar [destrenθár] *tr.* Détresser, dénatter.

destreza [destréθa] *f. 1* Dextérité. *2* Adresse, habileté.

destripar [destripár] *tr. 1* Étriper, éventrer. *2* Écrabouiller (despachurrar).

destronar [destronár] *tr.* Détrôner.

destrozar [destroθár] *tr. 1* Mettre en pièces, déchiqueter (hacer trozos). *2* Détruire, abîmer (estropear). *3* MIL. Défaire, tailler en pièces.

destrozo [destróθo] *m. 1* Destruction *f. 2* Dégât, dommage (daño).

destructor, -ra [destruytór, -ra] *adj.-s. 1* Destructeur, trice. ■ *2 m.* MAR. Destroyer.

destruir [destrwír] *tr.* Détruire. ▲ CONJUG. comme **huir.**

desunión [desunjón] *f.* Désunion.

desuso [desúso] *m. 1* Manque d'usage. *2* Désuétude *f.: caer en —,* tomber en désuétude.

desvainar [dezβaɪ̯nár] *tr.* Écosser.

desvalido, -da [dezβalíðo, -ða] *adj.-s.* Délaissé, ée.

desvalijar [dezβalixár] *tr.* Dévaliser.

desvalorizar [dezβaloriθár] *tr. 1* Dévaloriser. *2* Dévaluer (la moneda).

desván [dezβán] *m.* Grenier.

desvanecer [dezβaneθér] *tr. 1* Faire évanouir, dissiper. *2* Dégrader (un color). *3* fig. Dissiper (dudas, sospechas, etc.). ■ *4 pr.* S'évaporer. *5* S'évanouir (desmayarse). *6* S'enorgueillir. ▲ CONJUG. comme **agradecer.**

desvarío [dezβarío] *m. 1* Délire. *2* fig. Folie *f.*, absurdité *f. 3* Caprice (capricho).

desvelado, -da [dezβeláðo, -ða] *adj.* Éveillé, ée, qui ne peut pas dormir.

desvelar [dezβelár] *tr. 1* Ôter le sommeil, empêcher de dormir. ■ *2 pr.* Perdre le sommeil. *3* fig. *Desvelarse por,* se donner du mal pour, s'évertuer à.

desventurado, -da [dezβenturáðo, -ða] *adj.* Malheureux, euse, infortuné, ée.

desvergonzado, -da [dezβeɾɣonθáðo, -ða] *adj.-s.* Effronté, ée (descarado).

desvestir [dezβestír] *tr.* Dévêtir.

desviar [dezβjár] *tr.* Dévier (apartar de la dirección normal). ▲ CONJUG. L'accent tonique porte sur le *i* du radical dans les formes suivantes: INDIC. Prés.: *desvío, desvías, desvía, desvían.* SUBJ. Prés.: *desvíe, desvíes, desvíe, desvíen.* IMPÉR.: *desvía, desvíe, desvíen.*

desvío [dezβío] *m.* Déviation *f.* (acción de desviar).

desvivirse [dezβiβírse] *pr.* Rêver de (desear), raffoler de (tener afición), se mettre en quatre (afanarse).

detall (al) [aldetáʎ] *loc. adv.* COM. Au détail.

detallista [detaʎísta] *m. 1* Détaillant. *2* Personne *f.* minutieuse.

detective [deteytíβe] *m.* Détective.

detector [deteytór] *m.* Détecteur.

detener [detenér] *tr. 1* Arrêter (parar, arrestar). *2* Arrêter: — *su pensamiento,* arrêter sa pensée. *3* Retenir, garder, conserver. ■ *4 pr.* S'arrêter. *5* S'attarder (entretenerse). ▲ CONJUG. comme **tener.**

detenido, -da [detenído, -ða] *adj. 1* Arrêté, ée. *2* Minutieux, euse, approfondi, ie. ■ *3 adj.-s.* Détenu, ue (preso).

detergente [deterxénte] *adj.-m.* Détergent, ente.

deterioro [deterjóro] *m.* Détérioration *f.*

determinación [determinaθjón] *f.* Détermination.

determinado, -da [determináðo, -ða] *adj. 1* Déterminé, ée. *2* GRAM. *Artículo —,* article défini.

determinar [determinár] *tr. 1* Déterminer. *2* Fixer, signaler. *3* Décider. ■ *4 pr.* Se décider, se déterminer.

detestable [detestáβle] *adj.* Détestable.

detonación [detonaθjón] *f.* Détonation.

detracción [detrayθjón] *f.* Détraction.

detrás [detrás] *adj. 1* Derrière. *2 Por —,* par derrière. *3 — de,* derrière.

deuda [déu̯ða] *f. 1* Dette. *2* REL. Offense.

deudo, -da [déu̯ðo, -ða] *s.* Parent, ente.

deudor, -ra [deu̯ðór, -ra] *adj.* Débiteur, trice.

devanar [deβanár] *tr.* Dévider.

devaneo [deβanéo] *m. 1* Rêverie *f.*, divagation *f. 2* Distraction *f.* frivole, incartade *f. 3* Amourette *f.*

devastar [deβastár] *tr.* Dévaster.

devengado, -da [deβeŋgáðo, -ða] *adj. 1* Échu, ue (intereses). *2* Dû, dûe, gagné, ée (salario).

devoción [deβoθjón] *f.* Dévotion.

devolución [deβoluθjón] *f.* Restitution, renvoi *m.*

devolver [deβolβér] *tr.* 1 Rendre, restituer: — *bien por mal,* rendre le bien pour le mal. 2 Renvoyer, retourner (una carta). 3 fig. Vomir, rendre. ▲ CONJUG. comme *mover,* sauf le PART. PAS.: *devuelto, ta.*

devorador, -ra [deβoraðór, -ra] *adj.* Dévorant, ante.

devorar [devorár] *tr.* Dévorer.

devoto, -ta [deβóto, -ta] *adj.-s.* Dévot, ote.

deyección [deʝeʏθjón] *f.* Déjection.

día [día] *m.* 1 Jour. Loc. — *de año nuevo,* jour de l'an; — *de Corpus,* Fête-Dieu; *buenos días,* bonjour; *es de* —, il fait jour. 2 Journée *f.: un hermoso* —, une belle journée. ■ 3 *pl.* Jours (vida). Loc. *En los días de,* du temps de. 4 Anniversaire, fête *f. sing.* (de una persona): *dar los días a uno,* souhaiter sa fête à quelqu'un.

diabetes [djaβétes] *f.* Diabète *m.*

diablo [djáβlo] *m.* 1 Diable, démon. Loc. fig. *Pobre* —, pauvre diable. 2 fig. Diable. 3 *interj.* ¡*Diablo!,* ¡*qué diablos!,* que diable!

diablura [djaβlúra] *f.* Diablerie, espièglerie.

diabólico, -ca [djaβóliko, -ka] *adj.* Diabolique.

diácono [djákono] *m.* Diacre.

diáfano, -na [djáfano, -na] *adj.* Diaphane.

diafragma [djafráyma] *m.* Diaphragme.

diagnóstico, -ca [djaɣnóstiko, -ka] *adj.* 1 Diagnostique. ■ 2 *m.* Diagnostic.

diagonal [djaɣonál] *adj.-f.* Diagonal, ale.

diagrama [djaɣráma] *m.* Diagramme.

dialéctico, -ca [djaléɣtiko, -ka] *adj.* 1 Dialectique. ■ 2 *s.* Dialecticien, ienne.

dialecto [djaléɣto] *m.* Dialecte.

dialogar [djaloɣár] *intr.-tr.* Dialoguer.

diálogo [djáloyo] *m.* Dialogue.

diamante [djamántɛ] *m.* Diamant.

diámetro [djámetro] *m.* Diamètre.

diana [djána] *f.* 1 MIL. Diane. 2 Mouche (blanco): *hacer* —, faire mouche.

diapositiva [djapositíβa] *f.* Diapositive.

diario, -ia [djárjo, -ja] *adj.* 1 Quotidien, enne, journalier, ière. ■ 2 *m.* Journal (relación histórica).

diarrea [djaréa] *f.* Diarrhée.

dibujante [diβuxánte] *adj.-s.* Dessinateur, trice.

dibujo [diβúxo] *tr.* Dessin: — *del natural,* dessin d'après nature; — *lineal,* dessin linéaire.

dicción [diɣθjón] *f.* 1 Diction. 2 Mot *m.,* terme *m.* (palabra).

diccionario [diɣθjonárjo] *m.* Dictionnaire.

diciembre [diθjémbre] *m.* Décembre.

dictado [diɣtáðo] *m.* 1 Titre (título). 2 Dictée *f.: escribir al* —, écrire sous la dictée. ■ 3 *pl.* fig. Préceptes.

dictadura [diɣtaðúra] *f.* Dictature.

dictamen [diɣtámen] *m.* 1 Avis, opinion *f.* 2 Rapport (de una comisión, de peritos).

dictar [diɣtár] *tr.* 1 Dicter. 2 Prononcer (un fallo, etc.).

dicha [ditʃa] *f.* 1 Bonheur *m.* 2 *loc. adv.* A, *por* —, heureusement, par bonheur.

dicho, dicha [ditʃo, ditʃa] *I p. p. de decir.* ■ 2 *adj.* Dit, dite. Loc. — *y hecho,* aussitôt dit, aussitôt fait; *lo* —, ce qui est dit, est dit. ■ 3 *m.* Propos, mot. Loc. — *agudo,* bon mot. 4 Dicton (refrán).

didáctico, -ca [diðáɣtiko, -ka] *adj.-f.* Didactique.

diecinueve [djeθinwèβe] *adj.-m.* Dixneuf.

dieciocho [djeθjótʃo] *adj.-m.* Dix-huit.

dieciséis [djeθiséis] *adj.-m.* Seize.

diecisiete [djeθisjéte] *adj.-m.* Dix-sept.

diente [djénte] *m.* 1 Dent *f.: — de leche,* dent de lait. Loc. *Dar con — con* —, claquer des dents. 2 — *de ajo,* gousse *f.* d'ail. 3 — *de león,* pissenlit, dent-de-lion.

diéresis [djéresis] *f.* 1 Tréma *m.* 2 GRAM. Diérèse.

diestro, -tra [djéstro, -tra] *adj.* 1 Droit, droite. 2 Habile, adroit, oite. ■ 3 *m.* TAUROM. Matador.

dieta [djèta] *f.* 1 MED. Diète, régime *m.: — láctea,* régime lacté. ■ 2 *pl.* Indemnité *sing.* (de un diputado, de un funcionario en desplazamiento, etc.).

dietario [djetárjo] *m.* Cahier de dépenses, agenda.

diez [djeθ] *adj.-m.* Dix.

difamar [difamár] *tr.* Diffamer.

diferencia [diferénθja] *f.* 1 Différence. 2 Différend *m.* (controversia). 3 *loc. prep. A* — *de,* à la différence de.

diferenciar [diferenθjár] *tr.* 1 Différencier. ■ 2 *intr.* Différer. ■ 3 *pr.* Différer, se différencier. 4 Se distinguer, se signaler.

diferir [diferír] *tr.* 1 Différer, retarder. ■ 2 *intr.* Différer (ser diferente): *nuestras opiniones difieren,* nos opinions diffèrent. ▲ CONJUG. comme *hervir.*

difícil [difíθil] *adj.* Difficile: — *de comprender,* difficile à comprendre.

dificultad [difikultáð] *f.* Difficulté.

difteria [diftérja] *f.* Diphtérie.

difuminar [difuminár] *tr.* Estomper.
difundir [difundír] *tr. 1* Diffuser. *2* fig. Divulguer, propager, répandre (noticia, etc.).
difunto, -ta [difúnto, -ta] *adj.-s. 1* Défunt, unte. ■ *2 adj.* Feu, feue; *su — padre*, feu son père.
difuso, -sa [difúso, -sa] *adj.* Diffus, use.
digerir [dixerír] *tr.* Digérer. ▲ CONJUG. comme *hervir*.
digestión [dixestjón] *f.* Digestion.
digital [dixitál] *adj. 1* Digital, ale. ■ *2 f.* Digitale (planta).
dígito [díxito] *adj.-s.* Se dit du nombre s'exprimant avec un seul chiffre.
dignarse [diɣnárse] *pr. 1* Daigner. *2 Dígnese usted*, ayez l'obligeance de.
dignidad [diɣniðáð] *f.* Dignité.
digresión [diɣresjón] *f.* Digression.
dije [díxe] *m.* Breloque *f.*, bijou.
dilapidar [dilapiðár] *tr.* Dilapider.
dilatación [dilataθjón] *f.* Dilatation.
dilatado, -da [dilatáðo, -ða] *adj. 1* Dilaté, ée. *2* Ample, vaste (extenso).
dilatar [dilatár] *tr. 1* Dilater. *2* Différer, retarder (diferir).
dilema [dilèma] *m.* Dilemme.
diligencia [dilixènθja] *f. 1* Diligence (cuidado, prisa). *2* Diligence (coche). *3* Démarche (gestión): *evacuar una —*, faire une démarche.
dilucidar [diluθiðár] *tr.* Élucider.
diluir [dilwír] *tr.* Diluer. ▲ CONJUG. comme *huir*.
diluviar [diluβjár] *intr.* Pleuvoir à verse.
diluvio [dilúβjo] *m.* Déluge.
dimensión [dimensjón] *f.* Dimension.
dimes y diretes [dimesiðirètes] Loc. Palabres *m.-f. pl.*, discussions *f. pl.*, disputes *f. pl.*
diminutivo, -va [diminutiβo, -βa] *adj.-m.* Diminutif, ive.
dimisión [dimisjón] *f.* Démission.
dimisionario, -ia [dimisjonárjo, -ja] *adj.-s.* Démissionnaire.
dimitir [dimitír] *tr.-intr.* Démissionner, se démettre.
dinamarqués, -esa [dinamarkés, -èsa] *adj.-s.* Danois, oise.
dinámico, -ca [dinámiko, -ka] *adj.-f.* Dynamique.
dinamita [dinamíta] *f.* Dynamite.
dínamo [dínamo] *f.* Dynamo.
dinastía [dinastía] *f.* Dynastie.
dinerada [dineráða], **dineralada** [dineraláða] *f.*, **dineral** [dinerál] *m.* Grosse somme *f.* d'argent, somme *f.* folle.
dinero [dinèro] *m. 1* Argent (moneda, riqueza): *— contante*, argent comptant. *2* Denier (denario).

dintel [dintèl] *m.* Linteau.
diócesi, [djóθesi], **diócesis** [djóθesis] *f.* Diocèse *m.*
dioptría [djoβtría] *f.* ÓPT. Dioptrie.
diorama [djoráma] *m.* Diorama.
diosa [djòsa] *f.* Déesse.
diploma [diplòma] *m.* Diplôme.
diplomático, -ca [diplomátiko, -ka] *adj. 1* Diplomatique. ■ *2 m.* Diplomate.
diptongo [diβtòŋgo] *m.* Diphtongue *f.*
diputación [diputaθjón] *f.* Députation.
diputado, -da [diputáðo, -ða] *s. 1* Député, ée. *2 — provincial*, conseiller général.
dique [díke] *m. 1* Digue *f.* 2 Bassin de radoub, dock: *— flotante*, dock flotant.
dirección [direɣθjón] *f. 1* Direction: *en — a*, en direction de. *2* Directorat *m.*, direction (cargo de director). *3* Adresse (señas).
directo, -ta [dirèɣto, -ta] *adj.* Direct, ecte.
director, -ra [direɣtór, -ra] *adj.-s. 1* Directeur, trice. ■ *2 m. — de orquesta*, chef d'orchestre.
directorio [direɣtòrjo] *m.* Directoire.
dirigente [dirixènte] *adj.* Dirigeant, ante.
dirigible [dirixíβle] *adj.-m.* Dirigeable.
dirigir [dirixír] *tr. 1* Diriger. *2* Adresser (la palabra, una carta).
discernir [disθernír] *tr.* Discerner. ▲ CONJUG. IRRÉG. INDIC. Prés.: *discierno, disciernes, discierne, disciernen.* SUBJ. Prés.: *discierna, disciernas, discierna, disciernan.* IMPÉR.: *discierne, discierna, disciernen.* Les autres formes sont régulières.
disciplina [disθiplína] *f.* Discipline.
disciplinar [disθiplinár] *tr.* Discipliner.
discípulo, -la [disθípulo, -la] *s. 1* Disciple. *2* Élève (en una escuela).
disco [dísko] *m.* Disque.
disconformidad [diskomformiðáð] *f.* Dissentiment *m.*, désaccord *m.*
discontinuo, -ua [diskontínwo, -wa] *adj.* Discontinu, ue.
discordante [diskorðánte] *adj.* Discordant, ante.
discordar [diskorðár] *intr.* Être en désaccord.
discordia [diskórðja] *f.* Discorde.
discreción [diskreθjón] *f.* Discrétion.
discrecional [diskreθjonál] *adj.* Discrétionnaire (poder).
discrepancia [diskrepánθja] *f. 1* Différence, disconvenance. *2* Divergence, dissentiment *m.* (en opiniones).
discrepar [diskrepár] *intr.* Différer.
discretear [diskreteár] *intr.* Discourir, faire de l'esprit.
discreto, -ta [diskréto, -ta] *adj.* Discret, ète (reservado).

disculpa [diskúlpa] f. Excuse.

disculpar [diskulpár] tr. 1 Disculper. 2 Excuser (perdonar).

discurrir [diskuřir] intr. 1 Courir ça et là. 2 S'écouler (el tiempo). 3 fig. Discourir. penser, réfléchir (reflexionar). ■ 4 tr. Trouver, inventer (idear).

discurso [diskúrso] m. 1 Discours. 2 Raisonnement, faculté f. de penser. 3 Cours (del tiempo).

discusión [diskusjón] f. Discussion.

discutir [diskutír] tr.-intr. Discuter.

disecar [disekár] tr. 1 Disséquer. 2 Empailler (un animal).

diseminar [diseminár] tr. Disséminer.

disentir [disentír] intr. Différer. ▲ CONJUG. comme **hervir**.

diseñar [disenár] tr. Dessiner, esquisser.

diseño [diséno] m. Dessin, esquisse f.

disertación [disertaθjón] f. Dissertation.

disfavor [disfaβòr] m. 1 Défaveur f. 2 Affront.

disfraz [disfráθ] m. Déguisement.

disfrutar [disfrutár] tr. Jouir de, profiter de: — el fresco del atardecer, jouir de la fraîcheur du soir.

disfrute [disfrúte] m. Jouissance f.

disfumar [disfumár] tr. Estomper.

disgregar [disgreɣár] tr. Désagréger.

disgusto [dizɣústo] m. 1 Déplaisir, ennui (fastidio), chagrin (pesadumbre), contrariété f. (contrariedad). 2 Brouille f., différend (querella). 3 loc. adv. A —, à contre-cœur.

disidencia [disiðénθja] f. Dissidence.

disidente [disiðénte] adj.-s. Dissident, ente.

disimulado, -da [disimulàðo, -ða] adj.-s. Dissimulé, ée.

disimular [disimulár] tr. 1 Dissimuler. 2 Excuser, pardonner.

disipado, -da [disipáðo, -ða] adj.-s. Dissipé, ée.

disipar [disipár] tr. Dissiper.

dislocar [dizlokár] tr. Disloquer.

disloque [dizlóke] m. fam. Comble: es el —, c'est le comble.

disminuir [dizminwír] tr.-intr. Diminuer. ▲ CONJUG. comme **huir**.

disociar [disoθjár] tr. Dissocier.

disolución [disoluθjón] f. Dissolution.

disolver [disolβér] tr. Dissoudre. ▲ CONJUG. comme **mover**, sauf au PART. PAS.: **disuelto, ta**.

disonar [disonár] intr. Dissoner. ▲ CONJUG. comme **contar**.

dispar [dispár] adj. Dissemblable.

disparador [disparaðòr] m. Celui qui fait partir le coup.

disparar [disparár] tr. 1 Décharger (un arma). 2 Tirer (tiro). 3 Décocher (una flecha). ■ 4 pr. Partir (un arma de fuego). 5 S'emballer, s'emporter (un caballo).

disparatado, -da [disparatáðo, -ða] adj. Déraisonnable.

disparate [disparáte] m. Sottise f., bêtise f. (dicho, hecho).

disparo [dispáro] m. Action f. de faire partir un coup de feu, un projectile.

dispensa [dispénsa] f. Dispense.

dispensar [dispensár] tr. 1 Dispenser. 2 Pardonner, excuser (una falta leve): dispense usted, excusez-moi.

dispersar [dispersár] tr. Disperser.

disperso, -sa [dispérso, -sa] adj. Dispersé, ée, épars, arse.

displicencia [displiθénθja] f. Froideur (en el trato).

disponer [disponèr] tr.-intr. 1 Disposer. ■ 2 tr. Ordonner, prescrire. ▲ CONJUG. comme **poner**.

disponible [disponíβle] adj. Disponible.

disposición [disposiθjón] f. Disposition 2 Prestance (gentileza).

dispositivo [dispositíβo] m. Dispositif.

dispuesto, -ta [dispwésto, -ta] adj. 1 Disposé, ée, prêt, te: ¿está todo —?, tout est prêt? 2 Prêt, te: estar — para, être prêt à. 3 Habile.

disputa [dispúta] f. Dispute.

disputar [disputár] intr.-tr. Disputer.

distancia [distànθja] f. Distance.

distante [distánte] adj. Distant, ante.

distensión [distensjón] f. Distension.

distinguido, -da [distingíðo, -ða] adj. Distingué, ée.

distinguir [distingír] tr. Distinguer.

distintivo, -va [distintíβo, -βa] adj. Distinctif, ive.

distinto, -ta [distinto, -ta] adj. Distinct, incte.

distraer [distraér] tr. 1 Distraire. ■ 2 pr. Se distraire. ▲ CONJUG. comme **traer**.

distraído, -da [distraíðo, -ða] adj.-s. Distrait, aite.

distribución [distriβuθjón] f. Distribution.

distribuir [distriβwír] tr. Distribuer. ▲ CONJUG. comme **huir**.

distrito [distríto] m. District, circonscription f.

disturbio [distúrβio] m. Trouble.

disuadir [diswaðir] tr. Dissuader.

disuelto, -ta [diswélto, -ta] adj. Dissous, dissoute.

diurno, -na [djúrno, -na] adj. Diurne.

diva [díβa] f. 1 POÉT. Déesse. 2 Diva (cantante).

diván [diβán] *m*. Divan.

diverso, -sa [diβérso, -sa] *adj. 1* Divers, erse. ■ *2 pl*. Divers, erses, plusieurs.

divertido, -da [diβertiðo, -ða] *adj*. Drôle, amusant, ante, divertissant, ante.

divertir [diβertír] *tr. 1* Détourner, dévier (apartar). *2* Divertir, amuser (entretener). ■ *3 pr*. S'amuser, se divertir. ▲ CONJUG. comme *hervir*.

dividir [diβiðír] *tr*. Diviser.

divinidad [diβiniðáð] *f*. Divinité.

divino, -na [diβíno, -na] *adj*. Divin, ine.

divisar [diβisár] *tr*. Distinguer, apercevoir, voir à distance.

división [diβisjón] *f*. Division.

divisor [diβisór] *adj.-m*. Diviseur: *máximo común —,* plus grand commun diviseur.

divisorio, -ia [diβisórjo, -ja] *adj*. Qui divise.

divorciar [diβorθjár] *tr. 1* Prononcer le divorce de. *2* Séparer, désunir.

divorcio [diβórθjo] *m*. Divorce.

divulgar [diβulɣár] *tr*. Divulguer.

do [do] *m. 1* MÚS. Do, ut. ■ *2 adv*. poét. Où.

dobladillo [doβlaðíλo] *m*. Ourlet.

doblar [doβlár] *tr. 1* Doubler (aumentar). *2* Plier (plegar): — *el mantel,* plier la nappe. *3* Courber (torcer). *4* Tourner (una página, la esquina). ■ *5 intr*. Sonner le glas (tocar a muerto). ■ *6 pr*. Se courber (inclinarse). 7 fig. Plier, fléchir.

doble [doβle] *adj. 1* Double. Loc. — *de alto que,* deux fois plus haut que. *2* Fort, forte, robuste (fornido). ■ *3 m*. Glas (toque de campanas). *4* Report (en la Bolsa). ■ *5 adv*. Double, doublement.

doblegar [doβleɣár] *tr. 1* Plier, ployer, fléchir, courber. *2* fig. Faire plier, soumettre (a alguien).

doblez [doβléθ] *m. 1* Pli. *2* Marque *f*. du pli. *3* fig. Duplicité *f*.

doce [dóθe] *adj.-m. 1* Douze. *2 Las — del día,* midi; *las — de la noche,* minuit.

docena [doθéna] *f*. Douzaine.

dócil [dóθil] *adj. 1* Docile. *2* Obéissant, ante.

docilidad [doθiliðáð] *f*. Docilité.

doctor [doɣtór] *m. 1* Docteur. *2* Médecin.

doctora [doɣtóra] *f*. Docteur *m*.

doctorado [doɣtoráðo] *m*. Doctorat.

doctrina [doɣtrina] *f. 1* Doctrine. *2* Catéchisme *m*.

doctrinario, -ia [doɣtrinárjo, -ja] *adj.-s*. Doctrinaire.

documentación [dokumentaθjón] *f*. Documentation.

documental [dokumentál] *adj.-m*. Documentaire.

documentar [dokumentár] *tr*. Documenter.

documento [dokuménto] *m*. Document.

dodecaedro [doðekaéðro] *m*. GEOM. Dodécaèdre.

dodecágono, -na [doðekáɣono, -na] *adj*. GEOM. Dodécagonal, ale.

dogal [dóɣál] *m. 1* Licou (con un nudo corredizo). *2* Corde (para ahorcar). Loc. fig. *Estar con el — al cuello,* être dans l'embarras, dans le pétrin.

dogma [dóɣma] *m*. Dogme.

dólar [dólar] *m*. Dollar.

dolencia [dolénθja] *f*. Maladie, indisposition, infirmité.

doler [dolér] *intr. 1* Faire mal, avoir mal: *me duele la cabeza,* j'ai mal à la tête. *2* Faire de la peine, regretter (moralmente): *duele verle así,* ça fait de la peine de le voir dans cet état. ■ *3 pr*. Se plaindre (quejarse). *4* Regretter (arrepentirse): *dolerse de sus pecados,* regretter ses péchés. *5* Compatir à, déplorer: *dolerse del mal ajeno,* compatir au malheur d'autrui. ▲ CONJUG. comme *mover*.

dolido, -da [dolíðo, -ða] *adj*. Peiné, ée, chagriné, ée.

dolmen [dólmen] *m*. Dolmen.

dolor [dolór] *m. 1* Douleur *f*., mal (de una parte del cuerpo). Loc. — *de costado,* point de côté. *2* Regret, repentir (arrepentimiento).

dolorido, -da [doloríðo, -ða] *adj. 1* Endolori, ie. *2* Peiné, ée, affligé, ée.

doloroso, -sa [dolorósо, -sa] *adj*. Douloureux, euse.

domador, -ra [domaðór, -ra] *s*. Dompteur, euse.

domar [domár] *tr*. Dompter.

domesticar [domestikár] *tr*. Apprivoiser, domestiquer.

doméstico, -ca [doméstiko, -ka] *adj. 1* Domestique. ■ *2 s*. Domestique (criado).

domiciliar [domiθiljár] *tr*. Domicilier.

domicilio [domiθíljo] *m*. Domicile.

dominación [dominaθjón] *f*. Domination.

dominante [dominánte] *adj.-f*. Dominant, ante.

dominar [dominár] *tr.-intr. 1* Dominer. ■ *2 tr*. Maîtriser (un incendio, una pasión).

domingo [domíŋgo] *m*. Dimanche: — *de Resurrección,* dimanche de Pâques.

dominguero, -ra [domiŋgéro, -ra] *adj*. Des dimanches.

dominica [dominika] *f. 1* LITURG. Dimanche *m*. *2* Office *m*. du dimanche.

dominio [domínjo] *m. 1* DER. Propriété *f*. *2* Domaine. *3* Possession *f*. (de un estado, un soberano).

dominó [dominó], **dómino** [dómino] *m*. Domino.

don [don] *m*. *1* Don. *2* Monsieur, titre de courtoisie qui ne s'emploie que devant le prénom.

donación [donaθjón] *f*. Donation.

donar [donár] *tr*. Donner, faire don de.

doncella [donθéʎa] *f*. *1* Jeune fille, demoiselle (joven), pucelle (virgen). *2* Femme de chambre (criada).

donde [dónde] *adv. y pron. rel*. *1* Où: *la casa — está*, la maison où il se trouve. *2* Que, où: *allí es — quiero ir*, c'est là que je veux aller. *3* *loc. adv*. ¿*Por dónde?*, pourquoi?; — *no*, autrement, sinon; — *sea*, n'importe où.

dondequiera [dondekjéra] *adv*. *1* N'importe où. *2* *loc. conj*. — *que*, où que.

doña [dóɲa] *f*. Madame, titre de courtoisie qui ne s'emploie que devant le prénom.

dorado, -da [doráðo, -ða] *adj*. *1* Doré, ée. ■ *2 m*. Doré, dorure *f*.

dorar [dorár] *tr*. *1* Dorer. *2* coc. Rissoler.

dormida [dormíða] *f*. Sommeil *m*., somme *m*. (acción de dormir).

dormir [dormír] *intr*. *1* Dormir. Loc. — *a pierna suelta*, dormir à poings fermés. *2* Coucher, passer la nuit. ■ *3 tr*. Endormir, faire dormir. ■ *4 pr*. S'endormir. ▲ CONJUG. IRRÉG. INDIC. Prés.: *duermo, duermes, duerme, dormimos, dormís, duermen*. Pas. simple: *dormí, dormiste, durmió, dormimos, dormisteis, durmieron*. SUBJ. Prés.: *duerma, duermas, duerma, durmamos, durmáis, duerman*. Imparf.: *durmiera, durmieras*, etc.; ou *durmiese, durmieses*, etc. Fut.: *durmiere, durmieres*, etc. IMPÉR.: *duerme, duerma, durmamos, dormid, duerman*. GÉR.: *durmiendo*. Les autres temps sont réguliers.

dormitorio [dormitórjo] *m*. *1* Chambre *f*. à coucher. *2* Dortoir (común).

dorso [dórso] *m*. Dos.

dos [dos] *adj.-s*. *1* Deux. *2* *Son las —*, il est deux heures.

doscientos, -as [dosθjéntos, -as] *adj. pl.-m*. Deux cents.

dosel [dosél] *m*. *1* Dais, baldaquin. *2* Ciel de lit (de cama).

dosificar [dosifikár] *tr*. Doser.

dosis [dósis] *f*. Dose.

dotación [dotaθjón] *f*. *1* Action de doter. *2* Dotation. *3* Équipage *m*. (tripulación). *4* Personnel *m*. (de un taller, una oficina, etc.).

dotar [dotár] *tr*. *1* Doter (a una mujer, una fundación). *2* fig. Douer, doter (de cualidades).

dote [dóte] *m.-f*. *1* Dot *f*. ■ *2 f. pl*. Don *m. sing*. (aptitud).

dragar [drayár] *tr*. Draguer.

dragón [drayón] *m*. *1* Dragon. *2* Gueule-de-loup *f*. (planta).

drama [dráma] *m*. Drame.

dramático, -ca [dramátiko, -ka] *adj*. *1* Dramatique. ■ *2 f*. Dramatique, genre *m*. dramatique.

dramaturgo [dramatúryo] *m*. Dramaturge.

drenar [drenár] *tr*. AGR., CIR. Drainer.

dríada [dríaða], **dríade** [dríaðe] *f*. MIT. Dryade.

droga [dróya] *f*. Drogue.

droguería [droyería] *f*. Droguerie.

drupa [drúpa] *f*. BOT. Drupe.

dubitativo, -va [duβitatíβo, -βa] *adj*. Dubitatif, ive.

ducado [dukáðo] *m*. *1* Duché. *2* Ducat (moneda).

dúctil [dúytil] *adj*. Ductile.

ducha [dútʃa] *f*. Douche.

duchar [dutʃár] *tr*. Doucher.

ducho, -cha [dútʃo, -tʃa] *adj*. Expert, erte, expérimenté, ée.

duda [dúða] *f*. Doute *m*.

dudar [duðár] *intr*. *1* Douter. ■ *2 tr*. Mettre en doute.

dudoso, -sa [duðóso, -sa] *adj*. *1* Douteux, euse. *2* Indécis, ise.

duela [dwéla] *f*. Douve.

duelo [dwélo] *m*. *1* Duel. *2* Deuil (dolor, cortejo fúnebre). ■ *3 pl*. Peines *f*., difficultés *f*.

duende [dwénde] *m*. *1* Lutin, esprit follet. *2* Charme (encanto).

dueño, -ña [dwéɲo, -ɲa] *s*. *1* Maître, maîtresse. *2* Propriétaire. ■ *3 f*. Duègne.

dulce [dúlθe] *adj*. *1* Doux, douce. ■ *2 m*. Confiture *f*. *3* — *de almíbar*, fruits au sirop.

dulcería [dulθería] *f*. Confiserie.

dulcificar [dulθifikár] *tr*. *1* Adoucir, dulcifier. *2* fig. Adoucir.

dulzor [dulθór] *m*., **dulzura** [dulθúra] *f*. Douceur *f*.

duna [dúna] *f*. Dune.

duodécimo, -ma [dwoðéθimo, -ma] *adj.-s*. Douzième.

duodeno, -na [dwoðéno, -na] *adj*. *1* Douzième. ■ *2 m*. ANAT. Duodénum.

duplicado [duplikáðo] *adj*. *1* Bis (número). ■ *2 m*. Double, duplicata *invar*.

duplicar [duplikár] *tr*. Doubler (hacer doble).

duque [dúke] *m*. Duc.

duquesa [dukésa] *f*. Duchesse.

durable [duráβle] *f*. Durable.

duración [duraθjón] *f*. Durée.

durante [duránte] *prep.-adv*. Pendant, durant: — *el verano*, pendant l'été.

durar [durár] *intr.* Durer.
durazno [duráθno] *m.* *1* AMER. Variété de pêche *f.* (fruto). *2* Pêcher (árbol).
dureza [duréθa] *f.* *1* Dureté. *2* Durillon *m.* (callosidad).
durmiente [durmjénte] *s.* Dormant, ante (que duerme): *la Bella — del Bosque,* la Belle au Bois dormant.

duro, -ra [dúro, -ra] *adj.* *1* Dur, dure. *2* fig. Dur, dure (resistente, cruel, penoso). *3* *loc. adv.* *A duras penas,* à grand-peine, difficilement. ■ *4 m.* Douro (monnaie de cinq pesetas).
duro [dúro] *adv.* Dur, durement.

E

e [e] *f. 1* E *m.* ■ *2 conj.* Et. ▲ S'emploie au lieu de *y* devant *i* ou *hi: comercio e industria, madre e hija.*

¡ea! [éa] *interj. 1* Allons! 2 Assez!

ebanista [eβanísta] *m.* Ébéniste.

ébano [éβano] *m. 1* Ébénier (árbol). 2 Ébène *f.* (madera).

ebrio, -ia [éβrjo, -ja] *adj.* Ivre.

ebulición [eβuliθjòn], **ebullición** [eβuʎiθjòn] *f.* Ébullition.

eclesiástico, -ca [eklesjástiko, -ka] *adj.-m.* Ecclésiastique.

eclipsar [ekliβsár] *tr.* Éclipser.

eclipse [ekliβse] *m.* Éclipse *f.*

eco [éko] *m.* Écho.

economato [ekonomáto] *m.* Économat.

economía [ekonomía] *f.* Économie.

económico, -ca [ekonómiko, -ka] *adj. 1* Économique. 2 Économe (que gasta poco).

economista [ekonomísta] *adj.-s.* Économiste.

ecuación [ekwaθjòn] *f.* Équation.

ecuador [ekwaðór] *m.* Équateur.

ecuatoriano, -na [ekwatorjáno, -na] *adj.-s.* Équatorien, enne.

ecuestre [ekwèstre] *adj.* Équestre.

echar [etʃár] *tr. 1* Jeter. 2 Chasser (expulsar). *3* Congédier, renvoyer (despedir a uno), déposer, destituer (deponer a uno). *4* Exhaler (un olor). *5* Pousser (raíces, brotes, etc.), produire (flores, frutos, dicho de una planta). *6* Faire (dientes), pousser (pelo, plumas). *7* Mettre, tirer (el cerrojo), tourner (la llave para cerrar). *8* Jouer, donner (comedia, película). *9* Donner: — *de comer,* donner à manger, verser (un líquido). *10* Mettre (poner): — *un cerrojo a una puerta,* mettre un verrou à une porte. *11* Jouer, faire (una partida). *12* Faire (cálculos, cuentas, etc.). *13* Publier (un bando, etc.). *14* Prononcer (un discurso, un sermón). *15* Tirer (las cartas). *16* Otros sentidos: —*abajo, por tierra,* abattre, démolir; —, *echarse a correr, a llorar, a reír,* se mettre à courir, à pleurer, à rire; —*a perder,* abîmer, gâter; — *carnes,* — *barriga,* prendre de l'embonpoint; *echarla, echárselas de,* faire le, se croire. *17* Prendre (un camino, una dirección): — *por la izquierda,* prendre à gauche. ■ *18 pr.* Se jeter. *19* Se coucher, s'étendre (acostarse). *20* Couver (las aves).

echarpe [etʃárpe] *m.* Écharpe *f.*

edad [eðáð] *f.* Âge *m.* Loc. *Tierna* —, bas âge; *mayor de* —, majeur, eure; *menor de* —, mineur, eure; — *media,* moyen âge.

edición [eðiθjòn] *f.* Édition.

edicto [eðíyto] *m. 1* Édit. 2 Avis au public.

edificación [eðifikaθjòn] *f.* Édification.

edificar [eðifikár] *tr. 1* Édifier, bâtir. 2 fig. Édifier.

edificio [eðifíθjo] *m.* Édifice, bâtiment.

editor, -ra [eðitór, -ra] *adj.-s.* Éditeur, trice.

editorial [eðitorjál] *adj.* De l'édition.

edredón [eðreðón] *m.* Édredon.

educación [eðukaθjòn] *f.* Éducation.

educador, -ra [eðukaðór, -ra] *adj.-s.* Éducateur, trice.

educar [eðukár] *tr. 1* Éduquer. 2 Élever, instruire. *3* Développer (el gusto).

efe [éfe] *f.* F *m.,* lettre f.

efectivo, -va [efeytíβo, -βa] *adj.-s. 1* Effectif, ive. ■ *2 adj.* En titre (empleo, cargo). ■ *3 m.* Argent comptant.

efecto [eféyto] *m.* Effet.

efectuar [efeytwár] *tr.* Effectuer.

efervescente [eferβesθénte] *adj.* Effervescent, ente.

eficacia [efikáθja] *f.* Efficacité.

eficiente [efiθjénte] *adj.* Efficient, ente.

efusivo, -va [efusíβo, -βa] *adj.* Expansif, ive, communicatif, ive, cordial, ale.

egoísmo [eɣoízmo] *m.* Égoïsme.

egoísta [eɣoísta] *adj.-s.* Égoïste.
egregio, -gia [eɣréxjo, -ja] *adj.* Illustre, éminent, ente.
¡eh! [e] *interj.* Hé!, eh!; *¿eh?*, hein?
eje [éxe] *m. 1* Axe. *2* Essieu (de una rueda). *3* MEC. Arbre.
ejecución [exeku θjón] *f.* Exécution.
ejecutante [exekutánte] *adj.-s.* Exécutant, ante.
ejecutar [exekutár] *tr.* Exécuter.
ejecutivo, -va [exekutiβo, -βa] *adj.* Exécutif, ive.
ejecutor, -ra [exekutór, -ra] *adj.-s.* Exécuteur, trice.
ejemplar [exemplár] *adj.* Exemplaire.
ejemplo [exémplo] *m.* Exemple.
ejercer [exerθér] *tr.* Exercer.
ejercicio [exerθíθjo] *m.* Exercice.
ejercitar [exerθitár] *tr. 1* Exercer (una profesión, un arte, etc.). ■ *2 pr.* S'exercer, s'entraîner (*en*, à).
ejército [exérθito] *m.* Armée *f.*
el [el] *art. def.* Le, l'(delante de vocal o h muda): — *gato*, le chat. ▲ El art. *el* debe traducirse a menudo por el adj. posesivo: *se quitó — sombrero*, il ôta son chapeau.
él [el] *pron. pers. 1* Il. *2* Lui (enfáticamente o precedido de prep.): *iré con —*, j'irai avec lui.
elaboración [elaβoraθjón] *f.* Élaboration.
elaborar [elaβorár] *tr.* Élaborer.
elástica [elástika] *f.* Gilet *m.* de corps, tricot *m.*
elástico, -ca [elástiko, -ka] *adj. 1* Élastique. ■ *2 m.* Élastique (tejido, cinta).
ele [éle] *f.* L *m.*, lettre l.
elección [eleɣθjón] *f. 1* Élection (votación). *2* Choix *m.*
elector, -ra [elektór, -ra] *s.* Électeur, trice.
electoral [elektorál] *adj.* Électoral, ale.
electricidad [elektriθiðáð] *f.* Électricité.
eléctrico, -ca [eléktriko, -ka] *adj.* Électrique.
electrizar [elektriθár] *tr.* Électriser.
electrocutar [elektrokutár] *tr.* Électrocuter.
electrógeno [elektróxeno] *adj.* Électrogène.
electrólito [elektrólito] *m.* QUÍM. Électrolyte.
electrón [elektrón] *m.* FÍS. Électron.
electrónico, -ca [elektróniko, -ka] *adj.-f.* Électronique.
electroscopio [elektroskópjo] *m.* FÍS. Électroscope.
electrostático, -ca [elektrostátiko, -ka] *adj.-s.* Électrostatique.
elefante [elefánte] *m.* Éléphant.

elegancia [eleɣánθja] *f.* Élégance.
elegante [eleɣánte] *adj.-s.* Élegant, ante.
elegía [elexía] *f.* LIT. Élégie.
elegible [elexíβle] *adj.* Éligible.
elegido, -da [elexíðo, -ða] *adj.-s.* Élu, ue.
elegir [elexír] *tr.* Élire (por votación). ▲ CONJUG. comme *servir*.
elemental [elementál] *adj.* Élémentaire.
elemento [elemento] *m.* Élément. Loc. *Estar en su —*, être dans son élément.
elenco [eléŋko] *m. 1* Catalogue, index. *2* Troupe *f.* (de artistas).
elevación [eleβaθjón] *f.* Élévation.
elevado, -da [eleβáðo, -ða] *adj.* Élevé, ée (alto, sublime).
elevar [eleβár] *tr. 1* Élever (alzar). *2* fig. Élever. ■ *3 pr.* S'élever.
eliminar [eliminár] *tr.* Éliminer.
elipse [elíβse] *f.* Ellipse.
elíseo, -ea [eliseo, -ea] *adj. 1* Élyséen, enne. *2 Campos Elíseos*, Champs Élysées. ■ *3 m.* MIT. Élysée.
elocuencia [elokwénθja] *f.* Éloquence.
elocuente [elokwénte] *adj.* Éloquent, ente.
elogio [elóxjo] *m.* Éloge.
elucubración [elukuβraθjón] *f.* Élucubration.
eludir [eluðír] *tr.* Éluder.
ella [éʎa], **ellas** [éʎas] *pron. pers. 1* Elle, elles. *2* fam. *Allí fue, será —*, ça a, ça va mal tourner.
elle [éʎe] *f.* LL *m.*, lettre ll espagnole.
ello [éʎo] *pron. pers. 1* Cela, ça. ▲ Ordinairement *ello* se rapporte à ce dont on a parlé: *no hay dificultad en —*, il n'y a pas de difficulté à cela. *2 De —*, en: *le hablaré de —*, je lui en parlerai. *3 En —*, y: *pienso en —*, j'y pense.
ellos [éʎos] *pron. pers.* Ils, eux.
emanación [emanaθjón] *f.* Émanation.
emancipación [emanθipaθjón] *f.* Émancipation.
embadurnar [embaðurnár] *tr.* Enduire (untar), barbouiller (pintarrajear).
embajada [embaxáða] *f.* Ambassade.
embajador, -ra [embaxáðor, -ra] *s.* Ambassadeur, drice.
embalaje [embaláxe] *m.* Emballage.
embalsamar [embalsamár] *tr.* Embaumer.
embalse [embálse] *m. 1* Action *f.* de retenir les eaux. *2* Réservoir, barrage (balsa artificial), retenue *f.* d'eau (agua).
embanderar [embanderár] *tr.* Pavoiser.
embarazar [embaraθár] *tr. 1* Embarrasser. ■ *2 pr.* S'embarrasser, s'empêtrer.
embarazo [embaráθo] *m. 1* Embarras. *2* Grossesse *f.* (de la mujer).

embarcación [embarkaθjón] *f*. Embarcation.

embarcar [embarkár] *tr*. Embarquer.

embargo [embárɣo] *m*. *1* ant. Obstacle. Loc. *Sin* —, cependant, néanmoins, non obstant. *2* Indigestion *f*. (empacho). *3* DER. Saisie *f*., mainmise *f*., séquestre. *4* MAR. Embargo.

embarque [embárke] *m*. Embarquement (de cosas).

embarrar [embařár] *tr*. Crotter, salir de boue: *terreno embarrado*, terrain boueux.

embastar [embastár] *tr*. *1* Piquer (un colchón). *2* Faufiler, bâtir (hilvanar).

embate [embáte] *m*. Coup de mer.

embaucador, -ra [embaũkaðór, -ra] *adj.-s*. Enjôleur, euse, trompeur, euse.

embaucar [embaũkár] *tr*. Enjôler, séduire (seducir), embobeliner, tromper (engañar).

embeber [embeβér] *tr*. *1* Absorber, boire (absorber). *2* Imbiber (empapar). *3* Faire rentrer (una cosa dentro de otra). ■ *4 pr*. fig. S'imprégner, se pénétrer de. *5* fig. S'absorber.

embelesar [embelesár] *tr*. *1* Ravir, charmer. ■ *2 pr*. Être ravi, ie, charmé, ée.

embellecer [embeʎeθér] *tr.-intr*. *1* Embellir. ■ *2 pr*. Embellir. ▲ CONJUG. comme *agradecer*.

embestida [embestiða] *f*. Attaque impétueuse, assaut *m*.

embestir [embestír] *tr*. *1* Attaquer impétueusement. *2* fig. Se jeter sur. ■ *3 intr*. Attaquer. ▲ CONJUG. comme *servir*.

emblema [embléma] *m.-f*. Emblème *m*.

embobar [emboβár] *tr*. Ébahir.

embocado, -da [embokáðo, -ða] *adj*. Midoux mi-sec (vino).

embocadura [embokaðùra] *f*. *1* Embouchure. *2* Goût, saveur *f*., bouquet (del vino). *3* TEAT. Devant *m*. de la scène.

embocar [embokár] *tr*. *1* Emboucher (un instrumento). ■ *2 tr.-pr*. Entrer dans, s'engager dans (entrar por una parte estrecha).

embodegar [emboðeɣár] *tr*. Encaver, mettre en cave.

émbolo [émbolo] *m*. MEC. Piston.

embolsar [embolsár] *tr*. *1* Empocher. ■ *2 pr*. Empocher.

emborrachar [embořatʃár] *tr*. *1* Enivrer. ■ *2 pr*. S'enivrer, se soûler.

emboscada [emboskáða] *f*. Embuscade, guet-apens *m*.

embotado, -da [embotáðo, -ða] *adj*. Émoussé, ée.

embotellamiento [emboteʎamjénto] *m*. Embouteillage (de líquido, del tráfico).

embotellar [emboteʎár] *tr*. Embouteiller.

embozar [emboθár] *tr*. *1* Couvrir le bas du visage. *2* fig. Déguiser, cacher (sus intenciones, etc.). *3* Museler (poner un bozal).

embozo [embóθo] *m*. *1* Pan de la cape avec lequel on couvre son visage. *2* Rabat du drap de lit qui touche au visage (de la sábana). *3* fig. Déguisement, dissimulation *f*.

embrague [embráɣe] *m*. Embrayage.

embravecer [embraβeθér] *tr*. *1* Irriter, mettre en fureur. ■ *2 pr*. S'irriter. ▲ CONJUG. comme *agradecer*.

embriaguez [embrjaɣéθ] *f*. Ivresse, enivrement *m*.

embrión [embrjón] *m*. Embryon.

embrollo [embróʎo] *m*. *1* Embrouillement. *2* fig. Imbroglio. *3* Mensonge (embuste).

embromar [embromár] *tr*. *1* Railler, taquiner. *2* Mystifier, tromper (engañar).

embrujar [embruxár] *tr*. Ensorceler.

embrutecer [embruteθér] *tr*. Abêtir, abrutir. ▲ CONJUG. comme *agradecer*.

embuchado [embutʃáðo] *m*. Charcuterie *f*. faite de boyau rempli de viande, telle que saucisse *f*., saucisson, andouille *f*., boudin.

embudo [embúðo] *m*. *1* Entonnoir (utensilio). *2* fig. Tromperie *f*.

embuste [embúste] *m*. Mensonge.

embutido [embutiðo] *m*. *1* Marqueterie *f*. (taracea), incrustation *f*. *2* Charcuterie *f*. (embuchado).

eme [éme] *f*. M *m*., lettre m.

emergencia [emerxénθja] *f*. Émergence.

emerger [emerxér] *intr*. Émerger.

emigración [emiɣraθjón] *f*. Émigration.

emigrante [emiɣrànte] *adj.-s*. *1* Émigrant, ante. ■ *2 adj*. Migrateur.

emigrar [emiɣrár] *intr*. Émigrer.

eminente [eminénte] *adj*. Éminent, ente.

emir [emir] *m*. Émir.

emisión [emisjón] *f*. Émission.

emisor, -ra [emisór, -ra] *adj.-s*. Émetteur, trice.

emitir [emitir] *tr*. Émettre.

emoción [emoθjón] *f*. Émotion.

emocionar [emoθjonár] *tr*. Émouvoir.

emotivo, -va [emotiβo, -βa] *adj*. Émotif, ive.

empachar [empatʃár] *tr*. *1* Empêcher, embarrasser. *2* Causer une indigestion (indigestar).

empadronar [empaðronár] *tr*. Recenser.

empalagar [empalaɣár] *tr*. *1* Dégoûter,

écœurer (un manjar dulce). *2* fig. Fatiguer, ennuyer.

empalizada [empaliθáða] *f.* Palissade.

empalmar [empalmár] *tr. 1* Abouter, raccorder, relier (unir). *2* fig. Joindre, unir, lier. ■ *3* intr. S'embrancher (carretera, etc.).

empalme [empálme] *m.* Aboutage, raccordement, branchement.

empanadilla [empanaðíʎa] *f.* Rissole.

empanar [empanár] *tr. 1* Paner (con pan rallado). *2* AGR. Emblaver.

empantanar [empantanár] *tr. 1* Inonder (un terreno). *2* Arrêter le cours de, paralyser (un asunto).

empapar [empapár] *tr. 1* Imbiber, détremper. *2 pr.* fig. Se pénétrer: *empaparse en una idea*, se pénétrer d'une idée.

empapelar [empapelár] *tr. 1* Envelopper dans du papier. *2* Tapisser (las paredes). *3* fig. fam. Faire un procès (a alguien).

empaquetar [empaketár] *tr. 1* Empaqueter, emballer. *2* fig. Entasser (personas).

emparedado, -da [empareðáðo, -ða] *adj. 1* Emmuré, ée. ■ *2 m.* Sandwich.

emparejar [emparexár] *tr. 1* Apparier. *2* Affleurer (poner al mismo nivel).

emparentar [emparentár] *intr.* S'apparenter. ▲ CONJUG. comme *acertar.*

empastar [empastár] *tr. 1* Empâter (cubrir de pasta). *2* Cartonner (un libro). *3* Plomber (un diente). *4* PINT. Empâter.

empastelar [empastelár] *tr.* fig. Arranger en transigeant.

empatar [empatár] *intr.-pr. 1* Être à égalité de points, de voix. *2* DEP. Faire match nul (dos equipos).

empavesar [empaβesár] *tr.* Pavoiser.

empedernido, -da [empeðerníðo, -ða] *adj. 1* fig. Endurci, ie, invétéré, ée (incorregible). *2* Insensible.

empedrado, -da [empeðráðo, -ða] *adj. 1* Pavé, ée. ■ *2 m.* Pavage. *3* Pavé (parte empedrada).

empegar [empeɣár] *tr.* Poisser, empoisser.

empeine [empéine] *m. 1* Bas-ventre. *2* Cou-de-pied. *3* Empeigne *f.* (del zapato). *4* MED. Espèce de dartre *f.*

empellón [empeʎón] *m.* Poussée *f.*, bousculade *f.*

empeñar [empeɲár] *tr. 1* Engager, mettre en gage (dejar en prenda). *2* Engager, obliger à. ■ *3 pr.* S'endetter (endeudarse). *4* S'obstiner: *empeñarse en*, s'obstiner à.

empeño [empéɲo] *m. 1* Engagement. *2* Désir ardent. *3* Ardeur *f.*, obstination

f., acharnement (tesón). ■ *4 pl.* Piston *sing.*

empeorar [empeorár] *tr.* Empirer, aggraver.

empequeñecer [empekeɲeθér] *tr. 1* Rapetisser. ■ *2 pr.* Se rapetisser. ▲ CONJUG. comme *agradecer.*

emperador [emperaðór] *m.* Empereur.

emperatriz [emperatríθ] *f.* Impératrice.

emperrarse [emperrárse] *pr.* fam. S'entêter (*en*, à).

empezar [empeθár] *tr. 1* Commencer. ■ *2 intr.* Commencer. ▲ CONJUG. comme *acertar.*

empinado, -da [empináðo, -ða] *adj. 1* Raide, escarpé, ée. *2* Très haut, haute.

empinar [empinár] *tr. 1* Lever, hausser. Loc. fig. — *el codo*, lever le coude. ■ *2 pr.* Se dresser sur la pointe des pieds.

empírico, -ca [empíriko, -ka] *adj.-m.* Empirique.

emplazar [emplaθár] *tr. 1* DER. Assigner (ante el juez). *2* Convoquer.

empleado, -da [empleáðo, -ða] *adj.-s.* Employé, ée.

emplear [empleár] *tr.* Employer: *emplea diez obreros*, il emploie dix ouvriers.

empleo [empléo] *m. 1* Emploi. *2* Emploi, place *f.*, situation *f.* (colocación).

emplumar [emplumár] *tr. 1* Emplumer. *2* Empenner (una flecha).

empobrecer [empoβreθér] *tr. 1* Appauvrir. ■ *2 intr.-pr.* S'appauvrir. ▲ CONJUG. comme *agradecer.*

empolvar [empolβár] *tr. 1* Couvrir de poussière. *2 pr.* Se poudrer (cara, etc.).

empollar [empoʎár] *tr. 1* Couver (las aves). *2* fig. fam. Potasser, bûcher (estudiante).

empollón, -ona [empoʎón, -óna] *adj.* fam. Bûcheur, euse (estudiante).

emporio [empórjo] *m. 1* Grand centre commercial, artistique, etc. *2* Haut lieu (cultural).

empotrar [empotrár] *tr. 1* Sceller (en una pared, etc.). *2* Encastrer (un armario, etc.).

emprender [emprendér] *tr.* Entreprendre.

empresa [emprésa] *f. 1* Entreprise. *2* Devise (en un escudo).

empresario, -ia [empresárjo, -ja] *s.* Entrepreneur, euse.

empujar [empuxár] *tr.* Pousser.

empuje [empúxe] *m.* Poussée *f.*

empuñar [empuɲár] *tr.* Empoigner.

emular [emulár] *tr.* Rivaliser avec, imiter.

en [en] *prep. 1* En, à, dans (expresa el lugar sin movimiento): — *Francia*, en France. *2* Sur (sobre): — *la mesa*, sur la table. *3* Dans (dentro): — *el cajón,* dans le tiroir. *4* À (expresa la finalidad de ciertas acciones): *pienso — vosotros,* je pense à vous. *5* À (seguida de un infinitivo): *le conocí — el andar,* je l'ai reconnu à sa façon de marcher. *6* En, à, dans (expresa el tiempo, la época): — *la antigüedad,* dans l'antiquité. *7* A veces no se traduce: — *este año,* cette année. *8* Dès que, aussitôt que (precediendo a un gerundio): *9* Otros empleos: — *la librería,* chez le libraire; *no llegará — ocho días,* il n'arrivera pas avant huit jours. *10* Se traduce generalmente por *en* para expresar el modo: — *latín,* en latin.

enagua [enáɣwa] *f.,* **enaguas** [enáɣwas] *f. pl. sing.*

enajenación [enaxenaθjón] *f.,* **enajenamiento** [enaxenamjénto] *m.* Aliénation *f.*

enajenar [enaxenár] *tr.* *1* Aliéner. *2* Ravir, extasier (embelesar).

enaltecer [enalteθér] *tr.* Exalter, louer. ▲ CONJUG. comme *agradecer.*

enamorado, -da [enamoráðo, -ða] *adj.* *1* Épris, ise. ■ *2 s.* Amoureux, euse.

enamorar [enamorár] *tr.* Rendre amoureux, euse.

enano, -na [enáno, -na] *adj.-s.* Nain, naine.

enarbolar [enarβolár] *tr.* Arborer.

enardecer [enarðeθér] *tr.* Exciter, animer, échauffer.

enarenar [enarenár] *tr.* *1* Sabler, ensabler. ■ *2 pr.* MAR. S'ensabler.

encabalgar [eŋkaβalɣár] *intr.* Chevaucher (dicho de cosas).

encabezar [eŋkaβeθár] *tr.* *1* Recenser. *2* Être le premier (en una suscripción, una lista). *3* Mettre l'en-tête à (una carta, etc.), commencer (un escrito).

encabritarse [eŋkaβritárse] *pr.* Se cabrer.

encadenar [eŋkaðenár] *tr.* Enchaîner.

encajar [eŋkaxár] *tr.* *1* Introduire, emboîter, ajuster (una cosa dentro de otra). *2* Placer (una palabra, un discurso, etc.). ■ *3 intr.* Rentrer, s'emboîter (dentro de otra cosa). *4* fig. Venir à propos, aller, convenir (ser adecuado). ■ *5 pr.* Se fourrer (en un sitio).

encaje [eŋkáxe] *m.* *1* Emboîtage, emboîtement (de una pieza en otra). *2* Dentelle *f.* (tejido). *3* COM. amer. Encaisse *f.*

encajero, -ra [eŋkaxéro, -ra] *s.* Dentellier, ière.

encajonado, -da [eŋkaxonáðo, -ða] *adj.* Encaissé, ée (río, camino, etc.).

encajonar [eŋkaxonár] *tr.* *1* Encaisser, mettre en caisse. ■ *2 pr.* S'encaisser (río, etc.).

encalar [eŋkalár] *tr.* Chauler.

encalmarse [eŋkalmárse] *pr.* Se calmer.

encallar [eŋkaʎár] *intr.* MAR. Échouer.

encallecer [eŋkaʎeθér] *intr.* *1* Devenir calleux, euse (las manos). ■ *2 pr.* fig. S'endurcir (en los vicios, etc.). ▲ CONJUG. comme *agradecer.*

encamar [eŋkamár] *tr.* *1* Étendre sur le sol. ■ *2 pr.* S'aliter. *3* Gîter (la caza). *4* Se coucher, verser (los trigos).

encaminar [eŋkaminár] *tr.* Acheminer.

encanallar [eŋkanaʎár] *tr.* Encanailler.

encanastar [eŋkanastár] *tr.* Mettre dans un panier.

encandilar [eŋkandilár] *tr.* *1* Éblouir. ■ *2 pr.* S'allumer (los ojos). *3* Être excité, ée (una persona).

encanecer [eŋkaneθér] *intr.* Grisonner, blanchir (el cabello). ▲ CONJUG. comme *agradecer.*

encantado, -da [eŋkantáðo, -ða] *adj.* Enchanté, ée.

encantador, -ra [eŋkantaðór, -ra] *adj.-s.* *1* Enchanteur, eresse. *2* Charmeur, euse.

encantar [eŋkantár] *tr.* *1* Enchanter. *2* fig. Charmer, ravir.

encante [eŋkánte] *m.* Encan, vente *f.* aux enchères.

encanto [eŋkánto] *m.* *1* Enchantement. *2* Charme, attrait (atractivo).

encañonar [eŋkaɲonár] *tr.* *1* Canaliser. *2* Viser, ajuster (con un arma de fuego).

encapotar [eŋkapotár] *tr.* *1* Couvrir d'un manteau. ■ *2 pr.* fig. Se renfrogner.

encapricharse [eŋkapritʃárse] *pr.* S'enticher, s'engouer, se toquer.

encarado, -da [eŋkaráðo, -ða] *adj.* *Bien* —, qui a un beau visage, avenant, sympathique; *mal* —, au visage antipathique.

encarar [eŋkarár] *intr.-pr.* *1* Regarder en face, dévisager (a alguien), affronter (una situación, etc.): *se encaró con su interlocutor,* il dévisagea son interlocuteur. ■ *2 tr.* Braquer (un arma).

encarcelar [eŋkarθelár] *tr.* Incarcérer, emprisonner, écrouer.

encarecer [eŋkareθér] *tr.* Enchérir, rendre plus cher, chère (aumentar el precio). ▲ CONJUG. comme *agradecer.*

encargado, -da [eŋkarɣáðo, -ða] *adj.-s.* Chargé, ée (persona): — *de negocios,* chargé d'affaires.

encargar [eŋkaryár] tr. Charger, commissionner.

encargo [eŋkáryo] m. 1 Commission f. 2 COM. Commande.

encariñar [eŋkariɲár] tr. Inspirer de l'affection.

encarnación [eŋkarnaθjón] f. Incarnation (del Verbo, de una idea, etc.).

encarnado, -da [eŋkarnáðo, -ða] adj.-m. 1 Incarnat. 2 Rouge.

encarnar [eŋkarnár] intr. 1 S'incarner (el Verbo Divino). ■ 2 tr. Incarner (una idea, etc.). 3 Acharner (los perros), appâter (el anzuelo).

encarnizado, -da [eŋkarniθáðo, -ða] adj. Acharné, ée, sanglant, ante.

encarrilar [eŋkařilár] tr. 1 Acheminer. 2 Remettre sur les rails.

encasillar [eŋkasiʎár] tr. Classer, mettre dans des cases.

encasquetar [eŋkasketár] tr. Enfoncer sur la tête (el sombrero, la gorra).

encasquillarse [eŋkaskiʎárse] pr. S'enrayer (un arma de fuego).

encausar [eŋkaŭsár] tr. Poursuivre en justice.

encausto [eŋkáŭsto] m. PINT. Encaustique f.

encauzar [eŋkaŭθár] tr. Diriger, canaliser (una corriente, una discusión, etc.).

encéfalo [enθéfalo] m. Encéphale.

encenagarse [enθenayárse] pr. 1 S'embourber, se couvrir de boue. 2 S'enfoncer (en el vicio).

encendedor [enθendeðór] m. Briquet (mechero), allume-gaz (de cocina).

encender [enθendèr] tr. 1 Allumer. 2 Enflammer, irriter. 3 fig. Allumer (guerra). ■ 4 pr. Prendre feu. 5 Rougir (ruborizarse). ▲ CONJUG. comme *entender*.

encendido, -da [enθendíðo, -ða] adj. 1 Rouge vif (color). 2 Rouge. 3 Ardent, ente. ■ 4 m. Allumage (de un motor).

encerado, -da [enθeráðo, -ða] adj. 1 Ciré, ée (untado de cera). ■ 2 m. Toile f. cirée (tela). 3 Cirage (de muebles, parquets).

encerar [enθerár] tr. Cirer.

encerrar [enθeřár] tr. 1 Enfermer. 2 fig. Renfermer. ▲ CONJUG. comme *acertar*.

encerrona [enθeřóna] f. 1 Réclusion volontaire. 2 fig. Embûche, piège m.

encía [enθía] f. Gencive.

encíclica [enθíklika] f. Encyclique.

enciclopedia [enθiklopéðja] f. Encyclopédie.

encierro [enθjéřo] m. 1 Action f., effet d'enfermer. 2 Retraite f., reclusion f. (clausura). 3 TAUROM. Action d'enfermer les taureaux dans le toril.

encima [enθíma] adv. 1 Dessus: estar —, être dessus. 2 loc. prep. — de, sur: — de la mesa, sur la table; por — de, au-dessus de (sobre), malgré (a pesar de). 3 En outre, en plus, par-dessus le marché (además): — de que, en plus du fait que.

encina [enθína] f. Chêne m. vert, yeuse.

encinta [enθínta] adj. Enceinte.

encintar [enθintár] tr. Enrubanner.

enclaustrar [eŋklaŭstrár] tr. Cloîtrer.

enclavado, -da [eŋklaβáðo, -ða] adj. Enclavé, ée.

enclenque [eŋkléŋke] adj. Malingre, chétif, ive.

encocorar [eŋkokorár] tr. fam. Ennuyer, embêter, agacer.

encoger [eŋkoxér] tr. 1 Retirer, replier, contracter (un miembro, etc.). 2 fig. Décourager. ■ 3 intr. Rétrécir, se rétrécir (un tejido). ■ 4 pr. fig. Se démonter, se troubler (apocarse).

encogido, -da [eŋkoxíðo, -ða] adj. fig. Timide, pusillanime.

encolar [eŋkolár] tr. 1 Coller. 2 Coller (el vino). 3 PINT. Encoller.

encolerizar [eŋkoleriθár] tr. Mettre en colère.

encomendar [eŋkomendár] tr. 1 Charger (encargar). 2 Confier (confiar). ■ 3 pr. Se mettre sous la protection de, se recommander à, s'en remettre à. ▲ CONJUG. comme *acertar*.

encomienda [eŋkomjènda] f. Commission (encargo).

enconar [eŋkonár] tr. Enflammer, envenimer (una llaga).

encono [eŋkóno] m. Haine f., animosité f.

encontrado, -da [eŋkontráðo, -ða] adj. Contraire, opposé, ée.

encontrar [eŋkontrár] tr. 1 Trouver (hallar): — la solución, trouver la solution. 2 Trouver, rencontrer (sin buscar). ■ 3 intr. Se heurter. ■ 4 pr. Se trouver, se sentir (estar): encontrarse a gusto, se sentir à l'aise. ▲ CONJUG. comme *contar*.

encopetado, -da [eŋkopetáðo, -ða] adj. 1 Présomptueux, euse. 2 De haute volée, huppé, ée.

encordar [eŋkorðár] tr. 1 MÚS. Garnir de cordes. 2 Corder. ▲ CONJUG. comme *contar*.

encornado, -da [eŋkornáðo, -ða] adj. Encorné, ée.

encorvar [eŋkorβár] tr. 1 Courber. ■ 2 pr. Se voûter (una persona).

encrespar [eŋkrespár] tr. 1 Friser (el cabello, el pelo). *2* fig. Irriter, mettre en fureur. *3* Hérisser (erizar).

encrucijada [eŋkruθixáða] *f. 1* Carrefour *m*. *2* fig. Embûche, guet-apens *m*.

encuadernación [eŋkwaðernaθjón] *f*. Reliure.

encuadernar [eŋkwaðernár] *tr. 1* Relier (libros). *2 — en rústica*, brocher.

encuadrar [eŋkwaðrár] *tr. 1* Encadrer. *2* fig. Incorporer (personas). ■ *3 pr*. S'intégrer.

encubridor, -ra [eŋkuβriðór, -ra] *adj. 1* Qui cache. ■ *2 s*. DER. Receleur, euse.

encubrir [eŋkuβrír] *tr. 1* Cacher, dissimuler. *2* Receler. ▲ CONJUG. PART. PAS.: *encubierto, ta*.

encuentro [eŋkwéntro] *m. 1* Rencontre *f*. *2* Opposition *f*., contradiction.

encuesta [eŋkwésta] *f*. Enquête.

encumbrado, -da [eŋkumbráðo, -ða] *adj. 1* Élevé, ée, haut, haute. *2* Haut placé, ée.

encumbrar [eŋkumbrár] *tr. 1* Élever. *2* fig. Exalter, glorifier.

encharcar [entʃarkár] *tr. 1* Inonder (un terreno). *2* Noyer (el estómago).

enchufe [entʃúfe] *m. 1* Raccord (de dos tubos). *2* ELECT. Prise *f*. de courant. *3* fig. pop. Piston (influencia), planque *f*. (empleo).

ende (por) [porénde] *loc. adv*. En conséquence.

endeble [endéβle] *adj*. Faible, chétif, ive (persona), faible (argumento, etc.).

endecasílabo, -ba [endekasilaβo, -βa] *adj.-m*. MÉTR. Endécasyllabe, hendécasyllabe.

endémico, -ca [endémiko, -ka] *adj*. Endémique.

endemoniado, -da [endemonjáðo, -ða] *adj.-s. 1* Possédé, ée, démoniaque. ■ *2 adj*. fam. Méchant, ante (malo), satané, ée (maldito).

endentar [endentár] *tr*. Endenter. ▲ CONJUG. comme *acertar*.

enderezar [endereθár] *tr*. Redresser.

endeudarse [endeŭðárse] *pr*. S'endetter.

endiablado, -da [endjaβláðo, -ða] *adj. 1* Horrible. *2* Endiablé, ée (travieso, etc.). *3* Diabolique.

endibia [endiβja] *f*. Endive.

endiosar [endjosár] *tr. 1* Diviniser. ■ *2 pr*. Se gonfler d'orgueil.

endomingar [endomiŋgár] *tr. 1* Endimancher. ■ *2 pr*. S'endimancher.

endosar [endosár] *tr. 1* COM. Endosser. *2* Faire endosser. *3* pop. Refiler.

endulzar [endulθár] *tr. 1* Adoucir, sucrer. *2* fig. Adoucir, mitiger.

endurecer [endureθér] *tr. 1* Durcir, endurcir. ■ *2 pr*. fig. S'endurcir. ▲ CONJUG. comme *agradecer*.

ene [éne] *f*. N *m*., lettre n.

enebro [enéβro] *m*. Genévrier.

enema [enéma] *m*. MED. Lavement.

enemigo, -ga [enemiɣo, -ɣa] *adj.-s*. Ennemi, ie.

enemistad [enemistáð] *f*. Inimitié.

enemistar [enemistár] *tr*. Brouiller.

energía [enerxía] *f*. Énergie.

enérgico, -ca [enérxiko, -ka] *adj*. Énergique.

enero [enéro] *m*. Janvier.

enervar [enerβár] *tr*. Affaiblir, amollir.

enfadar [emfaðár] *tr. 1* Fâcher, mettre en colère (enojar). *2* Ennuyer (causar disgusto).

enfado [emfáðo] *m. 1* Fâcherie *f*. *2* Ennui, contrariété *f*. *3* Colère *f*.

enfangar [emfaŋgár] *tr. 1* Crotter. ■ *2 pr*. S'embourber.

énfasis [émfasis] *m*. Emphase *f*.

enfermedad [emfermeðáð] *f*. Maladie.

enfermero, -ra [emferméro, -ra] *s*. Infirmier, ière.

enfermo, -ma [emférmo, -ma] *adj.-s*. Malade: *ponerse —*, tomber malade.

enfilar [emfilár] *tr. 1* Enfiler (perlas, una calle, etc.). *2* Ranger en file.

enfisema [emfiséma] *m*. MED. Emphysème.

enflaquecer [emflakeθér] *tr. 1* Amaigrir, faire maigrir. ■ *2 intr*. fig. Faiblir (perder ánimo). ▲ CONJUG. comme *agradecer*.

enfocar [emfokár] *tr. 1* ÓPT., FOT. Mettre au point. *2* fig. Envisager (un asunto).

enfrascar [emfraskár] *tr. 1* Mettre en flacons. ■ *2 pr*. S'engager dans un fourré. *3* fig. S'absorber, se plonger: *enfrascarse en su tarea*, s'absorber dans son travail.

enfrentar [emfrentár] *tr. 1* Mettre vis-à-vis, face à face. *2* Opposer (oponer). ■ *3 pr*. Affronter, faire face.

enfrente [emfrénte] *adv*. En face.

enfriar [emfrjár] *tr*. Refroidir (un líquido, el tiempo, una pasión).

enfundar [emfundár] *tr. 1* Engainer (meter en una funda). *2* Mettre dans une housse (muebles, etc.).

enfurecer [emfureθér] *tr*. Mettre en fureur. ▲ CONJUG. comme *agradecer*.

enfurruñarse [emfuruɲárse] *pr*. fam. Se fâcher, bougonner.

engalanar [eŋgalanár] *tr*. Parer, orner.

engallarse [eŋgaʎárse] *pr*. Relever la tête (los caballos).

enganchar [eŋgantʃár] *tr. 1* Accrocher

(con un gancho). 2 MIL. Engager, enrôler (en el ejército). 3 TAUROM. Encorner.

enganche [eŋgántʃe] m. MIL. Enrôlement, recrutement.

engañador, -ra [eŋgaɲaðòr, -ra] adj. Trompeur, euse.

engañar [eŋgaɲár] tr. Tromper, duper, leurrer.

engaño [eŋgáɲo] m. 1 Tromperie f. 2 Erreur f. 3 TAUROM. Leurre.

engañoso, -sa [eŋgaɲóso, -sa] adj. Trompeur, euse, illusoire.

engarce [eŋgárθe] m. Enfilage, sertissage (piedras, etc.).

engarzar [eŋgarθár] tr. Enfiler (perlas).

engatusar [eŋgatusár] tr. Cajoler, enjôler, embobiner.

engendro [eŋxèndro] m. Créature f. informe, avorton, monstre.

englobar [eŋgloβár] tr. Englober.

engolfar [eŋgolfár] intr.-pr. 1 MAR. Gagner le large. ■ 2 pr. fig. S'absorber, se plonger (en un pensamiento, etc.).

engolosinar [eŋgolosinár] tr. Affriander, affrioler, allécher.

engomar [eŋgomár] tr. Gommer, engommer (una tela, etc.).

engordar [eŋgorðár] tr. 1 Engraisser. ■ 2 intr. Grossir, engraisser (ponerse gordo).

engorroso, -sa [eŋgoróso, -sa] adj. Embarrassant, ante, ennuyeux, euse.

engranaje [eŋgranáxe] m. MEC. Engrenage.

engranar [eŋgranár] intr. Engrener.

engrandecer [eŋgrandeθér] tr. 1 Accroître, agrandir. 2 fig. Exalter, louer, grandir (ennoblecer). ▲ CONJUG. comme *agradecer*.

engrasar [eŋgrasár] tr. Graisser.

engrase [eŋgráse] m. 1 Graissage. 2 Lubrifiant (materia).

engreír [eŋgreír] tr. Enorgueillir. ▲ CONJUG. comme *reír*.

engrosar [eŋgrosár] tr. Grossir.

engrudo [eŋgrùðo] m. Empois, colle f. de pâte.

enguantar [eŋgwantár] tr. Ganter.

enguijarrar [eŋgixaɾár] tr. Caillouter.

enguirnaldar [eŋgirnaldár] tr. Enguirlander.

engullir [eŋguʎír] tr. Engloutir, avaler.

enharinar [enarinár] tr. Enfariner.

enhebrar [eneβrár] tr. Enfiler (una aguja, perlas).

enhorabuena [enoraβwèna] f. 1 Félicitations pl. Loc. *Dar la* —, féliciter; *estar de* —, être au comble de la joie. ■ 2 adv. Heureusement. 3 Bon, à la bonne heure.

enigma [eniɣma] m. Énigme f.

enigmático, -ca [eniɣmàtiko, -ka] adj. Énigmatique.

enjabonar [eŋxaβonár] tr. 1 Savonner. 2 fig. fam. Passer de la pommade à (adular).

enjambrar [eŋxambrár] tr. Mettre un essaim dans une ruche.

enjambre [eŋxámbre] m. Essaim.

enjaretar [eŋxaretár] tr. 1 Faire passer par une coulisse (un cordón, una cinta). 2 fam. Faire avaler, infliger (discurso, etc.), refiler (cosa molesta).

enjaular [eŋxaŭlár] tr. 1 Encager. 2 fig. Coffrer (meter en la cárcel).

enjoyar [eŋxoʝár] tr. 1 Parer, orner de bijoux. 2 fig. Orner, embellir.

enjuagar [eŋxwaʝár] tr. 1 Rincer. ■ 2 pr. Se rincer la bouche.

enjuague [eŋxwàʝe] m. 1 Rinçage. 2 fam. Affaire f. louche, tripotage.

enjugar [eŋxuʝár] tr. 1 Sécher (quitar la humedad). 2 Essuyer, sécher (el sudor, las lágrimas).

enjuiciar [eŋxwiθjár] tr. 1 Juger, émettre un jugement sur (una cuestión). 2 Faire passer en jugement (a uno).

enjuto, -ta [eŋxùto, -ta] adj. 1 Sec, sèche. 2 Maigre, sec, sèche (flaco).

enlabiar [enlaβjár] tr. Enjôler, séduire.

enlace [enláθe] m. 1 Liaison f., enchaînement, connexion f. 2 Mariage, union f. (casamiento).

enlazar [enlaθár] tr. 1 Enlacer, lier. 2 Enchaîner, lier (ideas, etc.).

enlodar [enloðár], **enlodazar** [enloðaθár] tr. Crotter, couvrir de boue.

enloquecedor, -ra [enlokeθeðòr, -ra] adj. Affolant, ante.

enloquecer [enlokeθér] tr. 1 Affoler (trastornar). 2 Rendre fou, folle. ▲ CONJUG. comme *agradecer*.

enlosar [enlosár] tr. Daller.

enlucido, -da [enluθiðo, -ða] adj. 1 Blanchi, ie, crépi, ie (pared). ■ 2 m. Crépi.

enlutar [enlutár] tr. 1 Endeuiller. 2 Mettre en deuil.

enmaderar [emmaðerár] tr. Boiser, garnir de boiseries (el suelo, las paredes, etc.).

enmarañar [emmaraɲár] tr. 1 Embrouiller, emmêler. 2 fig. Embrouiller.

enmascarado, -da [emmaskaráðo, -ða] s. Masque m., personne f. masquée.

enmascarar [emmaskarár] tr. Masquer.

enmendar [emmendár] tr. 1 Corriger, amender. 2 Réparer (un daño). ▲ CONJUG. comme *acertar*.

enmienda [emmjénda] *f. 1* Correction, rectification. *2* DER. Amendement.

enmohecer [emmoeθér] *tr. 1* Moisir (con moho orgánico). ■ *2 pr.* Moisir, rouiller. ▲ CONJUG. comme *agradecer*.

enmudecer [emmuðeθér] *tr. 1* Faire taire. ■ *2 intr.* Rester muet, ette, se taire. ▲ CONJUG. comme *agradecer*.

ennegrecer [enneɣreθér] *tr. 1* Noircir. ■ *2 pr.* fig. S'assombrir. ▲ CONJUG. comme *agradecer*.

ennoblecer [ennoβleθér] *tr. 1* Anoblir (hacer noble). *2* fig. Ennoblir (dignificar). ▲ CONJUG. comme *agradecer*.

enojar [enoxár] *tr. 1* Fâcher, irriter. ■ *2 pr.* Se fâcher, se mettre en colère.

enojo [enóxo] *m. 1* Colère *f.*, irritation *f.* (enfado). *2* Ennui, contrariété *f.* (molestia).

enorgullecer [enorɣuʎeθér] *tr.* Enorgueillir. ▲ CONJUG. comme *agradecer*.

enorme [enórme] *adj.* Énorme.

enormidad [enormiðáð] *f.* Énormité.

enramada [enɾamáða] *f. 1* Feuillage *m.*, ramée (conjunto de ramas). *2* Ornement *m.* de branchages.

enranciar [enɾanθjár] *tr. 1* Faire rancir. ■ *2 pr.* Rancir.

enrarecer [enɾareθér] *tr.* Raréfier. ▲ CONJUG. comme *agradecer*.

enrasar [enɾasár] *tr. 1* CONSTR. Araser. *2* Mettre de niveau (igualar el nivel).

enredadera [enɾeðaðéɾa] *adj. 1 Planta —*, plante grimpante. ■ *2 f.* Liseron *m.*

enredar [enɾeðár] *tr. 1* Prendre dans un filet. *2* Emmêler, embrouiller (enmarañar). *3* fig. Brouiller (meter discordia). ■ *4 intr.* Faire des espiègleries.

enredo [enɾéðo] *m. 1* Emmêlement, embrouillement, enchevêtrement. *2* Mensonge (engaño). *3* Imbroglio, affaire *f.* compliquée (lío).

enrejado [enɾexáðo] *m. 1* Grille *f.* (verja). *2* Treillage, treillis.

enriquecer [enrikeθér] *tr. 1* Enrichir. ■ *2 intr.-pr.* S'enrichir. ▲ CONJUG. comme *agradecer*.

enrocar [enɾokár] *tr. 1* Garnir la quenouille. ■ *2 intr.-tr.* Roquer (ajedrez). ▲ CONJUG. comme *contar*.

enrojecer [enɾoxeθér] *tr. 1* Rougir. ■ *2 intr.-pr.* Rougir. ▲ CONJUG. comme *agradecer*.

enrolar [enɾolár] *tr.* MAR. Enrôler.

enrollar [enɾoʎár] *tr.* Rouler, enrouler.

enronquecer [enɾonkeθér] *tr.* Enrouer. ▲ CONJUG. comme *agradecer*.

enroscar [enɾoskár] *tr. 1* Enrouler, entortiller. *2* Visser (atornillar).

ensaimada [ensaïmáða] *f.* Sorte de gâteau *m.* en forme de spirale.

ensalada [ensaláða] *f.* Salade.

ensaladera [ensalaðéɾa] *f.* Saladier *m.*

ensalivar [ensaliβár] *tr.* Mouiller de salive.

ensalmar [ensalmár] *tr.* Rebouter.

ensalmo [ensálmo] *m. 1* Manière *f.* superstitieuse de guérir. *2 loc. adv. Como por —*, comme par enchantement.

ensalzar [ensalθár] *m. 1* Élever, honorer. *2* Exalter, louer (alabar).

ensamblar [ensamblár] *tr.* Assembler.

ensanchar [ensantʃár] *tr.* Élargir (hacer más ancha una cosa).

ensanche [ensántʃe] *m. 1* Élargissement (de una cosa). *2* Agrandissement (de una población). *3* Quartier neuf (barrio nuevo).

ensangrentar [ensangrentár] *tr. 1* Ensanglanter. ■ *2 pr.* Se couvrir de sang. ▲ CONJUG. comme *acertar*.

ensañar [ensañár] *tr. 1* Irriter. ■ *2 pr. Ensañarse con, en,* s'acharner sur.

ensartar [ensartár] *tr. 1* Enfiler (perlas, etc.). *2* fig. Débiter (tonterías, etc.).

ensayar [ensajár] *tr. 1* Essayer. *2* Répéter (una obra teatral, etc.).

ensayo [ensájo] *m. 1* Essai. *2* TEAT., MÚS. Répétition *f.*

ensenada [ensenáða] *f.* GEOG. Anse.

enseña [enséɲa] *f.* Enseigne.

enseñanza [enseɲánθa] *f.* Enseignement *m.*

enseñar [enseɲár] *tr. 1* Apprendre: *ella me enseñó a leer*, elle m'a appris à lire. *2* Montrer (mostrar).

enseres [enséɾes] *m. pl.* Affaires *f.* (objetos, utensilios, etc.), mobilier *sing.* (muebles).

ensimismarse [ensimizmárse] *pr.* S'abstraire, s'absorber.

ensombrecer [ensombreθér] *tr.* Assombrir. ▲ CONJUG. comme *agradecer*.

ensoñador, -ra [ensoɲaðór, -ra] *adj.-s.* Rêveur, euse.

ensordecedor, -ra [ensorðeθeðór, -ra] *adj.* Assourdissant, ante.

ensordecer [ensorðeθér] *tr. 1* Abassourdir, assourdir. ■ *2 intr.* Devenir sourd, sourde. ▲ CONJUG. comme *agradecer*.

ensortijar [ensortixár] *tr.* Boucler, friser (cabellos, etc.).

ensuciar [ensuθjár] *tr. 1* Salir, souiller. ■ *2 pr.* Se salir. *3* fig. Se corrompre.

entablar [entaβlár] *tr. 1* Planchéier. *2* Couvrir de planches. *3* Entamer, engager (una discusión, un pleito, etc.).

entablillar [entaβliʎár] *tr.* CIR. Éclisser.

entallar [entaλár] *tr.* *1* Sculpter, graver, ciseler. *2* Gemmer (pinos). *3* Ajuster à la taille (un vestido).

entapizar [entapiθár] *tr.* Tapisser.

entapujar [entapuxár] *tr.* *1* Cacher, couvrir. *2* fig. Cacher, dissimuler.

entarimado [entarimáðo] *m.* Plancher, parquet.

ente [énte] *m.* *1* Être. *2* fam. Individu.

entena [enténa] *f.* MAR. Antenne.

entendedor, -ra [entendeðór, -ra] *adj.-s.* Entendeur.

entender [entendér] *tr.* *1* Comprendre: *no entiendo lo que dices*, je ne comprends pas ce que tu dis. Loc. *Ya entiendo*, je comprends, je vois. *2* Entendre: *¿qué entiende usted por eso?*, qu'entendez-vous par là? *3* Croire, penser (opinar). ■ *4 intr.* S'y connaître, s'y entendre: *poco entiende de mecánica*, il ne s'y connaît pas beaucoup en mécanique. ▲ CONJUG. IRRÉG. INDIC. Prés.: *entiendo, entiendes, entiende, entienden.* SUBJ. Prés.: *entienda, entiendas, entienda, entiendan.* IMPÉR.: *entiende, entienda, entiendan.* Les autres formes sont régulieʾres.

entendido, -da [entendíðo, -ða] *adj.* *1* Compétent, ente, connaisseur, euse. *2* *No darse por —*, faire la sourde oreille, feindre de ne pas comprendre.

enterar [enterár] *tr.* *1* Informer, apprendre, renseigner. ■ *2 pr.* S'informer, se renseigner. *3* Apprendre (una noticia).

entereza [entereθa] *f.* *1* Intégrité. *2* Énergie, force de caractère.

enterizo, -za [enteriθo, -θa] *adj.* *1* Entier, ière. *2* D'une seule pièce.

enternecer [enterneθér] *tr.* Attendrir. ▲ CONJUG. comme *agradecer*.

entero, -ra [entéro, -ra] *adj.* *1* Entier, ière. *2* fig. Ferme, résolu, ue, inébranlable (firme).

enterrar [enterár] *tr.* *1* Enterrer. ■ *2 pr.* S'enterrer. ▲ CONJUG. comme *acertar*.

entibiar [entiβjár] *tr.* Attiédir, tiédir.

entidad [entiðáð] *f.* *1* FIL. Entité. *2* Collectivité, organisme *m.*, société, entreprise. *3* Importance.

entierro [entjéro] *m.* Enterrement.

entoldar [entoldár] *tr.* *1* Tendre un vélum au-dessus de (calle, patio). *2* Tendre (tapicerías, colgaduras en una iglesia, en una habitación, etc.).

entonación [entonaθjón] *f.*, **entonamiento** [entonamjénto] *m.* Intonation *f.*

entonar [entonár] *intr.* Chanter juste.

entonces [entónθes] *adv.* Alors.

entornar [entornár] *tr.* Entrebâiller, entrouvrir (una puerta), fermer à demi (los ojos).

entorpecer [entorpeθér] *tr.* *1* Engourdir, alourdir. *2* fig. Gêner, embarrasser. ▲ CONJUG. comme *agradecer*.

entrada [entráða] *f.* *1* Entrée. *2* Billet *m.*, place (billete). *3* Recette (dinero que se recauda).

entrambos, -as [entrámbos, -as] *adj. pl.* Les deux, tous les deux, toutes les deux.

entrampar [entrampár] *tr.* *1* Prendre au piège (un animal). *2* Endetter.

entrante [entránte] *adj.* *1* Entrant, ante (que entra). *2* *Ángulo —*, angle rentrant. *3* Prochain, aine (mes, semana).

entraña [entráɲa] *f.* *1* Viscère *m.* ■ *2 pl.* Entrailles.

entrañable [entraɲáβle] *adj.* Intime, profond, onde (sentimiento).

entrañar [entraɲár] *tr.* *1* Contenir, renfermer. ■ *2 pr.* S'unir intimement (con alguno).

entrar [entrár] *intr.* *1* Entrer. Loc. *— en años*, prendre de l'âge. *2* Déboucher, se jeter (un río). ■ *3 tr.* Entrer, rentrer (meter, introducir). *4* Aborder (a una persona): *no hay por donde entrarle*, il est inabordable. ■ *5 pr.* Entrer, pénétrer.

entre [éntre] *prep.* *1* Entre: *— Madrid y Burgos*, entre Madrid et Burgos. *2* Parmi: *— mis amigos*, parmi mes amis. *3* Chez (en la colectividad): *— los musulmanes*, chez les musulmans. *4* À (con varias personas): *llevar una cosa — dos*, porter une chose à deux. *5* loc. adv. *— mí, — sí*, à part moi, à part lui; *— tanto*, cependant, en attendant.

entreabierto, -ta [entreaβjérto, -ta] *adj.* Entrouvert, ete.

entreacto [entreáyto] *m.* Entracte.

entrecejo [entreθéxo] *m.* Glabelle *f.* Loc. *Fruncir el —*, froncer les sourcils.

entrecruzar [entrekruθár] *tr.* Entrecroiser.

entredicho [entreðitʃo] *m.* Interdit.

entrega [entréya] *f.* Livraison (mercancía), remise (carta, premio, etc.).

entregar [entreyár] *tr.* *1* Remettre, livrer. ■ *2 pr.* Se livrer (al enemigo, a una pasión). *3* S'avouer vaincu, ue.

entrelazar [entrelaθár] *tr.* Entrelacer.

entremés [entremés] *m.* *1* Hors-d'œuvre. *2* TEAT. Intermède (pieza).

entremeter [entremetér] *tr.* *1* Mélanger, mêler. ■ *2 pr.* S'immiscer dans, se mêler de (entrometerse).

entremezclar [entremeθklár] *tr.* Entremêler.

entrenudo [entrenúðo] *m.* Entre-nœud.

entrepaño [entrepáno] *m.* Trumeau (espacio de pared).

entrepiernas [entrepjèrnas] *f. pl.*, **entrepierna** [entrepjèrna] *f.* Entrejambes *m.*, entrecuisse *m.*

entrepuente [entrepwènte] *m.* MAR. Entrepont.

entresacar [entresakár] *tr. 1* Trier, choisir (escoger). *2* Couper (árboles, cabellos).

entresijo [entresixo] *m. 1* ANAT. Mésentère. *2* fig. Mystère, secret.

entresuelo [entreswèlo] *m.* Entresol.

entretalla [entretáʎa] *f.* Bas-relief *m.*

entretanto [entretánto] *adv.* Entretemps, pendant ce temps. *loc. adv.* **En el —,** dans l'intervalle.

entretejer [entretexèr] *tr.* Entrelacer, entremêler.

entretela [entretéla] *f. 1* Bougran *m.* ■ *2 pl.* fig. fam. Entrailles.

entretener [entretenèr] *tr. 1* Faire perdre son temps. *2* Amuser, distraire (divertir). *3* Retarder, faire traîner en longueur (dar largas). ■ *4 pr.* S'attarder. ▲ CONJUG. comme **tener.**

entretenido, -da [entretenìðo, -ða] *adj.* Amusant, ante, divertissant, ante.

entretenimiento [entretenimjènto] *m. 1* Amusement, distraction *f. 2* Entretien (conservación).

entretiempo [entretjèmpo] *m.* Demi-saison *f.*

entrever [entreβér] *tr.* Entrevoir ▲ CONJUG. comme **ver.**

entreverar [entreβerár] *tr.* Entremêler.

entrevista [entreβìsta] *f. 1* Entrevue, entretien *m. 2* Interview (de periodista).

entristecer [entristeθèr] *tr.* Attrister. ▲ CONJUG. comme **agradecer.**

entuerto [entwèrto] *m.* Tort, dommage.

entumecer [entumeθèr] *tr.* Engourdir. ▲ CONJUG. comme **agradecer.**

enturbiar [enturβjàr] *tr.* Troubler.

entusiasmar [entusjazmàr] *tr.* Enthousiasmer.

entusiasta [entusjásta] *adj.-s.* Enthousiaste.

enumeración [enumeraθjón] *f.* Énumération.

enumerar [enumerár] *tr.* Énumérer.

enunciado [enunθjàðo] *m.* Énoncé.

envasar [embasár] *tr.* Mettre en bouteille (un líquido).

envase [embáse] *m. 1* Mise *f.* en bouteille (de un líquido). *2* Récipient (recipiente), bouteille *f.* (botella), pot (bote), boîte *f.* (caja).

envejecer [embexeθèr] *tr. 1* Vieillir. ■ *2*

intr.-pr. Vieillir. ▲ CONJUG. comme **agradecer.**

envenenamiento [embenenamjènto] *m.* Empoisonnement.

envenenar [embenenár] *tr. 1* Empoisonner. *2* fig. Envenimer.

envergadura [embergaðùra] *f.* Envergure.

enviar [embjár] *tr. 1* Envoyer: *le enviaré mañana un paquete por correo,* je vous enverrai demain un colis par la poste.

enviciar [embiθjàr] *tr. 1* Vicier, corrompre. ■ *2 pr.* S'adonner exagérément à.

envidia [embìðja] *f. 1* Envie: *dar —,* faire envie. *2* Jalousie (celos). *3* Émulation.

envidioso, -sa [embiðjóso, -sa] *adj.-s.* Envieux, euse.

envilecer [embileθèr] *tr.* Avilir. ▲ CONJUG. comme **agradecer.**

envío [embìo] *m.* Envoi.

envite [embìte] *m. 1* Renvoi, pari (en el juego). *2* Offre *f.* (ofrecimiento).

enviudar [embjuðàr] *intr.* Devenir veuf, veuve.

envoltorio [emboltórjo] *m.* Baluchon, paquet.

envolver [embolβér] *tr. 1* Envelopper. *2* Emmailloter (un bebé). ■ *3 pr.* S'envelopper. ▲ CONJUG. comme **mover** sauf le PART. PAS.: *envuelto, ta.*

enyesar [endʒesàr] *tr.* Plâtrer.

enzarzar [enθarθàr] *tr. 1* Couvrir de ronces. *2* fig. Brouiller (sembrar discordia). ■ *3 pr.* S'empêtrer (en asuntos difíciles). *4* Se disputer (reñirse).

eñe [éɲe] *f.* Nom de la lettre ñ.

eólico, -ca [eóliko, -ka] *adj. 1* Éolien, ienne. ■ *2 m.* Éolien (dialecto).

épica [épika] *f.* LIT. Poésie épique.

épico, -ca [épiko, -ka] *adj. 1* LIT. Épique. ■ *2 m.* Auteur épique.

epidemia [epiðèmja] *f.* Épidémie.

epidermis [epiðèrmis] *f.* Épiderme *m.*

epígrafe [epíyrafe] *m.* Épigraphe *f.*

epigrama [epiyráma] *m.* Épigramme *f.*

epilepsia [epilèβsja] *f.* Épilepsie.

epiléptico, -ca [epilèβtiko, -ka] *adj.-s.* Épileptique.

epílogo [epiloγo] *m.* Épilogue.

episcopado [episkopàðo] *m.* Épiscopat.

episcopal [episkopál] *adj.* Épiscopal, ale.

episódico, -ca [episóðiko, -ka] *adj.* Épisodique.

episodio [episóðjo] *m.* Épisode.

epístola [epístola] *f.* Épître.

epistolario [epistolárjo] *m.* Recueil de lettres.

epitafio [epitáfjo] *m.* Épitaphe *f.*

época [época] *f.* Époque *f.*

epopeya [epopèja] *f.* Épopée.

equidad [ekiðáð] *f.* Équité.
equidistar [ekiðistár] *intr.* Être équidistant, ante.
equilátero, -ra [ekilátero, -ra] *adj.* GEOM. Équilatéral, ale.
equilibrio [ekiliβrjo] *m.* Équilibre.
equilibrista [ekiliβrísta] *s.* Équilibriste.
equino, -na [ekino, -na] *adj.* Équin, ine.
equinoccio [ekinóɣθjo] *m.* ASTR. Équinoxe.
equipaje [ekipáxe] *m.* Bagages *pl.: viaja con poco —,* il voyage avec peu de bagages.
equipar [ekipár] *tr.* Équiper.
equipo [ekipo] *m. 1* Équipement (de soldado, de esquiador, etc.). *2* Trousseau (de novia). *3* Équipe *f.* (de obreros, de jugadores, etc.).
equis [ékis] *f.* X *m.,* lettre x.
equitación [ekitaθjón] *f.* Équitation.
equivalente [ekiβalénte] *adj.* Équivalent, ente.
equivaler [ekiβalér] *intr.* Équivaloir. ▲ CONJUG. comme **valer**.
equivocado, -da [ekiβokáðo, -ða] *adj.* Erroné, ée (erróneo), mal choisi, ie (desacertado).
equivocar [ekiβokár] *tr. 1* Confondre (tomar una cosa por otra). *2* Se tromper de. ■ *3 pr.* Se tromper.
era [éra] *f. 1* Ère: — *cristiana,* ère chrétienne. *2* Aire (para la trilla). *3* AGR. Carré *m.*
ere [ére] *f.* R *m.,* lettre r.
erguir [eryir] *tr. 1* Lever, dresser: — *la cabeza,* lever la tête. ■ *2 pr.* fig. S'enorgueillir, se rengorger. ▲ CONJUG. IRRÉG. INDIC. Prés.: *irgo* ou *yergo, irgues* ou *yergues, irgue* ou *yergue, erguimos, erguís, irguen* ou *yerguen.* Imparf.: *erguía, erguías,* etc. Pas. simple: *erguí, erguiste, irguió, erguimos, erguisteis, irguieron.* Fut.: *erguiré, erguirás,* etc. COND.: *erguiría, erguirías,* etc. SUBJ. Prés.: *irga* ou *yerga, irgas* ou *yergas, irga* ou *yerga, irgamos* ou *yergamos, irgáis* ou *yergáis, irgan* ou *yergan.* Imparf.: *irguiera, irguieras,* etc., ou *irguiese, irguieses,* etc. IMPÉR.: *irgue* ou *yergue, irga* ou *yerga, irgamos* ou *yergamos, erguid, irgan* ou *yergan.* PART. PAS.: *erguido, da.* GÉR.: *irguiendo.*
erigir [erixír] *tr. 1* Ériger. ■ *2 pr.* S'ériger.
erizar [eriθár] *tr.* Hérisser.
ermitaño, -ña [ermitáɲo, -ɲa] *s. 1* Personne qui a la garde d'un ermitage. ■ *2 m.* Ermite.
erosión [erosjòn] *f.* Érosion.
erótico, -ca [erótiko, -ka] *adj.* Érotique.

erradicar [eraðikár] *tr.* Déraciner.
errante [eɾánte] *adj.* Errant, ante.
errar [eɾár] *tr. 1* Manquer, rater (el tiro, su vocación, etc.). ■ *2 intr.* Errer. ■ *3 intr.-pr.* Se tromper, faire erreur (equivocarse). ▲ CONJUG. comme **acertar** en chargeant dans les formes irrégulières le *i* en *y: yerro, yerras,* etc.
erre [éře] *f.* Rr *m.,* nom dur double. Loc. — *que —,* sans en démordre, obstinément.
error [eřór] *m.* Erreur *f.*
eructar [eruɣtár] *intr.* Éructer.
erudición [eruðiθjón] *f.* Érudition.
erudito, -ta [eruðito, -ta] *adj.-s.* Érudit, ite.
erupción [eruβθjón] *f.* Éruption.
esbelto, -ta [esβélto, -ta] *adj.* Svelte.
esbozar [esβoθár] *tr.* Ébaucher, esquisser.
esbozo [esβóθo] *m.* Ébauche *f.,* esquisse *f.*
escabechar [eskaβetʃár] *tr. 1* Mariner, conserver dans une marinade. *2* fig. Tuer (matar).
escabeche [eskaβétʃe] *m.* Marinade *f.*
escabel [eskaβél] *m.* Tabouret, escabeau.
escabroso, -sa [eskaβróso, -sa] *adj. 1* Scabreux, euse, accidenté, ée, raboteux, euse (terreno). *2* fig. Rude, difficile (carácter).
escabullirse [eskaβuʎírse] *pr.* Glisser, échapper des mains. ▲ CONJUG. comme **mullir**.
escafandra [eskafándra] *f.,* **escafandro** [eskafándro] *m.* Scaphandre *m.*
escala [eskála] *f. 1* Échelle. *2* MAR. Escale. MÚS. Gamme.
escalafón [eskalafón] *m.* Tableau d'avancement.
escalar [eskalár] *tr.* Escalader.
escaldar [eskaldár] *tr. 1* Échauder (con agua hirviendo). *2* Chauffer au rouge. ■ *3 pr.* S'échauffer (la piel).
escalera [eskaléra] *f. 1* Escalier *m.: — de caracol,* escalier en colimaçon. *2* Échelle: — *de mano,* échelle.
escalinata [eskalinàta] *f.* Perron *m.*
escalofrío [eskalofrio] *m.* Frisson.
escalón [eskalón] *m. 1* Échelon (de escala). *2* Marche *f.,* degré (de escalera).
escalonar [eskalonàr] *tr. 1* Échelonner, étaler (graduar). *2* Étager (a distintos niveles).
escama [eskáma] *f.* Écaille (de los peces, reptiles, etc.).
escamar [eskamár] *tr. 1* Écailler (quitar las escamas). *2* fig. Rendre méfiant, ante, paraître suspect, ecte. ■ *3 pr.* Devenir méfiant, ante.
escamoso, -sa [eskamóso, -sa] *adj. 1* Écailleux, euse. *2* Squameux, euse.
escamotear [eskamoteár] *tr.* Escamoter.

escampar [eskampár] *intr.* Cesser de pleuvoir.

escandalizar [eskandaliθár] *tr.* 1 Scandaliser. ■ 2 *pr.* Se scandaliser, être scandalisé, ée.

escándalo [eskándalo] *m.* 1 Scandale: *armar un —*, faire du scandale. 2 Tapage (ruido), esclandre (alboroto).

escandinavo, -va [eskandináβo, -βa] *adj.-s.* Scandinave.

escaño [eskáɲo] *m.* 1 Banc à dossier. 2 Siège de député.

escapada [eskapáða] *f.* Escapade.

escapar [eskapár] *intr.-pr.* Échapper, s'échapper, se sauver: *— de un peligro*, échapper à un danger.

escaparate [eskaparáte] *m.* 1 Vitrine *f.* 2 Devanture *f.*, vitrine *f.*, étalage (de tienda).

escapatoria [eskapatórja] *f.* Fuite, évasion, escapade.

escape [eskápe] *m.* 1 Échappement (de un motor, reloj). 2 Fuite *f.* (de un gas, un líquido). 3 *loc. adv.* A —, en vitesse, dare-dare.

escarabajo [eskaraβáxo] *m.* 1 Scarabée, bousier (coleóptero). ■ 2 *pl.* fig. Gribouillages, gribouillis.

escaramuza [eskaramúθa] *f.* Escarmouche.

escarapela [eskarapéla] *f.* 1 Cocarde. 2 Dispute, crêpage *m.* de chignon (riña).

escarbar [eskarβár] *tr.* 1 Gratter, fouiller (la tierra). 2 Tisonner (la lumbre).

escarcha [eskártʃa] *f.* Gelée blanche, givre *m.*

escarchar [eskartʃár] *tr.* 1 Faire candir (frutas). ■ 2 *intr.* Geler blanc.

escarda [eskárða] *f.* Sarclage *m.*, échardonnage *m.* (acción).

escardar [eskarðár] *tr.* Sarcler, échardonner.

escariar [eskarjár] *tr.* METAL. Aléser.

escarlata [eskarláta] *adj.-f.* Écarlate.

escarlatina [eskarlatina] *f.* MED. Scarlatine.

escarmentar [eskarmentár] *tr.* 1 Corriger avec rigueur. ■ 2 *intr.-pr.* Apprendre à ses dépens, profiter de la leçon. ▲ CONJUG. comme *acertar.*

escarmiento [eskarmjènto] *m.* 1 Châtiment exemplaire. 2 Leçon *f.*, expérience *f.* salutaire.

escarnio [eskàrnjo] *m.* Moquerie *f.*, dérision *f.*

escarola [eskaróla] *f.* Scarole.

escarpado, -da [eskarpáðo, -ða] *adj.* Escarpé, ée.

escarpín [eskarpin] *m.* Escarpin.

escasez [eskaséθ] *f.* 1 Mesquinerie, avarice (mezquindad). 2 Rareté, manque *m.*, disette, pénurie. 3 Gêne, pauvreté (apuros).

escaso, -sa [eskáso, -sa] *adj.* 1 Court, courte, limité, ée, insuffisant, ante. 2 A peine, juste: *dos kilos escasos*, à peine deux kilos. 3 Rare (poco frecuente, poco abundante). 4 Chiche, mesquin, ine (tacaño).

escatimar [eskatimár] *tr.* 1 Lésiner sur. 2 Marchander.

escayola [eskajóla] *f.* 1 Plâtre *m.* (yeso). 2 Stuc *m.*

escena [esθéna] *f.* Scène.

escenario [esθenárjo] *m.* TEAT. Scène *f.*

escenografía [esθenoɣrafia] *f.* Scénographie.

escepticismo [esθeβtiθizmo] *m.* Scepticisme.

escéptico, -ca [esθéβtiko, -ka] *adj.-s.* Sceptique.

escisión [esθisjòn] *f.* Scission.

esclarecer [esklareθér] *tr.* 1 Éclaircir (poner clara una cosa). 2 Éclairer, illuminer. 3 fig. Ennoblir, illustrer. ▲ CONJUG. comme *agradecer.*

esclarecido, -da [esklareθiðo, -ða] *adj.* Noble, illustre.

esclavitud [esklaβitùð] *f.* Esclavage *m.*

esclavo, -va [esklàβo, -βa] *adj.-s.* 1 Esclave. ■ 2 *f.* Bracelet *m.* sans ornements.

escoba [eskóβa] *f.* 1 Balai *m.* 2 Genêt *m.* à balais (planta).

escobazo [eskoβáθo] *m.* Coup de balai.

escobilla [eskoβiʎa] *f.* 1 Brosse (cepillo). 2 Balayette. 3 Balai *m.* (de una dinamo).

escobillón [eskoβiʎón] *m.* ARTILL. Écouvillon.

escocedura [eskoθeðúra] *f.* 1 Cuisson (dolor). 2 Rougeur (de la piel).

escocer [eskoθér] *intr.* Cuire, brûler. ■ 2 *pr.* S'échauffer (la piel). ▲ CONJUG. comme *mover.*

escocés, -esa [eskoθés, -ésa] *adj.-s.* Écossais, aise.

escofina [eskofina] *f.* Râpe (lima).

escoger [eskoxér] *tr.* 1 Choisir (elegir). 2 Trier (seleccionar). 3 A —, au choix.

escolar [eskolár] *adj.* Scolaire.

escolástico, -ca [eskolástiko, -ka] *adj.-s.* 1 Scolastique. ■ 2 *f.* Scolastique.

escolta [eskólta] *f.* Escorte.

escoltar [eskoltár] *tr.* Escorter.

escollera [eskoʎèra] *f.* Jetée, brise-lames *m. invar.*

escollo [eskóʎo] *m.* Écueil.

escombros [eskómbros] *m. pl.* Décombres, déblais.

esconder [eskondèr] *tr.* Cacher.

escondidas (a) [aeskondiðas] *loc. adv.* En cachette.

escondite [eskondite] *m. 1* Cache *f.*, cachette *f.* 2 Cache-cache (juego).

escopeta [eskopèta] *f. 1* Fusil *m.* de chasse: *— de dos cañones,* fusil à deux coups. *2* Escopette (arma antigua).

escoria [eskórja] *f. 1* Scorie. *2* fig. Lie, rebut *m.*

escorpión [eskorpjòn] *m.* Scorpion.

escotar [eskotàr] *tr. 1* Échancrer. *2* Décolleter (cuello). *3* Payer son écot.

escote [eskóte] *m. 1* Décolleté (de un vestido de mujer, parte del busto al descubierto). *2* Écot (parte de un gasto).

escozor [eskoθòr] *m. 1* Cuisson *f.*, brûlure *f.* 2 fig. Peine *f.*, regret.

escriba [eskriβa] *m.* Scribe.

escribanía [eskriβania] *f. 1* DER. Greffe *m.* 2 Écritoire.

escribano [eskriβàno] *m. 1* ant. Notaire. *2* DER. Secrétaire, greffier.

escribir [eskriβir] *tr.* Écrire. ▲ CONJUG. PART. PAS.: *escrito, ta.*

escrito [eskrito] *m.* Écrit.

escritor, -ra [eskritòr, -ra] *s.* Écrivain. ▲ No tiene femenino.

escritura [eskritùra] *f. 1* Écriture (acción, arte). *2* DER. Acte *m.*: *— pública,* acte notarié; *— privada,* acte sous seing privé.

escrúpulo [eskrúpulo] *m. 1* Scrupule. *2* fig. Répugnance *f.*

escrutar [eskrutàr] *tr. 1* Scruter. *2* Dépouiller le scrutin (en una elección).

escrutinio [eskrutinjo] *m. 1* Examen. *2* Dépouillement du scrutin.

escuadra [eskwàðra] *f. 1* Équerre. Loc. *A —,* en équerre. *2* MIL. Escouade. *3* Équipe (de obreros, etc.). *4* MAR. Escadre.

escuadrar [eskwaðràr] *tr.* Équarrir, rendre carré, ée.

escuadrón [eskwaðròn] *m.* Escadron.

escucha [eskútʃa] *f.* Écoute (acción de escuchar).

escuchar [eskutʃàr] *tr.* Écouter.

escudar [eskuðàr] *tr. 1* Couvrir d'un bouclier. *2* fig. Défendre, protéger.

escudero [eskuðèro] *m. 1* Écuyer (paje). *2* Écuyer (hidalgo).

escudo [eskúðo] *m. 1* Bouclier. *2* Écu (arma, moneda). *3* fig. Défense *f.*, protection *f.*

escudriñar [eskuðriɲàr] *tr.* Fureter, fouiller du regard, scruter.

escuela [eskwèla] *f.* École.

escueto, -ta [eskwèto, -ta] *adj. 1* Libre, dégagé, ée. *2* Dépouillé, ée, sobre.

esculpir [eskulpir] *tr. 1* Sculpter. *2* Graver.

escultor, -ra [eskultòr, -ra] *s.* Sculpteur.

escultura [eskultùra] *f.* Sculpture.

escupidera [eskupiðèra] *f.* Crachoir *m.*

escupir [eskupir] *intr.-tr.* Cracher.

escurreplatos [eskuřeplàtos] *m.* Égouttoir à vaisselle.

escurridizo, -za [eskuřiðiθo, -θa] *adj.* Glissant, ante.

escurrir [eskuřir] *tr. 1* Épuiser les dernières gouttes de. ■ *2 intr.-pr.* Dégoutter, s'égoutter. *3* Glisser (deslizar).

esdrújulo, -la [esðrúxulo, -la] *adj.* Qui a l'accent tonique sur l'antépénultième syllabe.

ese [èse] *f. 1* S *m.*, lettre s. Loc. fig. *Andar haciendo eses,* marcher en zigzagant, zigzaguer. *2* MÚS. Ouïe (de un violín).

ese [èse], **esa** [èsa], **esos** [èsos], **esas** [èsas] *adj. 1* Ce, cet, cette, ces. Cet delante de una vocal o h muda: *ese avión,* cet avion. *2* Ce, cet, cette, ces... là: *ese libro,* ce livre-là. ■ *3 pron. dem.* Celui-là, celle-là, ceux-là, celles-là. «Ésa», désigne la ville où se trouve le destinataire d'une lettre. *4* Loc. *Ni por esas,* en aucune manière. ▲ Ese, esa, etc., indiquent toujours la personne ou la chose qui est près de celui à qui l'on parle.

esencia [esènθja] *f. 1* Essence. *2 Quinta —,* quintessence. *3 En, por —,* par essence.

esencial [esenθjál] *adj.* Essentiel, elle.

esfera [esfèra] *f. 1* Sphère. *2* Cadran *m.* (de un reloj).

esfinge [esfiɲxe] *f.* Sphinx *m.*

esforzar [esforθàr] *tr. 1* Fortifier, encourager. ■ *2 pr.* S'efforcer: *esforzarse en, por,* s'efforcer de. ▲ CONJUG. comme *contar.*

esfuerzo [esfwèrθo] *m. 1* Effort. *2* Courage (valor).

esgrima [esyrima] *f.* Escrime.

esgrimir [esyrimir] *tr.* Manier (un arma).

esguince [esyinθe] *m.* Écart, esquive *f.* (ademán).

esmaltar [esmaltàr] *tr. 1* Émailler. *2* Orner, embellir.

esmalte [esmálte] *m. 1* Émail. *2* Smalt (color). *3* Vernis (para las uñas).

esmerado, -da [esmeràðo, -ða] *adj. 1* Soigné, ée (trabajo). *2* Soigneux, euse (que se esmera).

esmeralda [esmeràlda] *f.* Émeraude.

esmeril [esmeril] *m.* Émeri.

esmero [esmèro] *m.* Soin.

eso [èso] *pron.* Cela, ça, c' (delante de vo-

cal): — **es,** — **mismo,** c'est cela, c'est
ça.

esófago [esófaɣo] *m.* ANAT. Œsophage.

espacio [espáθjo] *m.* 1 Espace. 2 Place *f.*:
ocupar —, prendre de la place.

espacioso, -sa [espaθjóso, -sa] *adj.* 1 Spacieux, euse. 2 Lent, lente, flegmatique.

espada [espáða] *f.* 1 Épée. ■ 2 *m.* TAUROM. Matador. ■ 3 *f. pl.* Une des couleurs des cartes espagnoles.

espadachín [espaðatʃín] *m.* 1 Fine lame *f.*
(persona). 2 Spadassin (pendenciero).

espadaña [espaðáɲa] *f.* 1 Plante semblable à la massette. 2 Clocher-arcades.

espadilla [espaðíʎa] *f.* Petite épée.

espalda [espálda] *f.* 1 Dos *m.* (del cuerpo
humano, de un vestido). ■ 2 *pl.* Dos *m.
sing.* Loc. *Cargado de espaldas,* voûté;
dar de espaldas, tomber sur le dos; *tirar
de espaldas,* renverser. 3 Derrière *m.
sing.,* partie *sing.* postérieure (de una
cosa).

espaldar [espaldár] *m.* 1 Dos (espalda),
dossière *f.* (de coraza). 2 Dossier (de
una silla). 3 Espalier (para plantas).

espaldón [espaldón] *m.* Épaulement.

espantable [espantáβle] *adj.* Effrayant,
ante.

espantadizo, -za [espantaðíθo, -θa] *adj.*
Ombrageux, euse.

espantajo [espantáxo] *m.* Épouvantail.

espantapájaros [espantapáxaros] *m. invar.* Epouvantail.

espantar [espantár] *tr.* 1 Effrayer, épouvanter. 2 Chasser, éloigner.

espanto [espánto] *m.* Frayeur *f.,* épouvante *f.*

espantoso, -sa [espantóso, -sa] *adj.* Effrayant, ante, épouvantable.

español, -la [espaɲól, -la] *adj.-s.* Espagnol, ole.

esparadrapo [esparaðrápo] *m.* Sparadrap.

esparceta [esparθéta] *f.* Esparcette.

esparcimiento [esparθimjénto] *m.* 1 Éparpillement. 2 Divulgation *f.*

esparcir [esparθír] *tr.* 1 Répandre, éparpiller. 2 fig. Divulguer, répandre (una
noticia). 3 Distraire (el ánimo).

espárrago [espárraɣo] *m.* Asperge *f.* Loc.
fam. *¡Vete a freír espárragos!,* va te
faire fiche!, va te faire cuire un œuf!

espartano, -na [espartáno, -na] *adj.-s.*
Spartiate.

espartería [espartería] *f.* Sparterie.

esparto [espárto] *m.* Sparte, alfa.

espasmo [espázmo] *m.* Spasme.

espátula [espátula] *f.* Spatule.

especia [espéθja] *f.* Épice.

especial [espeθjál] *adj.* Spécial, ale.

especialidad [espeθjaliðáð] *f.* Spécialité.

especialista [espeθjalista] *adj.-s.* Spécialiste.

especie [espéθje] *f.* 1 Espèce. 2 Sorte, espèce (clase): *una* — *de,* une spèce de. 3
Bruit *m.,* nouvelle (noticia).

especificar [espeθifikár] *tr.* Spécifier.

específico, -ca [espeθífiko, -ka] *adj.-s.*
Spécifique.

espécimen [espéθimen] *m.* Spécimen.

espectáculo [espeɣtákulo] *m.* Spectacle.
Loc. *Dar un* —, se donner en spectacle.

espectador, -ra [espeɣtaðòr, -ra] *s.* Spectateur, trice.

espectro [espéɣtro] *m.* Spectre.

especulación [espekulaθjón] *f.* Spéculation.

especulador, -ra [espekulaðòr, -ra] *adj.-s.*
Spéculateur, trice.

especular [espekulár] *tr.-intr.* Spéculer.

espejismo [espexizmo] *m.* Mirage.

espejo [espéxo] *m.* 1 Miroir, glace *f.*: — *de
cuerpo entero,* grande glace; — *ustorio,*
miroir ardent. 2 fig. Modèle, exemple
(modelo), miroir (imagen).

espejuelo [espexwélo] *m.* Petit miroir.

espeleología [espeleoloxía] *f.* Spéléologie.

espeluznante [espeluθnánte] *adj.* A faire
dresser les cheveux sur la tête, épouvantable.

espera [espéra] *f.* 1 Attente: *sala de* —,
salle d'attente. 2 Calme *m.,* patience:
tener —, avoir du calme.

esperanto [esperánto] *m.* Espéranto.

esperanza [esperánθa] *f.* 1 Espérance
(confianza, virtud). 2 Espoir *m.*

esperar [esperár] *tr.* 1 Attendre (aguardar): *te esperamos a cenar,* nous t'attendons pour dîner. ■ 2 *tr.-intr.* Espérer:
espero que no lloverá mañana, j'espère
qu'il ne pleuvra pas demain.

esperma [espérma] *f.* 1 Sperme *m.* 2 — *de
ballena,* blanc *m.* de baleine.

esperpento [esperpénto] *m.* Personne,
chosse affreuse ou ridicule, horreur *f.*

espesar [espesár] *tr.* Épaissir (un líquido).

espeso, -sa [espéso, -sa] *adj.* Épais, aisse.

espetar [espetár] *tr.* 1 Embrocher. 2 fig.
Débiter, placer (un discurso, etc.).

espía [espía] *s.* Espion, onne.

espiar [espjár] *tr.* 1 Épier (acechar). 2 Espionner (dicho de un espía).

espiga [espíɣa] *f.* 1 BOT. Épi *m.* 2 Soie (de la
espada, de un cuchillo, etc.). 3 Cheville
(clavo de madera).

espigado, -da [espiɣáðo, -ða] *adj.* 1 Glané,
ée. 2 Monté, ée en graine (plantas). 3
fig. Grand, ande, élancé, ée (persona).

espigar [espiɣár] *tr.* *1* Glaner. ■ *2 pr.* Monter en graine.

espigón [espiɣòn] *m.* Jetée *f.*, épi (en un puerto, un río).

espina [espína] *f. 1* Épine: — *dorsal*, épine dorsale. 2 Arête (de pez). 3 Écharde (astilla). 4 fig. Épine (dificultad).

espinaca [espináka] *f.* Épinard *m.*

espinal [espinál] *adj. 1* Spinal, ale. 2 *Médula* —, mœlle épinière.

espinazo [espináθo] *m.* Échine *f.*, épine *f.* dorsale.

espineta [espinèta] *f.* MÚS. Épinette.

espinilla [espiníʎa] *f. 1* Petite épine. 2 Arête du tibia. 3 Point *m.* noir (en la piel).

espino [espíno] *m. 1* Épine *f.*, aubépine *f.* 2 — *albar, blanco*, aubépine. 3 — *artificial*, fil de fer barbelé.

espinoso, -sa [espinóso, -sa] *adj.* Épineux, euse.

espionaje [espjonáxe] *m.* Espionnage.

espiración [espiraθjón] *f.* Expiration (del aire).

espiral [espirál] *adj.-f.* Spiral, ale.

espiritismo [espiritizmo] *m.* Spiritisme.

espiritista [espiritísta] *adj.-s.* Spirite.

espíritu [espíritu] *m. 1* Esprit. Loc. *Exhalar el* —, rendre l'esprit, l'âme, mourir. 2 Énergie *f.*, courage. Loc. *Pobre de* —, timide, pusillanime.

espiritual [espiritwál] *adj.* Spirituel, elle.

espiritualidad [espiritwaliðáð] *f.* Spiritualité.

espirituoso, -sa [espiritwóso, -sa] *adj.* Spiritueux, euse (bebida).

espléndido, -da [esplénðiðo, -ða] *adj. 1* Splendide. 2 Large, généreux, euse.

esplendor [esplendòr] *m.* Splendeur *f.*

espolear [espoleár] *tr.* Éperonner.

espoleta [espoléta] *f. 1* Fusée (de proyectil). 2 Fourchette (de las aves).

espolón [espolón] *m. 1* Éperon (de un barco, de un puente). 2 Ergot, éperon (de gallo). 3 Digue *f.*, jetée *f.* (malecón).

espolvorear [espolβoreár] *tr.* Poudrer, saupoudrer.

esponja [espónxa] *f. 1* Éponge. 2 — *de platino*, mousse de platine.

esponjoso, -sa [esponxóso, -sa] *adj.* Spongieux, euse.

esponsales [esponsáles] *m. pl.* Fiançailles *f.*

espontáneo, -ea [espontáneo, -ea] *adj.* Spontané, ée.

esporádico, -ca [esporáðiko, -ka] *adj.* Sporadique.

esposar [esposár] *tr.* Emmenotter.

esposas [espósas] *f. pl.* Menottes (de los presos).

esposo, -sa [espóso, -sa] *s.* Époux, épouse.

espuela [espwéla] *f. 1* Éperon *m.* (de jinete). 2 fig. Aiguillon *m.*

espulgar [espulɣár] *tr.* Épucer, épouiller.

espuma [espùma] *f. 1* Écume (del agua), mousse (del jabón, de la cerveza, etc.). 2 — *de mar*, écume de mer.

espumadera [espumaðèra] *f.* Écumoire.

espumar [espumár] *tr. 1* Écumer (quitar la espuma). ■ *2 intr.* Écumer, mousser.

espumoso, -sa [espumóso, -sa] *adj. 1* Écumeux, euse. 2 Mousseux, euse (vino, etc.).

espurrear [espurreár], **espurriar** [espurriár] *tr.* Arroser avec la bouche.

esputo [espúto] *m.* Crachat.

esqueje [eskèxe] *m.* AGR. Bouture *f.*

esquela [eskéla] *f. 1* Billet (carta breve). 2 Lettre de faire-part.

esqueleto [eskelèto] *m.* Squelette.

esquema [eskèma] *m. 1* Schéma. 2 FIL. Schème.

esquemático, -ca [eskemátiko, -ka] *adj.* Schématique.

esquí [eski] *m. 1* Ski. 2 — *acuático*, ski nautique.

esquiador, -ra [eskjaðòr, -ra] *s.* Skieur, euse.

esquilador, -ra [eskilaðòr, -ra] *adj.-s.* Tondeur, euse.

esquilar [eskilár] *tr.* Tondre (los animales).

esquilmar [eskilmár] *tr.* Récolter.

esquimal [eskimál] *adj.-s.* Esquimau, aude.

esquina [eskina] *f.* Coin *m.*, angle *m.* (de una calle): *doblar la* —, tourner au coin.

esquirla [eskirla] *f.* Esquille.

esquivar [eskiβár] *tr. 1* Esquiver. ■ *2 pr.* S'esquiver.

esquivo, -va [eskiβo, -βa] *adj.* Farouche, dédaigneux, euse.

estabilidad [estaβiliðáð] *f.* Stabilité.

estabilizar [estaβiliðár] *tr.* Stabiliser.

establecer [estaβleθér] *tr.* Établir. ▲ CONJUG. comme *agradecer*.

establecimiento [estaβleθimjènto] *m.* Établissement.

establo [estáβlo] *m.* Étable *f.*

estaca [estáka] *f. 1* Pieu *m.* (palo). 2 Bouture (de árbol). 3 Bâton *m.*, trique (garrote). 4 Long clou *m.*, cheville.

estacada [estakáða] *f.* Palissade.

estación [estaθjón] *f. 1* Saison (del año,

época). *2* Gare (de ferrocarril), stàtion (de metro). *3* Station (meteorológica, geodésica, etc.) *4 — emisora,* station émettrice, poste émetteur.

estacionamiento [estaθjonamjènto] *m.* Stationnement.

estacionar [estaθjonàr] *tr. 1* Garer (un coche). ■ *2 pr.* Stationner (coche, persona).

estadio [estàðjo] *m.* Stade.

estadista [estaðista] *m.* Homme d'état.

estadístico, -ca [estaðìstiko, -ka] *adj.-f. 1* Statistique. ■ *2 m.* Statisticien.

estado [estàðo] *m. 1* État. Loc. — *llano,* tiers état; *tomar —,* se marier (casarse), se faire prêtre, entrer en religion (profesar). *2* ant. Mesùre *f.* de longueur.

estafa [estàfa] *f.* Escroquerie.

estafeta [estaféta] *f. 1* Estafette. *2* Bureau *m.* de poste secondaire.

estallar [estaʎàr] *intr. 1* Éclater (una bomba, un incendio, un motín, la ira, etc.). *2* Exploser (una bomba, la ira).

estampa [estàmpa] *f. 1* Estampe (imagen impresa). *2* Image (pequeña). *3* Figure, apparence (de una persona, de un animal). *4* Imprimerie, impression: *dar una obra a la* —, faire imprimer un ouvrage. *5* Empreinte, marque (huella).

estampar [estampàr] *tr.* Estamper.

estampido [estampìðo] *m.* Détonation *f.*

estancar [estaŋkàr] *tr. 1* Arrêter, étancher (un líquido). *2* Mettre en régie, monopoliser. ■ *3 pr.* Stagner.

estancia [estànθja] *f. 1* Séjour *m.* (en un lugar). *2* Pièce, chambre (habitación). *3* Stance, strophe.

estanco, -ca [estàŋko, -ka] *adj. 1* Étanche. ■ *2 m.* Régie *f.,* monopole de l'État. *3* Bureau de tabac (tienda).

estandarte [estandàrte] *m. 1* Étendard. *2* Bannière *f.* (de cofradía).

estanque [estàŋke] *m.* Étang.

estanquero, -ra [estaŋkéro, -ra] *s.* Buraliste (que vende tabaco, etc.).

estante [estànte] *m.* Étagère *f.*

estar [estàr] *intr. 1* Être, se trouver (en un lugar, situación, estado, estado de ánimo, período de tiempo): — *de más, de sobra,* être de trop: *¿cómo está usted?,* comment allez-vous?, *¿a cuántos estamos del mes?,* quel jour du mois sommes-nous? *2* Vivre (vivir con alguien). *3* Seoir, aller (bien, mal): *este sombrero le está bien,* ce chapeau lui va bien. *4* — *para,* être sur le point de (a punto de), être disposé, ée à, d'humeur à (dispuesto a). *5 — por* (con un infinitivo), être à. *6 — por,* (con un nombre), être

pour, en faveur de, du côté de. *7* (con un gerundio), être en train de: *estábamos comiendo,* nous étions en train de manger. ■ *8 pr.* Rester, demeurer, se tenir: *estarse quieto,* rester tranquille, se tenir coi. ▲ CONJUG. IRRÉG. INDIC. Prés.: *estoy, estás, está, estamos, estáis, están.* Imparf.: *estaba, estabas,* etc. Pas. simple: *estuve, estuviste, estuvo, estuvimos, estuvisteis, estuvieron.* Fut.: *estará, estarás,* etc. COND.: *estaría, estarías,* etc. SUBJ. Prés.: *esté, estés, esté, estemos, estéis, estén.* Imparf.: *estuviera, estuvieras,* etc., ou *estuviese estuvieses,* etc. Fut.: *estuviere, estuvieres,* etc. IMPÉR.: *está, esté, estemos, estad, estén.* PART. PAS.: *estado.* GÉR.: *estando.*

estatua [estàtwa] *f.* Statue.

estatura [estatùra] *f. 1* Stature. *2* Taille: *por orden de* —, par rang de taille.

estatuto [estatùto] *m.* Statut.

este [èste] *m. 1* Est, orient. *2* Vent d'est.

este [èste], **esta** [èsta], **estos** [èstos], **estas** [èstas] *adj. 1* Ce, cet, cette, ces. Cet devant de vocal o h muda: — *hombre,* cet homme. *2* Ce, cet, cette, ces...-ci: — *libro,* ce livre-ci. Placé après le nom prend un sens péjoratif. ■ *3 pron. dem.* Celui-ci, celle-ci, ceux-ci, celles-ci.

estela [estéla] *f. 1* MAR. Sillage *m.* *2* Stèle (monumento).

estenografía [estenoγrafia] *f.* Sténographie.

estepa [estépa] *f.* Steppe.

estepario, -ia [estepàrjo, -ja] *adj.* Des steppes.

estera [estèra] *f.* Natte.

estercolero [esterkoléro] *m.* Fumier.

estéreo [estéreo] *m.* Stère.

estereotipar [estereotipàr] *tr.* IMPR. Stéréotyper.

estéril [estéril] *adj.* Stérile.

esterilidad [esteriliðàð] *f.* Stérilité.

esterilla [esteriʎa] *f.* Petite natte de sparte.

esterlina [esterlina] *adj.-f.* Sterling.

esternón [esternòn] *m.* ANAT. Sternum.

estero [estéro] *m. 1* Nattage. *2* Époque *f.* du nattage. *3* Estuaire (de un río).

estético, -ca [estètiko, -ka] *adj. 1* Esthétique. ■ *2 s.* Esthéticien, ienne.

estibar [estiβàr] *tr. 1* Comprimer, tasser (apretar). *2* MAR. Arrimer.

estiércol [estjérkol] *m.* Fumier.

estigma [estiγma] *m.* Stigmate.

estilar [estilàr] *tr. 1* Dresser (un documento) selon les règles. ■ *2 pr.* Être à la mode, employer: *ya no se estilan los miriñaques,* les crinolines ne se portent plus.

estilizar [estiliθàr] *tr.* Styliser.

estilo [estílo] *m. 1* Style. *2* Manière *f.*, façon *f.* (modo). *3* Loc. **Al — de**, à la mode de; *por el* **—**, semblable, du même genre.

estilográfico, -ca [estilográfiko, -ka] *adj. 1* Stylographique. ■ *2 f.* Stylographe *m.*, stylo *m.*

estimar [estimár] *tr. 1* Estimer. *2* **— en poco**, faire peu de cas de.

estímulo [estímulo] *m. 1* Stimulant (incentivo). *2* FISIOL. Stimulus.

estío [estío] *m.* Été.

estipular [estipulár] *tr.* Stipuler.

estirado, -da [estiráðo, -ða] *adj. 1* fig. Guindé, ée, compassé, ée. *2* Fier, fière, orgueilleux, euse.

estirar [estirár] *tr. 1* Étirer, allonger. *2* Repasser légèrement (planchar). ■ *3 pr.* S'étirer.

estirpe [estírpe] *f.* Souche, lignée.

estival [estißál] *adj.* Estival, ale.

esto [ésto] *pron. dem. 1* Ceci, cela, ça, c' (delante de vocal). *2 loc. adv.* **En —**, sur ces entrefaites, à ce moment-là, sur ce.

estocada [estokáða] *f. 1* Estocade. *2* ESGR. Botte.

estofado [estofáðo] *m.* Viande *f.* à l'étouffée.

estofar [estofár] *tr. 1* Broder en relief. *2* COC. Faire cuire à l'étouffée.

estoico, -ca [estóiko, -ka] *adj. 1* Stoïque. ■ *2 adj.-s.* FIL. Stoïcien, ienne.

estomacal [estomakál] *adj.* Stomacal, ale (del estómago).

estómago [estómayo] *m.* Estomac: *tener dolor de* **—**, avoir mal à l'estomac.

estopa [estópa] *f.* Étoupe.

toque [estóke] *m. 1* Estoc (espada). *2* Canne-épée *f. 3* Glaïeul (planta).

estoquear [estokeár] *tr.* TAUROM. Tuer, estoquer.

estorbar [estorßár] *tr.* Empêcher, gêner, entraver.

estorbo [estórßo] *m. 1* Empêchement, gêne *f. 2* Obstacle.

estornudar [estornuðár] *intr.* Éternuer.

estornudo [estornúðo] *m.* Éternuement.

estrabismo [estraßízmo] *m.* Strabisme.

estrado [estráðo] *m. 1* Estrade *f.* (tarima). *2* ant. Salon. ■ *3 pl.* Salle *f. sing.* de tribunal.

estrafalario, -ia [estrafalárjo, -ja] *adj.-s.* Bizarre, extravagant, ante, farfelu, ue.

estrago [estráyo] *m.* Ravage.

estragón [estrayòn] *m.* Estragon.

estrangulación [estrangulaθjón] *f.* Étranglement *m.*, strangulation.

estrangular [estrangulár] *tr.* Étrangler.

estratega [estratéya] *m.* Stratège.

estrategia [estratéxia] *f.* Stratégie.

estratégico, -ca [estratéxiko, -ka] *adj.* Stratégique.

estratificar [estratifikár] *tr.* Stratifier.

estrato [estráto] *m. 1* Strate *f. 2* Stratus (nube).

estratosfera [estratosféra] *f.* Stratosphère.

estraza [estráθa] *f. 1* Chiffon *m.* de toile grossière. *2* **Papel de —**, papier gris.

estrechamiento [estretʃamjénto] *m.* Rétrécissement.

estrechar [estretʃár] *tr. 1* Rétrécir, étrécir. *2* Étreindre (entre los brazos, etc.). *3* fig. Resserrer (una amistad, un lazo). *4* Presser, harceler (el enemigo). *5* Astreindre, contraindre. ■ *6 pr.* Se serrer, se presser (apretarse).

estrecho, -cha [estrétʃo, -tʃa] *adj. 1* Étroit, oite. *2* Avare. ■ *3 m.* GEOG. Détroit.

estrechura [estretʃúra] *f. 1* Passage *m.* étroit. *2* fig. Gêne, pénurie.

estrella [estréʎa] *f.* Étoile. Loc. **— fugaz**, étoile filante; **nacer con —**, naître sous une bonne étoile.

estrellar [estreʎár] *tr. 1* Briser, écraser (contra un objeto, un obstáculo). *2* Étoiler. *3* COC. Faire sur le plat (huevos).

estremecer [estremeθér] *tr. 1* Faire trembler, ébranler. ■ *2 pr.* Trembler, frémir, tressaillir. ▲ CONJUG. comme *agradecer*.

estremecimiento [estremeθimjénto] *m.* Tremblement, ébranlement.

estrenar [estrenár] *tr.* Étrenner (hacer uso por primera vez).

estreno [estréno] *m. 1* Étrenne *f.* (primer uso, primera venta). *2* TEAT. Première *f. 3* Début (en un empleo, etc.).

estreñido, -da [estreɲiðo, -ða] *adj. 1* Constipé, ée. *2* fig. Avare, mesquin, ine.

estrépito [estrépito] *m. 1* Fracas. *2* fig. Éclat.

estría [estria] *f.* Strie, cannelure.

estribar [estrißár] *intr. 1* Porter, poser, s'appuyer. *2* fig. Se fonder (en, sur).

estribillo [estrißíʎo] *m.* Refrain.

estribo [estrißo] *m. 1* Étrier. Loc. **Perder los estribos**, vider les étriers; fig. perdre la tête. *2* Marchepied (de un coche). *3* ARQ., GEOG. Contrefort. *4* Butée *f.* (de un puente).

estribor [estrißór] *m.* MAR. Tribord.

estricto, -ta [estriɣto, -ta] *adj.* Strict, icte.

estridencia [estriðénθja] *f.* Stridence.

estrofa [estrófa] *f.* Strophe.

estropajo [estropáxo] *m*. Lavette *f*. (de esparto), éponge *f*. métallique (métálico).

estropear [estropeár] *tr*. *1* Abîmer. *2* Gâcher, gâter (un asunto), faire échouer (un proyecto). *3* Estropier (lisiar).

estructura [estruÿtúra] *f*. Structure.

estruendo [estrwéndo] *m*. Fracas, grand bruit.

estrujar [estruxár] *tr*. *1* Presser (un limón, etc.). *2* Écraser (el pie). *3* Froisser, chiffonner (papel, etc.).

estuario [estwárjo] *m*. Estuaire.

estucar [estukár] *tr*. Stuquer.

estuche [estútʃe] *m*. *1* Étui (de las gafas, etc.). *2* Coffret, écrin (para joyas, etc.).

estudiante [estuðjánte] *s*. Étudiant, ante.

estudiar [estuðjár] *tr*. *1* Étudier. *2 — para médico*, faire sa médecine. ▲ CONJUG. comme *cambiar*.

estudio [estúðjo] *m*. Étude *f*. Loc. *En —*, à l'étude.

estufa [estúfa] *f*. *1* Étuve. *2* Poêle *m*. (para la calefacción). *3* Serre (para las plantas).

estupefaciente [estupefaθjénte] *adj.-s*. Stupéfiant, ante.

estupefacto, -ta [estupefáÿto, -ta] *adj*. Stupéfait, aite.

estupendo, -da [estupéndo, -da] *adj*. Admirable, épatant, ante, formidable.

estúpido, -da [estúpiðo, -ða] *adj.-s*. Stupide.

estupor [estupór] *m*. Stupeur *f*.

etapa [etápa] *f*. Étape.

etcétera [etθétera] *loc. adv*. Et caetera.

éter [éter] *m*. Éther.

etéreo, -ea [etéreo, -ea] *adj*. Éthéré, ée.

eternidad [eterniðáð] *f*. Éternité.

eterno, -na [etérno, -na] *adj*. Éternel, elle.

ético, -ca [étiko, -ka] *adj.-f*. *1* Éthique. ■ *2 m*. Moraliste.

etimología [etimoloxía] *f*. Étymologie.

etíope [etíope] *adj.-s*. Éthiopien, ienne.

etiqueta [etikéta] *f*. Étiquette.

etiquetero, -ra [etiketéro, -ra] *adj*. Cérémonieux, euse.

étnico, -ca [étniko, -ka] *adj*. Ethnique.

etnografía [etnoɣrafía] *f*. Ethnographie.

etnología [etnoloxía] *f*. Ethnologie.

etrusco, -ca [etrúsko, -ka] *adj.-s*. Étrusque.

eucalipto [eŭkalíβto] *m*. Eucalyptus.

eucaristía [eŭkaristía] *f*. Eucharistie.

eucarístico, -ca [eŭkaristiko, -ka] *adj*. Eucharistique.

eufemismo [eŭfemizmo] *m*. RET. Euphémisme.

euforia [eŭfórja] *f*. Euphorie.

eunuco [eŭnúko] *m*. Eunuque.

europeo, -ea [eŭropéo, -éa] *adj.-s*. Européen, enne.

evacuar [eβakwár] *tr*. *1* Évacuer. *2* Remplir (un requisito), régler (un asunto), faire (una visita).

evadir [eβaðir] *tr*. *1* Éviter, éluder, esquiver. ■ *2 pr*. S'évader.

evaluar [eβalwár] *tr*. Évaluer.

evangelio [eβaŋxéljo] *m*. Évangile.

evangelizar [eβaŋxeliθár] *tr*. Évangéliser.

evaporar [eβaporár] *tr*. Évaporer.

evasión [eβasjón] *f*. Évasion.

evasivo, -va [eβasíβo, -βa] *adj*. Évasif, ive.

evento [eβénto] *m*. Événement incertain.

eventual [eβentwál] *adj*. Éventuel, elle.

evidencia [eβiðénθja] *f*. Évidence: *poner en —*, mettre en évidence.

evidente [eβiðénte] *adj*. Évident, ente.

evitar [eβitár] *tr*. Éviter.

evocación [eβokaθjón] *f*. Évocation.

evocar [eβokár] *tr*. Évoquer.

evolución [eβoluθjón] *f*. Évolution.

exacerbar [e(ɣ)saθerβár] *tr*. *1* Exacerber. *2* Exaspérer.

exactitud [e(ɣ)saɣtitúð] *f*. Exactitude.

exacto, -ta [e(ɣ)sáɣto, -ta] *adj*. Exact, acte.

exagerado, -da [e(ɣ)saxeráðo, -ða] *adj*. *1* Exagéré, ée. *2* Excessif, ive: *precio —*, prix excessif.

exagerar [e(ɣ)saxerár] *tr.-intr*. Exagérer.

exaltación [e(ɣ)saltaθjón] *f*. *1* Exaltation. *2* Accession, élévation (al trono, etc.).

exaltar [e(ɣ)saltár] *tr*. *1* Élever (a mayor dignidad). *2* Exalter (realzar el mérito). ■ *3 pr*. S'exalter.

examen [e(ɣ)sámen] *f*. Examen.

examinador, -ra [e(ɣ)saminaðór, -ra] *s*. Examinateur, trice.

examinar [e(ɣ)saminár] *tr*. Examiner.

exasperación [e(ɣ)sasperaθjón] *f*. Exaspération.

excavación [eskaβaθjón] *f*. Excavation.

excavar [eskaβár] *tr*. Creuser.

exceder [esθeðér] *tr*. *1* Excéder, dépasser. ■ *2 pr*. Se surpasser (a sí mismo). *3* Dépasser les bornes (propasarse).

excelencia [esθelénθja] *f*. *1* Excellence. *2 loc. adv. Por —*, par excellence.

excelente [esθelénte] *adj*. Excellent, ente.

excelentísimo, -ma [esθelentísimo, -ma] *adj*. Excellentissime.

excepción [esθeβθjón] *f*. *1* Exception. *2 loc. prep. A, con — de*, à l'exception de.

excepcional [esθeβθjonál] *adj*. Exceptionnel, elle.

excesivo, -va [esθesíβo, -βa] *adj*. Excessif, ive.

exceso [esθéso] *m*. Excès.

excitación [esθitaθjón] *f.* Excitation.

excitar [esθitár] *tr.* Exciter.

exclamación [esklamaθjón] *f.* 1 Exclamation. 2 Point *m.* d'exclamation (signo).

exclamar [esklamár] *intr.* S'exclamer, s'écrier.

excluir [esklwir] *tr.* Exclure. ▲ CONJUG. comme *huir*.

exclusivo, -va [eskusíβo, -βa] *adj.* Exclusif, ive.

excomulgar [eskomulɣár] *tr.* Excomunier.

excomunión [eskomunjón] *f.* Excommunication.

excoriar [eskorjár] *tr.* Excorier.

excrecencia [eskreθénθja] *f.* Excroissance.

excremento [eskrêménto] *m.* Excrément.

excretar [eskretár] *intr.-tr.* FISIOL. Excréter.

excursión [eskursjón] *f.* Excursion.

excursionista [eskursjonísta] *s.* Excursionniste.

excusa [eskúsa] *f.* Excuse.

excusado, -da [eskusáðo, -ða] *adj.* 1 Exempté, ée de tribut. 2 Dérobé, ée: *puerta excusada,* porte dérobée.

excusar [eskusár] *tr.* 1 Excuser. 2 Refuser (rehusar). 3 Éviter (evitar). 4 Pouvoir se dispenser, ne pas avoir besoin de. ■ 5 *pr.* S'excuser.

execración [e(ɣ)sekraθjón] *f.* Exécration.

exento, -ta [e(ɣ)sénto, -ta] *adj.* Exempt, empte, libre.

exequias [e(ɣ)sékjas] *f. pl.* Obsèques.

exhalación [e(ɣ)salaθjón] *f.* Exhalation (acción).

exhalar [e(ɣ)salár] *tr.* Exhaler.

exhausto, -ta [e(ɣ)sáŭsto, -ta] *adj.* Épuisé, ée.

exhibición [e(ɣ)siβiθjón] *f.* 1 Exhibition. 2 Présentation (de modelos). 3 Exposition. 4 Projection (de una película).

exhibir [e(ɣ)siβir] *tr.* 1 Exhiber. ■ 2 *pr.* Se montrer en public.

exhortar [e(ɣ)sortár] *tr.* Exhorter.

exhumar [e(ɣ)sumár] *tr.* Exhumer.

exigencia [e(ɣ)sixénθja] *f.* Exigence.

exigir [e(ɣ)sixir] *tr.* Exiger.

exigüidad [e(ɣ)siɣwiðáð] *f.* Exiguïté.

exiguo, -ua [e(ɣ)síɣwo, -wa] *adj.* Exigu, uë.

exilio [e(ɣ)siljo] *m.* Exil.

eximir [e(ɣ)simir] *tr.* Exempter, dispenser.

existencia [e(ɣ)sisténθja] *f.* 1 Existence. ■ 2 *pl.* Stock *m. sing.,* stocks *m.*

existente [e(ɣ)sisténte] *adj.* Existant, ante.

existir [e(ɣ)sistir] *intr.* Exister.

éxito [é(ɣ)sito] *m.* Succès.

éxodo [é(ɣ)soðo] *m.* Exode.

exorbitante [e(ɣ)sorβitánte] *adj.* Exorbitant, ante.

exorcismo [e(ɣ)sorθizmo] *m.* Exorcisme.

exótico, -ca [e(ɣ)sótiko, -ka] *adj.* Exotique.

expansión [espansjón] *f.* 1 Expansion. 2 fig. Expansion, épanchement *m.* 3 Distraction.

expatriarse [espatrjárse] *pr.* S'expatrier.

expectación [espeɣtaθjón] *f.* Expectative, attente, expectation.

expectativa [espeɣtatíβa] *f.* Expectative.

expectorar [espeɣtorár] *tr.* Expectorer.

expedición [espeðiθjón] *f.* 1 Expédition. 2 Promptitude, diligence.

expedicionario, -ia [espeðiθjonárjo, -ja] *adj.-s.* Expéditionnaire.

expediente [espeðjénte] *m.* 1 Dossier (conjunto de documentos). 2 Affaire *f.* (negocio). Loc. *Instruir un —,* instruire une affaire. 3 Expédient (medio).

expedir [espeðir] *tr.* 1 Faire suivre son cours à (un negocio, una causa). 2 Délivrer (un documento, etc.). 3 Expédier, envoyer (una carta, etc.). ▲ CONJUG. comme *servir*.

expendedor, -ra [espendeðór, -ra] *s.* 1 Débitant, ante. 2 Buraliste (de tabaco).

expendeduría [espendeðuría] *f.* Bureau *m.,* débit *m.:* — *de tabacos,* bureau de tabac.

expender [espendér] *tr.* Dépenser (gastar).

experiencia [esperjénθja] *f.* Expérience.

experimentar [esperimentár] *tr.* 1 Éprouver, ressentir (notar). 2 Subir, souffrir (padecer). 3 Expérimenter (hacer experimentos científicos).

experimento [esperiménto] *m.* Expérience *f.*

experto, -ta [espérto, -ta] *adj.-m.* Expert, erte.

expiar [espjár] *tr.* Expier. ▲ CONJUG. comme *desviar*.

expiración [espiraθjón] *f.* Expiration.

expirar [espirár] *intr.* Expirer.

explanada [esplanáða] *f.* Explanade.

explicación [esplikaθjón] *f.* Explication.

explicar [esplikár] *tr.* 1 Expliquer. ■ 2 *pr.* S'expliquer.

explícito, -ta [esplíθito, -ta] *adj.* Explicite.

explorador, -ra [esploraðór, -ra] *adj.-s.* 1 Explorateur, trice. 2 Éclaireur, scout.

explosión [esplosjón] *f.* Explosion.

explotación [esplotaθjón] *f.* Exploitation.

explotar [esplotár] *tr. 1* Exploiter. ■ *2 intr.* Exploser (bomba, etc.).

exponente [esponénte] *adj.-s. 1* Exposant, ante. ■ *2 m.* MAT. Exposant.

exponer [esponér] *tr. 1* Exposer. ■ *2 pr.* S'exposer. ▲ CONJUG. comme *poner*.

exportación [esportaθjón] *f.* Exportation.

exposición [esposiθjón] *f. 1* Exposition. *2* Exposé *m.* (narración). *3* FOT. *Tiempo de —*, temps de pose.

expósito, -ta [espósito, -ta] *adj. 1* Trouvé, ée (niño). ■ *2 s.* Enfant *m.* trouvé.

expresar [espresár] *tr.* Exprimer. ▲ Ce verbe a deux participes passés: *expresado*, rég., et *expreso*, irrég.

expresión [espresjón] *f. 1* Expression. *2 pl. Expresiones a*, mes amitiés à.

expresivo, -va [espresiβo, -βa] *adj.* Expressif, ive.

expreso, -sa [espréso, -sa] *adj. 1* Exprimé, ée (no tácito). *2* Exprès, esse. ■ *3 m.* Exprès (mensajero). *4* Express (tren).

expuesto, -ta [espwésto, -ta] *adj. 1* Exposé, ée. *2* Dangereux, euse (peligroso).

expulsar [espulsár] *tr.* Expulser.

exquisito, -ta [eskisíto, -ta] *adj.* Exquis, ise.

éxtasis [éstasis] *m.* Extase *f.*

extender [estendér] *tr. 1* Étendre. *2* Dresser, rédiger (un documento, etc.), libeller (un cheque). ■ *3 pr.* S'étendre: *la ciudad se extendía al pie del monte*, la ville s'étendait au pied de la montagne. ▲ CONJUG. comme *entender*.

extensión [estensjón] *f. 1* Étendue. *2* Extension (acción).

extenso, -sa [esténso, -sa] *adj. 1* Étendu, ue, vaste (amplio). *2 loc. adv. Por —*, in extenso.

exterior [esterjór] *adj.-m.* Extérieur, eure.

exteriorizar [esterjoriθár] *tr.* Extérioriser.

exterminar [esterminár] *tr.* Exterminer.

externo, -na [estérno, -na] *adj.-s.* Externe.

extinguir [estiŋgír] *tr. 1* Éteindre. ■ *2 pr.* S'éteindre: *el fuego se extinguió*, le feu s'éteignit.

extinto, -ta [estínto, -ta] *adj. 1* Éteint, einte. ■ *2 s.* amer. Défunt, unte.

extirpación [estirpaθjón] *f.* Extirpation.

extorsión [estorsjón] *f. 1* Extorsion. *2* Usurpation. *3* Dommage *m.* (daño), dérangement *m.* (molestia).

extra [éstra] *adj. 1* Extra invar., extraordinaire. *2 loc. prep. — de*, outre, en sus de. ■ *3 m.* Gratification *f.* (plus). *4* Figurant (comparsa).

extracción [estrayθjón] *f. 1* Extraction. *2* Tirage *m.* (lotería).

extracto [estráyto] *m.* Extrait (sustancia, resumen).

extradición [estraðiθjón] *f.* Extradition.

extraer [estraér] *tr.* Extraire. ▲ CONJUG. comme *traer*.

extranjero, -ra [estraŋxéro, -ra] *adj.-s. 1* Étranger, ère. ■ *2 m.* Étranger: *viaje por el —*, voyage à l'étranger.

extrañar [estraɲár] *tr. 1* Bannir, exiler (desterrar). *2* Surprendre, étonner, être étonné, ée. *3* Trouver étrange, n'être pas habitué, ée. ■ *4 pr.* S'étonner (asombrarse). *5* S'exiler, s'expatrier.

extrañeza [estraɲéθa] *f.* Étrangeté.

extraño, -ña [estráɲo, -ɲa] *adj.* Étrange, bizarre, étonnant, ante.

extraordinario, -ia [estraorðinárjo, -ja] *adj.* Extraordinaire.

extravagante [estraβayánte] *adj.* Extravagant, ante.

extraviar [estraβjár] *tr. 1* Égarer, fourvoyer. *2* Égarer (una cosa). ■ *3 pr.* S'égarer. *4* fig. Se fourvoyer, sortir du droit chemin (pervertirse). ▲ CONJUG. comme *desviar*.

extremar [estremár] *tr. 1* Pousser à l'extrême. ■ *2 pr.* Faire tout son possible, se surpasser.

extremaunción [estremaũnθjón] *f.* REL. Extrême-onction.

extremidad [estremiðáð] *f. 1* Extrémité. ■ *2 pl.* Extrémités (manos y pies).

extremo, -ma [estrémo, -ma] *adj. 1* Extrême. ■ *2 m.* Extrême: *los extremos se tocan*, les extrêmes se touchent. *3* Extrémité *f.*, bout (parte extrema). *4* Point. ■ *5 pl.* Manifestations *f.* exagérées d'un sentiment.

extrínseco, -ca [estrínseko, -ka] *adj.* Extrinsèque.

exuberancia [e(y)suβeránθja] *f.* Exubérance.

exudar [e(y)suðár] *intr.-tr.* Exsuder.

exultar [e(y)sultár] *intr.* Exulter.

exvoto [e(y)sβóto] *m.* REL. Ex-voto invar.

eyaculación [eyakulaθjón] *f.* Éjaculation.

F

f [éfe] f. F m.

fa [fa] m. MÚS. Fa.

fábrica [fáβrika] f. 1 Fabrique. 2 Usine, manufacture: — de gas, usine à gaz.

fabricación [faβrikaθjón] f. Fabrication.

fabricar [faβrikár] tr. Fabriquer.

fábula [fáβula] f. Fable.

fabuloso, -sa [faβulóso, -sa] adj. Fabuleux, euse.

faca [fáka] f. Couteau m. recourbé.

facción [faγθjón] f. 1 Faction. ■ 2 pl. Traits m. (del rostro): enérgicas facciones, des traits énergiques.

faceta [faθéta] f. 1 Facette. 2 Aspect m. (de un asunto).

facial [faθjál] adj. Facial, ale.

fácil [fáθil] adj. Facile: — de resolver, facile à résoudre.

facilidad [faθiliðáð] f. Facilité.

facilitar [faθilitár] tr. 1 Faciliter. 2 Procurer, fournir, donner (proporcionar).

factible [faγtíβle] adj. Faisable.

factor [faγtór] m. 1 Facteur (elemento). 2 MAT., BIOL., COM. Facteur.

factoría [faγtoría] f. 1 COM. Charge du facteur. 2 Factorerie, comptoir m. (establecimiento).

factura [faγtúra] f. Facture.

facturar [faγturár] tr. 1 COM. Facturer. 2 Enregistrer (equipajes, etc.).

facultad [fakultáð] f. Faculté.

facultar [fakultár] tr. Autoriser.

facultativo, -va [fakultatíβo, -βa] adj. 1 Facultatif, ive. 2 Scientifique, technique. ■ 3 m. Médecin, chirurgien.

facha [fátʃa] f. 1 Mine, aspect m., allure. 2 fig. Personne laide ou ridicule.

fachada [fatʃáða] f. 1 Façade. 2 fig. Allure, prestance.

faena [faéna] f. 1 Travail m., besogne: las faenas del campo, les travaux des champs. 2 TAUROM. Travail m. du torero.

fagocito [faγoθíto] m. FISIOL. Phagocyte.

fagot [faγóð] m. MÚS. Basson.

faisán [faisán] m. Faisan.

faja [fáxa] f. 1 Bande (de terreno, de periódico). 2 Ceinture d'étoffe.

fajar [faxár] tr. 1 Bander, mettre une ceinture d'étoffe. 2 Mettre sous bande (un periódico, etc.). 3 Emmailloter (a un niño).

fajín [faxín] m. Écharpe f. (de general, etc.).

fajina [faxína] f. 1 Gerbes pl. entassées dans une aire. 2 Menu bois m. (leña). 3 FORT. Fascine.

fajo [fáxo] m. Liasse f. (de billetes, etc.).

falange [faláŋxe] f. Phalange.

falaz [faláθ] adj. Fallacieux, euse.

falcón [falkón] m. Faucon.

falda [fálda] f. 1 Jupe: — recta, plisada, jupe droite, plissée. 2 Basque (parte de un vestido). 3 Giron m. (regazo). 4 Flanc m. (de una montaña). 5 Flanchet m. (de una res).

faldón [faldón] m. 1 Basque f. (de casaca, levita, pan (de camisa). 2 Quartier (silla de montar).

falible [falíβle] adj. Faillible.

falsear [falseár] tr. 1 Fausser, dénaturer. ■ 2 intr. Perdre de sa solidité, de sa résistance. 3 MÚS. Sonner faux (una cuerda).

falsedad [falseðáð] f. 1 Fausseté. 2 DER. Faux m.

falsificar [falsifikár] tr. Falsifier, contrefaire.

falso, -sa [fálso, -sa] adj. 1 Faux, fausse: moneda falsa, fausse monnaie. 2 Vicieux, euse (caballo). ■ 3 m. Renfort (en un vestido).

falta [fálta] f. 1 Manque m., absence, défaut m. (privación, ausencia). Loc. Hacer —, falloir, être nécessaire. 2 Faute (de ortografía, etc.). 3 Défaut m. (defecto). 4 loc. prep. Por — de, faute de, par manque de; a — de, faute de, à dé-

faut de. *5 loc. adv. Sin* —, sans
faute.

faltar [faltár] *intr. 1* Manquer (sentido
impersonal): *faltan dos botones*, il manque deux boutons. *2* Rester (quedar):
sólo le faltaba convencer a sus padres, il
ne lui restait plus qu'à convaincre ses
parents. *3* S'en falloir: *poco le faltó para
caer*, peu s'en est fallu qu'il ne tombe. *4*
Manquer, faillir (no cumplir): — *a un
deber*, manquer à un devoir. *5* Manquer
de respect, insulter (ofender).

falla [fáʎa] *f. 1* Défaut. *2* Feu *m.* de joie
(à Valence). *3* GEOL. Faille.

fallar [faʎár] *tr. 1* DER. Juger, décider (en
un litigio, etc.). *2* Couper (con un
triunfo). ■ *3 intr.* Manquer, échouer,
faillir, rater: *el negocio ha fallado*, l'affaire a échoué.

fallecer [faʎeθér] *intr.* Mourir, décéder. ▲
CONJUG. comme *agradecer.*

fallo, -lla [fáʎo, -ʎa] *adj. 1* Qui manque
d'une couleur (en los naipes). ■ *2 m.*
Sentence *f.*, jugement (de un juez), décision *f.* (de un árbitro).

fama [fáma] *f.* Renommée, réputation.
Loc. *De* —, fameux, euse, renommé,
ée; *es* — *que*, on dit que.

familia [familja] *f.* Famille.

familiar [familjár] *adj. 1* Familial, ale, de
famille (de la familia). *2* Familier, ière
(sencillo). ■ *3 m.* Membre de la famille.

familiarizar [familjariθar] *tr.* Familiari-
ser.

famoso, -sa [famóso, -sa] *adj.* Fameux,
euse, célèbre.

fanal [fanál] *m. 1* MAR. Fanal. *2* Globe
(campana de cristal).

fanatizar [fanatiθár] *tr.* Fanatiser.

fandango [fandáŋgo] *m. 1* Fandango
(baile). *2 fig.* Tapage, bruit.

fanega [fanéɣa] *f. 1* ant. Mesure pour
grains. *2* ant. Mesure agraire.

fanfarronear [fanfaroneár] *intr.* Fanfa-
ronner.

fango [fáŋgo] *m.* Boue *f.*, fange *f.*

fantasear [fantaseár] *intr.* Rêver, laisser
courir son imagination.

fantasía [fantasía] *f. 1* Fantaisie. *2* Imagination. *3* Présomption, vanité.

fantasma [fantázma] *m. 1* Fantôme *m.* *2*
Fantasme *m.* (alucinación).

fantasmal [fantazmál] *adj.* Fantomatique.

fantástico, -ca [fantástiko, -ka] *adj.* Fantastique.

fantoche [fantòtʃe] *m. 1* Pantin, fantoche.
2 Esbrouffeur (presumido).

faquir [fakír] *m.* Fakir.

faralá [faralá] *m.* Falbala (volante).

faramalla [faramáʎa] *f. 1* Verbiage *m.*
trompeur, boniment *m.* *2* Clinquant *m.*

farándula [farándula] *f. 1* Métier *m.* de
comédien. *2* Troupe de cabotins. *3*
Boniment *m.* (charla).

farandulear [faranduleár] *intr.* Poser, se
pavaner, crâner.

faraón [faraón] *m.* Pharaon.

fardo [fárdo] *m.* Ballot, paquet.

farfulla [farfúʎa] *f.* Bredouillage *m.*

farfullar [farfuʎár] *tr. 1* Bredouiller. *2*
Bâcler (hacer de prisa y mal).

farináceo, -ea [farináθeo, -ea] *adj.* Fari-
nacé, ée.

faringe [fariŋxe] *f.* Pharynx *m.*

farmacéutico, -ca [farmaθéũtiko, -ka]
adj. f. 1 Pharmaceutique. ■ *2 s.* Pharmacien, enne.

farmacia [farmáθja] *f.* Pharmacie.

faro [fáro] *m.* Phare.

farol [faról] *m. 1* Lanterne *f.*, falot. *2*
Réverbère (en las calles). Loc. — *de
gas*, bec de gaz. *3* Fanal (de barco). *4*
Bluff (en los naipes).

farolear [faroleár] *intr.* Se donner des
airs, faire de l'esbroufe, crâner.

farolero, -ra [faroléro, -ra] *adj.-s. 1* Fanfaron, onne, esbroufeur, euse. ■ *2 m.*
Lanternier (el que hace y vende faro-
les). *3* Allumeur de réverbères.

farra [fára] *f.* amer. Bombance.

farruco, -ca [faṛúko, -ka] *adj.-s.* Galicien, ienne, Asturien, ienne, nouvellement arrivé, ée de son pays.

farsa [fársa] *f. 1* Farce. *2 fig.* Comédie.

farsante, -ta [farsánte, -ta] *s. 1* TEAT. ant.
Farceur. *2 fig.* Comédien, ienne.

fas o por nefas (por) [porfás o por nèfas]
loc. adv. À tort ou à raison.

fasces [fásθes] *m. pl.* Faisceaux (de líc-
tor).

fascículo [fasθíkulo] *m.* Fascicule.

fascinar [fasθinár] *tr.* Fasciner, charmer.

fascismo [fasθízmo] *m.* Fascisme.

fase [fáse] *f.* Phase.

fastidiar [fastiðjár] *tr. 1* Dégoûter. *2* Ennuyer (aburrir), importuner, lasser
(molestar), embêter, assommer (dar la
lata). ▲ CONJUG. comme *cambiar.*

fasto, -ta [fásto, -ta] *adj.* Faste.

fastuoso, -sa [fastwóso, -sa] *adj.* Fastueux, euse.

fatal [fatál] *adj.* Fatal, ale.

fatalidad [fataliðáð] *f.* Fatalité.

fatiga [fatiɣa] *f. 1* Fatigue. *2* Gêne respi-
ratoire, oppression; suffocation. ■ *3
pl.* Peines, ennuis *m.*

fatigar [fatiɣár] *tr.* Fatiguer.

fatuo, -ua [fátwo, -wa] *adj.-s.* Fat, présomptueux, euse.

fauces [fáuθes] *f. pl.* Arrière-bouche *sing.*, gosier *m. sing.*

fauna [fáuna] *f.* Faune.

favor [faβór] *m. 1* Faveur *f.*, protection *f.*, bienveillance *f. 2* Aide *f.*, service. *3* Grâce *f.* Loc. *Hacer el —*, faire le plaisir. *4 loc. prep. A — de,* en faveur de (en beneficio de), à la faveur de (merced a).

favorable [faβoráβle] *adj.* Favorable.

favorecer [faβoreθér] *tr. 1* Favoriser. *2* Aider, secourir. ▲ CONJUG. comme *agradecer.*

favorito, -ta [faβorito, -ta] *adj. 1* Favori, ite. ■ *2 s.* Favori, ite (persona).

faz [faθ] *f.* Face.

fe [fe] *f. 1* Foi. Loc. *Buena, mala —,* bonne, mauvaise foi; *dar —,* certifier, témoigner. *2* Certificat *m.*, acte *m.*, extrait *m.* (documento).

fealdad [fealdáð] *f.* Laideur.

febrero [feβréro] *m.* Février.

fecundar [fekundár] *tr.* Féconder.

fecundo, -da [fekúndo, -da] *adj.* Fécond, onde.

fecha [fétʃa] *f. 1* Date: *poner la — en una carta,* mettre la date sur une lettre; *de — reciente,* de fraîche date. *2* Moment *m.* actuel: *hasta la —,* jusqu'à présent.

fechar [fetʃár] *tr.* Dater.

fechoría [fetʃoría] *f.* Méfait *m.*, forfait *m.*

federación [feðeraθjón] *f.* Fédération.

federal [feðerál] *adj. 1* Fédéral, ale. ■ *2 adj.-s.* Fédéraliste.

federar [feðerár] *tr.* Fédérer.

federativo, -va [feðeratiβo, -βa] *adj.* Fédératif, ive.

fehaciente [feaθjénte] *adj.* DER. Qui fait foi.

felicidad [feliθiðáð] *f. 1* Bonheur *m.*, félicité. *2 ¡Felicidades!,* meilleurs vœux! (de año nuevo, cumpleaños).

felicitar [feliθitár] *tr.* Féliciter.

feligrés, -esa [feliɣrés, -ésa] *s.* Paroissien, ienne (persona).

felino, -na [felino, -na] *adj.-s.* Félin, ine.

feliz [feliθ] *adj.* Heureux, euse.

felpa [félpa] *f. 1* Peluche. *2* fig. fam. Raclée, rossée (paliza). *3* fig. fam. Savon *m.* (represión).

felpudo, -da [felpúðo, -ða] *adj. 1* Pelucheux, euse. ■ *2 m.* Paillasson (esterilla).

femenino, -na [femenino, -na] *adj. 1* Féminin, ine. ■ *2 m.* GRAM. Féminin.

feminidad [feminiðáð] *f.* Féminité.

feminismo [feminizmo] *m.* Féminisme.

fémur [fémur] *m.* ANAT. Fémur.

fenicio, -ia [feniθjo, -ja] *adj.-s.* Phénicien, ienne.

fenomenal [fenomenál] *adj.* Phénoménal, ale.

fenómeno [fenómeno] *m.* Phénomène.

feo, fea [féo, féa] *adj. 1* Laid, laide, villain, aine. ■ *2 m.* Affront: *hacer un —,* faire un affront.

feraz [feráθ] *adj.* Fertile, fécond, onde.

féretro [féretro] *m.* Bière *f.*, cercueil.

feria [férja] *f. 1* Foire (mercado). *2* Fête foraine (festejo). *3* Repos *m.*, cessation du travail.

feriado, -da [ferjáðo, -ða] *adj.* Férié, ée.

feriante [ferjánte] *adj.-s.* Acheteur, euse dans une foire.

feriar [ferjár] *tr. 1* Acheter à la foire. ■ *2 intr.* Chômer (suspender el trabajo). ▲ CONJUG. comme *cambiar.*

fermento [ferménto] *m.* Ferment.

feroz [feróθ] *adj.* Féroce: *animales feroces,* bêtes féroces.

férreo, -ea [férreo, -ea] *adj. 1* De fer: *voluntad férrea,* volonté de fer. *2 Vía férrea,* voie ferrée.

ferretería [ferretería] *f.* Quincaillerie, ferronnerie.

ferretero, -ra [ferretéro, -ra] *s.* Quincailler, ferronnier, ière.

ferrocarril [ferrokaril] *m.* Chemin de fer.

ferroviario, -ia [ferroβjárjo, -ja] *adj. 1* Ferroviaire. ■ *2 m.* Cheminot.

fértil [fértil] *adj.* Fertile.

fertilidad [fertiliðáð] *f.* Fertilité.

fertilizar [fertiliθár] *tr.* Fertiliser.

férula [férula] *f. 1* Férule. *2* CIR. Éclisse, gouttière.

ferviente [ferβjénte] *adj.* Fervent, ente.

fervor [ferβór] *m.* Ferveur *f.*: *rezar con —,* prier avec ferveur.

fervoroso, -sa [ferβoróso, -sa] *adj.* Fervent, ente.

festejar [festexár] *tr. 1* Faire fête à, fêter (a alguien). *2* Courtiser (a una mujer).

festival [festiβál] *m.* Festival.

festividad [festiβiðáð] *f.* Festivité.

festivo, -va [festiβo, -βa] *adj. 1* De fête, férié, ée: *día —,* jour férié. *2* Gai, gaie, joyeux, euse. *3* Amusant, ante, plaisant, ante.

festón [festón] *m.* Feston.

festonear [festoneár] *tr.* Festonner.

fetiche [fetitʃe] *m.* Fétiche.

fétido, -da [fétiðo, -ða] *adj. 1* Fétide. *2 Bomba fétida,* bombe puante.

feto [féto] *m. 1* Fœtus. *2* fam. Mocheté *f.*

feudal [feuðál] *adj.* Féodal, ale: *señores feudales,* seigneurs féodaux.

feudalismo [feŭðalizmo] *m.* Féodalisme.

fiado (al) [fjàðo] *adv.* À crédit: *comprar al —,* acheter à crédit.

fiambre [fjámbre] *adj. 1* Qui se mange froid (manjar). ■ *2 m.* Plat froid.

fianza [fjánθa] *f.* Caution, cautionnement *m.: dar —,* verser une caution.

fiar [fjár] *tr. 1* Cautionner, garantir. *2* Vendre à crédit. ■ *3 intr. — en,* avoir confiance en. ▲ CONJUG. comme *desviar.*

fiasco [fjásko] *m.* Fiasco: *hacer —,* faire fiasco.

fibra [fíβra] *f.* Fibre.

fibroso, -sa [fiβróso, -sa] *adj.* Fibreux, euse.

ficción [fiγθjón] *f.* Fiction.

ficha [fitʃa] *f. 1* Jeton *m.* (de teléfono). *2* Domino *m.* (pieza de este juego). *3* Fiche (cartulina). *4 — técnica,* générique *m.* (cine).

fichero [fitʃéro] *m.* Fichier.

fidedigno, -na [fiðeðíɣno, -na] *adj.* Digne de foi.

fidelidad [fiðeliðáð] *f.* Fidélité.

fideo [fiðéo] *m.* Vermicelle.

fiduciario, -ia [fiðuθjárjo, -ja] *adj.-s.* DER. Fiduciaire.

fiebre [fjéβre] *f.* Fièvre: *tener —,* avoir de la fièvre.

fiel [fjél] *adj.-m. 1* Fidèle. ■ *2 m.* Contro-̀leur, vérificateur (de ciertos servicios públicos): *— contraste,* contrôleur des poids et mesures.

fieltro [fjéltro] *m.* Feutre.

fiera [fjéra] *f. 1* Fauve *m.,* bête féroce. *2* fig. Brute.

fiereza [fjeréθa] *f.* Cruauté, sauvagerie.

fiero, -ra [fjéro, -ra] *adj. 1* Féroce (animal). *2* Cruel, elle, sauvage. *3* fig. Terrible, énorme. *4* Horrible. ■ *5 m. pl.* Bravades *f.*

fiesta [fjésta] *f. 1* Fête. Loc. *hacer —,* chômer, se reposer; *aguar la —,* troubler la fête. ■ *2 pl.* Cajoleries.

figón [fiɣón] *m.* Gargote *f.*

figura [fiɣúra] *f. 1* Figure. Loc. fig. *Hacer figuras,* faire des grimaces. *2* Allure, silhouette.

figurar [fiɣurár] *tr.-intr. 1* Figurer. ■ *2 tr.* Feindre (fingir). ■ *3 pr.* Se figurer, s'imaginer, croire: *¿qué se ha figurado usted?,* qu'est-ce que vous croyiez?

figurativo, -va [fiɣuratiβo, -βa] *adj.* Figuratif, ive.

figurín [fiɣurín] *m. 1* Gravure *f.* de modes. *2* Journal de modes. *3* fig. Gommeux, muguet (petimetre).

fijador, -ra [fixaðór, -ra] *adj.-s.* Qui fixe.

fijar [fixár] *tr. 1* Fixer. *2 — carteles,* poser des affiches, afficher. ■ *3 pr.* Remarquer, noter, observer (notar), faire attention: *fíjate en lo que digo,* fais attention à ce que je dis.

fila [fíla] *f. 1* File, rangée. *2* Rang *m.* (línea de soldados). *3 loc. adv. En —,* à la file.

filamento [filaménto] *m.* Filament.

filantropía [filantropía] *f.* Philanthrophie.

filarmónico, -ca [filarmóniko, -ka] *adj.* Philharmonique.

filatelia [filatélja] *f.* Philatélie.

filete [filéte] *m. 1* ARQ., MEC., IMPR. Filet. *2* Filet (de ternera, de pescado), escalope *f.*

filiación [filjaθjón] *f. 1* Filiation. *2* Signalement *m.* (señas personales).

filial [filjál] *adj.-f.* Filial, ale.

filigrana [filiɣrána] *f.* Filigrane *m.*

filipino, -na [filipíno, -na] *adj.-s.* Philippin, ine.

film [film] *m.* Film (película).

filmar [filmár] *tr.* Filmer.

filo [filo] *m.* Fil, tranchant. Loc. *Dar —,* dar un —, aiguiser.

filología [filoloxía] *f.* Philologie.

filosofía [filosofía] *f.* Philosophie.

filósofo, -fa [filósofo, -fa] *s.* Philosophe.

filtrar [filtrár] *tr.-intr.* Filtrer.

filtro [filtro] *m. 1* Filtre. *2* Philtre (bebedizo).

fin [fin] *m.-f. 1* Fin *f.* (término, límite). ■ *2 m.* Fin *f.,* but: *¿con qué —?,* dans quel but? Loc. *Dar —,* finir, achever. *3 loc. adv. Al —, en —, por —,* enfin. *4 loc. prep.-conj. A — de,* afin de; *a — de que,* afin que.

final [finál] *adj. 1* Final, ale. ■ *2 m.* Fin *f.,* terme, bout. ■ *3 f.* DEP. Finale.

finalidad [finaliðáð] *f. 1* Finalité. *2* But *m.* (fin).

finalizar [finaliθár] *tr.* Finir, achever.

financiero, -ra [finanθjéro, -ra] *adj.-m.* Financier, ière.

finca [fíŋka] *f. 1* Propriété, terre. *2 — rústica,* propriété rurale.

fineza [finéθa] *f. 1* Finesse (calidad).

fingido, -da [fiŋxiðo, -ða] *adj. 1* Feint, feinte. *2* Faux, fausse, hypocrite (persona).

fingir [fiŋxir] *tr. 1* Feindre. ■ *2 pr.* Se faire passer pour. *3* Imaginer.

finito, -ta [finito, -ta] *adj.* Fini, ie.

fino, -na [fino, -na] *adj. 1* Fin, fine. *2* Distingué, ée, courtois, oise, poli, ie (cortés).

firma [firma] *f. 1* Signature. *2* Seing *m.: — en blanco,* blanc-seing. *3* Firme (razón social).

firmamento [firmaménto] *m.* Firmament.

firme [fírme] *adj. 1* Ferme. ■ *2 m.* Macadam, empierrement (de una carretera). ■ *3 adv.* Ferme, fermement. *loc. adv. A pie —*, de pied ferme; *de —*, ferme, avec énergie; *comprar en —*, acheter ferme. *4 interj.* MIL. *¡Firmes!*, garde-à-vous!, fixe!

fiscal [fiskál] *adj. 1* Fiscal, ale. *2* Appartenant au ministère public. ■ *3 m.* Procureur (ministerio público). *4* Agent du fisc. *5* Contrôleur, inspecteur. *6* fig. fam. Curieux, indiscret, critiqueur.

fiscalizar [fiskaliθár] *tr.* Vérifier, contrôler (asuntos públicos).

fisco [físko] *m.* Fisc.

fisgón, -ona [fisγón, -óna] *adj.-s. 1* Moqueur, euse. *2* Fouinard, arde, fouineur, euse (curioso).

física [físika] *f.* Physique.

físico, -ca [físiko, -ka] *adj. 1* Physique. ■ *2 s.* Physicien, ienne. ■ *3 m.* Physique (aspecto de una persona).

fisiológico, -ca [fisjolóxiko, -ka] *adj.* Physiologique.

fisonomía [fisonomía] *f.* Physionomie.

fístula [fístula] *f.* MED. Fistule.

fisura [fisúra] *f.* Fissure.

fláccido, -da [flákθiðo, -ða] *adj.* Flasque.

flaco, -ca [fláko, -ka] *adj. 1* Maigre. *2* fig. Faible (débil). ■ *3 m.* Point faible (debilidad). *4* Faible (afición predominante).

flagelación [flaxelaθjón] *f.* Flagellation.

flagelar [flaxelár] *tr.* Flageller.

flagelo [flaxélo] *m. 1* Fouet (azote). *2* Fléau (calamidad). *3* ZOOL. Flagellum.

flamante [flamánte] *adj.* Flambant, ante, resplendissant, ante.

flamear [flameár] *intr. 1* Flamber, flamboyer. *2* Ondoyer (ondear).

flamenco, -ca [flaménko, -ka] *adj.-s. 1* Flamand, ande. *2* fig. Crâne, désinvolte. *3* Flamenco: *cante —*, chant flamenco. ■ *4 m.* Flamant (ave).

flan [flan] *m. 1* Flan, crème *f.* renversée (dulce). *2* Flan (de una moneda).

flaquear [flakeár] *intr. 1* Faiblir. *2* Chanceler, menacer ruine. *3* Céder.

flaqueza [flakéθa] *f. 1* Maigreur. *2* Faiblesse (debilidad).

flatulencia [flatulénθja] *f.* MED. Flatulence.

flauta [fláuta] *f.* MÚS. Flûte.

flautista [flaütísta] *s.* Flûtiste.

fleco [fléko] *m.* Frange *f.*

flecha [flétʃa] *f. 1* Flèche. *2* GEOM. Flèche.

flechar [fletʃár] *tr. 1* Blesser, tuer avec des flèches. *2* fig. Inspirer un amour soudain.

fleje [fléxe] *m. 1* Bande *f.* de fer pour faire des cerceaux, cercle de métal. *2* Lame *f.* d'acier (de muelle).

flema [fléma] *f. 1* Flegme *m.* *2* Lenteur.

flequillo [flekíʎo] *m. 1* Petite frange *f.* (adorno). *2* Frange *f.* (de cabello).

fletar [fletár] *tr.* Fréter, affréter (alquilar).

flete [fléte] *m.* MAR. Fret.

flexible [fle(γ)síβle] *adj.* Flexible.

flexión [fle(γ)sjón] *f.* Flexion.

flojedad [floxeðáð] *f. 1* Faiblesse, mollesse. *2* Paresse, nonchalance.

flojo, -ja [flóxo, -xa] *adj. 1* Lâche (poco apretado), mou, molle (no bien relleno). *2* Faible (sin fuerza). ■ *3 adj.-s.* fig. Paresseux, euse (perezoso), mou, molle, nonchalant, ante (lento).

flor [flor] *f. 1* Fleur. Loc. *— de azahar*, fleur d'oranger; fig. *la — y nata*, la fine fleur. *2* Pruine (polvillo que cubre ciertas frutas), fleur (del vino). *3* Compliment *m.*, propos *m.* galant: *echar flores*, adresser des propos galants. *4* Manie, habitude: *dar en la — de*, contracter la manie, l'habitude de.

floración [floraθjón] *f.* Floraison.

floral [florál] *adj. 1* Floral, ale. *2 Juegos florales*, jeux floraux.

florecer [floreθér] *intr. 1* Fleurir (las plantas). ■ *2 pr.* Moisir. ▲ CONJUG. comme *agradecer*.

floreciente [floreθjénte] *adj. 1* Fleurissant, ante. *2* fig. Florissant, ante (próspero).

floreo [floréo] *m. 1* Bavardage (conversación), propos vain et superflu (dicho vano). *2* MÚS. Sorte d'arpège, de trémolo sur la guitare.

florero, -ra [floréro, -ra] *adj.-s. 1* Diseur de bons mots, de mots flatteurs. ■ *2 m.* Fleuriste. *3* Vase à fleurs.

florete [floréte] *m.* Fleuret (arma).

floricultura [florikultúra] *f.* Floriculture.

florido, -da [florído, -ða] *adj. 1* Fleuri, ie. *2* Choisi, ie, sélect *invar.* Loc. *Lo más —*, la fleur, la crème. *3* fig. Fleuri, ie (lenguaje).

florín [florín] *m.* Florin.

flota [flóta] *f.* MAR. Flotte.

flotador [flotaðór] *m. 1* Flotteur. *2* Bouée *f.* (para nadar).

flotar [flotár] *intr.* Flotter.

fluctuar [fluytwár] *intr. 1* Fluctuer. *2* fig. Hésiter, balancer (vacilar).

fluidez [flwiðéθ] *f.* Fluidité.

fluido, -da [flwíðo, -ða] *adj.-m. 1* Fluide. ■ *2 m.* Courant (eléctrico).

fluir [flwír] *intr.* S'écouler, couler. ▲ CONJUG. comme *huir*.

flujo [flúxo] *m.* Flux.

flúor [flúor] *m.* Fluor.

fluvial [fluβjál] *adj.* Fluvial, ale.

fobia [fóβja] *f.* Phobie.

foca [fóka] *f.* Phoque *m.*

foco [fóko] *m. 1* FÍS., GEOM. Foyer. *2* fig. Foyer (de civilización, etc.).

fofo, -fa [fófo, -fa] *adj.* Mou, molle, spongieux, euse, sans consistance.

fogata [foɣáta] *f. 1* Flamblée. *2* MIN. Fougasse.

fogón [foɣón] *m. 1* Fourneau (de cocina). *2* Foyer (de caldera). *3* Lumière *f.* (de un arma de fuego). *4* amer. Feu (fuego).

fogoso, -sa [foɣóso, -sa] *adj.* Fougueux, euse.

fogueo [foɣéo] *m. 1* Nettoyage au feu. *2* fig. Dressage à la peine, au travail.

foliar [foljár] *tr.* Folioter. ▲ CONJUG. comme *cambiar.*

folículo [folíkulo] *m.* BOT. Follicule.

folio [fóljo] *m.* Folio: — *vuelto,* folio verso; *en* —, in-folio. Loc. fig. fam. *De a* —, énorme.

folklore [folγlóre] *m.* Folklore.

follaje [foʎáxe] *m.* Feuillage.

folletín [foʎetín] *m.* Feuilleton.

folleto [foʎéto] *m.* Brochure *f.*

fomentar [fomentár] *tr. 1* Fomenter. *2* Encourager (las artes, el comercio, etc.).

fomento [fomènto] *m. 1* Aide *f.*, encouragement. *2* *Ministerio de* —, Ministère des Travaux publics.

fonación [fonaθjón] *f.* Phonation.

fonda [fónda] *f. 1* Pension, hôtel *m.*, auberge. *2* Buffet *m.* (en una estación).

fondear [fondeár] *intr. 1* Mouiller, jeter l'ancre. ■ *2 tr.* MAR. Sonder.

fondeo [fondéo] *m.* MAR. Mouillage.

fondo [fòndo] *m. 1* Fond. Loc. *Irse a* —, couler; *dar* —, mouiller, jeter l'ancre; *artículo de* —, article de fond, éditorial. *2* Profondeur *f.* (hondura). ■ *3 pl.* Fonds (caudal, dinero): *fondos públicos,* fonds publics.

fonético, -ca [fonétiko, -ka] *adj.-f.* Phonétique.

fonógrafo [fonóɣrafo] *m.* Phonographe.

fontanela [fontanéla] *f.* Fontanelle.

fontanero [fontanéro] *m.* Plombier.

foráneo, -ea [foráneo, -ea] *adj.* Étranger, ère.

forastero, -ra [forastéro, -ra] *adj.-s.* Étranger, ère, qui n'est pas de la ville ou de la région.

forcejeo [forθexéo], **forcejo** [forθéxo] *m. 1* Effort (esfuerzo). *2* Lutte *f.*

forense [forénse] *adj. 1* Qui concerne le palais, les tribunaux; *lenguaje* —, termes de palais. *2* *Médico* —, médecin légiste.

forestal [forestál] *adj.* Forestier, ière.

forjar [forxár] *tr. 1* Forger. *2* fig. Imaginer, concevoir. ■ *3 pr.* Se forger, se faire: *forjarse ilusiones,* se faire des illusions.

forma [fòrma] *f. 1* Forme. *2* Format *m.* (formato). *3* Petite hostie: *la Sagrada Forma,* la Sainte hostie. *4* Manière, moyen *m.*, façon: *no hay* — *de,* il n'y a pas moyen de. *5* loc. conj. *De* — *que,* de sorte que.

formación [formaθjón] *f.* Formation.

formal [formál] *adj. 1* Formel, elle. *2* Sérieux, euse (serio).

formalidad [formaliðáð] *f. 1* Formalité. *2* Sérieux *m.*, gravité (seriedad). *3* Exactitude, ponctualité.

formar [formár] *tr. 1* Former. *2* MIL. Faire former, rassembler. ■ *3 intr.* MIL. Former les rangs. ■ *4 pr.* Se former.

formidable [formiðáβle] *adj.* Formidable.

fórmula [fórmula] *f.* Formule.

formulario, -ia [formulárjo, -ja] *adj. 1* Qui ne se fait que pour la forme. ■ *2 m.* Formulaire.

foro [fóro] *m. 1* Forum. *2* Tribunal. *3* DER. Palais, barreau. *4* TEAT. Fond de la scène.

forraje [fořáxe] *m. 1* Fourrage. *2* Action *f.* de fourrager.

forrajero, -ra [fořaxéro, -ra] *adj. 1* Qui sert de fourrage, fourragère (planta).

forrar [fořár] *tr. 1* Doubler (un traje). *2* Fourrer (con pieles). *3* Couvrir (un libro). *4* MAR. Border, doubler.

forro [fóřo] *m. 1* Doublure *f.* (de un traje). *2* Couverture *f.*, (de un libro). *3* MAR. Bordage, doublage.

fortalecer [fortaleθér] *tr.* Fortifier. ▲ CONJUG. comme *agradecer.*

fortaleza [fortaléθa] *f. 1* Force, vigueur. *2* fig. Force d'âme, courage *m.* (entereza). *3* MIL. Forteresse.

fortificar [fortifikár] *tr.* Fortifier.

fortuito, -ta [fortwito, -ta] *adj.* Fortuit, ite.

fortuna [fortúna] *f. 1* Fortune, chance (suerte). *2* loc. adv. *Por* —, par bonheur, heureusement.

forúnculo [forúŋkulo] *m.* Furoncle.

forzado, -da [forθáðo, -ða] *adj. 1* Forcé, ée. ■ *2 m.* Forçat, galérien.

forzar [forθár] *tr.* Forcer (una puerta, etc.).

forzoso, -sa [forθóso, -sa] *adj.* Forcé, ée, inévitable.

forzudo, -da [forθúðo, -ða] *adj.* Très fort, forte.

fosa [fósa] *f. 1* Fosse, sépulture. *2* GEOG., ANAT. Fosse.

fosforera [fosforéra] *f.* Porte-allumettes *m. invar.*

fósforo [fósforo] *m. 1* Phosphore. *2* Allumette *f.* (cerilla).

fósil [fósil] *adj.-m.* Fossile.

foso [fóso] *m. 1* Fosse *f.* 2 TEAT. Dessous. *3* FORT. Fossé.

foto [fóto] *f.* Photo.

fotocopia [fotokópja] *f.* Photocopie.

fotogénico, -ca [fotoxéniko, -ka] *adj.* Photogénique.

fotografía [fotoɣrafía] *f.* Photographie. Loc. *Hacerse una —,* se faire photographier.

fotográfico, -ca [fotoɣráfiko, -ka] *adj.* Photographique.

frac [frak] *m.* Frac, habit.

fracasar [frakasàr] *intr.* Échouer, rater.

fracaso [frakáso] *m.* Échec, insuccès.

fracción [frakθjón] *f.* Fraction.

fractura [fraktúra] *f. 1* Fracture (de un hueso). *2* Cassure. *3* Effraction (para robar).

fragancia [fraɣánθja] *f.* Parfum *m.,* fragrance.

fragata [fraɣáta] *f.* MAR. Frégate.

frágil [fráxil] *adj. 1* Fragile. *2* fig. Faible.

fragmentar [fraɣmentár] *tr.* Fragmenter.

fragmento [fraɣménto] *m.* Fragment.

fragor [fraɣòr] *m.* Fracas.

fragoso, -sa [fraɣóso, -sa] *adj.* Accidenté, ée et broussailleux, euse (terreno, monte).

fraguar [fraɣwár] *tr.* Forger.

fraile [fráile] *m.* Moine, religieux.

frambuesa [frambwésa] *f.* Framboise.

francés, -esa [franθés, -ésa] *adj.-s.* Français, aise.

francesilla [franθesíʎa] *f.* Renoncule des jardins.

franciscano, -na [franθiskáno, -na], **francisco, ca** [franθísko, -ka] *adj.-s.* Franciscain, aine.

franco, -ca [fráŋko, -ka] *adj.-s. 1* Franc, franque (pueblo). *2* Franc, franque: *lengua franca,* langue franque. ■ *3 adj.* Franc, franche (sincero). *4* Généreux, euse, libéral, ale. *5* Franc, franche (exento de impuestos): *puerto —,* port franc. Loc. *— de porte,* franc de port, franco.

franela [franéla] *f.* Flanelle.

franja [fráŋxa] *f. 1* Bande, galon *m.* (guarnición). *2* Bande. *3* FÍS. Frange.

franquear [fraŋkeár] *tr. 1* Exempter (de una contribución). *2* Affranchir (a un esclavo, una carta). *3* Accorder généreusement. ■ *4 pr.* S'ouvrir: *franquearse con uno,* s'ouvrir à quelqu'un.

franqueo [fraŋkéo] *m.* Affranchissement.

franqueza [fraŋkéθa] *f.* Franchise, sincérité.

franquicia [fraŋkíθja] *f.* Franchise: — *postal,* franchise postale.

frasco [frásko] *m. 1* Flacon. *2* Poire *f.* à poudre (para la pólvora).

frase [fráse] *f.* Phrase. Loc. — *hecha,* expression toute faite.

fraterno, -na [fratérno, -na] *adj.* Fraternel, elle.

fraude [fráuðe] *m.* Fraude *f.*

fray [fraï] *m.* Frère (devant le nom d'un moine).

frecuencia [frekwénθja] *f.* Fréquence.

frecuentar [frekwentár] *tr.* Fréquenter.

fregadero [freɣaðéro] *m.* Évier.

fregado [freɣáðo] *m. 1* Lavage (del pavimento, de los platos), récurage (de las cacerolas, etc.). *2* fig. Imbroglio, histoire *f.,* affaire *f.* louche.

fregar [freɣár] *tr. 1* Frotter (con fuerza). *2* Laver (el pavimento, los platos), récurer (las cacerolas, etc.). ▲ CONJUG. comme *acertar.*

freidor, -ra [freiðór, -ra] *adj.* Friturier, ière.

freír [freír] *tr. 1* Frire, faire frire. *2* fig. fam. Ennuyer, embêter, tanner (exasperar). ■ *3 pr.* Frire. ▲ CONJUG. comme *reír.* PART. PAS. rég.: *freído;* irrég.: *frito.*

frenar [frenár] *tr.-intr.* Freiner.

frenético, -ca [frenétiko, -ka] *adj.* Frénétique.

frenillo [freníʎo] *m.* Frein, filet (de la lengua).

freno [fréno] *m. 1* Mors, frein (bocado). *2* MEC. Frein: — *de mano,* frein à main.

frente [frénte] *f. I* Front *m.* Loc. *Hacer —,* faire face, faire front. ■ *2 adv.* En face. *3 loc. adv. — a —,* face à face. *4 loc. prep. — a —,* en face de (enfrente de), face à (en presencia de). *5 interj.* ¡*De —!,* en avant!

fresa [frésa] *f. 1* Fraise (fruta). *2* Fraisier *m.* (planta). *3* MEC. Fraise.

fresar [fresár] *tr.* MEC. Fraiser.

fresco, -ca [frésko, -ka] *adj. 1* Frais, fraîche. *2* Récent, ente. *3* fig. Serein, eine, imperturbable. *4* fam. Culotté, ée, effronté, ée (descarado). ■ *5 s. Ser un —,* être culotté. ■ *6 m.* Frais: *tomar el —,* prendre le frais. *7* PINT. Fresque *f.: pintar al —,* peindre à fresque.

frescura [freskúra] *f. 1* Fraîcheur. *2* fig. Toupet *m.,* culot *m.,* sans-gêne *m.* (descaro). *3* Impertinence.

fresno [frésno] *m.* Frêne.

fresón [fresòn] *m.* Grosse fraise *f.*

freudismo [freŭdízmo] *m.* Freudisme.

friable [frjáβle] *adj.* Friable.

frialdad [frjáldáð] *f.* Froideur.

fricandó [frikandó] *m.* COC. Fricandeau.

fricción [friɣθjón] *f.* Friction.

friccionar [friɣθjonár] *tr.* Frictionner.

friega [frjèɣa] *f.* MED. Friction.

frigidez [frixiðéθ] *f.* Frigidité.

frigorífico, -ca [frigorífiko, -ka] *adj. 1* Frigorifique. ■ *2 m.* Frigorífico.

frío, fría [frío, fría] *adj.-m. 1* Froid, froide. *2 loc. adv.* En —, à froid.

friolento, -ta [frjolénto, -ta] *adj.* Frileux, euse.

friolera [frjolèra] *f.* Bagatelle, vétille.

frisar [frisár] *tr. 1* Friser, ratiner (un tejido). ■ *2 intr.* Friser (acercarse): — *en los cuarenta años,* friser la quarantaine.

friso [friso] *m.* ARQ. Frise *f.*

frito, -ta [frito, -ta] *adj. 1* Frit, frite. *2 fig.* Excédé, ée.

fritura [fritúra] *f.* Friture.

frivolidad [friβoliðáð] *f.* Frivolité.

frondosidad [frondosiðáð] *f.* Abondance de feuilles.

frondoso, -sa [frondóso, -sa] *adj.* Touffu, ue, feuillu, ue (árbol, bosque).

frontal [frontál] *adj.-m. 1* ANAT. Frontal, ale. ■ *2 m.* LITURG. Parement d'autel.

frontera [frontèra] *f.* Frontière.

fronterizo, -za [fronteríθo, -θa] *adj.* Frontière, frontalier, ière.

frontón [frontón] *m.* Fronton.

frotar [frotár] *tr.* Frotter.

frugal [fruɣál] *adj.* Frugal, ale.

fruncir [frunθir] *tr.* Froncer: — *el entrecejo,* froncer les sourcils.

frustrar [frustrár] *tr. 1* Frustrer: *quedar frustrado,* se sentir frustré. *2* Faire échouer, empêcher de se réaliser. ■ *3 pr.* Échouer, ne pas se réaliser (un proyecto, etc.).

fruta [frúta] *f. 1* Fruit *m.,* fruits *m. pl.*: — *del tiempo,* fruits de saison. ▲ Désigne les fruits comestibles. *2* fig. — *de sartén,* mets fait avec de la pâte à frire.

frutal [frutál] *adj.* Fruitier (árbol).

frutero, -ra [frutéro, -ra] *adj.-s. 1* Fruitier, ière. ■ *2 m.* Coupe *f.* à fruits.

fruto [frúto] *m.* Fruit.

fucsia [fúysja] *f.* Fuchsia *m.*

fuego [fwèɣo] *m. 1* Feu. Loc. — *de San-telmo,* feu Saint-Elme: — *fatuo,* feu follet; — *griego,* feu grégeois: *fuegos artificiales,* feu d'artifice; — *graneado,* feu roulant. *2 loc. adv.* A — *lento,* à petit feu. *3 interj.* MIL. Feu! *4* Au feu! (incendio).

fuelle [fwèʎe] *m. 1* Soufflet (para soplar). *2* Soufflet (de carruaje, máquina fotográfica, cartera, etc.). *3* Faux-pli, godet (de un vestido).

fuente [fwènte] *f. 1* Fontaine. *2* Source (manantial). *3* Plat *m.* (plato grande).

fuera [fwèra] *adv. 1* Hors, dehors. Loc. — *de casa,* au dehors, hors de la maison, absent, ente. *2 loc. adv.* Por —, du dehors, en apparence. *3 loc. prep.* —*de,* en dehors de, hormis, hors, excepté, à part (excepto): — *de eso,* en dehors de cela, à part ça; — *de sí,* hors de soi.

fuero [fwèro] *m. 1* Coutume *f.,* privilège. *2* Juridiction *f.*

fuerte [fwèrte] *adj. 1* Fort, forte (persona, olor, etc.). ■ *2 m.* Fort: *la generosidad no es su —,* la générosité n'est pas son fort. ■ *3 adv.* Fort, fortement (con fuerza), beaucoup (en abundancia).

fuerza [fwèrθa] *f. 1* Force: — *mayor,* force majeure. *2 loc. adv.* A la —, por —, de force, par force.

fuga [fúɣa] *f. 1* Fuite, évasion. *2* Fuite (de un fluido). *3* Fougue (ardor).

fugaz [fuɣáθ] *adj.* Fugace.

fugitivo, -va [fuxitíβo, -βa] *adj.-s.* Fugitif, ive, fuyard, arde.

fulgente [fulxènte], **fúlgido, -da** [fúlxiðo, -ða] *adj.* Brillant, ante, resplendissant, ante.

fulgor [fulɣór] *m.* Éclat, lueur *f.*

fulgurante [fulɣuránte] *adj.* Fulgurant, ante.

fulminante [fulminánte] *adj. 1* Fulminant, ante. *2* Foudroyant, ante (enfermedad). ■ *3 m.* Amorce *f.*

fulminar [fulminár] *tr. 1* Lancer (rayos). *2* Foudroyer (a alguien). *3* fig. Lancer (bombas, balas). *4* Fulminer (excomuniones, etc.).

fullería [fuʎería] *f.* Tricherie.

fumadero [fumaðéro] *m.* Fumoir, fumerie *f.*

fumador, -ra [fumaðor, -ra] *adj.-s.* Fumeur, euse.

fumar [fumár] *intr.* Fumer (humear).

fumigar [fumiɣár] *tr.* Fumiger.

función [funθjón] *f. 1* Fonction. *2* Cérémonie religieuse, fête. *3* Représentation théâtrale, spectacle *m.*

funcionar [funθjonár] *intr.* Fonctionner.

funcionario [funθjonárjo] *m.* Fonctionnaire.

funda [fúnda] *f. 1* Housse (de un sillón, etc.), étui *m.* (gafas), gaine (pistola). *2* Taie (de almohada). *3* Fourreau *m.* (de paraguas).

fundación [fundaθjón] *f.* Fondation.

fundador, -ra [fundaðór, -ra] *adj.-s.* Fondateur, trice.

fundamental [fundamentál] *adj.* Fondamental, ale.

fundamento [fundaménto] *m. 1* Fondation *f.* (de un edificio). *2* fig. Fondement. *3* Sérieux, jugement.

fundar [fundár] *tr. 1* Fonder. ■ *2 pr.* Se fonder, s'appuyer (*en*, sur).

fundir [fundír] *tr. 1* Fondre (derretir). ■ *2 tr.* Fondre. *3* fig. Se fondre, s'unir (intereses, etc.).

fúnebre [fúneβre] *adj.* Funèbre.

funeral [funerál] *adj. 1* Funéraire. ■ *2 m. sing. pl.* Obsèques *f. pl. 3* Funérailles *f. pl.*

funerario, -ia [funerárjo, -ja] *adj.* Funéraire.

funesto, -ta [funésto, -ta] *adj.* Funeste.

funicular [funikulár] *adj.-m.* Funiculaire.

furgón [furγón] *m.* Fourgon.

furia [fúrja] *f. 1* Furie. *2* Hâte, ardeur. *3 Hecho una —,* furieux, fou de rage.

furioso, -sa [furjóso, -sa] *adj.* Furieux, euse.

furor [furór] *m. 1* Fureur *f. 2* Loc. *adv.* fig. *Con —,* à la folie, énormément.

furtivo, -va [furtiβo, -βa] *adj.* Furtif, ive.

fusible [fusíβle] *adj.-m.* Fusible.

fusil [fusíl] *m.* Fusil (de guerra): *— ametralladora,* fusil-mitrailleur.

fusilar [fusilár] *tr. 1* Fusiller. *2* fam. Plagier.

fusión [fusjón] *f. 1* Fusion. *2* Fonte (de la nieve). *3* fig. Fusion, fusionnement *m.*

fusionar [fusjonár] *tr.-pr.* Fusionner.

fusta [fústa] *f.* Long fouet *m.,* cravache.

fuste [fúste] *m. 1* Bois (madera). *2* Bois, hampe *f.* (de lanza). *3* Arçon (de la silla de montar).

fustigar [fustiγár] *tr.* Fustiger.

fútbol [fúðβol] *m.* Football.

futurismo [futurízmo] *m.* Futurisme.

futuro, -ra [futúro, -ra] *adj.-m. 1* Futur, ure. *2* GRAM. *— imperfecto,* futur simple; *— perfecto,* futur antérieur.

G

g [xe] *f.* G *m.*

gabán [gaβán] *m.* Pardessus.

gabardina [gaβarðina] *f.* Gabardine.

gabela [gaβéla] *f.* 1 Impôt *m.*, gabelle. 2 fig. Charge.

gabinete [gaβinéte] *m.* 1 Cabinet (habitación, colección científica, etc.). 2 Boudoir (de una señora).

gacela [gaθéla] *f.* Gazelle.

gaceta [gaθéta] *f.* 1 Gazette. 2 ant. Journal *m.* officiel (en España).

gacetilla [gaθetíʎa] *f.* Nouvelle brève (en un periódico).

gachí [gatʃi] *f.* pop. Fille, gonzesse, pépée.

gacho, -cha [gátʃo, -tʃa] *adj.* 1 Incliné, ée, penché, ée (hacia abajo): *orejas gachas,* oreilles basses. 2 Bas encorné (buey). 3 *A gachas,* à quatre pattes.

gaditano, -na [gaðitáno, -na] *adj.-s.* Gaditain, aine.

gafa [gáfa] *f.* 1 Crampon *m.* (grapa). ■ 2 *pl.* Lunettes.

gaita [gáita] *f.* 1 MÚS. Sorte de chalumeau. 2 — *gallega,* musette, biniou *m.*

gajes [gáxes] *m. pl.* Gages, émoluments, salaire *sing.*

gajo [gáxo] *m.* 1 Branche *f.* (de árbol). 2 Grappillon (de uvas). 3 Quartier *m.* (de naranja, etc.). 4 Dent *f.* (de horca, etc.).

gala [gála] *f.* 1 Habit *m.* de fête. Loc. *Vestir de —,* être en grande tenue. 2 Le meilleur, le plus exquis. Loc. fig. *Hacer — de, tener a —,* se faire gloire de.

galactosa [galaytósa] *f.* Galactose.

galaico, -ca [galáïko, -ka] *adj.* Galicien, ienne, de Galice.

galán [galán] *adj.* 1 Beau, élégant. ■ 2 *m.* Homme de belle prestance. 3 Galant, amoureux. 4 TEAT. Premier acteur: *—joven,* jeune premier.

galante [galánte] *adj.* 1 Galant, ante (empressé auprès des dames). 2 *Mujer —,* femme galante.

galantear [galanteár] *tr.* Courtiser, faire la cour à.

galápago [galápayo] *m.* 1 Tortue *f.* d'eau douce. 2 Galoche *f.* (polea). 3 Saumon, lingot (lingote). 4 EQUIT. Selle *f.* anglaise.

galardón [galarðón] *m.* Récompense *f.*, prix.

galardonar [galarðonár] *tr.* Récompenser.

galaxia [galá(y)sja] *f.* Galaxie.

galera [galèra] *f.* 1 MAR. Galère. 2 Guimbarde (carro). 3 CARP. Riflard *m.* 4 IMPR. Galée. 5 Squille, mante de mer (crustáceo). ■ 6 *pl.* Galères (condena).

galería [galeria] *f.* Galerie.

galgo [gályo] *m.* Lévrier.

galicano, -na [galikáno, -na] *adj.* Gallican, ane.

galicismo [galiθizmo] *m.* Gallicisme.

galio [gáljo] *m.* 1 Caille-lait, gaillet (planta). 2 Gallium (metal).

galo, -la [gálo, -la] *adj.-s.* Gaulois, oise.

galocha [galótʃa] *f.* Galoche, sabot *m.*

galón [galón] *m.* 1 Galon. 2 Gallon (medida).

galonear [galoneár] *tr.* Galonner.

galopar [galopár] *intr.* Galoper.

galope [galópe] *m.* 1 Galop. 2 *loc. adv.* fig. *A —,* au galop, à toute allure; *a — tendido,* au triple galop.

galopín [galopín] *m.* 1 Galopin (muchacho). 2 *— de cocina,* marmiton.

galvánico, -ca [galβániko, -ka] *adj.* Galvanique.

galvanismo [galβanizmo] *m.* FÍS. Galvanisme.

galvanizar [galβaniθár] *tr.* Galvaniser.

galladura [gaʎaðúra] *f.* Germe *m.* de l'œuf, cicatricule.

gallardía [gaʎarðía] *f.* 1 Grâce, désinvolture. 2 Bravoure (valor).

gallardo, -da [gaʎárðo, -ða] *adj.* 1 Gracieux, euse, désinvolte. 2 Brave, courageux, euse (valeroso). *3* fig. Grand, grande, magnifique.

gallego, -ga [gaʎéɣo, -ɣa] adj.-s. Gallicien, ienne.

galleta [gaʎéta] f. *1* Biscuit m. *2* MAR. Biscuit m., galette. *3* fam. Claque, gifle.

gallina [gaʎína] f. *1* Poule. Loc. *Acostarse con las gallinas*, se coucher avec les poules. *2* — *sorda*, bécasse; — *de Guinea*, pintade. *3* — *ciega*, colin-maillard (juego). ■ *4 s.* Poltron, onne, lâche, poule mouillée.

gallináceo, -ea [gaʎináθeo, -ea] adj. *1* Gallinacé, ée. ■ *2 f. pl.* Gallinacées.

gallinero [gaʎinéro] m. *1* Poulailler. *2* fig. Pétaudière. *3* TEAT. Poulailler.

gallineta [gaʎinéta] f. *1* Foulque (foja). *2* Bécasse (chocha).

gallito [gaʎíto] m. *1* Cochet. *2* fig. Celui qui est le premier quelque part: *el — del lugar*, le coq du village.

gallo [gáʎo] m. *1* Coq: — *silvestre*, coq de bruyère. *2 Levantar, alzar el —*, lever la crête, hausser le ton. *3* fig. Couac, canard (nota falsa): *soltar un —*, faire un couac.

gallón [gaʎón] m. ARQ. Ove.

gama [gáma] f. *1* Gamme. *2* Daine (hembra del gamo).

gamada [gamáða] adj. f. *Cruz —*, croix gammée.

gamarra [gamářa] f. Martingale (correa).

gambito [gambíto] m. Gambit.

gamella [gaméʎa] f. *1* Auge (artesa). *2* Partie, courbe du joug.

gamma [gámma] f. Gamma m. (letra griega).

gamo [gámo] m. Daim.

gamuza [gamúθa] f. *1* Chamois m., isard m. *2* Peau de chamois (piel).

gana [gána] f. *1* Envie, désir m.: *tener —, ganas de dormir*, avoir envie de dormir. *2* Appétit m.: *abrir las ganas*, ouvrir l'appétit. *3* Loc. fam. *Darle a uno la — de*, avoir envie de. *4 loc. adv. De buena —*, de bon gré, volontiers; *de mala —*, de mauvais gré, à contre-cœur.

ganadería [ganaðería] f. *1* Bétail m. (ganado). *2* Bestiaux m. pl., troupeau m.

ganadero, -ra [ganaðéro, -ra] adj. Qui concerne le troupeau, l'élevage.

ganado [ganáðo] m. *1* Bétail, bestiaux pl., bêtes f. pl.: — *mayor*, gros bétail; — *menor*, menu bétail. *2* — *cabrío*, les chèvres.

ganador, -ra [ganaðór, -ra] adj. Gagnant, ante.

ganancia [ganánθja] f. Gain m. (acción de ganar, lo que se gana), profit m., bénéfice m. (provecho).

ganar [ganár] tr. *1* Gagner. ▲ Dans certains sens, ce verbe peut être réfléchi: *ganarse la vida*, gagner sa vie. *2* Battre (en el juego). *3* Surpasser, l'emporter sur (aventajar).

ganchillo [gantʃíʎo] m. Crochet (aguja, labor).

gancho [gántʃo] m. *1* Crochet (garfio, puñetazo). *2* fig. Racoleur (persona). *3* Ergot, moignon (de rama).

gandul, -la [gandúl, -la] adj.-s. Fainéant, ante.

ganga [gáŋga] f. *1* Aubaine, occasion, bonne affaire. *2* MINER. Gangue.

ganglio [gáŋgljo] m. Ganglion.

gangoso, -sa [gaŋgóso, -sa] adj. *1* Nasillard, arde. ■ *2 adj.-s.* Nasilleur, euse.

gangrena [gaŋgréna] f. Gangrène.

gángster [gáŋgster] m. Gangster.

gansada [gansáða] f. Bêtise, niaiserie.

ganso, -sa [gánso, -sa] s. *1* Jars m., oie f. ■ *2* adj.-s. fig. Lourdaud, aude, bête, idiot, ote.

ganzúa [ganθúa] f. *1* Rossignol m., crochet m. (garfio). *2* fig. Filou m. (ladrón).

gañir [gaɲír] intr. Glapir. ▲ CONJUG. comme *tañer*.

garabatear [garaβateár] intr.-tr. Griffonner (garrapatear).

garabato [garaβáto] m. *1* Allonge f. (de carnicero), crochet (gancho). *2* Griffonnage (escritura mal hecha).

garaje [garáxe] m. Garage.

garante [garánte] adj. Garant, ante.

garantía [garantía] f. Garantie.

garantizar [garantiθár] tr. Garantir, se porter garant de.

garapiñar [garapiɲár] tr. *1* Faire solidifier en grumeaux. *2* Praliner: *almendra garapiñada*, praline.

garbanzo [garβánθo] m. Pois-chiche.

garbo [gárβo] m. *1* Grâce f., aisance f., désinvolture f. *2* Élégance f. *3* Générosité f., désintéressement.

garceta [garθéta] f. Garzette.

garfa [gárfa] f. Griffe (de un animal).

garfio [gárfjo] m. Crochet, croc.

gargajo [garɣáxo] m. Crachat, graillon.

garganta [garɣánta] f. *1* Gorge (parte anterior del cuello). *2* Cou-de-pied m. (del pie). *3* Gorge (de columna, etc.).

gargantilla [garɣantíʎa] f. *1* Petit collier m. de femme. *2* Grain m. de collier.

gárgaras [gárɣaras] f. pl. *1* Gargarismes m.: *hacer —*, se gargariser. *2* fam. *Enviar a hacer —*, envoyer promener.

garita [garíta] *f. 1* MIL. Guérite. *2* Loge (de portero).

garito [garíto] *m.* Tripot.

garlito [garlíto] *m.* Verveux, nasse *f.*

garnacha [garnátʃa] *f. 1* Grenache *m.* (uva, vino). *2* Robe (de magistrado). *3* Gens *m. pl.* de robe.

garra [gářa] *f. 1* Griffe (de león, etc.), serre (de las aves de rapiña). *2* fig. Main (mano).

garrafa [gařáfa] *f.* Carafe.

garrafal [gařafál] *adj.* Gros, grosse, énorme, monumental, ale: *una mentira —,* un gros mensonge.

garrafiñar [gařafiɲár] *tr.* Agripper.

garrafón [gařafón] *m. 1* Grande carafe *f. 2* Tourie *f.,* dame-jeanne *f.*

garrapata [gařapáta] *f.* Tique.

garrido, -da [gaříðo, -ða] *adj.* Beau, belle.

garroba [gařóβa] *f.* Caroube.

garrocha [gařótʃa] *f.* TAUROM. Pique.

garrote [gařóte] *m. 1* Bâton, trique *f.,* gourdin (palo). *2* Lien serré. *3* Garrotte *f.* (suplicio).

garza [gářθa] *f.* Héron *m.*

garzón [garθón] *m.* Garçon, jeune homme.

gas [gas] *m.* Gaz: *— ciudad,* gaz de ville; *gases raros,* gaz rares.

gasa [gása] *f. 1* Gaze. *2* Crêpe *m.* (de luto).

gaseoso, -sa [gaseóso, -sa] *adj.* Gazeux, euse.

gasificar [gasifikár] *tr.* Gazéifier.

gasolina [gasolína] *f.* Essence.

gasolinera [gasolinéra] *f. 1* Canot *m.* automobile (lancha). *2* Poste *m.* d'essence.

gastado, -da [gastáðo, -ða] *adj.* Usé, ée.

gastador, -ra [gastaðór, -ra] *adj. 1* Gaspilleur, euse, dépensier, ière. ■ *2 m.* MIL. Sapeur.

gastar [gastár] *tr. 1* Dépenser (dinero, las fuerzas, etc.). *2* Consommer, user (consumir). *3* Porter, avoir (habituellement): *— barba,* porter la barbe; *— coche,* avoir une voiture. Loc. *— poca saliva,* parler peu; *ya sé cómo las gasta,* je sais bien comment il agit. *4* Faire (broma, etc.).

gasto [gásto] *m. 1* Dépense *f. 2* Frais *pl.: gastos de viaje,* frais de déplacement. *3* FÍS. Débit (de agua, gas, etc.).

gástrico, -ca [gástriko, -ka] *adj.* Gastrique.

gastronomía [gastronomía] *f.* Gastronomie.

gata [gáta] *f.* Chatte (hembra del gato).

gatas (a) [gátas] *loc. adv.* À quatre pattes.

gatear [gateár] *intr. 1* Grimper (como un gato). *2* Marcher à quatre pattes (andar a gatas). ■ *3 tr.* fam. Voler (robar).

gatillo [gatíʎo] *m. 1* Détente *f.* (de un arma de fuego). *2* Davier (de dentista).

gato [gáto] *m. 1* Chat: — *montés,* chat sauvage. Loc. fig. *Cuatro gatos,* quatre pelés et un tondu; *hay — encerrado,* il y a anguille sous roche. *2* Cric, vérin (para levantar pesos).

gaucho, -cha [gáutʃo, -tʃa] *adj.-m.* Gaucho.

gaveta [gaβéta] *f.* Tiroir *m.*

gavilán [gaβilán] *m. 1* Épervier (ave). *2* Quillon (de una espada). *3* Fleur *f.* du chardon.

gavilla [gaβíʎa] *f. 1* Gerbe (de cereales), fagot *m.* (de sarmientos). *2* fig. Bande (de gente despreciable).

gaviota [gaβjóta] *f.* Mouette.

gazapera [gaθapéra] *f. 1* Garenne. *2* fig. Réunion de fripouilles. *3* Dispute, rixe.

gazapo [gaθápo] *m.* Lapereau.

gazpacho [gaθpátʃo] *m.* Soupe *f.* froide à l'huile, au vinagre et à l'ail.

ge [xe] *f.* G *m.,* lettre g.

geiser [xéiser] *m.* Geyser.

gel [xel] *m.* QUÍM. Gel.

gelatina [xelatína] *f. 1* Gélatine. *2* COC. Gelée.

gélido, -da [xéliðo, -ða] *adj.* poét. Glacé, ée, gelé, ée.

gema [xéma] *f. 1* Gemme. *2 Sal —,* sel gemme.

gemelo, -la [xemélo, -la] *adj.-s. 1* Jumeau, jumelle. ■ *2 m. pl.* ÓPT. Jumelles *f. 3* Boutons de manchettes (de camisa).

gemido [xemíðo] *m.* Gémissement.

gemir [xemir] *intr.* Gémir. ▲ CONJUG. comme *servir.*

gendarme [xendárme] *m.* Gendarme.

genealogía [xenealoxía] *f.* Généalogie.

generación [xeneraθjón] *f.* Génération.

generador, -ra [xeneraðór, -ra] *adj.-s.* Générateur, trice.

general [xenerál] *adj. 1* Général, ale. ■ *2 m.* Général.

generalidad [xeneraliðáð] *f.* Généralité.

generalísimo [xeneralisimo] *m.* Généralissime.

generalizar [xeneraliθár] *tr.* Généraliser.

género [xénero] *m. 1* Genre. *2* Tissu (tela). Loc. *— de punto,* tricot. *3* COM. Marchandise *f.,* article (mercancía). *4* GRAM., LIT. Genre.

generosidad [xenerosiðáð] *f.* Générosité.

generoso, -sa [xeneróso, -sa] *adj.* Généreux, euse.

génesis [xénesis] *f.* Genèse (origen).

genial [xenjál] *adj.* Génial, ale.

genio [xènjo] *m. 1* Génie. *2* Caractère: *mal —,* mauvais caractère. *3 Corto de —,* timide.

genitivo [xenitiβo] *m.* Génitif.

genovés, -esa [xenoβés, -ésa] *adj.-s.* Génois, oise.

gente [xènte] *f. 1* Gens *m.* pl.: *la — se atropella en el metro,* les gens se bousculent dans le métro. *2* Monde *m.* (personas): *había mucha —,* il y avait beaucoup de monde. ■ *3 pl.* Gentils: *el Apóstol de las gentes,* l'Apôtre des gentils.

gentil [xentíl] *adj.-s. 1* Gentil, idolâtre. ■ *2 adj.* Gentil, ille, beau, belle, gracieux, euse. *3* Grand, grande, considérable.

gentilhombre [xentilómbre] *m.* Gentilhomme.

gentilicio, -ia [xentiliθjo, -ja] *adj.* Gentilice.

gentilidad [xentiliðáð] *f.* Gentilité.

gentío [xentío] *m.* Foule *f.,* affluence *f.*

gentuza [xentúθa] *f.* desp. Populace, canaille.

genuino, -na [xenwino, -na] *adj.* Naturel, elle, véritable, authentique.

geografía [xeoɣrafía] *f.* Géographie.

geógrafo, -fa [xeóɣrafo, -fa] *s.* Géographe.

geología [xeoloxía] *f.* Géologie.

geólogo, -ga [xeóloɣo, -ɣa] *adj.-s.* Géologue.

geometría [xeometría] *f.* Géométrie.

geopolítica [xeopolítika] *f.* Géopolitique.

geranio [xeránjo] *m.* Géranium.

gerencia [xerènθja] *f.* Gérance.

gerente [xerènte] *m.* Gérant.

germánico, -ca [xermániko, -ka] *adj.-s.* Germanique.

germanio [xermánjo] *m.* QUÍM. Germanium.

germen [xèrmen] *m.* Germe.

germinación [xerminaθjón] *f.* Germination.

germinal [xerminál] *m.* Germinal.

germinar [xerminár] *intr.* Germer.

gerundense [xerundènse] *adj.-s.* De Gérone.

gerundio [xerúndjo] *m.* Gérondif.

gesta [xèsta] *f.* Geste: *cantar de —,* chanson de geste.

gesticular [xestikulár] *intr.* Grimacer, s'exprimer par des grimaces.

gestión [xestjón] *f. 1* Démarche (diligencia). *2* Gestion (administración).

gesto [xèsto] *m. 1* Expression *f.* du visage, mine *f.,* air. *2* Grimace *f.* (mueca).

gestor, -ra [xestór, -ra] *adj.-s.* Celui, celle qui participe à la direction ou à l'administration d'une entreprise, gérant, ante, gestionnaire.

giboso, -sa [xiβóso, -sa] *adj.-s.* Bossu, ue.

gigante [xiɣánte] *adj. 1* Géant, ante, gigantesque. ■ *2 m.* Géant.

gigantesco, -ca [xiɣantésko, -ka] *adj.* Gigantesque.

gimnasia [ximnásja] *f.* Gymnastique.

gimnasio [ximnásjo] *m.* Gymnase.

gimotear [ximoteár] *intr.* Gémir fréquemment, pleurnicher.

ginebra [xinéβra] *f.* Gin *m.,* genièvre *m.* (licor).

ginebrino, -na [xineβrino, -na] *adj.-s.* Genevois, oise.

ginecología [xinekoloxía] *f.* MED. Gynécologie.

giralda [xirálda] *f. 1* Girouette à forme d'homme ou d'animal. ■ *2 n. pr. f. La Giralda,* tour de la cathédrale de Séville.

girar [xirár] *intr. 1* Tourner. *2* fig. *— alrededor de,* tourner autour de, porter sur (una conversación, etc.). ■ *3 intr.-tr.* COM. Tirer: *— a cargo de,* tirer sur.

girasol [xirasól] *m. 1* Hélianthe, tournesol, soleil. *2* MINER. *Ópalo —,* girasol.

giro [xiro] *m. 1* Tour (movimiento circular). *2* Tournure *f.* (de la conversación, de un negocio, etc.). *3* Tournure *f.* (frase). *4* COM. Traite *f.,* mandat: *hacer un — contra,* tirer une traite sur; *— postal,* mandat-poste.

girondino, -na [xirondino, -na] *adj.* Girondin, ine.

gitanada [xitanáða] *f. 1* Action propre aux gitans. *2* fig. *3* fig. Flatterie, flagornerie (zalamería).

gitanillo, -lla [xitaniʎo, -ʎa] *s.* Petit gitan, petite gitane.

gitano, -na [xitáno, -na] *adj.-s. 1* Gitan, ane. *2* Bohémien, enne.

glacial [glaθjál] *adj.* Glacial, ale: *vientos glaciales,* des vents glacials.

glaciar [glaθjár] *m.* GEOG. Glacier.

gladiador [glaðjaðór] *m.* Gladiateur.

gladíolo [glaðíolo] *m.* Glaïeul.

glándula [glándula] *f.* Glande.

glasé [glasé] *m.* Taffetas glacé.

glasear [glaseár] *tr.* Glacer.

glaucoma [glaŭkóma] *m.* MED. Glaucome.

gleba [glèβa] *f.* Glèbe.

glicerina [gliθerina] *f.* Glycérine.

glicina [gliθína] *f.* Glycine.

global [gloβál] *adj.* Global, ale.

globo [glóβo] *m. 1* Globe (cuerpo esférico). *2* Globe (de lámpara). *3* Ballon (aerostato, juguete): *— sonda,* ballon-sonde.

globular [gloβulár] *adj.* Globuleux, euse.

glóbulo [glóβulo] *m.* Globule.

gloria [glòrja] *f. 1* Gloire. Loc. *Hacer — de*, se faire gloire de. *2* Ciel *m.*, paradis *m.* Loc. fig. *Estar en la —*, être aux anges. *3 m.* LITURG. Gloria..

gloriarse [glorjàrse] *pr.* Se glorifier. ▲ CONJUG. comme *cambiar*.

glorieta [glorjèta] *f. 1* Gloriette, tonnelle. *2* Rond-point *m.* (encrucijada).

glorioso, -sa [glorjóso, -sa] *adj.* Glorieux, euse.

glosa [glòsa] *f. 1* Glose (de un texto). *2* Sorte de composition poétique.

glosar [glosár] *tr.* Gloser sur.

glotis [glòtis] *f.* ANAT. Glotte.

glotón, -ona [glotón, -óna] *adj.-s.* Glouton, onne.

glotonería [glotonería] *f.* Gloutonnerie.

glucosa [glukósa] *f.* Glucose *m.*

gluten [glúten] *m.* Gluten.

glúteo, -ea [glúteo, -ea] *adj.* ANAT. Fessier, ière.

gnomo [nómo] *m.* Gnome.

gnóstico, -ca [nóstiko, -ka] *adj.-s.* FIL. Gnostique.

gobernación [goβernaθjón] *f. 1* Gouvernement *m.* *2 Ministerio de la —*, ministère de l'Intérieur.

gobernador, -ra [goβernaðòr, -ra] *adj.-s. 1* Qui gouverne. ■ *2 m.* Gouverneur. *3 —civil*, préfet d'un département.

gobernar [goβernár] *tr.* Gouverner (dirigir, regir). ▲ CONJUG. comme *acertar*.

gobierno [goβjérno] *m. 1* Gouvernement. Loc. *— civil*, préfecture *f.* d'un département. *2* Gouverne *f.: se lo digo para su —*, je vous le dis pour votre gouverne.

goce [góθe] *m.* Jouissance *f.*

godo, -da [góðo, -ða] *adj.-s.* Goth.

gol [gol] *m.* DEP. Goal, but: *marcar goles*, marquer des buts.

goleta [golèta] *f.* MAR. Goélette.

golf [golf] *m.* Golf (deporte).

golfo [gólfo] *m. 1* GEOG. Golfe. *2* Gamin, polisson (pilluelo), voyou (gamberro).

golilla [goliʎa] *f. 1* Rabat *m.*, col *m.* rabattu que portaient autrefois les gens de robe. ■ *2 m.* fig. ant. Homme de robe.

golondrina [golondrina] *f.* Hirondelle: *— de mar*, hirondelle de mer.

golosina [golosina] *f.* Gourmandise, friandise.

goloso, -sa [golóso, -sa] *adj.-s.* Gourmand, ande.

golpe [gólpe] *m. 1* Coup. Loc. *— de gracia*, coup de grâce; *— de Estado*, coup

d'État. *2* Multitude *f.*, foule. *3* Trait d'esprit, saillie *f. 4* Admiration *f.*, surprise *f.* Loc. *Dar el —*, surprendre, épater.

golpear [golpeàr] *tr.* Frapper, battre.

gollería [goʎería] *f. 1* Friandise. *2* fig. Chose superflue, excessive.

golletazo [goʎetáθo] *m.* TAUROM. Estocade *f.* au cou du taureau.

goma [góma] *f. 1* BOT. Gomme. *2* Caoutchouc *m.* *3* Élastique *m.* (cinta). *4 — de borrar*, gomme. *5 — de pegar*, colle.

gomoso, -sa [gomóso, -sa] *adj.-m.* Gommeux, euse.

góndola [góndola] *f.* Gondole.

gong [gong] *m.* Gong.

gongorismo [gongorizmo] *m.* Gongorisme.

gordo, -da [górðo, -ða] *adj. 1* Gros, grosse (corpulento, voluminoso). Loc. *El premio —*, le gros lot. *2* Gras, grasse (con grasa). *3* Épais, aisse. *4* fig. Important, ante, grave: *algo — ha ocurrido*, il est arrivé quelque chose de grave. ■ *5 m.* Gros lot (en la lotería).

gordura [gorðúra] *f. 1* Graisse (del cuerpo). *2* Embonpoint *m.* (en las personas).

gorgojo [gorγóxo] *m. 1* Charançon. *2* fig. fam. Nain.

gorgoteo [gorγotèo] *m.* Gargouillement.

gorila [gorila] *m.* Gorille.

gorja [górxa] *f.* Gorge. Loc. fam. *Estar de —*, être gai, gaie.

gorjear [gorxeár] *intr. 1* Gazouiller (los pájaros, los niños). *2* MÚS. Faire des roulades.

gorra [góra] *f. 1* Casquette. *2 loc. adv. De —*, gratis, à l'œil.

gorrión [gorjòn] *m.* Moineau.

gorrista [gorísta] *m.* Parasite.

gorro [góro] *m. 1* Bonnet: *— frigio*, bonnet phrygien; *— de dormir*, bonnet de nuit. *2 — de cuartel*, calot, bonnet de police.

gota [góta] *f.* Goutte (de líquido).

gotear [gotear] *intr.* Dégoutter, tomber goutte à goutte.

gotera [gotèra] *f.* Gouttes *pl.* qui tombent à travers le toit, fente par où elles passent.

gótico, -ca [gótiko, -ka] *adj. 1* Gothique. *2* fig. *Niño —*, freluquet, bêcheur. ■ *3 m.* ARQ. Gothique.

gozar [goθár] *tr.-intr.* Jouir de: *goza de buena salud*, il jouit d'une bonne santé.

gozne [góθne] *m.* Gond.

gozo [góθo] *m. 1* Joie *f.*, plaisir, allégresse *f.*

gozoso, -sa [goθóso, -sa] *adj.* Joyeux, euse.

grabado [graβáðo] *m.* Gravure *f.: — en cobre*, gravure sur cuivre.

grabar [graβár] *tr. 1* Graver. *2* Enregistrer (discos, cintas magnetofónicas).

gracia [gráθja] *f. 1* Grâce. Loc. *Estar en — cerca de*, être en grâce auprès de; *caer en — a uno*, plaire à quelqu'un; *hacer — de*, faire grâce de. *2* Attrait *m.*, charme *m.* (de una mujer). *3* Mot *m.* d'esprit, plaisanterie: *reírle las gracias a uno*, rire des plaisanteries de quelqu'un. *4 Tener —*, être drôle, amusant, ante. *5 pl.* Merci. Loc. *Dar las gracias*, remercier.

gracioso, -sa [graθjóso, -sa] *adj. 1* Gracieux, euse. *2* Amusant, ante, plaisant, ante, drôle (agudo, chistoso). ■ *3 s.* Acteur, actrice qui joue les rôles comiques.

grada [gráða] *f. 1* Degré *m.* marche (peldaño). *2* Gradin *m.* (en un estadio, anfiteatro). *3* Estrade (de un altar). *4* MAR. Cale, chantier *m. 5* AGR. Herse.

grado [gráðo] *m. 1* Degré. *2* Grade (título). *3* Année *f.* (de un curso escolar). *4* Gré: *de buen —*, de bon gré; *mal de su —*, contre son gré; *de — o por fuerza*, de gré ou de force.

graduado, -da [graðwáðo, -ða] *adj. 1* Gradué, ée. *2* Diplômé, ée.

graduar [graðwár] *tr. 1* Graduer. *2* Estimer, juger, tenir pour: *— de, por bueno*, juger bon. ■ *3 pr.* Recevoir un titre universitaire, être reçu, ue.

gráfica [gráfika] *f.* Graphique *m.*

gragea [graxèa] *f.* Dragée.

gramática [gramátika] *f. 1* Grammaire. *2* fig. *— parda*, astuce, savoir-faire *m.*, débrouillardise.

gramo [grámo] *m.* Gramme.

gran [gran] *adj.* Forme apocopée de **grande** qui ne s'emploie que devant un substantif au singulier: *un — pintor*, un grand peintre.

granada [granáða] *f.* Grenade (fruto, proyectil).

granadino, -na [granaðíno, -na] *adj.-s. 1* Grenadin, ine (de Granada). *2* Du grenadier (árbol), de la grenade (fruto).

granado, -da [granáðo, -ða] *adj.* Notable, remarquable.

granate [granáte] *adj.-m.* Grenat.

grande [gránde] *adj. 1* Grand, grande: *habitación —*, grande chambre. *2* Gros, grosse. ■ *3 m.* Grand: *— de España*, grand d'Espagne. *4 loc. adv. En —*, en grand; fig. avec luxe; *vivir en, a lo —* vivre sur un grand pied.

grandeza [grandéθa] *f. 1* Grandeur. *2* Grandesse (dignidad).

grandote, -ta [grandóte, -ta] *adj.* fam. Trop grand, grande.

granear [graneár] *tr. 1* Semer (el grano). *2* Grener (convertir en grano). *3* Faire le grain (de una piedra litográfica).

granel (a) [agranél] *loc. adv. 1* En quantité, en abondance. *2* COM. En vrac, au détail.

granero [granéro] *m.* Grenier.

granito [graníto] *m.* MINER. Granit.

granizada [graniθáða] *f. 1* Chute de grêle. *2* fig. Grêle (gran cantidad). *3* Granité *m.* (bebida).

granizo [graníθo] *m. 1* Grêle *f. 2* Grêlon (grano de hielo). *3 Caer como —*, tomber dru.

granja [gránxa] *f.* Ferme, exploitation agricole.

granjear [granxeár] *tr.* Acquérir (dinero) en trafiquant.

granjero, -ra [granxéro, -ra] *s.* Fermier, ière, exploitant agricole.

grano [gráno] *m. 1* Grain (de los cereales, de uva, café), graine *f.* (semilla). *2* Grain (de la piedra, de la piel, etc.). Loc. fig. *Ir al —*, aller au fait. *3* MED. Bouton.

granuja [granúxa] *f. 1* Raisin *m.* égrappé. *2* Pépin *m.* ■ *3 m.* fam. Gamin (pilluelo).

granular [granulár] *tr.* Granuler.

granza [gránθa] *f.* Garance.

grapa [grápa] *f. 1* Crampon *m. 2* Agrafe (para el papel). *3* MED. Agrafe.

grasa [grása] *f. 1* Graisse. *2* Crasse (suciedad).

graso, -sa [gráso, -sa] *adj.* Gras, grasse.

gratificación [gratifikaθjón] *f. 1* Gratification (retribución). *2* Récompense.

gratis [grátis] *adv.* Gratis.

gratitud [gratitúð] *f.* Gratitude.

grato, -ta [gráto, -ta] *adj. 1* Agréable. ■ *2 adj.-f.* Honorée (carta): *su grata del 6*, votre honorée du 6 courant.

grava [gráβa] *f. 1* Gravier *m.* (guijarros). *2* Cailloutis *m.*

grave [gráβe] *adj.* Grave.

gravedad [graβeðáð] *f.* Gravité.

grávido, -da [gráβiðo, -ða] *adj. 1* Chargé, ée, plein, e. *2* Gravide (hembra).

gravitar [graβitár] *intr. 1* FÍS. Graviter. *2* fig. Peser, reposer (sobre, sur).

graznar [graθnár] *intr. 1* Croasser (el cuervo). *2* Cacarder (el ganso).

greca [gréka] *f.* Grecque (adorno).

greda [gréða] *f.* Terre à foulon, glaise.

gregario, -ia [greγárjo, -ja] *adj.* Grégaire.

gregoriano, -na [greγorjáno, -na] *adj.* Grégorien, ienne.

gremio [grèmjo] *m.* Corporation *f.*, corps de métier.

gres [gres] *m.* Grès.

gresca [grèska] *f. 1* Tapage *m. 2* Querelle, dispute (riña).

grey [greĭ] *f. 1* Troupeau *m.* (rebaño). *2* Congrégation des fidèles, ouailles *pl.* (fieles).

griego, -ga [grjéɣo, -ɣa] *adj.-s. 1* Grec, grecque. ■ *2 adj.* **Fuego —**, feu grégeois.

grieta [grjèta] *f. 1* Crevasse (en el suelo, etc.), lézarde (en una pared). *2* Gerçure, crevasse (en la piel).

grifo, -fa [grifo, -fa] *adj. 1* Crépu, ue, ébouriffé, ée. *2* Aldin, ine (letra). ■ *3 m.* Robinet (llave). *4* Griffon (animal fabuloso).

grillo [griʎo] *m. 1* Grillon, cricri. *2 — cebollero*, courtilière *f. 3* Germe (brote). ■ *4 pl.* Fers (de un preso).

grima [grima] *f.* Dégoût *m.*, horreur, irritation.

gringo, -ga [griŋgo, -ɣa] *adj.-s. 1* desp. Étranger, ère. ▲ S'applique surtout aux Anglo-Saxons. ■ *2 m.* Hébreu (lenguaje).

gripe [gripe] *f.* MED. Grippe.

gris [gris] *adj.-m. 1* Gris, grise (color): *tonos grises*, des tons gris. ■ *2 m.* Petit gris (animal). *3* Vent froid.

gritar [gritár] *intr. 1* Crier. ■ *2 tr.-intr.* Huer, siffler, conspuer (a uno).

grito [grito] *m.* Cri. Loc. *Dar gritos*, pousser des cris, crier.

grosella [groséʎa] *f.* Groseille.

grosero, -ra [grosèro, -ra] *adj.* Grossier, ière.

grosor [grosór] *m.* Épaisseur *f.*

grotesco, -ca [grotésko, -ka] *adj.* Grotesque.

grúa [grúa] *f.* Grue (máquina).

grueso, -sa [grwéso, -sa] *adj. 1* Gros, grosse (abultado, gordo): *un árbol —*, un gros arbre. *2* Épais, aisse (espeso). ■ *3 m.* Épaisseur *f.*, grosseur *f. 4* Gros: *el — del ejército*, le gros de l'armée. *5* Plein (de una letra).

grumete [gruméte] *m.* MAR. Mousse.

grumo [grúmo] *m.* Grumeau (de leche).

gruñir [gruɲir] *intr.* Grogner.

grupo [grúpo] *m.* Groupe.

gruta [grúta] *f.* Grotte.

guadaña [gwaðáɲa] *f.* AGR. Faux.

guadañar [gwaðaɲár] *tr.* Faucher.

guagua [gwáɣwa] *f. 1* Bagatelle (cosa baladí). *2* Autobus *m. 3* Bébé *m. 4* loc. *adv. De —*, gratis.

guajira [gwaxira] *f.* Chanson populaire de Cuba.

gualda [gwálda] *f.* Gaude.

gualdo, -da [gwáldo, -da] *adj.* Jaune.

gualdrapa [gwaldrápa] *f. 1* Housse (de caballo). *2* fam. Lambeau *m.*, loque.

gualdrapear [gwaldrapeàr] *intr.* Fouetter les mâts (las velas).

guanaco, -ca [gwanáko, -ka] *s. 1* Guanaco *m. 2* amer. fig. Rustaud *m.*

guanche [gwántʃe] *s.* Indigène des îles Canaries.

guano [gwáno] *m.* Guano.

guantada [gwantáða] *f.*, **guantazo** [gwantáθo] *m.* Soufflet *m.*, gifle *f.*, claque *f.*

guante [gwánte] *m.* Gant. Loc. *Arrojar, recoger el —*, jeter, relever le gant.

guantería [gwantería] *f.* Ganterie.

guapeza [gwapéθa] *f. 1* Hardiesse (ánimo). *2* Fanfaronnade, vantardise.

guapo, -pa [gwápo, -pa] *adj. 1* Beau, belle. *2* fam. Bien mis, mise, élégant, ante. ■ *3 m.* Querelleur, bagarreur, dur (pendenciero).

guarda [gwárda] *s. 1* Garde, gardien, enne, surveillant, ante (jardín, etc.). Loc. *—rural*, garde champêtre. ■ *2 f.* Garde, surveillance. *3* Observance (de una ley). *4* Tutelle. *5* Garde (de un libro, una cerradura, una espada). *6* Bouterolle (de una llave).

guardabarrera [gwarðaβaɾèra] *s.* Gardebarrière.

guardabarros [gwarðaβáɾos] *m. invar.* Garde-boue.

guardabosque [gwarðaβóske] *m.* Garde forestier.

guardacostas [gwarðakóstas] *m. invar.* Garde-côte.

guardainfante [gwarðaĭmfànte] *m.* Sorte de vertugadin.

guardamano [gwarðamáno] *m.* Garde *f.* (de espada).

guardamonte [gwarðamònte] *m.* Pontet, sous-garde *f.* (del fusil).

guardapuntas [gwarðapúntas] *m. invar.* Protège-mine.

guardar [gwarðár] *tr.* Garder: *— bajo llave*, garder sous clef.

guardarropa [gwarðaɾópa] *m. 1* Vestiaire. *2* Garde-robe *f.* (armario). *3* TEAT. Costumier.

guardia [gwárðja] *f. 1* Garde (defensa, custodia). *2* ESGR. Garde. *3* MIL. Garde (cuerpo de tropa): *— civil*, gendarmerie espagnole. ■ *4 m.* Garde. *5* Agent de police, agent (del tráfico).

guardián, -ana [gwarðján, -ána] *s.* Gardien, ienne.

guarecer [gwareθér] *tr.* Abriter, protéger, mettre à couvert. ▲ CONJUG. comme *agradecer*.

guarismo [gwarízmo] *m. 1* MAT. Chiffre. *2* Nombre (número).

guarnecer [gwarneθér] *tr.* Garnir (prover, adornar).

guarnición [gwarniθjón] *f. 1* Garniture (adorno). *2* Chaton *m.*, sertissure (en una joya). *3* Garde (de la espada). *4* MIL. Garnison: *estar de* —, être en garnison. ■ *5 pl.* Harnais *m.* (arreos).

guarro, -rra [gwárro, -řa] *s. 1* Cochon *m.*, truie *f. 2* fig. Cochon, onne.

guasa [gwása] *f.* fam. *1* Plaisanterie, raillerie, blague. *2 Estar de* —, plaisanter, blaguer; *en* —, pour rire.

¡guay! [gwái] *interj.* Malheur!

guayacán [gwajakán], **guayaco** [gwajáko] *m.* Caïac.

gubernamental [guβernamentál] *adj.* Gouvernemental, ale.

gubernativo, -va [goβernatiβo, -βa] *adj. 1* Du gouvernement, gouvernemental, ale. *2* Administratif, ive.

guerra [géřa] *f.* Guerre: — *a muerte*, guerre à outrance, sans quartier.

guerrero, -ra [geřéro, -ra] *adj.-s.* Guerrier, ière.

guerrilla [geříʎa] *f.* Guérilla.

guía [gía] *s. 1* Guide (persona). ■ *2 m.* MIL. Guide. ■ *3 f.* Guide *m.* (libro). *4* Indicateur *m.* (de ferrocarriles), annuaire *m.* (de teléfonos). *5* MEC. Guide *m.*, glissière. *6* COM. Passavant *m.* (permiso). *7* MIN. Guidon *m.* *8* Pointe (del bigote) (riendas).

guiar [gjár] *tr.* Guider.

guijarro [gixářo] *m.* Caillou, galet.

guijo [gíxo] *m.* Cailloutis.

guillotina [giʎotína] *f. 1* Guillotine. *2* IMPR. Massicot *m.*

guillotinar [giʎotinár] *tr.* Guillotiner.

guinda [gínda] *f.* Guigne (fruto).

guindar [gindár] *tr.* Guinder, hisser.

guindilla [gindíʎa] *f. 1* Piment *m.* picant. *2* pop. Flic *m.* (guardia).

guindo [gíndo] *m.* Guignier.

guinja [gínxa] *f.* Jujube.

guiñada [giɲáða] *f. 1* Clignement *m.* d'œil. *2* MAR. Embardée.

guiñar [giɲár] *tr.* Cligner: — *el ojo*, cligner de l'œil.

guiño [gíɲo] *m.* Clignement d'œil.

guión [gjón] *m. 1* Croix *f.* qui précède une communauté. *2* Plan (de un discurso, etc.). *3* Scénario (de una película). *4* GRAM. Tiret (raya horizontal), trait d'union (en las palabras compuestas).

guirnalda [girnálda] *f.* Guirlande.

guisado [gisáðo] *m.* Ragoût.

guisante [gisánte] *m. 1* Pois: — *de olor*, pois de senteur. *2* Petit pois (legumbre).

guisar [gisár] *intr. 1* Cuisiner, faire la cuisine. ■ *2 tr.* Cuisiner, accommoder (los alimentos). *3* fig. Arranger, préparer (una cosa).

guiso [gíso] *m.* Plat, mets.

guisote [gisóte] *m.* Ratatouille *f.*

guitarra [gitářa] *f.* MÚS. Guitare.

guitarrero [gitařío] *m.* Luthier.

guitarrista [gitaříʃta] *s.* Guitariste.

gula [gúla] *f.* Gourmandise.

gulusmear [guluzmeár] *intr. 1* Manger des friandises. *2* Flairer, renifler ce que l'on cuit, fourrer son nez partout.

gusanear [gusaneár] *f. 1* Endroit *m.* où fourmillent les vers. *2* fig. Passion dominante.

gusanillo [gusaníʎo] *m.* Petit ver. Loc. fam. *Matar el* —, tuer le ver.

gusano [gusáno] *m.* Ver: — *de luz*, ver luisant; — *de seda*, ver à soie.

gustar [gustár] *tr. 1* Goûter, déguster, savourer. ■ *2 intr.* Plaire, aimer: *esto me gusta*, cela me plaît, j'aime cela. *3* — *de*, aimer à, se plaire a.

gustativo, -va [gustatiβo, -βa] *adj.* Gustatif, ive.

gustillo [gustíʎo] *m.* Arrière-goût, petit goût.

gusto [gústo] *m. 1* Goût: *un* — *amargo*, un goût amer. *2* Plaisir: *dar* —, faire plaisir.

gustoso, -sa [gustóso, -sa] *adj. 1* Savoureux, euse. *2* Agréable, plaisant, ante. *3* Content, ente. *4 Lo haré muy* —, je le ferai avec grand plaisir, très volontiers.

gutural [guturál] *adj.* Guttural, ale: *sonidos guturales*, des sons gutturaux.

H

h [átʃe] *f.* H *m.*

haba [áβa] *f.* 1 Fève. Loc. *Son habas contadas,* c'est une chose certaine. 2 — *panosa,* féverole.

habanero, -ra [aβanéro, -ra] *adj.-s.* 1 Havannais, aise. ■ 2 *f.* Habanera (danza).

habano, -na [aβáno, -na] *adj.* 1 Havanais, aise. 2 Havane (color). ■ 3 *m.* Havane (cigarro puro).

haber [aβér] *m.* 1 Avoir (caudal). 2 COM. Avoir. ■ 3 *pl.* Appointements, émoluments.

haber [aβér] *v. auxil.* 1 Avoir. 2 (con *de*). Devoir (idée d'obligation): *he de salir,* je dois sortir. ■ 3 *impers.* Y avoir (cierto tiempo): *cinco años ha,* il y a cinq ans. 4 (con *que*) Falloir. Dans ce sens le 3.ᵉ personne du présent de l'indicatif prend la forme *hay: hay mucha gente aquí,* il y a beaucoup de monde ici. ■ 5 *tr.* Capturer, parvenir à avoir, arrêter (apresar): *los ladrones no han sido habidos,* les voleurs n'ont pas été capturés. ■ 6 *pr.* Otros sentidos: *habérselas con uno,* avoir affaire à quelqu'un; *allá se las haya,* qu'il s'arrange, qu'il se débrouille. ▲ CONJUG. IRRÉG. INDIC. Prés.: *he, has, ha* ou *hay, hemos* ou *habemos, habéis, han.* Imparf.: *había, habías,* etc. Pas. simple: *hube, hubiste, hubo, hubimos, hubisteis, hubieron.* Fut.: *habré, habrás, habrá, habremos, habréis, habrán.* COND.: *habría, habrías, habríamos, habríais, habrían.* SUBJ. Prés.: *haya, hayas, haya, hayamos, hayáis, hayan.* Imparf.: *hubiera, hubieras, hubiera* ou *hubiéramos, hubierais, hubieran* ou *hubiese, hubieses,* etc. Fut.: *hubiere, hubieres,* etc. IMPÉR.: *he, haya, hayamos, habed, hayan.* PART. PAS.: *habido, da.* GÉR.: *habiendo.*

hábil [áβil] *adj.* 1 Habile, adroit, oite. 2 DER. Habile, apte: — *para,* apte à. 3 *Días hábiles,* jours ouvrables.

habilidad [aβiliðáð] *f.* 1 Habileté, adresse (destreza). 2 DER. Habilité.

habilitar [aβilitár] *tr.* DER. Habiliter.

habitación [aβitaθjón] *f.* 1 Habitation. 2 Chambre (cuarto de dormir).

habitante [aβitánte] *m.* Habitant.

habitar [aβitár] *tr.* Habiter.

hábito [áβito] *m.* 1 Habitude *f.* (costumbre). 2 Habit (de religioso).

habitual [aβitwál] *adj.* Habituel, elle.

habla [áβla] *f.* 1 Parole (facultad, acción de hablar): *perder el —,* perdre la parole. 2 Langue, parler *m.* (lenguaje). 3 *loc. adv.* Al —, en communication, en pourparlers.

hablar [aβlár] *intr.* 1 Parler. Loc. fig. —*alto, claro, fuerte,* parler haut, ne pas mâcher ses mots. 2 Causer, converser. ■ 3 *tr.* Parler (un idioma). ■ 4 *pr.* Se parler (tratarse).

hacendado, -da [aθendáðo, -ða] *s.* Propriétaire foncier.

hacendoso, -sa [aθendóso, -sa] *adj.* Laborieux, euse; actif, ive.

hacer [aθér] *tr.* 1 Faire: *haré este trabajo mañana,* je ferai ce travail demain. Loc. — *alguna,* en faire une bonne; — *burla de,* se moquer de; — *pedazos,* mettre en morceaux; — *presente,* faire remarquer, rappeler. 2 Supposer, croire: *yo te hacía en Madrid,* je te croyais à Madrid. ■ 3 *intr.* Faire: *has hecho bien en,* tu as bien fait de. 4 Importer, faire (importar): *no le hace,* cela importe peu, cela ne fait rien. ■ 5 *pr.* Se faire: *hacerse fraile,* se faire moine. 6 Faire le, la, jouer à: *hacerse el indiferente,* faire l'indifférent. 7 *Hacerse a un lado,* s'écarter, se ranger de côté. ■ 8 *impers.* Faire: *hace frío,* il fait froid. 9 Y avoir: *hace mucho tiempo,* il y a longtemps. ▲ CONJUG. IRRÉG. INDIC. Prés.: *hago, haces, hace, hacemos, hacéis, hacen.* Imparf.: *hacía, hacías,* etc. Pas simple: *hice, hiciste, hizo, hicimos,* hicisteis, hicieron. Fut.: *haré, harás, hará, haremos, haréis, harán.* COND.: *haría, harías, haría, haríamos, haríais, harían.* SUBJ. Prés.: *haga, hagas, haga, hagamos, hagáis, hagan.* Imparf.: *hiciera, hicieras, hiciera, hiciéramos, hicierais, hicieran,* ou *hiciese, hicieses,* etc. Fut.: *hiciere, hicieres,* etc. IMPÉR.: *haz, haga, hagamos, haced, hagan.* PART. PAS.: *hecho, cha.* GÉR.: *haciendo.*

hacienda [aθjénda] *f. 1* Propriété rurale, domaine *m.* rural. *2* Fortune, biens *m. pl. 3* Finances.

hacha [átʃa] *f. 1* Hache. *2* Torche, flambeau *m.* (antorcha).

hache [átʃe] *f.* H *m.*, lettre h.

hada [áða] *f.* Fée.

¡hala! [ála] *interj.* Allons!, allez!

halagador, -ra [alayaðór, -ra] *adj.* Flatteur, euse.

halago [aláyo] *m.* Flatterie *f.*

halagüeño, -ña [alaywéɲo, -ɲa] *adj.* Flatteur, euse, séduisant, ante.

halcón [alkón] *m.* Faucon.

¡hale! [ále] *interj.* Allez!, vite!

hálito [álito] *m. 1* Souffle, haleine *f.* (aliento). *2* Vapeur *f. 3* poét. Brise *f.*

hallar [aʎár] *tr. 1* Trouver. ■ *2 pr.* Se trouver, être: *hallarse en París,* être à Paris. *3* Rencontrer: *hallarse con un obstáculo,* rencontrer un obstacle.

hallazgo [aʎáθyo] *m.* Trouvaille *f.*

hambre [ámbre] *f. 1* Faim: *tengo mucha —,* j'ai très faim. *2* Famine, disette (escasez de alimentos).

hambriento, -ta [ambrjénto, -ta] *adj.* Affamé, ée.

hampa [ámpa] *f.* Pègre, gueuserie.

hangar [aŋgár] *m.* Hangar.

haragán, -ana [arayán, -àna] *adj.-s.* Fainéant, ante.

harapiento, -ta [arapjénto, -ta] *adj.* Déguenillé, ée.

harén [arén], **harem** [arèn] *m.* Harem.

harina [arina] *f.* Farine.

harinero, ra [arinéro, -ra] *adj.* De la farine, à farine: *molino —,* moulin à farine.

harpillera [arpiʎéra] *f.* Serpillière.

hartar [artár] *tr. 1* Rassasier. *2* fig. Lasser, fatiguer (fastidiar). *3* Accabler, couvrir: *— de injurias,* couvrir d'injures. ■ *4 pr.* Se gaver. *5* fig. Se lasser.

harto, -ta [árto, -ta] *adj. 1* Rassasié, ée. *2* Las, lasse, fatigué, ée. Loc. *Estar — de,* en avoir assez de. ■ *3 adv.* Assez (bastante), trop (demasiado).

hasta [ásta] *prep. 1* Jusqu'à, à: *— el final,* jusqu'à la fin. Loc. *— luego,* à tout à l'heure; *— ahora,* à tout de suite. ■ *2 conj.* Même (también, incluso): *— él lo dice,* même lui le dit.

hastío [astío] *m. 1* Dégoût. *2* Ennui.

hatajo [atáxo] *m.* Petit troupeau.

hato [áto] *m. 1* Baluchon. Loc. *Liar el —,* faire sa malle, plier bagage. *2* Troupeau (rebaño). *3* Tas (cúmulo).

haya [ája] *f.* Hêtre *m.*

haz [aθ] *m. 1* Faisceau (de rayos luminosos), gerbe *f.*, botte *f.* (de hierba), fagot (de leña). *2* Endroit *m.* (de una tela, etc.).

haza [áθa] *f.* Pièce de terre.

hazaña [aθáɲa] *f.* Exploit *m.*, prouesse.

hazmerreír [aθmerreír] *m.* Jouet, risée *f.*

he [e] Particule qui se combine avec *aquí, allí* et avec quelques pronoms personnels: *— aquí,* voici; *— allí,* voilà; *heme aquí,* me voici; *helo aquí,* le voici.

hebilla [eβíʎa] *f.* Boucle.

hebra [éβra] *f. 1* Aiguillée, brin *m.* (de hilo). *2* Fil *m.*, filament *m.*, fibre. *3* Filandre (de la carne). *4* poét. Cheveu *m.*

hebreo, -ea [eβréo, -ea] *adj.-s. 1* Hébreu. ■ *2 adj.* Hébraïque.

hectárea [eγtárea] *f.* Hectare *m.*

hectolitro [eγtolitro] *m.* Hectolitre.

hechicero, -ra [etʃiθéro, -ra] *adj.-s. 1* Ensorceleur, euse, sorcier, ière. ■ *2 adj.* Charmant, ante, séduisant, ante.

hechizo [etʃíθo] *m. 1* Sortilège. *2* fig. Charme, attrait.

hecho, -cha [étʃo, -tʃa] *1 p. p.* de *hacer.* ■ *2 adj.* Fait, faite. *3 Estar —* ..., être semblable à...; *estaba — una fiera,* on aurait dit une bête féroce. ■ *4 m.* Fait: *— de armas,* fait d'armes. *5 loc. adv. De — y de derecho,* en fait et en droit.

hechura [etʃúra] *f. 1* Action de faire, façon. *2* Œuvre (obra). *3* Créature, protégé *m.* (persona).

hediondo, -da [eðjóndo, -da] *adj. 1* Puant, ante, fétide. *2* fig. Sale, répugnant, ante.

hegemonía [exemonía] *f.* Hégémonie.

helada [eláða] *f. 1* Gelée. *2 — blanca,* gelée blanche, givre *m.*

helado, -da [eláðo, -ða] *adj. 1* Gelé, ée, glacé, ée. *2* fig. Saisi, ie d'étonnement, de frayeur. ■ *3 m.* Glace *f.: un — de fresa,* une glace à la fraise.

helar [elár] *tr. 1* Geler, glacer (el agua), figer (aceite). ■ *2 impers.* Geler. ▲ CONJUG. comme *acertar.*

helecho [elétʃo] *m.* Fougère *f.*

helénico, -ca [elèniko, -ka] *adj.* Hellénique.

heleno, -na [eléno, -na] *adj.-s.* Hellène.

hélice [èliθe] *f. 1* Hélice. *2* ANAT. Hélix *m.*
helicóptero [elikóβtero] *m.* Hélicoptère.
helio [éljo] *m.* QUÍM. Hélium.
heliotropo [eljotrópo] *m.* Héliotrope.
helvético, -ca [elβétiko, -ka] *adj.* Helvétique.
hematíe [ematíe] *m.* FISIOL. Hématie *f.*
hematoma [ematóma] *m.* Hématome.
hembra [émbra] *f. 1* Femelle. *2* fam. Femme, fille. *3* Porte (de corchete).
hemiciclo [emiθíklo] *m.* Hémicycle.
hemisferio [emisférjo] *m.* Hémisphère.
hemofilia [emofílja] *f.* MED. Hémophilie.
hemorragia [emoráxja] *f.* Hémorragie.
henchidura [entʃidúra] *f.*, **henchimiento** [entʃimjénto] *m.* Remplissage *m.*, bourrage *m.*
henchir [entʃir] *tr. 1* Remplir, bourrer. *2* Gonfler (inflar). *3* Gonfler (de orgullo). *4 pr.* Se bourrer. ▲ CONJUG. comme *servir.*
hender [endér] *tr.* Fendre. ▲ CONJUG. comme *entender.*
hendidura [endiðúra] *f.* Fente, crevasse.
henil [enil] *m.* Fenil.
heno [éno] *m.* Foin.
hepático, -ca [epátiko, -ka] *adj. 1* Hépatique. ■ *2 f. pl.* BOT. Hépatiques.
heptaedro [eβtaéðro] *m.* Heptaèdre.
heptagonal [eβtaγonál] *adj.* Heptagonal, ale.
heráldico, -ca [eráldiko, -ka] *adj.-f.* Héraldique.
heraldo [eráldo] *m.* Héraut.
herbáceo, -ea [erβáθeo, -ea] *adj.* Herbacé, ée.
herbaje [erβáxe] *m.* Herbage (hierba).
herbario, -ia [erβárjo, -ja] *adj. 1* Relatif, ive aux herbes. ■ *2 m.* Herbier (colección). *3* ZOOL. Panse *f.* (de los rumiantes).
herbívoro, -ra [erβíβoro, -ra] *adj.-m.* Herbivore.
herbolario [erβolárjo] *m.* Herboriste.
heredar [ereðár] *tr.* Hériter.
heredero, -ra [ereðéro, -ra] *adj.-s.* Héritier, ière: — *forzoso*, héritier réservataire.
hereje [eréxe] *s.* Hérétique.
herencia [erénθja] *f. 1* Hérédité (derecho). *2* Héritage *m.* (lo que se hereda).
herida [eríða] *f.* Blessure.
herido, -da [eríðo, -ða] *adj.-s.* Blessé, ée: *mal —*, grièvement blessé.
herir [erir] *tr. 1* Blesser. *2* Frapper (golpear). *3* Frapper (el sol). *4* fig. Toucher (el corazón, etc.), blesser (el amor propio, etc.). ▲ CONJUG. comme *hervir.*
hermafrodita [ermafroðíta] *adj.-m.* Hermaphrodite.

hermana [ermána] *f.* Sœur.
hermanastro, -tra [ermanástro, -tra] *s.* Demi-frère *m.*, demi-sœur *f.*
hermandad [ermandáð] *f.* Fraternité.
hermano, -na [ermáno, -na] *s.* Frère, sœur: — *carnal*, frère germain; *medio —*, demi-frère; — *politico*, beau-frère.
hermético, -ca [ermétiko, -ka] *adj.* Hermétique.
hermoso, -sa [ermóso, -sa] *adj.* Beau, bel, belle. ▲ Bel en lugar de beau delante de una vocal o h muda: *un — edificio*, un bel édifice.
hermosura [ermosúra] *f.* Beauté.
hernia [érnja] *f.* Hernie.
héroe [éroe] *m.* Héros.
heroico, -ca [eróiko, -ka] *adj.* Héroïque.
heroína [eroína] *f.* Héroïne.
herpe [érpe] *m.* MED. Herpès.
herrador [eřaðór] *m.* Maréchal-ferrant.
herradura [eřaðúra] *f.* Fer *m.* à cheval.
herramienta [eřamjénta] *f. 1* Outil *m.* *2* fig. fam. Cornes *pl.* (de animales).
herrar [eřár] *tr. 1* Ferrer. *2* Marquer au fer rouge (ganado, etc.). ▲ CONJUG. comme *acertar.*
herrería [eřería] *f. 1* Forge (taller). *2* Métier *m.* du forgeron.
herrero [eřéro] *m.* Forgeron.
herrumbre [eřúmbre] *f. 1* Rouille. *2* Goût *m.* de fer.
hervidero [erβiðéro] *m. 1* Bouillonnement (de un líquido). *2* Source *f.* bouillonnante (manantial).
hervir [erβir] *intr. 1* Bouillir: *el agua hierve*, l'eau bout. *2* fig. Bouillonner. *3* S'agiter (el mar). ▲ CONJUG. IRRÉG. INDIC. Prés.: *hiervo, hierves, hierve, hervimos, hervís, hierven.* Imparf.: *hervía, hervías*, etc. Pas. simple: *herví, herviste, hirvió, hervimos, hervisteis, hirvieron.* Fut.: *herviré, hervirás*, etc. SUBJ. Prés.: *hierva, hiervas, hierva, hirvamos, hirváis, hiervan.* Imparf.: *hirviera, hirvieras, hirviera, hirviéramos, hirvierais, hirvieran* ou *hirviese, hirvieses*, etc. Fut.: *hirviere, hirvieres*, etc. IMPÉR.: *hierve, hierva, hirvamos, hervid, hiervan.* PART. PAS.: *hervido*, da GÉR.: *hirviendo.*
hervor [erβór] *m. 1* Bouillonnement, ébullition *f.* *2* fig. Fougue *f.*, vivacité *f.* (de la juventud).
heterogéneo, -ea [eteroxéneo, -ea] *adj.* Hétérogène.
hexaedro [e(γ)saéðro] *m.* Hexaèdre.
hexágono, -na [e(γ)sáγono, -na] *adj.-m.* Hexagone.
hez [eθ] *f.* Lie.
hiato [j(dʒ)áto] *m.* Hiatus.

híbrido, -da [iβriðo, -ða] *adj.-m.* Hybride.

hidalgo, -ga [iðálγo, -γa] *adj. 1* Noble, généreux, euse. ■ *2 m.* Gentilhomme, hidalgo. ■ *3 f.* Femme noble.

hidalguía [iðalγía] *f. 1* Noblesse. *2* Générosité.

hidratar [iðratár] *tr.* Hydrater.

hidráulico, -ca [iðráúliko, -ka] *adj.-f.* Hydraulique.

hidroavión [iðroaβjón] *m.* Hydravion.

hidrocarburo [iðrokarβúro] *m.* Hydrocarbure.

hidroeléctrico, -ca [iðroeléγtriko, -ka] *adj.* Hydro-électrique.

hidrófilo, -la [iðrófilo, -la] *adj.* Hydrophile.

hidrógeno [iðróxeno] *m.* Hydrogène.

hidrografía [iðroγrafía] *f.* Hydrographie.

hiedra [j(dʒ)éðra] *f.* Lierre *m.*

hiel [j(dʒ)él] *f.* Fiel *m.*

hielo [j(dʒ)élo] *m.* Glace *f.* Loc. *Romper el* —, rompre la glace.

hiena [j(dʒ)éna] *f.* Hyène.

hierático, -ca [j(dʒ)erátiko, -ka] *adj.* Hiératique.

hierba [j(dʒ)èrβa] *f. 1* Herbe. *2 — cana,* séneçon *m.* Loc. *Y otras* —, et j'en passe.

hierbabuena [j(dʒ)erβaβwéna] *f.* Menthe.

hierro [j(dʒ)éřo] *m.1* Fer. Loc. *— colado,* fonte *f.* ■ *2 pl.* Fers (para aprisionar).

higa [íγa] *f.* Signe *m.* de mépris.

hígado [íγaðo] *m. 1* Foie. ■ *2 pl.* fig. Courage *sing.*, hardiesse *f. sing.*, cran *sing.* (ánimo).

higiene [ixjéne] *f.* Hygiène.

higiénico, -ca [ixjéniko, -ka] *adj.* Hygiénique.

higo [íγo] *m.* Figue *f.* (fruto): *— chumbo,* figue de Barbarie.

higuera [iγèra] *f.* Figuier *m.*: *— chumba,* figuier de Barbarie.

hijastro, -tra [ixástro, -tra] *s.* Beau-fils, belle-fille, fils, fille du conjoint épousé en secondes noces.

hijo, hija [íxo, íxa] *s. 1* Fils, fille, enfant: *el* —, *la hija del rey,* le fils, la fille du roi; *matrimonio sin hijos,* ménage sans enfants. Loc. *— político, hija política,* beau-fils, belle-fille. *2 El — de Dios,* le Fils de Dieu.

hilacha [iláťʃa] *f.*, **hilacho** [iláťʃo] *m.* Effilochure *f.*, effilure *f.*

hilado [iláðo] *m. 1* Filage. *2* Filé (hilo).

hilador, -ra [ilaðór, -ra] *s.* Fileur, euse.

hilar [ilár] *tr.* Filer (reducir a hilo, hacer hilo).

hilera [ilèra] *f. 1* File, rangée. *2* Filière (para metales). *3* Filière (de araña).

hilo [ílo] *m. 1* Fil: *— de coser,* fil à coudre. Loc. *Estar pendiente de un* —, ne tenir qu'à un fil. *2* Tissu de lin, de chanvre. *3 loc. adv. A* —, sans interruption; *al* —, de droit fil, suivant la direction du fil.

hilván [ilβán] *m.* Faufilure *f.* (costura), faufil (hilo).

himno [imno] *m.* Hymne.

hincapié [iŋkapjé] *m. 1* Effort que l'on fait en appuyant le pied. *2* fig. *Hacer — en,* insister sur.

hincar [iŋkár] *tr. 1* Ficher, enfoncer, planter. *2* Loc. *— el diente,* mordre. ■ *3 pr Hincarse de rodillas,* se mettre à genoux.

hincha [intʃa] *f. 1* Haine, inimitié. ■ *2 s.* DEP. fam. Supporter, fana, fan.

hinchado, -da [intʃáðo, -ða] *adj. 1* Boursouflé, ée, enflé, ée (estilo, etc.). *2* Gonflé, ée d'orgueil, fier, fière (presumido).

hinchar [intʃár] *tr.* Gonfler, enfler.

hinchazón [intʃaθón] *f.* Enflure, gonflement *m.,* boursouflure.

hiniesta [injésta] *f.* Genêt *m.*

hinojo [inóxo] *m. 1* Fenouil. *2* Genou. *loc. adv. De hinojos,* à genoux.

hipérbola [ipérβola] *f.* GEOM. Hyperbole.

hípico, -ca [ípiko, -ka] *adj.* Hippique.

hipnotismo [iβnotízmo] *m.* Hypnotisme.

hipnotizar [iβnotiθár] *tr.* Hypnotiser.

hipo [ípo] *m. 1* Hoquet: *tener* —, avoir le hoquet. *2* fig. Désir ardent. *3* fig. Animosité *f.*

hipocondríaco, -ca [ipokondriako, -ka] *adj.-s.* Hypocondriaque.

hipocresía [ipokresía] *f.* Hypocrisie.

hipócrita [ipókrita] *adj.-s.* Hypocrite.

hipódromo [ipóðromo] *m.* Hippodrome.

hipopótamo [ipopótamo] *m.* Hippopotame.

hipoteca [ipotéka] *f.* Hypothèque.

hipotecario, -ia [ipotekárjo, -ja] *adj.* Hypothécaire.

hipotenusa [ipotenúsa] *f.* Hypoténuse.

hipótesis [ipótesis] *f.* Hypothèse.

hirsuto, -ta [irsúto, -ta] *adj.* Hirsute.

hirviente [irβjénte] *adj.* Bouillant, ante.

hisopo [isópo] *m. 1* LITURG. Goupillon, aspersoir. *2* Hysope *f.* (planta).

hispánico, -ca [ispániko, -ka] *adj.* Hispanique.

hispano, -na [ispáno, -na] *adj.-s.* Espagnol, ole.

hispanoamericano, -na [ispanoamerikáno, -na] *adj.-s.* Hispano-américain, aine.

histeria [istérja] *f.* Hystérie.

historia [istórja] *f.* Histoire. Loc. fig. *Dejarse de historias,* aller au fait; *picar en* —, devenir grave.

historiador, -ra [istorjaðòr, -ra] *s.* Historien, ienne.

historial [istorjál] *adj. 1* Historique. ■ *2 m.* Historique (reseña). *3* Curriculum vitæ (profesional).

histórico, -ca [istóriko, -ka] *adj.* Historique.

historieta [istorjèta] *f.* Historiette.

hito, -ta [íto, -ta] *adj. 1* Ferme, fixe. *2* Proche, contigu, ue. ■ *3 m.* Borne *f.* (mojón). *4* fig. But. Loc. *Dar en el —,* deviner, mettre dans le mille.

hocico [oθíko] *m. 1* Museau, mufle (de animal), groin (del cerdo). *2* pop. Gueule *f.,* figure *f.* Loc. fam. *Dar de hocicos,* se casser la gueule.

hogar [oγár] *m. 1* Foyer, âtre. *2* fig. Foyer (domicilio, familia).

hoguera [oγèra] *f. 1* Bûcher *m. 2* Feu *m.* de joie.

hoja [óxa] *f. 1* Feuille (de un vegetal, de papel, etc.): — *seca,* feuille morte. *2* Feuillet *m.,* page (de un libro, etc.). *3* Battant *m.* (de puerta), panneau *m.* (de biombo), volet *m.* (de tríptico). *4* Lame (de cuchillo, espada, etc.): — *de afeitar,* lame de rasoir. *5* Paille (de un metal).

hojalata [oxaláta] *f.* Fer-blanc *m.*

hojaldre [oxáldre] *m.* Feuilleté, pâte *f.* feuilletée.

hojear [oxeár] *tr.* Feuilleter (un libro).

¡hola! [óla] *interj. 1* Hola! *2* Tiens! (denota extrañeza). *3* Bonjour!, bonsoir!, salut!

holandés, -esa [olandés, -ésa] *adj.-s.* Hollandais, aise.

holgar [olγár] *intr. 1* Se reposer. *2* Être oisif, ive, inactif, ive. *3* Être inutile, superflu: *huelga decir eso,* il est inutile de dire cela. *4* Se divertir, s'amuser. ▲ conjug. comme *contar.*

holgazán, -ana [olγaθán, -ána] *adj.-s.* Fainéant, ante, paresseux, euse.

holgura [olγúra] *f. 1* Largeur, ampleur. *2* Aisance: *vivir con —,* vivre dans l'aisance. *3* mec. Jeu *m.*

holocausto [olokáusto] *m.* Holocauste.

hollín [oʎín] *m.* Suie *f.*

hombre [ómbre] *m. 1* Homme. Loc. — *de mundo,* homme du monde; *hacer — a uno,* pousser quelqu'un, aider quelqu'un à prospérer. *2* fam. Mari (marido). *3 interj.* Voyons! (incredulidad, ironía), tiens! (sorpresa), mon vieux (cariño).

hombrera [ombrèra] *f.* Épaulette (de un vestido).

hombría [ombría] *f.* — *de bien,* honnêteté, probité.

hombro [ómbro] *m. 1* Épaule *f.* Loc. fig.

Arrimar el —, travailler dur (trabajar), donner un coup d'épaule, de main (ayudar). *2* loc. adv. *A hombros,* sur les épaules; *al* —, sur l'épaule.

hombruno, -na [ombrúno, -na] *adj.* Hommasse.

homenaje [omenáxe] *m.* Hommage.

homeopatía [omeopatía] *f.* Homéopathie.

homicida [omiθíða] *adj.-s.* Homicide.

homicidio [omiθíðjo] *m.* Homicide (acción).

homilía [omilía] *f.* Homélie.

homogéneo, -ea [omoxéneo, -ea] *adj.* Homogène.

homólogo, -ga [omóloγo, -γa] *adj.* Homologue.

honda [ónda] *f.* Fronde.

hondo, -da [óndo, -da] *adj. 1* Profond, onde. *2* Bas, basse (terreno). *3 m.* Fond.

hondonada [ondonáða] *f.* Terrain *m.* bas et encaissé, dépression, cuvette.

hondura [ondúra] *f.* Profondeur.

honestidad [onestiðáð] *f.* Honnêteté, décence, modeste, pudeur.

honesto, -ta [onésto, -ta] *adj.* Honnête.

hongo [óŋgo] *m. 1* Champignon. *2 Sombrero —,* chapeau melon.

honor [onòr] *m.* Honneur.

honorable [onoráβle] *adj.* Honorable.

honorífico, -ca [onorifíko, -ka] *adj.* Honorifique.

honra [óñra] *f. 1* Honneur *m.* Loc. *Tener a mucha* —, s'honorer de, être très flatté, ée de. ■ *2 pl.* Honneurs *m.* funèbres.

honrado, -da [onràðo, -ða] *adj. 1* Honnête. *2* Honoré, ée.

honrar [oñrár] *tr. 1* Honorer. ■ *2 pr. Honrarse con,* s'honorer de.

hopo [ópo] *m. 1* Houppe *f.* (de pelo). *2* Queue *f.* (de la zorra, etc.).

hora [óra] *f. 1* Heure: *dar la —,* sonner l'heure; — *oficial,* heure légale; Loc. *Dar —,* fixer un rendez-vous; *pedir —* demander un rendez-vous. *2 loc. adv. A la —,* sur l'heure, à l'instant.

horadar [oraðár] *tr.* Forer, perforer.

horario, -ia [orárjo, -ja] *adj. 1* Horaire. ■ *2 m.* Petite aiguille *f.,* aiguille *f.* des heures (de reloj). *3* Horaire (ferrocarriles, etc.).

horca [órka] *f. 1* Potence, gibet *m.* Loc. fig. *Señor de — y cuchillo,* seigneur haut justicier. *2* agr. Fourche. ■ *3 n. pr. Horcas Caudinas,* Fourches Caudines.

horcadura [orkaðúra] *f.* Enfourchure (de un árbol).

horcajadas (a) [orkaxàðas] *loc. adv.* À califourchon.

horchata [ortʃáta] *f.* Orgeat *m.*

horda [órða] f. Horde.
horizontal [oriθontál] adj. Horizontal, ale.
horizonte [oriθónte] m. Horizon: **en el —**, à l'horizon.
horma [órma] f. 1 Forme (para los zapatos, los sombreros). Loc. fig. **Hallar la — de su zapato**, trouver chaussure à son pied. 2 Embauchoir m. (para que los zapatos conserven su forma).
hormiga [ormíγa] f. Fourmi. Loc. fig. **Ser una —**, être économe et très laborieux.
hormigón [ormiγón] m. Béton: **— armado**, béton armé.
hormiguero [ormiγéro] m. 1 Fourmilière. ■ 2 adj. **Oso —**, fourmilier.
hornero, -ra [ornéro, -ra] s. Fournier, ière.
hornillo [orníʎo] m. Fourneau: **— de gas**, fourneau à gaz.
horno [órno] m. 1 Four. 2 **Alto —**, haut fourneau. 3 Four, fournaise. f. (lugar donde hace mucho calor).
horóscopo [oróskopo] m. Horoscope.
horquilla [orkíʎa] f. 1 Fourche. 2 Fourche (de bicicleta). 3 Épingle à cheveux.
horrible [oříβle] adj. Horrible.
horripilante [ořipilánte] adj. Horripilant, ante.
horror [ořór] m. Horreur f.; **dar —**, faire horreur; **¡qué —!**, quelle horreur!
horrorizar [ořoriθár] tr. 1 Horrifier, faire horreur. ■ 2 pr. Frémir d'horreur.
horroroso, -sa [ořoróso, -sa] adj. Horrible, affreux, euse.
hortaliza [ortalíθa] f. Légume m., plante potagère.
hortelano, -na [orteláno, -na] s. 1 Jardinier, ière, maraîcher, ère. ■ 2 m. Ortolan (pájaro).
hortensia [orténsja] f. Hortensia m.
horticultura [ortikultúra] f. Horticulture.
hosco, -ca [ósko, -ka] adj. 1 Brun, brune, basané, ée (color). 2 Renfrogné, ée, bourru, ue (ceñudo).
hospedaje [ospeðáxe], **hospedamiento** [ospeðamjénto] m. 1 Logement. 2 Prix de la pension.
hospedar [ospeðár] tr. 1 Loger, héberger. ■ 2 pr. Se loger, être hébergé, ée.
hospital [ospitál] m. Hôpital.
hospitalario, -ia [ospitalárjo, -ja] adj. Hospitalier, ière.
hospitalizar [ospitaliθár] tr. Hospitaliser.
hostia [óstja] f. Hostie.
hostil [ostíl] adj. Hostile.
hostilidad [ostiliðáð] f. Hostilité.
hotel [otél] m. 1 Hôtel. 2 Villa f., pavillon (casa aislada).
hoy [oï] adv. Aujourd'hui. loc. adv. **De — a mañana**, d'un moment à l'autre; **por —**, actuellement, pour le moment; **— día, — en día**, de nos jours, aujourd'hui.
hoyo [ójo] m. 1 Trou. 2 Fosse f., sépulture f.
hoyuelo [ojwélo] m. 1 Petit trou. 2 Fossette f. (en la barbilla, la mejilla).
hoz [oθ] f. 1 AGR. Faucille. 2 GEOG. Gorge.
hucha [útʃa] f. 1 Tirelire. 2 fig. Bas m. de laine (ahorros). 3 Huche (arca).
hueco, -ca [(g)wéko, -ka] adj. 1 Creux, euse, vide. 2 Mœlleux, euse, spongieux, ieuse. 3 fig. Vaniteux, euse, présomptueux, euse.
huelga [(g)wélγa] f. 1 Grève: **declararse en —**, se mettre en grève. 2 Récréation, amusement m.
huella [(g)wéʎa] f. 1 Trace, empreinte: **— dactilar**, empreinte digitale. 2 Foulée (del pie de un animal).
huérfano, -na [(g)wérfano, -na] adj.-s. Orphelin, ine.
huerta [(g)wérta] f. 1 Verger m. (de árboles frutales). 2 Jardin m. potager (de hortalizas).
huerto [(g)wérto] m. 1 Jardin potager. 2 Verger (de árboles frutales).
hueso [(g)wéso] m. 1 Os. Loc. fig. **No dejar — sano a uno**, flanquer une raclée. 2 Noyau (de una fruta).
huésped, -da [(g)wéspeð, -ða] s. Hôte, hôtesse.
huevo [(g)wéβo] m. 1 Œuf: **— huero**, œuf clair; **— al plato**, œuf sur le plat; **— estrellado**, œuf sur le plat, au miroir; **— pasado por agua**, œuf à la coque. 2 GEOM. Ove.
huida [wíða] f. 1 Fuite (acción). 2 Écart m., dérobade (del caballo).
huir [wir] intr. Fuir, s'enfuir, prendre la fuite. ▲ CONJUG IRRÉG. INDIC. Prés.: **huyo, huyes, huye, huimos, huís, huyen.** Pas. simple: **huí, huiste, huyó, huimos, huisteis, huyeron.** SUBJ. Prés.: **huya, huyas, huya, huyamos, huyáis, huyan.** Imparf.: **huyera, huyeras,** etc. ou **huyese, huyeses,** etc. Fut.: **huyere, huyeres,** etc. IMPÉR.: **huye, huya, huyamos, huid, huyan.** GÉR.: **huyendo.** Les autres temps sont réguliers.
hule [úle] m. Toile f. cirée.
hulla [úʎa] f. Houille.
humanidad [umaniðáð] f. 1 Humanité. 2 Embonpoint m. (corpulencia). ■ 3 pl. Humanités.
humano, -na [umáno, -na] adj. Humain, aine.
humear [umeár] intr. Fumer.
humedad [umeðáð] f. Humidité.

húmedo, -da [úmeðo, -ða] *adj.* Humide.
humildad [umildáð] *f.* Humilité.
humilde [umilde] *adj.-s.* Humble.
humillación [umiʎaθjón] *f.* Humiliation.
humillar [umiʎár] *tr. 1* Humilier, abaisser. *2* Baisser: — *la cabeza,* baisser la tête.
humo [úmo] *m. 1* Fumée *f. loc. adv.* A — *de pajas,* légèrement, sans réflexion. ■ *2 m. pl.* fig. Vanité *f. sing.,* orgueil sing.: *bajar los humos a uno,* rabattre l'orgueil de quelqu'un.
humor [umór] *m. 1* FISIOL. Humeur. *2* Humeur *f.* (disposición del ánimo): *estar de buen, de mal* —, être de bonne, de mauvaise humeur.
humorado, -da [umoráðo, -ða] *adj.* **Bien, mal** —, de bonne, de mauvaise humeur.
humorista [umorista] *s.* Humoriste.
humorístico, -ca [umoristiko, -ka] *adj.* Humoristique.
hundido, -da [undíðo, -ða] *adj. 1* Enfoncé, ée. *2* Clave (mejilla, ojo).
hundimiento [undimjénto] *m. 1* Enfoncement. *2* Affaissement (suelo), écroulement (edificio).
hundir [undír] *tr. 1* Enfoncer. *2* Couler (un barco). *3* fig. Détruire, ruiner. ■ *4 pr.* Couler, sombrer (un barco). *5* S'aiffasser (suelo), s'écrouler (edificio).
húngaro, -ra [úŋgaro, -ra] *adj.-s.* Hongrois, oise.
huracán [urakán] *m.* Ouragan.
huraño, -ña [uráɲo, -ɲa] *adj. 1* Hargneux, euse. *2* Sauvage, insociable.
hurón, -ona [urón, -óna] *adj.-s.* Huron, onne (indio).
¡hurra! [úřa] *interj.* Hourra!
hurtadillas (a) [aũrtaðíʎas] *loc. adv.* À la dérobée, en cachette.
hurtar [urtár] *tr. 1* Voler, dérober. *2* — *el cuerpo,* se dérober, esquiver un coup. ■ *3 pr.* Se dérober, se cacher.
hurto [úrto] *m.* Vol, larcin.
husmear [uzmeár] *tr. 1* Chercher en flairant. *2* Chercher à savoir, fouiner, fureter (indagar). ■ *3 intr.* Sentir mauvais (la carne).
huso [úso] *m. 1* Fuseau. Loc. *Más derecho que un* —, droit comme un i. *2* Arbre (de un torno).
¡huy! [wi] *interj.* Aïe! (dolor), oh! (asombro), brrr! (frío).

I

i [i] *f.* I *m.*

ibérico, -ca [iβériko, -ka] *adj.* Ibérique.

iceberg [iθeβéɣy] *m.* Iceberg.

iconoclasta [ikonoklásta] *adj.-s.* Iconoclaste.

ictericia [iɣteriθja] *f.* MED. Ictère *m.*, jaunisse.

ida [iða] *f. 1* Aller *m.* (acción de ir): — *y vuelta*, aller et retour. *2 Idas y venidas*, allées et venues.

idea [iðéa] *f. 1* Idée. *2* Intention, idée (propósito): *llevar — de*, avoir l'intention de.

ideal [iðeál] *adj. 1* Idéal, ale. ■ *2 m.* Idéal: *ideales políticos*, idéaux politiques.

idealismo [iðealizmo] *m.* Idéalisme.

idealista [iðealísta] *adj.-s.* Idéaliste.

idear [iðeár] *tr.* Concevoir, inventer, imaginer.

idem [iðen] *adv.* Idem.

idéntico, -ca [iðéntiko, -ka] *adj.* Identique.

identidad [iðentiðáð] *f.* Identité.

identificar [iðentifikár] *tr.* Identifier.

ideología [iðeoloxía] *f. 1* Idéologie. *2* Idées *pl.*, doctrine (de un autor, etc.).

idilio [iðíljo] *m.* Idylle *f.*

idioma [iðjóma] *m.* Langue *f.*, idiome.

idiomático, -ca [iðjomátiko, -ka] *adj.* Idiomatique.

idiosincrasia [iðjosiŋkrásia] *f.* Idiosyncrasie.

idiota [iðjóta] *adj.-s.* Idiot, ote.

iolatrar [iðolatrár] *tr.-intr.* Idolâtrer.

ídolo [iðolo] *m.* Idole *f.*

idóneo, -ea [iðóneo, -ea] *adj.* Approprié, ée, indiqué, ée, idoine.

idus [iðus] *m. pl.* Ides *f.*

iglesia [iɣlèsja] *f.* Église.

ígneo, -ea [iɣneo, -ea] *adj.* Igné, ée.

ignición [iɣniθjón] *f.* Ignition.

ignominia [iɣnominja] *f.* Ignominie.

ignorancia [iɣnoránθja] *f.* Ignorance.

ignorante [iɣnoránte] *adj.-s.* Ignorant, ante.

ignorar [iɣnorár] *tr.* Ignorer.

igual [iɣwál] *adj.-s. 1* Égal, ale: *dos números iguales*, deux nombres égaux. *2* Semblance (semejante). *3 loc. conj. Al — que, — que*, comme.

iguala [iɣwála] *f. 1* Égalisation. *2* Convention, arrangement *m.* (ajuste).

igualación [iɣwalaθjón] *f. 1* Égalisation. *2* Convention, accord *m.* (convenio).

igualar [iɣwalár] *tr.* Égaliser.

igualdad [iɣwaldáð] *f.* Égalité.

igualitario, -ia [iɣwalitárjo, -ja] *adj.* Égalitaire.

iguana [iɣwána] *f.* Iguane *m.*

ijada [ixáða] *f.* ANAT. Flanc *m.*

ijar [ixár] *m.* ANAT. Flanc.

ilación [ilaθjón] *f.* Déduction, inférence.

ilegal [ileɣál] *adj.* Illégal, ale.

ilegítimo, -ma [ilexitimo, -ma] *adj.* Illégitime.

ileso, -sa [ilèso, -sa] *adj.* Sain et sauf, saine et sauve, indemne.

ilícito, -ta [iliθito, -ta] *adj.* Illicite.

ilimitado, -da [ilimitáðo, -ða] *adj.* Illimité, ée.

ilógico, -ca [ilòxiko, -ka] *adj.* Illogique.

iluminación [iluminaθjón] *f. 1* Illumination. *2* Éclairage *m.* (alumbrado). *3* Enluminure (pintura).

iluminar [iluminár] *tr. 1* Illuminer, éclairer. *2* Enluminer (estampas, libros).

ilusión [ilusjón] *f.* Illusion.

ilusionar [ilusjonár] *tr. 1* Illusionner. *2* Faire rêver. ■ *3 pr.* S'illusionner, se faire des illusions. *4* Se réjouir d'avance.

iluso, -sa [ilùso, -sa] *adj.-s. 1* Trompé, ée. *2* Rêveur, euse (soñador).

ilustración [ilustraθjón] *f. 1* Illustration. *2* Savoir *m.*, connaissances *pl.* *3* Magazine *m.* illustré (publicación).

ilustrado, -da [ilustráðo, -ða] *adj.* Instruit, ite, cultivé, ée.

ilustrar [ilustrár] *tr. 1* Illustrer. *2* Éclairer, instruire.

ilustre [ilústre] *adj.* Illustre.

imagen [imáxen] *f. 1* Image. *2* Statue (religiosa).

imaginación [imaxinaθjón] *f.* Imagination.

imaginar [imaxinár] *tr. 1* Imaginer. ■ *2 pr.* S'imaginer, croire.

imaginario, -ia [imaxinárjo, -ja] *adj.* Imaginaire.

imán [imán] *m. 1* Aimant. *2* Iman (musulmán).

imbécil [imbéθil] *adj.-s.* Imbécile.

imbricado, -da [imbrikádo, -ða] *adj.* Imbriqué, ée.

imbuir [imbwír] *tr. 1* Inculquer, inspirer. ■ *2 pr.* S'imprégner. ▲ CONJUG. comme *huir*.

imitación [imitaθjón] *f.* Imitation.

imitar [imitár] *tr.* Imiter, copier.

impaciencia [impaθjénθja] *f.* Impatience.

impaciente [impaθjénte] *adj.-s.* Impatient, ente.

impacto [impáyto] *m.* Impact.

impar [impár] *adj.* Impair, aire.

imparcial [imparθjál] *adj.* Impartial, ale.

impartir [impartir] *tr.* Distribuer, donner, accorder, communiquer: — *su bendición*, donner sa bénédiction.

impecable [impekáβle] *adj.* Impeccable.

impedido, -da [impeðíðo, -ða] *adj. 1* Perclus, use, infirme. ■ *2 s.* Impotent, infirme.

impedimento [impeðiménto] *m.* Empêchement, obstacle.

impedir [impeðír] *tr.* Empêcher. ▲ CONJUG. comme *servir*.

impenetrable [impenetráβle] *adj.* Impénétrable.

impenitencia [impeniténθja] *f.* Impénitence.

impensado, -da [impensáðo, -ða] *adj.* Inopiné, ée, imprévu, ue.

imperar [imperár] *intr. 1* Dominer, commander. *2* Régner (una moda, ideas, etc.).

imperdible [imperðíβle] *adj. 1* Imperdable. ■ *2 m.* Épingle *f.* de nourrice.

imperdonable [imperðonáβle] *adj.* Impardonnable.

imperfecto, -ta [imperféyto, -ta] *adj. 1* Imparfait, aite. *2* GRAM. *Pretérito —*, imparfait; *futuro —*, futur simple.

imperial [imperjál] *adj. 1* Impérial, ale. ■ *2 f.* Impériale (de un carruaje).

imperialismo [imperjalizmo] *m.* Impérialisme.

imperio [impérjo] *m.* Empire.

impermeable [impermeáβle] *adj.-m.* Imperméable.

impersonal [impersonál] *adj.* Impersonnel, elle.

impertinente [impertinénte] *adj.* Impertinent, ente.

impetrar [impetrár] *tr.* Solliciter avec insistance.

ímpetu [impetu] *m.* Élan, impétuosité *f.*

implacable [implakáβle] *adj.* Implacable.

implantar [implantár] *tr.* Implanter.

implicar [implikár] *tr.* Impliquer.

implorar [implorár] *tr.* Implorer.

imponente [imponénte] *adj.-s. 1* Imposant, ante. *2* Déposant, ante (que impone dinero).

imponer [imponér] *tr. 1* Imposer (silencio, una obligación, una condición, el respeto, etc.). *2* IMPR., LITURG. Imposer. *3* Déposer (dinero). ■ *4 pr.* S'imposer. *5* Se mettre au courant. ▲ CONJUG. comme *poner*.

impopular [impopulár] *adj.* Impopulaire.

importación [importaθjón] *f.* Importation.

importancia [importánθja] *f.* Importance. Loc. *Darse uno —*, faire l'important; *de —*, important, ante.

importante [importánte] *adj.* Important, ante.

importar [importár] *tr. 1* Importer (introducir en un país). *2* Valoir, coûter (valer), monter à, s'élever à (sumar): *la factura importa cien pesetas*, la facture s'élève à cent pesetas. ■ *3 intr.* Importer, avoir de l'importance.

importe [impórte] *m.* Montant.

importuno, -na [importúno, -na] *adj. 1* Importun, une (molesto). *2* Inopportun, une.

imposibilidad [imposiβiliðáð] *f.* Impossibilité.

imposibilitar [imposiβilitár] *tr.* Rendre impossible, empêcher.

imposible [imposíβle] *adj.-m. 1* Impossible: *hacer lo —*, faire l'impossible. ■ *2 adj.* Insupportable, impossible (inaguantable).

impostor, -ra [impostór, -ra] *adj.-s.* Imposteur.

impotencia [impoténθja] *f.* Impuissance.

impreciso, -sa [impreθíso, -sa] *adj.* Imprécis, ise.

impregnar [impreɣnár] *tr.* Imprégner.

imprenta [imprénta] *f.* Imprimerie.

imprescindible [impresθinðíβle] *adj.* Indispensable.

impresión [impresjón] *f.* Impression.

impresionar [impresjonár] *tr. 1* Impressionner. ■ *2 pr.* Être impressionné, ée.

impresionismo [impresjonizmo] *m.* Impressionnisme.

impreso, -sa [impréso, -sa] *adj. 1* Imprimé, ée. ■ *2 m.* Imprimé.

imprevisible [impreβisiβle] *adj.* Imprévisible.

imprevisto, -ta [impreβisto, -ta] *adj. 1* Imprévu, ue. ■ *2 m. pl.* Dépenses *f.* imprévues.

imprimir [imprimir] *tr.* Imprimer. ▲ CONJUG. PART. PAS.: *impreso, sa.*

improbable [improβáβle] *adj.* Improbable.

improcedente [improθeδénte] *adj. 1* Inadéquat, ate, inopportun, une. *2* Non conforme au droit.

improductivo, -va [improδuɣtiβo, -βa] *adj.* Productif, ive.

impropiedad [impropjeδáδ] *f.* Impropriété.

impropio, -ia [imprópjo, -ja] *adj.* Impropre.

improvisación [improβisaθjón] *f.* Improvisation, impromptu *m.*

improvisar [improβisár] *tr.* Improviser.

imprudente [impruδénte] *adj.-s.* Imprudent, ente.

impúdico, -ca [impúδiko, -ka] *adj.* Impudique.

impudor [impuδór] *m.* Impudeur *f.*

impuesto [impwésto] *m.* Impôt.

impugnar [impuɣnár] *tr. 1* Attaquer (combatir). *2* Contester, réfuter (refutar).

impulsar [impulsár] *tr. 1* Pousser. *2* fig. Pousser, inciter.

impulsión [impulsjón] *f.* Impulsion.

impulsivo, -va [impulsíβo, -βa] *adj.-s.* Impulsif, ive.

impune [impúne] *adj.* Impuni, ie.

impunidad [impuniδáδ] *f.* Impunité.

impureza [impuréθa] *f.* Impureté.

impurificar [impurifikár] *tr.* Rendre impur, ure.

impuro, -ra [impúro, -ra] *adj.* Impur, ure.

imputable [imputáβle] *adj.* Imputable.

imputar [imputár] *tr.* Imputer.

inaccesible [inaɣθesiβle] *adj.* Inaccessible.

inactivo, -va [inaytíβo, -βa] *adj.* Inactif, ive.

inadaptado, -da [inaδaβtàδo, -δa] *adj.-s.* Inadapté, ée.

inadvertencia [inaδβerténθja] *f.* Inadvertance: *por —,* par inadvertance.

inadvertido, -da [inaδβertiδo, -δa] *adj. 1* Distrait, aite, imprudent, ente. *2* Inaperçu, ue (no advertido): *pasar —,* passer inaperçu.

inagotable [inaɣotáβle] *adj.* Inépuisable, intarissable.

inaguantable [inaɣwantáβle] *adj.* Insupportable, intolérable.

inalienable [inaljenáβle] *adj.* Inaliénable.

inalterable [inalteráβle] *adj.* Inaltérable.

inamovible [inamoβiβle] *adj.* Inamovible.

inanición [inaniθjón] *f.* Inanition.

inanimado, -da [inanimáδo, -δa] *adj.* Inanimé, ée.

inapelable [inapeláβle] *adj.* Sans appel.

inapetencia [inapeténθja] *f.* Inappétence.

inaudito, -ta [inaúδito, -ta] *adj.* Inouï, ie.

inauguración [inaüɣuraθjón] *f. 1* Inauguration. *2* Vernissage *m.* (de una exposición de pintura).

inca [íŋka] *m.* Inca.

incaico, -ca [iŋkáiko, -ka] *adj.* Inca.

incalificable [iŋkalifikáβle] *adj.* Inqualifiable.

incandescencia [iŋkandesθénθja] *f.* Incandescence.

incansable [iŋkansáβle] *adj.* Infatigable, inlassable.

incapacitar [iŋkapaθitár] *tr. 1* Rendre incapable. *2* Déclarer inapte, incapable (inhabilitar).

incapaz [iŋkapáθ] *adj.-s.* Incapable: *—para,* incapable de.

incautación [iŋkaütaθjón] *f.* Saisie, réquisition.

incauto, -ta [iŋkáüto, ta] *adj. 1* Imprudent, ente. *2* Naïf, ive, crédule.

incendio [inθéndjo] *m.* Incendie.

incentivo [inθentíβo] *m. 1* Aiguillon, stimulant, attrait. *2* Prime *f.*

incertidumbre [inθertiδúmbre] *f.* Incertitude.

incesante [inθesánte] *adj.* Incessant, ante.

incidencia [inθiδénθja] *f. 1* GEOM. Incidence. *2* Incident *m.* (en el curso de un asunto).

incidente [inθiδénte] *adj. 1* Incident, ente. ■ *2 m.* Incident.

incidir [inθiδir] *intr. 1* Tomber dans. *2* GEOM. Tomber. *3* CIR. Faire une incision.

incienso [inθjénso] *m.* Encens.

incinerar [inθinerár] *tr.* Incinérer.

incipiente [inθipjénte] *adj.* Qui commence.

incisión [inθisjón] *f.* Incision.

inciso, -sa [inθíso, -sa] *adj.* Coupé, ée, hâché, ée (estilo).

incitar [inθitár] *tr.* Inciter.

incivil [inθiβil] *adj.* Incivil, ile, impoli, ie.

inclemencia [inkleménθja] *f. 1* Inclémence. *2 loc. adv. A la —,* à découvert.

inclinación [iŋklinaθjón] *f. 1* Inclinaison (estado de lo inclinado). *2* Inclination.

inclinar [iŋklinár] *tr. 1* Incliner (bajar, doblar, predisponer). *2* Écarter d'une direction. ■ *3 pr.* S'incliner. *4* Incliner, tendre (propender).

incluir [iŋklwir] *tr. 1* Inclure. *2* Comprendre (llevar en sí): *vino incluido,* vin compris. ▲ CONJUG. comme *huir.*

incluso, -sa [iŋklúso, -sa] *adj. 1* Inclus, use. ■ *2 adv.* Y compris, même, inclusivement. ■ *3 prep.* Même, y compris (hasta): *habla muchos idiomas, — el chino,* il parle de nombreuses langues, même le chinois.

incógnito, -ta [iŋkóɣnito, -ta] *adj. 1* Inconnue, ue. ■ *2 m.* Incognito. *3 loc. adv. De —,* incognito.

incoherencia [iŋkoerénθja] *f.* Incohérence.

incoloro, -ra [iŋkolóro, -ra] *adj.* Incolore.

incombustible [iŋkombustíβle] *adj.* Incombustible.

incomodar [iŋkomoðár] *tr. 1* Incommoder, gêner. *2* Fâcher (enfadar).

incomodidad [iŋkomoðiðáð] *f. 1* Incommodité. *2* Gêne (molestia).

incomparable [iŋkomparáβle] *adj.* Incomparable.

incompatible [iŋkompatíβle] *adj.* Incompatible.

incompetencia [iŋkompeténθja] *f.* Incompétence.

incompetente [iŋkompeténte] *adj.* Incompétent, ente.

incompleto, -ta [iŋkompléto, -ta] *adj.* Incomplet, ète.

incomprensible [iŋkomprensíβle] *adj.* Incompréhensible.

incomunicación [iŋkomunikaθjón] *f.* Manque *m.* de communication.

incomunicar [iŋkomunikár] *tr. 1* Priver de communication. *2* Mettre au secret (a un preso). ■ *3 pr.* S'isoler.

inconcebible [iŋkonθeβíβle] *adj.* Inconcevable.

inconcluso, -sa [iŋkoŋklúso, -sa] *adj.* Inachevé, ée.

inconexo, -xa iŋkoné(ɣ)so, -sa] *adj.* Qui manque de connexion, de rapport.

inconfesable [iŋkoɱfesáβle] *adj.* Inavouable.

incongruencia [iŋkoŋgrwénθja] *f.* Incongruité.

inconmovible [iŋkommoβíβle] *adj. 1* Inébranlable. *2* Inflexible (persona).

inconsciente [iŋkonsθjénte] *adj.-s.* Inconscient, ente.

inconsecuencia [iŋkonsekwénθja] *f.* Inconséquence.

inconsiderado, -da [iŋkonsiðeráðo, -ða] *adj.* Inconsideré, ée.

inconsistente [iŋkonsisténte] *adj.* Inconsistant, ante.

inconsolable [iŋkonsoláβle] *adj.* Inconsolable.

inconstancia [iŋkonstánθja] *f.* Inconstance.

incontable [iŋkontáβle] *adj. 1* Innombrable. *2* Irracontable (que no se puede referir).

incontinencia [iŋkontinénθja] *f.* Incontinence.

inconveniencia [iŋkombenjénθja] *f. 1* Inconvénient *m. 2* Inconvenance (grosería).

inconveniente [iŋkombenjénte] *adj. 1* Qui ne convient pas. *2* Inconvenant, ante (incorrecto). ■ *3 m.* Inconvénient (desventaja), empêchement (estorbo).

incorporar [iŋkorporár] *tr. 1* Incorporer. *2* Asseoir, soulever (levantar). ■ *3 pr.* Se redresser, s'asseoir (el que está echado).

incorrecto, -ta [iŋkořéɣto, -ta] *adj.* Incorrect, ecte.

incorregible [iŋkořexíβle] *adj.* Incorrigible.

incredulidad [inkreðuliðáð] *f. 1* Incrédulité. *2* Incroyance (falta de fe).

increíble [iŋkreíβle] *adj.* Incroyable.

incremento [iŋkreménto] *m. 1* Accroissement, augmentation *f.* (aumento): — *del desempleo,* augmentation du chômage. *2* Développement.

incruento, -ta [iŋkrwénto, -ta] *adj.* Non sanglant, ante.

incrustar [iŋkrustár] *tr.* Incruster.

inculcar [iŋkulkár] *tr.* Inculquer.

inculpar [iŋkulpár] *tr.* Inculper.

inculto, -ta [iŋkúlto, -ta] *adj.* Inculte.

incumbencia [iŋkumbénθja] *f.* Charge, obligation, ressort *m.: eso no es de mi —,* cela n'est pas de mon ressort.

incumbir [iŋkumbír] *intr.* Incomber.

incumplir [iŋkumplír] *tr.* Manquer à, faillir à, enfreindre.

incurable [iŋkuráβle] *adj.-s.* Incurable.

incurrir [iŋkuřír] *intr. 1* Encourir: — *en menosprecio,* encourir le mépris. *2* Tomber (en un error, etc.). ▲ CONJUG. PART. PAS. rég.: *incurrido, da,* irrég.: *incurso, sa.*

incursión [inkursjón] *f.* Incursion.

indagar [indaɣár] *tr.* Rechercher, s'enquérir de, enquêter sur.

indebido, -da [indeβíðo, -ða] *adj.* Indu, ue, illicite.

indecente [indeθénte] *adj. 1* Indécent, ente. *2* Très mauvais, aise, infect, ecte, infâme (asqueroso).

indeciso, -sa [indeθíso, -sa] *adj.* Indécis, ise.

indecoroso, -sa [indekoróso, -sa] *adj.* Indécent, ente, malséant, ante.

indefendible [indefendíβle] *adj.* Indéfendable.

indefenso, -sa [indefénso, -sa] *adj.* Sans défense.

indefinido, -da [indefiníðo, -ða] *adj.* Indéfini, ie.

indemnizar [indemniθár] *tr.* Indemniser.

independencia [independénθja] *f.* Indépendance.

independiente [independjénte] *adj.* Indépendant, ante.

indescifrable [indesθifráβle] *adj.* Indéchiffrable.

indeseable [indeseáβle] *adj.-s.* Indésirable.

indestructible [indestruytíβle] *adj.* Indestructible.

indiano, -na [indjáno, -na] *adj.-s.* Espagnol, ole qui revient riche d'Amérique.

indicación [indikaθjón] *f.* Indication.

indicar [indikár] *tr.* Indiquer, signaler.

indicativo, -va [indikatíβo, -βa] *adj.* 1 Indicatif, ive. ■ 2 *m.* Indicatif.

índice [indíθe] *adj.-m.* 1 Index (dedo). ■ 2 *m.* Index (lista, aguja). 3 Gnomon. 4 MAT., FÍS. Indice.

indicio [indíθjo] *m.* Indice, signe.

índico, -ca [indíko, -ka] *adj.* Indien, ienne: *Océano —*, Océan Indien.

indiferencia [indiferénθja] *f.* Indifférence.

indígena [indíxena] *adj.-s.* Indigène.

indigente [indixénte] *adj.-s.* Indigent, ente.

indigestión [indixestjón] *f.* Indigestion.

indignación [indiɣnaθjón] *f.* Indignation.

indignar [indiɣnár] *tr.* 1 Indigner. ■ 2 *pr.* S'indigner.

indigno, -na [indíɣno, -na] *adj.* Indigne.

indio, -ia [indjo, -ja] *adj.-s.* Indien, ienne.

indirecto, -ta [indiréyto, -ta] *adj.* Indirect, ecte.

indisciplina [indisθiplína] *f.* Indiscipline.

indiscreto, -ta [indiskréto, -ta] *adj.-s.* Indiscret, ète.

indispensable [indispensáβle] *adj.* Indispensable.

indisponer [indisponér] *tr.* 1 Indisposer. ■ 2 *pr.* Se fâcher (malquistarse). ▲ CONJUG. comme *poner*.

indistinto, -ta [indístinto, -ta] *adj.* Indistinct, incte.

individual [indiβiðwál] *adj.* Individuel, elle.

individuo, -ua [indiβíðwo, -wa] *adj.* 1 Individuel, elle. 2 Indivisible. ■ 3 *m.* Individu.

indivisión [indiβisjón] *f.* Indivision.

indo, -da [indo, -da] *adj.-s.* Hindou, oue.

indoeuropeo, -ea [indoeúropéo, -ea] *adj.-s.* Indo-européen, enne.

índole [indole] *f.* 1 Nature, caractère *m.*, naturel *m.* (de una persona). 2 Nature, caractère *m.* (de una cosa). 3 Genre *m.* (género).

indolente [indolénte] *adj.* Indolent, ente.

indomable [indomáβle] *adj.* Indomptable.

indómito, -ta [indómito, -ta] *adj.* 1 Indompté, ée. 2 Indomptable.

inducción [induyθjón] *f.* Induction.

inducir [induθír] *tr.* 1 Induire: *— en error*, induire en erreur. 2 Pousser, conduire. ▲ CONJUG. comme *conducir*.

indudable [induðáβle] *adj.* Indubitable.

indulgencia [indulxénθja] *f.* Indulgence.

indulto [indúlto] *m.* 1 Indult (del Papa). 2 Grâce *f.*, remise *f.* de peine (gracia).

indumentaria [indumentárja] *f.* 1 Histoire du costume. 2 Habillement *m.*, vêtement *m.*, costume *m.* (vestido).

industria [indústrja] *f.* 1 Industrie. 2 *loc. adv. De —*, exprès, à dessein.

industrial [industrjál] *adj.* 1 Industriel, elle. ■ 2 *m.* Industriel.

industrializar [industrjaliθár] *tr.* Industrialiser.

industrioso, -sa [industrjóso, -sa] *adj.* Industrieux, euse.

inédito, -ta [inédito, -ta] *adj.* Inédit, ite.

inefable [inefáβle] *adj.* Ineffable.

ineficaz [inefikáθ] *adj.* Inefficace.

ineludible [ineludíβle] *adj.* Inéludible, inévitable.

inenarrable [inenaráβle] *adj.* Inénarrable.

inepto, -ta [inéβto, -ta] *adj.* 1 Inepte, incapable. ■ 2 *s.* Incapable.

inequívoco, -ca [inekiβoko, -ka] *adj.* Indubitable, non équivoque.

inercia [inèrθja] *f.* Inertie.

inerme [inèrme] *adj.* Désarmé, ée.

inerte [inèrte] *adj.* Inerte.

inervar [inerβár] *tr.* Innerver.

inestable [inestáβle] *adj.* Instable.

inevitable [ineβitáβle] *adj.* Inévitable.

inexacto, -ta [ine(ɣ)sáyto, -ta] *adj.* Inexact, acte.

inexistente [ine(ɣ)sistènte] *adj.* Inexistant, ante.

inexorable [ine(ɣ)soráβle] *adj.* Inexorable.

inexperto, -ta [inespérto, -ta] *adj.* Inexpérimenté, ée.

inexplicable [inesplikáβle] *adj.* Inexplicable.

inexpresivo, -va [inespresiβo, -βa] *adj.* Inexpressif, ive.

inextenso, -sa [inesténso, -sa] *adj.* Inétendu, ue.

inextinguible [inestiŋgiβle] *adj.* Inextinguible.

infalible [iɱfaliβle] *adj.* Infaillible.

infamante [iɱfamánte] *adj.* Infamant, ante.

infamar [iɱfamár] *tr.* Déshonorer, diffamer.

infame [iɱfáme] *adj.-s.* Infâme.

infamia [iɱfámja] *f.* Infamie.

infancia [iɱfánθja] *f.* Enfance: *amigo de la —,* ami d'enfance.

infanta [iɱfánta] *f.* Infante.

infante [iɱfánte] *m. 1* Garçon en bas âge. *2* Infant (hijo del rey). *3* MIL. Fantassin.

infantería [iɱfanteria] *f.* Infanterie.

infanticidio [iɱfantiθíðjo] *m.* Infanticide (crimen).

infantil [iɱfantil] *adj. 1* Infantile. *2* Enfantin, ine, puéril, ile, d'enfant (inocente).

infarto [iɱfárto] *m.* Infarctus, engorgement.

infausto, -ta [iɱfáŭsto, -ta] *adj.* Malheureux, euse.

infección [iɱfeɣθjón] *f.* Infection.

infectar [iɱfeɣtár] *tr.* Infecter.

infecundo, -da [iɱfekúndo, -da] *adj.* Infécond, onde.

infeliz [iɱfeliθ] *adj.-s. 1* Malheureux, euse, infortuné, ée. *2* fam. Bonasse.

inferencia [iɱferénθja] *f.* Inférence.

inferior [iɱferjór] *adj.-s.* Inférieur, eure.

inferir [iɱferír] *tr. 1* Inférer, induire, conclure. *2* Faire, causer (una ofensa, una herida, etc.). ▲ CONJUG. comme *hervir.*

infernal [iɱfernál] *adj.* Infernal, ale.

infestar [iɱfestár] *tr.* Infester (causar daños, invadir): *los tiburones infestan la costa,* les requins infestent la côte.

infidelidad [iɱfiðeliðáð] *f.* Infidélité.

infiel [iɱfjél] *adj.-s.* Infidèle.

infierno [iɱfjérno] *m. 1* Enfer. ■ *2 pl.* MIT. Enfers.

infiltrar [iɱfiltrár] *tr. 1* Faire s'infiltrer. *2* Insinuer, inspirer. ■ *3 pr.* S'infiltrer.

infinitivo [iɱfinitíβo] *adj. 1* Infinitif, ive. ■ *2 m.* Infinitif.

infinito, -ta [iɱfinito, -ta] *adj. 1* Infini, ie. ■ *2 pl.* Un nombre infini de: *infinitas veces,* un nombre infini de fois. ■ *3 adv.* Infiniment, extrêmement.

inflación [iɱflaθjón] *f. 1* Enflure, gonflement *2 m.* Inflation (economía política).

inflamación [iɱflamaθjón] *f. 1* Inflamation. *2* Exaltation (de las pasiones).

inflamar [iɱflamár] *tr.* Enflammer.

inflar [iɱflár] *tr. 1* Enfler, gonfler. *2* fig. Enfler, exagérer, grossir (exagerar). ■ *3 pr.* Se gonfler d'orgueil.

inflexible [iɱfle(ɣ)siβle] *adj.* Inflexible.

influencia [iɱflwénθja] *f.* Influence.

influir [iɱflwír] *intr. 1* Influer: — *en,* influer sur. *2* Influencer (ejercer una fuerza moral). ▲ CONJUG. comme *huir.*

información [iɱformaθjón] *f. 1* Information. *2* Enquête (de la policía).

informal [iɱformál] *adj.-s. 1* Peu sérieux, euse, fantaisiste. ■ *2 adj.* Sans formalité.

informar [iɱformár] *tr. 1* Informer, renseigner (dar noticia). ■ *2 intr.* Faire un rapport (dar un informe), se prononcer (dictaminar).

informe [iɱfórme] *adj. 1* Informe. ■ *2 m.* Information *f.,* renseignement. *3* Rapport (de una comisión, etc.). ■ *4 pl.* Références *f.* (sobre una persona).

infortunado, -da [iɱfortunáðo, -ða] *adj.* Infortuné, ée.

infracción [iɱfraɣθjón] *f.* Infraction.

infranqueable [iɱfraŋkeáβle] *adj.* Infranchissable.

infringir [iɱfriŋxir] *tr.* Enfreindre.

infundado, -da [iɱfundáðo, -ða] *adj.* Sans fondement, non fondé, ée.

infundio [iɱfúndjo] *m.* Bobard, mensonge.

infundir [iɱfundir] *tr.* Inspirer, communiquer, infuser: — *respeto,* inspirer le respect.

infusión [iɱfusjón] *f.* Infusion.

ingeniero [iŋxenjéro] *m.* Ingénieur: — *de caminos, canales y puertos,* ingénieur des ponts et chaussées.

ingenio [iŋxénjo] *m. 1* Esprit (agudeza), ingéniosité *f.,* habileté *f.* (habilidad). *2* Homme de talent. *3* Engin (máquina). *4* Plantation *f.* de canne à sucre.

ingenioso, -sa [iŋxenjóso, -sa] *adj.* Ingénieux, euse.

ingenuo, -ua [iŋxénwo, -wa] *adj.-s.* Ingénu, ue.

ingle [iŋgle] *f.* ANAT. Aine.

inglés, -esa [iŋglés, -ésa] *adj.-s.* Anglais, aise.

ingrato, -ta [iŋgráto, -ta] *adj.-s.* Ingrat, ate.

ingrediente [iŋgreðjénte] *m.* Ingrédient.

ingresar [iŋgresár] *intr. 1* Entrer (en una escuela, hospital, etc.). ■ *2 tr.* Verser, déposer (dinero en un banco, etc.).

ingreso [iŋgréso] *m. 1* Entrée *f.* (entrada). ■ *2 pl.* Appointements, émoluments, revenus (de una persona), revenus (del Estado).

inhábil [ináβil] *adj.* Inhabile.
inhabilitar [inaβilitár] *tr.* Déclarer inhabile, incapable.
inhabitado, -da [inaβitáðo, -ða] *adj.* Inhabité, ée.
inhalar [inalár] *tr.* Inhaler.
inherente [inerénte] *adj.* Inhérent, ente.
inhibición [iniβiθjón] *f.* Inhibition.
inhibir [iniβir] *tr. 1* Inhiber. *2* DER. Dessaisir (a un juez). ■ *3 pr.* Se dessaisir (de un asunto). *4* S'abstenir d'intervenir (en un asunto).
inhumación [inumaθjón] *f.* Inhumation.
inhumano, na [inumáno, na] *adj.* Inhumain, aine.
iniciación [iniθjaθjón] *f.* Initiation.
inicial [iniθjál] *adj. 1* Initial, ale. ■ *2 f.* Initiale.
iniciar [iniθjár] *tr. 1* Initier: *me inició en la pintura*, il m'a initié à la peinture. *2* Commencer, entamer (comenzar).
iniciativa [iniθjatíβa] *f.* Initiative.
inimaginable [inimaxináβle] *adj.* Inimaginable.
inimitable [inimitáβle] *adj.* Inimitable.
injerencia [iŋxerénθja] *f.* Ingérence.
injerir [iŋxerír] *tr. 1* Introduire (introducir). *2* Ingérer (tragar). *3* AGR. Greffer. ■ *4 pr.* S'ingérer, s'immiscer (*en, dans*). ▲ CONJUG. comme *hervir*.
injerto, -ta [iŋxérto, -ta] *adj. 1* Enté, ée, greffé, ée. ■ *2 m.* BOT. Greffe *f.*, greffon. *3* Plante *f.* greffée. *4* CIR. Greffe *f.*
injuria [iŋxúrja] *f.* Injure, outrage *m.*
injusticia [iŋxustíθja] *f.* Injustice.
injusto, -ta [iŋxústo, -ta] *adj.* Injuste.
inmaculado, -da [immakuláðo, -ða] *adj. 1* Immaculé, ée. ■ *2 n. pr. f. La Inmaculada, la Inmaculada Concepción*, l'Immaculée Conception.
inmaterial [immaterjál] *adj.* Immatériel, elle.
inmediato, -ta [immeðjáto, -ta] *adj. 1* Immédiat, ate. *2* Contigu, uë, voisin, ine.
inmejorable [immexoráβle] *adj.* Excellent, ente, parfait, aite.
inmenso, -sa [imménso, -sa] *adj.* Immense.
inmersión [immersjón] *f.* Immersion.
inmigración [immiɣraθjón] *f.* Immigration.
inmigrante [immiɣránte] *adj.-s.* Immigrant, ante.
inminente [imminénte] *adj.* Imminent, ente.
inmiscuir [immiskwír] *tr. 1* Immiscer. ■ *2 pr.* S'immiscer.
inmobiliario, -ia [immoβiljárjo, -ja] *adj.*

1 Immobilier, ière. ■ *2 f.* Société immobilière.
inmoralidad [immoraliðáð] *f.* Immoralité.
inmortal [immortál] *adj.* Immortel, elle.
inmortalizar [immortaliθár] *tr.* Immortaliser.
inmóvil [immóβil] *adj.* Immobile.
inmovilizar [immoβiliθár] *tr.* Immobiliser.
inmueble [immwéβle] *adj.-m.* Immeuble.
inmundicia [immundíθja] *f.* Immondice.
inmundo, -da [immúndo, -da] *adj.* Immonde.
inmunidad [immuniðáð] *f.* Immunité.
inmunizar [immuniθár] *tr.* Immuniser.
inmutable [immutáβle] *adj.* Immuable.
inmutar [immutár] *tr. 1* Altérer, changer. ■ *2 pr.* Se troubler, s'émouvoir.
innato, -ta [innáto, -ta] *adj.* Inné, ée.
innecesario, -ia [inneθesárjo, -ja] *adj.* Inutile, non nécessaire, superflu, ue.
innegable [inneɣáβle] *adj.* Indéniable.
innovación [innoβaθjón] *f.* Innovation.
innovar [innoβár] *tr.* Innover.
innumerable [innumeráβle], **innúmero, ra** [innúmero, -ra] *adj.* Innombrable.
inocencia [inoθénθja] *f.* Innocence.
inocentada [inoθentáða] *f. 1* fam. Niaiserie, naïveté (acción, palabra). *2* Attrape (engaño).
inocente [inoθénte] *adj.-s.* Innocent.
inocuidad [inokwiðáð] *f.* Innocuité.
inocuo, -ua [inókwo, -wa] *adj.* Inoffensif, ive.
inofensivo, -va [inofensíβo, -βa] *adj.* Inoffensif, ive.
inolvidable [inolβiðáβle] *adj.* Inoubliable.
inoportuno, -na [inoportúno, -na] *adj.* Inopportun, une.
inorgánico, -ca [inorɣániko, -ka] *adj.* Inorganique.
inquietar [iŋkjetár] *tr.* Inquiéter.
inquieto, -ta [iŋkjéto, -ta] *adj. 1* Inquiet, ète. *2* Remuant, ante (agitado).
inquietud [iŋkjetúð] *f.*, Inquiétude.
inquilino, -na [iŋkilíno, -na] *adj.-s.* Locataire.
inquirir [iŋkirír] *tr.* S'enquérir de, se renseigner sur. ▲ CONJUG. comme *adquirir*.
inquisición [iŋkisiθjón] *f. 1* Recherche, enquête. *2* Inquisition (tribunal eclesiástico).
inquisidor, -ra [iŋkisiðór, -ra] *adj.-s.* Inquisiteur, trice.
insaciable [insaθjáβle] *adj.* Insatiable.
insalivar [insaliβár] *tr.* Imprégner de salive (alimentos).
insalubre [insalúβre] *adj.* Insalubre.
insano, -na [insáno, -na] *adj. 1* Malsain, aine. *2* Fou, folle, dément, ente.

inscribir [inskriβír] *tr. 1* Inscrire. ∎ *2 pr.* S'inscrire (en una lista). ▲ CONJUG. PART. PAS. irrég.: *inscrito, ta* ou *inscripto, ta.*

inscrito, -ta [inskríto, -ta], **inscripto, -ta** [inskríβto, -ta] *adj.* Inscrit, ite.

insecticida [inseɣtiθíða] *adj.-m.* Insecticide.

insecto [inséɣto] *m.* Insecte.

inseguro, -ra [inseɣúro, -ra] *adj.* Qui n'est pas sûr, sûre.

insensato, -ta [insensáto, -ta] *adj.-s.* Insensé, ée.

insensible [insensíβle] *adj.* Insensible.

inseparable [inseparáβle] *adj.-s.* Inséparable.

insertar [insertár] *tr.* Insérer.

inservible [inserβíβle] *adj.* Hors d'état de servir, inutilisable.

insigne [insíɣne] *adj.* Insigne.

insignia [insíɣnia] *f. 1* Insigne *m. 2* Bannière (de una cofradía). *3* MAR. Pavillon *m.* (de almirante, etc.).

insignificante [insiɣnifikánte] *adj.* Insignifiant, ante.

insinuar [insinwár] *tr. 1* Insinuer. *2* Suggérer. ∎ *3 pr.* S'insinuer.

insípido, -da [insípiðo, -ða] *adj.* Insipide.

insistencia [insisténθja] *f.* Insistance.

insistir [insistír] *intr.* Insister.

insociable [insoθjáβle] *adj.* Insociable.

insolentar [insolentár] *tr. 1* Rendre insolent, ente. ∎ *2 pr.* Se montrer insolent.

insolente [insolénte] *adj.-s.* Insolent, ente.

insólito, -ta [insólito, -ta] *adj.* Insolite.

insoluble [insolúβle] *adj.* Insoluble.

insolvencia [insolβénθja] *f.* Insolvabilité.

insolvente [insolβénte] *adj.* Insolvable.

insomnio [insómnjo] *m.* Insomnie *f.*

insoportable [insoportáβle] *adj.* Insupportable.

inspección [inspeɣθjón] *f.* Inspection.

inspeccionar [inspeɣθjonár] *tr.* Inspecter.

inspector, -ra [inspeɣtór, -ra] *adj.-s.* Inspecteur, trice.

inspiración [inspiraθjón] *f.* Inspiration.

inspirar [inspirár] *tr. 1* Inspirer. ∎ *2 pr.* S'inspirer: *inspirarse en,* s'inspirer de.

instalación [instalaθjón] *f.* Installation.

instalar [instalár] *tr.* Installer.

instancia [instánθja] *f. 1* Instance. *2* Pétition, demande (escrito).

instante [instánte] *m.* Instant.

instar [instár] *tr. 1* Prier avec instance, instamment: — *a uno para que,* prier instamment quelqu'un de. ∎ *2 intr.* Insister, presser (urgir).

instaurar [instaŭrár] *tr.* Instaurer.

instintivo, -va [instintíβo, -βa] *adj.* Instinctif, ive.

instinto [instínto] *m.* Instinct.

institución [instituθjón] *f.* Institution.

instituir [institwír] *tr.* Instituer. ▲ CONJUG. comme *huir.*

instituto [institúto] *m. 1* Institut. *2* Lycée: — *de enseñanza media,* lycée.

institutriz [institutríθ] *f.* Institutrice, préceptrice. ▲ N'a pas le sens de maîtresse d'école.

instructivo, -va [instruɣtíβo, -βa] *adj.* Instructif, ive.

instruir [instrwír] *tr.* Instruire. ▲ CONJUG. comme *huir.*

instrumental [instrumentál] *adj. 1* Instrumental, ale. *2* DER. Instrumentaire. ∎ *3 m.* CIR. MÚS. Ensemble des instruments, instruments *pl.*

instrumento [instruménto] *m.* Instrument.

insubordinación [insuβorðinaθjón] *f.* Insubordination.

insubordinado, -da [insuβorðináðo, -ða] *adj. 1* Insubordonné, ée. ∎ *2 s.* Insurgé, ée.

insuficiencia [insufiθjénθja] *f.* Insuffisance.

insuficiente [insufiθjénte] *adj.* Insuffisant, ante.

insular [insulár] *adj.-s.* Insulaire.

insulso, -sa [insúlso, -sa] *adj.* Insipide, fade.

insultante [insultánte] *adj.* Insultant, ante.

insultar [insultár] *tr.* Insulter.

insulto [insúlto] *m.* Insulte *f.*

insuperable [insuperáβle] *adj. 1* Insurmontable (dificultad, etc.). *2* Insurpassable, incomparable.

insurrección [insureɣθjón] *f.* Insurrection.

insurrecto, -ta [insureɣto, -ta] *adj.-s.* Insurgé, ée, rebelle.

insustituible [insustitwíβle] *adj.* Irremplaçable.

intacto, -ta [intáɣto, -ta] *adj.* Intact, acte.

intachable [intatʃáβle] *adj.* Irréprochable.

intangible [intanxíβle] *adj.* Intangible.

integración [inteɣraθjón] *f.* Intégration.

integrar [inteɣrár] *tr. 1* Compléter (dar integridad a una cosa). *2* Composer, constituer (un todo). *3* Réintégrer.

integridad [inteɣriðáð] *f. 1* Intégrité. *2* Intégralité.

íntegro, -gra [inteɣro, -ɣra] *adj. 1* Intégral, ale (completo). *2* Intègre (probo).

intelectual [inteleɣtwál] *adj.-s.* Intellectuel, elle.

inteligencia [intelixénθja] *f.* Intelligence.

inteligente [intelixénte] *adj.* Intelligent, ente.

intemperie [intempèrje] *f.* Intempérie.
intención [intenθjòn] *f.* 1 Intention. Loc.
Primera —, premier mouvement. 2 fig.
Malignité, mauvais instinct *m.* de certains animaux: *toro de* —, taureau vicieux.
intencionado, -da [intenθjonàðo, -ða] *adj.*
Intentioné, ée.
intendencia [intendénθja] *f.* Intendance.
intendente [intendénte] *m.* Intendant.
intensidad [intensiðàð] *f.* Intensité.
intensificar [intensifikár] *tr.* Intensifier.
intensivo, -va [intensiβo, -βa] *adj.* Intensif, ive.
intenso, -sa [inténso, -sa] *adj.* Intense.
intentar [intentár] *tr.* Tenter, tâcher, essayer de.
intento [inténto] *m.* 1 Dessein, projet. 2
loc. adv. De —, exprès, à dessein. 3
Tentative *f.*
intentona [intentóna] *f.* Tentative téméraire.
intercalar [interkalár] *tr.* Intercalar.
intercambio [interkámbjo] *m.* Échange
(cambio mutuo).
interceder [interθeðér] *intr.* Intercéder.
interceptar [interθeβtár] *tr.* Intercepter.
intercesión [interθesjón] *f.* Intercession.
intercostal [interkostál] *adj.* Intercostal,
ale.
interés [interès] *m.* 1 Intérêt. Loc. *Sentir*
— *por,* s'intéresser à. ■ 2 *pl.* Biens, fortune *f. sing.*
interesado, -da [interesàðo, -ða] *adj.-s.*
Intéressé, ée.
interesante [interesánte] *adj.* Intéressant,
ante.
interesar [interesár] *tr.* 1 Intéresser. ■ 2
pr. S'intéresser: *interesarse por,* s'intéresser à.
interferencia [interferénθja] *f.* Interférence.
interino, -na [interino, -na] *adj.-s.* 1 Intérimaire. ■ 2 *adj.* Par intérim (persona),
provisoire (cosa).
interior [interjór] *adj.-m.* Intérieur, eure.
interjección [interxeɣθjón] *f.* Interjection.
interlocutor, -ra [interlokutór, -ra] *s.* Interlocuteur, trice.
intermediario, -ia [intermeðjàrjo, -ja]
adj.-s. Intermédiaire.
intermedio, -ia [intermèðjo, -ja] *adj.* 1 Intermédiaire. ■ 2 *m.* Intervalle (de
tiempo). 3 Entracte (entreacto).
interminable [interminàβle] *adj.* Interminable.
intermitente [intermitènte] *adj.* 1 Intermittent, ente. ■ 2 *m.* Clignotant (luz).

internacional [internaθjonál] *adj.-s.* International, ale.
internado, -da [internàðo, -ða] *adj.-s.* 1 Interné, ée. ■ 2 *m.* Internat.
internar [internár] *tr.* 1 Interner. 2 Hospitaliser (a un enfermo). ■ 3 *pr.* Pénétrer,
s'enfoncer.
interno, -na [intèrno, -na] *adj.* 1 Interne,
intérieur, eure. 2 *Fuero* —, for intérieur. 3 Interne (alumno médico).
interpelación [interpelaθjón] *f.* Interpellation.
interpelar [interpelár] *tr.* Interpeller.
interponer [interponér] *tr.* 1 Interposer. 2
DER. Intenter, interjeter (un recurso). ▲
CONJUG. comme *poner.*
interposición [interposiθjón] *f.* Interposition.
interpretación [interpretaθjón] *f.* Interprétation.
interpretar [interpretár] *tr.* Interpréter.
intérprete [intèrprete] *s.* Interprète.
interrogación [interoɣaθjón] *f.* Interrogation.
interrogante [interoɣánte] *adj.-s.* 1 Interrogateur, trice. ■ 2 *m.* Point d'interrogation (signo, incógnita).
interrogar [interoɣár] *tr.* Interroger.
interrumpir [interumpír] *tr.* Interrompre.
interrupción [interuβθjón] *f.* Interruption.
intervalo [interβálo] *m.* Intervalle. Loc. *A*
intervalos, par intervalles.
intervención [interβenθjón] *f.* 1 Intervention. 2 Vérification, contrôle *m.* (cargo
del interventor).
intervenir [interβenír] *intr.* 1 Participer,
prendre part (tomar parte): — *en un debate,* participer à un débat. ■ 2 *tr.* Contrôler (cuentas, una administración,
etc.). 3 CIR. Opérer. ▲ CONJUG. comme
venir.
interventor, -ra [interβentór, -ra] *adj.-s.* 1
Qui intervient. 2 Contrôleur (de las
cuentas, etc.).
interview [interβjù] *m.* Interview *f.*
intestino, -na [intestino, -na] *adj.* Intestin,
ine.
intimar [intimár] *tr.* 1 Intimer (una orden), sommer, notifier (a alguien). ■ 2
intr.-pr. Devenir intime, faire amitié.
intimidad [intimiðàð] *f.* Intimité.
íntimo, -ma [íntimo, -ma] *adj.* Intime.
intolerancia [intoleránθja] *f.* Intolérance.
intoxicar [into(ɣ)sikár] *tr.* Intoxiquer.
intranquilidad [intraŋkiliðàð] *f.* Inquiétude.
intranquilizar [intraŋkiliθár] *tr.* Inquiéter.

intranquilo, -la [intraŋkílo, -la] adj. Inquiet, ète, anxieux, euse.

intransferible [intransferíβle] adj. Incessible.

intransitable [intransitáβle] adj. Impraticable (camino).

intratable [intratáβle] adj. Intraitable.

intrépido, -da [intrépiðo, -ða] adj. Intrépide.

intriga [intríɣa] f. Intrigue.

intrigante [intriɣánte] adj.-s. Intrigant, ante.

intrigar [intriɣár] intr.-tr. Intriguer.

intrincado, -da [intriŋkáðo, -ða] adj. Embrouillé, ée, compliqué, ée.

introducción [introðuɣθjón] f. Introduction.

introducir [introðuθír] tr. Introduire. ▲ CONJUG. comme **conducir**.

introductor, -ra [introðuɣtór, -ra] adj.-s. Introducteur, trice.

intromisión [intromisjón] f. Immixtion, ingérence.

intrusión [intrusjón] f. Intrusion.

intruso, -sa [intrúso, -sa] adj.-s. Intrus, use.

intuición [intwiθjón] f. Intuition.

intuir [intwír] tr. Percevoir, connaître par intuition, pressentir. ▲ CONJUG. comme **huir**.

inundación [inundaθjón] f. Inondation.

inundar [inundár] tr. Inonder.

inusitado, -da [inusitáðo, -ða] adj. Inusité, ée.

inútil [inútil] adj.-s. Inutile.

inutilizar [inutiliθár] tr. Mettre hors d'état, rendre inutilisable (una máquina, etc.).

invadir [imbaðír] tr. Envahir.

invalidar [imbaliðár] tr. Invalider.

inválido, -da [imbáliðo, -ða] adj.-s. Invalide.

invariable [imbarjáβle] adj. Invariable.

invasión [imbasjón] f. Invasion.

invasor, -ra [imbasór, -ra] adj.-s. Envahisseur, euse.

invencible [imbenθíβle] adj. Invincible.

invención [imbenθjón] f. Invention.

inventar [imbentár] tr. Inventer.

inventario [imbentárjo] m. Inventaire.

invento [imbénto] m. Invention f.

inventor, -ra [imbentór, -ra] adj.-s. Inventeur, trice.

invernadero [imbernaðéro] m. 1 Séjour d'hiver. 2 AGR. Pâturage d'hiver.

invernal [imbernál] adj. Hivernal, ale.

invernar [imbernár] intr. Hiverner. ▲ CONJUG. comme **acertar**.

inversión [imbersjón] f. Inversion.

invertir [imbertír] tr. 1 Invertir, inverser. 2 Renverser (volcar). 3 Intervertir (alterar el orden). 4 Investir, placer (dinero). 5 Employer, passer (tiempo). ▲ CONJUG. comme **hervir**.

investigación [imbestiɣaθjón] f. Investigation, enquête (policíaca, etc.).

invierno [imbjérno] m. Hiver.

invisible [imbisíβle] adj. Invisible.

invitación [imbitaθjón] f. Invitation.

invitado, -da [imbitáðo, -ða] adj.-s. Invité, ée.

invitar [imbitár] tr. Inviter.

invocar [imbokár] tr. Invoquer.

inyección [indʒeɣθjón] f. 1 Injection. 2 MED. Piqûre.

ir [ir] intr. 1 Aller (moverse, llevar): *voy a Madrid*, je vais à Madrid. Loc. — *tras de uno*, courir après quelqu'un, poursuivre quelqu'un; *¿quién va?*, qui va là?; *¡vaya!, ¡vamos!*, allons! 2 Importer, intéresser, y aller de: *me va mucho en ello*, cela m'importe beaucoup; *le va la cabeza en ello*, il y va de sa tête. 3 Être, être en (vestido): *ir bien puesto*, être bien mis; *ir de levita*, être en redingote. 4 — *por*, aller chercher: — *por agua*, aller chercher de l'eau. 5 Con el gerundio (avec le gérondif, indique que l'action se réalise progressivement): — *corriendo*, courir; *vaya usted trabajando*, continuez à travailler. 6 Otros sentidos: — *a lo más urgente*, aller au plus pressé; *mucho va del uno al otro*, ils sont bien différents l'un de l'autre. ■ 7 *pr.* S'en aller, partir: *no te vayas*, ne t'en va pas. 8 Fuir (un recipiente): *el tonel se va*, le tonneau fuit. 9 Glisser: *se le fue el pie*, son pied glissa. 10 Otros sentidos: *allá se va*, cela revient au même. ▲ CONJUG. IRRÉG. INDIC. Prés.: *voy, vas, va, vamos, vais, van*. Imparf.: *iba, ibas*, etc. Pas. simple: *fui, fuiste, fue, fuimos, fuisteis, fueron*. Fut.: *iré, irás*, etc. COND.: *iría, irías*, etc. SUBJ. Prés.: *vaya, vayas, vaya, vayamos, vayáis, vayan*. Imparf.: *fuera, fueras, fuera, fuéramos, fuerais, fueran* ou *fuese, fueses*, etc. Fut.: *fuere, fueres, fuere, fuéremos, fuereis, fueren*. IMPÉR.: *ve, vaya, vayamos, id, vayan*. PART. PAS.: *ido, da*. GÉR.: *yendo*.

ira [íra] f. 1 Colère. 2 interj. ¡—*de Dios!*, tonnerre!

irascible [irasθíβle] adj. Irascible.

iris [íris] m. 1 Iris. 2 Arc-en-ciel (arco iris).

irlandés, -esa [irlandés, -ésa] adj.-s. Irlandais, aise.

ironía [ironía] f. Ironie.

irracional [iřaθjonál] adj. 1 Irraisonnable

(que carece de razón). 2 Irrationnel,
elle (opuesto a la razón). ■ *3 m.* Animal.
irradiar [ir̄aðjár] *tr.* Irradier.
irreal [ir̄eál] *adj.* Irréel, elle.
irrealizable [ir̄ealiθáβle] *adj.* Irréalisable.
irrebatible [ir̄eβatiβle] *adj.* Irréfutable.
irreducible [ir̄eðuθiβle], **irreductible** [ir̄e-
ðuytíβle] *adj.* Irréductible.
irreflexión [ir̄efle(γ)sjón] *f.* Irréflexion.
irreflexivo, -va [ir̄efle(γ)siβo, -βa] *adj.*
Irréfléchi, ie.
irregular [ir̄eγulár] *adj.* Irrégulier, ière.
irregularidad [ir̄eγulariðáð] *f.* Irrégularité.
irremediable [ir̄emeðjáβle] *adj.* Irrémédiable.
irreparable [ir̄eparáβle] *adj.* Irréparable.
irreprochable [ir̄eprotʃáβle] *adj.* Irréprochable.
irresistible [ir̄esistiβle] *adj.* Irrésistible.
irresolución [ir̄esoluθjón] *f.* Irrésolution.
irrespetuoso, -sa [ir̄espetwóso, -sa] *adj.*
Irrespectueux, euse.
irrespirable [ir̄espiráβle] *adj.* Irrespirable.
irresponsable [ir̄esponsáβle] *adj.-s.* Irresponsable.
irreverencia [ir̄eβerénθja] *f.* Irrévérence.

irrevocable [ir̄eβokáβle] *adj.* Irrévocable.
irrigación [ir̄iγaθjón] *f.* Irrigation.
irritación [ir̄itaθjón] *f.* Irritation.
irritar [ir̄itár] *tr.* Irriter.
irrompible [ir̄ompiβle] *adj.* Incassable.
irrumpir [ir̄umpír] *intr.* Faire irruption.
isla [ízla] *f. 1* Île. 2 Pâté *m.* de maisons, îlot
m. (de casas).
islamismo [izlamízmo] *m.* Islamisme.
isleño, -ña [izléɲo, -ɲa] *adj.-s.* Insulaire.
islote [izlóte] *m.* GEOG. Îlot.
isobara [isoβára] *f.* METEOR. Isobare.
isócrono, -na [isókrono, -na] *adj.* FÍS. Iso-
chrone, isochronique.
isósceles [isósθeles] *adj.* GEOM. Isocèle.
israelita [izr̄aelíta] *adj.-s.* Israélite.
istmo [ístmo] *m.* Isthme.
italiano, -na [italjáno, -na] *adj.-s.* Italien,
ienne.
itálico, -ca [itáliko, -ka] *adj.-s.* Italique.
itinerario, -ia [itinerárjo, -ja] *adj.-m.* Itinéraire.
izar [iθár] *tr.* Hisser.
izquierdo, -da [iθkjérðo, -ða] *adj. 1* Gauche (lado). 2 Panard, arde (caballo). ■ *3
s.* Gaucher, ère (zurdo).

J

j [xóta] *f.* J *m.*

jabalí [xaβalí] *m.* Sanglier.

jabalina [xaβalína] *f.* *1* Laie. *2* Javeline (arma). *3* Javelot *m.* (deportes).

jabón [xaβón] *m.* Savon.

jabonado [xaβonáðo] *m.* Savonnage.

jabonar [xaβonár] *tr.* Savonner.

jaboncillo [xaβonθíλo] *m.* Savonnette *f.*

jabonería [xaβonería] *f.* Savonnerie.

jabonero, -ra [xaβonéro, -ra] *adj.* *1* Blanc jaunâtre (toro, etc.). ■ *2 m.* Savonnier (fabricante). ■ *3 f.* Boîte à savon.

jabonoso, -sa [xaβonóso, -sa] *adj.* Savonneux, euse.

jaca [xáka] *f.* Bidet *m.*, petit cheval *m.*

jácara [xákara] *f.* *1* Sorte de poème *m.* plaisant. *2* Chanson et danse populaires. *3* fam. Ennui *m.*, embêtement *m.* (molestia).

jácena [xáθena] *f.* CONSTR. Poutre maîtresse.

jacinto [xaθínto] *m.* Jacinthe *f.*, hyacinthe *f.*

jaco [xáko] *m.* Rosse *f.* (caballo).

jacobino, -na [xakoβíno, -na] *adj.-s.* Jacobin, ine.

jactancia [xaytánθja] *f.* Jactance, vantardise.

jactarse [xaytárse] *pr.* Se vanter.

jade [xáðe] *m.* Jade.

jadear [xaðeár] *intr.* Haleter.

jadeo [xaðéo] *m.* Halètement.

jaez [xaéθ] *m.* *1* Harnachement, harnais. *2* fig. Nature *f.*, acabit, espèce *f.*

jaguar [xaɣwár] *m.* Jaguar.

jalea [xaléa] *f.* Gelée (de frutas).

jaleo [xaléo] *m.* *1* Cris pl. (acción de jalear). *2* Danse *f.* et chant andalou. *3* fam. Chahut, chambard, boucan, tapage (ruido), histoire *f.* (enredo).

jalonar [xalonár] *tr.* Jalonner.

jamás [xamás] *adv.* *1* Jamais. *2 loc. adv.* *Nunca* —, — *por* —, jamais de la vie; *siempre* —, à jamais.

jamba [xámba] *f.* Jambage *m.* (de puerta, ventana).

jamelgo [xamélɣo] *m.* Rosse *f.* (caballo malo).

jamón [xamón] *m.* Jambon: — *en dulce,* jambon cuit.

jándalo, -la [xándalo, -la] *adj.-s.* fam. Andalou, ouse.

japonés, -esa [xaponés, -ésa] *adj.-s.* Japonais, aise.

jaque [xáke] *m.* *1* Échec (del ajedrez): — *mate,* échec et mat. *2* Fier-à-bras, fanfaron (valentón).

jaqueca [xakéka] *f.* Migraine.

jarabe [xaráβe] *m.* Sirop.

jarana [xarána] *f.* fam. Tapage *m.* (ruido).

jaranear [xaraneár] *intr.* Faire la foire.

jarcia [xárθja] *f.* MAR. Cordages *m.* pl., agrès *m.* pl.

jardín [xarðín] *m.* *1* Jardin d'agrément. *2* Jardinage (en una esmeralda).

jardinera [xarðinéra] *f.* *1* Jardinière fleuriste. *2* Jardinière (mueble, carruaje). *3* Tramway *m.* ouvert pour l'été.

jardinería [xarðinería] *f.* Jardinage *m.*

jardinero [xarðinéro] *m.* Jardinier.

jarope [xarópe] *m.* *1* Sirop. *2* fam. Breuvage.

jarra [xářa] *f.* *1* Jarre. *2 loc. adv.* *De, en jarras,* les poings sur les hanches. *3* Pot *m.* (jarro).

jarro [xářo] *m.* *1* Pot (à une anse), broc (grande), pichet (pequeño para bebidas). *2 loc. adv.* *A jarros,* à verse; *a boca de* —, à brûle-pourpoint.

jarrón [xařón] *m.* Vase d'ornement.

jaspear [xaspeár] *tr.* Jasper, marbrer.

jaula [xáula] *f.* Cage (para animales).

jauría [xaúría] *f.* Meute.

jazz [xaθ] *m.* Jazz.

jazmín [xaθmín] *m.* Jasmin.

jefatura [xefatúra] *f.* *1* Dignité, charge de chef. *2* Direction.

jefe [xéfe] *m. 1* Chef: — *de negociado*, chef de bureau. *2* Patron.

jeme [xéme] *m. 1* Espace entre l'index et le pouce écartés. *2* fam. Minois (de una mujer).

jeque [xéke] *m.* Cheik.

jerarca [xerárka] *m.* Supérieur, dignitaire.

jerarquía [xerarkía] *f. 1* Hiérarchie. *2* Dignitaire *m.* (persona).

jerezano, -na [xereθáno, -na] *adj.-s.* De Xérès.

jerga [xérγa] *f. 1* Étoffe grossière. *2* Jargon *m,* argot *m.* (lenguaje).

jeringa [xeriŋga] *f.* Seringue.

jeringuilla [xeriŋgiʎa] *f. 1* Petite seringue. *2* Seringa *m.* (arbusto).

jeroglífico, -ca [xeroγlifiko, -ka] *adj. 1* Hiéroglyphique. ■ *2 m.* Hiéroglyphe. *3* Rébus (acertijo).

jersey [xerséi] *m.* Pull-over, chandail.

jesuita [xeswíta] *adj.-s.* Jésuite.

jeta [xéta] *f.* Bouche saillante.

jibia [xíβja] *f.* Seiche.

jibión [xiβjón] *m.* Os de seiche.

jícara [xikara] *f.* Tasse (de chocolate).

jifero, -ra [xiféro, -ra] *adj.* De l'abattoir.

jilguero [xilγéro] *m.* Chardonneret.

jineta [xinéta] *f. 1* Genette (mamífero). *2* Lance courte. *3 loc. adv. A la* —, à la genette.

jinete [xinéte] *m.* Cavalier.

jipijapa [xipixápa] *f. 1* Paille qui sert à fabriquer les panamas. ■ *2 m.* Panama (sombrero).

jirafa [xiráfa] *f.* Girafe.

jirón [xirón] *m. 1* Lambeau. *2* BLAS. Giron.

jocoso, -sa [xokóso, -sa] *adj.* Drôle, amusant, ante, plaisant, ante.

jofaina [xofaína] *f.* Cuvette.

jolgorio [xolγório] *m. 1* Réjouisance *f.* liesse *f. 2* fam. Bringue *f.*

jornada [xornáða] *f. 1* Journée (de viaje, de trabajo). Loc. *Trabajar media* —, travailler à mi-temps. *2* Voyage *m. 3* TEAT. Journée, acte *m.*

jornal [xornál] *m.* Journée *f.,* salaire journalier. *loc. adv. A* —, à la journée.

jornalero, -ra [xornaléro, -ra] *s.* Journalier, ière (obrero).

joroba [xoróβa] *f. 1* Bosse (corcova). *2* fig. fam. Corvée (fastidio).

jota [xóta] *f. 1 J m.,* lettre *j.* 2 Jota (baile). *3* Iota *m.,* rien *m.* (cosa mínima).

joven [xóβen] *adj. 1* Jeune. ■ *2 m.* Jeune homme. ■ *3 f.* Jeune fille. ■ *4 pl. Los jóvenes,* les jeunes, les jeunes gens.

jovial [xoβjál] *adj.* Jovial, ale.

jovialidad [xoβjaliðáð] *f.* Jovialité.

joya [xóʝa] *f.* Bijou *m.,* joyau *m.*

joyería [xoʝería] *f.* Bijouterie, joaillerie.

joyero, -ra [xoʝéro, -ra] *s. 1* Bijoutier, ière, joaillier, ière. ■ *2 m.* Coffret à bijoux.

juanete [xwanéte] *m.* ANAT. Pommette *f.* très grosse.

jubilación [xuβilaθjón] *f. 1* Mise à la retraite (de un funcionario). *2* Retraite (pensión).

jubilar [xuβilár] *adj.* Jubilaire.

jubilar [xuβilár] *tr. 1* Mettre à la retraite (a un funcionario). ■ *2 intr.* Se réjouir, jubiler.

júbilo [xúβilo] *m.* Jubilation *f.,* grande joie *f.*

judicial [xuðiθjál] *adj.* Judiciaire.

judío, -ía [xuðío, -ía] *adj.-s.* Juif, juive.

juego [xwéγo] *m. 1* Jeu. Loc. — *de ingenio,* jeu d'esprit. *2* Service: *un* — *de café,* un service à café. *3* Train (de un coche). *4 Hacer* —, faire pendant, aller ensemble.

juerga [xwérγa] *f.* fam. Noce, bombe, ribouldingue, foire, bringue.

jueves [xwéβes] *m.* Jeudi.

juez [xwéθ] *m.* Juge.

jugador, -ra [xuγaðór, -ra] *adj.-s.* Joueur, euse.

jugar [xuγár] *intr. 1* Jouer: — *fuerte,* jouer gros jeu. *2* — *con,* badiner avec, se jouer de: *conmigo no se juega,* on ne se joue pas de moi. ■ *3 tr.* Jouer (una carta, partida, etc.): — *el todo por el todo,* jouer le tout par le tout. ▲ CONJUG. IRRÉG. INDIC. Prés.: *juego, juegas, juega, jugamos, jugáis, juegan.* SUBJ. Prés.: *juegue, juegues, juegue, juguemos, juguéis, jueguen.* IMPÉR.: *juega, juegue, juguemos, jugad, jueguen.* Les autres temps sont réguliers.

juglar [xuγlár] *m.* Jongleur (de la edad media).

juglaría [xuγlaria], **juglería** [xuγleria] *f.* ant. Art *m.* des jongleurs.

jugo [xúγo] *m. 1* Jus (de frutas). *2* Suc (secreción). *3* fig. Substance *f.,* suc.

jugoso, -sa [xuγóso, -sa] *adj.* Juteux, euse.

juguete [xuγéte] *m. 1* Jouet. *2* Plaisanterie *f.,* moquerie *f. 3* TEAT. Petite pièce *f. 4* fig. Jouet.

juicio [xwiθjo] *m. 1* Jugement. Loc. — *final, universal,* jugement dernier; *a mi* —, à mon avis. *2* Raison *f.,* sagesse *f.* Loc. *Falto de* —, écervelé, fou, toqué.

juicioso, -sa [xwiθjóso, -sa] *adj.* Judicieux, euse, sage.

julio [xúljo] *m. 1* Juillet: *el 14 de* —, le 14 juillet. *2* ELECT. Joule.

juncal [xuŋkál] *adj. 1* Relatif, ive au jonc. *2* fig. Élancé, ée, gracieux, euse. ■ *3 m.* Jonchaie *f.*

junco [xúŋko] *m. 1* Jonc. *2* MAR. Jonque *f.*

junio [xúnjo] *m.* Juin.

junquillo [xuŋkíʎo] *m. 1* Jonquille *f.* (planta). *2* ARQ. Baguette (moldura). *3* Rotang, rotin (junco de Indias).

junta [xúnta] *f. 1* Réunion, séance (sesión). *2* Assemblée. *3* Conseil *m.*, comité *m.*

juntar [xuntár] *tr. 1* Joindre, unir. *2* Amasser (acopiar). *3* Réunir, assembler.

junto, -ta [xúnto, -ta] *adj. 1* Uni, ie, réuni, ie (unido). *2 loc. adv. En* —, en tout; *por* —, en gros; *todo* —, à la fois.

jura [xúra] *f.* Serment *m.* de fidélité.

jurado, -da [xuráðo, -ða] *adj. 1* Juré, ée. ■ *2 m.* Jury. *3* Juré, membre d'un jury.

juramento [xuraménto] *m. 1* Serment. *2* Juron (voto).

jurar [xurár] *tr. 1* Jurer: *¡se lo juro!*, je vous le jure! *2* Prêter serment.

jurídico, -ca [xuríðiko, -ka] *adj.* Juridique.

jurisconsulto [xuriskonsúlto] *m.* Jurisconsulte.

jurisdicción [xurisðixθjón] *f.* Juridiction.

jurisprudencia [xurispruðénθja] *f.* Jurisprudence.

jurista [xurista] *m.* Juriste.

juro [xúro] *m.* Droit perpétuel de propriété.

justa [xústa] *f.* Joute.

justar [xustár] *intr.* Jouter.

justicia [xustiθja] *f.* Justice.

justiciero, -ra [xustiθjéro, -ra] *adj.-m.* Justicier, ière.

justificante [xustifikánte] *adj. 1* Justifiant, ante. ■ *2 m.* Document qui prouve, qui justifie.

justificar [xustifikár] *tr.* Justifier.

justo, -ta [xústo, -ta] *adj. 1* Juste. ■ *2 m.* Juste. ■ *3 adv.* Juste: *llegar* —, arriver juste.

juvenil [xuβenil] *adj.* Juvénile.

juventud [xuβentúð] *f.* Jeunesse.

juzgado [xuθɣáðo] *m.* Tribunal: — *municipal*, tribunal du juge de paix.

juzgar [xuθɣár] *tr.* Juger. Loc. *A* — *por*, à en juger par.

K

k [ka] *f.* K *m.*
ka [ka] *f.* K *m.*, lettre k.
káiser [kǎiser] *m.* Kaiser.
kan [kan] *m.* Kan.
kantismo [kantizmo] *m.* Kantisme.
kermese [kermése] *f.* Kermesse.
kilo [kilo] *m.* Kilo.

kilogramo [kiloɣrámo] *m.* Kilogramme.
kilolitro [kilolítro] *m.* Kilolitre.
kilómetro [kilómetro] *m.* Kilomètre.
kilovatio [kiloβátjo] *m.* Kilowatt.
kimono [kimóno] *m.* Kimono.
kiosco [kjósko] *m.* Kiosque.
kurdo, -da [kúrðo, -ða] *adj.-s.* Kurde.

L

l [éle] *f.* L *m.*

la [la] *art. f. 1* La. *2* Celle: — *que,* celle que, celle qui. ▲ El artículo *la* debe traducirse a menudo por el adjetivo posesivo. ■ *3 pron. pers.* La: — *veo,* je la vois. ■ *4 m.* MÚS. La.

laberinto [laβerínto] *m.* Labyrinthe.

labial [laβjál] *adj.* Labial, ale.

labio [láβjo] *m.* Lèvre *f.* LOC. — *leporino,* bec-de-lièvre; *no descoser los labios,* ne pas desserrer les dents.

labor [laβór] *f. 1* Travail *m.* (acción). *2* Œuvre, ouvrage *m.* (resultado). *3* Travail *m.: labores domésticas,* travaux domestiques. *4* Ornement *m.* (adorno). *5* AGR. Labour *m.,* façon.

laborable [laβoráβle] *adj. 1* Labourable. *2 Día* —, jour ouvrable.

laboratorio [laβoratórjo] *m.* Laboratoire.

laborioso, -sa [laβorjóso, -sa] *adj.* Laborieux, euse.

labrador, -ra [laβráðor, -ra] *s. 1* Paysan, anne, cultivateur, trice. *2* Propriétaire cultivateur. *3* Laboureur (que labra).

labranza [laβránθa] *f. 1* Labourage *m.* (de los campos). *2* Propriété rurale.

labrar [laβrár] *tr. 1* Travailler, tailler (la madera, la piedra), ouvrager, ouvrer (minuciosamente). *2* AGR. Cultiver. *3* AGR. Labourer (arar). *4* Bâtir, édifier. *5* fig. Faire, causer, travailler à: — *la felicidad de,* faire le bonheur de.

labriego, -ga [laβrjéɣo, -ɣa] *s.* Paysan, anne.

laca [láka] *f.* Laque.

lacayo [lakáɣo] *m.* Laquais.

lacerado, -da [laθeráðo, -ða] *adj. 1* Lacéré, ée. *2* Malheureux, euse (infeliz).

lacerar [laθerár] *tr.* Lacérer (lesionar), blesser, meurtrir (herir).

lacero [laθéro] *m.* Homme adroit à manier le lasso.

lacio, -ia [láθjo, -ja] *adj. 1* Flétri, ie, fané,

ée (marchito). *2* Mou, molle (sin vigor). *3* Plat, plate (cabello).

lacónico, -ca [lakóniko, -ka] *adj.* Laconique.

lacrar [lakrár] *tr. 1* Cacheter (avec de la cire). *2* Contaminer (contagiar). *3* fig. Nuire.

lacre [lákre] *m.* Cire *f.* à cacheter.

lacrimal [lakrimál] *adj.* Lacrymal, ale.

lacrimoso, -sa [lakrimóso, -sa] *adj.* Larmoyant, ante.

lactancia [laɣtánθja] *f.* Allaitement *m.*

lactar [laɣtár] *tr. 1* Allaiter (amamantar). *2* Téter (niño).

lácteo, -ea [láɣteo, -ea] *adj.* Lacté, ée.

lacustre [lakústre] *adj.* Lacustre.

ladear [laðeár] *tr. 1* Pencher, incliner, faire pencher (inclinar), tordre (torcer). ■ *2 intr.-pr.* Pencher, s'incliner. *3* S'écarter.

ladera [laðéra] *f.* Pente, versant *m.* (de una montaña).

lado [láðo] *m. 1* Côté. LOC. fig. *dejar a un* —, laisser de côté; *hacerse a un* —, s'écarter, se mettre de côté; *ir — a —,* marcher côte à côte. *2* fig. Faveur *f.,* protection *f. 3 loc. adv. Al* —, à côté, tout près; *de uno y otro* —, des deux côtés.

ladrar [laðrár] *intr. 1* Aboyer, japper. *2* fig. fam. Tonner. Crier, menacer.

ladrido [laðríðo] *m.* Aboi, aboiement.

ladrillo [laðríʎo] *m. 1* Brique *f. 2* Plaque *f.* (de chocolate).

ladrón, -ona [laðrón, -óna] *s. 1* Voleur, euse. *2 El buen* —, le bon larron. *3 interj.* ¡*Ladrones!,* au voleur!

ladronzuelo [laðronθwélo] *m.* Petit voleur.

lagar [laɣár] *m.* Pressoir (lugar).

lagartija [laɣartíxa] *f.* Petit lézard *m.* gris.

lagarto [laɣárto] *m. 1* Lézard. *2* fig. Fin renard.

lago [láɣo] *m.* Lac.

lágrima [làɣrima] *f*. Larme. Loc. *Llorar a — viva*, pleurer à chaudes larmes.

lagrimal [laɣrimál] *adj*. *1* Lacrymal, ale. ■ *2 m*. ANAT. Larmier.

lagrimear [laɣrimeár] *intr*. Larmoyer.

laguna [laɣúna] *f*. *1* Petit lac *m*. *2* Lagon *m*. (de un atolón). *3* Lagune (marítima). *4* fig. Lacune (fallo).

laico, -ca [làiko, -ka] *adj.-s*. Laïc, laïque.

laja [làxa] *f*. Pierre plate et lisse.

lama [làma] *f*. *1* Vase, limon *m*. (cieno). *2* Ulve (alga). *3* Lamé *m*. (tejido). ■ *4 m*. Lama (sacerdote).

lamentable [lamentáβle] *adj*. Lamentable, regrettable.

lamentar [lamentár] *tr*. *1* Déplorer: — *la muerte de alguien*, déplorer la mort de quelqu'un. *2* Regretter: *lamento molestarle*, je regrette de vous déranger. ■ *3 pr*. Se lamenter.

lamento [laménto] *m*. Lamentation *f*.

lamer [lamér] *tr*. Lécher.

lámina [làmina] *f*. *1* Lame (de metal). *2* Planche (plancha grabada). *3* Estampe, planche, gravure (grabado).

laminado, -da [lamináðo, -ða] *adj*. *1* Laminé, ée. ■ *2 m*. Laminage.

laminar [laminár] *tr*. Laminer.

lámpara [làmpara] *f*. *1* Lampe. *2* Tache d'huile (mancha).

lamparilla [lampariᴧa] *f*. Petite lampe, veilleuse.

lampiño, -ña [lampiɲo, -ɲa] *adj*. *1* Glabre. *2* Imberbe (que no tiene barba).

lamprea [lampréa] *f*. Lamproie.

lana [làna] *f*. Laine.

lanar [lanár] *adj*. À laine: *ganado —*, bêtes à laine.

lance [lànθe] *m*. *1* Jet, lancement (acción). *2* Coup (en el juego). *3* Situation *f*. critique, circonstance *f*., incident, péripétie *f*. Loc. — *de fortuna*, coup de hasard. *4* Affaire *f.: — de honor*, affaire d'honneur, duel. *5* TAUROM. Jeu de cape.

lancero [lanθéro] *m*. *1* MIL. Lancier. ■ *2 pl*. Lanciers, quadrille *sing*. des lanciers (baile).

lancha [làntʃa] *f*. *1* Canot *m*., chaloupe. Loc. — *cañonera*, canonnière; — *motora, rápida*, vedette. *2* Pierre plate, lisse et mince.

lanchero [lantʃéro] *m*. Batelier, patron d'un canot, d'une chaloupe.

lanería [lanería] *f*. Lainerie (tienda).

lanero, -ra [lanéro, -ra] *adj*. *1* Lainier, ière. ■ *2 m*. Lainier.

langosta [laŋɡósta] *f*. *1* Langouste (crustáceo). *2* Sauterelle, criquet *m*. (insecto).

languidecer [laŋɡiðeθér] *intr*. Languir. ▲ CONJUG. comme *agradecer*.

languidez [laŋɡiðéθ] *f*. Langueur.

lánguido, -da [làŋɡiðo, -ða] *adj*. Langoureux, euse, languissant, ante: *voz lánguida*, voix langoureuse.

lanoso, -sa [lanóso, -sa] *adj*. *1* Laineux, euse. *2* Duveteux, euse.

lanuginoso, -sa [lanuxinóso, -sa] *adj*. Lanugineux, euse.

lanza [lànθa] *f*. *1* Lance (arma). Loc. fig. *Quebrar lanzas*, se disputer, se quereller. *2* Lance, lancier *m*. (soldado). *3* Timon *m*., flèche (d'un coche).

lanzada [lanθáða] *f*. Coup *m*. de lance.

lanzadera [lanθaðéra] *f*. Navette.

lanzador, -ra [lanθaðór, -ra] *s*. Lanceur, euse.

lanzamiento [lanθamjénto] *m*. Lancement (flecha, cohete, etc.).

lanzar [lanθár] *tr*. *1* Lancer (flecha, cohete, disco, etc.), jeter (arrojar). ■ *2 pr*. S'élancer, se jeter.

lanzatorpedos [lanθatorpéðos] *m. invar*. Lance-torpilles.

lapa [làpa] *f*. *1* Fleur (en la superficie del vino, etc.). *2* Patelle (molusco).

lapicero [lapiθéro] *m*. *1* Porte-crayon, porte-mine. *2* Crayon (lápiz).

lápida [làpiða] *f*. *1* Plaque commémorative. *2* Pierre qui porte une inscription. *3* — *sepulcral*, pierre tombale.

lapidar [lapiðár] *tr*. Lapider.

lapidario, -ia [lapiðárjo, -ja] *adj.-m*. Lapidaire.

lápiz [làpiθ] *m*. Crayon: *una caja de lápices*, une boîte de crayons.

lapón, -ona [lapón, -óna] *adj.-s*. Lapon, onne.

lapso [làβso] *m*. *1* Laps. *2* Lapsus (equivocación).

lar [lar] *m*. *1* Lare. *2* Foyer (hogar).

larga [làrɣa] *f*. *1* La plus longue queue du billard. *2* Délai *m*., retard *m*.

largo, -ga [làrɣo, -ɣa] *adj*. *1* Long, longue: — *y ancho*, long et large. *2* fig. Généreux, euse, libéral, ale, large. *3* Copieux, euse, abondant, ante. ■ *4 adv*. Longuement. *5* Loc. *A lo —*, en long (longitudinalmente), le long: *a lo — del río*, le long du fleuve; *a la larga*, à la longue (al final); — *y tendido*, longuement, abondamment; fam. *un rato —*, beaucoup. ■ *6 m*. Long, longueur *f.: dos metros de —*, deux mètres de long. Loc. *Pasar de —*, passer outre. *7* MÚS. Largo. *8 interj*. *¡Largo!*, *¡— de aquí!*, du vent!, ouste!, allez-vous-en!

largura [larɣúra] *f*. Longueur (dimensión).

laringe [larínxe] *f.* ANAT. Larynx *m.*

larva [lárβa] *f.* Larve.

las [las] *art. f. pl. 1* Les. *2* Celles: — *que*, celles qui. ■ *3 pron. pers. f. pl.* Les: — *veo*, je les vois; en: — *hay muy malas*, il en est qui sont bien mauvaises.

lasitud [lasitúð] *f.* Lassitude, fatigue.

lástima [lástima] *f. 1* Pitié, compassion. Loc. *Dar* —, faire pitié, de la peine: *tener* — *de*, plaindre. *2* Dommage *m.*, chose regrettable: *¡qué* —*!*, quel dommage!; *es una* —, c'est dommage.

lastimar [lastimár] *tr. 1* Blesser, faire mal. *2* fig. Blesser, offenser.

lastrar [lastrár] *tr.* Lester.

lastre [lástre] *m.* Lest.

lata [láta] *f. 1* Latte (de madera). *2* Ferblanc *m.* (hojalata). *3* Boîte en fer-blanc (envase): — *de sardinas*, boîte de sardines. *4* fig. Chose ennuyeuse, embêtement *m.* (fastidio). Loc. fam. *Dar la* —, assommer, raser, faire suer.

latente [laténte] *adj.* Latent, ente.

lateral [laterál] *adj.* Latéral, ale.

latido [latíðo] *m. 1* Battement (del corazón). Loc. *Corazón que da latidos*, cœur qui bat. *2* Glapissement (ladrido).

látigo [látiγo] *m.* Fouet, cravache *f.*

latín [latin] *m. 1* Latin (lengua). *2* Mot latín employé en espagnol.

latino, -na [latíno, -na] *adj. 1* Latin, ine: *vela latina*, voile latine. ■ *2 s.* Latin, ine (persona).

latir [latír] *intr. 1* Glapir (el perro). *2* Battre (el corazón).

latitud [latitúð] *f. 1* Largeur (anchura). *2* Étendue (extensión). *3* fig. Latitude. *4* GEOG. Latitude.

latoso, -sa [latóso, -sa] *adj. 1* Assommant, ante, rasoir. ■ *2 s.* Raseur, euse.

laúd [laúð] *m. 1* Luth. *2* MAR. Sorte de felouque *f.*

láudano [láuðano] *m.* Laudanum.

laurear [laŭreár] *tr. 1* Couronner de lauriers. *2* fig. Récompenser d'un prix.

laurel [laŭrél] *m.* Laurier: — *común*, laurier, laurier-sauce.

lava [láβa] *f. 1* Lave. *2* Lavage *m.* (de los metales).

lavabo [laβáβo] *m. 1* Lavabo. *2* Toilettes *f. pl.* (retrete).

lavado [laβáðo] *m. 1* Lavage. *2* PINT. Lavis.

lavandera [laβandéra] *f.* Lavandière, blanchisseuse.

lavaplatos [laβaplátos] *m.* Plongeur, laveur de vaisselle.

lavar [laβár] *tr. 1* Laver. *2* fig. — *una ofensa*, laver une injure. ■ *3 pr.* Se laver.

lavativa [laβatíβa] *f.* MED. *1* Lavement *m.* *2* Seringue à lavements.

laxante [la(γ)sánte] *adj.* Laxatif, ive.

laxitud [la(γ)situð] *f.* Laxité.

laxo, -xa [la(γ)so, -sa] *adj. 1* Lâche, flasque. *2* fig. Relâché, ée (la moral).

lazada [laθáða] *f. 1* Nœud *m.* (nudo). *2* Cravate (de adorno). *3* Rosette (de cinta).

lazarillo [laθaríλo] *m.* Guide d'un aveugle.

lazo [láθo] *m. 1* Nœud (nudo). *2* Cravate *f.* (de adorno). *3* Lasso (para cazar o sujetar animales). *4* Lacs, lacet, collet (para cazar). *5* fig. Piège, embûche *f.* (trampa). *6* Lien (vínculo). *7* ARQ. Entrelacs.

le [le] *pron. pers. 1* Le (en acusativo). ▲ Il peut être remplacé par *lo*: *le veo* ou *lo veo*, je le vois. Avec *usted*, vous: *como le guste*, comme il vous plaira. *2* Lui (en dativo): *le doy la carta*, je lui donne la lettre.

leal [leál] *adj.* Loyal, ale: *unos súbditos leales*, des sujets loyaux.

lealtad [lealtáð] *f.* Loyauté.

lección [leγθjón] *f.* Leçon: *dar la* —, réciter la leçon.

lectivo, -va [leγtíβo, -βa] *adj.* Scolaire, de classe.

lector, -ra [leγtór, -ra] *s.* Lecteur, trice.

lectura [leγtúra] *f.* Lecture.

lechal [letʃál] *adj. 1* Qui tète encore (animal). *2* BOT. Laiteux, euse.

leche [létʃe] *f.* Lait *m.*: — *cuajada*, lait caillé; — *de almendras*, lait d'amandes.

lechería [letʃería] *f.* Laiterie, crèmerie.

lechero, -ra [letʃéro, -ra] *adj. 1* Laitier, ière: *vaca lechera*, vache laitière. ■ *2 s.* Laitier, ière.

lecho [létʃo] *m. 1* Lit. *2* GEOL. Couche *f.*, lit, strate *f.*

lechón [letʃón] *m. 1* Cochon de lait. *2* Cochon, porc.

lechuga [letʃúγa] *f. 1* Laitue. Loc. fig. fam. *Ser más fresco que una* —, avoir du culot. *2* Godron *m.* (pliegue).

lechuza [letʃúθa] *f.* Chouette.

ledo, -da [léðo, -ða] *adj.* poét. Gai, gaie, joyeux, euse.

leer [leér] *tr.* Lire: *leí en su cara lo que pensaba*, j'ai lu sur son visage ce qu'il pensait.

legado [leγáðo] *m. 1* Legs (herencia). *2* Légat (enviado).

legajo [leγáxo] *m.* Liasse *f.* de papiers, dossier.

legal [leγál] *adj.* Légal, ale.

legaña [leγáɲa] *f.* Chassie.

legar [leɣár] *tr*. *1* Léguer. *2* Envoyer, déléguer comme légat (a alguien).

legendario, -ia [lexendárjo, -ia] *adj*. Légendaire.

legible [lexiβle] *adj*. Lisible.

legión [lexjón] *f*. Légion.

legislación [lexislaθjón] *f*. Législation.

legislar [lexislár] *intr*. Légiférer.

legislativo, -va [lexizlatiβo, -βa] *adj*. Législatif, ive.

legítima [lexítima] *f*. DER. Réserve, réserve légale.

legitimar [lexitimár] *tr*. Legitimer.

legítimo, -ma [lexítimo, -ma] *adj*. *1* Légitime. *2* Véritable, authentique: *oro* —, or véritable.

lego, -ga [léɣo, -ɣa] *adj.-s*. *1* Laïque. ■ *2 adj*. Lai, laie. *3* Ignorant, ante.

legua [léɣwa] *f*. Lieue (medida).

legumbre [leɣúmbre] *f*. Légume *m*.

leído, -da [leído, -ða] *adj*. *1* Instruit, uite, érudit, ite. ■ *2 f*. Lecture.

lejanía [lexanía] *f*. Lointain: *m*.: *en la* —, dans le lointain.

lejano, -na [lexáno, -na] *adj*. Lointain, aine, éloigné, ée.

lejía [lexía] *f*. *1* Lessive (agua alcalina), eau de Javel (solución preparada industrialmente). *2* fig. fam. Savon *m*.

lejos [léxos] *adv*. *1* Loin. *2 loc. adv. A lo* —, au loin; *de* —, de loin. *3 loc. prep. — de*, loin de.

lema [léma] *m*. *1* Devise *f*. (en los emblemas). *2* Thème, sujet. *3* MAT. Lemme.

lencería [lenθería] *f*. Lingerie.

lencero, -ra [lenθéro, -ra] *s*. Linger, ère.

lengua [léŋgwa] *f*. *1* ANAT. Langue. Loc. *Mala* —, — *viperina*, langue de vipère; *tirar de la — a uno*, pousser quelqu'un à dire ce qu'il ne veut ou ne devrait pas dire, tirer les vers du nez à quelqu'un. *2* Langue (idioma). *3* Battant *m*. (de cloche (badajo). *4 — de buey*, buglosse; — *de ciervo*, scolopendre.

lenguado [leŋgwáðo] *m*. Sole *f*. (pez).

lenguaje [leŋgwáxe] *m*. Langage.

lengüeta [leŋgwéta] *f*. Languette.

lente [lénte] *m.-f*. *1* ÓPT. Lentille *f*., verre *m*. (de gafas). ■ *2 pl*. Lorgnon *m. sing*. (quevedos), lunettes *f*. (gafas).

lenteja [lentéxa] *f*. Lentille.

lentejuela [lentexwéla] *f*. Paillette.

lentitud [lentitúð] *f*. Lenteur.

lento, -ta [lénto, -ta] *adj*. *1* Lent, lente. *2 loc. adv. A fuego* —, à petit feu.

leña [léɲa] *f*. *1* Bois *m*. à brûler. Loc. fig. *Echar — al fuego*, jeter de l'huile sur le feu. *2* fig. Rossée, raclée (paliza).

león [león] *m*. *1* Lion. *2* fig. Lion (hombre valiente).

leonés, -esa [leonés, -ésa] *adj*. De León.

leonino, -na [leonino, -na] *adj*. Léonin, ine.

leopardo [leopárðo] *m*. Léopard.

leporino, -na [leporíno, -na] *adj*. *1* Du lièvre. *2 Labio* —, bec-de-lièvre.

lepra [lépra] *f*. *1* Lèpre. *2* VET. Ladrerie.

lerdo, -da [lérðo, -ða] *adj*. Lourd, lourde, maladroit, oite.

les [les] *pron. pers*. *1* Leur (dativo): *—doy un libro*, je leur donne un livre. *2* Avec *ustedes*, vous.

lesión [lesjón] *f*. *1* MED., DER. Lésion. *2* Blessure (herida).

lesionar [lesjonár] *tr*. *1* Léser. *2* Blesser (herir).

letanía [letanía] *f*. *1* Litanie. *2* fig. Litanie.

letra [létra] *f*. *1* Lettre: — *mayúscula, minúscula*, lettre majuscule, minuscule. *2* COM. Lettre de change. *3* IMPR. Caractère *m*.: — *de molde*, caractère. *4 A la* —, *al pie de la* —, au pied de la lettre. ■ *5 pl*. Lettres (literatura, etc.): *las buenas letras*, les belles lettres.

letrado, -da [letráðo, -ða] *adj.-s*. *1* Lettré, ée. ■ *2 m*. Avocat, jurisconsulte.

letrero [letréro] *m*. *1* Écriteau, panonceau. *2* Enseigne *f*. (de las tiendas, cines): — *de neón*, enseigne au néon.

leva [léβa] *f*. *1* Départ *m*. (de un barco). *2* Levée (de soldados). *3* MEC. Came.

levadura [leβaðúra] *f*. Levain *m*., levure: — *de cerveza*, levure de bière.

levantar [leβantár] *tr*. *1* Lever, hausser (mover hacia arriba). *2* Élever, exalter. *3* Lever, relever (poner de pie, derecho). *4* Élever, hausser (la voz, el tono). *5* Plier (una tienda de campaña). *6* Défaire (la cama). *7* Ôter, enlever (quitar). *8* MIL. Lever (tropas). *9* Imputer faussement (una cosa). *10* Otros sentidos: — *polvo*, faire de la poussière. ■ *11 pr*. Se lever (el viento). *12* Se lever (ponerse de pie, dejar la cama): *el enfermo se levanta*, le malade se lève. *13* Se soulever.

levante [leβánte] *m*. *1* Levant. ■ *2 n. pr. m*. Région *f*. de Valence et de Murcie.

levar [leβár] *tr*. *1* MAR. Lever (el ancla). ■ *2 pr*. Mettre à la voile.

léxico [lé(y)siko] *m*. Lexique.

ley [leí] *f*. *1* Loi: — *de bases*, loi cadre; — *de Dios*, loi de Dieu. Loc. fig. *La — del embudo*, application arbitraire de la loi. *2* Titre *m*., aloi *m*. (de un metal). Loc. *De* —, véritable (oro, plata); *de buena* —, de bon aloi. *3 loc. adv. Con todas las de la* —, dans les règles. ■ *4 pl*. Droit *m. sing*.

leyenda [lejénda] *f.* Légende.
lezna [léθna] *f.* Alène.
lía [lía] *f.* *1* Lie. *2* Tresse de sparte.
liar [ljár] *tr.* *1* Lier (atar). *2* Enrouler (envolver). *3* Rouler (un cigarrillo). *4* fam. *Liarlas,* décamper (huir), casser sa pipe (morir). ▲ CONJUG. comme *desviar.*
libanés, -esa [liβanés, -ésa] *adj.-s.* Libanais, aise.
liberación [liβeraθjón] *f.* Libération, délivrance.
liberal [liβerál] *adj.-s.* Libéral, ale.
liberalismo [liβeralízmo] *m.* Libéralisme.
liberar [liβerár] *tr.* Libérer, délivrer.
libertad [liβertáð] *f.* Liberté.
libertador, -ra [liβertaðór, -ra] *s.* Libérateur, trice.
libertinaje [liβertináxe] *m.* Libertinage.
libidinoso, -sa [liβiðinóso, -sa] *adj.* Libidineux, euse.
libra [líβra] *f.* *1* Livre (peso, moneda). *2* ASTR. Balance.
librador, -ra [liβraðór, -ra] *adj.* *1* Libérateur, trice. *2* COM. Tireur (de una letra de cambio).
librar [liβrár] *tr.* *1* Délivrer (de un peligro, una preocupación, etc.): *líbranos del mal,* délivre-nous du mal. *2* Délivrer (un documento). *3* COM. Tirer (una letra de cambio).
libre [líβre] *adj.* Libre.
librecambio [liβrekámbjo] *m.* Libreéchange.
librería [liβrería] *f.* *1* Librairie. *2* *— de lance,* bouquinerie. *3* Bibliothèque (mueble).
librero, -ra [liβréro, -ra] *s.* Libraire.
libreta [liβréta] *f.* *1* Cahier *m.* (cuaderno). *2* Livret *m.,* carnet *m.* *3* Pain *m.* d'une livre (pan).
libreto [liβréto] *m.* Livret, libretto.
libro [líβro] *m.* *1* Livre. Loc. *— diario,* livre journal, journal; *— mayor,* grandlivre. *2* Feuillet (de los rumiantes).
licencia [liθénθja] *f.* *1* Licence, permission: *con su —,* avec votre permission. *2* Congé *m.: — absoluta,* congé définitif, libération (de los soldados).
licenciado, -da [liθenθjáðo, -ða] *adj.* *1* Licencié, ée, libéré, ée. ■ *2 s.* Licencié, ée (en una facultad). ■ *3 m.* Soldat libéré.
licenciar [liθenθjár] *tr.* *1* Donner une licence, une permission. *2* Licencier, congédier (despedir). *3* Libérer (a un soldado). ■ *4 pr.* Passer sa licence. ▲ CONJUG. comme *cambiar.*
liceo [liθéo] *m.* *1* Nom de certaines sociétés litteraires, etc. *2* Lycée (no se utiliza en España).

licitar [liθitár] *tr.* Offrir un prix dans une vente aux enchères, dans une adjudication, enchérir.
lícito, -ta [líθito, -ta] *adj.* Licite.
licor [likór] *m.* Liqueur *f.*
licuar [likwár] *tr.* *1* Liquéfier. *2* METAL. Faire subir la liquation.
lidia [líðja] *f.* Combat *m.*
lidiar [liðjár] *intr.* *1* Batailler, lutter. ■ *2 tr.* TAUROM. Combattre (le taureau). ▲ CONJUG. comme *cambiar.*
liebre [ljéβre] *f.* *1* Lièvre *m.* Loc. fig. *Coger una —,* ramasser une pelle. *2* fig. Poltron *m.*
lienzo [ljénθo] *m.* *1* Toile *f.* *2* PINT. Toile *f.* *3* Pan de mur (de pared).
liga [líɣa] *f.* Jarretière, jarretelle (para medias, etc.).
ligar [liɣár] *tr.* *1* Lier, attacher (atar), unir, joindre (unir). *2* Allier (metales). ■ *3 intr.* Réunir en main des cartes convenables (en el juego). *4* fam. Draguer, flirter, sympathiser. ■ *5 pr.* S'allier, se liguer (para algún fin).
ligero, -ra [lixéro, -ra] *adj.* *1* Léger, ère. Loc. fig. *— de cascos,* écervelé, étourdi. *2 loc. adv. A la ligera,* à la légère.
lija [lixxa] *f.* *1* Roussette, chien de mer *m.* *2* Peau de roussette.
lila [líla] *f.* *1* Lilas *m.* (arbusto). *2* Lilas *m.* (color). *3* fig. Sot, sotte.
lima [líma] *f.* *1* Lime (herramienta). *2* Lime, limette (fruta). *3* Limettier *m.* (limero). *4* fig. Correction.
limar [limár] *tr.* Limer.
limbo [límbo] *m.* *1* Limbe. *2* Limbes *pl.* (de las almas).
limeño, -ña [liméɲo, -ɲa] *adj.-s.* De Lima.
limitación [limitaθjón] *f.* Limitation.
limitado, -da [limitáðo, -ða] *adj.* *1* Limité, ée. *2* Borné, ée (poco inteligente).
limitar [limitár] *tr.* *1* Limiter. ■ *2 pr.* Se limiter, se borner.
límite [límite] *m.* Limite *f.*
limítrofe [limítrofe] *adj.* Limitrophe.
limón [limón] *m.* *1* Citron. *2* Citronnier (árbol). *3* Limon (de un carruaje).
limonada [limonáða] *f.* Citronnade.
limonero [limonéro] *m.* Citronnier.
limosna [limósna] *f.* Aumône: *pedir —,* demander l'aumône.
limpia [límpja] *f.* *1* Nettoiement *m.,* nettoyage *m.* *2* Curage *m.* (de un pozo, letrina). ■ *3 m.* fam. Cireur.
limpiador, -ra [limpjaðór, -ra] *adj.-s.* Nettoyeur, euse.
limpiaplumas [limpjaplúmas] *m. invar.* Essuie-plume.
limpiar [limpjár] *tr.* *1* Nettoyer. *2* Curer

(un pozo, etc.). *3* Émonder (un árbol). *4* fig. fam. Voler, faucher (robar). ▲ CONJUG. comme **cambiar**.

limpio, -ia [límpjo, -ja] *adj. 1* Propre, net, nette. *2* Pur, pure: *corazón —,* cœur pur. *3* **Juego —,** franc jeu. ■ *4 adv.* Proprement, honnêtement. Loc. **Jugar —,** jouer franc jeu. *5 loc. adv.* **En —,** net (deducidos los gastos o desperdicios), en substance, en définitive.

linaje [linàxe] *m. 1* Lignage, lignée *f. 2 El — humano,* le genre humain.

lince [línθe] *m. 1* Lynx. *2* fig. Malin. ■ *3 adj.* **Ojos linces,** yeux de lynx.

linchar [lintʃàr] *tr.* Lyncher.

lindante [lindánte] *adj.* Contigu, guë, attenant, ante, avoisinant, ante.

lindar [lindàr] *intr.* Être contigu, guë, être attenant, ante, avoisiner: — **con,** être contigu à.

linde [linde] *f. 1* Borne, limite. *2* Orée, lisière (de un bosque).

lindo, -da [líndo, -da] *adj. 1* Joli, ie, gentil, ille. *2* Parfait, aite, exquis, ise. ■ *3 m.* Petit-maître. *4 loc. adv.* **De lo —,** joliment, beaucoup.

línea [línea] *f. 1* Ligne. Loc. fig. **Leer entre líneas,** lire entre lignes. *2 loc. adv.* **En toda la —,** sur toute la ligne, complètement.

linfa [límfa] *f. 1* FISIOL. Lymphe. *2* poét. Eau.

lingote [liŋgóte] *m.* Lingot.

lino [lino] *m.* Lin.

linotipista [linotipista] *s.* Linotypiste.

lintel [lintèl] *m.* Linteau.

linterna [lintérna] *f. 1* Lanterne: — **sorda,** lanterne sourde. *2* Lampe de poche (con pila). *3* ARQ. Lanterne. *4* MAR. Phare *m.*

lío [lío] *m. 1* Paquet, baluchon. *2* fig. Imbroglio, embrouillement (embrollo), histoire *f.:* **armar un —,** faire toute une histoire.

lionés, -esa [ljonés, -èsa] *adj.-s.* Lyonnais, aise.

liquidación [likiðaθjòn] *f. 1* Liquéfaction. *2* COM. Liquidation. *3* COM. Soldes *m. pl.* (rebajas).

liquidar [likiðàr] *tr. 1* Liquéfier. *2* COM. Liquider. *3* fig. Liquider.

líquido, -da [likiðo, -ða] *adj.-m.* Liquide.

lira [lira] *f. 1* MÚS., ASTR. Lyre. *2* Lire (moneda italiana).

lírico, -ca [líriko, -ka] *adj. 1* Lyrique. ■ *2 s.* Lyrique (poeta). ■ *3 f.* Poésie lyrique.

lirio [lírjo] *m. 1* Iris. *2* — **blanco,** lis; — **de los valles,** muguet. *3* — **de agua,** variété d'arum.

lis [lis] *f.* BLAS. Lis *m.*

lisiado, -da [lisjàðo, -ða] *adj.-s.* Estropié, ée.

liso, -sa [líso, -sa] *adj. 1* Lisse, uni, ie (sin asperezas), plat, plate (llano). *2* Uni, ie: *tela lisa,* étoffe unie.

lista [lista] *f. 1* Raie, rayure (línea). *2* Liste (enumeración).

listo, -ta [listo, -ta] *adj. 1* Intelligent, ente, dégourdi, ie (sagaz). *2* Prêt, prête (dispuesto): *todo está —,* tout est prêt.

litera [litèra] *f. 1* Litière (vehículo). *2* Couchette (en un barco, un tren).

literal [literàl] *adj.* Littéral, ale.

literario, -ia [literárjo, -ja] *adj.* Littéraire.

literatura [literatùra] *f.* Littérature.

litigar [litiγàr] *tr. 1* Plaider. ■ *2 intr.* fig. Disputer.

litigio [litíxjo] *m.* Litige.

litografía [litoγrafia] *f.* Lithographie.

litoral [litoràl] *adj. 1* Littoral, ale. ■ *2 m.* Littoral.

litro [litro] *m.* Litre.

liturgia [litùrxja] *f.* Liturgie.

liviano, -na [liβjàno, -na] *adj. 1* Léger, ère (de poco peso, de poca importancia). *2* fig. Inconstant, ante, léger, ère, volage.

lizo [liθo] *m.* Lice *f.* Lisse *f.* (de un telar).

lo [lo] *art. neutro. 1* Le, l', ce qui est: — *bueno,* le bon, ce qui est bon; — *mío,* ce qui est à moi; ce (delante de un pronombre relativo): — *que yo quiero,* ce que je veux; — *que ocurrió,* ce qui est arrivé. ■ *2 pron. pers. m. y neutro.* Le: — *veo,* je le vois; — *haré,* je le ferai; *hay que hacerlo,* il faut le faire.

loa [lóa] *f.* Louange.

loable [loàβle] *adj.* Louable.

loar [loàr] *tr.* Louer, vanter.

lobato [loβàto] *m.* Louveteau.

lobo [lóβo] *m. 1* Loup. *2* — *cerval,* loup-cervier; — *marino,* loup de mer, phoque.

lóbrego, -ga [lóβreγo, -ya] *adj. 1* Sombre, ténébreux, euse. *2* fig. Triste, mélancolique.

lóbulo [lóβulo] *m.* Lobe.

local [lokàl] *adj.* Local, ale.

localidad [lokaliðàð] *f. 1* Localité. *2* Place (en un espectáculo).

localizar [lokaliθàr] *tr.* Localiser.

loción [loθjón] *f.* Lotion.

loco, -ca [lóko, -ka] *adj. 1* Fou, fol (delante de un masculino que empieza por una vocal), folle: — *de atar,* — *de remate,* fou à lier. ■ *2 s.* Fou, folle: *casa de locos,* asile de fous.

locomoción [lokomoθjón] *f.* Locomotion.

locomotriz [lokomotriθ] *adj.-f.* Locomotrice.

locución [lokuθjón] f. Locution.

locura [lokúra] f. Folie.

locutor, -ra [lokutór, -ra] s. Speaker, speakerine.

lodo [lóðo] m. Boue f.

logia [lóxja] f. 1 ARQ. Loge. 2 Loge (de francmasones).

lógico, -ca [lóxiko, -ka] adj. 1 Logique. ■ 2 s. Logicien, ienne.

lograr [loɣrár] tr. 1 Obtenir. 2 Atteindre (su propósito). 3 Réussir à, parvenir à (con infinitivo): *he logrado encontrarle*, j'ai réussi, je suis parvenu à le rencontrer. 4 — *sus fines,* arriver à ses fins.

logro [lóɣro] m. Obtention f. (acción de lograr).

loma [lóma] f. Coteau m., hauteur.

lombarda [lombárða] f. 1 Bombarde. 2 Chou m. rouge (col).

lombriz [lombriθ] f. 1 Ver m. de terre, lombric m. 2 Ver m. (intestinal).

lomo [lómo] m. 1 Lombes f. pl., reins pl. (del hombre). 2 Dos (de un animal, un libro, un cuchillo). 3 Échine f. (de cerdo). 4 Aloyau (de vaca).

lona [lóna] f. Toile à voile, toile.

longevidad [loŋxeβiðáð] f. Longévité.

longitud [loŋxitúð] f. 1 Longueur. 2 ASTR., GEOG. Longitude.

lonja [lóŋxa] f. 1 Tranche (de carne). 2 Bourse de commerce. 3 Porche m., parvis m. (atrio).

loquero, -ra [lokéro, -ra] s. Gardien, ienne d'un asile de fous.

lord [lorð] m. Lord.

loro [lóro] m. Perroquet.

los [los] art. m. pl.-pron. pers. 1 Les. 2 — *de,* ceux de; — *que,* ceux qui, ceux que. 3 — *hay,* il y en a.

losa [lósa] f. 1 Dalle. 2 fig. Sépulcre m. 3 — *sepulcral,* pierre tombale.

losar [losár] tr. Daller.

lote [lóte] m. Lot.

lotería [loteria] f. 1 Loterie. 2 Loto m. (juego casero).

loza [lóθa] f. Faïence (barro fino).

lozanía [loθanía] f. 1 Vigueur, fraîcheur. 2 Exubérance (de la vegetación).

lubina [luβina] f. Bar m., loup m. de mer (pez).

lubricación [luβrikaθjón] f. Lubrification.

lubricante [luβrikánte] adj. 1 Lubrifiant, ante. ■ 2 m. Lubrifiant.

lubricar [luβrikár] tr. Lubrifier.

lucerna [luθérna] f. 1 Lucarne (lumbrera). 2 Ver m. luisant (luciérnaga).

lucero [luθéro] m. 1 Étoile f. brillante. 2 Vénus f. (planeta).

lucido, -da [luθiðo, -ða] adj. Brillant, ante, splendide.

lúcido, -da [lúθiðo, -ða] adj. 1 Lucide. (persona). 2 poét. Brillant, ante.

luciérnaga [luθjérnaɣa] f. Ver m. luisant.

lucir [luθir] intr. 1 Briller, resplendir. 2 fig. Se distinguer, briller. 3 Profiter (cundir), faire de l'effet. ■ 4 tr. Montrer (cualidades), arborer (exhibir). ■ 5 pr. Exceller, agir d'une manière brillante, briller: — *en un examen,* briller dans un examen. ▲ CONJUG. IRRÉG. INDIC. Prés.: *luzco.* SUBJ. Prés.: *luzca, luzcas, luzca, luzcamos, luzcáis, luzcan.* IMPÉR.: *luzcas, luzcamos, luzcan.* Les autres formes sont réguličres.

lucro [lúkro] m. Lucre, profit.

luctuoso, -sa [luɣtwóso, -sa] adj. Triste.

lucha [lútʃa] f. Lutte.

luchar [lutʃár] intr. Lutter.

luego [lwèɣo] adv. 1 Aussitôt, tout de suite. 2 Bientôt, tout à l'heure. Loc. *Hasta —,* à bientôt, au revoir. 3 Après, ensuite (después). ■ 4 loc. adv. *Desde —,* bien entendu, évidemment. ■ 5 conj. Donc: *pienso, — existo,* je pense, donc je suis.

lugar [luɣár] m. 1 Lieu, endroit (paraje), place f. (sitio): *personarse en el — del accidente,* se rendre sur les lieux, à l'endroit de l'accident. 2 loc. adv. *En primer —,* en premier lieu, d'abord. 3 loc. prep. *En — de,* au lieu de. ■ 4 pl. *Lugares comunes,* lieux communs.

lugareño, -ña [luɣaréɲo, -ɲa] adj.-s. Villageois, oise, campagnard, arde.

lugarteniente [luɣartenjénte] m. Lieutenant.

lúgubre [lúɣuβre] adj. Lugubre.

lujo [lúxo] m. Luxe.

lujuria [luxúrja] f. Luxure.

lumbago [lumbáɣo] m. MED. Lumbago.

lumbar [lumbár] adj. Lombaire.

lumbre [lúmbre] f. 1 Lumière (luz). 2 Feu m. (fuego): *al amor de la —,* au coin du feu. 3 fig. Éclat m., clarté. 4 Jour m. (de una puerta, ventana). 5 Pince (de la herradura).

lumbrera [lumbréra] f. Lumière (cuerpo luminoso, persona muy sabia).

luminar [luminár] m. Luminaire (astro).

luminoso, -sa [luminóso, -sa] adj. Lumineux, euse.

luna [lúna] f. 1 Lune: — *llena,* pleine lune; — *nueva,* nouvelle lune; *claro de —,* clair de lune; — *de miel,* lune de miel. 2 Glace (de un espejo, un escaparate, etc.): *armario de —,* armoire à glace. 3 loc. adv. fig. *A la — de Valencia,* déçu, ue.

lunes [lùnes] *m.* Lundi.
lúpulo [lùpulo] *m.* Houblon.
lusitano, -na [lusitàno, -na]**, luso, -sa** [lùso, -sa] *adj.-s.* Lusitanien, ienne, portugais, aise.
lustrado [lustràðo] *m.* Lustrage.
lustrar [lustràr] *tr. 1* Purifier par des sacrifices. *2* Cirer (zapatos). *3* Lustrer, catir (las telas).
lustro [lùstro] *m.* Lustre (cinco años).
lustroso, -sa [lustróso, -sa] *adj.* Lustré, ée, brillant, ante.
luterano, -na [luteràno, -na] *adj.* Luthérien, ienne.
luto [lùto] *m. 1* Deuil. Loc. *Estar de —,* être en deuil; *medio —,* demi-deuil. ■ *2 pl.* Tentures *f.* de deuil.
luxación [lu(γ)saθjón] *f.* Luxation.
luxemburgués, -esa [lu(γ)semburγès, -èsa] *adj.-s.* Luxembourgeois, oise.
luz [luθ] *f. 1* Lumière. Loc. *Efecto de —,* effet de lumière; *dar la —,* allumer. *2* Jour *m.* (claridad). Loc. *dar a —,* enfanter, mettre au monde, accoucher de (parir): *dio a — una niña,* elle a accouché d'une fille, elle a mis au monde une fille. *3* Lampe (lámpara). *4 loc. adv. A primera —,* à l'aube; *a todas luces,* de toute évidence; *entre dos luces,* entre chien et loup; fig. à moitié ivre (borracho).

LL

ll [éʎe] *f.* Double l *m.*

llaga [ʎáɣa] *f. 1* Plaie. *2* CONSTR. Joint *m.* (entre dos ladrillos).

llama [ʎáma] *f. 1* Flamme (del fuego, de la pasión). *2* Lama *m.* (mamífero).

llamada [ʎamáða] *f. 1* Appel *m.: — telefónica,* appel téléphonique. *2* MIL. Rappel *m.: tocar —,* battre le rappel. *3* Renvoi *m.* (en un libro). *4* Rappel *m.* (al orden).

llamar [ʎamár] *tr. 1* Appeler (con la voz, la mano, convocar): — *a filas,* appeler sous les drapeaux. *2* Appeler, nommer (nombrar). *3* Attirer: — *la atención,* attirer l'attention. ■ *4 intr.* Frapper (a una que91ɛ(, sonner (con timbre). ■ *5 pr.* Se nommer, s'appeler: *¿cómo te llamas?,* comment t'appelles-tu?

llamativo, -va [ʎamatiβo, -βa] *adj.* Criard, arde, voyant, ante (que llama la atención).

llaneza [ʎaneθa] *f. 1* Simplicité (sencillez). *2* Franchise. *3* Familiarité.

llano, -na [ʎáno, -na] *adj. 1* Plat, plate: *plato* —, assiette plate. *2* fig. Simple, naturel, elle. *3* Facile. *4* GRAM. Qui a l'accent tonique sur la pénultième syllabe, paroxyton. *5 loc. adv. A la llana,* sans façon, sans cérémonie.

llanto [ʎánto] *m.* Pleurs *pl.,* larmes *f. pl.: al borde del* —, au bord des larmes.

llanura [ʎanúra] *f.* GEOG. Plaine.

llave [ʎáβe] *f. 1* Clef, clé: *cerrar con* —, fermer à clef. Loc. — *maestra,* passepartout *m. 2* Robinet *m.* (grifo). *3* IMPR. Accolade (corchete).

llavero, -ra [ʎaβéro, -ra] *s. 1* Personne qui garde les clefs. ■ *2 m.* Porte-clefs.

llegada [ʎeɣáða] *f. 1* Arrivée. *2* Approche, venue.

llegar [ʎeɣàr] *intr. 1* Arriver. *2* Atteindre, monter à (una cantidad). *3* Aller (hasta decir, hacer, etc.). *4* Atteindre: — *al techo con la mano,* atteindre le plafond avec la main. Loc. — *a las manos,* en venir aux mains. *5* Parvenir à (con esfuerzo o dificultad). ■ *6 tr.* Approcher (una cosa a otra): — *una silla a la mesa,* approcher une chaise de la table. ■ *7 pr.* Se rapprocher, s'approcher de. *8* Aller, se rendre (ir).

llenar [ʎenár] *tr. 1* Remplir. *2* fig. Remplir: — *un cargo,* remplir dignement une place. *3* Combler. *4* Plaire, satisfaire. ■ *5 pr.* Se remplir.

lleno, -na [ʎéno, -na] *adj.* Plein, pleine.

llevar [ʎeβár] *tr. 1* Porter. *2* Emmener: *la llevó al cine,* il l'emmena au cinéma. *3* Supporter, tolérer: — *con paciencia,* supporter avec patience. *4* Amener, conduire (inducir). *5* Avoir passé, être depuis (cierto tiempo): *lleva dos horas leyendo,* il lit depuis deux heures. *6* Tenir (cuidar): — *los libros,* tenir les livres. *7* MAT. Retenir (una cifra): *escribo seis y llevo dos,* je pose six et je retiens deux. ■ *8 pr.* Remporter (un premio), obtenir (conseguir). *9* Emporter (quitar, apartar). *10 Llevarse bien, llevarse mal,* bien, mal s'entendre.

llorar [ʎorár] *intr.-tr.* Pleurer.

lloroso, -sa [ʎoróso, -sa] *adj.* Éploré, ée, en larmes, larmoyant, ante.

llovedizo, -za [ʎoβeðiθo, -θa] *adj.* De pluie: *agua llovediza,* eau de pluie.

llover [ʎoβér] *impers.* Pleuvoir: *llueve a cántaros,* il pleut à verse; *ha llovido mucho,* il a beaucoup plu. ▲ CONJUG. comme *mover.*

lluvia [ʎúβja] *f.* Pluie.

lluvioso, -sa [ʎuβjóso, -sa] *adj.* Pluvieux, euse.

M

m [ème] *f.* M *m.*

maca [máka] *f.* *1* Cotissure, meurtrissure (en una fruta). *2* Tache, défaut *m.*

macabro, -bra [makáβro, -βra] *adj.* Macabre.

macaco, -ca [makáko, -ka] *s.* Macaque.

macana [makána] *f.* *1* Matraque, massue (porra). *2* Blague, plaisanterie (broma).

macarrón [makařón] *m.* Macaron.

macarrones [makařónes] *m. pl.* Macaronis.

macarse [makárse] *pr.* Se gâter (las frutas).

maceración [maθeraθjón] *f.* Macération.

macerar [maθerár] *tr.* *1* Macérer, faire macérer. ■ *2 pr.* Se macérer, se mortifier.

macero [maθéro] *m.* Massier (ujier).

maceta [maθéta] *f.* *1* Marteau *m.* court (herramienta). *2* Pot *m.* à fleurs (tiesto), pot *m.* de fleurs (con una planta).

macillo [maθíλo] *m.* *1* Petit maillet. *2* Marteau (de piano).

macizo, -za [maθíθo, -θa] *adj.* *1* Massif, ive. *2* Solide. ■ *3 m.* Massif (de montañas, de plantas). *4* ARQ. Trumeau.

macular [makulár] *tr.* Maculer.

machaca [matʃáka] *f.* *1* Pilon *m.* (para machacar). ■ *2 s.* fig. Raseur, euse (persona pesada).

machacar [matʃakár] *tr.* *1* Piler, broyer. ■ *2 intr.* fig. Rabâcher, insister, ressasser.

machacón, -ona [matʃakón, -óna] *adj.* *1* Insistant, ante, ennuyeux, euse. ■ *2 s.* Rabâcheur, euse.

machete [matʃéte] *m.* *1* Machette *f.*, sabre d'abattis. *2* Coutelas.

machihembrar [matʃjembrár] *tr.* CARP. Assembler à tenon et mortaise ou à rainure et languette.

macho [mátʃo] *adj.-m.* *1* Mâle. Loc. — **cabrío,** bouc. ■ *2 m.* Mulet. *3* Crochet (de corchete). *4* Marteau (de herrero). *5* Enclume *f.* carrée (yunque). *6* ARQ. Pilier, jambage. *7* MEC. — **de aterrajar,** taraud.

machucar [matʃukár] *tr.* Meurtrir (frutas), froisser (arrugar), bosseler (abollar).

madeja [maðéxa] *f.* *1* Écheveau *m.* *2* — **de pelo,** touffe de cheveux.

madera [maðéra] *f.* *1* Bois *m.* (materia): — **de carpintería,** bois de charpente. *2* fig. fam. Nature, qualités *pl.*, dispositions *pl.*, étoffe: **tener — de,** avoir l'étoffe de.

maderero [maðeréro] *m.* *1* Marchand de bois. *2* Flotteur (conductor de armadía).

madero [maðéro] *m.* Madrier.

madrastra [maðrástra] *f.* Marâtre.

madre [máðre] *f.* *1* Mère. Loc. — **de leche,** nourrice; — **política,** belle-mère. *2* Mère (religiosa). *3* fig. Mère (origen, causa, etc.): **la — patria,** la mère patrie. *4* Lit *m.* (de un río): **salir de —,** déborder, sortir de son lit.

madreperla [maðrepérla] *f.* Huître perlière.

madreselva [maðresélβa] *f.* Chèvrefeuille *m.*

madriguera [maðriɣéra] *f.* *1* Terrier *m.* (de un animal). *2* fig. Repaire *m.* (de malhechores).

madrileño, -ña [maðriléɲo, -ɲa] *adj.-s.* Madrilène.

madrina [maðrína] *f.* *1* Marraine. *2* Jument qui guide un train de bêtes (yegua).

madrugada [maðruɣáða] *f.* *1* Aube, point *m.* du jour. *2* Action de se lever de bon matin.

madrugar [maðruɣár] *intr.* *1* Se lever de bon matin. *2* fig. Se dépêcher, gagner du temps, prendre les devants.

madurar [maðurár] *tr.-intr.* Mûrir.

madurez [maðuréθ] f. Maturité.

maduro, -ra [maðúro, -ra] adj. Mûr, mûre.

maestra [maèstra] f. 1 Maîtresse, institutrice (que enseña). 2 Femme d'un instituteur.

maestría [maestria] f. Maîtrise.

maestro, -tra [maéstro, -tra] adj. 1 Maître, maîtresse, principal, ale. Loc. *Obra maestra*, chef-d'œuvre m. 2 m. Maître, instituteur (que enseña). 3 Maître (en un oficio, arte, etc.). 4 Maître, maestro (compositor). 5 Maître: — *de ceremonias*, maître des cérémonies.

magia [màxja] f. Magie.

mágico, -ca [máxiko, -ka] adj. 1 Magique. ■ 2 m. Magicien. ■ 3 f. Magicienne.

magisterio [maxistèrjo] m. 1 Enseignement, magistère. 2 Profession f. d'instituteur. 3 Corps des instituteurs.

magistral [maxistrál] adj. Magistral, ale.

magistratura [maxistratúra] f. Magistrature.

magnesio [maɣnésjo] m. Magnésium.

magnético, -ca [maɣnétiko, -ka] adj. Magnétique.

magnetizar [maɣnetiθár] tr. Magnétiser.

magnitud [maɣnitúð] f. 1 Grandeur (de las cosas). 2 ASTR. Magnitude.

magno, -na [máɣno, -na] adj. Grand, grande: *Alejandro el —*, Alexandre le Grand.

magnolia [maɣnólja] f. 1 Magnolia m., magnolier m. (árbol). 2 Magnolia m. (flor).

mago, -ga [máɣo, -ɣa] s. 1 Magicien, ienne. ■ 2 adj.-m. Mage: *los Reyes Magos*, les Rois mages.

magro, -gra [máɣro, -ɣra] adj. 1 Maigre. ■ 2 m. Maigre (del cerdo).

magullar [maɣuʎár] tr. 1 Meurtrir. 2 Cotir (frutas).

mahometano, -na [maometáno, -na] adj.-s. Mahométan, ane.

mahón [maón] m. Nankin (tela).

mahonesa [maonèsa] f. Mayonnaise (salsa).

maíz [maiθ] m. Maïs.

majadero, -ra [maxaðéro, -ra] adj.-s. 1 Sot, sotte, imbécile. ■ 2 m. Pilon (maza).

majestad [maxestáð] f. 1 Majesté. 2 *Su Divina —*, Dieu, Notre-Seigneur.

majestuoso, -sa [maxestwóso, -sa] adj. Majestueux, euse.

majo, -ja [máxo, -xa] adj. Pimpant, ante (elegante), joli, ie (bonito), mignon, onne (mono).

mal [mal] adj. 1 Forme apocopée de *malo*

qui ne s'emploie que devant le substantif masculin: — *día*, mauvais jour. ■ 2 m. Mal. Loc. *Llevar a — una cosa*, prendre mal une chose, s'offenser d'une chose. 3 Mal, maladie f. Loc. — *caduco*, mal caduc, épilepsie. ■ 4 adv. Mal. Loc. *Salir —*, ne pas réussir. 5 loc. adv. *De — en peor*. 6 Mauvais: *oler —*, sentir mauvais. 7 interj. *¡— haya!*, maudit soit!

mala [mála] f. Malle (correo).

malabarista [malaβarista] s. Jongleur, euse.

málaga [málaɣa] m. Malaga (vino).

malagueño, -ña [malaɣéɲo, -ɲa] adj.-s. 1 De Málaga. ■ 2 f. Air m. populaire andalou.

malaria [malárja] f. Malaria.

malaventurado, -da [malaβenturáðo, -ða] adj. Malheureux, euse.

malayo, -ya [malájo, -ja] adj.-s. Malais, aise.

malbaratar [malβaratár] tr. 1 Vendre à vil prix. 2 Dissiper, gaspiller.

malcriar [malkrjár] tr. Mal élever (educar mal a los hijos), gâter (mimar).

maldad [maldáð] f. Méchanceté, malveillance.

maldecir [maldeθír] tr. 1 Maudire: *Dios maldijo a Caín*, Dieu a maudit Caïn. ■ 2 intr. Médire: *maldice de todos*, il médit de tout le monde. ▲ CONJUG. comme *decir*, sauf au Fut. de l'Indicatif: *maldeciré*, etc. et au Conditionnel: *maldeciría*, etc. PART. PAS. rég.: *maldecido*; irrég.: *maldito*.

maldición [maldiθjón] f. Malédiction.

maldito, -ta [maldíto, -ta] adj.-s. 1 Maudit, ite. ■ 2 adj. Maudit, ite, sacré, ée, satané, ée: *un — embustero*, un satané menteur. ■ 3 f. fam. *La maldita*, la langue.

maleable [maleáβle] adj. Malléable.

maleante [maleánte] adj. 1 Qui corrompt, qui gâte. 2 Méchant, ante, pervers, erse.

maléfico, -ca [maléfiko, -ka] adj. 1 Maléfique. 2 Malfaisant, ante, (dañino).

malestar [malestár] m. Malaise.

maleta [maléta] f. 1 Valise. ■ 2 m. fam. Mazette f. empoté (torpe).

maletero [maletéro] m. 1 Malletier. 2 Porteur (mozo de estación).

maleza [maléθa] f. Broussailles pl.

malgastar [malɣastár] tr. Gaspiller, dissiper.

malhablado, -da [malaβláðo, -ða] adj.-s. Mal embouché, ée, grossier, ière.

malhechor, -ra [malet͡ʃór, -ra] adj.-s. Malfaiteur, trice.

malherir [malerír] *tr.* Blesser grièvement. ▲ CONJUG. comme *hervir.*

malhumorado, -da [malumoráðo, -ða] *adj.* Qui est de mauvaise humeur.

malicia [malíθja] *f.* 1 Malignité, malice, méchanceté (maldad). 2 Astuce, sagacité.

malicioso, -sa [maliθjóso, -sa] *adj.-s.* Malicieux, euse, soupçonneux, euse.

maligno, -na [malíɣno, -na] *adj.-s.* Malin, igne, méchant, ante.

malintencionado, -da [malintenθjonáðo, -ða] *adj.-s.* Malintentionné, ée.

malo, -la [málo, -la] *adj.* 1 Mauvais, aise (no bueno): *comida mala*, mauvaise nourriture. 2 Méchant, ante (propenso al mal). 3 Malade, indisposé, ée (enfermo). 4 Difficile: — *de entender*, difficile à comprendre. ■ *5 m. El* —, le diable, le malin. 6 *loc. adv. Por las malas*, de force, par la violence.

malograr [maloɣrár] *tr.* 1 Perdre, ne pas profiter de (el tiempo, la ocasión, etc.). ■ *2 pr.* Échouer (fracasar). 3 Avorter, ne pas réussir, ne pas arriver à son plein développement.

maloliente [maloljénte] *adj.* Malodorant, ante.

malparar [malparár] *tr.* Mettre en mauvais état, mal en point, maltraiter.

malsano, -na [malsáno, -na] *adj.* Malsain, aine.

malta [málta] *m.* Malt.

maltés, -esa [maltés, -ésa] *adj.-s.* Maltais, aise.

maltratar [maltratár] *tr.* Maltraiter, rudoyer, malmener (a una persona).

maltrecho, -cha [maltrétʃo, -tʃa] *adj.* En mauvais état, maltraité, ée.

maluco, -ca [malúko, -ka], **malucho, -cha** [malútʃo, -tʃa] *adj.* fam. Un peu malade, mal fichu, ue, patraque.

malva [málβa] *f.* 1 Mauve. Loc. — *loca,* — *real,* — *rósea,* rose trémière. ■ *2 adj.-m.* Mauve (color).

malvado, -da [malβáðo, -ða] *adj.-s.* Méchant, ante, pervers, erse.

malvarrosa [malβaŕósa] *f.* Rose trémière.

malvender [malβendér] *tr.* Mévendre.

malversación [malβersaθjón] *f.* Malversation.

malla [máʎa] *f.* 1 Maille (de una red, una cota, un tejido). 2 amer. Maillot *m.*

mallorquín, -ina [maʎorkín, -ina] *adj.-s.* Majorquin, ine.

mama [máma] *f.* 1 Mamelle (teta). 2 Sein *m.* (pecho). 3 fam. Maman (madre).

mamá [mamá] *f.* Maman (madre).

mamar [mamár] *tr.* Téter.

mamarracho [mamaŕátʃo] *m.* 1 fam. Croûte *f.,* navet (cuadro malo), navet (película mala, etc.). 2 Fantoche, polichinelle (persona).

mamífero, -ra [mamífero, -ra] *adj.-m.* Mammifère.

mamotreto [mamotréto] *m.* Calepin.

mampara [mampára] *f.* 1 Paravent *m.* (biombo). 2 Contre-porte.

mampostería [mampostería] *f.* Maçonnerie.

mamut [mamút] *m.* Mammouth.

manada [manáða] *f.* Troupeau *m.* (de animales domésticos), bande (de lobos, etc., de personas).

manantial [manantjál] *m.* Source *f.* ·

manar [manár] *intr.* Jaillir, sourdre: *el agua manaba de las rocas*, l'eau jaillissait des rochers.

manaza [manáθa] *f.* 1 Grosse main. 2 *Ser un manazas*, être un brise-tout.

manceba [manθéβa] *f.* Concubine.

mancebo [manθéβo] *m.* Jeune homme.

mancillar [manθiʎár] *tr.* Tacher, souiller, déshonorer.

manco, -ca [máŋko, -ka] *adj.-s.* 1 Manchot, ote. 2 fig. Incomplet, ète.

mancomunar [maŋkomunár] *tr.* 1 Unir, associer, grouper. ■ *2 pr.* S'unir, s'associer.

mancha [mántʃa] *f.* 1 Tache. 2 fig. Souillure. 3 Tavelure (en una fruta).

manchego, -ga [mantʃéɣo, -ɣa] *adj.-s.* Manchègue.

mandado [mandáðo] *m.* Commandement, précepte.

mandamiento [mandamjénto] *m.* 1 Ordre. 2 REL. Commandement (de Dios, de la Iglesia). 3 DER. Ordre, mandat.

mandar [mandár] *tr.* 1 Ordonner, enjoindre (ordenar): *te mando que te calles*, je t'ordonne de te taire. 2 Commander (ejercer autoridad). 3 Léguer (por testamento). 4 Envoyer (enviar). Loc. — *por*, envoyer chercher.

mandarín [mandarín] *m.* Mandarin.

mandarina [mandarína] *f.* Mandarine.

mandatario [mandatárjo] *m.* Mandataire.

mandato [mandáto] *m.* 1 Ordre. 2 Mandat, procuration *f.* 3 Mandat (de un diputado, soberanía ejercida por un país).

mandíbula [mandíβula] *f.* Mandibule.

mandil [mandíl] *m.* Tablier (delantal).

mando [mándo] *m.* 1 Commandement: *el alto* —, le haut commandement.

mandrágora [mandráɣora] *f.* Mandragore.

mandril [mandríl] *m.* 1 Mandrill (mono). 2 MEC. Mandrin.

manecilla [maneθíʎa] *f. 1* Petite main, menotte. *2* Aiguille (de reloj).

manejar [manexár] *tr. 1* Manier. ■ *2 pr.* Se
conduire, se débrouiller (arreglárselas).

manejo [manéxo] *m. 1* Maniement. *2* Ma-
nigance *f.*, agissement (intriga).

manera [manéra] *f. 1* Manière, façon. *2
loc. adv.* **Sobre —, en gran —,** beaucoup, extrêmement. ■ *3 pl.* Manières
(modales).

manes [mánes] *m. pl.* Mânes.

manga [máŋga] *f. 1* Manche (de vestido).
Loc. fig. *Hacer mangas y capirotes,* faire
à son caprice. *2* Tuyau *m.* (de riego). *3*
Fusée (de un eje de carruaje). *4* Filet *m.*
(de caza). *5* Manche (de pesca). *6*
Chausse (para filtrar). *7* Trombe (de
agua).

manganeso [maŋganéso] *m.* QUÍM. Man-
ganèse.

mango [máŋgo] *m. 1* Manche (de un instrumento). *2* Queue *f.* (de una sartén,
etc.). *3* Manguier (árbol).

manguera [maŋgéra] *f. 1* Tuyau *m.* (de
regar). *2* MAR. Manche.

manguito [maŋgito] *m. 1* Manchon (de
piel). *2* Manchette *f.* (manga postiza). *3*
MEC. Manchon.

manía [manía] *f.* Manie.

maniatar [manjatár] *tr.* Lier les mains.

maniático, -ca [manjátiko, -ka] *adj.-s.* Maniaque.

manicomio [manikómjo] *m.* Asile d'aliénés.

manicuro, -ra [manikúro, -ra] *s.* Mani-
cure.

manido, -da [maniðo, -ða] *adj.* Faisandé,
ée.

manifestación [manifestaθjón] *f.* Manifestation.

manifestar [manifestár] *tr.* Manifester. ▲
CONJUG. comme *acertar.*

manifiesto, -ta [manifjésto, -ta] *adj.-m.*
Manifeste.

maniobrar [manjoβrár] *intr.* Manœuvrer.

manipulación [manipulaθjón] *f.* Manipulation.

manipular [manipulár] *tr.* Manipuler: *—
frascos, con frascos,* manipuler des flacons.

maniqueo, -ea [manikéo, -ea] *adj.-s.* Manichéen, enne.

maniquí [maniki] *m.* Mannequin.

manjar [manxár] *m. 1* Mets. *2* fig. Nourriture *f.* (espiritual).

mano [máno] *f. 1* Main (del hombre, de un
cuadrúmano). Loc. fig. *Alzar la — a
uno,* lever la main sur quelqu'un; *dar de
—,* laisser de côté, suspendre (el tra-

bajo); *dejar de la —,* abandonner; *pedir
la —,* demander en mariage. *2* Autorité,
ascendant *m.,* influence: *tener — con
uno,* avoir de l'ascendant sur quelqu'un.
3 Patte de devant (de un cuadrúpedo). *4*
Pilon *m.* (de mortero). *5* Couche (de
pintura). *6* Partie (partida en el juego),
manche (jugada parcial). *7* Main (juego
de naipes): *ser —,* avoir la main. *8 loc.
adv. A —,* à la main (sin máquina), sous
la main, à portée de la main (cerca); *de
primera —,* de première main; *de segunda —,* de seconde main, d'occasion;
a — derecha, à droite; *a — izquierda,* à
gauche.

manojo [manóxo] *m.* Botte *f.* (hacecilla),
poignée *f.* (puñado).

manolo, -la] *s.* Personne du bas
peuple à Madrid.

manopla [manópla] *f. 1* Gantelet *m.* (de
armadura). *2* Moufle (guante).

manosear [manoseár] *tr.* Tripoter, manier.

manotear [manoteár] *tr. 1* Frapper de la
main, taper. ■ *2 intr.* Gesticuler.

mansalva (a) [mansálβa] *loc. adv.* Sans
danger, sans risque.

mansión [mansjón] *f. 1* Séjour *m.* Loc. *Hacer —,* séjourner, demeurer.

manso, -sa [mánso, -sa] *adj. 1* Calme,
doux, douce (persona). *2* Doux, douce,
docile, apprivoisé, ée (animal).

manta [mánta] *f. 1* Couverture (de cama,
de viaje, para las caballerías). *2 loc.
adv. A — de Dios,* à tire-larigot.

manteca [mantéka] *f. 1* Graisse (de los animales, de algunos frutos). *2 — de cerdo,*
saindoux *m. 3* Beurre *m.* (mantequilla).

mantecada [mantekáða] *f.* Beurrée.

mantecado, -da [mantekáðo, -ða] *m.*
Glace *f.* à la crème.

mantel [mantél] *m.* Nappe *f.* (de la mesa,
del altar).

mantener [mantenér] *tr. 1* Maintenir (conservar, sostener). *2* fig. Maintenir, soutenir (una opinión, etc.). *3* Nourrir (alimentar), entretenir (una familia). ■ *4
pr.* Se maintenir: *se mantiene en equilibrio,* il se maintient en équilibre. *5* Se
nourrir, s'alimenter. ▲ CONJUG. comme
tener.

mantequilla [mantekíʎa] *f.* Beurre *m.*

mantilla [mantíʎa] *f. 1* Mantille (de
mujer). *2* Lange *m.* (de niño). *3* IMPR.
Blanchet *m.*

manto [mánto] *m. 1* Manteau (capa de ceremonia), mante *f.* (de mujer): *— real,*
manteau royal. *2* Manteau (de chemi-
nea, de un molusco).

mantón [mantón] *m.* Châle: — *de Manila,* grand châle de soie à dessins brodés.

manual [manwál] *adj. 1* Manuel, elle. *2* Facile à manier. ■ *3 m.* Manuel.

manuela [manwéla] *f.* Fiacre *m.* ouvert.

manufactura [manufaɣtúra] *f. 1* Produit *m.* manufacturé. *2* Manufacture (fábrica).

manufacturar [manufaɣturár] *tr.* Manufacturer.

manuscrito, -ta [manuskríto, -ta] *adj.-m.* Manuscrit, ite.

manutención [manutenθjón] *f.* Entretien *m.,* conservation.

manzana [manθána] *f. 1* Pomme (fruto, adorno). *2* Pâté *m.* de maisons (grupo de casas).

manzanilla [manθaníʎa] *f. 1* Camomille (planta, infusión). *2* Manzanilla *m.* (vino).

manzano [manθáno] *m.* Pommier.

maña [máɲa] *f. 1* Habileté, adresse. Loc. *Darse — para,* s'ingénier à. *2* Ruse, astuce. *3* Vice *m.,* mauvaise habitude.

mañana [maɲána] *f. 1* Matin *m.: las nueve de la —,* neuf heures du matin. *2* Matinée: *una hermosa —,* une belle matinée. ■ *3 adv.* Demain: *hasta —,* à demain.

maño, -ña [máɲo, -ɲa] *s.* fam. Aragonais, aise.

mañoso, -sa [maɲóso, -sa] *adj.* Adroit, oite, habile.

mapamundi [mapamúndi] *m.* Mappemonde *f.*

maqueta [makéta] *f.* Maquette.

maquiavélico, -ca [makjaβéliko, -ka] *adj.* Machiavélique.

maquillar [makiʎár] *tr. 1* Maquiller. ■ *2 pr.* Se maquiller.

máquina [mákina] *f. 1* Machine: — *de coser,* machine à coudre. *2* Locomotive. *3* — *de afeitar,* rasoir *m.*

maquinal [makinál] *adj.* Machinal, ale.

maquinaria [makinárja] *f.* Machinerie.

maquinista [makinísta] *m. 1* Mécanicien (de un tren). *2* Machiniste.

mar [mar] *m.-f. 1* Mer *f.* Loc. *Alta —,* haute mer, pleine mer. *2* fig. *Un — de,* beaucoup de. Loc. fam. *La — de,* énormément de, des tas de: *la — de trabajo,* énormément de travail.

marabú [maraβú] *m.* Marabout.

maraña [maráɲa] *f. 1* Broussaille. *2* fig. Embrouillement *m.,* enchevêtrement *m.,* affaire embrouillée.

marasmo [marázmo] *m.* Marasme.

maravilla [maraβíʎa] *f. 1* Merveille. *2 loc. adv. A las mil maravillas, de —,* à merveille. *3* Étonnement *m.* (asombro).

maravilloso, -sa [maraβiʎóso, -sa] *adj.* Merveilleux, euse.

marca [márka] *f. 1* Marque (señal, huella). *2* Marquage *m.* (acción de marcar). *3* Marche (provincia). *4* Toise (para medir). *5* DEP. Record *m.: batir la —,* battre le record.

marcar [markár] *tr.* Marquer (poner una marca).

marcial [marθjál] *adj.* Martial, ale.

marciano, -na [marθjáno, -na] *adj.-s.* Martien, ienne.

marco [márko] *m. 1* Cadre (de un cuadro), encadrement (de una puerta o ventana). *2* Mark (moneda alemana). *3* Étalon (patrón).

marcha [mártʃa] *f. 1* Marche (acción de marchar). *2* fig. Marche (de un asunto, negocio, etc.). *3* Vitesse, marche (de un vehículo): *cambio de marchas,* changement de vitesse. *4* Départ *m.* (acción de marcharse).

marchar [martʃár] *intr. 1* MIL. Marcher. ■ *2 intr.-pr.* S'en aller, partir: *me marcho,* je m'en vais.

marchitar [martʃitár] *intr. 1* Faner, flétrir. ■ *2 pr.* Se faner, se flétrir, s'étioler.

marea [maréa] *f.* Marée: — *creciente,* marée montante.

marear [mareár] *tr. 1* Gouverner, conduire (un barco). ■ *2 tr.-intr.* fig. Ennuyer, fatiguer, assommer, casser les pieds (molestar), faire tourner la tête (aturdir). ■ *3 pr.* Avoir le mal de mer (en un barco).

marejada [marexáða] *f. 1* Houle. *2* fig. Effervescence, agitation.

mareo [maréo] *m. 1* Mal de mer (en un barco). *2* Mal au cœur (náusea).

marfil [marfíl] *m.* Ivoire.

margarina [marɣarína] *f.* Margarine.

margarita [marɣaríta] *f. 1* Marguerite (planta). *2* Perle.

margen [márxen] *m.-f. 1* Marge *f.* Loc. fig. *Al —,* en marge; *dar —,* donner l'occasion. *2* Apostille *f.* *3* Rive *f.,* bord *m.* (de un río), lisière *f.* (de un bosque).

marginar [marxinár] *tr. 1* Marger. *2* Marginer (apostillar).

marido [maríðo] *m.* Mari.

marimba [marímba] *f. 1* Tambour *m.* des Noirs d'Afrique. *2* Sorte de xylophone *m.*

marimorena [marimoréna] *f.* fam. Dispute, bagarre.

marina [marína] *f. 1* Marine. *2* Région du bord de la mer.

marinera [marinéra] *f. 1* Vareuse de marin. *2* Marinière (blusa).

marinero, -ra [marinéro, -ra] *adj. 1* Marinier, ière. *2* Marin (barco). ■ *3 m.* Matelot, marin (hombre).

marino, -na [marino, -na] *adj.-m.* Marin, ine.

mariposa [maripósa] *f. 1* Papillon *m.* (insecto). *2* Veilleuse (lamparilla, luz).

mariposear [mariposeár] *intr.* Papillonner.

mariquita [marikíta] *f. 1* Coccinelle, bête à bon Dieu. ■ *2 m.* Homme efféminé.

mariscal [mariskál] *m. 1* MIL. Maréchal. *2* Vétérinaire.

marisco [marisko] *m. 1* Coquillage. ■ *2 pl.* Fruits de mer.

marisma [marizma] *f.* Marais *m.* (au bord de la mer).

marista [marista] *adj.-s.* Mariste.

marital [marítál] *adj.* Marital, ale.

marítimo, -ma [marítimo, -ma] *adj.* Maritime.

marmita [marmíta] *f.* Marmite.

mármol [mármol] *m.* Marbre.

marmota [marmóta] *f.* Marmotte.

marqués [markés] *m.* Marquis.

marquesa [markésa] *f.* Marquise.

marquesita [markesíta] *f.* Petite marquise.

marranada [mařanáða] *f. 1* Cochonnerie. *2* Tour *m.* de cochon (acción vil).

marrano [mařáno] *m. 1* Porc. *2* fig. Cochon, saligaud.

marrón [mařón] *adj.-m. 1* Marron (color). ■ *2 m.* Palet (para jugar).

marroquí [mařokí] *adj.-s. 1* Marocain, aine. ■ *2 m.* Maroquin (cuero).

marroquinería [mařokinería] *f.* Maroquinerie.

marsellés, -esa [marseʎés, -ésa] *adj.-s.* Marseillais, aise.

marta [márta] *f.* Martre: — *cebellina,* martre zibeline.

martes [mártes] *m.* Mardi: — *de Carnaval,* mardi gras.

martillar [martiʎár] *tr.* Marteler.

martillo [martíʎo] *m. 1* Marteau (herramienta): — *pilón,* marteau-pilon. *2* ANAT. Marteau (del oído). *3 Pez* —, marteau.

mártir [mártir] *s.* Martyr, tyre.

martirio [martirjo] *m.* Martyre.

marzo [márθo] *m.* Mars.

mas [mas] *conj.* Mais.

más [mas] *adv. 1* Plus: — *de uno,* plus d'un. *2* Davantage: *vosotros tenéis* —, vous en avez davantage. *3* Plus de (delante de un sustantivo): — *trabajo,* plus de trabajo. *4* Le plus, la plus, les plus (con artículo): *el avión* — *rápido,* l'avion le plus rapide. *5 loc. adv. A lo* —, tout au plus: *a* —, en plus, en outre; *a* — *y mejor,* beaucoup, tant et plus; — *bien,* plutôt. *6 loc. adj. De poco* — *o menos,* de peu de valeur, de peu d'importance. ■ *7 m.* Plus: *el* — *y el menos,* le plus et le moins.

masa [mása] *f. 1* Masse (volumen, conjunto). *2* FÍS. Masse. *3 loc. adv. En* —, en masse.

masaje [masáxe] *m.* Massage: *dar masajes,* faire des massages.

máscara [máskara] *f.* Masque *m.* (para taparse el rostro o protegerse): — *antigás,* masque à gaz.

mascota [maskóta] *f.* Mascotte.

masculino, -na [maskulino, -na] *adj. 1* Masculin, ine. *2* BOT. Mâle. ■ *3 m.* GRAM. Masculin.

masón, -ona [masón, -óna] *s.* Francmaçon, onne.

masonería [masonería] *f.* Francmaçonnerie.

masticar [mastikár] *tr.* Mastiquer, mâcher.

mástil [mástil] *m. 1* Mât. *2* Tuyau *m.* (de pluma). *3* MÚS. Manche (de la guitarra, etc.).

mastín [mastín] *m.* Mâtin.

mastoides [mastóïðes] *adj.-m.* Mastoïde.

mata [máta] *f. 1* Arbrisseau *m.* *2* Pied *m.* (de una planta), touffe (de hierba). *3* fig. — *de pelo,* chevelure épaisse. *4* METAL. Matte.

matadero [mataðéro] *m.* Abattoir. Loc. fig. *Llevar al* —, conduire à l'abattoir.

matador, -ra [mataðór, -ra] *adj.-s. 1* Tueur, euse. ■ *2 m.* TAUROM. Matador.

matamoscas [matamóskas] *m. invar.* Tue-mouche.

matanza [matánθa] *f. 1* Tuerie, massacre *m.* *2* Abattage *m.* (de los animales).

matar [matár] *tr. 1* Tuer. Loc. fig. *Estar a* —, se haïr, être à couteaux tirés; *mátalas callando,* faux jeton, sournois. *2* Éteindre (el fuego, la cal). *3* Adoucir (las aristas, los colores). *4* Ternir (el brillo de un metal). *5* Monter (naipes). ■ *6 pr.* Se tuer.

matasellos [mataséʎos] *m.* Oblitérateur (instrumento), cachet, tampon (marca).

mate [máte] *adj.* Mat, mate.

matemáticas [matemátikas] *f. pl.* Mathématiques.

matemático, -ca [matemátiko, -ka] *adj. 1* Mathématique. ■ *2 s.* Mathématicien, ienne. ■ *3 f.* Mathématique.

materia [matérja] *f. 1* Matière: *primera* —, matière première. Loc. *Entrar en* —, entrer en matière. *2* MED. Pus *m.*

material [materjál] *adj.* Matériel, elle.
materialismo [materjalizmo] *m.* Matérialisme.
maternal [maternál] *adj.* Maternel, elle.
maternidad [materniðáð] *f.* Maternité.
materno, -na [matérno, -na] *adj.* Maternel, elle.
matinal [matinál] *adj.* Matinal, ale.
matiz [matiθ] *m.* Nuance *f.*
matizar [matiθár] *tr.* Nuancer.
matorral [matorál] *m.* Buisson, hallier.
matraca [matráka] *f.* Crécelle. Loc. fig. fam. *Dar* —, se payer la tête (burlar), importuner, assommer.
matrero, -ra [matréro, -ra] *adj.* Rusé, ée, futé, ée.
matricaria [matrikárja] *f.* Matricaire.
matricular [matrikulár] *tr. 1* Immatriculer (un vehículo). *2* Inscrire (en la Universidad, etc.).
matrimonio [matrimónjo] *m. 1* Mariage (unión, sacramento). *2* Ménage (marido y mujer).
matriz [matriθ] *f. 1* ANAT. Matrice. *2* Matrice (molde). *3* Souche (de un libro talonario). ■ *4 adj.* Mère: *casa* —, maison mère.
matrona [matróna] *f. 1* Matrone. *2* Sagefemme (partera).
matutino, -na [matutino, -na] *adj.* Matinal, ale: *nieblas matutinas*, brouillards matinaux.
maullar [maŭλár] *intr.* Miauler.
mausoleo [maŭsoléo] *m.* Mausolée.
máxima [má(ɣ)sima] *f.* Maxime.
máximo, -ma [má(ɣ)simo, -ma] *adj. 1* Le plus grand, la plus grande. ■ *2 adj.-m.* Maximum.
mayo [ájo] *m.* Mai: *el 2 de* —, le 2 mai.
mayólica [majólika] *f.* Maïolique, majolique.
mayonesa [majonésa] *f.* Mayonnaise.
mayor [majór] *adj. 1* Plus grand, plus grande. *2* Majeur, eure. Loc. — *de edad*, majeur. *3* MIL. *Estado* —, état major. ■ *4 m.* MIL. Major, commandant. *5* Chef (en algunas oficinas). ■ *6 f.* LÓG. Majeure. ■ *7 m. pl.* Aïeux (antepasados).
mayordomo [majorðómo] *m.* Majordome, intendant.
mayoría [majoría] *f.* Majorité.
mayorista [majorísta] *m.* Grossiste.
mayúsculo, -la [majúskulo, -la] *adj. 1* Très grand, grande. ■ *2 adj.-f.* Majuscule (letra).
maza [máθa] *f. 1* Masse (arma, insignia , del taco del billar). *2* Maillet (martillo).
mazapán [maθapán] *m.* Massepain.
mazmorra [maθmóra] *f.* Basse-fosse, oubliette.

mazo [máθo] *m. 1* Maillet. *2* Paquet (manojo).
me [me] *pron. pers. 1* Me, m' (delante de vocal): — *escribió ayer*, il m'a écrit hier. *2* Moi (con el imperativo): *dame*, donne moi.
meandro [meándro] *m.* Méandre.
mear [meár] *intr.* pop. Pisser.
¡mecachis! [mekátʃis] *interj.* Sapristi!
mecánica [mekánika] *f. 1* Mécanique. *2* Mécanisme *m.*
mecánico, -ca [mekániko, -ka] *adj. 1* Mécanique. *2 m.* Mécanicien.
mecanismo [mekanizmo] *m.* Mécanisme.
mecanografía [mekanoɣrafia] *f.* Dactylographie.
mecenas [meθénas] *m.* Mécène.
mecer [meθér] *tr. 1* Remuer (un líquido). *2* Bercer (a un niño), balancer (la cuna, etc.). ■ *3 pr.* Se balancer.
mecha [métʃa] *f.* Mèche (de lámpara, para pegar fuego). Loc. fig. *Aguantar* —, tenir bon.
mechar [metʃár] *tr.* Larder, entrelarder (la carne).
mechero [metʃéro] *m. 1* Bec (de lámpara). *2* Briquet (encendedor).
medalla [meðáλa] *f.* Médaille.
médano [méðano] *m. 1* Dune *f.* *2* Banc de sable.
media [méðja] *f.* Bas *m.*
mediación [meðjaθjón] *f.* Médiation.
mediado, -da [meðjáðo, -ða] *adj. 1* À moitié rempli, ie, plein, pleine: *una botella mediada*, une bouteille à moitié pleine. *2 loc. adv. A mediados del mes, del año*, etc., vers le milieu du moins, de l'année, etc.
mediador, -ra [meðjaðór, -ra] *adj.-s.* Médiateur, trice.
mediano, -na [meðjáno, -na] *adj.* Moyen, enne, médiocre.
medianoche [meðjanótʃe] *f.* Minuit *m.*
mediante [meðjánte] *1 ger. de mediar. 2 loc. adv. Dios* —, Dieu aidant.
mediar [meðjár] *intr. 1* Arriver à la moitié, être à sa moitié. *2* Intervenir, intercéder (en favor de uno). *3* Être, se trouver au milieu de (una cosa en medio de otras). *4* Arriver, survenir (ocurrir).
medias (a) [méðjas] *loc. adv. 1* À moitié, à demi. *2* De moitié.
mediatizar [meðjatiθár] *tr.* Médiatiser.
mediato, -ta [meðjáto, -ta] *adj.* Médiat, ate.
médica [méðika] *f.* Femme médecin.
medicamento [meðikaménto] *m.* Médicament.

medicina [meðiθína] *f.* *1* Médecine. *2* Médicament *m.*

médico, -ca [méðiko, -ka] *adj.* *1* Médical, ale. *2* Médique (de Media). ■ *3 m.* Médecin: — *de cabecera,* médecin traitant.

medida [meðíða] *f.* *1* Mesure. *2 loc. conj.* *A — que,* au fur et à mesure que, à mesure que.

medieval [meðjeβál] *adj.* Médiéval, ale.

medio, -ia [méðjo, -ja] *adj.* *1* Demi, ie: *media hora,* une demi-heure. ▲ Es invariable delante del substantivo, variable después de él. *2* Moyen, enne: *término* —, moyen terme. *3 A —, media,* à mi: *a — camino,* à mi-chemin. ■ *4 m.* Milieu: *un justo* —, un juste milieu. Loc. *En — de,* au milieu de, entre; *quitar a uno de en* —, écarter quelqu'un, se débarrasser de quelqu'un. *5* Moyen (para conseguir algo). *loc. prep. Por* — *de,* au moyen de, par le moyen de. *6* Milieu (ambiente). ■ *7 pl.* Moyens, ressources *f.* ■ *8 adv.* À moitié, à demi, en partie: — *podrido,* à moitié pourri.

mediocre [meðjókre] *adj.* Médiocre.

mediodía [meðjoðía] *m.* Midi.

medir [meðír] *tr.* Mesurer. ▲ CONJUG. comme *servir.*

meditación [meðitaθjón] *f.* Méditation.

meditar [meðitár] *tr.-intr.* Méditer, penser.

mediterráneo, -ea [meðiteřáneo, -ea] *adj.* *1* Méditerranéen, enne. ■ *2 adj.-m. El mar* —, la mer Méditerranée.

medrar [meðrár] *intr.* *1* Croître, grandir (los animales, las plantas). *2* fig. Prospérer, améliorer sa fortune.

médula [méðula], **medula** [meðúla] *f.* Moelle: — *espinal,* moelle épinière.

megáfono [meɣáfono] *m.* Mégaphone.

megalítico, -ca [meɣalítiko, -ka] *adj.* Mégalithique.

mejicano, -na [mexikáno, -na] *adj.-s.* Mexicain, aine.

mejilla [mexíλa] *f.* Joue.

mejillón [mexiλón] *m.* Moule *f.*

mejor [mexór] *adj.* *1* Meilleur, eure. ■ *2 adv.* Mieux. *3 loc. adv.* A lo —, peut-être; *a cual* —, à qui mieux mieux.

mejora [mexóra] *f.* *1* Amélioration. *2* Progrès *m.* *3* Augmentation.

mejoramiento [mexoramjénto] *m.* *1* Amélioration *f.* *2* Avancement (ascenso).

mejorar [mexorár] *tr.* *1* Améliorer. *2* DER. Avantager (a un heredero). ■ *3 intr.-pr.* Aller mieux (un enfermo): *el enfermo está muy mejorado,* le malade va beaucoup mieux. *4* Se mettre au beau, s'améliorer (el tiempo).

melancolía [melaŋkolía] *f.* Mélancolie.

melaza [meláθa] *f.* Mélasse.

melcocha [melkótʃa] *f.* *1* Miel *m.* cuit. *2* Pâte faite avec du miel cuit.

melena [meléna] *f.* *1* Crinière (del león). *2* Cheveux *m. pl.* longs (cabellos).

melenudo, -da [melenúðo, -ða] *adj.* Chevelu, ue.

melificar [melifikár] *intr.* Faire le miel.

melindre [melíndre] *m.* *1* Sorte de beignet au miel. *2* fig. Simagrée *f.,* minauderie *f.*

melisa [melísa] *f.* Mélisse.

melocotón [melokotón] *m.* *1* Pêche *f.* (fruta). *2* Pêcher (árbol).

melodía [meloðía] *f.* Mélodie.

melodrama [meloðráma] *m.* Mélodrame.

melón [melón] *m.* Melon.

melonero [melonéro] *m.* Marchand de melons.

meloso, -sa [melóso, -sa] *adj.* *1* Mielleux, euse. *2* fig. Doucereux, euse.

mella [méλa] *f.* *1* Brèche (en el filo de un arma, de una dentadura, etc.). *2* fig. Dommage *m.,* atteinte (menoscabo). Loc. *Hacer* —, faire impression, porter atteinte.

mellizo, -za [meλíθo, -θa] *adj.-s.* Jumeau, jumelle (persona).

membrana [membrána] *f.* Membrane.

membrete [membréte] *m.* En-tête (en un escrito, un papel).

membrillo [membríλo] *m.* *1* Cognassier (árbol). *2* Coing (fruto). *3* Pâte *f.* de coings. *4 Carne de* —, pâte de coings.

memo, -ma [mémo, -ma] *adj.* Simple, niais, aise.

memorable [memoráβle], **memorando, -da** [memorándo, -da] *adj.* Mémorable.

memorándum [memorándum] *m.* Mémorandum.

memoria [memórja] *f.* *1* Mémoire (facultad), mémoire, souvenir *m.* (recuerdo). Loc. *Hacer* — *de una cosa,* se rappeler; se souvenir d'une chose. ■ *2 pl.* Mémoires *m.* (relación escrita). *3* Compliments *m.,* souvenirs *m.:* *dé usted memorias a,* rappelez-moi au souvenir de.

memorial [memorjál] *m.* Exposé pour demander une grâce.

menaje [menáxe] *m.* *1* Mobilier (muebles). *2* Ménage (ajuar). *3* Matériel pédagogique.

mención [menθjón] *f.* Mention: — *honorífica,* mention honorable.

mendigar [mendiɣár] *tr.* Mendier.

mendigo, -ga [mendíɣo, -ɣa] *s.* Mendiant, ante.

mendrugo [mendrúɣo] *m.* Morceau de pain dur, croûton.

menear [meneár] *tr.* Remuer, secouer.

menester [menestèr] *m.* *1* Besoin, nécessité *f.* Loc. *Haber — una cosa,* avoir besoin d'une chose. *2* Exercice, occupation *f.* ■ *3 pl.* Besoins naturels.

menestral [menestrál] *s.* Artisan, ouvrier, ière.

menguado, -da [meŋgwàðo, -ða] *adj. 1* Lâche, poltron, onne. *2* Niais, aise, imbécile. *3* Mesquin, ine. ■ *4 m.* Diminution *f.* (al hacer media).

menguante [meŋgwànte] *adj.* Décroissant, ante.

menor [menór] *adj. 1* Plus petit, plus petite. *2* Moindre (en cantidad, importancia). *3* Plus jeune. *4* Mineur, eure. Loc. *— de edad,* mineur. ■ *5 adj.-s.* Mineur, eure (persona). ■ *6 m.* Frère mineur. ■ *7 f.* LÓG. Mineure.

menorquín, -ina [menorkin, -ina] *adj.-s.* Minorquin, ine.

menos [mènos] *adv. 1* Moins: *— frío,* moins froid; moins de (delante de un substantivo): *— ruido,* moins de bruit. Loc. *Echar de —,* regretter (añorar), remarquer l'absence de. *2* Excepté, sauf (salvo). *3 loc. adv. Al —, a lo —, por lo —,* au moins, du moins. ■ *4 m.* Moins: *el más y el —,* le plus et le moins. ■ *5* MAT. Moins (signo de la sustracción).

menoscabo [menoskàβo] *m. 1* Diminution *f.* (mengua), détérioration *f.* (daño). *2 loc. prep. En — de,* au détriment de.

menospreciar [menospreθjár] *tr. 1* Mépriser (desdeñar). *2* Sous-estimer. ▲ CONJUG. comme *cambiar.*

mensaje [mensáxe] *m.* Message.

mensajero, -ra [mensaxéro, -ra] *s. 1* Messager, ère. ■ *2 adj. Paloma mensajera,* pigeon voyageur.

mensual [menswál] *adj.* Mensuel, elle.

mensualidad [menswaliðàð] *f.* Mensualité.

menta [mènta] *f.* Menthe.

mental [mentál] *adj.* Mental, ale.

mentalidad [mentaliðàð] *f.* Mentalité.

mente [mènte] *f. 1* Esprit *m.* *2* Intention (propósito). Loc. *Tener en la —,* avoir en vue de (proyectar).

mentir [mentir] *intr. 1* Mentir. ▲ CONJUG. comme *servir.*

mentira [mentira] *f.* Mensonge *m.* Loc. *Parece —,* c'est incroyable.

mentiroso, -sa [mentiróso, -sa] *adj.-s.* Menteur, euse.

mentón [mentón] *m.* Menton.

menudear [menuðeár] *tr.* Faire fréquemment, répéter, multiplier.

menudencia [menuðénθja] *f. 1* Petitesse

(pequeñez). *2* Bagatelle, bricole (cosa de poca importancia).

menudo, -da [menúðo, -ða] *adj. 1* Petit, ite, menu, ue (pequeño), menu, ue (delgado). ■ *2 m. pl.* Menue monnaie *f. 'sing.* (monedas). *3* Abats (de una res). *4* Abattis (de un ave).

meñique [meɲike] *adj.* Très petit, ite: *dedo —,* petit doigt.

mequetrefe [meketréfe] *m.* fam. Freluquet, demi-portion *f.*

mercachifle [merkatʃifle] *m.* Mercanti.

mercader [merkaðér] *m.* Marchand.

mercadería [merkaðería] *f.* Marchandise.

mercado [merkàðo] *m.* Marché.

mercancía [merkanθia] *f.* Marchandise.

mercante [merkánte] *adj.* Marchand, ande: *marina —,* marine marchande.

mercantil [merkantil] *adj.* Mercantile.

merced [merθéð] *f. 1* Faveur, grâce. *2* Merci, volonté, arbitre *m.* Loc. *Estar a la — de,* être à la merci de. ■ *3 n.-pr. Nuestra Señora de las Mercedes,* Notre-Dame de la Merci.

mercería [merθería] *f.* Mercerie.

merecer [mereθér] *tr.-intr.* Mériter. ▲ CONJUG. comme *agradecer.*

merecido [mereθiðo] *m.* Dû. Loc. *Ha llevado su —,* il a été puni comme il l'avait mérité, il a eu ce qu'il méritait.

merendar [merendár] *intr. 1* Goûter. ■ *2 tr.* Manger (una cosa) au goûter. ▲ CONJUG. comme *acertar.*

merendero [merendéro] *m.* Guinguette *f.*

meridiano, -na [meriðjáno, -na] *adj. 1* Méridien, ienne. *2* fig. Très clair, aire, très lumineux, euse. ■ *3 m.* ASTR., GEOG. Méridien. *4* Méridienne *f.* (de un punto). *5* GEOM. Méridienne *f.*

meridional [meriðjonál] *adj.-m.* Méridional, ale.

merienda [merjènda] *f. 1* Goûter *m.* *2 — de negros,* charivari *m.,* confusion.

mérito [mérito] *m. 1* Mérite *f.* Loc. *De —,* remarquable, de valeur: *hacer méritos,* faire ce qu'il faut pour obtenir, pour mériter. *2 Hacer — de,* faire mention de.

meritorio, -ia [meritòrjo, -ja] *adj.* Méritoire.

merluza [merlúθa] *f. 1* ZOOL. Merluche. *2* COC. Colin *m.* *3* fig. fam. Cuite (borrachera).

mermar [mermár] *intr.-pr. 1* Diminuer, se réduire. ■ *2 tr.* Diminuer, réduire.

mermelada [mermelàða] *f.* Marmelade, confiture.

mero, -ra [méro, -ra] *adj. 1* Pur, pure, simple, seul, seule: *el — hecho,* le simple fait. ■ *2 m.* Mérou (pez).

mes [mes] *m.* Mois: *doce meses,* douze mois.

mesa [mésa] *f.* 1 Table. Loc. — *redonda,* table d'hôte; *poner la —,* mettre le couvert; *quitar la —,* desservir. 2 Bureau *m.* (de una asamblea). 3 GEOG. Plateau *m.*

mesada [mesáða] *f.* Mensualité, mois *m.*

meseta [meséta] *f.* 1 Palier *m.* (de una escalera). 2 GEOG. Plateau *m.*

mesilla [mesíʎa] *f.* 1 Petite table.

mesocarpio [mesokárpjo] *m.* BOT. Mésocarpe.

mesón [mesòn] *m.* Auberge *f.,* hôtellerie *f.*

mesonero, -ra [mesonéro, -ra] *adj.* De l'auberge, de l'hôtellerie.

mestizar [mestiθár] *tr.* Métisser.

mestizo, -za [mestiθo, -θa] *adj.-s.* Métis, isse.

mesura [mesúra] *f.* 1 Mesure, modération. 2 Gravité. 3 Politesse (cortesía).

meta [méta] *f.* 1 Borne (en un circo romano). 2 DEP. Ligne d'arrivée (en una carrera); buts *m. pl.* (portería, en fútbol). 3 fig. But *m.,* fin, objectif *m.*

metafísico, -ca [metafisiko, -ka] *adj.* 1 Métaphysique. ■ 2 *s.* Métaphysicien, ienne.

metáfora [metáfora] *f.* RET. Métaphore.

metal [metál] *m.* 1 Métal. Loc. fig. *El vil* —, le vil métal. 2 fig. Timbre (de la voz).

metálico, -ca [metáliko, -ka] *adj.* 1 Métallique. ■ 2 *m.* Espèces *f. pl.* (dinero): *pagar en* —, payer en espèces.

metalurgia [metalúrgia] *f.* Métallurgie.

metamorfosis [metamorfósis] *f.* Métamorphose.

metatarso [metatárso] *m.* ANAT. Métatarse.

metedor, -ra [meteðór, -ra] *s.* 1 Metteur, euse. 2 Contrebandier, ière.

meteórico, -ca [meteóriko, -ka] *adj.* Météorique.

meteorito [meteorito] *m.* ASTR. Météorite *f.*

meteorología [meteoroloxía] *f.* Météorologie.

meteorológico, -ca [meteorolóxiko, -ka] *adj.* Météorologique.

meter [metér] *tr.* 1 Mettre (introducir): *metió su collar en el joyero,* elle mit son collier dans l'écrin. 2 Faire, causer (causar): — *chismes,* faire des cancans; — *miedo,* faire peur; — *ruido,* faire du bruit. 3 Resserrer (letras, renglones). ■ 4 *pr.* Entrer: *se metieron en un café,* ils entrèrent dans un café. 5 S'introduire, s'engager, se fourrer (introducirse): *se metió por una calle desierta,* il s'engagea dans une rue déserte. 6 Se faire (con

nombres de oficio o estado): *meterse fraile,* se faire moine. 7 *Meterse a* (con el infinitivo), se mettre à; (con un substantivo), vouloir faire le. 8 *Meterse con uno,* attaquer (atacar), critiquer (censurar) quelqu'un.

metido, -da [metiðo, -ða] *adj.* 1 Abondant, ante. Loc. — *en carnes,* bien en chair. ■ 2 *m.* Coup de poing dans la poitrine (puñetazo). 3 Semonce *f.,* réprimande *f.* (reprensión).

metódico, -ca [metóðiko, -ka] *adj.* Méthodique.

método [métoðo] *m.* Méthode *f.*

metralla [metráʎa] *f.* Mitraille.

métrico, -ca [métriko, -ka] *adj.-f.* Métrique.

metro [métro] *m.* Mètre: — *lineal,* mètre courant.

metro [métro] *m.* Métro (ferrocarril).

metrópoli [metrópoli] *f.* Métropole.

mezcla [méθkla] *f.* Mélange *m.*

mezclar [meθklár] *tr.* Mélanger, mêler.

mezquino, -na [meθkino, -na] *adj.* 1 Mesquin, ine. 2 Pauvre, misérable.

mezquita [meθkita] *f.* Mosquée.

mi [mi] *m.* MÚS. Mi.

mi [mi] *pl.* **mis** [mis] *adj. pos.* Mon, ma, mes: — *padre y* — *madre,* mon père et ma mère; *mis padres,* mes parents.

mí [mi] *pron. pers.* Moi (précédé de prép.): *¡a* —!, à moi!; *para* —, pour moi.

miasma [mjázma] *m.* Miasme.

miau [mjaŭ] *m.* Miaou.

mica [mika] *f.* Mica *m.*

micción [miγθjón] *f.* Miction.

mico [miko] *m.* 1 Singe (à longue queue). 2 fig. fam. *Dar, hacer* —, poser un lapin; manquer à un engagement.

microbicida [mikroβiθiða] *adj.-m.* Microbicide.

microbio [mikróβjo] *m.* Microbe.

microcosmo [mikrokózmo] *m.* Microcosme.

microfilm [mikrofilm] *m.* Microfilm.

micrófono [mikrófono] *m.* Microphone.

micrómetro [mikrómetro] *m.* Micromètre.

microscopio [mikroskópjo] *m.* Microscope.

miedo [mjéðo] *m.* Peur *f.* Loc. — *cerval,* peur bleue: *dar* —, faire peur; *tener* — *a,* avoir peur de.

miel [mjél] *f.* Miel *m.*

miembro [mjémbro] *m.* Membre.

mientes [mjéntes] *f. pl.* ant. Pensée *sing.,* esprit *m. sing.* Loc. *Caer en las* —, *en* —, imaginer, venir à l'esprit.

mientras [mjéntras] *adv. 1* Cependant, pendant ce temps, en attendant. *2 loc. conj.: — que,* pendant que. *3 — más..., menos...,* plus..., moins...: — *más mira, menos ve,* plus il regarde, moins il voit.

miércoles [mjérkoles] *m.* Mercredi: — *de ceniza,* mercredi des cendres.

mies [mjes] *f. 1* Moisson. ■ *2 pl.* Semis *m.* (sembrados).

miga [míɣa] *f. 1* Miette. *2* Mie (del pan). *3* fig. Substance, importance: *esto tiene mucha —,* cela est plein de substance, est important.

migaja [miɣáxa] *f.* Miette.

migración [miɣraθjón] *f.* Migration.

mijo [míxo] *m.* Millet.

mil [mil] *adj. 1* Mille, mil. ■ *2 m.* Mille. ■ *3 pl.* Milliers. *4 loc. adv. A las — y quinientas,* très tard, à une heure impossible; *a miles,* par milliers.

milagro [miláɣro] *m.* Miracle.

milenario, -ia [milenárjo, -ja] *adj.-m.* Millénaire.

milicia [miliθja] *f. 1* Milice. *2* Service *m.* militaire.

miliciano, -na [miliθjáno, -na] *adj. 1* De la milice. ■ *2 s.* Milicien, ienne.

miligramo [miliɣrámo] *m.* Milligramme.

mililitro [mililítro] *m.* Millilitre.

milímetro [milímetro] *m.* Millimètre.

militante [militánte] *adj.-s.* Militant, ante.

militar [militár] *adj.-m.* Militaire.

militar [militár] *intr.* Militer.

militarizar [militariθár] *tr.* Militariser.

milord [milórð] *m.* Milord.

milla [míʎa] *f.* Mille *m.* (medida).

millar [miʎár] *m.* Millier.

millón [miʎón] *m.* Million.

millonario, -ia [miʎonárjo, -ja] *adj.-s.* Millionnaire.

mimar [mimár] *tr. 1* Cajoler, choyer. *2* Gâter (a una persona). *3* TEAT. Mimer.

mimbre [mímbre] *s. 1* Osier *m.* 2 Baguette *f.* d'osier.

mímico, -ca [mímiko, -ka] *adj.-f.* Mimique.

mimo [mímo] *m. 1* TEAT. Mime. *2* Caresse *f.* (caricia). *3* Gâterie *f.* (con los niños), indulgence *f.*

mimosa [mimósa] *f.* Mimosa *m.*

mimoso, -sa [mimóso, -sa] *adj. 1* Caressant, ante, câlin, ine. *2* Délicat, ate (delicado), minaudier, ière (melindroso).

mina [mína] *f. 1* Mine. *2* fig. Mine, grande abondance. *3* FORT. Sape.

mineral [minerál] *adj.-m. 1* Minéral, ale. ■ *2 m.* Minerai.

mineralizar [mineraliθár] *tr.* Minéraliser.

minero, -ra [minéro, -ra] *adj. 1* Minier, ière. ■ *2 m.* Mineur (obrero).

miniatura [minjatúra] *f.* Miniature.

minimizar [minimiθár] *tr.* Minimiser.

mínimo, -ma [mínimo, -ma] *adj. 1* Minime. *2 El — esfuerzo,* le moindre effort. ■ *3 adj.-s.* Minime (religioso). ■ *4 m.* Minimum. *5* MÚS. Blanche (nota).

ministerio [ministérjo] *m.* Ministère: — *de Estado, de Asuntos Exteriores,* ministère des Affaires Étrangères.

ministro [minístro] *m.* Ministre.

minoría [minorja] *f. 1* Minorité. *2 — de edad,* minorité.

minucia [minúθja] *f.* Minutie.

minucioso, -sa [minuθjóso, -sa] *adj.* Minutieux, euse.

minúsculo, -la [minúskulo, -la] *adj.-f.* Minuscule.

minuta [minúta] *f. 1* Minute (borrador). *2* Note (des honoraires d'un avocat, etc.). *3* Liste, catalogue *m.* *4* Menu *m.* (de una comida).

minuto [minúto] *m.* Minute *f.* (parte de una hora, de un círculo).

mío [mío], **mía** [mía] *pron. pos. 1* Mien, mienne (con el artículo): *este libro es el —,* ce livre est le mien. ■ *2 adj. pos.* À moi: *este libro es —,* ce livre est à moi. *3* Mon, ma (en los vocativos): *¡madre mía!,* ma mère!, mon Dieu!

miope [mjópe] *adj.-s.* Myope.

mira [míra] *f. 1* Mire. *2* fig. Visée, dessein *m.*, intention (intención), but *m.* (objetivo). *3 Estar a la — de,* guetter.

mirada [miráða] *f. 1* Regard *m.* (acción, modo de mirar). *2* Coup *m.* d'œil (ojeada).

mirar [mirár] *tr. 1* Regarder. Loc. — *con buenos ojos,* regarder d'un bon œil. *2* Observer, considérer, envisager. Loc. *Mirándolo bien,* en y regardant bien, tout bien considéré. *3* Veiller à (cuidar), viser (tener por objeto). *4 — por,* prendre soin de, veiller sur, s'occuper de.

mirilla [miríʎa] *f.* Judas *m.* (en una puerta).

mirlo [mírlo] *m.* Merle: — *blanco,* merle blanc.

mirón, -ona [mirón, -óna] *adj.-s.* Curieux, euse, badaud, aude.

misa [mísa] *f.* Messe: — *cantada, mayor,* grand-messe; — *rezada,* messe basse; — *de difuntos,* messe des morts.

misal [misál] *m.* Missel.

misántropo [misántropo] *m.* Misanthrope.

miserable [miseráβle] *adj.-s. 1* Misérable. *2* Avare, mesquin, ine (avariento).

miserere [miserère] *m*. *1* Miséréré. *2* MED. Colique *f*. de miséréré.

miseria [misérja] *f*. *1* Misère. *2* Mesquinerie, avarice (avaricia).

misericordia [miserikórðja] *f*. Miséricorde.

misión [misjón] *f*. Mission.

misionero, -ra [misjonéro, -ra] *adj.-m*. Missionnaire.

misiva [misíβa] *f*. Missive.

mismo, -ma [mízmo, -ma] *adj*. *1* Même (se enlaza con el pronombre personal mediante un guión): *él —*, lui-même. *Loc. Lo —*, la même chose. *2 loc. adv. Ahora —*, tout de suite.

misterio [mistérjo] *m*. Mystère.

misterioso, -sa [misterjóso, -sa] *adj*. Mystérieux, euse.

místico, -ca [místiko, -ka] *adj.-s*. Mystique.

mistral [mistrál] *m*. Mistral.

mitad [mitáð] *f*. *1* Moitié: *reducir a la —*, réduire de moitié. *2* Milieu *m*. (centro).

mítico, -ca [mítiko, -ka] *adj*. Mythique.

mitigar [mitiɣár] *tr*. Mitiger.

mitin [mítin] *m*. Meeting.

mito [míto] *m*. Mythe.

mitología [mitoloxía] *f*. Mythologie.

mitra [mítra] *f*. Mitre.

mitrado, -da [mitráðo, -ða] *adj*. Mitrée, ée.

mixto, -ta [místo, -ta] *adj*. *1* Mixte. ■ *2 m*. Allumette *f*. (fósforo).

mobiliario, -ia [moβiljárjo, -ja] *adj.-m*. Mobilier, ière.

moblaje [moβláxe] *m*. Mobilier.

moca [móka] *m*. Moka (café).

mocedad [moθeðáð] *f*. Jeunesse.

moción [moθjón] *f*. *1* Motion (proposición). *2* Mouvement *m*. (movimiento).

moco [móko] *m*. *1* Morve *f*. *2* Mucus, mucosité *f*. *3* Bout du lumignon (de una vela). *4* Caroncule *f*. (de pavo). *5 — pavo*, crête-de-coq *f*. (planta).

mochila [motʃíla] *f*. Havresac *m*. (de soldado), sac *m*. à dos (de excursionista).

mocho, -cha [mótʃo, -tʃa] *adj*. Écorné, ée (toro), étêté, ée (árbol), épointé, ée.

moda [móða] *f*. *1* Mode: *estar de —, ser de —*, être à la mode. *2 Pasado de —*, démodé.

modal [moðál] *adj*. Modal, ale.

modalidad [moðaliðáð] *f*. Modalité.

modelar [moðelár] *tr*. Modeler.

modelo [moðélo] *adj.-m*. *1* Modèle. ■ *2 f*. Mannequin *m*. (maniquí).

moderado, -da [moðeráðo, -ða] *adj.-s*. Modéré, ée.

moderar [moðerár] *tr*. *1* Modérer. ■ *2 pr*. Se modérer.

modernizar [moðerniθár] *tr*. Moderniser.

moderno, -na [moðérno, -na] *adj.-m*. Moderne.

modestia [moðéstja] *f*. Modestie.

modesto, -ta [moðésto, -ta] *adj*. Modeste.

módico, -ca [móðiko, -ka] *adj*. Modique, modéré, ée.

modificación [moðifikaθjón] *f*. Modification.

modificar [moðifikár] *tr*. Modifier.

modista [moðísta] *m*. Couturier.

modo [móðo] *m*. *1* Manière *f*., façon *f*. (de obrar, de ver, etc.): *— de ser*, manière d'être. *2* MÚS., GRAM. Mode. *3* GRAM. *— adverbial, prepositivo*, locution *f*. adverbiale, prépositive. *4 loc. prep. A — de*, en guise de, en manière de.

modorra [moðóra] *f*. Torpeur, sommeil *m*. pesant.

modular [moðulár] *intr.-tr*. Moduler.

módulo [móðulo] *m*. Module.

mofa [mófa] *f*. Moquerie, raillerie outrageante.

mofar [mofár] *intr*. *1* Se moquer, bafouer. ■ *2 pr*. Se moquer de.

moflete [mofléte] *m*. Grosse joue *f*.

mogol, -la [moɣól, -la] *adj.-s*. Mongol, ole.

mogollón (de) [moɣoʎón] *loc. adv*. Gratuitement, à l'œil, aux dépens d'autrui.

mohín [moín] *m*. Grimace *f*., moue *f*.

moho [móo] *m*. *1* Moisi, moisissure *f*. *2* Rouille *f*. (de un metal).

mojar [moxár] *tr*. *1* Mouiller, tremper.

mojigato, -ta [moxiɣáto, -ta] *adj.-s*. *1* Hypocrite. *2* Bigot, ote (beato).

mojón [moxón] *m*. Borne *f*. (hito).

molar [molár] *adj*. *1* Meulier, ière. *2* ANAT. Molaire. ■ *3 m*. Molaire *f*. (diente).

molde [mólde] *m*. *1* Moule. *Loc. fig. Venir de —, como de —*, venir à propos, tomber à pic. *2* IMPR. Forme *f*.

moldear [moldeár] *tr*. Mouler.

moldura [moldúra] *f*. Moulure.

mole [móle] *f*. Masse.

molécula [molékula] *f*. Molécule.

moledor, -ra [moleðór, -ra] *adj.-s*. *1* Qui moud, broyeur, euse. *2* fam. Raseur, euse (persona).

moler [molér] *tr*. *1* Moudre, broyer. *2* fig. Éreinter, fatiguer (cansar). *3* fig. Importuner. *4* fig. *— a palos*, rouer de coups. ▲ CONJUG. comme *mover*.

molestar [molestár] *tr*. *1* Gêner, déranger. *2* Embêter, ennuyer (fastidiar): *me molesta tener que pedirle este favor*, cela m'ennuie de devoir lui demander cette faveur; offenser (ofender). ■ *3 pr*. Se déranger, se gêner, se donner de la peine: *no se moleste usted*, ne vous dérangez pas. *4* S'offenser, se vexer.

molesto, -ta [molésto, -ta] *adj. 1* Gênant, ante (embarazoso), embêtant, ante, ennuyeux, euse (fastidioso). *2* Gêné, ée, mal à l'aise (incómodo), fâché, ée (resentido).

molido, -da [molíðo, -ða] *adj. 1* Moulu, ue. *2* fig. Éreinté, ée, moulu, ue, vanné, ée (cansado): *estoy* —, je suis moulu.

molinero, -ra [molinéro, -ra] *adj. 1* Du moulin, de la meunerie. ■ *2 s.* Meunier, ière.

molinillo [moliníʎo] *m. 1* Moulin: — *de café, de pimienta*, moulin à café, à poivre. *2* Moulinet.

molino [molíno] *m.* Moulin: — *de agua*, moulin à l'eau; — *de viento*, moulin à vent.

molusco [molúsko] *m.* Mollusque.

mollera [moʎéra] *f. 1* Sommet *m.* de la tête. *2* fig. Jugeote, cervelle. Loc. fam. *Cerrado de* —, bouché.

momentáneo, -ea [momentáneo, -ea] *adj.* Momentané, ée.

momento [monénto] *m. 1* Moment, instant. *2* MEC. Moment. *3 loc. adv. A cada* —, à tout moment.

momia [mómja] *f.* Momie.

momificar [momifikár] *tr.* Momifier.

momio, -ia [mómjo, -ja] *adj.* Maigre (sans graisse).

mona [móna] *f. 1* Guenon (hembra del mono). *2* Magot (mono). *3* fig. fam. Cuite (borrachera). Loc. *Dormir la* —, cuver son vin. *4* Jeu *m.* de cartes.

monacal [monakál] *adj.* Monacal, ale.

monaguillo [monayíʎo] *m.* Enfant de chœur.

monarca [monárka] *m.* Monarque.

monarquía [monarkía] *f.* Monarchie.

monárquico, -ca [monárkiko, -ka] *adj. 1* Monarchique. ■ *2 adj.-s.* Monarchiste.

monasterio [monastérjo] *m.* Monastère.

monda [mónda] *f. 1* Émondage *m.* (de los árboles). *2* Épluchage *m.* (de frutas o verduras).

mondadientes [mondaðjéntes] *m. invar.* Cure-dent.

mondar [mondár] *tr. 1* Nettoyer (limpiar). *2* Émonder (árboles). *3* Nettoyer, curer (un río, un canal). *4* Éplucher, peler (frutas, verduras), écosser (guisantes).

moneda [monéða] *f. 1* Monnaie. Loc. —*imaginaria*, monnaie de compte. *2* Pièce de monnaie (pieza).

monedero [moneðéro] *m. 1* Monnayeur: — *falso*, faux-monnayeur. *2* Porte-monnaie *invar.*

monería [monería] *f.* Action, geste *m.* gracieux d'un enfant.

monetario, -ia [monetárjo, -ja] *adj. 1* Monétaire. ■ *2 m.* Collection *f.* de monnaies.

mongol, -la [moŋgól, -la] *adj.-s.* Mongol, ole.

monigote [moniɣóte] *m.* Pantin (muñeco), bonhomme (dibujo).

monitor [monitór] *m. 1* Moniteur. *2* MAR. Monitor.

monja [móŋxa] *f.* Religieuse, bonne sœur (fam.) nonne.

monje [móŋxe] *m.* Moine.

mono, -na [móno, -na] *adj. 1* Joli, ie, mignon, onne. ■ *2 m.* Singe (animal). *3* Salopette *f.*, bleu, combinaison *f.* (traje). *4 Estar de monos*, être fâché, ée, brouillé.

monocotiledóneas [monokotileðóneas] *f. pl.* BOT. Monocotylédones.

monóculo [monókulo] *m.* Monocle.

monofásico, -ca [monofásiko, -ka] *adj.* FÍS. Monophasé, ée.

monogamia [monoɣámja] *f.* Monogamie.

monografía [monoɣrafía] *f.* Monographie.

monolito [monolíto] *m.* Monolithe.

monólogo [monóloɣo] *m.* Monologue.

monomanía [monomanía] *f.* Monomanie.

monomio [monómjo] *m.* MAT. Monôme.

monopolio [monopóljo] *m.* Monopole.

monopolizar [monopoliθár] *tr.* Monopoliser.

monosabio [monosáβjo] *m.* TAUROM. Valet, aide.

monosílabo, -ba [monosilaβo, -βa] *adj. m.* Monosyllabe.

monótono, -na [monótono, -na] *adj.* Monotone.

monseñor [monseɲór] *m.* Monseigneur.

monstruo [mónstrwo] *m.* Monstre.

monstruoso, -sa [monstrwóso, -sa] *adj.* Monstrueux, euse.

monta [mónta] *f.* Montant *m.*, total *m.* (suma).

montacargas [montakáryas] *m. invar.* Monte-charge.

montaje [montáxe] *m.* Montage (de una máquina, de un filme).

montaña [montáɲa] *f.* Montagne.

montañoso, -sa [montaɲóso, -sa] *adj.* Montagneux, euse.

montar [montár] *intr. 1* Monter (encima de una cosa, sobre un vehículo, un animal): — *en bicicleta*, monter à bicyclette. *2* Monter (cabalgar). *3* fig. Avoir de l'importance, être important, ante. Loc. *Tanto monta*, c'est la même chose. *4* — *en cólera*, se mettre en colère. ■ *5 tr.* Monter (un negocio, etc.).

monte [mónte] *m. 1* Mont: *el Monte Blanco*, le Mont Blanc. *2* Montagne *f.* (montaña). *3* Bois (bosque): — *alto*, bois de haute futaie. *4* Jeu de cartes. *5* — *de piedad*, mont-de-piété.

montepío [montepío] *m.* Caisse *f.* de secours.

montés [montés] *adj.* Sauvage: *gato* —, chat sauvage.

montículo [montíkulo] *m.* Monticule.

montón [montón] *m.* Tas, monceau, amas.

montura [montúra] *f. 1* Monture. *2* Harnachement *m.* du cheval de selle (arreos).

monumental [monumentál] *adj.* Monumental, ale.

monumento [monuménto] *m.* Monument.

monzón [monθón] *m.-f.* Mousson *f.*

moño [móɲo] *m. 1* Chignon. *2* Nœud de rubans. *3* Houppe *f.*, huppe *f.* (de pájaro). ■ *4 pl.* Colifichets.

moquear [mokeár] *intr.* Avoir le nez qui coule.

moqueta [mokéta] *f.* Moquette.

mora [móra] *f. 1* Mauresque (mujer). *2* Mûre (fruto).

morada [moráða] *f. 1* Demeure. *2* Séjour *m.* (estancia).

morado, -da [moráðo, -ða] *adj.* Violet, ette.

morador, -ra [moraðór, -ra] *s.* Habitant, ante.

moral [morál] *adj. 1* Moral, ale. ■ *2 f.* Morale. *3* Moral *m.: levantar la* —, relever le moral. ■ *4 m.* Mûrier noir (árbol).

moraleja [moraléxa] *f.* Morale, moralité (de una fábula, etc.).

moralidad [moraliðáð] *f.* Moralité.

moralizar [moraliθár] *tr.-intr.* Moraliser.

moratorio, -ia [moratórjo, -ja] *adj. 1* Moratoire. ■ *2 f.* Moratoire *m.*, moratorium *m.*

mórbido, -da [mórβiðo, -ða] *adj.* Morbide.

morbosidad [morβosiðáð] *f.* Morbidité.

morboso, -sa [morβóso, -sa] *adj.* Morbide.

morcilla [morθíʎa] *f. 1* Boudin *m.* (embutido). *2* TEAT. Tradition (mots qu'un acteur ajoute à son rôle).

mordaza [morðáθa] *f.* Bâillon *m.*

mordedura [morðeðúra] *f.* Morsure.

morder [morðér] *tr.* Mordre: *un perro le ha mordido la mano*, un chien lui a mordu la main. ▲ CONJUG. comme *mover*.

mordisco [morðísko] *m.* Coup de dent, morsure *f.*

morena [moréna] *f. 1* Murène (pez). *2* Pain *m.* bis (pan). *3* GEOL. Moraine.

moreno, -na [moréno, -na] *adj.* Brun, brune.

moretón [moretón] *m.* Bleu (meurtrissure).

morfina [morfína] *f.* Morphine.

morfología [morfoloxía] *f.* Morphologie.

moribundo, -da [moriβúndo, -ða] *adj.-s.* Moribond, onde.

morir [morír] *intr. 1* Mourir: *murió en la guerra*, il est mort à la guerre. ■ *2 pr.* Mourir. Loc. fig. *Morirse de risa*, mourir de rire. *3 interj. ¡Muera!*, à mort! ▲ CONJUG. comme *dormir*. PART. PAS. irrég.: *muerto*.

morisco, -ca [morísko, -ka] *adj. 1* Mauresque, moresque. ■ *2 adj.-s.* Morisque, maure espagnol converti.

morisqueta [moriskéta] *f.* Tromperie (engaño), ruse (ardid).

mormón, -ona [mormón, -óna] *s.* REL. Mormon, one.

moro, -ra [móro, -ra] *adj.-s.* Maure, more, mauresque, moresque. Loc. fig. *Hay moros en la costa*, il faut prendre garde.

moroso, -sa [moróso, -sa] *adj. 1* Lent, lente, nonchalant, ante. *2* Retardataire, en retard (deudor).

morrillo [morríʎo] *m. 1* Gras du cou (de los bueyes, etc.). *2* fam. Grosse nuque *f.*

morriña [morríɲa] *f.* fig. Tristesse, cafard *m.* (tristeza), mal *m.* du pays (nostalgia).

morro [mórro] *m. 1* Extremité *f.* arrondie (de un objeto). *2* Mufle (hocico de un animal). *3* Grosses lèvres *f. pl.*, lippe *f.* (de persona). Loc. fig. *Estar de morros*, être fâché, ée, brouillé, ée, faire la tête. *4* Capot (de coche).

morrongo, -ga [morróngo, -ga] *s.* fam. Chat, chatte.

morrudo, -da [morrúðo, -ða] *adj. 1* À gros museau, à gros mufle. *2* Lippu, ue.

mortaja [mortáxa] *f. 1* Linceul *m.*, suaire *m.* *2* CARP. Mortaise.

mortal [mortál] *adj.-s. 1* Mortel, elle. ■ *2 adj.* fig. Certain, aine, concluant, ante: *signos mortales*, signes certains.

mortalidad [mortaliðáð] *f.* Mortalité.

mortero [mortéro] *m.* Mortier (almirez, pieza de artillería, bonete).

mortífero, -ra [mortífero, -ra] *adj.* Mortifère.

mortificación [mortifikaθjón] *f.* Mortification.

mortuorio, -ia [mortwórjo, -ja] *adj.* Mortuaire.

moruno, -na [morúno, -na] *adj.* Mauresque, moresque.

mosaico [mosáiko] *m.* Mosaïque *f.*

mosca [móska] *f. 1* Mouche. Loc. fig. — *muerta*, sainte nitouche. *2* fam. Fric *m.*, galette (dinero): *aflojar, soltar la —*, abouler le fric.

moscada [moskáða] *adj. Nuez —*, noix muscade.

moscardón [moskarðón] *m. 1* Œstre. *2* Frelon (abejón).

moscatel [moskatél] *adj.-m.* Muscat.

moscovita [moskoβíta] *adj.-s.* Moscovite.

mosqueado, -da [moskeáðo, -ða] *adj.* Moucheté, ée, tacheté, ée.

mosquear [moskeár] *tr.* Émoucher, chasser les mouches.

mosquetero [mosketéro] *m.* Mousquetaire.

mosquita [moskíta] *f.* Petite mouche. Loc. fig. *— muerta*, sainte nitouche.

mosquitero [moskitéro] *m.*, **mosquitera** [moskitéra] *f.* Moustiquaire *f.*

mosquito [moskíto] *m.* Moustique.

mostacilla [mostaθíλa] *f.* Cendrée, menuise, plomb *m.* de chasse.

mostaza [mostáθa] *f.* Moutarde.

mosto [mósto] *m.* Moût de vin.

mostrador, -ra [mostraðór, -ra] *adj.-s. 1* Qui montre. ■ *2 m.* Comptoir (en una tienda). *3* Cadran (de reloj).

mostrar [mostrár] *tr. 1* Montrer, faire voir. *2* Montrer (manifestar). ▲ CONJUG. comme *contar*.

mota [móta] *f. 1* Nœud *m.* (en el paño). *2* Brin *m.* de fil, duvet, etc., qui s'attache à un habit (de hilo, etc.), petite tache (mancha). *3* fig. Léger défaut *m.*

motín [motín] *m.* Mutinerie *f.* (de tropas). *2* Émeute *f.*

motivo [motíβo] *m. 1* Motif. *2 loc. prep. Con — de*, à l'occasion de.

motocicleta [motoθikléta] *f.* Motocyclette.

motor, -ra [motór, -ra] *adj.* Moteur, trice.

movedizo, -za [moβeðíθo, -θa] *adj.* Mouvant, ante: *arenas movedizas*, sables mouvants.

mover [moβér] *tr. 1* Mouvoir (accionar), remuer (menear), déplacer (desplazar). *2* Susciter, faire: *— alboroto*, faire du tapage. *3 — a*, pousser à (incitar), exciter, inspirer (un sentimiento, etc.): *— a compasión*, exciter la compassion. ▲ CONJUG. IRRÉG. INDIC. Prés.: *muevo, mueves, mueve, mueven.* SUBJ. Prés.: *mueva, muevas, mueva, muevan.* IMPÉR.: *mueve, mueva, muevan.* Les autres formes sont régulières.

móvil [móβil] *adj.-m.* Mobile.

movimiento [moβimjénto] *m.* Mouvement.

mozo, -za [móθo, -θa] *adj. 1* Jeune (persona). ■ *2 s.* Jeune homme, jeune fille: *un buen —*, un beau garçon. *3* Céliba-

taire (soltero). ■ *4 m.* Garçon (camarero), domestique (criado). Loc. *— de café*, garçon de café; *— de cordel, de cuerda*, porteur, portefaix.

mucosidad [mukosiðáð] *f.* Mucosité.

muchacho, -cha [mutʃátʃo, -tʃa] *s. 1* Garçon (niño), fillette, petite fille (niña); jeune homme, jeune fille (joven). ■ *2 f.* Bonne, domestique (criada).

muchedumbre [mutʃeðúmbre] *f.* Foule, multitude.

mucho, -cha [mútʃo, -tʃa] *adj.-pron.* Beaucoup de: *— viento*, beaucoup de vent. Loc. *— tiempo*, longtemps.

mucho [mútʃo] *adv. 1* Beaucoup, bien: *come —*, il mange beaucoup. *2 loc. adv. Ni con —*, tant s'en faut; *ni — menos*, pas le moins du monde, encore moins. *3 — será que*, il serait étonnant que.

muda [múða] *f. 1* Changement *m.*, déménagement *m.* (mudanza). *2* Mue (de la pluma, de la voz, etc.). *3* Linge *m.* de rechange (ropa): *tráigame una — limpia*, apportez-moi du linge propre.

mudar [muðár] *tr.* Changer. ▲ Parfois on l'emploie au réfléchi: *— casa, mudarse de casa*, changer de domicile.

mudéjar [muðéxar] *adj.-s.* Mudéjar.

mudo, -da [múðo, -ða] *adj.-s.* Muet, ette.

mueble [mwéβle] *adj. 1* Meuble (bien). ■ *2 m.* Meuble.

mueca [mwéka] *f.* Grimace, moue.

muela [mwéla] *f. 1* Meule (para moler). *2* Dent (diente): *— cordal, del juicio*, dent de sagesse. *3* Molaire (diente molar).

muelle [mwéλe] *adj. 1* Mou, molle, doux, douce (suave), mœlleux, euse (mullido). *2* fig. Voluptueux, euse. ■ *3 m.* Quai (de un puerto, una estación).

muerte [mwérte] *f. 1* Mort. Loc. *Herido de —*, blessé à mort. *2 loc. adv. Hasta la —*, pour toujours. *3* Meurtre *m.*, homicide *m.*

muerto, -ta [mwérto, -ta] *adj.-s.* Mort, morte. Loc. *Cal muerta*, chaux éteinte; *echar el — a uno*, mettre sur le dos de quelqu'un.

muesca [mwéska] *f.* Mortaise, entaille.

muestra [mwéstra] *f. 1* Enseigne (de una tienda). *2* Échantillon *m.* (de una mercancía, etc.). *3* Modèle (modelo). *4* Marque, signe (señal), preuve, témoignage *m.* (prueba): *— de cariño*, témoignage d'affection. *5* Cadran *m.* (de reloj).

muestrario [mwestrárjo] *m.* Échantillonnage.

mugido [muxíðo] *m.* Mugissement, beuglement.

mugir [muxír] *intr.* Mugir, beugler.

mugre [múɣre] *f.* Crasse, saleté.

mujer [muxér] *f.* Femme.

mujeriego, -ga [muxerjéɣo, -ɣa] *adj. 1* De la femme. *2 loc. adv. A mujeriegas,* en amazone. ■ *3 m.* Coureur de jupon.

mujerzuela [muxerθwéla] *f.* Femme de rien, bonne femme.

mula [múla] *f.* Mule.

muladar [mulaðár] *m.* Tas de fumier (estiércol), dépotoir (de basuras).

mulato, -ta [muláto, -ta] *adj.-m.* Mulâtre.

muleta [muléta] *f. 1* Béquille (para andar). *2* fig. Soutien *m.*, appui *m.* 3 TAUROM. Morceau d'étoffe écarlate dont les toreros se servent pour exciter le taureau, «muleta».

muletilla [muletíʎa] *f.* Petite béquille.

muletón [muletón] *m.* Molleton.

multar [multár] *tr.* Condamner à une amende.

múltiple [múltiple] *adj.* Multiple.

multiplicar [multiplikár] *tr. 1* Multiplier. ■ *2 pr.* Se multiplier.

múltiplo, -pla [múltiplo, -pla] *adj.-m.* Multiple.

multitud [multitúð] *f.* Multitude, foule.

mullir [muʎír] *tr. 1* Ameublir (la tierra). *2* Assouplir, battre (un colchón, la lana, etc.). ▲ CONJUG. IRRÉG. INDIC. Pas. simple: *mulló, mulleron.* SUBJ. Imparf.: *mullera, mulleras, mullera, mulléramos, mullerais, mulleran,* ou *mullese, mulleses,* etc. Fut.: *mullere, mulleres, mullere, mulléremos, mullereis, mulleren.* GÉR.: *mullendo.* Les autres formes sont régulières.

mundano, -na [mundáno, -na] *adj.* Mondain, aine.

mundial [mundjál] *adj.* Mondial, ale.

mundo [múndo] *m. 1* Monde. Loc. *El antiguo,* l'Ancien monde; *tener —,* avoir de l'expérience, connaître le monde. *2* Globe terrestre. *3* Malle *f.* (baúl).

munición [muniθjón] *f.* Munition.

municipal [muniθipál] *adj.* Municipal, ale.

municipio [muniθipjo] *m. 1* Commune *f.* (conjunto de vecinos). *2* Municipalité *f.* (ayuntamiento).

munificencia [munifiθénθja] *f.* Munificence.

muñeca [muɲéka] *f. 1* ANAT. Poignet *m.* 2 Poupée (juguete). *3* fig. Jeune fille frivole, poupée. *4* Tampon *m.* (de barnizador). *5* Nouet *m.* (para poner algo en infusión).

muñeco [muɲéko] *m.* Poupée *f.* (juguete).

muñeira [muɲéira] *f.* Danse de Galice.

mural [murál] *adj.* Mural, ale.

muralla [muráʎa] *f.* Muraille, rempart *m.*

murciélago [murθjélaɣo] *m.* Chauvesouris *f.*

murga [múrɣa] *f.* Bande de musiciens ambulants.

murmullo [murmúʎo] *m.* Murmure.

murmuración [murmuraθjón] *f.* Médisance.

murmurar [murmurár] *intr. 1* Murmurer. *2* fig. Médire: — *de alguien,* médire de quelqu'un.

muro [múro] *m.* Mur, muraille *f.*

mus [mus] *m.* Jeu de cartes.

musa [músa] *f.* Muse.

musaraña [musaráɲa] *f. 1* Musaraigne. *2* Bestiole (sabandija). ■ *3 pl.* Sorte de mouches volantes. Loc. fig. *Mirar a las musarañas,* bayer aux corneilles.

muscular [muskulár] *adj.* Musculaire.

músculo [múskulo] *m.* Muscle.

muselina [muselína] *f.* Mousseline.

museo [muséo] *m.* Musée, muséum.

musgo [músɣo] *m.* Mousse *f.*

música [músika] *f. 1* Musique. *2* fig. — *celestial,* vaines paroles. Loc. *Irse con la — a otra parte,* prendre ses cliques et ses claques.

musical [musikál] *adj.* Musical, ale.

músico, -ca [músiko, -ka] *adj. 1* Musical, ale. ■ *2 s.* Musicien, ienne.

musiquero [musikéro] *m.* Casier à musique.

musitar [musitár] *intr.* Marmonner.

muslo [múzlo] *m.* Cuisse *f.*

mustio, -ia [místjo, -ja] *adj. 1* Fané, ée, flétri, ie (plantas). *2* Triste, mélancolique.

musulmán, -ana [musulmán, -àna] *adj.-s.* Musulman, ane.

mutilado, -da [mutiláðo, -ða] *adj.-s.* Mutilé, ée.

mutilar [mutilár] *tr.* Mutiler.

mutis [mútis] *m.* Sortie (acción). Loc. *Hacer —,* sortir de scène, s'en aller; fig. se taire (callarse).

mutual [mutwál] *adj.-f.* Mutuel, elle.

mutuo, -ua [mútwo, -wa] *adj.* Mutuel, elle.

muy [mwi] *adv. 1* Très bien: — *bonito,* très joli; — *a menudo,* très, bien souvent. *2* Fort (más culto). *3 Muy señor mío,* Monsieur, cher monsieur (en las cartas).

muzárabe [muθáraβe] *adj.* Mozarabe.

N

n [éne] f. N m.

nabo [náβo] m. 1 Navet. 2 Noyau (de escalera).

nácar [nákar] m. Nacre f.

nacarado, -da [nakaráðo, -ða] adj. Nacré, ée, nacarat invar.

nacer [naθér] intr. 1 Naître: *nació en Burgos*, il est né à Burgos. 2 Se lever (un astro, el día). ▲ CONJUG. IRRÉG. INDIC. Prés.: *nazco*. SUBJ. Prés.: *nazca, nazcas, nazca, nazcamos, nazcan*. IMPÉR.: *nazca, nazcamos, nazcan*. Les autres formes sont régulières.

nacido, -da [naθíðo, -ða] adj. Né, ée. Loc. *Bien —*, bien né.

nacimiento [naθimjénto] m. 1 Naissance f. 2 Source f. (de un río). 3 Crèche f. (Belén).

nación [naθjón] f. Nation.

nacional [naθjonál] adj. National, ale.

nacionalidad [naθjonaliðáð] f. Nationalité.

nacionalizar [naθjonaliθár] tr. Nationaliser.

nada [náða] pron. indef. 1 Rien: *no quiero —, quiero*, je ne veux rien. 2 loc. conj. *— más que*, rien que; *— menos que*, rien moins que. ■ 3 adv. Pas du tout. loc. adv. *— más*, pas plus, seulement, plus rien; *— menos*, pas moins. 4 Peu, peu de temps: *en — estuvo que*, peu s'en fallut que. ■ 5 f. Rien m., néant m. (el no ser): *sacar de la —*, tirer du néant.

nadador, -ra [naðaðór, -ra] s. Nageur, euse.

nadar [naðár] intr. Nager.

nadie [náðje] pron. 1 Personne, nul: *— lo sabe*, personne ne le sait. ■ 2 m. Personne f. insignifiante, nullité f. Loc. *Un don —*, un rien du tout.

naftalina [naftalina] f. Naphtaline.

naipe [náĭpe] m. 1 Carte f. (à jouer). 2 Jeu de cartes (baraja).

nalga [nálɣa] f. Fesse.

nana [nána] f. 1 Berceuse (canción). 2 fam. Grand-mère.

naranja [naráŋxa] f. 1 Orange: *— agria*, bigarade, orange amère. 2 *Media —*, coupole, dôme (cúpula); fig. moitié (esposa).

naranjada [naraŋxáða] f. Orangeade.

naranjero, -ra [naraŋxéro, -ra] adj. Qui a rapport à l'orange.

naranjo [naráŋxo] m. Oranger.

narcótico, -ca [narkótiko, -ka] adj.-m. Narcotique.

narices [naríθes] f. pl. 1 v. **nariz**. 2 interj. Des clous! (para rehusar).

nariz [naríθ] f. 1 Nez m. Loc. *— aguileña*, nez aquilin. 2 Naseau m. (de los animales). ∄ Nez m., odorat m. (olfato). 4 Tuyau m. (del alambique). 5 Mentonnet m. (del picaporte). ■ 6 pl. Nez m. sing. Loc. *Dejar a uno con un palmo de narices*, décevoir quelqu'un.

narración [naraθjón] f. Narration, récit m.

narrador, -ra [naraðór, -ra] s. Narrateur, trice.

narrativa [naratiβa] f. Narration, récit m.

nasal [nasál] adj. Nasal, ale.

nata [náta] f. 1 Crème (de la leche). ■ 2 pl. Crème sing. (natillas).

natación [nataθjón] f. Natation.

natal [natál] adj. Natal, ale.

natalidad [nataliðáð] f. Natalité.

natillas [natiʎas] f. pl. Crème sing. (aux œufs).

nativo, -va [natiβo, -βa] adj.-s. Natif, ive.

natural [naturál] adj. 1 Naturel, elle. 2 Nature, naturel, elle (sencillo). 3 Natif, ive, originaire (de un país). ■ 4 m. Nature f., caractère. 5 loc. adv. *Del —*, d'après nature (pintar, esculpir): *al —*, au naturel. ■ 6 m. pl. Naturels (de un país).

naturaleza [naturaléθa] f. 1 Nature. 2 Nationalité (nacionalidad).

naturalidad [naturaliðàð] *f. 1* Naturel *m.* (sencillez). *2* Nationalité.

naufragar [naũfrayár] *intr.* Naufrager, faire naufrage.

naufragio [naũfráxjo] *m.* Naufrage.

náusea [nàŭsea] *f.* Nausée.

náutica [nàŭtika] *f.* Art *m.* nautique.

náutico, -ca [nàŭtiko, -ka] *adj.* Nautique.

navaja [naβáxa] *f. 1* Couteau *m.* pliant. *2 — de afeitar*, rasoir *m. 3* Couteau (molusco).

naval [naβál] *adj.* Naval, ale: *combates navales*, combats navals.

navarro, -rra [naβáŕo, -ŕa] *adj.-s.* Navarrais, aise.

nave [nàβe] *f. 1* Navire *m.*, vaisseau *m.* nef (barco). *2* ARQ. Nef.

navegación [naβeɣaθjón] *f.* Navigation.

navegar [naβeɣár] *intr.* Naviguer.

navideño, -ña [naβiðéɲo, -ɲa] *adj.* De Noël.

navío [naβío] *m.* Navire, vaisseau: *montar un —*, commander un vaisseau.

nazareno, -na [naθaréno, -na] *adj.-s. 1* Nazaréen, enne. *2* Pénitent en tunique violette.

neblina [neβlina] *f.* Brouillard *m.*

nebulosa [neβulósa] *f.* Nébuleuse.

necedad [neθeðàð] *f.* Sottise.

necesario, -ia [neθesárjo, -ja] *adj.* Nécessaire: *hacer —*, rendre nécessaire.

neceser [neθesér] *m.* Nécessaire (à ouvrage, etc.): *— de tocador*, nécessaire de toilette.

necesidad [neθesiðàð] *f. 1* Nécessité: *hacer de la — virtud*, faire de la nécessité vertu. *2* Besoin *m.: tener — de*, avoir besoin de. ■ *3 pl.* Nécessités, besoins *m.* naturels.

necesitado, -da [neθesitàðo, -ða] *adj.-s.* Nécessiteux, euse.

necesitar [neθesitár] *tr. 1* Nécessiter. *2* Avoir besoin de, falloir: *necesitamos una silla*, il nous faut une chaise.

necio, -ia [néθjo, -θja] *adj.-s.* Sot, sotte, ignorant, ante.

necrología [nekroloxía] *f.* Nécrologie.

necrópolis [nekrópolis] *f.* Nécropole.

néctar [néɣtar] *m.* Nectar.

nefasto, -ta [nefásto, -ta] *adj.* Néfaste.

negación [neɣaθjón] *f.* Négation.

negar [neɣár] *tr. 1* Nier (la existencia o la verdad de algo). *2* Renier (decir que no se conoce). *3* Désavouer (no reconocer como propio). *4* Refuser (rehusar), dénier (no otorgar). *5* Prohiber, interdire. ■ *6 pr.* Se refuser, refuser: *se niega a ayudarme*, il se refuse à m'aider. ▲ CONJUG. comme *acertar*.

negativo, -va [neɣatiβo, -βa] *adj. 1* Négatif, ive. ■ *2 m.* FOT. Négatif.

negligencia [neɣlixénθja] *f.* Négligence.

negociante [neɣoθjánte] *m.* Négociant.

negociar [neɣoθjár] *intr.-tr.* Négocier. ▲ CONJUG. comme *cambiar*.

negocio [neɣóθjo] *m. 1* Négoce (comercio). *2* Affaire *f.: buen, mal —*, bonne, mauvaise affaire.

negrito, -ta [neɣríto, -ta] *s.* Négrillon, onne.

negro, -gra [néɣro, -ɣra] *adj. 1* Noir, noire: *alma negra*, âme noire. *2* fig. Sombre, triste. Loc. *Verse — para salir de apuro*, être en grande difficulté pour se tirer d'affaire. ■ *3 m.* Noir (color): — *animal*, noir animal. ■ *4 s.* Noir, noire, nègre, négresse (persona). ■ *5* MÚS. Noire.

negrura [neɣrúra] *f.* Noirceur.

nemeo, -ea [neméo, -ea] *adj.* Néméen, enne.

nemoroso, -sa [nemoróso, -sa] *adj.* poét. Des bois, relatif, ive aux bois.

nene, -na [néne, -na] *s. 1* fam. Bébé. *2* fam. Mon petit, ma petite (apelativo cariñoso).

neófito, -ta [neófito, -ta] *s.* Néophyte.

neolatino, -na [neolatino, -na] *adj.* Néolatin, ine.

neolítico, -ca [neolítiko, -ka] *adj.-m.* Néolithique.

neologismo [neoloxizmo] *m.* Néologisme.

neón [neón] *m.* Néon: *letrero de —*, enseigne au néon.

neoyorquino, -na [neojorkino, -na] *adj.-s.* New-yorkais, aise.

nepotismo [nepotízmo] *m.* Népotisme.

nereida [neréiða] *f.* MIT. Néréide.

nervadura [nerβaðúra] *f. 1* ARQ. Nervure, nerf *m. 2* BOT. Nervation.

nervio [nèrβjo] *m. 1* Nerf. Loc. *— de buey*, nerf de bœuf. *2* BOT., ARQ. Nervure *f.*

nerviosidad [nerβjosiðàð] *f. 1* Nervosité. *2* Énervement *m.* (irritación, impaciencia).

nervioso, -sa [nerβjóso, -sa] *adj. 1* Nerveux, euse. *2* Énervé, ée (irritado). Loc. *Poner —*, énerver.

nesga [nèzɣa] *f.* Chanteau *m.*, pièce triangulaire.

neto, -ta [nèto, -ta] *adj. 1* Net, nette (limpio, puro). *2* Net, nette (beneficio, peso, etc.). ■ *3 m.* ARQ. Piédestal.

neumático, -ca [neŭmátiko, -ka] *adj.* Pneumatique.

neuralgia [neŭrálxja] *f.* Névralgie.

neurastenia [neŭrasténja] *f.* Neurasthénie.

neurólogo [neŭróloɣo] *m.* Neurologue.

neurona [neŭróna] *f.* ANAT. Neurone *m.*

neurópteros [neŭróβteros] *m. pl.* Névroptères.

neurosis [neŭrósis] *f.* MED. Névrose.

neurótico, -ca [neŭrótiko, -ka] *adj. 1* Névrotique. *2 adj.-s.* Névrosé, ée (persona).

neutral [neŭtrál] *adj.* Neutre.

neutralidad [neŭtraliðáð] *f.* Neutralité.

neutralizar [neŭtraliθár] *tr.* Neutraliser.

neutro, -tra [neŭtro, -tra] *adj.* Neutre.

nevada [neβáða] *f.* Chute de neige.

nevado, -da [neβáðo, -ða] *adj.* Neigeux, euse, couvert, erte de neige, enneigé, ée.

nevar [neβár] *impers.* Neiger. ▲ CONJUG. comme **acertar.**

nevera [neβéra] *f. 1* Glacière. *2 — eléctrica,* réfrigérateur *m.*

nevisca [neβíska] *f.* Chute légère de neige.

nexo [né(ɣ)so] *m.* Nœud, lien, trait d'union.

ni [ni] *conj.* Ni.

nicotina [nikotína] *f.* Nicotine.

nicho [nítʃo] *m.* Niche *f.* (dans un mur).

nidal [niðál] *m. 1* Pondoir. *2* Nichet (huevo).

nido [níðo] *m. 1* Nid. *2* fig. Repaire.

niebla [njéβla] *f. 1* Brouillard *m.*, brume. *2* AGR. Nielle (enfermedad).

nieto, -ta [njéto, -ta] *s. 1* Petit-fils, petite-fille. ■ *2 pl.* Petits-enfants.

nieve [njéβe] *f.* Neige.

nilón [nilón] *m.* Nylon.

nimbo [nímbo] *m.* Nimbe.

nimiedad [nimjeðáð] *f.* Minutie méticuleuse.

ninfa [nímfa] *f.* Nymphe.

ningún [niŋgún], **ninguno, -na** [niŋgúno, -na] *adj. 1* Aucun, une, nul, nulle. ▲ Devant un nom masculin on emploie *ningún: — hombre,* aucun homme. ■ *2* Personne, nul, nulle (nadie): *no ha venido ninguno,* personne n'est venu.

niña [níɲa] *f. 1* Petite fille, fillette. *2* Pupille, prunelle (del ojo).

niñera [niɲéra] *f.* Bonne d'enfant.

niñez [niɲéθ] *f.* Enfance.

niño, -ña [níɲo, -ɲa] *adj.-s. 1* Enfant (que se halla en la niñez, sin experiencia), jeune (que tiene pocos años): *los niños,* les enfants. Loc. *— de teta,* nourrisson. *2 loc. adv. De —,* dès l'enfance. ■ *3 m.* Garçon, garçonnet. Loc. *Niño Jesús,* Enfant Jésus. ■ *4 f.* Petite fille, fillette.

níquel [níkel] *m.* Nickel.

níspero [níspero] *m. 1* Néflier. *2* Nèfle *f.* (fruto).

nitidez [nitiðéθ] *f.* Netteté, limpidité.

nítido, -da [nítiðo, -ða] *adj.* Net, nette, limpide.

nitrato [nitráto] *m.* QUÍM. Nitrate.

nitrógeno [nitróxeno] *m.* Azote, nitrogène.

nivel [niβél] *m.* Niveau: *paso a —,* passage à niveau.

nivelación [niβelaθjón] *f.* Nivellement *m.*

nivelar [niβelár] *tr.* Niveler.

nivoso, -sa [niβóso, -sa] *adj. 1* Neigeux, euse, de neige. ■ *2 m.* Nivôse.

no [no] *adv.* Non (en respuestas); ne... pas, ne... point, ne pas (delante de un verbo); ne (con otra negación); pas (en frases sin verbo): *—, señor,* non, monsieur; *— duerme,* il ne dort pas. Loc. *— bien,* aussitôt que; *— menos,* pas moins; *— ya,* non seulement (solamente).

nobiliario, -ia [noβiljárjo, -ja] *adj.-m.* Nobiliaire.

noble [nóβle] *adj.-s.* Noble.

nobleza [noβléθa] *f.* Noblesse.

noción [noθjón] *f.* Notion.

nocivo, -va [noθíβo, -βa] *adj.* Nocif, ive, nuisible (perjudicial).

noctámbulo, -la [noɣtámbulo, -la] *adj.-s.* Noctambule.

nocturno, -na [noɣtúrno, -na] *adj.* Nocturne.

noche [nótʃe] *f. 1* Nuit. Loc. *— toledana,* nuit blanche; *buenas noches,* bonne nuit (saludo al irse a acostar). *2* Soir *m.* (principio de la noche); *las diez de la —,* dix heures du soir. Loc. *Buenas noches,* bonsoir (saludo). *3 loc. adv. De —,* de nuit, la nuit; *de la — a la mañana,* du jour au lendemain.

nochebuena [notʃeβwéna] *f.* Nuit de Noël.

nodriza [noðríθa] *f.* Nourrice.

nogal [noɣál] *m.* Noyer (árbol).

nómada [nómaða] *adj.-s.* Nomade.

nombrado, -da [nombráðo, -ða] *adj.* Fameux, euse, renommé, ée (célebre).

nombrar [nombrár] *tr.* Nommer.

nombre [nómbre] *m. 1* Nom. Loc. *Llamar las cosas por su —,* appeler les choses par leur nom. *2* Nom, renom, réputation *f.: hacerse un —,* se faire un nom. *3* Surnom. Loc. *Mal —,* sobriquet.

nomenclatura [nomeŋklatúra] *f.* Nomenclature.

nomeolvides [nomeolβíðes] *f.* Myosotis *m.*, ne-m'oubliez pas *m. invar.*

nómina [nómina] *f. 1* Liste de noms. *2* État *m.* del personnel (en una oficina, etc.). *3* Feuille de paye.

non [non] *adj. 1* Impair, aire. ■ *2 m.* Nombre impair: *pares o nones,* pair ou impair.

nordeste [norðéste] *m.* Nord-est.

nórdico, -ca [nórðiko, -ka] *adj.-m.* Nordique.

noria [nórja] *f.* Noria.

norma [nórma] *f. 1* Norme, règle de conduite. *2* Règle, équerre.

normal [normál] *adj.* Normal, ale.

normalidad [normaliðáð] *f.* État *m.* normal.

noroeste [noroéste] *m.* Nord-ouest.

norte [nórte] *m.* Nord.

norteamericano, -na [norteamerikáno, -na] *adj.-s.* Nord-américain, aine, américain, caine du Nord.

norteño, -ña [nortéɲo, -ɲa] *adj.* Du Nord d'un pays.

nos [nos] *pron. pers.* Nous (complemento sin preposición): — *habla,* il nous parle.

nosotros, -tras [nosótros, -tras] *pron. pers.* Nous. ★PERSONNEL.

nostalgia [nostálxja] *f.* Nostalgie.

nota [nóta] *f. 1* Note. *2* MÚS. Note. *3* Mention (en un examen). *4* Réputation. Loc. *De* —, de marque (persona); *de mala* —, mal famé, ée. *5* Remarque (observation).

notable [notáβle] *adj. 1* Notable, remarquable. ∎ *2 m.* Bien (en exámenes). ∎ *3 pl.* Notables (persona).

notaría [notaría] *f. 1* Notariat *m.* (empleo). *2* Étude de notaire (oficina).

notario [notárjo] *m.* Notaire.

noticia [notiθja] *f. 1* Nouvelle (comunicación). Loc. — *bomba,* nouvelle sensationnelle. *2* Notice. *3* Connaissance.

noticiero [notiθjéro] *m.* Reporter, journaliste.

notificar [notifikár] *tr.* Notifier, signifier, faire savoir.

notorio, -ia [notórjo, -ja] *adj.* Notoire.

novato, -ta [noβáto, -ta] *adj.-s.* Novice, nouveau, elle.

novecientos, -tas [noβeθjéntos, -tas] *adj.-m.* Neuf-cents.

novedad [noβeðáð] *f. 1* Nouveauté. *2* Du nouveau *m.,* changement *m.* (cambio): *hay* —, il y a du nouveau. Loc. *Sin* —, rien de nouveau, sans changement, rien à signaler (no ha ocurrido nada). *3* Étonnement *m.,* surprise: *causar* —, étonner. *4* Nouvelle récente (noticia).

novel [noβél] *adj.* Novice, débutant.

novela [noβéla] *f. 1* Roman *m.* 2 — *corta,* nouvelle.

novelista [noβelísta] *s.* Romancier, ière.

noveno, -na [noβéno, -na] *adj.-s.* Neuvième.

noventa [noβénta] *adj.-m.* Quatre vingt-dix.

novia [nóβja] *f. 1* Fiancée (prometida). *2* Jeune mariée (recién casada).

noviazgo [noβjáθɣo] *m.* Fiançailles *f. pl.*

novicio, -ia [noβíθio, -ia] *adj.-s.* Novice.

noviembre [noβjémbre] *m.* Novembre.

novillada [noβiʎáða] *f.* TAUROM. Course de taurillons.

novillo [noβíʎo] *m. 1* Taurillon. ∎ *2 pl. Hacer novillos,* faire l'école buissonnière.

novio [nóβjo] *m.* Fiancé (prometido).

nube [núβe] *f. 1* Nuage *m.* Loc. fig. — *de verano,* brouille, chagrin passager; *estar en las nubes,* être dans les nuages. *2* Nuée (multitud). *3* Taie (en el ojo). *4* Sorte de châle *m.* en mailles.

nublado, -da [nuβláðo, -ða] *adj. 1* Nuageux, euse, couvert, erte (cielo). ∎ *2 m.* Nuée *f.,* nuage. *3* fig. Trouble, situation *f.* menaçante.

nuca [núka] *f.* Nuque.

nuclear [nukleár], **nucleario, -ia** [nukleárjo, -ja] *adj.* Nucléaire.

núcleo [núkleo] *m. 1* Noyau. *2* BIOL. Nucléus.

nudo [núðo] *m.* Nœud (lazo).

nuera [nwéra] *f.* Bru, belle-fille.

nuestro, -tra [nwéstro, -tra], **nuestros, -tras** [nwéstros, -tras] *adj. pos. 1* Notre, nos; à nous: — *padre,* notre père. ∎ *2 pron. pos.* Nôtre, nôtres.

nueva [nwéβa] *f.* Nouvelle. Loc. *Coger de nuevas,* surprendre, étonner.

nuevo, -va [nwéβo, -βa] *adj. 1* Neuf, neuve (recién hecho o fabricado, no o poco gastado), nouveau, nouvel, nouvelle (reciente): *un vestido* —, un habit neuf. *2 loc. adv. De* —, de nouveau, à nouveau.

nuez [nweθ] *f. 1* Noix: *nueces,* des noix. *2* ANAT. Pomme d'Adam.

nulo, -la [núlo, -la] *adj.* Nul, nulle.

numeración [numeraθjón] *f. 1* Numération. *2* Numérotage *m.* (acción).

numerar [numerár] *tr. 1* Dénombrer, nombrer. *2* Numéroter (poner un número).

numérico, -ca [numériko, -ka] *adj.* Numérique.

número [número] *m. 1* Nombre (cantidad). *2* Número (en una serie). *3* MAT. Chiffre: *números arábigos,* chiffres arabes.

numeroso, -sa [numeróso, -sa] *adj.* Nombreux, euse.

numismático, -ca [numizmátiko, -ka] *adj. 1* Numismatique. ∎ *2 m.* Numismate.

nunca [núŋka] *adv.* Jamais: *no la he visto* —, je ne l'ai jamais vue.

nunciatura [nunθjatúra] *f.* Nonciature.
nuncio [núnθjo] *m. 1* Nonce. *2* Envoyé, messager. *3* Signe, présage (señal).
nupcial [nuββjál] *adj.* Nuptial, ale.
nupcias [núββjas] *f. pl.* Noces. Loc. *Hijos de primeras, de segundas —,* enfants du premier, du second lit.

nutria [nútrja] *f.* Loutre.
nutrición [nutriθjón] *f.* Nutrition.
nutrido, -da [nutriðo, -ða] *adj.* Nourri, ie.
nutrir [nutrir] *tr. 1* Nourrir. *2* fig. Nourrir. ■ *3 pr.* Se nourrir.
nutritivo, -va [nutritiβo, -βa] *adj.* Nutritif, ive, nourrisant, ante.

Ñ

ñ [éɲe] *f.* Ñ *m.* Dix-septième lettre de l'alphabet espagnol. Elle a le son du *gn* français dans *espagnol*.

ñandú [ɲandú] *m.* Nandou.

ñoñería [ɲoɲeria], **ñoñez** [ɲoɲéθ] *f.* Niai-serie.

ñoño, -ña [ɲóɲo, -ɲa] *adj.* *1* Niais, niaise, geignard, arde, gnangnan (quejumbroso). *2* Insipide, fade, mièvre (soso), banal, ale.

o

o [o] *f*. O *m*.

oasis [oásis] *m*. Oasis *f*.

obcecar [oββekár] *tr*. *1* Aveugler. ■ *2 pr*. Être aveuglé, ée.

obedecer [oββeðeθér] *tr*. *1* Obéir à. ■ *2 intr*. Obéir. ▲ CONJUG. comme *agradecer*.

obediencia [oββeðjénθja] *f*. Obéissance.

obediente [oββeðjénte] *adj*. Obéissant, ante.

obesidad [oββesiðáð] *f*. Obésité.

obeso, -sa [oββéso, -sa] *adj*. Obèse.

óbice [óββiθe] *m*. Obstacle, empêchement.

obispado [oββispáðo] *m*. Évêché.

obispillo [oββispíʎo] *m*. *1* Sorte de boudin. *2* Croupion, sot-l'y-laisse (de las aves).

obispo [oββispo] *m*. Évêque.

objeción [oββxeθjón] *f*. Objection.

objetivo, -va [oββxetiβo, -βa] *adj.-m*. Objectif, ive.

objeto [oββxéto] *m*. *1* Objet. *2 loc. adv. Con — de*, afin de, pour, en vue de.

oblea [oββléa] *f*. Pain *m*. à cacheter.

oblicuo, -ua [oββlikwo, -wa] *adj*. Oblique.

obligación [oββliɣaθjón] *f*. Obligation.

obligar [oββliɣár] *tr*. *1* Obliger. ■ *2 pr*. S'obliger, s'engager.

obligatorio, -ia [oββliɣatórjo, -ja] *adj*. Obligatoire.

obra [óββra] *f*. *1* Œuvre (labor). *2* Œuvre (producción artística, etc.). *3* Ouvrage *m*. (libro), pièce (de teatro). *4* Œuvre (en sentido moral). *5* CONSTR. Chantier *m*. (edificio en construcción), construction (edificio). ■ *6 loc. adv. Por — de*, par l'action de. *7 pl*. Travaux *m*.: *obras públicas*, travaux publics.

obrar [oββrár] *intr*. *1* Agir. *2* Se trouver, être: *el expediente obra en poder del juez*, le dossier se trouve entre les mains du juge. *3* Aller à la selle (exonerar el vientre). *4 tr*. Bâtir, construire.

obrero, -ra [oββréro, -ra] *adj.-s*. *1* Ouvrier, ière. ■ *2 m*. Fabricien, fabricier (de una parroquia).

obscurecer [oskureθér] *tr*. *1* Obscurcir, assombrir. ■ *2 intr*. Commencer à faire nuit. ■ *3 pr*. S'obscurcir, s'assombrir. ▲ CONJUG. comme *agradecer*.

obscuridad [oskuriðáð] *f*. Obscurité.

obscuro, -ra [oskúro, -ra] *adj*. *1* Obscur, ure. *2* Sombre, foncé, ée (color). *3 loc. adv. A obscuras*, dans l'obscurité; fig. dans l'ignorance.

obsequiar [oββsejár] *tr*. *1* Combler de prévenances (agasajar). *2* Courtiser (a una mujer).

obsequio [oββsékjo] *m*. *1* Cadeau (regalo). *2* Prévenance *f*., attention *f*. (afabilidad).

observación [oββserβaθjón] *f*. Observation.

observar [oββserβár] *tr*. Observer.

observatorio [oββserβatórjo] *m*. Observatoire.

obsesión [oββsesjón] *f*. Obsession.

obstáculo [oββstákulo] *m*. Obstacle.

obstante (no) [oββstánte] *adv*. Cependant, néanmoins, nonobstant (sin embargo).

obstinación [oββstinaθjón] *f*. Obstination.

obstruir [oββstrwir] *tr*. *1* Obstruer. *2* fig. Entraver, contrarier. ▲ CONJUG. comme *huir*.

obtener [oββtenér] *tr*. Obtenir: *ha obtenido un premio*, il a obtenu un prix. ▲ CONJUG. comme *tener*.

obturación [oββturaθjón] *f*. Obturation.

obturar [oββturár] *tr*. Obturer.

obtuso, -sa [oββtúso, -sa] *adj*. Obtus, use.

obvio, -ia [óββjo, -ja] *adj*. Évident, ente.

oc (lengua de) [ók] *f*. Langue d'oc.

oca [óka] *f*. *1* Oie (ave). *2 Juego de la —*, jeu de l'oie.

ocasión [okasjón] *f*. Occasion: *de —*, d'occasion.

ocasionar [okasjonár] *tr*. Occasionner, causer.

ocaso [okáso] *m*. *1* Coucher (de un astro).

2 Ouest, couchant (punto cardinal). *3 fig.* Décadence *f.*, crépuscule.

occidental [oɣθiðentál] *adj.* Occidental, ale.

occidente [oɣθiðénte] *m.* Occident.

océano [oθéano] *m.* Océan.

ocio [óθjo] *m.* Désœuvrement, inaction *f.*

ocioso, -sa [oθjóso, -sa] *adj.-s. 1* Oisif, ive. ■ *2 adj.* Inutile, oiseux, euse (palabras, etc.).

oclusión [oklusjón] *f.* Occlusion.

ocre [ókre] *adj. 1* Ocre. ■ *2 m.* Ocre *f.*

octagonal [oɣtaɣonál] *adj.* GEOM. Octogonal, ale.

octava [oɣtáβa] *f. 1* Octave. *2* LIT. Huitain *m.*

octavilla [oɣtaβiʎa] *f. 1* Huitain *m.* de vers octosyllabes. *2* Huitième *m.* d'une feuille de papier.

octavo, -va [oɣtáβo, -βa] *adj.-s. 1* Huitième. *2 loc. adv. En —,* in-octavo.

octubre [oɣtúβre] *m.* Octobre.

ocular [okulár] *adj.-m.* Oculaire.

oculista [okulísta] *s.* Oculiste.

ocultar [okultár] *tr. 1* Cacher, dissimuler. ■ *2 pr.* Se cacher.

ocultismo [okultízmo] *m.* Occultisme.

oculto, -ta [okúlto, -ta] *m. 1* Caché, ée (escondido). *2* Occulte (secreto).

ocupación [okupaθjón] *f.* Occupation.

ocupar [okupár] *tr. 1* Occuper. ■ *2 pr.* S'occuper.

ocurrencia [okuřénθja] *f. 1* Occasion, circonstance. *2* Saillie, trait *m.* d'esprit (dicho agudo). *3* Idée.

ocurrir [okuřír] *intr. 1* Arriver, se passer, se produire: *¿qué ocurre?,* que se passet-il? ■ *2 pr.* Venir à l'idée, venir à l'esprit: *se le ocurrió escribir al propio director,* il lui est venu à l'idée d'écrire au directeur lui-même.

ochenta [otʃénta] *adj.-m.* Quatrevingt(s).

ocho [ótʃo] *adj.-m.* Huit: *son las —,* il est huit heures.

ochocientos, -tas [otʃoθjéntos, -tas] *adj.* Huit cents.

odiar [oðjár] *tr.* Haïr, détester.

odio [óðjo] *m.* Haine *f.*

odisea [oðiséa] *f.* Odyssée.

oeste [oéste] *m.* Ouest.

ofender [ofendér] *tr. 1* Offenser. ■ *2 pr.* S'offenser.

ofensa [ofénsa] *f.* Offense.

ofensivo, -va [ofensiβo, -βa] *adj. 1* Offensif, ive (arma, etc.). *2* Offensant, ante (injurioso). ■ *3 f.* Offensive.

ofensor, -ra [ofensór, -ra] *adj.-s.* Offenseur, euse.

oferta [oférta] *f. 1* Offre. *2* Promesse.

oficial [ofiθjál] *adj. 1* Officiel, elle. ■ *2 m.* Compagnon, ouvrier: *— de sastre,* ouvrier tailleur. *3* Employé de bureau (oficinista). *4* MIL. Officier.

oficialidad [ofiθjaliðáð] *f. 1* MIL. Cadres *m. pl.*, officiers *m. pl. 2* Caràctere *m.* officiel (de una cosa).

oficiar [ofiθjár] *intr. 1* Officier. *2 — de,* agir en qualité de. ■ *3* LITURG. Célébrer: *— una misa,* célébrer une messe.

oficina [ofiθina] *f. 1* Bureau *m.* (despacho). *2* Officine (de farmacia).

oficio [ofiθjo] *m. 1* Métier, profession *f.: no hay — malo,* il n'est point de sot métier. *2* Office (función, papel). *3* Office: *buenos oficios,* bons offices. *4 El Santo Oficio,* Le Saint-Office. *5* Office (antecocina).

oficioso, -sa [ofiθjóso, -sa] *adj.* Officieux, euse (no oficial).

ofrecer [ofreθér] *tr. 1* Offrir. *2 fig.* Offrir, présenter: *— sus respetos,* présenter ses hommages. ■ *3 pr.* Venir à l'esprit. ▲ CONJUG. comme *agradecer.*

ofrecimiento [ofreθimjénto] *m.* Offre *f.*

ofuscar [ofuskár] *tr.* Offusquer, aveugler, éblouir (turbar la vista).

ogro [óɣro] *m.* Ogre.

¡oh! [o] *interj.* Oh!

oídas (de) [oiðas] *loc. adv.* Par ouï-dire.

oído [oíðo] *m. 1* Ouïe *f.*, oreille *f.* (sentido), oreille *f.* (órgano). Loc. *Duro de —,* dur d'oreille. *2* Lumière *f.* (de arma). *3 loc. adv. Al —,* à l'oreille; *de —,* d'oreille.

oír [oir] *tr.* Entendre (percibir los sonidos), écouter (escuchar, atender). ▲ CONJUG. IRRÉG. INDIC. Prés.: *oigo, oyes, oye, oímos, oís, oyen.* Imparf.: *oía, oías,* etc. Pas. simple: *oí, oíste, oyó, oímos, oísteis, oyeron.* Fut.: *oiré, oirás,* etc. COND.: *oiría, oirías,* etc. SUBJ. Prés.: *oiga, oigas, oiga, oigamos, oigáis, oigan.* Imparf.: *oyera, oyeras,* etc. ou *oyese, oyeses,* etc. Fut.: *oyere, oyeres,* etc. IMPÉR.: *oye, oiga, oigamos, oíd, oigan.* PART. PAS.: *oído.* GÉR.: *oyendo.*

ojal [oxál] *m. 1* Boutonnière *f. 2* Trou (agujero).

¡ojalá! [oxalá] *interj.* Plaise à Dieu.

ojear [oxeár] *tr. 1* Regarder, examiner. *2* Rabattre (la caza).

ojera [oxéra] *f.* Cerne *m.* (de los ojos).

ojival [oxiβál] *adj.* Ogival, ale.

ojo [óxo] *m. 1* Œil, elle. Loc. *Ojos saltones,* yeux à fleur de tête; *llenar el —,* plaire: *¡mucho —!,* gare!, attention! ■ *2* Œil chas (de una aguja). *3* Trou (de la cerradura). *4* Anneau (de llave). *5* Arche *f.*

(de un puente). 6 — *de gallo, de pollo,* œil-de-perdrix (callo).

ola [óla] *f. 1* Vague, lame. *2* fig. Vague (de calor, etc.).

¡ole! [óle] *interj.* Bravo!

oleada [oleáða] *f. 1* Grande vague. *2* Paquet *m.* de mer.

oleaginoso, -sa [oleaxinóso, -sa] *adj.* Oléagineux, euse.

oleaje [oleáxe] *m.* Houle *f.*

óleo [óleo] *m.* Huile *f.: pintura al —,* peinture à l'huile; *los santos óleos,* les saintes huiles.

oler [olér] *tr. 1* Sentir. *2* fig. Flairer. ■ *3 intr.* Sentir: — *a rosa,* sentir la rose. ■ *4 pr.* Pressentir. ▲ CONJUG. comme *mover,* il prend un *h* devant la diphtongue *ue.*

olfato [olfáto] *m.* Odorat, flair.

oliente [oljénte] *adj.* Qui sent: *bien —,* qui sent bon; *mal —,* qui sent mauvais.

oligarquía [oliɣarkía] *f.* Oligarchie.

olimpíada [olimpíaða] *f.* Olympiade.

olímpico, -ca [olímpiko, -ka] *adj. 1* Olympien, ienne (del Olimpo). *2* Olympique: *juegos olímpicos,* jeux olympiques.

oliva [olíβa] *f.* Olive.

olivar [oliβár] *m.* Olivaie *f.,* oliveraie *f.*

olivo [olíβo] *m.* Olivier.

olmo [ólmo] *m.* Orme.

olor [olór] *m.* Odeur.

oloroso, -sa [oloróso, -sa] *adj.* Odorant, ante.

olvidadizo, -za [olβiðaðíθo, -θa] *adj.* Oublieux, euse.

olvidado, -da [olβiðáðo, -ða] *adj. 1* Oublié, ée. *2* Oublieux, euse (olvidadizo).

olvidar [olβiðár] *tr.* Oublier.

olvido [olβíðo] *m.* Oubli.

olla [óʎa] *f. 1* Marmite, pot *m.* (vasija). *2 — a presión,* autocuiseur *m. 3* Pot-au-feu *m. invar.* (guiso). *4 — podrida,* pot-pourri *m.*

ombligo [omblíɣo] *m.* Nombril, ombilic.

omiso, -sa [omíso, -sa] *adj.* Omis, ise. Loc. *Hacer caso — de,* ne pas faire cas de, faire peu cas de.

omitir [omitír] *tr.* Omettre. ▲ PART. PAS. rég.: *omitido, da;* irrég.: *omiso, sa.*

omnipotencia [omnipoténθja] *f.* Omnipotence.

omóplato [omóplato], **omoplato** [omopláto] *m.* Omoplate *f.*

once [ónθe] *adj.-m.* Onze.

onda [ónda] *f. 1* Onde. Loc. — *corta, larga,* ondes courtes, grandes ondes. *2* Ondulation (del pelo).

ondeante [ondeánte] *adj.* Ondoyant, ante, ondulant, ante.

ondear [ondeár] *intr.* Ondoyer, onduler.

ondulación [ondulaθjón] *f.* Ondulation.

ondulante [ondulánte] *adj.* Ondulant, ante.

oneroso, -sa [oneróso, -sa] *adj.* Onéreux, euse.

onomástico, -ca [onomástiko, -ka] *adj. 1* Onomastique. ■ *2 f.* Fête (de una persona).

onomatopeya [onomatopéʝa] *f.* Onomatopée.

onza [ónθa] *f. 1* Once (peso). *2* Once (mamífero). *3 — de oro,* monnaie d'or espagnole.

opaco, -ca [opáko, -ka] *adj.* Opaque.

opalino, -na [opalíno, -na] *adj.* Opalin, ine.

ópalo [ópalo] *m.* Opale *f.*

opción [opθjón] *f.* Option, choix *m.*

ópera [ópera] *f. 1* Opéra *m. 2 — cómica,* opéra-comique.

operación [operaθjón] *f.* Opération.

operar [operár] *tr. 1* Opérer. ■ *2 pr.* CIR. Se faire opérer.

operario, -ia [operárjo, -ja] *s.* Ouvrier, ière.

opinar [opinár] *intr.* Penser, être d'avis.

opinión [opinjón] *f.* Opinion.

opio [ópjo] *m.* Opium.

oponer [oponér] *tr. 1* Opposer. ■ *2 pr.* S'opposer. ▲ CONJUG. comme *poner.*

oportunidad [oportuniðáð] *f.* Opportunité (calidad de oportuno).

oportunismo [oportunízmo] *m.* Opportunisme.

oportuno, -na [oportúno, -na] *adj.* Opportun, une.

oposición [oposiθjón] *f. 1* Opposition. *2* Concours *m.: oposiciones a un cargo,* concours en vue d'obtenir un poste.

opresión [opresjón] *f.* Oppression.

oprimir [oprimír] *tr. 1* Presser, appuyer sur: — *el botón,* presser le bouton. *2* Serrer (dicho de un vestido). *3* Oppresser (ahogar). *4* fig. Opprimer (tiranizar). ▲ PART. PAS. rég.: *oprimido;* irrég.: *opreso.*

optar [oβtár] *tr.* Opter, choisir: *optó por callarse,* il choisit de se taire.

óptico, -ca [óβtiko, -ka] *adj.-f. 1* Optique. ■ *2 m.* Opticien.

optimismo [oβtimízmo] *m.* Optimisme.

opulento, -ta [opulénto, -ta] *adj.* Opulent, ente.

ora [óra] *conj.* Tantôt: — *llora,* — *ríe,* tantôt il pleure, tantôt il rit.

oración [oraθjón] *f. 1* Prière, oraison (rezo). *2* GRAM. Proposition. *3 Las partes de la —,* les parties du discours.

orador, -ra [oraðór, -ra] *s.* Orateur, trice.

oral [orál] *adj.* Oral, ale.

orar [orár] *intr.-tr.* Prier: — *a Dios,* prier Dieu.

oratoria [oratórja] *f.* Art *m.* oratoire.

orbe [órβe] *m. 1* Orbe (círculo), sphère *f.* (esfera), globe. *2* Monde, univers.

órbita [órβita] *f.* ANAT., ASTR. Orbite. Loc. ASTR. *En* —, sur orbite.

órdago (de) [órðayo] *loc. adv.* fam. Du tonnerre, épatant, ante (muy bueno), terrible.

orden [órðen] *m.-f.* Ordre *m.* ▲ Dans les sens de commandement et d'ordre militaire ou religieux ce mot est toujours employé au féminin.

ordenada [orðenáða] *f.* GEOM. Ordonnée.

ordenamiento [orðenamjénto] *m. 1* Mise *f.* en ordre. *2* Ordonnance *f.* (ley).

ordenanza [orðenánθa] *f. 1* Ordonnance, règlement *m.* ■ *2 m.* MIL. Ordonnance (soldado). *3* Garçon de bureau (en las oficinas).

ordenar [orðenár] *tr. 1* Ordonner. *2* Mettre en ordre (poner en orden).

ordeñar [orðeɲár] *tr.* Traire.

ordinario, -ia [orðinárjo, -ja] *adj. 1* Ordinaire. *2* Vulgaire, grossier, ière (grosero). ■ *3 m.* Ordinaire. *4* Commissionnaire (recadero).

orear [oreár] *intr. 1* Aérer. ■ *2 pr.* Prendre l'air.

orégano [oréyano] *m.* Origan.

oreja [oréxa] *f. 1* Oreille. Loc. fig. *Apearse por las orejas,* vider les arçons; *calentar las orejas,* frotter les oreilles.

orfandad [orfandáð] *f. 1* Orphelinage *m.* 2 Pension accordée à un orphelin.

orfebre [orféβre] *m.* Orfèvre.

orgánico, -ca [oryániko, -ka] *adj.* Organique.

organillo [oryaníʎo] *m.* Orgue de Barbarie.

organismo [oryanizmo] *m.* Organisme.

organización [oryaniθaθjón] *f.* Organisation.

organizar [oryaniθár] *tr.* Organiser.

órgano [óryano] *m. 1* MÚS. Orgue. *2* Organe.

orgía [orxía] *f.* Orgie.

orgullo [oryúʎo] *m.* Orgueil.

orgulloso, -sa [oryuʎóso, -sa] *adj. 1* Orgueilleux, euse. *2* Fier, fière.

orientación [orjentaθjón] *f.* Orientation.

oriental [orjentál] *adj.-s.* Oriental, ale.

orientar [orjentár] *tr. 1* Orienter. ■ *2 pr.* S'orienter.

oriente [orjénte] *m.* Orient.

orificio [orifíθjo] *m.* Orifice.

oriflama [oriflám] *f.* Oriflamme.

origen [orixen] *m.* Origine *f.*

original [orixinál] *adj. 1* Originel, elle (relativo al origen): *pecado* —, péché originel. ■ *2 adj.-s.* Original, ale (persona). ■ *3* IMPR. Copie *f.*

originar [orixinár] *tr.* Causer, donner naissance à.

orilla [oríʎa] *f. 1* Bord *m.,* rivage *m.* (del mar). *2* Bord *m.* (de un tejido, una mesa, etc.).

orillo [oríʎo] *m.* Lisière *f.* d'une étoffe.

orina [orína] *f.* Urine.

orinal [orinál] *m.* Pot de chambre.

orinar [orinár] *intr.-pr.-tr.* Uriner.

oriundo, -da [orjúndo, -da] *adj.* Originaire.

ornamentación [ornamentaθjón] *f.* Ornementation.

ornamentar [ornamentár] *tr.* Ornementer, orner.

oro [óro] *m. 1* Or. Loc. — *de ley,* or au titre, or véritable. ■ *2 pl.* Une des couleurs du jeu de cartes espagnol.

orografía [oroyrafía] *f.* Orographie.

oropel [oropél] *m. 1* Oripeau. *2* fig. Clinquant.

oropéndola [oropéndola] *f.* Loriot *m.*

orquesta [orkésta] *f.* Orchestre *m.*

orquídea [orkíðea] *f.* Orchidée.

ortiga [ortíya] *f.* Ortie.

ortodoxo, -xa [ortoðo(y)so, -sa] *adj.-s.* Orthodoxe.

ortografía [ortoyrafía] *f.* Orthographie.

ortográfico, -ca [ortoyráfiko, -ka] *adj.* Orthographique.

ortopedia [ortopéðja] *f.* Orthopédie.

ortopédico, -ca [ortopéðiko, -ka] *adj. 1* Orthopédique. ■ *2 s.* Orthopédiste.

oruga [orúya] *f. 1* Chenille. *2* Roquette (hierba). *3* MEC. Chenille.

orujo [orúxo] *m.* Marc de raisin, d'olive.

orza [órθa] *f. 1* Pot *m.* de terre vernie. *2* MAR. Dérive (pieza triangular).

orzuelo [orθwélo] *m.* Orgelet, compère-loriot (en un párpado).

os [os] *pron. pers.* Vous: — *veo,* je vous vois.

osa [ósa] *f.* Ourse.

osadía [osaðía] *f.* Audace, hardiesse.

osamenta [osaménta] *f.* Squelette *m.,* ossature.

osar [osár] *intr.* Oser.

oscilación [osθilaθjón] *f.* Oscillation.

oscilar [osθilár] *intr. 1* Osciller. *2* Vaciller (una llama).

ósculo [óskulo] *m.* Baiser.

óseo, -ea [óseo, -ea] *adj.* Osseux, euse.

ósmosis [ózmosis], **osmosis** [ozmósis] *f.* Osmose.

oso [óso] *m. 1* Ours. *2 — hormiguero,* four-milier, tamandua.

ostentación [ostentaθjón] *f.* Ostentation. Loc. *Hacer — de,* faire ostentation de, étalage de, étaler.

ostentoso, -sa [ostentóso, -sa] *adj.* Magnifique, somptueux, euse.

ostra [óstra] *f.* Huître. Loc. fam. *Aburrirse como una —,* s'ennuyer mortellement.

ostracismo [ostraθizmo] *m.* Ostracisme.

ostricultura [ostrikultúra] *f.* Ostréiculture.

ostrogodo, -da [ostroγóðo, -ða] *adj.-s.* Ostrogoth, othe.

otomano, -na [otománo, -na] *adj.-s. 1* Ottoman, ane. ■ *2 f.* Ottomane (sofá).

otoñal [otoɲál] *adj.* Automnal, ale.

otoño [otóɲo] *m.* Automne.

otorgamiento [otoryamjènto] *m. 1* Octroi, concession *f. 2* DER. Passation *f.*

otorgar [otoryár] *tr. 1* Accorder, octroyer. *2* DER. Passer (un acta) par devant notaire. *3* Conférer (poderes).

otro, -tra [ótro, -tra] *adj.-pron. indef.* Autre: *— libro,* un autre livre; *quiero — pastel,* je veux un autre gâteau.

ovación [oβaθjón] *f.* Ovation.

oval [oβál], **ovalado, -da** [oβaláðo, -ða] *adj.* Ovale.

ovalar [oβalár] *tr.* Ovaliser.

óvalo [óβalo] *m.* Ovale.

ovario [oβárjo] *m.* Ovaire.

oveja [oβéxa] *f.* Brebis (hembra del carnero), mouton *m.* (carnero).

ovejuno, -na [oβexúno, -na] *adj.* De brebis.

oviducto [oβiðúyto] *m.* Oviducte.

ovillar [oβiʎár] *intr.* Mettre en pelote.

ovillo [oβíʎo] *m.* Pelote *f.,* peloton *f.* Loc. fig. *Hacerse un —,* se pelotonner, se ramasser, se mettre en boule.

ovíparo, -ra [oβíparo, -ra] *adj.* Ovipare.

ovoide [oβóiðe], **ovoideo, ea** [oβoïðéo, -ea] *adj.* Ovoïdal, ale.

óvolo [óβolo] *m.* ARQ. Ove.

óvulo [óβulo] *m.* Ovule.

oxear [o(γ)seár] *tr.* Chasser (gallinas).

oxidación [o(γ)siðaθjón] *f.* Oxydation.

oxidar [o(γ)siðár] *tr. 1* Oxyder. ■ *2 pr.* S'oxyder.

óxido [ó(γ)siðo] *m.* Oxyde.

oxigenar [o(γ)sixenár] *tr.* Oxygéner.

oxígeno [o(γ)sixeno] *m.* Oxygène.

oyente [ojénte] *s.* Auditeur, trice.

ozono [oθóno] *m.* Ozone.

P

p [pe] *f.* P *m.*

pabellón [paβeʎón] *m.* *1* Pavillon. *2* Faisceau (de fusiles).

paciencia [paθjènθja] *f.* Patience: *acabársele a uno la —,* être à bout de patience; *perder la —,* perdre patience.

paciente [paθjénte] *adj.-s.* Patient, ente.

pacificación [paθifikaθjón] *f.* Pacification.

pacificar [paθifikár] *tr.* Pacifier.

pacífico, -ca [paθífiko, -ka] *adj.* *1* Pacifique. ■ *2 n. pr. m. Océano —,* Océan Pacifique.

pacotilla [pakotíʎa] *f.* Pacotille: *de —,* de pacotille.

pactar [paktár] *intr.* *1* Pactiser. ■ *2 tr.* Convenir (de una cosa).

pacto [pákto] *m.* Pacte, accord; convention *f.*

padecer [paðeθér] *tr.-intr.* Souffrir, souffrir de: *— una enfermedad grave, sed,* souffrir d'une maladie grave, de la soif. ▲ CONJUG. comme *agradecer.*

padrastro [paðrástro] *m.* *1* Beau-père, nouveau mari d'une mère remariée *2* Envie *f.* (en las uñas).

padre [páðre] *m.* *1* Père. *2 — Santo,* Saint-Père. *3 — nuestro,* Notre Père, Pater. ■ *4 pl.* Parents (el padre y la madre).

padrenuestro [paðrenwéstro] *m.* Notre Père, Pater.

padrino [paðríno] *m.* *1* Parrain. *2* Témoin (en un desafío, una boda).

padrón [paðrón] *m.* *1* Liste *f.* des habitants (de una localidad). *2* Modèle (dechado).

paella [paéʎa] *f.* Paella, riz *m.* à la valencienne.

¡paf! [paf] *interj.* Paf!

paga [páγa] *f.* Paye, paie (sueldo): *— extraordinaria,* double paye.

pagable [paγáβle], **pagadero, -ra** [paγaðéro, -ra] *adj.* Payable.

paganismo [payanízmo] *m.* Paganisme.

pagano, -na [payáno, -na] *adj.-s.* *1* Païen, ïenne. ■ *2 m.* fam. Celui qui paie les frais, lampiste.

pagar [payár] *tr.* *1* Payer. Loc. *— con su vida,* payer de sa vie. ■ *2 pr.* S'infatuer, être fier, fière de: *estar pagado de sí mismo,* être infatué de soi-même.

pagaré [payaré] *m.* COM. Billet à ordre.

página [páxina] *f.* Page.

pago [páγo] *m.* *1* Paiement: *— al contado, a plazos,* paiement comptant à tempérament. *2* Propriété *f.* rurale, domaine (heredad). *3* fig. Récompense *f.*

pagro [páγro] *m.* Pagre.

país [pais] *m.* Pays.

paisaje [païsáxe] *m.* Paysage.

paisano, -na [païsáno, -na] *adj.-s.* *1* Pays, payse, compatriote. ■ *2 m.* Civil (persona): *vestido de —,* habillé en civil.

paja [páxa] *f.* Paille (del trigo, etc.).

pajar [paxár] *m.* Pailler.

pájara [páxara] *f.* *1* Oiseau *m.* *2* Cocotte (de papel). *3* Cerf-volant *m.* (cometa).

pajarero, -ra [paxaréro, -ra] *adj.* *1* Gai, gaie, joyeux, euse, enjoué, ée (persona). *2* Criard, arde (color), bigarré, ée (tela, etc.).

pajarita [paxaríta] *f.* *1* Cocotte (de papel). *2 — de las nieves,* bergeronnette.

pájaro [páxaro] *m.* *1* Oiseau. Loc. *— bobo,* guillemot. *2* fig. *Matar dos pájaros de un tiro,* faire d'une pierre deux coups. *3* ZOOL. Passereau.

pajarraco [paxaŕáko] *m.* desp. Vilain oiseau.

paje [páxe] *m.* *1* Page (persona). *2* MAR. Mousse.

pala [pála] *f.* *1* Pelle. *2* Fer *m.* (de la azada, etc.). *3* Pale (de remo, de una hélice). *4* Empeigne (del calzado). *5* Battoir *m.* (de lavandera). *6* Raquette (para jugar).

palabra [paláβra] *f.* *1* Mot *m.*, terme *m.*

(vocablo). Loc. *La última —*, le dernier mot. *2* Parole (habla). Loc. *— de matrimonio*, promesse de mariage.

palabreo [palaβrèo] *m.*, **palabrería** [palaβrería] *f.* Papotage *m.*, bavardage *m.*

palabrota [palaβróta] *f.* Gros mot *m.*

palaciego, -ga [palaθjéγo, -γa] *adj.* Du palais.

palacio [paláθjo] *m. 1* Palais (real, de justicia, etc.). *2* Château.

palada [paláða] *f. 1* Pelletée. *2* Coup *m.* d'aviron sur l'eau.

paladar [palaðár] *m. 1* ANAT. Palais. *2* fig. Goût (gusto). *3* Goût, saveur *f.* (sabor).

paladear [palaðeár] *tr.* Savourer.

paladín [palaðín] *m.* Paladin.

palanca [paláŋka] *f. 1* Levier *m.* *2* FORT. Palanque.

palangana [palaŋgána] *f.* Cuvette.

palanqueta [palaŋkèta] *f.* Pince-monseigneur.

palco [pálko] *m. 1* TEAT. Loge *f.* Loc. *— de platea*, baignoire *f.*; *— de proscenio*, avant-scène *f.* *2* Tribune *f.* (tabladillo).

palenque [paléŋke] *m. 1* Pallissade *f.* *2* Champ clos, arène *f.* (recinto).

paleolítico, -ca [paleolítiko, -ka] *adj.* Paléolithique.

paleontología [paleontoloxía] *f.* Paléontologie.

palestra [palèstra] *f. 1* Palestre. *2* fig. Lutte. Loc. *Salir a la —*, entrer en lice.

paleta [palèta] *f. 1* Petite pelle. *2* Palette (de pintor). *3* Pale (de hélice, ventilador). *4* Truelle (de albañil).

paletada [paletàða] *f.* Truellée, pelletée.

paletilla [paletíʎa] *f. 1* ANAT. Omoplate. *2* Appendice *m.* xiphoïde (del esternón).

paleto, -ta [palèto, -ta] *adj.-s.* fig. Rustre, paysan, anne, péquenaud, aude. Loc. *Ser un —*, être muet de son pays.

paliar [paljár] *tr.* Pallier. ▲ CONJUG. comme *cambiar*.

palidecer [paliðeθér] *intr.* Pâlir. ▲ CONJUG. comme *agradecer*.

pálido, -da [páliðo, -ða] *adj.* Pâle.

palillero [paliʎéro] *m. 1* Étui à curedents. *2* Porte-plume.

palillo [paliʎo] *m. 1* Affiquet (de hacer media). *2* Fuseau (de encajera). *3* Curedents *invar.* (mondadientes). *4* Baguette *f.* (de tambor). *5* Ébauchoir (de escultor). ■ *6 pl.* Quilles *f.* (del billar). *7* Castagnettes *f.* (castañuelas).

paliza [paliθa] *f.* Raclée, rossée.

palma [pálma] *f. 1* Palme. Loc. fig. *Llevarse la —*, remporter la palme. *2* Palmier *m.* (árbol), dattier *m.* (datilera). *3* Paume (de la mano). *4* Sole (del casco de las caballerías). ■ *5 pl.* Applaudissements *m.* Loc. *Batir palmas*, applaudir, battre des mains.

palmada [palmáða] *f.* Tape (golpe).

palmar [palmár] *adj. 1* De palme. *2* Palmaire. ■ *3 m.* Palmeraie *f.* (sitio poblado de palmas).

palmera [palmèra] *f.* Palmier *m.*, dattier *m.* (datilera).

palmesano, -na [palmesáno, -na] *adj.-s.* De Palma de Majorque.

palmo [pálmo] *m. 1* Empan. *2* loc. adv. *— a —*, pied à pied.

palmoteo [palmotèo] *m.* Battement de mains, applaudissement.

palo [pálo] *m. 1* Bâton. *2* Bois (madera): *—campeche*, bois de Campêche; *— brasil*, bois du Brésil. *3* BLAS. Pal. *4* Gibet (suplicio). *5* Queue *f.* (de una letra). *6* Couleur *f.* (de la baraja). *7* Quille *f.* (para jugar al billar).

paloma [palóma] *f. 1* Pigeon *m.*, colombe: *— mensajera*, pigeon voyageur.

palomar [palomár] *m. 1* Pigeonnier, colombier. ■ *2 adj. Hilo —*, sorte de ficelle *f.*

palomo [palómo] *m.* Pigeon mâle.

palote [palóte] *m.* Baguette *f.* courte.

palpable [palpáβle] *adj.* Palpable.

palpar [palpár] *tr. 1* Palper. *2* Tâtonner (andar a tientas). *3* fig. Comprendre clairement.

palpitación [palpitaθjón] *f.* Palpitation.

palpitar [palpitár] *intr.* Palpiter.

paludismo [paluðizmo] *m.* MED. Paludisme.

palustre [palùstre] *adj. 1* Palustre. ■ *2 m.* Truelle *f.* (de albañil).

pampa [pámpa] *f.* Pampa.

pampero, -ra [pampéro, -ra] *adj. 1* Pampéen, enne. ■ *2 m.* Pampéro, vent de la pampa.

pamplina [pamplína] *f. 1* Mouron *m.* *2* fam. Niaiserie, baliverne, sornette.

pan [pan] *m. 1* Pain. Loc. fig. *Al —, — y al vino, vino*, il faut appeler un chat un chat. *2* Feuille *f.*: *— de oro, de plata*, feuille d'or, d'argent battu. *3* Blé (trigo): *tierra de — llevar*, terre à blé.

panacea [panaθéa] *f.* Panacée.

panadería [panaðería] *f.* Boulangerie.

panadero, -ra [panaðéro, -ra] *s.* Boulanger, ère.

panatela [panatèla] *f.* Biscuit *m.* long.

pancarta [paŋkárta] *f.* Pancarte.

pancista [panθísta] *adj.-s.* Opportuniste.

páncreas [páŋkreas] *m.* ANAT. Pancréas.

pandear [pandeár] *intr.* Se bomber (pared, etc.), s'incurver.

pandectas [pandéγtas] *f. pl.* Pandectes.
pandeo [pandéo] *m.* Bombement (pared, etc.), gauchissement, courbure *f.*
pandereta [panderéta] *f.* Tambour *m.* de bosque.
pandero [pandéro] *m. 1* Tambour de basque. *2* Cerf-volant (juguete).
pandilla [pandíʎa] *f. 1* Bande (grupo de personas). *2* Ligue, coterie (camarilla).
panecillo [paneθíʎo] *m.* Petit pain.
panel [panél] *m.* Panneau (de puerta, etc.).
panetela [panetéla] *f. 1* Sorte de panade (sopa). *2* Panatela *m.* (cigarro).
pánfilo, -la [pámfilo, -la] *adj.-s.* Flemmard, arde, mou, molle (flojo), endormi, ie (tardo en comprender).
pangolín [pangolín] *m.* Pangolin.
pánico, -ca [pániko, -ka] *adj. 1* Panique. ■ *2 m.* Panique *f.*
panificar [panifikár] *tr.* Panifier.
panizo [paníθo] *m. 1* Panic. *2* Maïs.
panoplia [panóplja] *f.* Panoplie.
panorama [panoráma] *m.* Panorama.
pantalón [pantalón] *m. 1* Pantalon. Loc. *— corto*, culotte courte. *2* Culotte *f.* (de mujer).
pantalla [pantáʎa] *f. 1* Abat-jour *m. invar.* (de lámpara). *2* Écran *m.* (de cine, televisión). *3* Écran *m.*, garde-feu *m. invar.* (de chimenea).
pantano [pantáno] *m. 1* Marais. *2* Réservoir *m.* (de una presa).
panteísmo [panteízmo] *m.* Panthéisme.
panteón [panteón] *m. 1* Panthéon. *2* Caveau de famille (sepultura).
pantera [pantéra] *f.* Panthère.
pantomima [pantomíma] *f.* Pantomime.
pantorrilla [pantoříʎa] *f.* Mollet *m.*
pantufla [pantúfla] *f.* Pantoufle.
panza [pánθa] *f.* Panse.
pañal [paɲál] *m. 1* Lange. *2* Pan (de camisa). ■ *3 pl.* Couches *f.*, maillot *sing.* (del niño).
paño [páɲo] *m. 1* Drap (de lana). *2* Étoffe *f.*, tissu (tela). *3* Torchon (trapo). Loc. *— de manos*, essuie-mains. *4* Tenture *f.* (colgadura). *5* MAR. Voilure *f.* *6* Taie *f.* (en el ojo). *7* Tache *f.*, envie *f.* (en la piel). *8* Pan de mur (de pared). *9* TEAT. *Hablar al —*, parler à la cantonnade. ■ *10 pl.* Vêtements: *paños menores*, sous-vêtements.
pañoleta [paɲoléta] *f.* Fichu *m.*
pañuelo [paɲwélo] *m.* Mouchoir: *— de bolsillo*, mouchoir de poche.
papa [pápa] *m. 1* Pape (Sumo Pontífice). *2* fam. Papa.
papá [papá] *m.* Papa.

papada [papáða] *f. 1* Double menton *m.* *2* Fanon *m.* (de los bueyes).
papagayo [papaγájo] *m.* Perroquet.
papal [papál] *adj.* Papal, ale.
papanatas [papanátas] *m. invar.* Niais, crédule, jobard.
papel [papél] *m. 1* Papier: *— de fumar*, papier à cigarettes; *— secante*, papier buvard; *— sellado*, papier timbré. *2* TEAT. Rôle. *3* fig. Rôle: *desempeñar un —*, jouer un rôle. Loc. *Hacer buen —*, faire bonne figure. ■ *4 pl.* Papiers (documentos, periódicos, etc.).
papelera [papeléra] *f.* Corbeille à papiers (cesto).
papelería [papelería] *f. 1* Paperasserie. *2* Papeterie (comercio).
papelero, -ra [papeléro, -ra] *adj. 1* Poseur, euse (farolero). ■ *2 m.* Papetier.
papeleta [papeléta] *f. 1* Billet *m.* (de rifa), etc.), bulletin *m.* (para votar). *2* Reconnaissance (del monte de piedad).
papera [papéra] *f. 1* Goitre *m.* (bocio). ■ *2 pl.* Oreillons *m.* (enfermedad).
papila [papíla] *f.* ANAT. Papille.
papilla [papíʎa] *f. 1* Bouillie (para los niños). *2* fig. *Hacer — a*, réduire en bouillie.
papiro [papíro] *m.* Papyrus.
papirote [papiróte] *m. 1* Chiquenaude *f. 2* Nigaud (tonto).
paquete [pakéte] *m. 1* Paquet. *2* MAR. Paquebot.
par [par] *adj. 1* Pair, paire: *número —*, nombre pair. *2* Pareil, eille; *sin —*, sans pareil. ■ *3 m.* Paire *f.*: *un — de guantes*, une paire de gants. *4* Couple: *— de fuerzas*, couple de forces. *5* ARQ. Arbalétrier. *6 loc. adv.* A *—*, *al —*, *a la —*, en même temps.
para [pára] *prep. 1* Pour: *salir — París*, partir pour Paris; *una carta — ti*, une lettre pour toi. *2* Sur le point de: *estar — salir*,être sur le point de partir. *3* À (idea de finalidad, destino): *no servir — nada*, ne servir à rien. *— que*, pour. *5 loc. conj. — que*, pour que.
parabrisas [paraβrísas] *m. invar.* Parebrise.
paracaídas [parakaíðas] *m. invar.* Parachute.
parada [paráða] *f. 1* Arrêt *m.* (acción de parar, lugar donde se para). *2* Station (de taxis). *3* ESGR., MIL. Parade.
parado, -da [paráðo, -ða] *1 p. p. de parar.* ■ *2 adj.* Gauche, timide, lent, lente. *3* Désœuvré, ée, sans occupation (desocupado), en chômage (sin trabajo). ■ *4 s.* Chômeur, euse.

paradójico, -ca [paraðóxiko, -ka] *adj.* Paradoxal, ale.

parador [paraðòr] *m.* Auberge *f.* (mesón), hostellerie *f.*, «parador», hôtel de luxe géré par l'État.

parafina [parafina] *f.* Paraffine.

parafrasear [parafraseàr] *tr.* Paraphraser.

paraguas [paráɣwas] *m. invar.* Parapluie.

paraguayo, -ya [paraɣwájo, -ja] *adj.-s.* Paraguayen, enne.

paraíso [paraiso] *m.* Paradis: — *terrenal*, paradis terrestre.

paraje [paráxe] *m.* Endroit, parage.

paralelo, -la [paralèlo, -la] *adj. 1* Parallèle. ■ *2 m.* Parallèle (círculo geográfico, comparación).

parálisis [parálisis] *f.* Paralysie.

paralítico, -ca [paralitiko, -ka] *adj.-s.* Paralytique.

paralizar [paraliθár] *tr.* Paralyser.

paramento [paraménto] *m.* Ornement.

páramo [pàramo] *m.* Lande *f.*

paraninfo [paranimfo] *m.* Grand amphithéâtre (en las universidades).

parar [parár] *intr. 1* S'arrêter (detenerse un vehículo, mecanismo, etc.). *2* Arrêter, cesser (cesar): *no para de llover*, il ne cesse pas de pleuvoir. Loc. *Sin —*, sans arrêt. *3* Arriver à un terme, avoir une fin: *ir a —*, aller échouer. *4* Venir, tomber (en poder de alguien). *5* Descendre (en un hotel, etc.), loger (alojarse). ■ *6 tr.* Arrêter (el movimiento o acción de). *7* Parer (un golpe). ■ *8 pr.* S'arrêter.

parásito, -ta [parásito, -ta] *adj.-s.* Parasite.

parasol [parasòl] *m.* Parasol.

parcela [parθèla] *f.* Parcelle.

parcelar [parθelár] *tr.* Parceller.

parcial [parθjál] *adj. 1* Partiel, elle (no completo). *2* Partial, ale (no justo): *juicios parciales*, jugements partiaux. ■ *3 adj.-s.* Partisan (partidario).

parco, -ca [párko, -ka] *adj.* Sobre.

parche [pártʃe] *m. 1* Emplâtre. *2* Peau *f.* (del tambor). *3* Rustine *f.* (en un neumático).

pardo, -da [párðo, -ða] *adj.* Brun, brune: *oso —*, ours brun.

parecer [pareθèr] *m. 1* Avis, opinion *f.*: *a mi —*, à mon avis. *2* Apparence *f.*, air, aspect (aspecto).

parecer [pareθèr] *intr. 1* Paraître, se montrer (dejarse ver). *2* Apparaître (aparecer). *3* Paraître, sembler, avoir l'air de: *me parece*, il me semble. ■ *4 impers.* Paraître: *parece (ser) que*, il semble que, on dirait que. ■ *5 pr.* Ressembler: *se parece mucho a su padre*, il ressemble beaucoup à son père. ▲ CONJUG. comme *agradecer*.

parecido, -da [pareθiðo, -ða] *adj.* Ressemblant, ante.

pared [parèð] *f.* Mur *m.*

pareja [paréxa] *f. 1* Couple *m.* (de personas, de animales). *2* Couple *m.* (consortes). *3* Cavalier, cavalière, partenaire (en los bailes). *4* Pendant *m.* (objeto que completa el par). ■ *5 pl. Correr parejas*, aller de pair.

parejo, -ja [paréxo, -xa] *adj.* Pareil, eille, semblable (semejante).

parentela [parentèla] *f.* Parenté, parentelle.

paréntesis [paréntesis] *m. invar.* Parenthèse *f.* Loc. *Entre —*, entre parenthèses.

pariente, -ta [parjénte, -ta] *adj.-s. 1* Parent, ente. ■ *2 s.* pop. Mari *m.*, bourgeoise *f.*

parir [parir] *intr. 1* Accoucher, enfanter. *2* Mettre bas (los animales).

parisiense [parisjénse], **parisino, -na** [parisino, -na] *adj.-s.* Parisien, ienne.

paritario, -ia [paritárjo, -ja] *adj.* Paritaire.

parlamentar [parlamentár] *intr.* Parlementer.

parlamentario, -ia [parlamentárjo, -ja] *adj.-s.* Parlementaire.

parlamento [parlaménto] *m. 1* Parlement. *2* Discours. *3* TEAT. Tirade *f.*

parlante [parlánte] *adj.* Parlant, ante.

parlería [parlería] *f.* Verviage *m.*

parlero, -ra [parléro, -ra] *adj. 1* Bavard, arde. *2* Cancanier, ière (chismoso).

paro [páro] *m. 1* Arrêt (del trabajo, del movimiento). *2* Mésange *f.* (pájaro): — *carbonero*, mésange, charbonnière.

parodia [paróðja] *f.* Parodie.

parpadear [parpaðeár] *intr.* Ciller, clignoter.

párpado [párpaðo] *m.* Paupière *f.*

parque [párke] *m. 1* Parc. *2* MIL. Parc.

parquedad [parkeðàð] *f.* Parcimonie.

parra [páῤa] *f.* Treille (vid).

párrafo [páῤafo] *m.* Paragraphe. Loc. fig. *Echar un —*, tailler une bavette.

parral [paῤál] *m.* Treille *f.*

parranda [paῤánda] *f.* Fête, noce, bombance: *andar de —*, faire la noce.

parricidio [paῤiθiðjo] *m.* Parricide (crimen).

parrilla [paῤíʎa] *f.* Gril *m.* (para asar).

párroco [páῤoko] *m.* Curé.

parroquia [paῤòkja] *f. 1* Paroisse. *2* Clientèle (de una tienda, etc.).

parsimonia [parsimónja] *f. 1* Parcimonie. *2* Circonspection.

parte [párte] *f. 1* Partie. *2* DER., MÚS. Partie. *3* Partie (beligerante). *4* Part: *tomar*

— **en,** prendre part à; *echar a mala* —, prendre en mauvaise part. *5* Côté *m.* (lado), endroit *m.* (sitio). *6* Côté *m.*, parti *m.* (en una contienda). ■ *7* TEAT. Rôle *m.* (papel). *8 m.* Dépêche *f.*, télégramme. *9* Communiqué; rapport (informe), bulletin: — *meteorológico, facultativo, de nieve,* bulletin météorologique, de santé, d'enneigement.

participación [partiθipaθjón] *f. 1* Participation: — **en,** participation à. *2* Lettre de faire-part, faire-part *m.*: — *de boda,* faire-part de mariage.

participar [partiθipár] *intr.* Participer: — **en,** participer à.

participio [partiθipjo] *m.* Participe: — *activo,* participe présent.

partícula [partíkula] *f.* Particule.

particular [partikulár] *adj. 1* Particulier, ière. *2* Personnel, elle, privé, ée. ■ *3 m.* Sujet, matière *f.* (asunto).

particularidad [partikulariðáð] *f.* Particularité.

partida [partíða] *f. 1* Départ *m. 2* Acte *f.* (de nacimiento, etc.), extrait *m.* (copia). *3* COM. Partie: —*doble,* partie double. *4* Article *m.* (en una cuenta). *5* Partie (en el juego). *6* Partie (de caza, etc.). *7* Bande, faction, troupe (cuadrilla). *8* Lot *m.*, quantité (de una mercancía). *9* Tour *m.*: *mala* —, mauvais tour.

partidario, -ia [partiðárjo, -ja] *adj.-s.* Partisan, ane.

partido, -da [partíðo, -ða] *adj. 1* Divisé, ée. ■ *2 m.* Parti: *espíritu de* —, esprit de parti; *sacar* — *de,* tirer parti de. *3* Partie *f.* (en deportes), match (de fútbol, etc.). *4* Avantage (en el juego). *5* Parti (hablando de un casamiento). *6* — *judicial,* arrondissement.

partir [partir] *tr. 1* Diviser (dividir). *2* Fendre (hender), casser (romper), couper (cortar). *3* Partager (repartir).

parto, -ta [párto, -ta] *adj.-s.* Parthe.

parto [párto] *m.* Accouchement (de una mujer).

pasa [pása] *f.* Raisin *m.* sec.

pasada [pasáða] *f.* Passage *m.* (acción).

pasado, -da [pasáðo, -ða] *adj. 1* Passé, ée. *2* Trop mûr, e. ■ *3 m.* Passé.

pasador, -ra [pasaðór, -ra] *adj.-s. 1* Passeur, euse. ■ *2 m.* Broche *f.*, agrafe *f. 3* Brochette *f.* (para las condecoraciones).

pasaje [pasáxe] *m. 1* Passage. *2* amer. Billet.

pasajero, -ra [pasáéro, -ra] *adj.* Passant, ante (concurrido).

pasaporte [pasapórte] *m.* Passeport.

pasar [pasár] *intr. 1* Passer. Loc. — *por,* passer pour: *yo no paso por esto,* je ne tolère pas ça; *ir pasando,* vivoter. *2* Se passer, arriver, se produire (acontecer): *¿qué pasa?,* que se passe-t-il? *3* — *de,* dépasser (un límite, etc.). *4* Dépasser (aventajar). *5* Avaler (tragar). *6* fig. Endurer (sufrir), avoir: — *frío, hambre,* avoir froid, fam. ■ *7 pr.* Passer: *pasarse al enemigo,* passer à l'ennemi. *8 Pasarse de,* être trop.

pasatiempo [pasatjémpo] *m.* Passetemps.

pascua [pakwa] *f. 1* Pâque (fiesta judía). *2* Pâques. Loc. — *florida, de Resurrección,* Pâques. *3* — *de Pentecostés,* Pentecôte. *4* — *de Navidad,* Noël.

pase [páse] *m. 1* Permis, laissez-passer. *2* Passe *f.* (de magnetizador, en fútbol, etc.). *3* ESGR. Feinte *f. 4* TAUROM. Passe *f.*

pasear [paseár] *tr. 1* Promener. ■ *2 intr.-pr.* Se promener.

paseo [paséo] *m.* Promenade *f.* Loc. fig. *Mandar a* —, envoyer promener.

pasillo [pasíʎo] *m. 1* Couloir, corridor. *2* TEAT. Petite saynète.

pasión [pasjón] *f.* Passion.

pasivo, -va [pasíβo, -βa] *adj. 1* Passif, ive. ■ *2 m.* COM. Passif.

pasmar [pazmár] *tr. 1* Refroidir brusquement. *2* Geler (hablando de las plantas). ■ *3 intr.* fig. Étonner, stupéfier (asombrar).

pasmoso, -sa [pazmóso, -sa] *adj.* Étonnant, ante, stupéfiant, ante.

paso [páso] *m. 1* Pas: — *ligero,* pas gymnastique: — *de rosca,* pas de vis; — *de Calais,* Pas-de-Calais. Loc. *Dar un* —, faire un pas. *2* Démarche *f.*, allure *f.* (manera de andar). *3* Passage (acción, lugar por donde se pasa, derecho de pasar). Loc. — *a nivel,* passage à niveau. *4* Scène *f.* de la Passion de N.-S. J.-C.; statues *f. pl.* figurant une scène de la Passion dans les processions de la Semaine Sainte. *5* TEAT. Petite pièce *f.* dramatique. *6 loc. adv. A cada* —, à chaque instant.

pasta [pásta] *f. 1* Pâte: *pastas para sopa,* pâtes alimentaires. *2* Reliure (de un libro): *media* —, demi-reliure. ■ *3 pl.* Petits gâteaux *m.*, petits fours *m.* (dulces).

pastar [pastár] *tr. 1* Paître, mener au pâturage. ■ *2 intr.* Pâturer.

pastel [pastél] *m. 1* Gâteau. *2* Pâté (de carne). *3* fig. Arrangement secret. Loc. *Descubrir el* —, découvrir le pot aux roses. *4* PINT. Pastel.

pastelería [pastelería] *f.* Pâtisserie.

pastelero, -ra [pasteléro, -ra] s. Pâtissier, ière.

pastizal [pastiθál] m. Pâturage pour les chevaux.

pasto [pásto] m. 1 Pâturage (acción, sitio). 2 Pâture f. (alimento). 3 De —, ordinaire (vino, etc.).

pastor, -ra [pastór, -ra] s. 1 Berger, ère. ■ 2 m. Pâtre (de ganado). 3 Pasteur (sacerdote).

pastorear [pastoreár] tr. Paître, mener paître (el ganado).

pastoril [pastoríl] adj. Pastoral, ale.

pastoso, -sa [pastóso, -sa] adj. 1 Pâteux, euse. 2 Au timbre mœlleux (voz).

pata [páta] f. 1 Patte, pied m. (pierna, pie de un animal). Loc. fig. — de gallo, patte d'oie (arrugas), sottise (despropósito); meter la —, faire un impair, faire une gaffe. 2 Cane (hembra del pato). 3 Patte (de un vestido). 4 Pied m. (de un mueble). 5 loc. adv. A la — coja, à cloche-pied.

patada [patáda] f. Coup m. de pied.

patalear [pataleár] intr. Trépigner.

patata [patáta] f. Pomme de terre.

patatús [patatús] m. fam. Évanouissement.

patear [pateár] tr. 1 Fouler aux pieds (pisotear), maltraiter. 2 Siffler (en el teatro). ■ 3 intr. Piétiner, trépigner.

patentar [patentár] tr. Patenter, breveter.

patente [paténte] adj. 1 Patent, ente, évident, ente. ■ 2 f. Patente. 3 Brevet m. (de invención).

paternal [paternál] adj. Paternel, elle.

paternidad [paterniðáð] f. Paternité.

patético, -ca [patétiko, -ka] adj. Pathétique.

patíbulo [patíβulo] m. Échafaud, gibet.

paticojo, -ja [patikóxo, -xa] adj.-s. Boiteux, euse.

patilla [patíʎa] f. 1 Favori m. (barba). 2 Certaine position de la main sur la guitare. 3 Branche (de gafas).

patín [patín] m. 1 Patin (para patinar): —de cuchilla, de ruedas, patin à glace, à roulettes. 2 MEC. Patin. 3 Sorte de pétrel (ave).

patinaje [patináxe] m. Patinage.

patinar [patinár] intr. 1 Patiner. 2 Déraper (un vehículo). ■ 3 tr. Patiner (dar pátina).

patio [pátjo] m. 1 Cour f. (espacio cerrado). 2 Patio (en las casas españolas, etc.). 3 TEAT. Parterre.

patitieso, -sa [patitjéso, -sa] adj. fam. Qui a les jambes engourdies, raides.

patizambo, -ba [patiθámbo, -ba] adj. Cagneux, euse.

pato [páto] m. Canard. Loc. fig. Pagar el —, payer pour les autres.

patología [patoloxía] f. Pathologie.

patoso, -sa [patóso, -sa] adj. Pataud, aude, lourdaud, aude.

patraña [patráɲa] f. Bourde, mensonge m.

patria [pátrja] f. Patrie.

patriarca [patrjárka] m. Patriarche.

patrimonio [patrimónjo] m. 1 Patrimoine. 2 fig. Apanage, lot.

patrio, -ia [pátrjo, -ja] adj. De la patrie.

patriota [patrjóta] s. Patriote.

patriótico, -ca [patrjótiko, -ka] adj. Patriotique.

patriotismo [patrjotizmo] m. Patriotisme.

patrocinar [patroθinár] tr. Patronner, protéger, appuyer (a alguien).

patrón, -ona [patrón, -óna] s. 1 Patron, onne. 2 Hôte, hôtesse (en una casa de huéspedes). ■ 3 m. Patron (modelo).

patronato [patronáto] m. Patronage (asociación benéfica).

patrono, -na [patróno, -na] s. Patron, onne.

patrulla [patrúʎa] f. Patrouille.

paulatino, -na [paŭlatino, -na] adj. Lent, ente.

pausa [páŭsa] f. 1 Pause. 2 Lenteur (lentitud). 3 MÚS. Pause.

pausado, -da [paŭsáðo, -ða] adj. Lent, lente.

pauta [páŭta] f. 1 Règle (regla). 2 Lignes pl. d'un papier réglé (rayas). 3 fig. Règle, norme, modèle m.

pava [páβa] f. Dinde.

pavada [paβáða] f. 1 Troupeau m. de dindons. 2 fig. fam. Fadaise, niaiserie.

pavero, -ra [paβéro, -ra] s. fig. Poseur, euse, hâbleur, euse.

pavés [paβés] m. Pavois.

pavesa [paβésa] f. Flammèche, brandon m.

pavimentar [paβimentár] tr. Paver (con adoquines), carreler, daller (con losas).

pavimento [paβimento] m. Pavage, pavement, pavé (de adoquines).

pavo [páβo] m. Dindon.

pavonearse [paβoneárse] pr. Se pavaner.

pavor [paβór] m. Frayeur f.

pavoroso, -sa [paβoróso, -sa] adj. Effrayant, ante.

payaso [pajáso] m. Clown, paillasse.

payés, -esa [pajés, -ésa] s. Paysan, anne de la Catalogne.

paz [paθ] f. Paix. Loc. Dejar en —, laisser tranquille; estar, quedar en —, être en paix, être quitte (descargado de deuda).

pe [pe] *f. 1* P *m.*, lettre p. *2 loc. adv. De — a pa*, de A jusqu'à Z.

peaje [peáxe] *m.* Péage: *autopista de —,* autoroute à péage.

peatón [peatón] *m.* Piéton: *paso de peatones*, passage pour piétons.

peca [péka] *f.* Tache de rousseur.

pecado [pekáðo] *m.* Péché.

pecador, -ra [pekaðór, -ra] *adj.-s.* Pécheur, eresse.

pecaminoso, -sa [pekaminóso, -sa] *adj.* Qui tient du péché, coupable.

pecar [pekár] *intr.* Pécher.

peccata minuta [pekáta minúta] Loc. *f.* Faute *f.* légère.

pecera [peθéra] *f.* Aquarium *m.*

pecoso, -sa [pekóso, -sa] *adj.* Qui a des taches de rousseur.

pectoral [peytorál] *adj.-m. 1* Pectoral, ale. ■ *2 m.* LITURG. Croix *f.* pectorale.

pecuario, -ia [pekwárjo, -ja] *adj.* Relatif, ive au bétail de l'élevage.

peculiar [pekuljár] *adj.* Particulier, ère, propre.

pechera [petʃéra] *f. 1* Plastron *m.* (de camisa), devant *m.* (de una prenda de vestir). *2* Jabot *m.* (chorrera).

pechero, -ra [petʃéro, -ra] *adj.-s.* Roturier, ière.

pecho [pétʃo] *m. 1* Poitrine *f. 2* fig. Cœur (corazón), courage (valor). Loc. *Abrir su —,* ouvrir son coeur; *tomar a —,* prendre à cœur. *3* Gorge *f.*, poitrine *f.* (de una mujer). *4* Sein, mamelle *f.: dar el — a un niño,* donner le sein à un enfant. *5 loc. adv. A — descubierto,* à découvert, loyalement, à cœur ouvert.

pechuga [petʃúɣa] *f.* Blanc *m.* de volaille.

pedagogía [peðaɣoxía] *f.* Pédagogie.

pedal [peðál] *m.* Pédale *f.*

pedante [peðánte] *adj.-s.* Pédant, ante.

pedantería [peðantería] *f.* Pédanterie.

pedazo [peðáθo] *m.* Morceau *f.* Loc. *Hacer pedazos*, mettre en morceaux.

pedestal [peðestál] *m.* Piédestal, socle.

pedido [peðíðo] *m. 1* COM. Commande *f. 2* Demande *f.*

pedir [peðír] *tr. 1* Demander. *2 loc. adv. A — de boca*, à souhait. ▲ CONJUG. comme *servir.*

pedo [péðo] *m.* Pet.

pedrada [peðráða] *f.* Coup *m.* de pierre.

pedrea [peðréa] *f. 1* Combat *m.* à coups de pierre. *2* fam. Série de petits lots, lots *m. pl.* de consolation (lotería).

pedregal [peðreɣál] *m.* Terrain pierreux.

pedrera [peðréra] *f.* Carrière.

pedrería [peðrería] *f.* Pierreries *pl.*

pedrisco [peðrísko] *m.* Grêle *f.*

pega [péɣa] *f. 1* Collage *m.* (acción de pegar). *2* Enduit *m.* de poix. *3* Colle (pregunta difícil), difficulté. *4* Pie: — *reborda*, pie-grièche.

pegadizo, -za [peɣaðíθo, -θa] *adj. 1* Collant, ante. *2* Contagieux, euse.

pegar [peɣár] *tr. 1* Coller (con cola, etc.), appliquer (arrimar), fixer, coudre: — *un botón,* coudre un bouton. *2* Communiquer, passer (contagiar). *3 — fuego,* mettre le feu. *4* Battre, frapper (golpear). *5* Donner (un golpe), faire (un salto), pousser (un grito). ■ *6 intr.* Venir à propos (venir a propósito), aller (armonizar, corresponder o no). ■ *7* fig. fam. *Pegársela a uno,* rouler, tromper quelqu'un.

pego [péɣo] *m.* Tricherie *f.*

pegote [peɣóte] *m. 1* Emplâtre. *2* fig. Pique-assiette (gorrón).

peinado [peinǻðo] *m.* Coiffure *f.*

peinador, -ra [peinaðór, -ra] *adj.-s. 1* Coiffeur, euse. ■ *2 m.* Peignoir (prenda).

peinar [peinár] *tr.* Peigner, coiffer (el cabello).

peine [péine] *m.* Peigne.

peladilla [pelaðíʎa] *f. 1* Dragée (almendra). *2* Petit caillou *m.* (guijarro).

pelado, -da [pelǻðo, -ða] *adj. 1* Pelé, ée (piel, terreno). *2* Tondu, ue (cabeza). *3* Plumé, ée (ave). *4* fig. fam. Sans le sou, fauché, ée (sin dinero).

pelaje [peláxe] *m.* Pelage, livrée *f.*, robe *f.* (de un animal).

pelar [pelár] *tr. 1* Tondre (pelo), peler (fruta, etc.), plumer (aves). *2* fig. Dépouiller, plumer (a alguien).

peldaño [peldáɲo] *m.* Marche *f.*, degré (de escalera), échelon (de escalera de mano).

pelea [peléa] *f. 1* Combat *m.*, lutte. *2* Dispute.

pelear [peleár] *intr. 1* Se battre, combatre, lutter. ■ *2 pr.* Se battre. *3* Se disputer (reñir), se brouiller (enemistarse).

pelele [peléle] *m. 1* Bonhomme, mannequin. *2* Pantin (persona). *3* Barboteuse *f.* (traje para niños).

peletería [peletería] *f.* Pelleterie.

peletero, -ra [peletéro, -ra] *adj.-s. 1* Pelletier, ière. ■ *2 m.* Fourreur.

pelicano, -na [pelikáno, -na] *adj.* Chenu, ue.

película [pelíkula] *f. 1* Pellicule. *2* CIN. Film *m.*

peligrar [peliɣrár] *intr.* Être en danger.

peligro [peli

peligroso, -sa [peliɣróso, -sa] *adj.* Dangereux, euse, périlleux, euse (arriesgado).

pelirrojo, -ja [peliȓóxo, -xa] *adj.* Roux, rousse.

pelo [pélo] *m. 1* Poil. Loc. fig. *De — en pecho,* brave, courageux, euse (persona). *2* Cheveu (cabello), cheveux *pl.,* chevelure *f.* (cabellos, cabellera): *tiene el — rizado,* il a les cheveux frisés. Loc. fig. *Tomarle el — a uno,* se payer la tête de quelqu'un. *3 loc. adv.* **Al —,** à propos; **en —,** à poil.

pelota [pelóta] *f. 1* Balle. *2* Ballon *m.* (de fútbol). *3* Pelote basque. *4 loc. adv.* fam. *En —,* tout nu, toute nue, à poil.

pelotón [pelotón] *m. 1* Peloton (de personas, de soldados). *2* Grosse balle *f.*

peluca [pelúka] *f. 1* Perruque. *2* fig. Réprimande, savon *m.*

peludo, -da [pelúðo, -ða] *adj.* Poilu, ue, velu, ue.

peluquería [pelukeria] *f.* Salon *m.* de coiffure.

peluquero, -ra [pelukéro, -ra] *s.* Coiffeur, euse.

pelusa [pelúsa] *f. 1* BOT. Duvet *m. 2* Peluche (de las telas).

pelvis [pélβis] *f. 1* ANAT. Pelvis *m.,* bassin *m. 2* Bassinet *m.* (del riñón).

pellejo [peȓéxo] *m. 1* Peau. *2* Outre *f.* (odre).

pellizco [peȓíθko] *m. 1* Pincement (acción): *dar un —,* pincer. *2* Pinçon (huella). *3* Pincée *f.* (porción pequeña).

pena [péna] *f. 1* Peine. *2 loc. adv.* **A duras penas,** à grand-peine; **a penas,** à peine.

penado, -da [penáðo, -ða] *s.* Condamné, ée.

penal [penál] *adj. 1* Pénal, ale. ■ *2 m.* Pénitencier (presidio).

penar [penár] *tr.* Punir.

penca [péŋka] *f. 1* BOT. Feuille, côte charnue. *2* Fouet *m.* (del verdugo).

pendenciero, -ra [pendenθjéro, -ra] *adj.* Querelleur, euse.

pender [pendér] *intr. 1* Pendre: **—** *de,* pendre à. *2* Dépendre.

pendiente [pendjénte] *adj. 1* Pendant, ante. ■ *2 m.* Pendant d'oreille. ■ *3 f.* Pente (declive).

péndulo, -la [péndulo, -la] *adj. 1* Pendant, ante. ■ *2 m.* MEC. Pendule.

penetrante [penetránte] *adj.* Pénétrant, ante.

penetrar [penetrár] *tr.-intr. 1* Pénétrer. ■ *2 pr.* Se pénétrer.

península [península] *f.* Presqu'île, péninsule: **—** *ibérica,* péninsule ibérique.

peninsular [peninsulár] *adj.* Péninsulaire.

penitencia [peniténθja] *f.* Pénitence.

penitenciaría [penitenθjaria] *f. 1* Pénitencerie. *2* Pénitencier *m.* (cárcel).

penitente [peniténte] *adj.-s.* Pénitent, ente.

penoso, -sa [penóso, -sa] *adj.* Pénible.

pensado, -da [pensáðo, -ða] *adj. 1* Pensé, ée. ■ *2 adj.-s. Mal —,* qui a mauvais esprit.

pensamiento [pensajménto] *m.* Pensée *f.*

pensar [pensár] *tr.-intr.* Penser. ▲ CONJUG. comme *acertar.*

pensativo, -va [pensatiβo, -βa] *adj.* Pensif, ive, songeur, euse.

pensión [pensjón] *f. 1* Pension. *2* Bourse (beca). *3* Pension de famille (casa de huéspedes).

pensionista [pensjonísta] *s.* Pensionnaire.

pentagrama [pentaɣráma] *m.* MÚS. Portée *f.*

penúltimo, -ma [penúltimo, -ma] *adj.* Avant-dernier, ière, pénultième.

penumbra [penúmbra] *f.* Pénombre.

peña [péɲa] *f. 1* Rocher *m.,* roc *m. 2* Réunion d'amis, cercle *m.*

peñasco [peɲásko] *m.* Rocher.

peñón [peɲón] *m.* Rocher.

peón [peón] *m. 1* Manœuvre (obrero). *2* Ouvrier agricole. *3* Pion (de damas, ajedrez). *4* TAUROM. Peón.

peonía [peonia] *f.* Pivoine.

peor [peór] *adj. 1* Pire. ■ *2 adv.* Pis: *tanto —,* tant pis.

pepinillo [pepiníȓo] *m.* Cornichon.

pepino [pepíno] *m.* Concombre.

pepita [pepíta] *f. 1* Pépie (enfermedad de las gallinas). *2* Pépin *m.* (de fruta). *3* Pépite *f.* (de oro).

pequeño, -ña [pekéɲo, -ɲa] *adj.-s.* Petit, ite.

pequeñuelo, -la [pekeɲwélo, -la] *adj. 1* Tout petit, toute petite, petiot, ote. ■ *2 s.* Petit enfant.

pera [péra] *f. 1* Poire. Loc. fig. *Pedir peras al olmo,* demander l'impossible. *2* Impériale, barbiche (barba).

percance [perkánθe] *m.* Contretemps.

percatarse [perkatárse] *pr.* S'apercevoir, se rendre compte.

percepción [perθeββjón] *f.* Perception.

percibir [perθiβír] *tr.* Percevoir: *percibo tus intenciones,* je perçois tes intentions.

percibo [perθíβo] *m.* Perception *f.*

percusión [perkusjón] *f.* Percussion.

percutir [perkutír] *tr.* Percuter.

percha [pértʃa] *f. 1* Perche. *2* MAR. Espar *m. 3* Portemanteau *m.:* *ha colgado el sombrero en la —,* il a accroché son chapeau au portemanteau.

perdedor, -ra [perðeðòr, -ra] *adj.-s.* Perdant, ante.

perder [perðèr] *tr.* *1* Perdre. Loc. *Echar a —*, abimer, gâter, corrompre; — *el tren, la ocasión,* manquer, rater le train, l'occasion. ■ *2 intr.* Déteindre (tratándose de una tela). ▲ CONJUG. comme *entender.*

pérdida [pèrðiða] *f.* Perte.

perdido, -da [perðiðo, -ða] *adj.* *1* Perdu, ue. Loc. fig. — *por,* follement épris de, fou de. ■ *2 m.* Vaurien. *3* IMPR. Passe *f.*

perdigar [perðiɣár] *tr.* COC. Faire revenir (ave, carne).

perdiz [perðiθ] *f.* Perdrix.

perdón [perðón] *m.* Pardon. Loc. fam. *Con — de usted,* avec votre permission.

perdonar [perðonár] *tr.* *1* Pardonner. *2* Faire grâce de: *no — ni un detalle,* ne pas faire grâce du moindre détail.

perdurable [perðuráβle] *adj.* Perpétuel, elle, éternel, elle.

perdurar [perðurár] *intr.* Durer longtemps.

perecer [pereθèr] *intr.* *1* Périr. ■ *2 pr. Perecerse por,* mourir d'envie de, désirer avec ardeur. ▲ CONJUG. comme *agradecer.*

peregrinación [pereɣrinaθjón] *f.,* **peregrinaje** [pereɣrinàxe] *m.* Pèlerinage *m.* (a un santuario): — *a Tierra Santa,* pèlerinage en Terre Sainte.

peregrinar [pereɣrinár] *intr.* *1* Aller en pèlerinage. *2* Pérégriner, voyager.

peregrino, -na [pereɣrino, -na] *adj.-s.* Pèlerin, ine.

perejil [perexil] *m.* *1* Persil. *2* fam. Colifichet.

pereza [perèθa] *f.* Paresse.

perfección [perfeɣθjón] *f.* Perfection.

perfeccionar [perfeɣθjonár] *tr.* Perfectionner.

perfecto, -ta [perfèɣto, -ta] *adj.* Parfait, aite.

perfil [perfil] *m.* *1* Profil. *2* Délié (de una letra).

perfilar [perfilár] *tr.* *1* Profiler. *2* fig. Parfaire, parachever, fignoler (afinar).

perforación [perforaθjón] *f.* Perforation.

perforar [perforár] *tr.* *1* Perforer (papel, etc.). *2* Forer (pozo).

perfumador [perfumaðòr] *m.* Brûle-parfum *invar.*

perfumar [perfumár] *tr.* Parfumer.

perfume [perfúme] *m.* Parfum.

perfumería [perfumeria] *f.* Parfumerie.

pergamino [perɣamino] *m.* *1* Parchemin. ■ *2 pl.* Titres de noblesse, parchemins.

pericia [periθja] *f.* Habileté, compétence.

perico [periko] *m.* Perruche *f.*

periferia [perifèrja] *f.* Périphérie.

perilla [periʎa] *f.* *1* Impériale, barbiche. *2* Pommeau *m.* (de una silla de montar). *3* Ornement *m.* en forme de poire. *4 loc. adv.* fam. *De —,* à propos, à pic.

perímetro [perimetro] *m.* Périmètre.

perinola [perinóla] *f.* Toton *m.*

periódico, -ca [perjóðiko, -ka] *adj.* *1* Périodique. ■ *2 m.* Journal (publicación).

periodismo [perjoðizmo] *m.* Journalisme.

periodista [perjoðista] *s.* Journaliste.

período [perioðo] *m.* Période *f.*

peripecia [peripéθja] *f.* Péripétie.

periplo [periplo] *m.* Périple.

periquete (en un) [perikéte] *loc. adv.* En un clin d'œil, à l'instant.

periquito [perikito] *m.* Perruche *f.*

peritación [peritaθjón] *f.* Expertise.

perito, -ta [perito, -ta] *adj.* *1* Expert, erte, compétent, ente, habile. ■ *2 m.* Expert.

peritoneo [peritonéo] *m.* ANAT. Péritoine.

perjudicar [perxuðikár] *tr.* Nuire à, porter préjudice à.

perjuicio [perxwíθjo] *m.* Préjudice, dommage.

perjurio [perxúrjo] *m.* Parjure (acción).

perjuro, -ra [perxúro, -ra] *adj.-s.* Parjure (persona).

perla [pèrla] *f.* Perle.

perlado, -da [perláðo, -ða] *adj.* Perlé, ée.

permanecer [permaneθér] *intr.* Rester, demeurer, séjourner (en un lugar). ▲ CONJUG. comme *agradecer.*

permanencia [permanènθja] *f.* *1* Permanence (duración constante). *2* Séjour *m.* (estancia en algún lugar).

permanente [permanénte] *adj.* Permanent, ente.

permeable [permeáβle] *adj.* Perméable.

permiso [permiso] *m.* *1* Permission *f.,* autorisation *f.: pedir — para,* demander la permission de. *2* Permis (escrito). *3* MIL. Permission *f.*

permitir [permitir] *tr.* Permettre.

permutar [permutár] *tr.* *1* Permuter (empleos). *2* Troquer.

pernera [pernèra] *f.* Jambe (de un pantalón).

pernicioso, -sa [perniθjóso, -sa] *adj.* Pernicieux, euse.

pernil [pernil] *m.* *1* Cuisse *f.* (de un animal). *2* Jambon (de cerdo).

pernoctar [pernoɣtár] *intr.* Passer la nuit.

pero [péro] *m.* *1* Variété de pommier. *2* Variété de pomme *f.* allongée (fruto).

pero [péro] *conj.* *1* Mais. ■ *2 m.* Défaut: *no tiene un —,* cela est sans défauts.

perol [peról] *m.* Sorte de chaudron.

perorata [peroráta] f. Harangue, discours m. ennuyeux, long laïus m.

perpendicular [perpendikulár] adj.-f. Perpendiculaire.

perpetua [perpétwa] f. Immortelle.

perpetuidad [perpetwiðáð] f. Perpétuité.

perpetuo, -ua [perpétwo, -wa] adj. Perpétuel, elle.

perplejidad [perplexiðáð] f. Perplexité.

perra [péřa] f. 1 Chienne. 2 — chica, — gorda, pièce d'un sou, de deux sous.

perrada [peřáða] f. Ensemble m. de chiens.

perrera [peřéra] f. 1 Chenil m., niche (casilla). 2 Fourgon m. à chiens.

perro [péřo] m. 1 Chien. Loc. fig. ser — viejo, être un vieux renard. 2 — chico, — grande, pièce f. d'un sou, de deux sous. 3 — caliente, hot dog.

persa [pèrsa] adj.-s. 1 Perse (de la Persia antigua). 2 Persan, ane.

persecución [persekuθjón] f. 1 Poursuite: en — de, à la poursuite de. 2 Persécution (tormentos).

perseguir [perseɣír] tr. 1 Poursuivre (seguir, importunar, pretender). 2 Persécuter (a las personas). ▲ CONJUG. comme servir.

perseverancia [perseβeránθja] f. Persévérance.

perseverar [perseβerár] intr. Persévérer.

persiana [persjána] f. Persienne (rígida), jalousie, store m. (enrollable).

persignar [persiɣnár] tr. 1 Faire le signe de croix. ■ 2 pr. Se signer.

persistente [persistènte] adj. Persistant, ante.

persistir [persistir] intr. Persister (durar, mantenerse): — en, persister dans, à: persiste en negar, il persiste à nier.

persona [persóna] f. 1 Personne. 2 loc. adv. En —, en personne.

personaje [personáxe] m. Personnage.

personal [personál] adj.-m. Personnel, elle.

personalidad [personaliðáð] f. Personnalité.

personarse [personárse] pr. 1 Se présenter en personne. 2 DER. Comparaître.

perspicaz [perspikáθ] adj. Perspicace.

persuadir [perswaðír] tr. 1 Persuader. ■ 2 pr. Se persuader.

persuasión [perswasjón] f. Persuasion.

pertenecer [perteneθér] intr. Appartenir. ▲ CONJUG. comme agradecer.

pertenencia [pertenénθja] f. 1 Appartenance (dependencia). 2 Propriété, possession.

pértiga [pértiɣa] f. Perche (vara larga): salto de —, saut à la perche.

pertinente [pertinénte] adj. Pertinent, ente.

pertrechar [pertretʃár] tr. Munir, pourvoir.

perturbación [perturβaθjón] f. 1 Perturbation. 2 Trouble m. (mental).

perturbar [perturβár] tr. Perturber, troubler.

peruano, -na [perwáno, -na] adj.-s. Péruvien, ienne.

pervertir [perβertir] tr. Pervertir. ▲ CONJUG. comme hervir.

pesa [pésa] f. 1 Poids m. (de balanza, de reloj). ■ 2 pl. Haltères m. (de gimnasia).

pesadez [pesaðéθ] f. 1 Pesanteur, poids m. 2 Lourdeur (de estómago).

pesadilla [pesaðíʎa] f. Cauchemar m.

pesado, -da [pesáðo, -ða] adj. 1 Lourd, lourde, pesant, ante. 2 fig. Ennuyeux, euse, assommant, ante (molesto, aburrido), pénible (penoso).

pesadumbre [pesaðúmbre] f. Peine, chagrin m.

pésame [pésame] m. Condoléances f.

pesar [pesár] intr.-tr. 1 Peser. ■ 2 intr. fig. Regretter: me pesa haberlo hecho, je regrette de l'avoir fait. 3 loc. adv. Pese a, malgré.

pesar [pesár] m. 1 Peine f., chagrin. 2 Regret (sentimiento, arrepentimiento). 3 loc. prep. A — de, malgré; a — de todo, malgré tout; a — suyo, malgré lui. 4 loc. conj. A — de que, bien que.

pesca [péska] f. Pêche: — con caña, pêche à la ligne. ■

pescadería [peskaðería] f. Poissonnerie.

pescado [peskáðo] m. Poisson.

pescador, -ra [peskaðór, -ra] adj.-s. 1 Pêcheur, euse. ■ 2 f. Sorte de vareuse.

pescar [peskár] tr. 1 Pêcher. 2 fig. Attraper (coger): — un catarro, attraper un rhume.

pesebre [pesèβre] m. 1 Mangeoire f., râtelier. 2 Crèche f. (de Navidad).

peseta [peséta] f. Peseta.

pesimismo [pesimízmo] m. Pessimisme.

pésimo, -ma [pésimo, -ma] adj. Très mauvais, aise.

peso [péso] m. 1 Poids. 2 Balance (balanza). 3 fig. Poids. 4 Peso (moneda).

pespunte [pespúnte] m. Point arrière, point de piqûre.

pespuntear [pespunteár] tr. Piquer.

pesquisa [peskísa] f. Recherche, enquête.

pestaña [pestáɲa] f. 1 ANAT., ZOOL. Cil m. 2 fig. Bord m. (borde), lisière (de una tela).

pestañear [pestaɲeár] *intr.* Ciller, cligner des yeux.

peste [péste] *f. 1* Peste. *2* Mauvaise odeur, puanteur (hedor). ■ *3 pl.* Imprécations.

pestilencia [pestilénθja] *f.* Pestilence.

pestillo [pestíʎo] *m. 1* Targette *f. 2* Pêne (de la cerradura).

petaca [petáka] *f.* Blague à tabac.

pétalo [pétalo] *m.* BOT. Pétale.

petardo [petárðo] *m. 1* Pétard. *2* fig. fam. Escroquerie *f.* (estafa).

peteneras [petenéras] *f. pl.* Chant *m. sing.* andalou.

petición [petiθjón] *f.* Demande. Loc. *Previa — de hora,* sur rendez-vous.

petitorio, -ia [petitórjo, -ja] *adj. 1* Pétitoire. ■ *2 m.* Réclamation *f.*

peto [péto] *m. 1* Plastron (de armadura o vestido). *2* Bavette *f.* (de delantal, etc.).

petrificar [petrifikár] *tr.* Pétrifier.

petróleo [petróleo] *m.* Pétrole.

petrolero, -ra [petroléro, -ra] *adj. 1* Pétrolier, ière. ■ *2 m.* Pétrolier (barco).

petulante [petulánte] *adj.* Présomptueux, euse, outrecuidant, ante, fier, fière.

peyorativo, -va [peʝoratiβo, -βa] *adj.* Péjoratif, ive.

pez [peθ] *m. 1* Poisson: *peces de colores,* poissons rouges. ■ *2 f.* Poix. *3 — griega,* colophane.

pezón [peθón] *m. 1* Queue *f.* (de hojas, frutos, etc.). *2* Mamelon (de la mama).

pezuña [peθúɲa] *f.* Sabot *m.,* pied *m.* fourchu des ruminants.

pi [pi] *f.* Pi *m.* (letra griega).

piadoso, -sa [pjaðóso, -sa] *adj.* Pieux, euse.

pianista [pjanísta] *s.* Pianiste.

piano [pjáno], **pianoforte** [pjanofórte] *m. 1* Piano. *2 — de manubrio,* orgue de Barbarie.

piar [pjár] *intr.* Piailler, pépier, piauler.

piara [pjára] *f.* Troupeau *m.* de cochons.

pica [píka] *f.* Pique.

picada [pikáða] *f. 1* Coup *m.* de bec. *2* Piqûre (picadura).

picador [pikaðór] *m. 1* TAUROM. Picador. *2* Dresseur de chevaux. *3* COC. Hachoir.

picadura [pikaðúra] *f. 1* Piqûre. *2* Trou *m.* (en una tela, un diente).

picante [pikánte] *adj.* Piquant, ante.

picapleitos [pikapléitos] *m. 1* Chicaneur, plaideur. *2* DESP. Avocaillon (abogado).

picaporte [pikapórte] *m. 1* Loquet. *2* Heurtoir, marteau (aldaba). *3* Bec-de-cane (manubrio).

picar [pikár] *tr. 1* Piquer. *2* Mordre (peces): *— el anzuelo,* mordre à l'hameçon. *3* COC. Hacher. ■ *4 intr.* Brûler, taper (el

sol). *5* Sentidos diversos: *— en todo,* connaître un peu de tout; *— en historia,* devenir intéressant; *— alto,* viser haut. ■ *6 pr.* Se piquer (dicho del vino). *7* Se gâter (dientes, frutas). *8* Se miter (una tela). *9* S'agiter (el mar).

picardía [pikarðía] *f.* Friponnerie, coquinerie (bellaquería).

picaresco, -ca [pikarésko, -ka] *adj. 1* Picaresque. *2* Rusé, ée, malin, igne.

picazón [pikaθón] *f.* Démangeaison, picotement *m.*

pico [píko] *m. 1* Bec (de un ave, una vasija, etc.). *2* fig. Bec (boca): *cerrar el —,* fermer son bec (callarse). *3* Pointe *f.* (parte puntiaguda): *cuello en —,* col en pointe. *4* Sommet, pic, piton (cima). *5* Pic (herramienta). *6* Pic (pájaro). Loc. fam. *Andar a picos pardos, irse a, de picos pardos,* bambocher, faire la noce.

picotear [pikoteár] *tr. 1* Becqueter. *2* Picorer. ■ *3 intr.* Bavarder. ■ *4 pr.* Se chamailler.

pictórico, -ca [piʝtóriko, -ka] *adj.* Pictural, ale.

pichón [pitʃón] *m. 1* Pigeonneau. *2 Tiro de —,* tir au pigeon.

pie [pje] *m. 1* Pied. Loc. *De —, en —,* debout; fig. *levantarse con el — izquierdo,* se lever du pied gauche. *2* Occasion *f.,* motif: *dar —,* donner l'occasion. *3* Bas: *al — de la escalera,* au bas de l'escalier. *4 — de altar,* casuel. *5* MÉTR. Pied: *— forzado,* rime forcée. *6 — de león,* pied-de-lion (planta).

piedad [pjeðáð] *f. 1* Pitié (compasión): *ten — de mí,* aie pitié de moi: *por —,* par pitié. *2* Piété (devoción).

piedra [pjéðra] *f. 1* Pierre: *— fina, preciosa,* pierre précieuse. *2* MED. Calcul *m.*

piel [pjél] *f. 1* Peau: *— de zapa,* peau de chagrin. *2* Fourrure: *abrigo de pieles,* manteau de fourrure.

pienso [pjénso] *m.* Aliment, nourriture *f.* sèche que l'on donne à un cheval, etc.

pienso (ni por) [pjénso] *loc. adv.* En aucune façon.

pierna [pjérna] *f. 1* Jambe. *2* Loc. fig. *Estirar las piernas,* se dégourdir les jambes. *3* Cuisse (de aves), gigot *m.* (de carnero). *4* Branche (de compás).

pieza [pjéθa] *f. 1* Pièce. Loc. *Dejar de una —,* laisser baba; *quedarse hecho una —,* rester stupéfait, aite. *2* Pièce (moneda).

pigmento [piɣménto] *m.* Pigment.

pijama [pixáma] *m.* Pyjama.

pila [píla] *f. 1* Pile, tas *m.* (montón). *2* Bassin *m.* (de fuente), auge (de abrevadero). *3 — de agua bendita,* bénitier *m. 4*

Fonts *m. pl.* baptismaux (para bautizar).

pilar [pilár] *m. 1* Pilier. *2* Vasque *f.* (de fuente).

píldora [píldora] *f.* Pilule.

pilón [pilón] *m. 1* Vasque *f.* (de fuente), auge *f.* (de abrevadero). *2* Poids (de la balance romaine).

pilongo, -ga [pilóŋgo, -ga] *adj.* Maigre, sec, sèche.

pilotaje [pilotáxe] *m.* Pilotage.

pilotar [pilotár] *tr.* Piloter.

piloto [pilóto] *m.* Pilote: — *de pruebas,* pilote d'essai.

piltrafa [piltráfa] *f. 1* Déchet *m.* de viande. *2* fig. — *humana,* loque.

pillada [piʎáða] *f.* Friponnerie.

pillaje [piʎáxe] *m.* Pillage.

pillar [piʎár] *tr. 1* Piller. *2* fig. Attraper, choper (coger).

pillo, -lla [píʎo, -ʎa] *adj.-m.* Frippon, onne, coquin, ine, garnement *m.*

pilluelo, -la [piʎwélo, -la] *s.* Gamin, ine (niño), galopin *m.,* chenapan *m.*

pimentón [pimentón] *m. 1* Piment rouge moulu. *2* Poivron (fruto).

pimienta [pimjénta] *f.* Poivre *m.*

pimiento [pimjénto] *m. 1* Piment (planta). *2* Poivron, piment (fruto).

pimpollo [pimpóʎo] *m. 1* Pousse *f.,* rejeton. *2* Jeune arbre. *3* Bouton de rose (de rosa). *4* fig. Bel enfant, beau garçon, belle fille.

pinacoteca [pinakotéka] *f.* Pinacothèque.

pinar [pinár] *m.* Pinède *f.*

pincel [pinθél] *m.* Pinceau.

pincelada [pinθeláða] *f.* Coup *m.* de pinceau, touche.

pinchar [pintʃár] *tr. 1* Piquer. ■ *2 pr.* Se piquer (con una punta). ■ *3 rec.* Se taquiner.

pinchazo [pintʃáθo] *m. 1* Piqûre *f.* (hecha con una punta). *2* Crevaison *f.* (de un neumático).

pinche [pintʃe] *m.* Marmiton.

pincho [pintʃo] *m.* Pointe *f.*

pingüe [piŋgwe] *adj. 1* Graisseux, euse, gras, grasse. *2* fig. Abondant, ante, productif, ive, gros, grosse: *pingües beneficios,* de gros bénéfices.

pingüino [piŋgwino] *m.* Pingouin.

pinito [pinito] *m.* Premier pas: *hacer pinitos,* faire ses premiers pas.

pino [pino] *m.* Pin.

pino, -na [pino, -na] *adj.* Raide, escarpé, ée.

pintado, -da [pintáðo, -ða] *adj. 1* Peint, peinte. Loc. fig. *Estar, venir como —,* aller à merveille, tomber à pic. *2* Tacheté, ée (de diversos colores).

pintar [pintár] *tr. 1* Peindre: — *de azul,* peindre en bleu. *2* Dépeindre, décrire (describir). ■ *3 intr.* Avoir de l'importance, être important, ante. ■ *4 pr.* Se farder, se maquiller (el rostro). *5 Pintarse solo para,* être sans pareil pour.

pintor, -ra [pintór, -ra] *s. 1* Peintre *m.* (hombre o mujer), femme peintre *f.* (mujer). *2* — *de brocha gorda,* peintre en bâtiment.

pintoresco, -ca [pintorésko, -ka] *adj.* Pittoresque.

pintura [pintúra] *f.* Peinture: — *al óleo, al temple,* peinture à l'huile, à la détrempe.

pinza [pinθa] *f. 1* Pince (de crustáceo, etc.). ■ *2 pl.* Pince *sing.* (instrumento).

pinzón [pinθón] *m.* Pinson.

piña [piɲa] *f. 1* Pomme de pin. *2* — *de América,* ananas *m. 3* fig. Foule, masse.

piñón [piɲón] *m. 1* Pignon. *2* MEC. Pignon.

pío [pío] *m.* Pépiement, piaulement. Loc. fig. *No decir ni —,* ne pas souffler mot, ne pas piper.

pío, -ía [pío, -ía] *adj. 1* Pie: *obra pía,* œuvre pie. *2* Pieux, euse (piadoso).

piojo [pjóxo] *m.* Pou.

pipa [pipa] *f. 1* Pipe: *fumar en —,* fumer la pipe. *2* Fût *m.,* tonneau *m.* (tonel). *3* Pépin *m.* (semilla), graine (de girasol).

pipí [pipí] *m.* Pipi.

pique [pike] *m.* Brouille *f.,* brouillerie *f.*

piquete [pikéte] *m. 1* Piquet (jalón). *2* MIL. Piquet. Loc. — *de ejecución,* peloton d'exécution. *3* Piqûre *f.* (herida).

piragua [piráɣwa] *f. 1* Pirogue. *2* DEP. Canoë *m.,* kayac *m.*

pirámide [pirámiðe] *f.* Pyramide.

pirata [piráta] *m.* Pirate.

piratería [piratería] *f.* Piraterie, flibuste.

pirenaico, -ca [pirenáiko, -ka] *adj.* Pyrénéen, enne.

piropo [pirópo] *m.* Galanterie *f.,* compliment.

pirueta [pirwéta] *f.* Pirouette.

pisa [pisa] *f.* Foulage *m.* (de la uva, del paño, etc.).

pisada [pisáða] *f. 1* Pas *m.: el ruido de sus pisadas,* le bruit de ses pas. *2* Trace (huella). *3* Foulée (de un animal).

pisapapeles [pisapapéles] *m. invar.* Presse-papiers.

pisar [pisár] *tr. 1* Marcher sur: — *una alfombra,* marcher sur un tapis. *2* Fouler (los paños, la uva, etc.). *3* Presser (las cuerdas de un instrumento). *4* Appuyer sur (un pedal).

piscicultura [pisθikultúra] *f.* Pisciculture.

piscina [pisθina] *f.* Piscine.

piso [piso] *m. 1* Étage (de una casa). *2* Appartement (vivienda): — *piloto*, appartement témoin. *3* Sol (suelo), plancher (de madera).

pisotear [pisoteár] *tr. 1* Piétiner. *2* Fouler aux pieds.

pista [písta] *f.* Piste.

pistacho [pistátʃo] *m.* Pistache *f.*

pistola [pistóla] *f. 1* Pistolet *m.* (arma). *2* Pistolet *m.* (para pintar), aérographe.

pistolero [pistoléro] *m.* Bandit.

pistón [pistón] *m. 1* Piston. *2* Amorce *f.* (de la cápsula).

pitada [pitáða] *f. 1* Coup *m.* de sifflet. *2* fam. Impair *m.*, incongruité.

pitar [pitár] *intr.* Siffler.

pitillera [pitiʎéra] *f.* Porte-cigarettes *m. invar.*

pitillo [pitíʎo] *m.* Cigarette *f.*

pito [píto] *m. 1* Sifflet. *2* Loc. fam. *No se me da un —*, je m'en moque; *esto no vale un —*, cela ne vaut pas tripette.

pitón [pitón] *m.* Python (serpiente).

pitorreo [pitoréo] *m.* Moquerie *f.*

pitorro [pitóro] *m.* Bec (de vasija).

pizarra [piθára] *f. 1* Ardoise. *2* Tableau *m.* noir (encerado).

pizca [píθka] *f.* Brin *m.*, soupçon *m.*, miette, bribe: *ni — de*, pas une miette de.

pizpireta [piθpiréta] *adj. f.* Vive, qui a l'esprit prompt (mujer).

placa [pláka] *f.* Plaque: — *giratoria*, plaque tournante.

pláceme [pláθeme] *m.* Félicitation *f.*, compliment.

placentero, -ra [plaθentéro, -ra] *adj.* Agréable, plaisant, ante.

placer [plaθér] *m.* Plaisir (goce, diversión).

placer [plaθér] *tr.* Plaire. ▲ CONJUG. IRRÉG. Prés.: *plazco, places, place, placemos, placéis, placen.* Imparf.: *placía, placías,* etc. Pas. simple: *plací, placiste, plació* ou *plugo, placimos, placisteis, placieron* ou *pluguieron.* Fut.: *placeré, placerás,* etc. COND.: *placería, placerías,* etc. SUBJ. Prés.: *plazca, plazcas, plazca,* ou *plegue* ou *plega, plazcamos, plazcáis, plazcan.* Imparf.: *placiera, placieras, placiera* ou *pluguiera, pláciéramos, placierais, placieran* ou *placiese, placieses, placiese* ou *pluguiere, placiéramos, placiereis, placieren.* IMPÉR.: *place, plazca, plazcamos, placed, plazcan.* PART. PAS.: *placido.* GÉR.: *placiendo.*

plácido, -da [pláθiðo, -ða] *adj.* Placide.

plaga [pláγa] *f.* Plaie, fléau *m.*: *las siete*

plagas de Egipto, les sept plaies d'Égypte.

plan [plaŋ] *m. 1* Plan (proyecto, programa, plano). *2* Projet (intención).

plana [plána] *f.* Page (página). Loc. *A toda —*, sur toute la page.

plancha [plántʃa] *f. 1* Plaque, feuille (de metal). *2* Fer *m.* à repasser (utensilio para planchar). *3* Planche (natación). *4* IMPR. Planche.

planchar [plantʃár] *tr.* Repasser.

planeta [planéta] *m.* Planète *f.*

planicie [planíθje] *f.* Plaine.

planisferio [planisférjo] *m.* GEOG. Planisphère *f.*

plano, -na [pláno, -na] *adj. 1* Plat, plate. *2* GEOM. Plan, plane.

planta [plánta] *f. 1* BOT. Plante. *2* Plan *m.* (plano). *3* Plante (del pie). *4* Étage *m.*: *en la — cuarta*, au quatrième étage.

plantar [plantár] *adj.* Plantaire.

plantar [plantár] *tr. 1* Planter. *2* Flanquer (un golpe, etc.). *3* Mettre (en un lugar): — *en la calle*, mettre à la porte. ■ *4 pr.* Se planter (ponerse, pararse). *5* Se buter (resistirse en no hacer algo). *6* Se rendre (trasladarse), arriver, débarquer (llegar).

plantear [planteár] *tr. 1* Former le plan de, projeter. *2* Poser (un problema).

plantilla [plantíʎa] *f. 1* Semelle (del calzado). *2* Patron *m.* (para cortar, etc.).

plantón [plantón] *m. 1* AGR. Plant. *2* Planton (persona). Loc. *Dar un —*, poser un lapin.

plasmar [plasmár] *tr. 1* Créer, former. ■ *2 pr.* Prendre forme, se concrétiser.

plástico, -ca [plástiko, -ka] *adj. 1* Plastique. ■ *2 m.* Plastique, matière *f.* plastique. *3* Plastic (explosivo).

plata [pláta] *f. 1* Argent *m.* *2* Argenterie (vajilla de plata, etc.).

plataforma [platafórma] *f.* Plate-forme.

plátano [plátano] *m. 1* Platane. *2* Bananier (árbol frutal). *3* Banane *f.* (fruto).

platea [platéa] *f.* TEAT. Parterre *m.*

plateado, -da [plateáðo, -ða] *adj. 1* Argenté, ée. ■ *2 m.* Argenture *f.*

platería [platería] *f.* Orfèvrerie.

platero [platéro] *m.* Orfèvre.

plática [plátika] *f.* Conversation.

platillo [platíʎo] *m. 1* Soucoupe *f.* Loc. — *volante*, soucoupe volante. *2* Plateau (de balanza). ■ *3 pl.* MÚS. Cymbales *f.*

platina [platína] *f. 1* Platine (de microscopio, etc.). *2* IMPR. Marbre *m.*

platino [platíno] *m.* Platine.

plato [pláto] *m. 1* Assiette *f.* (vasija): — *sopero*, assiette creuse. *2* Plat (manjar). *3* Plateau (de tocadiscos).

plausible [plaŭsíβle] *adj.* Plausible.

playa [plája] *f.* Plage.

playero, -ra [plajéro, -ra] *adj. 1* De plage: *sandalias playeras,* sandales de plage. ■ *2 f.* Air *m.* populaire andalou.

plaza [pláθa] *f. 1* Place (lugar público): *—mayor,* grand-place. *2 — de toros,* arènes *pl. 3* Marché *m.* (mercado). *4* Place (sitio, empleo).

plazo [pláθo] *m. 1* Délai. *2* Terme. *3* Echéance *f.* (vencimiento).

plebe [pléβe] *f.* Plèbe.

plebiscito [pleβisθíto] *m.* Plébiscite.

plegado [pleɣáðo] *m. 1* Pliage. *2* Pliure (encuadernación). *3* Plissage (acción de hacer tablas).

plegar [pleɣár] *tr. 1* Plier (doblar). *2* Plisser (hacer tablas). ■ *3 pr.* fig. Plier, se soumettre. ▲ CONJUG. comme *acertar.*

plegaria [pleɣárja] *f.* Prière.

pleitear [pleĭteár] *tr.* DER. Plaider.

pleito [pléĭto] *m. 1* DER. Procès, litige. *2* Dispute *f. 3 — homenaje,* hommage.

plenario, -ia [plenárjo, -ja] *adj. 1* Plénier, ière. ■ *2 m.* DER. Partie *f.* du procès qui suit l'instruction.

plenipotenciario, -ia [plenipotenθjárjo, -ja] *adj.-s.* Plénipotentiaire.

plenitud [plenitúð] *f.* Plénitude.

pleno, -na [pléno, -na] *adj. 1* Plein, pleine: *con — derecho,* de plein droit. ■ *2 m.* Séance *f.* plénière.

pléyade [pléjaðe] *f.* LIT. Pléiade.

pliego [pljéɣo] *m. 1* Feuille *f.* de papier (hoja). *2* Pli (carta). *3 — de condiciones,* cahier des charges.

pliegue [pljéɣe] *m.* Pli.

plomada [plomáða] *f. 1* Fil *m.* à plomb. *2* Plombée (de una red de pescar).

plomero [plomέro] *m.* Plombier.

plomizo, -za [plomíθo, -θa] *adj.* Plombé, ée.

plomo [plómo] *m. 1* Plomb. *2* loc. adv. A —, à plomb.

pluma [plúma] *f. 1* Plume. Loc. *— estilográfica,* stylographe *m.,* stylo *m. 2* loc. adv. *Al correr de la —, a vuela —,* au courant de la plume.

plumaje [plumáxe] *m. 1* Plumage. *2* Plumet (penacho).

plumero [plumέro] *m. 1* Plumeau. *2* Plumet (adorno). *3* Plumier (cajita).

plumón [plumón] *m. 1* Duvet (de las aves). *2* Édredon (de la cama).

plural [plurál] *adj. 1* Pluriel, elle. ■ *2 m.* Pluriel; *poner en —,* mettre au pluriel.

plus [plus] *m. 1* MIL. Supplément de solde. *2* Gratification *f.,* prime *f. 3* Supplément.

pluvial [pluβjál] *adj. 1* Pluvial, ale. *2* ECLES. *Capa —,* chape.

población [poβlaθjón] *f. 1* Peuplement *m.* (acción de poblar). *2* Population (habitantes). *3* Localité (lugar), ville (ciudad).

poblado [poβláðo] *m.* Localité *f.,* agglomération *f.* (población).

poblador, -ra [poβlaðór, -ra] *adj.-s. 1* Habitant, ante. *2* Colonisateur, trice.

poblar [poβlár] *tr.* Peupler. ▲ CONJUG. comme *contar.*

pobre [póβre] *adj. 1* Pauvre. ■ *2 s.* Pauvre, pauvresse.

pobreza [poβréθa] *f.* Pauvreté.

pocillo [poθíʎo] *m.* Tasse *f.* à chocolat.

poco, -ca [póko, -ka] *adj. 1* Peu de: *— dinero,* peu d'argent. Loc. *De — más o menos,* de peu de valeur. ■ *2 pron.* Peu (pequeña cantidad): *un — de,* un peu de. Loc. *Tener en —,* ne pas estimer, mépriser. ■ *3 adv.* Peu. Loc. *— a —,* peu à peu, petit à petit; *— más o menos,* à peu près.

poda [póða] *f.* AGR. Émondage *m.,* élagage *m.,* taille.

podadera [poðaðéra] *f.* Serpe (hoz), sécateur *m.* (tijeras).

podar [poðár] *tr.* AGR. Élaguer, émonder, tailler.

poder [poðér] *tr. 1* Pouvoir: *no — más,* n'en pouvoir plus. ■ *2 intr. No — con,* ne pouvoir supporter (aguantar), venir à bout de (someter). ■ *3 impers.* Se pouvoir, être possible: *puede que venga,* il se peut qu'il vienne. ▲ CONJUG. IRRÉG. INDIC. Prés.: *puedo, puedes, puede, podemos, podéis, pueden.* Imparf.: *podía, podías,* etc. Pas. simple: *pude, pudiste, pudo, pudimos, pudisteis, pudieron.* Fut.: *podré, podrás,* etc. COND.: *podría, podrías,* etc. SUBJ. Prés.: *pueda, puedas, pueda, podamos, podáis, puedan.* Imparf.: *pudiera, pudieras, pudiera, pudiéramos, pudierais, pudieran* ou *pudiese, pudieses,* etc. Fut.: *pudiere, pudieres, pudiere, pudiéremos, pudiereis, pudieren.* IMPÉR.: *puede, pueda, podamos, poded, puedan.* PART. PAS.: *podido.* GER.: *pudiendo.*

poder [poðér] *m. 1* Pouvoir. *2* Puissance *f.* (fuerza, poderío, capacidad).

poderoso, -sa [poðeróso, -sa] *adj.-s.* Puissant, ante.

podredumbre [poðreðúmbre] *f. 1* Pourriture. *2* Pus *m.* (humor).

poema [poéma] *m.* Poème.

poesía [poesía] *f.* Poésie.

poeta [poéta] *m.* Poète.

póker [póker] *m.* Poker.

polaco, -ca [poláko, -ka] *adj.-s.* Polonais, aise.

polea [poléa] *f.* Poulie.

polémico, -ca [polémiko, -ka] *adj.-f.* Polémique.

polen [pólen] *m.* BOT. Pollen.

policía [poliθía] *f.* 1 Police. 2 Politesse (cortesía). 3 Propreté (aseo). ■ 4 *m.* Policier, agent de police.

policromo, -ma [polikrómo, -ma] *adj.* Polychrome.

polichinela [politʃinéla] *m.* Polichinelle.

polifonía [polifonía] *f.* Polyphonie.

poligamia [poliɣámja] *f.* Polygamie.

polígloto, -ta [poliɣlóto, -ta] *adj.-s.* Polyglotte.

polígono [políɣono] *m.* Polygone.

polilla [poliʎa] *f.* Mite.

polinomio [polinómjo] *m.* MAT. Polynôme.

polípero [polípero] *m.* Polypier.

pólipo [pólipo] *m.* ZOOL., MED. Polype.

polisílabo, -ba [polisilaβo, -βa] *adj.-m.* Polysilabe.

politécnico, -ca [politéɣniko, -ka] *adj.* Polytechnique.

politeísmo [politeizmo] *m.* REL. Polythéisme.

política [politika] *f.* Politique.

político, -ca [politiko, -ka] *adj.* 1 Politique. 2 Poli, ie, courtois, oise. 3 Marque la parenté par mariage: *padre* —, *hijo* —, beau-père, beau-fils.

póliza [póliθa] *f.* 1 Police (de seguros). 2 Vignette, timbre *m.* (del impuesto).

polizón [poliθón] *m.* Passager clandestin.

polo [pólo] *m.* 1 Pôle: — *norte, sur,* pôle nord, sud. 2 Polo (juego, camisa).

poltrón, -ona [poltrón, -óna] *adj.* 1 Paresseux, euse. ■ 2 *f.* Bergère (sillón).

polvareda [polβaréða] *f.* 1 Nuage *m.* de poussière. 2 fig. Agitation des esprits.

polvera [polβéra] *f.* Poudrier *m.*

polvo [pólβo] *m.* 1 Poussière *f.*: *levantar* —, faire de la poussière. 2 Poudre *f.* (sustancia pulverizada): *oro en* —, poudre d'or. 3 Prise *f.* (de tabaco). ■ 4 *pl.* Poudre *f. sing.* (afeite).

pólvora [pólβora] *f.* 1 Poudre (explosivo). Loc. fig. — *en salvas,* tirer sa poudre aux moineaux.

polvoriento, -ta [polβorjénto, -ta] *adj.* 1 Poussiéreux, euse. 2 Poudreux, euse.

polvorín [polβorin] *m.* 1 Pulvérin. 2 Poire *f.* à poudre (frasquito).

pollera [poʎéra] *f.* Mue (para los pollos).

pollino [poʎíno] *m.* 1 Ânon. 2 Âne, baudet. 3 fig. Âne, imbécile.

pollito, -ta [poʎíto, -ta] *s.* 1 fam. Garçon, jeune fille. ■ 2 *m.* Poussin (polluelo).

pollo [póʎo] *m.* 1 Poulet (cría de gallina), petit (de cualquier ave). 2 fam. Jeune homme.

pómez [pómeθ] *adj. Piedra* —, pierre ponce.

pomo [pómo] *m.* 1 Petit flacon (frasco). 2 Pommeau (de espada).

pompa [pómpa] *f.* 1 Pompe, apparat *m.* 2 Bulle: — *de jabón,* bulle de savon.

ponchera [pontʃéra] *f.* Bol *m.* à punch.

ponderar [ponderár] *tr.* 1 Peser, examiner. 2 Pondérer (equilibrar).

ponencia [ponénθja] *f.* 1 Rapport *m.* (informe). 2 Charge de rapporteur.

ponente [ponénte] *adj.-s.* DER. Rapporteur.

poner [ponér] *tr.* 1 Mettre, placer, poser (colocar): — *una coma,* mettre une virgule. 2 Rendre (con ciertos adjetivos): — *triste, furioso,* etc., rendre triste, furieux, euse, etc. 3 Ouvrir (una tienda, etc.). 4 — *como nuevo,* remettre à neuf; fig. maltraiter (a uno). ■ 5 *pr.* Se mettre, se placer: *se puso de rodillas, il se mit à genoux.* 6 Devenir: *ponerse furioso,* devenir furieux. 7 Mettre (vestido, zapatos, etc.): *se puso el sombrero,* il mit son chapeau. 8 Se coucher (un astro). ▲ CONJUG. IRRÉG. INDIC. Prés.: *pongo, pones, pone, ponemos, ponéis, ponen.* Imparf.: *ponía, ponías, ponía,* etc. Pas simple: *puse, pusiste, puso, pusimos, pusisteis, pusieron.* Fut.: *pondré, pondrás,* etc. COND.: *pondría, pondrías,* etc. SUB. Prés.: *ponga, pongas, ponga, pongamos, pongáis, pongan.* Imparf.: *pusiera, pusieras, pusiera, pusiéramos, pusierais, pusieran,* ou *pusiese, pusieses,* etc. Fut.: *pusiere, pusieres,* etc. IMPÉR.: *pon, ponga, pongamos, poned, pongan.* PART. PAS.: *puesto, ta.* GER.: *poniendo.*

poniente [ponjénte] *m.* 1 Ponant, couchant. 2 Vent d'ouest.

pontificado [pontifikáðo] *m.* Pontificat.

pontífice [pontifiθe] *m.* Pontife: *sumo* —, souverain Pontife.

ponzoña [ponθóɲa] *f.* Poison *m.*, venin *m.*

popular [populár] *adj.* Populaire.

popularizar [populariθár] *tr.* Populariser.

por [por] *prep.* 1 Par (indica agente, causa, medio, modo, parte): — *ignorancia,* par ignorance. 2 Pour (a causa de, en consideración a, a favor de): *castigado* — *su pereza,* puni pour sa paresse. 3 Pour, comme: *dejar* — *muerto,* laisser pour mort. 4 Pour, afin de (con infinitivo): — *no cansarle,* pour ne pas le fatiguer; (seguido de infinitivo, con el sentido de sin): *estar — hacer*, être à faire. 5 Otros sentidos: *ir — pan*, aller chercher du pain; *— esto*, c'est pourquoi. 6 *loc. adv. — ahora*, pour le moment; *— la mañana*, *— la noche*, le matin, le soir ou la nuit; *— Navidad*, à la Noël; *— abril*, en avril. 7 *loc. conj. — qué*, pourquoi.

porcelana [porθelána] *f.* Porcelaine.

porcentaje [porθentáxe] *m.* Pourcentage.

porcino, -na [porθíno, -na] *adj.-s. 1* Porcin, ine. ■ *2 m.* Porcelet.

porción [porθjón] *f. 1* Portion. 2 Part (parte).

pordiosero, -ra [porðjoséro, -ra] *s.* Mendiant, ante.

porfiado, -da [porfjáðo, -ða] *adj.* Obstiné, ée.

porfiar [porfjár] *intr. 1* S'entêter, s'obstiner. 2 Se disputer. ▲ CONJUG. comme *desviar*.

pormenor [pormenór] *m. 1* Détail. 2 Tenants et aboutissants *pl.* (de un proceso).

pornografía [pornoɣrafía] *f.* Pornographie.

poroso, -sa [poróso, -sa] *adj.* Poreux, euse.

porque [pórke] *conj.* Parce que.

porqué [porké] *m.* Pourquoi *invar.* (causa, motivo).

porquería [porkería] *f.* Cochonnerie, saleté.

porra [póřa] *f. 1* Massue. 2 Matraque (de caucho). 3 *interj.* fam. Zut! Loc. fam. *Mandar a la —*, envoyer balader.

porrazo [pořáθo] *m. 1* Coup de massue, etc. 2 Coup.

porrillo (a) [poříʎo] *loc. adv.* À foison.

porrón, -ona [pořón, -óna] *adj. 1* Lourdaud, aude. ■ *2 m.* Cruche *f.* à bec pour boire à la régalade.

porta [pórta] *f.* MAR. Sabord *m.*

portaaviones [portaaβjónes] *m. invar.* Porte-avions.

portada [portáða] *f. 1* Frontispice *m.* 2 IMPR. Page de titre (de un libro), couverture (de una revista). 3 Portail *m.* (de un edificio).

portador, -ra [portaðór, -ra] *adj.-s.* Porteur, euse.

portal [portál] *m. 1* Entrée *f.*, vestibule. 2 Portique. 3 Porte *f.* (de una ciudad).

portarse [portárse] *pr. 1* Se comporter, se conduire: *se ha portado bien conmigo*, il s'est bien conduit avec moi. 2 Agir honorablement.

portátil [portátil] *adj.* Portatif, ive.

portavoz [portaβóθ] *m. 1* Porte-voix. 2 Porte-parole *invar.* (persona).

portazo [portáθo] *m.* Claquement de porte: *dar un —*, claquer la porte.

porte [pórte] *m.* Port, maintien, allure *f.* (de una persona).

portería [portería] *f. 1* Loge de concierge, conciergerie (habitación). 2 DEP. But *m.* (fútbol).

portero, -ra [portéro, -ra] *s. 1* Concierge, portier, ière. ■ *2 m.* Huissier. 3 DEP. Gardien de but (fútbol).

portezuela [porteθwéla] *f. 1* Portillon *m.* 2 Portière (de coche).

pórtico [pórtiko] *m.* Portique.

portón [portón] *m.* Grande porte *f.*

portorriqueño, -ña [portořikéno, -na] *adj.-s.* De Porto-Rico.

portuario, -ia [portwárjo, -ja] *adj.* Portuaire.

portugués, -esa [portuɣés, -ésa] *adj.-s.* Portugais, aise.

porvenir [porβenír] *m.* Avenir.

pos (en) [pos] *loc. adv.* Derrière, à la suite. Loc. *Ir en — de*, courir après.

posada [posáða] *f. 1* Auberge (mesón). 2 Demeure, logis *m.* (casa). 3 Hébergement *m.*

posar [posár] *intr. 1* Poser (ante un pintor, un fotógrafo). 2 Loger (alojarse). ■ *3 intr.-pr.* Se poser (los pájaros).

posdata [posðáta] *f. 1* Post-scriptum *m. invar.*

poseer [poseér] *tr.* Posséder.

posesión [posesjón] *f. 1* Possession. 2 Propriété (finca).

posibilidad [posiβiliðáð] *f. 1* Possibilité. ■ *2 pl.* Moyens *m.*

posible [posíβle] *adj. 1* Possible. Loc. *Hacer lo — por*, faire son possible pour. ■ *2 m. pl.* Moyens (medios).

posición [posiθjón] *f. 1* Position. 2 Position, situation (social).

positivo, -va [positíβo, -βa] *adj. 1* Positif, ive. ■ *2 f.* FOT. Positif *m.*

posponer [posponér] *tr.* Placer, faire passer après (a una persona, una cosa). ▲ CONJUG. comme *poner*.

posta [pósta] *f. 1* Poste, relais *m.* (de caballos). 2 Chevrotine (bala). 3 *loc. adv. Por la —*, rapidement; *a —*, à dessein, exprès.

postal [postál] *adj. 1* Postal, ale: *tarjeta —*, carte postale. ■ *2 f.* Carte postale.

poste [póste] *m.* Poteau.

postergar [posterɣár] *tr. 1* Ajourner (aplazar). 2 Laisser en arrière. 3 Ajourner l'avancement de (alguien).

posteridad [posteriðáð] *f.* Postérité.

posterior [posterjór] *adj.* Postérieur, eure.

postigo [postíyo] *m. 1* Volet (de ventana). *2* Porte *f.* dérobée (puerta falsa).

postizo, -za [postíθo, -θa] *adj. 1* Postiche. *2* Faux, fausse: *cuello* —, faux col.

postración [postraθjón] *f. 1* Postration (abatimiento). *2* Prosternation.

postrar [postrár] *tr. 1* Abattre (derribar, debilitar). ■ *2 pr.* Se prosterner (hincarse de rodillas).

postre [póstre] *m. 1* Dessert. ■ *2 adj.* Dernier, ière. *3 loc. adv. A la* —, à la fin.

postulado [postuláðo] *m.* Postulat.

postular [postulár] *tr. 1* Postuler. *2* Quêter (hacer una colecta).

postura [postúra] *f. 1* Posture, position. *2* Enchère (en una subasta). *3* Mise, enjeu *m.* (en el juego). *4* Ponte (de los huevos). *5* fig. Attitude.

potable [potáβle] *adj.* Potable.

potaje [potáxe] *m. 1* Potage. *2* Légumes *pl.* secs.

pote [póte] *m. 1* Pot (vasija). *2* Marmite *f.* (para cocer viandas).

potencia [poténθja] *f. 1* Puissance. *2 loc. adv. En* —, en puissance.

potencial [potenθjál] *adj.-m. 1* Potentiel, elle. ■ *2 m.* GRAM. Conditionnel.

potentado [potentáðo] *m.* Potentat.

potente [poténte] *adj.* Puissant, ante.

poterna [potérna] *f.* FORT. Poterne.

potestad [potestáð] *f.* Puissance, pouvoir *m.: patria* —, puissance paternelle.

potingue [potíŋge] *m.* fam. Potion *m.,* breuvage.

potranca [potráŋka] *f.* Jeune jument, pouliche.

potro [pótro] *m. 1* Poulain (animal). *2* Chevalet (de tormento). *3* VET. Travail (aparato).

pozo [póθo] *m.* Puits.

práctica [práytika] *f. 1* Pratique. *2* Méthode. ■ *3 pl.* Travaux *m.* pratiques (ejercicios). *4* Stage *m. sing.* (período).

practicante [praytikánte] *adj.* Pratiquant, ante (en religión).

practicar [praytikár] *tr. 1* Pratiquer. *2* Pratiquer, faire: — *la natación,* faire de la natation. ■ *3 intr.* Faire un stage.

práctico, -ca [práytiko, -ka] *adj. 1* Pratique. *2* Expérimenté, ée, exercé, ée.

pradera [praðéra] *f.* Prairie.

prado [práðo] *m.* Pré.

pragmático, -ca [praymátiko, -ka] *adj.-f.* Pragmatique.

preámbulo [preámbulo] *m.* Préambule.

precario, -ia [prekárjo, -ja] *adj.* Précaire.

precaución [prekauθjón] *f.* Précaution.

precavido, -da [prekaβíðo, -ða] *adj.* Prévoyant, ante, précautionneux, euse.

precedente [preθeðénte] *adj.-m.* Précédent, ente.

precepto [preθéβto] *m.* Précepte.

preceptor, -ra [preθeβtór, -ra] *s.* Précepteur, trice.

preciar [preθjár] *tr. 1* Apprécier. ■ *2 pr.* Se vanter de, se piquer de. ▲ CONJUG. comme *cambiar.*

precintar [preθintár] *tr. 1* Mettre des renforts aux angles (de cajas, maletas). *2* Sceller, cacheter, plomber, mettre des bandes de sûreté à (un paquete, etc.).

precio [préθjo] *m. 1* Prix: — *de coste,* prix de revient. *2 loc. prep. Al — de,* au prix de.

preciosidad [preθjosiðáð] *f.* Qualité de ce qui est précieux.

precioso, -sa [preθjóso, -sa] *adj. 1* Précieux, euse (de mucho valor). *2* Très joli, ie, ravissant, ante (bonito).

precipicio [preθipíθjo] *m.* Précipice.

precipitación [preθipitaθjón] *f.* Précipitation.

precipitar [preθipitár] *tr.* Précipiter.

precisar [preθisár] *tr. 1* Préciser (fijar). *2* Forcer, obliger (obligar). ■ *3 impers.* Falloir.

preciso, -sa [preθíso, -sa] *adj. 1* Précis, ise. *2* Nécessaire. Loc. *Ser* —, être nécessaire, falloir; *es* — *que vengáis,* il faut que vous veniez.

precocidad [prekoθiðáð] *f.* Précocité.

preconcebir [prekonθeβír] *tr.* Préconcevoir: *idea preconcebida,* idée préconçue.

preconizar [prekoniθár] *tr.* Préconiser.

precoz [prekóθ] *adj.* Précoce.

precursor, -ra [prekursór, -ra] *adj. 1* Précurseur, avant-coureur, annonciateur, trice. ■ *2 m.* Précurseur.

predecesor, -ra [preðeθesór, -ra] *s. 1* Prédécesseur *m. 2* Ancêtre.

predecir [preðeθír] *tr.* Prédire. ▲ CONJUG. comme *decir.*

predestinar [preðestinár] *tr.* Prédestiner.

predicador, -ra [preðikaðór, -ra] *adj.-s. 1* Prêcheur, euse. ■ *2 m.* Prédicateur.

predicar [preðikár] *tr.* Prêcher.

predicción [preðiyθjón] *f.* Prédiction.

predilecto, -ta [preðiléyto, -ta] *adj.* Préféré, ée, bien-aimé, ée.

predisponer [preðisponér] *tr.* Prédisposer. ▲ CONJUG. comme *poner.*

predominio [preðominjo] *m.* Prédominance *f.*

preestablecido, -da [preestaβleθiðo, -ða] *adj.* Préétabli, ie.

prefacio [prefáθjo] *m.* Préface *f.*

prefecto [preféyto] *m.* Préfet.

prefectura [preféytúra] *f.* Préfecture.

preferencia [preferénθja] *f.* *1* Préférence. *2* Priorité. *3 — de paso,* priorité.
preferible [preferíβle] *adj.* Préférable.
preferir [preferír] *tr.* Préférer. ▲ CONJUG. comme *hervir.*
prefijo, -ja [prefixxo, -xa] *adj.-m.* Préfixe.
pregón [preγón] *m.* *1* Proclamation *f.,* annonce *f.* (noticia). *2* Cri (de vendedor).
pregonar [preγonár] *tr.* *1* Publier à haute voix, annoncer publiquement. *2* Crier (un vendedor).
pregunta [preγúnta] *f.* Demande, question: *hacer preguntas,* poser des questions.
preguntar [preγuntár] *tr.* *1* Demander. *2* Questionner, interroger.
prehistoria [preïstórja] *f.* Préhistoire.
prejuicio [prexwíθjo] *m.* Préjugé, parti pris.
prejuzgar [prexuθγár] *tr.* Préjuger.
prelado [preláðo] *m.* Prélat.
preliminar [preliminár] *adj.-m.* Préliminaire.
preludiar [preluðjár] *intr.* *1* Préluder. ■ *2 tr.* fig. Préluder à (anunciar).
prematuro, -ra [prematúro, -ra] *adj.* Prématuré, ée.
premeditación [premeðitaθjón] *f.* Préméditation.
premeditar [premeðitár] *tr.* Préméditer.
premiar [premjár] *tr.* Récompenser, accorder un prix à. ▲ CONJUG. comme *cambiar.*
premio [prémjo] *m.* *1* Prix, récompense *f.* *2* Lot (de lotería): *— gordo,* gros lot. *3* COM. Prime *f.*
premisa [premísa] *f.* LÓG. Prémisse.
premura [premúra] *f.* *1* Urgence. *2 — de tiempo,* hâte.
prenda [prénda] *f.* *1* Gage *m.* (garantía). *2* Gage (de amistad). *3* Vêtement *m.* (ropa): *— interior,* sous-vêtement. *4* Personne, chose très aimée. ■ *5 pl.* Qualités (de una persona).
prendado, -da [prendáðo, -ða] *adj.* Épris, ise.
prender [prendér] *tr.* *1* Prendre, arrêter (a una persona), faire prisonnier (aprisionar). *2* Accrocher, retenir (hablando de cosas). ■ *3 intr.* Prendre (el fuego, una vacuna, etc.): *el injerto ha prendido,* la greffe a pris.
prensa [prénsa] *f.* *1* Presse (máquina, publicaciones, diarios). Loc. *Dar a la —,* faire imprimer. *2* loc. adv. *En —,* sous presse: *meter en —,* mettre sous presse.
prensar [prensár] *tr.* *1* Presser (en una prensa). *2* Pressurer (uva, etc.).
preñado, -da [preɲáðo, -ða] *adj.* *1* Plein,

pleine, chargé, ée (cargado). ■ *2 adj.-f.* Enceinte, grosse (mujer), pleine (animales).
preocupación [preokupaθjón] *f.* *1* Préoccupation. *2* Souci *m.* (inquietud).
preocupar [preokupár] *tr.* Préoccuper.
preparación [preparaθjón] *f.* Préparation.
preparado [preparáðo] *m.* Préparation *f.*
preparar [preparár] *tr.* *1* Préparer. ■ *2 pr.* Se préparer.
preparativos [preparatíβos] *m. pl.* Préparatifs.
preponderar [preponderár] *intr.* Être prépondérant, ante, prédominer.
preposición [preposiθjón] *f.* Préposition.
presa [présa] *f.* *1* Prise (acción, cosa apresada). *2* Proie (de un animal): *ave de —,* oiseau de proie. *3* Barrage *m.* (a través de un río). *4* Bief *m.* (de un molino), canal *m.* *5* Croc *m.* (colmillo). *6* Serre (de ave).
presagiar [presaxjár] *tr.* Présager. ▲ CONJUG. comme *cambiar.*
presbítero [presβítero] *m.* Prêtre.
prescindir [presθindír] *intr.* *1* Se passer de. *2* Faire abstraction de: *prescindiendo de...* abstraction faite de...
prescribir [preskriβír] *tr.* Prescrire (ordenar): *el médico ha prescrito un reposo absoluto,* le médecin a prescrit un repos absolu. ▲ CONJUG. PART. PAS.: *prescrito, ta.*
presencia [presénθja] *f.* *1* Présence. *2 — de ánimo,* présence d'esprit. *3* Prestance, tournure, aspect *m.*
presenciar [presenθjár] *tr.* Être présent, ente à, assister à (asistir): *— una corrida,* assister à une corrida.
presentación [presentaθjón] *f.* Présentation.
presentar [presentár] *tr.* *1* Présenter. *2* Déposer (una queja, etc.).
presente [presénte] *adj.-m.* Présent, ente.
presentir [presentír] *tr.* Pressentir. ▲ CONJUG. comme *hervir.*
presidencia [presiðénθja] *f.* Présidence.
presidente [presiðénte] *m.* Président.
presidio [presíðjo] *m.* *1* Bagne. *2* MIL. Place *f.* forte (establecimiento penitenciario), garnison *f.* *3* Travaux *pl.* forcés.
presidir [presiðír] *tr.* Présider.
presilla [presíʎa] *f.* *1* Bride. *2* Ganse (cordoncillo).
presión [presjón] *f.* Pression.
preso, -sa [préso, -sa] *1 p. p.* de **prender.** ■ *2 adj.* Pris, prise. ■ *3 adj.-s.* Prisonnier, ière, détenu, ue.
prestado, -da [prestáðo, -ða] *adj.* Prêté, ée. Loc. *Pedir —, tomar —,* emprunter.

prestamista [prestamísta] *s.* Prêteur, euse.

préstamo [préstamo] *m.* 1 Prêt (acción, cosa prestada). 2 Emprunt.

prestancia [prestánθja] *f.* Excellence, qualité supérieure.

prestar [prestár] *tr.* Prêter.

prestidigitación [prestiðixitaθjón] *f.* Prestidigitation.

prestigio [prestíxjo] *m.* Prestige.

presumido, -da [presumíðo, -ða] *adj.* 1 Prétentieux, euse, présomptueux, euse. 2 Coquet, ette.

presumir [presumír] *tr.* 1 Présumer. ■ 2 *intr.* Se pavaner, faire l'important, ante, se donner des grands airs, se rengorger. 3 Se vanter, se croire: *presume de guapa,* elle se croit belle.

presuponer [presuponér] *tr.* 1 Présupposer. 2 Établir le budget de.

presupuesto, -ta [presupwésto, -ta] *adj.* 1 Présupposé, ée. ■ 2 *m.* Budget. 3 Devis (de una obra). 4 Supposition *f.*

pretender [pretendér] *tr.* 1 Solliciter, briguer. 2 Prétendre, essayer de (esforzarse).

pretendiente [pretendjénte] *adj.-s.* Prétendant, ante.

pretensión [pretensjón] *f.* Prétention.

pretérito, -ta [pretérito, -ta] *adj.-m.* 1 Passé, ée. ■ 2 *m.* GRAM. Passé: — *imperfecto,* imparfait; — *indefinido,* passé simple, prétérit; — *perfecto,* passé composé; — *pluscuamperfecto,* plus-que-parfait.

pretexto [pretésto] *m.* Prétexte: *con el — de que,* sous prétexte que.

prevalecer [preβaleθér] *intr.* Prévaloir. ▲ CONJUG. comme *agradecer.*

prevaler [preβalér] *intr.* 1 Prévaloir. ■ 2 *pr.* Se prévaloir.

prevención [preβenθjón] *f.* 1 Prévention, préjugé *m.* (idea preconcebida). 2 Disposition, précaution. 3 Poste *m.* de police.

prevenir [preβenír] *tr.* 1 Prévenir (avisar, precaver, predisponer). 2 Préparer, disposer. ■ 3 *pr.* Se préparer (prepararse). ▲ CONJUG. comme *venir.*

prever [preβér] *tr.* Prévoir. ▲ CONJUG. comme *ver.*

previo, -ia [préβjo, -ja] *adj.* 1 Préalable. 2 Apprès: *previa entrega de,* après remise de.

previsión [preβisjón] *f.* Prévision.

previsto, -ta [preβísto, -ta] *adj.* Prévu, ue.

prima [príma] *f.* 1 Cousine: — *hermana, carnal,* cousine germaine. 2 Prime (premio, etc.). 3 Prime (hora).

primacía [primaθía] *f.* Primauté.

primario, -ia [primárjo, -ja] *adj.-m.* Primaire.

primavera [primaβéra] *f.* 1 Printemps *m.* (estación). 2 Primevère (planta).

primer [primér] *adj.* Forme apocopée de **primero.** Elle ne s'emploie que devant le substantif: — *piso,* premier étage.

primero [priméro] *adv.* 1 Premièrement, d'abord. 2 Plutôt (más bien).

primero, -ra [priméro, -ra] *adj.-s.* 1 Premier, ière. ■ 2 *m.* Premier étage.

primicias [primíθjas] *f. pl.* 1 Prémices. 2 fig. Primeur *sing.*

primitivo, -va [primitíβo, -βa] *adj.-s.* Primitif, ive.

primo, -ma [prímo, -ma] *adj.* 1 Premier, ière: *número* —, nombre premier. ■ 2 *s.* Cousin, ine: — *hermano, carnal,* cousin germain. 3 fig. fam. Poire *f.,* naïf. ■ 4 *adv.* Primo.

primor [primór] *m.* Délicatesse *f.,* perfection.

primordial [primorðjál] *adj.* Primordial, ale.

princesa [prinθésa] *f.* Princesse.

principado [prinθipáðo] *m.* 1 Principat. 2 Principauté *f.* (territorio).

principal [prinθipál] *adj.* 1 Principal, ale. ■ 2 *adj.-m.* Premier: *piso* —, premier étage.

príncipe [prínθipe] *m.* 1 Prince. ■ 2 *adj.* Príncipe (edición).

principiar [prinθipjár] *tr.-intr.* Commencer. ▲ CONJUG. comme *cambiar.*

principio [prinθípjo] *m.* 1 Commencement, début. 2 Principe (fundamento, máxima).

priorato [prjoráto] *m.* 1 Prieuré. 2 Priorat (cargo).

priori (a) [prjóri] *loc. adv.* À priori.

prioridad [prjoriðáð] *f.* Priorité.

prisa [prísa] *f.* 1 Hâte. Loc. *Darse* —, se hâter, se dépêcher; *tener* —, être pressé, ée, avoir hâte: *tengo — por salir,* je suis pressé de, j'ai hâte de partir; *correr* —, presser, être pressant. 2 *loc. adv.* A —, *de* —, vite.

prisión [prisjón] *f.* 1 Prison. 2 Arrestation (acción de prender), détention, emprisonnement *m.* (pena). ■ 3 *pl.* Fers *m.* (grillos).

prisionero, -ra [prisjonéro, -ra] *s.* Prisonnier, ière.

prisma [prízma] *m.* Prisme.

prismático, -ca [prizmátiko, -ka] *adj.* 1 Prismatique. ■ 2 *m. pl.* Jumelles *f.*

privación [priβaθjón] *f.* Privation.

privado, -da [priβáðo, -ða] *adj.* 1 Privé, ée. ■ 2 *m.* Favori (de un príncipe).

privar [priβár] *tr. 1* Priver. *2* Interdire (prohibir). ■ *3 intr.* Être en faveur (con uno). *4* Être en vogue, être à la mode, régner.

privativo, -va [priβatíβo, -βa] *adj. 1* Privatif, ive. *2 — a,* particulier à, propre à, l'apanage de.

privilegio [priβiléxjo] *m.* Privilège.

pro [pro] *m. 1* Profit. Loc. *Hombre de —,* homme de bien. *2 loc. prep. En — de,* en faveur de.

proa [próa] *f.* MAR. Proue.

probabilidad [proβaβiliðáð] *f.* Probabilité.

probable [proβáβle] *adj. 1* Probable (verosímil). *2* Prouvable (que se puede probar).

probador, -ra [proβaðór, -ra] *adj. 1* Qui prouve. ■ *2 s.* Essayeur, euse. ■ *3 m.* Cabine *f.* d'essayage, salon d'essayage.

probar [proβár] *tr. 1* Prouver (justificar). *2* Éprouver, essayer, mettre à l'épreuve (experimentar). *3* Goûter (un manjar o un líquido). *4* Essayer (un vestido, un coche, etc.). *5 — a,* essayer de. ▲ CONJUG. comme *contar.*

problema [proβléma] *m.* Problème.

procedencia [proθeðénθja] *f.* Origine, provenance.

procedente [proθeðénte] *adj.* Provenant, en provenance (de un lugar): *barco — de Génova,* bateau en provenance de Gênes.

proceder [proθeðér] *m.* Procédé, conduite *f.*

proceder [proθeðér] *intr.* Procéder (originarse), provenir, venir: *este vino procede de España,* ce vin provient d'Espagne. Être convenable, opportun, convenir (ser conveniente).

procedimiento [proθeðimjénto] *m. 1* Procédé, méthode *f. 2* DER. Procédure *f.*

prócer [próθer] *adj. 1* Grand, ande, éminent, ente. ■ *2 m.* Personnage illustre.

procesar [proθesár] *tr. 1* DER. Instruire un procès. *2* Inculper (a una persona).

procesión [proθesjón] *f.* Procession.

proceso [proθéso] *m. 1* DER. Procès. *2* Processus (desarrollo de una cosa).

proclama [proklǎma] *f.* Proclamation.

proclamación [proklamaθjón] *f.* Proclamation.

proclamar [proklamár] *tr.* Proclamer.

procónsul [prokónsul] *m.* Proconsul.

procrear [prokreár] *tr.* Procréer.

procurador [prokuraðór] *m. 1* Procureur. *2* Procureur (de una comunidad). *3* Avoué (abogado). *4 — en Cortes,* membre du Parlement.

procurar [prokurár] *tr. 1* Tâcher de, s'efforcer de (tratar de). *2 — que,* tâcher que, faire en sorte que: *procuraba que nadie le viera,* il faisait en sorte que personne ne le voit. *3* Procurer (proporcionar).

prodigioso, -sa [proðixjóso, -sa] *adj.* Prodigieux, euse.

producción [proðuɣθjón] *f.* Production.

producir [proðuθír] *tr. 1* Produire. *2* Se produire. ▲ CONJUG. comme *conducir.*

producto [proðúyto] *m.* Produit.

productor, -ra [proðuytór, -ra] *adj.-s.* Producteur, trice.

proeza [proéθa] *f.* Prouesse, exploit *m.*

profanar [profanár] *tr.* Profaner.

profano, -na [profáno, -na] *adj.-s.* Profane.

profecía [profeθía] *f.* Prophétie.

profesar [profesár] *tr. 1* Professer. ■ *2 intr.* Prononcer ses vœux.

profesión [profesjón] *f.* Profession.

profesional [profesjonál] *adj.-s.* Professionnel, elle.

profesor, -ra [profesór, -ra] *s.* Professeur (sin femenino en francés): *es profesora de inglés,* elle est professeur d'anglais.

profeta [proféta] *m.* Prophète.

profetizar [profetiθár] *tr.* Prophétiser.

profiláctico, -ca [profiláytiko, -ka] *adj. 1* Prophylactique. ■ *2 f.* Prophylaxie.

prófugo, -ga [prófuɣo, -ɣa] *adj.-s. 1* Fugitif, ive. ■ *2 m.* MIL. Réfractaire, insoumis.

profundidad [profundiðáð] *f.* Profondeur.

profundo, -da [profúndo, -da] *adj. 1* Profond, onde. ■ *2 m.* Profondeur *f.*

profusión [profusjón] *f.* Profusion.

programa [proɣráma] *m.* Programme.

progresar [proɣresár] *intr.* Progresser.

progresivo, -va [proɣresíβo, -βa] *adj.* Progressif, ive.

progreso [proɣréso] *m.* Progrès.

prohibir [proíβir] *tr.* Défendre, interdire, prohiber: *se prohíbe el paso,* passage interdit.

prohombre [proómbre] *m.* Homme important, grand homme, notable.

prójimo [próximo] *m. 1* Prochain, autrui. *2* DESP. Individu.

prole [próle] *f.* Enfants *m. pl.,* progéniture.

proletariado [proletarjáðo] *m.* Prolétariat.

proletario, -ia [proletárjo, -ja] *adj. 1* Prolétarien, ienne. ■ *2 adj.-m.* Prolétaire.

prolífico, -ca [prolífiko, -ka] *adj.* Prolifique.

prolijidad [prolixiðáð] *f.* Prolixité.

prolijo, -ja [prolíxo, -xa] *adj. 1* Prolixe. *2* Minutieux, euse.

prólogo [próloγo] *m.* Préface *f.*, prologue.

prolongación [prolonγaθjón] *f.*, **prolongamiento** [prolonγamjénto] *m. 1* Prolongation *f. 2* Prolongement *m.*

prolongar [prolonγár] *tr.* Prolonger.

promedio [promέðjo] *m. 1* Milieu (punto medio). *2* Moyenne *f.* (término medio).

promesa [promésa] *f.* Promesse.

prometer [prometér] *tr.-intr. 1* Promettre. ■ *2 pr.* Se fiancer (desposarse).

prominente [prominénte] *adj.* Proéminent, ente.

promiscuidad [promiskwiðáð] *f.* Promiscuité.

promoción [promoθjón] *f.* Promotion.

promotor, -ra [promotór, -ra], **promovedor, -ra** [promoβeðór, -ra] *adj.-s.* Promoteur, trice.

promover [promoβér] *tr. 1* Promouvoir (elevar). *2* Occasionner, causer. ▲ CONJUG. comme **mover.**

promulgar [promulγár] *tr.* Promulguer.

pronombre [pronómbre] *m.* Pronom.

pronosticar [pronostikár] *tr.* Pronostiquer.

pronóstico [pronótiko] *m.* Pronostic.

pronto, -ta [prónto, -ta] *adj. 1* Prompt, prompte, rapide. *2* Prêt, prête (dispuesto, listo). ■ *3 m.* Impulsion *f.*, mouvement d'humeur. ■ *4 adv.* Vite (prestamente), tôt (temprano), bientôt (luego): — *está dicho,* c'est vite dit. *5 loc. adv.* **Al —,** à première vue, de prime abord; *de —,* soudain; *por de —, por el —,* pour le moment.

pronunciar [pronunθjár] *tr. 1* Prononcer. ■ *2 pr.* Se prononcer. *3* Se soulever (sublevarse). ▲ CONJUG. comme **cambiar.**

propaganda [propaγánda] *f.* Propagande.

propenso, -sa [propénso, -sa] *adj.* Enclin, ine, porté, ée (*a,* à).

propiciar [propiθjár] *tr. 1* Rendre propice. *2* Apaiser (aplacar). ▲ CONJUG. comme **cambiar.**

propicio, -ia [propíθjo, -ja] *adj.* Propice, favorable.

propiedad [propjeðáð] *1 f.* Propriété. *2* fig. Ressemblance (semejanza).

propietario, -ia [propjetárjo, -ja] *adj.-s.* Propriétaire.

propina [propína] *f.* Pourboire *m.*

propio, -ia [própjo, -ja] *adj. 1* Propre: *nombre —,* nom propre. *2* — *para,* propre à, approprié à. *3* Lui-même, elle- même, etc. (mismo): *el — alcalde,* le maire lui-même. *4 Lo —,* la même chose. *5 loc. adv.* **Al — tiempo,** en même temps.

proponer [proponér] *tr. 1* Proposer. ■ *2 pr.* Se proposer. ▲ CONJUG. comme **poner.**

proporción [proporθjón] *f. 1* Proportion. *2* Occasion (oportunidad).

proporcionar [proporθjonár] *tr. 1* Proportionner. *2* Procurer, fournir (suministrar). ■ *3 pr.* Se procurer (una cosa).

proposición [proposiθjón] *f.* Proposition.

propósito [propósito] *m. 1* Dessein, intention *f.* (intención), but (objeto). *2 loc. adv.* **A —,** à propos. *3 loc. prep.* **A — de,** à propos de.

propuesta [propwésta] *f.* Proposition: *a — de,* sur la proposition de.

propulsor [propulsór] *m.* Propulseur.

prórroga [próroγa] *f. 1* Prorogation. *2* Prolongation (de un permiso, un partido, etc.).

prosa [prósa] *f.* Prose.

proscribir [proskriβír] *tr.* Proscrire. ▲ PART. PAS. IRRÉG.: *proscrito* ou *proscripto.*

proscripto, -ta [proskríβto, -ta], **proscrito, ta** [proskríto, -ta] *s.* Proscrit, ite.

prosecución [prosekuθjón] *f.*, **proseguimiento** [proseγimjénto] *m.* Poursuite *f.*, continuation *f.*

proseguir [proseγír] *tr. 1* Poursuivre, continuer. ■ *2 intr.* Continuer. ▲ CONJUG. comme **servir.**

proselitismo [proselitizmo] *m.* Prosélytisme.

prosista [prosísta] *s.* Prosateur: *un, una —,* un prosateur.

prospecto [prospéγto] *m.* Prospectus.

prosperar [prosperár] *intr.* Prospérer.

prosperidad [prosperiðáð] *f.* Prospérité.

prostituir [prostitwír] *tr.* Prostituer. ▲ CONJUG. comme **huir.**

protagonista [protaγonísta] *s. 1* Protagoniste. *2* Héros, héroïne.

protección [proteγθjón] *f.* Protection.

proteccionismo [proteγθjonízmo] *m.* Protectionnisme.

protector, -ra [proteγtór, -ra] *adj.-s.* Protecteur, trice.

protectorado [proteγtoráðo] *m.* Protectorat.

proteger [protexér] *tr.* Protéger.

proteína [proteína] *f.* QUÍM. Protéine.

prótesis [prótesis] *f.* CIR. Prothèse.

protesta [protésta], **protestación** [protestaθjón] *f.* Protestation.

protestante [protestánte] *adj.-s. 1* REL. Protestant, ante. *2* Protestataire.

protestar [protestár] *tr.-intr.* Protester.

protesto [protésto] *m.* COM. Protêt.

protocolo [protokólo] *m. 1* Protocole. *2* Minutier (de un notario).

prototipo [prototipo] *m.* Prototype.
provecho [proβétʃo] *m. 1* Profit: *sacar —,* tirer profit, profiter. *2 De —,* utile; *hombre de —,* homme de bien.
provechoso, -sa [proβetʃóso, -sa] *adj.* Profitable.
proveedor, -ra [proβeeðór, -ra] *s.* Fournisseur, euse, pourvoyeur, euse.
proveer [proβeér] *tr. 1* Pourvoir, fournir, munir. *2* DER. Prononcer (una resolución). ▲ PART. PAS. IRRÉG.: *provisto, ta.*
provenir [proβenír] *intr.* Provenir. ▲ CONJUG. comme *venir.*
provenzal [proβenθál] *adj.-s.* Provençal, ale.
proverbio [proβérβjo] *m.* Proverbe.
providencia [proβiðénθja] *f. 1* Providence. *2* Mesure, disposition: *tomar providencias,* prendre des mesures.
provincia [proβínθja] *f. 1* Province. *2* Département *m.* (división territorial de la Francia actual).
provinciano, -na [proβinθjáno, -na] *adj.-s.* Provincial, ale.
provisión [proβisjón] *f.* Provision.
provisional [proβisjonál] *adj.* Provisoire.
provocar [proβokár] *tr.* Provoquer.
provocativo, -va [proβokatíβo, -βa] *adj.* Provocant, ante.
proximidad [pro(ɣ)simiðáð] *f. 1* Proximité. *2 pl.* Alentours (cercanías).
próximo, -ma [pró(ɣ)simo, -ma] *adj. 1* Proche (cercano): *hotel — a la estación,* hôtel proche de la gare. *2* Prochain, aine: *la semana próxima,* la semaine prochaine.
proyectar [projeɣtár] *tr. 1* Projeter. *2* fig. Projeter, envisager (pensar).
proyectil [projeɣtíl] *m.* Projectile.
proyecto [projéɣto] *m.* Projet.
prudencia [pruðénθja] *f.* Prudence.
prudente [pruðénte] *adj.* Prudent, ente, sage.
prueba [prwéβa] *f. 1* Épreuve. *2* Preuve (lo que prueba): *dar pruebas de,* faire preuve. *3* Essayage *m.* (de un vestido). *4* Essai *m.* (ensayo): *a —,* à l'essai. *5* fig. Preuve, marque, témoignage *m.* (testimonio).
prurito [prurito] *m.* MED. Prurit.
psicología [sikoloxía] *f.* Psychologie.
psicólogo, -ga [sikóloɣo, -ɣa] *s.* Psychologue.
psicosis [sikósis] *f.* Psychose.
psiquiatría [sikjatría] *f.* Psychiatrie.
psíquico, -ca [síkiko, -ka] *adj.* Psychique.
púa [púa] *f. 1* Pointe, piquant *m.* *2* Dent (de un peine). *3* Piquant *m.* (de erizo). *4* MÚS. Médiator *m.*

pubertad [puβertáð] *f.* Puberté.
pubis [púβis] *m.* ANAT. Pubis.
publicación [puβlikaθjón] *f.* Publication.
publicar [puβlikár] *tr.* Publier.
publicidad [puβliθiðáð] *f.* Publicité.
público, -ca [púβliko, -ka] *adj. 1* Public, ique. ■ *2 m.* Public. Loc. *Dar al —,* publier. *3* Monde (gente).
puchero [putʃéro] *m. 1* Pot-au-feu, marmite *f.* (vasija). *2* Pot-au-feu (manjar). *3* fig. Croûte *f.* (alimento diario).
pudiente [puðjénte] *adj.-s.* Puissant, ante, riche.
pudor [puðór] *m.* Pudeur *f.*
pudrir [puðrír] *tr. 1* Pourrir, putréfier. ■ *2 pr.* Pourrir, se putréfier. ■ *3 intr.* Être mort, morte, être enterré, ée. ▲ CONJUG. IRRÉG. INFINITIVO: *pudrir* ou *podrir.* PART. PAS.: *podrido.* Les autres temps sont réguliers.
pueblerino, -na [pweβlerino, -na] *adj.* Villageois, oise.
pueblo [pwéβlo] *m. 1* Village (población pequeña). *2* Peuple (conjunto de personas).
puente [pwénte] *m.* Pont *m.* Loc. *— levadizo,* pont-levis.
puerco, -ca [pwérko, -ka] *adj. 1* Sale, cochon, onne. ■ *2 m.* Cochon, porc. *3 — espín,* porc-épic. ■ *4 f.* Truie.
puerro [pwéro] *m.* Poireau.
puerta [pwérta] *f. 1* Porte. *2* Loc. fig. *Dar con la — en las narices,* fermer la porte au nez.
puerto [pwérto] *m.* Port (de mar o río, refugio).
pues [pwes] *conj. 1* Car (porque), puisque (puesto que). *2* Donc (sentido continuativo): *decíamos —,* nous disions donc. *3* Or (ahora bien). *4* Eh bien!
puesta [pwésta] *f.* Coucher *m.* (de un astro): *la — de sol,* le coucher du soleil.
puesto, -ta [pwésto, -ta] *1 p. p.* de *poner.* ■ *2 adj.* Mis, mise: *bien —,* bien mis, bien habillé. ■ *3 m.* Endroit, lieu. *4* Poste, situation *f.* (empleo). *5* Étalage, étal (en un mercado, en la calle), kiosque.
¡puf! [puf] *interj.* Pouah!
pugna [púɣna] *f. 1* Lutte. *2* Opposition (entre personas o cosas).
pujante [puxánte] *adj. 1* Puissant, ante, fort, forte. *2* Riche.
pujar [puxár] *tr. 1* Enchérir, surenchérir (en una subasta). ■ *2 intr.* Éprouver des difficultés pour s'exprimer.
pulcritud [pulkritúð] *f. 1* Propreté. *2* Soin *m.* (esmero).
pulga [púlɣa] *f.* Puce.
pulgada [pulɣáða] *f.* Pouce *m.* (medida).

pulgar [pulɣár] *adj.-m.* Pouce (dedo).
pulido, -da [pulíðo, -ða] *adj. 1* Poli, ie. *2* Beau, belle, élégant, ante, soigné, ée.
pulir [pulír] *tr. 1* Polir. *2* fig. Dégrossir (a una persona). ■ *3 pr.* Se polir.
pulmón [pulmón] *m.* Poumon.
pulmonía [pulmonía] *f.* Pneumonie.
pulpa [púlpa] *f.* Pulpe.
púlpito [púlpito] *m.* Chaire *f.* (en una iglesia): **en el —**, en chaire.
pulpo [púlpo] *m.* Poulpe, pieuvre *f.*
pulsación [pulsaθjón] *f.* Pulsation.
pulsador [pulsaðór] *m.* Poussoir, bouton.
pulsar [pulsár] *tr. 1* Tâter le pouls (tomar el pulso). *2* MÚS. Pincer, jouer de.
pulsera [pulséra] *f.* Bracelet *m.*
pulso [púlso] *m. 1* Pouls: **tomar el —**, tâter le pouls. *2* Force *f.*, sûreté *f.* du poignet. *3* Prudence *f.*
pulverizador [pulβeriθaðór] *m.* Pulvérisateur.
pum [pun] *interj.* Boum!
puma [púma] *m.* Puma, couguar.
punta [púnta] *f.* Pointe (extremo agudo), bout *m.* (extremo): **la — del dedo**, le bout du doigt. Loc. **Estar de —**, Être brouillé, fâché.
puntada [puntáða] *f.* Point *m.*
puntal [puntál] *m.* Étançon.
puntapié [puntapjé] *m.* Coup de pied.
puntear [punteár] *tr. 1* Pointiller. *2* MÚS. Pincer (la guitarra, etc.).
puntera [puntéra] *f. 1* Bout *m.* (de calzado, media). *2* fam. Coup *m.* de pied.
puntería [puntería] *f.* ARTILL. Pointage *m.*, visée, tir *m.*: **afinar la —**, rectifier le tir.
puntiagudo, -da [puntjaɣúðo, -ða] *adj.* Pointu, ue.
puntilla [puntíʎa] *f. 1* Dentelle étroite, engrêlure. *2* Poignard *m.* pour achever les animaux (puñal).
punto [púnto] *m. 1* Point. Loc. **— y aparte**, point à la ligne; **géneros de —**, tricot, bonneterie; **estar a — de**, être sur le point de. *2* Maille *f.* rompue (en una media): **coger los puntos a**, remmailler. *3* Guidon, mire *f.* (de un arma de fuego). *4* Petite quantité *f.* *5* Station *f.* de voitures: **coche de —**, voiture de place. *6* Point d'honneur. *7* Ponte *f.* (en el juego). *8* ARQ. **Arco de medio —**, arc de plein cintre; **arco de — entero**, arc en

ogive. *9 loc. adv.* **A —**, à point; **al —**, sur le champ, tout de suite.
puntual [puntwál] *adj.* Ponctuel, elle.
puntuar [puntwár] *tr.* Ponctuer.
punzante [punθánte] *adj. 1* Piquant, ante. *2* fig. Lancinant, ante (dolor). *3* Poignant, ante (aflictivo).
punzar [punθár] *tr.* Piquer (herir).
puñado [puɲáðo] *m.* Poignée *f.* (porción).
puñalada [puɲaláða] *f.* Coup *m.* de poignard.
puño [púɲo] *m. 1* Poing. Loc. **Apretar los puños**, travailler avec ardeur. *2* Poignet (de vestido). *3* Manchette *f.* (de camisa). *4* Poignée *f.* (de un arma, bastón, utensilio).
pupa [púpa] *f. 1* Bouton *m.* (pústula). *2* fam. Bobo *m.* (dolor, herida).
pupila [pupíla] *f. 1* Pupille (huérfana). *2* Pupille, prunelle (del ojo).
pupilo, -la [pupílo, -la] *s.* Pensionnaire (de una casa de huéspedes).
pupitre [pupítre] *m.* Pupitre.
puré [puré] *m.* Purée *f.*
pureza [puréθa] *f.* Pureté.
purgar [purɣár] *tr. 1* Purger. *2* Expier (un delito, etc.). ■ *3 pr.* Se purger.
purgatorio [purɣatórjo] *m.* Purgatoire.
purificación [purifikaθjón] *f.* Purification.
purificar [purifikár] *tr.* Purifier, épurer.
puritano, -na [puritáno, -na] *adj.-s.* Puritain, aine.
puro, -ra [púro, -ra] *adj. 1* Pur, pure. ■ *2 m.* Cigare. *3 loc. adv.* **A —**, à force de; **de —**, tant: **de — viejo**, tant il est vieux.
púrpura [púrpura] *f. 1* Pourpre *m.* (molusco, color). *2* Pourpre (tinte, tela).
purpurado [purpuráðo] *m.* Cardinal.
purpurina [purpurína] *f.* Purpurine.
purulento, -ta [purulénto, -ta] *adj.* Purulent, ente.
pus [pus] *m.* Pus.
pusilánime [pusilánime] *adj.* Pusillanime.
pústula [pústula] *f.* Pustule.
putrefacción [putrefaɣθjón] *f.* Putréfaction.
putrefacto, -ta [putrefáɣto, -ta] *adj.* Pourri, ie, putréfié, ée.
pútrido, -da [pútriðo, -ða] *adj.* Putride.
puya [púja] *f.* Fer *m.*, pointe (de aguijón, etc.).
puyazo [pujáθo] *m.* Coup de pique.

Q

q [ku] *f.* Q *m.*

que [ke] *pron. 1* Qui (sujeto): *la mujer — canta*, la femme qui chante. *2* Que (compl. directo): *el libro — leo*, le livre que je lis. *3* Que, quel, quelle, quels, quelles (en la interrogación directa o indirecta): *¿qué quiere usted?*, que voulez-vous? *4* Quoi: *no sé qué hacer*, je ne sais pas quoi faire. *5 A —*, à quoi, auquel, à laquelle, auxquels, auxquelles. *6 En —*, où: *la casa en — vives*, la maison où tu demeures. *7* Que, quel, quelle (exclamativo): *¡qué pena!*, quel dommage! *Qué de*, que de, combien de.

que [ke] *conj. 1* Que: *dile — venga*, dis-lui qu'il vienne, dis-lui de venir (con verbos de orden o ruego). ▲ *Que* admet la prép. *de: me alegro de — hayas venido*, je suis content que tu sois venu. *2* Car: *date prisa — es tarde*, dépêche-toi, car il est tard.

quebrada [keβráða] *f.* GEOG. Gorge, ravin *m.*

quebradizo, -za [keβraðiθo, -θa] *adj. 1* Cassant, ante, fragile. *2* fig. Fragile.

quebrado, -da [keβráðo, -ða] *adj. 1* Brisé, ée (línea, voz), affaibli, ie. *2* Accidenté, ée (terreno). ■ *3 adj. -s.* COM. Failli, ie. *4* MED. Hernieux, euse. ■ *5 m.* MAT. Fraction *f.*, nombre fractionnaire.

quebradura [keβraðúra] *f. 1* Brisure. *2* MED. Hernie.

quebrantamiento [keβrantamjénto] *m. 1* Brisement. *2* Concassage. *3* fig. Transgression *f.*, infraction *f.*, violation *f.*

quebrantar [keβrantár] *tr. 1* Briser, casser, rompre. *2* Concasser, broyer (machacar). *3* fig. Transgresser, enfreindre, violer (la ley, etc.), *4* Affaiblir, abattre (la salud), abattre (la moral, etc.), briser (la resistencia, etc.).

quebrar [keβrár] *tr. 1* Casser, briser, rompre. *2* Plier, courber (doblar). *3* Adoucir, tempérer (la fuerza, el rigor). ■ *4*

intr. COM. Faire faillite. ■ *5 pr.* Se briser, se rompre, se casser. ▲ CONJUG. comme *acertar.*

quedar [keðár] *intr. 1* Rester: *— en casa*, rester chez soi: *queda mucho por hacer*, il reste beaucoup à faire. *2* Rester, devenir (resultar): *— ciego*, devenir aveugle. *3* (con *en*) Convenir, décider: *¿en qué quedamos?*, que décidons-nous? ■ *4 pr.* Rester: *quedarse en cama*, rester au lit. *5* Devenir: *se quedó sordo*, il devint sourd. *6* (con la prep. *con*) Prendre (tomar), garder (guardar). Loc. fig. *Quedarse con uno*, avoir quelqu'un (engañar).

quehacer [keaθér] *m.* Travail, affaire *f.*, occupation *f.*: *tener muchos quehaceres*, avoir beaucoup de travail, d'occupations.

queja [kéxa] *f.* Plainte.

quejido [kexiðo] *m.* Plainte *f.*, gémissement.

quemado, -da [kemáðo, -ða] *adj.* Brûlé, ée.

quemar [kemár] *tr. 1* Brûler. *2* fig. Vendre au rabais (malbaratar). *3* fig. Irriter, exaspérer. ■ *4 intr.* Brûler (estar muy caliente). ■ *5 pr.* Brûler: *el asado se quema*, le rôti brûle.

querella [keréʎa] *f.* DER. Plainte.

querer [kerér] *m.* Amour, affection *f.*

querer [kerér] *tr. 1* Vouloir: *Dios lo quiera*, Dieu le veuille. *2 loc. adv. Do quiera, donde quiera*, n'importe où: *cuando quiera*, n'importe quand; *sin —*, sans le vouloir. *3 loc. conj. como quiera que*, comme, puisque; *como quiera que sea*, quoi qu'il en soit. ▲ CONJUG. IRRÉG. INDIC. Prés.: *quiero, quieres, quiere, queremos, queréis, quieren*. Imparf.: *quería, querías*, etc. Pas. simple: *quise, quisiste, quiso, quisimos, quisisteis, quisieron*. Fut.: *querré, querrás*, etc. SUBJ. Prés.: *quiera, quieras, quiera, queramos, que-*

ráis, quieran. Imparf.: *quisiera, quisieras, quisiera, quisiéramos, quisierais, quisieran* ou *quisiese, quisieses*, etc. Fut.: *quisiere, quisieres*, etc. IMPÉR.: *quiere, quiera, queramos, quered, quieran*. PART. P.: *querido*. GÉR.: *queriendo*.

querido, -da [keríðo, -ða] *adj. 1* Voulu, ue. *2* Aimé, ée. *3* Cher, ère: — *amigo*, cher ami.

quesera [keséra] *f.* Fromagerie (donde se fabrican los quesos).

quesería [keseria] *f.* Fromagerie.

queso [késo] *m.* Fromage: — *de bola*, fromage de Hollande.

quicio [kiθjo] *m.* Penture *f.* Loc. fig. *Sacar de — a uno*, faire sortir quelqu'un de ses gonds.

quiebra [kjéβra] *f. 1* Brisure. *2* Crevasse (grieta). *3* COM. Faillite.

quien [kjen], **quienes** [kjénes] *pron. rel. 1* Qui (hablando de persona): *el hombre con — hablo*, l'homme à qui je parle. *2* (con prep.) Que, dont: *mi padre, a — respeto*, mon père, que je respecte. *3* *interr.* o *exclamat.* (con acento). Qui: *¿quién ha venido?*, qui est venu?

quienquiera [kjenkjéra], **quienquier** [kjeŋkjér] *pron. indef. 1* Quiconque. *2 — que sea*, qui que ce soit.

quieto, -ta [kjéto, -ta] *adj. 1* Calme, tranquille: *no puede estarse —*, il ne peut pas rester tranquille. *2* Immobile.

quijotada [kixotáða] *f.* Action propre d'un Don Quichotte.

quilo [kílo] *m. 1* FISIOL. Chyle. *2* Kilo.

quilogramo [kiloγrámo] *m.* Kilogramme.

quilolitro [kilolítro] *m.* Kilolitre.

quilómetro [kilómetro] *m.* Kilomètre.

quimera [kiméra] *f. 1* Chimère. *2* Dispute, querelle: *buscar —*, chercher querelle.

química [kímika] *f.* Chimie.

químico, -ca [kímiko, -ka] *adj. 1* Chimique. ■ *2 s.* Chimiste.

quimono [kimóno] *m.* Kimono.

quince [kínθe] *adj.-m. 1* Quinze. *2* Quinzième: *el siglo —*, le quinzième siècle.

quincena [kínθéna] *f.* Quinzaine.

quincenal [kínθenál] *adj. 1* Bimensuel, elle. *2* Qui dure quinze jours.

quiniela [kinjéla] *f.* Sorte de pari *m.* mutuel (pelota vasca y fútbol).

quinientos, -as [kinjéntos, -as] *adj. 1* Cinq

cents. *2* Cinq cent (seguido de otra cifra).

quinquenal [kiŋkenál] *adj.* Quinquennal, ale.

quinta [kínta] *f. 1* Maison de campagne. *2* MIL. Classe. *3* MÚS. Quinte. ■ *4 pl.* MIL. Tirage *m. sing.* au sort, conscription *sing.*

quintaesencia [kintaesénθja] *f.* Quintessence.

quintal [kintál] *m.* Quintal.

quintar [kintár] *tr. 1* Tirer au sort un sur cinq. *2* MIL. Tirer au sort.

quinteto [kintéto] *m. 1* MÚS. Quintette. *2* MÉTR. Quintette. *3* MÉTR. Strophe *f.* de cinq vers.

quinto, -ta [kínto, -ta] *adj.-s. 1* Cinquième. ■ *2 adj.* Cinq: *Felipe —*, Philippe Cinq. ■ *3 m.* Recrue, *f.*, conscrit, bleu.

quíntuplo, -pla [kíntuplo, -pla] *adj.-m.* Quintuple.

quiñón [kiɲón] *m.* Lopin de terre.

quiosco [kjósko] *m.* Kiosque.

quiquiriquí [kikiriki] *m.* Cocorico.

quirófano [kirófano] *m.* CIR. Salle *f.* d'opérations.

quiromancia [kiromǎnθja] *f.* Chiromancie.

quirúrgico, -ca [kirúrxiko, -ka] *adj.* Chirurgical, ale.

quisquilloso, -sa [kiskiʎóso, -sa] *adj.* Pointilleux, euse, susceptible.

quiste [kíste] *m.* MED. Kyste.

quitamanchas [kitamántʃas] *m.* Détachant.

quitar [kitár] *tr. 1* Enlever, ôter. *2* Prendre, dérober (hurtar). *3* Empêcher (impedir, obstar). *4* Libérer (librar de). *5* MAT. Ôter (restar). *6 — la vida*, tuer. ■ *7 pr.* Enlever, ôter (vestidos, etc.): *quitarse la gorra*, ôter sa casquette. *8* fig. Renoncer à, abandonner, se débarrasser de (apartarse).

quitasol [kitasól] *m.* Parasol.

quite [kíte] *m. 1* Action *f.* d'empêcher. *2* ESGR. Parade *f. 3* TAUROM. Jeu d'un torero consistant à écarter le taureau qui menace un autre torero.

quizás [kiθás], **quizá** [kiθá] *adv.* Peut-être: *— cenará con nosotros*, peut-être dinera-t-il avec nous.

quórum [kwórum] *m.* Quorum.

R

r [ềrɛ] f. R m.

rabadilla [r̄aβaðíʎa] f. Croupion m.

rabanera [r̄aβanèra] f. 1 Marchande de radis. 2 fig. Poissarde.

rábano [r̄áβano] m. Radis. Loc. fig. *Tomar el — por las hojas*, interpréter tout de travers.

rabia [r̄áβja] f. 1 MED., VET. Rage. 2 fig. Rage, colère. Loc. fig. *Dar —*, faire rager.

rabiar [r̄aβjàr] intr. 1 Avoir la rage. 2 fig. Enrager, rager. 3 *— por*, avoir une envie folle de. 4 loc. adv. *A —*, à tout rompre. ▲ CONJUG. comme *cambiar*.

rabieta [r̄aβjèta] f. Accès m. de colère, rogne, rage d'enfant.

rabillo [r̄aβíʎo] m. 1 Queue f. (de hoja, flor, fruto). 2 Coin (del ojo).

rabino [r̄aβíno] m. Rabbin.

rabioso, -sa [r̄aβjòso, -sa] adj. 1 Enragé, ée: *perro —*, chien enragé. 2 fig. Violent, ente, furieux, euse.

rabo [r̄áβo] m. 1 Queue f. (de un cuadrúpedo). Loc. fig. *Salir con el — entre las piernas*, s'en retourner la queue entre les jambes. 2 Coin (del ojo).

rabón, -ona [r̄aβòn, -òna] adj. À queue courte, sans queue (animal).

racimo [r̄aθìmo] m. Grappe f.: *— de uvas*, grappe de raisin.

raciocinio [r̄aθjoθìnjo] m. Raisonnement.

ración [r̄aθjòn] f. Ration. Loc. *A media —*, insuffisamment.

racional [r̄aθjonàl] adj. 1 Raisonnable (dotado de razón). 2 Rationnel, elle (lógico). ■ 3 m. Être doué de raison.

racha [r̄átʃa] f. 1 Rafale. 2 fig. Série. 3 fig. fam. Brève période de chance: *buena —*, mala —, veine, déveine.

radar [r̄aðàr] m. Radar.

radiación [r̄aðjaθjòn] f. FÍS. Radiation.

radiactivo, -va [r̄aðjaɣtìβo, -βa] adj. Radio-actif, ive.

radial [r̄aðjàl] adj. Radial, ale.

radiante [r̄aðjànte] adj. 1 Radiant, ante. 2 Rayonnant, ante. 3 fig. Radieux, euse, rayonnant, ante: *— de alegría*, rayonnant de joie.

radiar [r̄aðjàr] intr.-tr. 1 Irradier. ■ 2 tr. RAD. Radiodiffuser, retransmettre. ▲ CONJUG. comme *desviar*.

radical [r̄aðikàl] adj.-m. Radical, ale.

radicar [r̄aðikàr] intr. 1 Être situé, ée, se trouver. 2 fig. *— en*, résider dans.

radio [r̄áðjo] m. 1 GEOM. Rayon. 2 Rayon (extensión): *— de acción*, rayon d'action. 3 Rayon (de una rueda). 4 ANAT. Radius. 5 QUÍM. Radium. ■ 6 f. Radio.

radiodifusión [r̄aðjoðifusjòn] f. Radiodiffusion.

radiofonía [r̄aðjofonìa] f. Radiophonie.

radiografía [r̄aðjoɣrafìa] f. Radiographie.

radiólogo [r̄aðjòloɣo] m. Radiologue, radiologiste.

radioyente [r̄aðjojènte] s. Auditeur, trice.

raer [r̄aèr] tr. Racler, râper. ▲ CONJUG. comme *caer*.

ráfaga [r̄áfaɣa] f. 1 Rafale. 2 Jet m. (de luz).

rafia [r̄áfja] f. Raphia m.

raído, -da [r̄aìðo, -ða] adj. Râpe, ée, usé, ée (vestido).

raigambre [r̄aiɣàmbre] f. Racines pl. (de una planta, antecedentes).

raíz [r̄aìθ] f. 1 Racine. Loc. *Echar raíces*, s'enraciner; *cortar de —*, extirper, couper dans sa racine. ■ 2 loc. adv. *A — de*, tout de suite après, immédiatement après.

raja [r̄áxa] f. 1 Fente (hendidura), crevasse, fissure. 2 Tranche (de melón, salchichón, etc.).

rajá [r̄axà] m. Rajah.

rajar [r̄axàr] tr. Fendre (hender).

rajatabla (a) [r̄axatàβla] loc. adv. Rigoureusement, avec rigueur.

ralo, -la [r̄álo, -la] adj. Clairsemé, ée (árboles, pelo), peu fourni, ie (barba).

rallador [r̄aʎaðór] *m.* coc. Râpe *f.*

rallar [r̄aʎár] *tr.* coc. Râper.

rama [r̄áma] *f.* 1 Branche. 2 IMPR. Ramette. 3 *loc. adv.* **En —,** brut.

ramaje [r̄amáxe] *m.* Branchage, ramure *f.*, ramée *f.*

rambla [r̄ámbla] *f.* 1 Ravin *m.* 2 Avenue, cours *m.* (en algunas ciudades).

ramificación [r̄amifikaθjón] *f.* Ramification.

ramificarse [r̄amifikárse] *pr.* Se ramifier.

ramillete [r̄amiʎéte] *m.* 1 Bouquet (de flores, etc.). 2 Pièce *f.* montée (pastel).

ramilletera [r̄amiʎetéra] *f.* Bouquetière.

ramo [r̄ámo] *m.* 1 BOT. Rameau. 2 Bouquet, gerbe *f.* (de flores), botte *f.* (manojo). 3 Branche *f.* (de una ciencia, actividad, etc.), section *f.*

rampa [r̄ámpa] *f.* 1 Crampe (calambre). 2 Rampe (plano inclinado).

rana [r̄ána] *f.* 1 Grenouille: **— de San Antonio,** rainette. 2 Tonneau *m.* (juego).

rancio, -ia [r̄ánθjo, -ja] *adj.* 1 Rance. 2 Vieux (vino). 3 fig. Vieux, vieille, ancien, ienne (abolengo, estirpe).

rancho [r̄ántʃo] *m.* 1 Ordinaire, gamelle, *f.,* soupe *f.* (de los soldados, presos, etc.). 2 Campement. 3 Ranch (en Norteamérica).

ranúnculo [r̄anúŋkulo] *m.* Renoncule *f.*

ranura [r̄anúra] *f.* 1 Rainure. 2 Fente (hendidura).

rapacidad [r̄apaθiðáð] *f.* Rapacité.

rapadura [r̄apaðúra], **rapamiento** [r̄apamjénto] *m.* Rasage (de la barba), tonte *f.* (del pelo).

rapapolvo [r̄apapólβo] *m.* fam. Savon: **echar un —,** passer un savon.

rapar [r̄apár] *tr.* Raser (afeitar), tondre (el pelo).

rapaz [r̄apáθ] *adj.* 1 Rapace. ■ 2 *m.* Gamin, mioche (muchacho).

rapaza [r̄apáθa] *f.* Gamine.

rapazuelo, -la [r̄apaθwélo, -la] *s.* Petit gamin, petite gamine.

rapé [r̄apé] *m.* Tabac à priser.

rape [r̄ápe] *m.* 1 Baudroie *f.* (pez). 2 Rasage. 3 *loc. adv.* **Al —,** ras: **cortar al —,** couper ras.

rapidez [r̄apiðéθ] *f.* Rapidité.

rápido, -da [r̄ápiðo, -ða] *adj.-m.* Rapide.

rapiña [r̄apíɲa] *f.* 1 Rapine, pillage *m.* 2 **Ave de —,** oiseau de proie.

rapsodia [r̄aβsóðja] *f.* Rapsodie, rhapsodie.

raptar [r̄aβtár] *tr.* Enlever (una persona), kidnapper (para obtener rescate).

rapto [r̄áβto] *m.* Rapt, enlèvement *m.*

raqueta [r̄akéta] *f.* Raquette.

raquídeo, -ea [r̄akíðeo, -ea] *adj.* ANAT. Rachidien, ienne.

raquitismo [r̄akitizmo] *m.* Rachitisme.

rareza [r̄aréθa] *f.* Rareté.

raro, -ra [r̄áro, -ra] *adj.* 1 Rare. 2 Bizarre, étrange (extraño). 3 *loc. adv.* **Raras veces,** rarement.

ras [r̄as] *m.* 1 Egalité *f.* de surface, de niveau. 2 **A — de,** au ras de, à ras de.

rasante [r̄asánte] *adj.* Rasant (tiro), en rase-mottes (vuelo).

rasar [r̄asár] *tr.* Remplir à ras.

rascar [r̄askár] *tr.* Gratter (la piel, etc.), racler (raspar), égratigner (arañar).

rasero [r̄aséro] *m.* Racloire *f.* Loc. fig. **Medir por el mismo —,** traiter de la même façon, sans la moindre différence, mettre sur le même pied.

rasgado, -da [r̄azyáðo, -ða] *adj.* 1 Déchiré, ée. 2 Fendu, ue (boca, ojo).

rasgar [r̄azyár] *tr.* Déchirer (papel, etc.).

rasgo [r̄ázyo] *m.* Trait.

rasguñar [r̄azyuɲár] *tr.* Égratigner.

rasguño [r̄azyúɲo] *m.* 1 Égratignure *f.* 2 Esquisse *f.* (boceto).

raso, -sa [r̄áso, -sa] *adj.* 1 Ras, rase, plat, plate. Loc. **Campo —,** rase campagne. 2 Simple: **soldado —,** simple soldat. 3 Bas, basse (vuelo). 4 Serein, eine, dégagé, ée, limpide (cielo). ■ 5 *m.* Satin (tela).

raspado [r̄aspáðo] *m.* CIR. Curetage.

raspador [r̄aspaðór] *m.* 1 Grattoir (para raspar lo escrito). 2 CIR. Curette *f.*

raspadura [r̄aspaðúra] *f.* Grattage *m.* (de un objeto, un escrito), râpage *m.*

raspar [r̄aspár] *tr.* 1 Gratter, racler, râper. 2 Racler le gosier (un vino, etc.).

rastra [r̄ástra] *f.* 1 AGR. Herse. 2 Râteau *m.* (rastrillo). 3 Chose qui traîne. 4 Chapelet *m.* (de fruta seca). 5 Trace (huella). 6 *loc. adv.* **A la —, a rastras,** à la traîne; fig. à contrecœur.

rastrear [r̄astreár] *tr.* 1 Suivre la trace. 2 fig. Chercher à s'informer sur, sonder. 3 Traîner sur le fond de l'eau.

rastrillar [r̄astriʎár] *tr.* Râteler, ratisser (las calles de un jardín).

rastrillo [r̄astriʎo] *m.* Râteau.

rastro [r̄ástro] *m.* 1 Trace *f.,* vestige. 2 Râteau (rastrillo). 3 Abattoir (matadero). ■ 4 *n. pr. m.* **El Rastro,** le marché aux puces à Madrid.

rastrojar [r̄astroxár] *tr.* AGR. Chaumer.

rastrojo [r̄astróxo] *m.* Chaume (parte del tallo, campo).

rasurar [r̄asurár] *tr.* Raser (la barba).

rata [r̄áta] *f.* 1 Rat *m.* Loc. **— de alcantarilla,** rat d'égout, surmulot. 2 Femelle du rat, rate (hembra). ■ 3 *m.* Filou, voleur.

ratero, -ra [r̄atéro, -ra] *s.* Filou, voleur, euse, pickpocket (carterista).

ratificación [r̄atifikaθjón] *f.* Ratification.

ratificar [r̄atifikár] *tr.* Ratifier.

rato [r̄áto] *m. 1* Moment, instant (espacio de tiempo). Loc. *Pasar el —,* passer le temps, s'amuser. *2 loc. adv. A ratos,* par moments.

ratón [r̄atón] *m. 1* Souris *f.* 2 — *de campo, campesino,* mulot.

ratonera [r̄atonéra] *f.* Souricière, ratière.

raya [r̄ája] *f. 1* Raie, ligne. 2 Rayure (en el cañón de un arma). 3 fig. Limite, frontière, borne. Loc. fig. *pasar de (la) —,* dépasser les bornes. 4 Raie (pez). *5 Tres en —,* marelle (juego).

rayado [r̄ajáðo] *m.* Rayage.

rayar [r̄ajár] *tr. 1* Rayer. 2 Régler (un papel). *3* Souligner (subrayar). ■ *4 intr.* Confiner, toucher (con, à). 5 fig. Friser: *esto raya en la locura,* cela frise la folie. *6 loc. adv. Al — el alba,* à l'aube.

rayo [r̄ájo] *m. 1* Rayon (de luz, etc.): *rayos X,* rayons X. 2 Rayon (de una rueda). *3* Foudre *f.* (meteoro).

rayuela [r̄ajwéla] *f. 1* Petite, raie. 2 Palet *m.,* marelle (juego).

raza [r̄áθa] *f. 1* Race. Loc. *De —,* de race.

razón [r̄aθón] *f. 1* Raison. Loc. *tener —,* avoir raison; *no tener —,* avoir tort. *2 loc. adv. Sin —,* à tort; *con — o sin ella,* à tort ou à raison. *3 loc. prep. A — de,* à raison de.

razonable [r̄aθonáβle] *adj.* Raisonnable.

razonar [r̄aθonár] *intr. 1* Raisonner. ■ *2 tr.* Justifier.

re [r̄e] *m.* MÚS. Ré.

reacción [r̄eakθjón] *f.* Réaction.

reacio, -ia [r̄eáθjo, -ja] *adj.* Rétif, ive, indocile, réticent, ente.

real [r̄eál] *adj. 1* Réel, elle. 2 Royal, ale (del rey). ■ *3 m.* MIL. Quartier général, camp. *4* Champ de foire, foirail (de la feria). *5* Réal (moneda).

realce [r̄eálθe] *m. 1* B. ART. Relief, rehaut: *bordado de —,* broderie en relief. 2 Éclat, lustre (brillo).

realeza [r̄eáléθa] *f.* Royauté.

realidad [r̄ealiðáð] *f.* Réalité. *loc. adv. En —,* en réalité.

realismo [r̄ealízmo] *m.* Réalisme.

realista [r̄ealísta] *adj.-s. 1* Réaliste. 2 Royaliste (monárquico).

realización [r̄ealiθaθjón] *f.* Réalisation.

realizar [r̄ealiθár] *tr.* Réaliser.

reanimar [r̄eanimár] *tr.* Ranimer.

reanudar [r̄eanuðár] *tr. 1* Renouer (el trato). 2 Reprendre: *reanudó la faena,* il reprit son travail. ■ *3 pr.* Reprendre.

reapertura [r̄eapertúra] *f. 1* Réouverture. 2 Rentrée (de clases, tribunales, etc.).

rebaja [r̄eβáxa] *f.* Rabais *m.: vender con —,* vendre au rabais.

rebajar [r̄eβaxár] *tr. 1* Rabaisser, abaisser. 2 PINT. Affaiblir, dégrader. *3* COM. Rabattre (un precio), solder (un producto), faire une réduction de. *4* ARQ. Surbaisser. ■ *5 pr.* S'abaisser, se rabaisser. *6* MIL. Être dispensé (de algún servicio).

rebalsar [r̄eβalsár] *tr.* Retenir (las aguas corrientes).

rebanada [r̄eβanáða] *f.* Tranche (de pan, etc.).

rebaño [r̄eβáɲo] *m.* Troupeau.

rebasar [r̄eβasár] *tr.* Dépasser, aller au delà de.

rebatir [r̄eβatir] *tr. 1* Repousser (un ataque, etc.). 2 Réfuter (un argumento).

rebelarse [r̄eβelárse] *pr.* Se rebeller.

rebelde [r̄eβélde] *adj.-s. 1* Rebelle. 2 DER. Défaillant, contumace.

rebeldía [r̄eβeldía] *f. 1* Rébellion, révolte. 2 DER. Défaut *m.,* contumace. *3 loc. adv. En —,* par défaut, par contumace.

rebelión [r̄eβeljón] *f.* Rébellion, révolte.

reblandecer [r̄eβlandeθér] *tr.* Ramollir, attendrir. ▲ CONJUG. comme *agradecer.*

reborde [r̄eβórðe] *m.* Rebord.

rebotar [r̄eβotár] *intr.* Rebondir (pelota, etc.), ricocher (bala, piedra).

rebote [r̄eβóte] *m. 1* Rebond, rebondissement (de una pelota), ricochet (de una piedra). *2 loc. adv. De —,* par ricochet.

rebozar [r̄eβoθár] *tr. 1* Cacher son visage sous le manteau. 2 COC. Paner, enrober. ■ *3 pr.* Se couvrir le visage.

rebrotar [r̄eβrotár] *intr.* BOT. Repousser.

rebullir [r̄eβuʎír] *intr.-pr.* Bouger, s'agiter. ▲ CONJUG. comme *mullir.*

rebuscar [r̄eβuskár] *tr. 1* Rechercher. 2 Grappiller (uvas), glaner (cereales).

rebuznar [r̄eβuθnár] *intr.* Braire.

recado [r̄ekáðo] *m. 1* Message: *tengo un — para usted,* j'ai un message pour vous. 2 Commission *f.: hacer, dar un —,* faire une commission. 3 Commission *f.,* course *f.: hacer recados,* faire des courses.

recaer [r̄ekaér] *intr. 1* Retomber (en vicios, errores, etc.). 2 Rechuter (un enfermo). ▲ CONJUG. comme *caer.*

recaída [r̄ekaíða] *f.* Rechute.

recalcar [r̄ekalkár] *tr.* Presser, tasser.

recalentar [r̄ekalentár] *tr.* Réchauffer (calentar de nuevo). ▲ CONJUG. comme *acertar.*

recámara [r̄ekámara] *f. 1* Garde-robe. 2

Chambre (de un arma de fuego). 3 fig. Réserve. 4 amer. Chambre à coucher.

recambio [r̄ekámbjo] m. Rechange f.: *de —*, de rechange.

recapacitar [r̄ekapaθitár] tr. Repasser dans son esprit, réfléchir.

recapitular [r̄ekapitulár] tr. Récapituler.

recargar [r̄ekaryár] tr. 1 Recharger (cargar de nuevo). 2 Surcharger (cargar demasiado, adornar con exceso).

recargo [r̄ekáryo] m. Surcharge f.

recato [r̄ekáto] m. 1 Pudeur f., honnêteté f. 2 Circonspection f., réserve f.

recaudación [r̄ekaŭðaθjón] f. 1 Recouvrement m., perception (impuestos, tasas). 2 Recette (cantidad).

recaudar [r̄ekaŭðár] tr. Recouvrer, percevoir (impuestos, etc.).

recelar [r̄eθelár] tr.-pr. 1 Craindre (temer). 2 Soupçonner (sospechar).

recelo [r̄eθélo] m. Crainte f. (temor).

recepción [r̄eθeβθjón] f. Réception.

receptor, -ra [r̄eθeβtór, -ra] adj.-s. 1 Récepteur, trice. ■ 2 m. Récepteur (aparato).

receta [r̄eθéta] f. 1 MED. Ordonnance f.: *venta con — médica*, vente sur ordonnance. 2 — Recette (fórmula): *— de cocina*, recette de cuisine.

recetar [r̄eθetár] tr. MED. Ordonner, prescrire.

recibimiento [r̄eθiβimjénto] m. 1 Réception f., accueil (acogida). 2 Antichambre f. (antesala). 3 Vestibule.

recibir [r̄eθiβír] tr.-intr. Recevoir: *recibí tu carta*, j'ai reçu ta lettre.

recibo [r̄eθíβo] m. 1 Réception f. Loc. *Acusar — de*, accuser réception de. 2 COM. Reçu, quittance f. (escrito).

recién [r̄eθjén] adv. Récemment, nouvellement: *— pintado*, nouvellement peint. Loc. *— nacido*, nouveau-né; *— casados*, nouveaux, jeunes mariés. ▲ S'emploie toujours avec des participes passés.

reciente [r̄eθjénte] adj. Récent, ente.

recinto [r̄eθínto] m. Enceinte f.

recio, -ia [r̄éθjo, -ja] adj. 1 Fort, forte, robuste. 2 Gros, grosse, épais, aisse. 3 Âpre, dur, dure. ■ 4 adv. Fortement, vigoureusement. 5 *Hablar —*, parler haut.

recipiente [r̄eθipjénte] m. Récipient.

recíproco, -ca [r̄eθíproko, -ka] adj. Réciproque.

recitar [r̄eθitár] tr. Réciter.

reclamación [r̄eklamaθjón] f. Réclamation.

reclamar [r̄eklamár] tr.-intr. 1 Réclamer. ■ 2 tr. Appeler (las aves).

reclamo [r̄eklámo] m. 1 Appeau. 2 Appelant (ave amaestrada).

recluir [r̄eklwír] tr. Reclure, enfermer. ▲ CONJUG. comme *huir*.

recluta [r̄eklúta] f. 1 MIL. Recrutement m. ■ 2 m. Recrue f., conscrit (soldado).

recobrar [r̄ekoβrár] tr. 1 Recouvrer (la salud), récupérer. 2 Reprendre (fuerzas, ánimo). ■ 3 pr. Se dédommager. 4 Revenir à soi (volver en sí).

recodo [r̄ekóðo] m. Coude, détour (de un río, etc.), tournant (vuelta).

recoger [r̄ekoxér] tr. 1 Reprendre (coger de nuevo). 2 Recueillir (reunir, juntar, dar asilo). 3 Ramasser (algo en el suelo): *recogió del suelo su pañuelo*, il ramassa son mouchoir. 4 Récolter (cosechar). 5 Relever, noter (una noticia). ■ 6 pr. Se recueillir (abstraerse).

recogida [r̄ekoxíða] f. 1 Saisie (de una publicación). 2 Récolte (cosecha). 3 Ramassage m. (de basuras, etc.).

recogimiento [r̄ekoximjénto] m. Recueillement.

recolección [r̄ekoleɣθjón] f. 1 AGR. Récolte. 2 Recette, perception.

recolectar [r̄ekolektár] tr. Récolter.

recomendación [r̄ekomendaθjón] f. Recommandation.

recomendar [r̄ekomendár] tr. Recommander. ▲ CONJUG. comme *acertar*.

recompensa [r̄ekompénsa] f. Récompense.

recomponer [r̄ekomponér] tr. Recomposer. ▲ CONJUG. comme *poner*.

reconcentrar [r̄ekonθentrár] tr. 1 Concentrer. 2 fig. Concentrer (su ira, etc.). ■ 3 pr. Se concentrer.

reconciliar [r̄ekonθiljár] tr. 1 Réconcilier. ■ 2 pr. Se réconcilier.

reconocer [r̄ekonoθér] tr. 1 Reconnaître. 2 MED. Examiner (a un enfermo). 3 Fouiller (registrar). ▲ CONJUG. comme *agradecer*.

reconocimiento [r̄ekonoθimjénto] m. 1 Reconnaissance f. 2 Vérification f.

reconquistar [r̄ekoŋkistár] tr. Reconquérir.

reconstituir [r̄ekonstitwír] tr. Reconstituer. ▲ CONJUG. comme *huir*.

reconstruir [r̄ekonstrwír] tr. Reconstruire. ▲ CONJUG. comme *huir*.

reconvenir [r̄ekombenír] tr. Reprocher, faire des reproches. ▲ CONJUG. comme *venir*.

recopilación [r̄ekopilaθjón] f. 1 Compilation. 2 Résumé m. (compendio).

recordar [r̄ekorðár] tr. Se rappeler, se souvenir. Loc. *Si mal no recuerdo*, si je me souviens bien, si j'ai bonne mémoire. ▲ CONJUG. comme *contar*.

recorrer [r̄ekor̄ér] *tr.* *1* Parcourir (un espacio, un escrito). *2* IMPR. Remanier.

recorrido [r̄ekor̄íðo] *m.* *1* Parcours, trajet. *2* Réprimande *f.*

recortar [r̄ekortár] *tr.* *1* Découper. *2* Rogner (quitar los bordes o puntas).

recorte [r̄ekórte] *m.* *1* Découpage (acción). *2* Découpure.

recostar [r̄ekostár] *tr.* *1* Appuyer (la parte superior del cuerpo). *2* Incliner. ▲ CONJUG. comme *contar*.

recrear [r̄ekreár] *tr.* *1* Recréer. *2* Récréer (crear de nuevo). ■ *3 pr.* Se distraire, se récréer.

recreo [r̄ekréo] *m.* Récréation *f.*

recriminar [r̄ekriminár] *tr.* *1* Récriminer. ■ *2 pr.* S'accuser (recíprocamente).

recrudecer [r̄ekruðeθér] *intr.-pr.* Redoubler, s'intensifier: *se recrudecen las luchas*, les combats redoublent de violence.

rectángulo, -la [r̄eytáŋgulo, -la] *adj.-m.* Rectangle.

rectificar [r̄eytifikár] *tr.* Rectifier.

rectitud [r̄eytitúð] *f.* *1* Rectitude. *2* fig. Droiture, rectitude.

recto, -ta [r̄éyto, -ta] *adj.* *1* Droit, droite: *línea recta*, ligne droite. *2* GEOM., ASTR. Droit, droite. *3* GRAM. Propre (sentido). *4* Folio recto, recto. ■ *5 m.* ANAT. Rectum.

rector, -ra [r̄eytór, -ra] *adj.* Recteur, trice.

rectorado [r̄eytoráðo] *m.* Rectorat.

rectoría [r̄eytoría] *f.* Rectorat *m.*

recuento [r̄ekwénto] *m.* *1* Comptage, action *f.* de recompter. *2* Dénombrement (enumeración).

recuerdo [r̄ekwérðo] *m.* Souvenir.

recuperar [r̄ekuperár] *tr.* *1* Récupérer. ■ *2 pr.* Se remettre.

recurso [r̄ekúrso] *m.* *1* DER. Recours, pourvoi: — *de casación*, pourvoi de cassation. *2* Recours. *loc. adv.* **En último —**, en dernier recours. *3* Ressource *f.* (medio). ■ *4 pl.* Ressources *f.* (bienes).

rechazar [r̄etʃaθár] *tr.* *1* Repousser (repeler). *2* Rejeter (rehusar).

rechazo [r̄etʃáθo] *m.* *1* Contrecoup, ricochet. *2* Recul (de un arma de fuego). *3* loc. adv. **De —**, par ricochet; fig. par contrecoup.

rechiflar [r̄etʃiflár] *tr.* *1* Huer. ■ *2 pr.* Railler, persifler.

rechupete (de) [r̄etʃupéte] Loc. fam. Exquis, ise, délicieux, euse.

red [r̄eð] *f.* *1* Filet *m.* (para pescar, cazar). *2* Réseau *m.* (de vías de comunicación, teléfono, etc.). *3* ELECT. Secteur *m.*

redacción [r̄eðaɣθjón] *f.* Rédaction.

redactar [r̄eðaytár] *tr.* Rédiger.

redactor, -ra [r̄eðaytór, -ra] *s.* Redacteur, trice.

redada [r̄eðáða] *f.* *1* Coup *m.* de filet. *2* Rafle (de la policía).

redecilla [r̄eðeθíʎa] *f.* *1* Petit filet *m.* *2* Résille (para el pelo).

rededor [r̄eðeðór] *m.* *1* Entour. *2* loc. adv. **Al, en —**, autour.

redención [r̄eðenθjón] *f.* *1* Rédemption. *2* Rachat *m.* (rescate).

redentor, -ra [r̄eðentór, -ra] *adj.-s.* Rédempteur, trice.

rédito [r̄éðito] *m.* Intérêt (de un capital).

redoblar [r̄eðoβlár] *tr.* *1* Redoubler (reiterar, aumentar): — *su actividad*, redoubler d'activité. *2* River (un clavo).

redoble [r̄eðóβle] *m.* *1* Redoublement. *2* Roulement (de tambor).

redonda [r̄eðónda] *f.* *1* Contrée. *2* MÚS. Ronde. *3* loc. adv. **A la —**, à la ronde.

redondear [r̄eðondeár] *tr.* Arrondir.

redondel [r̄eðondél] *m.* *1* Rond. *2* TAUROM. Arène *f.*

redondez [r̄eðondéθ] *f.* *1* Rondeur. *2* **La — de la Tierra**, la surface de la Terre.

redondo, -da [r̄eðóndo, -da] *adj.* *1* Rond, ronde (circular, esférico). *2* fig. Clair, claire, catégorique. *3* Ronde (letra). *4* Loc. **Caerse —**, tomber raide, mort. ■ *5 m.* Rond (cosa redonda).

reducido, -da [r̄eðuθíðo, -ða] *adj.* Réduit, ite, petit, ite (pequeño), étroit, oite (estrecho).

reducir [r̄eðuθír] *tr.* Réduire. ▲ CONJUG. comme *conducir*.

reducto [r̄eðúyto] *m.* FORT. Redoute *f.*, réduit.

redundar [r̄eðundár] *intr.* *1* Déborder, surabonder. *2* Tourner: — *en beneficio, en perjuicio de*, tourner à l'avantage, au désavantage de.

reelegir [r̄eelexír] *tr.* Réélire. ▲ CONJUG. comme *servir*.

reembarcar [r̄eembarkár] *tr.* Rembarquer.

reembolso [r̄eembólso] *m.* Remboursement.

reemplazar [r̄eemplaθár] *tr.* Remplacer.

reemplazo [r̄eemplάθo] *m.* *1* Remplacement. *2* MIL. Classe *f.* (quinta).

reenganchar [r̄eeŋgantʃár] *tr.* MIL. Rengager.

reexportar [r̄eesportár] *tr.* Réexporter.

refectorio [r̄efeytórjo] *m.* Réfectoire.

referencia [r̄eferénθja] *f.* *1* Récit *m.*, compte-rendu *m.* *2* Référence. Loc. *Con — a*, en ce qui concerne. *3* Renvoi *m.* (remisión en un texto). ∎ *4 pl.* Références.

referéndum [r̄eferéndum] *m.* Référendum.

referente [r̄eferénte] *adj.* Relatif, ive, se rapportant à. Loc. *— a...*, en ce qui concerne...

referir [r̄eferír] *tr.* *1* Rapporter, raconter. *2* Rapporter (una cosa a otra). ∎ *3 pr.* Parler de, faire allusion à (aludir). *4* S'en rapporter, se référer (remitirse). *5* Avoir rapport à (relacionarse). ▲ CONJUG. comme *hervir*.

refilón (de) [r̄efilón] *loc. adv.* *1* De biais. *2* fig. En passant (de paso).

refinamiento [r̄efinamjénto] *m.* Raffinement.

refinar [r̄efinár] *tr.* Raffiner.

reflector, -ra [r̄efleɣtór, -ra] *adj.* *1* Réfléchissant, ante. ∎ *2 m.* Réflecteur.

reflejar [r̄eflexár] *tr.* *1* FÍS. Réfléchir. *2* fig. Refléter.

reflejo, -ja [r̄efléxo, -xa] *adj.* *1* Réflexe. ∎ *2 m.* Reflet (luz reflejada, imagen). *3* FISIOL. Réflexe.

reflexión [r̄efle(ɣ)sjón] *f.* Réflexion.

reflexionar [r̄efle(ɣ)sjonár] *intr.-tr.* Réfléchir.

reforma [r̄efórma] *f.* *1* Réforme. *2* Transformation.

reformatorio, -ia [r̄eformatórjo, -ja] *adj.* *1* Qui réforme. ∎ *2 m.* Maison *f.* de correction.

reforzar [r̄eforθár] *tr.* *1* Renforcer. *2* Fortifier. ▲ CONJUG. comme *contar*.

refractario, -ia [r̄efraɣtárjo, -ja] *adj.* Réfractaire.

refrán [r̄efrán] *m.* Proverbe, adage.

refregar [r̄efreɣár] *tr.* *1* Frotter. *2* fig. Jeter au nez, à la figure. ▲ CONJUG. comme *acertar*.

refreír [r̄efreír] *tr.* Frire de nouveau. ▲ CONJUG. comme *reír*.

refrendar [r̄efrendár] *tr.* Contresigner.

refrescante [r̄efreskánte] *ad.* Rafraîchissant, ante.

refrescar [r̄efreskár] *tr.* *1* Rafraîchir. ∎ *2 intr.-pr.* Se rafraîchir, fraîchir (el tiempo, etc.).

refriega [r̄efrjéɣa] *f.* Combat, *m.*, engagement, *m.*, rencontre.

refrigerador [r̄efrixeraðór] *adj.-m.* Réfrigérateur, trice.

refrigerar [r̄efrixerár] *tr.* Réfrigérer.

refrito, -ta [r̄efríto, -ta] *1 p. p.* de *refreír*. ∎ *2 m.* Réchauffé, nouvelle mouture *f.*, resucée *f.* (obra literaria, etc.).

refuerzo [r̄efwérθo] *m.* Renfort.

refugiado, -da [r̄efuxjáðo, -ða] *s.* Réfugié, ée.

refugio [r̄efúxjo] *m.* Refuge, abri.

refundir [r̄efundír] *tr.* Refondre.

refunfuñar [r̄efumfuɲár] *intr.* Grommeler, ronchonner, bougonner, marmonner.

refutación [r̄efutaθjón] *f.* Réfutation.

regadera [r̄eɣaðéra] *f.* Arrosoir *m.* Loc. fam. *Está como una —*, il est cinglé.

regadío, -ía [r̄eɣaðío, -ía] *adj.* *1* Irrigable, arrosable. ∎ *2 m.* Terrain irrigable.

regalado, -da [r̄eɣaláðo, -ða] *adj.* Donné, ée en cadeau.

regalar [r̄eɣalár] *tr.* *1* Donner en cadeau, faire cadeau de, offrir: *le ha regalado una sortija*, il lui a offert une bague. *2* Flatter (halagar). *3* Régaler (deleitar). ∎ *4 pr.* Se régaler (con, de).

regaliz [r̄eɣaliθ] *m.* Réglisse *f.*

regalo [r̄eɣálo] *m.* Cadeau, présent: *ofrecer un —*, offrir un cadeau.

regañadientes (a) [a r̄eɣaɲaðjéntes] *loc. adv.* À contrecœur, en rechignant.

regañar [r̄eɣaɲár] *intr.* *1* Montrer les dents (un perro). *2* Se disputer (reñir).

regar [r̄eɣár] *tr.* Arroser.

regata [r̄eɣáta] *f.* MAR. Régate.

regate [r̄eɣáte] *m.* Écart, esquive *f.*, feinte *f.* (del cuerpo).

regatear [r̄eɣateár] *tr.* *1* Marchander. ∎ *2 intr.* DEP. Dribbler (con el balón).

regazo [r̄eɣáθo] *m.* Giron.

regencia [r̄exénθja] *f.* Régence.

regeneración [r̄exeneraθjón] *f.* Régénération.

regentar [r̄exentár] *tr.* Diriger, gérer.

regente [r̄exénte] *s.* Régent, ente.

regidor [r̄exiðór] *m.* Conseiller municipal.

régimen [r̄éximen] *m.* Régime.

regimiento [r̄eximjénto] *m.* Régiment.

región [r̄exjón] *f.* Région.

regional [r̄exjonál] *adj.* Régional, ale.

regir [r̄exír] *tr.* *1* Régir. ∎ *2 intr.* Être en vigueur: *la ley que rige*, la loi qui est en vigueur. *3* Bien fonctionner (un organismo, etc.). *4* MAR. Obéir au gouvernail. ▲ CONJUG. comme *servir*.

registrar [r̄existrár] *tr.* *1* Fouiller (a un ladrón, un bosque, etc.), perquisitionner (en los domicilios). *2* Enregistrer (anotar, inscribir).

registro [r̄exístro] *m.* *1* Fouille *f.* (en la aduana), perquisition *f.* (de un domicilio). *2* Enregistrement (inscripción en registro, oficina). *3* Registre (libro). *4* Signet (señal en un libro). *5* *— civil*, registre de l'état civil.

regla [r̄éɣla] *f.* Règle: *en —*, en règle.

reglamento [r̄eɣlaménto] *m.* Règlement, ordonnance *f.*

regocijado, -da [r̄eɣoθixáðo, -ða] *adj.* Réjoui, ie, amusé, ée, joyeux, euse.

regocijar [r̄eɣoθixár] *tr.* Réjouir, amuser.

regocijo [r̄eɣoθixo] *m.* Réjouissance *f.*, joie *f.*

regresar [r̄eɣresár] *intr.* Revenir, rentrer, retourner.

regreso [r̄eɣréso] *m.* Retour.

regular [r̄eɣulár] *adj.* 1 Régulier, ière. 2 Moyen, enne, médiocre, ni bien ni mal (mediano).

regular [r̄eɣulár] *tr.* 1 Régler (poner en orden). 2 MEC. Régler.

regularizar [r̄eɣulariθár] *tr.* Régulariser.

rehabilitar [r̄eaβilitár] *tr.* Réhabiliter.

rehacer [r̄eaθér] *tr.* 1 Refaire. ■ 2 *pr.* Se refaire. 3 fig. Se reprendre, se ressaisir (serenarse). ▲ CONJUG. comme **hacer**.

rehén [r̄eén] *m.* Otage.

rehogar [r̄eoɣár] *tr.* 1 COC. Cuire à l'étuvée (cocer). 2 Faire revenir (freír).

rehuir [r̄ewír] *tr.* 1 Éviter, fuir: *rehúye mi compañía*, il fuit ma compagnie. 2 Esquiver. 3 Refuser. ▲ CONJUG. comme **huir**.

reimprimir [r̄eĩmprimír] *tr.* Réimprimer.

reina [r̄eína] *f.* Reine.

reinado [r̄eináðo] *m.* Règne.

reinar [r̄einár] *intr.* Régner.

reincorporar [r̄eĩŋkorporár] *tr.* 1 Réincorporer. ■ 2 *pr.* Rejoindre: *reincorporarse a su puesto*, rejoindre son poste. 3 MIL. Rejoindre son corps.

reino [r̄eíno] *m.* 1 Royaume. 2 Règne (animal, vegetal).

reintegrar [r̄eĩnteɣrár] *tr.* 1 Réintégrer, rendre, restituer. ■ 2 *pr.* Recouvrer (lo que se había perdido).

reír [r̄eír] *intr.* 1 Rire. ■ 2 *tr.* Rire de. ■ 3 *pr.* Rire: *reírse a carcajadas*, rire aux éclats. ▲ CONJUG. IRRÉG. INDIC. Prés.: *río, ríes, ríe, reímos, reís, ríen*. Imparf.: *reía, reías*, etc. Pas. simple: *reí, reíste, rió, reímos, reísteis, rieron*. Fut.: *reiré, reirás*, etc. COND.: *reiría, reirías*, etc. SUBJ. Prés.: *ría, rías, ría, riamos, riáis, rían*. Imparf.: *riera, rieras, riera, riéramos, rierais, rieran*, ou *riese*, etc. Fut.: *riere, rieres*, etc. IMPÉR.: *ríe, ría, riamos, reíd, rían*. PART. P.: *reído*. GÉR.: *riendo*.

reivindicación [r̄eĩβindikaθjón] *f.* Revendication.

reivindicar [r̄eĩβindikár] *tr.* Revendiquer.

reja [r̄èxa] *f.* 1 Grille. 2 — *del arado*, soc *m.*

rejilla [r̄exíʎa] *f.* 1 Grillage *m.* 2 Guichet *m.* (abertura pequeña). 3 Cannage *m.* (de silla).

rejoneador [r̄exoneaðór] *m.* TAUROM. Cavalier qui combat les taureaux armé d'une pique courte.

rejuvenecer [r̄exuβeneθér] *tr.-intr.-pr.* Rajeunir. ▲ CONJUG. comme *agradecer*.

relación [r̄elaθjón] *f.* 1 Relation, rapport *m.* (entre personas o cosas). 2 Récit *m.*, relation (relato). 3 Liste (lista). 4 DER. Rapport *m.*

relacionar [r̄elaθjonár] *tr.* 1 Rapporter, faire le récit de. 2 Mettre en rapport (a varias personas). ■ 3 *pr.* Avoir un rapport, se rattacher, se rapporter.

relajar [r̄elaxár] *tr.* Relâcher (hacer menos tenso, menos riguroso).

relámpago [r̄elámpaɣo] *m.* Éclair.

relatar [r̄elatár] *tr.* Raconter, relater.

relativo, -va [r̄elatiβo, -βa] *adj.* Relatif, ive.

relato [r̄eláto] *m.* Récit.

relevar [r̄eleβár] *tr.* 1 Dispenser, exempter (de una obligación, etc.). 2 Relever (revocar). 3 Relayer (sustituir a una persona).

relieve [r̄eljéβe] *m.* Relief: *alto —*, haut-relief.

religión [r̄elixjón] *f.* Religion.

religioso, -sa [r̄elixjóso, -sa] *adj.-s.* Religieux, euse.

relinchar [r̄elintʃár] *intr.* Hennir.

reliquia [r̄elikja] *f.* 1 Relique. 2 fig. Vestige *m.* 3 Séquelle (de una enfermedad).

reloj [r̄elóx] *m.* 1 Horloge *f.*, pendule *f.*, montre *f.*: — *de torre*, horloge. 2 — *de sol*, cadran solaire; — *de arena*, sablier.

relojero, -ra [r̄eloxéro, -ra] *s.* Horloger, ère.

reluciente [r̄eluθjénte] *adj.* Reluisant, ante, brillant, ante.

relucir [r̄eluθír] *intr.* 1 Briller (despedir luz). 2 Reluire (reflejar luz). ▲ CONJUG. comme *lucir*.

rellenar [r̄eʎenár] *tr.* Remplir.

relleno, -na [r̄eʎéno, -na] *adj.* 1 Très plein, pleine. 2 COC. Farci, ie: *aceitunas rellenas*, olives farcies.

remachar [r̄ematʃár] *tr.* River (un clavo, roblón).

remanso [r̄emánso] *m.* 1 Eau *f.* dormante. 2 fig. Refuge.

remar [r̄emár] *intr.* Ramer.

remarcar [r̄emarkár] *tr.* Marquer de nouveau.

rematar [r̄ematár] *tr.* 1 Achever, terminer. 2 Adjuger (en una subasta).

remate [r̄emáte] *m.* 1 Fin *f.*, achèvement, bout, extrémité *f.* (extremidad). 2 ARQ. Couronnement (de un edificio). 3 Adjudication *f.* (en una subasta). 4 *loc.*

adv. De —, complètement, absolument: *loco de —*, fou à lier.

remediar [r̄emeðjár] *tr. 1* Remédier à, porter remède a. *2* Réparer. *3* Éviter, empêcher.

remedio [r̄eméðjo] *m. 1* Remède. *2* Recours, remède. Loc. *No hay —*, on n'y peut rien, il n'y a pas moyen de faire autrement.

remendar [r̄emendár] *tr.* Rapiécer, raccommoder. ▲ CONJUG. comme *acertar*.

remendón, -ona [r̄emendón, -óna] *adj.-s. 1* Ravaudeur, euse. *2 Zapatero —*, savetier.

remero, -ra [r̄eméro, -ra] *s.* Rameur, euse.

remesa [r̄emésa] *f.* Envoi *m.*, expédition.

remiendo [r̄emjéndo] *m.* Pièce *f.* (trozo de tela, etc.).

remisión [r̄emisjón] *f. 1* Renvoi *m.* (a un tribunal, etc., en un texto). *2* Ajournement *m. 3* Envoi *m.* (acción).

remitente [r̄emiténte] *adj.-s. 1* Expéditeur, trice. ■ *2 adj.* MED. Rémittent, ente.

remitir [r̄emitír] *tr. 1* Envoyer, expédier. *2* Renvoyer (en un texto). *3* Remettre (aplazar, perdonar). ■ *4 intr.* Se calmer, perdre de son intensité, faiblir.

remo [r̄émo] *m. 1* Rame *f.*, aviron. *2* Canotage (deporte). *3* Galères.

remojar [r̄emoxár] *tr.* Tremper, mouiller.

remojo [r̄emóxo] *m.* Trempage. Loc. *Poner en —*, mettre à tremper.

remolacha [r̄emolátʃa] *f.* Betterave: *— azucarera*, betterave à sucre.

remolcador, -ra [r̄emolkaðór, -ra] *adj.-m.* Remorqueur, euse.

remolino [r̄emolíno] *m.* Remous (agua), tourbillon (agua, aire, etc.).

remolque [r̄emólke] *m. 1* Remorquage (acción). *2* Remorque *f. 3 loc. adv. A —*, à la remorque, à la traîne.

remontar [r̄emontár] *tr. 1* Élever (por el aire). *2* Ressemeler, remonter (calzado). *3* MIL. Remonter. ■ *4 pr.* S'élever (subir). *5* Remonter: *remontarse al siglo diez*, remonter au dixième siècle.

remordimiento [r̄emorðimjénto] *m.* Remords.

remoto, -ta [r̄emóto, -ta] *adj. 1* Éloigné, ée, lointain, aine. *2* Reculé, ée (tiempo).

remover [r̄emoβér] *tr.* Déplacer (trasladar), remuer (revolver). ▲ CONJUG. comme *mover*.

remunerar [r̄emunerár] *tr.* Rémunérer.

renacer [r̄enaθér] *intr.* Renaître. ▲ CONJUG. comme *agradecer*.

renacimiento [r̄enaθimjénto] *m.* Renaissance *f.*

renal [r̄enál] *adj.* Rénal, ale.

rencilla [r̄enθíʎa] *f.* Querelle, discorde.

rencor [r̄enkór] *m.* Rancune *f.*, rancœur *f.*

rendido, -da [r̄endíðo, -ða] *adj. 1* Soumis, ise. *2* Empressé, ée, galant, ante. *3* Épuisé, ée, fourbu, ue, à plat (cansado).

rendimiento [r̄endimjénto] *m. 1* Fatigue *f.*, épuisement (cansancio). *2* Soumission *f. 3* Déférence *f.* obséquieuse.

rendir [r̄endír] *tr. 1* Vaincre, forcer à se rendre. *2* Soumettre (al dominio de). *3* Rendre: *— una plaza, homenaje, cuentas*, rendre une place, hommage, des comptes. *4 — gracias*, rendre grâces: *— culto a*, rendre un culte à. ■ *5 pr.* Se rendre, se soumettre: *la ciudad se rindió sin condiciones*, la ville s'est rendue sans conditions. ▲ CONJUG. comme *servir*.

renegar [r̄eneɣár] *tr. 1* Nier avec insistance. ■ *2 intr.* Renier, abjurer: *— de su fe*, renier sa foi. *3* Blasphémer.

renglón [r̄eŋglón] *m.* Ligne *f.* (de escritura, de un impreso).

reno [r̄éno] *m.* Renne.

renombre [r̄enómbre] *m. 1* Renommée *f.*, renom. *2 De —*, de renom.

renovar [r̄enoβár] *tr. 1* Rénover (dar nueva forma). *2* Renouveler (reemplazar, reiterar). ▲ CONJUG. comme *contar*.

renta [r̄énta] *f. 1* Rente: *— en bienes raíces*, rente foncière. *2* Revenu *m.: — per cápita*, revenu par habitant. *3* Fermage *m.* (de un arrendatario).

renuncia [r̄enúnθja] *f. 1* Renonciation, renoncement *m. 2* Démission.

renunciar [r̄enunθjár] *tr. 1* Renoncer à: *—a un derecho*, renoncer à un droit. *2* Abandonner, renoncer: *— a un proyecto*, abandonner un projet. ▲ CONJUG. comme *cambiar*.

reñir [r̄eɲír] *intr. 1* Se disputer, se quereller. *2* Se fâcher, se brouiller (dejar de ser amigos, etc.). ■ *3 tr.* Réprimander, gronder (reprender). ▲ CONJUG. comme *reír*.

reo [r̄éo] *m.-f.* Accusé, ée.

reojo (de) [r̄eóxo] *loc. adv.* De travers (con enfado), du coin de l'œil.

reorganizar [r̄eorɣaniθár] *tr.* Réorganiser.

reparable [r̄eparáβle] *adj. 1* Réparable. *2* Remarquable.

reparación [r̄eparaθjón] *f.* Réparation.

reparar [r̄eparár] *tr. 1* Réparer. ■ *2 tr.-intr.* Remarquer, observer (notar).

reparo [r̄epáro] *m. 1* Réparation *f. 2*

Objection f.: **poner reparos,** faire des objections. *3* Observation f., remarque f. (advertencia). *4* Difficulté f., gêne f.

repartidor, -ra [r̄epartiðór, -ra] s. Livreur, euse, distributeur, trice.

repartir [r̄epartír] tr. *1* Répartir, partager. *2* Distribuer.

reparto [r̄epárto] m. *1* Répartition f. *2* Distribution f. (del correo, etc.).

repasar [r̄epasár] tr.-intr. *1* Repasser (volver a pasar). ■ *2* tr. Repasser, réviser (la lección). *3* Revoir (volver a mirar, a examinar). *4* Jeter un coup d'œil sur (un escrito).

repaso [r̄epáso] m. Révision f. (de una lección, etc.).

repatriar [r̄epatrjár] tr. *1* Rapatrier. ■ *2* pr. Être rapatrié, ée. ▲ CONJUG. comme *desviar.*

repeler [r̄epelér] tr. *1* Respousser (rechazar). *2* fig. Dégoûter (repugnar).

repente [r̄epénte] m. *1* Mouvement brusque. ■ *2* loc. adv. *De —,* soudain, tout à coup.

repercusión [r̄eperkusjón] f. Répercussion.

repercutir [r̄eperkutír] tr. *1* Répercuter. ■ *2* intr.-pr. Se répercuter, retentir.

repertorio [r̄epertórjo] m. Répertoire.

repetir [r̄epetír] tr. *1* Répéter (volver a hacer, a decir). ▲ CONJUG. comme *servir.*

repicar [r̄epikár] tr. *1* Hacher menu. *2* Faire carillonner, sonner (las campanas).

repique [r̄epíke] m. Carillonnement (de las campanas).

repiqueteo [r̄epiketéo] m. Son vif et répété de cloches, de castagnettes, etc.

repisa [r̄epísa] f. ARQ. Console.

replegar [r̄epleɣár] tr. Replier. ▲ CONJUG. comme *acertar.*

repleto, -ta [r̄epléto, -ta] adj. *1* Plein, pleine, rempli, ie: *bar — de gente,* bar plein de monde. *2* Qui a trop mangé, repu, ue.

réplica [r̄éplika] f. Réplique.

replicar [r̄eplikár] tr. Répliquer.

repliegue [r̄epljéɣe] m. Repli.

repoblar [r̄epoβlár] tr. Repeupler. ▲ CONJUG. comme *contar.*

repollo [r̄epóʎo] m. Chou pommé.

reponer [r̄eponér] tr. *1* Replacer, remettre. *2* Réintégrer (en un empleo). *3* Rétablir, remettre (salud). *4* Répliquer, répondre (replicar). ■ *5* pr. Se remettre, se rétablir (recobrar la salud). ▲ CONJUG. comme *poner.*

reportero, -ra [r̄eportéro, -ra] s. Reporter.

reposado, -da [r̄eposáðo, -ða] adj. Calme, tranquille.

reposar [r̄eposár] intr.-pr. *1* Reposer, se reposer. *2* Déposer (los líquidos).

repostería [r̄epostería] f. Pâtisserie.

repostero [r̄epostéro] m. Pâtissier.

represa [r̄eprésa] f. Barrage m.

represalia [r̄epresálja] f. Répresaille.

representación [r̄epresentaθjón] f. Représentation.

representante [r̄epresentánte] s. Représentant m.

representar [r̄epresentár] tr. *1* Représenter. *2* Paraître, faire (aparentar): *no representa la edad que tiene,* il ne fait pas son âge. *3* TEAT. Jouer, représenter. ■ *4* pr. Se représenter.

representativo, -va [r̄epresentatíβo, -βa] adj. Représentatif, ive.

represión [r̄epresjón] f. *1* Répression. *2* Refoulement m. (de una pasión, etc.).

reprimir [r̄eprimír] tr. *1* Réprimer. *2* Refouler (una pasión, etc.).

reprobar [r̄eproβár] tr. Réprouver. ▲ CONJUG. comme *contar.*

reproche [r̄eprótʃe] m. Reproche.

reproducir [r̄eproðuθír] tr. Reproduire. ▲ CONJUG. comme *conducir.*

reptil [r̄eptíl] m. Reptile.

república [r̄epúβlika] f. République.

republicano, -na [r̄epuβlikáno, -na] adj.-s. Républicain, aine.

repudiar [r̄epuðjár] tr. Répudier. ▲ CONJUG. comme *cambiar.*

repuesto [r̄epwésto] m. *1* Provisions f. pl. de réserve. *2* loc. adv. *De —,* en réserve, de rechange (de recambio).

repugnante [r̄epuɣnánte] adj. Répugnant, ante.

repugnar [r̄epuɣnár] intr. Répugner.

repujar [r̄epuxár] tr. Repousser.

repulsa [r̄epúlsa] f. *1* Refus m., rejet m. *2* Répulsion. *3* Désapprobation, réprobation (condena), protestation.

repulsivo, -va [r̄epulsíβo, -βa] adj. Répulsif, ive.

repuntar [r̄epuntár] intr. Commencer à monter, à descendre (la marea).

reputación [r̄eputaθjón] f. Réputation.

requerimiento [r̄ekerimjénto] m. *1* DER. Sommation f. *2* Requête f.

requerir [r̄ekerír] tr. Requérir, demander: *eso requiere mucho tacto,* cela demande beaucoup de doigté. ▲ CONJUG. comme *hervir.*

requesón [r̄ekesón] m. *1* Caillé. *2* Fromage blanc (queso).

requetebién [r̄eketeβjén] adv. fam. Très bien.

réquiem [r̄ékjen] *m.* Requiem.
requisar [r̄ekisár] *tr.* Réquisitionner.
requisito [r̄ekisíto] *m.* Condition *f.* requise, formalité *f.* nécessaire.
res [res] *m.* Tête *f.* de bétail, bête *f.:* — **vacuna**, bête à cornes.
resabio [r̄esáβjo] *m. 1* Vice, mauvaise habitude *f. 2* Arrière-goût (sabor).
resaca [r̄esáka] *f.* Ressac *m.*
resaltar [r̄esaltár] *intr. 1* Saillir, être en saillie (balcón, etc.). *2* fig. Ressortir (sobresalir). *3* Rebondir (rebotar).
resbalar [r̄esβalár] *intr.-tr. 1* Glisser. *2* fig. Faire un faux pas.
resbalón [r̄esβalón] *m. 1* Glissade *f. 2* fig. Faux pas.
rescatar [r̄eskatár] *tr. 1* Racheter (mediante dinero, etc.). *2* Délivrer (libertar). *3* Sauver (de peligro).
rescate [r̄eskáte] *m. 1* Rachat. *2* Délivrance *f. 3* Sauvetage (de personas en peligro). *4* Rançon *f.* (dinero).
rescindir [r̄esθindír] *tr.* Résilier, rescinder: — **un contrato**, résilier un contrat.
reseco, -ca [r̄eséko, -ka] *adj.* Desséché, ée, trop sec, trop sèche.
resentimiento [r̄esentimjénto] *m.* Ressentiment.
resentirse [r̄esentírse] *pr. 1* Se ressentir. *2* Commencer à se détériorer (cosa). *3* Se fâcher (con alguien). ▲ CONJUG. comme *hervir*.
reseña [r̄eséɲa] *f. 1* Description. *2* Compte rendu *m.* (de una obra).
reserva [r̄esèrβa] *f. 1* Réserve. *2* MIL. Réserve. *3* Réservation (de un asiento, una habitación, etc.). *4 loc. adv. Sin —,* franchement; *de —,* en réserve.
reservar [r̄eserβár] *tr. 1* Réserver. *2* Retenir (billetes, localidades, habitación de hotel, etc.). *3* Taire, cacher (ocultar).
resfriado [r̄esfriáðo] *m.* Rhume: *coger un —,* attraper un rhume.
resfriar [r̄esfriár] *tr.-intr. 1* Refroidir. ■ *2 pr.* S'enrhumer (acatarrarse). ▲ CONJUG. comme *desviar*.
resguardo [r̄esɣwárðo] *m. 1* Abri, protection *f.,* défense *f. 2* Garantie *f. 3* Récépissé, reçu (recibo). *4* Poste de l'octroi.
residencia [r̄esiðénθja] *f.* Résidence.
residente [r̄esiðénte] *adj.-s. 1* Résidant, ante. *2 Ministro —,* résident.
residuo [r̄esiðwo] *m.* Résidu.
resignación [r̄esiɣnaθjón] *f.* Résignation.
resignar [r̄esiɣnár] *tr. 1* Résigner. ■ *2 pr.* Se résigner.
resistencia [r̄esisténθja] *f.* Résistance.
resistir [r̄esistír] *intr. 1* Résister. ■ *2 tr.* Résister à. *3* Endurer, supporter

(aguantar). ■ *4 pr.* Se débattre (forcejear).
resolución [r̄esoluθjón] *f. 1* Résolution. *2* Décision (de una autoridad).
resolver [r̄esolβér] *tr. 1* Résoudre. *2* Résoudre de, décider de: *resolví marcharme,* je résolus de m'en aller. ▲ CONJUG. comme *mover.* PART. PAS.: *resuelto.*
resollar [r̄esoʎár] *intr.* Respirer, souffler. ▲ CONJUG. comme *contar.*
resonancia [r̄esonánθja] *f. 1* Résonance. *2* fig. Retentissement *m.* (de un hecho).
resonante [r̄esonánte] *adj. 1* Résonant, ante. *2* fig. Retentissant, ante.
resonar [r̄esonár] *intr.* Résonner. ▲ CONJUG. comme *contar.*
resorte [r̄esórte] *m.* Ressort.
respaldar [r̄espaldár] *tr. 1* Écrire au dos. *2* fig. Protéger. *3* fig. Garantir. ■ *4 pr.* S'adosser.
respaldo [r̄espáldo] *m. 1* Dossier (de un asiento). *2* Dos (de un escrito).
respectivo, -va [r̄espeɣtiβo, -βa] *adj.* Respectif, ive.
respecto [r̄espéɣto] *m. 1* Rapport (relación). *2 loc. prep. — a, de, con — a, de,* per rapport à (con relación a), à l'égard de, au sujet de, quant à; *a este —,* à cet égard.
respetable [r̄espetáβle] *adj.* Respectable.
respetar [r̄espetár] *tr.* Respecter.
respeto [r̄espéto] *m.* Respect.
respirar [r̄espirár] *intr.-tr.* Respirer: — *alegría,* respirer la joie.
respiro [r̄espíro] *m. 1* Respiration *f. 2* fig. Relâche *f.*
resplandecer [resplandeθér] *intr.* Resplendir. ▲ CONJUG. comme *agradecer.*
resplandor [r̄esplandór] *m.* Éclat.
responder [r̄espondér] *tr.-intr.* Répondre.
responsabilidad [r̄esponsaβiliðáð] *f.* Responsabilité.
responsable [r̄esponsáβle] *adj.* Responsable.
respuesta [r̄espwésta] *f.* Réponse.
resquebrajar [r̄eskeβraxár] *tr. 1* Fendre, fêler, fendiller. *2* Craqueler (barniz, pintura).
resta [r̄ésta] *f. 1* MAT. Reste *m.* (residuo). *2* MAT. Soustraction.
restablecer [r̄estaβleθér] *tr. 1* Rétablir. ■ *2 pr.* Se rétablir (recobrar la salud). ▲ CONJUG. comme *agradecer.*
restante [r̄estánte] *adj. 1* Restant, ante. ■ *2 m.* Reste.
restar [r̄estár] *tr. 1* MAT. Soustraire. *2* Enlever, ôter (quitar). ■ *3 intr.* Rester (quedar).

restauración [r̄estaŭraθjón] *f.* Restauration.

restaurador, -ra [r̄estaŭraðór, -ra] *adj.-s.* Restaurateur, trice.

restaurante [r̄estaŭránte] *m.* Restaurant.

restaurar [r̄estaŭrár] *tr.* Restaurer.

restituir [r̄estitwír] *tr.* Restituer. ▲ CONJUG. comme *huir.*

resto [r̄ésto] *m.* Reste.

restregar [r̄estreɣár] *tr.* Frotter vigoureusement.

restriñir [r̄estriɲír] *tr.* Reserrer.

resucitar [r̄esuθitár] *tr.-intr.* Ressusciter.

resuelto, -ta [r̄eswélto, -ta] *adj.* Résolu, ue, décidé, ée.

resulta [r̄esúlta] *f. 1* Suite, résultat *m. 2 loc. adv. De resultas,* par suite.

resultado [r̄esultáðo] *m.* Résultat.

resultar [r̄esultár] *intr. 1* Résulter. *2* Être (ser): *el día resultó caluroso,* la journée fut chaude. *3* Tourner à (en provecho, daño, etc.).

resumen [r̄esúmen] *m. 1* Résumé, abrégé. *2 loc. adv. En —,* en résumé.

resumir [r̄esumír] *tr. 1* Résumer. ■ *2 pr.* Se résumer.

resurgir [r̄esurxír] *intr.* Réapparaître, résurgir.

resurrección [r̄esur̄eɣθjón] *f.* Résurrection.

retablo [r̄etáβlo] *m.* Retable.

retador, -ra [r̄etaðór, -ra] *adj.-m.* Provocateur, trice.

retal [r̄etál] *m. 1* Coupon (de tela). *2* Retaille *f.* (trozo sobrante).

retar [r̄etár] *tr.* Provoquer, défier.

retardar [r̄etarðár] *tr. 1* Retarder. *2* Ralentir (hacer más lento).

retardo [r̄etárðo] *m.* Retard.

retazo [r̄etáθo] *m. 1* Morceau, coupon (de tela). *2* fig. Fragment (de un discurso, etc.).

retener [r̄etenér] *tr.* Retenir. ▲ CONJUG. comme *tener.*

reticencia [r̄etiθénθja] *f.* Réticence.

reticente [r̄etiθénte] *adj.* Réticent, ente.

retina [r̄etina] *f.* ANAT. Rétine.

retirada [r̄etiráða] *f. 1* Retraite (acción de retirarse). *2* Retrait *m.* (de un proyecto de ley, etc.). *3* MIL. Retraite.

retirar [r̄etirár] *tr. 1* Retirer. *2* Mettre à la retraite (jubilar). *3* IMPR. Mettre en retiration. ■ *4 pr.* Se retirer. Loc. *¡No se retire!,* ne quittez pas! (en el teléfono).

retiro [r̄etiro] *m.* Retraite *f.*

reto [r̄éto] *m.* Défi, provocation *f.*

retocar [r̄etokár] *tr.* Retoucher.

retoño [r̄etóɲo] *m.* Pousse *f.*, rejeton *m.*

retoque [r̄etóke] *m.* Retouche *f.*

retorcer [r̄etorθér] *tr. 1* Retordre. *2 pr.* Se tordre (de dolor, etc.). ▲ CONJUG. comme *mover.*

retórico, -ca [r̄etóriko, -ka] *adj. 1* De la rhétorique. ■ *2 s.* Rhétoricien, ienne.

retornar [r̄etornár] *tr. 1* Retourner, rendre. ■ *2 intr.* Retourner, revenir.

retorno [r̄etórno] *m. 1* Retour (acción de retornar, recompensa). *2* Échange.

retozar [r̄etoθár] *intr.* Bondir, sauter, gambader (saltar, brincar).

retractar [r̄etraɣtár] *tr. 1* Rétracter. ■ *2 pr.* Se rétracter, se dédire.

retraer [r̄etraér] *tr. 1* Détourner (de un intento). *2* Rétracter (las uñas, etc.). *3* DER. Retraire. ■ *4 pr.* Se retirer (del mundo, de la vida política). ▲ CONJUG. comme *traer.*

retraído, -da [r̄etraíðo, -ða] *adj. 1* Retiré, ée. *2* fig. Renfermé, ée, timide.

retranca [r̄etráŋka] *f.* Avaloire (del arnés).

retrasar [r̄etrasár] *tr. 1* Retarder. ■ *2 intr.-pr.* Retarder (un reloj). ■ *3 pr.* Être en retard.

retraso [r̄etráso] *m.* Retard.

retratar [r̄etratár] *tr. 1* Faire le portrait de, portraiturer. *2* Photographier.

retratista [r̄etratista] *s.* Portraitiste.

retrato [r̄etráto] *m.* Portrait.

retrete [r̄etréte] *m.* Cabinets *pl.*, toilettes *f. pl.*

retribuir [r̄etriβwír] *tr.* Rétribuer. ▲ CONJUG. comme *huir.*

retroceder [r̄etroθeðér] *intr. 1* Reculer. *2* Rétrograder.

retroceso [r̄etroθéso] *m. 1* Recul. *2* MED. Recrudescence *f.* (de una enfermedad). *3* Rétro (billar).

retrógrado, -da [r̄etróɣraðo, -ða] *adj.-s.* Rétrograde.

retrospectivo, -va [r̄etrospeɣtiβo, -βa] *adj.* Rétrospectif, ive.

retrovisor [r̄etroβisór] *m.* Rétroviseur.

retumbante [r̄etumbánte] *adj.* Retentissant, ante.

retumbar [r̄etumbár] *intr.* Retentir, faire un grand bruit.

reuma [r̄éŭma] *m.-f.* Rhumatisme *m.*

reumático, -ca [r̄eŭmátiko, -ka] *adj. 1* Rhumatismal, ale. ■ *2 adj.-s.* Rhumatisant, ante.

reunión [r̄eŭnjón] *f.* Réunion.

reunir [r̄eŭnír] *tr.* Réunir, rassembler.

revalida [r̄eβáliða] *f.* Examen *m.* de fin d'études.

revalidar [r̄eβaliðár] *tr. 1* Confirmer. ■ *2 pr.* Passer l'examen de fin d'études.

revelación [r̄eβelaθjón] *f.* Révélation.

revelador, -ra [r̄eβelaðór, -ra] *adj.-m.* Révélateur, trice.

revelar [r̄eβelár] *tr. 1* Révéler. *2* FOT. Développer. ■ *3 pr.* Se révéler.

reventar [r̄eβentár] *intr. 1* Crever, éclater. *2* Se briser (las olas). *3* fig. Éclater (la cólera, etc.). *4* fig. Mourir d'envie: *—por,* mourir d'envie de; *— de risa,* mourir de rire. ■ *5 tr.* Crever, faire éclater (un globo, etc.). ■ *6 pr.* Crever, éclater (globo, neumático, etc.). ▲ CONJUG. comme *acertar.*

rever [r̄eβér] *tr. 1* Revoir. *2* DER. Réviser. ▲ CONJUG. comme *ver.*

reverberar [r̄eβerβerár] *intr.* Réverbérer.

reverdecer [r̄eβerðeθér] *intr.-tr.* Reverdir. ▲ CONJUG. comme *agradecer.*

reverencia [r̄eβerénθja] *f.* Révérence.

reverenciar [r̄eβerenθjár] *tr.* Révérer. ▲ CONJUG. comme *cambiar.*

reverendo, -da [r̄eβeréndo, -da] *adj. 1* Respectable. ■ *2 adj.-s.* Révérend, ende.

reversible [r̄eβersíβle] *adj.* Réversible.

reverso [r̄eβérso] *m.* Revers, envers.

revés [r̄eβés] *m. 1* Envers, revers. *2* Mornifle *f.* (bofetada). *3* fig. Revers, disgrâce *f.*, infortune *f. 4 loc. adv. Al —,* à l'envers, en sens contraire, de travers.

revestir [r̄eβestír] *tr.* Revêtir. ▲ CONJUG. comme *servir.*

revisar [r̄eβisár] *tr. 1* Réviser (un trabajo, un motor, un coche, etc.). *2* Revoir (volver a ver). *3* Contrôler.

revisión [r̄eβisjón] *f.* Révision.

revista [r̄eβísta] *f.* Revue.

revistero, -ra [r̄eβistéro, -ra] *s. 1* Chroniqueur *m.*, journaliste chargé des comptes rendus. ■ *2 m.* Porte-revues (meuble).

revivir [r̄eβiβír] *intr.* Revivre.

revocar [r̄eβokár] *tr. 1* Révoquer, annuler. *2* CONSTR. Ravaler, recrépir.

revolcar [r̄eβolkár] *tr. 1* Renverser, terrasser. ■ *2 pr.* Se vautrer, se rouler. ▲ CONJUG. comme *contar.*

revoltijo [r̄eβoltíxo], **revoltillo** [r̄eβoltíλo] *m. 1* Mélange, fatras, méli-mélo, brouillammini. *2* COC. Œufs *pl.* brouillés.

revolución [r̄eβoluθjón] *f.* Révolution.

revolucionario [r̄eβoluθjonárjo, -ja] *adj.-s.* Révolutionnaire.

revólver [r̄eβólβer] *m.* Revolver.

revolver [r̄eβolβér] *tr. 1* Agiter, remuer. *2* Fouiller dans (buscando). *3* Mettre sens dessus dessous, bouleverser (poner en desorden). *4* fig. Brouiller, alarmer, exciter. ■ *5 pr.* Bouger, remuer

(moverse). ▲ CONJUG. comme *mover.* PART. PAS. irrég.: *revuelto.*

revoque [r̄eβóke] *m. 1* Recrépissage, ravalement (acción). *2* Crépi (cal y arena).

revuelta [r̄eβwélta] *f.* Révolte, sédition.

revuelto, -ta [r̄eβwélto, -ta] *adj. 1* Docile à la bride (caballo). *2* Turbulent, ente. *3* Embrouillé, ée.

rey [r̄éi] *m.* Roi.

rezagado, -da [r̄eθayáðo, -ða] *adj.-s. 1* Qui reste en arrière, retardataire. ■ *2 m.* Traînard (soldado).

rezagar [r̄eθayár] *tr. 1* Laisser en arrière. *2* Retarder, différer.

rezar [r̄eθár] *tr. 1* Réciter (una oración). *2* Dire (una misa). ■ *3 intr.* Prier: *— por los difuntos,* prier pour les défunts.

rezo [r̄éθo] *m. 1* Prière *f.* (acción de rezar). *2* Prière *f.* ou office de chaque jour.

rezongar [r̄eθoŋgár] *intr.* Rouspéter, ronchonner.

ría [r̄ía] *f.* Estuaire *m.*, ria.

riada [r̄jáða] *f.* Crue (crecida), inondation.

ribera [r̄iβéra] *f.* Rive, rivage *m.*

ribereño, -ña [r̄iβeréɲo, -ɲa] *adj.-s.* Riverain, aine.

ribete [r̄iβéte] *m.* Liséré, passepoil, bordure *f.*

rico, -ca [r̄íko, -ka] *adj. 1* Riche. *2* Délicieux, euse: *unos caramelos muy ricos,* des bonbons délicieux. *3* Mignon, onne (expresión de cariño).

ridiculizar [r̄iðikuliθár] *tr.* Ridiculiser.

ridículo, -la [r̄iðíkulo, -la] *adj.-m.* Ridicule. Loc. *Poner en —,* tourner en ridicule.

riego [r̄jéyo] *m. 1* Arrosage. *2* Irrigation *f.*

riel [r̄jél] *m. 1* Petit lingot. *2* Rail (de tren).

rienda [r̄jénda] *f.* Guide, rêne, bride. Loc. fig. *A — suelta,* à bride abattue: *dar — suelta,* lâcher la bride.

riesgo [r̄jésyo] *m.* Risque.

rifa [r̄ífa] *f.* Tombola, loterie.

rifle [r̄ífle] *m.* Rifle.

rígido, -da [r̄íxiðo, -ða] *adj.* Rigide.

rigor [r̄iyór] *m.* Rigueur *f.* Loc. *Ser el — de las desdichas,* jouer de malheur.

riguroso, -sa [r̄iyuróso, -sa] *adj.* Rigoureux, euse.

rima [r̄íma] *f. 1* Rime. *2* Pile, tas *m.* (rimero).

rincón [r̄iŋkón] *m. 1* Coin, encoignure *f. 2* Coin (sitio pequeño y apartado), recoin (lugar apartado).

ring [r̄íŋg] *m.* angl. Ring.

rinoceronte [r̄inoθerónte] *m.* Rhinocéros.

riña [r̄íɲa] *f. 1* Querelle, rixe, bagarre (lucha). *2* Dispute.

riñón [r̄iɲòn] *m.* *1* Rein. *2* COC. Rognon: *riñones de cerdo*, des rognons de porc.

río [r̄io] *m.* Fleuve (que desemboca en el mar), rivière *f.* (que desemboca en otros). Loc. — *arriba*, en amont.

riqueza [r̄ikéθa] *f.* Richesse.

risa [r̄isa] *f.* Rire *m.* Loc. — *de conejo*, rire jaune.

risco [r̄isko] *m.* Rocher, roc pelé.

risotada [r̄isotàða] *f.* Éclat *m.* de rire.

ristra [r̄istra] *f.* *1* Chapelet *m.: una — de ajos, de cebollas*, un chapelet d'ails, d'oignons. *2* fig. File, ribambelle.

risueño, -ña [r̄iswéɲo, -ɲa] *adj.* Souriant, ante, riant, ante.

rítmico, -ca [r̄iðmiko, -ka] *adj.* Rythmique.

ritmo [r̄iðmo] *m.* Rhytme.

rito [r̄ito] *m.* Rite.

ritual [r̄itwál] *adj.-m.* Rituel, elle.

rival [r̄iβál] *adj.-s.* Rival, ale.

rizado, -da [r̄iθàðo, -ða] *adj.* Frisé, ée.

rizar [r̄iθár] *tr.* *1* Friser (el pelo). *2* Plisser (papel, telas). ■ *3 pr.* Se friser (el pelo).

rizo [r̄iθo] *m.* Boucle *f.* (de cabellos).

robar [r̄oβár] *tr.* *1* Voler, dérober. *2* fig. Gagner, conquérir (el afecto, etc.). *3* Enlever (raptar). *4* Prendre, piocher dans le talon (naipes, dominó).

robo [r̄òβo] *m.* *1* Vol. *2* Rapt, enlèvement (rapto). *3* Rentrée *f.* (en algunos juegos).

robusto, -ta [r̄oβústo, -ta] *adj.* Robuste.

roca [r̄òka] *f.* *1* Rouche. *2* Rocher *m.*, roc *m.* (peñasco).

roce [r̄òθe] *m.* *1* Frottement (de dos cuerpos). *2* Frôlement (ligero).

rociar [r̄oθjár] *tr.* Asperger, arroser. ▲ CONJUG. comme *desviar*.

rocío [r̄oθio] *m.* Rosée *f.*

rococó [r̄okokó] *adj.-m.* Rococo.

rocoso, -sa [r̄okóso, -sa] *adj.* Rocheux, euse.

rodado, -da [r̄oðàðo, -ða] *adj.* *1* Tisonné, ée (caballo). *2 Tránsito —*, circulation routière, trafic routier.

rodaja [r̄oðáxa] *f.* *1* Rondelle, tranche (de salchichón, limón, etc.).

rodaje [r̄oðáxe] *m.* *1* Rouage. *2* Tournage (de una película). *3* Rodage (de un automóvil, etc.).

rodar [r̄oðár] *intr.* *1* Rouler (dando vueltas). *2* Rouler (sobre ruedas). *3* Rouler, dégringoler (caer). ■ *4 tr.* — *una película*, tourner un film. ▲ CONJUG. comme *contar*.

rodear [r̄oðeár] *intr.* *1* Faire le tour. *2* Faire un détour. *3 tr.* Entourer (cercar). *4* Contourner. *5* Faire tourner.

rodeo [r̄oðéo] *m.* Détour, crochet: *dar un* —, faire un détour.

rodete [r̄oðéte] *m.* Chignon (peinado).

rodilla [r̄oðíʎa] *f.* Genou *m. loc. adv. De rodillas*, à genoux.

rodillera [r̄oðiʎéra] *f.* Genouillère.

rodillo [r̄oðíʎo] *m.* Rouleau.

roedor, -ra [r̄oeðòr, -ra] *adj.* *1* Rongeur, euse. ■ *2 m. pl.* ZOOL. Rongeurs.

roer [r̄oér] *tr.* Ronger, grignoter. ▲ CONJUG. IRRÉG.: La 1.e personne de l'INDIC. Prés. peut être: *roo, roigo* ou *royo;* le SUBJ. Prés.: *roa, roiga, roya; roas, roigas, royas*, etc.; et la 3.e personne de l'IMPÉR.: *roa, roiga, roya*.

rogar [r̄oɣár] *tr.* Prier: *le ruego que se calle*, je vous prie de vous taire. ▲ CONJUG. comme *contar*.

rojo, -ja [r̄óxo, -xa] *adj.* *1* Rouge. *2* Roux, rousse (pelo, etc.).

rol [r̄ól] *m.* *1* Rôle, liste *f.*, catalogue. *2* MAR. Rôle.

roldana [r̄oldána] *f.* MEC. Réa *m.*, rouet *m.*

rollizo, -za [r̄oʎiθo, -θa] *adj.* Rond, ronde, cylindrique.

rollo [r̄óʎo] *m.* Rouleau (de papel, tela, etc.).

romance [r̄ománθe] *adj.-m.* *1* Roman, ane (lengua). ■ *2 m.* Langue *f.* espagnole, espagnol. *3* Poème espagnol formé par une suite indéfinie de vers octosyllabes, qui a la même assonance dans tous les vers pairs.

romano, -na [r̄ománo, -na] *adj.-s.* Romain, aine.

romanticismo [r̄omantiθizmo] *m.* Romantisme.

rombo [r̄ómbo] *m.* GEOM. Losange, rhombe.

romería [r̄omería] *f.* *1* Pèlerinage *m.* *2* Fête populaire autour d'un sanctuaire.

romero, -ra [r̄oméro, -ra] *s.* *1* Pèlerin, ine. ■ *2 m.* Romarin (planta).

rompecabezas [r̄ompekaβéθas] *m. invar.* *1* Casse-tête (arma, acertijo). *2* Puzzle (juego).

rompeolas [r̄ompeólas] *m. invar.* Briselames.

romper [r̄ompér] *tr.* *1* Casser, briser, rompre: — *un cristal*, casser un carreau. *2* Déchirer (papel, tela). *3* Fendre (el aire, las aguas). *4* fig. Rompre: — *el silencio*, rompre le silence. ■ *5 intr.* S'épanouir (las flores). *6* Rompre: *estos novios han roto*, ces fiancés ont rompu. ▲ CONJUG. PART. PAS. rég.: *rompido* (inusité); irrég.: *roto* (employé dans tous les cas).

rompiente [r̄ompjénte] *m.* Brisant.

ron [r̄ón] *m.* Rhum.

roncar [r̄oŋkár] *intr.* 1 Ronfler (cuando se duerme). 2 Mugir (el mar, el viento).

ronco, -ca [r̄óŋko, -ka] *adj.* 1 Rauque. 2 Enroué, ée (que padece ronquera).

roncha [r̄óntʃa] *f.* 1 Grosseur, cloque. 2 Ecchymose.

ronda [r̄ónda] *f.* 1 Ronde (inspección, patrulla). 2 Tournée (del cartero). 3 Groupe *m.* de jeunes gens donnant des sérénades. 4 Tournée (convidada).

rondar [r̄ondár] *intr.* 1 Faire une ronde (de vigilancia). 2 Courir les rues pendant la nuit. 3 Donner des sérénades.

rondeña [r̄ondéɲa] *f.* Air *m.* populaire andalou.

rondó [r̄ondó] *m.* MÚS. Rondeau.

rondón (de) [r̄ondón] *loc. adv.* Tout de go, sans crier gare.

ronquera [r̄oŋkéra] *f.* Enrouement *m.*

ronronear [r̄onr̄oneár] *intr.* Ronronner.

roñoso, -sa [r̄oɲóso, -sa] *adj.* 1 Galeux, euse (animal). 2 Crasseux, euse (sucio).

ropa [r̄ópa] *f.* 1 Vêtements *m. pl.* (prendas de vestir). 2 Linge *m.: — de casa*, linge de maison. Loc. *— blanca*, linge *m.* 3 *loc. adv. A quema—*, à brûle-pourpoint.

ropaje [r̄opáxe] *m.* 1 Vêtements *pl.* 2 Habit de cérémonie. 3 B. ART. Draperie *f.*

ropero [r̄opéro] *m.* Armoire *f.* (armario).

roqueño, -ña [r̄okéɲo, -ɲa] *adj.* 1 Rocheux, euse. 2 Dur, dure, comme le roc.

ros [r̄os] *m.* Sorte de shako.

rosa [r̄ósa] *f.* 1 Rose: *— de pitiminí*, rose pompon. 2 *— de los vientos, náutica*, rose des vents. ■ 3 *adj.-m.* Rose (color).

rosado, -da [r̄osáðo, -ða] *adj.* 1 Rose (color de rosa). 2 Rosat *invar.: miel rosada*, miel rosat.

rosal [r̄osál] *m.* Rosier.

rosaleda [r̄osaléða] *f.* Roseraie.

rosario [r̄osárjo] *m.* 1 Chapelet: *rezar el —*, dire son chapelet. 2 Rosaire (de quince decenas). 3 fig. Chapelet, suite *f.*

rosca [r̄óska] *f.* 1 Vis: *paso de —*, pas de vis. 2 Filet *m.* (de un tornillo, de una tuerca). Loc. *Pasarse de —*, foirer (tornillo); fig. dépasser les bornes. 3 Couronne (pan).

rosco [r̄ósko], **roscón** [r̄oskón] *m.* 1 Couronne *f.* (pan). 2 Brioche *f.* en forme de couronne (bollo).

rosquilla [r̄oskíʎa] *f.* Gimblette.

rostro [r̄óstro] *m.* Visage, figure *f.*

rota [r̄óta] *f.* 1 Route (de un barco). 2 Déroute, défaite. 3 Rote (tribunal).

rotación [r̄otaθjón] *f.* Rotation.

rotatorio, -ia [r̄otatórjo, -ja] *adj.* Rotatoire.

roto, -ta [r̄óto, -ta] 1 *p. p.* de *romper*. ■ 2 *adj.* Rompu, ue, brisé, ée. 3 Débauché, ée. ■ 4 *adj.-s.* Déguenillé, ée (andrajoso).

rotular [r̄otulár] *tr.* Étiqueter.

rótulo [r̄otulo] *m.* 1 Enseigne *f.* (de tienda), écriteau (letrero), panonceau (placa metálica). 2 Étiquette *f.* 3 Titre.

rotundo, -da [r̄otúndo, -da] *adj.* 1 Rond, ronde. 2 Complet, ète, catégorique: *un no —*, un non catégorique. 3 Sonore (lenguaje).

rotura [r̄otúra] *f.* 1 Rupture (tubería, etc.). 2 Déchirure (desgarrón), cassure (fractura). 3 Bris *m.* (cristal, parabrisas).

rozadura [r̄oθaðúra] *f.* 1 Frottement *m.*, frôlement *m.* 2 Éraflure (raspadura).

rozar [r̄oθár] *tr.* 1 AGR. Essarter. 2 Frôler, effleurer (tocar ligeramente). 3 Érafler (raspar ligeramente). ■ 4 *intr.* Frotter (una cosa con otra). ■ 5 *pr.* S'écorcher légèrement, s'érafler.

rubí [r̄uβí] *m.* Rubis.

rubia [r̄úβja] *f.* 1 Garance (planta). 2 fam. Peseta.

rubio, -ia [r̄úβjo, -ja] *adj.-s.* 1 Blond, blonde. ■ 2 *m.* Grondin (pez). ■ 3 *pl.* Centre du garrot d'un taureau.

rublo [r̄úβlo] *m.* Rouble.

rubor [r̄uβór] *m.* Rougeur *f.*

rúbrica [r̄úβrika] *f.* 1 Marque rouge. 2 Parafe *m.*, paraphe *m.* (de una firma).

rubricar [r̄uβrikár] *tr.* Parafer, parapher (un escrito).

rudeza [r̄uðéθa] *f.* 1 Rudesse. 2 Grossièreté. 3 Lourdeur d'esprit.

rudimentario, -ia [r̄uðimentárjo, -ja] *adj.* Rudimentaire.

rudo, -da [r̄úðo, -ða] *adj.* 1 Rude. 2 Grossier, ière. 3 Lourdaud, aude (torpe).

rueda [r̄wéða] *f.* 1 Roue: *— delantera, trasera*, roue avant, arrière. 2 Tranche ronde, rouelle (tajada), darne (de pescado). 3 Meule (de molino). 4 *— de prensa*, conférence de presse.

ruedo [r̄wéðo] *m.* 1 Bord, bordure *f.* 2 Cercle, circonférence *f.* 3 Paillasson, natte *f.* (esterilla). 4 TAUROM. Arène *f.*

ruego [r̄wéɣo] *m.* Prière *f.*

rufián [r̄ufján] *m.* 1 Rufian, souteneur. 2 fig. Canaille *f.*

rugby [r̄úɣbi] *m.* Rugby.

rugir [r̄uxir] *intr.* Rugir: *el león rugía*, le lion rugissait.

rugoso, -sa [r̄uɣóso, -sa] *adj.* Rugueux, euse.

ruido [r̄wiðo] *m.* Bruit.

ruin [r̄win] *adj.* 1 Vil, vile, bas, basse. 2 Mesquin, ine, avare, ladre.

ruina [r̄wína] *f.* Ruine.

ruinoso, -sa [r̄winóso, -sa] *adj. 1* Délabré, ée, qui menace ruine (edificio). *2* Ruineux, euse (que arruina).

ruiseñor [r̄wiseɲór] *m.* Rossignol.

ruleta [r̄uléta] *f.* Roulette (juego).

rumbo [r̄úmbo] *m. 1* MAR. Route *f.*, cap. *2* MAR. Rhumb (de la rosa náutica). *3* fig. Voie *f.*, direction. *4* fig. Pompe *f.*, apparat.

rumiante [r̄umjánte] *adj.-m.* Ruminant, ante.

rumor [r̄umór] *m.* Rumeur *f.*, bruit: *corre un —*, un bruit court.

rupestre [r̄upéstre] *adj.* Rupestre.

rupia [r̄úpja] *f.* Roupie (moneda).

ruptura [r̄uβtúra] *f.* Rupture.

rural [r̄urál] *adj.* Rural, ale: *los medios rurales*, les milieux ruraux.

ruso, -sa [r̄úso, -sa] *adj.-s. 1* Russe. ■ *2 m.* Russe, langue *f.* russe.

rústico, -ca [r̄ústiko, -ka] *adj. 1* Rustique. ■ *2 adj.-m.* Rustre, rustaud, aude (tosco). *3* Campagnard, arde. *4 loc. adv. En rústica*, broché, ée (libro).

ruta [r̄úta] *f. 1* Route, chemin *m.* *2* Itinéraire *m.*

rutina [r̄utína] *f.* Routine.

S

s [èse] *f.* S *m.*

sábado [sáβaðo] *m.* Samedi.

sábana [sáβana] *f. 1* Drap *m.*, drap *m.* de lit. *2* Nappe d'autel (del altar).

sabana [saβána] *f.* Savane.

sabañón [saβaɲón] *m.* Engelure *f.*

sabedor, -ra [saβeðór, -ra] Informé, ée.

saber [saβér] *tr. 1* Savoir: *sé que ha llegado,* je sais qu'il est arrivé. Loc. *A —,* à savoir. *2 intr.* Savoir. *3 — a,* avoir le goût de: *esto sabe a café,* cela a un goût de café. ▲ CONJUG. IRRÉG. INDIC. Prés.: *sé, sabes, sabe, sabemos, sabéis, saben.* Imparf.: *sabía, sabías,* etc. Pas simple: *supe, supiste, supo, supimos, supisteis, supieron.* Fut.: *sabré, sabrás,* etc. COND.: *sabría, sabrías,* etc. SUBJ. Prés.: *sepa, sepas, sepa, sepamos, sepáis, sepan.* Imparf.: *supiera, supieras, supiera, supiéramos, supierais, supieran,* ou *supiese, supieses,* etc. Fut.: *supiere, supieres,* etc. IMPÉR.: *sepa, sepamos, sabed, sepan.* PART. PAS.: *sabido.* GÉR.: *sabiendo.*

saber [saβér] *m.* Savoir, acquis.

sabido, -da [saβíðo, -ða] *adj. 1* Su, ue, connu, ue: *es — que,* il est bien connu que. *2* Instruit, ue.

sabiduría [saβiðuría] *f. 1* Savoir *m.* (ciencia). *2* Sagesse, prudence (prudencia).

sabio, -ia [sáβjo, -ja] *adj.-s.* Savant, ante.

sable [sáβle] *m. 1* Sabre. *2* BLAS. Sable.

sabor [saβór] *m.* Saveur *f.*, goût.

saborear [saβoreár] *tr.* Savourer.

sabotaje [saβotáxe] *m.* Sabotage.

sabroso, -sa [saβróso, -sa] *adj.* Savoureux, euse.

saca [sáka] *f. 1* Extraction (acción de sacar). *2* COM. Exportation (de mercancías). *3* Gros sac *m.* (costal).

sacacorchos [sakakórtʃos] *m. invar.* Tire-bouchon.

sacamanchas [sakamántʃas] *m. invar.* Détachant.

sacamuelas [sakamwélas] *m. invar.* Arracheur de dents, charlatan.

sacar [sakár] *tr. 1* Tirer (de un lugar, de un estado): — *la lengua,* tirer la langue. *2* Extraire, tirer: — *el jugo,* extraire le jus. *3* Sortir (de dentro). *4* Arracher (una muela), enlever, ôter (una mancha). *5* Tirer, retirer (dinero). *6* Prendre (un billete, una foto). *7* Se faire délivrer (un pasaporte, etc.). *8* Gagner (un premio). *9* Avancer (parte del cuerpo). *10* Déduire, conclure (deducir), tirer (una consecuencia). *11* Résoudre (un problema). *12* Lancer, créer (una moda), sortir (un nuevo modelo). *13* DEP. Servir (tenis), botter (fútbol).

sacarino, -na [sakarino, -na] *adj. 1* Saccharin, ine. ■ *2 f.* Saccharine.

sacerdocio [saθerðóθjo] *m.* Sacerdoce.

sacerdote [saθerðóte] *m.* Prêtre.

saciar [saθjár] *tr.* Assouvir, rassasier. ▲ CONJUG. comme *cambiar.*

saco [sáko] *m. 1* Sac (receptáculo, su contenido): — *de mano,* sac de voyage. *2* Grand manteau, grande veste *f.* *3* Sac, pillage.

sacramental [sakramentál] *adj. 1* Sacramentel, elle. ■ *2 m. pl.* Sacramentaux.

sacramento [sakraménto] *m.* Sacrement: *el Santísimo Sacramento,* le Saint Sacrement.

sacrificar [sakrifikár] *tr. 1* Sacrifier. *2* Tuer, abattre (las reses).

sacrificio [sakrifíθjo] *m.* Sacrifice.

sacrilegio [sakrilèxjo] *m.* Sacrilège.

sacristán [sakristán] *m.* Sacristain.

sacristía [sakristía] *f.* Sacristie.

sacro, -cra [sákro, -kra] *adj. 1* Sacré, ée. ■ *2 m.* ANAT. Sacrum.

sacrosanto, -ta [sakrosánto, -ta] *adj.* Sacrosaint, ainte.

sacudida [sakuðíða] *f.* Secousse.

sacudir [sakuðír] *tr. 1* Secouer. *2* Battre (dando golpes), épousseter (quitar el polvo). *3* Battre (pegar). ■ *4 pr.* Se débarrasser de.

sádico, -ca [sàðiko, -ka] *adj.* Sadique.

saeta [saéta] *f. 1* Flèche (arma). *2* Aiguille (de reloj, de brújula). *3* Air *m.* andalou que l'on chante au passage de la procession de la Semaine Sainte.

sáfico, -ca [sáfiko, -ka] *adj.* Saphique.

sagacidad [sayaθiðàð] *f.* Sagacité.

sagaz [sayàθ] *adj.* Sagace.

sagitario [sáxitárjo] *m.* ASTR. Sagittaire.

sagrado, -da [sayráðo, -ða] *adj. 1* Sacré, ée: — *Corazón*, Sacré-Cœur. ■ *2 m.* Asile, réfuge.

sagrario [sayrárjo] *m.* Tabernacle (del altar).

sahumar [saũmàr] *tr.* Parfumer (avec une fumée aromatique).

sahumerio [saũmèrjo] *m. 1* Fumigation *f.* (acción). *2* Fumée *f.* que produit une substance aromatique. *3* Substance *f.* aromatique.

sainete [saĩnéte] *m.* TEAT. Saynète *f.*

saíno [saíno] *m.* Pécari.

sajón, -ona [saxón, -óna] *adj.-s.* Saxon, onne.

sal [sal] *f. 1* Sel. *2 m.* fig. Grâce (garbo). *3* Esprit *m.*, sel *m.*, piquant *m.* (al hablar).

sala [sàla] *f. 1* Salle: — *de espera*, salle d'attente. *2* DER. Chambre (de un tribunal).

saladar [salaðár] *m.* Marais salant.

salado, -da [salàðo, -ða] *adj. 1* Salé, ée. *2* fig. Spirituel, elle, piquant, ante, drôle, amusant, ante.

salar [salár] *tr.* Saler.

salario [salárjo] *m.* Salaire.

salchicha [saltʃitʃa] *f.* Saucisse.

salchichería [saltʃitʃería] *f.* Charcuterie.

salchichón [saltʃitʃòn] *m.* Saucisson.

saldar [saldár] *tr.* Solder (una cuenta, una mercancía).

saldo [sáldo] *m.* COM. Solde.

salero [salèro] *m. 1* Salière *f.* (en la mesa). *2* fig. Grâce *f.*, charme, esprit.

saleroso, -sa [saleróso, -sa] *adj.* Gracieux, euse, charmant, ante, spirituel, elle.

salesiano, -na [salesjáno, -na] *adj.-m.* Salésien, enne.

salida [salíða] *f. 1* Sortie (acción, parte por donde se sale). *2* Départ *m.* (de un tren, un barco, etc.): *tomar la —*, prendre le départ. *3* Lever *m.* (de un astro).

saliente [saljénte] *adj. 1* Saillant, ante. *2* MIL. *Guardia —*, garde descendante.

salina [salína] *f.* Saline.

salir [salír] *intr. 1* Sortir. Loc. — *al encuentro*, aller à la rencontre. *2* Partir (marcharse). *3* Se lever (un astro). *4* Pousser

(plantas, pelo, dientes), jaillir (brotar). *5* Se révéler, apparaître, se montrer (manifestarse), paraître (en un libro, una película). *6* Paraître (un periódico, un libro): *esta revista sale el lunes*, cette revue paraît le lundi. *7* —*bien, mal*, réussir, échouer. *8* Revenir, coûter: — *caro*, coûter, cher. *9* Aboutir (ir a parar). *10* Saillir (sobresalir). ▲ CONJUG. IRRÉG. INDIC. Prés.: *salgo, sales, sale, salimos, salís, salen*. Imparf.: *salía, salías*, etc. Pas. simple: *salí, saliste*, etc. Fut.: *saldré, saldrás, saldrá, saldremos, saldréis, saldrán*. COND.: *saldría, saldrías*, etc. SUBJ. Prés.: *salga, salgas, salga, salgamos, salgáis, salgan*. Imparf.: *saliera, salieras*, etc., ou *saliese, salieses*, etc. Fut.: *saliere, salieres*, etc. IMPÉR.: *sal, salga, salgamos, salid, salgan*. PART. PAS.: *salido*. GÉR.: *saliendo*.

salitre [salítre] *m.* Salpêtre, nitre.

saliva [salíβa] *f.* Salive.

salivar [saliβár] *intr. 1* Saliver. *2* amer. Cracher (escupir).

salmón [salmón] *m.* Saumon.

salmuera [salmwèra] *f.* Saumure.

salón [salón] *m. 1* Salon. *2* Salle *f.*: — *de actos*, salle des fêtes.

salpicadura [salpikaðúra] *f.* Éclaboussement *m.* (acción).

salpicar [salpikár] *tr. 1* Éclabousser. *2* Asperger (rociar).

salpicón [salpikón] *m.* Viande *f.* froide en salade (fiambre).

salpimentar [salpimentár] *tr.* Assaisonner de sel et de poivre. ▲ CONJUG. comme *acertar*.

salpullido [salpuʎíðo] *m.* MED. Légère éruption *f.* cutanée.

salsa [sàlsa] *f.* Sauce: — *de tomate*, sauce tomate.

saltador, -ra [saltaðór, -ra] *s. 1* Sauteur, euse. ■ *2 m.* Corde *f.* à sauter (comba).

saltamontes [saltamóntes] *m.* Sauterelle *f.*, criquet.

saltar [saltár] *intr. 1* Sauter. *2* Bondir (brincar). *3* Jaillir (un líquido). *4* Rebondir, bondir (una pelota). ■ *5 tr.* Sauter (un obstáculo). *6* Sauter (omitir). ■ *7 pr.* Sauter: *me salté dos páginas*, j'ai sauté deux pages.

saltarín, -ina [saltarin, -ina] *s.* Danseur, euse.

saltear [salteár] *tr.* Détrousser, voler à main armée.

saltimbanqui [saltimbáŋki] *m.* Saltimbanque.

salto [sálto] *m. 1* Saut: — *mortal*, saut périlleux; — *de altura*, saut en hauteur. *2*

Bond, saut: *dar un* —, faire un bond. *3* Précipice. *4* Chute *f.* d'eau (de agua). *5* *loc. adv. A saltos*, en sautant, par bonds.

salubre [salúβre] *adj.* Salubre.

salud [salúð] *f.* Santé (del cuerpo, del espíritu): *beber a la — de*, boire à la santé de.

saludable [saluðáβle] *adj. 1* Salutaire. *2* Sain, saine (sano).

saludar [saluðár] *tr.* Saluer.

saludo [salúðo] *m.* Salut, salutation *f.*

salva [sálβa] *f. 1* Salut *m.*, salutation. *2* MIL. Salve.

salvación [salβaθjón] *f.* Salut *m.*

salvador, -ra [salβaðór, -ra] *adj.-s.* Sauveur, salvatrice.

salvaguardar [salβaɣwarðár] *tr.* Sauvegarder.

salvaje [salβáxe] *adj.-s. 1* Sauvage. *2* Brutal, ale.

salvamento [salβaménto], **salvamiento** [salβamjénto] *m.* Sauvetage.

salvar [salβár] *tr. 1* Sauver. *2* Franchir (un obstáculo, recorrer una distancia). *3* Éviter (una dificultad). *4* Exclure (exceptuar).

salvavidas [salβaβíðas] *m. invar. 1* Bouée *f.* de sauvetage. ■ *2 adj. Bote* —, canot de sauvetage.

salvedad [salβeðáð] *f.* Réserve, restriction.

salvia [sálβja] *f.* Sauge.

salvo, -va [sálβo, -βa] *adj. 1* Sauf, sauve: *sano y* —, sain et sauf. ■ *2 adv.* Sauf, hormis.

sambenito [sambeníto] *m. 1* San-benito, casaque *f.* dont on revêtait les condamnés de l'Inquisition. *2* fig. Note *f.* de discrédit.

san [san] *adj.-m.* Forme apocopée de *santo* que l'on met devant le nom: *San Juan*, Saint Jean.

sanar [sanár] *tr.-intr.* Guérir.

sanatorio [sanatórjo] *m. 1* Sanatorium. *2* Clinique *f.* *3* Hôpital.

sanción [sanθjón] *f.* Sanction.

sancionar [sanθjonár] *tr.* Sanctionner.

sandalia [sandálja] *f.* Sandale.

sandía [sandía] *f. 1* Pastèque, melon *m.* d'eau.

sandwich [sámbitʃ] *m.* Sandwich.

sanear [saneár] *tr. 1* Assainir. *2* DER. Indemniser, garantir.

sangrar [saŋgrár] *tr. 1* Saigner. *2* Résiner, gemmer (un pino). ■ *3 intr.* Saigner, perdre son sang. ■ *4 pr.* Se faire saigner.

sangre [sáŋgre] *f. 1* Sang *m.*: — *fría*, sang-froid; *caballo de pura* —, cheval pur-sang.

sangría [saŋgría] *f. 1* Saignée. *2* IMPR. Ali-

néa *m.* *3* Sangria, boisson rafraîchissante faite avec du vin, du sucre, des fruits macérés.

sangriento, -ta [saŋgrjénto, -ta] *adj.* Sanglant, ante.

sanguinario, -ia [saŋginárjo, -ja] *adj.* Sanguinaire.

sanguíneo, -ea [saŋgíneo, -ea] *adj.* Sanguin, ine.

sanidad [saniðáð] *f. 1* Santé (salud). *2* Salubrité, hygiène.

sanitario, -ia [sanitárjo, -ja] *adj.-m.* Sanitaire.

sano, -na [sáno, -na] *adj.* Sain, saine: — *y salvo*, sain et sauf.

santiaguista [santjaɣista] *adj.* De l'ordre de Saint-Jacques.

santiamén (en un) [sanjamén] *loc. adv.* En un clin d'œil, en moins de rien.

santidad [santiðáð] *f.* Sainteté.

santificar [santifikár] *tr.* Sanctifier.

santiguar [santiɣwár] *tr. 1* Faire le signe de la croix sur. ■ *2 pr.* Se signer.

santísimo, -ma [santisimo, -ma] *adj. 1* Très saint, très sainte. ■ *2 n. pr. m.* Le Saint Sacrement.

santo, -ta [sánto, -ta] *adj.-s. 1* Saint, sainte. Loc. *El Padre Santo*, le Saint-Père. ■ *2 m.* Statue d'un saint. *3* Fête *f.* (de una persona): *hoy es mi* —, c'est aujourd'hui ma fête. *4* MIL. — *y seña*, mot de passe.

santón [santón] *m.* Santon.

santoral [santorál] *m. 1* Liste *f.* des saints. *2* Vie *f.* des saints.

santuario [santwárjo] *m.* Sanctuaire.

saña [sáɲa] *f.* Acharnement *m.* (empeño), fureur, rage (furia).

sapiencia [sapjénθja] *f.* Sagesse, savoir *m.*

sapo [sápo] *m.* Crapaud.

saque [sáke] *m. 1* DEP. Service (juego de la pelota, tenis), dégagement (fútbol). *2* — *de esquina*, corner.

saquear [sakeár] *tr.* Saccager, piller.

saqueo [sakéo] *m.* Sac, pillage.

sarampión [sarampjón] *m.* MED. Rougeole *f.*

sarcasmo [sarkázmo] *m.* Sarcasme.

sarcófago [sarkófaɣo] *m.* Sarcophage.

sardana [sarðána] *f.* Sardane, danse catalane.

sardina [sarðína] *f.* Sardine.

sardinero, -ra [sarðinéro, -ra] *adj. 1* Relatif, ive aux sardines. ■ *2 s.* Sardinier, ière.

sardónice [sarðoniθe] *f.* MINER. Sardoine.

sardónico, -ca [sarðóniko, -ka] *adj.* Sardonique.

sarga [sárɣa] *f.* Serge.

sargento [sarxénto] *m.* MIL. Sergent.
sarmiento [sarmjénto] *m.* Sarment.
sarna [sárna] *f.* Gale.
sarpullido [sarpuʎíðo] *m.* Légère éruption *f.* cutanée.
sarro [sářo] *m. 1* Tartre (de los dientes, de una caldera). *2* Dépôt (en una vasija).
sarta [sárta] *f. 1* Chapelet *m.*, collier *m.* (de objetos). *2* fig. Kyrielle, ribambelle.
sartén [sartén] *f.* Poêle (à frire).
sastre [sástre] *m.* Tailleur.
sastrería [sastreria] *f.* Métier *m.*, boutique du tailleur.
satánico, -ca [satániko, -ka] *adj.* Satanique.
satélite [satélite] *adj.-m. 1* Satellite. ■ *2 m.* — *artificial,* satellite artificiel.
satén [satén] *m.* Satin.
satinar [satinár] *tr.* Satiner.
sátira [sátira] *f.* Satire.
satirizar [satiriθár] *intr.-tr.* Satiriser.
satisfacer [satisfaθér] *tr.* Satisfaire. ▲ CONJUG. comme *hacer.* IMPÉR. 2.ᵉ personne: *satisfaz* ou *satisface.*
satisfecho, -cha [satisfétʃo, -tʃa] *adj.* Satisfait, aite, content, ente: — *de sí,* content de soi, de sa personne.
saturar [saturár] *tr.* Saturer.
saturnino, -na [saturnino, -na] *adj. 1* Triste, taciturne. *2* MED. Saturnin, ine.
sauce [sáuθe] *m.* Saule: — *llorón,* saule pleureur.
savia [sáβja] *f.* Sève.
saxófono [sa(γ)sófono] *m.* Saxophone.
sazón [saθón] *m. 1* Maturité *f.* loc. adv. *En* —, mûr, mûre. *2* Occasion *f.*, moment loc. adv. *A la* —, alors, à ce moment-là. *3* Saveur *f.*, assaisonement (de un manjar).
sazonar [saθonár] *tr. 1* Assaisonner. *2* Mûrir, faire mûrir. *3* fig. Mettre au point. ■ *4 pr.* Mûrir, arriver à maturité.
se [se] *pron. 1* Se: — *levanta,* il se lève; *se sienta,* il s'asseoit. *2* Lui, leur (delante de lo, la, los, las): — *lo diré,* je le lui, leur dirai. *3* On: — *dice,* on dit.
sebáceo, -ea [seβáθeo, -ea] *adj.* Sébacé., ée.
sebo [séβo] *m.* Suif, graisse *f.*
secador, -ra [sekaðór, -ra] *adj.-s.* Sécheur, euse.
secante [sekánte] *adj.-m. 1* Siccatif, ive (pintura). *2* Buvard (papel). ■ *3 adj.-f.* GEOM. Sécant, ante.
secar [sekár] *tr.* Sécher: — *la ropa,* sécher le linge. *2* Dessécher. *3* Assécher (terreno). *4* Tarir (fuente, pozo).
sección [seɣθjón] *f.* Section.
secesión [seθesjón] *f.* Sécession.

seco, -ca [séko, -ka] *adj. 1* Sec, sèche. *2* loc. adv. *En* —, à sec; net: *pararse en* —, s'arrêter net, pile; *a secas,* tout court.
secreción [sekreθjón] *f.* Sécrétion.
secretaría [sekretaria] *f. 1* Secrétariat *m. 2* Secrétairerie (en el Vaticano).
secretariado [sekretarjáðo] *m.* Secrétariat.
secretario, -ia [sekretárjo, -ja] *s.* Secrétaire (persona).
secreto, -ta [sekréto, -ta] *adj.-m.* Secret, ète: — *a voces,* secret de polichinelle.
secta [séɣta] *f.* Secte.
sector [seɣtór] *m.* Secteur.
secuela [sekwéla] *f. 1* Suite, conséquence. *2* MED. Séquelle.
secuestrar [sekwestrár] *tr. 1* Séquestrer. *2* Enlever, kidnapper (raptar).
secuestro [sekwéstro] *m. 1* Séquestre. *2* Détournement (de un avión).
secular [sekulár] *adj. 1* Séculaire. ■ *2 adj.-s.* Séculier, ière.
secundar [sekundár] *tr.* Seconder.
secundario, -ia [sekundárjo, -ja] *adj.* Secondaire.
sed [seð] *f.* Soif.
seda [séða] *f.* Soie.
sedal [seðál] *m. 1* Ligne *f.* (para la pesca). *2* CIR. Séton.
sedante [seðánte] *adj.-m.* Sédatif, ive.
sede [séðe] *f.* Siège *m.* (episcopal, de un organismo): *la Santa* —, le Saint-Siège.
sediento, -ta [seðjénto, -ta] *adj.* Altéré, ée, assoiffé, ée.
sedimento [seðiménto] *m.* Sédiment.
sedoso, -sa [seðóso, -sa] *adj.* Soyeux, euse.
seducir [seðuθír] *tr.* Séduire. ▲ CONJUG. comme *conducir.*
seductor, -ra [seðuɣtór, -ra] *adj. 1* Séduisant, ante. ■ *2 adj.-s.* Séducteur, trice.
sefardí [sefarðí], **sefardita** [sefarðíta] *adj.-s.* Séfardi.
segar [seɣár] *tr.* Faucher, moissonner. ▲ CONJUG. comme *acertar.*
segmento [seɣménto] *m.* Segment.
segregar [seɣreɣár] *tr. 1* Séparer. *2* FISIOL. Sécréter.
seguida [seɣíða] *f. 1* Suite, série. *2* loc. adv. *De* —, de suite; *en* —, tout de suite (pronto), aussitôt après, immédiatement (acto continuo).
seguidilla [seɣiðíʎa] *f.* MÚS. Séguedille.
seguido, -da [seɣíðo, -ða] *adj. 1* Suivi, ie. *2* Continu, ue, ininterrompu, ue. *3* En ligne droite.
seguidor, -ra [seɣiðór, -ra] *adj. 1* Qui suit. ■ *2 m.* Disciple, adepte.
seguir [seɣír] *tr. 1* Suivre. *2* Poursuivre, continuer (proseguir). ■ *3 intr.* Conti-

nuer à: — *leyendo*, continuer à lire. ■ *4 pr.* S'ensuivre (inferirse). ▲ CONJUG. comme *servir*.

según [seɣún] *prep. 1* Selon, d'après, suivant: — *el*, d'après, selon lui. ■ *2 adv.* Comme, ainsi que (como).

segundero [seɣundéro] *m.* Trotteuse *f.* (de reloj).

segundo, -da [seɣúndo, -da] *adj. 1* Second, onde, deuxième. ■ *2 m.* Second (en jerarquía). *3* Seconde *f.* (division del minuto).

seguridad [seɣuriðáð] *f. 1* Sûreté, sécurité. *2* Assurance (certidumbre). *3* Garantie.

seguro, -ra [seɣúro, -ra] *adj. 1* Sûr, sure. *loc. adv. A buen —, de —*, sûrement, certainement, pour sûr, à coup sûr. *2* Ferme, solide, fixe. ■ *3 m.* Sécurité *f.*, abri. *loc. adv. En —*, en sécurité. *4* Sauf-conduit. *5* COM. Assurance *f.: — de incendios*, assurance contre l'incendie. *6* Cran de sûreté (de un arma de fuego).

seis [séis] *adj.-m.* Six: *son las —*, il est six heures.

seiscientos [seisθjéntos] *adj.-m.* Six cents.

selección [seleɣθjón] *f. 1* Sélection. Loc. — *natural*, sélection naturelle. *2* Choix *m.*

seleccionar [seleɣθjonár] *tr.* Sélectionner.

selva [sélßa] *f.* Forêt.

sellar [seʎár] *tr. 1* Sceller. *2* Cacheter (una carta), timbrer. *3* Poinçonner (el oro, etc.).

sello [séʎo] *m. 1* Sceau (disco de cera o plomo), cachet (para estampar). *2* Timbre (de papel). *3* Cachet (marca). *4* Timbre-poste, timbre (de correos).

semáforo [semáforo] *m. 1* Sémaphore. *2* Feux *pl.* de signalisation (en las calles): *un — en rojo*, un feu rouge.

semana [semána] *f.* Semaine: *la — pasada*, la semaine dernière.

semanal [semanál] *adj.* Hebdomadaire.

semanario, -ia [semanárjo, -ja] *adj.-m.* Hebdomadaire.

semblante [semblánte] *m. 1* Figure *f.*, visage, mine *f.: tener buen —*, avoir bonne mine. *2* fig. Aspect.

sembrador, -ra [sembraðór, -ra] *s. 1* Semeur, euse. ■ *2 f.* AGR. Semoir *m.*

sembrar [sembrár] *tr. 1* AGR. Semer, ensemencer. *2* fig. Semer. *3* Joncher (de cosas esparcidas). ▲ CONJUG. comme *acertar*.

semejante [semexánte] *adj. 1* Semblable, pareil, eille. ■ *2 s.* Semblable.

semejanza [semexánθa] *f.* Ressemblance.

semen [sémen] *m. 1* Sperme. *2* BOT. Semence *f.*

semental [sementál] *adj.* Relatif, ive aux semailles.

semestre [seméstre] *m.* Semestre.

semibreve [semißréße] *f.* MÚS. Ronde.

semicírculo [semiθírkulo] *m.* Demi-cercle.

semicorchea [semikortʃea] *f.* MÚS. Double croche.

semidiós [semiðjós] *m.* Demi-dieu.

semifusa [semifúsa] *f.* MÚS. Quadruple croche.

semilla [semíʎa] *f. 1* Graine, semence. *2* fig. Semence.

semillero [semiʎéro] *m.* Pepinière *f.*

seminario [seminárjo] *m.* Séminaire.

seminarista [seminarista] *m.* Séminariste.

semita [semíta] *adj.-s.* Sémite.

sémola [sémola] *f.* Semoule.

sen [sen] *m. 1* Séné. *2* Sen (moneda).

senado [senáðo] *m.* Sénat.

senador [senaðór] *m.* Sénateur.

sencillez [senθiʎéθ] *f.* Simplicité.

sencillo, -lla [senθíʎo, -ʎa] *adj.* Simple.

senda [sénda] *f. sendero* [sendéro] *m.* Sentier *m.* sente *f.*

senectud [seneytúd] *f.* Viellesse.

senil [senil] *adj.* Sénile.

seno [séno] *m.* ANAT. Sein (pecho).

sensación [sensaθjón] *f.* Sensation: *causar, producir —*, faire sensation.

sensacional [sensaθjonál] *adj.* Sensationnel, elle.

sensatez [sensatéθ] *f.* Bon sens *m.*, sagesse.

sensato, -ta [sensáto, -ta] *adj.* Sensé, ée.

sensibilidad [sensißiliðáð] *f.* Sensibilité.

sensible [sensíßle] *adj.* Sensible.

sensitivo, -va [sensitíßo, -ßa] *adj. 1* Sensitif, ive. ■ *2 f.* Sensitive (planta).

sensorial [sensorjál] *adj.* Sensoriel, elle.

sensual [senswál] *adj.* Sensuel, elle.

sensualidad [senswaliðáð] *f.* Sensualité.

sentado, -da [sentáðo, -ða] *adj.* Assis.

sentar [sentár] *tr. 1* Asseoir. *2* fig. Établir. ■ *3 intr.* — *bien, mal*, faire du bien, du mal (a la salud), aller bien, mal, seoir, ne pas seoir (vestido, peinado, etc.): *este vestido le sienta bien*, cette robe lui va bien. ■ *4 pr.* S'asseoir: *siéntese*, asseyez-vous. ▲ CONJUG. comme *acertar*.

sentencia [senténθja] *f. 1* Sentence. *2* DER. Jugement *m.*, arrêt *m.*

sentido [sentíðo] *adj. 1* Senti, ie. *2* Sincère. *3* Susceptible. ■ *4 m.* Sens Loc. —*común*, sens commun.

sentimiento [sentimjénto] *m. 1* Sentiment. *2* Regret (pesar).

sentir [sentír] *m.* Sentiment.

sentir [sentír] *tr. 1* Sentir (experimentar una sensación). *2* Entendre (oír). *3*

Éprouver, ressentir, avoir (experimentar): — *miedo*, avoir peur. *4* Juger (opinar). *5* Regretter (lamentar): *lo siento mucho*, je le regrette beaucoup. *6 loc. adv. Sin —*, sans que l'on s'en rende compte. ▲ CONJUG. comme *hervir*.

seña [séɲa] *f. 1* Signe *m*. ■ *2 pl*. Adresse *sing*. (dirección).

señal [seɲál] *f. 1* Signe *m*. (marca, indicio). *2* Signe *m*. (prodigio). *3* Preuve, témoignage *m*. (prueba). *4* Trace, marque (huella, cicatriz). *5 — de la cruz*, signe de croix.

señalado, -da [seɲaláðo, -ða] *adj. 1* Marqué, ée. *2* Remarquable (insigne). *3* Fixé, ée (día, etc.).

señalar [seɲalár] *tr. 1* Montrer, indiquer: — *con el dedo*, montrer du doigt. *2* Signaler, annoncer.

señor, -ra [seɲór, -ra] *adj.-s. 1* Maître, esse (dueño). ■ *2 adj*. Noble, distingué, ée. ■ *3 m*. Seigneur (feudal, Dios): *el Señor*, le Seigneur: *Nuestro —*, Notre-Seigneur.

señora [seɲóra] *f. 1* Dame (persona). *2* Madame: *buenos días*, —, bonjour, madame. *3* Maîtresse (ama).

señoría [seɲoría] *f. 1* Seigneurie. *2 Su —*, votre Seigneurie.

señorío [seɲorío] *m. 1* Seigneurie *f*. (dignidad, territorio). *2* Pouvoir, autorité *f. 3* Majesté *f*., gravité *f*.

señorita [seɲoríta] *f. 1* Demoiselle, jeune fille. *2* Mademoiselle (tratamiento de cortesía).

señorito [seɲoríto] *m. 1* Fils du maître de la maison. *2* Monsieur (amo, de los criados).

sépalo [sépalo] *m.* BOT. Sépale.

separación [separaθjón] *f.* Séparation.

separar [separár] *tr. 1* Séparer. *2* Écarter (apartar). *3* Destituer. ■ *4 pr*. Se séparer. *5* S'écarter.

sepelio [sepéljo] *m.* Enterrement, inhumation *f*.

sepia [sépja] *f. 1* Seiche (molusco). *2* Sépia (color).

septentrional [seβtentrjonál] *adj.* Septentrional, ale.

séptico, -ca [séβtiko, -ka] *adj.* Septique.

septiembre [seβtjémbre] *m.* Septembre.

séptimo, -ma [séβtimo, -ma] *adj.-m. 1* Septième. ■ *2 f.* MÚS. Septième.

septuagésimo, -ma [seβtwaxésimo, -ma] *adj.* Soixante-dixième.

sepulcral [sepulkrál] *adj.* Sépulcral, ale.

sepulcro [sepúlkro] *m.* Sépulcre, tombeau.

sepultar [sepultár] *tr.* Enterrer, ensevelir.

sepultura [sepultúra] *f.* Sépulture.

sequía [sekía] *f.* Sécheresse.

séquito [sékito] *m. 1* Suite *f. 2* Cortège.

ser [ser] *intr. 1* Être: *esto es mío*, ceci est à moi. ▲ Comme copule il sert à attribuer des qualités considérées comme permanentes, à la différence de *estar* qui sert à attribuer des qualités considérées comme transitoires: *ser médico*, être médecin: *estar enfermo*, être malade. *2* Arriver, se produire (suceder), avoir lieu (tener lugar), venir: *¿cómo fue esto?*, comment cela est-il arrivé? *3 — para*, être fait pour (persona), servir a, être fait pour (cosa): *no soy para eso*, je ne suis pas fait pour cela. *4* Otros empleos: *a no —*, si ce n'est; *a no — que*, à moins que; *¡cómo ha de —!*, qu'y pouvons-nous!; *eso es*, c'est cela, c'est ça. ▲ CONJUG. IRRÉG. INDIC. Prés.: *soy, eres, es, somos, sois, son.* Imparf.: *era, eras, era, éramos, erais, eran.* Pas simple: *fui, fuiste, fue, fuimos, fuisteis, fueron.* Fut.: *seré, serás*, etc. COND.: *sería, serías*, etc. SUBJ. Prés.: *sea, seas, sea, seamos, seáis, sean.* Imparf.: *fuera, fueras, fuera, fuéramos, fuerais, fueran*, ou *fuese, fueses*, etc. Fut.: *fuere, fueres*, etc. IMPÉR.: *sé, sea, seamos, sed, sean.* PART. PAS.: *sido.* GÉR.: *siendo.*

sera [séra] *f.* Couffe, couffin *m*.

serenar [serenár] *tr. 1* Calmer, apaiser, tranquiliser. *2* Rasséréner, calmer (a uno). ■ *3 pr.* Se calmer.

sereno, -na [seréno, -na] *adj. 1* Serein, eine (cielo, tiempo). *2* fig. Serein, eine, posible, calme. ■ *3 m.* Veilleur de nuit.

serie [sérje] *f.* Série.

seriedad [serjeðáð] *f.* Sérieux *m*., gravité.

serio, -ia [sérjo, -ja] *adj. 1* Sérieux, euse. Loc. *Tomar en —*, prendre au sérieux.

sermón [sermón] *m. 1* Sermon. *2* Semonce *f*. (represión).

serpiente [serpjénte] *f.* Serpent *m.: — de cascabel*, serpent à sonnette.

serranía [seranía] *f.* Terrain *m.* montagneux.

serrar [serár] *tr.* Scier. ▲ CONJUG. comme *acertar*.

serrucho [serútʃo] *m.* Scie *f.* à main, égoïne *f*.

servicio [serβíθjo] *m.* Service.

servidor, -ra [serβiðòr, -ra] *s.* Serviteur, servante, domestique. Loc. *Servidor, servidora de usted*, à votre service.

servidumbre [serβiðúmbre] *f.* Servitude, servage *m*.

servilleta [serβiʎéta] *f.* Serviette (de table).

servir [serβir] *tr.-intr.* *1* Servir: — *para,*
servir à: *¿de qué sirve...?,* à quoi
sert...? ■ *2 tr.* Desservir (una parroquia). ■ *3 pr.* Se servir. *4* Vouloir,
daigner: *sírvase entrar,* veuillez entrer.
▲ CONJUG. IRRÉG. INDIC. Prés.: *sirvo,*
sirves, sirve, sirven. Pas simple: *sirvió,*
sirvieron. SUBJ. Prés.: *sirva, sirvas,*
sirva, sirvamos, sirváis, sirvan. Imparf.:
sirviera, sirvieras, sirviera, sirviéramos,
sirvierais, sirvieran ou *sirviese, sirvieses,*
etc. IMPÉR.: *sirve, sirva, sirvamos, sir-*
van. GÉR.: *sirviendo.* Les autres formes
sont régulières.

sesenta [sesénta] *adj.-m.* Soixante.

seseo [seséo] *m.* Défaut qui consiste à
prononcer le *c* et le *z* comme un *s.*

sesera [seséra] *f.* *1* fam. Boîte crânienne.
2 fig. fam. Cervelle.

sesión [sesjón] *f.* *1* Séance. *2* Session (de
un concilio).

seso [séso] *m.* *1* Cerveau, cervelle *f.* Loc.
fig. *Devanarse los sesos,* se creuser la
tête. *2* fig. Jugement *m.,* bon sens *m.*

seta [séta] *f.* Champignon *m.*

setecientos, -as [seteθjéntos, -as] *adj.* Sept
cents.

setenta [seténta] *adj.-m.* Soixante-dix.

setiembre [setjémbre] *m.* Septembre.

seto [séto] *m.* Haie *f.:* — *vivo,* haie vive.

seudónimo [seuðónimo] *adj.-m.* Pseudonyme.

severidad [seβeriðáð] *f.* Sévérité.

severo, -ra [seβéro, -ra] *adj.* Sévère.

sevillano, -na [seβiλáno, -na] *adj.-s.* Sévil-
lan, ane.

sexagenario, -ia [se(γ)saxenárjo, -ja]
adj.-s. Sexagénaire.

sexagésimo, -ma [se(γ)saxésimo, -ma]
adj.-s. Soixantième.

sexo [sé(γ)so] *m.* Sexe.

sexta [sé(γ)sta] *f.* *1* Sexte. *2* MÚS., ESGR.
Sixte.

sexto, -ta [sé(γ)sto, -ta] *adj.-s.* Sixième.

sexual [se(γ)swál] *adj.* Sexuel, elle.

si [si] *m.* *1* MÚS. Si. ■ *2 conj.* Si, s': *si yo*
fuera más joven, si j'étais plus jeune.

sí [si] *pron. pers.* *1* Soi: *volver en sí,* revenir à soi. *loc. adv. De por —,* en soi;
de —, en soi; *para —,* à part soi; *sobre*
—, sur ses gardes. ■ *2 adv.* Oui: *ni — ni*
no, ni oui ni non.

siamés, -esa [sjamès, -ésa] *adj.-s.* Siamois, oise.

sibarita [siβaríta] *adj.-s.* Sybarite.

sicario [sikárjo] *m.* Sicaire.

siciliano, -na [siθiljáno, -na] *adj.-s.* Sici-
lien, ienne.

sicómoro [sikómoro] *m.* Sycomore.

sideral [siðerál], sidéreo, -ea [siðéreo, -ea]
adj. Sidéral, ale.

siderurgia [siðerúrgia] *f.* Sidérurgie.

sidra [síðra] *f.* Cidre *m.*

siembra [sjémbra] *f.* Semailles *pl.*

siempre [sjémpre] *adv.* Toujours.

sien [sjèn] *f.* Tempe.

sierra [sjéřa] *f.* *1* Scie (herramienta, pez).
2 Chaîne de montagnes.

siervo, -va [sjérβo, -βa] *s.* *1* Serf, serve. *2*
Serviteur, servante (de Dios).

siesta [sjésta] *f.* Sieste: *dormir, echar la —,*
faire la sieste.

siete [sjéte] *adj.-m.* *1* Sept. ■ *2 m.* Déchirure *f.,* accroc (en una tela).

sifón [sifón] *m.* Siphon.

sigilo [sixílo] *m.* *1* Sceau. *2* Secret: — *sa-*
cramental, secret de la confession.

sigiloso, -sa [sixilóso, -sa] *adj.* Réservé, ée,
discret, ète.

siglo [síxlo] *m.* Siècle: *en el — veinte,* au
vingtième siècle.

significación [siɣnifikaθjòn] *f.* *1* Signification. *2* Importance.

significado, -da [siɣnifikáðo, -ða] *adj.* *1*
Important, ante. ■ *2 m.* Signification *f.,*
sens.

significar [siɣnifikár] *tr.* Signifier.

signo [siɣno] *m.* Signe.

siguiente [siɣjénte] *adj.-s.* Suivant, ante.

sílaba [sílaβa] *f.* Syllabe.

silábico, -ca [siláβiko, -ka] *adj.* Syllabique.

silba [sílβa] *f.* Sifflets *m. pl.*

silbar [silβár] *intr.-tr.* Siffler.

silbato [silβáto] *m.* Sifflet.

silbido [silβíðo] *m.* Sifflement, coup de sifflet.

silencio [silénθjo] *m.* Silence. Loc. *Pasar*
en —, passer sous silence.

silencioso, -sa [silenθjóso, -sa] *adj.* Silencieux, euse.

sílex [síles] *m.* Silex.

silicato [silikáto] *m.* Silicate.

silogismo [siloxízmo] *m.* LÓG. Syllogisme.

silueta [silwèta] *f.* Silhouette.

silva [sílβa] *f.* *1* Silves *pl.* *2* Sorte de composition poétique.

silvestre [silβèstre] *adj.* Silvestre.

silla [síʎa] *f.* *1 f.* Chaise: — *de manos,*
chaise à porteurs. *2* Siège *m.* (sede, dignidad). *3* Selle (de jinete). Loc. — *de*
montar, selle.

sillería [siʎería] *f.* Construction en pierre
de taille.

sillón [siʎón] *m.* Fauteuil.

simbólico, -ca [simbóliko, -ka] *adj.* Sym-
bolique.

símbolo [simbolo] *m.* Symbole.

simetría [simetría] *f.* Symétrie.

simiente [simjénte] f. Semence, graine.
similar [similár] adj. Similaire.
similitud [similitùð] f. Similitude, similarité.
simio [símjo] m. Singe.
simpatía [simpatía] f. Sympathie.
simpático, -ca [simpátiko, -ka] adj.-m. Sympathique.
simpatizar [simpatiθár] intr. Sympathiser.
simple [símple] adj. 1 Simple. ■ 2 adj.-s. fig. Naïf, ive, crédule, niais, aise.
simplicidad [simpliθiðáð] f. Simplicité.
simplificar [simplifikár] tr. Simplifier.
simulación [simulaθjòn] f. Simulation.
simulacro [simulákro] m. Simulacre.
simular [simulár] tr. Simuler.
simultaneidad [simultaneiðáð] f. Simultanéité.
simultáneo, -ea [simultáneo, -ea] adj. Simultané, ée.
sin [sin] prep. Sans.
sinagoga [sinayóya] f. Synagogue.
sincerar [sinθerár] tr. 1 Disculper, justifier. ■ 2 pr. Se justifier.
sinceridad [sinθeriðáð] f. Sincérité.
sincero, -ra [sinθèro, -ra] adj. Sincère.
síncopa [siŋkopa] f. GRAM., MÚS. Syncope.
sincronizar [siŋkroniθár] tr. Synchroniser.
sindical [sindikàl] adj. Syndical, ale.
sindicalismo [sindikalízmo] m. Syndicalisme.
sindicar [sindikár] tr. Syndiquer.
sindicato [sindikáto] m. Syndicat.
síndico [síndiko] m. Syndic.
sinfín [simfín] m. Infinité f., grand nombre.
sinfonía [simfonía] f. Symphonie.
sinfónico, -ca [simfóniko, -ka] adj. Symphonique.
singular [siŋgulár] adj.-m. Singulier, ière.
singularizar [siŋgulariθár] tr. Singulariser.
siniestra [sinjèstra] f. Main gauche.
siniestro, -tra [sinjéstro, -tra] adj. 1 Gauche. 2 Sinistre (funesto).
sino [sinó] conj. 1 Mais: *no lo he dicho yo — él,* ce n'est pas moi qui l'ai dit mais lui. 2 Sinon. 3 Precedido de una negación, se traduce por seul, seulement, sauf, ne... que: *nadie lo sabe — él,* personne ne le sait sauf lui, lui seul le sait.
sinopsis [sinóβsis] f. Synopsis.
sinovial [sinoβjál] adj. Synovial, ale.
sinrazón [sinřaθón] f. Tort m., injustice.
sinsabor [sinsaβór] m. 1 Insipidité f. 2 Chagrin (pesar), désagrément (disgusto).
sintaxis [sintá(γ)sis] f. Syntaxe.

síntesis [síntesis] f. Synthèse.
sintético, -ca [sintétiko, -ka] adj. Synthétique.
sintetizar [sintetiθár] tr. Synthétiser.
síntoma [síntoma] m. Symptôme.
sintonía [sintonía] f. 1 FÍS. Syntonie. 2 RAD. Indicatif m.
sintonizar [sintoniθár] tr. Syntoniser.
sinuoso, -sa [sinwóso, -sa] adj. 1 Sinueux, euse. 2 fig. Tortueux, euse.
sinusitis [sinusítis] f. MED. Sinusite.
sinvergüenza [simberywènθa] adj.-s. 1 Dévergondé, ée, fripon, onne. ■ 2 s. Crapule f., personne sans scrupule.
siquiera [sikjéra] adv. 1 Au moins, ne serait-ce que. 2 loc. adv. *Ni —,* pas même. ■ 3 conj. Même si, encore que: *hazme este favor, — sea el último,* rends-moi ce service même si c'est le dernier.
sirena [siréna] f. Sirène.
sirviente, -ta [sirβjénte, -ta] adj. 1 Serviteur, servante, domestique. ■ 2 m. MIL. Servant.
sisa [sísa] f. 1 Menus profits m. pl. 2 Emmanchure (de la manga).
sisar [sisár] tr. 1 Soutirer, carotter, rabioter. 2 Échancrer (un vestido).
sísmico, -ca [sísmiko, -ka] adj. Sismique.
sistema [sistèma] m. Système.
sitiado, -da [sitjáðo, -ða] adj.-s. Assiégé, ée.
sitiar [sitjár] tr. Assiéger.
sitio [sítjo] m. 1 Endroit, place f. Loc. *Dejar en el —,* tuer net. 2 loc. adv. *En algún —,* quelque part; *en cualquier —,* n'importe où. 3 MIL. Siège: *estado de —,* état de siège.
situación [sitwaθjòn] f. Situation.
situar [sitwár] tr. Situer, placer.
smoking [smókin] m. Smoking.
so [so] prep. Sous: *— color,* sous couleur.
sobaco [soβáko] m. Aiselle f.
sobar [soβár] tr. 1 Masser, pétrir. 2 Tripoter, peloter (manosear).
soberanía [soβerania] f. Souveraineté.
soberano, -na [soβeráno, -na] adj.-s. Souverain, aine.
soberbia [soβérβja] f. 1 Superbe, orgueil m. 2 Emportement m., colère (ira).
sobornar [soβornár] tr. Suborner.
soborno [soβórno] m. Subornation f.
sobra [sóβra] f. 1 Excès m., abondance. 2 loc. adv. *De —,* largement, plus qu'il n'en faut, de trop. ■ 3 pl. Reliefs m. (de una comida), restes m. (de una cosa), déchets m. (deshechos).
sobrado, -da [soβráðo, -ða] adj. De trop, en trop.

sobrante [soβránte] adj. 1 Restant, en trop. ■ 2 m. Reste, restant.

sobrasada [soβrasáða] f. Saucisse de Majorque.

sobre [sóβre] m. Enveloppe f. (de una carta).

sobre [sóβre] prep. 1 Sur (encima): — la mesa, sur la table. 2 Au-dessus de. 3 Sur, au sujet de (acerca de). 4 Sur (en prenda de). 5 Sur (repetición): desgracia — desgracia, malheur sur malheur. 6 En plus de, outre: — esto, en plus de ceci.

sobrecama [soβrekáma] f. Courtepointe.

sobrecarga [soβrekárγa] f. Surcharge.

sobrecargo [soβrekárγo] m. MAR. Subrécargue.

sobrecoger [soβrekoxér] tr. 1 Surprendre, saisir. ■ 2 pr. Être surpris, ise, saisi, ie.

sobrehumano, -na [soβreŭmáno, -na] adj. Surhumain, aine.

sobrellevar [soβreʎeβár] tr. Endurer, supporter.

sobremanera [soβremanéra] adv. Beaucoup, extrêmement, excessivement.

sobremesa [soβremésa] f. 1 Tapis m. de table. 2 Temps m. que l'on passe à table après le repas. Loc. De —, après le repas.

sobrenatural [soβrenaturál] adj. Surnaturel, elle.

sobrenombre [soβrenómbre] m. Surnom.

sobrepasar [soβrepasár] tr. Surpasser, excéder.

sobreponer [soβreponér] tr. 1 Superposer. ■ 2 pr. Se dominer. 3 Surmonter (adversidades, etc.): se sobrepuso al asco..., il surmonta le dégoût... ▲ CONJUG. comme poner.

sobreprecio [soβrepréθjo] m. Augmentation f. de prix.

sobrepuesto, -ta [soβrepwésto, -ta] adj. Superposé, ée.

sobrepujar [soβrepuxár] tr. Surpasser, dépasser.

sobresaliente [soβresaljénte] adj. 1 Qui dépasse. 2 Remarquable (notable). ■ 3 m. Mention f. très bien (en los exámenes). 4 TAUROM. Matador de réserve. 5 s. TEAT. Doublure f.

sobresalir [soβresalír] intr. 1 Surpasser, dépasser. 2 Faire saillie (resaltar). 3 fig. Se distinguer, exceller.

sobresaltar [soβresaltár] tr. 1 Attaquer soudain. 2 Effrayer, faire sursauter (asustar).

sobresalto [soβresálto] m. Émotion f., frayeur f. soudaine, soubresaut.

sobrescrito [soβreskríto] m. Suscription f., adresse f.

sobreseimiento [soβreseĭmjénto] m. DER. Sursis, non-lieu.

sobretodo [soβretóðo] m. Pardessus, surtout.

sobrevivir [soβreβiβir] intr. Survivre.

sobrino, -na [soβríno, -na] s. Neveu, nièce.

sobrio, -ia [sóβrjo, -ja] adj. Sobre.

socarrón, -ona [sokařón, -óna] adj.-s. 1 Sournois, oise (disimulado). 2 Narquois, oise (burlón).

socavar [sokaβár] tr. 1 Creuser dessous. 2 fig. Miner, saper.

sociable [soθjáβle] adj. Sociable.

social [soθjál] adj. Social, ale.

socialismo [soθjalizmo] m. Socialisme.

sociedad [soθjeðáð] f. Société.

socio, -ia [sóθjo, -ja] s. 1 COM. Associé, ée. Loc. — capitalista, associé. 2 Sociétaire, membre (de una asociación, club).

sociología [soθjoloxía] f. Sociologie.

socorrido, -da [sokoříðo, -ða] adj. 1 Secourable. 2 Usé, ée, banal, ale, passepartout (trillado).

socorro [sokóřo] m. 1 Secours, aide f. 2 interj. Au secours!

soda [sóða] f. 1 Soda m. (bebida). 2 QUÍM. Soude.

sódico, -ca [sóðiko, -ka] adj. Sodique.

sodio [sóðjo] m. QUÍM. Sodium.

sofá [sofá] m. Sofá, canapé.

sofisma [sofízma] m. Sophisme.

sofisticar [sofistikár] tr. Sophistiquer.

soflamar [soflamár] tr. 1 Enjôler. 2 fig. Faire rougir (avergonzar). ■ 3 pr. Brûler.

sofocación [sofokaθjón] f. 1 Suffocation 2 Étouffement m.

sofocar [sofokár] tr. 1 Suffoquer, étouffer. 2 Importuner. 3 Faire rougir (avergonzar). ■ 4 pr. Rougir (ruborizarse).

sofoco [sofóko] m. 1 Suffocation f., étouffement. 2 Rougeur f. (rubor). 3 Gros ennui, contrariété f. (disgusto).

sofreír [sofreír] tr. COC. Faire revenir, frire légèrement. ▲ CONJUG. comme reír.

soga [sóγa] f. Corde.

soja [sóxa] f. Soja m.

sojuzgar [soxuθγár] tr. Subjuguer, asservir.

sol [sol] m. 1 Soleil. Loc. No dejar ni a — ni a sombra, harceler, être toujours sur le dos de. 2 Monnaie f. du Pérou. 3 fam. Amour.

sol [sol] m. MÚS. Sol.

solador [solaðór] m. Paveur, carreleur, dalleur.

solana [solána] *f. 1* Endroit *m.*, exposé au soleil. *2* Véranda, galerie.

solapa [solápa] *f. 1* Revers *m.* (de vestido). *2* Revers *m.* (de la sobrecubierta de un libro). *3* fig. Prétexte *m.*

solar [solár] *tr. 1* Paver, carreler, daller. *2* Ressemeler (calzado).

solar [solár] *adj. 1* Solaire. ■ *2 adj.-m. Casa —,* manoir *m.* ■ *3 m.* Terrain vague, terrain à bâtir (por edificar).

solaz [soláθ] *m.* Distraction *f.*, délassement.

soldada [soldáða] *f. 1* Salaire *m. 2* Solde (de un soldado).

soldado [soldáðo] *m.* Soldat.

soldador [soldaðór] *m. 1* Soudeur. *2* Fer à souder (instrumento).

soldadura [soldaðúra] *f.* Soudure.

soldar [soldár] *tr.* Souder. ▲ CONJUG. comme *contar*.

solear [soleár] *tr.* Exposer au soleil.

soledad [soleðáð] *f.* Solitude.

solemne [solémne] *adj.* Solennel, elle.

solemnidad [solemniðáð] *f.* Solennité.

soler [solér] *intr. 1* Avoir coutume de: *suele venir temprano,* il a l'habitude de venir de bonne heure. *2* Être fréquent. ▲ CONJUG. comme *mover*.

solera [soléra] *f. 1* Poutre, solive (viga). *2* Meule gisante (del molino). *3* Lie (del vino).

soleta [soléta] *f.* Semelle (de una media).

solfa [sólfa] *f. 1* Solfège *m. 2* fam. Raclée (paliza).

solfear [solfeár] *tr.* Solfier.

solfeo [solféo] *m.* Solfège.

solicitar [soliθitár] *tr.* Solliciter, demander.

solicitud [soliθitúð] *f. 1* Sollicitude. *2* Demande, requête, pétition (documento).

solidaridad [soliðariðáð] *f.* Solidarité.

solidario, -ia [soliðárjo, -ja] *adj.* Solidaire.

solidez [soliðéθ] *f.* Solidité.

solidificar [soliðifikár] *tr.* Solidifier.

sólido, -da [sóliðo, -ða] *adj.-m.* Solide.

solista [solísta] *s.* Soliste.

solitario, -ia [solitárjo, -ja] *adj. 1* Solitaire. ■ *2 m.* Solitaire.

solo, -la [sólo, -la] *adj. 1* Seul, seule. ■ *2 m.* Jeu de cartes. *3* MÚS. Solo.

sólo [sólo] *adv.* Seulement: *No —... sino también,* non seulement... mais encore.

solomillo [solomíʎo], **solomo** [solómo] *m.* Entrecôte *f.*

soltar [soltár] *tr. 1* Détacher, défaire (lo que estaba atado). *2* Lâcher (lo que se tiene cogido). ■ *3* fig. Se dégourdir, se débrouiller, devenir plus habile (adquirir desenvoltura). *4* Commencer: *sol-*

tarse a hablar, commencer à parler. ▲ CONJUG. comme *contar*.

soltero, -ra [soltéro, -ra] *adj.-s. 1* Célibataire. *2 Apellido de soltera,* nom de jeune fille.

soltura [soltúra] *f.* Aisance, facilité.

soluble [solúβle] *adj.* Soluble.

solución [soluθjón] *f.* Solution. Loc. — *de continuidad,* solution de continuité.

solvencia [solβénθja] *f.* Solvabilité.

solventar [solβentár] *tr. 1* Régler, résoudre (un asunto). *2* Payer (una deuda).

solvente [solβénte] *adj.* Solvable.

sollozar [soʎoθár] *intr.* Sangloter.

sollozo [soʎóθo] *m.* Sanglot.

somanta [sománta] *f.* Raclée, rossée.

sombra [sómbra] *f. 1* Ombre: *dar —,* donner de l'ombre. *2* fig. Ombre: *ni — de,* pas l'ombre de. *3* Chance (suerte). *4 Tener buena —,* avoir de la chance (suerte).

sombrear [sombreár] *tr. 1* Ombrager. *2* PINT. Ombrer.

sombrerazo [sombreráθo] *m.* Coup de chapeau.

sombrerera [sombreréra] *f. 1* Chapelière (mujer). *2* Modiste (la que hace sombreros). *3* Carton *m.* à chapeaux (caja).

sombrerería [sombrerería] *f.* Chapellerie.

sombrero [sombréro] *m.* Chapeau: — *cordobés,* chapeau à larges bords; — *de copa alta,* chapeau haut de forme; — *de tres picos,* tricorne.

sombrilla [sombríʎa] *f.* Ombrelle.

sombrío, -ía [sombrío, -ía] *adj. 1* Sombre, ombragé, ée. *2* fig. Sombre (melancólico).

someter [sometér] *tr.* Soumettre.

somnífero, -ra [somnífero, -ra] *adj.-m.* Somnifère.

somnolencia [somnolénθja] *f.* Somnolence.

son [son] *m. 1* Son (agréable à l'oreille). *2* Manière *f.*, façon *f.* (modo). Loc. *En — de burla,* en manière de moquerie, sur un ton de moquerie.

sonado, -da [sonáðo, -ða] *adj. 1* Fameux, euse. *2* Qui fait du bruit, qui fait sensation (divulgado).

sonámbulo, -la [sonámbulo, -la] *adj.-s.* Somnambule.

sonante [sonánte] *adj.* Sonnant, ante.

sonar [sonár] *intr. 1* Sonner (producir un sonido): — *a hueco,* sonner creux. *2* Sonner (reloj). *3* Être cité, ée, être mentionné, ée. ■ *4 pr.* Se moucher. *5 Se suena que,* le bruit court que. ▲ CONJUG. comme *contar*.

sonata [sonáta] *f.* MÚS. Sonate.

sondar [sondár], **sondear** [sondeár] *tr.* Sonder.

sondeo [sondéo] *m.* Sondage.

soneto [sonéto] *m.* Sonnet.

sonido [soníðo] *m.* Son.

sonoro, -ra [sonóro, -ra] *adj.* Sonore.

sonreír [sonr̃eir] *intr.-pr.* Sourire. ▲ CONJUG. comme *reír.*

sonrisa [sonr̃ísa] *f.* Sourire *m.*

sonrojar [sonr̃oxár] *tr. 1* Faire rougir (de vergüenza). ■ *2 pr.* Rougir.

sonsacar [sonsakár] *tr. 1* Soutirer. *2* Tirer les vers du nez à (procurar que uno hable).

soñador, -ra [soɲaðór, -ra] *s.* Rêveur, euse.

soñar [soɲár] *tr.-intr.* Rêver, songer: *soñé con ella esta noche,* j'ai rêvé à elle cette nuit. ▲ CONJUG. comme *contar.*

soñolencia [soɲolénθja] *f.* Somnolence.

soñoliento, -ta [soɲoljénto, -ta] *adj.* Somnolent, ente.

sopa [sópa] *f.* Soupe: — *de leche,* soupe au lait. Loc. fig. *Hecho una —,* trempé comme une soupe.

sopapo [sopápo] *m. 1* Tape *f.* sous le menton. *2* fam. Gifle *f.* (bofetada).

sopera [sopéra] *f.* Soupière.

sopetón [sopetón] *m. 1* Forte tape *f. 2 loc. adv. De —,* à l'improviste.

soplar [soplár] *intr. 1* Souffler: *el viento sopla,* le vent souffle. ■ *2 tr.* Rapporter, moucharder (delatar).

soplete [sopléte] *m.* Chalumeau.

soplido [soplíðo] *m.* Souffle, soufflement.

soplo [sóplo] *m.* Souffle.

sopor [sopór] *m.* Assoupissement.

soportable [soportáβle] *adj.* Supportable.

soportar [soportár] *tr.* Supporter.

soporte [sopórte] *m.* Support.

soprano [sopráno] *s.* MÚS. Soprano.

sor [sor] *f.* Sœur (devant un nom de religieuse).

sorber [sorβér] *tr. 1* Avaler en aspirant, boire, humer. *2* fig. Absorber.

sorbete [sorβéte] *m.* Sorbet.

sorbo [sórβo] *m. 1* Gorgée *f. 2* fig. Petite quantité *f. 3 loc. adv. A sorbos,* à petites gorgées.

sordera [sorðéra] *f.* Surdité.

sórdido, -da [sórðiðo, -ða] *adj.* Sordide.

sordo, -da [sórðo, -ða] *adj.-s.* Sourd, sourde.

sordomudo, -da [sorðomúðo, -ða] *adj.-s.* Sourd-muet, sourde-muette.

sorprender [sorprendér] *tr. 1* Surprendre: *sorprendimos al ladrón,* nous avons surpris le voleur. ■ *2 pr.* S'étonner.

sorpresa [sorprésa] *f.* Surprise.

sortear [sorteár] *tr. 1* Tirer au sort. *2* Éviter, éluder (dificultades, etc.).

sorteo [sortéo] *m.* Tirage au sort.

sortija [sortíxa] *f. 1* Bague, anneau *m. 2* Boucle (de pelo). *3* Furet *m.* (juego).

sosegar [soseɣár] *tr. 1* Calmer, apaiser. ■ *2 intr.* Reposer. ■ *3 pr.* S'apaiser, se calmer. ▲ CONJUG. comme *acertar.*

sosiego [sosjéɣo] *m.* Calme, tranquillité *f.*

soslayar [soslajár] *intr.* Mettre de biais.

soso, -sa [sóso, -sa] *adj.* Fade, insipide.

sospecha [sospétʃa] *f.* Soupçon *m.*

sospechar [sospetʃár] *tr.-intr. 1* Soupçonner (conjeturar). *2* Se douter de: *lo sospechaba,* je m'en doutais. ■ *3 intr.* Soupçonner, suspecter: — *de uno,* soupçonner quelqu'un.

sospechoso, -sa [sospetʃóso, -sa] *adj.-s.* Suspect, ecte (que inspira sospechas).

sostén [sostén] *m. 1* Soutien. *2* Soutien-gorge (prenda).

sostener [sostenér] *tr.* Soutenir.

sostenido, -da [sosteníðo, -ða] *adj.-m.* MÚS. Dièse.

sota [sóta] *f.* Valet *m.* (au jeu de cartes).

sotana [sotána] *f.* Soutane.

sótano [sótano] *m.* Sous-sol, cave *f.*

soviético, -ca [soβjétiko, -ka] *adj.-s.* Soviétique.

su [su] *pl.* **sus** [sus] *adj. pos. 1* Son, sa, ses (un solo poseedor). *2* Leur, leurs (varios poseedores). *3* Votre, vos (de usted, de ustedes): — *sobrino de usted,* votre neveu.

suave [swáβe] *adj.* Doux, douce, suave.

suavidad [swaβiðáð] *f.* Douceur, suavité.

suavizar [swaβiθár] *tr.* Adoucir.

subalterno, -na [suβaltérno, -na] *adj.-s.* Subalterne.

subarriendo [suβar̃jéndo] *m.* Sous-location *f.,* sous-ferme *f.*

subasta [suβásta] *f.* Vente aux enchères.

subconsciente [suβkonsθjénte] *adj.-m.* Subconscient, ente.

subcutáneo, -ea [suβkutáneo, -ea] *adj.* Sous-cutané, ée.

subdiácono [suβðjákono] *m.* Sous-diacre.

subdirector, -ra [suβðireɣtór, -ra] *s.* Sous-directeur, trice.

súbdito, -ta [súβðito, -ta] *s. 1* Sujet, ette. *2* Ressortissant, ante (natural de un país).

subdividir [suβðiβiðír] *tr.* Subdiviser.

subgobernador [suβɣoβernaðór] *m.* Sous-gouverneur.

subida [suβíða] *f. 1* Montée (en globo, etc.), ascension (de un monte). *2* Montée, côte, côte (cuesta). *3* Hausse (de los precios). *4* Crue (de las aguas). *5* TEAT. Lever *m.* (del telón).

subido, -da [suβiðo, -ða] *adj. 1* Fort, forte (olor). *2* Vif, vive (color). *3* Élevé, ée (precio).

subir [suβir] *intr. 1* Monter: — *a caballo,* monter à cheval. ■ *2 tr.* Monter, gravir: — *una cuesta,* monter une côte. *3* Monter (llevar a un sitio más elevado). *4* Augmenter (precio). *5* Hausser (el tono).

súbito [súβito] *adj. 1* Subit, ite, soudain, aine. ■ *2 adv.* Subitement, soudain.

subjetivo, -va [suβxetiβo, -βa] *adj.* Subjectif, ive.

sublevación [suβleβaθjón] *f.* Soulèvement *m.,* révolte.

sublevar [suβleβár] *tr. 1* Soulever, révolter. ■ *2 pr.* Se soulever.

sublime [suβlime] *adj.* Sublime.

submarino, -na [suβmarino, -na] *adj.-m.* Sous-marin, ine.

submúltiplo, -pla [suβmúltiplo, -pla] *adj.-m.* MAT. Sous-multiple.

suboficial [suβofiθjál] *m.* Sous-officier.

subordinación [suβorðinaθjón] *f.* Subordination.

subordinado, -da [suβorðináðo, -ða] *adj.-s.* Subordonné, ée.

subrayar [suβrajár] *tr.* Souligner.

subsanar [suβsanár] *tr.* Réparer (un daño, un olvido), corriger (una falta).

subscribir [suskriβir] *tr. 1* Souscrire. ■ *2 pr.* Souscrire à. *3* S'abonner (a un periódico). ▲ PART. PAS.: *subscrito.*

subscriptor, -ra [suskriβtór, -ra], **subscritor, -ra** [suskritór, -ra] *s. 1* Souscripteur, trice. *2* Abonné, ée (de un periódico).

subsidio [suβsiðjo] *m. 1* Subside. *2* Allocation *f.* (de paro, etc.).

subsiguiente [suβsiɣjénte] *adj.* Subséquent, ente.

subsistencia [suβsisténθja] *f.* Subsistance.

subsistir [suβsistír] *intr.* Subsister.

substancia [sustánθja] *f.* Substance.

substanciar [sustanθjár] *tr.* Abréger.

substancioso, -sa [sustanθjóso, -sa] *adj.* Substantiel, elle.

substantivo, -va [sustantiβo, -βa] *adj.-m.* Substantif, ive.

substitución [sustituθjón] *f. 1* Substitution. *2* Remplacement *m.*

substituir [sustitwír] *tr. 1* Substituer. *2* Remplacer. ▲ CONJUG. comme *huir.*

substracción [sustraɣθjón] *f. 1* Soustraction. *2* Vol *m.* (robo).

substraer [sustraér] *tr. 1* Soustraire. *2* Voler, dérober, soustraire (robar). ■ *3 pr.* Se soustraire. ▲ CONJUG. comme *traer.*

subsuelo [suβswélo] *m.* Sous-sol.

subteniente [suβtenjénte] *m.* Soulieutenant.

subterráneo, -ea [suβteřáneo, -ea] *adj.-m.* Souterrain, aine.

subtítulo [suβtítulo] *m.* Sous-titre.

suburbano, -na [suβurβáno, -na] *adj.* Suburbain, aine.

suburbio [suβúrβjo] *m.* Faubourg.

subvención [suβ(β)enθjón] *f.* Subvention.

subversión [suβ(β)ersjón] *f.* Subversion.

subyugar [suβjuɣár] *tr.* Subjuguer.

succión [suɣ(y)θjón] *f.* Succion.

sucedáneo, -ea [suθeðáneo, -ea] *adj.-m.* Succédané, ée.

suceder [suθeðér] *intr. 1* Succéder. *2* Arriver, se produire (ocurrir): *lo que sucedió ayer,* ce qui est arrivé hier.

sucesión [suθesjón] *f.* Succession.

sucesivo, -va [suθesíβo, -βa] *adj. 1* Successif, ive. *2 loc. adv.* **En lo —,** à l'avenir.

suceso [suθéso] *m.* Événement, fait.

sucesor, -ra [suθesór, -ra] *s.* Successeur.

sucio, -ia [súθjo, -ja] *adj.* Sale.

sucursal [sukursál] *f.* Succursale.

sudafricano, -na [suðafrikáno, -na] *adj.-s.* Sudafricain, aine.

sudamericano, -na [suðamerikáno, -na] *adj.-s.* Américain, aine du Sud, suda-méricain, aine.

sudar [suðár] *intr.-tr. 1* Suer, transpirer. ■ *2 tr.* Mouiller de sueur.

sudeste [suðéste] *m.* Sud-est.

sudoeste [suðoéste] *m.* Sud-ouest.

sudor [suðór] *m.* Sueur *f.: con el — de su frente,* à la sueur de son front.

sueco, -ca [swéko, -ka] *adj.-s.* Suédois, oise.

suegra [swéɣra] *f.* Belle-mère (mère du conjoint).

suegro [swéɣro] *m.* Beau-père (père du conjoint).

suela [swéla] *f.* Semelle (del calzado).

sueldo [swéldo] *m. 1* Salaire (paga mensual), appointements *pl.* (de un empleado), traitement (de un funcionario), gages *pl.* (de un criado). *2* Sou (ant. moneda).

suelo [swélo] *m. 1* Sol (tierra, terreno). *2* Fond (de una vasija).

suelto, -ta [swélto, -ta] *adj. 1* Léger, ère, rapide. *2* Libre. *3* Dépareillé, ée (que no hace juego). ■ *4 adj.-m.* **Suelto, dinero** —, (petite) monnaie *f.* ■ *5 m.* Entrefilet (de periódico).

sueño [swéɲo] *m. 1* Sommeil: *caerse de —,* tomber de sommeil. *2* Rêve, songe.

suero [swéro] *m. 1* Petit-lait. *2* MED. Sérum.

suerte [swérte] *f. 1* Sort *m.* Loc. *Echar a*

suertes, tirer au sort. *2* Sorte: *toda — de,* toutes sortes de. *3* Chance: *tener —,* avoir de la chance. *4* TAUROM. Chacune des phases d'une course de taureaux.

suficiencia [sufiθjénθja] *f.* Capacité, aptitude.

suficiente [sufiθjénte] *adj.* Suffisant, ante (bastante).

sufijo, -ja [sufíxo, -xa] *adj.-m.* Suffixe.

sufragar [sufrayár] *tr. 1* Aider (ayudar). *2* Payer (costear). ■ *3 intr.* amer. Voter.

sufragio [sufráxjo] *m. 1* Suffrage. *2* Prière *f.,* œuvre *f.* pour les âmes du Purgatoire. *3 pl.* LITURG. Suffrages.

sufrido, -da [sufriðo, -ða] *adj. 1* Endurant, ante, patient, ente. *2* Résistant, ante, peu salissant, ante (color).

sufrir [sufrír] *tr. 1* Souffrir (padecer). *2* Subir (experimentar), supporter (aguantar), éprouver (un desengaño, etc.). *3* Souffrir, tolérer (consentir). *4* Passer, subir: *— un examen,* passer un examen.

sugerir [suxerír] *tr.* Suggérer. ▲ CONJUG. comme *hervir.*

sugestión [suxestjón] *f.* Suggestion.

suicida [swiθiða] *s.* Suicidé, ée.

suicidio [swiθiðjo] *m.* Suicide.

suizo, -za [swiθo, -θa] *adj.-s.* Suisse.

sujetar [suxetár] *tr. 1* Assujettir (someter). *2* Tenir (mantener asido), retenir (contener).

sujeto, -ta [suxéto, -ta] *adj. 1* Assujetti, ie. *2* Sujet, ette (propenso), exposé, ée (expuesto). ■ *3 m.* Sujet, individu (persona). *4* FIL., LÓG., GRAM. Sujet.

sultán [sultán] *m.* Sultan.

sultana [sultána] *f.* Sultane.

suma [súma] *f. 1* Somme (cantidad de dinero, agregado de cosas, recopilación). *2* MAT. Somme. *3 loc. adv.* **En —,** en somme.

sumando [sumándo] *m.* MAT. Terme d'une addition.

sumar [sumár] *tr. 1* MAT. Additionner. *2* Se monter à, totaliser. ■ *3 pr.* Se joindre.

sumariar [sumarjár] *tr.* DER. Instruire un procès.

sumario, -ia [sumárjo, -ja] *adj. 1* Sommaire. ■ *2 m.* Sommaire, résumé. *3* DER. Instruction *f.* (de una causa).

sumergible [sumerxiβle] *adj.-m.* Submersible.

sumergir [sumerxír] *tr. 1* Submerger. ■ *2 pr.* Plonger. *3 fig.* Se plonger (*en,* dans).

suministrar [suministrár] *tr.* Fournir, pourvoir.

suministro [suministro] *m.* Fourniture *f.*

sumisión [sumisjón] *f.* Soumission.

sumo, -ma [súmo, -ma] *adj. 1* Suprême,

souverain: *el Sumo Pontífice,* le Souverain Pontife. *2* Très grand, très grande, extrême: *actuar con suma prudencia,* agir avec une extrême prudence. *3 loc. adv.* **A lo —,** tout au plus.

suntuario, -ia [suntwárjo, -ja] *adj.* Somptuaire.

suntuoso, -sa [suntwóso, -sa] *adj.* Somptueux, euse.

supeditar [supeðitár] *tr. 1* Assujettir (sujetar). *2 fig.* Soumettre, subordonner. ■ *3 pr.* Se soumettre.

superable [superáβle] *adj.* Surmontable.

superar [superár] *tr. 1* Surpasser. *2* Surmonter (un obstáculo, una dificultad, etc.). ■ *3 pr.* Se surpasser.

superávit [superáβit] *m.* COM. Excédent.

superficial [superfiθjál] *adj.* Superficiel, elle.

superficie [superfiθje] *f. 1* Surface, superficie. *2* GEOM. Surface.

superfino, -na [superfino, -na] *adj.* Surfin, ine.

superfluo, -ua [supérflwo, -wa] *adj.* Superflu, ue.

superior [superjór] *adj.* Supérieur, eure.

superior, -ra [superjór, -ra] *s.* Supérieur, eure.

superioridad [superjoriðáð] *f. 1* Supériorité. *2 La —,* les autorités.

superlativo, -va [superlatiβo, -βa] *adj.-m.* Superlatif, ive.

superponer [superponér] *tr.* Superposer. ▲ CONJUG. comme *poner.*

superstición [superstiθjón] *f.* Superstition.

supersticioso, -sa [superstiθjóso, -sa] *adj.* Supersticieux, euse.

superviviente [superβiβjénte] *adj.-s.* Survivant, ante.

supino, -na [supino, -na] *adj.* Couché, ée sur le dos.

suplantar [suplantár] *tr.* Supplanter.

suplemento [supleménto] *m.* Supplément.

suplente [suplénte] *adj.-s.* Suppléant, ante, remplaçant, ante.

súplica [súplika] *f.* Supplique.

suplicar [suplikár] *tr. 1* Supplier. *2* Prier (rogar). *3* Solliciter, demander (pedir).

suplicio [supliθjo] *m.* Supplice.

suponer [suponér] *tr.* Supposer.

suposición [suposiθjón] *f.* Supposition.

supositorio [supositórjo] *m.* Suppositoire.

supremacía [supremaθia] *f.* Suprématie.

supremo, -ma [suprémo, -ma] *adj.* Suprême.

suprimir [suprimír] *tr.* Supprimer.

supuesto, -ta [supwésto, -ta] *1 p. p. de* **suponer.** ■ *2 adj.* Supposé, ée. *3* Prétendu, ue, soi-disant *invar*. ■ *4 m*. Supposition *f.*, hypothèse.

surco [súrko] *m. 1* Sillon (en la tierra, de disco). *2* Ride *f.* (arruga).

surgir [surxír] *intr. 1* Surgir. *2* Sourdre, jaillir (agua). *3* MAR. Ancrer, mouiller.

surtido, -da [surtíðo, -ða] *adj. 1* COM. Assorti, ie (variado). *2* COM. Approvisionné, ée, achalandé, ée, fourni, ie (*de*, en).

surtidor, -ra [surtiðór, -ra] *adj.-s.* Fournisseur, euse.

surtir [surtír] *tr. 1* Pourvoir, fournir. *2* COM. Assortir.

suscitar [susθitár] *tr.* Susciter.

susodicho, -cha [susoðítʃo, -tʃa] *adj.* Susdit, ite.

suspender [suspendèr] *tr. 1* Suspendre. *2* Refuser, recaler (en un examen).

suspensión [suspensjón] *f. 1* Suspension. *2* ECLES. Suspense.

suspensivo, -va [suspensíβo, -βa] *adj.* Suspensif, ive.

suspenso, -sa [suspènso, -sa] *adj. 1* Suspendu, ue. *2* Étonné, ée, perplexe. ■ *3 m.* Note *f.* éliminatoire (nota): ajournement (en exámenes).

suspirar [suspirár] *intr.* Soupirer: — *por*, soupirer après.

suspiro [suspíro] *m.* Soupir: *dar un* —, pousser un soupir.

sustentar [sustentár] *tr. 1* Soutenir (sostener). *2* Sustenter, nourrir (mantener). *3* Soutenir (una tesis, opinión, etc.).

sustento [sustènto] *m. 1* Sustentation *f.*, nourriture *f.* 2 Soutien (apoyo).

susto [sústo] *m.* Peur *f.*: *dar un* —, faire peur.

susurrar [susuřár] *intr.* Parler bas, chuchoter.

susurro [susúřo] *m.* Murmure, chuchotement.

sutileza [sutilèθa] *f.* Subtilité.

sutura [sutúra] *f.* Suture.

suyo [súĵo], **suya** [súĵa], **suyos** [súĵos], **suyas** [súĵas] *pron. pos. 1 El* —, *la* —, le sien, la sienne; le leur, la leur; le vôtre, la vôtre (de usted, de ustedes). ■ *2 adj. pos.* À lui, à elle; à eux, à elles; à vous (de usted, de ustedes); un de ses; un de leurs; un de vos. *3* À lui, à elle, etc.: *estas muñecas son suyas*, ces poupées sont à elle. ■ *4 m. pl. Los suyos*, les siens (parientes).

T

t [te] *f*. T *m*.

taba [táβa] *f*. *1* Astragale *m*. (hueso). ■ *2* *pl*. Osselets (juego).

tabacalero, -ra [taβakaléro, -ra] *adj*. Du tabac.

tabaco [taβáko] *m*. *1* Tabac. *2* Cigare (puro).

tábano [táβano] *m*. Taon.

tabaquera [taβakéra] *f*. *1* Tabatière. *2* Fourneau *m*. (de pipa).

taberna [taβérna] *f*. Cabaret *m*. (antiguamente), bistrot *m*., café *m*. (modernamente).

tabernario, -ia [taβernárjo, -ja] *adj*. *1* De cabaret. *2* Grossier, ière.

tabernero, -ra [taβernéro, -ra] *s*. Cabaretier, ière, patron, onne d'un café.

tabique [taβíke] *m*. Cloison *f*.

tabla [táβla] *f*. *1* Planche (de madera), plaque (de mármol, etc.): — *de planchar*, planche à repasser. Loc. fig. *Hacer* — *rasa*, faire table rase. *6* MAT. Table: — *pitagórica*, table de Pythagore. *3* Étal *m*. (de carnicero). *4* PINT. Panneau *m*. ■ *5* *pl*. Partie *sing*. nulle. *6* TEAT. Planches.

tablado [taβláðo] *m*. *1* Plancher, parquet. *2* TEAT. Tréteaux *pl*. (de saltimbanquis), planches *f. pl*. (escenario). *3* Estrade *f*. (tarima). *4* Échafaud (patíbulo).

tablero [taβléro] *m*. *1* Échiquier (de ajedrez). *2* Damier (de damas). *3* Tableau noir (encerado). *4* — *contador*, abaque, boulier.

tableta [taβléta] *f*. *1* FARM. Tablette, comprimé *m*. *2* Tablette (de chocolate). ■ *3* *pl*. Tablettes (para escribir).

tablón [taβlón] *m*. *1* Grosse planche *f*. *2* Tableau, panneau (de anuncios).

tabú [taβú] *m*. Tabou.

taburete [taβuréte] *m*. Tabouret.

tacaño, -ña [takáɲo, -ɲa] *adj*. *1* Pingre, chiche, avare. ■ *2* *s*. Pingre, avare.

tacita [taθíta] *f*. Petite tasse.

taco [táko] *m*. *1* CARP. Taquet (trozo de madera). *2* Bourre *f*. (de arma de fuego). *3* Queue *f*. (de billar). *4* Bloc (de calendario). *5* Canonière *f*. (juguete). *6* fam. Juron, gros mot (palabrota). *7* Imbroglio.

tacón [takón] *m*. Talon (de chaussure).

taconear [takoneár] *intr*. Frapper du talon en marchant, en dansant.

táctica [táktika] *f*. Tactique.

táctico, -ca [táktiko, -ka] *adj*. Tactique.

tacto [tákto] *m*. *1* Tact. *2* Toucher (acción). *3* fig. Tact, doigté.

tacha [tátʃa] *f*. Défaut *m*., tache.

tachar [tatʃár] *tr*. *1* Accuser (culpar). *2* Biffer, raturer (borrar).

tachuela [tatʃwéla] *f*. Broquette (clavo).

tafetán [tafetán] *m*. Taffetas.

tajada [taxáða] *f*. *1* Tranche (de jamón, queso, etc.). Loc. fig. *Sacar* —, faire son affaire. *2* fam. Cuite (borrachera).

tajado, -da [taxáðo, -ða] *adj*. Taillé, ée à pic.

tajante [taxánte] *adj*. Tranchant, ante, cassant, ante: *tono* —, ton cassant.

tajar [taxár] *tr*. Couper, trancher.

tajo [táxo] *m*. *1* Coupure *f*. *2* ESGR. Fendant. *3* Escarpement taillé à pic. *4* Billot (de cocina, del verdugo).

tal [tal] *adj*. *1* Tel, telle: — *actitud es inadmisible*, une telle attitude est inadmissible. *2* Pareil, eille (semejante); cet, cette (este, esta). Loc. *No hay* — *cosa*, cela n'est pas vrai. ■ *3* *pron. indef*. Tel, telle. ■ *4* *pron. dem*. Ceci, cela, cette chose-là, une pareille chose: *no haría yo* —, je ne ferais pas une pareille chose. ■ *5* *adv*. Ainsi, de telle sorte, en tel état; — *como*, tel que; — *cual*, tel quel. *6* loc. conj. *Con* — *que*, à condition que, pourvu que.

tala [tála] *f*. *1* Abattage *m*. (de árboles). *2* Bâtonnet *m*. (juego).

talabartero [talaβartéro] *m*. Bourrelier, sellier.

taladro [talàðro] *m. 1* Perceuse *f.* (máquina), foret, tarière *f.* (instrumento).

tálamo [tàlamo] *m.* Lit nuptial.

talante [talànte] *m. 1* Humeur *f.: de buen, mal —,* de bonne, mauvaise humeur. *2* Volonté *f.,* gré (gusto): *de buen —,* de bon gré. *3* Air (semblante).

talar [talàr] *tr. 1* Couper, abattre (árboles). *2* MIL. Détruire, ravager.

talco [tàlko] *m.* Talc.

talento [talènto] *m.* Talent.

talión [taljòn] *m.* Talion.

talismán [talizmàn] *m.* Talisman.

talón [talòn] *m. 1* Talon (del pie, de una media). *2* COM. Chèque. *3* Volant (de un talonario). *4* Étalon (monetario).

talonario, -ia [talonàrjo, -ja] *adj. 1* À souche: *libro —,* registre à souche. ■ *2 m.* Carnet, registre à souche.

talla [tàʎa] *f. 1* Sculpture (escultura). *2* Taille (estatura). *3* Toise (instrumento para medir).

tallar [taʎàr] *tr. 1* Tailler (piedras preciosas), sculpter (madera). *2* Toiser (medir la estatura). *3* Tailler (en el juego).

tallarines [taʎarines] *m. pl.* Nouilles *f.*

talle [tàʎe] *m. 1* Taille *f.* (cintura de una persona): *— esbelto,* taille fine. *2* Ceinture *f.* (de un vestido).

taller [taʎèr] *m.* Atelier.

tallo [tàʎo] *m.* Tige *f.*

tamaño, -ña [tamàɲo, -ɲa] *adj. 1* Aussi grand, grande, aussi petit, ite. ■ *2 m.* Grandeur *f.,* taille *f.,* volume.

tambalear [tambaleàr] *intr.-pr.* Chanceler, vaciller, tituber (al andar).

también [tambjèn] *adv.* Aussi.

tambor [tambòr] *m. 1* MÚS. Tambour. *2* *loc. adv.* *A — batiente,* tambour battant.

tamboril [tamboril] *m.* Tambourin.

tamborilear [tamborileàr] *intr.* Tambouriner.

tamiz [tamiθ] *m.* Tamis.

tamizar [tamiθàr] *tr.* Tamiser.

tampoco [tampòko] *adv.* Non plus.

tan [tan] *adv.* Forme apocopée de **tanto.** Aussi, si (delante de un adj. o un adv.): *soy — fuerte como usted,* je suis aussi fort que vous.

tanda [tànda] *f. 1* Tour *m.* (turno). *2* Groupe *m.,* équipe (de personas).

tangente [tanxènte] *adj.-f.* Tangent, ente.

tango [tàŋgo] *m.* Tango.

tanque [tàŋke] *m. 1* Tank. *2* Citerne *f. 3* Réservoir (depósito).

tantear [tanteàr] *tr. 1* Mesurer (medir). *2* fig. Examiner (una cosa), tâter, sonder (a una persona).

tanteo [tantèo] *m. 1* Examen, sondage, essai, tâtonnement. *2* DEP. Score, nombre de points. *3* DER. Retrait.

tanto, -ta [tànto, -ta] *adj. 1* Tant de: *— dinero,* tant d'argent. ■ *2 adv.* Tant, autant: *no grite usted —,* ne criez pas tant. *3* Si longtemps: *hace ya —,* il y a si longtemps. *4 loc. adv. — mejor,* tant mieux. ■ *5 m.* Tant (tal cantidad): *un — por ciento,* un tant pour cent. *6* Jeton, fiche *f.* (ficha). *7* Point (en el juego), but (en fútbol). ■ *8 pl.* Quantité que l'on ignore ou que l'on ne précise pas: *a tantos de julio,* à telle date du mois de juillet.

tañer [taɲèr] *tr. 1* Jouer de (un instrumento). *2* Sonner (las campanas). ▲ CONJUG. IRRÉG. INDIC. Pas. simple: *tañí, tañiste, tañó, tañimos, tañisteis, tañeron.* SUBJ. Imparf.: *tañera, tañeras, tañera, tañéramos, tañerais, tañeran* ou *tañese, tañeses,* etc. Fut.: *tañere, tañeres,* etc. GÉR.: *tañendo.*

tapa [tàpa] *f. 1* Couvercle *m. 2* Couverture (de un libro). *3* Amuse-gueule *m.* (que se sirve en los bares con vino o aperitivo).

tapadera [tapaðèra] *f.* Couvercle *m.*

tapar [tapàr] *tr. 1* Boucher, fermer (un agujero, cavidad, botella, etc.). *2* Couvrir (para abrigar, proteger). *3* fig. Cacher (una falta, etc.). ■ *4 pr.* Se couvrir.

tapete [tapète] *m.* Tapis de table.

tapia [tàpja] *f.* Mur *m.* en pisé.

tapiar [tapjàr] *tr.* Murer (una puerta, etc.). ▲ CONJUG. comme *cambiar.*

tapicería [tapiθeria] *f. 1* Tapisserie (arte, obra). *2* Magasin *m.* du tapissier.

tapir [tapir] *m.* Tapir.

tapiz [tapiθ] *m.* Tapisserie *f.*

tapizar [tapiθàr] *tr.* Tapisser.

tapón [tapòn] *m. 1* Bouchon (de botellas). *2* Bonde *f.* (de toneles).

taponar [taponàr] *tr.* Boucher.

tapujo [tapùxo] *m.* fam. Dissimulation *f.,* cachotterie *f.*

taquigrafía [takiɣrafia] *f.* Sténographie.

taquígrafo, -fa [takiɣrafo, -fa] *s.* Sténographe.

taquilla [takiʎa] *f.* Guichet *m.* (de una estación, un teatro, etc.).

taquillero, -ra [takiʎèro, -ra] *s.* Employé, ée d'un guichet.

tara [tàra] *f.* COM. Tare.

tarambana [tarambàna] *adj.-s.* Écervelé, ée, étourdi, ie.

tarántula [taràntula] *f.* Tarantule.

tararear [tarareàr] *tr.* Fredonner.

tardanza [tarðànθa] *f.* Retard *m.*

tardar [tarðàr] *intr. 1* Tarder: *sin —,* sans

tarder. *2* Mettre du temps à, être long, tarder à: *tarda en contestar,* il met du temps à répondre.

tarde [tárðe] *f. 1* Après-midi (después de mediodía), soir *m.* (atardecer): *buenas tardes,* bonjour, bonsoir. ■ *2 adv.* Tard. *3 loc. adv. De — en —,* de loin en loin.

tardío, -ía [tarðío, -ía] *adj.* Tardif, ive.

tarea [taréa] *f.* Tâche, travail *m.*

tarifa [tarifa] *f.* Tarif *m.*

tarima [tarima] *f.* Estrade.

tarjeta [tarxèta] *f.* Carte: — *de visita,* carte de visite; — *postal,* carte postale.

tarro [tářo] *m.* Pot.

tarta [tárta] *f.* Tarte, tourte.

tartamudear [tartamuðeár] *intr.* Bégayer.

tartamudeo [tartamuðéo] *m.* Bégaiement (acción).

tartamudo, -da [tartamúðo, -ða] *adj.-s.* Bègue.

tártaro, -ra [tártaro, -ra] *adj.-s. 1* Tartare (de Tartaria). ■ *2 m.* Tartre.

tartera [tartéra] *f.* Tourtière.

tarugo [tarúyo] *m. 1* Taquet, tasseau, cale *f.* (de madera). *2* Pavé de bois (para pavimentar).

tasa [tása] *f. 1* Taxe (precio). *2* Taux *m.:* — *de mortalidad,* taux de mortalité. *3* Mesure, limite, règle.

tasación [tasaθjón] *f.* Taxation.

tasador, -ra [tasaðór, -ra] *adj.-m. 1* Taxateur, priseur. ■ *2 m.* Commissaire-priseur.

tasar [tasár] *tr. 1* Taxer (fijar el precio). *2* Évaluer (valorar). *3* Mesurer, doser, limiter.

tasca [táska] *f.* Bistrot *m.* (taberna).

tatarabuelo, -la [tataraβwèlo, -la] *s.* Trisaïeul, eule.

tatuaje [tatwáxe] *m.* Tatouage.

taurino, -na [taúrino, -na] *adj.* Taurin, ine.

tauromaquia [taúromákja] *f.* Tauromachie.

taxi [tá(y)si] *m.* Taxi.

taxímetro [ta(y)símetro] *m.* Taximètre.

taza [táθa] *f. 1* Tasse. *2* Vasque (de fuente). *3* Cuvette (del retrete).

tazón [taθón] *m.* Bol.

te [te] *f. 1* Té *m.,* lettre *t. 2* Té (regla).

te [te] *pron. pers.* Te, t': — *digo,* je te dis; — *llamo,* je t'appelle.

té [te] *m.* Thé.

teatral [teatrál] *adj.* Théâtral, ale.

teatro [teátro] *m.* Théâtre.

tecla [tèkla] *f.* Touche (de piano, etc.).

teclear [tekleár] *intr. 1* Frapper les touches d'un clavier. *2* Tambouriner (con los dedos). *3* Taper à la machine (escribir a máquina).

técnica [téynika] *f.* Technique.

técnico, -ca [téyniko, -ka] *adj. 1* Technique. ■ *2 s.* Technicien, ienne.

tecnología [teynoloxía] *f.* Technologie.

techado, -da [tetʃáðo, -ða] *adj. 1* Couvert, erte, qui a un toit. ■ *2 m.* Toit.

techar [tetʃár] *tr.* Couvrir (una casa).

techo [tètʃo] *m. 1* Plafond (interior). *2* Toit (tejado). *3* fig. Toit.

tedéum [teðéŭm] *m.* Te Deum.

tedio [tèðjo] *m.* Ennui, dégoût.

teja [tèxa] *f. 1* Tuile. *2 loc. adv. A — vana,* sans rien que la toiture dessus.

tejado [texáðo] *m.* Toiture *f.,* toit.

tejedor, -ra [texeðór, -ra] *adj. 1* Qui tisse. ■ *2 s.* Tisseur, euse, tisserand, ande.

tejemaneje [texemanéxe] *m. 1* fam. Activité *f.,* agitation *f. 2* Adresse *f.* (destreza). *3* Manigances *f. pl.* (manejos).

tejer [texér] *tr. 1* Tisser. *2* Tresser, entrelacer.

tejido, -da [texìðo, -ða] *adj. 1* Tissé, ée. ■ *2 m.* Tissu. *3* Texture *f. 4* Tissu (biología).

tejo [tèxo] *m. 1* Palet (para jugar). *2* Bouchon (juego). *3* If (árbol).

tela [tèla] *f. 1* Tissu *m.,* étoffe (tejido), toile. Loc. — *de araña,* toile d'araignée. *2* Membrane: *las telas del corazón,* les membranes du cœur. *3* Pellicule, peau (en la superficie de un líquido). *4* Taie (en el ojo). *5* PINT. Toile. *6 — de cebolla,* pelure d'oignon.

telar [telár] *m. 1* Métier à tisser. *2* TEAT. Cintre.

telaraña [telaráɲa] *f.* Toile d'araignée.

teleférico, -ca [telefériko, -ka] *adj.-m.* Téléphérique.

telefonear [telefoneár] *intr.-tr.* Téléphoner.

telefonista [telefonista] *s.* Téléphoniste.

teléfono [teléfono] *m.* Téléphone: *llamar por —,* téléphoner, appeler au téléphone.

telegrafía [teleyrafía] *f.* Télégraphie.

telegrafiar [teleyrafiár] *tr.* Télégraphier. ▲ CONJUG. comme *desviar.*

telégrafo [teléyrafo] *m.* Télégraphe.

telegrama [teleyráma] *m.* Télégramme.

telepatía [telepatía] *f.* Télépathie.

telescópico, -ca [teleskópiko, -ka] *adj.* Télescopique.

telescopio [teleskópjo] *m.* Télescope.

televisión [tèleβisjón] *f.* Télévision.

telilla [teliʎa] *f. 1* Petite toile. *2* Pellicule.

telón [telón] *m.* TEAT. Rideau.

telúrico, -ca [telúriko, -ka] *adj.* Tellurien, ienne, tellurique.

tema [tèma] *m. 1* Thème, sujet. *2* Thème (traducción). *3* Manie *f.,* marotte *f.,* idée *f.* fixe: *cada loco con su —*, chacun a sa marotte.

temblar [temblár] *intr.* *1* Trembler. *2* Trembloter (ligeramente). ▲ CONJUG. comme *acertar*.

tembleque [tembléque] *adj.* Tremblant, ante.

temblor [temblór] *m.* Tremblement.

tembloroso, -sa [tembloróso, -sa] *adj.* Tremblant, ante.

temer [temér] *tr.* Craindre, redouter, avoir peur de.

temeroso, -sa [temeróso, -sa] *adj.* Effrayant, ante (que causa temor).

temor [temór] *m.* Crainte *f.*, peur *f.*

témpano [témpano] *m.* *1* Glaçon (de hielo). *2* MÚS. Cymbale *f.*

temperamento [temperaménto] *m.* Tempérament.

temperatura [temperatúra] *f.* Température.

tempestad [tempestáð] *f.* Tempête (en tierra o en mar), orage *m.* (tormenta).

templado, -da [templáðo, -ða] *adj.* *1* Modéré, ée, tempérant, ante (en sus apetitos). *2* Tempéré, ée (clima). *3* Tiède (agua). *4* fam. Calme, courageux, euse.

templanza [templánθa] *f.* Tempérance.

templar [templár] *tr. 1* Tempérer. *2* Tiédir (un líquido). *3* Tremper (un metal, etc.). *4* fig. Calmer, apaiser. *5* MÚS. Accorder (un instrumento).

temple [témple] *m.* *1* Température *f.* *2* Trempe *f.* (de un metal). *3* Humeur *f.* (estado de ánimo). *4* Vaillance *f.*, trempe *f.* (valentía).

templo [témplo] *m.* *1* Temple. *2* Église *f.*

temporada [temporáða] *f.* *1* Saison (de baño, teatral, etc.). *2* Époque, période.

temporal [temporál] *adj.* *1* Temporel, elle. *2* Temporaire (no permanente). ■ *3 adj.-m.* Temporal (hueso). ■ *4 m.* Tempête *f.* *5* Mauvais temps.

temprano, -na [tempráno, -na] *adj. 1* Hâtif, ive, précoce, prématuré, ée. *2* *Frutas, hortalizas tempranas*, primeurs *f.* ■ *3 adv.* De bonne heure, tôt.

tenacidad [tenaθiðáð] *f.* Ténacité.

tenaz [tenáθ] *adj.* Tenace.

tenaza [tenáθa] *f. 1* Tenaille. *2* Pincettes *pl.* (para la lumbre). *3* Pince (de crustáceo).

tendel [tendél] *m.* Cordeau (de albañil).

tendencia [tendénθja] *f.* Tendance.

tender [tendér] *tr. 1* Étendre, tendre (la ropa). ■ *2 intr.* Tendre: *la situación tiende a mejorar*, la situation tend à s'améliorer. ■ *3 pr.* S'étendre, se coucher. *4* Étaler son jeu. ▲ CONJUG. comme *entender*.

tenderete [tenderéte] *m.* Étalage, éventaire.

tendido, -da [tendíðo, -ða] *adj. 1* Étendu, ue, tendu, ue. *2* TAUROM. Gradin d'une arène.

tendón [tendón] *m.* Tendon.

tenedor [teneðór] *m. 1* Fourchette *f.* (utensilio de mesa). *2* Possesseur. *3* Porteur (de una letra de cambio). *4 — de libros*, teneur de livres, comptable.

tener [tenér] *tr. 1* Avoir (poseer, experimentar, etc.): *tengo frío*, j'ai froid. *2* Tenir (asir, mantener asido). *3* Tenir (en un sitio o estado). *4 — que, — de* (seguido de un infinitivo), avoir à, être obligé de, falloir: *tengo que irme*, je dois m'en aller, il faut que je m'en aille. Loc. *— interés en una cosa*, tenir à quelque chose; *— a bien*, daigner, vouloir bien; *— en menos a uno*, mépriser quelqu'un. ■ *5 pr.* Se tenir: *tenerse de pie*, se tenir debout. ▲ CONJUG. IRRÉG. INDIC. Prés.: *tengo, tienes, tiene, tenemos, tenéis, tienen.* Imparf.: *tenía, tenías*, etc. Pas. simple: *tuve, tuviste, tuvo, tuvimos, tuvisteis, tuvieron.* Fut.: *tendré, tendrás*, etc. COND.: *tendría, tendrías*, etc. SUBJ. Prés.: *tenga, tengas, tenga, tengamos, tengáis, tengan.* Imparf.: *tuviera, tuvieras, tuviera, tuviéramos, tuvierais, tuvieran* ou *tuviese, tuvieses*, etc. Fut.: *tuviere, tuvieres*, etc. IMPÉR.: *ten, tenga, tengamos, tened, tengan.* PART. PAS.: *tenido.* GÉR.: *teniendo.*

teniente [tenjénte] *m. 1* Lieutenant: *— coronel*, lieutenant colonel. *2* Adjoint: *— de alcalde*, adjoint au maire, maire adjoint.

tenis [ténis] *m.* Tennis.

tensión [tensjón] *f.* Tension.

tenso, -sa [ténso, -sa] *adj.* Tendu, ue.

tentación [tentaθjón] *f.* Tentation.

tentar [tentár] *tr. 1* Tâter. *2* Tenter (insistir, inducir). *3* Tenter (intentar). ▲ CONJUG. comme *acertar*.

tentativa [tentatíβa] *f.* Tentative.

tenue [ténwe] *adj. 1* Ténu, ue, fin, fine. *2* Faible (luz).

teñido, -da [tepíðo, -ða] *adj. 1* Teint, teinte: *— de azul*, teint en bleu. ■ *2 m.* Teinture *f.* (acción), teinte *f.* (tinte).

teñir [tepír] *tr.* Teindre: *— de negro*, teindre en noir. ▲ CONJUG. comme *reír*.

teología [teoloxía] *f.* Théologie.

teólogo [teóloγo] *m.* Théologien.

teorema [teoréma] *m.* Théorème.

teoría [teoría] *f.* Théorie: *en —*, en théorie.

teórico, -ca [teóriko, -ka] *adj. 1* Théorique. ■ *2 s.* Théoricien, ienne.

terapéutico, -ca [terapéutiko, -ka] *adj.-f.* Thérapeutique.

tercer [terθér] *adj.* Forme apocopée de **tercero** qui ne s'emploie que devant un substantif m. sing.: — *piso*, troisième étage.

tercera [terθéra] *f. 1* Tierce (en el juego). *2* MÚS. Tierce.

tercero, -ra [terθéro, -ra] *adj. 1* Troisième. *2 Tercera persona*, tierce pesonne. *3 m.* Tiers, tierce personne *f.*

terceto [terθéto] *m. 1* Tercet. *2* MÚS. Trío.

tercia [térθja] *f. 1* Ancienne mesure de longueur. *2* Tiers *m.* (tercera parte).

terciar [terθjár] *tr. 1* Mettre en travers (una cosa), porter en bandoulière. *2* MIL. Porter (el fusil). ■ *3 intr.* Intervenir, s'entremettre (en un debate, etc.).

tercio, -ia [térθjo, -ja] *adj. 1* Troisième. ■*2 m.* Tiers (tercera parte). *3* Ancien régiment d'infanterie. *4* Légion *f.* étrangère.

terciopelo [terθjopélo] *m.* Velours.

terco, -ca [térko, -ka] *adj.* Têtu, ue, obstiné, ée.

termas [térmas] *f. pl.* Thermes *m.*

térmico, -ca [térmiko, -ka] *adj.* Thermique.

terminación [terminaθjón] *f.* Terminaison.

terminal [terminál] *adj. 1* Terminal, ale. ■ *2 f.* Terminal *m.*, aérogare.

terminar [terminár] *tr. 1* Terminer, finir, achever. ■ *2 intr.-pr.* Se terminer, finir.

término [término] *m. 1* Terme: — *medio,* moyen terme. *2* Limite *f.* (de un territorio). *3* Terminus (de una línea de transportes). *4* Plan (plano). *loc. adv.* **En primer** —, au premier plan; fig. d'abord. *5* **En último** —, en fin de compte, finalement.

termita [termíta] *f.* Termite.

termómetro [termómetro] *m.* Thermomètre.

termostato [termostáto] *m.* Thermostat.

terna [térna] *f. 1* Liste de trois candidats à une charge. *2* Terme *m.* (de dados).

ternario, -ia [ternárjo, -ja] *adj.* Ternaire.

ternera [ternéra] *f. 1* Génisse (animal). *2* Veau *m.* (carne).

ternero [ternéro] *m.* Veau (animal).

terneza [ternéθa] *f.* Tendresse.

terno [térno] *m. 1* Ensemble de trois choses. *2* Complet (traje de hombre). *3* Terne (lotería). *4* Juron (reniego).

ternura [ternúra] *f. 1* Tendresse. *2* Tendreté (del pan, de la carne).

terquedad [terkeðáð] *f.* Obstination, entêtement *m.*

terrado [teřáðo] *m.* Terrasse *f.*

terraplén [teřaplén] *m.* Terre-plein, remblai.

terráqueo, -ea [teřákeo, -ea] *adj.* Terrestre: *globo* —, globe terrestre.

terraza [teřáθa] *f.* Terrasse.

terremoto [teřemóto] *m.* Tremblement de terre.

terreno, -na [teřéno, -na] *adj. 1* Terrestre. ■ *2 m.* Terrain.

terrestre [teřéstre] *adj.* Terrestre.

terrible [teříβle] *adj.* Terrible.

territorio [teřitórjo] *m.* Territoire.

terrón [teřón] *m. 1* Motte *f.* (de tierra). *2* Morceau: — *de azúcar,* morceau de sucre.

terror [teřór] *m.* Terreur *f.*

terrorismo [teřorízmo] *m.* Terrorisme.

terruño [teřúno] *m. 1* Terroir (comarca). *2* Pays natal (país natal).

terso, -sa [térso, -sa] *adj. 1* Poli, ie, lisse, luisant, ante. *2* Lisse (piel, cara).

tersura [tersúra] *f.* Poli *m.*, lustre *m.*

tertulia [tertúlja] *f.* Réunion (pour s'amuser, pour converser).

tesar [tesár] *tr.* MAR. Raidir, tendre.

tesis [tésis] *f.* Thèse.

tesitura [tesitúra] *f.* MÚS. Tessiture.

tesón [tesón] *m.* Fermeté *f.*, inflexibilité *f.*

tesorería [tesorería] *f.* Trésorerie.

tesorero, -ra [tesoréro, -ra] *s.* Trésorier, ière.

tesoro [tesóro] *m.* Trésor.

testaferro [testaféřo] *m.* Homme de paille, prête-nom.

testamentario, -ia [testamentárjo, -ja] *adj. 1* Testamentaire. ■ *2 s.* Exécuteur, trice testamentaire.

testamento [testaménto] *m.* Testament.

testar [testár] *intr.* Tester.

testarudez [testaruðéθ] *f.* Entêtement *m.*, obstination.

testarudo, -da [testarúðo, -ða] *adj.-s.* Têtu, ue, obstiné, ée.

testifical [testifikál] *adj.* Testimonial, ale.

testificar [testifikár] *tr. 1* Attester, témoigner. ■ *2 intr.* Témoigner.

testigo [testíyo] *m.* Témoin: — *de cargo,* témoin à charge.

testimonial [testimonjál] *adj.* Testimonial, ale.

testimoniar [testimonjár] *tr.* Témoigner. ▲ CONJUG. comme *cambiar.*

testimonio [testimónjo] *m.* Témoignage.

teta [téta] *f. 1* Mamelle: *niño de* —, enfant à la mamelle. *2* Tétin *m.*, mamelon *m.* (pezón).

tétano [tétano], **tétanos** [tétanos] *m.* MED. Tétanos.

tetera [tetéra] f. Théière.

tetilla [tetíʎa] f. 1 Mamelle (de los mamíferos machos). 2 Tétine (de biberón).

tétrico, -ca [tétriko, -ka] adj. Sombre, triste.

textil [testíl] adj.-m. Textile.

texto [tésto] m. Texte.

textual [testwál] adj. Textuel, elle.

tez [teθ] f. Teint m. (del rostro).

ti [ti] pron. pers. Toi (précédé d'une préposition).

tía [tía] f. 1 Tante. Loc. fig. No hay tu —, il n'y a rien à faire, ce n'est pas possible. 2 Mère (mujer del pueblo): la — Juana, la mère Jeanne. 3 fam. Bonne femme (mujer cualquiera).

tiara [tjára] f. Tiare.

tibio, -ia [tíβjo, -ja] adj. Tiède.

tiburón [tiβurón] m. Requin.

tiemblo [tjémblo] m. Tremble.

tiempo [tjémpo] m. 1 Temps: tener — para, avoir le temps de. 2 loc. adv. A —, à temps; a un —, al mismo —, en même temps.

tienda [tjénda] f. 1 Tente: — de campaña, tente. 2 Boutique, magasin m.: — de modas, boutique de modes.

tienta [tjénta] f. Essai m. par lequel on évalue la bravoure des taurillons.

tiento [tjénto] m. 1 Toucher. 2 Bâton d'aveugle (de ciego). 3 Sûreté f. de la main. 4 fig. Tact, prudence f.

tierno, -na [tjérno, -na] adj. Tendre.

tierra [tjéřa] f. 1 Terre: — de pan llevar, terre à blé; — Santa, Terre Sainte. 2 Patrie, pays m.

tieso, -sa [tjéso, -sa] adj. Raide, rigide.

tiesto [tjésto] m. 1 Tesson (pedazo de vasija). 2 Pot à fleurs (maceta).

tigre [tíγre] m. Tigre.

tijera [tixéra] f., **tijeras** [tixéras] f. pl. 1 Ciseaux m. 2 Cama de —, lit de sangle.

tijereta [tixeréta] f. 1 Vrille (de la viña). 2 Forficule m. (insecto).

tila [tíla] f. Tilleul m.

tildar [tildár] tr. 1 Mettre un tilde. 2 Biffer (borrar). 3 fig. Taxer (acusar).

tilo [tílo] m. Tilleul (árbol).

timador, -ra [timaðór, -ra] s. Escroc.

timar [timár] tr. 1 Escroquer. 2 fam. Rouler (engañar). ■ 3 pr. Se faire de l'œil.

timbal [timbál] m. MÚS., COC. Timbale f.

timbrado, -da [timbráðo, -ða] adj. Papel —, papier timbré.

timbrar [timbrár] tr. Timbrer.

timbre [tímbre] m. 1 Timbre (sello). 2 Sonnette f.: tocar el —, sonner. 3 Timbre (sonido).

timidez [timiðéθ] f. Timidité.

tímido, -da [tímiðo, -ða] adj. Timide.

timo [tímo] m. 1 ANAT. Thymus. 2 Escroquerie f. (acción de timar).

timón [timón] m. 1 Timon. 2 Gouvernail (de barco, avión).

tímpano [tímpano] m. 1 ANAT., ARQ., IMPR. Tympan. 2 MÚS. Tympanon.

tinaja [tináxa] f. Jarre.

tinglado [tiŋgláðo] m. Hangar.

tinieblas [tinjéβlas] f. pl. Ténèbres.

tino [tíno] m. Adresse.

tinta [tínta] f. Encre: — china, encre de Chine.

tinte [tínte] m. Teinture f. (acción, color).

tintero [tintéro] m. Encrier.

tinto, -ta [tínto, -ta] adj. 1 Teint, teinte: — en sangre, teint de sang. 2 Rouge: vino —, vin rouge. 3 Noir (uva).

tintorería [tintorería] f. Teinturerie.

tintura [tintúra] f. Teinture.

tío [tío] m. 1 Oncle: — abuelo, grand-oncle. 2 fam. Père (hombre de cierta edad): el — Lucas, le père Lucas.

tiovivo [tjoβíβo] m. Manège, chevaux pl. de bois.

típico, -ca [típiko, -ka] adj. Typique.

tipo [típo] m. 1 Type. 2 Allure f., air, aspect (de una persona). 3 Genre. 4 Taux (de descuento, etc.). 5 fam. Type (persona): un — raro, un drôle de type.

tira [tíra] f. Bande (de tela, papel, etc.).

tirada [tiráða] f. 1 Tir m., jet m. (acción de tirar). 2 Tirade (de versos, etc.). 3 IMPR. Tirage m. 4 Trotte (distancia).

tirado, -da [tiráðo, -ða] adj. Qui abonde, qui se vend très bon marché (barato).

tirador, -ra [tiraðór, -ra] s. Tireur, euse (persona).

tiranía [tiranía] f. Tyrannie.

tirano, -na [tiráno, -na] s. Tyran.

tirante [tiránte] adj. 1 Raide, tendu, ue. ■ 2 m. ARQ. Chaîne f., entretoise f., tirant, entrait. 3 Trait (de arreos). ■ 4 pl. Bretelles f. (del pantalón).

tirantez [tirantéθ] f. Raideur, tension.

tirar [tirár] tr. 1 Jeter (echar): — al suelo, jeter par terre; lancer (arrojar). 2 Tirer (un tiro, una flecha, etc.). 3 Renverser, abattre (derribar). 4 Dissiper, gaspiller (malgastar), vendre pour rien. 5 Tirer (estirar), tréfiler (estirar un metal). ■ 6 intr. Tirer (hacia sí o tras de sí, ejercer una tracción): — de una cuerda, tirer sur une corde. 7 Avoir une tendance, chercher à devenir, à être (propender). 8 — a, tirer sur; a azul, tirer sur le bleu. 9 Vivre, se maintenir très péniblement; tant bien que mal, tenir le coup; el enfermo *va tirando*, le malade va comme ci, comme ça. *10 pr.* Se jeter, s'élancer.

tirilla [tiríʎa] *f.* Bandelette.

tiritar [tiritár] *intr.* Grelotter.

tiro [tíro] *m. 1* Tir (acción de tirar con arma de fuego): — *al blanco*, tir à la cible. *2* Coup de feu (disparo). *3* Portée *f.* (alcance de un arma). *loc. adv.* A — *de*, à portée de. *4* Attelage (de caballería). *5* Trait (de arreos): *caballo de* —, cheval de trait. *6* Tirage (de una chimenea). *7* Longueur *f.* (longitud de una pieza de tejido).

tirón [tirón] *m. 1* Tiraillement. *2 loc. adv. De un* —, d'un seul coup, tout d'une traite, d'affilée.

tiroteo [tirotéo] *m.* Fusillade *f.*

tisana [tisàna] *f.* Tisane.

tísico, -ca [tisiko, -ka] *adj.-s.* Phtisique.

tisis [tisis] *f.* MED. Phtisie.

titán [titán] *m.* Titan.

títere [títere] *m.* Marionnette *f.*, pantin.

titilar [titilár] *intr. 1* Trembloter, frémir (temblar). *2* Scintiller (un cuerpo luminoso).

titiritero, -ra [titiritéro, -ra] *s.* Montreur, euse de marionnettes, bateleur, euse.

titubear [titußeár] *intr.* Tituber.

titular [titulár] *adj.-s. 1* Titulaire. ■ *2 f.* IMPR. Lettre capitale.

título [título] *m. 1* Titre (de un libro, nobiliario). *2* Diplôme: — *de bachiller*, diplôme de bachelier.

tiza [tíθa] *f.* Craie.

tiznar [tiθnár] *tr.* Tacher de noir.

toalla [toáʎa] *f.* Serviette de toilette.

toallero [toaʎéro] *m.* Porte-serviettes *invar.*

tobillo [toßíʎo] *m.* Cheville *f.*

toca [tóka] *f. 1* Coiffe. *2* Béguin *m.* (de religiosa). *3* Toque (de mujer).

tocado, -da [tokàðo, -ða] *adj. 1* Coiffé, ée (con, de). *2* fam. Toqué, ée, maboul, oule. ■ *3 m.* Coiffure *f.* (de mujer).

tocador, -ra [tokaðór, -ra] *adj.-s. 1* MÚS. Joueur, euse. ■ *2 m.* Toilette *f.*, coiffeuse *f.* (mueble).

tocar [tokár] *tr. 1* Toucher (palpar, tropezar, etc.). *2* Jouer de (un instrumento): — *el piano*, jouer du piano. ■ *3 intr.* Toucher (estar contiguo): — *a su fin*, toucher à sa fin. *4* Incomber, appartenir. *Loc. Por lo que toca a*, en ce qui concerne. *5* Revenir, échoir (por suerte, etc.); gagner: *le tocó el gordo*, il a gagné le gros lot. ■ *6 impers.* Être le tour de: *a usted le toca*, c'est votre tour.

tocayo, -ya [tokájo, -ja] *s.* Homonyme.

tocinería [toθineria] *f.* Charcuterie.

tocino [toθino] *m.* Lard (del cerdo).

todavía [toðaßía] *adv.* Encore: — *no ha llegado*, il n'est pas encore arrivé.

todo [tóðo] *pron. 1* Tout. *2 loc. adv. Ante* —, d'abord, avant tout. ■ *3 m.* Tout: *jugarse el — por el* —, jouer le tout pour le tout.

todo, da [tóðo, -ða], **todos, -as** [tóðos, -as] *adj.-pron. 1* Tout, toute, tous, toutes: *todos nosotros*, nous tous. *2 loc. adv. A* — *esto*, cependant, sur ces entrefaites.

todopoderoso, -sa [toðopoðeróso, -sa] *adj.* Tout-puissant, toute-puissante.

toga [tóɣa] *f.* Toge, robe.

toldo [tóldo] *m. 1* Vélum (en una calle). *2* Bâche *f.* (de un camión). *3* Banne *f.* (de un café, una tienda).

toledano, -na [toleðàno, -na] *adj.-s.* De Tolède, tolédan, ane.

tolerante [toleránte] *adj.* Tolérant, ante.

tolerar [tolerár] *tr.* Tolèrer.

toma [tóma] *f.* Prise (acción): — *de posesión*, prise de possession.

tomadura [tomaðùra] *f.* Prise (acción).

tomar [tomár] *tr. 1* Prendre. *Loc.* — *a bien*, prendre du bon côté: — *a pecho*, prendre à cœur. ■ *2 intr.* Prendre: *al llegar a la vuelta hay que* — *a la izquierda*, en arrivant au tournant il faut prendre à gauche. *3 interj. ¡Toma!*, tiens!

tomate [tomáte] *m.* Tomate *f.*

tómbola [tómbola] *f.* Tombola.

tomillo [tomíʎo] *m.* Thym.

tomo [tómo] *m.* Tome.

ton [ton] *m. Sin* — *ni son*, sans rime ni raison.

tonada [tonàða] *f.* Air *m.*, chanson.

tonadilla [tonaðíʎa] *f.* Chansonnette.

tonalidad [tonaliðáð] *f.* Tonalité.

tonel [tonèl] *m.* Tonneau, fût.

tonelada [tonelàða] *f.* Tonne (peso).

tónico, -ca [tóniko, -ka] *adj. 1* Tonique. ■ *2 m.* MED. Tonique, fortifiant.

tono [tóno] *m.* Ton.

tontear [tonteár] *intr. 1* Faire, dire des sottises. *2* fam. Flirter.

tontería [tontería] *f.* Sottise, bêtise.

tonto, -ta [tónto, -ta] *adj.-s.* Sot, sotte, idiot, ote.

topacio [topáθjo] *m.* Topaze. *f.*

topar [topár] *tr. 1* Heurter. ■ *2 tr.-intr.* Trouver (una cosa), rencontrer (a alguien): — *a, con un amigo*, rencontrer un ami. ■ *3 intr.* Se heurter, heurter: *con un poste*, se heurter contre un poteau, heurter un poteau.

tope [tópe] *m. 1* MEC. Butoir. *2* Tampon (de vagón, locomotora).

topetón [topetón] *m.* Choc, heurt.

tópico, -ca [tópiko, -ka] *adj.-m. 1* MED. Topique. ■ *2 m.* Lieu commun.

topo [tópo] *m.* Taupe *f.*

toque [tóke] *m. 1* Touche *f.*, attouchement (acción de tocar). *2* Sonnerie *f.* (de trompeta, corneta, campañas), batterie *f.* (de tambor).

tórax [tóras] *m.* Thorax.

torcaz [torkáθ] *adj.* Ramier: *paloma —*, pigeon ramier.

torcedura [torθeðúra] *f. 1* Torsion, tordage *m. 2* MED. Entorse.

torcer [torθér] *tr. 1* Tordre. *2* Courber, incliner, mettre de travers. *3* Détourner, dévier (dar dirección distinta). *4* fig. Détourner, fausser (el sentido de las palabras, etc.). *5* Faire plier, faire céder (a uno). ■ *6 intr.* Tourner (cambiar de dirección): *— a la izquierda*, tourner à gauche. ■ *7 pr.* Se tordre: *me torcí un pie*, je me suis tordu un pied. ▲ CONJUG. comme *mover*.

torcida [torθíða] *f.* Mèche (d'une bougie, etc.).

torcido, -da [torθíðo, -ða] *adj. 1* Tordu, ue. *2* fig. Qui n'agit pas avec droiture, retors, orse. ■ *3 m.* Gros fil de soie torse.

tordo, -da [tórðo, -ða] *adj.-s. 1* Tourdille (caballo). ■ *2 m.* Grive *f.* (ave).

torear [toreár] *intr.-tr.* TAUROM. Combattre les taureaux, toréer.

toreo [toréo] *m.* Tauromachie *f.*

torero [toréro] *m.* Torero, toréador.

torete [toréte] *m.* Taurillon.

tormenta [torménta] *f.* Orage *m.*, tourmente (en la tierra), tempête (en el mar).

tormento [torménto] *m. 1* Tourment. *2* Question *f.*, torture *f.* (suplicio).

torna [tórna] *f. 1* Restitution, renvoi *m. 2* Retour *m.* (vuelta).

tornado [tornáðo] *m.* Tornade *f.*

tornar [tornár] *tr. 1* Retourner, rendre, restituer. *2* Rendre (mudar). ■ *3 intr.* Revenir (regresar). *4 — a* (con infinitivo), recommencer à. ■ *5 pr.* Devenir.

tornasol [tornasól] *m. 1* Tournesol. *2* Reflets *pl.* (visos).

torneo [tornéo] *m. 1* Tournoi. *2* VET. Tournis.

tornero [tornéro] *m.* Tourneur.

tornillo [torníʎo] *m.* Vis *f.*

torno [tórno] *m. 1* Tour (máquina). *2* Treuil (para elevar pesos). *3* Tour (en los conventos). *4* Rouet (para hilar). *5* Étau (de carpintero o cerrajero). *6*

Roulette *f.* (de dentista). ■ *7 loc. adv. En —*, autour.

toro [tóro] *m. 1* Taureau. *2* ARQ., GEOM. Tore. ■ *3 pl.* Course *f. sing.* de taureaux.

torpe [tórpe] *adj.* Lourd, lourde, lent, lente.

torpedero [torpeðéro] *adj.-m.* Torpilleur (ɓarco).

torpedo [torpéðo] *m. 1* Torpille *f.* (pez, proyectil). *2* Torpédo *f.* (coche).

torpeza [torpéθa] *f. 1* Lourdeur, lenteur. *2* Maladresse, gaucherie.

torre [tóre] *f. 1* Tour (construcción, pieza del juego de ajedrez). *2* Maison de campagne (casa de campo).

torrefacto, -ta [toɾefáɣto, -ta] *adj.* Torréfié, ée.

torrencial [toɾenθjál] *adj.* Torrentiel, elle.

torreón [toɾeón] *m.* Grande tour *f.*

tórrido, -da [tóɾiðo, -ða] *adj.* Torride.

torsión [torsjón] *f.* Torsion.

torso [tórso] *m.* Torse.

tortícolis [tortikolis] *f.* MED. Torticolis.

tortilla [tortíʎa] *f.* Omelette: *— francesa*, omelette nature.

tortuga [tortúɣa] *f.* Tortue.

tortuoso, -sa [tortwóso, -sa] *adj.* Tortueux, euse.

torturar [torturár] *tr.* Torturer.

torzal [torθál] *m.* Cordonnet de soie.

tos [tos] *f. 1* Toux. *2* MED. *—ferina*, coqueluche.

tosco, -ca [tósko, -ka] *adj. 1* Grossier, ière. *2* Rustre, inculte, grossier, ière (persona).

toser [tosér] *intr.* Tousser.

tostada [tostáða] *f.* Toast *m.* (pan).

tostado, -da [tostáðo, -ða] *adj. 1* Grillé, ée. *2* Hâlé, ée, bruni, ie (la tez).

tostadura [tostaðúra] *f.* Grillage *m.*, torréfaction (del café).

tostar [tostár] *tr. 1* Griller, torréfier. *2* Hâler, bronzer (la piel). ▲ CONJUG. comme *contar*.

tostón [tostón] *m. 1* Chose *f.* trop grillée. *2* Rôtie *f.* trempée d'huile. *3* fam. Chose *f.* ennuyeuse, rasante, truc rasoir.

total [totál] *adj.-m. 1* Total, ale. ■ *2 adv.* En résumé, bref.

totalidad [totaliðáð] *f.* Totalité.

tóxico, -ca [tó(ɣ)siko, -ka] *adj.-m.* Toxique.

tozudo, -da [toθúðo, -ða] *adj.* Têtu, ue, entêté, ée.

traba [tráβa] *f.* Lien *m.*, attache.

trabajador, ra [traβaxaðór, -ra] *adj.-s.* Travailleur, euse.

trabajar [traβaxár] *intr.-tr.* Travailler.

trabajo [traβáxo] *m. 1* Travail. Loc. *To-marse el — de*, se donner la peine de. ■ *2 m. pl.* Misères *f.*, peines *f.*, difficultés *f.* (penalidades).

trabalenguas [traβalèŋgwas] *m.* Mot, phrase *f.* difficile à prononcer.

trabar [traβár] *tr. 1* Entraver (un animal). *2* Joindre, lier (cosas). *3* Lier (una salsa), épaissir (líquido, masa). *4* fig. Engager, entamer (una batalla, una conversación), lier, nouer (amistad, etc.). ■ *5 pr. Trabarse de palabras*, se disputer.

tractor [traytór] *m.* Tracteur.

tradición [traðiθjón] *f.* Tradition.

tradicional [traðiθjonál] *adj.* Traditionnel, elle.

traducir [traðuθír] *tr.* Traduire. ▲ CONJUG. comme *conducir*.

traductor, -ra [traðuytór, -ra] *adj.-s.* Traducteur, trice.

traer [traér] *tr. 1* Apporter, amener (al lugar en donde se habla). *2* Porter (llevar puesto). *3* Amener, entraîner, causer (acarrear). *4* Attirer (atraer hacia sí). *5* Sentidos diversos: — *a la memoria*, rappeler; — *consigo*, entraîner; — *inquieto*, causer de l'inquiétude, inquiéter. ▲ CONJUG. IRRÉG. INDIC. Prés.: *traigo, traes, trae, traemos, traéis, traen.* Imparf.: *traía, traías,* etc. Pas. simple: *traje, trajiste, trajo, trajimos, trajisteis, trajeron.* Fut.: *traeré, traerás,* etc. COND.: *traería, traerías,* etc. SUBJ. Prés.: *traiga, traigas, traiga, traigamos, traigais, traigan.* Imparf.: *trajera, trajeras, trajera, trajéramos, trajerais, trajeran,* ou *trajese, trajeses,* etc. Fut.: *trajere, trajeres,* etc. IMPÉR.: *trae, traiga, traigamos, traed, traigan.* PART. PAS.: *traído.* GÉR.: *trayendo.*

traficante [trafikánte] *m.* Trafiquant.

traficar [trafikár] *intr.* Trafiquer.

tráfico [tráfiko] *m. 1* Trafic. *2* Circulation *f.*, trafic (de vehículos).

tragabolas [traɣaβólas] *m.* Passe-boules *invar.*

tragaluz [traɣalúθ] *m. 1* Lucarne *f.*, œil-de-bœuf. *2* Soupirail (de un sótano).

tragaperras [traɣapèras] *m.* Distributeur automatique, machine *f.* à sous.

tragar [traɣár] *tr. 1* Avaler (los alimentos). ■ *2 tr.-pr.* fig. Avaler (creer). *3* Engloutir (engullir), absorber. *4* fig. *No — a uno*, ne pouvoir souffrir quelqu'un.

tragedia [traxéðja] *f.* Tragédie.

trágico, -ca [tráxiko, -ka] *adj.-m. 1* Tragique. ■ *2 s.* Tragédien, ienne (actor, actriz). *3* Tragique (autor).

tragicomedia [traxikoméðja] *f.* Tragicomédie.

trago [tráɣo] *m.* Gorgée *f.*, coup: *echar un —*, boire un coup.

traición [traiθjón] *f. 1* Trahison (delito). *2* Traîtrise (alevosía).

traicionar [traiθjonár] *tr.* Trahir.

traidor, -ra [traiðór, -ra] *adj.-m.* Traître, esse.

traje [tráxe] *m.* Costume, vêtement, habit.

trajín [traxin] *m. 1* Transport (de mercancías). *2* Remue-ménage, agitation *f.* (ajetreo).

trajinar [traxinár] *tr. 1* Transporter, voiturer. *2* S'agiter, aller et venir, s'activer.

trama [tráma] *f.* Trame.

tramar [tramár] *tr.* Tramer.

tramitar [tramitár] *tr. 1* Faire suivre son cours à (un asunto). *2* S'occuper de.

trámite [trámite] *m. 1* Formalité *f.* (requisito). *2* Démarche *f.* (diligencia).

tramo [trámo] *m. 1* ARQ. Travée *f. 2* Volée *f.* (de escalera). *3* Tronçon (de canal, de camino). *4* Section *f.* (de terreno).

tramontana [tramontána] *f. 1* Tramontane. *2* fig. Vanité.

trampa [trámpa] *f. 1* Trappe, piège *m.*, traquenard *m.* (artificio de caza). *2* Trappe (puerta). *3* Dette (deuda). *4* Tricherie (en el juego). *5* Expédient *m.*: *vivir de la —*, vivre d'expédients.

trampear [trampeár] *intr.* Vivre d'expédients.

trampolín [trampolín] *m.* Tremplin.

tramposo, -sa [trampóso, -sa] *adj.-s.* Menteur, euse.

trance [tránθe] *m. 1* Moment critique. *2* Transe *f.* (fenómeno psíquico).

tranco [tráŋko] *m.* Grand pas, enjambée *f.*

tranquilidad [traŋkiliðáð] *f.* Tranquillité.

tranquilizar [traŋkiliθár] *tr.* Tranquilliser, rassurer.

tranquilo, -la [traŋkilo, -la] *adj. 1* Tranquile. ■ *2 m.* Père tranquille.

transatlántico, -ca [tra(n)saðlántiko, -ka] *adj.-m.* Transatlantique.

transbordar [tra(n)zβorðár] *tr. 1* Transborder. ■ *2 intr.-pr.* Passer d'un train dans un autre, changer.

transbordo [tra(n)zβórðo] *m.* Transbordement, changement.

transcender [tra(n)sθendér] *intr. 1* FIL. Être transcendant, ante. *2* Transpirer (empezar a ser conocido). ▲ CONJUG. comme *entender*.

transcribir [transkriβir] *tr.* Transcrire. ▲ PART. PAS.: *transcripto, transcrito.*

transcripción [transkriβθjón] *f*. Transcription.

transcurrir [tra(n)skuřir] *intr*. S'écouler.

transcurso, [tra(n)skúrso] *m*. Cours (del tiempo): **en el — del almuerzo,** au cours du déjeuner.

transeúnte [transeúnte] *adj.-s*. Passant, ante (persona).

transferir [tra(n)sferir] *tr*. Transférer. ▲ CONJUG. comme *hervir*.

transformación [tra(n)sformaθjón] *f*. Transformation.

transformar [tra(n)sformár] *tr*. Transformer (*en*, en).

transfusión [tra(n)sfusjón] *f*. Transfusion.

transgredir [tra(n)zɣreðir] *tr*. Transgresser. ▲ CONJUG. comme *abolir*.

transición [transiθjón] *f*. Transition.

transigir [transixir] *intr*. Transiger.

transitable [transitáβle] *adj*. Practicable (camino).

transitivo, -va [transitiβo, -βa] *adj.-m*. Transitif, ive.

tránsito [tránsito] *m*. *1* Passage, circulation *f*. *2* COM. Transit. *3* Passage: **de —,** de passage.

transitorio, -ia [transitórjo, -ja] *adj*. Transitoire.

transmisión [tra(n)smisjón] *f*. Transmission.

transmisor, -ra [tra(n)zmisór, -ra] *adj.-m*. Transmetteur.

transmitir [tra(n)zmitir] *tr*. Transmettre: **insecto que transmite una enfermedad,** insecte qui transmet une maladie.

transparencia [tra(n)sparénθja] *f*. Transparence.

transparente [tra(n)sparénte] *adj*. *1* Transparent, ente. ■ *2 m*. Transparent.

transpiración [tra(n)spiraθjón] *f*. Transpiration.

transpirar [tra(n)spirár] *intr*. Transpirer.

transponer [tra(n)sponér] *tr*. *1* Transposer (una cosa). *2* Disparaître au-delà de. ■ *3 pr*. S'assoupir. ▲ CONJUG. comme *poner*.

transportar [tra(n)sportár] *tr*. *1* Transporter. *2* MÚS. Transposer.

transporte [tra(n)spórte] *m*. *1* Transport: **transportes colectivos,** transports en commun. *2* MÚS. Transposition *f*.

transposición [tra(n)sposiθjón] *f*. Transposition.

transvasar [tra(n)zβasár] *tr*. Transvasser.

transversal [trazβersál] *adj*. Transversal, ale.

transverso, -sa [tranzβérso, -sa] *adj*. Transverse.

tranvía [trambia] *m*. Tramway.

trapa [trápa] *f*. REL. Trappe.

trapacear [trapaθeár] *intr*. *1* Finasser, ruser. *2* Frauder.

trápala [trápala] *f*. *1* Vacarme *m.*, tapage *m*. (de gente). *2* Bruit *m*. du trot ou du galop d'un cheval.

trapatiesta [trapatjésta] *f*. Dispute, bagarre (riña), tapage *m.*, raffut *m*. (ruido).

trapecio [trapéθjo] *m*. Trapèze.

trapero, -ra [trapéro, -ra] *s*. Chiffonnier, ière.

trapezoide [trapeθòìðe] *m*. Trapézoide.

trapiche [trapitʃe] *m*. Moulin à huile, à canne à sucre.

trapillo [trapiʎo] *m*. Chiffon.

trapo [trápo] *m*. *1* Chiffon. Loc. **Poner a alguien como un —,** traiter quelqu'un de tous les noms. *2* MAR. Toile *f.*, voilure *f*. Loc. **A todo —,** à pleines voiles.

tráquea [trákea] *f*. ANAT. Trachée.

traqueal [trakeál] *adj*. Trachéal, ale.

traquetear [traketeár] *intr*. *1* Faire du bruit. ■ *2 tr*. Secouer, agiter (sacudir), cahoter (un vehículo).

traqueteo [traketéo] *m*. *1* Pétarade *f*. (de cohetes). *2* Cahotement, secousse *f*.

tras [tras] *prep*. *1* Après (aplicado al espacio y al tiempo): **uno — otro,** l'un après l'autre. *2* Derrière (detrás). *3* Outre que, non seulement, non content de (además): **— ser caro, es de inferior calidad,** non seulement c'est cher mais c'est de mauvaise qualité.

trasaltar [trasaltár] *m*. Espace derrière l'autel.

trascolar [traskolár] *tr*. Filtrer. ▲ CONJUG. comme *contar*.

trasdós [trazðós] *m*. ARQ. Extrados.

trasegar [traseɣár] *tr*. *1* Remuer, changer de place. *2* Transvaser (líquidos). ▲ CONJUG. comme *acertar*.

trasero, -ra [traséro, -ra] *adj*. *1* Arrière, postérieur, eure. ■ *2 m*. Derrière (de un animal, de una persona). ■ *3 f*. Arrière *m*. (de un vehículo), derrière *m*. (de una casa, etc.).

trasgo [trázɣo] *m*. *1* Lutin (duende). *2* Enfant espiègle.

trashumante [trasumánte] *adj*. Transhumant, ante.

trashumar [trasumár] *intr*. Transhumer.

trasiego [trasjéɣo] *m*. *1* Remue-ménage. *2* Transvasement (de líquidos), soutirage (para eliminar las heces).

trasladar [trazlaðár] *tr*. *1* Changer de place, déplacer. *2* Transférer, transporter. *3* Ajourner (una reunión, función, etc.). *4* Transcrire, copier. *5* Reporter (a otra página, columna).

traslado [trazláðo] *m. 1* Transport, transfert. *2* Copie *f.*, double (copia).

traslucirse [trazluθírse] *pr. 1* Être translucide. *2* fig. Percer, se laisser deviner, se déduire. ▲ CONJUG. comme *lucir*.

trasluz [trazlúθ] *m.* Lumière *f.* qui traverse un corps translucide. *loc. adv. Al —,* par transparence.

trasnochado, -da [traznotʃáðo, -ða] *adj. 1* Gâté, ée, de la veille. *2* Pâle, blême (persona). *3* fig. Usé, ée, périmé, ée.

trasnochar [traznotʃár] *intr.* Passer la nuit sans dormir, se coucher tard.

traspapelar [traspapelár] *tr.* Égarer.

traspasar [traspasár] *tr. 1* Traverser, passer (de una parte a otra). *2* Transpercer, percer (con una cosa punzante). *3* Transférer, céder (un negocio, etc.).

traspaso [traspáso] *m. 1* Traversée *f.*, passage. *2* Cession *f.* (de un local comercial), reprise *f.*, pas-de-porte (precio).

traspié [traspjé] *m.* Faux-pas: *dar un —,* faire un faux-pas.

traspuntín [traspuntín] *m.* Strapontin.

trasquilar [traskilár] *tr. 1* Mal couper les cheveux. *2* Tondre (un animal).

trastada [trastáða] *f.* Mauvais tour *m.*

traste [tráste] *m. 1* MÚS. Touchette *f.* (de guitarra, etc.). *2* Loc. *Dar al — con una cosa,* détruire, anéantir, mettre à mal une chose.

trastear [trasteár] *tr. 1* Poser les touchettes (a una guitarra, etc.). *2* Pincer (una guitarra, etc.). *3* TAUROM. Faire des passes (à un taureau).

trastera [trastéra] *f.*, **trastero** [trastéro] *m.* Pièce *f.* de débarras, débarras *m.*

trastienda [trastjénda] *f. 1* Arrière-boutique. *2* fig. Prudence, ruse, savoir-faire *m.*

trasto [trásto] *m. 1* desp. Meuble. *2* Cochonnerie *f.*, saleté *f.* (cosa inútil). *3* Propre à rien (persona).

trastornar [trastornár] *tr.* Bouleverser.

trastorno [trastórno] *m. 1* Bouleversement. *2* Trouble, désordre.

trasudar [trasuðár] *intr.* Suer légèrement.

trata [tráta] *f.* Traite: *— de negros, de blancas,* traite des noirs, des blanches.

tratable [tratáβle] *adj.* Traitable.

tratado [tratáðo] *m.* Traité.

tratar [tratár] *tr.-intr. 1* Fréquenter (tener trato): *— a, con uno,* fréquenter quelqu'un. *2* Traiter (bien o mal). *3* Traiter (un asunto, una enfermedad). ■ *4 intr. — de,* essayer de, tâcher de (intentar): *trataré de convencerle,* j'essaierai de le convaincre. ■ *5 impers. Se trata de,* il s'agit de.

trato [tráto] *m. 1* Fréquentation *f.*, relations *f. pl.*, rapports *pl.* *2* Traitement (manera de tratar a alguien). *3* Marché (convenio): *— hecho,* marché conclus. *4 — de cuerda,* estrapade *f.*

traumatismo [traŭmatizmo] *m.* Traumatisme.

través [traβés] *m. 1* Travers (inclinación). *2 loc. adv. Al —, de —,* en travers.

travesía [traβesía] *f. 1* Chemin *m.* de traverse (camino). *2* Rue traversière (calle). *3* Traversée (viaje).

travesura [traβesúra] *f. 1* Espièglerie, polissonnerie. *2* Vivacité d'esprit.

traviesa [traβjésa] *f. 1* Traverse (ferrocarril). *2 loc. adv. A campo —,* à travers champs.

travieso, -sa [traβjéso, -sa] *adj.* Mis, mise en travers.

trayecto [trajéyto] *m.* Trajet, parcours.

trazado [traθáðo] *m. 1* Tracé (de un camino, etc.). *2* Plan (traza). *3* Traçage (acción).

trazo [tráθo] *m. 1* Tracé, dessin. *2* Ligne *f.*, trait.

trébol [tréβol] *m.* Trèfle.

trece [tréθe] *adj.-m.* Treize. Loc. fam. *Mantenerse en sus —,* ne pas céder.

trecho [trétʃo] *m. 1* Espace, distance *f.* *2 loc. adv. A trechos,* par intervalles.

tregua [tréɣwa] *f.* Trève.

treinta [tréïnta] *adj.-m. 1* Trente: *— y una,* trente et un (juego). *2* Trentième.

treintena [treïnténa] *f. 1* Trentaine. *2* Trentième (parte).

tremendo, -da [treméndo, -da] *adj.* Terrible, formidable.

tren [tren] *m. 1* Train: *— correo,* train-poste. *2* Train: *— de laminación,* train de laminoir. *3 — de vida,* train de vie.

trencilla [trenθíʎa] *f.* Galon *m.* étroit.

trenza [trénθa] *f. 1* Tresse. *2* Natte, tresse (de pelo).

trenzar [trenθár] *tr. 1* Tresser, natter. ■ *2 intr.* Faire des entrechats (en la danza).

trepado, -da [trepáðo, -ða] *adj.* Vigoureux, euse (animal).

trepador, -ra [trepaðór, -ra] *adj.* BOT. Grimpant, ante.

trepar [trepár] *intr.* Grimper.

tres [tres] *adj.-s. 1* Trois: *son las —,* il est trois heures. *2 — en raya,* marelle *f.*

trescientos, -as [tresθjéntos, -as] *adj.-m.* Trois cents.

tresillo [tresíʎo] *m. 1* Hombre (juego). *2* Ensemble d'un canapé et deux fauteuils.

treta [tréta] *f.* Ruse, artifice *m.*

tría [tría] *f.* Triage *m.*, tri *m.*

tríada [tríaða] *f.* Triade.

triangular [trjaŋgulár] *adj.* Triangulaire.

triangular [trjaŋgulár] *tr.* Trianguler.

triángulo, -la [trjáŋgulo, -la] *adj. I* Triangulaire. ■ *2 m.* Triangle.

tribu [tríβu] *f.* Tribu.

tribuna [tríβúna] *f.* Tribune.

tribunal [triβunál] *m. I* Tribunal. *2* Jury (en un examen).

tribuno [triβúno] *m.* Tribun.

tributar [triβutár] *tr. I* Payer un tribut, un impôt. *2* fig. Rendre (homenaje), témoigner (respeto, etc.).

tributo [triβúto] *m. I* Tribut. *2* Impôt.

tricolor [trikolór] *adj.* Tricolore.

triedro [trjèðro] *adj.* GEOM. Trièdre.

trienal [trjenál] *adj.* Triennal, ale.

trienio [trjénjo] *m.* Triennat.

trifulca [trifúlka] *f.* Dispute, querelle.

trigal [triɣál] *m.* Champ de blé.

trigésimo, -ma [trixésimo, -ma] *adj.-s.* Trentième.

trigo [triɣo] *m. I* Blé. *2 — candeal*, froment. *3 — sarraceno*, blé noir, sarrasin.

trigonometría [triɣonometría] *f.* Trigonométrie.

trilogía [triloxía] *f.* Trilogie.

trilla [tríʎa] *f. I* AGR. Battage *m.*, dépiquage *m. 2* Rouget *m.* (pez).

trillado, -da [triʎáðo, -ða] *adj. Camino —*, chemin battu.

trillar [triʎár] *tr.* AGR. Battre, dépiquer.

trimestre [trimèstre] *m.* Trimestre.

trinar [trinár] *intr. I* MÚS. Triller, faire des trilles. *2* fig. Enrager.

trinca [triŋka] *f.* Trío *m.* (de cosas).

trincar [triŋkár] *tr. I* Casser, déchiqueter. *2* Assujettir fortement (atar).

trinchar [trintʃár] *tr.* COC. Découper.

trinchera [trintʃéra] *f. I* Tranchée. *2* Trenchcoat *m.* (impermeable).

trineo [trinéo] *m.* Traîneau.

trinidad [triniðáð] *f.* Trinité.

trinquete [triŋkéte] *m. I* MAR. Misaine *f.* (vela), mât de misaine (palo). *2* MEC. Cliquet, encliquetage.

trío [trio] *m.* MÚS. Trio.

tripa [tripa] *f. I* Tripe, boyau *m.* Loc. fig. *Hacer de tripas corazón*, faire contre mauvaise fortune bon cœur. *2* fam. Ventre *m.: dolor de tripas*, mal au ventre.

triple [triple] *adj.-m.* Triple.

triplicar [triplikár] *tr.* Tripler.

trípode [trípoðe] *m.* Trépied.

triptongo [triβtóŋgo] *m.* GRAM. Triphtongue *f.*

tripulación [tripulaθjón] *f.* MAR., AVIAC. Équipage *m.*

tripulante [tripulánte] *m.* MAR., AVIAC. Membre d'un équipage.

tripular [tripulár] *tr. I* MAR., AVIAC. Équiper (d'hommes). *2* Faire partie de l'équipage. *3* Piloter (conducir).

triquinosis [trikinósis] *f.* MED. Trichinose.

tris [tris] *m.* fig. Un rien: *estuvo en un —*, peu s'en est fallu, il s'en est fallu d'un rien.

triscar [triskár] *intr. I* Faire du bruit avec les pieds. *2* S'ébattre (retozar).

triste [triste] *adj. I* Triste. *2* Misérable (insignificante).

tristeza [tristéθa] *f.* Tristesse.

triturar [triturár] *tr.* Triturer, broyer, concasser.

triunfador, -ra [triumfaðòr, -ra] *adj.-s.* Triomphateur, trice.

triunfar [trjumfár] *intr. I* Triompher. *2* Couper avec un atout (en naipes).

triunvirato [trjumbiráto] *m.* Triumvirat.

trivial [triβjàl] *adj.* Banal, ale, insignifiant, ante.

triza [triθa] *f.* Petit morceau *m.*, miette: *hacer trizas*, mettre en morceaux, réduire en miettes.

trocear [troθeár] *tr.* Couper en morceaux.

trocha [trótʃa] *f.* Sentier *m.*

trofeo [troféo] *m.* Trophée.

troglodita [troɣloðíta] *adj.-s.* Troglodyte.

trolebús [troleβús] *m.* Trolleybus.

tromba [trómba] *f.* Trombe.

trompa [trómpa] *f. I* Trompe. *2* MÚS. Cor *m.: — de caza*, cor de chasse.

trompada [trompáða] *f.*, **trompazo** [trompáθo] *m. I* Coup *m.* de trompe, de toupie. *2* Coup *m.* de poing (puñetazo).

trompeta [trompéta] *f. I* MÚS. Trompette. ■ *2 m.* Trompettiste (músico).

trompetazo [trompetáθo] *m.* Coup de trompete.

trompo [trómpo] *m. I* Toupie *f. 2* Troque (molusco).

tronar [tronár] *impers.-intr. I* Tonner. ■ *2 pr.* Se ruiner (arruinarse). ■ *3 intr. — con uno*, se brouiller avec quelqu'un. ▲ CONJUG. comme *contar*.

tronco [tróŋko] *m. I* Tronc. Loc. fig. *Estar hecho un —*, dormir comme une souche; être paralysé. *2* Souche *f.* (de una familia). *3* Paire *f.* (de caballos).

tronchar [trontʃár] *tr. I* Casser, briser. ■ *2 pr.* fam. *Troncharse de risa*, se tordre de rire, se marrer.

tronera [tronéra] *f. I* FORT. Meurtrière. *2* Blouse (de billard).

trono [tróno] *m.* Trône.

tropa [trópa] *f. I* MIL. Troupe. *2* Troupe (de gente).

tropel [tropél] *m. I* Cohue *f.* (de gente). *2* Hâte *f.* (prisa), confusion *f.*, pêle-mêle (de cosas). *3 loc. adv. En* —, en foule, à la hâte.

tropezar [tropeθár] *intr. 1* Buter, trébucher, achopper: — *con, en una piedra,* buter contre une pierre; broncher (el caballo). *2* Se heurter: — *con una dificultad,* se heurter à une difficulté. *3* Se brouiller avec, s'opposer à (reñir). ▲ CONJUG. comme *acertar.*

tropical [tropikál] *adj.* Tropical, ale.

trópico [tròpiko] *m. 1* Tropique. ■ *2 adj. Año* —, année tropique.

tropiezo [tropjéθo] *m. 1* Faux pas: *dar un* —, faire un faux pas. *2* fig. Faux pas (falta).

trotar [trotár] *intr.* Trotter.

trote [tròte] *m. 1* Trot. *loc. adv. A* —, *al* —, au trot. *2* fig. Occupation *f.* fatigante (faena), histoire *f.* (enredo).

trovador, -ra [troβaðór, -ra] *s. 1* Poète, poétesse. ■ *2 m.* Troubadour.

trozo [tròθo] *m.* Morceau.

truco [trúko] *m. 1* Truc (artificio). *2* Trucage (cinematográfico). ■ *3 pl.* Truc *sing.* (juego de billar).

truculencia [trukulénθja] *f.* Truculence.

trucha [trútʃa] *f.* Truite.

trueno [trwéno] *m. 1* Tonnerre, coup de tonnerre (ruido). *2* Détonation *f.* (de un arma o cohete). *3* fig. Hurluberlu.

trueque [trwéke] *m.* Troc, échange.

trufa [trúfa] *f. 1* Truffe. *2* fig. Mensonge *m.*

truhán, -ana [trwán, -àna] *adj.-s. 1* Truand, ande, fripon, onne. *2* ant. Bouffon, onne.

truncar [truŋkár] *tr. 1* Tronquer. *2* fig. Briser (esperanzas, etc.).

tú [tu] *pron. pers. 1* Tu (forma átona): — *eres,* tu es. *2* Toi (forma tónica y con *prep.):* ¡— *te callas!,* toi, tu te tais! *3 Tratar de* —, tutoyer.

tu [tu], **tus** [tus] *adj. pos.* Ton, ta, tes.

tubérculo [tuβérkulo] *m.* Tubercule.

tuberculosis [tuβerkulósis] *f.* Tuberculose.

tubería [tuβería] *f. 1* Tuyauterie (conjunto de tubos). *2* Conduite (tubo).

tubo [túβo] *m. 1* Tube, tuyau. *2* Verre (de lámpara). *3* ANAT. Tube.

tubular [tuβulár] *adj.* Tubulaire.

tucán [tukán] *m.* Toucan.

tuerca [twérka] *f.* Écrou *m.*

tuerto, -ta [twérto, -ta] *adj.-s. 1* Borgne. ■ *2 m.* Tort, outrage (agravio). ■ *3 adj.* Tordu, ue (torcido).

tueste [twéste] *m.* Grillage, torréfaction *f.*

tuétano [twétano] *m.* Moelle *f.*

tufo [túfo] *m. 1* Émanation *f.* *2* Odeur *f.* forte et désagréable. *3* Mèche *f.* de cheveux pendant devant l'oreille.

tul [tul] *m.* Tulle.

tulipán [tulipán] *m.* Tulipe *f.*

tullido, -da [tuʎíðo, -ða] *adj.-s.* Perclus, use, impotent, ente (persona).

tumba [túmba] *f.* Tombe, tombeau *m.*

tumbar [tumbár] *tr.* Renverser, faire tomber, jeter à terre.

tumbo [túmbo] *m.* Cahot: *dar tumbos,* cahoter.

tumor [tumór] *m.* Tumeur *f.*

tumulto [tumúlto] *m.* Tumulte.

tuna [túna] *f. 1* Vagabondage *m.: correr la* —, vagabonder. *2* Figuier *m.* de Barbarie (árbol).

tunante [tunánte] *adj.-s. 1* Vagabond, onde. *2* Coquin, ine, fripon, onne.

tunda [túnda] *f.* Raclée, volée (zurra).

tunecino, -na [tuneθino, -na] *adj.-s.* Tunisien, ienne.

túnel [túnel] *m.* Tunnel.

túnica [túnika] *f.* Tunique.

tuntún (al, al buen) [tuntún] *loc. adv.* Au petit bonheur.

tupido, -da [tupíðo, -ða] *adj.* Épais, aisse, serré, ée, dru, drue.

tupir [tupír] *tr.* Comprimer, serrer, reserrer.

turbación [turβaθjón] *f.* Trouble *m.*

turbante [turβánte] *m.* Turban.

turbar [turβár] *tr. 1* Troubler. *2* Décontenancer (desconcertar).

turbina [turβína] *f.* Turbine.

turbio, -ia [túrβjo, -ja] *adj. 1* Trouble. *2* Louche, suspect, ecte (sospechoso).

turbión [turβjón] *m.* Averse *f.* avec vent, grosse ondée *f.*

turbulencia [turβulénθja] *f.* Turbulence.

turbulento, -ta [turβulénto, -ta] *adj.* Turbulent, ente.

turco, -ca [túrko, -ka] *adj.-s. 1* Turc, turque. ■ *2 f.* fig. Cuite (borrachera).

turismo [turizmo] *m. 1* Tourisme. *2* Voiture *f.* particulière (coche).

turista [turista] *s.* Touriste.

turnar [turnár] *intr. 1* Alterner, se succéder à tour de rôle. ■ *2 pr.* Se relayer.

turno [túrno] *m.* Tour (momento): *me va a llegar el* —, ça va être mon tour.

turquesa [turkésa] *f.* Turquoise.

turrón [turǒn] *m.* Touron.

tute [túte] *m.* Sorte de mariage (juego de cartas).

tutear [tuteár] *tr.* Tutoyer.

tutela [tutéla] *f.* Tutelle.

tuteo [tutéo] *m.* Tutoiement.

tutor, -ra [tutór, -ra] *s.* DER. Tuteur, trice.

tuyo [tújo], **tuya** [túja] *pron. pos. 1* Tien, tienne: *este libro es el* —, ce livre est le tien. ■ *2 adj. pos.* À toi: *este libro es* —, ce livre est à toi: *un amigo* —, un ami à toi, un de tes amis.

U

u [u] *f.* U *m.*

u [u] *conj.* Ou (devant un mot qui commence par *o* ou *ho*).

ubicación [uβikaθjón] *f.* Situation, position.

ubicar [uβikár] *intr.-pr.* Être situé, ée, se trouver.

ubre [úβre] *f. 1* Mamelle. *2* Pis *m.* (de vaca).

¡uf! [uf] *interj.* Ouf!

ufanarse [ufanárse] *pr.* Se vanter, s'enorgueillir.

ufano, -na [ufáno, -na] *adj. 1* Fier, ière. *2* Orgueilleux, euse.

ujier [uxjér] *m.* Huissier.

úlcera [úlθera] *f.* Ulcère *m.*

ulcerar [ulθerár] *tr.* MED. Ulcérer.

ultimar [ultimár] *tr.* Achever, terminer, parachever.

ultimátum [ultimátun] *m.* Ultimatum.

último, -ma [último, -ma] *adj.-s.* Dernier, ière. *2 loc. adv. Por* —, enfin, en dernier lieu, finalement.

ultra [últra] *s.* Ultra (extremista).

ultrajar [ultraxár] *tr.* Outrager.

ultramar [ultramár] *m.* Outre-mer.

ultramarino, -na [ultramaríno, -na] *adj. 1* D'outre-mer. ■ *2 m. pl. Tienda de ultramarinos,* épicerie.

ultranza (a) [ultránθa] *loc. adv.* À outrance.

ultratumba [ultratúmba] *f.* Outretombe.

ultraviolado, -da [ultraβjoláðo, -ða], **ultravioleta** [ultraβjoléta] *adj.* Ultra-violet, ette.

umbilical [umbilikál] *adj.* Ombilical, ale.

umbral [umbrál] *m. 1* Seuil. *2* fig. Seuil; *en los umbrales de,* au seuil de.

un [un], **una** [úna] *art. indef.* Un, une. ▲ *Un* est la forme apocopée de **uno** devant un nom masculin, de **una** devant un nom féminin commençant par *a* ou *ha* accentué: — *alma,* une âme.

unánime [unánime] *adj.* Unanime.

undécimo, -ma [undéθimo, -ma] *adj.-s.* Onzième.

ungüento [uŋgwénto] *m.* Onguent.

único, -ca [úniko, -ka] *adj. 1* Unique. *2* Seul, seule. ■ *3 m. Lo* —, la seule chose.

unicornio [unikórnjo] *m.* Unicorne, licorne *f.*

unidad [uniðáð] *f.* Unité.

unido, -da [uníðo, -ða] *adj.* Uni, ie.

unificar [unifikár] *tr.* Unifier.

uniformar [uniformár] *tr. 1* Uniformiser. *2* Pourvoir d'un uniforme.

uniforme [unifórme] *adj. 1* Uniforme. ■ *2 m.* Uniforme. *3* Tenue *f.*: — *de gala,* grande tenue.

unión [unjón] *f.* Union.

unir [unír] *tr. 1* Unir. *2* Joindre (juntar). *3* Lier, relier (enlazar). ■ *4 pr.* S'unir.

unitario, -ia [unitárjo, -ja] *adj.-s.* Unitaire.

universal [uniβersál] *adj.* Universel, elle.

universidad [uniβersiðáð] *f.* Université.

universitario, -ia [uniβersitárjo, -ja] *adj.-m.* Universitaire.

universo [uniβérso] *m.* Univers.

uno [úno], **una** [úna] *adj. num.-indef. 1* Un, une. ▲ Devant un nom masculin on emploie *un.* ■ *2 adj.* Un, une, (único, que no está dividido, idéntico): *Dios es* —, Dieu est un. ■ *3 adj. indef. pl.* Des, quelques (algunos), environ (aproximadamente): *unos zapatos,* des souliers. ■ *4 pron. indef.* Quelqu'un: — *lo ha dicho,* quelqu'un l'a dit; l'un, l'une: — *de ellos,* l'un deux. *5* On (significa el que habla): —, *una pensaría,* on penserait. *6 loc. adv.* — *a* —, *de* — *en* —, — *por* —, un à un; — *a otro,* l'un l'autre; — *con otro,* l'un dans l'autre. ■ *7 f. La una,* une heure.

untar [untár] *tr.* Graisser (con una materia grasa).

untura [untúra] *f.* MED. Friction, badigeonnage *m.*

uña [úɲa] *f. 1* Ongle *m*. Loc. fig. *Ser — y carne*, être comme les deux doigts de la main. *2* Griffe (del gato, etc.). *3* Bec *m*. (de una ancla).

uñero [uɲéro] *m*. MED. Panaris.

¡upa! [úpa] *interj*. Hop!

uranio [uránjo] *m*. QUÍM. Uranium.

urbanidad [urβaniðáð] *f*. Politesse, courtoisie, urbanité.

urbanizar [urβaniθár] *tr. 1* Urbaniser. *2* Civiliser, rendre sociable (a uno).

urbano, -na [urβáno, -na] *adj. 1* Urbain, aine. *2* Courtois, oise, poli, ie (cortés). ■ *3 m*. Agent de police.

urbe [úrβe] *f*. Ville, métropole.

urdir [urðír] *tr*. Ourdir.

uretra [urétra] *f*. ANAT. Urètre.

urgencia [urxénθja] *f*. Urgence: *con —*, d'urgence.

urgente [urxénte] *adj*. Urgent, ente.

urgir [urxír] *intr*. Être urgent, presser: *urge que vengas*, il est urgent que tu viennes.

urinario, -ia [urinárjo, -ja] *adj. 1* Urinaire. ■ *2 m*. Urinoir.

urna [úrna] *f*. Urne.

urología [uroloxía] *f*. Urologie.

urraca [uřáka] *f*. Pie.

urticaria [urtikárja] *f*. Urticaire.

usado, -da [usáðo, -ða] *adj. 1* Usagé, ée (que ha servido), usé, ée, vieux, vieille (gastado). *2* Usité, ée (en uso).

usanza [usánθa] *f*. Usage *m*., mode.

usar [usár] *tr. 1* Utiliser, faire usage de, employer (utilizar), porter (llevar). ■ *2 intr. — de*, user de, faire usage de.

uso [úso] *m. 1* Usage, us, coutume *f*. (costumbre). *2* Usage.

usted [ustéð], **ustedes** [ustéðes] *pron. pers*. Vous (de tratamiento): *— es, ustedes son*, vous êtes.

usual [uswál] *adj*. Usuel, elle.

usufructo [usufrúyto] *m*. DER. Usufruit.

usurero, -ra [usuréro, -ra] *s*. Usurier, ière.

usurpar [usurpár] *tr*. Usurper.

utensilio [utensiljo] *m*. Ustensile.

útil [útil] *adj. 1* Utile. ■ *2 m*. Outil (herramienta), ustensile (utensilio).

utilidad [utiliðáð] *f*. Utilité.

utilitario, -ia [utilitárjo, -ja] *adj*. Utilitaire.

utilización [utiliθaθjón] *f*. Utilisation.

utilizar [utiliθár] *tr*. Utiliser.

utopía [utopía] *f*. Utopie.

uva [úβa] *f. 1* Raisin *m*. *2* Grain *m*. de raisin (grano). *3* Grappe de raisins (racimo).

uvate [uβáte] *m*. Raisiné.

úvea [úβea] *f*. ANAT. Uvée.

úvula [úβula] *f*. Uvule.

uvular [uβulár] *adj*. Uvulaire.

V

v [ùβe] *f.* V *m.*

vaca [báka] *f. 1* Vache. *2* Bœuf *m.* (carne). *3 — de San Antón,* coccinelle.

vacaciones [bakaθjónes] *f. pl. 1* Vacances. *2* Vacations (de un tribunal).

vacante [bakánte] *adj. 1* Vacant, ante. ■ *2 f.* Vacance, emploi *m.* vacant.

vaciador [baθjaðór] *m. 1* Videur (instrumento). *2* Mouleur (operario).

vaciar [baθjár] *tr. 1* Vider. *2* Évider (dejar hueco). *3* Mouler (una estatua, etc.), couler (metales). *4* Affûter, aiguiser (un instrumento cortante). ▲ CONJUG. comme *desviar*.

vacilación [baθilaθjón] *f.* Vacillation.

vacilante [baθilánte] *adj.* Vacillant, ante.

vacilar [baθilár] *intr. 1* Vaciller. *2* fig. Hésiter: *— en aceptar,* hésiter à accepter.

vacío, -ía [baθío, -ía] *adj. 1* Vide. *2* fig. Vain, vaine, présomptueux, euse (vanidoso), creux, creuse (insubstancial). ■ *3 m.* Vide (espacio vacío, falta de una persona o cosa). *4* Creux (cavidad). *5* ANAT. Flanc.

vacuna [bakúna] *f.* Vaccin *m.*

vacunar [bakunár] *tr.* Vacciner.

vacuno, -na [bakúno, -na] *adj.* Bovin, ine.

vagabundear [baγaβundeár] *intr.* Vagabonder.

vagabundo, -da [baγaβúndo, -da], **vagamundo, da** [βaγamúndo, -da] *adj.-s.* Vagabond, onde.

vagancia [baγánθja] *f.* Oisiveté, fainéantise.

vagar [baγár] *intr. 1* Errer, vaguer, traîner, flâner. *2* Être oisif, ive, inoccupé, ée.

vagar [baγár] *m.* Loisir.

vago, -ga [báγo, -γa] *adj. 1* Vague. ■ *2 adj.-s.* Oisif, ive, fainéant, ante, vagabond, onde.

vagón [baγón] *m.* Wagon.

vaho [báo] *m.* Vapeur *f.,* buée *f.*

vaina [báina] *f. 1* Fourreau *m.,* gaine. *2*
BOT. Gousse, cosse (de los guisantes), gaine (del tallo).

vainilla [baïníʎa] *f. 1* Vanille. *2* Vanillier *m.* (planta).

vaivén [baïβén] *m.* Va-et-vient *invar.*

vajilla [baxíʎa] *f.* Vaisselle.

vale [bále] *m.* Bon.

valenciano, -na [balenθjáno, -na] *adj.-s.* Valencien, ienne.

valentía [balentía] *f. 1* Vaillance, bravoure. *2* Action héroïque.

valer [balér] *intr. 1* Valoir (tener cierto valor, precio, equivaler). Loc. *Hacer —,* faire valoir; *vale más,* il vaut mieux. *2* Avoir de la valeur, du mérite, valoir. *3* Servir, être utile: *no — para nada,* ne servir à rien. *4* Être valable (ser valedero). ■ *5 tr.* Protéger. *6* Valoir (redituar, proporcionar): *su franqueza le ha valido muchos disgustos,* sa franchise lui a valu bien des ennuis. ■ *7 pr. Valerse de,* se servir de, s'aider de, utiliser (usar), avoir recours à (recurrir a). ▲ CONJUG. IRRÉG. INDIC. Prés.: *valgo, vales, vale, valemos, valéis, valen.* Pas. simple: *valí, valiste,* etc. Fut.: *valdréis, valdrán,* COND.: *valdría, valdrías,* etc. SUBJ. Prés.: *valga, valgas, valga, valgamos, valgáis, valgan.* Imparf.: *valiera, valieras,* etc. ou *valiese, valieses,* etc. Fut.: *valiere, valieres,* etc. IMPÉR.: *val* ou *vale, valga, valgamos, valed, valgan.* PART. PAS.: *valido.* GÉR.: *valiendo.*

validez [baliðéθ] *f.* Validité.

válido, -da [báliðo, -ða] *adj.* Valide, valable (documento, firma, etc.).

valiente [baljénte] *adj.-s. 1* Vaillant, ante, courageux, euse, brave. *2* Bravache (valentón). ■ *3 adj.* Vigoureux, euse, robuste.

valioso, -sa [baljóso, -sa] *adj.* Précieux, euse, d'une grande valeur.

valor [balór] *m. 1* Valeur *f. 2* Courage (arrojo). *3* Audace *f.* (descaro).

valorar [balorár] *tr.* Estimer, évaluer: — *en un millón de pesetas,* évaluer à un million de pesetas.

valorizar [baloriθár] *tr.* Valoriser.

vals [bals] *m.* Valse *f.*

válvula [bálβula] *f.* 1 MEC. Valve, clapet *m.* (de bomba), soupape (de máquina de vapor, de motor): — *de seguridad,* soupape de sûreté. 2 ANAT. Valvule.

valla [báʎa] *f.* 1 Clôture, palissade. 2 fig. Obstacle *m.* 3 DEP. Haie.

valle [báʎe] *m.* Vallée *f.*

vallisoletano, -na [baʎisoletáno, -na] *adj.-s.* De Valladolid.

vampiro [bampíro] *m.* Vampire.

vanguardia [baŋgwárðja] *f.* Avant-garde.

vanidad [baniðáð] *f.* Vanité.

vanidoso, -sa [baniðóso, -sa] *adj.-s.* Vaniteux, euse.

vano, -na [báno, -na] *adj.* 1 Vain, vaine. 2 Vide (vacío), creux, creuse (hueco).

vapor [bapór] *m.* FÍS. Vapeur *f.: máquina de —,* machine à vapeur.

vaporizador [baporiθaðór] *m.* Vaporisateur.

vaporizar [baporiθár] *tr.* Vaporiser.

vaporoso, -sa [baporóso, -sa] *adj.* Vaporeux, euse.

vaquería [bakería] *f.* Vacherie, étable à vaches.

vaquero, -ra [bakéro, -ra] *adj.* 1 Des vachers. ■ 2 *s.* Vacher, ère.

vara [bára] *f.* 1 Baguette, verge (ramo delgado), gaule (palo largo). 2 Limon *m.,* brancard *m.* (de carro). 3 Bâton *m.* (de mando). 4 TAUROM. Pique (pica), coup *m.* de pique. 5 Mesure de longueur. 6 — *de José,* tubéreuse.

varadero [baraðéro] *m.* MAR. Échouage.

varar [barár] *tr.* 1 Mettre à sec (un barco). ■ 2 *intr.* MAR. Échouer.

varear [bareár] *tr.* 1 Gauler (frutos). 2 Battre avec une verge (golpear).

vareta [baréta] *f.* Baguette.

variable [barjáβle] *adj.-f.* 1 Variable. ■ 2 *adj.* Changeant, ante.

variación [barjaθjón] *f.* Variation.

variante [barjánte] *f.* Variante.

variar [barjár] *tr.* Varier. ▲ CONJUG. comme *cambiar.*

várice [báriθe], **varice** [baríθe] *f.* MED. Varice.

varicela [bariθéla] *f.* MED. Varicelle.

variedad [barjeðáð] *f.* Variété.

varilla [baríʎa] *f.* 1 Baguette. 2 Tringle (para una cortina).

vario, -ia [bárjo, -ja] *adj.* Divers, erse, différent, ente.

varita [baríta] *f.* Baguette: — *de virtudes,* baguette magique.

varón [barón] *m.* 1 Homme. 2 Garçon (chico).

vasco, -ca [básko, -ka], **vascongado, -da** [baskoŋgáðo, -ða] *adj.-s.* Basque.

vascuence [baskwénθe] *adj.-m.* Basque (lengua).

vaselina [baselína] *f.* Vaseline.

vasija [basíxa] *f.* Pot *m.* (recipiente).

vaso [báso] *m.* 1 Verre (para beber). 2 Vase (recipiente). 3 ANAT., BOT. Vaisseau.

vaticano, -na [batikáno, -na] *adj.* 1 Du Vaticain, vaticane. ■ 2 *n. pr. m.* Vatican.

vaticinar [batiθinár] *tr.* Vaticiner.

vaya [bája] *f.* Raillerie, taquinerie: *dar —,* railler, taquiner.

ve [be] *f.* V *m.,* lettre *v.*

vecindad [beθindáð] *f.* Voisinage *m.*

vecindario [beθindárjo] *m.* Ensemble des habitants d'une ville, population *f.* (de una ciudad).

vecino, -na [beθíno, -na] *adj.-s.* 1 Voisin, ine. ■ 2 *s.* Habitant, ante (de una ciudad, un barrio).

veda [béða] *f.* Défense, prohibition.

vedado [beðáðo] *m.* 1 Chasse *f.* gardée. 2 — *de caza,* réserve *f.* de chasse.

vegetación [bexetaθjón] *f.* Végétation.

vegetal [bexetál] *adj.-m.* Végétal, ale.

vegetar [bexetár] *intr.* Végéter.

vegetariano, -na [bexetarjáno, -na] *adj.-s.* Végétarien, ienne.

vehemente [beeménte] *adj.* Véhément, ente.

vehículo [beíkulo] *m.* Véhicule.

veinte [béinte] *adj.-m.* 1 Vingt. 2 *El siglo —,* le vingtième siècle.

veintena [beinténa] *f.* Vingtaine.

veintidós [beintiðós], **veintitrés** [beintitrés], **veinticuatro** [beintikwátro], etc. *adj.-m.* Vingt-deux, vingt-trois, vingt-quatre, etc.

veintiuno, -na [beintjúno, -na] *adj.-m.* Vingt et un.

vejar [bexár] *tr.* Vexer.

vejatorio, -ia [bexatórjo, -ja] *adj.* Vexatoire.

vejez [bexéθ] *f.* Vieillesse.

vejiga [bexíɣa] *f.* 1 ANAT. Vessie. 2 Ampoule (en la piel).

vela [béla] *f.* 1 Veille (acción de velar). *loc. adv. En —,* sans dormir. 2 Bougie, chandelle (para alumbrar). 3 MAR. Voile: *barco de —,* bateau à voile.

velada [beláða] *f.* Veillée, soirée.

velador, -ra [belaðór, -ra] *adj.-s.* 1 Veilleur, euse, surveillant, ante. ■ 2 *m.* Guéridon (mesita).

velar [belár] *adj.-f.* Vélaire.

velar [belár] *intr. 1* Veiller (estar sin dormir). *2* Veiller (cuidar): — *por*, veiller à, sur. ■ *3 tr.* Veiller: — *a un enfermo, a un muerto*, veiller un malade, un mort. *4* Voiler (cubrir con un velo).

velatorio [belatórjo] *m.* Veillée *f.* funèbre.

veleidad [beleiðáð] *f.* Velléité.

velero, -ra [beléro, -ra] *adj. 1* MAR. À voiles (barco). ■ *2 m.* MAR. Voilier. *3* Chandelier (persona que hace velas).

veleta [beléta] *f.* Girouette.

velo [bèlo] *m. 1* Voile. Loc. *Correr un tupido — sobre*, jeter un voile sur: *tomar el —*, prendre le voile. *2* Voilette *f.* (de sombrero, que cubre el rostro). *3 — del paladar*, voile du palais.

velocidad [beloθiðáð] *f.* Vitesse.

veloz [beloθ] *adj.* Rapide, véloce.

vello [béʎo] *m. 1* Duvet. *2* BOT. Duvet.

velloso, -sa [beʎóso, -sa] *adj.* Duveteux, euse.

velludo, -da [beʎúðo, -ða] *adj. 1* Velu, ue. ■ *2 m.* Velours. *3* Peluche *f.* (felpa).

vena [bèna] *f. 1* Veine. Loc. fig. — *de loco*, grain de folie. *2* Nervure, côte (de una hoja). *3* fig. Disposition favorable.

venado [benáðo] *m.* Cerf.

venal [benál] *adj.* Vénal, ale.

vencer [benθér] *tr. 1* Vaincre. ■ *2 intr.* Échoir, expirer (un plazo, deuda, etc.).

vencimiento [benθimjénto] *m. 1* Victoire *f.* (victoria). *2* Défaite *f.* (derrota). *3* Échéance *f.*, expiration *f.* (de un plazo, una deuda, etc.).

venda [bénda] *f.* Bande.

vendaje [bendáxe] *m.* Bandage.

vendedor, -ra [bendeðór, -ra] *adj.-s.* Vendeur, euse.

vender [bendér] *tr.* Vendre: *ha vendido su coche a, en tal precio*, il a vendu sa voiture tel prix, à tel prix.

vendimia [bendímja] *f.* Vendange.

vendimiar [bendimjár] *tr.* Vendanger. ▲ CONJUG. comme *cambiar*.

veneciano, -na [beneθjáno, -na] *adj.-s.* Vénitien, ienne.

veneno [benéno] *m.* Poison (vegetal, químico), venin (de los animales).

venenoso, -sa [benenóso, -sa] *adj. 1* Vénéneux, euse (planta), venimeux, euse (animal). *2* fig. Venimeux, euse.

venerar [benerár] *tr.* Vénérer.

venganza [benɡánθa] *f.* Vengeance.

vengar [benɡár] *tr.* Venger.

venidero, -ra [beniðéro, -ra] *adj.* Futur, ure, à venir.

venir [benír] *intr. 1* Venir. Loc. — *a menos*, déchoir; — *bien*, aller bien (vestido, etc.)., convenir, arranger (conve-

nir): — *de perillas, de perlas, de primera*, tomber à pic; — *en conocimiento de*, apprendre, être informé de. *2 loc. adv. En lo por —*, à l'avenir. ■ *3 pr.* Venir. *4 Venirse abajo*, s'écrouler. ▲ CONJUG. IRRÉG. INDIC. Prés.: *vengo, vienes, viene, venimos, venís, vienen.* Imparf.: *venía, venías*, etc. Pas. simple: *vine, viniste, vino, vinimos, vinisteis, vinieron.* Fut.: *vendré, vendrás, vendrá, vendremos, vendréis, vendrán.* COND.: *vendría, vendrías*, etc. SUBJ. Prés.: *venga, vengas, venga, vengamos, vengáis, vengan.* Imparf.: *viniera, vinieras, viniera, viniéramos, vinierais, vinieran* ou *viniese, vinieses*, etc. Fut.: *viniere, vinieres*, etc. IMPÉR.: *ven, venga, vengamos, venid, vengan.* PART. PAS.: *venido, -da* GÉR.: *viniendo.*

venoso, -sa [benóso, -sa] *adj.* ANAT. Veineux, euse.

venta [bènta] *f. 1* Vente (acción de vender): *estar a la —, en —*, être en vente. *2* Auberge (en la carretera).

ventaja [bentáxa] *f.* Avantage *m.*

ventajoso, -sa [bentaxóso, -sa] *adj.* Avantageux, euse.

ventana [bentána] *f.* Fenêtre.

ventanal [bentanál] *m.* Grande fenêtre *f.*

ventanilla [bentaníʎa] *f.* Fenêtre (de tren), glace (de coche), hublot *m.* (de barco, avión).

ventarrón [bentařón] *m.* Vent fort.

ventilación [bentilaθjón] *f.* Ventilation, aération.

ventilador [bentilaðór] *m.* Ventilateur.

ventilar [bentilár] *tr.* Ventiler.

ventisca [bentíska] *f.* Tempête de vent et de neige.

ventosa [bentósa] *f.* Ventouse.

ventoso, -sa [bentóso, -sa] *adj. 1* Venteux, euse, venté, ée. ■ *2 m.* Ventôse.

ventura [bentúra] *f. 1* Bonheur *m.* *2* Hasard *m.* (casualidad), chance (suerte). *3* Risque *m.* *4 Buena —*, bonne aventure.

venturado, -da [benturáðo, -ða] *adj.* Heureux, euse.

ver [ber] *tr. 1* Voir. Loc. — *claro*, y voir clair; *a más —, hasta más —*, au revoir; *¡a —!*, voyons! ■ *2 intr.* — *de*, tâcher de, essayer de. ■ *3 pr.* Se voir. Loc. *Verse negro*, ne savoir comment faire. ▲ CONJUG. IRRÉG. INDIC. Prés.: *veo, ves, ve, vemos, veis, ven.* Imparf.: *veía, veías, veía, veíamos, veíais, veían.* Pas. simple: *vi, viste*, etc. Fut.: *veré, verás*, etc. COND.: *vería, verías*, etc. SUBJ. Prés.: *vea, veas, vea, veamos, veáis, vean.* Imparf.: *viera, vieras, viera, viéramos, vie-*

rais, vieran ou *viese, vieses,* etc. Fut.: *viere, vieres,* etc. IMPÉR.: *ve, vea, veamos, ved, vean.* PART. PAS.: *visto, -ta.* GÉR.: *viendo.*

ver [ber] *m. 1* Vue *f.* (sentido). *2* Avis, opinion *f. loc. adv.* **A mi modo de —,** à mon avis.

veracidad [beraθiðáð] *f.* Véracité.

veranear [beraneár] *intr.* Passer ses vacances d'été, villégiaturer.

veraneo [beranéo] *m.* Villégiature *f.*

veranillo [beraníʎo] *m. — de San Martín,* été de la Saint-Martin.

verano [beráno] *m.* Été.

veras [bèras] *loc. adv. De —,* vraiment, pour de bon (realmente), sérieusement (en serio), sincèrement (sinceramente).

veraz [beráθ] *adj.* Véridique.

verbal [berβál] *adj.* Verbal, ale.

verbena [berβéna] *f. 1* Verveine (planta). *2* Fête populaire de nuit qui a lieu la veille de certains jours.

verbo [bèrβo] *m.* Verbe.

verdad [berðáð] *f. 1* Vérité. Loc. **La pura —,** la pure vérité. *2 loc. adv.* **A decir —,** à vrai dire.

verdadero, -ra [berðaðéro, -ra] *adj. 1* Véritable. *2* Vrai, vraie, réel, réelle. *3* Sincère.

verde [bèrðe] *adj. 1* Vert, verte. *2* fig. Libre, grivois, oise, leste. ■ *3 m.* Vert (color verde). *4* Feuillage.

verdecer [berðeθér] *intr.* Verdir, reverdir. ▲ CONJUG. comme *agradecer.*

verdor [berðór] *m. 1* Vert (color verde). *2* Verdeur *f.,* verdure *f.* (de las plantas).

verdoso, -sa [berðóso, -sa] *adj.* Verdâtre.

verdugo [berðúyo] *m. 1* Bourreau, tortionnaire. *2* Fouet, verge *f.* (azote). *3* Trace *f.* d'un coup de fouet. *4* BOT. Rejeton.

verdulera [berðuléra] *f. 1* Marchande de légumes. *2* fig. Poissarde (mujer grosera).

verdulería [berðuleria] *f.* Boutique de légumes.

verdura [berðúra] *f. 1* Verdure. *2* Légumes *m. pl.* verts (hortaliza).

veredicto [bereðíyto] *m.* Verdict.

vergel [berxèl] *m.* Verger.

vergonzoso, -sa [beryonθóso, -sa] *adj. 1* Honteux, euse. ■ *2 s.* Timide (persona).

vergüenza [berywènθa] *f. 1* Honte: **dar —,** faire honte. *2* Dignité, sentiment *m.* de l'honneur, vergogne: **perder la —,** perdre toute retenue. *3* Exposition publique d'un condamné.

verídico, -ca [beríðiko, -ka] *adj.* Véridique.

verificar [berifikár] *tr. 1* Vérifier. *2* Effectuer. ■ *3 pr.* Avoir lieu (efectuarse). *4* Se vérifier (salir cierto).

verja [bérxa] *f.* Grille.

vermut [bermút] *m.* Vermout, vermouth (licor).

verosímil [berosímil] *adj.* Vraisemblable.

verruga [beřúya] *f.* Verrue.

verrugoso, -sa [beřuyóso, -sa] *adj.* Verruqueux, euse.

versal [bersál] *adj.-f.* IMPR. Capitale (letra).

versalita [bersalíta] *adj.-f.* IMPR. Petite capitale.

versar [bersár] *intr. 1* Tourner autour. *2 — sobre,* traiter de, rouler sur (un tema, etc.).

versificación [bersifikaθjón] *f.* Versification.

versificar [bersifikár] *intr.-tr.* Versifier.

versión [bersjón] *f.* Version.

verso [bérso] *m. 1* Vers: **— suelto,** vers blanc. ■ *2 adj.* **Folio —,** verso.

vértebra [bérteβra] *f.* Vertèbre.

vertebral [berteβrál] *adj.* Vertébral, ale.

verter [bertèr] *tr. 1* Verser (de un recipiente). *2* Répandre, renverser (derramar). *3* fig. Émettre (conceptos, etc.). *4* Traduire (traducir): **— al español,** traduire en espagnol. ▲ CONJUG. comme *entender.*

vertical [bertikál] *adj.-f. 1* Vertical, ale. ■ *2 m.* ASTR. Vertical.

vértice [bértiθe] *m.* Sommet.

vertiente [bertjènte] *m.-f. 1* GEOG. Versant *m. 2* Pente *f.* (de un tejado).

vértigo [bértiyo] *m.* Vertige: **producir, tener —,** donner, avoir le vertige.

vesícula [besikula] *f.* Vésicule.

vespertino, -na [bespertíno, -na] *adj.* Vespéral, ale.

vestíbulo [bestíβulo] *m.* Vestibule.

vestido, -da [bestíðo, -ða] *adj. 1* Vêtu, ue, habillé, ée. ■ *2 m.* Vêtement (prenda de vestir). *3* Costume.

vestir [bestír] *tr. 1* Habiller, vêtir. *2* Couvrir, recouvrir (cubrir). *3* fig. Orner, parer. ■ *4 intr.* S'habiller (bien, mal). *5* Être habillé, ée, être: **— de negro,** être habillé de noir, être en noir. ▲ CONJUG. comme *servir.*

vestuario [bestwárjo] *m. 1* Garde-robe *f.* (de una persona). *2* Vestiaire (lugar). *3* TEAT. Costumes *pl.* (conjunto de trajes).

veta [béta] *f.* Veine, filon *m.*

veterano, -na [beteráno, -na] *adj.-s. 1* Vieux, vieille. ■ *2 s.* Vétéran.

veterinaria [beterinárja] *f.* Médecine vétérinaire.

veto [béto] *m.* Veto.

vez [beθ] *f. 1* Fois: *una — al año,* une fois par an. *2* Tour *m.* (turno): *a tu —,* à ton tour. *3* loc. adv. *A la, —* à la fois; *de una — para siempre,* une fois pour toutes; *tal —,* peut-être. *4* loc. prep. *En — de,* au lieu de, à la place de.

vía [bía] *f.* Voie. Loc. *— férrea,* voie ferrée; *— muerta,* voie de garage.

viable [bjáβle] *adj.* Viable.

via crucis [bía krúθis] *m.* Chemin de croix.

viajante [bjaxánte] *adj.-s. 1* Qui voyage, voyageur, euse. ■ *2 m.* Voyageur de commerce, commis voyageur.

viajar [bjaxár] *intr.* Voyager.

viaje [bjáxe] *m.* Voyage: *ir de —,* partir en voyage.

vialidad [bjaliðáð] *f.* Voirie.

vianda [bjánða] *f.* Aliment *m.,* nourriture (del hombre).

víbora [bíβora] *f.* Vipère.

vibración [biβraθjón] *f.* Vibration.

vibrar [biβrár] *intr.* Vibrer.

vicaría [bikaría] *f.* Vicarie, vicariat *m.*

vicario [bikárjo] *m.* Vicaire.

vice [bíθe] *prefijo. Vice-almirante,* vice-amiral; *vicecónsul,* vice-consul.

viceversa [biθeβérsa] *adv.* Vice versa.

vicio [bíθjo] *m. 1* Vice. *2* Mauvaise habitude *f.* Loc. *De —,* sans raison. *3* Gâterie *f.* (mimo). *4* Gauchissement (torcedura).

vicioso, -sa [biθjóso, -sa] *adj.* Vicieux, euse.

víctima [bíytima] *f.* Victime.

victorioso, -sa [biytorjóso, -sa] *adj.* Victorieux, euse.

vicuña [bikúɲa] *f.* Vigogne.

vid [bið] *f.* Vigne.

vida [bíða] *f. 1* Vie. Loc. *Darse buena —, la gran —,* menor joyeuse vie; *— y milagros,* faits et gestes. *2* loc. adv. *De por —, para toda la —,* pour la vie, à vie; *en la —, en mi —, en tu —,* etc., de la vie, de ma vie, de ta vie, etc.; *en —,* de son vivant.

vidente [biðénte] *adj.-s.* Voyant, ante.

videocasete [biðeokasete] *s.* Magnétoscope (aparato).

vidriería [biðrjería] *f.* Vitrerie, verrerie.

vidrio [bíðrjo] *m.* Verre (substancia, objeto).

vidrioso, -sa [biðrjóso, -sa] *adj. 1* Vitreux, euse.

viejo, -ja [bjéxo, -xa] *adj.* Vieux, vieil (delante de vocal o *h* muda), vieille: *un hombre —,* un vieil homme.

viento [bjénto] *m. 1* Vent. Loc. *— de proa,* vent debout. *2* Hauban (cuerda).

vientre [bjéntre] *m.* Ventre.

viernes [bjérnes] *m.* Vendredi.

viga [bíɣa] *f.* Poutre: *— maestra,* maîtresse poutre, solive.

vigencia [bixénθja] *f.* Vigueur.

vigente [bixénte] *adj.* En vigueur: *la ley —,* la loi en vigueur.

vigía [bixía] *f. 1* Tour de guet. *2* Guet *m.* (acción de vigilar). *3* MAR. Écueil *m.,* vigie. ■ *4 m.* Vigie *f.* (marino).

vigilante [bixilánte] *adj. 1* Vigilant, ante. ■ *2 m.* Surveillant, veilleur: *— nocturno,* veilleur de nuit.

vigilar [bixilár] *intr. 1* Veiller: *— por,* veiller à. ■ *2 tr.* Surveiller.

vigilia [bixílja] *f. 1* Veille. *2* REL. Vigile. *3* Abstinence.

vigor [biɣór] *m.* Vigueur *f.*

vigorizar [biɣoriθár] *tr.* Fortifier.

vigoroso, -sa [biɣoróso, -sa] *adj.* Vigoureux, euse.

vil [bil] *adj.* Vil, vile.

vileza [biléθa] *f. 1* Bassesse. *2* Vilenie.

vilo (en) [bilo] *loc. adv. 1* En l'air, au-dessus du sol. *2* fig. Dans l'incertitude, en haleine, en suspens.

villa [bíʎa] *f. 1* Bourg *m.,* petite ville, ville (ciudad). *2* Municipalité, mairie. *3* Villa (casa).

villancejo [biʎanθéxo], **villancete** [biʎanθéte], **villancico** [biʎanθíko] *m.* Noël, chant de Noël.

villanía [biʎanía] *f. 1* Roture. *2* Vilenie, bassesse (acción ruin).

villano, -na [biʎáno, -na] *adj.-s.* Vilain, aine, roturier, ière.

vinagre [binávre] *m.* Vinaigre.

vinagrera [binaɣréra] *f. 1* Vinaigrier *m.* (vasija). ■ *2 pl.* Huilier *m. sing.*

vinagreta [binaɣréta] *f.* Vinaigrette (salsa).

vinatería [binatería] *f.* Commerce *m.* de vins.

vincular [biŋkulár] *tr. 1* Unir, lier, attacher. *2* DER. Rendre inaliénable. *3* Perpétuer.

vínculo [bíŋkulo] *m. 1* Lien: *— de parentesco,* lien de parenté. *2* DER. Inaliénabilité *f.*

vinícola [biníkola] *adj.* Vinicole.

vino [bíno] *m.* Vin: *— aloque, clarete,* vin rosé; *— añejo,* vin vieux.

viña [bíɲa] *f.* Vigne. Loc. fig. *Ser una —,* être une mine (de beneficios).

viñedo [biɲéðo] *m.* Vignoble.

viola [bjóla] *f. 1* MÚS. Viole. *2* Violette.

violáceo, -ea [bjoláθeo, -ea] *adj.-f.* Violacé, ée.

violación [bjolaθjón] *f.* Violation (de las leyes), viol *m.* (de una mujer).

violar [bjolár] *tr.* Violer.
violencia [bjolénθja] *f.* Violence.
violentar [bjolentár] *tr. 1* Violenter. ■*2 pr.* Se forcer, se faire violence: *no te violentes,* ne te force pas.
violento, -ta [bjolénto, -ta] *adj.* Violent, ente.
violeta [bjoléta] *f.* Violette.
violetera [bjoletéra] *f.* Marchande de violettes.
violín [bjolín] *m.* MÚS. Violon.
violinista [bjolinísta] *s.* Violiniste.
violoncelo [bjolonθélo], **violonchelo** [bjolontʃélo] *m.* MÚS. Violoncelle.
viraje [biráxe] *m.* Virage.
virar [birár] *intr. 1* Virer (un barco, un coche, etc.). ■ *2 tr.* MAR. Virer (cabrestante). *3* FOT. Virer.
virgen [bírxen] *adj.-s. 1* Vierge. ■ *2 n. pr. f. La —,* la Sainte Vierge.
virginidad [birxiniðáð] *f.* Virginité.
viril [biríl] *adj. 1* Viril, ile. ■ *2 m.* LITURG. Custode *f.*
virilidad [biriliðáð] *f.* Virilité.
virreinato [bireináto], **virreino** [biréino] *m.* Vice-royauté *f.*
virrey [biréi] *m.* Vice-roi.
virtual [birtwál] *adj.* Virtuel, elle.
virtud [birtúð] *f.* Vertu. *loc. prep. En — de,* en vertu de.
virtuoso, -sa [birtwóso, -sa] *adj. 1* Vertueux, euse. ■ *2 m.* MÚS. Virtuose.
viruela [birwéla] *f.* Variole, petite vérole.
virus [bírus] *m.* Virus.
viruta [birúta] *f.* Copeau *m.*
visado [bisáðo] *m.* Visa (de pasaporte).
viscoso, -sa [biskóso, -sa] *adj.* Visqueux, euse.
visible [bisíβle] *adj.* Visible.
visillo [bisíʎo] *m.* Rideau, brise-bise.
visión [bisjón] *f.* Vision.
visita [bisíta] *f.* Visite: — *de cumplido, de pésame,* visite de politesse, de condoléances.
visitante [bisitánte] *adj.-s.* Visiteur, euse.
visitar [bisitár] *tr.* Visiter (un país, museo, etc.).
vislumbrar [bislumbrár] *tr. 1* Entrevoir. *2* fig. Entrevoir, deviner.
viso [bíso] *m.* Reflet, moirure *f.*, moire *f.*, chatoiement *m.*
visón [bisón] *m.* Vison.
víspera [bíspera] *f. 1* Veille (día precedente): *estar en vísperas de,* être à la veille de. ■ *2 pl.* REL. Vêpres.
vista [bísta] *f. 1* Vue (sentido, acción de ver, órgano de la visión). Loc. *Ser corto de —,* avoir la vue courte, basse; *hasta la —,* au revoir. *2* Vue (panorama, cua-

dro, foto de un lugar). *3* Coup *m.* d'œil (vistazo), regard *m.* (mirada). *4* Perspicacité. *5* Intention, dessein *m.,* vue. *6* Aspect *m.,* apparence. *7 loc. adv. A primera —,* à première vue, de prime abord; *a simple —,* à vue d'œil. *8 loc. prep. En — de,* étant donné, en raison de, vu, en régard à.
visto, -ta [bísto, -ta] *1 p. p. de ver.* ■ *2 adj.* Vu, vue. Loc. *Ni — ni oído,* ni vu ni connu; *por lo —,* apparemment. *3* —*bueno,* lu et approuvé, visa.
vistoso, -sa [bistóso, -sa] *adj.* Voyant, ante.
visual [biswál] *adj.* Visuel, elle.
vital [bitál] *adj.* Vital, ale.
vitalicio, -ia [bitaliθjo, -ja] *adj. 1* Viager, ère. *2* À vie (cargo): *senador —,* sénateur à vie.
vitalidad [bitaliðáð] *f.* Vitalité.
vitícola [bitíkola] *adj. 1* Viticole. ■ *2 m.* Viticulteur.
viticultor, -ra [bitikultór, -ra] *s.* Viticulteur.
viticultura [bitikultúra] *f.* Viticulture.
¡vitor! [bitór] *interj. 1* Vivat!, hourra! ■ *2 m.* Vivat, acclamation *f.*
vitorear [bitoreár] *tr.* Acclamer.
vítreo, -ea [bítreo, -ea] *adj.* Vitreux, euse (parecido al vidrio), vitré, ée.
vitrina [bitrína] *f.* Vitrine (armario).
viuda [bjúða] *f.* Veuve.
viudez [bjuðéθ] *f.* Viduité, veuvage *m.*
viudo, -da [bjúðo, -ða] *adj.-s.* Veuf, veuve.
¡viva! [bíβa] *interj.* Vive!, vivat!
vivaz [biβáθ] *adj. 1* Vivace (que dura). *2* Vigoureux, euse. *3* Perspicace.
vivero [biβéro] *m. 1* AGR. Pépinière *f.* 2 Vivier (para peces).
viveza [biβéθa] *f.* Vivacité.
vívido, -da [bíβiðo, -ða] *adj.* Vécu, ue (relato, etc.).
vividor, -ra [biβiðór, -ra] *adj.-s. 1* Vivant, ante. *2* Laborieux, euse.
vivienda [biβjénda] *f. 1* Logement *m.: el problema de la —,* le problème du logement. *2* Habitation, logement *m.,* logis *m.,* demeure (morada): *una — espaciosa,* un logement spacieux.
viviente [biβjénte] *adj.-s.* Vivant, ante.
vivir [biβír] *intr. 1* Vivre: *aún vive,* il vit encore. *2 interj.* ¿*Quién vive?,* qui vive?
vivir [biβír] *m.* Vie *f.* (manera de vivir): *persona de mal —,* personne de mauvaise vie.
vivo, -va [bíβo, -βa] *adj.-s. 1* Vivant, ante. ■ *2 adj.* Vif, vive: *agua viva,* eau vive. ■ *3 m.* DER. Vif: *entre vivos,* entre vifs. *4*

Vif (lo más sensible): *dar, herir en lo —,* toucher, piquer au vif. *5* Arête *f.* (borde). *6* Liséré (cordoncillo).

vizcaíno, -na [biθkaino, -na] *adj.-s.* Biscaïen, enne.

vizconde [biθkónde] *m.* Vicomte.

vocablo [bokáβlo] *m.* Mot, vocable.

vocabulario [bokaβulàrjo] *m.* Vocabulaire.

vocación [bokaθjón] *f.* Vocation.

vocal [bokál] *adj. 1* Vocal, ale. ∎ *2 f.* GRAM. Voyelle. ∎ *3 s.* Membre d'un bureau, d'un conseil.

vocalizar [bokaliθár] *intr.* MÚS. Vocaliser.

vocear [boθeár] *intr. 1* Crier. ∎ *2 tr.* Crier (pregonar): *— diarios,* crier des journaux.

vocería [boθería] *f.,* **vocerío** [boθerío] *m.* Cris *m. pl.,* tapage *m.*

vociferar [boθiferár] *tr.-intr.* Vociférer.

vodka [bòðka] *f.* Vodka.

volada [bolàða] *f.* Volée, vol *m.* court.

volador, -ra [bolaðòr, -ra] *adj. 1* Volant, ante (que vuela): *pez —,* poisson volant.

voladura [bolaðùra] *f.* Action de sauter, de faire sauter (por un explosivo), destruction provoquée par un explosif.

volante [bolánte] *adj. 1* Volant, ante. ∎ *2 m.* Volant (juego, guarnición de un vestido). *3* MEC. Volante. *4* Feuille *f.* écrite, volet (hoja de papel).

volar [bolár] *intr. 1* Voler (por el aire). *2* S'envoler (elevarse en el aire). ▲ CONJUG. comme *contar.*

volátil [bolátil] *adj. 1* Qui voie, qui peut voler. *2* fig. Inconstant, ante, changeant, ante. *3* QUÍM. Volatil, ile.

volatilizar [bolatiliθár] *tr.* Volatiliser.

volcán [bolkán] *m.* Volcan.

volcánico, -ca [bolkániko, -ka] *adj.* Volcanique.

volcar [bolkár] *tr. 1* Renverser (un recipiente). *2* fig. Faire changer d'avis. *3* fig. Agacer, irriter. ∎ *4 intr.* Verser, capoter (un vehículo). ▲ CONJUG. comme *contar.*

voleo [boléo] *m.* DEP. Volée *f.*

voltaje [boltáxe] *m.* Voltage.

voltear [bolteár] *tr. 1* Faire tourner, faire voltiger (dar vueltas). *2* Renverser, culbuter (derribar). ∎ *3 intr.* Faire des tours en l'air, des culbutes.

voltereta [bolteréta] *f.* Culbute, cabriole, pirouette.

voltio [bóltjo] *m.* Volt.

voluble [bolúβle] *adj. 1* Versatile. *2* BOT. Volubile.

volumen [bolúmen] *m.* Volume.

voluminoso, -sa [boluminóso, -sa] *adj.* Volumineux, euse.

voluntad [boluntàð] *f. 1* Volonté: *última —,* dernières volontés. *2* Amour *m.,* affection.

voluntario, -ia [boluntárjo, -ja] *adj.-s.* Volontaire.

voluntarioso, -sa [boluntarjóso, -sa] *adj.* Volontaire, obstiné, ée.

voluptuoso, -sa [boluβtwóso, -sa] *adj.-s.* Voluptueux, euse.

volver [bolβér] *tr. 1* Tourner (dar vuelta): *— la espalda, la página,* tourner le dos, la page. *2* Rendre (devolver, restituir): *— el cambio,* rendre la monnaie. *3* Rendre (hacer): *— loco,* rendre fou. ∎ *4 intr.* Revenir, rentrer (regresar): retourner, revenir (ir de nuevo): *volveré mañana,* je reviendrai demain. *5* Tourner (torcer): *— a la derecha,* tourner à droite. *6* Revenir: *volvamos a nuestra historia,* revenons à notre histoire. *7* Otros sentidos: *— a ser,* redevenir; *—en sí,* revenir à soi. ∎ *8 pr.* Devenir (cambiar de estado): *volverse loco,* devenir fou. ▲ CONJUG. comme *mover.* PART. PAS.: *vuelto, -ta.*

vomitar [bomitár] *tr.* Vomir.

vómito [bómito] *m.* Vomissement.

voracidad [boraθiðàð] *f.* Voracité.

vos [bos] *pron. pers.* Vous.

vosotros, -as [bosótros, -as] *pron. pers.* Vous.

votación [botaθjón] *f.* Vote *m.,* votation (acción de votar), scrutin *m.: — secreta,* vote, scrutin secret.

votante [botánte] *adj.-s.* Votant, ante.

votar [botár] *intr.-tr.* Voter: *— a un candidato,* voter pour un candidat.

voto [bóto] *m. 1* Vote. Loc. *Tener —,* avoir le droit de vote. *2* Voix *f.* (sufragio). *3* Vœu (promesa).

voz [boθ] *f. 1* Voix. Loc. *Llevar la — cantante,* être celui qui dirige, commander; *corre la —,* le bruit court. *2* Cri *m.* (grito). Loc. *Dar voces,* pousser des cris, crier. *3* Mot *m.* (vocablo).

vuelco [bwélko] *m.* Renversement, retournement, culbute *f.* (caída), capotage (de un coche): *dar un —,* se retourner, capoter, chavirer.

vuelo [bwélo] *m. 1* Vol. Loc. *Alzar el —,* prendre son vol. *loc. adv. A —, al —,* au vol. *2* fig. Envolée *f.* (del espíritu, etc.). *3* Ampleur *f.* (de una falda, etc.). *4* ARQ. Saillie *f.*

vuelta [bwélta] *f. 1* Tour *m.* (movimiento circular, paseo): *media —,* demi-tour. *2* Tournant *m.,* détour *m.* (recodo). *3* Tour *m.* (de una cosa alrededor de otra). *4* Retour *m.* (regreso): *de —,* de retour; *ida y —,* aller et retour. *5* Retour *m.,* renvoi *m.* Loc. *A — de correo,* par retour du courrier. *6* Monnaie (dinero que se devuelve). *7* Envers *m.* (de una tela). *8* fig. Changement *m.* (cambio), vicissitude. *9* Retourne (naipes). *10* Otros sentidos: *dar vueltas a una cosa,* retourner une chose dans son esprit.

vuestro, tra, tros, tras [bwéstro, tra, tros, tras] *1 adj. pos.* Votre; vos. ■ *2 pron.*
pos. Vôtre, votres.

vulcanizar [bulkaniθár] *tr.* Vulcaniser.

vulgar [bulγár] *adj. 1* Vulgaire. *2* Banal, ale (común).

vulgarizar [bulγariθár] *tr.* Vulgariser.

vulgo [búlγo] *m.* Le peuple, le commun des hommes, le vulgaire.

vulnerable [bulneráβle] *adj.* Vulnérable.

vulnerar [bulnerár] *tr. 1* Nuire, porter atteinte à. *2* Enfreindre, violer (ley, etc.).

W

w [úβe dóβle] *f.* W *m.* Lettre qui ne s'emploie que dans certains mots étrangers et leurs dérivés espagnols.

wat [bat] *m.* Watt (vatio).

water [báter] *m.* Water-closet.

water-polo [báter-pólo] *m.* Water-polo.

whisky [(g)wiski] *m.* Whisky.

whist [wist] *m.* Whist.

X

x [ėkis] *f.* X *m.*
xenofobia [senofóβja] *f.* Xénophobie.
xenófobo, -ba [senófoβo, -βa] *adj.-s.* Xénophobe.

xifoideo, -ea [sifoĭðéo, -ea] *adj.* Xiphoïdien, ienne.
xifoides [sifòĭðes] *adj.-m.* ANAT. Xiphoïde.

Y

y [i grjéɣa] *f.* Y *m.* L'y espagnol, semi-consonne, est voyelle quand il termine une syllabe et dans la conjonction *y*.

y [i] *conj.* Et.

ya [j(dʒ)a] *adv. 1* Déjà: — *ha llegado,* il est déjà arrivé. *2* Maintenant (ahora). *3* Enfin (por fin), voici, voilà: — *hemos llegado,* nous voici arrivés. ▲ S'emploie souvent pour confirmer, pour renforcer l'idée exprimée par le verbe: *ya* peut alors se traduire par *bien* ou ne se traduit pas: — *lo ves,* tu le vois bien; — *vengo,* j'arrive. ■ *4 conj.* Tantôt... tantôt, soit... soit: — *llora,* — *ríe,* tantôt il pleure, tantôt il rit. *5 loc. conj.* — *que,* puisque.

yacente [j(dʒ)aθénte] *adj.* Gisant, ante.

yacer [j(dʒ)aθér] *intr.* Gésir: *aquí yace,* ci-gît. ▲ CONJUG. IRRÉG. INDIC. Prés.: *yazco, yazgo* ou *yago, yaces, yace, yacemos, yacéis, yacen.* SUBJ. Prés.: *yazca, yazga* ou *yaga, yazgas, yazgas* ou *yagas, yazca, yazca* ou *yaga, yazcamos, yazgamos* ou *yagamos, yazcáis, yazgáis* ou *yagáis, yazcan, yazgan* ou *yagan.* IMPÉR.: *yace* ou *yaz, yazca, yazga* ou *yaga, yazcamos, yazgamos* ou *yagamos, yaced, yazcan, yazgan* ou *yagan.* Les autres temps sont réguliers.

yacimiento [j(dʒ)aθimjénto] *m.* Gisement.

yanki [j(dʒ)áŋki] *adj.-s.* Yankee.

yate [j(dʒ)áte] *m.* Yacht.

yegua [j(dʒ)éɣwa] *f.* Jument.

yema [j(dʒ)éma] *f. 1* BOT. Bourgeon *m. 2* Jaune *m.* d'œuf (del huevo). *3* Confiserie au jaune d'œuf (dulce). *4* Bout *m.* (del dedo). *5* Le meilleur *m.*

yen [j(dʒ)en] *m.* Yen.

yerno [j(dʒ)érno] *m.* Gendre.

yesca [j(dʒ)éska] *f.* Amadou *m.*

yesería [j(dʒ)esería] *f.* Plâtrière, plâtrerie (fábrica de yeso).

yesero [j(dʒ)eséro] *m.* Plâtrier.

yeso [j(dʒ)éso] *m. 1* MINER. Gypse, pierre *f.* à plâtre. *2* Plâtre (polvo, escultura).

yeyuno [j(dʒ)ejúno] *m.* ANAT. Jéjunum.

yo [j(dʒ)o] *pron. pers. 1* Je (forma átona): — *soy,* je suis. *2* Moi (forma tónica): *tú y* —, toi et moi.

yodo [j(dʒ)óðo] *m.* Iode.

yoduro [j(dʒ)oðúro] *m.* Iodure.

yoga [j(dʒ)óɣa] *m.* Yoga.

yogurt [j(dʒ)óyurt] *m.* Yoghourt, yaourt.

yuca [j(dʒ)úka] *f.* Yucca *m.*

yugo [j(dʒ)úɣo] *m. 1* Joug. *2* Sommier (de una campana). *3* Poêle (velo).

yugular [j(dʒ)uɣulár] *adj.-f.* ANAT. Jugulaire.

yugular [j(dʒ)uɣulár] *tr.* Juguler.

yunque [j(dʒ)úŋke] *m.* Enclume *f.*

yunta [j(dʒ)únta] *f.* Paire de bœufs, de mules, etc.

yute [j(dʒ)úte] *m.* Jute.

yuxtaponer [j(dʒ)ustaponér] *tr.* Juxtaposer. ▲ CONJUG. comme *poner.*

yuxtaposición [j(dʒ)ustaposiθjón] *f.* Juxtaposition.

Z

z [θéta] *f.* Z *m.*

zafar [θafár] *tr.* 1 Orner, garnir. 2 MAR. Dégager. ■ *3 pr.* Se sauver (escaparse). 4 S'esquiver, se dérober (eludir).

zafarrancho [θafařántʃo] *m.* 1 MAR. Branle-bas: — *de combate,* branle-bas de combat. 2 Dispute *f.* bagarre *f.* (riña).

zafiro [θafiro] *m.* Saphir.

zafra [θáfra] *f.* 1 Récolte de la canne à sucre (cosecha). 2 Bidon *m.* à huile.

zaga [θáγa] *f.* 1 Arrière *m.,* derrière *m.* (parte posterior). 2 Charge sur l'arrière d'une voiture.

zagal [θaγál] *m.* 1 Garçon, gars. 2 Jeune berger (pastor).

zaguán [θaγwán] *m.* Entrée *f.,* vestibule.

zahorí [θaori] *m.* 1 Sourcier (de agua subterránea). 2 Devin.

zaíno, -na [θaino, -na] *adj.* 1 Traître. 2 Châtain foncé (caballo).

zalamería [θalameria] *f.* Cajolerie.

zalamero, -ra [θalaméro, -ra] *adj.-s.* Cajoleur, euse.

zamarra [θamářa] *f.* Peau de mouton.

zamarrear [θamařeár] *tr.* 1 Secouer (sacudir). 2 fig. Malmener, houspiller.

zambo, -ba [θámbo, -ba] *adj.-s.* 1 Cagneux, euse. ■ *2 m.* Papion (mono).

zambomba [θambómba] *f.* 1 MÚS. Instrument *m.* rustique à membrane frottée, de forme cylindrique. *2 interj.* Sapristi!

zambra [θámbra] *f.* Fête mauresque ou gitane.

zambullida [θambuʎíða], **zambullidura** [θambuʎíðura] *f.,* **zambullimiento** [θambuʎimjénto] *m.* Plongeon *m.*

zambullir [θambuʎír] *tr.* Plonger.

zampar [θampár] *tr.* 1 Fourrer. 2 Avaler, engloutir (comer). ■ *3 pr.* Se fourrer, entrer soudainement.

zampatortas [θampatórtas] *s.* Glouton, onne, goinfre.

zampoña [θampóɲa] *f.* 1 MÚS. Chalumeau *m.* 2 Flûte de Pan.

zanahoria [θanaórja] *f.* Carotte.

zancada [θaŋkáða] *f.* Enjambée, grand pas *m.*

zancadilla [θaŋkaðíʎa] *f.* Croc-en-jambe *m.,* croche-pied *m.: echar, poner la —,* faire un croc-en-jambe.

zanco [θáŋko] *m.* Échasse *f.*

zancudo, -da [θaŋkùðo, -ða] *adj.* 1 À longues jambes. ■ *2 f. pl.* Échassiers *m.* (aves).

zángano [θáŋgano] *m.* 1 Faux bourdon (insecto). 2 fig. Fainéant.

zanguango, -ga [θaŋgwáŋgo, -ga] *adj.-s.* Fainéant, ante, flemmard, arde.

zanja [θáŋxa] *f.* Tranchée, fossé *m.*

zanjar [θaŋxár] *tr.* 1 Creuser des fossés dans. 2 fig. Trancher (una dificultad), régler (un problema), aplanir (un obstáculo).

zapateado [θapateáðo] *m.* Zapateado, danse espagnole au rythme vif marqué par de rapides coups de talon sur le sol.

zapatear [θapateár] *tr.* 1 Frapper du pied. 2 fig. Malmener. ■ *3 intr.* Accompagner un air musical en frappant le sol du pied et en battant des mains. 4 MAR. Claquer (las velas).

zapatería [θapateria] *f.* 1 Cordonnerie. 2 Boutique de chaussures.

zapatero, -ra [θapatéro, -ra] *s.* Cordonnier, ière.

zapatilla [θapatíʎa] *f.* 1 Pantoufle, chausson *m.* 2 Chausson *m.* (de baile).

zapato [θapáto] *m.* Chaussure *f.,* soulier.

¡zape! [θápe] *interj.* Ouste!, mot pour chasser les chats.

zar [θar] *m.* Tsar.

zarabanda [θarabánda] *f.* 1 Sarabande. 2 fig. Tintamarre *m.*

zaranda [θaránda] *f.* Crible.

zarandear [θarandeár] *1 pr.* Se démener (ajetrearse). 2 Se dandiner, se trémousser (contonearse).

zarco, -ca [θárko, -ka] *adj*. Bleu clair: *ojos zarcos,* yeux bleu clair.

zarina [θarína] *f*. Tsarine.

zarpa [θárpa] *f*. *1* MAR. Action de lever l'ancre. *2* Patte armée de griffes (del león, etc.).

zarpada [θarpáða] *f*. Coup *m*. de griffe.

zarpar [θarpár] *intr*. MAR. Lever l'ancre, partir.

zarpazo [θarpáθo] *m*. Coup de griffe.

zarrapastroso, -sa [θařapastróso, -sa] *adj.-s*. Malpropre, déguenillé, ée.

zarzal [θarθál] *m*. Roncier, roncière *f*.

zarzamora [θarθamóra] *f*. *1* Mûre sauvage, mûron *m*. *2* Ronce (zarza).

zarzo [θárθo] *m*. Claie *f*. de roseaux.

zarzuela [θarθwéla] *f*. Zarzuela, pièce du théâtre lyrique espagnol où la déclamation alterne avec le chant.

¡zas! [θas] *interj*. Vlan!

zenit [θénit] *m*. Zénith.

zepelín [θepelín] *m*. Zeppelin.

zigzag [θiɣθáɣ] *m*. *1* Zigzag. *2* Lacet (de una carretera).

zigzaguear [θiɣθaɣeár] *intr*. Zigzaguer.

zinc [θiŋk] *m*. Zinc (metal).

¡zis!, ¡zas! [θis θas] onomat. Pif!, paf!

zócalo [θókalo] *m*. *1* ARQ. Soubassement (de un edificio). *2* Socle (del pedestal). *3* Plinthe *f*. (friso).

zodiacal [θoðjakál] *adj*. Zodiacal, ale.

zodíaco [θoðíako] *m*. Zodiaque.

zona [θóna] *f*. *1* Zone. Loc. — *verde,* espace vert. *2* MED. Zona *m*.

zonzo, -za [θónθo, -θa] *adj*. amer. Bête (tonto).

zoología [θooloxía] *f*. Zoologie.

zoológico, -ca [θoolóxiko, -ka] *adj*. Zoologique.

zopo, -pa [θópo, -pa] *adj*. *1* Contrefait, aite. *2* Qui a les mains ou les pieds contrefaits. *3* — *de un pie,* pied-bot.

zorra [θóřa] *f*. *1* Renard *m*. (macho), renarde (hembra). *2* fig. Personne rusée, fin renard *m*. (persona astuta). *3* fig. fam. Prostituée, grue. *4* Cuite (borrachera).

zorrero, -ra [θořéro, -ra] *adj.-s*. *1* Perro —, fox. ■ *2 adj*. Rusé, ée, astucieux, euse.

zorro [θóřo] *m*. *1* Renard mâle. *2* fig. Fin renard (hombre). ■ *3 pl*. Époussette *f*. *sing*. (para sacudir el polvo).

zorzal [θorθál] *m*. Litorne *f*.

zozobra [θoθóβra] *f*. MAR. Action de sombrer, naufrage *m*.

zozobrar [θoθoβrár] *intr*. *1* MAR. Être en danger, chavirer (volcarse). *2* MAR. Couler, sombrer (irse a pique).

zueco [θwéko] *m*. *1* Sabot (de madera). *2* Galoche *f*. (cuero y madera).

zulú [θulú] *adj.-s*. *1* Zoulou. *2* fig. Sauvage.

zumba [θúmba] *f*. *1* Grande sonnaille. *2* fig. Raillerie, taquinerie.

zumbar [θumbár] *intr*. *1* Bourdonner (un insecto, etc.), ronfler, vrombir (un motor). Loc. fam. *Ir zumbando,* filer, aller à toute vitesse. *2* Bourdonner, corner, tinter: *me zumban los oídos,* mes oreilles bourdonnent. ■ *3 pr*. Se moquer de.

zumbido [θumbíðo] *m*. Bourdonnement (insectos, etc.), ronflement, vrombissement (motor).

zumo [θúmo] *m*. *1* Jus: — *de naranja,* jus d'orange. *2* Suc (de ciertas plantas).

zuncho [θúntʃo] *m*. Frette *f*.

zurcido [θurθíðo] *m*. *1* Reprisage, raccommodage (acción de zurcir). *2* Reprise *f*. (costura).

zurcir [θurθír] *tr*. *1* Repriser, raccomoder, ravauder. *2* fig. Unir.

zurdo, -da [θúrðo, -ða] *adj*. *1* Gauche: *mano zurda,* main gauche. ■ *2 adj.-s*. Gaucher, ère.

zurra [θúřa] *f*. *1* Corroyage *m*. (de las pieles). *2* fam. Raclée (paliza).

zurrador [θuřaðór] *m*. Corroyeur.

zurrar [θuřár] *tr*. *1* Corroyer (las pieles). *2* fig. Battre, rosser (dar golpes).

zurrón [θuřón] *m*. *1* Gibecière *f*., panetière *f*. (de pastor), sac de cuir. *2* Écorce *f*. de certains fruits.

Imprimé en France – IMPRIMERIE HÉRISSEY, ÉVREUX (Eure) – Nº 67583
Dépôt légal : 5417-01/95 - Collection nº 76 - Édition : nº 04
16/6540/5

AMÉRIQUE LATINE